마플 내신대비 문제집

MAPL SYNERGY SERIES
YOUR MASTER PLAN
www.mapl.co.kr

Your master plan.

mapl 마플시너지
수학 I

KB122680

SYNERGY

1845Q

MAPL
SYNERGY

MAPL**SYNERGY**SERIES

내신1등급기초유형문제집

임정선 편저

마플시너지
내신문제집
MAPL SYNERGY SERIES

내신과 수능, 당신의 1등급이 우리의 철학. 마플!

강력한 개념이 끝나면 이젠 문제풀이다!
학교 교과서를 유형별 단원별로 정리한 학교 내신의 완벽한 대비서
내신 1등급의 필독서!

마플
시너지
내신문제집
MAPL SYNERGY SERIES

수학 I

1845Q

최다 빈출 문제로 이루어진 내신연계기출

0685Q

도움을 주신 분들
정영필 김민석 강승혁 이승효 김성진 서혜원

내신 일등급을 위한 최고의 교재

마플시너지

수학 I

마플시너지 내신문제집 수학 I

ISBN : 978-89-94845-66-1 (53410)

발행일 : 2019년 3월 11일(1판 1쇄)

인쇄일 : 2024년 10월 31일

판/쇄 : 1판 20쇄

펴낸곳
희망에듀출판부 (Heemang Institute, inc. Publishing dept.)

펴낸이
임정선

주소 경기도 부천시 석천로 174 하성빌딩
[174, Seokcheon-ro, Bucheon-si, Gyeanggi-do, Republic of Korea]

교재 오류 및 문의
mapl@heemangedu.co.kr

희망에듀 홈페이지
http://www.heemangedu.co.kr

마플교재 인터넷 구입처
http://www.mapl.co.kr

교재 구입 문의
오성서적
Tel 032) 653-6653
Fax 032) 655-4761

핵심단권화 수학개념서

마플교과서 시리즈

내신 1등급 완성

마플시너지 시리즈

수능에 강하다!
MAPL
THE BANK
마플총정리 시리즈

YOUR MASTER PLAN

MAPL SYNERGY'S PHILOSOPHY

예술작품, 건축물, 자동차...
하다 못해 우리가 매일 쓰는 밥숟가락까지
인간이 만드는 모든 물건에는
그것을 만든 이의 '철학'이 깃들어야합니다

당 신 의

일 등 급 이

이 교 재 의

철 학

입 니 다 Σ

목차

CONTENTS

mapl YOUR MASTER PLAN
SYNERGY
마플시너지 **수학1**

Ⅲ 수열

내신 1등급
단원별 모의평가

내신대비 복습용 문항 다운로드 안내

내신연계 출제문항 다운로드
마플 시너지를 다시 한 번 정리할 수 있도록 해설에 수록된 '내신연계 출제문항'을
별도의 시험지 형태로 정리한 파일을 다운로드 해서 사용할 수 있습니다.

**복습용 자료는 언제든
다운로드 가능합니다**
마플북스 www.mapl.co.kr
자료실 또는 학습자료실

GUIDE

마플시너지의 구성과 특징

마플 시너지 시리즈는 모든 교과서의 내신문제를 총 망라하여
출제될 수 있는 문제를 유형별로 정리한 교재입니다.

내 신 일 등 급 을
반 드 시 만 드 는
신 개 념 내 신 문 제 집
마 플 시 너 지

시너지의 흐름

꼭 풀어야하는 핵심 기출유형과 서술형, 일등급 완성에 빠져서는 안될 최고난도 문제,
그리고 실전 모의평가로 이어지는 마플시너지 내신문제집의 흐름을 충실히 따라가다
보면 어느새 1등급!

최다빈출 왕중요
1845Q

– 내신정복 기출유형
– 서술형 기출유형
– 행복한 일등급 문제
출제율 100%우수 대표문제

내신연계 출제문항
0685Q

한 단계 UP된
실제 반복 출제되는
우수문항

실전!
단원별
모의평가

새로운
교과과정에 맞춘
실전 모의고사

단원별
각 4회
총 12회

내신
1등급
완성

해설에 있는 내신연계 출제문항은 별도의 PDF문서를
마플북스(www.mapl.co.kr)의 자료실에서 다운로드
하실 수 있습니다.

구성과 특징 ❶

단계별 구성

학 교 내 신 일 등 급 만 들 기
마 플 시 너 지
단 계 별 학 습 프 로 젝 트

mapl YOUR MASTER PLAN
SYNERGY'S
GUIDE

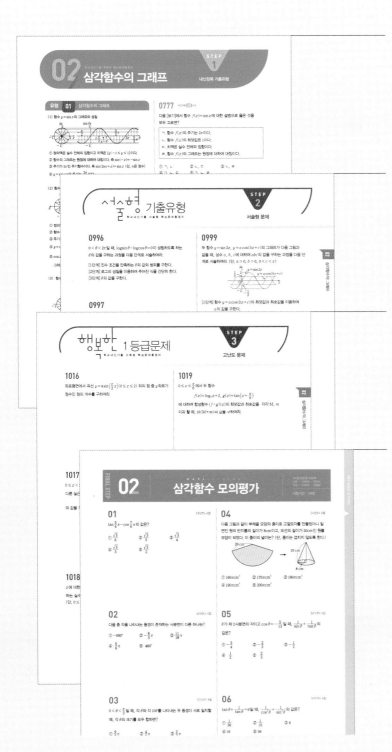

STEP1 내신정복 기출유형

학교 교과서에서 자주 출제되는 핵심 객관식
기출 유형
학교 내신을 준비하는 학생들을 위해 각
개념별로 엄선한 출제율이 높은 우수 기출
유형으로 변별력 있는 신경향 문제로 구성
하였습니다.

STEP2 서술형 기출유형

단계별로 출제되는 서술형 기출 유형
서술형은 풀이 과정이 하나라도 누락이 되면
감점되기 때문에 출제의도를 파악하고 답안
을 작성해보는 연습을 위해 단계별로 서술하
여 서술형 대비에 완벽을 기했습니다.

STEP3 행복한 일등급 문제

1등급을 위한 최고의 변별력 기출 유형
1등급 발목을 잡는 두 가지 이상의 복잡한
개념과 문제 해결과정이 복잡한 문제를
대비해 내신 고득점 달성 및 수능 실력 쌓기
알맞은 교과서 고난도 문제 등 다양한 HOT
한 유형을 수록하여 구성했습니다.

FINAL STEP 단원별 모의평가

학교 교과서 내용을 바탕으로 실전적 연습을
통하여 제한시간(50분)에 중간고사 및 기말
고사를 미리 연습하는 문제로 구성했습니다.

학교내신일등급을
완성하는
마플시너지
입체적인구성

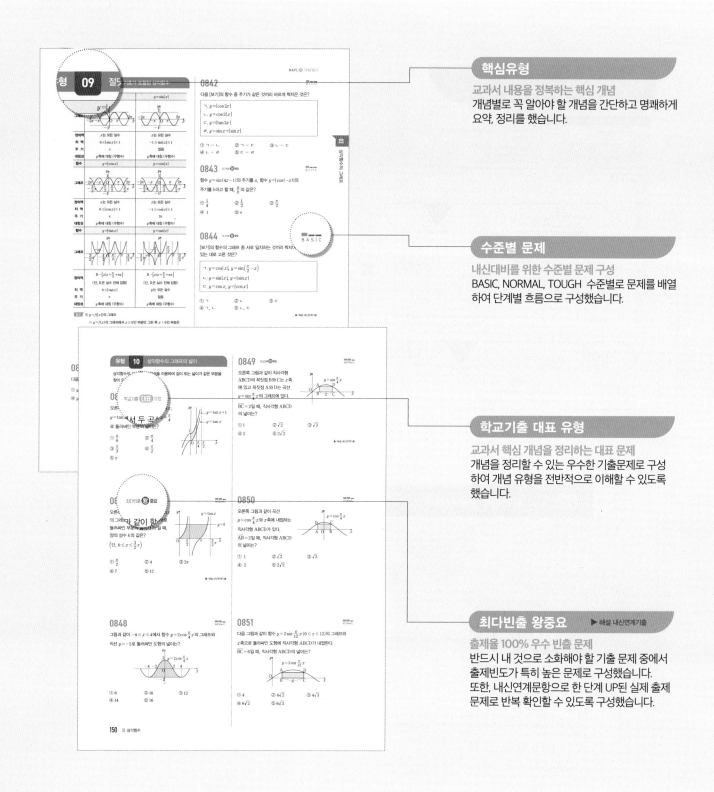

핵심유형

교과서 내용을 정복하는 핵심 개념
개념별로 꼭 알아야 할 개념을 간단하고 명쾌하게
요약, 정리를 했습니다.

수준별 문제

내신대비를 위한 수준별 문제 구성
BASIC, NORMAL, TOUGH 수준별로 문제를 배열
하여 단계별 흐름으로 구성했습니다.

학교기출 대표 유형

교과서 핵심 개념을 정리하는 대표 문제
개념을 정리할 수 있는 우수한 기출문제로 구성
하여 개념 유형을 전반적으로 이해할 수 있도록
했습니다.

최다빈출 왕중요   ▶ 해설 내신연계기출

출제율 100% 우수 빈출 문제
반드시 내 것으로 소화해야 할 기출 문제 중에서
출제빈도가 특히 높은 문제로 구성했습니다.
또한, 내신연계문항으로 한 단계 UP된 실제 출제
문제로 반복 확인할 수 있도록 구성했습니다.

구성과 특징 ❸

정답과 해설

학 교 내 신 일 등 급 을
견 인 하 는
마 플 시 너 지
입 체 적 인 해 설

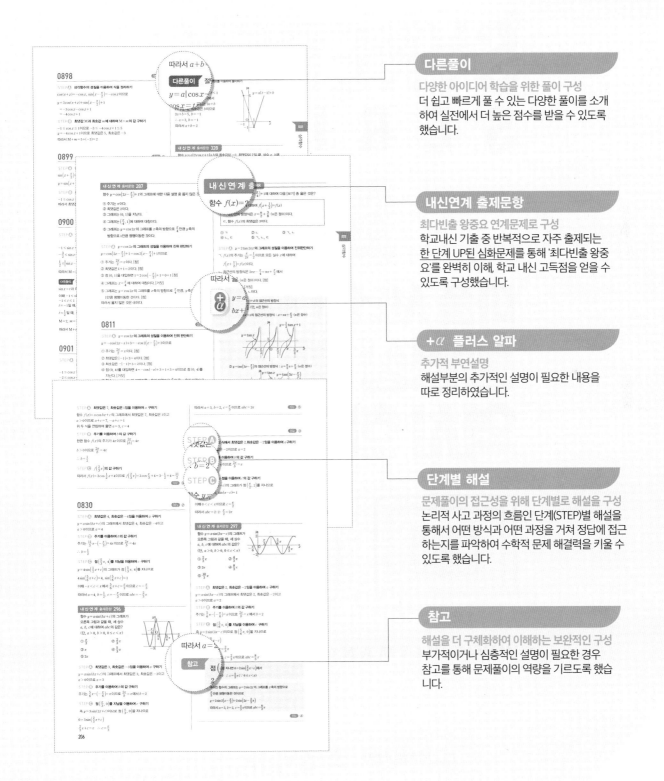

다른풀이

다양한 아이디어 학습을 위한 풀이 구성
더 쉽고 빠르게 풀 수 있는 다양한 풀이를 소개
하여 실전에서 더 높은 점수를 받을 수 있도록
했습니다.

내신연계 출제문항

최다빈출 왕중요 연계문제로 구성
학교내신 기출 중 반복적으로 자주 출제되는
한 단계 UP된 심화문제를 통해 '최다빈출 왕중
요'를 완벽히 이해, 학교 내신 고득점을 얻을 수
있도록 구성했습니다.

+α 플러스 알파

추가적 부연설명
해설부분의 추가적인 설명이 필요한 내용을
따로 정리하였습니다.

단계별 해설

문제풀이의 접근성을 위해 단계별로 해설을 구성
논리적 사고 과정의 흐름인 단계(STEP)별 해설을
통해서 어떤 방식과 어떤 과정을 거쳐 정답에 접근
하는지를 파악하여 수학적 문제 해결력을 키울 수
있도록 했습니다.

참고

해설을 더 구체화하여 이해하는 보완적인 구성
부가적이거나 심층적인 설명이 필요한 경우
참고를 통해 문제풀이의 역량을 기르도록 했습
니다.

mapl

SYNERGY

YOUR MASTER PLAN

I

지수함수와
로그함수

01 지수

유형 01 거듭제곱근의 정의

① a의 n제곱근 : n제곱하여 a가 되는 수

즉 $x^n = a$를 만족하는 x를 a의 n제곱근이라 한다.

주의 실수 a의 n제곱근은 복소수의 범위에서 n개가 있음이 알려져 있다.

② 이 중에서 실수인 것을 n제곱근 a라 하고 기호로 $\sqrt[n]{a}$로 쓴다.

③ n이 2 이상의 정수일 때, 실수 a의 n제곱근 중 실수인 것은 다음과 같다.

a \ n	$a > 0$	$a = 0$	$a < 0$
n이 짝수	$\sqrt[n]{a}$, $-\sqrt[n]{a}$	0	없다.
n이 홀수	$\sqrt[n]{a}$	0	$\sqrt[n]{a}$

0001 학교기출 대표유형

다음 [보기]에서 옳은 것만을 있는 대로 고른 것은?

> ㄱ. 8의 세제곱근은 2이다.
> ㄴ. 세제곱근 8은 2이다.
> ㄷ. -16의 네제곱근 중에서 실수인 것은 존재하지 않는다.

① ㄱ   ② ㄴ   ③ ㄷ
④ ㄴ, ㄷ   ⑤ ㄱ, ㄴ, ㄷ

0002 BASIC

다음 [보기]에서 옳은 것만을 있는 대로 고른 것은?

> ㄱ. -1의 세제곱근은 -1이다.
> ㄴ. 1의 네제곱근 중에서 실수인 것은 1뿐이다.
> ㄷ. 세제곱근 -8은 -2이다.

① ㄱ   ② ㄴ   ③ ㄷ
④ ㄴ, ㄷ   ⑤ ㄱ, ㄴ, ㄷ

0003 BASIC

거듭제곱근에 관한 [보기]의 설명 중 옳은 것의 개수는?

> ㄱ. 0의 제곱근은 0이다.
> ㄴ. -27의 세제곱근은 -3뿐이다.
> ㄷ. 16의 네제곱근 중에서 실수인 것은 ± 2이다.
> ㄹ. -81의 네제곱근 중 실수인 것은 -3이다.
> ㅁ. -64의 여섯제곱근 중 실수인 것은 반드시 존재한다.

① 1   ② 2   ③ 3
④ 4   ⑤ 5

0004 BASIC

다음 중 옳은 것은?

① 81의 네제곱근 중 실수인 것은 -3 또는 3이다.
② 27의 세제곱근 중 실수인 것은 2개이다.
③ 25의 제곱근은 5이다.
④ -8의 세제곱근 중 실수인 것은 없다.
⑤ 4의 네제곱근 중 실수인 것은 $\sqrt{2}$이다.

0005 최다빈출 왕중요 BASIC

다음 중에서 옳은 것은?

① -64의 세제곱근은 -4뿐이다.
② 25의 네제곱근 중에서 실수 인 것은 $\sqrt{5}$이다.
③ 0의 제곱근은 없다.
④ n이 짝수일 때, 5의 n제곱근 중에서 실수인 것은 2개이다.
⑤ n이 홀수일 때, -5의 n제곱근 중에서 실수인 것은 없다.

▶ 해설 내신연계기출

0006 BASIC

다음 설명 중 옳지 않은 것은? (단, a는 실수이고 k는 자연수이다.)

① $a < 0$일 때, $\sqrt[4]{a^4} = -a$이다.
② 세제곱근 64는 4이다.
③ $x^{2k} = a$인 실수 x는 2개이다.
④ $x^{2k+1} = a$인 실수 x는 1개이다.
⑤ 16의 네제곱근 중 실수인 것은 ± 2이다.

0007 최다빈출 왕중요 BASIC

-27의 세제곱근 중 실수인 것의 개수를 a, 16의 네제곱근 중 실수인 것의 개수를 b, 81의 여섯제곱근의 개수를 c라고 할 때, $a + b + c$의 값은?

① 5   ② 6   ③ 7
④ 8   ⑤ 9

▶ 해설 내신연계기출

0008

-8의 세제곱근 중에서 실수인 것을 a, 81의 네제곱근 중에서 음수인 것을 b라고 할 때, ab의 값은?

① -18 ② -6 ③ 6
④ 12 ⑤ 18

0009 최다빈출 🅐 중요

$\sqrt{2}$의 세제곱근 중에서 실수인 것을 a, $\sqrt[3]{4}$의 네제곱근 중에서 양수인 것을 b라 할 때, $a+b=2^k$을 만족하는 상수 k의 값은?

① $\dfrac{1}{6}$ ② $\dfrac{1}{3}$ ③ $\dfrac{1}{2}$
④ $\dfrac{2}{3}$ ⑤ $\dfrac{7}{6}$

▶ 해설 내신연계기출

0010 최다빈출 🅐 중요

a는 8의 5제곱근 중 실수이고 b는 4의 4제곱근 중 양수일 때, $\log_a b$의 값은?

① $\dfrac{1}{6}$ ② $\dfrac{1}{3}$ ③ $\dfrac{1}{2}$
④ $\dfrac{2}{3}$ ⑤ $\dfrac{5}{6}$

▶ 해설 내신연계기출

0011 최다빈출 🅐 중요

2보다 큰 자연수 n에 대하여 $(-5)^{n-1}$의 n제곱근 중 실수인 것의 개수를 a_n이라 할 때, $a_3+a_4+a_5+\cdots+a_{100}$의 값은?

① 24 ② 33 ③ 39
④ 49 ⑤ 50

▶ 해설 내신연계기출

0012

자연수 $n(n \geq 2)$에 대하여 실수 a의 n제곱근 중에서 실수인 것의 개수를 $f_n(a)$라 할 때, $f_2(-3)+f_3(-2)+f_4(5)$의 값은?

① 1 ② 2 ③ 3
④ 4 ⑤ 5

0013 최다빈출 🅐 중요

10 이하의 자연수 n에 대하여 $n-4$의 제곱근 중 실수인 것의 개수를 $f(n)$, $n-4$의 다섯 제곱근 중 실수인 것의 개수를 $g(n)$이라 하자. $f(n)+g(n)=3$을 만족시키는 10 이하의 자연수 n의 개수는?

① 3 ② 4 ③ 5
④ 6 ⑤ 7

▶ 해설 내신연계기출

0014

임의의 실수 x와 $n \geq 2$인 자연수 n에 대하여 x의 n제곱근 중에서 실수인 것의 개수를 $f(n, x)$라 할 때, [보기]에서 옳은 것만을 있는 대로 고른 것은?

ㄱ. $f(3, -64)=1$
ㄴ. $f(4, 81)+f(4, -16)+f(5, 32)=3$
ㄷ. 임의의 실수 a, b에 대하여 $a < b$이면 $f(4, a) \leq f(4, b)$

① ㄱ ② ㄴ ③ ㄱ, ㄷ
④ ㄴ, ㄷ ⑤ ㄱ, ㄴ, ㄷ

근호 안의 수를 소인수 분해한 후, 거듭제곱근의 성질을 이용한다.
m, n이 2 이상인 정수이고 $a>0$, $b>0$일 때,

① $\sqrt[n]{a}\sqrt[n]{b}=\sqrt[n]{ab}$ ② $\dfrac{\sqrt[n]{a}}{\sqrt[n]{b}}=\sqrt[n]{\dfrac{a}{b}}$

③ $(\sqrt[n]{a})^m=\sqrt[n]{a^m}$ ④ $\sqrt[m]{\sqrt[n]{a}}=\sqrt[mn]{a}=\sqrt[n]{\sqrt[m]{a}}$

⑤ $\sqrt[np]{a^{mp}}=\sqrt[n]{a^m}$ (단, p는 자연수)

0015   학교기출 **대표** 유형

$\sqrt[4]{27}\times\sqrt[4]{3}+\dfrac{\sqrt[5]{96}}{\sqrt[5]{3}}$ 의 값은?

① 1   ② 2   ③ 3
④ 4   ⑤ 5

0016   BASIC

$\sqrt[3]{-125}+\sqrt{\sqrt[3]{64}}$ 를 간단히 하면?

① -5 ② -3 ③ 0
④ 2   ⑤ 4

0017   BASIC

$\sqrt[4]{25^2}+(\sqrt[3]{5})^3+\sqrt[3]{5^6}-\sqrt[4]{(-5)^4}$ 의 값은?

① 20   ② 25   ③ 30
④ 35   ⑤ 40

0018   최다빈출 **양** 중요   BASIC

다음 중 옳지 않은 것은?

① $(\sqrt[4]{4})^2=2$ ② $\dfrac{\sqrt[3]{20}}{\sqrt[3]{5}}=\sqrt[3]{4}$

③ $\sqrt[3]{2}\times\sqrt[5]{2}=\sqrt[15]{2}$ ④ $\sqrt[3]{\sqrt{2}}=\sqrt[6]{2}$

⑤ $\sqrt[4]{125}\times\sqrt{\sqrt{5}}=5$

▶ 해설 내신연계기출

0019   NORMAL

다음 [보기]에서 옳은 것만을 있는 대로 고른 것은?

> ㄱ. $\sqrt[3]{-8}+\sqrt[3]{2}\times\sqrt[3]{4}+\sqrt{\sqrt[3]{64}}=2$
> ㄴ. $\sqrt[6]{27}\times\sqrt[12]{9}\div\sqrt[6]{81}=1$
> ㄷ. $\sqrt[3]{8^2}\times\sqrt{9^{-3}}\div\sqrt{\sqrt{81^{-3}}}=4$

① ㄱ   ② ㄴ   ③ ㄷ
④ ㄴ, ㄷ   ⑤ ㄱ, ㄴ, ㄷ

0020   최다빈출 **양** 중요   NORMAL

$\sqrt[3]{a}=4$, $\sqrt[4]{b}=27$일 때, $\sqrt[6]{a\sqrt{b}}$ 의 값은?

① $6^{\frac{1}{6}}$ ② $6^{\frac{1}{3}}$ ③ $6^{\frac{1}{2}}$
④ $6^{\frac{2}{3}}$ ⑤ 6

▶ 해설 내신연계기출

0021   NORMAL

2보다 큰 자연수 a와 양수 b에 대하여 $\mathrm{R}(a, b)$를

$$\mathrm{R}(a, b)=\sqrt[a]{b}$$

로 정의할 때, [보기]에서 옳은 것은?

> ㄱ. $\mathrm{R}(6, 3)=\mathrm{R}(3, \sqrt{3})$
> ㄴ. $\mathrm{R}(3, a)\mathrm{R}(3, b)=\mathrm{R}(3, ab)$
> ㄷ. $\mathrm{R}(a, a)=\mathrm{R}(3a, 64)$이면 $a=4$이다.
> ㄹ. $\mathrm{R}(a, \mathrm{R}(a, b))=\mathrm{R}(a^2, b)$

① ㄴ   ② ㄴ, ㄷ   ③ ㄱ, ㄴ, ㄷ
④ ㄴ, ㄷ, ㄹ   ⑤ ㄱ, ㄴ, ㄷ, ㄹ

유형 03 지수의 확장

(1) $a \neq 0$이고 n이 양의 정수일 때,

$$a^0 = 1, \quad a^{-n} = \frac{1}{a^n}$$

(2) $a > 0$이고 m, $n(n \geq 2)$이 정수일 때,

$$a^{\frac{m}{n}} = \sqrt[n]{a^m}, \quad a^{\frac{1}{n}} = \sqrt[n]{a}$$

(3) $a > 0$, $b > 0$이고 m, n이 실수일 때, 다음과 같은 지수법칙이 성립한다.

① $a^m a^n = a^{m+n}$ ② $a^m \div a^n = a^{m-n}$

③ $(a^m)^n = a^{mn}$ ④ $(ab)^n = a^n b^n$

⑤ $\left(\dfrac{b}{a}\right)^n = \dfrac{b^n}{a^n}$

0022 학교기출 대표유형

지수법칙을 적용할 때, 다음과 같이 지수의 범위에 따른 밑의 조건을 바르게 연결한 것은?

a^x	지수 x의 범위	자연수	정수	유리수	실수
	밑 a의 조건	(가)	(나)	(다)	(라)

	(가)	(나)	(다)	(라)
①	실수	$a > 0$	$a > 0$	$a \neq 0$
②	실수	$a > 0$	$a \neq 0$	$a \neq 0$
③	실수	$a \neq 0$	$a > 0$	$a > 0$
④	실수	$a \neq 0$	$a \neq 0$	$a > 0$
⑤	실수	$a \neq 0$	$a \neq 0$	$a \geq 0$

0023 BASIC

$8^{-\frac{3}{2}} \times 4^{\frac{5}{4}}$의 값은?

① $\dfrac{1}{4}$ ② $\dfrac{1}{2}$ ③ 1

④ 2 ⑤ 4

0024 최다빈출 왕중요 BASIC

다음 중 옳지 않은 것은?

① $2^0 \times 9^{\frac{1}{2}} = 3$ ② $4^{\frac{3}{2}} \times 4^{-1} = 2$ ③ $4^{\frac{3}{2}} \times 27^{\frac{1}{3}} = 24$

④ $\sqrt[3]{2} \times 16^{\frac{2}{3}} = 8$ ⑤ $\{(-5)^2\}^{\frac{1}{2}} = -5$

▶ 해설 내신연계기출

0025 최다빈출 왕중요 NORMAL

3의 5제곱근 중 실수인 것을 a라고 할 때,

$\left(a^{-\frac{\sqrt{2}}{4}}\right)^{\frac{\sqrt{2}}{2}} \div a^{\frac{1}{4}} \times a^3$의 값은?

① $\sqrt{3}$ ② 3 ③ $3\sqrt{3}$

④ 9 ⑤ $9\sqrt{3}$

▶ 해설 내신연계기출

0026 최다빈출 왕중요 NORMAL

다음 조건을 만족하는 상수 a, b, c에 대하여 abc의 값은?

$$a = \sqrt[3]{32} \times \sqrt[3]{54}$$
$$b = 8^{\frac{5}{3}} \times 27^{-\frac{5}{3}}$$
$$c = \left\{\left(\frac{4}{9}\right)^{-\frac{2}{3}}\right\}^{\frac{9}{4}}$$

① 3 ② 4 ③ 5

④ $\dfrac{16}{3}$ ⑤ 9

▶ 해설 내신연계기출

0027 NORMAL

두 실수 x, y에 대하여

$$3 \times 2^{x+1} - 5 \times 2^x = 4, \quad 4^y - 2 \times 4^{y-1} = 1$$

일 때, 4^{x-y}의 값은?

① 4 ② 8 ③ 16

④ 32 ⑤ 50

0028 최다빈출 ❸중요

NORMAL

이차방정식 $x^2+5x+1=0$의 두 근을 각각 α, β라 할 때, $\dfrac{(2\cdot 2^\alpha)^\beta}{2^\alpha\cdot 4^\beta}$의 값은?

① 8 　　　　② 16 　　　　③ 32

④ 64 　　　　⑤ 128

▶ 해설 내신연계기출

0029 최다빈출 ❸중요

NORMAL

실수 a, b, c에 대하여
$$a^2+b^2+c^2=12, \quad a+b+c=\sqrt{10}$$
일 때, $(2^a)^{b+c}\times(2^b)^{c+a}\times(2^c)^{a+b}$의 값은?

① $\dfrac{1}{8}$ 　　　　② $\dfrac{1}{4}$ 　　　　③ $\dfrac{1}{2}$

④ 2 　　　　⑤ 4

▶ 해설 내신연계기출

0030 최다빈출 ❸중요

TOUGH

자연수 n에 대하여
$$a_n=2^{\frac{1}{n(n+1)}}$$
일 때, $a_1\times a_2\times a_3\times\cdots\times a_{50}=2^{\frac{p}{q}}$을 만족하는 p, q에 대하여 $p+q$의 값은? (단, p, q는 서로소인 자연수)

① 50 　　　　② 51 　　　　③ 101

④ 103 　　　　⑤ 104

▶ 해설 내신연계기출

0031

TOUGH

자연수 n에 대하여
$$a_n=2^{\frac{1}{\sqrt{n+1}+\sqrt{n}}}$$
일 때, $a_1\times a_2\times a_3\times\cdots\times a_{48}=2^k$을 만족하는 자연수 k의 값은?

① 4 　　　　② 5 　　　　③ 6

④ 7 　　　　⑤ 8

유형 04 거듭제곱근을 유리수인 지수로 나타내기

일반적으로 거듭제곱근은 유리수 지수의 확장을 이용하여 거듭제곱으로 변형한 후 지수법칙을 이용하여 계산한다.
$a>0$이고 m, n이 2 이상의 정수일 때,

① $\sqrt[n]{a^m}=a^{\frac{m}{n}}$ 　　　　② $\sqrt[m]{\sqrt[n]{a}}=\sqrt[mn]{a}=a^{\frac{1}{mn}}$

0032 학교기출 대표유형

$\sqrt{3\sqrt[4]{27}}=3^{\frac{q}{p}}$일 때, $p+q$의 값은?
(단, p와 q는 서로소인 자연수이다.)

① 7 　　　　② 9 　　　　③ 11

④ 13 　　　　⑤ 15

0033 최다빈출 ❸중요

BASIC

$a>0$, $a\neq 1$인 실수 a에 대하여 등식
$$\sqrt{a\sqrt[3]{a^4}}=\sqrt[3]{a\sqrt{a^k}}$$
을 만족하는 자연수 k의 값은?

① 3 　　　　② 4 　　　　③ 5

④ 6 　　　　⑤ 7

▶ 해설 내신연계기출

0034

BASIC

$a>0$, $a\neq 1$일 때,
$$\sqrt[3]{a\sqrt{a}}\times\sqrt[4]{a^3\sqrt{a}}=a^k$$
을 만족하는 실수 k의 값은?

① $\dfrac{5}{6}$ 　　　　② $\dfrac{3}{2}$ 　　　　③ $\dfrac{4}{3}$

④ 2 　　　　⑤ 3

0035 최다빈출 왕중요 · NORMAL

$a > 1$일 때, 다음을 만족시키는 실수 k의 값은?

$$\sqrt[3]{a \times \sqrt{a} \times \sqrt[4]{a^3}} \div \sqrt[6]{a \times \sqrt[3]{a^k}} = 1$$

① $\dfrac{7}{2}$ ② $\dfrac{11}{2}$ ③ $\dfrac{15}{2}$

④ $\dfrac{17}{2}$ ⑤ $\dfrac{21}{2}$

▶ 해설 내신연계기출

0036 · NORMAL

$a > 0$, $b > 0$일 때,

$$\sqrt{\sqrt[3]{a^2 b^4}} \div \sqrt[3]{a^2 b^4} \times \sqrt[6]{a^8 b^4}$$

을 간단히 한 것은?

① a ② b ③ ab

④ $a^2 b$ ⑤ ab^2

0037 · NORMAL

$6^{\frac{1}{2}} \times 12^{-\frac{1}{4}} \div \sqrt[4]{\sqrt{\dfrac{1}{9}}}$ 을 간단히 하면?

① 1 ② $\sqrt{2}$ ③ $\sqrt{3}$

④ 2 ⑤ 3

0038 · NORMAL

$\sqrt{\sqrt{16^3}} \times 8^{-\frac{1}{3}} \div \left(64^{\frac{2}{3}}\right)^{-\frac{1}{4}} = 2^k$을 만족시키는 실수 k의 값은?

① 2 ② 3 ③ 4

④ 5 ⑤ 6

0039 · NORMAL

$a > 1$일 때, 다음을 만족시키는 자연수 k의 값은?

$$\sqrt[3]{\dfrac{\sqrt[4]{a}}{\sqrt[3]{a}}} \times \sqrt{\dfrac{\sqrt[k]{a}}{\sqrt[6]{a}}} = \sqrt[18]{\dfrac{1}{a}}$$

① 3 ② 4 ③ 6

④ 8 ⑤ 9

0040 최다빈출 왕중요 · NORMAL

x에 대한 이차방정식 $x^2 - \sqrt[3]{81}\, x + a = 0$의 두 근이 $\sqrt[3]{3}$과 b일 때, ab의 값은? (단, a, b는 상수이다.)

① 6 ② $3\sqrt[3]{9}$ ③ $6\sqrt[3]{3}$

④ 12 ⑤ $6\sqrt[3]{9}$

▶ 해설 내신연계기출

$A = a^{\frac{m}{n}}$ ($A > 1$, a는 소수)이 자연수이기 위한 조건
[조건1] $mn > 0$
[조건2] n은 m의 약수이다.

0041

$\left(\dfrac{1}{64}\right)^{-\frac{1}{n}}$ 이 자연수가 되도록 하는 모든 정수 n의 합은?

① 6   ② 7   ③ 8
④ 10   ⑤ 12

▶ 해설 내신연계기출

0042 NORMAL

세 양수 a, b, c에 대하여 $a^3 = 3$, $b^4 = 5$, $c^6 = 7$일 때, $(abc)^n$이 자연수가 되도록 하는 자연수 n의 최솟값은?

① 6   ② 12   ③ 18
④ 24   ⑤ 30

▶ 해설 내신연계기출

0043 NORMAL

a는 3의 실수인 5제곱근이고 b는 3의 양의 6제곱근이다.
$\left(\sqrt[8]{ab^2}\right)^n$이 자연수가 되는 두 자리 자연수 n의 값의 최댓값과 최솟값의 합은?

① 60   ② 85   ③ 95
④ 105   ⑤ 110

▶ 해설 내신연계기출

0044 NORMAL

2 이상의 자연수 n에 대하여 $\left(\sqrt{3^n}\right)^{\frac{1}{2}}$과 $\sqrt[n]{3^{100}}$이 모두 자연수가 되도록 하는 모든 n의 값의 합은?

① 120   ② 122   ③ 124
④ 126   ⑤ 128

0045 NORMAL

$2 \le n \le 100$인 자연수 n에 대하여 $\left(\sqrt[3]{3^5}\right)^{\frac{1}{2}}$이 어떤 자연수의 n제곱근이 되도록 하는 n의 개수는?

① 14   ② 16   ③ 18
④ 20   ⑤ 22

▶ 해설 내신연계기출

0046 TOUGH

두 자연수 a, b에 대하여

$$\sqrt{\dfrac{2^a \times 5^b}{2}} \text{이 자연수}, \quad \sqrt[3]{\dfrac{3^b}{2^{a+1}}} \text{이 유리수}$$

일 때, $a+b$의 최솟값은?

① 11   ② 13   ③ 15
④ 17   ⑤ 19

▶ 해설 내신연계기출

유형 06 거듭제곱근과 지수로 표현된 수의 대소 관계

[방법1] $a>0$, $b>0$이고 n은 2 이상의 정수일 때,
$a<b$이면 $\sqrt[n]{a}<\sqrt[n]{b}$임을 이용하여 대소를 비교한다.

[방법2] $a>0$, $b>0$이고 k, m, n은 2 이상의 정수일 때,
$(\sqrt[m]{a})^k<(\sqrt[n]{b})^k$이면 $\sqrt[m]{a}<\sqrt[n]{b}$임을 이용하여 대소를 비교한다.

0047 학교기출 대표 유형

세 수
$$A=\sqrt[3]{\sqrt{10}}, \ B=\sqrt{\sqrt{5}}, \ C=\sqrt{\sqrt[3]{28}}$$
의 대소 관계를 바르게 나타낸 것은?

① $A<B<C$ ② $A<C<B$ ③ $B<A<C$
④ $B<C<A$ ⑤ $C<A<B$

0048 최다빈출 왕 중요 NORMAL

세 수
$$A=\sqrt[3]{3}, \ B=\sqrt{\sqrt[3]{5}}, \ C=\sqrt{\sqrt{6}}$$
의 대소 관계로 옳은 것은?

① $A<B<C$ ② $A<C<B$ ③ $B<C<A$
④ $B<A<C$ ⑤ $C<A<B$

▶ 해설 내신연계기출

0049 최다빈출 왕 중요 TOUGH

5의 네제곱근 중 양의 실수인 것을 a, k의 여섯 제곱근 중 양의 실수인 것을 b, 9의 세제곱근 중 실수인 것을 c라 하자.
$a<b<c$가 성립하도록 하는 자연수 k의 개수는?

① 69 ② 71 ③ 73
④ 75 ⑤ 77

▶ 해설 내신연계기출

유형 07 지수법칙과 곱셈법칙을 이용한 식의 계산

$a>0$, $b>0$이고 p, q가 실수일 때,
① $(a^p+b^q)(a^p-b^q)=a^{2p}-b^{2q}$
② $(a^p \pm b^q)^2=a^{2p} \pm 2a^p b^q+b^{2q}$ (복호동순)
③ $(a^p \pm b^q)^3=a^{3p} \pm 3a^{2p}b^q+3a^p b^{2q} \pm b^{3q}$ (복호동순)

0050 학교기출 대표 유형

$\left(10^{\frac{1}{8}}-1\right)\left(10^{\frac{1}{8}}+1\right)\left(10^{\frac{1}{4}}+1\right)\left(10^{\frac{1}{2}}+1\right)$의 값은?

① 1 ② 3 ③ 9
④ 27 ⑤ 81

▶ 해설 내신연계기출

0051 BASIC

$\dfrac{(\sqrt[4]{5}-\sqrt[4]{2})(\sqrt[4]{5}+\sqrt[4]{2})(\sqrt{5}+\sqrt{2})}{(\sqrt[4]{3}-1)(\sqrt[4]{3}+1)(\sqrt{3}+1)}$의 값은?

① $\dfrac{2}{3}$ ② $\dfrac{3}{2}$ ③ 2
④ $\dfrac{5}{2}$ ⑤ 3

0052 최다빈출 왕 중요 NORMAL

$a=\dfrac{\sqrt{2}}{2}$일 때, $\dfrac{2}{1-a^{\frac{1}{8}}}+\dfrac{2}{1+a^{\frac{1}{8}}}+\dfrac{4}{1+a^{\frac{1}{4}}}+\dfrac{8}{1+a^{\frac{1}{2}}}+\dfrac{16}{1+a}$
의 값은?

① 16 ② 32 ③ 64
④ 128 ⑤ 256

▶ 해설 내신연계기출

0053 최다빈출 왕 중요 TOUGH

$a>0$, $b>0$일 때, $a^{\frac{2}{3}}+b^{\frac{2}{3}}=5$이고
$$x=a+3a^{\frac{1}{3}}b^{\frac{2}{3}}, \ y=b+3a^{\frac{2}{3}}b^{\frac{1}{3}}$$
을 만족할 때, $(x+y)^{\frac{2}{3}}+(x-y)^{\frac{2}{3}}$의 값은?

① 2 ② 5 ③ 8
④ 10 ⑤ 12

▶ 해설 내신연계기출

① $a^0=1, a^{-n}=\dfrac{1}{a^n}$

② $\dfrac{1}{a^{-n}+1}+\dfrac{1}{a^n+1}=\dfrac{a^n}{a^n+1}+\dfrac{1}{a^n+1}=1$

③ $\dfrac{1}{a^{-n}+a^{-n+1}}=\dfrac{1}{a^{-n}(1+a)}=\dfrac{a^n}{a+1}$

0054 학교기출 대표유형

다음 식의 값은?

$$\dfrac{2}{2^{-10}+1}+\dfrac{2}{2^{-9}+1}+\cdots+\dfrac{2}{2^0+1}+\dfrac{2}{2^1+1}+\cdots+\dfrac{2}{2^{10}+1}$$

① 10   ② 12   ③ 20
④ 21   ⑤ 26

▶ 해설 내신연계기출

0055 최다빈출 강중요   BASIC

다음 식을 만족시키는 자연수 n의 값은?

$$\dfrac{2+2^2+2^3+2^4+2^5}{2^{-1}+2^{-2}+2^{-3}+2^{-4}+2^{-5}}=2^n$$

① 3   ② 4   ③ 5
④ 6   ⑤ 8

▶ 해설 내신연계기출

0056   NORMAL

$a\neq0$일 때, $\sqrt{\dfrac{a^5+a^7+a^9+a^{11}}{a^{-9}+a^{-11}+a^{-13}+a^{-15}}}$ 을 간단히 한 것은?

① a^9 ② a^{10} ③ a^{11}
④ a^{12} ⑤ a^{14}

0057   TOUGH

$\dfrac{a+a^5}{a^{-1}+a^{-5}}=3$일 때, $\dfrac{a^2+a^4+a^6}{a^{-2}+a^{-4}+a^{-6}}$ 의 값은? (단, $a>0$)

① 1   ② $\sqrt[3]{3}$ ③ $\sqrt[3]{3^2}$
④ 3   ⑤ $\sqrt[3]{3^4}$

양수 a에 대하여 a^x+a^{-x}에서

① $\left(a^{\frac{1}{2}}\pm a^{-\frac{1}{2}}\right)^2=a\pm2+a^{-1}$ (복호동순)

② $\left(a^{\frac{1}{3}}+a^{-\frac{1}{3}}\right)^3=a+3\left(a^{\frac{1}{3}}+a^{-\frac{1}{3}}\right)+a^{-1}$

임을 이용하여 주어진 식을 변형한다.

0058 학교기출 대표유형

$a^{\frac{1}{2}}-a^{-\frac{1}{2}}=3$일 때, a^2+a^{-2}의 값은? (단, $a>0$)

① 1   ② 24   ③ 35
④ 80   ⑤ 119

▶ 해설 내신연계기출

0059 최다빈출 강중요   NORMAL

점 (p, q)가 곡선 $y=\dfrac{9}{x}(x>0)$ 위의 점이고 $p^{\frac{1}{2}}+q^{\frac{1}{2}}=2\sqrt{3}$일 때, p^2+q^2의 값은?

① 16   ② 18   ③ 24
④ 28   ⑤ 30

▶ 해설 내신연계기출

0060   NORMAL

$9^x+9^{-x}=47$일 때, $3^{\frac{x}{4}}+3^{-\frac{x}{4}}$의 값은?

① $\sqrt{3}$ ② 2   ③ $\sqrt{5}$
④ $\sqrt{6}$ ⑤ 3

0061 최다빈출 왕 중요

NORMAL

$x=2^{\frac{1}{3}}+2^{-\frac{1}{3}}$일 때, $2x^3-6x-4$의 값은?

① 1   ② $2\times2^{\frac{1}{3}}$ ③ 3

④ $3\times2^{\frac{1}{3}}$ ⑤ 5

▶ 해설 내신연계기출

0062 최다빈출 왕 중요

NORMAL

양수 x에 대하여 $x^{\frac{1}{2}}+x^{-\frac{1}{2}}=3$일 때, $\dfrac{x^{\frac{3}{2}}+x^{-\frac{3}{2}}+10}{x+x^{-1}}$의 값은?

① 2   ② 4   ③ 6

④ 8   ⑤ 10

▶ 해설 내신연계기출

0063 최다빈출 왕 중요

NORMAL

$a^{\frac{1}{2}}-a^{-\frac{1}{2}}=2$일 때, $\dfrac{a^2+a^{-2}-7}{a+a^{-1}-3}$의 값은? (단, $a>0$)

① 3   ② 5   ③ 7

④ 9   ⑤ 18

▶ 해설 내신연계기출

0064 최다빈출 왕 중요

TOUGH

$5^{2x}-5^{x+1}=-1$일 때, $\dfrac{5^{3x}+5^{-3x}-5}{5^{2x}+5^{-2x}-2}$의 값은?

① 1   ② 2   ③ 3

④ 4   ⑤ 5

▶ 해설 내신연계기출

유형 10 조건이 주어질 때 식의 값 구하기

양수 $a>1$에 대하여

① $x=a^n+a^{-n}$일 때, $\sqrt{x^2-4}=a^n-a^{-n}$

② $x=a^n-a^{-n}$일 때, $\sqrt{x^2+4}=a^n+a^{-n}$

0065 학교기출 유형

$x=3^{\frac{1}{2}}-3^{-\frac{1}{2}}$일 때, $\sqrt{x^2+4}+x$의 값은?

① 1   ② $\dfrac{2\sqrt{3}}{3}$ ③ $\sqrt{3}$

④ $\dfrac{4\sqrt{3}}{3}$ ⑤ $2\sqrt{3}$

0066

NORMAL

$x=2^{\frac{1}{4}}+2^{-\frac{1}{4}}$일 때, $\sqrt{x^2-4}+x=2^k$을 만족하는 상수 k의 값은?

① $\dfrac{1}{4}$ ② 1   ③ $\dfrac{5}{4}$

④ $\dfrac{3}{2}$ ⑤ 2

0067 최다빈출 왕 중요

TOUGH

$x=\dfrac{3^{\frac{1}{4}}+3^{-\frac{1}{4}}}{2}$일 때, $\left(x+\sqrt{x^2-1}\right)^4$의 값은?

① 2   ② 3   ③ 4

④ $2\sqrt{3}$ ⑤ $3\sqrt{3}$

▶ 해설 내신연계기출

a^{2x}꼴로 주어지고 a^{-x}, a^{-2x}등이 포함된 분수식의 값은 분모, 분자에 각각 a^{-x} 또는 a^x등을 적절히 곱하여 a^{2x}꼴이 나타나도록 식을 변형한다.

0068 학교기출 대표유형

$a^{2x}=3$일 때, $\dfrac{a^{3x}-a^{-3x}}{a^x+a^{-x}}$의 값은? (단, $a>0$)

① $\dfrac{26}{3}$ ② $\dfrac{13}{3}$ ③ $\dfrac{13}{6}$

④ $\dfrac{1}{3}$ ⑤ $\dfrac{1}{6}$

0069 최다빈출 왕중요

NORMAL

$a^{2x}=3$일 때, $\dfrac{a^{3x}+a^{-3x}}{a^x-a^{-x}}=\dfrac{q}{p}$이다. $p+q$의 값은?

(단, $a>0$, $a\neq 1$이고 p, q는 서로소이다.)

① 13   ② 14   ③ 15

④ 16   ⑤ 17

▶ 해설 내신연계기출

0070

NORMAL

$a^{2x}=3+2\sqrt{2}$일 때, $\dfrac{a^{3x}+a^{-x}}{a^x+a^{-3x}}$의 값은? (단, $a>0$)

① $\dfrac{4+3\sqrt{2}}{3}$ ② $\dfrac{5+6\sqrt{2}}{3}$ ③ $3+2\sqrt{2}$

④ $\dfrac{10+6\sqrt{2}}{3}$ ⑤ $4+3\sqrt{2}$

0071

NORMAL

실수 x에 대하여 $\dfrac{a^x+a^{-x}}{a^x-a^{-x}}=\dfrac{4}{3}$일 때, a^{4x}의 값은?

(단, $a>0$, $a\neq 1$)

① 9   ② 16   ③ 25

④ 36   ⑤ 49

0072

NORMAL

$\dfrac{a^x+a^{-x}}{a^x-a^{-x}}=3$일 때, $a^{2x}+a^{-2x}$의 값은? (단, $a>0$, $a\neq 1$)

① $\dfrac{1}{2}$ ② $\dfrac{4}{5}$ ③ $\dfrac{3}{2}$

④ $\dfrac{5}{2}$ ⑤ $\dfrac{4}{3}$

0073 최다빈출 왕중요

NORMAL

$a>0$이고 $\dfrac{a^x-a^{-x}}{a^x+a^{-x}}=\dfrac{1}{2}$일 때, $\dfrac{a^{3x}-a^{-x}}{a^{3x}+a^{-x}}$의 값은?

① $\dfrac{1}{2}$ ② $\dfrac{4}{5}$ ③ $\dfrac{3}{2}$

④ $\dfrac{1}{3}$ ⑤ $\dfrac{4}{3}$

▶ 해설 내신연계기출

0074

TOUGH

$a>0$이고 $\dfrac{a^x-a^{-x}}{a^x+a^{-x}}=\dfrac{1}{3}$일 때, $\dfrac{a^{\frac{3}{2}x}-a^{-\frac{1}{2}x}}{a^{\frac{1}{2}x}+a^{-\frac{3}{2}x}}$의 값은?

① $\dfrac{\sqrt{2}}{2}$ ② $\dfrac{\sqrt{2}}{3}$ ③ $\sqrt{2}$

④ $\sqrt{3}$ ⑤ $2\sqrt{3}$

유형 **12** 조건이 주어진 경우 식의 값 구하기

[1단계] $a=2^k$을 $2=a^{\frac{1}{k}}$꼴로 변형한다.
[2단계] 주어진 식을 소인수분해하여 정리한다.

0075 학교기출 대표 유형

두 양수 a, b가
$$ab=8,\ a=16^{\frac{1}{x}},\ b=16^{\frac{1}{y}}$$
을 만족시킬 때, $\dfrac{1}{x}+\dfrac{1}{y}$의 값은? (단, $x\neq 0,\ y\neq 0$)

① $\dfrac{2}{3}$ ② $\dfrac{3}{4}$ ③ $\dfrac{5}{4}$

④ $\dfrac{4}{5}$ ⑤ $\dfrac{6}{5}$

▶ 해설 내신연계기출

0076   ■■■□ BASIC

$2^5=a$, $3^4=b$일 때,
$$18^{10}=a^p b^q$$
이 성립하도록 하는 정수 p, q에 대하여 $p+q$의 값은?

① 6   ② 7   ③ 8

④ 9   ⑤ 18

0077   ■■■□ NORMAL

실수 x에 대하여
$$3^{x+1}-3^x=a,\ 2^{x+1}+2^x=b$$
일 때, 12^x을 a, b를 이용하여 나타낸 것은?

① $\dfrac{ab}{6}$ ② $\dfrac{a^2 b}{18}$ ③ $\dfrac{a^2 b}{12}$

④ $\dfrac{ab^2}{18}$ ⑤ $\dfrac{ab^2}{12}$

0078   ■■□□ NORMAL

상수 a에 대하여
$$3^{-2a}\times\sqrt{7}=2^{a-\frac{1}{2}}$$
일 때, 324^a의 값은?

① 12   ② 14   ③ 16

④ 18   ⑤ 20

0079 최다빈출 중요   ■■■□ NORMAL

두 실수 a, b에 대하여
$$5^{2a+b}=32,\ 5^{a-b}=2$$
일 때, $4^{\frac{a+b}{ab}}$의 값은?

① 25   ② 36   ③ 64

④ 81   ⑤ 125

▶ 해설 내신연계기출

0080 최다빈출 중요   ■■■□ NORMAL

$60^a=5$, $60^b=6$일 때, $12^{\frac{2a+b}{1-a}}$의 값은?

① 120   ② 150   ③ 180

④ 210   ⑤ 240

▶ 해설 내신연계기출

0081   ■■■■ TOUGH

16의 세제곱근 중 실수인 것을 a, 27의 네제곱근 중 양수인 것을 b라고 할 때, 72를 a와 b로 나타내면?

① $a^{\frac{3}{4}} b^{\frac{4}{3}}$ ② $a^3 b^2$ ③ $a^4 b^{\frac{2}{3}}$

④ $a^{\frac{9}{4}} b^{\frac{8}{3}}$ ⑤ $a^{\frac{4}{3}} b^{\frac{3}{2}}$

01 지수

$a^x = k,\ b^y = k\ (a > 0,\ b > 0,\ xy \neq 0)$일 때,

$\Rightarrow a = k^{\frac{1}{x}},\ b = k^{\frac{1}{y}}$

$\Rightarrow ab = k^{\frac{1}{x} + \frac{1}{y}},\ a \div b = k^{\frac{1}{x} - \frac{1}{y}}$

0082 학교기출 대표 유형

$24^x = 32,\ 3^y = 128$일 때, $\dfrac{5}{x} - \dfrac{7}{y}$의 값은?

① 1   ② 2   ③ 3
④ 4   ⑤ 5

0083 최다빈출 왕중요   BASIC

$5^x = 81,\ 45^y = 243$일 때, $\dfrac{4}{x} - \dfrac{5}{y}$의 값은?

① -1 ② -2 ③ -3
④ -4 ⑤ -5

▶ 해설 내신연계기출

0084 최다빈출 왕중요   NORMAL

$27^x = 3^y = a$이고 $\dfrac{1}{x} - \dfrac{1}{y} = 2$일 때, 양수 a의 값은?

① 2   ② 3   ③ 4
④ 5   ⑤ 6

▶ 해설 내신연계기출

$a^x = b^y = c^z$과 같이 밑이 서로 다른 경우가 주어지면 새로운 변수를 사용하여 밑을 같게 한다.

$\Rightarrow a^x = b^y = c^z = k\ (k > 0)$로 놓는다.

0085 학교기출 대표 유형

$2^x = 5^y = \left(\dfrac{1}{10}\right)^z$일 때, $\dfrac{1}{x} + \dfrac{1}{y} + \dfrac{1}{z}$의 값은? (단, $xyz \neq 0$)

① -1 ② 0   ③ 1
④ 2   ⑤ 3

0086   NORMAL

세 실수 $x,\ y,\ z$에 대하여

$$2^x = 3^y = 5^z = 20$$

이 성립할 때, $20^{\frac{3}{x} - \frac{2}{y} + \frac{1}{z}}$의 값은?

① $\dfrac{10}{3}$ ② $\dfrac{40}{9}$ ③ $\dfrac{45}{8}$
④ $\dfrac{15}{2}$ ⑤ $\dfrac{72}{5}$

0087 최다빈출 왕중요   NORMAL

양수 $a,\ b,\ c$에 대하여

$$abc = 64$$이고 $a^x = b^y = c^z = 8$

일 때, $\dfrac{1}{x} + \dfrac{1}{y} + \dfrac{1}{z}$의 값은? (단, $xyz \neq 0$)

① $\dfrac{2}{3}$ ② $\dfrac{3}{4}$ ③ $\dfrac{4}{3}$
④ $\dfrac{3}{2}$ ⑤ 2

▶ 해설 내신연계기출

0088 최다빈출 👑중요 ■■■– NORMAL

0이 아닌 실수 a, b, c에 대하여

$$64^a = 81^b = k^c, \quad \frac{4}{a} + \frac{6}{b} = \frac{8}{c}$$

일 때, 양의 정수 k의 값은?

① 64   ② 128   ③ 216

④ 256   ⑤ 512

▶ 해설 내신연계기출

0089 최다빈출 👑중요 ■■■– NORMAL

세 실수 x, y, z에 대하여

$$80^x = 2, \left(\frac{1}{10}\right)^y = 4, \ a^z = 8, \ \frac{1}{x} + \frac{2}{y} - \frac{1}{z} = 1$$

일 때, 양수 a의 값은?

① 8   ② 16   ③ 64

④ 128   ⑤ 256

▶ 해설 내신연계기출

0090 ■■■– NORMAL

세 양수 a, b, c에 대하여

$$3^a = 5^b = k^c, \quad ab = bc + ca$$

일 때, 양수 k의 값은?

① 10   ② 15   ③ 20

④ 25   ⑤ 30

0091 ■■■– NORMAL

두 실수 a, b에 대하여

$$2^{\frac{4}{a}} = 100, \quad 25^{\frac{2}{b}} = 10$$

이 성립할 때, $2a + b$의 값은?

① 3   ② $\frac{13}{4}$ ③ $\frac{7}{2}$

④ $\frac{15}{4}$ ⑤ 4

0092 최다빈출 👑중요 ■■■– NORMAL

두 실수 a, b에 대하여

$$2^a + 2^b = 2, \quad 2^{-a} + 2^{-b} = \frac{9}{4}$$

일 때, 2^{a+b}의 값은 $\frac{q}{p}$이다. $p+q$의 값은?
(단, p와 q는 서로소인 자연수이다.)

① 12   ② 15   ③ 17

④ 19   ⑤ 21

▶ 해설 내신연계기출

0093 최다빈출 👑중요 ■■■ TOUGH

등식 $2^a = 5^b = 10^c$을 만족시키는 양의 실수 a, b, c에 대하여 옳은 것만을 [보기]에서 있는 대로 고른 것은?

ㄱ. $b = \frac{1}{3}$이면 $a = \frac{1}{3}\log_2 5$이다.

ㄴ. $\frac{1}{a} + \frac{1}{b} - \frac{1}{c} = 0$이다.

ㄷ. $2 < \frac{a}{b} < 3$

① ㄱ   ② ㄷ   ③ ㄱ, ㄴ

④ ㄱ, ㄷ   ⑤ ㄱ, ㄴ, ㄷ

▶ 해설 내신연계기출

식에 미지수가 포함된 경우는 문자가 나타내는 것이 무엇인지 확인하고
주어진 조건을 식에 대입한다.
[유형1] 식을 구하는 경우
　　　⇨ 조건에 맞도록 식을 세운 후 지수법칙을 이용한다.
[유형2] 식이 주어진 경우
　　　⇨ 주어진 식에 알맞은 값을 대입한다.
[유형3] 규칙적으로 증가, 감소하는 문제
　　　⇨ 처음의 양을 a라고 하면 일정한 비율 r로 x번 변화된 후의
　　　　 양은 $a \cdot r^x$임을 이용하여 식을 세운다.

0094 학교기출 대표유형

실내에 방향제 Ag을 뿌리고 t시간이 지난 후 실내에 남아 있는
방향제의 향을 Fg이라고 하면

$$F = A \cdot 2^{-\frac{t}{3}}$$

이 성립한다고 한다. 실내에 방향제 12g을 뿌리고 2시간 후에 실내
에 남아 있는 방향제의 양을 F_1, 8g을 뿌리고 8시간 후의 실내에 남
아 있는 방향제의 양을 F_2라고 할 때, $\dfrac{F_1}{F_2}$의 값은?

① 3　　　　　　② 4　　　　　　③ 5
④ 6　　　　　　⑤ 7

0095

식품의 부패 정도를 수치화한 식품손상지수 G와 상대습도 $H(\%)$,
기온 $T(°\text{C})$ 사이에는 다음과 같은 관계가 있다고 한다.

$$G = \frac{H-65}{14} \times (1.05)^T$$

상대습도가 80%, 기온이 35°C일 때의 식품손상지수를 G_1,
상대습도가 70%, 기온이 20°C일 때의 식품손상지수를 G_2라 할 때,
$\dfrac{G_1}{G_2}$의 값은? (단, $1.05^{15} = 2$로 계산한다.)

① 6　　　　　　② 7　　　　　　③ 8
④ 9　　　　　　⑤ 10

0096

양수기로 물을 끌어올릴 때, 펌프의 1분당 회전수 N, 양수량 Q,
양수할 높이 H와 양수기의 비교회전도 S 사이에는 다음과 같은
관계가 있다고 한다.

$$S = NQ^{\frac{1}{2}}H^{-\frac{3}{4}}$$

(단, N, Q, H의 단위는 각각 rpm, m³/분, m이다.)
펌프의 1분당 회전수가 일정한 양수기에 대하여 양수량이 24,
양수할 높이가 5일 때의 비교회전도를 S_1, 양수량이 12, 양수할
높이가 10일 때의 비교회전도를 S_2라 하자. $\dfrac{S_1}{S_2}$의 값은?

① $2^{\frac{3}{4}}$　　　　　② $2^{\frac{7}{8}}$　　　　　③ 2
④ $2^{\frac{9}{8}}$　　　　　⑤ $2^{\frac{5}{4}}$

0097

어떤 물체가 정지 상태에서 질량이 $m_0$mg인 물체가 vm/s의
속도로 움직일 때의 질량 $m$mg을 구하는 식은 다음과 같다.

$$m = m_0(1 - v^2 c^{-2})^{-\frac{1}{2}}$$

정지 상태에서 질량이 8mg인 입자가 $\dfrac{9}{5} \times 10^8$m/s의 속도로
움직일 때의 질량은? (단위는 mg)
(단, 상수 c는 빛의 속도를 나타내고 3×10^8m/s로 계산한다.)

① 8　　　　　　② 10　　　　　③ 12
④ 16　　　　　⑤ 32

0098

어떤 음식점에서 n인분의 식사를 준비하는데 걸리는 시간을 t분이
라고 하면

$$t = 3 \times n^{0.5}$$

의 관계식이 성립한다고 한다. 이때 32인분의 식사를 준비하는데 걸
리는 시간은 8인분의 식사를 준비하는데 걸리는 시간의 몇 배인가?

① 1　　　　　　② 2　　　　　　③ 3
④ 4　　　　　　⑤ 5

서술형 기출유형

0099

−8의 세제곱근에 대하여 다음 단계로 서술하여라.

[1단계] −8의 세제곱근을 모두 구한다.
[2단계] −8의 세제곱근 중에서 실수인 것을 구한다.

0100

$\left[\left\{\left(\frac{1}{256}\right)^{\frac{9}{4}}\right\}^{\frac{8}{3}}\right]^{\frac{1}{m}}$ 이 자연수가 되도록 하는 모든 정수 m의 개수를 구하는 과정을 다음 단계로 서술하여라.

[1단계] 지수법칙을 이용하여 식을 간단히 정리한다.
[2단계] 주어진 식이 자연수가 되는 가능한 정수 m의 값을 모두 구한다.
[3단계] 정수 m의 개수를 구한다.

0101

$a > 0$이고 r, s가 유리수일 때, 다음 지수법칙을 증명하여라.
$$a^r a^s = a^{r+s}$$

[1단계] 두 유리수 r, s를 문자로 정한다.
[2단계] 거듭제곱근의 성질을 이용하여 성립함을 보인다.

0102

실수 x에 대하여 $\dfrac{a^x + a^{-x}}{a^x - a^{-x}} = \dfrac{3}{2}$일 때, a^{6x}의 값을 구하는 과정을 다음 단계로 서술하여라. (단, $a > 0$)

[1단계] 조건식에서 a^{2x}의 값을 구한다.
[2단계] a^{6x}의 값을 구한다.

0103

양수 a, b, c에 대하여
$$abc = 9, \ a^x = b^y = c^z = 27$$
을 만족할 때, $\dfrac{1}{x} + \dfrac{1}{y} + \dfrac{1}{z}$의 값을 구하는 과정을 다음 단계로 서술하여라.

[1단계] $a^x = b^y = c^z = 27$에서 a, b, c의 값을 구한다.
[2단계] $abc = 9$에서 지수법칙을 이용하여 x, y, z의 관계식을 구한다.
[3단계] $\dfrac{1}{x} + \dfrac{1}{y} + \dfrac{1}{z}$의 값을 구한다.

0104

세 실수 a, b, c가
$$a^2 + b^2 + c^2 = 12, \ a + b + c = \sqrt{15}$$
를 만족시킬 때, $(2^a)^{b+c} \times (2^b)^{c+a} \times (2^c)^{a+b}$의 값을 구하는 과정을 다음 단계로 서술하여라.

[1단계] 곱셈공식을 이용하여 $ab + bc + ca$의 값을 구한다.
[2단계] 지수법칙을 이용하여 주어진 식을 간단히 정리한다.
[3단계] 주어진 식의 값을 구한다.

0105

$a^{\frac{1}{2}}+a^{-\frac{1}{2}}=3$일 때, 다음 단계로 그 과정을 서술하여라.
(단, $a>1$)

[1단계] $a+a^{-1}$의 값을 구한다.

[2단계] $a^{\frac{1}{2}}-a^{-\frac{1}{2}}$의 값을 구한다.

[3단계] $a^{\frac{3}{2}}+a^{-\frac{3}{2}}$의 값을 구한다.

0106

$a+a^{-1}=11$일 때, $\dfrac{a^{\frac{3}{2}}-a^{-\frac{3}{2}}+14}{a^{\frac{1}{2}}-a^{-\frac{1}{2}}+2}$의 값을 구하는 과정을

다음 단계로 서술하여라. (단, $a>1$)

[1단계] $a^{\frac{1}{2}}-a^{-\frac{1}{2}}$의 값을 구한다.

[2단계] $a^{\frac{3}{2}}-a^{-\frac{3}{2}}$의 값을 구한다.

[3단계] $\dfrac{a^{\frac{3}{2}}-a^{-\frac{3}{2}}+14}{a^{\frac{1}{2}}-a^{-\frac{1}{2}}+2}$의 값을 구한다.

0107

$9^{a}+9^{-a}=7$일 때, $\dfrac{3^{6a}+1}{3^{4a}+3^{2a}}$의 값을 구하는 과정을 다음 단계로
서술하여라. (단, a는 실수)

[1단계] 주어진 식의 분자, 분모에 3^{-3a}을 곱하여 변형한다.

[2단계] $3^{a}+3^{-a}$의 값을 구한다.

[3단계] $3^{3a}+3^{-3a}$의 값을 구한다.

[4단계] $\dfrac{3^{6a}+1}{3^{4a}+3^{2a}}$의 값을 구한다.

0108

$9^{x}-3^{x+1}=-1$일 때, $\dfrac{81^{x}+81^{-x}+1}{9^{x}+9^{-x}+1}$의 값을 구하는 과정을 다음
단계로 서술하여라.

[1단계] 주어진 식의 양변을 3^{x}으로 나누어 $3^{x}+3^{-x}$의 값을 구한다.

[2단계] $9^{x}+9^{-x}$의 값을 구한다.

[3단계] $81^{x}+81^{-x}$의 값을 구한다.

[4단계] $\dfrac{81^{x}+81^{-x}+1}{9^{x}+9^{-x}+1}$의 값을 구한다.

0109

두 수 $\sqrt{\dfrac{n}{2}}$, $\sqrt[3]{\dfrac{n}{3}}$의 값이 모두 양의 정수가 되도록 하는 양의 정수
n의 값을
$$n=2^{p}\times3^{q}\ (p,\ q는\ 정수)$$
의 꼴로 나타낼 때, n의 최솟값을 다음 단계로 서술하여라.

[1단계] $\sqrt{\dfrac{n}{2}}$이 양의 정수가 되도록 하는 p, q의 조건을 구한다.

[2단계] $\sqrt[3]{\dfrac{n}{3}}$이 양의 정수가 되도록 하는 p, q의 조건을 구한다.

[3단계] [1단계], [2단계]를 이용하여 n의 최솟값을 구한다.

0110

$a=\dfrac{3^{\frac{1}{6}}+3^{-\frac{1}{6}}}{2}$일 때, $\left(a+\sqrt{a^{2}-1}\right)^{12}$의 값을 구하는 그 과정을
다음 단계로 서술하여라.

[1단계] $a^{2}-1$을 구한다.

[2단계] $a+\sqrt{a^{2}-1}$의 값을 구한다.

[3단계] $\left(a+\sqrt{a^{2}-1}\right)^{12}$의 값을 구한다.

0111

실수 x에 대하여 $t^2=-x^2+9$를 만족시키는 실수 t의 개수를 $f(x)$라고 할 때, 옳은 것만을 [보기]에서 있는 대로 고른 것은?

ㄱ. $f(-3)=1$

ㄴ. 방정식 $f(x)=2$를 만족시키는 정수 x의 개수는 5개이다.

ㄷ. 함수 $y=f(x)$의 그래프와 곡선 $y=x^2$는 두 점에서 만난다.

① ㄱ   ② ㄴ   ③ ㄱ, ㄷ
④ ㄴ, ㄷ   ⑤ ㄱ, ㄴ, ㄷ

▶ 해설 내신연계기출

0112

자연수 n에 대하여 x에 대한 이차방정식

$n(n+1)x^2-(2n+1)x+1=0$의 서로 다른 두 실근을 α_n, β_n이라

하자. $\left\{\dfrac{2^{\alpha_n} \times 2^{\beta_n}}{(2^{\alpha_n})^{\beta_n}}\right\}^8$의 값이 자연수가 되도록 하는 n의 값의 합을

구하여라.

0113

좌표평면에서 2 이상의 자연수 n에 대하여 직선 $y=n$이 함수

$y=(x+2)^2 (x \geq -2)$의 그래프와 만나는 점의 x좌표를 a_n이라

하자. a_n의 n제곱근 중 실수인 것의 개수를 $F(n)$이라 할 때,

$F(2)+F(3)+F(4)+\cdots+F(20)$의 값을 구하여라.

0114

2 이상의 자연수 n에 대하여 $(7-2n)^3$의 n제곱근 중에서 실수인 것의 개수를 $f(n)$이라 할 때,

$f(2)+f(3)+f(4)+f(5)+\cdots+f(100)$의 값을 구하여라.

0115

다음 물음에 답하여라.

(1) $2^x=3^y=6^z=a$, $\dfrac{1}{x}+\dfrac{1}{y}+\dfrac{1}{z}=2$일 때, 상수 a의 값을

구하여라. (단, $xyz \neq 0$)

(2) $2^x=3^y=5^z=a$, $\dfrac{1}{x}+\dfrac{1}{y}+\dfrac{1}{z}=\dfrac{1}{2}$일 때, a의 값을

구하여라. (단, $xyz \neq 0$)

(3) $2^x=\left(\dfrac{1}{5}\right)^y=\sqrt{10^z}$을 만족시키는 세 실수 x, y, z에 대하여

$\dfrac{1}{x}-\dfrac{a}{y}=\dfrac{2}{z}$가 성립할 때, 정수 a의 값을 구하여라.

0116

다음 물음에 답하여라.

(1) 좌표평면 위의 점 (a, b)가 직선 $y=-3x+6$ 위를 움직일 때,

$5^a+(\sqrt[3]{5})^b$의 최솟값을 구하여라.

(2) 실수 a, b에 대하여 $(2^{-a} \div 2^{4b})^{-2}=2^8$을 만족할 때,

$(\sqrt[4]{5})^a+5^b$의 최솟값을 구하여라.

0117

아래 그림의 정육면체의 부피는 a^4이고 색칠한 정삼각형의 넓이는 $8\sqrt{3}\,a^2$일 때, 양수 a의 값을 구하여라.

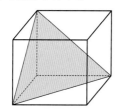

▶ 해설 내신연계기출

0118

함수

$y=x^n\,(x>0)$과 직선 $y=a\,(2 \leq a \leq 100,\ a$는 자연수$)$

의 교점의 x좌표가 자연수가 되도록 하는 순서쌍 $(n,\ a)$의 개수를 구하여라. (단, n이 2 이상인 자연수)

0119

그림과 같이 좌표평면에 두 함수 $f(x)=x^2$, $g(x)=x^3$의 그래프가 있다. 곡선 $y=f(x)$ 위의 한 점 $P_1(a,\ f(a))(a>1)$에서 x축에 내린 수선의 발을 Q_1이라 하자.

선분 OQ_1을 한 변으로 하는 정사각형 OQ_1AB의 한 변 AB가 곡선 $y=g(x)$와 만나는 점을 P_2, 점 P_2에서 x축에 내린 수선의 발을 Q_2라 하자. 선분 OQ_2를 한 변으로 하는 정사각형 OQ_2CD의 한 변 CD가 곡선 $y=f(x)$와 만나는 점을 P_3, 점 P_3에서 x축에 내린 수선의 발을 Q_3이라 하자. 두 점 Q_2, Q_3의 x좌표를 각각 b, c라 할 때, $bc=2$가 되도록 하는 점 P_1의 y좌표의 값을 구하여라.

(단, O는 원점이고, 두 점 A, C는 제1사분면에 있다.)

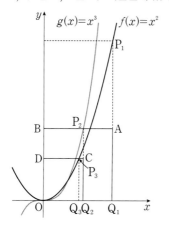

0120

최대 충전 용량이 $Q_0\,(Q_0>0)$인 어떤 배터리를 완전히 방전시킨 후 t시간 동안 충전한 배터리의 충전 용량을 $Q(t)$라 할 때, 다음 식이 성립한다고 한다.

$$Q(t)=Q_0\left(1-2^{-\frac{t}{a}}\right)\ (\text{단, } a\text{는 양의 상수이다.})$$

$\dfrac{Q(4)}{Q(2)}=\dfrac{3}{2}$일 때, a의 값을 구하여라.

(단, 배터리의 충전 용량의 단위는 mAh이다.)

0121

원기둥 모양의 수도관에서 단면인 원의 넓이를 S, 원의 둘레의 길이를 L이라 하고 수도관의 기울기를 I라 하자. 이 수도관에서 물이 가득 찬 상태로 흐를 때 물의 속력을 v라 하면

$$v=c\left(\frac{S}{L}\right)^{\frac{2}{3}}\cdot I^{\frac{1}{2}}\ (\text{단, } c\text{는 상수이다.})$$

이 성립한다고 한다. 단면인 원의 반지름의 길이가 각각 a, b인 원기둥 모양의 두 수도관 A, B에서 물이 가득 찬 상태로 흐르고 있다. 두 수도관 A, B의 기울기가 각각 0.01, 0.04이고 흐르는 물의 속력을 각각 v_A, v_B라고 하자. $\dfrac{v_A}{v_B}=2$일 때, $\dfrac{a}{b}$의 값을 구하여라.

(단, 두 수도관 A, B에 대한 상수 c의 값은 서로 같다.)

0122

조개류는 현탁물을 여과한다. 수온이 $t\,(^\circ\text{C})$이고 개체중량이 $\omega\,(g)$일 때, A조개와 B조개가 1시간 동안 여과하는 양 (L)을 각각 Q_A, Q_B라고 하면 다음과 같은 관계식이 성립한다고 한다.

$$Q_A=0.01t^{1.25}\omega^{0.25},\ Q_B=0.05t^{0.75}\omega^{0.30}$$

수온이 20°C이고 A조개와 B조개의 개체중량이 각각 8g일 때, $\dfrac{Q_A}{Q_B}$의 값은 $2^a \times 5^b$이다. $a+b$의 값을 구하여라.

(단, a, b는 유리수이다.)

02 로그

학교내신기출 객관식 핵심문제총정리

유형 01 로그의 정의

$a > 0$, $a \neq 1$일 때, 양수 N에 대하여

$$a^x = N \iff x = \log_a N$$

참고 특별한 언급 없이 $\log_a N$으로 쓸 때는 밑 a와 진수 N이 위의 조건을 모두 만족시키는 것으로 생각한다.

0123 학교기출 대표유형

$\log_2 a = -1$, $\log_b 9 = 2$일 때, ab의 값은?

(단, $a > 0$, $b > 0$, $b \neq 1$)

① $\dfrac{1}{2}$ ② $\dfrac{3}{2}$ ③ $\dfrac{5}{2}$

④ $\dfrac{7}{2}$ ⑤ $\dfrac{9}{2}$

0124 BASIC

두 실수 a, b가 다음 조건을 만족시킬 때, $a+b$의 값은?

(가) $\log_3 a = 2$

(나) $\log_b a = 2$

① 6 ② 9 ③ 12
④ 16 ⑤ 20

0125 최다빈출 중요 BASIC

두 양수 a, b에 대하여 $\log_2 ab = 8$, $\log_2 \dfrac{a}{b} = 2$일 때, $\log_2 (a + 4b)$의 값은?

① 3 ② 4 ③ 5
④ 6 ⑤ 7

▶ 해설 내신연계기출

0126 NORMAL

$x = \log_3 (2 + \sqrt{3})$일 때, $\dfrac{3^x + 3^{-x}}{3^x - 3^{-x}}$의 값은?

① $\sqrt{3}$ ② $\dfrac{\sqrt{3}}{2}$ ③ $\dfrac{2\sqrt{3}}{3}$

④ $2\sqrt{3}$ ⑤ 4

0127 최다빈출 중요 NORMAL

$a = \log(1 + \sqrt{2})$일 때, $\dfrac{10^a + 10^{-a}}{10^a - 10^{-a}}$의 값은?

① $\dfrac{\sqrt{2}}{2}$ ② $\dfrac{1}{2} + \dfrac{\sqrt{2}}{2}$ ③ $\sqrt{2}$

④ $1 + \dfrac{\sqrt{2}}{2}$ ⑤ $1 + \sqrt{2}$

▶ 해설 내신연계기출

0128 최다빈출 중요 NORMAL

$\log_2 \dfrac{8}{n}$의 값이 자연수가 되도록 하는 모든 자연수 n의 값의 합은?

① 5 ② 7 ③ 9
④ 11 ⑤ 13

▶ 해설 내신연계기출

0129 최다빈출 중요 NORMAL

2 이상의 자연수 n에 대하여 $5\log_n 2$의 값이 자연수가 되도록 하는 모든 n의 값의 합은?

① 34 ② 38 ③ 42
④ 46 ⑤ 50

▶ 해설 내신연계기출

로그의 정의에 의하여 $\log_a N$이 정의되려면 밑인 a와 진수인 N은 다음 조건을 만족해야 한다.
① 밑의 조건 : $a > 0$, $a \neq 1$
② 진수의 조건 : $N > 0$
③ 로그의 조건 : 실수

0130 학교기출 대표유형

$\log_{x-3}(-x^2+9x-14)$가 정의되도록 하는 모든 정수 x값들의 합은?

① 8   ② 9   ③ 10
④ 11   ⑤ 12

0131 최다빈출 왕중요   BASIC

$\log_{|x-1|}(-x^2+2x+3)$가 정의되기 위한 정수 x의 개수는?

① 0   ② 1   ③ 2
④ 3   ⑤ 4

▶ 해설 내신연계기출

0132   NORMAL

$\log_{(x-1)^2}(-x^2+8x-7)$이 정의되도록 하는 정수 x의 개수는?

① 1   ② 2   ③ 3
④ 4   ⑤ 5

0133   NORMAL

$\log_{x-1}\{x(n-x)\}$의 값이 존재하도록 하는 모든 자연수 x의 개수가 50일 때, 자연수 n의 값은?

① 51   ② 52   ③ 53
④ 54   ⑤ 55

0134   NORMAL

모든 실수 x에 대하여
$$\log_a(x^2+ax+a+3)$$
이 정의되도록 하는 모든 정수 a의 값의 합은?

① 12   ② 14   ③ 16
④ 18   ⑤ 20

0135 최다빈출 왕중요   TOUGH

모든 실수 x에 대하여
$$\log_{|a-1|}(x^2+ax+a)$$
가 정의되기 위한 정수 a의 개수는?

① 1   ② 2   ③ 3
④ 4   ⑤ 5

▶ 해설 내신연계기출

0136 최다빈출 왕중요   TOUGH

모든 실수 x에 대하여
$$\log_{|a-3|}(ax^2+ax+2)$$
가 정의되기 위한 정수 a의 개수는?

① 3   ② 4   ③ 5
④ 6   ⑤ 7

▶ 해설 내신연계기출

유형 03 로그의 기본 성질 (1)

$a > 0$, $a \neq 1$이고 $x > 0$, $y > 0$일 때,

① $\log_a a = 1$, $\log_a 1 = 0$

② $\log_a xy = \log_a x + \log_a y$

③ $\log_a \dfrac{x}{y} = \log_a x - \log_a y$

④ $\log_a x^n = n \log_a x$ (단, n은 실수)

0137 학교기출 대표유형

다음 중 옳지 않은 것은?

① $\log_{10} 10 = 1$

② $\log_7 1 = 0$

③ $\log_{\sqrt{2}} 8 = \dfrac{3}{2}$

④ $\log_3 42 = 1 + \log_3 2 + \log_3 7$

⑤ $\log_5 \sqrt{10} = \dfrac{1}{2}(1 + \log_5 2)$

0138 최다빈출 중요 BASIC

다음 중 옳지 않은 것은?

① $4^{-\frac{1}{2}} \times \log_2 4 = 1$

② $\dfrac{1}{\sqrt[3]{8}} \times \log_3 81 = 2$

③ $\log_{\frac{1}{2}} \sqrt{32} \times \log_2 \dfrac{1}{16} = 10$

④ $\log_4 \left(\sqrt{2^7} \times 4^{\frac{1}{4}} \right) = 2$

⑤ $8^{\frac{2}{3}} + \log_2 8 = 5$

▶ 해설 내신연계기출

0139 BASIC

다음 중 옳지 않은 것은?

① $\log_2 16 + \log_2 \dfrac{1}{8} = 1$

② $\log_2 6 - \log_2 \dfrac{3}{2} = 2$

③ $\log_2 40 - \log_2 5 = 3$

④ $\log_2 \dfrac{24}{5} + \log_2 \dfrac{80}{3} = 7$

⑤ $\log_3 12 + \log_3 9 - \log_3 4 = 2$

0140 BASIC

다음 중 옳지 않은 것은?

① $\log_2 4 - \log_{\frac{1}{3}} 27 = 5$

② $\log_2 \dfrac{3}{4} + 2\log_2 \dfrac{1}{\sqrt{12}} = -4$

③ $\dfrac{1}{3} \log_3 \sqrt{27} + \log_{\frac{1}{2}} \dfrac{1}{\sqrt{2}} = 1$

④ $\log_3 6 + \log_3 2 - \log_3 4 = 1$

⑤ $\log_5 (6 - \sqrt{11}) + \log_5 (6 + \sqrt{11}) = 1$

0141 BASIC

$\log_3 \left(\sqrt[3]{81} \times \dfrac{1}{3} \right)$의 값은?

① $\dfrac{1}{3}$ ② $\dfrac{2}{3}$ ③ 1

④ $\dfrac{4}{3}$ ⑤ $\dfrac{5}{3}$

0142 BASIC

$2\log_3 \sqrt{18} + \dfrac{1}{3} \log_3 64 - \log_3 \dfrac{8}{9}$의 값은?

① 1 ② 2 ③ 3

④ 4 ⑤ 5

0143 BASIC

$2\log_2 \sqrt{3} - \log_2 6 + 7\log_2 \sqrt{2} + \log_5 3\sqrt{15} - \log_5 3 - \log_5 \sqrt{3}$

의 값은?

① 1 ② $\dfrac{3}{2}$ ③ 2

④ $\dfrac{5}{2}$ ⑤ 3

0144

BASIC

$2\log_2 a + \log_2 \dfrac{a}{3} - 4\log_2 \sqrt[4]{a} = 3$이 성립할 때, a^2의 값은?

① 20　　　　② 22　　　　③ 24

④ 26　　　　⑤ 28

0145 최다빈출 ② 중요

BASIC

$(\log_6 4)^2 + (\log_6 9)^2 + 2\log_6 4 \cdot \log_6 9$의 값은?

① 1　　　　② 4　　　　③ 9

④ 16　　　　⑤ 25

▶ 해설 내신연계기출

0146 최다빈출 ② 중요

NORMAL

좌표평면 위의 두 점

$$A\left(\sqrt[3]{-125},\ \log_2 \sqrt[4]{48}\right),\ B\left(-\sqrt{\sqrt[3]{64}},\ \log_2 \sqrt[4]{3}\right)$$

을 지나는 직선의 기울기는?

① $-\dfrac{2}{3}$　　　② $-\dfrac{1}{3}$　　　③ 0

④ $\dfrac{1}{3}$　　　　⑤ $\dfrac{2}{3}$

▶ 해설 내신연계기출

0147

NORMAL

좌표평면에서 두 점 $A(-1, \log_3 a)$, $B(3, \log_3 b)$를 지나는 직선이

직선 $y = -x + 4$에 수직일 때, $\dfrac{b}{a}$의 값은?

① 8　　　　② 9　　　　③ 18

④ 27　　　　⑤ 81

0148

NORMAL

$a = (\sqrt{2} - 1)^{-1}$일 때, $\log_2 (a^3 - 1) - \log_2 (a^2 + a + 1)$의 값은?

① 1　　　　② $\dfrac{1}{2}$　　　③ $\dfrac{1}{4}$

④ $\dfrac{1}{5}$　　　⑤ $\dfrac{1}{8}$

0149 최다빈출 ② 중요

NORMAL

양수 a, b에 대하여

$$\log_2(a+b) = 3,\ \log_3 a + \log_3 b = 1$$

일 때, $a^2 + b^2$의 값은?

① 12　　　　② 24　　　　③ 54

④ 58　　　　⑤ 69

▶ 해설 내신연계기출

0150 최다빈출 ② 중요

NORMAL

두 양수 a, b에 대하여

$$\begin{cases} ab = 27 \\ \log_3 \dfrac{b}{a} = 5 \end{cases}$$

가 성립할 때, $4\log_3 a + 9\log_3 b$의 값은?

① 20　　　　② 24　　　　③ 28

④ 32　　　　⑤ 36

▶ 해설 내신연계기출

0151 최다빈출 ② 중요

NORMAL

1보다 큰 두 실수 a, b에 대하여

$$\log_{\sqrt{3}} a = \log_9 ab$$

가 성립할 때, $\log_a b$의 값은?

① 1　　　　② 2　　　　③ 3

④ 4　　　　⑤ 5

▶ 해설 내신연계기출

0152 최다빈출 ② 중요 NORMAL

양수 x, y, z가 $x^3+y^3+z^3=3xyz$를 만족시킬 때,
$\log_2(x-y+2)+\log_2(y-z+4)+\log_2(z-x+8)$의 값은?

① 4 　　　　② 5 　　　　③ 6
④ 7 　　　　⑤ 8

▶ 해설 내신연계기출

유형 04 로그의 기본 성질 (2)

$a>0$, $a \neq 1$이고 $b>0$일 때,

① $\log_a \dfrac{1}{b}=\log_a b^{-1}=-\log_a b$

② $\log_{\frac{1}{a}} b=\log_{a^{-1}} b=-\log_a b$

③ $\log_{a^m} b^n=\dfrac{n}{m}\log_a b$ (m, n은 실수 $m \neq 0$)

④ $\log_a b=\log_{a^n} b^n$ (n은 실수)

⑤ $a^{\log_c b}=b^{\log_c a}$ ($c \neq 1$, $c>0$)

⑥ $a^{\log_a b}=b^{\log_a a}=b$

0153 최다빈출 ② 중요 NORMAL

1이 아닌 세 양수 a, b, c에 대하여
$$a=b^2=c^3$$
이 성립할 때, $\log_a b+\log_b c+\log_c a$의 값은?

① $\dfrac{23}{6}$ 　　　② $\dfrac{25}{6}$ 　　　③ $\dfrac{29}{6}$

④ $\dfrac{31}{6}$ 　　　⑤ $\dfrac{35}{6}$

▶ 해설 내신연계기출

0156 학교기출 대표 유형

$3^{\log_9 4} \times \log_2 \sqrt[3]{64}$의 값은?

① 0 　　　　② 1 　　　　③ 2
④ 3 　　　　⑤ 4

0154 TOUGH

세 양수 a, b, c가 다음 조건을 만족시킨다.

(가) $\sqrt[3]{a}=\sqrt{b}=\sqrt[4]{c}$
(나) $\log_8 a+\log_4 b+\log_2 c=2$

$\log_2 abc$의 값은?

① 2 　　　　② $\dfrac{7}{3}$ 　　　③ $\dfrac{8}{3}$

④ 3 　　　　⑤ $\dfrac{10}{3}$

0157 BASIC

$4^{\log_2 5}+3^{\log_3 a}=30$을 만족시키는 양수 a의 값은?

① 5 　　　　② 10 　　　③ 15
④ 20 　　　⑤ 25

0155 TOUGH

2 이상의 세 실수 a, b, c가 다음 조건을 만족시킨다.

(가) $\sqrt[3]{a}$는 ab의 네제곱근이다.
(나) $\log_a bc+\log_b ac=4$

$a=\left(\dfrac{b}{c}\right)^k$이 되도록 하는 실수 k의 값은?

① 6 　　　　② $\dfrac{13}{2}$ 　　　③ 7

④ $\dfrac{15}{2}$ 　　　⑤ 8

0158 최다빈출 ② 중요 BASIC

$27^{2\log_3 5-3\log_{\frac{1}{3}} 4-2\log_3 20}$의 값은?

① 62 　　　② 64 　　　③ 66
④ 68 　　　⑤ 70

▶ 해설 내신연계기출

0159

NORMAL

함수 $f(x)=3^{\log_2 x}$에 대하여

$$f\left(\frac{1}{2}\right)\times f\left(\frac{2}{3}\right)\times f\left(\frac{3}{4}\right)\times f\left(\frac{4}{5}\right)\times\cdots\times f\left(\frac{15}{16}\right)$$

의 값은?

① $\dfrac{1}{81}$ ② $\dfrac{1}{27}$ ③ $\dfrac{1}{9}$

④ $\dfrac{1}{3}$ ⑤ 81

0160 최다빈출 왕중요

NORMAL

$\log_3 5$의 정수 부분을 a, 소수 부분을 b라고 할 때, $\dfrac{3^a+3^b}{3^{-a}+3^{-b}}$의 값은?

① 1 ② 3 ③ 5

④ 7 ⑤ 9

▶ 해설 내신연계기출

0161 최다빈출 왕중요

NORMAL

양의 유리수 x, y, z가

$$\log_3 x+2\log_9 y+3\log_{27} z=2$$

를 만족할 때, $\{(2^x)^y\}^z$의 값은?

① 9 ② 128 ③ 256

④ 512 ⑤ 1024

▶ 해설 내신연계기출

0162 최다빈출 왕중요

TOUGH

다음 [보기]에서 옳은 것만을 있는 대로 고른 것은?

> ㄱ. $2^{\log_2 1+\log_2 2+\log_2 3+\log_2 4+\log_2 5+\log_2 6}=720$
>
> ㄴ. $\log_2(2^1\times2^2\times2^3\times2^4\times2^5)^2=30$
>
> ㄷ. $(\log_2 2^1)(\log_2 2^2)(\log_2 2^3)(\log_2 2^4)(\log_2 2^5)=120$

① ㄱ   ② ㄱ, ㄴ   ③ ㄱ, ㄷ

④ ㄴ, ㄷ   ⑤ ㄱ, ㄴ, ㄷ

▶ 해설 내신연계기출

유형 05 로그의 기본 성질과 합

[1단계] $\log_a x+\log_a y=\log_a xy$을 이용하여 식을 간단히 한다.
[2단계] 구하는 값을 구한다.

0163 학교기출 대표유형

$\log\left(1+\dfrac{1}{1}\right)+\log\left(1+\dfrac{1}{2}\right)+\log\left(1+\dfrac{1}{3}\right)+\cdots+\log\left(1+\dfrac{1}{99}\right)$의 값은?

① 1 ② 2 ③ 3

④ 4 ⑤ 5

0164 최다빈출 왕중요

BASIC

$\log\left(1-\dfrac{1}{2}\right)+\log\left(1-\dfrac{1}{3}\right)+\log\left(1-\dfrac{1}{4}\right)+\cdots+\log\left(1-\dfrac{1}{100}\right)$의 값은?

① -3 ② -2 ③ -1

④ 2 ⑤ 3

▶ 해설 내신연계기출

0165

NORMAL

함수 $f(x)=\log_a\left(1+\dfrac{1}{x}\right)$에 대하여

$$f(1)+f(2)+f(3)+\cdots+f(100)=1$$

을 만족하는 실수 a의 값은?

① 99 ② 100 ③ 101

④ 102 ⑤ 103

0166 최다빈출 왕중요

NORMAL

함수 $f(x)=\log_3\left(1+\dfrac{1}{x+2}\right)$에 대하여

$$f(1)+f(2)+f(3)+\cdots+f(n)=4$$

를 만족시키는 자연수 n의 값은?

① 210 ② 220 ③ 230

④ 240 ⑤ 250

▶ 해설 내신연계기출

유형 06 밑의 변환 공식 (1)

로그의 밑을 다른 수로 바꿀 때 로그의 밑의 변환을 이용한다.

$a \neq 1,\ a > 0,\ b > 0$일 때,

① $\log_a b = \dfrac{\log_c b}{\log_c a}$ $(c \neq 1,\ c > 0)$

② $\log_a b = \dfrac{1}{\log_b a}$ $(b \neq 1)$

0167 학교기출 빈출유형

다음 중 옳지 않은 것은?

① $\log_2 9 \times \log_3 \sqrt{2} = 1$

② $\log_3 \sqrt{8} \times \log_2 9 = 3$

③ $\left(\dfrac{1}{\log_8 2}\right)^3 + \log_2 16^2 = 35$

④ $\log_2 48 - \log_2 3 + \dfrac{\log_3 64}{\log_3 2} = 10$

⑤ $\log_2(\log_2 3) + \log_2(\log_3 4) = 2$

▶ 해설 내신연계기출

0168 BASIC

$x = \log_3 6,\ y = \log_{12} 6$일 때, $\dfrac{1}{x} + \dfrac{1}{y}$의 값은?

① $\dfrac{3}{2}$ ② 2 ③ $\dfrac{5}{2}$

④ 4 ⑤ 5

0169 BASIC

$\dfrac{1}{\log_4 18} + \dfrac{2}{\log_9 18}$의 값은?

① 1 ② 2 ③ 3

④ 4 ⑤ 5

0170 BASIC

$x = \dfrac{\log_6 3}{1 - \dfrac{\log_2 3}{\log_2 6}}$일 때, 2^x의 값은?

① 3 ② 4 ③ 5

④ 6 ⑤ 8

0171 최다빈출 상 중요 NORMAL

1이 아닌 양수 a, b에 대하여 등식

$$\dfrac{1}{\log_3 b} + \dfrac{1}{\log_9 b} + \dfrac{1}{\log_{27} b} = \dfrac{3}{\log_a b}$$

가 성립할 때, a의 값은?

① 3 ② 9 ③ 27

④ 81 ⑤ 243

▶ 해설 내신연계기출

0172 NORMAL

1이 아닌 양수 x에 대하여

$$\dfrac{3}{\log_2 x} + \dfrac{2}{\log_3 x} = \dfrac{1}{\log_a x}$$

을 만족시키는 상수 a의 값은? (단, $a > 0$, $a \neq 1$)

① 66 ② 68 ③ 70

④ 72 ⑤ 74

0173 최다빈출 상 중요 NORMAL

이차방정식 $x^2 - 4x + k = 0$의 서로 다른 두 실근 α, β를 가질 때,

$$\log_{(\alpha+\beta)} \beta + \dfrac{1}{\log_\alpha (\alpha+\beta)} = \dfrac{1}{2}$$

가 성립하도록 하는 양수 k의 값은? (단, $\alpha \neq 1$)

① $\dfrac{1}{\sqrt{2}}$ ② 1 ③ $\sqrt{2}$

④ 2 ⑤ $2\sqrt{2}$

▶ 해설 내신연계기출

0174 최다빈출 왕중요

NORMAL

1보다 큰 세 실수 a, b, c에 대하여

$$\log_a c : \log_b c = 2 : 1$$

일 때, $\log_a b + \log_b a$의 값은?

① 1　　　　② $\dfrac{3}{2}$　　　　③ 2

④ $\dfrac{5}{2}$　　　　⑤ 3

▶ 해설 내신연계기출

0175

TOUGH

a, b는 1이 아닌 양수이고

$$\log_a 2 + \log_b 2 = 2, \quad \log_2 a + \log_2 b = -1$$

일 때, $(\log_a 2)^2 + (\log_b 2)^2$의 값은?

① 4　　　　② 6　　　　③ 8

④ 10　　　　⑤ 12

0176 최다빈출 왕중요

TOUGH

두 실수 a, b가

$$5^{a+b} = 4, \quad 2^{a-b} = 3$$

을 만족시킬 때, $5^{a^2 - b^2}$의 값은?

① 6　　　　② 8　　　　③ 9

④ 16　　　　⑤ 27

▶ 해설 내신연계기출

0177 최다빈출 왕중요

TOUGH

1이 아닌 두 양수 a, b에 대하여

$$\frac{\log_a b}{2a} = \frac{18 \log_b a}{b} = \frac{3}{4}$$

이 성립할 때, ab의 값은?

① 4　　　　② 8　　　　③ 16

④ 32　　　　⑤ 64

▶ 해설 내신연계기출

유형 07 밑의 변환 공식 (2)

$a \neq 1$, $a > 0$, $b > 0$일 때,

① $\log_a b \cdot \log_b a = 1$ $(b \neq 1)$

② $\log_a b \cdot \log_b c = \log_a c$ $(b \neq 1, c > 0)$

0178 학교기출 대표유형

다음 옳은 것을 있는 대로 고른 것은?

> ㄱ. $\log_2 6 \times \log_6 3 \times \log_3 16 = 4$
>
> ㄴ. $(\log_3 50 - \log_3 2) \times \log_5 27 = 6$
>
> ㄷ. $\log_2 (\log_3 25) + \log_2 (\log_5 9) = 2$

① ㄱ　　　　② ㄴ　　　　③ ㄱ, ㄷ

④ ㄴ, ㄷ　　　　⑤ ㄱ, ㄴ, ㄷ

0179

BASIC

$\dfrac{3}{2} \log_5 3 + (\log_5 \sqrt{2})(\log_2 25) - \log_5 3\sqrt{15}$의 값은?

① $\dfrac{1}{4}$　　　　② $\dfrac{1}{3}$　　　　③ $\dfrac{1}{2}$

④ 2　　　　⑤ 3

0180

BASIC

$(\log_2 9 + \log_{\sqrt{3}} 2)^2 - (\log_2 9 - \log_{\sqrt{3}} 2)^2$의 값은?

① 2　　　　② 4　　　　③ 8

④ 16　　　　⑤ 32

0181

BASIC

$(\log_4 9 + \log_2 27)(\log_3 2 + \log_9 8)$의 값은?

① 2　　　　② 4　　　　③ 6

④ 8　　　　⑤ 10

0182

최다빈출 왕 중요　　　NORMAL

$\dfrac{(\log_3 2+\log_9 8)(\log_2 3+\log_4 9)}{(\log_4 5+\log_8 5)(\log_5 2-\log_{25} 2)}$ 의 값은?

① $\dfrac{1}{5}$　　　　② $\dfrac{5}{12}$　　　　③ 5

④ 12　　　　⑤ 18

▶ 해설 내신연계기출

0183

최다빈출 왕 중요　　　NORMAL

$\log(\log_2 3)+\log(\log_3 4)+\log(\log_4 5)+\cdots+\log(\log_{1023} 1024)$의 값은?

① 1　　　　② 2　　　　③ 4

④ 8　　　　⑤ 10

▶ 해설 내신연계기출

0184

NORMAL

다음 등식을 만족하는 실수 a의 값은?

$\log_a(\log_2 3)+\log_a(\log_3 4)+\cdots+\log_a(\log_7 8)=-\dfrac{1}{2}$

① $\dfrac{1}{9}$　　　　② $\dfrac{1}{8}$　　　　③ $\dfrac{\sqrt{3}}{3}$

④ $\dfrac{\sqrt{2}}{2}$　　　　⑤ $\sqrt{3}$

0185

NORMAL

세 양수 a, b, c가 다음을 모두 만족시킬 때, 1이 아닌 양수 k의 값은?

(가) $3^a=5^b=k^c$

(나) $ab=bc+ca$

① 10　　　　② 15　　　　③ 17

④ 20　　　　⑤ 25

0186

NORMAL

좌표평면에서 두 직선

$$(\log_2 a)x+(\log_3 8)y+\log_2 b=0$$
$$(\log_2 3)x+(\log_3 2)y+1=0$$

이 무수히 많은 점에서 만나도록 하는 상수 a, b에 대하여 $a+b$의 값은? (단, $a>0$, $b>0$)

① 21　　　　② 25　　　　③ 30

④ 35　　　　⑤ 40

0187

NORMAL

1이 아닌 두 양수 a, b에 대하여 등식

$$\log_3 a=\dfrac{1}{\log_b 27}$$

이 성립할 때, $\log_a b^2+\log_b a^2$의 값은?

① 6　　　　② $\dfrac{20}{3}$　　　　③ $\dfrac{22}{3}$

④ 8　　　　⑤ $\dfrac{26}{3}$

0188

최다빈출 왕 중요　　　TOUGH

1이 아닌 서로 다른 두 양수 a, b가

$$\log_a b=\log_b a$$

를 만족할 때, $(a+1)(b+9)$의 최솟값은?

① 9　　　　② 16　　　　③ 25

④ 36　　　　⑤ 49

▶ 해설 내신연계기출

0189

최다빈출 왕 중요　　　TOUGH

삼각형 ABC의 세 변의 길이 a, b, c 사이에 다음과 같은 관계가 성립할 때, 삼각형 ABC는 어떤 삼각형인가?
($a>0$, $a\neq 1$, $c>b>0$, $b+c\neq 1$, $c-b\neq 1$)

$$\log_{b+c} a+\log_{c-b} a=2(\log_{b+c} a\times\log_{c-b} a)$$

① $\angle A=90°$인 직각삼각형

② $\angle B=90°$인 직각삼각형

③ $\angle C=90°$인 직각삼각형

④ $a=b$인 이등변삼각형

⑤ $a=c$인 이등변삼각형

▶ 해설 내신연계기출

[1단계] 로그의 밑의 변환을 이용하여 주어진 문자를 나타내는 로그와
구하는 로그의 밑이 같게 한다.
[2단계] 진수를 소인수분해하여 진수의 곱의 꼴로 나타낸다.
[3단계] 로그의 성질을 이용하여 로그의 합 또는 차의 꼴로 나타낸다.
[4단계] 주어진 문자를 대입한다.

0190 학교기출 유형

$\log_5 2 = a$, $\log_5 3 = b$일 때, $\log_6 72$를 a, b로 나타내면?

① $2a+b$ ② $3b-a$ ③ $\dfrac{3a+2b}{a+b}$

④ $\dfrac{2b-4a}{b}$ ⑤ $\dfrac{2a+3b}{a-b}$

0191 최다빈출 중요   BASIC

$\log_{10} 2 = a$, $\log_{10} 3 = b$일 때, $\log_5 12$를 a, b로 나타내면?

① $\dfrac{2a+b}{1-a}$ ② $\dfrac{2a+b}{1+a}$ ③ $\dfrac{a+2b}{3a}$

④ $\dfrac{a+2b}{1-a}$ ⑤ $\dfrac{a+2b}{1+a}$

▶ 해설 내신연계기출

0192   BASIC

$\log_2 3 = a$, $\log_3 15 = b$일 때, $\log_{30} 54$를 a, b로 나타낸 것은?

① $\dfrac{a+b}{4ab+1}$ ② $\dfrac{1+b}{1+2ab}$ ③ $\dfrac{1+3a}{1+ab}$

④ $\dfrac{1+2a}{1+4ab}$ ⑤ $\dfrac{1+2ab}{1+6ab}$

0193   NORMAL

함수 $f(x) = \dfrac{x+1}{2x-1}$에 대하여 $\log 2 = a$, $\log 3 = b$라 할 때, $f(\log_3 6)$의 값을 a, b로 나타낸 것은?

① $\dfrac{a+2b}{a+b}$ ② $\dfrac{2a+b}{a+b}$ ③ $\dfrac{2a+b}{a+2b}$

④ $\dfrac{a+b}{2a+b}$ ⑤ $\dfrac{a+2b}{2a+b}$

0194 최다빈출 중요   NORMAL

$2^a = 3$, $3^b = 5$일 때, $\log_{15} 90$을 a, b로 나타낸 것은?

① $\dfrac{1+a+b}{1+b}$ ② $\dfrac{1+a+2b}{1+b}$ ③ $\dfrac{1+2a+b}{1+b}$

④ $\dfrac{1+2a+ab}{a(1+b)}$ ⑤ $\dfrac{1+2b+ab}{b(1+b)}$

▶ 해설 내신연계기출

0195   NORMAL

$10^x = a$, $10^y = b$, $10^z = c$일 때, $\log_{ab} c$를 x, y, z를 사용하여 나타내면? ($ab \neq 1$)

① $\dfrac{2z}{x+y}$ ② $\dfrac{-z}{x+y}$ ③ $\dfrac{z}{x+y}$

④ $2x-y+3z$ ⑤ $x+y+z$

0196   TOUGH

$\log_3 \sqrt{30} = a$, $\log_3 \dfrac{6}{25} = b$일 때, $\log_3 60$을 a, b로 나타내면?

① $\dfrac{5a-2b}{3}$ ② $\dfrac{5a+b}{3}$ ③ $\dfrac{10a-2b-1}{3}$

④ $\dfrac{10a+2b-2}{3}$ ⑤ $\dfrac{10a+b-3}{3}$

유형 09 로그의 성질의 활용─식의 값 구하기

[1단계] 로그의 여러 가지 성질을 이용하여 주어진 조건을 적절하게 변형한 후 이를 구하는 식에 대입하여 식의 값을 구한다.

[2단계] $a^x = b$꼴의 조건이 주어진 경우 로그의 정의에 의해 $x = \log_a b$임을 이용하여 주어진 식에 대입하여 구한다.

0197 학교기출 대표 유형

$184^x = 32$, $23^y = 4$를 만족시키는 두 실수 x, y에 대하여 $\dfrac{5}{x} - \dfrac{2}{y}$의 값은?

① 1   ② 2   ③ 3

④ 4   ⑤ 5

0198   BASIC

실수 x, y에 대하여
$$25^x = 9^y = 15$$
일 때, $\dfrac{x+y}{xy}$의 값은?

① 2   ② 3   ③ 4

④ $\log_2 3$ ⑤ $2\log_3 2$

0199 최다빈출 왕중요   BASIC

$3^x = 5^y = 15^z$일 때, $\dfrac{(x+y)z}{xy}$의 값은? (단, $xy \neq 0$)

① 1   ② 2   ③ 3

④ 4   ⑤ 5

▶ 해설 내신연계기출

0200 최다빈출 왕중요   NORMAL

두 실수 x, y가 $2^x = 5^y = 10$을 만족시킬 때, $(x-1)(y-1)$의 값은?

① 1   ② 2   ③ 3

④ 4   ⑤ 5

▶ 해설 내신연계기출

0201   NORMAL

두 실수 x, y에 대하여 $2^x = 5^y = 80$일 때, $xy - x - 4y + 4$의 값은?

① 2   ② 4   ③ 6

④ 8   ⑤ 10

0202   TOUGH

$80^a = 4$, $80^b = 5$일 때, $25^{\frac{1-a-b}{1-2a}}$의 값은?

① 12   ② $12\sqrt{5}$ ③ 16

④ $16\sqrt{5}$ ⑤ 20

0203 최다빈출 왕중요   TOUGH

양수 a, b에 대하여 $a^2 b^3 = 1$일 때, $\log_a a^4 b^3$의 값은? (단, $a \neq 1$)

① 1   ② 2   ③ 3

④ 4   ⑤ 5

▶ 해설 내신연계기출

이차방정식의 근과 계수의 관계를 이용하여 두 근의 합과 곱을 구하고 구하는 식을 변형하여 주어진 값을 이용한다.

이차방정식 $ax^2+bx+c=0$의 두 근이 $\log_{10}\alpha$, $\log_{10}\beta$이면

① $\log_{10}\alpha+\log_{10}\beta=-\dfrac{b}{a}$ $\Rightarrow$ $\log_{10}\alpha\beta=-\dfrac{b}{a}$ $\Rightarrow$ $\alpha\beta=10^{-\frac{b}{a}}$

② $\log_{10}\alpha \cdot \log_{10}\beta=\dfrac{c}{a}$

0204 학교기출 대표유형

이차방정식 $x^2-4x+2=0$의 두 근이 $\log_5 a$, $\log_5 b$일 때, $\log_a b+\log_b a$의 값은?

① 3 　　② 4 　　③ 5
④ 6 　　⑤ 7

▶ 해설 내신연계기출

0205 최다빈출 강중요   NORMAL

이차방정식 $x^2-3x+1=0$의 두 근이 $\log a$, $\log b$일 때, $\log_a b^2+\log_b a^2$의 값은?

① 10 　　② 12 　　③ 14
④ 16 　　⑤ 18

▶ 해설 내신연계기출

0206   NORMAL

이차방정식 $x^2-6x+6=0$의 두 근이 $\log_2 a$, $\log_2 b$일 때, $2^{\log_a b} \cdot a^{\log_b 2}$의 값은?

① 2^4 　　② 2^6 　　③ $2^{2\sqrt{2}}$
④ $2^{2\sqrt{3}}$ 　　⑤ 2^{12}

0207   NORMAL

이차방정식 $x^2-8x+k=0$의 두 실근이 $\log_\alpha \beta^2$, $\log_\beta \alpha^2$일 때,

$k\left(\dfrac{\log\beta}{\log\alpha}+\dfrac{\log\alpha}{\log\beta}\right)$의 값은?

(단, k는 상수이고, α, β는 1이 아닌 양수이다.)

① 12 　　② 14 　　③ 16
④ 18 　　⑤ 20

0208   TOUGH

이차방정식
$$x^2-2x\log 2+\log 5-\log 2=0$$
의 두 실근을 α, β라 할 때, $(\alpha+1)(\beta+1)$의 값은?

① -2 　　② -1 　　③ 0
④ 1 　　⑤ 2

0209 최다빈출 강중요   TOUGH

이차방정식 $2x^2-6x+1=0$의 두 근을 α, β라 할 때, $\log_{6\alpha\beta}2\alpha(\alpha+1)+\log_{6\alpha\beta}2\beta(\beta+1)$의 값은?

① 1 　　② 2 　　③ 3
④ 4 　　⑤ 5

▶ 해설 내신연계기출

유형 11 로그의 성질을 이용한 대소 관계

로그의 여러 가지 성질을 이용하여 주어진 값을 구한다.
$a > 0$, $a \neq 1$, $b > 0$, $b \neq 1$, $c > 0$, $c \neq 1$일 때,

① $a^{\log_c b} = b^{\log_c a}$

② $\log_a b = \dfrac{\log_c b}{\log_c a}$

③ $\log_a b = \dfrac{1}{\log_b a}$

참고 산술평균과 기하평균의 관계

$a > 0$, $b > 0$일 때, $a + b \geq 2\sqrt{ab}$ (단, 등호는 $a = b$)

0210 학교기출 대표 유형

세 수

$$A = 11^{\log_{11} 3}, \quad B = \dfrac{\log_5 125}{\log_2 4}, \quad C = \log_3 63 - \log_3 7$$

의 대소 관계는?

① $A < B < C$ ② $B < C < A$ ③ $C < A < B$
④ $A < C < B$ ⑤ $C < B < A$

0211

BASIC

세 수

$$A = 3^{\log_3 12 - \log_3 6}, \quad B = \log_5 25 - \log_5 \dfrac{1}{125}, \quad C = \log_2\{\log_4(\log_8 64)\}$$

의 대소 관계를 바르게 나타낸 것은?

① $A < B < C$ ② $A < C < B$ ③ $B < C < A$
④ $C < A < B$ ⑤ $C < B < A$

0212

NORMAL

세 수

$$A = \log_4 2 + \dfrac{1}{\log_3 9}, \quad B = \dfrac{1}{\log_2 3} + \dfrac{1}{\log_3 2}, \quad C = 3^{1 - \log_3 2}$$

의 대소 관계를 나타낸 것은?

① $A < B < C$ ② $A < C < B$ ③ $B < C < A$
④ $B < A < C$ ⑤ $C < B < A$

유형 12 로그에 대한 증명

로그의 정의와 성질을 이용하여 빈칸에 알맞은 식을 구한다.

0213 학교기출 대표 유형

다음은 지수법칙 $a^m a^n = a^{m+n}$으로부터 모든 양수 M, N에 대하여 $\log_a MN = \log_a M + \log_a N$가 성립함을 증명한 것이다.
(단, $a \neq 1$, $a > 0$)

$x = \log_a M$, $y = \log_a N$으로 놓으면

$$a^x = \boxed{(\text{가})}, \quad a^y = N$$

지수법칙에 의하여

$$a^{x+y} = \boxed{(\text{나})}$$

로그의 정의에 의하여

$$x + y = \log_a \boxed{(\text{나})}$$

그러므로 $\log_a MN = \log_a M + \log_a N$이다.

위의 증명에서 (가), (나)에 알맞은 것을 순서대로 적으면?

① M, $M+N$ ② N, $M+N$ ③ M, $\dfrac{M}{N}$

④ N, MN ⑤ M, MN

▶ 해설 내신연계기출

0214

NORMAL

다음은 실수 m, $n (m \neq 0)$에 대하여

$$\log_{a^m} b^n = \dfrac{n}{m} \log_a b \, (a > 0, \, a \neq 1, \, b > 0)$$

가 성립함을 증명한 것이다.

$x = \log_{a^m} b^n$으로 놓으면

$$b^n = \boxed{(\text{가})} = (a^x)^{\boxed{(\text{나})}} \text{ 이므로}$$

$$a^x = \boxed{(\text{다})}$$

따라서 $x = \log_a \boxed{(\text{다})} = \dfrac{n}{m} \log_a b$가 성립한다.

위의 증명에서 (가), (나), (다)에 알맞은 것은?

	(가)	(나)	(다)
①	$(a^m)^x$	n	$b^{\frac{n}{m}}$
②	$(a^m)^x$	m	$b^{\frac{n}{m}}$
③	$(a^m)^x$	m	$b^{\frac{m}{n}}$
④	a^m	m	$b^{\frac{m}{n}}$
⑤	a^m	n	$b^{\frac{n}{m}}$

0215 최다빈출 양 중요

다음은 $\log_{10}5$는 유리수가 아님을 보이는 과정이다. (가), (나), (다)에 들어갈 것을 순서대로 나열하면?

결론을 부정하여 $\log_{10}5$를 유리수라 하면
서로소인 두 자연수 p, q에 대하여
$\log_{10}5 = \dfrac{p}{q}$ $(p < q)$라 하면 로그의 정의에 의하여
$10^{\frac{p}{q}} = 5$, $10^p = 5^q$
이므로 $2^p 5^p = 5^q$, 즉 $5^{q-p} = $ (가)
그런데 5^{q-p}은 (나) 이고 (가) 는 (다)
이므로 5^{q-p}과 (가) 는 항상 같지 않다.
따라서 $\log 5$는 유리수가 아니다.

	(가)	(나)	(다)
①	2^q	5의 배수	2의 배수
②	2^q	2의 배수	5의 배수
③	2^p	5의 배수	2의 배수
④	2^p	2의 배수	5의 배수
⑤	2^{-p}	5의 배수	2의 배수

▶ 해설 내신연계기출

0216

다음은 자연수 n에 대하여 $\log_2 n$이 유리수이면 n을
$$n = 2^k \ (k\text{는 } k \geq 0\text{인 정수})$$
의 꼴로 나타낼 수 있음을 증명한 것이다.

자연수 n에 대하여 $\log_2 n$이 유리수라고 하자.
n이 자연수이므로 $n = 2^k \cdot m$을 만족시키는 $k \geq 0$인 정수 k와 홀수인 자연수 m이 존재한다.
그러면 $\log_2 n = $ (가)
따라서 $\log_2 n$이 유리수이면 $\log_2 m$도 유리수이어야 하므로
$\log_2 m = \dfrac{q}{p}$ (p는 자연수, q는 정수)로 놓을 수 있다.
그러면 (나) 에서 m이 홀수이므로 m^p은 홀수이다.
따라서 2^q도 홀수이어야 하므로 (다) 이고 $m = 1$이다.
그러므로 n을 $n = 2^k$ (k는 $k \geq 0$인 정수)의 꼴로 나타낼 수 있다.

위의 증명 과정에서 (가), (나), (다)에 알맞은 것을 차례대로 나열하면?

	(가)	(나)	(다)
①	$k\log_2 m$	$m^q = 2^p$	$q = 1$
②	$k\log_2 m$	$m^p = 2^q$	$q = 1$
③	$k + \log_2 m$	$m^q = 2^p$	$q = 0$
④	$k + \log_2 m$	$m^p = 2^q$	$q = 1$
⑤	$k + \log_2 m$	$m^p = 2^q$	$q = 0$

유형 13 로그성질의 활용

① 로그의 정의나 성질을 이용하여 주어진 식을 변형한다.
② 밑의 변환공식을 이용하여 주어진 식과 구하는 식의 밑이 같도록 변형한 다음 주어진 식에 대입한다.

0217 학교기출 대표 유형

오른쪽 그림과 같이 기준점 1로부터의 거리가 $\log_{10}x$인 곳에 눈금 x를 매긴 자를 '로그자'라고 한다.
$\log_{10}1 = 0$이므로 '로그자'에서는 기준점의 로그눈금은 1이다.
두 개의 로그자 A, B에서 세 개의 눈금의 위치가 오른쪽 그림과 같이 서로 일치할 때, $x - y$의 값은?

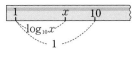

① 24 ② 31 ③ 37
④ 39 ⑤ 41

▶ 해설 내신연계기출

0218 최다빈출 양 중요

1000의 모든 양의 약수들을 a_1, a_2, a_3, $\cdots$, a_{16}이라고 할 때,
$\log_{10}a_1 + \log_{10}a_2 + \log_{10}a_3 + \cdots + \log_{10}a_{16}$의 값은?

① 12 ② 24 ③ 36
④ 48 ⑤ 60

▶ 해설 내신연계기출

0219

$\sqrt{(-n-1)(n-2)} = -\sqrt{-n-1}\sqrt{n-2}$를 만족하는 정수 n에 대하여
$\log x = n + \dfrac{1}{2}$이라 할 때, 모든 x값의 곱은?

① 10^3 ② 10^4 ③ 10^5
④ 10^6 ⑤ 10^7

서술형 기출유형
학교내신기출 서술형 핵심문제총정리

0220

$x=\log_3(2+\sqrt{3})$일 때, $\dfrac{3^x-3^{-x}}{3^x+3^{-x}}$의 값을 구하는 과정을 다음 단계로 서술하여라.

[1단계] 로그의 정의를 이용하여 로그의 식을 지수의 식으로 나타낸다.

[2단계] 3^{-x}의 값을 구한다.

[3단계] $\dfrac{3^x-3^{-x}}{3^x+3^{-x}}$의 값을 구한다.

0221

1보다 큰 세 실수 a, b, c에 대하여
$$\log_a c : \log_b c = 2 : 3$$
일 때, $\log_a b + \log_b a$의 값을 구하는 과정을 다음 단계로 서술하여라.

[1단계] 비례식을 정리하여 $\log_a b$의 값을 구한다.

[2단계] 로그의 밑의 변환 공식을 이용하여 $\log_a b + \log_b a$의 값을 구한다.

0222

a, b가 양수일 때,
$$\log_8 a + \log_4 b^2 = 5, \quad \log_8 b + \log_4 a^2 = 7$$
이 성립한다. $a+b$의 값을 구하는 과정을 다음 단계로 서술하여라.

[1단계] $\log_2 a = x$, $\log_2 b = y$로 놓고 주어진 조건의 식을 세운다.

[2단계] 연립방정식을 풀어 x, y의 값을 구한다.

[3단계] 로그의 정의를 이용하여 a, b의 값을 구하여 $a+b$의 값을 구한다.

0223

$a>0$, $a \neq 1$, $b>0$, $c>0$, $c \neq 1$일 때,

$\log_a b = \dfrac{\log_c b}{\log_c a}$이 성립함을 다음 단계로 서술하여라.

[1단계] $\log_a b = x$, $\log_c a = y$로 놓고 로그의 정의를 이용하여 b, a값을 구한다.

[2단계] 지수의 성질을 이용하여 b를 구한다.

[3단계] [2단계]에서 로그의 정의를 이용하여 xy를 구한다.

[4단계] $a \neq 1$일 때, $\log_c a \neq 0$임을 이용하여 $\log_a b = \dfrac{\log_c b}{\log_c a}$

임을 보인다.

0224

$5^x=4$, $40^y=8$일 때, $\dfrac{2}{x}-\dfrac{3}{y}$의 값을 구하는 과정을 다음 단계로 서술하여라.

[1단계] $5^x=4$에서 로그의 정의를 이용하여 $\dfrac{2}{x}$의 값을 구한다.

[2단계] $40^y=8$에서 로그의 정의를 이용하여 $\dfrac{3}{y}$의 값을 구한다.

[3단계] $\dfrac{2}{x}-\dfrac{3}{y}$의 값을 구한다.

0225

$\log_{a-2}(-a^2+3a+10)$이 정의되기 위한 a의 값의 범위를 구하는 과정을 다음 단계로 서술하여라.

[1단계] 로그의 밑 조건을 만족하는 a의 범위를 구한다.

[2단계] 로그의 진수조건을 만족하는 a의 범위를 구한다.

[3단계] 두 조건을 동시에 만족하는 a의 범위를 구한다.

0226

$\log_{10}2=a$, $\log_{10}3=b$라 할 때, 다음 단계로 서술하여라.

[1단계] $\log_{10}5$를 a로 나타낸다.
[2단계] $\log_5 12$를 a, b로 나타낸다.
[3단계] 10^{a+2b}의 값을 구한다.

0227

1이 아닌 서로 다른 두 양수 a, b에 대하여

$$\log_a b = \log_b a$$

일 때, $(a+3)(b+12)$의 최솟값을 다음 단계로 서술하여라.

[1단계] $\log_a b = \log_b a$를 만족하는 서로 다른 두 양수 a, b의 관계식을 구한다.
[2단계] $(a+3)(b+12)$를 전개하여 산술평균과 기하평균을 이용하여 최솟값을 구한다.
[3단계] 최소가 되는 a, b의 값을 구한다.

▶ 해설 내신연계기출

0228

이차방정식 $x^2-2x-7=0$의 두 근이 $\log_2 a$, $\log_2 b$일 때,

$$\log_a b + \log_b a$$

의 값을 구하는 과정을 다음 단계로 서술하여라.

[1단계] 이차방정식의 두 근이 $\log_2 a$, $\log_2 b$이므로 근과 계수의 관계에 의하여 두 근의 합과 두 근의 곱을 구한다.
[2단계] $\log_a b + \log_b a$를 밑이 2인 로그로 식을 변환한다.
[3단계] 곱셈공식의 변형을 이용하여 $\log_a b + \log_b a$의 값을 구한다.

0229

10^9의 모든 양의 약수의 곱을 N이라 할 때, $\log_{10}N$의 값을 구하는 과정을 다음 단계로 서술하여라.

[1단계] 10^9의 약수의 개수를 구한다.
[2단계] 10^9의 모든 양의 약수의 곱 N을 구한다.
[3단계] $\log_{10}N$의 값을 구한다.

0230

이차방정식 $x^2-5x+5=0$의 두 근이 α, β이고 $a=\alpha-\beta$일 때, $\log_a \alpha + \log_a \beta$의 값을 구하는 과정을 다음 단계로 서술하여라. (단, $\alpha > \beta$)

[1단계] 이차방정식의 두 근이 α, β이므로 근과 계수의 관계에 의하여 두 근의 합과 두 근의 곱을 구한다.
[2단계] 곱셈공식을 이용하여 a의 값 구한다.
[3단계] $\log_a \alpha + \log_a \beta$의 값을 구한다.

0231

두 점 A$(1, -\log a)$, B$(5, \log b)$를 지나는 직선의 기울기가 $\frac{1}{2}$이 되도록 하는 서로 다른 두 자연수 a, b의 모든 순서쌍 (a, b)의 개수를 구하는 과정을 다음 단계로 서술하여라.

[1단계] 두 점을 지나는 직선의 기울기를 이용하여 ab를 구한다.
[2단계] 서로 다른 두 자연수 a, b의 모든 순서쌍 (a, b)의 개수를 구한다.

0232

두 양수 a, b가

$$\log_2 a + \log_2 b = 1, \ \log_3(1+a) + \log_3(1+b) = 2$$

를 만족시킬 때, $a^3 + b^3$의 값을 구하여라.

0233

$0 < a < 1$일 때, 10^a을 3으로 나눈 몫이 정수이고 나머지가 2인 모든 a의 값의 합은?

① $3\log 2$ ② $6\log 2$ ③ $1 + 3\log 2$

④ $1 + 6\log 2$ ⑤ $2 + 3\log 2$

0234

자연수 k에 대하여 집합 A_k를

$$A_k = \left\{ \frac{b}{a} \ \middle| \ \log_a b = \frac{k}{2}, \ a\text{와 } b\text{는 2 이상 100 이하의 자연수} \right\}$$

라 할 때, $n(A_3) + n(A_4)$의 값을 구하여라.

0235

세 양수 a, b, c에 대하여 다음이 성립할 때, a, b, c의 합을 구하고 그 과정을 서술하여라.

$$\begin{cases} \log_2 ab + \log_2 bc = 5 \\ \log_2 bc + \log_2 ca = 8 \\ \log_2 ca + \log_2 ab = 7 \end{cases}$$

0236

자연수 n에 대하여 $f(n)$이 다음과 같다.

$$f(n) = \begin{cases} \log_5 n \ (n\text{이 홀수}) \\ \log_2 n \ (n\text{이 짝수}) \end{cases}$$

수열 $\{a_n\}$이 $a_n = f(6^n) - f(5^n)$일 때, $a_1 + a_2 + a_3 + \cdots + a_{10}$의 값을 구하여라.

0237

1이 아닌 양수 a, b에 대하여

$$\log_a 9 = \log_b 27$$

일 때, $\log_{ab} a^2 b^3$의 값을 $\dfrac{p}{q}$라 하면 $p+q$의 값을 구하여라.

(단, p, q는 서로소인 자연수)

0238

200의 모든 양의 약수들을 a_1, a_2, a_3, $\cdots$, a_{12}라고 할 때,

$$\log_2 a_1 + \log_2 a_2 + \log_2 a_3 + \cdots + \log_2 a_{12}$$

의 값을 구하여라. (단, $\log_{10} 2 = 0.3$으로 계산한다.)

0239

$\log_2(-x^2 + ax + 4)$의 값이 자연수가 되도록 하는 실수 x의 개수가 6일 때, 모든 자연수 a의 값의 곱을 구하여라.

0240

이차방정식 $x^2 - 5x + 5 = 0$의 두 근 α, $\beta\,(\alpha < \beta)$에 대하여 $a = \beta - \alpha$라고 할 때,

$$\log_a(3\alpha + \beta) + \log_a(\alpha + 3\beta) - \log_a 19$$

의 값을 구하여라.

0241

1보다 크거나 같고 100보다 작거나 같은 두 자연수 m, n에 대하여

$$4\log m - 2\log n$$

이 자연수의 값을 갖도록 하는 순서쌍 (m, n)의 개수를 구하여라.

0242

$(\log_{12} 4)^2 + \dfrac{1 + \log_{12} 4}{1 + \log_3 4}$ 의 값을 구하여라.

0243

100 이하의 자연수 전체의 집합을 S라 할 때, $n \in S$에 대하여 집합

$$\{k \,|\, k \in S \text{이고 } (\log_2 n - \log_2 k)\text{는 정수}\}$$

의 원소의 개수를 $f(n)$이라 하자. 예를 들어 $f(10) = 5$이고 $f(99) = 1$이다. 이때 $f(n) = 1$인 n의 개수를 구하여라.

03 상용로그

학교내신기출 객관식 핵심문제총정리

유형 01 상용로그의 값

임의의 양수 N은 $N=a\times10^n$ ($1\le a<10$, n은 정수)
의 꼴로 나타낼 수 있다.

즉, N의 상용로그의 값은

$\log N=\log(a\times10^n)=\log a+\log10^n=n+\log a$이다.

① 진수의 숫자 배열이 같으면 상용로그의 소수 부분은 같다.

② 상용로그의 소수 부분이 같으면 진수의 숫자 배열은 같다.

③ 상용로그의 값이 음수일 때에는 정수 부분에 1을 빼고
소수 부분에 1을 더하여 $0<\alpha$(소수 부분)<1이 되도록 만든 다음
정수 부분을 결정한다.

0244 학교기출 대표 유형

$\log5.13=0.71$일 때, $\log x=-1.29$를 만족시키는 x의 값은?

① 0.195　　② 0.513　　③ 0.0195

④ 0.0513　　⑤ 0.0708

0245 BASIC

$\log5.18=0.7143$일 때, $\log(51.8)^2-\log518$의 값은?

① -1.4286　　② -0.7143　　③ 0

④ 　0.7143　　⑤ 　1.4286

0246 최다빈출 왕 중요 BASIC

$\log3.02=a$, $\log1.75=b$일 때, $\dfrac{302}{0.175}$의 상용로그의 값을 a, b를
써서 나타낸 것으로 옳은 것은?

① $\dfrac{a+2}{b-1}$　　② $\dfrac{a-2}{b+1}$　　③ $\dfrac{2a}{-b}$

④ $a-b+1$　　⑤ $a-b+3$

▶ 해설 내신연계기출

0247 BASIC

$\log417=2.6201$임을 이용하여 다음을 만족하는 a, b에 대하여
$a+b$의 값은?

$\log a=0.6201$

$\log b=3.6201$

① 4170　　② 4174.01　　③ 4174.17

④ 4174.47　　⑤ 4174.67

0248 최다빈출 왕 중요 NORMAL

$\log54.3=1.7348$일 때, 다음 조건을 만족하는 a, b에 대하여
$a+b$의 값은?

(가) $\log5430=a$

(나) $\log b=-1.2652$

① 3.7891　　② 4.7891　　③ 5.8719

④ 6.5320　　⑤ 7.7348

▶ 해설 내신연계기출

0249 최다빈출 왕 중요 NORMAL

$10^{0.94}=k$라 할 때, $\log k^2+\log\dfrac{k}{10}$의 값은?

① 1.82　　② 1.85　　③ 1.88

④ 1.91　　⑤ 1.94

▶ 해설 내신연계기출

(1) 주어진 수에 상용로그를 취한 다음 상용로그표를 이용하여
   상용로그의 값을 찾는다.
(2) (1)에서 구한 값과 소수 부분이 같은 수를 상용로그표에서 찾는다.

0250 학교기출 대표유형

다음 주어진 상용로그표를 이용하여 $\log(0.362 \times 3410)$의 값을
구한 것은?

수	0	1	2	⋯
⋯	⋯	⋯	⋯	⋯
3.4	.5315	.5328	.5340	⋯
3.5	.5441	.5453	.5465	⋯
3.6	.5563	.5575	.5587	⋯
⋯	⋯	⋯	⋯	⋯

① 1.0259　　　　② 1.0915　　　　③ 2.0915
④ 3.0259　　　　⑤ 3.0915

0251
BASIC

다음은 상용로그표의 일부이다.

수	⋯	7	8	9
⋯	⋯	⋯	⋯	⋯
4.0	⋯	0.6096	0.6107	0.6117
4.1	⋯	0.6201	0.6212	0.6222
4.2	⋯	0.6304	0.6314	0.6325
⋯	⋯	⋯	⋯	⋯

위의 표를 이용하여 구한 $\log \sqrt{419}$의 값은?

① 1.3106　　　　② 1.3111　　　　③ 2.3106
④ 2.3111　　　　⑤ 3.3111

0252 최다빈출 왕중요
NORMAL

$\log(453 \times k) = 2.3291$일 때, 다음 상용로그표를 이용하여 양수
k의 값을 구하면?

수	0	1	2	3
⋯	⋯	⋯	⋯	⋯
4.5	.6532	.6542	.6551	.6561
4.6	.6628	.6637	.6646	.6656
4.7	.6721	.6730	.6739	.6749
⋯	⋯	⋯	⋯	⋯

① 0.452　　　　② 0.461　　　　③ 0.462
④ 0.471　　　　⑤ 0.473

▶ 해설 내신연계기출

$\log A = n + \alpha$ (n은 정수, $0 \le \alpha < 1$)일 때,
$\log A$의 정수 부분과 소수 부분이 이차방정식 $ax^2 + bx + c = 0$의
두 근이면 ⇨ $n + \alpha = -\dfrac{b}{a}$, $n\alpha = \dfrac{c}{a}$

0253 학교기출 대표유형

$\log 200$의 정수부분을 n, 소수부분을 α라고 할 때,
$10^n + 10^\alpha$의 값은? (단, $0 < \alpha < 1$)

① 100　　　　② 101　　　　③ 102
④ 103　　　　⑤ 104

0254 최다빈출 왕중요
BASIC

$\log A$의 정수부분과 소수부분이 이차방정식 $4x^2 - 11x + k = 0$의
두 근일 때, 상수 k의 값은?

① 10　　　　② 8　　　　③ 6
④ 4　　　　⑤ 2

▶ 해설 내신연계기출

0255
NORMAL

$\log A$에 대하여 $n = [\log A]$, $\alpha = \log A - [\log A]$라고 정의하자.
이차방정식 $5x^2 - 12x + k = 0$의 두 근이 n, α일 때, 상수 k의 값은?
(단, $[x]$가 x보다 크지 않은 최대의 정수)

① 2　　　　② 4　　　　③ 6
④ 8　　　　⑤ 10

0256 최다빈출 왕중요
TOUGH

$\log 300$의 정수부분과 소수부분을 각각 n, α라 할 때,
$9^{\frac{1}{n}}$, $3^{\frac{1}{\alpha}}$은 이차방정식 $x^2 + px + q = 0$의 두 근이다.
상수 p, q에 대하여 $p + q$의 값은?

① 27　　　　② 17　　　　③ 12
④ 6　　　　⑤ 3

▶ 해설 내신연계기출

유형 04 몇 자리의 정수인지 구하기

[1단계] 주어진 수에 상용로그를 취한 다음 정수 부분을 찾는다.
[2단계] 양수 N에 대하여 $\log N$의 정수 부분이 n이면
$$\Rightarrow N \text{은 } (n+1) \text{ 자리의 자연수이다.}$$

0257 학교기출 대표 유형

6^{10}은 몇 자리의 정수인가?
(단, $\log 2 = 0.3010$, $\log 3 = 0.4771$이다.)

① 7자리　　　② 8자리　　　③ 9자리
④ 10자리　　　⑤ 11자리

0258
BASIC

5^{30}은 몇 자리 정수인가? (단, $\log 2 = 0.3010$)

① 20　　　② 21　　　③ 22
④ 23　　　⑤ 24

0259 최다빈출 왕중요
NORMAL

7^{100}은 85자리의 정수일 때, 7^{30}은 몇 자리의 정수인가?

① 23　　　② 24　　　③ 25
④ 26　　　⑤ 27

▶ 해설 내신연계기출

0260
NORMAL

방정식 $\log_3\{\log_4(\log_2 x)\}=1$을 만족시키는 x가 n자리의 정수일 때, n의 값은? (단, $\log 2 = 0.3$으로 계산한다.)

① 20　　　② 21　　　③ 22
④ 23　　　⑤ 24

유형 05 소수점 아래에서 처음으로 0이 아닌 숫자가 나타나는 자리 구하기

[1단계] 주어진 수에 상용로그를 취한 다음 정수 부분을 찾는다.
[2단계] 양수 N에 대하여 $\log N$의 정수 부분이 $-n$이면
N은 소수점 아래 n번째 자리에서 처음으로 0이 아닌 숫자가 나타남을 이용한다.

0261 학교기출 대표 유형

$\left(\dfrac{1}{2}\right)^{50}$은 소수점 아래 몇째 자리에서 처음으로 0이 아닌 숫자가 나타나는가? (단, $\log 2 = 0.3010$)

① 12　　　② 14　　　③ 15
④ 16　　　⑤ 18

0262
NORMAL

$\left(\dfrac{1}{5}\right)^{9}$은 소수점 아래 몇째 자리에서 처음으로 0이 아닌 숫자가 나타나는가? (단, $\log 2 = 0.3010$)

① 3　　　② 4　　　③ 5
④ 7　　　⑤ 9

0263 최다빈출 왕중요
NORMAL

18^{18}은 23자리의 정수이다. 18^{-18}은 소수점 아래 몇째 자리에서 처음으로 0이 아닌 숫자가 나오는가?

① 소수점 아래 19째 자리　　　② 소수점 아래 20째 자리
③ 소수점 아래 21째 자리　　　④ 소수점 아래 22째 자리
⑤ 소수점 아래 23째 자리

▶ 해설 내신연계기출

a^k의 최고 자리의 숫자는 다음 단계로 구한다.

[1단계] $\log a^k$의 소수 부분 α를 구한다.

[2단계] $\log N < \alpha < \log (N+1)$을 만족시키는 한 자리의 자연수 N의 값을 구한다.

[3단계] a^k의 최고자리의 숫자는 N이다.

0264 학교기출 대표유형

5^{15}의 자릿수를 a, 최고 자리의 숫자를 b라고 할 때, $a-b$의 값은?

(단, $\log 2 = 0.3010$, $\log 3 = 0.4771$)

① 5   ② 6   ③ 7

④ 8   ⑤ 9

▶ 해설 내신연계기출

0265 최다빈출 왕중요   NORMAL

$\left(\dfrac{1}{50}\right)^5$의 소수점 아래 n째 자리에서 처음으로 0이 아닌 수 m이 나온다. 이때 $m+n$의 값은? (단, $\log 2 = 0.3010$, $\log 3 = 0.4771$)

① 9   ② 12   ③ 13

④ 15   ⑤ 17

▶ 해설 내신연계기출

0266   TOUGH

$\log x = -\dfrac{4}{5}$일 때, x^2은 소수점 아래 a째 자리에서 처음으로 0이 아닌 숫자 b가 나타난다. $a+b$의 값은?

(단, $\log 2 = 0.30$, $\log 3 = 0.48$)

① 3   ② 4   ③ 5

④ 6   ⑤ 7

두 상용로그의 소수 부분이 같다.

⇨ (두 상용로그의 차)=정수

⇨ $\log A = m + \alpha$, $\log B = n + \alpha$ (m, n은 정수, $0 \le \alpha < 1$)

$\log A - \log B = m - n$ (정수)

0267 학교기출 대표유형

$10 \le x < 100$이고 $\log x$와 $\log x^2$의 소수부분이 같을 때, x의 값은?

① 30   ② 25   ③ 10

④ 15   ⑤ 20

0268   NORMAL

$10 < x < 1000$이고 $\log \sqrt[3]{x}$와 $\log x$의 소수부분이 같을 때, x^8의 값은?

① 10^8 ② 10^9 ③ 10^{10}

④ 10^{11} ⑤ 10^{12}

0269 최다빈출 왕중요   TOUGH

다음 조건을 만족시키는 양수 x의 값을 모두 곱하면 10^n일 때, n의 값은?

(가) $\log x$의 정수 부분이 2이다.

(나) $\log x^2$의 소수 부분과 $\log x^5$의 소수 부분이 같다.

① 3   ② 4   ③ 5

④ 6   ⑤ 7

▶ 해설 내신연계기출

유형 08 두 상용로그의 소수 부분의 합이 1일 때

① 두 상용로그의 소수 부분의 합이 1이면
⇨ (두 상용로그의 합)=정수
② $\log A = m+\alpha$, $\log B = n+\beta$
(m, n은 정수, $0 \leq \alpha < 1$, $0 \leq \beta < 1$)의 소수 부분의 합이 1이면
⇨ $\alpha + \beta = 1$
⇨ $\log A + \log B = m+n+1$(정수)

0270 학교기출 대표 유형

$10 \leq x < 100$인 x에 대하여 $\log x$의 소수 부분과 $\log \sqrt{x}$의 소수 부분의 합이 1일 때, x의 값은?

① 10
② $10^{\frac{2}{3}}$
③ $10^{\frac{4}{3}}$
④ $10^{\frac{3}{2}}$
⑤ $10^{\frac{5}{3}}$

0271

NORMAL

$10^3 < x < 10^4$인 x에 대하여 $\log x$의 소수 부분과 $\log \sqrt[3]{x}$의 소수 부분의 합이 1일 때, $\log \sqrt{x}$의 소수 부분은 $\dfrac{q}{p}$이다. $p+q$의 값은?
(단, p, q는 서로소인 자연수)

① 5
② 7
③ 11
④ 15
⑤ 19

0272 최다빈출 왕 중요

TOUGH

다음 조건을 만족시키는 양수 x를 모두 곱한 값을 k라 할 때, $\log k$의 값은?

(가) $\log x$의 정수 부분이 2이다.
(나) $\log x$의 소수 부분과 $\log x^2$의 소수 부분의 합이 1이다.

① 3
② 4
③ 5
④ 6
⑤ 7

▶ 해설 내신연계기출

유형 09 가우스함수와 상용로그

$[x]$가 x보다 크지 않은 최대의 정수를 나타낼 때,
$\log N = n + \alpha$ (n은 정수, $0 \leq \alpha < 1$)이면
① $[\log N]$은 $\log N$의 정수 부분 ⇨ $[\log N] = n$
② $\log N - [\log N]$은 $\log N$의 소수 부분 ⇨ $\log N - [\log N] = \alpha$

0273 학교기출 대표 유형

다음의 값은?
$$[\log 1] + [\log 2] + [\log 3] + [\log 4] + \cdots + [\log 100]$$
(단, $[x]$가 x보다 크지 않은 최대의 정수이다.)

① 41
② 43
③ 55
④ 72
⑤ 92

0274

BASIC

두 자리 자연수 N이 $\log_4 N = [\log N] + 2$를 만족시킬 때, N의 값은? (단, $[x]$는 x보다 크지 않은 최대 정수이다.)

① 4
② 8
③ 16
④ 32
⑤ 64

0275 최다빈출 왕 중요

NORMAL

$[\log_2 1] + [\log_2 2] + [\log_2 3] + [\log_2 4] + \cdots + [\log_2 50]$의 값은?
(단, $[x]$는 x보다 크지 않은 최대의 정수이다.)

① 190
② 191
③ 193
④ 194
⑤ 201

▶ 해설 내신연계기출

0276 최다빈출 왕 중요

TOUGH

다음 두 조건을 만족시키는 실수 x를 모두 곱한 값을 M이라 할 때, $\log M$의 값은? (단, $[x]$는 x보다 크지 않은 최대의 정수이다.)

(가) $[\log_{10} x] = 3$
(나) $\log x^2 - [\log x^2] = \log \dfrac{1}{x} - \left[\log \dfrac{1}{x}\right]$

① 8
② 9
③ 10
④ 11
⑤ 12

▶ 해설 내신연계기출

0277 학교기출 대표유형

어떤 음원에서 나오는 음향 출력이 xW일 때, 음향 파워 레벨 ydB은 다음과 같이 계산한다.

$$y = 10\log\frac{x}{k} \text{ (단, } k\text{는 기준 음향 출력을 나타내는 상수)}$$

일반적으로 음향 출력이 $\dfrac{1}{10^4}$W일 때, 음향 파워 레벨은 80dB 이라고 한다. 어떤 스피커에서 나오는 음향 출력이 200W일 때, 이 스피커의 음향 파워 레벨은? (단, $\log 2 = 0.3$으로 계산한다.)

① 54   ② 120   ③ 134
④ 143   ⑤ 156

0278 최다빈출 상중요   NORMAL

외부 자극의 세기를 I, 감각의 세기를 S라고 하면
$$S = k\log I \text{ (}k\text{는 상수)}$$
인 관계가 성립한다고 한다. 어느 자극의 세기가 600일 때, 감각의 세기가 0.7이라고 하면 이 자극의 세기가 60일 때, 감각의 세기는? (단, $\log 6 = 0.8$)

① 0.15   ② 0.25   ③ 0.35
④ 0.45   ⑤ 0.55

▶ 해설 내신연계기출

0279 최다빈출 상중요   TOUGH

어떤 세포의 바깥쪽의 농도가 C_1이고 안쪽의 농도가 C_2일 때, 이 세포가 물질 M을 세포의 바깥쪽으로부터 안쪽으로 옮기는 데 필요한 에너지 $E(\text{kcal})$는
$$E = k(\log C_2 - \log C_1) \text{ (}k\text{는 상수)}$$
이라고 한다. 세포의 안쪽의 농도가 바깥쪽의 농도의 2배일 때, 이 세포가 물질 M을 세포의 바깥쪽으로부터 안쪽으로 옮기는 데 필요한 에너지가 0.42kcal라고 한다.
이때 세포의 안쪽의 농도가 바깥쪽의 농도의 8배일 때, 이 세포가 물질 M을 세포의 바깥쪽으로부터 안쪽으로 옮기는 데 필요한 에너지는? (단, $\log 2 = 0.3$이고 단위는 kcal)

① 1.1   ② 1.2   ③ 1.24
④ 1.26   ⑤ 1.56

▶ 해설 내신연계기출

0280 학교기출 대표유형

소리의 세기(dB)를 L, 정상적인 청각을 지닌 사람이 겨우 들을 수 있는 소리의 크기를 I_0, 소리의 세기를 (dB)로 나타내고자 하는 소리의 크기를 I라고 할 때,
$$L = 10\log\frac{I}{I_0} \text{ (단, } I_0\text{는 상수)}$$
가 성립한다고 한다. 일상적인 대화 소리의 세기가 $60d$B이고 번잡한 곳의 소리의 크기가 일상적인 대화 소리의 크기의 1000배 일 때, 이 번잡한 곳의 소리의 세기(dB)는?

① 6   ② 9   ③ 90
④ 900   ⑤ 9000

0281   NORMAL

통신 이론에서 가용 대역폭을 $B(\text{Hz})$, 수신 신호 전력을 $S(\text{W})$, 잡음 전력을 $N(\text{W})$라고 할 때, 채널 용량 $C(\text{bps})$는 다음과 같은 관계식을 만족시킨다고 한다.
$$C = B\log_2\left(1 + \frac{S}{N}\right)$$
가용 대역폭이 일정하고 수신 신호 전력이 1.2W일 때, 잡음 전력을 0.4W에서 $a(\text{W})$로 변경하였더니 채널 용량이 3배가 되었다. 상수 a의 값이 $\dfrac{q}{p}$일 때, $p+q$의 값은? (단, p와 q는 서로소인 자연수)

① 103   ② 105   ③ 107
④ 109   ⑤ 110

0282 최다빈출 상중요   TOUGH

음파가 서로 다른 매질의 경계를 투과하면서 잃어버리는 음파의 에너지의 정도를 나타내는 투과손실을 $TL(\text{dB})$, 입사되는 음파의 에너지를 I, 투과된 음파의 에너지를 T라 하면 다음과 같은 관계식이 성립한다고 한다.
$$TL = 10\log\frac{I}{T}$$
어떤 음파를 매질 A에서 매질 B로 투과시킬 때, 입사되는 음파의 에너지가 투과된 음파의 에너지의 a배일 때의 투과손실을 TL_1이라 하고 매질 A에서 매질 C로 투과시킬 때, 입사되는 음파의 에너지가 투과된 음파의 에너지의 4배일 때의 투과손실을 TL_2라 하자.
$\dfrac{TL_1}{TL_2} = \dfrac{5}{2}$일 때, a의 값은?

① 8   ② 16   ③ 24
④ 32   ⑤ 40

▶ 해설 내신연계기출

유형 12 상용로그를 이용하여 비를 구하기

[1단계] 주어진 관계식에 주어진 식의 문자를 정확하게 구별하여 수를 대입한다.
[2단계] 로그의 정의와 성질을 이용하여 비를 구한다.

0283 학교기출 대표 유형

지진의 에너지는 지진의 규모에 따라 달라지며, 지진의 규모 M과 지진에 의해 발생되는 지진의 에너지 E 사이에는 다음이 성립한다.

$$\log E = 11.8 + 1.5M$$

규모 8의 지진은 규모 6의 지진에 비하여 에너지가 몇 배인가?

① 10^2 ② 10^3 ③ 10^4
④ 10^5 ⑤ 10^6

▶ 해설 내신연계기출

0284 최다빈출 중요   NORMAL

pH는 용액의 산성도를 나타내는 수치로 용액의 수소 이온 농도 $[H^+](mol/L)$에 대하여 다음과 같이 정의한다.

$$pH = \log \frac{1}{[H^+]} = -\log[H^+]$$

이때 pH가 2.3인 오렌지 주스의 수소 이온 농도는 pH가 3.4인 포도 주스의 수소 이온 농도의 몇 배인가?

① $10^{1.1}$ ② $10^{1.2}$ ③ $10^{1.3}$
④ $10^{1.4}$ ⑤ $10^{1.5}$

▶ 해설 내신연계기출

0285   NORMAL

중력과 저항을 고려하지 않을 때, 로켓의 질량을 $m_0 t$, 로켓의 처음 속력을 $v_0 km/s$, 로켓의 최종속력을 $v_1 km/s$, 로켓 추진체의 분사 속력을 $v km/s$라고 하면

$$v_1 - v_0 = v \log_a \frac{m_0}{m_1} \ (a는 상수)$$

인 관계가 성립한다고 한다. 두 로켓 A, B에서 로켓 A는 $\frac{m_0}{m_1} = 16$, $v_1 - v_0 = 9$이고, 로켓 B는 $\frac{m_0}{m_1} = 10$, $v_1 - v_0 = 3$일 때, 로켓 A의 추진체의 분사속력은 로켓 B의 추진체의 분사속력의 몇 배인가? (단, $\log 1.6 = 0.2$)

① 1.5   ② 2   ③ 2.5
④ 3   ⑤ 3.5

0286   NORMAL

세기가 x와트(W)인 전파가 어떤 벽을 투과하여 세기가 y와트(W)인 전파로 바뀔 때, 그 벽의 전파 감쇠비는

$$10 \log \frac{y}{x} dB$$

이라고 한다. 세기가 100와트(W)인 전파가 어떤 벽을 투과하여 세기가 25.2와트(W)인 전파로 바뀌었을 때, 이 벽의 전파 감쇠비는 몇 dB인지 상용로그표를 이용하여 구하면?
(단, 와트(W)는 전력의 단위이다.)

	0	1	2	3	4	5
2.2	0.3424	0.3444	0.3464	0.3483	0.3502	0.3522
2.3	0.3617	0.3636	0.3655	0.3674	0.3692	0.3711
2.4	0.3802	0.3820	0.3838	0.3856	0.3874	0.3892
2.5	0.3979	0.3997	0.4014	0.4031	0.4048	0.4065
2.6	0.4150	0.4166	0.4183	0.4200	0.4216	0.4232
2.7	0.4314	0.4330	0.4346	0.4362	0.4378	0.4393

① -5.986dB   ② -3.986dB   ③ -1.4014dB
④ 1.4014dB   ⑤ 14.031dB

0287 최다빈출 중요   TOUGH

어떤 산업에서 노동의 투입량을 x, 자본의 투입량을 y, 그 산업 생산량을 z라고 하면

$$z = 2x^\alpha y^{1-\alpha} \ (0 < \alpha < 1인 상수)$$

인 관계가 성립한다. 2014년도 노동 및 자본의 투입량은 2004년도 노동 및 자본의 투입량의 각각 4배와 2배이고 2014년도 산업 생산량은 2004년도 산업 생산량의 3배라고 할 때, 상수 α의 값은?
(단, $\log 2 = 0.3$, $\log 3 = 0.48$로 계산한다.)

① 0.3   ② 0.4   ③ 0.5
④ 0.6   ⑤ 0.7

▶ 해설 내신연계기출

0288   TOUGH

지반의 상대밀도를 구하기 위하여 지반에 시험기를 넣어 조사하는 방법이 있다. 지반의 유효수직응력을 S, 시험기가 지반에 들어가면서 받는 저항력을 R이라 할 때, 지반의 상대밀도 $D(\%)$는 다음과 같이 구할 수 있다고 한다.

$$D = -98 + 66 \log \frac{R}{\sqrt{S}} \ (단, S와 R의 단위는 metricton/m^2이다.)$$

지반 A의 유효수직응력은 지반 B의 유효수직응력의 1.44배이고, 시험기가 지반 A에 들어가면서 받는 저항력은 시험기가 지반 B에 들어가면서 받는 저항력의 1.5배이다. 지반 B의 상대밀도가 $65(\%)$일 때, 지반 A의 상대밀도$(\%)$는? (단, $\log 2 = 0.3$으로 계산한다.)

① 81.5   ② 78.2   ③ 74.9
④ 71.6   ⑤ 68.3

[1단계] 주어진 관계식에 알맞은 문자 또는 값을 대입한다.
[2단계] 로그의 성질을 이용하여 값을 구한다.

0289 학교기출 빈출유형

포그슨의 공식에 의하면 별의 등급 m과 별의 밝기 I 사이에는

$$m = -\frac{5}{2}\log_{10}I + C \ (C는 \ 상수)$$

의 관계식이 성립한다.
이때 2등성인 별의 밝기는 4등성인 별의 밝기의 몇 배인가?

① $10^{\frac{1}{2}}$ ② $10^{\frac{2}{3}}$ ③ $10^{\frac{4}{5}}$

④ $10^{\frac{4}{7}}$ ⑤ $10^{\frac{3}{5}}$

0290
BASIC

포그슨 공식에서 별의 등급을 m, 별의 밝기를 I라고 하면

$$m = -\frac{5}{2}\log I + C \ (C는 \ 상수)$$

가 성립한다. 이때 1등성인 별의 밝기는 3등성인 별의 밝기의
몇 배인가? (단, $\log 6.31 = 0.8$로 계산한다.)

① 1.4   ② 1.23   ③ 3.12

④ 5.31   ⑤ 6.31

0291
BASIC

천문학자 히파르코스는 가장 밝게 보이는 별을 1등급으로 정하고
겨우 식별이 가능한 별을 6등급으로 구분하였다.
등급이 p, q인 두 별의 밝기를 각각 m, n이라 하면

$$\log n - \log m = \frac{2}{5}(p-q)$$

가 성립한다고 한다. 1등급인 별의 밝기는 6등급인 별의 밝기의 몇
배인가?

① $\dfrac{1}{10^2}$ ② $\dfrac{1}{10}$ ③ 10

④ 10^2 ⑤ 10^3

0292
NORMAL

별의 겉보기등급을 m, 별까지의 거리를 d(pc), 별의 절대등급을
M이라고 하면 다음과 같은 관계식이 성립한다고 한다.

$$M = m - 5(\log d - 1)$$

별 A의 겉보기등급이 1, 별 A까지의 거리를 d_A, 별 A의 절대등급
을 M_A이라 한다. 별 A와 절대등급이 같은 별 B의 겉보기등급이 6,
별 B까지의 거리를 d_B라 할 때, $\dfrac{d_A}{d_B}$의 값은?

① $\dfrac{1}{12}$ ② $\dfrac{1}{10}$ ③ 6

④ 10   ⑤ 12

0293 최다빈출 알중요
NORMAL

별의 겉보기 등급을 m, 절대 등급을 M이라 하고 별이 지구로부터
떨어져 있는 거리를 r파섹(pc)이라고 할 때,

$$m - M = -5 + 5\log r$$

가 성립한다. 밤하늘에서 가장 밝은 별인 시리우스의 겉보기 등급은
-1.46, 절대 등급은 1.4이다. 시리우스는 지구로부터 몇 pc 떨어진
거리에 있는지 구하면?
(단, $\log 2.68 = 0.428$이고 우주 공간의 거리를 나타내는 단위인
파섹은 기호 pc로 나타내며 1pc은 3.26광년이다.)

① 2.68   ② 26.8   ③ 5.32

④ 5.36   ⑤ 6.32

▶ 해설 내신연계기출

0294
TOUGH

밤하늘에 보이는 별은 그 밝기가 각각 다르다. 눈에 보이는 별의
밝기는 별의 실제 밝기와 지구로부터 떨어진 거리에 관련이 있다고
한다. 눈으로 보이는 별의 밝기를 별의 겉보기 등급 m, 별의 실제
밝기를 별의 절대 등급 M, 지구에서 별까지의 거리를 r광년이라
하면 다음 관계가 성립한다.

$$m - M = -5 + 5\log \frac{r}{3.25}$$

어느 별의 겉보기 등급이 -1.36, 절대 등급이 1.32라 할 때, 이 별은
지구로부터 약 몇 광년 떨어져 있는지 다음 상용로그표를 이용하여
구한 것은? (단, $\log 3.25 = 0.5119$)

수	…	4	5	6	…
…	…	…	…	…	…
9.3	…	.9703	.9708	.9713	…
9.4	…	.9750	.9754	.9759	…
9.5	…	.9795	.9800	.9805	…
…	…	…	…	…	…

① 9.34광년   ② 9.35광년   ③ 9.44광년

④ 9.46광년   ⑤ 9.56광년

유형 14 일정한 비율로 변화하는 경우
상용로그의 실생활에의 활용

① 초기량 A가 매년 $r\%$씩 증가할 때, n년 후의 양

$\Rightarrow A\left(1+\dfrac{r}{100}\right)^n$

② 초기량 A가 매년 $r\%$씩 감소할 때, n년 후의 양

$\Rightarrow A\left(1-\dfrac{r}{100}\right)^n$

0295 학교기출 대표 유형

제주도 관광이 큰 인기를 끌면서 이 지역을 방문하는 외국인 관광객의 수가 매년 18%씩 증가하고 있다. 이러한 추세가 계속된다고 할 때, 제주도를 방문하는 외국인 관광객의 수가 현재의 5배가 되는 것은 몇 년 후인가? (단, $\log 2=0.3$, $\log 1.18=0.07$)

① 10년 후　　② 11년 후　　③ 12년 후
④ 14년 후　　⑤ 15년 후

0296 NORMAL

어떤 냄새에 계속해서 노출된 경우, 정상인의 후각의 강도가 1분 마다 10%씩 감소한다고 가정하자. 일반적으로 냄새에 처음 반응하는 후각의 강도를 P라고 할 때, P의 30%가 되는 순간부터 더 이상 그 냄새를 느끼지 못한다고 한다. 이때 밀폐된 공간에 있는 정상인이 어떤 냄새를 맡은 후 그 냄새를 느끼지 못할 때까지 몇 분이 걸리는가? (단, $\log 3=0.48$로 계산한다.)

① 11분　　② 12분　　③ 13분
④ 14분　　⑤ 15분

0297 최다빈출 왕 중요 NORMAL

정부는 미세 먼지 농도를 매년 일정한 비율로 감소시켜 10년 후의 농도가 현재 농도의 $\dfrac{1}{3}$이 되도록 정책을 수립하려고 한다. 매년 몇 %씩 감소시켜야 하는가? (단, $\log 3=0.48$, $\log 8.96=0.952$)

① 4.8%　　② 8.96%　　③ 10.4%
④ 11.4%　　⑤ 12.8%

▶ 해설 내신연계기출

0298 최다빈출 왕 중요 NORMAL

어느 기업의 매출액이 매년 일정한 비율로 늘어 30년 만에 2배가 되었다. 30년 동안 이 기업의 매출액은 매년 몇 %씩 늘어나는가? (단, $\log 1.03=0.01$, $\log 2=0.30$)

① 2%　　② 2.5%　　③ 3%
④ 3.5%　　⑤ 4%

▶ 해설 내신연계기출

0299 TOUGH

어떤 미생물의 개체 수는 매시간 $r\%$씩 일정하게 증가하여 n시간 후의 개체 수는 처음의 $\left(1+\dfrac{r}{100}\right)^n$배가 된다고 한다.

이 미생물의 개체 수가 매시간 30%씩 일정하게 증가 할 때, 11시간 후의 개체 수는 처음의 약 몇 배가 되는가? (단, $\log 1.3=0.1139$, $\log 1.79=0.2529$로 계산하고, 계산 결과는 소수점 아래 첫째 자리에서 반올림한다.)

① 15　　② 16　　③ 17
④ 18　　⑤ 19

0300 TOUGH

어떤 화학 물질 M의 양은 1시간 간격으로 전 시간에 비해 40%의 증가와 10%의 감소를 주기적으로 반복한다. 예를 들면 처음 물질 M의 양이 1이었을 때, 한 시간 후의 물질 M의 양은 1.4, 두 시간 후의 물질 M의 양은 1.26이 된다. 처음 이 물질 M의 양이 10이었을 때, 24시간 후의 물질 M의 양을 주어진 상용로그의 값을 이용하여 구하면? (단, $\log 1.26=0.1004$, $\log 1.6=0.2048$)

① 110　　② 120　　③ 130
④ 140　　⑤ 160

서술형 기출유형
학교내신기출 서술형 핵심문제총정리

0301

$\log 5.63 = 0.7505$일 때, $\log a = 3.7505$, $\log 0.0563 = b$를 만족시키는 상수 a, b의 값을 다음 단계로 서술하여라.

[1단계] $\log a = 3.7505$를 만족하는 a의 값을 구한다.
[2단계] $\log 0.0563 = b$를 만족하는 b의 값을 구한다.

0302

$\log 2 = 0.3010$, $\log 3 = 0.4771$을 이용하여 다음 단계로 그 과정을 서술하여라.

[1단계] $\log 3^{30}$의 값을 구한다.
[2단계] $3^{30} = a \times 10^n$ $(1 \le a < 10, n$은 정수$)$로 나타냈을 때, n과 $\log a$의 값을 구하여라.
[3단계] 3^{30}이 몇 자리 자연수인지 구한다.
[4단계] 3^{30}의 최고자리의 숫자를 구한다.

0303

$\log 2 = 0.3010$, $\log 2.39 = 0.378$을 이용하여 다음 단계로 그 과정을 서술하여라.

[1단계] $\log x = 3.378$일 때, x의 값을 구한다.
[2단계] $\log \left(\dfrac{1}{2} \right)^{22}$의 값을 구한다.
[3단계] $\left(\dfrac{1}{2} \right)^{22}$의 어림값을 $a \times 10^n$ $(1 \le a < 10,\ n$은 정수$)$꼴로 나타낸다.
[4단계] $\left(\dfrac{1}{2} \right)^{22}$이 소수점 아래 몇 째 자리에서 처음으로 0이 아닌 숫자가 나타나는지 구하여라.

0304

빛이 어떤 유리판을 한 장 통과할 때마다 그 밝기가 5%씩 감소한다고 한다. 다음 단계로 서술하여라.
(단, $\log 9.5 = 0.9777$, $\log 5.984 = 0.7770$)

[1단계] 밝기가 a인 빛이 이 유리판을 n장 통과하였을 때의 밝기를 식으로 나타내어 본다.
[2단계] 밝기가 1000인 빛이 이 유리판을 10장 통과하였을 때의 밝기를 구한다.

0305

엑스레이를 이용하면 물질의 두께를 측정할 수 있다. 흡수 계수가 k인 어떤 물질에 쏜 엑스레이의 세기를 I_0, 그 물질을 통과한 후의 엑스레이의 세기를 I라고 하면 그 물질의 두께 $d$cm에 대하여 다음 식이 성립한다고 한다.

$$\log I = \log I_0 - \frac{k}{2.3}d$$

흡수 계수가 0.69인 어떤 물질에 엑스레이를 쏘았더니 이 물질을 통과한 후의 엑스레이의 세기는 처음 세기의 $\dfrac{1}{5}$이 되었다. 이 물질의 두께를 다음 단계로 서술하여라. (단, $\log 2 = 0.3$으로 계산한다.)

[1단계] 주어진 등식에 흡수 계수와 엑스레이의 처음 세기를 대입하여 로그의 성질을 이용하여 d에 대한 관계식을 구한다.
[2단계] [1단계]에서 구한 식에 $\log 5$를 대입한다.
[3단계] 물질의 두께 d를 구한다.

0306

사람이 느끼는 소리의 크기는 물리적으로 측정한 소리의 세기와 다르며 거리에 따라 변한다. 소리의 크기와 소리의 세기, 거리 사이에는 다음과 같은 관계가 있을 때, 다음 단계로 서술하여라.

(가) 소리의 세기가 I W/m^{2}일 때, 소리의 크기를 S dB이라고 하면 $S = 10\log \dfrac{I}{I_0}$이다. 이때 I_0은 사람이 들을 수 있는 가장 작은 소리의 세기로 $I_0 = 10^{-12}$W/m^{2}이다.

(나) 소리의 세기 IW/m^{2}는 음원에서 떨어진 거리 dm $(d \neq 0)$의 제곱에 반비례한다. 즉 $I = \dfrac{k}{d^2}$ $(k$는 상수$)$이다.

[1단계] 음원에서 떨어진 거리가 d_1m, d_2m인 두 지점에서 소리의 크기를 각각 S_1dB, S_2dB이라고 할 때, $S_2 = S_1 + 20\log \dfrac{d_1}{d_2}$이 성립함을 보인다.
[2단계] 공연장의 스피커에서 2m 떨어진 곳의 소리의 크기가 100dB이라고 할 때, 이 스피커에서 10m 떨어진 곳의 소리의 크기는 얼마인지 구한다. (단, $\log 2 = 0.3$으로 계산한다.)
[3단계] 전투기가 이착륙할 때, 소음원에서 1m 떨어진 곳의 소리의 크기를 120dB, 그 소음원의 소리의 크기가 60dB인 곳을 경계선으로 하여 그 외부를 주거지역으로 설정하려고 할 때, 경계선은 그 소음원에서 몇 m 떨어져 있는지 구한다.

0307

$\log 2 = 0.3010$, $\log 3 = 0.4771$일 때,

$$A = 10^{-1.3980}, \; B = 10^{-1.2219}$$

에 대하여 $100(A+B)$의 값을 구하여라.

0308

10보다 작은 자연수 n에 대하여 n^{10}이 9자리 정수일 때, n의 값을 구하여라. (단, $\log 2 = 0.3010$, $\log 3 = 0.4771$)

0309

10보다 작은 자연수 n에 대하여 $\left(\dfrac{n}{10}\right)^{10}$이 소수 여섯째 자리에서 처음으로 0이 아닌 숫자가 나타날 때, n의 값을 구하여라. (단, $\log 2 = 0.3010$, $\log 3 = 0.4771$로 계산한다.)

0310

양수 x에 대하여 $\log x$의 정수 부분을 $f(x)$라 하자.

$$f(n+10) = f(n) + 1$$

을 만족시키는 100 이하의 자연수 n의 개수를 구하여라.

0311

$[x]$가 x보다 크지 않은 최대의 정수라 할 때,

$$[\log 1] + [\log 2] + [\log 3] + [\log 4] + \cdots + [\log k] = 500$$

을 만족하는 자연수 k의 값을 구하여라.

0312

6^{12}은 a자리의 정수이고 최고 자리의 숫자를 b라 할 때, $a+b$의 값을 구하여라. (단, $\log 2 = 0.3010$, $\log 3 = 0.4771$)

0313

7^{100}은 85자리의 정수, 11^{100}은 105자리의 정수일 때, 77^{10}은 몇 자리의 정수인지 구하여라.

0314

다음 두 조건을 모두 만족시키는 모든 양의 실수 x의 곱이 $10^{\frac{p}{q}}$일 때, 서로소인 자연수 p, q에 대하여 $p+q$를 구하여라.
(단, $[x]$는 x보다 크지 않은 최대의 정수이다.)

(가) $[\log x] = [\log 365]$

(나) $\log x^3 - [\log x^3] = \log \frac{1}{x} - \left[\log \frac{1}{x}\right]$

0315

실수 a에 대하여 $[a]$는 a보다 크지 않은 최대의 정수를 나타낸다.

(가) $[\log x] = 2$

(나) $\log x^2 - [\log x^2] + \log x - [\log x] = 1$

다음 조건을 동시에 만족하는 모든 실수 x의 값의 곱이 10^n일 때, n의 값을 구하여라. (단, m, n은 서로소인 자연수)

0316

단일 재료로 만들어진 벽면의 소음 차단 성능을 표시하기 위해 음향 투과 손실을 측정하려고 한다. 어느 주파수 영역에서 벽의 단위 면적당 질량을 $m\text{kg/m}^2$, 음향의 주파수를 $f\text{Hz}$라고 하면 벽면의 음향 투과 손실 $L\text{ dB}$은 다음과 같다고 한다.

$$L = 20 \log mf - 48$$

주파수가 일정할 때, 벽의 단위 면적당 질량이 20배가 되면 음향 투과 손실은 $a\text{dB}$만큼 늘어난다. 이때 a의 값을 구하여라.
(단, $\log 2 = 0.3$으로 계산한다.)

0317

약물을 투여한 후 약물의 흡수율을 K, 배설률을 E, 약물의 혈중농도가 최고치에 도달하는 시간을 T(시간)라 할 때, 다음과 같은 관계식이 성립한다고 한다.

$$T = c \times \frac{\log K - \log E}{K - E} \quad (\text{단, } c\text{는 양의 상수이다.})$$

흡수율이 같은 두 약물 A, B의 배설률은 각각 흡수율의 $\frac{1}{2}$ 배, $\frac{1}{4}$ 배이다. 약물 A를 투여한 후 약물 A의 혈중농도가 최고치에 도달하는 시간이 3시간일 때, 약물 B를 투여한 후 약물 B의 혈중농도가 최고치에 도달하는 시간은 a(시간)이다. a의 값을 구하여라.

0318

어느 물탱크에 서식하고 있는 박테리아를 제거하기 위하여 약품을 투여하려고 한다. 물탱크에 있는 물 1mL당 초기 박테리아 수를 C_0, 약품을 투여한지 t시간이 지나는 순간 1mL당 박테리아 수를 C라 할 때, 다음 관계식이 성립한다고 하자.

$$\log \frac{C}{C_0} = -kt \quad (k\text{는 양의 상수})$$

물 1mL당 초기 박테리아 수가 8×10^5이고 약품을 투여한 지 3시간이 지나는 순간 1mL당 박테리아 수는 2×10^5이 된다고 한다. 약품을 투여한 지 a시간 후에 처음으로 1mL당 박테리아 수가 8×10^3 이하가 되었다. a의 값을 구하여라. (단, $\log 2 = 0.3$으로 계산한다.)

04 지수함수와 로그함수

학교내신기출 객관식 핵심문제총정리

유형 01 지수함수와 지수법칙

지수함수 $f(x)=a^x$ $(a>0,\ a\neq1)$과 임의의 실수 $x,\ y$에 대하여

① $f(0)=1$

② $f(x+y)=f(x)f(y)$

③ $f(x-y)=\dfrac{f(x)}{f(y)}$

④ $f(nx)=\{f(x)\}^n$ (단, n은 자연수)

⑤ $f(-x)=\dfrac{1}{f(x)}$

⑥ $f\left(\dfrac{x+y}{2}\right)<\dfrac{f(x)+f(y)}{2}$ (아래로 볼록)

0319 학교기출 대표유형

함수 $f(x)=a^x$에 대하여 다음 중 옳지 않은 것은?

(단, $a>0,\ a\neq1$)

① $f(x+y)=f(x)f(y)$

② $f(-x)=\dfrac{1}{f(x)}$

③ $f(x)=\sqrt{f(2x)}$

④ $f\left(\dfrac{x}{2}\right)=\sqrt{f(x)}$

⑤ $f(x^n)=\{f(x)\}^n$ (n은 자연수)

0320 BASIC

집합 $A=\{(x,\ y)\,|\,y=3^x,\ x\text{는 실수}\}$에 대하여 $(a,\ b)\in A$일 때, [보기]에서 집합 A의 원소인 것을 모두 고르면?

> ㄱ. $(2a,\ b^2)$
>
> ㄴ. $\left(\dfrac{a}{2},\ \dfrac{b}{9}\right)$
>
> ㄷ. $\left(-a,\ \dfrac{1}{b}\right)$
>
> ㄹ. $(a+1,\ 3b)$

① ㄱ

② ㄱ, ㄴ

③ ㄱ, ㄷ

④ ㄴ, ㄷ

⑤ ㄱ, ㄷ, ㄹ

0321 최다빈출 왕중요 NORMAL

실수에서 정의된 함수 $g(x)$의 값은 항상 양수이고 임의의 실수 $a,\ b$에 대하여 $g(a+b)=g(a)g(b)$를 만족시킬 때, [보기]에서 옳은 것을 고른 것은?

> ㄱ. $g(0)=1$
>
> ㄴ. $g(-x)=\dfrac{1}{g(x)}$
>
> ㄷ. $g(a-b)=g(a)-g(b)$
>
> ㄹ. $g(a)=\sqrt{g(2a)}$

① ㄱ, ㄴ

② ㄱ, ㄷ

③ ㄱ, ㄴ, ㄷ

④ ㄱ, ㄴ, ㄹ

⑤ ㄴ, ㄷ, ㄹ

▶ 해설 내신연계기출

유형 02 지수함수와 함숫값

지수함수 $f(x)=a^x$ $(a>0,\ a\neq1)$의 함숫값 $f(k)$의 값을 구할 때에는 x 대신 k를 대입하고 지수법칙을 이용하여 식을 유도한다.

0322 학교기출 대표유형

함수 $f(x)=\left(\dfrac{1}{2}\right)^{x-k}$에 대하여 $f(0)=8$일 때, $f(2)$의 값은?

① 1

② 2

③ 4

④ 8

⑤ 16

0323 최다빈출 왕중요 NORMAL

1이 아닌 양수 a에 대하여 $f(x)=\dfrac{a^x+a^{-x}}{2}$이다.

$f(2)=7$일 때, $f(3)$의 값은?

① 12

② 16

③ 18

④ 20

⑤ 26

▶ 해설 내신연계기출

0324 NORMAL

함수 $f(x)=2^{-x}$에 대하여

$$f(2a)f(b)=4,\quad f(a-b)=2$$

일 때, $2^{3a}+2^{3b}$의 값은 $\dfrac{q}{p}$이다. $p+q$의 값은?

(단, $p,\ q$는 서로소인 자연수이다.)

① 15

② 16

③ 17

④ 18

⑤ 19

함수 $f(x)=a^x (a>0,\ a \neq 1)$에 대하여
① 정의역은 실수 전체의 집합이고 치역은 양의 실수 전체의 집합이다.
② $a>1$일 때, x의 값이 증가하면 y의 값도 증가한다. (증가함수)
  $0<a<1$일 때, x의 값이 증가하면 y의 값은 감소한다. (감소함수)
③ 그래프는 두 점 $(0, 1)$, $(1, a)$을 지난다.
④ x축 $(y=0)$이 그래프의 점근선이다.
⑤ $y=a^x$의 그래프와 $y=\left(\dfrac{1}{a}\right)^x$의 그래프는 y축에 대하여 대칭이다.

0325 학교기출 대표유형

함수 $f(x)=a^x (a>0,\ a \neq 1)$에 대하여 $f(2)=9$일 때, $y=f(x)$의 그래프에 대한 설명 중 옳지 않은 것은?

① 점 $(0, 1)$을 지난다.
② 점근선은 y축이다.
③ $x_1<x_2$일 때, $f(x_1)<f(x_2)$이다.
④ 그래프가 제 1, 2사분면을 지난다.
⑤ 치역은 양의 실수 전체의 집합이다.

0326 BASIC

함수 $y=\left(\dfrac{1}{2}\right)^x$의 그래프에 대한 설명으로 옳지 않은 것은?

① 정의역은 실수전체의 집합이고, 치역은 양의 실수 전체의 집합이다.
② 점근선은 $y=0$이다.
③ x의 값이 증가하면 y의 값은 감소한다.
④ 그래프가 제 1, 2사분면을 지난다.
⑤ 그래프는 지수함수 $y=2^x$의 그래프를 x축에 대하여 대칭이동한 것과 일치한다.

0327 TOUGH

1이 아닌 양수 a, b $(a>b)$에 대하여 두 함수
$$f(x)=a^x,\ g(x)=b^x$$
이라 하자. 양수 n에 대하여 [보기]에서 항상 옳은 것을 모두 고른 것은?

ㄱ. $f(n)>g(n)$
ㄴ. $f(n)<g(-n)$이면 $a>1$이다.
ㄷ. $f(n)=g(-n)$이면 $f\left(\dfrac{1}{n}\right)=g\left(-\dfrac{1}{n}\right)$이다.

① ㄱ 　　② ㄴ 　　③ ㄱ, ㄷ
④ ㄴ, ㄷ 　　⑤ ㄱ, ㄴ, ㄷ

[1단계] 지수함수의 식에 주어진 좌표를 대입하여 식을 세운다.
[2단계] 방정식에서 미지수를 구한다.

0328 학교기출 대표유형

오른쪽 그림은 지수함수 $y=4^x$의 그래프이다. $\alpha\beta=64$일 때, $a+b$의 값은?

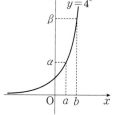

① 1 　　② 2
③ 3 　　④ 4
⑤ 5

0329 BASIC

함수 $f(x)=a^x (a>1)$에 대하여 $y=f(x)$의 그래프가 오른쪽 그림과 같다. $f(1)=p$, $f(5)=q$일 때, $f(k)=\dfrac{q^2}{p^3}$을 만족하는 상수 k의 값은?

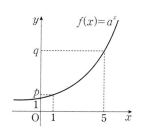

① 1 　　② 3 　　③ 5
④ 7 　　⑤ 9

0330 최다빈출 왕중요 BASIC

지수함수 $f(x)=a^x$의 그래프가 오른쪽 그림과 같다. $f(b)=3$, $f(c)=6$일 때, $f\left(\dfrac{b+c}{2}\right)$의 값은?

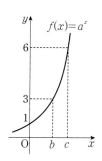

① 4 　　② $\sqrt{17}$
③ $3\sqrt{2}$ 　　④ $\sqrt{19}$
⑤ $2\sqrt{5}$

▶해설 내신연계기출

0331

오른쪽 그림과 같이 함수 $y=3^{-x}$의 그래프 위의 한 점 A를 지나면서 x축에 평행한 직선이 함수 $y=9^x$의 그래프와 만나는 점을 B, 점 B를 지나면서 y축에 평행한 직선이 $y=3^{-x}$의 그래프와 만나는 점을 C라 하자.

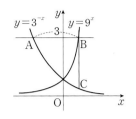

$\overline{AB}$의 길이가 3일 때, $\overline{BC}$의 길이는? (단, 점 A는 제 2사분면 위에 있다.)

① 7 ② 8 ③ $\dfrac{26}{3}$

④ 9 ⑤ $\dfrac{41}{3}$

0332 최다빈출 😀 중요

오른쪽 그림과 같이 곡선 $y=9^x$과 직선 $x=a$가 만나는 점을 A, 곡선 $y=3^x$가 만나는 점을 B라고 하자. 점 A를 지나고 x축에 평행한 직선이 곡선 $y=3^x$과 만나는 점을 C, 점 B를 지나고 x축에 평행한 직선이 곡선 $y=9^x$과 만나는 점을 D라고 할 때, $\dfrac{\overline{BD}}{\overline{AC}}$의 값은?

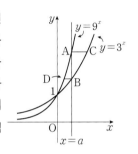

① $\dfrac{1}{4}$ ② $\dfrac{1}{3}$ ③ $\dfrac{1}{2}$

④ 3 ⑤ 4

▶ 해설 내신연계기출

0333

오른쪽 그림과 같이 함수 $y=\left(\dfrac{1}{2}\right)^x$의 그래프 위의 서로 다른 세 점 A$(p, a)$, B$(-q, b)$, C$(-p-q, c)$가 있을 때, 다음 중 a, b, c 사이의 관계식으로 옳은 것은?

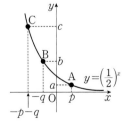

① $b=ac$ ② $a=bc$

③ $c=ab$ ④ $a^2=b^2c$

⑤ $b^2=ac$

0334 최다빈출 😀 중요

오른쪽 그림과 같이 두 함수 $y=\left(\dfrac{1}{2}\right)^x$, $y=\left(\dfrac{1}{4}\right)^x$의 그래프와 직선 $y=4$가 만나는 점을 각각 A, B라고 할 때, 삼각형 AOB의 넓이는?

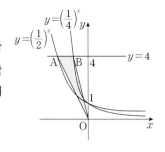

① 1 ② 2

③ 3 ④ 4

⑤ 5

▶ 해설 내신연계기출

0335

오른쪽 그림과 같이 두 함수 $y=2^x$, $y=4^x$의 그래프와 두 직선 $y=a$, $y=b$가 만나는 점을 A, B, C, D라고 하자. 두 직선 $y=a$, $y=b$ 사이의 거리가 16이고 삼각형 ABC의 넓이가 16일 때, 삼각형 ACD의 넓이를 구하면? (단, $b>a>1$)

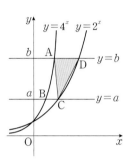

① 16 ② 20 ③ 25

④ 30 ⑤ 32

0336

오른쪽 그림과 같이 지수함수 $y=3^x$의 그래프 위의 한 점 A의 y좌표가 $\dfrac{1}{3}$이다. 이 그래프 위의 한 점 B에 대하여 선분 AB를 $1:2$로 내분하는 점 C가 y축 위에 있을 때, 점 B의 y좌표는?

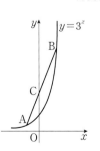

① 3 ② $3\sqrt[3]{3}$

③ $3\sqrt{3}$ ④ $3\sqrt[3]{9}$

⑤ 9

(1) 함수 $y = a^{x-m} + n$ $(a > 0, a \neq 1)$의 그래프
$y = a^x$의 그래프를 x축의 방향으로 m만큼, y축의 방향으로 n만큼 평행이동시킨 그래프이다.
① 정의역은 실수 전체의 집합이고 **치역은 $\{y \mid y > n\}$**이다.
② 지수함수의 그래프는 **직선 $y = n$**을 점근선으로 갖는다.
(2) 지수함수 $y = a^x$ $(a > 0, a \neq 0)$의 대칭이동

x축 대칭	y축 대칭	원점 대칭	$y = x$ 대칭
$y = -a^x$	$y = a^{-x} = \left(\dfrac{1}{a}\right)^x$	$y = -\left(\dfrac{1}{a}\right)^x$	$x = a^y$, $y = \log_a x$

0337 학교기출 대표유형

지수함수 $y = 16 \cdot 4^x + 1$에 대한 다음 설명 중 옳지 않은 것은?

① x의 값이 증가하면 y의 값도 증가한다.
② 정의역은 실수 전체의 집합이고 치역은 양의 실수 전체의 집합이다.
③ 그래프는 지수함수 $y = 4^x$의 그래프를 평행이동하면 겹쳐진다.
④ 그래프는 점 $(-2, 2)$를 지난다.
⑤ 그래프의 점근선의 방정식은 $y = 1$이다.

0338 최다빈출 왕중요 · BASIC

지수함수 $y = \left(\dfrac{1}{3}\right)^{x-2} + 3$의 그래프에 대한 설명으로 옳은 것은?

① 점근선은 직선 $x = 2$이다.
② 정의역은 $\{x \mid x > 2\}$이다.
③ 치역은 실수 전체의 집합이다.
④ x의 값이 증가하면 y의 값도 증가한다.
⑤ $y = \left(\dfrac{1}{3}\right)^x$의 그래프를 x축의 방향으로 2만큼, y축의 방향으로 3만큼 평행이동하여 얻어진다.

▶ 해설 내신연계기출

0339 · NORMAL

함수 $y = 2^{-x} + 3$의 그래프에 대한 설명으로 옳지 않은 것은?

① 점근선은 $y = 3$이다.
② 점 $(0, 4)$를 지난다.
③ 정의역이 실수 전체의 집합이고 치역은 $y > 3$인 집합이다.
④ 함수 $y = 2^x - 3$의 그래프를 원점에 대하여 대칭이동한 그래프와 같다.
⑤ 함수 $y = 2^x$의 그래프를 y축으로 3만큼 평행이동한 후 y축에 대하여 대칭이동한 그래프와 같다.

0340 · NORMAL

다음 중 함수 $y = -5^{x-2} + 3$의 그래프를 x축에 대하여 대칭이동한 그래프의 개형은?

① ② ③
④ 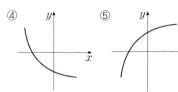 ⑤

0341 · NORMAL

다음 [보기]의 함수의 그래프 중 함수 $y = 5^x$의 그래프를 평행이동 또는 대칭이동하여 겹쳐지는 것을 모두 고른 것은?

ㄱ. $y = -5^x + 1$	ㄴ. $y = 5^{x+1} - 3$
ㄷ. $y = 5^{2x-1}$	ㄹ. $y = \left(\dfrac{1}{5}\right)^x + 1$

① ㄱ   ② ㄴ   ③ ㄱ, ㄴ, ㄹ
④ ㄴ, ㄷ, ㄹ   ⑤ ㄱ, ㄴ, ㄷ, ㄹ

0342 최다빈출 왕중요 · NORMAL

함수 $y = 9^x$의 그래프를 평행이동 또는 대칭이동하여 겹쳐질 수 있는 그래프의 식만을 [보기]에서 있는 대로 고른 것은?

ㄱ. $y = \left(\dfrac{1}{9}\right)^x - 1$	ㄴ. $y = 3^{2x-1}$
ㄷ. $y = 3^{3x+1}$	ㄹ. $y = \dfrac{9^x + 1}{9}$

① ㄱ   ② ㄴ   ③ ㄱ, ㄴ, ㄹ
④ ㄴ, ㄷ, ㄹ   ⑤ ㄱ, ㄴ, ㄷ, ㄹ

▶ 해설 내신연계기출

유형 06 지수함수의 그래프의 평행이동과 대칭이동의 미정계수의 결정

① $y=a^x$의 그래프를 x축의 방향으로 m만큼, y축의 방향으로 n만큼 평행이동시킨 그래프 ⇨ $y=a^{x-m}+n$ $(a>0,\ a\neq1)$

참고 $y=k\cdot a^x+n$의 평행이동
⇨ $y=a^x$의 그래프를 x축의 방향으로 $-\log_a k$만큼, y축의 방향으로 n만큼 평행이동시킨 것이다.

② $y=a^x$의 그래프를
x축에 대하여 대칭이동 하면 $y=-a^x$
y축에 대하여 대칭이동 하면 $y=a^{-x}$
원점에 대하여 대칭이동 하면 $y=-a^{-x}$

0343 학교기출 대표 유형

함수 $y=3^x$의 그래프를 x축의 방향으로 m만큼, y축의 방향으로 n만큼 평행이동하였더니 함수 $y=\dfrac{1}{9}\cdot3^x+3$의 그래프와 일치할 때, 상수 m, n에 대하여 mn의 값은?

① 1 ② 2 ③ 4
④ 6 ⑤ 8

0344 BASIC

함수 $y=2^{2x}$의 그래프를 x축의 방향으로 p만큼, y축의 방향으로 q만큼 평행이동하였더니 함수 $y=\dfrac{1}{16}\cdot2^{2x}+\dfrac{5}{2}$의 그래프가 되었을 때 상수 p, q에 대하여 pq의 값은?

① 1 ② 2 ③ 3
④ 4 ⑤ 5

0345 최다빈출 왕 중요 BASIC

함수 $y=3\cdot2^x+4$의 그래프는 함수 $y=2^x$의 그래프를 x축의 방향으로 m만큼, y축의 방향으로 n만큼 평행이동한 것이다.
이때 n^m의 값은?

① $\dfrac{1}{3}$ ② $\dfrac{1}{9}$ ③ $\dfrac{1}{4}$
④ $\dfrac{1}{6}$ ⑤ $\dfrac{1}{27}$

▶ 해설 내신연계기출

0346 NORMAL

함수 $y=2^x$의 그래프를 y축에 대하여 대칭이동한 다음 x축의 방향으로 m만큼, y축의 방향으로 n만큼 평행이동하면 함수 $y=8\cdot\left(\dfrac{1}{2}\right)^x+4$의 그래프와 겹친다. 이때 $m+n$의 값은?

① 3 ② 4 ③ 7
④ 8 ⑤ 10

0347 NORMAL

지수함수 $y=a^x$의 그래프를 x축에 대하여 대칭이동시킨 후, x축의 방향으로 1만큼, y축의 방향으로 2만큼 평행이동시킨 그래프가 점 $(3,\ -3)$을 지난다. 양수 a의 값은?

① 2 ② $\sqrt{5}$ ③ $\sqrt{6}$
④ $\sqrt{7}$ ⑤ $2\sqrt{2}$

0348 최다빈출 왕 중요 NORMAL

지수함수 $y=a\cdot3^x$ $(a\neq0)$의 그래프를 원점에 대하여 대칭이동시킨 후, x축의 방향으로 2만큼, y축의 방향으로 3만큼 평행이동시킨 그래프가 점 $(1,\ -6)$을 지난다. 이때 상수 a의 값은?

① 1 ② 2 ③ 3
④ 4 ⑤ 5

▶ 해설 내신연계기출

유형 07 지수함수 그래프를 이용한 미지수 계산

(1) 지수함수 $y=a^{x-m}+n$ $(a>0, a\neq1)$의 그래프에서 미지수 계산
⇨ 평행이동과 점근선, 지나는 점을 이용하여 미지수 계산
(2) 지수함수 $y=a^x$ $(a>0, a\neq1)$의 그래프를 x축의 방향으로
m만큼, y축의 방향으로 n만큼 평행이동하면
① 평행이동한 그래프를 나타내는 식은 $y=a^{x-m}+n$이다.
② 평행이동한 그래프의 점근선은 직선 $y=n$이다.

0349 학교기출 대표 유형

함수 $y=2^{x-a}+b$의 그래프가 오른쪽
그림과 같을 때, 두 상수 a, b에 대하
여 $a+b$의 값은? (단, 직선 $y=-1$은
점근선이다.)

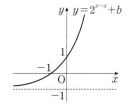

① -2 ② -1
③ 0 ④ 1
⑤ 2

0350 BASIC

함수 $y=3^{x+a}+b$의 그래프가 오른쪽 그
림과 같을 때, 상수 a, b에 대하여 $a+b$
의 값은?
(단, 직선 $y=-3$은 점근선이다.)

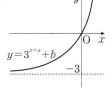

① -1 ② -2
③ -3 ④ -4
⑤ -5

0351 최다빈출 상 중요 BASIC

함수 $y=\left(\dfrac{1}{2}\right)^{x+a}+b$의 그래프가 오른
쪽 그림과 같을 때, 상수 a, b에 대하
여 $a+b$의 값은?
(단, $y=-1$은 점근선이다.)

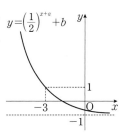

① 1 ② 2
③ 3 ④ 4
⑤ 5

▶ 해설 내신연계기출

0352 NORMAL

오른쪽 그림은 함수 $y=-\left(\dfrac{1}{2}\right)^{x+a}+b$
의 그래프이다. 상수 a, b에 대하여
$a+b$의 값은?

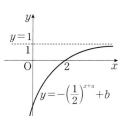

① -1 ② 0
③ 1 ④ 2
⑤ 3

0353 NORMAL

함수 $y=3^{x+a}+b$의 그래프는 점 $(0, 10)$을 지나고, 치역이
$\{y|y>1\}$일 때, 상수 a, b에 대하여 $a+b$의 값은?

① 1 ② 2 ③ 3
④ 4 ⑤ 5

0354 NORMAL

두 함수 $f(x)=2^x+k$, $g(x)=-3^x+6$가 임의의 두 실수 x_1, x_2에
대하여 $f(x_1)\geq g(x_2)$가 성립하도록 하는 자연수 k의 최솟값은?

① 3 ② 4 ③ 5
④ 6 ⑤ 7

0355 NORMAL

두 상수 a, b에 대하여 함수 $f(x)=2^{ax}+b$가 다음 조건을 만족시킨
다.

(가) 함수 $y=f(x)$의 그래프는 점 $(1, 7)$을 지난다.
(나) 함수 $y=f(x)$의 그래프를 x축의 방향으로 1만큼, y축의
방향으로 2만큼 평행이동한 그래프의 점근선은 직선 $y=5$
이다.

상수 a, b에 대하여 ab의 값은?

① 2 ② 3 ③ 4
④ 6 ⑤ 8

0356 최다빈출 왕 중요 · NORMAL

방정식

$$|3^x - 3| = k$$

가 서로 다른 두 실근을 가질 때, 정수 k의 값의 합은?

① 1   ② 3   ③ 6

④ 10   ⑤ 15

▶ 해설 내신연계기출

0357 · TOUGH

방정식

$$|2^{x-2} - 5| = k$$

가 오직 한 개의 실근만 갖도록 하는 10보다 작은 정수 k의 개수는?

① 5   ② 6   ③ 7

④ 8   ⑤ 9

0358 · TOUGH

오른쪽 그림과 같이 좌표평면 위의
두 곡선 $y = |9^x - 3|$과 $y = 2^{x+k}$이
만나는 서로 다른 두 점의 x좌표를
$x_1,\ x_2\ (x_1 < x_2)$라고 할 때,
$x_1 < 0,\ 0 < x_2 < 2$를 만족시키는
모든 자연수 k의 합은?

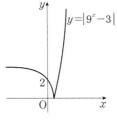

① 4   ② 6   ③ 7

④ 8   ⑤ 9

유형 08 지수함수 $y = a^{px+q} + r$ 꼴의 최대 최소

정의역이 $\{x \mid m \leq x \leq n\}$인 지수함수
$f(x) = a^{px+q} + r\ (a > 0,\ a \neq 1,\ p > 0)$에 대하여

(1) $a > 1$인 경우
  ① x가 최대일 때, $y = a^{px+q} + r$의 최댓값은 $f(n)$
  ② x가 최소일 때, $y = a^{px+q} + r$의 최솟값은 $f(m)$

(2) $0 < a < 1$인 경우
  ① x가 최대일 때, $y = a^{px+q} + r$의 최솟값은 $f(n)$
  ② x가 최소일 때, $y = a^{px+q} + r$의 최댓값은 $f(m)$

0359 학교기출 빈출 유형

정의역이 $\{x \mid -1 \leq x \leq 1\}$인 함수 $y = 3^{x-1} + 2$의 최댓값을 M, 최솟값을 m이라고 할 때, Mm의 값은?

① $\dfrac{14}{3}$ ② 6   ③ $\dfrac{19}{3}$

④ 7   ⑤ $\dfrac{22}{3}$

0360 · BASIC

정의역이 $\{x \mid 2 \leq x \leq 4\}$인 함수 $f(x) = \left(\dfrac{1}{2}\right)^{x-2}$의 최솟값은?

① $\dfrac{1}{32}$ ② $\dfrac{1}{16}$ ③ $\dfrac{1}{8}$

④ $\dfrac{1}{4}$ ⑤ $\dfrac{1}{2}$

0361 · BASIC

정의역이 $\{x \mid -2 \leq x \leq 1\}$인 함수 $y = \left(\dfrac{1}{2}\right)^{x+1} + 2$의 최댓값과 최솟값을 각각 $M,\ m$이라고 할 때, $M + m$의 값은?

① $\dfrac{9}{4}$ ② 4   ③ $\dfrac{21}{4}$

④ $\dfrac{23}{4}$ ⑤ $\dfrac{25}{4}$

0362 최다빈출 🅐 중요

정의역이 $\{x|-2 \le x \le 1\}$에서 함수

$$f(x)=2^{x+1} \cdot \left(\frac{1}{4}\right)^x$$

의 최댓값을 M, 최솟값을 m이라 할 때, Mm의 값은?

① $\frac{1}{2}$ ② 1 ③ 2
④ 4 ⑤ 8

▶ 해설 내신연계기출

0363

$0 < a < 1$인 실수 a에 대하여 함수 $f(x)=a^x$의 정의역이

$\{x|-2 \le x \le 1\}$에서 최솟값 $\frac{5}{6}$, 최댓값 M을 갖는다.

aM의 값은?

① $\frac{2}{5}$ ② $\frac{3}{5}$ ③ $\frac{4}{5}$
④ 1 ⑤ $\frac{6}{5}$

0364 최다빈출 🅐 중요

정의역이 $\{x|-3 \le x \le a\}$인 함수 $y=\left(\frac{1}{2}\right)^{x-1}+b$의 최댓값이 24,

최솟값이 16일 때, 두 상수 a, b에 대하여 $a+b$의 값은?

① 4 ② 6 ③ 8
④ 10 ⑤ 12

▶ 해설 내신연계기출

0365

정의역이 $\{x|-1 \le x \le 3\}$인 두 지수함수

$$f(x)=4^x, \ g(x)=\left(\frac{1}{2}\right)^x$$

에 대하여 $f(x)$의 최댓값을 M, $g(x)$의 최솟값을 m이라고 할 때, mM의 값은?

① 8 ② 6 ③ 4
④ 2 ⑤ 1

0366

정의역이 $\left\{x\,\Big|\,\frac{1}{3} \le x \le 3\right\}$인 두 함수

$$f(x)=\left(\frac{1}{2}\right)^x, \ g(x)=\log_9 x$$

에 대하여 $f(x)$의 최솟값을 m, $g(x)$의 최댓값을 M이라 할 때, mM의 값은?

① $\frac{1}{16}$ ② $\frac{1}{4}$ ③ $\frac{1}{2}$
④ 1 ⑤ 4

0367 최다빈출 🅐 중요

정의역이 $\{x|-2 \le x \le 1\}$인 지수함수

$$f(x)=3\left(\frac{3}{a}\right)^x$$

의 최댓값이 12일 때, 모든 양수 a의 값의 합은?

① $\frac{9}{4}$ ② $\frac{27}{4}$ ③ $\frac{11}{2}$
④ 6 ⑤ $\frac{13}{2}$

▶ 해설 내신연계기출

유형 09 지수함수 $y=a^{f(x)}$ 꼴의 최대 최소

[1단계] $y=a^{f(x)}$ $(a>0,\ a\neq 1)$에서 $f(x)=t$라 한다.

[2단계] 함수 $t=f(x)$의 최댓값과 최솟값을 구하여 t의 값의 범위를 구한다.

[3단계] [2단계]에서 구한 범위에서 함수 $y=a^{t}$의 최댓값과 최솟값을 구한다.

0368 학교기출 대표 유형

함수 $y=\left(\dfrac{1}{2}\right)^{x^2-2x+a}$ 의 최댓값이 16일 때, 상수 a의 값은?

① -3 ② -2 ③ -1

④ 1 ⑤ 2

0369
BASIC

함수 $y=a^{-2x^2+4x-4}$의 최솟값이 16일 때, 상수 a는?
(단, $0<a<1$)

① $\dfrac{1}{16}$ ② $\dfrac{1}{8}$ ③ $\dfrac{1}{4}$

④ $\dfrac{1}{3}$ ⑤ $\dfrac{1}{2}$

0370
NORMAL

정의역이 $\{x|-1\leq x\leq 1\}$인 함수
$$y=2^{x^2+2x+3}$$
의 최댓값을 M, 최솟값을 m이라 할 때, $M+m$의 값은?

① $\dfrac{1}{4}$ ② $\dfrac{1}{16}$ ③ 4

④ 16 ⑤ 68

0371 최다빈출 왕 중요
NORMAL

$0\leq x\leq 3$에서 정의된 함수
$$y=\left(\dfrac{1}{3}\right)^{x^2-2x-3}$$
의 최댓값을 M, 최솟값을 m이라 할 때, $M+m$의 값은?

① 28 ② 30 ③ 36

④ 82 ⑤ 84

▶ 해설 내신연계기출

0372 최다빈출 왕 중요
TOUGH

정의역이 $\{x|0\leq x\leq 3\}$인 함수
$$y=a^{x^2-4x+b}$$
의 최댓값을 M, 최솟값을 m이라 하자. $\dfrac{M}{m}=16$일 때, a의 값은?
(단, a, b는 상수이고, $0<a<1$)

① $\dfrac{1}{2}$ ② $\dfrac{1}{3}$ ③ $\dfrac{1}{4}$

④ $\dfrac{1}{5}$ ⑤ $\dfrac{1}{6}$

▶ 해설 내신연계기출

0373
TOUGH

$1\leq x\leq 4$에서 정의된 함수
$$y=a^{x^2-6x+8}$$
의 최댓값이 27이 되도록 하는 모든 양수 a의 값의 곱은?

① $\dfrac{1}{27}$ ② $\dfrac{1}{9}$ ③ $\dfrac{1}{3}$

④ 9 ⑤ 27

0374
TOUGH

$\dfrac{1}{2}\leq x\leq 3$에서 정의된 함수
$$y=3^{-x^2+2x+a}$$
의 최댓값이 81, 최솟값이 m일 때, $a+m$의 값은?

① 3 ② 4 ③ 5

④ 6 ⑤ 8

$m \leq x \leq n$에서 $y=pa^{2x}+qa^x+r$에서 $a^x=t$로 치환하면
이차함수 $y=pt^2+qt+r$의 최대 최소를 구한다.
① $a>1$일 때, $a^m \leq t \leq a^n$에서 최댓값, 최솟값을 구한다.
② $0<a<1$일 때, $a^n \leq t \leq a^m$에서 최댓값, 최솟값을 구한다.

0375 학교기출 대표유형

정의역이 $\{x|-1 \leq x \leq 2\}$인 함수

$$y=4^x-2^{x+1}+4$$

의 최댓값을 M, 최솟값을 m이라 할 때, $M+m$의 값은?

① 6 ② 7 ③ 8
④ 10 ⑤ 15

0376 최다빈출 왕중요

정의역이 $\{x|-1 \leq x \leq 2\}$인 함수

$$y=\left(\frac{1}{4}\right)^x-\left(\frac{1}{2}\right)^{x-1}+3$$

의 최댓값을 M, 최솟값을 m이라 할 때, $M+m$의 값은?

① 3 ② 4 ③ 5
④ 6 ⑤ 7

▶ 해설 내신연계기출

0377

$-2 \leq x \leq 4$일 때, 함수

$$y=2^x-\sqrt{2^{x+4}}+3$$

의 최댓값을 M, 최솟값을 m이라 할 때, $M+m$의 값은?

① 2 ② 3 ③ 4
④ 5 ⑤ 6

0378 최다빈출 왕중요

정의역이 $\{x|1 \leq x \leq 100\}$인 함수

$$y=2^{\log x}x^{\log 2}+2 \times 2^{\log 100x}$$

의 최댓값을 M, 최솟값을 m이라 할 때, $M+m$의 값은?

① 32 ② 37 ③ 42
④ 47 ⑤ 57

▶ 해설 내신연계기출

0379 최다빈출 왕중요

함수 $y=4^x-2^{x+2}+a$가 $x=b$에서 최솟값 2를 가질 때,
두 실수 a, b에 대하여 $a+b$의 값은?

① 1 ② 3 ③ 5
④ 7 ⑤ 9

▶ 해설 내신연계기출

0380 최다빈출 왕중요

두 함수

$$f(x)=x^2-6x+a, \quad g(x)=\left(\frac{1}{2}\right)^x$$

에 대하여 $1 \leq x \leq 4$에서 합성함수 $(g \circ f)(x)$의 최댓값이 4이다.
이때 합성함수 $(g \circ f)(x)$의 최솟값은? (단, a는 상수이다.)

① $\frac{1}{8}$ ② $\frac{1}{6}$ ③ $\frac{1}{4}$
④ 1 ⑤ 2

▶ 해설 내신연계기출

0381

두 함수

$$f(x)=-x^2+2x+1, \quad g(x)=a^x \ (a>0, \ a \neq 1)$$

이 있다. $-1 \leq x \leq 2$에서 두 함수 $f(g(x))$, $g(f(x))$의 최댓값이
같아지도록 하는 모든 a의 값의 합은?

① $\frac{3\sqrt{2}}{2}$ ② $\frac{4\sqrt{2}}{3}$ ③ $\sqrt{2}$
④ $\frac{2\sqrt{2}}{3}$ ⑤ $\frac{\sqrt{2}}{2}$

유형 11 로그함수와 로그의 기본 성질

로그함수 $f(x)=\log_a x \ (a>0, \ a \neq 1)$에 대하여

① $f(1)=0$

② $f(xy)=f(x)+f(y)$

③ $f\left(\dfrac{x}{y}\right)=f(x)-f(y)$

④ $f(x^n)=nf(x)$

⑤ $f\left(\dfrac{1}{x}\right)=-f(x)$

0382 학교기출 대표유형

함수 $f(x)=\log_a x \ (a>0, \ a \neq 1)$에 대한 설명 중 옳은 것은?

① $f(a^x)=a$

② $f(xy)=f(x)+f(y)$

③ $f\left(\dfrac{y}{x}\right)=\dfrac{f(y)}{f(x)}$

④ $f\left(\dfrac{1}{x^k}\right)=\dfrac{1}{k}f(x)$ (단, k는 상수)

⑤ $f(x)+f\left(\dfrac{1}{x}\right)=1$

0383 최다빈출 상 중요

NORMAL

집합 $A=\{(x, \log_2 x) \,|\, x>0$인 실수$\}$에 대하여 옳은 것만을 [보기]에서 있는 대로 고른 것은?

ㄱ. $(a, b) \in A$이면 $(2a, b+1) \in A$

ㄴ. $\left(\dfrac{a}{2}, b\right) \in A$이면 $(a, b-1) \in A$

ㄷ. $(a, b) \in A$, $(c, d) \in A$이면 $(ac, b+d) \in A$

ㄹ. $(a, b) \in A$, $(c, d) \in A$이면 $\left(\dfrac{a}{c}, b-d\right) \in A$

① ㄱ, ㄴ　　　② ㄱ, ㄹ　　　③ ㄴ, ㄹ

④ ㄱ, ㄷ, ㄹ　　⑤ ㄴ, ㄷ, ㄹ

▶ 해설 내신연계기출

0384

NORMAL

함수 f는 양의 실수 전체의 집합에서 정의되어 있고, 임의의 두 실수 a, b에 대하여 $f(ab)=f(a)+f(b)$인 성질을 만족시킬 때, [보기]에서 옳은 것을 모두 고른 것은?

ㄱ. $f(1)=0$

ㄴ. $f\left(\dfrac{1}{x}\right)=-f(x)$

ㄷ. $f(x^n)=nf(x)$

① ㄱ　　　② ㄴ　　　③ ㄷ

④ ㄱ, ㄴ　　⑤ ㄱ, ㄴ, ㄷ

유형 12 로그함수의 함숫값

지수함수 $f(x)=\log_a x \ (a>0, \ a \neq 1)$의 함숫값 $f(k)$의 값을 구할 때에는 x 대신 k를 대입하고 로그함수의 성질을 이용하여 식을 구한다.

0385 학교기출 대표유형

함수 $f(x)=\log_{\frac{1}{4}} x$에 대하여 $f\left(\dfrac{1}{3}\right) \times \dfrac{1}{f(3)}$의 값은?

① -1　　　② $-\dfrac{3}{4}$　　　③ $\dfrac{1}{4}$

④ $\dfrac{3}{4}$　　　⑤ 1

0386 최다빈출 상 중요

BASIC

세 함수 $f(x)=3^x$, $g(x)=\log_3 x$, $h(x)=x^3$에 대하여 $(f \circ g)(27)-(g \circ h)(27)$의 값은?

① 9　　　② 12　　　③ 18

④ 20　　　⑤ 24

▶ 해설 내신연계기출

0387

NORMAL

두 함수 $y=\log_2(6x-x^2)$, $y=\log_5(x-1)$의 정의역을 각각 집합 A, B라 할 때, 집합 $A \cap B$에 속하는 정수의 합은?

① 6　　　② 8　　　③ 10

④ 12　　　⑤ 14

유형 13 로그함수의 그래프의 성질

로그함수 $y=\log_a x$ $(a>0,\ a\neq1)$의 성질
① 정의역은 양수 전체의 집합이고 치역은 실수 전체의 집합이다.
② $a>1$일 때, x값이 증가하면 y의 값도 증가한다.
  $0<a<1$일 때, x값이 증가하면 y의 값은 감소한다.
③ 그래프는 점 $(1,\ 0)$을 지나고 y축 $(x=0)$을 점근선으로 갖는다.
④ $y=\log_a x$의 그래프와 $y=\log_{\frac{1}{a}}x$의 그래프는 x축에 대하여
  대칭이다.

0388 학교기출 대표유형

함수 $f(x)=\log_{\frac{1}{5}}\dfrac{1}{x}$에 대한 설명 중 옳지 않은 것은?

① 정의역은 양의 실수 전체의 집합이고 치역은 실수 전체의
  집합이다.
② 그래프의 점근선은 y축이다.
③ 두 양수 x_1, x_2에 대하여 $x_1<x_2$이면 $f(x_1)<f(x_2)$이다.
④ 방정식 $f(x)=0$을 만족시키는 실수 x가 존재하지 않는다.
⑤ 함수 $y=f(x)$의 그래프는 함수 $y=\log_{\frac{1}{5}}x$의 그래프와 x축에
  대하여 대칭이다.

0389 최다빈출 왕중요 BASIC

함수 $f(x)=\log_{\frac{1}{10}}x$의 그래프에 대한 설명으로 옳은 것을 고르면?

① 두 양수 x_1, x_2에 대하여 $x_1<x_2$이면 $f(x_1)<f(x_2)$이다.
② 치역은 양의 실수 전체의 집합이다.
③ 함수 $y=f(x)$의 그래프는 점 $(0,\ 1)$을 지난다.
④ 점근선의 방정식은 $y=0$이다.
⑤ 함수 $y=\dfrac{1}{10^x}$의 그래프와 직선 $y=x$에 대하여 대칭이다.

▶ 해설 내신연계기출

0390 NORMAL

다음 함수의 그래프가 함수 $y=\log_2 x$의 그래프와 일치하는 것을
모두 고르면?

ㄱ. $y=\log_4 x^2$	ㄴ. $y=\log_2\dfrac{1}{x}$
ㄷ. $y=\log_{\frac{1}{2}}x$	ㄹ. $y=\log_{\frac{1}{2}}\dfrac{1}{x}$

① ㄱ   ② ㄹ   ③ ㄱ, ㄷ
④ ㄴ, ㄷ   ⑤ ㄱ, ㄴ, ㄷ

유형 14 지수함수와 로그함수의 관계를 이용하기

$a^k=b$의 꼴을 $k=\log_a b$로 바꾸어 로그의 성질을 이용하여 미지수를
구한다.

0391 학교기출 대표유형

오른쪽 그림과 같이 직선 $x=0$, 함수
$y=a^x$, $y=2^x$, $y=b^x$의 그래프가
직선 $y=k$와 만나는 점을 차례대로
A, B, C, D라고 하자. $\overline{AB}=\overline{BC}=\overline{CD}$
일 때, 실수 a, b에 대하여 ab의 값은?
(단, $k>1$)

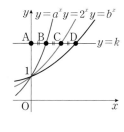

① 2^2 ② $2^{\frac{3}{2}}$ ③ $2^{\frac{5}{2}}$
④ 2^3 ⑤ $2^{\frac{8}{3}}$

▶ 해설 내신연계기출

0392 NORMAL

오른쪽 그림과 같이 함수 $y=0$,
$y=\log_q x$, $y=\log_8 x$, $y=\log_s x$
의 그래프가 직선 $x=p$ $(p>1)$와
만나는 점을 순서대로 P, Q, R, S
라고 하자. $\overline{PQ}=\overline{QR}=\overline{RS}$일 때,
상수 q, s의 값을 각각 구하면?

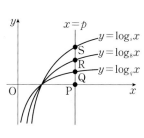

① $q=24$, $s=4$ ② $q=34$, $s=4$ ③ $q=44$, $s=4$
④ $q=54$, $s=4$ ⑤ $q=64$, $s=4$

0393 최다빈출 왕중요 NORMAL

$1<a<b$일 때, 직선 $x=2$가 세 함수
$$f(x)=\log_a x,\ g(x)=\log_b x,\ h(x)=-\log_a x$$
의 그래프와 만나는 점을 각각 P, Q, R이라 하자.
$\overline{PQ}:\overline{QR}=1:2$일 때, $g(a)$의 값은?

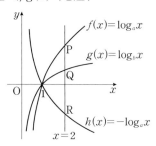

① $\dfrac{1}{4}$ ② $\dfrac{1}{3}$ ③ $\dfrac{1}{2}$
④ 2 ⑤ 3

▶ 해설 내신연계기출

유형 15 지수함수와 로그함수의 위치관계

(1) 밑의 크기에 따른 지수함수 $y=a^x$의 그래프 비교

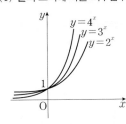

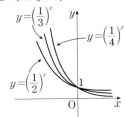

$a>1$일 때, $x>0$에서는 a의 값이 클수록 y축에 가깝다.

$0<a<1$일 때, $x<0$에서는 a의 값이 작을수록 y축에 가깝다.

(2) 밑의 크기에 따른 로그함수 $y=\log_a x$의 그래프 비교

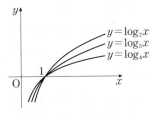

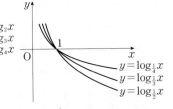

$a>1$일 때, $x>1$에서는 a의 값이 클수록 x축에 가깝다.

$0<a<1$일 때, $x>1$에서는 a의 값이 작을수록 x축에 가깝다.

0394 학교기출 빈출 유형

네 개의 지수함수 $y=a^x$, $y=b^x$, $y=c^x$, $y=d^x$의 그래프에 대하여 실수 a, b, c, d가 다음 조건을 만족할 때,
$$y=a^x, \ y=b^x, \ y=c^x, \ y=d^x$$
의 그래프를 순서대로 나열한 것은?

$$a>c>1, \ ab=1, \ cd=1$$

① ㉡, ㉠, ㉢, ㉣
② ㉡, ㉢, ㉠, ㉣
③ ㉢, ㉠, ㉣, ㉡
④ ㉢, ㉡, ㉣, ㉠
⑤ ㉣, ㉠, ㉢, ㉡

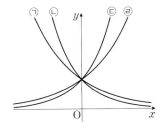

0395 NORMAL

함수 $f(x)=\log_a x$, $g(x)=\log_b x$가 $0<x<1$에서 $f(x)>g(x)$이 성립하기 위한 조건으로 [보기]에서 옳은 것을 모두 고른 것은?

ㄱ. $1<b<a$
ㄴ. $0<a<b<1$
ㄷ. $0<a<1<b$

① ㄱ
② ㄴ
③ ㄱ, ㄷ
④ ㄴ, ㄷ
⑤ ㄱ, ㄴ, ㄷ

0396 NORMAL

두 실수 a와 b가 1이 아닌 양수일 때, 함수 $y=a^x$의 그래프와 함수 $y=\log_b x$의 그래프가 항상 만나는 경우를 모두 고른 것은?

ㄱ. $a>1$이고 $b>1$
ㄴ. $a>1$이고 $0<b<1$
ㄷ. $0<a<1$이고 $b>1$
ㄹ. $0<a<1$이고 $0<b<1$

① ㄱ
② ㄴ, ㄷ
③ ㄷ, ㄹ
④ ㄴ, ㄷ, ㄹ
⑤ ㄱ, ㄴ, ㄷ, ㄹ

0397 최다빈출 상 중요 NORMAL

다음은 1이 아닌 세 양수 a, b, c에 대하여 세 함수
$$y=\log_a x, \ y=\log_b x, \ y=c^x$$
의 그래프를 나타낸 것이다. 세 양수 a, b, c의 대소 관계를 옳게 나타낸 것은?

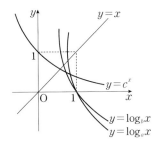

① $a>b>c$
② $a>c>b$
③ $b>a>c$
④ $b>c>a$
⑤ $c>b>a$

▶ 해설 내신연계기출

0398 최다빈출 상 중요 TOUGH

다음 등식을 만족시키는 세 양수 a, b, c가 있다.

$$\left(\frac{1}{3}\right)^a=\log_2 a, \ \left(\frac{1}{2}\right)^b=\log_3 b, \ \left(\frac{1}{3}\right)^c=\log_3 c$$

이때 양수 a, b, c의 대소 관계로 옳은 것은?

① $a<b<c$
② $a<c<b$
③ $b<a<c$
④ $c<a<b$
⑤ $c<b<a$

▶ 해설 내신연계기출

주어진 수의 밑을 같게 한 다음 지수함수 $y=a^x(a>0,\ a\neq1)$의 성질을 이용한다.

① $a>1$일 때, $x_1<x_2 \iff a^{x_1}<a^{x_2}$ ← 부등호 방향 그대로

② $0<a<1$일 때, $x_1<x_2 \iff a^{x_1}>a^{x_2}$ ← 부등호 방향 반대로

0399 학교기출 대표 유형

다음 세 수의 대소 관계를 바르게 나타낸 것은?

$$A=\sqrt[4]{32},\ B=\sqrt[3]{4},\ C=\sqrt[5]{16}$$

① $A<B<C$ ② $A<C<B$ ③ $B<A<C$
④ $B<C<A$ ⑤ $C<A<B$

0400 BASIC

세 수

$$A=\sqrt[3]{16},\ B=\sqrt{4\sqrt{2}},\ C=0.5^{-\frac{2}{3}}$$

의 대소 관계를 바르게 나타낸 것은?

① $A<B<C$ ② $A<C<B$ ③ $B<A<C$
④ $B<C<A$ ⑤ $C<B<A$

0401 NORMAL

다음 네 실수 A, B, C, D의 크기를 바르게 비교한 것은?

$$A=\left(\frac{101}{100}\right)^{\frac{100}{101}},\ B=\left(\frac{101}{100}\right)^{\frac{101}{100}},\ C=\left(\frac{99}{100}\right)^{\frac{99}{100}},\ D=\left(\frac{99}{100}\right)^{\frac{100}{99}}$$

① $C<D<A<B$ ② $D<C<A<B$
③ $C<D<B<A$ ④ $A<B<C<D$
⑤ $A<B<D<C$

0402 최다빈출 왕중요 NORMAL

두 양수 a, b가 $b^2<b<a<a^2$을 만족시킬 때, 네 수 $a^{\frac{1}{a}}$, a^a, $b^{\frac{1}{b}}$, b^b의 대소 관계로 옳은 것은?

① $a^{\frac{1}{a}}>a^a>b^b>b^{\frac{1}{b}}$ ② $a^a>a^{\frac{1}{a}}>b^{\frac{1}{b}}>b^b$
③ $b^b>b^{\frac{1}{b}}>a^a>a^{\frac{1}{a}}$ ④ $a^a>b^{\frac{1}{b}}>b^b>a^{\frac{1}{a}}$
⑤ $a^a>b^b>a^{\frac{1}{a}}>b^{\frac{1}{b}}$

▶ 해설 내신연계기출

0403 최다빈출 왕중요 TOUGH

$0<a<1$이고 n이 자연수일 때, 세 수

$$A=\sqrt[n+1]{a^n},\ B=\sqrt[n+2]{a^{n+1}},\ C=\sqrt[n+3]{a^{n+2}}$$

의 대소 관계로 옳은 것은?

① $A<B<C$ ② $A<C<B$ ③ $B<C<A$
④ $C<A<B$ ⑤ $C<B<A$

▶ 해설 내신연계기출

0404 TOUGH

세 양수 a, b, c에 대하여 $3^a=5$, $7^b=29$, $8^c=27$일 때, a, b, c의 대소 관계를 바르게 나타낸 것은?

① $a<c<b$ ② $b<a<c$ ③ $b<c<a$
④ $c<a<b$ ⑤ $c<b<a$

유형 **17** 로그함수를 이용한 수의 대소 관계

주어진 수의 밑을 같게 한 다음 로그함수 $y = \log_a x \ (a > 0, \ a \neq 1)$의
성질을 이용한다.

① $a > 1$일 때, $0 < x_1 < x_2 \Longleftrightarrow \log_a x_1 < \log_a x_2$ ← 부등호 방향 그대로
② $0 < a < 1$일 때, $0 < x_1 < x_2 \Longleftrightarrow \log_a x_1 > \log_a x_2$ ← 부등호 방향 반대로

0405 학교기출 대표 유형

세 수
$$A = -2\log_2 \frac{1}{9}, \ B = 4 + \log_2 5, \ C = 2 + 2\log_2 5$$
의 대소 관계를 바르게 나타낸 것은?

① $A < B < C$　　② $A < C < B$　　③ $B < A < C$
④ $C < A < B$　　⑤ $C < B < A$

0406 BASIC

세 수
$$A = \log_{\sqrt{3}} 2, \ B = \frac{\log 5}{\log 3}, \ C = \frac{1}{2} \log_3 21$$
의 대소 관계를 바르게 나타낸 것은?

① $A < B < C$　　② $A < C < B$　　③ $B < A < C$
④ $C < A < B$　　⑤ $C < B < A$

0407 NORMAL

두 실수 a, b에 대하여 $a^2 < a < b$일 때, 옳은 것만을 [보기]에서 있
는 대로 고른 것은?

ㄱ. $a^a < a^b$
ㄴ. $\log_a b < 1$
ㄷ. $\log_{b+1} a \times \log_{b+1} (a+1) < 0$

① ㄱ　　　　② ㄷ　　　　③ ㄱ, ㄴ
④ ㄴ, ㄷ　　⑤ ㄱ, ㄴ, ㄷ

0408 NORMAL

1이 아닌 세 양수 a, b, c에 대하여 $a^2 = b^3 = c^5$이 성립할 때,
세 수 $A = \log_a b$, $B = \log_b c$, $C = \log_c a$의 크기를 비교하면?

① $A < B < C$　　② $A < C < B$　　③ $B < A < C$
④ $C < A < B$　　⑤ $C < B < A$

0409 최다빈출 상 중요 NORMAL

1이 아닌 서로 다른 두 양수 a, b에
대하여 $y = \log_a x$, $y = \log_b x$의 그
래프가 오른쪽 그림과 같을 때, 세 수
$A = \log_a b$, $B = \log_b a$, $C = \log_b \dfrac{b}{a}$
의 대소 관계는?

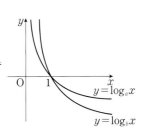

① $A < B < C$　　② $A < C < B$
③ $B < C < A$　　④ $B < A < C$
⑤ $C < A < B$

▶ 해설 내신연계기출

0410 최다빈출 상 중요 TOUGH

2보다 큰 상수 a에 대하여 $a \leq x < a^2$일 때, 다음 세 수의 대소
관계를 바르게 나타낸 것은?

$$A = (\log_a x)^2, \ B = \log_a x^2, \ C = \log_a (\log_a x)$$

① $A < B < C$　　② $A < C < B$　　③ $B < A < C$
④ $C < A < B$　　⑤ $C < B < A$

▶ 해설 내신연계기출

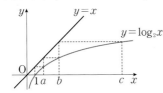

유형 18 $y=x$를 이용한 함숫값 구하기

직선 $y=x$ 위의 점을 이용하여 지수함수, 로그함수의 함숫값을 구한다.

0411 학교기출 대표 유형

다음 그림은 함수 $y=\log_2 x$의 그래프와 직선 $y=x$이다.
이때 $a+b+c$의 값은? (단, 점선은 x축 또는 y축에 평행하다.)

① 4   ② 8   ③ 16
④ 22   ⑤ 26

0412 BASIC

오른쪽 그림은 두 함수 $y=\log_3 x$,
$y=x$의 그래프일 때, $\left(\dfrac{1}{3}\right)^{b-c}$의 값과
같은 것은? (단, 점선은 x축 또는 y
축에 평행하다.)

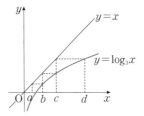

① $\dfrac{a}{b}$ ② $\dfrac{b}{a}$

③ $\dfrac{c}{b}$ ④ $\dfrac{c}{d}$

⑤ $\dfrac{d}{c}$

0413 최다빈출 함 중요 BASIC

오른쪽 그림은 두 함수 $y=\log_{\frac{1}{3}} x$,
$y=x$의 그래프일 때, 3^{-a-c}의 값과 같
은 것은? (단, 점선은 x축 또는 y축에
평행하다.)

① a ② $a-c$
③ $a+b$ ④ ab
⑤ bc

▶ 해설 내신연계기출

0414 NORMAL

오른쪽 그림은 함수 $y=3^x$의 그래프와
직선 $y=x$이다. 이때 $\log_{\sqrt{a}} b$의 값은?
(단, 점선은 x축 또는 y축에 평행하
다.)

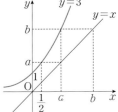

① 2   ② $2\sqrt{2}$
③ $3\sqrt{2}$ ④ $3\sqrt{3}$
⑤ $4\sqrt{3}$

0415 NORMAL

오른쪽 그림은 두 함수 $y=3^x$,
$y=\log_3 x$의 그래프이다. $y=\log_3 x$
의 그래프 위의 점 A의 좌표가 (a, b)
일 때, $\log_3 ab$의 값은? (단, 점선은 x
축 또는 y축에 평행하다.)

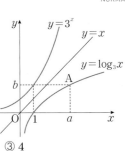

① 2   ② 3   ③ 4
④ 5   ⑤ 6

0416 NORMAL

그림은 두 함수 $y=\left(\dfrac{1}{2}\right)^x$, $y=\log_2 x$의 그래프와 직선 $y=x$를
나타낸 것이다. 옳은 것만을 보기에서 고른 것은?
(단, 점선은 x축 또는 y축에 평행하다.)

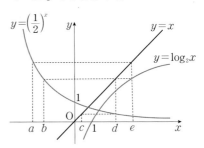

ㄱ. $\left(\dfrac{1}{2}\right)^d = c$ ㄴ. $a+d=0$ ㄷ. $ce=1$

① ㄱ   ② ㄱ, ㄴ   ③ ㄴ, ㄷ
④ ㄱ, ㄷ   ⑤ ㄱ, ㄴ, ㄷ

유형 19 로그함수의 그래프에서 미지수 구하기

함수의 그래프가 지나는 점의 좌표를 주어진 함수식에 대입한다.
이때 로그의 성질을 적절히 이용하여 간단히 한다.

0417 학교기출 대표 유형

다음 그림은 함수 $y=\log_2 x$의 그래프이다. 세 양수 a, b, c 사이에 $a-b=2(b-c)$인 관계가 성립할 때, 실수 p의 값은?

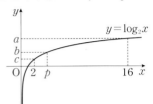

① 4   ② $4\sqrt{2}$ ③ 6
④ 8   ⑤ $6\sqrt{2}$

0418 BASIC

그림과 같이 함수 $y=\log_2 x$의 그래프가 두 점 $(2a, b)$, $(8a, 2b)$를 지날 때, $a+b$의 값은? (단, $a>0$)

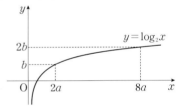

① 3   ② 4   ③ 5
④ 6   ⑤ 7

0419 NORMAL

다음 그림과 같이 두 점 $(3, a)$, $(4, b)$는 함수 $y=\log_3 x$의 그래프 위의 점이다. 함수 $y=\log_3 x$의 그래프가 점 $\left(k, \dfrac{a+b}{2}\right)$를 지날 때, k의 값은?

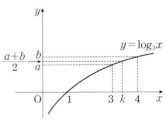

① $\sqrt{2}$ ② $2\sqrt{2}$ ③ $2\sqrt{3}$
④ $3\sqrt{3}$ ⑤ $4\sqrt{3}$

0420 NORMAL

오른쪽 그림에서 사각형 ABCD는 한 변의 길이가 2인 정사각형이고 점 A는 $y=\log_2 x$의 그래프 위에 있다. 이때 점 $D(a, b)$의 좌표의 합 $a+b$의 값은? (단, 두 점 B, C는 x축 위에 있다.)

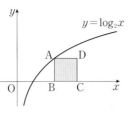

① 3   ② 4   ③ 5
④ 6   ⑤ 8

0421 최다빈출 상 중요 NORMAL

오른쪽 그림에서 사각형 ABCD는 한 변의 길이가 2인 정사각형이고 두 점 B, D는 $y=\log_3 x$의 그래프 위에 있다. 이때 점 B의 x좌표는?

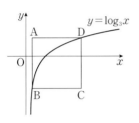

① $\dfrac{1}{4}$ ② $\dfrac{1}{3}$
③ $\dfrac{1}{2}$ ④ $\dfrac{1}{6}$
⑤ $\dfrac{1}{8}$

▶ 해설 내신연계기출

0422 최다빈출 상 중요 NORMAL

함수 $f(x)=\log_2 x$의 그래프 위의 두 점 $A(a, f(a))$, $B(b, f(b))$를 이은 선분 AB를 $1:2$로 내분하는 점이 x축 위에 있을 때, $a^2 b$의 값은?

① 1   ② $\sqrt{2}$ ③ 2
④ $2\sqrt{2}$ ⑤ 3

▶ 해설 내신연계기출

(1) 로그함수 $y=\log_a(x-m)+n\,(a>0,\ a\neq1)$의 그래프

$y=\log_a x$의 그래프를 x축의 방향으로 m만큼, y축의 방향으로 n만큼 평행이동한 것이고 점근선은 $x=m$인 그래프이다.

① 정의역은 $\{x\,|\,x>m\}$이고 치역은 실수 전체의 집합이다.

② 직선 $x=m$을 점근선으로 갖는다.

③ 점 $(1+m,\ n)$을 지난다.

(2) 로그함수 $y=\log_a x$의 대칭이동

x축 대칭	y축 대칭	원점 대칭	$y=x$대칭
$y=-\log_a x$	$y=\log_a(-x)$	$y=-\log_a(-x)$	$x=\log_a y$

(3) 지수함수와 로그함수의 주의사항

① $y=\log_a x$의 그래프와 $y=a^x$의 그래프는 직선 $y=x$에 대하여 대칭이다.

② $y=\log_a x^2$과 $y=2\log_a x$는 같은 식이 아니다.

$y=2\log_a x$의 정의역은 $\Rightarrow \{x\,|\,x>0\}$

$y=\log_a x^2$의 정의역은 $\Rightarrow \{x\,|\,x\neq0$인 모든 실수$\}$

③ $y=\log_a x^3$과 $y=3\log_a x$는 같은 식이다.
정의역은 모두 $x>0$이다.

0423 학교기출 대표유형

다음 중 로그함수 $y=\log_5(x-2)+3$의 그래프에 대한 설명으로 옳지 않은 것은?

① x의 값이 증가하면 y의 값도 증가한다.

② 점근선은 $x=3$이다.

③ $y=\log_5 x$의 그래프를 x축의 방향으로 2만큼, y축의 방향으로 3만큼 평행이동하여 얻어진다.

④ 정의역은 $\{x\,|\,x>2\}$이다.

⑤ 치역은 실수 전체의 집합이다.

0424

BASIC

로그함수 $y=-\log_2(x-2)+1$에 대한 설명으로 옳지 않은 것은?

① 정의역은 $\{x\,|\,x>2\}$이다.

② 치역은 모든 실수이다.

③ 그래프의 점근선의 방정식은 $x=2$이다.

④ x값이 증가하면 y값은 감소한다.

⑤ 그래프는 $y=\log_2 x$의 그래프를 평행이동하면 겹쳐진다.

0425

BASIC

함수 $y=\log_2(2-x)+1$에 대한 다음 설명 중 옳지 않은 것은?

① 정의역은 $\{x\,|\,x<2\}$이다.

② 그래프의 점근선의 방정식은 $x=2$이다.

③ 그래프는 점 $(1,\ 1)$을 지난다.

④ 그래프는 함수 $y=\log_2 x$의 그래프를 평행이동하면 겹쳐진다.

⑤ x의 값이 증가하면 y의 값은 감소한다.

0426 최다빈출 왕중요

BASIC

함수 $y=\log_{\frac{1}{3}}(-x+1)+2$에 대한 설명으로 옳은 것은?

① 정의역은 $\{x\,|\,x>1\}$이다.

② 치역은 $\{y\,|\,y>2\}$이다.

③ 그래프의 점근선은 직선 $x=2$이다.

④ x의 값이 증가하면 y의 값도 증가한다.

⑤ 함수 $y=\left(\dfrac{1}{3}\right)^{x-2}+1$의 그래프와 직선 $y=x$에 대하여 대칭이다.

▶해설 내신연계기출

0427 최다빈출 왕중요

NORMAL

함수 $y=\dfrac{1}{9}\cdot3^x+1$의 그래프에 대한 설명으로 옳은 것만을 [보기]에서 있는 대로 고른 것은?

ㄱ. 함수 $y=3^x$의 그래프를 x축의 방향으로 2만큼, y축의 방향으로 1만큼 평행이동한 것이다.

ㄴ. 점근선의 방정식은 $y=0$이다.

ㄷ. 함수 $y=\log_3(x-1)+2$의 그래프를 직선 $y=x$에 대하여 대칭이동한 것이다.

① ㄱ ② ㄴ ③ ㄷ

④ ㄱ, ㄷ ⑤ ㄱ, ㄴ, ㄷ

▶해설 내신연계기출

0428

다음 함수 중 x의 값이 커질 때, y의 값이 작아지는 것은?

① $y=\left(\dfrac{1}{2}\right)^{-x-2}$

② $y=-\left(\dfrac{1}{2}\right)^{x}+2$

③ $y=-\log_{\frac{1}{2}}(x-2)+1$

④ $y=\log_{2}(-2x+4)-2$

⑤ $y=-\log_{2}(2-x)$

0429 최다빈출 왕중요

로그함수 $y=\log_{a}(x-2)+3$의 그래프가 a의 값에 관계없이 항상 일정한 점 $(p,\ q)$를 지날 때, $p+q$의 값은? (단, $a>0$, $a\neq1$)

① 4   ② 5   ③ 6

④ 7   ⑤ 8

▶ 해설 내신연계기출

0430 최다빈출 왕중요

로그함수 $y=\log_{2}x$의 그래프를 평행이동 또는 대칭이동하여 얻을 수 있는 것만을 [보기]에서 있는 대로 고른 것은?

> ㄱ. $y=\log_{2}(2-x)$ ㄴ. $y=\log_{2}\dfrac{4}{x}+1$
>
> ㄷ. $y=4\log_{2}x$ ㄹ. $y=2^{-x}$

① ㄱ, ㄴ   ② ㄱ, ㄴ, ㄷ   ③ ㄱ, ㄴ, ㄹ

④ ㄴ, ㄷ, ㄹ   ⑤ ㄱ, ㄴ, ㄷ, ㄹ

▶ 해설 내신연계기출

0431 최다빈출 왕중요

함수 $f(x)=\log_{2}x$를 x축의 방향으로 -4만큼, y축의 방향으로 3만큼 평행이동한 다음 직선 $y=x$에 대해서 대칭이동한 함수를 $y=g(x)$라고 할 때, $g(5)$의 값은?

① 0   ② 1   ③ 2

④ 3   ⑤ 4

▶ 해설 내신연계기출

0432 최다빈출 왕중요

양의 실수 전체의 집합에서 정의된 두 함수
$$y=\log_{2}4x,\quad y=\log_{8}16x^{3}$$
의 그래프와 직선 $x=k$가 만나는 점을 각각 P, Q라 하고, 선분 PQ의 길이를 $f(k)$라 할 때, $f(1)+f(2)+f(3)+\cdots+f(9)$의 값은? (단, k는 상수)

① $\dfrac{2}{3}$ ② $\dfrac{7}{3}$ ③ $\dfrac{17}{3}$

④ 6   ⑤ $\dfrac{15}{2}$

▶ 해설 내신연계기출

0433 TOUGH

다음 두 조건을 모두 만족하는 함수를 [보기]에서 있는 대로 고른 것은?

> (가) 점 $(0,\ 3)$을 지나는 모든 직선과 만난다.
> (나) 점 $(3,\ 0)$을 지나는 직선 중 만나지 않는 직선이 적어도 한 개가 존재한다.

> ㄱ. $y=\left(\dfrac{1}{2}\right)^{x}$
>
> ㄴ. $y=2\log_{2}(-x+3)$
>
> ㄷ. $y=-\log_{2}(x+3)$

① ㄱ   ② ㄷ   ③ ㄱ, ㄴ

④ ㄴ, ㄷ   ⑤ ㄱ, ㄴ, ㄷ

[1단계] 로그함수를 주어진 평행이동과 대칭이동을 한다.
[2단계] 미지수를 구한다.

0434 학교기출 대표 유형

로그함수 $y=\log_2 x$의 그래프를 x축의 방향으로 -2만큼, y축의 방향으로 1만큼 평행이동하였더니 함수 $y=\log_2(ax+b)$의 그래프와 일치하였다. 이때 상수 a, b에 대하여 $a+b$의 값은?

① 2   ② 3   ③ 4
④ 5   ⑤ 6

0435   BASIC

함수 $y=\log_2(x-2)+1$의 그래프를 x축의 방향으로 a만큼, y축의 방향으로 b만큼 평행이동하면 $y=\log_2(4x-8)$의 그래프와 일치한다. 이때 $a+b$의 값은?

① 1   ② 2   ③ 3
④ 4   ⑤ 5

0436   최다빈출 왕 중요   BASIC

함수 $y=\log_5 x$의 그래프를 x축의 방향으로 a만큼, y축의 방향으로 2만큼 평행이동시키면 점 $(9, 3)$을 지난다고 한다. 상수 a의 값은?

① 1   ② 2   ③ 3
④ 4   ⑤ 5

▶ 해설 내신연계기출

0437   NORMAL

함수 $y=\log_3 x$의 그래프 위에 두 점 $\mathrm{A}(a, 1)$, $\mathrm{B}(27, b)$가 있다. 함수 $y=\log_3 x$의 그래프를 x축의 방향으로 m만큼 평행이동한 그래프가 두 점 A, B의 중점을 지날 때, 상수 m의 값은?

① 6   ② 7   ③ 8
④ 9   ⑤ 10

0438   최다빈출 왕 중요   NORMAL

함수 $y=3^x+1$의 그래프를 x축의 방향으로 1만큼, y축의 방향으로 3만큼 평행이동한 다음 직선 $y=x$에 대하여 대칭이동 하였더니 $y=\log_3(x+a)+b$의 그래프와 일치할 때, $a+b$의 값은?

① -5 ② -3 ③ -1
④ 1   ⑤ 3

▶ 해설 내신연계기출

0439   TOUGH

함수 $y=\log_2 x$의 그래프를 직선 $y=x$에 대하여 대칭이동한 후, x축의 방향으로 m만큼, y축의 방향으로 n만큼 평행이동한 그래프와 함수 $y=\dfrac{1}{3}\cdot 2^x+4$의 그래프가 일치할 때, n^m의 값은? (단, m, n은 상수이다.)

① 3   ② 6   ③ 8
④ 9   ⑤ 12

유형 22 로그함수 그래프의 점근선을 이용한 미지수 계산

로그함수 $y = \log_a (x-m) + n \ (a > 0, \ a \neq 1)$의 그래프

⇨ 함수의 평행이동과 점근선을 이용하여 미지수 계산

0440 학교기출 대표 유형

함수 $y = \log_2 (x+a) + b$의 그래프가 다음 그림과 같을 때,
상수 a, b에 대하여 $a+b$의 값은? (단, 직선 $x = -2$는 점근선)

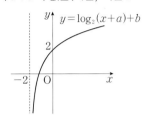

① 1   ② 2   ③ 3
④ 4   ⑤ 5

0441 최다빈출 강 중요   BASIC

다음 그림과 같이 함수 $y = \log_{\frac{1}{3}} (x-a) + b$의 그래프의 점근선은
직선 $x = -3$이다. 이때 실수 a, b에 대하여 $a+b$의 값은?

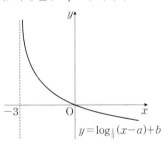

① -2 ② -1 ③ 0
④ 1   ⑤ 2

▶ 해설 내신연계기출

0442   BASIC

함수 $y = \frac{1}{2} \log_3 (x-b) + a$의 점근선의 방정식이 $x = 4$이고
이 그래프가 점 $(13, 2)$를 지날 때, $3(a+b)$의 값은?
(단, a, b는 상수이다.)

① 10   ② 15   ③ 20
④ 25   ⑤ 30

0443   BASIC

함수 $y = \log_2 (2x+a) + b$의 그래프는 점 $(3, 5)$를 지나고,
이 그래프의 점근선은 직선 $x = 2$이다. 두 상수 a, b에 대하여
$a+b$의 값은?

① -2 ② -1 ③ 0
④ 1   ⑤ 2

0444 최다빈출 강 중요   NORMAL

함수 $y = \log_2 (2x+a) + b$의 그래프를 x축의 방향으로 2만큼, y축
의 방향으로 -3만큼 평행이동한 그래프는 점 $(5, -1)$을 지나고,
점근선이 직선 $x = 1$일 때, 상수 a, b에 대하여 $a+b$의 값은?

① 1   ② 2   ③ 3
④ 4   ⑤ 5

▶ 해설 내신연계기출

0445   TOUGH

$0 < a < 1 < b$인 두 실수 a, b에 대하여 두 함수
$$f(x) = \log_a (bx-1), \quad g(x) = \log_b (ax-1)$$
이 있다. 곡선 $y = f(x)$와 x축의 교점이 곡선 $y = g(x)$의 점근선
위에 있도록 하는 a와 b 사이의 관계식과 a의 범위를 옳게 나타낸
것은?

① $b = -2a + 2 \left(0 < a < \frac{1}{2} \right)$

② $b = 2a \left(0 < a < \frac{1}{2} \right)$

③ $b = 2a \left(\frac{1}{2} < a < 1 \right)$

④ $b = 2a + 1 \left(0 < a < \frac{1}{2} \right)$

⑤ $b = 2a + 1 \left(\frac{1}{2} < a < 1 \right)$

[1단계] 두 함수의 그래프 사이의 관계를 이용하여 $\overline{AB}$, $\overline{BC}$의 길이를 구한다.
[2단계] 주어진 값을 구한다.

0446 학교기출 대표 유형

그림과 같이 곡선 $y=\log_3 9x$ 위의 점 $A(a, b)$를 지나고 x축에 평행한 직선이 곡선 $y=\log_3 x$와 만나는 점을 B, 점 B를 지나고 y축에 평행한 직선이 곡선 $y=\log_3 9x$와 만나는 점을 C라 하자. $\overline{AB}=\overline{BC}$일 때, $a+3^b$의 값은? (단, a, b는 상수이다.)

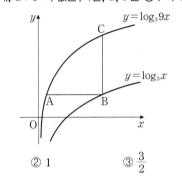

① $\dfrac{1}{2}$　　② 1　　③ $\dfrac{3}{2}$

④ 2　　⑤ $\dfrac{5}{2}$

0447

NORMAL

그림과 같이 좌표평면에서 곡선 $y=\log_a x$ 위의 점 $A(2, \log_a 2)$를 지나고 x축에 평행한 직선이 곡선 $y=\log_b x$와 만나는 점을 B, 점 B를 지나고 y축에 평행한 직선이 곡선 $y=\log_a x$와 만나는 점을 C라 하자. $\overline{AB}=\overline{BC}=2$일 때, a^2+b^2의 값은? (단, $1<a<b$)

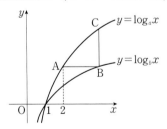

① 4　　② 5　　③ 6

④ 7　　⑤ 8

0448 최다빈출 왕 중요

NORMAL

그림과 같이 함수 $y=3^{x+1}$의 그래프 위의 한 점 A와 함수 $y=3^{x-2}$의 그래프 위의 두 점 B, C에 대하여 선분 AB는 x축에 평행하고 선분 AC는 y축에 평행하다. $\overline{AB}=\overline{AC}$가 될 때, 점 A의 y좌표는? (단, 점 A는 제1사분면 위에 있다.)

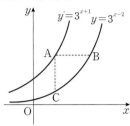

① $\dfrac{81}{26}$　　② $\dfrac{44}{13}$　　③ $\dfrac{95}{26}$

④ $\dfrac{101}{26}$　　⑤ $\dfrac{54}{13}$

▶ 해설 내신연계기출

0449

TOUGH

곡선 $y=-2^x$을 y축의 방향으로 m만큼 평행이동시킨 곡선을 $y=f(x)$라 하자. 곡선 $y=f(x)$가 x축과 만나는 점을 A라 할 때, 곡선 $y=2^x$이 곡선 $y=f(x)$와 만나는 점을 B, 점 B에서 y축에 내린 수선의 발을 C라 하자. $\overline{OA}=2\overline{BC}$일 때, m의 값은? (단, $m>2$이다.)

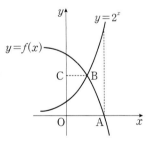

① $2\sqrt{2}$　　② 4　　③ $4\sqrt{2}$

④ 8　　⑤ $8\sqrt{2}$

유형 24 지수함수와 로그함수의 사분면

지수함수, 로그함수의 평행이동과 사분면의 범위를 이용한다.
[1단계] 밑의 범위를 이용하여 함수의 그래프를 그린다.
[2단계] 평행이동을 이용하여 사분면을 지나지 않는 범위를 구한다.

참고 사분면에서 축은 제외한다.

0450 학교기출 유형

함수 $y=\left(\frac{1}{3}\right)^{x-1}+k$의 그래프가 제 1사분면을 지나지 않도록 하는 정수 k의 최댓값은?

① -5 ② -3 ③ -1
④ 1 ⑤ 3

▶ 해설 내신연계기출

0451 최다빈출 왕중요 NORMAL

함수 $y=\log_{\frac{1}{2}}(x+\sqrt{8})+k$의 그래프가 제 3사분면을 지나지 않도록 하는 상수 k의 최솟값은?

① $\frac{1}{2}$ ② 1 ③ $\frac{3}{2}$
④ 2 ⑤ $\frac{5}{2}$

▶ 해설 내신연계기출

0452 TOUGH

두 곡선 $y=2^{x+2}-1$과 $y=\log_{\frac{1}{3}}(x+a)$가 제 2사분면에서 만나도록 하는 상수 a의 값의 범위가 $\alpha<a<\beta$일 때, $\alpha\beta$의 값은?

① $\frac{1}{9}$ ② $\frac{1}{3}$ ③ $\frac{1}{2}$
④ $\frac{3}{8}$ ⑤ 1

유형 25 지수함수의 넓이의 활용

지수함수의 대칭성을 이용하여 길이 또는 넓이가 같은 부분을 찾아 평행이동을 이용하여 직사각형 또는 평행사변형의 넓이를 구한다.

0453 학교기출 유형

다음 그림에서 두 지수함수 $y=2^x$, $y=2^{x+3}$의 그래프와 두 직선 $y=1$, $y=8$로 둘러싸인 부분의 넓이 S를 구하면?

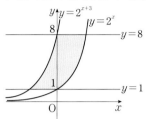

① 16 ② 18 ③ 19
④ 21 ⑤ 22

0454 최다빈출 왕중요 NORMAL

두 함수 $y=\left(\frac{1}{3}\right)^x$, $y=9\left(\frac{1}{3}\right)^x$의 그래프와 두 직선 $y=1$, $y=3$으로 둘러싸인 부분의 넓이는?

① 2 ② 4 ③ 6
④ 8 ⑤ 10

▶ 해설 내신연계기출

0455 TOUGH

다음 그림과 같이 두 곡선 $y=\left(\frac{1}{2}\right)^x$, $y=\left(\frac{1}{2}\right)^{x-3}+6$과 두 직선 $y=2x+1$, $y=2x+9$로 둘러싸인 도형의 넓이는?

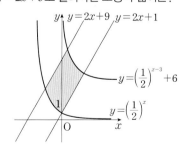

① 10 ② 12 ③ 16
④ 20 ⑤ 24

0456

TOUGH

그림과 같이 점 $A_0(-1, 0)$을 지나고 y축에 평행한 직선이 곡선 $y=\left(\frac{1}{2}\right)^x$과 만나는 점을 A_1, 점 A_1을 지나고 x축에 평행한 직선이 곡선 $y=3\left(\frac{1}{2}\right)^x$과 만나는 점을 B_1, 점 B_1을 지나고 y축에 평행한 직선이 곡선 $y=\left(\frac{1}{2}\right)^x$과 만나는 점을 A_2, 점 A_2를 지나고 x축에 평행한 직선이 곡선 $y=3\left(\frac{1}{2}\right)^x$과 만나는 점을 B_2라 하자. 두 선분 A_1B_1, A_2B_2 및 두 곡선 $y=\left(\frac{1}{2}\right)^x$, $y=3\left(\frac{1}{2}\right)^x$으로 둘러싸인 부분의 넓이는?

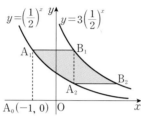

① $\log_3 2$
② $\frac{2}{3}\log_2 3$
③ $2\log_3 2$

④ $\log_2 3$
⑤ $\frac{4}{3}\log_2 3$

0457

TOUGH

그림과 같이 상수 $k\,(k>0)$에 대하여 좌표평면에서 두 곡선 $y=2^x$, $y=\frac{2^x}{4}$이 직선 $x=k$와 만나는 점을 각각 A_k, B_k라 하자. 점 B_k를 지나고 x축에 평행한 직선이 곡선 $y=2^x$과 만나는 점을 C_k라 하고, 점 A_k를 지나고 x축에 평행한 직선이 곡선 $y=\frac{2^x}{4}$과 만나는 점을 D_k라 하자. 두 곡선 $y=2^x$, $y=\frac{2^x}{4}$과 두 선분 A_kD_k, B_kC_k로 둘러싸인 부분의 넓이를 $S(k)$라 할 때,
$$S(k+2)-S(k)=72$$
를 만족시키는 상수 k의 값은?

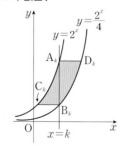

① 1
② 2
③ 3

④ 4
⑤ 5

유형 26 로그함수의 넓이의 활용

로그함수의 대칭성을 이용하여 길이 또는 넓이가 같은 부분을 찾아 평행이동을 이용하여 직사각형 또는 평행사변형의 넓이를 구한다.

0458 학교기출 대표 유형

다음 그림과 같이 두 곡선 $y=\log_2 x$, $y=\log_2 4x$와 두 직선 $x=1$, $x=4$로 둘러싸인 부분의 넓이는?

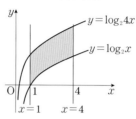

① 6
② 8
③ 9

④ $8\log_2 3$
⑤ $9\log_2 3$

0459 최다빈출 중요

NORMAL

다음 그림과 같이 두 곡선 $y=\log_2 4x$, $y=\log_2 x-3$의 그래프와 두 직선 $x=1$, $x=8$로 둘러싸인 도형의 넓이는?

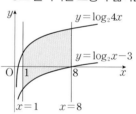

① 20
② 25
③ 30

④ 35
⑤ 45

▶ 해설 내신연계기출

0460

TOUGH

다음 그림과 같이 두 곡선
$$y=\log_6(x+1),\ y=\log_6(x-1)-4와$$
두 직선 $y=-2x$, $y=-2x+8$로 둘러싸인 부분의 넓이는?

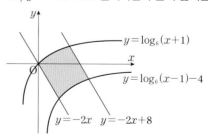

① 10
② 12
③ 16

④ 20
⑤ 24

유형 27 지수함수와 로그함수의 역함수

함수 $y=f(x)$의 역함수를 구하는 방법

[1단계] 주어진 함수가 일대일 대응인지 확인한다.
[2단계] 주어진 함수를 $x=g(y)$꼴로 나타낸다.
[3단계] x와 y를 바꾸어 역함수 $y=g(x)$를 구한다.
[4단계] 역함수의 정의역을 구한다.

참고 $y=a^{x-m}+n$ $(a>0,\ a\neq1)$의 역함수 $y=\log_a(x-n)+m$이다.

0461 학교기출 빈출 유형

함수 $f(x)=\left(\dfrac{1}{3}\right)^{x-3}+2$의 역함수 $g(x)$가

$$g(a)=3,\ g(5)=b$$

를 만족시킬 때, 두 상수 a, b에 대하여 $a+b$의 값은?

① 1   ② 2   ③ 3
④ 4   ⑤ 5

▶ 해설 내신연계기출

0462 BASIC

$x>0$에서 정의된 함수 $f(x)=\log_3(2x^2+1)$에 대하여
$(f^{-1}\circ f^{-1})(2)$의 값은?

① 1   ② 2   ③ 3
④ 4   ⑤ 5

0463 최다빈출 왕중요 BASIC

함수 $y=\log_2(x+1)-2$의 역함수가 $y=a^{x+b}+c$일 때,
세 상수 a, b, c에 대하여 $a+b+c$의 값은?

① -3 ② -2 ③ -1
④ 2 ⑤ 3

▶ 해설 내신연계기출

0464 BASIC

지수함수 $y=3^{\frac{x-1}{2}}-4$의 역함수가 $y=a\log_3(x+b)+c$일 때,
세 상수 a, b, c에 대하여 $a+b+c$의 값은?

① 3   ② 4   ③ 5
④ 6   ⑤ 7

0465 최다빈출 왕중요 NORMAL

함수 $f(x)=2^{x-2}+3$의 역함수 $y=f^{-1}(x)$의 그래프에서 점근선의
방정식이 $x=a$일 때, a의 값은?

① 3   ② 4   ③ 5
④ 6   ⑤ 7

▶ 해설 내신연계기출

0466 최다빈출 왕중요 NORMAL

함수 $y=\log_3 x$의 그래프를 x축의 방향으로 a만큼, y축의 방향으
로 2만큼 평행이동한 그래프를 나타내는 함수를 $y=f(x)$라 하자.
함수 $f(x)$의 역함수가 $f^{-1}(x)=3^{x-2}+4$일 때, 상수 a의 값은?

① 1   ② 2   ③ 3
④ 4   ⑤ 5

▶ 해설 내신연계기출

0467 TOUGH

함수 $f(x)=\dfrac{1}{2}(2^x-2^{-x})$의 역함수를 $g(x)$라고 할 때,
$g(a)+g(-a)$의 값은? (단, $a\neq0$)

① 0 ② 1 ③ a
④ $-a$ ⑤ $\dfrac{1}{a}$

함수 $y=f(x)$와 역함수 $y=f^{-1}(x)$의 교점
$\Longleftrightarrow y=f(x)$와 $y=x$의 교점
$\Longleftrightarrow$ 교점의 x좌표와 y좌표가 같다.

참고 $y=f(x)$와 그 역함수 $y=f^{-1}(x)$의 그래프는 직선 $y=x$에 대하여 대칭이다.

0468 학교기출 **대표** 유형

함수 $y=\log_a(x-m)+1$의 그래프와 그 역함수의 그래프가 두 점에서 만나고 이 두 점의 x좌표가 1, 2일 때, $a+m$의 값은?

① 1   ② 2   ③ 3
④ 4   ⑤ 5

▶ 해설 내신연계기출

0469 최다빈출 **상** 중요

NORMAL

함수 $y=2^{x-m}+n$의 그래프와 그 역함수의 그래프가 두 점에서 만나고 두 교점의 x좌표가 각각 1, 2일 때, 상수 m, n에 대하여 $m+n$의 값은?

① 1   ② 2   ③ 3
④ 4   ⑤ 5

▶ 해설 내신연계기출

0470

NORMAL

함수 $f(x)=a^{x-2}+1\ (a>1,\ a\neq1)$의 역함수를 $g(x)$라고 하면 두 함수 $y=f(x)$, $y=g(x)$의 그래프는 점 $(3,\ b)$에서 만날 때, $2a+b$의 값은?

① 1   ② 4   ③ 7
④ 10   ⑤ 12

두 함수 $f(x)=a^x\ (a>0,\ a\neq1)$과 $g(x)=\log_a x\ (a>0,\ a\neq1)$는 서로 역함수 관계이므로 직선 $y=x$에 대하여 대칭이다.
즉 $g(f(x))=x,\ f(g(x))=x$

0471 학교기출 **대표** 유형

함수 $f(x)=\log(x-2)$이고 $\{x|x>2\}$에 대하여 함수 $g(x)$가 $(g\circ f)(x)=x$를 만족시킬 때, $g(1)$의 값은?

① 1   ② 2   ③ 10
④ 12   ⑤ 100

▶ 해설 내신연계기출

0472

BASIC

함수 $f(x)=2^{-x+a}+1$에 대하여 함수 $g(x)$가 임의의 실수 x에 대하여 $g(f(x))=x$를 만족한다. $g(9)=-2$일 때, $g(17)$의 값은? (단, a는 상수이다.)

① -1 ② -2 ③ -3
④ -4 ⑤ -5

0473

NORMAL

함수 $y=f(x)$의 그래프는 함수 $y=\log_2(x-a)$의 그래프와 직선 $y=x$에 대하여 대칭이다. 점 P$(3,\ 5)$가 곡선 $y=f(x)$ 위의 점일 때, 상수 a의 값은?

① -3 ② -2 ③ -1
④ 0   ⑤ 3

0474

함수 $y = \log_5(x-10)$의 그래프를 x축에 대하여 대칭이동한 그래프가 함수 $y = a^x + b$ $(a > 0, a \neq 1)$의 그래프와 직선 $y = x$에 대하여 대칭일 때, 상수 a, b에 대하여 ab의 값은?

① 1 ② 2 ③ 3
④ 4 ⑤ 5

0475

오른쪽 그림은 함수 $y = \log_3 x$의 그래프와 그 역함수 $y = f(x)$의 그래프이다. 이 두 곡선 위의 세 점 A, B, C에 대하여 $\overline{AB} + \overline{BC}$의 값은? (단, 점선은 x축 또는 y축에 평행하다.)

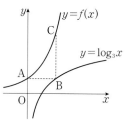

① 26 ② 27
③ 28 ④ 29
⑤ 30

0476 최다빈출 ❷ 중요

함수 $y = \log_2 x$의 역함수를 $y = g(x)$라고 할 때, 오른쪽 그림과 같이 곡선 $y = \log_2 x$ 위의 두 점 B, D와 곡선 $y = g(x)$ 위의 두 점 A, C가 있다. 점 A의 좌표가 $(0, 1)$일 때, $\dfrac{\overline{CD}}{\overline{AB}}$의 값은?

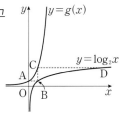

① 2 ② 3 ③ 4
④ 5 ⑤ 7

▶ 해설 내신연계기출

유형 30 $y = x$ 대칭을 이용한 넓이

두 함수 $f(x) = a^x$ $(a > 0, a \neq 1)$과 $g(x) = \log_a x$ $(a > 0, a \neq 1)$는 서로 역함수 관계이므로 직선 $y = x$에 대하여 대칭이다.
즉 $g(f(x)) = x$, $f(g(x)) = x$

0477 학교기출 □□□ 유형

그림과 같이 직선 $y = x$와 수직으로 만나는 평행한 두 직선 l, m이 있다. 두 직선 l, m이 함수 $f(x) = \log_2 x$, $g(x) = 2^x$의 그래프와 만나는 교점을 A, B, C, D라 하자. $f(b) = g(1) = a$일 때, 사각형 ABCD의 넓이는?

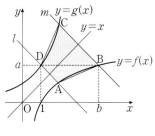

① $\dfrac{5}{2}$ ② 3 ③ $\dfrac{7}{2}$
④ 4 ⑤ $\dfrac{9}{2}$

0478

그림과 같이 $y = 2^x - 1$ 위의 점 $A(2, 3)$을 지나고 기울기가 -1인 직선이 곡선 $y = \log_2(x+1)$과 만나는 점을 B라 하자. 두 점 A, B에서 x축에 내린 수선의 발을 각각 C, D라 할 때, 사각형 ACDB의 넓이는?

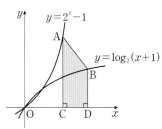

① $\dfrac{5}{2}$ ② $\dfrac{11}{4}$ ③ 3
④ $\dfrac{13}{4}$ ⑤ $\dfrac{7}{2}$

0479 최다빈출 왕중요

다음 그림과 같이 함수 $y=\log_a(x+b)$의 그래프 위의 점 $P(14, 2)$를 지나고 기울기가 -1인 직선이 함수 $y=a^x-b$의 그래프와 만나는 점을 Q, 점 P를 지나며 x축에 평행한 직선이 함수 $y=a^x-b$의 그래프와 만나는 점을 R이라고 하자. 삼각형 PQR의 넓이가 78일 때, $\log_2 ab$의 값은? (단, a, b는 양의 상수)

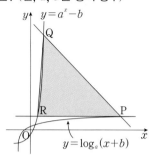

① 2　　　　② 3　　　　③ 4
④ 5　　　　⑤ 6

▶ 해설 내신연계기출

0480

점 $A(4, 0)$을 지나고 y축에 평행한 직선이 곡선 $y=\log_2 x$와 만나는 점을 B라 하고, 점 B를 지나고 기울기가 -1인 직선이 곡선 $y=2^{x+1}+1$과 만나는 점을 C라 할 때, 삼각형 ABC의 넓이는?

① 3　　　　② $\dfrac{7}{2}$　　　　③ 4
④ $\dfrac{9}{2}$　　　　⑤ 5

$\alpha \leq x \leq \beta$에서 로그함수 $y=\log_a f(x)$의 최대 최소 구하는 방법
[1단계] 주어진 정의역에서 $f(x)$의 최댓값 m, 최솟값 n을 구한다.
[2단계] $a>1$일 때, y의 최댓값은 $\log_a m$, 최솟값은 $\log_a n$
　　　　$0<a<1$일 때, y의 최댓값은 $\log_a n$, 최솟값은 $\log_a m$

0481 학교기출 대표유형

정의역이 $\{x|-1 \leq x \leq 2\}$일 때, 함수 $y=\log_2(x+2)-2$의 최댓값과 최솟값의 합은?

① -2　　　　② -1　　　　③ 1
④ 2　　　　⑤ 3

0482 최다빈출 왕중요

$5 \leq x \leq 9$에서 정의된 함수 $f(x)=\log_{\frac{1}{3}}(x+a)$의 최댓값이 -3일 때, 상수 a의 값은?

① 21　　　　② 22　　　　③ 23
④ 24　　　　⑤ 25

▶ 해설 내신연계기출

0483 최다빈출 왕중요

$1 \leq x \leq 3$일 때, 다음 조건을 만족하는 함수의 최댓값을 각각 M_1, M_2라 할 때, M_1+M_2의 값은?

(가) $y=3^{-x+2}+1$
(나) $y=\log_2(x+1)+2$

① 4　　　　② $\dfrac{16}{3}$　　　　③ 8
④ $\dfrac{11}{3}$　　　　⑤ 2

▶ 해설 내신연계기출

유형 32 진수가 이차식인 로그함수의 최대 최소

$y=\log_a f(x)$ $(a>0,\ a\neq 1)$의 최대 최소

[1단계] 함수 $f(x)$의 최댓값과 최솟값을 구하여 $f(x)$의 값의 범위를
구한다.

[2단계] $f(x)$의 범위에서 함수 $y=\log_a f(x)$의 최댓값과 최솟값을
구한다.

참고 $y=\log_a f(x)$ $(a>0,\ a\neq 1)$에서

　① $a>1$인 경우

　　⇨ $f(x)$의 값이 최대이면 y의 값도 최대

　　　$f(x)$의 값이 최소이면 y의 값도 최소

　② $0<a<1$인 경우

　　⇨ $f(x)$의 값이 최대이면 y의 값은 최소

　　　$f(x)$의 값이 최소이면 y의 값은 최대

0484 학교기출 대표 유형

함수 $y=\log_2(x^2-2x+3)$이 $x=a$에서 최솟값 b를 가질 때,
ab의 값은?

① -2　　　　② -1　　　　③ 0

④ 1　　　　⑤ 2

0485 BASIC

함수 $y=\log_{\frac{1}{2}}(x^2+4x+12)$가 $x=a$에서 최댓값 b를 가질 때,
$a+b$의 값은?

① -6　　　　② -5　　　　③ -3

④ -2　　　　⑤ -1

0486 최다빈출 왕 중요 NORMAL

$-2\leq x\leq 1$에서 정의된 함수 $y=\log_2(x^2+2x+5)$의 최댓값을
M, 최솟값을 m이라고 할 때, $M+m$의 값은?

① 3　　　　② 4　　　　③ 5

④ 6　　　　⑤ 7

▶ 해설 내신연계기출

0487 NORMAL

정의역이 $\{x\,|\,0\leq x\leq 4\}$인 함수 $y=\log_{\frac{1}{2}}(-x^2+4x+4)$의
최댓값을 M, 최솟값을 m이라고 할 때, $M-m$의 값은?

① 1　　　　② 2　　　　③ 3

④ 4　　　　⑤ 5

0488 최다빈출 왕 중요 NORMAL

함수 $y=\log_3(x-1)+\log_3(7-x)$는 $x=a$일 때, 최댓값 $y=b$를
가질 때, 상수 a, b에 대하여 $a+b$의 값은?

① 2　　　　② 3　　　　③ 4

④ 5　　　　⑤ 6

▶ 해설 내신연계기출

0489 NORMAL

함수 $y=\log_a(2x^2+4x+11)$의 최댓값이 -2일 때, 상수 a의 값
은? (단, $a>0$, $a\neq 1$)

① $\dfrac{1}{6}$　　　　② $\dfrac{1}{5}$　　　　③ $\dfrac{1}{4}$

④ $\dfrac{1}{3}$　　　　⑤ $\dfrac{1}{2}$

0490 NORMAL

함수 $y=\log_{\frac{1}{8}}(x^2-ax+b)$는 $x=2$일 때, 최댓값 -1을 가질 때,
상수 a, b에 대하여 $a+b$의 값은?

① 12　　　　② 14　　　　③ 16

④ 18　　　　⑤ 20

0491 최다빈출 ❸중요

NORMAL

정의역이 $\{x \mid 0 \le x \le 3\}$인 함수

$$y = \log_a (x^2 - 2x + 3)$$

의 최댓값이 -1일 때, 상수 a의 값은? (단, $0 < a < 1$)

① $\dfrac{1}{8}$　　　② $\dfrac{1}{6}$　　　③ $\dfrac{1}{4}$

④ $\dfrac{1}{3}$　　　⑤ $\dfrac{1}{2}$

▶ 해설 내신연계기출

0492

TOUGH

$x > 0$에서 정의된 두 함수

$$f(x) = \log_{\frac{1}{2}} \frac{8}{x}, \quad g(x) = 2x^2 - 4x + 18$$

에 대하여 함수 $(f \circ g)(x)$의 최솟값은?

① $\dfrac{1}{2}$　　　② 1　　　③ $\dfrac{3}{2}$

④ 2　　　⑤ $\dfrac{5}{2}$

0493

TOUGH

두 함수

$$f(x) = 2^x, \quad g(x) = \log_{\frac{1}{2}} (x^2 - 2x + 3)$$

에 대하여 합성함수 $(f \circ g)(x)$는 $x = a$일 때, 최댓값 b를 갖는다. 두 상수 a, b에 대하여 ab의 값은?

① $\dfrac{1}{4}$　　　② $\dfrac{1}{2}$　　　③ 1

④ 2　　　⑤ 4

유형 **33** 치환을 이용한 로그함수의 최대 최소

$y = (\log_a x)^2 + p \log_a x + q$꼴의 최대 · 최소 (단, $a > 0$, $a \ne 1$)

[1단계] $\log_a x$꼴이 반복해서 사용된 함수가 주어진 경우

　　⇨ $\log_a x$를 t로 치환한다.

[2단계] 이때 x의 값의 범위가 $\alpha \le x \le \beta$이면

　　① $a > 1$일 때, $\log_a \alpha \le t \le \log_a \beta$

　　② $0 < a < 1$일 때, $\log_a \beta \le t \le \log_a \alpha$

[3단계] t의 값의 범위에서 t에 대한 이차함수 $y = t^2 + pt + q$의 최대 · 최소를 구한다.

0494 학교기출 대표유형

정의역이 $\left\{ x \mid \dfrac{1}{4} \le x \le 8 \right\}$일 때, 함수 $y = (\log_2 x)^2 - \log_2 x^2 - 3$의 최댓값과 최솟값의 합은?

① -4　　　② -2　　　③ -1

④ 1　　　⑤ 5

0495 최다빈출 ❸중요

NORMAL

$\dfrac{1}{9} \le x \le 27$일 때, 함수 $y = (\log_{\frac{1}{3}} x)^2 - \log_{\frac{1}{3}} x^2 + 2$의 최댓값을 M, 최솟값을 m이라 할 때, $M - m$의 값은?

① 10　　　② 12　　　③ 14

④ 16　　　⑤ 18

▶ 해설 내신연계기출

0496 최다빈출 ❸중요

NORMAL

$\dfrac{1}{16} \le x \le 4$일 때, 함수 $y = (\log_2 2x)\left(\log_2 \dfrac{8}{x}\right)$의 최댓값을 M, 최솟값을 m이라 할 때, $M + m$의 값은?

① -17　　　② -18　　　③ -19

④ -20　　　⑤ -21

▶ 해설 내신연계기출

0497

NORMAL

함수 $y = (\log_3 x)^2 + a \log_{27} x^2 + b$가 $x = \dfrac{1}{3}$에서 최솟값 1을 가질 때, 두 상수 a, b에 대하여 ab의 값은?

① 4　　　② 6　　　③ 8

④ 10　　　⑤ 12

유형 **34** 산술평균과 기하평균을 이용한 최대 최소

$a>0$, $b>0$일 때, $a+b \geq 2\sqrt{ab}$ (단, 등호는 $a=b$일 때 성립)

① $a>0$, $a \neq 1$일 때, 모든 실수 x에 대하여 $a^x>0$, $a^{-x}>0$이므로
$a^x+a^{-x} \geq 2\sqrt{a^x \cdot a^{-x}}=2$ (단, 등호는 $x=0$일 때 성립)

② $a^x+a^{-x}=t$라 하면 $a^{2x}+a^{-2x}=t^2-2$
산술평균과 기하평균의 관계에 의해
$a^x+a^{-x} \geq 2\sqrt{a^x \cdot a^{-x}}=2$이므로 $t \geq 2$

③ $\log_a b>0$, $\log_b a>0$일 때,
$\log_a b+\log_b a \geq 2\sqrt{\log_a b \cdot \log_b a}=2$
(단, 등호는 $\log_a b=\log_b a$일 때 성립)

참고 양수 조건과 역수관계가 보이면 산술평균과 기하평균의 관계를 이용한다.

0498 학교기출 대표 유형

함수 $y=2^{x+k}+\left(\dfrac{1}{2}\right)^{x-k}$의 최솟값이 8일 때, 실수 k의 값은?

① 1   ② 2   ③ 3

④ 4   ⑤ 5

0499 최다빈출 왕 중요 NORMAL

함수 $y=6(2^x+2^{-x})-(4^x+4^{-x})$의 최댓값은?

① 11   ② 12   ③ 13

④ 14   ⑤ 15

▶ 해설 내신연계기출

0500 NORMAL

모든 실수에서 정의된 함수
$$y=4^x+4^{-x}-2(2^x+2^{-x})+6$$
은 $x=a$에서 최솟값 b를 가질 때, 상수 a, b에 대하여 $a+b$의 값은?

① 0   ② 2   ③ 3

④ 4   ⑤ 5

0501 NORMAL

$x>0$, $y>0$일 때, $\log_3 \left(x+\dfrac{1}{y}\right)+\log_3 \left(y+\dfrac{4}{x}\right)$의 최솟값은?

① 1   ② $\sqrt{3}$ ③ 2

④ 3   ⑤ $3\sqrt{3}$

0502 NORMAL

두 양수 x, y에 대하여 $4x+y=16$일 때, $\log_2 x+\log_2 y$의 최댓값은?

① 1   ② 2   ③ 3

④ 4   ⑤ 5

0503 최다빈출 왕 중요 TOUGH

함수 $y=3^x$의 그래프 위의 점 $P(\alpha, 3^\alpha)$과 함수 $y=-3^{-x}$의 그래프 위의 점 $Q(\beta, -3^{-\beta})$에 대하여 $\beta-\alpha=4$가 성립한다. 오른쪽 그림과 같이 두 점 P, Q를 지나고 x축, y축과 평행한 직선을 그려 만들어지는 직사각형의 넓이의 최솟값은?

① $\dfrac{2}{9}$ ② $\dfrac{2\sqrt{2}}{9}$ ③ $\dfrac{4}{9}$

④ $\dfrac{4\sqrt{2}}{9}$ ⑤ $\dfrac{8}{9}$

▶ 해설 내신연계기출

0504

세 함수
$$y=\log_2 x^2,\ y=2\log_2 x,\ y=2\log_2|x|$$
에 대하여 다음 단계로 서술하여라.

[1단계] 세 함수의 그래프의 개형을 그린다.
[2단계] 함수가 같은 것을 구한다.

0505

오른쪽 그림에서 함수

$f(x)=-\left(\dfrac{1}{2}\right)^{ax+b}$ 의 그래프는 함수

$y=2^x$ 의 그래프를 x축의 방향으로 c
만큼 평행이동한 후 x축에 대하여 대
칭이동한 것이다. $a+b+c$의 값을 구
하는 과정을 다음 단계로 서술하여라.

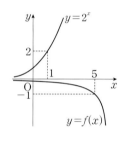

[1단계] 함수 $y=2^x$ 의 그래프를 조건에 따라 이동한 그래프의 식을
구한다.
[2단계] 이동한 그래프를 이용하여 a, b, c의 관계를 구한다.
[3단계] $y=f(x)$가 점 $(5,\ -1)$을 지남을 이용하여 c의 값을
구한다.
[4단계] $a+b+c$의 값을 구한다.

0506

함수 $y=\log_3(x+a)+b$의 그래프
가 오른쪽 그림과 같을 때, 상수
a, b에 대하여 $a+b$의 값을 구하는
과정을 다음 단계로 서술하여라.

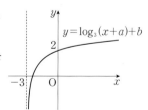

[1단계] 점근선의 방정식을 이용하여 a의 값을 구한다.
[2단계] 점 $(0,\ 2)$을 지남을 이용하여 b의 값을 구한다.
[3단계] $a+b$의 값을 구한다.

0507

함수 $f(x)=2^x$의 그래프를 x축 방향으로 m만큼, y축 방향으로 n
만큼 평행이동 시키면 함수 $y=g(x)$의 그래프가 되고 이 평행이동
에 의하여 점 $A(1,\ f(1))$이 점 $A'(3,\ g(3))$으로 이동된다.
함수 $y=g(x)$의 그래프가 점 $(0,\ 1)$을 지날 때, $m+n$의 값을 구하
는 과정을 다음 단계로 서술하여라.

[1단계] 점 A을 A'로 평행이동한 좌표를 비교하여 m의 값을
구한다.
[2단계] 함수 $f(x)=2^x$을 평행이동한 그래프의 식 $g(x)$를 구한다.
[3단계] 함수 $y=g(x)$의 그래프가 점 $(0,\ 1)$을 지남을 이용하여
n의 값을 구한다.
[4단계] $m+n$의 값을 구한다.

0508

지수함수 $y=ma^x+n(a>0,\ a\neq1)$
의 그래프의 개형이 오른쪽 그림과 같
을 때, 로그함수 $y=\log_a(m-x)^n$의
그래프의 개형을 그리는 과정을 다음
단계로 서술하여라. (단, 직선 $y=1$은
점근선이고 m, n은 상수)

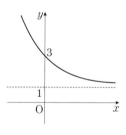

[1단계] m과 n의 값을 구한다.
[2단계] a의 값의 범위를 구한다.
[3단계] 로그함수 $y=\log_a(m-x)^n$의 그래프의 개형을 그린다.

0509

오른쪽 그림과 같이 함수 $y=\log_3 x$
의 그래프와 직선 $y=x+k$가 서로
다른 두 점 P, Q에서 만날 때, 점
P, Q의 x좌표를 각각 α, β라 하자.

선분 PQ의 길이가 $3\sqrt{2}$일 때, $\dfrac{\beta}{\alpha}$의

값을 구하는 과정을 다음 단계로 서술
하여라. (단, k는 상수이고 $\alpha<\beta$)

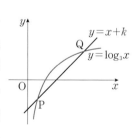

[1단계] 두 점 P, Q가 직선 $y=x+k$위의 점임을 이용하여 두 점의
좌표를 구하고 선분 PQ의 길이가 $3\sqrt{2}$인 α, β의 관계식을
구한다.
[2단계] 두 점 P, Q가 함수 $y=\log_3 x$의 그래프 위의 점임을 이용
하여 각각의 좌표를 구한다.
[3단계] $\dfrac{\beta}{\alpha}$의 값을 구한다.

0510

그림과 같이 직선 $y=-x+k$가 두 함수 $y=a^x$, $y=\log_a x$의 그래프와 만나는 점을 각각 A, B라 하고, x축과 만나는 점을 C라 하자. 삼각형 OAB의 넓이가 6이고 $\overline{AB}=\overline{BC}$일 때, 다음 단계로 서술하여라. (단, O는 원점이고, $a>1$, $k>0$이다.)

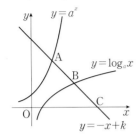

[1단계] 삼각형 OAB의 넓이가 6임을 이용하여 실수 k의 값을 구한다.
[2단계] 두 점 A, B의 좌표를 구하여 실수 a의 값을 구한다.
[3단계] 함수 $y=a^x$의 그래프가 y축과 만나는 점을 P, 함수 $y=\log_a x$의 그래프가 x축과 만나는 점을 Q라 할 때, 사각형 APQB의 넓이를 구한다.

0511

정의역이 $\{x\,|\,0\le x\le 3\}$인 함수 $y=4^x-2^{x+2}+1$의 최댓값을 M, 최솟값을 m이라 할 때, $M-m$의 값을 구하는 과정을 다음 단계로 서술하여라.

[1단계] $2^x=t$로 놓고 주어진 함수를 t에 대한 이차함수의 꼴로 표현한다.
[2단계] $0\le x\le 3$일 때, t의 값의 범위를 구한다.
[3단계] $M-m$의 값을 구한다.

0512

$y=4^x+4^{-x}+2^x+2^{-x}$의 최솟값을 구하는 과정을 서술하여라.

[1단계] $2^x+2^{-x}=t$로 놓고 t의 범위를 구한다.
[2단계] 곱셈공식을 이용하여 y를 t에 관한 이차함수로 나타낸다.
[3단계] 제한범위에서 $y=4^x+4^{-x}+2^x+2^{-x}$의 최솟값을 구한다.
[4단계] $y=4^x+4^{-x}+2^x+2^{-x}+a$의 최솟값이 0일 때, a의 값을 구하여라.

0513

두 함수 $y=3^x$, $y=3^x+2$의 그래프와 y축, 직선 $x=1$로 둘러싸인 도형을 A 라고 할 때, 도형 A의 넓이를 다음 단계로 서술하여라.

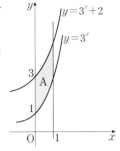

[1단계] 함수 $y=3^x$의 그래프를 y축의 방향으로 p만큼 평행이동 하면 함수 $y=3^x+2$의 그래프와 일치한다. 이때 p의 값을 구한다.
[2단계] 함수 $y=3^x$의 그래프와 y축, 직선 $y=3$로 둘러싸인 도형을 y축의 방향으로 p만큼 평행이동 한다.
[3단계] 도형 A의 넓이를 구한다.

0514

함수 $y=\log_a(-2x^2-4x+7)$에 대하여 다음 물음에 답하고 그 과정을 서술하여라.

(1) 함수 $y=\log_a(-2x^2-4x+7)$의 최솟값이 -2일 때, 상수 a의 값을 다음 단계로 서술하여라.
　　[1단계] 진수를 $f(x)=-2x^2-4x+7$이라 하고 최댓값을 구한다.
　　[2단계] $y=\log_a f(x)$의 최솟값이 -2임을 이용하여 a의 값을 구한다.

(2) (1)에서 구한 a에 대하여 정의역이 $\{x\,|\,-3\le x\le 0\}$일 때, 함수 $y=\log_a(-2x^2-4x+7)$의 최댓값과 최솟값을 다음 단계로 서술하여라.
　　[1단계] 진수를 $f(x)=-2x^2-4x+7$이라 하고 $-3\le x\le 0$ 에서 $f(x)$의 범위를 구한다.
　　[2단계] $-3\le x\le 0$에서 $y=\log_a f(x)$의 최댓값과 최솟값을 구한다.

0515

함수 $y=\log_a x+m\,(a>1)$의 그래프와 그 역함수의 그래프가 두 점에서 만나고 이 두 점의 x좌표가 각각 1, 3일 때, am의 값을 구하는 과정을 다음 단계로 서술하여라. (단, m은 상수이다.)

[1단계] 함수와 그 역함수의 교점의 관계를 서술한다.
[2단계] 이 두 교점의 x좌표가 각각 1, 3임을 이용하여 m, a값을 구한다.
[3단계] am의 값을 구한다.

0516

오른쪽 그림은 중심이 $(1, 1)$이고 반지름의 길이가 각각 $\frac{1}{3}$, $\frac{2}{3}$, 1, $\frac{4}{3}$, $\frac{5}{3}$, 2인 6개의 반원을 그린 것이다.

세 함수 $y=\log_{\frac{1}{4}}x$, $y=\left(\frac{2}{3}\right)^x$, $y=3^x$의 그래프가 반원과 만나는 교점의 개수를 각각 a, b, c라 하자. a, b, c의 대소 관계를 옳게 나타낸 것은? (단, $x \geq 1$이고 반원은 지름의 양 끝점을 포함한다.)

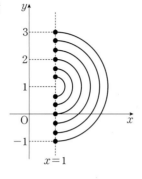

① $a<b<c$ ② $a<c<b$ ③ $b<c<a$
④ $c<a<b$ ⑤ $c<b<a$

0517

함수 $y=2-\log_2\left(ax+\dfrac{a}{6}\right)$의 그래프가 제3사분면을 지나지 않도록 하는 자연수 a의 개수를 구하여라.

0518

그림과 같이 두 함수
$$f(x)=2^x+1,\ g(x)=-2^{x-1}+7$$
의 그래프가 y축과 만나는 점을 각각 A, B라 하고, 곡선 $y=f(x)$와 곡선 $y=g(x)$가 만나는 점을 C라 할 때, 삼각형 ACB의 넓이를 구하여라.

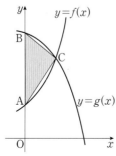

▶ 해설 내신연계기출

0519

함수 $y=k\cdot 3^x\ (0<k<1)$의 그래프가 두 함수 $y=3^{-x}$, $y=-4\cdot 3^x+8$의 그래프와 만나는 점을 각각 P, Q라 하자. 점 P와 점 Q의 x좌표의 비가 $1:2$일 때, $35k$의 값을 구하여라.

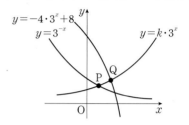

0520

그림과 같이 1보다 큰 상수 a에 대하여 직선 $y=-x+6$이 두 곡선 $y=a^x$, $y=\log_a x$와 만나는 점을 각각 A, B라 하자. $\overline{AB}=2\sqrt{2}$일 때, $3a$의 값을 구하여라. (단, 점 A의 x좌표는 점 B의 x좌표보다 작다.)

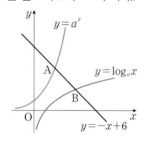

▶ 해설 내신연계기출

0521

자연수 n에 대하여 좌표평면에서 꼭짓점의 좌표가
$$O(0, 0),\ A(2^n, 0),\ B(2^n, 2^n),\ C(0, 2^n)$$
인 정사각형 OABC와 두 곡선 $y=2^x$, $y=\log_2 x$가 있다.

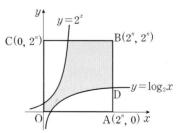

선분 AB가 곡선 $y=\log_2 x$와 만나는 점을 D라 하자.
선분 AD를 $2:3$으로 내분하는 점을 지나고 y축에 수직인 직선이 곡선 $y=\log_2 x$와 만나는 점을 E, 점 E를 지나고 x축에 수직인 직선이 곡선 $y=2^x$와 만나는 점을 F라 하자.
점 F의 y좌표가 16일 때, 직선 DF의 기울기를 구하여라.

0522

그림과 같이 제1사분면에 있는 곡선 $y = \log_2(x+1)$ 위의 점 P를 지나고 기울기가 -1인 직선이 x축과 만나는 점을 Q라 하자. 자연수 n에 대하여 $\overline{PQ} = \sqrt{2}\,n$이 되도록 하는 점 Q의 x좌표를 x_n 이라 할 때, x_5의 값을 구하여라.

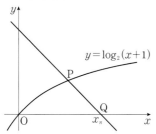

0523

그림과 같이 점근선의 방정식이 $y = 1$인 두 지수함수 $f(x) = a^{x-m} + n$, $g(x) = a^{m-x} + n$의 그래프가 직선 $x = 2$에 대하여 대칭이다. 두 함수 $y = f(x)$, $y = g(x)$의 그래프가 직선 $x = 3$과 만나는 점을 각각 A, B라 하면 $\overline{AB} = \dfrac{8}{3}$일 때, 상수 a, m, n에 대하여 $a+m+n$의 값을 구하여라. (단, $a > 1$)

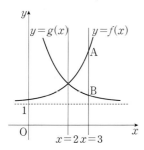

▶ 해설 내신연계기출

0524

네 점 $A(3, -1)$, $B(5, -1)$, $C(5, 2)$, $D(3, 2)$를 연결하여 만든 직사각형 ABCD가 있다. 함수 $y = \log_a(x-1) - 4$의 그래프가 직사각형 ABCD와 만나기 위한 a의 최댓값을 M, 최솟값을 m이라 고 할 때, $\left(\dfrac{M}{m}\right)^{12}$의 값을 구하여라.

▶ 해설 내신연계기출

0525

그림과 같이 함수 $y = \log_2(x-1)$과 그 역함수 $y = g(x)$에 대하여 함수 $y = \log_2(x-1)$의 그래프가 x축과 만나는 점을 $A_1(a, 0)$, 점 A_1을 지나고 y축에 평행한 직선이 함수 $y = g(x)$의 그래프와 만나는 점을 $A_2(a, b)$라 하자. 점 A_2를 지나고 x축에 평행한 직선 이 함수 $y = \log_2(x-1)$의 그래프와 만나는 점을 $A_3(c, b)$, 점 A_3 을 지나고 y축에 평행한 직선이 함수 $y = g(x)$의 그래프와 만나는 점을 $A_4(c, d)$라 하자. 이때 $\log_{(b-1)}(c-1)(d-1)$의 값을 구하여라.

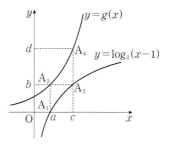

0526

$a > 1$인 실수 a에 대하여 곡선 $y = \log_a x$와 원 $C : \left(x - \dfrac{5}{4}\right)^2 + y^2 = \dfrac{13}{16}$의 두 교점을 P, Q라 하자. 선분 PQ가 원 C의 지름일 때, a의 값을 구하여라.

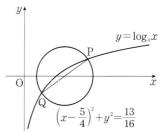

0527

함수 $y = \log_2 4x$의 그래프 위의 두 점 A, B와 함수 $y = \log_2 x$의 그래프 위의 점 C에 대하여 선분 AC가 y축에 평행하고 삼각형 ABC가 정삼각형일 때, 점 B의 좌표는 (p, q)이다. $p \times 2^q$의 값을 구하여라.

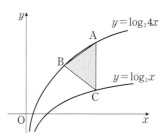

0528

두 지수함수 $f(x)=2^x-1$과 $g(x)=\left(\dfrac{a-1}{3}\right)^x$의 그래프가 한 점에서 만나도록 하는 정수 a의 최댓값과 최솟값의 합을 구하여라.

0529

그림과 같이 곡선 $y=2\log_2 x$ 위의 한 점 A를 지나고 x축에 평행한 직선이 곡선 $y=2^{x-3}$과 만나는 점을 B라 하자. 점 B를 지나고 y축에 평행한 직선이 곡선 $y=2\log_2 x$와 만나는 점을 D라 하자. 점 D를 지나고 x축에 평행한 직선이 곡선 $y=2^{x-3}$과 만나는 점을 C라 하자. $\overline{AB}=2$, $\overline{BD}=2$일 때, 사각형 ABCD의 넓이를 구하여라.

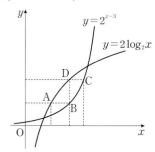

0530

직선 $y=2-x$가 두 로그함수 $y=\log_2 x$, $y=\log_3 x$의 그래프와 만나는 점을 각각 $(x_1,\, y_1)$, $(x_2,\, y_2)$라 할 때, [보기]에서 옳은 것을 모두 고른 것은?

ㄱ. $x_1 > y_2$
ㄴ. $x_2 - x_1 = y_1 - y_2$
ㄷ. $x_1 y_1 > x_2 y_2$

① ㄱ   ② ㄷ   ③ ㄱ, ㄴ
④ ㄴ, ㄷ   ⑤ ㄱ, ㄴ, ㄷ

▶ 해설 내신연계기출

0531

그림과 같이 직선 $y=-x+a$가 두 곡선 $y=2^x$, $y=\log_2 x$와 만나는 점을 각각 A, B라 하고 x축과 만나는 점을 C라 할 때, 점 A, B, C가 다음 조건을 만족시킨다.

(가) $\overline{AB} : \overline{BC} = 3 : 1$
(나) 삼각형 OBC의 넓이는 40이다.

점 A의 좌표를 A$(p,\, q)$라 할 때, $p+q$의 값을 구하여라.
(단, O는 원점이고 a는 상수이다.)

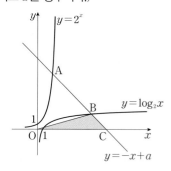

0532

함수 $f(x)$는 모든 실수 x에 대하여 $f(x+2)=f(x)$를 만족시키고
$$f(x)=\left|x-\frac{1}{2}\right|+1\left(-\frac{1}{2}\le x<\frac{3}{2}\right)$$
이다. 자연수 n에 대하여 지수함수 $y=2^{\frac{x}{n}}$의 그래프와 함수 $y=f(x)$의 그래프의 교점의 개수가 5가 되도록 하는 모든 n의 값의 합을 구하여라.

05 지수함수 로그함수의 활용

내신정복 기출유형

유형 01 밑을 같게 할 수 있는 지수방정식

[1단계] 방정식의 각 항의 밑을 같게 하여 $a^{f(x)}=a^{g(x)}$꼴로 변형한다.

[2단계] $a^{f(x)}=a^{g(x)} \Longleftrightarrow f(x)=g(x)$ (단, $a>0$, $a \neq 1$)

0533 학교기출 대표유형

방정식 $\left(\dfrac{1}{8}\right)^{2-x}=2^{x+4}$을 만족시키는 실수 x의 값은?

① 1   ② 2   ③ 3

④ 4   ⑤ 5

0534   BASIC

방정식 $\left(\dfrac{1}{3}\right)^{x^2-x}=\left(\dfrac{1}{27}\right)^{x-1}$의 두 근을 α, β라 할 때, $\alpha+\beta$의 값은?

① 4   ② 6   ③ 8

④ 10   ⑤ 12

0535   NORMAL

방정식 $(2^{2x}-16)(3^{2x}-9)=0$의 두 실근을 α, β라 할 때, $\alpha+\beta$의 값은?

① 1   ② 2   ③ 3

④ 4   ⑤ 5

0536 최다빈출 양중요   NORMAL

방정식 $\dfrac{10^{x^2+1}}{10^x}=1000$의 모든 근의 합은?

① -3   ② -1   ③ 1

④ 3   ⑤ 5

▶ 해설 내신연계기출

유형 02 밑에 미지수를 포함하는 지수방정식

① $a^{f(x)}=a^{g(x)}$꼴 (밑수가 같을 때)

  ⇨ 지수가 같거나 밑이 1이다. 즉 $f(x)=g(x)$ 또는 $a=1$

② $a^{f(x)}=b^{f(x)}$꼴 (지수가 같을 때)

  ⇨ 밑이 같거나 지수가 0이다. 즉 $a=b$ 또는 $f(x)=0$

0537 학교기출 대표유형

방정식 $(x-1)^{2x+3}=(x-1)^{x^2}$의 모든 근의 합은? (단, $x>1$)

① 1   ② 2   ③ 3

④ 4   ⑤ 5

0538   BASIC

방정식 $x^{x+6}=x^{x^2}$을 만족시키는 양수 x의 값의 합은?

① 0   ② 1   ③ 2

④ 3   ⑤ 4

0539 최다빈출 양중요   NORMAL

방정식 $(x^2-x-1)^{x+2}=1$을 만족시키는 모든 정수 x의 개수는?

① 1   ② 2   ③ 3

④ 4   ⑤ 5

▶ 해설 내신연계기출

$pa^{2x} + qa^x + r = 0 \, (a > 0, \, a \neq 1)$의 꼴일 때,

[1단계] $a^x = t \, (t > 0)$로 치환하여 푼다.

[2단계] 방정식 $pt^2 + qt + r = 0$을 푼다.

이때 $t > 0$임에 유의한다.

[3단계] 다시 $t = a^x$로 환원하여 x의 값을 구한다.

0540 학교기출 대표유형

방정식 $9^x - 4 \cdot 3^{x+1} + 27 = 0$을 만족하는 x의 합은?

① 1   ② 2   ③ 3

④ 4   ⑤ 5

0541   NORMAL

다음 조건을 만족하는 방정식의 해를 각각 a, b라 할 때, $5a + b$의 값은?

(가) $\left(\dfrac{4}{5}\right)^{3x+1} = \left(\dfrac{5}{4}\right)^{2x+5}$

(나) $2^{2x} - 6 \cdot 2^x - 16 = 0$

① -6 ② -3 ③ $-\dfrac{6}{5}$

④ -2 ⑤ -1

0542   NORMAL

방정식 $\left(\dfrac{1}{2}\right)^{2x} + \left(\dfrac{1}{2}\right)^{x+2} = \left(\dfrac{1}{2}\right)^{x-2} + 1$의 근을 α라 할 때, $\log_2 \alpha^2$의 값은?

① 1   ② 2   ③ 3

④ 4   ⑤ 8

0543   NORMAL

방정식 $2^x + 2^{3-x} = 6$의 두 근을 α, β라 할 때, $(1 + 2\alpha)(1 + 2\beta)$의 값은? (단, $\alpha < \beta$)

① 11   ② 13   ③ 15

④ 17   ⑤ 19

0544   NORMAL

x에 관한 방정식

$$a^{2x} - a^x = 2 \, (a > 0, \, a \neq 1)$$

의 해가 $\dfrac{1}{5}$이 되도록 하는 상수 a의 값은?

① 16   ② 32   ③ 64

④ 128   ⑤ 256

0545 최다빈출 왕중요   TOUGH

방정식

$$2(4^x + 4^{-x}) - (2^x + 2^{-x}) - 6 = 0$$

을 만족하는 x의 값의 합은?

① -2 ② -1 ③ 0

④ 1   ⑤ 2

▶ 해설 내신연계기출

0546 최다빈출 왕중요   TOUGH

두 함수 $f(x) = 4^x$, $g(x) = 2^{x+2}$의 그래프가 직선 $x = k$와 만나는 두 점을 각각 A, B라고 하자. $\overline{AB} = 32$일 때, 상수 k의 값은?

① 1   ② 2   ③ 3

④ 4   ⑤ 5

▶ 해설 내신연계기출

유형 04 근과 계수 관계를 이용한 지수방정식

방정식 $a^{2x}-pa^x+q=0$의 두 근이 α, β일 때,

[1단계] $a^x=t\ (t>0)$로 치환하여 얻은 이차방정식

$t^2-pt+q=0$의 두 근은 a^α, a^β이다.

[2단계] 근과 계수 관계에 의하여

두 근의 합 : $a^\alpha+a^\beta=p$

두 근의 곱 : $a^\alpha \times a^\beta=a^{\alpha+\beta}=q$

0547 학교기출 대표 유형

방정식 $9^x-3^{x+3}+81=0$의 두 근을 α, β라고 할 때, $\alpha+\beta$의 값은?

① 1   ② 2   ③ 3

④ 4   ⑤ 5

0548 최다빈출 앙 중요 BASIC

방정식 $25^x-6\cdot 5^x+k=0$의 두 근의 합이 1일 때, 실수 k의 값은?

① -5 ② -4 ③ 3

④ 4   ⑤ 5

▶ 해설 내신연계기출

0549 NORMAL

방정식 $2\cdot 4^x+a\cdot 2^x+a+13=0$의 두 근의 합이 1일 때, 두 근의 곱은? (단, a는 상수이다.)

① -4 ② -2 ③ 2

④ 4   ⑤ 6

0550 최다빈출 앙 중요 NORMAL

방정식 $4^x-7\cdot 2^x+12=0$의 두 근을 α, β라 할 때, $4^\alpha+4^\beta$의 값은?

① 10   ② 15   ③ 20

④ 25   ⑤ 30

▶ 해설 내신연계기출

0551 TOUGH

두 함수 $y=2^x$, $y=-\left(\dfrac{1}{2}\right)^x+k$의 그래프가 서로 다른 두 점 A, B에서 만난다. 선분 AB의 중점의 좌표가 $\left(0, \dfrac{5}{4}\right)$일 때, 상수 k의 값은?

① $\dfrac{1}{2}$ ② 1   ③ $\dfrac{3}{2}$

④ 2   ⑤ $\dfrac{5}{2}$

0552 최다빈출 앙 중요 TOUGH

오른쪽 그림은 함수 $y=2^x$의 그래프이다. 그래프 위의 두 점 A, B의 x좌표가 각각 a, $b\ (a<b)$이고 $\overline{AB}$의 중점의 좌표가 $(2, 5)$일 때, 점 B의 y좌표는?

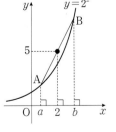

① 4   ② 5

③ 8   ④ 10

⑤ 16

▶ 해설 내신연계기출

① 이차방정식의 실근의 부호

$ax^2+bx+c=0$의 서로 다른 두 양의 실근을 가질 조건

⇨ (판별식)>0, (두 근의 합)>0, (두 근의 곱)>0

② 이차방정식의 실근의 위치

$ax^2+bx+c=0$ $(a>0)$의 두 근이 p보다 클 조건

⇨ (판별식)≥0, (축)>p, $f(p)>0$

0553 학교기출 대표 유형

방정식 $9^x-2a\cdot3^x+2a+8=0$이 서로 다른 두 실근을 갖기 위한 실수 a의 값의 범위는?

① $a>0$ ② $a>4$ ③ $a<-2$ 또는 $a>4$
④ $a<-2$ ⑤ 모든 실수

0554 최다빈출 상 중요 NORMAL

방정식 $\left(\dfrac{1}{3}\right)^{2x}-a\left(\dfrac{1}{3}\right)^x+9=0$이 서로 다른 두 실근을 가질 때, 정수 a의 최솟값은?

① 2 ② 3 ③ 4
④ 6 ⑤ 7

▶ 해설 내신연계기출

0555 NORMAL

x에 대한 지수방정식

$$16\cdot3^{-x}+3^{x+2}=2a$$

가 단 하나의 실수해를 가질 때, 실수 a의 값은?

① 6 ② 9 ③ 12
④ 15 ⑤ 18

0556 NORMAL

x에 대한 지수방정식

$$\left(\dfrac{1}{4}\right)^{x-1}-2\cdot\left(\dfrac{1}{2}\right)^{x-p}+16=0$$

가 오직 하나의 실근 α만을 가질 때, 실수 p에 대하여 $p+\alpha$의 값은?

① 2 ② 3 ③ 4
④ 5 ⑤ 6

0557 최다빈출 상 중요 TOUGH

x에 대한 지수방정식

$$5^{2x}-5^{x+1}+k=0$$

이 서로 다른 두 개의 양의 실근을 갖도록 하는 정수 k의 개수는?

① 1 ② 2 ③ 3
④ 4 ⑤ 5

▶ 해설 내신연계기출

0558 TOUGH

x에 대한 지수방정식

$$2^{2x}-(a-4)2^{x+1}+2a=0$$

의 근이 모두 1보다 클 때, 정수 a의 개수는?

① 1 ② 2 ③ 3
④ 4 ⑤ 5

유형 06 밑을 같게 할 수 있는 지수부등식

지수에 미지수가 있는 부등식은 다음 성질을 이용하여 푼다.
① $a > 1$일 때, $a^{f(x)} < a^{g(x)} \Longleftrightarrow f(x) < g(x)$ (부등호 방향 그대로)
② $0 < a < 1$일 때, $a^{f(x)} < a^{g(x)} \Longleftrightarrow f(x) > g(x)$ (부등호 방향 반대로)

0559 학교기출 교과서 유형

부등식 $\left(\dfrac{3}{2}\right)^{x^2-2x} \le \left(\dfrac{9}{4}\right)^{x+6}$ 을 만족시키는 모든 정수 x의 합은?

① 12   ② 14   ③ 16
④ 18   ⑤ 20

0560   BASIC

부등식 $\left(\dfrac{1}{3}\right)^{3x-2} \ge \left(\dfrac{1}{9}\right)^{x+2}$ 을 만족시키는 자연수 x의 개수는?

① 5   ② 6   ③ 7
④ 8   ⑤ 9

0561 최다빈출 상 중요   BASIC

부등식 $\dfrac{27}{9^x} \ge 3^{x-9}$ 을 만족시키는 모든 자연수 x의 개수는?

① 1   ② 2   ③ 3
④ 4   ⑤ 5

▶ 해설 내신연계기출

0562 최다빈출 상 중요   NORMAL

부등식 $\left(\dfrac{1}{8}\right)^{1-x^2} \le 2^{ax-3}$ 을 만족시키는 정수 x가 4개가 되도록 하는 모든 자연수 a의 값의 합은?

① 25   ② 30   ③ 35
④ 40   ⑤ 45

▶ 해설 내신연계기출

0563   TOUGH

일차함수 $y = f(x)$의 그래프가 그림과 같고 $f(-5) = 0$이다. 부등식 $2^{f(x)} \le 8$ 의 해가 $x \le -4$일 때, $f(0)$의 값은?

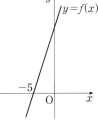

① 11   ② 13
③ 15   ④ 17
⑤ 19

0564 최다빈출 상 중요   TOUGH

이차함수 $y = f(x)$의 그래프와 일차함수 $y = g(x)$의 그래프가 그림과 같을 때, 부등식
$$\left(\dfrac{1}{2}\right)^{f(x)g(x)} \ge \left(\dfrac{1}{8}\right)^{g(x)}$$
을 만족시키는 모든 자연수 x의 값의 합은?

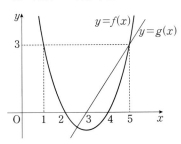

① 7   ② 9   ③ 11
④ 13   ⑤ 15

▶ 해설 내신연계기출

$pa^{2x} + qa^x + r < 0$ $(a > 0,\ a \neq 1)$의 꼴일 때,

[1단계] $a^x = t$ $(t > 0)$로 치환하여 푼다.

[2단계] 부등식 $pt^2 + qt + r < 0$을 푼다.

이때 $t > 0$임에 유의한다.

[3단계] 다시 $t = a^x$로 환원하여 x의 범위를 구한다.

0565 학교기출 대표유형

부등식

$$2^{2x} - 10 \cdot 2^{x+1} + 64 \leq 0$$

을 만족시키는 모든 정수 x의 값의 합은?

① 5 　　　　② 7 　　　　③ 9

④ 10 　　　　⑤ 12

0566 　BASIC

부등식

$$4^x - 4 \leq 9(2^{x+1} - 4)$$

을 만족시키는 정수 x의 개수는?

① 1 　　　　② 2 　　　　③ 3

④ 4 　　　　⑤ 5

0567 　BASIC

부등식

$$3^{2x+1} - 28 \cdot 3^x + 9 \leq 0$$

을 만족시키는 모든 정수 x의 값의 합은?

① 2 　　　　② 3 　　　　③ 4

④ 5 　　　　⑤ 6

0568 최다빈출 왕중요 　NORMAL

부등식

$$\left(\frac{1}{4}\right)^x - 9 \cdot \left(\frac{1}{2}\right)^{x+1} + 2 \leq 0$$

을 만족시키는 실수 x의 최댓값을 M, 최솟값을 m이라 할 때, $M - m$의 값은?

① -3 　　　　② -2 　　　　③ -1

④ 2 　　　　⑤ 3

▶ 해설 내신연계기출

0569 최다빈출 왕중요 　NORMAL

양수 a에 대하여 지수부등식

$$8a^{2x} - 9a^x + 1 < 0$$

의 해가 $0 < x < 3$일 때, a의 값은?

① $\dfrac{1}{6}$ 　　　　② $\dfrac{1}{5}$ 　　　　③ $\dfrac{1}{4}$

④ $\dfrac{1}{3}$ 　　　　⑤ $\dfrac{1}{2}$

▶ 해설 내신연계기출

0570 　NORMAL

두 함수 $f(x) = 2^{2x}$, $g(x) = 2 \cdot 2^x + 8$에 대하여 $f(x)$의 그래프가 $y = g(x)$의 그래프보다 위쪽에 있는 x의 값의 범위는?

① $x < -1$ 　　② $-1 < x < 2$ 　　③ $-1 < x < 0$

④ $0 < x < 2$ 　　⑤ $x > 2$

유형 08 연립부등식으로 표현된 지수부등식

두 지수부등식을 풀어 공통으로 만족하는 범위를 찾는다.

0571 학교기출 CHB유형

연립부등식 $\begin{cases} \left(\dfrac{2}{3}\right)^{x+3} < \left(\dfrac{9}{4}\right)^{x-2} \\ 2^{x-1} < \sqrt{2^{x+3}} \end{cases}$ 의 해가 $\alpha < x < \beta$일 때, $\dfrac{\beta}{\alpha}$의 값은?

① 11   ② 13   ③ 15
④ 17   ⑤ 19

0572 최다빈출 상중요   NORMAL

다음 조건을 동시에 만족하는 모든 정수 x의 개수는?

> (가) $\left(\dfrac{1}{2}\right)^{3x} \geq \left(\dfrac{1}{4}\right)^{x+1}$
>
> (나) $4^x < 5 \cdot 2^{x+1} - 16$

① 1   ② 2   ③ 3
④ 4   ⑤ 5

▶ 해설 내신연계기출

0573   NORMAL

다음 조건을 동시에 만족하는 부등식 해가 $a \leq x \leq b$일 때, $a+b$의 값은?

> (가) $\left(\dfrac{1}{9}\right)^x - 6\left(\dfrac{1}{3}\right)^x - 27 \leq 0$
>
> (나) $5^x + 5^{1-x} \leq 6$

① 0   ② 1   ③ 2
④ 3   ⑤ 4

유형 09 지수부등식의 활용

모든 실수 x에 대하여 $pa^{2x} + qa^x + r > 0$이 성립하면 $a^x = t$로 놓을 때, 부등식 $pt^2 + qt + r > 0$이 $t > 0$인 모든 실수 t에 대하여 성립한다.

0574 학교기출 CHB유형

이차부등식
$$x^2 - 2(2^a + 1)x - 2^a + 29 > 0$$
이 모든 실수 x에 대하여 성립할 때, 실수 a의 값의 범위를 구하면?

① $a < 1$ ② $a < 2$ ③ $a < 3$
④ $a < -1$ ⑤ $a < -2$

▶ 해설 내신연계기출

0575   TOUGH

모든 실수 x에 대하여
$$4^{x+1} - 2^{x+3} \geq k$$
가 성립할 때, 실수 k의 최댓값은?

① -4 ② -2 ③ 0
④ 2 ⑤ 4

0576 최다빈출 상중요   TOUGH

모든 실수 x에 대하여 부등식
$$4^x - 2(a-4)2^x + 2a \geq 0$$
이 항상 성립하도록 하는 정수 a의 개수는?

① 5   ② 6   ③ 7
④ 8   ⑤ 9

▶ 해설 내신연계기출

로그의 진수에 미지수가 있는 방정식은 다음 성질을 이용하여 푼다.
① 로그의 정의를 이용하여 계산
$\log_a f(x) = b \iff f(x) = a^b$ (단, $a > 0$, $a \neq 1$)
② 밑을 같게 만들 수 있는 계산
$a > 0$, $a \neq 1$이고 $f(x) > 0$, $g(x) > 0$일 때,
$\log_a f(x) = \log_a g(x) \iff f(x) = g(x)$

0577 학교기출 대표유형

방정식

$$2\log_4(5x+1) = 1$$

의 실근을 α라 할 때, $\log_5 \dfrac{1}{\alpha}$의 값은?

① 1   ② 2   ③ 4
④ 8   ⑤ 16

0578 최다빈출 왕중요   BASIC

로그방정식

$$\log_2(x-1) + \log_2(x+2) = 2$$

의 해는?

① 2   ② 3   ③ 4
④ 5   ⑤ 6

▶ 해설 내신연계기출

0579   BASIC

로그방정식

$$\log_8 x - \log_8 (x-7) = \dfrac{1}{3}$$

의 해는?

① 13   ② 14   ③ 15
④ 16   ⑤ 17

0580 최다빈출 왕중요   BASIC

방정식

$$\log_3(x-4) = \log_9(x-2)$$

의 해는?

① 5   ② 6   ③ 7
④ 8   ⑤ 9

▶ 해설 내신연계기출

0581   NORMAL

다음 조건을 만족하는 방정식의 해를 각각 p, q라 할 때, $p+q$의 값은?

(가) $\log_8(x+1) + \log_8(x-1) = 1$
(나) $\log_3 x - 1 = 2\log_9(x-2)$

① 3   ② 6   ③ 9
④ 10   ⑤ 12

0582 최다빈출 왕중요   NORMAL

방정식

$$\log x + \log(x+a) = 1 + \log(a+1)$$

의 근이 $x=4$일 때, a의 값은?

① $\dfrac{1}{4}$ ② $\dfrac{1}{2}$ ③ 1
④ 2   ⑤ 4

▶ 해설 내신연계기출

0583   TOUGH

로그방정식

$$\log_2(x+4) + \log_2(p-2x) = 5$$

가 해를 갖도록 하는 양수 p의 최솟값은?

① 5   ② 6   ③ 7
④ 8   ⑤ 9

유형 11 치환을 이용한 로그방정식

방정식 $(\log_a x)^2 + p\log_a x + q = 0$ $(a > 0,\ a \neq 1)$에 대하여

[1단계] $\log_a x = t$로 치환하여 t에 대한 방정식의 해를 구한다.

[2단계] $\log_a x = t \iff x = a^t$임을 이용하여 x의 값을 구한다.

0584 학교기출 대표유형

로그방정식

$$(\log_5 x)^2 + \log_5 x^2 - 3 = 0$$

의 두 근을 α, β라고 할 때, $\alpha\beta$의 값은?

① $\dfrac{1}{6}$ ② $\dfrac{1}{9}$ ③ $\dfrac{1}{10}$

④ $\dfrac{1}{25}$ ⑤ $\dfrac{1}{27}$

0585 최다빈출 중요 BASIC

로그방정식

$$\left(\log_{\frac{1}{2}} x\right)^2 - 3\log_{\frac{1}{2}} x^2 + 8 = 0$$

의 두 근을 α, β라고 할 때, $\alpha + \beta$의 값은?

① $\dfrac{1}{64}$ ② $\dfrac{3}{16}$ ③ $\dfrac{5}{16}$

④ $\dfrac{5}{9}$ ⑤ $\dfrac{1}{27}$

▶ 해설 내신연계기출

0586 최다빈출 중요 NORMAL

로그방정식

$$\left(\log_3 \dfrac{9}{x}\right)\left(\log_3 \dfrac{x}{3}\right) + 6 = 0$$

의 두 근을 α, β라 할 때, $\alpha\beta$의 값은?

① 9   ② 16   ③ 27

④ 36   ⑤ 42

▶ 해설 내신연계기출

0587 NORMAL

로그방정식

$$\log_3 x = 3\log_x 3 + 2$$

의 두 근을 α, β라 할 때, $\alpha + \dfrac{1}{\beta}$의 값은? (단, $\alpha > \beta$)

① 12   ② 15   ③ 18

④ 25   ⑤ 30

0588 NORMAL

방정식

$$3(\log_2 x - \log_8 x) = 32\log_4 x \times \log_{16} x$$

의 서로 다른 두 실근을 α, β라 할 때, $\log_3(\alpha^2 + \beta^2)$의 값은?

① 0   ② 1   ③ 2

④ 3   ⑤ 4

0589 최다빈출 중요 NORMAL

조건 (가), (나)을 만족하는 방정식의 해를 각각 α, β, γ라 할 때, $\alpha + \beta + \gamma$의 값은?

(가) $\log_3(x-1) = \log_9(x+1)$

(나) $(\log x)^2 - \log x^3 + 2 = 0$

① 10   ② 100   ③ 110

④ 113   ⑤ 144

▶ 해설 내신연계기출

05 지수함수와 로그함수의 활용

$(\log_a x)^2 + p\log_a x + q = 0$ $(a \neq 0,\ a \neq 1,\ p,\ q$는 상수$)$의 근이 $\alpha,\ \beta$이다.

[1단계] $\log_a x = t$로 치환하여 얻은 이차방정식
$$t^2 + pt + q = 0$$의 근은 $\log_a \alpha,\ \log_a \beta$이다.

[2단계] 이차방정식의 근과 계수 관계에 의하여
$$\log_a \alpha + \log_a \beta = \log_a \alpha\beta = -p$$
$$\log_a \alpha \times \log_a \beta = q$$

0590 학교기출 대표 유형

로그방정식 $2\log_2 x^3 - (\log_2 2x)^2 = 0$의 모든 근의 곱은?

① 4   ② 8   ③ 16

④ 32   ⑤ 64

0591 최다빈출 왕중요   BASIC

로그방정식 $(\log_3 x)^2 + k\log_3 x - 8 = 0$의 두 근의 곱이 9일 때, 실수 k의 값은?

① -1 ② -2 ③ -3

④ -4 ⑤ -5

▶ 해설 내신연계기출

0592 최다빈출 왕중요   NORMAL

로그방정식 $\log 2x \cdot \log 3x = 1$의 두 근을 $\alpha,\ \beta$라고 할 때, $\alpha\beta$의 값은?

① -10 ② -6 ③ $\dfrac{1}{6}$

④ 1 ⑤ 6

▶ 해설 내신연계기출

0593   TOUGH

로그방정식 $(\log_3 x)^2 + \log_3 x^2 - 4 = 0$의 두 근을 $\alpha,\ \beta$라고 할 때, $\log_\alpha \beta + \log_\beta \alpha$의 값은?

① -5 ② -4 ③ -3

④ -2 ⑤ -1

양변에 지수에 있는 로그와 밑이 같은 로그를 취한다.

$$x^{\log_a x} = k \Rightarrow \log_a x^{\log_a x} = \log_a k$$

참고 $a \neq 0$일 때, $a(\log_p x)^2 + b(\log_p x) + c = 0$의 두 근을 $\alpha,\ \beta$라 하면 $\log_p \alpha\beta = -\dfrac{b}{a}$이다.

0594 학교기출 대표 유형

방정식 $x^{\log_3 x} = \dfrac{27}{x^2}$의 모든 근의 곱은?

① $\dfrac{1}{9}$ ② $\dfrac{1}{2}$ ③ $\dfrac{1}{4}$

④ 1 ⑤ 4

0595   NORMAL

방정식 $x^{\log_2 x} = 64x$의 모든 근의 곱은?

① 1 ② 2 ③ 3

④ 4 ⑤ 5

0596 최다빈출 왕중요   NORMAL

방정식
$$x^{\log 2} \cdot 2^{\log x} - 5(x^{\log 2} + 2^{\log x}) + 16 = 0$$
의 두 실근을 $\alpha,\ \beta$라고 할 때, $\dfrac{\beta}{\alpha}$의 값은? (단, $\alpha < \beta$)

① 10 ② 100 ③ 200

④ 1000 ⑤ 2000

▶ 해설 내신연계기출

유형 14 밑을 같게 할 수 있는 로그부등식

부등식의 각 항의 밑을 같게 한 다음 진수끼리 비교하여 푼다.

주의 로그의 밑과 진수의 조건 및 부등호의 방향에 주의한다.

부등식 $\log_a f(x) > \log_a g(x)\ (a>0,\ a \neq 1)$의 해는

① $a>1$일 때,

$f(x)>0,\ g(x)>0,\ \underline{f(x)>g(x)}$의 공통범위
(부등호 방향 그대로)

② $0<a<1$일 때,

$f(x)>0,\ g(x)>0,\ \underline{f(x)<g(x)}$의 공통범위
(부등호 방향 반대로)

0597 학교기출 유형

부등식 $\log_2 (x-2) < 2$를 만족시키는 모든 자연수 x의 값의 합은?

① 10   ② 11   ③ 12

④ 13   ⑤ 14

0598 NORMAL

부등식

$$2\log_{\frac{1}{3}} (x+1) \geq \log_{\frac{1}{3}} (2x+5)$$

를 만족시키는 정수 x의 개수는?

① 1   ② 2   ③ 3

④ 4   ⑤ 5

0599 NORMAL

부등식

$$\log_2 (x-1) < \log_4 (2x+6)$$

을 만족시키는 모든 정수 x의 값의 합은?

① 5   ② 6   ③ 7

④ 8   ⑤ 9

0600 NORMAL

부등식

$$\log_{\frac{1}{3}} (x-1) > \log_{\frac{1}{9}} (x+5)$$

의 해는?

① $-4<x<0$ ② $0<x<2$ ③ $1<x<2$

④ $2<x<3$ ⑤ $1<x<4$

0601 NORMAL

부등식

$$\log_3 (x-1) + \log_3 (4x-7) \leq 3$$

을 만족시키는 정수 x의 개수는?

① 1   ② 2   ③ 3

④ 4   ⑤ 5

0602 최다빈출 상 중요 NORMAL

부등식

$$\log_2 (x+3) - \log_{\frac{1}{2}} (7-x) > 4$$

를 만족시키는 모든 정수의 개수는?

① 2   ② 3   ③ 4

④ 5   ⑤ 6

▶ 해설 내신연계기출

0603 NORMAL

부등식

$$\log_3 x - \log_9 (10x-1) + 1 \leq 0$$

을 만족하는 정수 x의 개수는?

① 0   ② 1   ③ 2

④ 3   ⑤ 4

0604 최다빈출 하 중요

NORMAL

부등식

$$2\log_2|x-1| \leq 1 - \log_2 \frac{1}{2}$$

을 만족시키는 모든 정수 x의 개수는?

① 2   ② 4   ③ 6
④ 8   ⑤ 10

▶ 해설 내신연계기출

0605 최다빈출 하 중요

NORMAL

연립부등식

$$\begin{cases} \log_3|x-3| < 4 \\ \log_2 x + \log_2(x-2) \geq 3 \end{cases}$$

을 만족시키는 정수 x의 개수는?

① 76   ② 78   ③ 80
④ 82   ⑤ 84

▶ 해설 내신연계기출

0606 최다빈출 하 중요

TOUGH

x에 대한 부등식

$$\log_5(x-1) \leq \log_5\left(\frac{1}{2}x+k\right)$$

를 만족시키는 모든 정수 x의 개수가 3일 때, 자연수 k의 값은?

① 1   ② 2   ③ 3
④ 4   ⑤ 5

▶ 해설 내신연계기출

유형 15 해가 주어진 로그부등식

부등식의 각 항의 밑을 같게 한 다음 진수끼리 비교하여 푼다.

① 최고차항이 1이고 해가 $\alpha < x < \beta$인 이차부등식

$$x^2 - (\alpha + \beta)x + \alpha\beta < 0$$

② 최고차항이 1이고 해가 $x < \alpha$ 또는 $x > \beta$인 이차부등식

$$x^2 - (\alpha + \beta)x + \alpha\beta > 0$$

0607 학교기출 대표 유형

로그부등식

$$(1 + \log_3 x)(a - \log_3 x) > 0$$

의 해가 $\frac{1}{3} < x < 9$일 때, 상수 a의 값은?

① 1   ② 2   ③ 3
④ 4   ⑤ 5

0608

NORMAL

부등식

$$\log_2(-x^2 + ax - 5) \geq \log_2 x + 2$$

의 해가 $1 \leq x \leq 5$일 때, 상수 a의 값은?

① 8   ② 10   ③ 12
④ 14   ⑤ 16

0609

TOUGH

부등식

$$\log_a(x+3) > \log_a(1-x) + 1$$

의 해가 $-\frac{1}{3} < x < 1$일 때, a의 값은? (단, $a \neq 1$)

① 2   ② 3   ③ 4
④ 6   ⑤ 8

유형 16	진수에 로그를 포함한 로그부등식

부등식 $\log_a(\log_b x) > k\,(a>0,\ a\neq 1,\ b>0,\ b\neq 1,\ k$는 상수)

① 진수의 조건 $\log_b x > 0$

② $a>1$일 때, $\log_b x > a^k$

 $\quad 0<a<1$일 때, $\log_b x < a^k$

0610 학교기출 [I::::] 유형

부등식 $-1 \leq \log_{\frac{1}{3}}(\log_2 x) \leq 1$의 해가 $\alpha \leq x \leq \beta$일 때, 두 상수 α, β에 대하여 $\alpha^3 \beta$의 값은?

① $4\sqrt[3]{2}$ ② 8 ③ $8\sqrt{2}$

④ 16 ⑤ 32

▶ 해설 내신연계기출

0611 ▪▪▪— NORMAL

두 집합

$$A=\{x\,|\,\log_3(\log_2 x) \leq 1\},\ B=\{x\,|\,\log_2(\log_3 x) \leq 1\}$$

에 대하여 $A \cap B$와 같은 것은?

① A ② B ③ $\varnothing$

④ $A-B$ ⑤ $B-A$

0612 ▪▪▪▪ TOUGH

연립부등식

$$\begin{cases} \log_{\frac{1}{2}}(\log_2 x) \geq -2 \\ \log_{\frac{1}{2}}x + \log_{\frac{1}{2}}(x-4) < -5 \end{cases}$$

를 만족시키는 정수 x의 개수는?

① 5 ② 6 ③ 7

④ 8 ⑤ 9

유형 17	$\log_a x = t$로 치환하는 꼴의 로그부등식

$(\log_a x)^2 + p\log_a x + q > 0\,(p,\ q$는 상수)같은 꼴이 있으면

[1단계] $\log_a x = t$로 치환하여 부등식 $t^2+pt+q>0$을 푼다.

[2단계] [1단계]에서 구한 해에 t 대신 $\log_a x$를 대입하여 x의 값의 범위를 구한다.

0613 학교기출 [I::::] 유형

부등식

$$\left(\log_{\frac{1}{3}}x\right)^2 - 4\log_{\frac{1}{3}}x + 3 < 0$$

의 해를 $\alpha < x < \beta$라 할 때, $\dfrac{\beta}{\alpha}$의 값은?

① $\dfrac{1}{9}$ ② $\dfrac{1}{3}$ ③ 3

④ 9 ⑤ 27

0614 최다빈출 ㉫ 중요 ▪▪▪— NORMAL

부등식

$$(\log_2 x)\left(\log_2 \frac{x^2}{4}\right) \leq 0$$

을 만족시키는 모든 양의 정수 x의 합은?

① 1 ② 2 ③ 3

④ 4 ⑤ 5

▶ 해설 내신연계기출

0615 최다빈출 ㉫ 중요 ▪▪▪▪ TOUGH

연립부등식

$$\begin{cases} 3^{5(1-x)} \leq \left(\dfrac{1}{3}\right)^{x^2-1} \\ (\log_2 x)^2 - 4\log_2 x + 3 < 0 \end{cases}$$

을 만족시키는 모든 자연수 x의 값의 곱은?

① 6 ② 8 ③ 12

④ 20 ⑤ 30

▶ 해설 내신연계기출

지수에 로그가 있으면 ⇨ 양변에 로그를 취한다.

① 양변에 밑이 a $(a > 1)$인 로그를 취하면 부등호방향 그대로

② 양변에 밑이 a $(0 < a < 1)$인 로그를 취하면 부등호방향 반대로

0616 학교기출 대표유형

부등식 $x^{\log_3 x} \leq 9x$의 해가 $\alpha \leq x \leq \beta$일 때, $\alpha\beta$의 값은?

① $\dfrac{1}{3}$　　　② 1　　　③ 3

④ 6　　　⑤ 9

▶ 해설 내신연계기출

0617 NORMAL

부등식 $x^{\log_2 x - 3} \leq \dfrac{1}{4}$을 만족하는 모든 자연수 x의 값의 합은?

① 9　　　② 10　　　③ 12

④ 15　　　⑤ 18

0618 NORMAL

부등식
$$3^{\log x} \cdot x^{\log 3} - 2(3^{\log x} + x^{\log 3}) + 3 < 0$$
의 해는?

① $0 < x < 10$　　② $1 < x < 9$　　③ $1 < x < 10$

④ $2 < x < 10$　　⑤ $2 < x < 11$

계수가 실수인 이차방정식 $ax^2 + bx + c = 0$의 판별식을 D라 하면

① 이차방정식이 서로 다른 두 실근을 갖는다.　　⇨ $D = b^2 - 4ac > 0$

② 이차방정식이 실근을 갖지 않는다.　　⇨ $D = b^2 - 4ac < 0$

③ 이차부등식 $ax^2 + bx + c \geq 0$이 항상 성립한다. ⇨ $a > 0$, $D \leq 0$

0619 학교기출 대표유형

x에 대한 이차방정식
$$x^2 + 2(1 + \log_2 a)x + 3 + \log_2 a = 0$$
이 서로 다른 두 실근을 갖도록 하는 자연수 a의 최솟값은?

① 1　　　② 2　　　③ 3

④ 4　　　⑤ 5

0620 최다빈출 활 중요 NORMAL

x에 대한 이차방정식
$$x^2 - 2(2 - \log_2 a)x + 1 = 0$$
이 실근을 갖지 않게 하는 실수 a의 값 중에서 정수인 것의 개수는?

① 5　　　② 6　　　③ 7

④ 8　　　⑤ 9

▶ 해설 내신연계기출

0621 NORMAL

x에 대한 이차방정식
$$x^2 - 2x \log_3 a + 2 - \log_3 a = 0$$
의 근이 모두 양수가 되도록 하는 정수 a의 개수는?

① 2　　　② 3　　　③ 4

④ 5　　　⑤ 6

0622

NORMAL

x에 대한 방정식

$$(\log_2 x)^2 = \log_2 x^4 + 2k$$

가 한 실근만을 가질 때, 실수 k의 값은?

① -2 ② -1 ③ 0
④ 1 ⑤ 2

0623

NORMAL

x에 대한 방정식

$$(\log_2 x)\left(\log_2 \frac{8}{x}\right) = \frac{a}{4}$$

가 서로 다른 두 양근을 가질 때, 정수 a의 최댓값은?

① 7 ② 8 ③ 9
④ 10 ⑤ 11

0624

최다빈출 활 중요

NORMAL

모든 실수 x에 대하여 부등식

$$x^2 + 2x \log_2 a + 4 \log_2 a - 3 > 0$$

이 항상 성립하도록 하는 상수 a의 값의 범위를 구하면?

① $1 < a < 6$ ② $2 < a < 6$ ③ $1 < a < 7$
④ $2 < a < 7$ ⑤ $2 < a < 8$

▶ 해설 내신연계기출

0625

최다빈출 활 중요

NORMAL

부등식

$$(\log_3 x)^2 + \log_9 x + k \geq 0$$

이 항상 성립하도록 하는 실수 k의 최솟값은?

① $\frac{1}{16}$ ② $\frac{1}{12}$ ③ $\frac{1}{10}$
④ $\frac{1}{8}$ ⑤ $\frac{1}{6}$

▶ 해설 내신연계기출

0626

TOUGH

$x > 0$에서 부등식

$$x^{-\log_3 x} \leq ax^2$$

이 항상 성립하도록 하는 양수 a의 값의 범위는?

① $0 < a \leq \frac{1}{3}$ ② $a \geq \frac{1}{3}$ ③ $0 < a \leq 3$
④ $\frac{1}{3} \leq a \leq 3$ ⑤ $a \geq 3$

0627

TOUGH

모든 실수 x에 대하여 부등식

$$10^{x^2 + \log a} > a^{-2x}$$

이 성립하도록 하는 모든 자연수 a의 값의 합은?

① 42 ② 44 ③ 46
④ 48 ⑤ 50

지수 로그를 활용하는 실생활 문제는 대부분 익숙하지 않은 어떤 식을 주는 형태이다. 익숙하지 않은 식을 주었다면 그만큼 어렵지 않은 내용으로 생각해도 된다. 물음에서 구하려는 것이 무엇이고 어떤 값을 어떤 변수 대신에 대입하면 되는지 찾아내면 된다.

0628 학교기출 대표유형

어느 지역에서 해발 hm인 곳의 기압 PhPa은

$$P = 1000 \times 2^{-\frac{h}{a}} \ (a는 상수)$$

으로 나타내어진다고 한다. 이 지역에서 해발 5000m인 곳의 기압이 500hPa일 때, 해발 2500m인 곳의 기압은 몇 hPa인가? (단, hPa는 기압을 나타내는 단위로 '헥토파스칼' 이라 읽는다.)

① $100\sqrt{2}$ ② $200\sqrt{2}$ ③ $300\sqrt{2}$

④ $400\sqrt{2}$ ⑤ $500\sqrt{2}$

0629 최다빈출 왕중요   NORMAL

어떤 호수에서 수면에서의 빛의 세기가 AW/m²일 때, 수심이 hm인 곳에서의 빛의 세기를 yW/m²라고 하면

$$y = A \times 2^{-\frac{h}{4}}$$

의 관계가 성립한다고 한다. 이 호수에서 빛의 세기가 $\dfrac{A}{256}$W/m²인 곳의 수심은 몇 m인가?

① 16   ② 20   ③ 24

④ 28   ⑤ 32

▶ 해설 내신연계기출

0630   NORMAL

실내에 방향제 Ag을 뿌리고 t시간이 지난 후 실내에 남아 있는 방향제의 양을 $f(t)$g이라고 하면

$$f(t) = A \cdot 2^{-\frac{t}{a}} \ (단, a는 상수)$$

이 성립한다고 한다. 실내에 방향제 4g을 뿌리고 4시간 후에 실내에 남아 있는 방향제의 양이 1g이라고 한다. 이 실내에 남아 있는 방향제의 양이 0.5g 이하가 되는 것은 방향제를 뿌리고 몇 시간 후인가?

① 2   ② 3   ③ 4

④ 5   ⑤ 6

로그는 소리의 크기, 지진의 규모를 나타내는 진도, 수소 이온의 농도와 같이 우리가 자극을 느끼는 정도의 크기를 정할 때 유용하게 쓰인다.
로그방정식 및 로그부등식의 실생활의 활용에서
[1단계] 주어진 조건에 식을 대입하여 관계식을 세운다.
[2단계] 로그방정식과 로그부등식의 해를 구한다.

0631 학교기출 대표유형

해저에서 발생한 지진이 지진해일을 일으킬 때, 지진해일의 높이를 Hm, 지진해일의 규모를 M이라고 하면

$$M = \log_8 H$$

인 관계가 성립한다. 어떤 지점에서 높이가 am인 지진해일의 규모는 높이가 81m인 지진해일의 규모의 0.75배이다. 상수 a의 값을 구한 것은?

① 15   ② 19   ③ 21

④ 25   ⑤ 27

0632   NORMAL

희망고등학교의 실기시험에서 작품을 만드는데 걸린 시간 t(시간)에 대하여 작품의 성취도를 $f(t)$를

$$f(t) = 50 + 30\log(t+1)$$

로 평가한다고 한다. a시간을 들인 작품의 성취도는 80, b시간을 들인 작품의 성취도는 71이라고 할 때, $a-b$의 값은? (단, $\log 2 = 0.3$)

① 1   ② 2   ③ 3

④ 4   ⑤ 5

0633 최다빈출 왕중요   NORMAL

화재가 발생한 건물의 온도는 시간에 따라 변한다. 어느 건물의 초기 온도를 T_0°C, 화재가 발생한 지 x분 후의 온도를 $f(x)$°C라고 하면

$$f(x) = T_0 + k\log(8x+1) \ (k는 상수)$$

이 성립한다. 초기 온도가 20°C인 이 건물에서 화재가 발생한 지 $\dfrac{9}{8}$분 만에 온도가 300°C까지 올랐다고 할 때, 화재가 발생한 후 온도가 860°C가 되는 데 걸리는 시간은?

① $\dfrac{99}{8}$(분)   ② $\dfrac{999}{8}$(분)   ③ $\dfrac{1000}{3}$(분)

④ 110(분)   ⑤ 1000(분)

▶ 해설 내신연계기출

0634 최다빈출 왕중요

어떤 앰프에 스피커를 접속 케이블로 연결하여 작동시키면 접속 케이블의 저항과 스피커의 임피던스(스피커에 교류전류가 흐를 때 생기는 저항)에 따라 전송 손실이 생긴다.
접속 케이블의 저항을 R, 스피커의 임피던스를 r, 전송 손실을 L이라 하면 다음과 같은 관계식이 성립한다고 한다.

$$L = 10\log\left(1 + \frac{2R}{r}\right)$$

(단, 전송 손실의 단위는 dB, 접속 케이블의 저항과 스피커의 임피던스의 단위는 Ω이다.)
이 앰프에 임피던스가 8인 스피커를 저항이 5인 접속케이블로 연결하여 작동시켰을 때의 전송 손실은 저항이 a인 접속 케이블로 교체하여 작동시켰을 때의 전송 손실의 2배이다. 양수 a의 값은?

① $\frac{1}{2}$ ② 1 ③ $\frac{3}{2}$

④ 2 ⑤ $\frac{5}{2}$

▶ 해설 내신연계기출

0635 최다빈출 왕중요

세라믹 재료 A에 대한 실험을 시작한 지 t_1초 후, t_2초 후의 측정 온도를 각각 $T_1\,°C$, $T_2\,°C$라 할 때, A의 열전도 계수 (K)는 다음과 같다고 한다.

$$K = \frac{C(\log t_2 - \log t_1)}{T_2 - T_1} \ (C는 양수)$$

이 세라믹 재료의 열전도 계수를 측정하는 실험에서 실험을 시작한 후 10초일 때와 20초일 때의 측정 온도가 각각 $200\,°C$, $202\,°C$이었다. 실험을 시작한 후 x초일 때 측정 온도가 $206\,°C$가 되었다. x의 값은? (단, 열전도 계수는 일정하다.)

① 70 ② 80 ③ 90
④ 100 ⑤ 110

▶ 해설 내신연계기출

유형 22 반감기

어떤 방사성 원소가 방사성 붕괴를 통해 처음 양의 반으로 감소하는 데 걸리는 시간을 그 원소의 반감기(半減期, halflife)라고 한다.
반감기가 t인 어떤 물질에 대하여 처음의 양을 m_0라 할 때, 시간이 x만큼 지난 후의 물질의 양 $f(x)$는 다음과 같다.

$$f(x) = m_0\left(\frac{1}{2}\right)^{\frac{x}{t}}$$

0636 학교기출 대비 유형

반감기가 24년인 어떤 방사성 물질의 질량의 처음 양이 $a\,g$이었을 때, t년 후에 남아 있는 양을 $f(t)\,g$이라고 하면

$$f(t) = a\cdot\left(\frac{1}{2}\right)^{\frac{t}{24}}$$

이 성립한다고 한다. 방사성 물질의 질량이 초기 질량의 $60\,\%$로 줄어드는 데 걸리는 시간은?
(단, $\log 2 = 0.3$, $\log 3 = 0.48$로 계산한다.)

① 12.1 ② 12.5 ③ 14.5
④ 15.6 ⑤ 17.6

0637 최다빈출 왕중요

방사성 탄소 동위 원소 ^{14}C는 5730년 마다 그 양이 반으로 줄어든다고 한다. 즉 처음 ^{14}C의 양이 $a\,g$이었을 때, x년 후에 남아 있는 양을 $f(x)\,g$이라 하면

$$f(x) = a\cdot\left(\frac{1}{2}\right)^{\frac{x}{5730}}$$

이 성립한다고 한다. 어떤 유물을 발굴하여 조사했더니 ^{14}C가 $12.5\,g$ 남아 있었다. 처음 ^{14}C의 양이 $100\,g$이었다면 이 유물은 몇 년 전 유물인가?

① 17190 ② 18190 ③ 19210
④ 21190 ⑤ 22190

▶ 해설 내신연계기출

0638 최다빈출 왕중요

우라늄의 방사성 동위 원소 ^{235}U는 7억 년마다 그 양이 반으로 줄어든다고 한다. 즉 최초의 ^{235}U의 양이 $a\,g$이었을 때 x억 년 후에 남아 있는 양을 $M(x)\,g$이라 하면

$$M(x) = a\left(\frac{1}{2}\right)^{\frac{x}{7}}$$

이라고 한다. ^{235}U의 양이 처음으로 최초의 양의 $25\,\%$ 이하가 되는 것은 몇 년 후인가?

① 12억 년   ② 13억 년   ③ 14억 년
④ 15억 년   ⑤ 16억 년

▶ 해설 내신연계기출

[1단계] 원금 A원을 연이율 $r\%$의 복리로 n년간 예금할 때의

원리합계 $A\left(1+\dfrac{r}{100}\right)^n$임을 이용하여 주어진 조건에 맞게

방정식 또는 부등식을 세운다.

[2단계] 양변에 상용로그를 취하여 그 해를 구한다.

0639 학교기출 대표유형

어떤 정수기는 여러 개의 필터를 통해 물속의 불순물을 제거하는데, 필터를 한 번 통과하면 불순물의 50%가 제거된다고 한다.
이 정수기를 통과하여 나오는 물속에 있는 불순물의 양의 2% 이하가 되려면 최소한 몇 개의 필터를 설치해야 하는가?
(단, $\log 2 = 0.3$으로 계산한다.)

① 3 　　　　② 4 　　　　③ 5
④ 6 　　　　⑤ 7

0640 TOUGH

수지의 어머니는 수지에게 고등학교 입학 선물로 100만 원이 들어있는 연이율이 $r\%$이고 복리로 계산하는 예금 통장을 만들어 주었다.
20년 후 통장의 금액이 200만 원 이상일 때, r의 최솟값은?
(단, $\log 2 = 0.3$, $\log 103 = 2.015$로 계산한다.)

① 3 　　　　② 4 　　　　③ 5
④ 6 　　　　⑤ 7

0641 TOUGH

어느 도시의 미세 먼지 농도는 매년 4%씩 증가한다고 한다.
이와 같은 비율로 미세 먼지 농도가 계속 증가한다고 할 때,
미세 먼지 농도가 현재의 2배 이상이 되는 것은 최소 몇 년 후인가?
(단, $\log 2 = 0.30$, $\log 1.04 = 0.02$)

① 12 　　　　② 13 　　　　③ 14
④ 15 　　　　⑤ 16

0642 최다빈출 상 중요 TOUGH

세계 석유 소비량이 매년 4%씩 감소된다고 할 때, 세계 석유 소비량이 처음으로 현재 소비량의 $\dfrac{1}{2}$ 이하가 되는 것은 몇 년 후인가?
(단, $\log 2 = 0.3$, $\log 9.6 = 0.98$로 계산한다.)

① 12 　　　　② 13 　　　　③ 14
④ 15 　　　　⑤ 16

▶ 해설 내신연계기출

0643

방정식이나 부등식을 풀 때 공통으로 들어있는 부분을 한 문자로 치환하면 쉽게 해결할 수 있는 경우가 있다. 아래의 방정식과 부등식을 치환을 이용하여 해결하고 그 과정을 서술하여라.

[1단계] $4^x - 2^{x+2} - 32 = 0$의 근을 구한다.
[2단계] $9^x - 2 \cdot 3^x - 3 < 0$의 x의 범위를 구한다.

0644

x에 대한 방정식 $9^x - 5 \times 3^{x+1} + k = 0$을 만족시키는 서로 다른 두 실근의 합이 3일 때, 상수 k의 값을 구하는 과정을 다음 단계로 서술하여라.

[1단계] 밑을 3으로 통일하여 $3^x = t\,(t > 0)$로 놓은 후 t에 대한 방정식으로 나타낸다.
[2단계] t에 대한 방정식의 두 근을 α, β로 나타낸다.
[3단계] 근과 계수의 관계를 이용하여 $\alpha + \beta = 3$임을 이용하여 상수 k의 값을 구한다.

0645

지수방정식
$$4^x + 4^{-x} + 3(2^x + 2^{-x}) - 16 = 0$$
의 두 근을 α, β라 할 때, $4^{-\alpha} + 4^{-\beta}$의 값을 구하는 과정을 다음 단계로 서술하여라.

[1단계] $2^x + 2^{-x} = t$로 놓고 t의 값을 구한다.
[2단계] $2^x + 2^{-x} = t$의 두 근을 α, β이므로 $2^{\alpha} + 2^{\beta}$, $2^{\alpha} \cdot 2^{\beta}$의 값을 구한다.
[3단계] $4^{-\alpha} + 4^{-\beta}$의 값을 구한다.

0646

방정식
$$4^x + 4^{-x} + a(2^x - 2^{-x}) + 7 = 0$$
이 실근을 갖기 위한 양수 a의 최솟값을 m이라 할 때, m^2의 값을 구하는 과정을 다음 단계로 서술하여라.

[1단계] $2^x - 2^{-x} = t$로 놓고 t에 관한 이차방정식으로 변형한다.
[2단계] $2^x - 2^{-x} = t$이 모든 실수의 값을 가지므로 t에 관한 이차방정식이 실근을 가짐을 이용하여 a의 범위를 구한다.
[3단계] m^2의 값을 구한다.

0647

양수 x에 대하여 부등식
$$(\log_2 x)^2 + 8\log_2 x + 2k > 0\text{과 } 4^x + 2^{x+2} - k > -10$$
가 항상 성립하도록 하는 k의 범위를 다음 단계로 서술하여라.

[1단계] 양수 x에 대하여 부등식 $(\log_2 x)^2 + 8\log_2 x + 2k > 0$이 성립하는 k의 범위를 구한다.
[2단계] 양수 x에 대하여 부등식 $4^x + 2^{x+2} - k > -10$가 항상 성립하는 k의 범위를 구한다.
[3단계] 동시에 만족하는 k의 범위를 구한다.

0648

부등식
$$(1 - \log_3 a)x^2 + 2(1 - \log_3 a)x + \log_3 a > 0$$
이 모든 실수 x에 대하여 성립하도록 하는 양수 a값의 범위를 구하는 과정을 다음 단계로 서술하여라.

[1단계] 최고차항의 계수가 0일 때, 성립함을 보인다.
[2단계] 최고차항의 계수가 양수일 때, 모든 실수 x에 대하여 이차부등식이 성립하기 위한 a값의 범위를 구한다.
[3단계] 양수 a값의 범위를 구한다.

0649

x에 대한 이차방정식

$$(\log a+3)x^2-2(\log a+1)x+1=0$$

이 실근을 가지도록 하는 상수 a의 값의 범위를 구하는 과정을 다음 단계로 서술하여라.

[1단계] x에 대한 이차방정식이기 위한 조건을 구한다.
[2단계] 이차방정식이 실근을 가지기 위해 판별식을 이용하여 로그 부등식을 유도한다.
[3단계] 로그부등식의 해를 구한다.
[4단계] 진수조건과 위 단계에서의 로그부등식의 해를 이용하여 a값의 범위를 구한다.

0650

방정식 $4^x-2^{x+2}+8=0$의 두 근을 각각 α, β라 할 때, 방정식 $(\log_3 x)^2+a\log_3 x+b=0$의 두 근을 각각 $\alpha+\beta$, $3^{\alpha+\beta}$일 때, 두 상수 a, b에 대하여 $a+b$를 구하는 과정을 다음 단계로 서술하여라.

[1단계] $\alpha+\beta$의 값을 구하여라.
[2단계] 방정식 $(\log_3 x)^2+a\log_3 x+b=0$의 두 근이 각각 $\alpha+\beta$, $3^{\alpha+\beta}$일 때, 두 상수 a, b를 구한다.
[3단계] $a+b$의 값을 구한다.

0651

부등식

$$\log_{x-2}(2x^2-11x+14)>2$$

을 만족하는 x의 범위를 구하는 과정을 다음 단계로 서술하여라.

[1단계] 로그의 밑과 진수조건을 만족하는 x의 범위를 구한다.
[2단계] (밑)> 1일 때, 로그부등식을 만족하는 x의 범위를 구한다.
[3단계] $0<$(밑)< 1일 때, 로그부등식을 만족하는 x의 범위를 구한다.
[4단계] x의 범위를 구한다.

0652

모든 양수 x에 대하여 부등식

$$x^{\log_2 x}>(4x)^a$$

이 항상 성립하도록 실수 a의 값의 범위를 다음 단계로 서술하여라.

[1단계] 주어진 부등식의 양변에 밑이 2인 로그를 취하여 정리한다.
[2단계] 주어진 부등식을 치환한다.
[3단계] 판별식을 이용하여 a의 범위를 구한다.

0653

함수 $f(x)=\log_2(x+7)-1$의 역함수 $g(x)$에 대하여 부등식

$$g(x)+g(1-x)\le\frac{5}{2^{x-2}}$$

를 만족시키는 x의 범위를 구하는 그 과정을 다음 단계로 서술하여라.

[1단계] 함수 $f(x)$의 역함수 $g(x)$을 구한다.
[2단계] 주어진 부등식에 대입하여 식을 정리한다.
[3단계] x의 범위를 구한다.

0654

부등식

$$\log_{\frac{1}{6}}(\log_3 x)\ge -2$$

을 만족하는 정수 x 중 가장 큰 정수가 몇 자리의 정수인지를 구하는 과정을 다음 단계로 서술하여라. (단, $\log 3=0.4771$)

[1단계] 진수의 조건을 만족하는 x의 범위를 구한다.
[2단계] 부등식을 만족하는 가장 큰 정수 x을 구한다.
[3단계] 가장 큰 정수의 자리수를 구한다.

0655

어느 호수의 수면에서 빛의 세기를 $I_0\,\mathrm{W/m^2}$, 수심이 $x\mathrm{m}$인 곳에서 빛의 세기를 $I\,\mathrm{W/m^2}$라고 하면

$$I=I_0\left(\frac{1}{2}\right)^{\frac{x}{4}}$$

이 성립한다고 할 때, 다음 단계로 서술하여라.

[1단계] 빛의 세기가 수면에서 빛의 세기의 $\frac{1}{8}$이 되는 곳의 수심은 몇 m인지 구한다.

[2단계] 빛의 세기가 수면에서 빛의 세기의 25% 이하가 되려면 수심은 최소 몇 m이어야 하는지 구한다.

0656

처음 가격이 125만 원인 어느 태블릿 컴퓨터의 가격이 매년 20%씩 하락한다고 할 때, 다음 단계로 서술하여라.

[1단계] 구입한지 n년 후에 이 태블릿 컴퓨터의 가격을 원리합계로 표현한다.

[2단계] 가격이 80만 원이 되는 것은 몇 년 후인지 구한다.

[3단계] 가격이 64만 원 이하가 되는 것은 최소 몇 년 후인지 구한다.

0657

한 번 통과하면 60%의 불순물이 제거되는 정수 필터가 있다. 불순물의 양을 처음 양의 2% 이하가 되게 하려면 정수필터를 최소한 몇 번 통과시켜야 하는지 구하려고 할 때, 다음 물음에 답하고 그 과정을 서술하여라.

[1단계] 처음 통과시키는 물에 포함된 불순물의 양이 a일 때, 정수 필터에 한 번 통과시키면 불순물의 양이 얼마가 되는지 구한다.

[2단계] 처음 통과시키는 물에 포함된 불순물의 양이 a일 때, 정수필터에 n번 통과시킨 후 불순물의 양을 $f(n)$라 하고 $f(n)$을 구한다.

[3단계] [2단계]에서 구한 $f(n)$를 이용하여 불순물의 양을 처음 양의 2% 이하가 되게 하려면 정수필터를 최소한 몇 번 통과시켜야 하는지 구한다. (단, $\log 2 = 0.3$으로 계산한다.)

0658

어느 작업장에 먼지의 양이 $1\mathrm{m^3}$당 $200\mu\mathrm{g}$이 되면 자동으로 가동되기 시작하는 먼지 제거 장치가 있다. 이 장치가 가동되기 시작하고 t초 후 $1\mathrm{m^3}$당 먼지의 양 $x(t)$는

$$x(t)=20+180\times 3^{-\frac{t}{256}}\,(\mu\mathrm{g/m^3})$$

이라 할 때, 다음 물음에 답하고 그 과정을 다음 단계로 서술하여라. (단, $\log 2 = 0.30$, $\log 3 = 0.48$)

[1단계] $\log 6$의 값을 구한다.

[2단계] $\log 5$의 값을 구한다.

[3단계] 먼지 제거 장치가 가동되기 시작하고 512초 후 $1\mathrm{m^3}$당 먼지의 양 $(\mu\mathrm{g})$을 구한다.

[4단계] 먼지 제거 장치가 가동되기 시작하고 n초 후 처음으로 작업장의 $1\mathrm{m^3}$당 먼지의 양이 $170\mu\mathrm{g}$ 이하가 되었다고 할 때, 자연수 n의 값을 구한다.

0659

독일의 심리학자 에빙하우스는 인간의 기억은 한꺼번에 모아서 반복하는 것 보다 일정시간 범위를 나누어 반복하면 그 장기기억으로 가는 데 효과적이라는 망각의 법칙을 연구하였다.
이 법칙에 따르면 학습한 처음 기억 상태를 P_0, t개월 후 기억상태를 P라고 할 때,

$$P=\frac{P_0}{(t+1)^c}$$

인 관계가 성립한다고 한다. 이때 시간이 흐름에 따라 기억상태가 어떻게 변하는지 다음 단계로 서술하여라.
(단, c는 학습 종류에 따라 정해지는 상수이고 $\log 2 = 0.30$, $\log 3 = 0.48$, $\log 6.6 = 0.82$)

[1단계] $c=0.3$인 어느 학습에서 처음 기억상태가 100일 때, 기억상태가 50 이하가 되는 것은 최소 몇 개월 후인지 구한다.

[2단계] $c=0.2$인 어느 학습에서 처음 기억상태가 90일 때, 4개월 후 기억상태는 얼마인지 구한다.

[3단계] $c=0.3$인 시험 A와 $c=0.2$인 시험 B에서 시험점수는 기억상태에 비례한다고 하자. 두 시험의 처음 점수가 같을 때, 6개월 후에 두 시험을 본다면 점수가 더 높은 시험은 무엇인지 예상하여라.

0660

두 지수함수 $f(x)=a^x$, $g(x)=a^{-x}$의 그래프가 직선 $x=p$와 만나는 점을 각각 A, B라 하고 직선 $x=2p$와 만나는 점을 각각 C, D라 하자. 선분 AB의 중점의 좌표가 $(p, 3)$일 때, 선분 CD의 길이를 구하여라. (단, $a>1$, $p>0$)

0661

최대 충전 용량이 Q_0 $(Q_0>0)$인 어떤 배터리를 완전히 방전시킨 후 t시간 동안 충전한 배터리의 충전 용량을 $Q(t)$라 할 때, 다음 식이 성립한다고 한다.

$$Q(t)=Q_0\left(1-2^{-\frac{t}{a}}\right) \text{ (단, } a\text{는 양의 상수이다.)}$$

$\dfrac{Q(4)}{Q(2)}=\dfrac{3}{2}$일 때, a의 값을 구하여라.

(단, 배터리의 충전 용량의 단위는 mAh이다.)

0662

함수 $y=2^x$의 그래프 위의 서로 다른 두 점 A, B에 대하여 $\overline{AB}=2\sqrt{10}$이고, 직선 AB의 기울기는 3이다. 두 점 A, B의 x좌표가 각각 a, b일 때, 2^a+2^b의 값을 구하여라. (단, $a<b$)

0663

직선 $x=k$가 두 곡선

$$y=\log_2 x, \quad y=-\log_2(8-x)$$

와 만나는 점을 각각 A, B라 하자. $\overline{AB}=2$가 되도록 하는 모든 실수 k의 값의 곱을 구하여라. (단, $0<k<8$)

0664

그림과 같이 $a>1$인 실수 a에 대하여 두 곡선

$y=a\log_2(x-a+1)$과 $y=2^{x-a}-1$이 서로 다른 두 점 A, B에서 만난다. 점 A가 x축 위에 있고 삼각형 OAB의 넓이가 $\dfrac{7}{2}a$일 때, 선분 AB의 중점은 M(p, q)이다. $p+q$의 값을 구하여라. (단, O는 원점이다.)

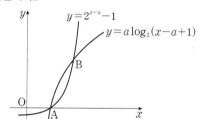

0665

로그방정식

$$\log_{(x^2+2x+1)}(3x-1)=\log_{(x+7)}(3x-1)$$

을 만족하는 모든 x의 값들의 곱을 구하여라.

0666

그림과 같이 곡선 $y=2^{x-1}+1$ 위의 점 A와 곡선 $y=\log_2(x+1)$ 위의 두 점 B, C에 대하여 점 A와 B는 직선 $y=x$에 대하여 대칭이고 직선 AC는 x축과 평행하다. 삼각형 ABC의 무게중심의 좌표가 $(p,\ q)$일 때 $p+q$의 값을 구하여라.

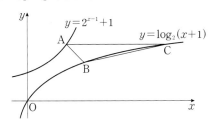

0667

다음 그림은 함수 $y=\log_2(x-a)+b$와 그 역함수 $y=f(x)$의 그래프이다. 삼각형 ABC의 넓이가 $\dfrac{5}{2}$이고 점 C의 좌표가 $(1,\ 0)$일 때, 상수 a, b에 대하여 ab의 값을 구하여라.

(단, 점 A는 제1사분면 위의 점이다.)

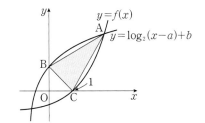

0668

부등식

$$\log\sqrt{5(x+1)} \le 1 - \frac{1}{2}\log(2x-1)$$

을 만족시키는 정수 x의 합을 구하여라.

0669

x에 대한 부등식

$$(3^{x+2}-1)(3^{x-p}-1) \le 0$$

을 만족시키는 정수 x의 개수가 20일 때, 자연수 p의 값을 구하여라.

0670

함수 $f(x)=\log_2(x-3)+1$의 역함수 $g(x)$에 대하여 방정식

$$g(x)\{g(x)-8\}-4\cdot 2^x+31=0$$

의 두 근을 α, β라 할 때, $\alpha+\beta$의 값을 구하여라.

0671

어느 금융상품에 초기자산 W_0을 투자하고 t년이 지난 시점에서의 기대자산 W가 다음과 같이 주어진다고 한다.

$$W=\frac{W_0}{2}10^{at}(1+10^{at})\ (단,\ W_0>0,\ t \ge 0이고,\ a는\ 상수)$$

이 금융상품에 초기자산 ω_0을 투자하고 15년이 지난 시점에서의 기대자산은 초기자산의 3배이다. 이 금융상품에 초기자산 ω_0을 투자하고 30년이 지난 시점에서의 기대자산이 초기자산의 k배일 때, 실수 k의 값을 구하여라. (단, $\omega_0>0$)

99˚ + 1˚

젊음이
끓어오르는
온도

너의 색깔이 어떻든 나는 너를 사랑해

'나는 평생 검은 개(Black dog)와 살아왔다.'

윈스턴 처칠(Winston Leonard Spencer Churchill)이 평생 자신을 괴롭혔던 우울증을 검은 개에 비유하며 했던 말이다.
서양에서는 예로부터 '검은 개(Black dog)'라는 어휘를 낙담, 우울 등의 부정적인 의미로 사용해왔고 근래 들어 윈스턴 처칠이 자신의 우울증을 검은 개에 비유한 이후로 그러한 표현은 더욱 대중화되었다.
이런 뿌리깊은 인식으로 검은 개의 입양을 꺼리는 현상까지 생기게 되었는데 이를 '블랙독 증후군(Black dog syndrome)'이라고 한다.

map1

SYNERGY

YOUR MASTER PLAN

II

삼각함수

01 삼각함수의 정의

학교내신기출 객관식 핵심문제총정리

유형 01 동경의 위치

$\theta=360°\times n+\alpha°$ (n은 정수, $0°\leq\alpha°\leq360°$)이면
각 $\alpha°$를 나타내는 동경과 각 θ를 나타내는 동경이 일치한다.

0672 학교기출 대표유형

다음 중에서 $30°$와 동경의 위치가 같은 각은?

① $-300°$ ② $-240°$ ③ $420°$
④ $750°$ ⑤ $1040°$

0673 BASIC

다음 중 각을 나타내는 동경이 나머지 넷과 다른 하나는?

① $-60°$ ② $300°$ ③ $660°$
④ $-760°$ ⑤ $1020°$

0674 최다빈출 강 중요 NORMAL

동경 OP가 나타내는 한 각의 크기가 $\dfrac{\pi}{3}$일 때, 다음 [보기]에서
동경 OP가 나타내는 각만을 있는 대로 고르면?

ㄱ. $-\dfrac{17}{3}\pi$	ㄴ. $-\dfrac{13}{3}\pi$	ㄷ. $-\dfrac{5}{3}\pi$
ㄹ. $\dfrac{7}{3}\pi$	ㅁ. $\dfrac{17}{3}\pi$	

① ㄱ, ㄴ, ㄷ ② ㄱ, ㄷ, ㄹ ③ ㄴ, ㄷ, ㅁ
④ ㄱ, ㄹ, ㅁ ⑤ ㄷ, ㄹ, ㅁ

▶ 해설 내신연계기출

유형 02 사분면의 위치

사분면의 각 (단, n는 정수)

① θ가 제1사분면의 각 ⇨ $360°n<\theta<360°n+90°$
② θ가 제2사분면의 각 ⇨ $360°n+90°<\theta<360°n+180°$
③ θ가 제3사분면의 각 ⇨ $360°n+180°<\theta<360°n+270°$
④ θ가 제4사분면의 각 ⇨ $360°n+270°<\theta<360°n+360°$

주의 x축, y축은 어느 사분면에도 속하지 않는다.
따라서 $0°$, $90°$, $180°$, $270°$, $360°$는 어느 사분면의 각도 아니다.

0675 학교기출 대표유형

다음 각의 동경이 나타내는 사분면 중에서 나머지와 다른 사분면에
속하는 것은?

① $170°$ ② $480°$ ③ $\dfrac{4}{3}\pi$
④ $-\dfrac{7}{6}\pi$ ⑤ $-580°$

0676 BASIC

다음 중에서 각을 나타내는 동경이 위치하는 사분면이 다른 하나는?

① $920°$ ② $-520°$ ③ $-\dfrac{5}{6}\pi$
④ $\dfrac{4}{3}\pi$ ⑤ $\dfrac{11}{4}\pi$

0677 BASIC

각 θ가 제2사분면의 각일 때, 각 $\dfrac{\theta}{2}$는 제 몇 사분면의 각인가?

① 제 1, 2사분면 ② 제 1, 3사분면 ③ 제 1, 4사분면
④ 제 2, 3사분면 ⑤ 제 2, 4사분면

0678 최다빈출 🔔중요
NORMAL

각 θ가 제3사분면의 각일 때, 각 $\dfrac{\theta}{3}$을 나타내는 동경이 존재할 수 있는 사분면을 모두 적은 것은?

① 제1, 2사분면   ② 제2, 4사분면

③ 제1, 2, 3사분면   ④ 제1, 3, 4사분면

⑤ 제1, 2, 4사분면

▶ 해설 내신연계기출

0679
NORMAL

$\sin\theta < 0$, $\tan\theta > 0$을 만족시키는 θ에 대하여 각 $\dfrac{\theta}{2}$의 동경이 위치한 사분면을 모두 적은 것은?

① 제1, 2사분면   ② 제2, 4사분면

③ 제3, 4사분면   ④ 제1, 2, 3사분면

⑤ 제1, 2, 4사분면

0680 최다빈출 🔔중요
TOUGH

$1 \le n \le 100$인 자연수 n에 대하여 크기가 $2n\pi + (-1)^n \times \dfrac{n}{3}\pi$인 각을 나타내는 동경을 OP_n이라고 하자.
동경 OP_2, OP_3, $\cdots$, OP_{100} 중에서 동경 OP_1과 같은 위치에 있는 동경 OP_n의 개수는?

① 13   ② 14   ③ 15

④ 16   ⑤ 17

▶ 해설 내신연계기출

유형 03 두 동경의 위치관계 (1)

두 각 α, β를 나타내는 동경이 정수 n에 대하여

① 두 각 α, β를 나타내는 동경이 일치한다.
   ⇨ $\beta - \alpha = 2n\pi$

② 두 각 α, β를 나타내는 동경이 원점에 대하여 대칭이다.
   ⇨ 두 동경이 일직선 위에 있고 방향이 반대이다.
   ⇨ $\beta - \alpha = 2n\pi + \pi = (2n+1)\pi$

0681 학교기출 대표유형

$\pi < \theta < \dfrac{3}{2}\pi$이고 각 θ와 각 7θ를 나타내는 동경이 일치할 때, $\cos\theta$의 값은?

① $-\dfrac{\sqrt{3}}{2}$ ② $-\dfrac{1}{2}$ ③ $\dfrac{1}{\sqrt{2}}$

④ $\dfrac{\sqrt{3}}{2}$ ⑤ $\dfrac{1}{2}$

0682
NORMAL

각 θ를 나타내는 동경과 각 7θ를 나타내는 동경이 일치할 때, 각 θ의 크기를 모두 더한 값을 p라 하면 $\cos p$의 값은?
(단, $0 < \theta < \pi$)

① -1 ② $-\dfrac{1}{2}$ ③ $\dfrac{1}{\sqrt{2}}$

④ $\dfrac{\sqrt{3}}{2}$ ⑤ 1

0683 최다빈출 🔔중요
NORMAL

$\dfrac{\pi}{2} < \theta < \pi$일 때, 두 각 θ와 7θ의 동경이 일치할 때, $\cos\left(\theta - \dfrac{\pi}{2}\right)$의 값은?

① $\dfrac{1}{2}$ ② $\dfrac{1}{\sqrt{2}}$ ③ $\dfrac{\sqrt{3}}{2}$

④ 1 ⑤ $-\dfrac{\sqrt{3}}{2}$

▶ 해설 내신연계기출

0684 최다빈출 왕 중요

NORMAL

$\pi < \theta < \dfrac{3}{2}\pi$ 이고 각 θ와 각 5θ를 나타내는 동경이 원점에 대하여 대칭일 때, 각 θ의 크기는?

① $\dfrac{2}{3}\pi$ ② $\dfrac{5}{6}\pi$ ③ $\dfrac{3}{4}\pi$

④ $\dfrac{5}{4}\pi$ ⑤ $\dfrac{3}{2}\pi$

▶ 해설 내신연계기출

0685 최다빈출 왕 중요

NORMAL

각 θ를 나타내는 동경과 각 6θ를 나타내는 동경이 일직선 위에 있고 방향이 반대일 때, $\cos\left(\theta + \dfrac{2}{15}\pi\right)$의 값은? (단, $0 < \theta < \dfrac{\pi}{2}$)

① $\dfrac{1}{2}$ ② $\dfrac{\sqrt{3}}{2}$ ③ $\dfrac{1}{3}$

④ $\dfrac{\sqrt{3}}{4}$ ⑤ $\dfrac{1}{\sqrt{3}}$

▶ 해설 내신연계기출

0686

TOUGH

$0 < \theta < \pi$일 때, 3θ와 7θ의 동경이 일직선 위에 있도록 하는 모든 θ의 값의 합은?

① $\dfrac{\pi}{2}$ ② $\dfrac{3}{4}\pi$ ③ π

④ $\dfrac{3}{2}\pi$ ⑤ $\dfrac{5}{4}\pi$

유형 04 두 동경의 위치관계 (2)

두 각 α, β를 나타내는 동경이 정수 n에 대하여

① x축에 대하여 대칭이다.
   ⇨ $\alpha + \beta = 2n\pi$

② y축에 대하여 대칭이다.
   ⇨ $\alpha + \beta = 2n\pi + \pi = (2n+1)\pi$

③ $y = x$에 대하여 대칭이다.
   ⇨ $\alpha + \beta = 2n\pi + \dfrac{\pi}{2}$

0687 학교기출 대표유형

$0 < \theta < \pi$이고 각 2θ를 나타내는 동경과 각 3θ를 나타내는 동경이 x축에 대하여 대칭일 때, 각 θ의 모든 값의 합은?

① $\dfrac{4}{5}\pi$ ② $\dfrac{3}{4}\pi$ ③ π

④ $\dfrac{6}{5}\pi$ ⑤ $\dfrac{3}{2}\pi$

0688 최다빈출 왕 중요

NORMAL

좌표평면에서 각 θ를 나타내는 동경과 각 5θ를 나타내는 동경이 y축에 대하여 대칭일 때, 각 θ의 크기는? $\left(단,\ \pi < \theta < \dfrac{3}{2}\pi\right)$

① $\dfrac{13}{12}\pi$ ② $\dfrac{7}{6}\pi$ ③ $\dfrac{5}{4}\pi$

④ $\dfrac{4}{3}\pi$ ⑤ $\dfrac{17}{12}\pi$

▶ 해설 내신연계기출

0689 최다빈출 왕 중요

NORMAL

각 θ를 나타내는 동경과 각 2θ를 나타내는 동경이 직선 $y = x$에 대하여 대칭일 때, θ의 크기 중 가장 큰 값은? (단, $0 < \theta < \pi$)

① $\dfrac{3}{5}\pi$ ② $\dfrac{4}{5}\pi$ ③ $\dfrac{3}{4}\pi$

④ $\dfrac{2}{3}\pi$ ⑤ $\dfrac{5}{6}\pi$

▶ 해설 내신연계기출

유형 05 호도법

호도법과 60분법과의 관계

① 육십분법의 각을 호도법의 각으로 바꿀 때

⇨ (육십분법의 각)$\times \dfrac{\pi}{180}$

② 호도법의 각을 육십분법의 각으로 바꿀 때

⇨ (호도법의 각)$\times \dfrac{180°}{\pi}$

참고

60분법	0°	30°	45°	60°	90°	180°	270°	360°
호도법	0	$\dfrac{\pi}{6}$	$\dfrac{\pi}{4}$	$\dfrac{\pi}{3}$	$\dfrac{\pi}{2}$	π	$\dfrac{3\pi}{2}$	2π

0690 학교기출 대표 유형

육십분법으로 나타낸 각의 크기는 호도법으로, 호도법으로 나타낸 각의 크기는 육십분법으로 나타낼 때, 다음 중 옳지 않은 것은?

① $105° = \dfrac{7}{12}\pi$ ② $\dfrac{3}{5}\pi = 108°$ ③ $\dfrac{11}{6}\pi = 330°$

④ $-\dfrac{5}{4}\pi = -220°$ ⑤ $\dfrac{10}{3}\pi = 600°$

0691 최다빈출 중요 BASIC

도(°)의 단위로 나타낸 각의 크기는 호도법으로, 호도법으로 나타낸 각의 크기는 도(°)의 단위로 나타낸 것 중 잘못 나타낸 것은?

① $-75° = -\dfrac{5}{12}\pi$ ② $135° = \dfrac{3}{5}\pi$ ③ $420° = \dfrac{7}{3}\pi$

④ $\dfrac{3}{5}\pi = 108°$ ⑤ $\dfrac{13}{6}\pi = 390°$

▶ 해설 ㅣ 내신연계기출

0692 NORMAL

다음 [보기] 중 옳은 것만을 있는 대로 고른 것은?

> ㄱ. 1(라디안)$= \dfrac{360°}{\pi}$
>
> ㄴ. $270°$은 제3사분면의 각이다.
>
> ㄷ. $-190°$는 제2사분면의 각이다.
>
> ㄹ. $-290°$, $\dfrac{43}{18}\pi$, $\dfrac{79}{18}\pi$를 나타내는 동경은 모두 일치한다.

① ㄱ, ㄴ   ② ㄴ, ㄹ   ③ ㄷ, ㄹ

④ ㄴ, ㄷ, ㄹ   ⑤ ㄱ, ㄴ, ㄷ, ㄹ

유형 06 부채꼴의 호의 길이와 넓이

반지름의 길이가 r, 중심각의 크기가 $\theta(\mathrm{rad})$인 부채꼴에서

① 호의 길이 $l = r\theta$

② 부채꼴의 넓이 $S = \dfrac{1}{2}r^2\theta = \dfrac{1}{2}rl$

③ 부채꼴의 둘레의 길이 $= 2r + l$

참고 원뿔을 전개하면 부채꼴과 원으로 이루어진다.

0693 학교기출 대표 유형

중심각의 크기가 $30°$이고 호의 길이가 $\dfrac{\pi}{2}$인 부채꼴의 넓이는?

① $\dfrac{\pi}{4}$ ② $\dfrac{3}{4}\pi$ ③ π

④ $\dfrac{3}{2}\pi$ ⑤ 2π

0694 BASIC

오른쪽 그림과 같이 반지름의 길이가 4 이고 중심각의 크기가 $\dfrac{3}{4}\pi$인 부채꼴의 호의 길이와 넓이의 합은?

① 3π ② 5π

③ 6π ④ 8π

⑤ 9π

0695 BASIC

중심각의 크기가 $\dfrac{4}{7}\pi$이고 호의 길이가 4π인 부채꼴의 넓이는?

① 12π ② 14π

③ 16π ④ 18π

⑤ 20π

0696 최다빈출 왕중요

BASIC

호의 길이가 3π이고 넓이가 12π인 부채꼴의 중심각의 크기는?

① $\dfrac{3}{8}\pi$　　　　② $\dfrac{\pi}{2}$　　　　③ $\dfrac{5}{8}\pi$

④ $\dfrac{3}{4}\pi$　　　　⑤ $\dfrac{7}{8}\pi$

▶ 해설 내신연계기출

0697

BASIC

반지름의 길이가 3이고 호의 길이가 $\dfrac{9}{4}\pi$인 부채꼴의 중심각의 크기를 θ라 할 때, $\sin\theta\cos\theta$의 값은?

① $-\dfrac{\sqrt{3}}{2}$　　　② $-\dfrac{\sqrt{2}}{2}$　　　③ $-\dfrac{1}{2}$

④ $\dfrac{1}{2}$　　　　⑤ $\dfrac{\sqrt{3}}{2}$

0698 최다빈출 왕중요

BASIC

중심각의 크기가 $\dfrac{5}{9}\pi$, 넓이가 90π인 부채꼴의 호의 길이가 $a\pi$일 때, 상수 a의 값은?

① 8　　　　② 10　　　　③ 12

④ 16　　　　⑤ 18

▶ 해설 내신연계기출

0699

BASIC

오른쪽 그림과 같이 길이가 12cm인 철사를 이용하여 중심각이 1라디안인 부채꼴을 만들 때, 이 부채꼴의 넓이는?

① 6　　　　② 8

③ 10　　　　④ 4π

⑤ 6π

0700

NORMAL

오른쪽 그림과 같은 부채꼴 OAB에서 $\angle \mathrm{AOB}=\dfrac{\pi}{3}$, $\overset{\frown}{\mathrm{AB}}$의 길이가 $\dfrac{4}{3}\pi$이고 점 A에서 선분 OB에 내린 수선의 발을 H라 할 때, 색칠한 부분 AHB의 넓이는?

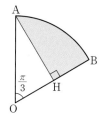

① $\dfrac{4}{3}\pi-\sqrt{3}$　　② $\dfrac{4}{3}\pi-2\sqrt{3}$　　③ $\dfrac{4}{3}\pi+\sqrt{3}$

④ $\dfrac{8}{3}\pi-\sqrt{3}$　　⑤ $\dfrac{8}{3}\pi-2\sqrt{3}$

0701 최다빈출 왕중요

NORMAL

오른쪽 그림과 같은 두 부채꼴 AOB, COD에 대하여 $\overset{\frown}{\mathrm{AB}}=2\pi$, $\overset{\frown}{\mathrm{CD}}=\dfrac{4}{3}\pi$이다.

색칠한 부분의 넓이가 $\dfrac{10}{3}\pi$일 때, $\overline{\mathrm{AC}}$의 길이는?

① 1　　　　② 2　　　　③ 3

④ 4　　　　⑤ 5

▶ 해설 내신연계기출

0702 최다빈출 왕 중요

오른쪽 그림과 같이 어느 자동차에 장착된 와이퍼를 작동하였더니 길이가 50cm인 와이퍼가 $\frac{4}{5}\pi$만큼 부채꼴 모양으로 회전하였다. 이 와이퍼에서 유리를 닦는 고무판의 길이가 40cm일 때, 와이퍼의 고무판이 회전하면서 닦은 유리창의 넓이는? (단, 유리창은 한 평면 위에 있다.)

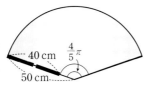

① $560\pi\text{cm}^2$ ② $690\pi\text{cm}^2$ ③ $720\pi\text{cm}^2$

④ $810\pi\text{cm}^2$ ⑤ $960\pi\text{cm}^2$

▶ 해설 내신연계기출

0703

오른쪽 그림과 같은 두 부채꼴 AOB, A′OB′에서 $\widehat{AB}=2\pi$, $\overline{OA}=3$, $\overline{OA'}=2$ 일 때, 색칠한 부분의 넓이는?

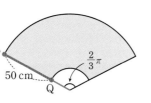

① $\frac{2}{5}\pi$ ② $\frac{3}{2}\pi$

③ $\frac{5}{3}\pi$ ④ 2π

⑤ $\frac{7}{2}\pi$

0704 최다빈출 왕 중요

오른쪽 그림은 어느 자동차의 와이퍼가 $\frac{2}{3}\pi$만큼 회전한 모양을 나타낸 것이다. 이 와이퍼에서 유리창을 닦는 고무판의 길이 $\overline{PQ}$가 50cm이고 고무판이 회전하면서 닦는 부분의 넓이가 $1500\pi\text{cm}^2$일 때, 고무판이 회전하면서 닦는 부분의 둘레의 길이는?
(단, 고무판이 회전하면서 닦는 부분의 모양은 부채꼴의 일부이다.)

① $50+30\pi$ ② $100+30\pi$ ③ $100+50\pi$

④ $100+60\pi$ ⑤ $120+100\pi$

▶ 해설 내신연계기출

0705

오른쪽 그림과 같이 밑면인 원의 반지름의 길이가 6이고 높이가 8인 원뿔의 겉넓이는?

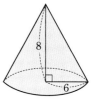

① 27π ② 81π

③ 90π ④ 96π

⑤ 108π

0706 최다빈출 왕 중요

오른쪽 그림은 모선의 길이가 6, 밑면의 반지름의 길이가 2인 원뿔 모양의 고깔모자이다. 이 고깔모자를 펼쳤을 때, 겉넓이는?

① 6π ② 9π

③ 12π ④ 25π

⑤ 36π

▶ 해설 내신연계기출

0707

그림과 같이 반지름의 길이가 12이고 중심각의 크기가 $\frac{\sqrt{3}}{2}\pi$인 부채꼴 OAB에서 반지름의 길이가 4이고 중심각이 같은 부채꼴 OCD를 잘라낸 도형 ABDC가 있다. 이를 이용하여 호 AB와 호 CD가 밑면의 둘레인 원뿔대 모양의 도형을 만들었을 때, 호 AB와 호 CD로 만들어지는 원의 중심을 각각 E, F 라 하자. 선분 EF의 길이는?

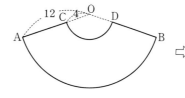

① $2\sqrt{10}$ ② $2\sqrt{11}$ ③ $4\sqrt{3}$

④ $2\sqrt{13}$ ⑤ $2\sqrt{14}$

둘레의 길이가 a인 부채꼴의 넓이가 최대일 때,

① 중심각 $\theta=2$

② 호의 길이 $l=\dfrac{1}{2}a$ ← 둘레의 길이의 $\dfrac{1}{2}$

③ 반지름 $r=\dfrac{1}{4}a$ ← 둘레의 길이의 $\dfrac{1}{4}$

> **참고** 둘레의 길이 $2r+l=a$ ……… ㉠
>
> 부채꼴의 넓이 $S=\dfrac{1}{2}rl$ ……… ㉡
>
> ㉠에서 $l=a-2r$을 ㉡에 대입하여 정리하면
>
> $S=\dfrac{1}{2}r(a-2r)=-r^2+\dfrac{1}{2}ar=-\left(r-\dfrac{1}{4}a\right)^2+\dfrac{1}{16}a^2\left(0<r<\dfrac{a}{2}\right)$
>
> 반지름 $r=\dfrac{1}{4}a$일 때, S는 최댓값 $\dfrac{1}{16}a^2$를 갖는다.
>
> 즉 호의 길이 $l=a-2r=a-2\cdot\dfrac{1}{4}a=\dfrac{1}{2}a$
>
> 중심각 $\theta=\dfrac{l}{r}=\dfrac{\dfrac{1}{2}a}{\dfrac{1}{4}a}=2$

0708 학교기출 대표 유형

둘레의 길이가 8인 부채꼴 중에서 넓이가 최대인 부채꼴의 넓이는?

① 4　　　　② 5　　　　③ 6
④ 7　　　　⑤ 8

0709 최다빈출 왕 중요　　　NORMAL

둘레의 길이가 20인 부채꼴 중에서 그 넓이가 최대인 것의 반지름의 길이는?

① $\dfrac{1}{2}$　　　　② 2　　　　③ 3
④ 4　　　　⑤ 5

▶ 해설 내신연계기출

0710　　　NORMAL

둘레의 길이가 16인 부채꼴 중에서 그 넓이가 최대인 부채꼴의 중심각의 크기를 호도법으로 나타내면?

① 1　　　　② $\dfrac{\pi}{2}$　　　　③ 2
④ π　　　　⑤ $\dfrac{4}{3}\pi$

0711 최다빈출 왕 중요　　　NORMAL

길이가 40인 끈으로 넓이가 최대인 부채꼴을 만든다고 한다.
이 부채꼴의 반지름의 길이를 r, 중심각의 크기를 θ라고 할 때,
$r+\theta$의 값은? (단, θ의 단위는 라디안이다.)

① 6　　　　② 8　　　　③ 10
④ 12　　　　⑤ 14

▶ 해설 내신연계기출

유형 08 삼각함수의 정의

중심이 원점 O이고 반지름의 길이가 r인 원 위의 임의의 점 P(x, y)에 대하여 동경 OP가 x축의 양의 방향과 이루는 각의 크기를 θ(라디안)라 하면

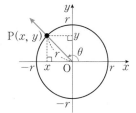

① $r = \overline{\mathrm{OP}} = \sqrt{x^2 + y^2}$

② $\sin\theta = \dfrac{y}{r}$, $\cos\theta = \dfrac{x}{r}$, $\tan\theta = \dfrac{y}{x}$

   (단, $x \neq 0$)

③ $\tan\theta = \dfrac{\sin\theta}{\cos\theta}$

0712 학교기출 유형

원점 O와 점 P$(-6, -8)$을 지나는 동경 OP가 나타내는 각을 θ라고 할 때, $\sin\theta + \cos\theta$의 값은?

① $-\dfrac{7}{5}$ ② $-\dfrac{5}{7}$ ③ $-\dfrac{3}{4}$

④ $\dfrac{5}{7}$ ⑤ $\dfrac{7}{5}$

0713 BASIC

원점 O와 점 P$(1, -2)$를 지나는 동경 OP가 나타내는 각의 크기를 θ라 할 때, $\sin\theta\cos\theta$의 값은?

① $-\dfrac{3}{5}$ ② $-\dfrac{2}{5}$ ③ $-\dfrac{1}{5}$

④ $\dfrac{1}{5}$ ⑤ $\dfrac{2}{5}$

0714 BASIC

원점 O와 점 P$(3, -4)$를 지나는 동경 OP가 나타내는 각을 θ라 할 때, $\sin\theta\tan\theta + \cos\theta$의 값은?

① $\dfrac{1}{3}$ ② $\dfrac{2}{3}$ ③ 1

④ $\dfrac{4}{3}$ ⑤ $\dfrac{5}{3}$

0715 최다빈출 중요 NORMAL

원점 O와 점 P$(-8, 15)$를 지나는 동경 OP가 나타내는 각의 크기를 θ라 할 때, $\dfrac{17\sin\theta + 16\tan\theta}{17\cos\theta + 3}$의 값은?

① -5 ② -3 ③ -2

④ 3 ⑤ 5

▶ 해설 내신연계기출

0716 최다빈출 중요 NORMAL

오른쪽 그림과 같이 △ABC의 꼭짓점 A에서 변 BC의 연장선에 내린 수선의 발을 H라 하면

$\overline{\mathrm{AH}} = 12$, $\overline{\mathrm{BH}} = 5$

이다. ∠ABC $= \theta$라 할 때,

$\dfrac{13\sin\theta - 5\tan\theta}{13\cos\theta + 2}$ 의 값을 구하면?

① -5 ② -8 ③ -11

④ -14 ⑤ -17

▶ 해설 내신연계기출

0717 최다빈출 중요 NORMAL

오른쪽 그림과 같이 원점 O와 점 P$(-4, -3)$에 대하여 선분 OP가 x축의 양의 방향과 이루는 각의 크기를 α, 점 P를 직선 $y = x$에 대하여 대칭이동한 점 Q에 대하여 선분 OQ가 x축의 양의 방향과 이루는 각의 크기를 β라 할 때, $(\sin\alpha + \cos\beta)\tan\beta$의 값은?

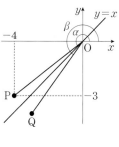

① $-\dfrac{6}{5}$ ② $-\dfrac{7}{6}$ ③ $-\dfrac{8}{5}$

④ $\dfrac{7}{6}$ ⑤ $\dfrac{8}{5}$

▶ 해설 내신연계기출

0718

NORMAL

좌표평면 위의 점 $P\left(-\dfrac{3}{5}, \dfrac{4}{5}\right)$에 대하여 동경 OP가 나타내는 각을 θ라 할 때, $\sin(\pi+\theta)\cos(\pi+\theta)$의 값은? (단, O는 원점)

① $-\dfrac{12}{25}$　　② $-\dfrac{9}{25}$　　③ $-\dfrac{4}{25}$

④ $\dfrac{9}{25}$　　⑤ $\dfrac{12}{25}$

0719 최다빈출 왕 중요

NORMAL

직선 $5x+12y=0$이 x축의 양의 방향과 이루는 각의 크기를 θ라 할 때, $13\cos\theta-12\tan\theta$의 값은? (단, $0<\theta<\pi$)

① -9　　② -7　　③ -5

④ -3　　⑤ -1

▶ 해설 내신연계기출

0720 최다빈출 왕 중요

TOUGH

직선 $y=-\dfrac{1}{2}x$ 위의 한 점 $P(a, b)\,(a<0)$와 원점 O를 잇는 선분 OP를 동경으로 하는 각의 크기를 θ라고 할 때, $\sin\theta\cos\theta$의 값은?

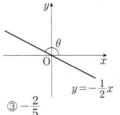

① $-\dfrac{3}{5}$　　② $-\dfrac{3}{4}$　　③ $-\dfrac{2}{5}$

④ $-\dfrac{1}{5}$　　⑤ $\dfrac{1}{5}$

▶ 해설 내신연계기출

유형　09　삼각함수의 값의 부호

각 사분면에서 값이 양수인 삼각함수는 그림과 같다.

① θ가 제1사분면의 각이면 : 모두가 $+$

② θ가 제2사분면의 각이면 : $\sin$만 $+$

③ θ가 제3사분면의 각이면 : $\tan$만 $+$

④ θ가 제4사분면의 각이면 : $\cos$만 $+$

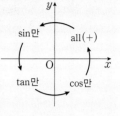

참고　제1사분면부터 반시계 방향으로

all, sin, tan, cos ⇨ 올, 싸, 탄, 코 ⇨ 얼싸안코 로 암기한다.

0721 학교기출 대표 유형

$\sin\theta\cos\theta<0$, $\cos\theta\tan\theta<0$을 동시에 만족시키는 각 θ가 존재하는 사분면은?

① 제1사분면　② 제2사분면　③ 제4사분면

④ 제2, 3사분면　⑤ 제1, 4사분면

0722

BASIC

$\sin\theta\cos\theta<0$, $\dfrac{\sin\theta}{\tan\theta}>0$을 동시에 만족시키는 각 θ가 존재하는 사분면은?

① 제1사분면　② 제2사분면　③ 제4사분면

④ 제2, 3사분면　⑤ 제1, 4사분면

0723

NORMAL

$\sin\theta\cos\theta>0$, $\cos\theta\tan\theta<0$을 동시에 만족하는 각 θ에 대하여

$$|\sin\theta+\cos\theta|-\sqrt{\sin^2\theta}-|\cos\theta-\tan\theta|$$

간단히 하면?

① $-\sin\theta$　　② $-\cos\theta$　　③ $-\tan\theta$

④ $2\sin\theta$　　⑤ $2\cos\theta$

0724

최다빈출 ⚡중요 · · · NORMAL

$\sin\theta\cos\theta > 0$, $\tan\theta\sin\theta < 0$을 동시에 만족시키는 각 θ에 대하여

$$\frac{\sqrt{\sin^2\theta}}{\sin\theta} + \frac{\sqrt{\cos^2\theta}}{\cos\theta} + \frac{\sqrt{\tan^2\theta}}{\tan\theta}$$

를 간단히 하면?

① -3 ② -2 ③ -1

④ 1 ⑤ 2

▶ 해설 내신연계기출

0725

최다빈출 ⚡중요 · · · · TOUGH

$\sqrt{\sin\theta}\sqrt{\cos\theta} = -\sqrt{\sin\theta\cos\theta}$일 때,

$$\sqrt{\tan^2\theta} + \sqrt{(1-\sin\theta)^2} - \sqrt{(1+\tan\theta)^2} - \sqrt{(\sin\theta+\cos\theta)^2}$$

을 간단히 하면? (단, $\sin\theta\cos\theta \neq 0$)

① $\sin\theta$ ② $-\sin\theta$ ③ $\cos\theta$

④ $\sin\theta - 2\tan\theta$ ⑤ $2(\sin\theta - \tan\theta)$

▶ 해설 내신연계기출

0726

· · · · TOUGH

$\sin\theta\cos\theta > 0$, $\sin\theta\tan\theta < 0$을 만족하는 θ에 대하여 $\dfrac{\theta}{3}$가

나타내는 동경이 존재하는 사분면을 구하면?

① 제 1, 3사분면   ② 제 1, 4사분면   ③ 제 2, 4사분면

④ 제 1, 2, 4사분면   ⑤ 제 1, 3, 4사분면

유형 10 삼각함수 사이의 관계

(1) $\tan\theta = \dfrac{\sin\theta}{\cos\theta}$

(2) 제곱 관계

  ① $\sin^2\theta + \cos^2\theta = 1 \Rightarrow \sin^2\theta = 1 - \cos^2\theta$

                              $\Rightarrow \cos^2\theta = 1 - \sin^2\theta$

  ② $\tan^2\theta + 1 = \dfrac{1}{\cos^2\theta}$

0727

학교기출 유형

다음 중 옳지 않은 것은?

① $\sin^4\theta - \cos^4\theta = 2\sin^2\theta - 1$

② $\dfrac{\sin^2\theta}{1+\cos\theta} = 1 - \cos\theta$

③ $\tan^2\theta - \sin^2\theta = \tan^2\theta\sin^2\theta$

④ $(\sin\theta + \cos\theta)^2 + (\sin\theta - \cos\theta)^2 = 2$

⑤ $\dfrac{\cos^2\theta}{1-\sin\theta} + \dfrac{\cos^2\theta}{1+\sin\theta} = 1$

0728

· · · BASIC

좌표평면에서 두 점 $\mathrm{A}(-\sin\theta, \cos\theta)$, $\mathrm{B}(\cos\theta, \sin\theta)$ 사이의

거리는?

① 1 ② $\sqrt{2}$ ③ 2

④ $2\sqrt{2}$ ⑤ 4

0729

· · · BASIC

다음 중 (가), (나)에 들어갈 알맞은 것은?

$$\sin^4\theta - \cos^4\theta = 1 - 2 \times \boxed{\text{(가)}}$$
$$\tan^2\theta - \sin^2\theta = \tan^2\theta \times \boxed{\text{(나)}}$$

① (가) $\sin^2\theta$, (나) $\sin^2\theta$ ② (가) $\sin^2\theta$, (나) $\dfrac{1}{\cos^2\theta}$

③ (가) $\cos^2\theta$, (나) $\sin^2\theta$ ④ (가) $\cos^2\theta$, (나) $\cos^2\theta$

⑤ (가) $\tan^2\theta$, (나) $\cos^2\theta$

0730

NORMAL

다음 등식의 (가), (나), (다)에 알맞은 것을 순서대로 적으면?

(i) $\dfrac{\tan^2\theta}{1+\tan^2\theta}=\boxed{\text{(가)}}$

(ii) $\dfrac{\cos\theta}{1+\sin\theta}+\tan\theta=\boxed{\text{(나)}}$

(iii) $\dfrac{\cos\theta}{1-\sin\theta}+\dfrac{1-\sin\theta}{\cos\theta}=\boxed{\text{(다)}}$

① $\sin^2\theta,\ \dfrac{1}{\cos\theta},\ \dfrac{2}{\cos\theta}$ ② $\sin^2\theta,\ \cos\theta,\ 2\cos\theta$

③ $\cos^2\theta,\ \dfrac{1}{\cos\theta},\ \dfrac{2}{\sin\theta}$ ④ $\cos^2\theta,\ \dfrac{1}{\sin\theta},\ \dfrac{2}{\cos\theta}$

⑤ $\cos^2\theta,\ \sin\theta,\ \dfrac{2}{\sin\theta}$

0731 최다빈출 왕중요

TOUGH

다음 [보기]에서 옳은 것만을 있는 대로 고른 것은?

ㄱ. $\left(\dfrac{1}{\cos\theta}+\tan\theta\right)\left(\dfrac{1}{\cos\theta}-\tan\theta\right)=1$

ㄴ. $\dfrac{\cos^2\theta-\sin^2\theta}{1+2\sin\theta\cos\theta}+\dfrac{\tan\theta-1}{\tan\theta+1}=0$

ㄷ. $\left(\dfrac{1}{\sin\theta}-\sin\theta\right)^2-\left(\dfrac{1}{\tan\theta}-\tan\theta\right)^2+\left(\dfrac{1}{\cos\theta}-\cos\theta\right)^2=1$

① ㄱ   ② ㄴ   ③ ㄱ, ㄴ

④ ㄱ, ㄷ   ⑤ ㄱ, ㄴ, ㄷ

▶ 해설 내신연계기출

0732 최다빈출 왕중요

TOUGH

다음 식의 값은?

$$\left(\dfrac{1}{\cos^2 1°}+\dfrac{1}{\cos^2 3°}+\cdots+\dfrac{1}{\cos^2 97°}+\dfrac{1}{\cos^2 99°}\right)$$
$$-(\tan^2 1°+\tan^2 3°+\cdots+\tan^2 97°+\tan^2 99°)$$

① 30   ② 38   ③ 49

④ 50   ⑤ 99

▶ 해설 내신연계기출

유형	11	삼각함수 사이의 관계를 이용하여 식의 값 구하기

다음 삼각함수 사이의 관계를 이용하여 식의 값 구하기

① $\tan\theta=\dfrac{\sin\theta}{\cos\theta}$

② $\sin^2\theta+\cos^2\theta=1\ \Rightarrow\ \sin^2\theta=1-\cos^2\theta$
$\Rightarrow\ \cos^2\theta=1-\sin^2\theta$

③ $\tan^2\theta+1=\dfrac{1}{\cos^2\theta}$

0733 학교기출 대표유형

제 3사분면의 각 θ에 대하여 $\sin\theta=-\dfrac{4}{5}$일 때,
$5\cos\theta+3\tan\theta$의 값은?

① 1   ② 2   ③ 3

④ 4   ⑤ 5

0734

BASIC

$0<\theta<\dfrac{\pi}{2}$일 때,

$$\log\sin\theta-\log\cos\theta=\dfrac{1}{2}\log 3$$

이 성립하도록 하는 θ의 값은? (단, $\log$는 상용로그이다.)

① $\dfrac{\pi}{6}$ ② $\dfrac{\pi}{4}$ ③ $\dfrac{\pi}{3}$

④ $\dfrac{\pi}{8}$ ⑤ $\dfrac{\pi}{12}$

0735 최다빈출 왕중요

BASIC

$\sin\theta=\dfrac{\sqrt{3}}{3}$, $\cos\theta<0$일 때, $\sqrt{3}\cos\theta-4\tan\theta$의 값은?

① $\dfrac{\sqrt{2}}{2}$ ② $\dfrac{\sqrt{3}}{3}$ ③ 1

④ $\sqrt{2}$ ⑤ $\sqrt{3}$

▶ 해설 내신연계기출

0736 최다빈출 왕 중요   BASIC

θ가 제 2사분면의 각이고 $\cos\theta=-\dfrac{1}{3}$일 때, $\sin\theta+\tan\theta$의 값은?

① $-\dfrac{4\sqrt{2}}{3}$　　　② $-\dfrac{2\sqrt{2}}{3}$　　　③ $-\dfrac{\sqrt{2}}{3}$

④ $\dfrac{3\sqrt{2}}{4}$　　　⑤ $\dfrac{2\sqrt{2}}{3}$

▶ 해설 내신연계기출

0737   NORMAL

$\dfrac{\pi}{2}<\theta<\pi$이고 $\cos\theta=-\dfrac{4}{5}$일 때, $\dfrac{10\sin\theta-1}{12\tan\theta}$ 값은?

① $-\dfrac{5}{9}$　　　② $-\dfrac{3}{5}$　　　③ $-\dfrac{4}{5}$

④ $\dfrac{1}{2}$　　　⑤ 1

0738 최다빈출 왕 중요   NORMAL

θ가 제 3사분면의 각이고 $\tan\theta=\dfrac{3}{4}$일 때, $\sin\theta+\cos\theta$의 값은?

① $-\dfrac{4}{5}$　　　② $-\dfrac{4}{3}$　　　③ $-\dfrac{7}{5}$

④ $\dfrac{5}{4}$　　　⑤ $\dfrac{7}{5}$

▶ 해설 내신연계기출

0739   NORMAL

$\tan\theta=-\dfrac{1}{2}$일 때,

$$\dfrac{\sin\theta}{1+\cos\theta}+\dfrac{\sin(\pi+\theta)}{1+\cos(\pi+\theta)}$$

의 값은?

① $\dfrac{1}{2}$　　　② 2　　　③ $\dfrac{3}{2}$

④ 4　　　⑤ $\dfrac{5}{2}$

0740   NORMAL

$0<\theta<\dfrac{\pi}{2}$이고 $\dfrac{\sin\theta}{1+\cos\theta}+\dfrac{1+\cos\theta}{\sin\theta}=4$일 때, $\cos\theta$의 값은?

① $\dfrac{1}{4}$　　　② $\dfrac{1}{3}$　　　③ $\dfrac{1}{2}$

④ $\dfrac{\sqrt{2}}{2}$　　　⑤ $\dfrac{\sqrt{3}}{2}$

0741 최다빈출 왕 중요   NORMAL

$\sin\theta\cos\theta<0$, $\cos\theta\tan\theta>0$를 만족하는 θ에 대하여

$$\dfrac{1}{1+\sin\theta}+\dfrac{1}{1-\sin\theta}=\dfrac{5}{2}$$

를 만족할 때, $\cos\theta$의 값은?

① $-\dfrac{3\sqrt{5}}{5}$　　　② $-\dfrac{2\sqrt{5}}{5}$　　　③ $-\dfrac{\sqrt{5}}{5}$

④ $\dfrac{2\sqrt{5}}{5}$　　　⑤ $\dfrac{\sqrt{5}}{5}$

▶ 해설 내신연계기출

0742 최다빈출 왕 중요

TOUGH

$\pi < \theta < \dfrac{3}{2}\pi$에서

$$5\cos^2\theta + 2\sin\theta - 2 = 0$$

이 성립할 때, $\sin\theta + \cos\theta$의 값은?

① $-\dfrac{7}{5}$ ② $-\dfrac{4}{5}$ ③ $-\dfrac{1}{2}$

④ $-\dfrac{3}{5}$ ⑤ $-\dfrac{2}{5}$

▶ 해설 내신연계기출

0743 최다빈출 왕 중요

TOUGH

$\dfrac{\pi}{2} < \theta < \pi$에서

$$\dfrac{1+\sin\theta}{1-\sin\theta} = 2 + \sqrt{3}$$

일 때, $\tan\theta$의 값은?

① $-\sqrt{3}$ ② $-\sqrt{2}$ ③ $-\dfrac{\sqrt{2}}{2}$

④ $-\dfrac{\sqrt{3}}{3}$ ⑤ $-\dfrac{\sqrt{6}}{6}$

▶ 해설 내신연계기출

0744

TOUGH

오른쪽 그림과 같이 좌표평면에서
원 $x^2 + y^2 = 1$ 위의 제 1사분면의
점 P에서 x축에 내린 수선의 발을
A라고 하자.

$$\angle POA = \theta, \ \angle OPA = \alpha$$

라고 할 때,
$\sin^2\alpha + \sin^2\theta + \tan^2\theta = 9$를
만족시키는 선분 OA의 길이는?

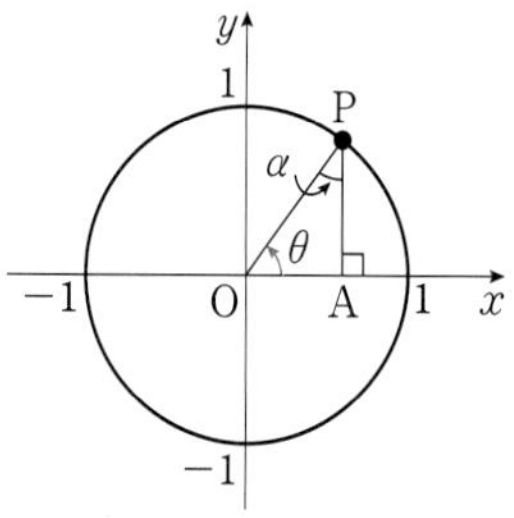

① $\dfrac{1}{5}$ ② $\dfrac{1}{4}$ ③ $\dfrac{1}{3}$

④ $\dfrac{1}{2}$ ⑤ $\dfrac{2}{3}$

유형 12 합, 차와 곱의 관계를 이용하여 삼각함수의 식의 값 구하기

$\sin\theta \pm \cos\theta$ 또는 $\sin\theta\cos\theta$의 값이 주어지는 경우

① $\sin\theta + \cos\theta = k$이면 $\sin\theta\cos\theta = \dfrac{k^2-1}{2}$

    $\tan\theta + \dfrac{1}{\tan\theta} = \dfrac{1}{\sin\theta\cos\theta} = \dfrac{2}{k^2-1}$

② $\sin\theta - \cos\theta = k$이면 $\sin\theta\cos\theta = \dfrac{1-k^2}{2}$

    $\tan\theta + \dfrac{1}{\tan\theta} = \dfrac{1}{\sin\theta\cos\theta} = \dfrac{2}{1-k^2}$

설명 $\sin\theta + \cos\theta = k$의 양변을 제곱하면

    $\sin^2\theta + \cos^2\theta + 2\sin\theta\cos\theta = k^2,\ 1 + 2\sin\theta\cos\theta = k^2$

    $\therefore \sin\theta\cos\theta = \dfrac{k^2-1}{2}$

    $\tan\theta + \dfrac{1}{\tan\theta} = \dfrac{\sin\theta}{\cos\theta} + \dfrac{\cos\theta}{\sin\theta} = \dfrac{1}{\sin\theta\cos\theta} = \dfrac{2}{k^2-1}$

0745 학교기출 대표 유형

θ가 제 1사분면의 각이고 $\sin\theta - \cos\theta = \dfrac{1}{2}$일 때, 다음 [보기]에서 옳은 것은?

ㄱ. $\sin\theta\cos\theta = \dfrac{3}{8}$	ㄴ. $\dfrac{\cos\theta}{\sin\theta} + \dfrac{\sin\theta}{\cos\theta} = \dfrac{8}{3}$
ㄷ. $\sin\theta + \cos\theta = \dfrac{\sqrt{7}}{2}$	ㄹ. $\tan\theta = \dfrac{4+\sqrt{7}}{3}$

① ㄱ, ㄴ   ② ㄴ, ㄷ   ③ ㄴ, ㄷ, ㄹ

④ ㄱ, ㄴ, ㄷ   ⑤ ㄱ, ㄴ, ㄷ, ㄹ

0746

BASIC

$\sin\theta + \cos\theta = \dfrac{4}{3}$일 때, $\dfrac{7}{\sin\theta} + \dfrac{7}{\cos\theta}$의 값은?

① 14   ② 18   ③ 20

④ 24   ⑤ 28

0747

NORMAL

$\sin\theta + \cos\theta = \dfrac{\sqrt{6}}{2}$일 때, $(1+\sin^2\theta)(1+\cos^2\theta)$의 값은?

① $\dfrac{1}{3}$ ② $\dfrac{1}{2}$ ③ $\dfrac{32}{15}$

④ $\dfrac{33}{16}$ ⑤ $\dfrac{5}{3}$

0748 최다빈출 왕중요

NORMAL

$\sin\theta+\cos\theta=\dfrac{1}{\sqrt{3}}$일 때, $\tan\theta+\dfrac{1}{\tan\theta}$의 값은?

① -2 ② -3 ③ -1

④ 0 ⑤ 3

▶ 해설 내신연계기출

0749 최다빈출 왕중요

NORMAL

$\pi<\theta<\dfrac{3}{2}\pi$인 θ에 대하여

$$\tan\theta+\dfrac{1}{\tan\theta}=\dfrac{8}{3}$$

일 때, $\sin^3\theta+\cos^3\theta$의 값은?

① $-\dfrac{5\sqrt{7}}{16}$ ② $-\dfrac{2\sqrt{7}}{16}$ ③ $\dfrac{7}{4}$

④ $\dfrac{2\sqrt{7}}{16}$ ⑤ $\dfrac{5\sqrt{7}}{16}$

▶ 해설 내신연계기출

0750 최다빈출 왕중요

NORMAL

$\sin\theta+\cos\theta=-\dfrac{\sqrt{2}}{2}$일 때, $\sin^4\theta+\cos^4\theta$의 값은?

① $\dfrac{3}{8}$ ② $\dfrac{1}{2}$ ③ $\dfrac{5}{8}$

④ $\dfrac{3}{4}$ ⑤ $\dfrac{7}{8}$

▶ 해설 내신연계기출

0751 최다빈출 왕중요

NORMAL

$\sin\theta+\cos\theta=\dfrac{2}{3}$일 때, $\sin^3\theta+\cos^3\theta$의 값은?

① $\dfrac{19}{27}$ ② $\dfrac{20}{27}$ ③ $\dfrac{7}{9}$

④ $\dfrac{22}{27}$ ⑤ $\dfrac{23}{27}$

▶ 해설 내신연계기출

0752 최다빈출 왕중요

NORMAL

θ가 제3사분면의 각이고

$$\sin\theta-\cos\theta=\dfrac{1}{2}$$

일 때, $\sin\theta+\cos\theta$의 값은?

① $-\dfrac{\sqrt{7}}{4}$ ② $-\dfrac{\sqrt{7}}{2}$ ③ $\dfrac{1}{2}$

④ $\dfrac{\sqrt{3}}{2}$ ⑤ $\dfrac{\sqrt{7}}{4}$

▶ 해설 내신연계기출

0753 최다빈출 왕중요

NORMAL

$\dfrac{3}{2}\pi<\theta<2\pi$에서

$$\sin\theta\cos\theta=-\dfrac{1}{2}$$

일 때, $\sin^3\theta-\cos^3\theta$의 값은?

① $-\dfrac{\sqrt{2}}{4}$ ② $-\dfrac{\sqrt{3}}{2}$ ③ $-\dfrac{\sqrt{2}}{2}$

④ $\dfrac{\sqrt{2}}{2}$ ⑤ $\dfrac{\sqrt{3}}{2}$

▶ 해설 내신연계기출

이차방정식의 두 근이 삼각함수로 주어진 경우

① 이차방정식의 $ax^2+bx+c=0 \, (a \neq 0)$의 두 근이 $\sin \theta$, $\cos \theta$일 때, 근과 계수의 관계에 의하여

$$\sin \theta + \cos \theta = -\frac{b}{a}, \ \sin \theta \cos \theta = \frac{c}{a}$$

② $\sin \theta + \cos \theta = -\frac{b}{a}, \ \sin \theta \cos \theta = \frac{c}{a}$일 때,

$\sin \theta$, $\cos \theta$는 x에 대한 이차방정식 $ax^2+bx+c=0$의 두 근이 된다.

0754 학교기출 **빈출** 유형

x에 대한 이차방정식
$$8x^2+4x+p=0$$
의 두 근이 $\sin \theta$, $\cos \theta$일 때, 상수 p의 값은?

① -3 　　② -2 　　③ -1

④ $-\frac{1}{4}$ 　　⑤ $-\frac{1}{3}$

0755 최다빈출 **상** 중요 ▪▪▪▪ BASIC

x에 대한 이차방정식
$$x^2-ax-a^2=0$$
의 두 근이 $\sin \theta$, $\cos \theta$일 때, 양수 a의 값은?

① $\frac{1}{3}$ 　　② $\frac{\sqrt{3}}{3}$ 　　③ $\frac{\sqrt{2}}{2}$

④ $\frac{1}{2}$ 　　⑤ $\sqrt{3}$

▶ 해설 내신연계기출

0756 ▪▪▪▪ NORMAL

x에 대한 이차방정식
$$2x^2+2\sqrt{2}x+1=0$$
의 두 근이 $\sin \theta$, $\cos \theta$일 때, $\sin^3 \theta + \cos^3 \theta$의 값은?

① $-\sqrt{2}$ 　　② $-\frac{\sqrt{2}}{2}$ 　　③ $\frac{\sqrt{2}}{2}$

④ $\sqrt{2}$ 　　⑤ $2\sqrt{2}$

0757 ▪▪▪▪ NORMAL

$\sin \theta + \cos \theta = \frac{5}{4}$일 때, $\sin \theta$와 $\cos \theta$를 두 근으로 하는 이차방정식은 $x^2+ax+b=0$이다. 이때 상수 a, b에 대하여 $a+b$의 값은?

① $-\frac{31}{32}$ 　　② $-\frac{15}{16}$ 　　③ $-\frac{7}{8}$

④ $-\frac{3}{4}$ 　　⑤ $-\frac{1}{2}$

0758 최다빈출 **상** 중요 ▪▪▪▪ NORMAL

이차방정식 $2x^2-x+k=0$의 두 근이 $\sin \theta$, $\cos \theta$일 때, $\tan \theta$, $\dfrac{1}{\tan \theta}$을 두 근으로 하는 이차방정식은 $ax^2+bx+3=0$이다. 이때 상수 k, a, b에 대하여 kab의 값은?

① -18 　　② -16 　　③ -9

④ -6 　　⑤ -2

▶ 해설 내신연계기출

0759 ▪▪▪▪ TOUGH

0이 아닌 실수 a에 대하여 x에 대한 이차방정식 $x^2-2ax+(a-2)=0$의 두 근이 $\dfrac{1}{\sin \theta}$, $\dfrac{1}{\cos \theta}$일 때, a의 값은?

① -1 　　② $-\frac{7}{8}$ 　　③ $-\frac{5}{6}$

④ $-\frac{2}{3}$ 　　⑤ $-\frac{1}{2}$

서술형 기출유형

학교 내신기출 서술형 핵심문제 총정리

0760

1라디안의 정의와 이를 이용하여

$$1\text{라디안} = \frac{180°}{\pi}$$

임을 다음 단계로 서술하여라.

[1단계] 1라디안의 정의를 서술하여라.

[2단계] 1라디안 $= \frac{180°}{\pi}$ 임을 증명하여라.

0761

θ가 제4사분면의 각일 때, $\frac{\theta}{3}$를 나타내는 동경이 존재할 수 있는 사분면을 다음 단계로 서술하여라.

[1단계] θ의 값의 범위를 일반각으로 나타낸다.

[2단계] $\frac{\theta}{3}$의 값의 범위를 나타낸다.

[3단계] $\frac{\theta}{3}$를 나타내는 동경이 존재할 수 있는 사분면을 모두 구한다.

0762

$0 < \theta < \pi$를 만족시키는 θ에 대하여 $\frac{1}{2}\theta$와 3θ를 나타내는 두 동경이 같은 직선 위에 있도록 하는 모든 θ의 값의 합을 구하는 과정을 다음 단계로 서술하여라.

[1단계] 두 동경이 같은 방향일 때 θ의 값을 구한다.

[2단계] 두 동경이 서로 반대 방향일 때 θ의 값을 구한다.

[3단계] 모든 θ의 값의 합을 구한다.

0763

$\frac{\pi}{2} < \theta < \frac{5}{6}\pi$인 각 θ에 대하여 두 각 2θ와 10θ를 나타내는 동경이 x축에 대하여 대칭일 때, 반지름의 길이가 9cm이고 중심각의 크기가 θ인 부채꼴의 호의 길이와 넓이를 구하는 과정을 다음 단계로 서술하여라.

[1단계] $\frac{\pi}{2} < \theta < \frac{5}{6}\pi$인 각 θ에 대하여 두 각 2θ와 10θ를 나타내는 동경이 x축에 대하여 대칭일 때, θ의 값을 구한다.

[2단계] 반지름의 길이가 9cm이고 중심각의 크기가 θ인 부채꼴의 호의 길이를 구한다.

[3단계] 반지름의 길이가 9cm이고 중심각의 크기가 θ인 부채꼴의 넓이를 구한다.

0764

둘레의 길이가 a인 부채꼴 중에서 그 넓이가 최대인 것의 중심각의 크기를 구하는 과정을 다음 단계로 서술하여라.

[1단계] 부채꼴의 반지름의 길이를 r, 호의 길이를 l이라 할 때, l을 a와 r에 대한 식으로 나타낸다.

[2단계] 넓이 S의 최댓값을 구한다.

[3단계] 넓이 S의 값이 최대일 때 중심각의 크기를 구한다.

0765

좌표평면에서 원점 O와 점 $P(a, -8)$을 지나는 동경 OP가 나타내는 각의 크기를 θ라 하자. $\tan\theta = \frac{8}{15}$일 때, $\frac{34\sin\theta}{17\cos\theta - 1}$의 값을 구하는 과정을 다음 단계로 서술하여라.

[1단계] 상수 a의 값과 선분 $\overline{\text{OP}}$의 길이를 구한다.

[2단계] $\sin\theta$와 $\cos\theta$의 값을 구한다.

[3단계] $\frac{34\sin\theta}{17\cos\theta - 1}$의 값을 구한다.

0766

다음은 $\sin\theta = \dfrac{3}{5}$일 때, $\cos\theta$의 값을 잘못 구한 것이다.
그 까닭을 바르게 설명하고 그 과정을 다음 단계로 서술하여라.

오른쪽 그림과 같이 $\angle B = 90°$인
직각삼각형 ABC에서 $\angle A = \theta$라
하면 $\sin\theta = \dfrac{3}{5}$이므로
$$\overline{AC} = 5, \ \overline{BC} = 3$$
이라 생각할 수 있다. 이때
$$\overline{AB} = \sqrt{\overline{AC}^2 - \overline{BC}^2} = \sqrt{5^2 - 3^2} = 4$$
이므로 $\cos\theta = \dfrac{\overline{AB}}{\overline{AC}} = \dfrac{4}{5}$이다.

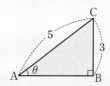

[1단계] $\cos\theta$의 값을 잘못 구한 것이다. 그 이유를 설명하여라.
[2단계] 올바른 $\cos\theta$의 값을 구한다.

0767

$\dfrac{1}{\sin\theta + 1} - \dfrac{1}{\sin\theta - 1} = \dfrac{9}{2}$일 때, $\tan\theta$의 값을 구하는 과정을
다음 단계로 서술하여라. $\left(\text{단, } \pi < \theta < \dfrac{3}{2}\pi\right)$

[1단계] 주어진 좌변을 간단히 한다.
[2단계] $\cos\theta$의 값을 구한다.
[3단계] $\tan\theta$의 값을 구한다.

0768

x에 대한 이차방정식
$$4x^2 - 4ax + a^2 - 2 = 0$$
의 두 근이 $\sin\theta$, $\cos\theta$일 때, 상수 a와 $\tan\theta$의 값을 구하는 과정
을 다음 단계로 서술하여라.

[1단계] 이차방정식의 근과 계수의 관계를 이용하여 두 근의 합과
곱을 구한다.
[2단계] $\sin\theta + \cos\theta$, $\sin\theta\cos\theta$의 관계를 이용하여 상수 a의
값을 구한다.
[3단계] $\tan\theta$의 값을 구한다.

0769

이차방정식 $2x^2 - ax + 1 = 0$의 두 근이 $\sin\theta$, $\cos\theta$일 때,
$\dfrac{1}{\sin\theta}$, $\dfrac{1}{\cos\theta}$을 두 근으로 하고 x^2의 계수가 1인 이차방정식은
$x^2 + bx + c = 0$이다. 이때 상수 a, b, c에 대하여 abc의 값을 구하
는 과정을 다음 단계로 서술하여라. (단, $a > 0$)

[1단계] 이차방정식의 근과 계수의 관계를 이용하여 두 근의 합과
곱을 구한다.
[2단계] $\sin\theta + \cos\theta$, $\sin\theta\cos\theta$의 관계를 이용하여 상수 a의
값을 구한다.
[3단계] 두 근이 주어진 x^2의 계수가 1인 이차방정식을 구하여
b, c의 값을 구한다.
[4단계] abc의 값을 구한다.

0770

오른쪽 그림과 같이 중심이 O,
반지름의 길이가 1, 호 AB의
길이가 θ인 부채꼴 OAB에
대하여 중심이 부채꼴 OAB의
내부에 있고 선분 OA, OB에

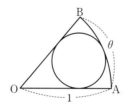

접하며 호 AB와 한 점에서 만나는 원의 반지름의 길이를 구하는
과정을 다음 단계로 서술하여라. (단, $a > 0$)

[1단계] 중심각 $\angle AOB$를 구한다.
[2단계] 원의 중심을 C, 반지름의 길이를 r, 점 C에서 선분 OA에
내린 수선의 발을 H라 할 때, 삼각형 COH에서 $\overline{CH}$의 길이
를 구한다.
[3단계] $\overline{OC}$의 길이를 구하여 원의 반지름의 길이를 구한다.

0771

$\sin\theta+\cos\theta=\dfrac{\sqrt{2}}{2}$ 일 때, $\dfrac{\sin^2\theta}{\cos^2\theta}+\dfrac{\cos^2\theta}{\sin^2\theta}$ 의 값을 구하여라.

0774

오른쪽 그림과 같이 ∠B=90°인
직각이등변삼각형 AOB에 대하여
점 O를 중심으로 하고 선분 OB를
반지름으로 하는 원과 선분 OA가
만나는 점을 C라 하자. 점 C에서
선분 OB에 내린 수선의 발을 D라
하고, 점 O를 중심으로 하고 선분
OD를 반지름으로 하는 원과 선분 OA가 만나는 점을 E라 하자.
두 호 CB, ED와 두 선분 EC, DB로 둘러싸인 색칠된 부분의 넓이
가 4π일 때, 삼각형 AOB의 넓이를 구하여라.

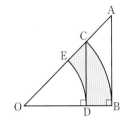

0772

이차방정식 $x^2-x+a=0$의 한 근이 $\cos\theta+i\sin\theta$일 때, 실수 a의
값을 구하고 그때의 θ의 값을 구하여라.
(단, $0<\theta<\pi$, $i=\sqrt{-1}$)

▶ 해설 내신연계기출

0775

오른쪽 그림과 같이 반지름의 길이가
1이고 중심각의 크기가 θ인 부채꼴
OAB 위의 점 A에서 선분 OB에
내린 수선의 발을 C, 점 B를 지나고
선분 OB에 수직인 직선이 선분 OA
의 연장선과 만나는 점을 D라 하자.

$$3\overline{OC}=\overline{AC}\times\overline{BD}$$

일 때, $\sin^2\theta-\cos^2\theta$의 값을 구하여라. $\left(\text{단, } 0<\theta<\dfrac{\pi}{2}\right)$

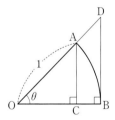

0773

한 변의 길이가 2m인 정삼각형 모양의 담장이 있다. 다음 그림과 같
이 담장의 한 모퉁이에 길이가 3m인 줄로 묶여 있는 강아지가 자유
롭게 돌아다닐 수 있는 영역의 넓이를 구하여라. (단, 강아지는 담장
안으로 들어갈 수 없고, 담장의 두께와 강아지의 크기는 무시한다.)

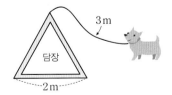

0776

반지름의 길이가 2인 원 O에 내접하는 정육각형이 있다.
그림과 같이 정육각형의 각 변을 지름으로 하는 원 6개를 그릴 때,
색칠된 부분의 넓이를 구하여라.

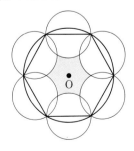

▶ 해설 내신연계기출

02 삼각함수의 그래프

학교내신기출 객관식 핵심문제총정리

STEP 1

내신정복 기출유형

유형 01 삼각함수의 그래프

(1) 함수 $y=\sin x$의 그래프와 성질

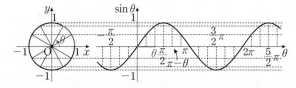

① 정의역은 실수 전체의 집합이고 치역은 $\{y|-1\leq y\leq 1\}$이다.

② 함수의 그래프는 원점에 대하여 대칭이다. 즉 $\sin(-x)=-\sin x$

③ 주기가 2π인 주기함수이다. 즉 $\sin(2n\pi+x)=\sin x$ (단, n은 정수)

④ $y=\sin ax$의 주기는 $\dfrac{2\pi}{|a|}$이다.

(2) 함수 $y=\cos x$의 그래프와 성질

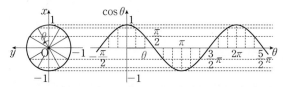

① 정의역은 실수 전체의 집합이고 치역은 $\{y|-1\leq y\leq 1\}$이다.

② 함수의 그래프는 y축에 대하여 대칭이다. 즉 $\cos(-x)=\cos x$

③ 주기가 2π인 주기함수이다. 즉 $\cos(2n\pi+x)=\cos x$(단, n은 정수)

④ $y=\cos ax$의 주기는 $\dfrac{2\pi}{|a|}$이다.

⑤ $\cos x=\sin\left(\dfrac{\pi}{2}+x\right)$이므로 $y=\cos x$의 그래프는 $y=\sin x$의 그래프를 x축 방향으로 $-\dfrac{\pi}{2}$만큼 평행이동한 것과 같다.

(3) 함수 $y=\tan x$의 그래프와 성질

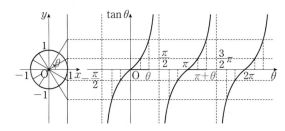

① 정의역은 $x=n\pi+\dfrac{\pi}{2}$ (n은 정수)를 제외한 실수 전체의 집합이고 치역은 실수 전체의 집합이다.

② 정의역의 모든 실수 x에서 연속이다.

③ 점근선은 직선 $x=n\pi+\dfrac{\pi}{2}$ (n은 정수)이다.

④ 함수의 그래프는 원점에 대하여 대칭이다. 즉 $\tan(-x)=-\tan x$

⑤ 주기가 π인 주기함수이다. 즉 $\tan(n\pi+x)=\tan x$ (단, n은 정수)

⑥ $y=\tan ax$의 주기는 $\dfrac{\pi}{|a|}$이다.

0777 학교기출 대표유형

다음 [보기]에서 함수 $f(x)=\sin x$에 대한 설명으로 옳은 것을 모두 고르면?

> ㄱ. 함수 $f(x)$의 주기는 2π이다.
> ㄴ. 함수 $f(x)$의 최댓값은 1이다.
> ㄷ. 치역은 실수 전체의 집합이다.
> ㄹ. 함수 $f(x)$의 그래프는 원점에 대하여 대칭이다.

① ㄱ, ㄴ   ② ㄴ, ㄷ   ③ ㄴ, ㄹ
④ ㄱ, ㄴ, ㄷ   ⑤ ㄱ, ㄴ, ㄹ

0778 최다빈출 상중요

BASIC

다음 [보기]의 설명 중 옳은 것을 모두 고르면?

> ㄱ. $y=\tan x$의 그래프는 원점에 대하여 대칭이다.
> ㄴ. $y=\sin x$의 그래프를 x축의 방향으로 $\dfrac{\pi}{2}$만큼 평행이동하면 $y=\cos x$의 그래프와 일치한다.
> ㄷ. $0\leq x\leq 2\pi$에서 $y=\sin x$의 그래프와 $y=\cos x$의 그래프는 서로 다른 두 점에서 만난다.

① ㄱ   ② ㄴ   ③ ㄷ
④ ㄱ, ㄷ   ⑤ ㄱ, ㄴ, ㄷ

▶ 해설 내신연계기출

0779

BASIC

다음 중 삼각함수에 대한 설명으로 옳지 않은 것은?

① 함수 $y=\sin x$와 $y=\cos x$의 치역이 서로 같다.

② 함수 $y=\sin x$, $y=\tan x$의 그래프는 원점에 대하여 대칭이다.

③ 함수 $y=\cos x$의 그래프는 y축에 대하여 대칭이다.

④ 함수 $y=\tan x$의 정의역은 실수전체의 집합이다.

⑤ 함수 $y=\tan x$의 점근선의 방정식은 $x=n\pi+\dfrac{\pi}{2}$ (n은 정수)이다.

유형 02 삼각함수의 그래프를 이용한 대소 관계

삼각함수의 그래프를 이용하여 대소 관계를 구한다.

0780 학교기출 유형

세 수 $\sin 1$, $\cos 1$, $\tan 1$의 대소 관계를 옳게 나타낸 것은?

① $\sin 1 < \cos 1 < \tan 1$
② $\sin 1 < \tan 1 < \cos 1$
③ $\cos 1 < \sin 1 < \tan 1$
④ $\cos 1 < \tan 1 < \sin 1$
⑤ $\tan 1 < \sin 1 < \cos 1$

0781

BASIC

다음 중 옳은 것은?

① $\sin 1 < \sin \dfrac{3}{2} < \sin \dfrac{\pi}{5}$ ② $\sin 1 < \sin \dfrac{\pi}{5} < \sin \dfrac{3}{2}$

③ $\sin \dfrac{\pi}{5} < \sin 1 < \sin \dfrac{3}{2}$ ④ $\sin \dfrac{\pi}{5} < \sin \dfrac{3}{2} < \sin 1$

⑤ $\sin \dfrac{3}{2} < \sin 1 < \sin \dfrac{\pi}{5}$

0782 최다빈출 중요

NORMAL

$0 < x < \dfrac{\pi}{4}$ 인 모든 x에 대하여 다음 [보기] 중 옳은 것을 모두 고른 것은?

ㄱ. $\sin x < \cos x$
ㄴ. $\cos x > \tan x$
ㄷ. $\tan x > \sin x$

① ㄱ ② ㄴ ③ ㄱ, ㄴ
④ ㄱ, ㄷ ⑤ ㄱ, ㄴ, ㄷ

▶ 해설 내신연계기출

0783 최다빈출 중요

TOUGH

세 함수 $y = x$, $y = \sin x$, $y = \tan x$를 이용하여 세 수

$$\sin 1, \ 1, \ \tan 1$$

의 대소 관계를 옳게 나타낸 것은?

① $\sin 1 < 1 < \tan 1$ ② $\sin 1 < \tan 1 < 1$
③ $1 < \sin 1 < \tan 1$ ④ $1 < \tan 1 < \sin 1$
⑤ $\tan 1 < \sin 1 < 1$

▶ 해설 내신연계기출

유형 03 주기함수

① 함수 $f(x)$가 주기가 p인 주기함수이면

$f(x) = f(x+p) = f(x+2p) = f(x+3p) = \cdots$

즉, $f(x+np) = f(x)$와 같이 나타낼 수 있다. (단, n은 자연수)

② 함수 $f(x)$가 모든 실수 x에 대하여 $f(x) = f(x+p)$를 만족하면

주기는 $\dfrac{p}{n}$(n은 정수)이다.

즉, 상수함수가 아닌 함수 $f(x)$가 정의역의 모든 x에 대하여

$f(x+p) = f(x)$(p는 양의 실수)를 만족시키면 함수 $f(x)$의 주기는

p, $\dfrac{p}{2}$, $\dfrac{p}{3}$, $\cdots$ 중 하나이다.

주의 $f(x) = f(x+p)$라고 해서 함수 $f(x)$의 주기가 반드시 p라고
할 수 없다.

참고 함수 $f(x)$가 주기가 $2p$인 주기함수
⇨ $f(x) = f(x+2p)$ 또는 $f(x-p) = f(x+p)$

0784 학교기출 유형

함수 $f(x) = \sin\left(x + \dfrac{\pi}{3}\right)\cos\left(x - \dfrac{\pi}{3}\right)$의 주기를 p라고 할 때, $f(p)$의 값은?

① $-\dfrac{\sqrt{3}}{4}$ ② $-\dfrac{\sqrt{3}}{2}$ ③ $\sqrt{3}$

④ $\dfrac{\sqrt{3}}{4}$ ⑤ $\dfrac{\sqrt{3}}{2}$

0785 최다빈출 중요

BASIC

함수 $f(x) = \sin\dfrac{x}{4} + \cos\dfrac{x}{2} + 3$의 주기를 p라고 할 때, $f(p)$의 값은?

① $\dfrac{\sqrt{2}}{2}$ ② 1 ③ $\dfrac{2\sqrt{2}}{3}$

④ 2 ⑤ 4

▶ 해설 내신연계기출

0786

NORMAL

다음 함수 중 모든 실수 x에 대하여 $f(x+p) = f(x)$를 만족시키는 최소의 양수 p가 π인 것은?

① $f(x) = \sin 2\pi x$ ② $f(x) = \cos 2x$
③ $f(x) = \sin 4x$ ④ $f(x) = \tan 2x$
⑤ $f(x) = \cos 2\pi x$

0787 최다빈출 ⓦ 중요

함수 $y=f(x)$가 다음 조건을 모두 만족시킬 때, $f\left(\dfrac{25}{4}\right)$의 값은?

(가) $0 \le x < 3$일 때, $f(x)=\cos \pi x$
(나) 모든 실수 x에 대하여 $f(x+3)=f(x)$

① $-\dfrac{1}{2}$　　　② $-\dfrac{\sqrt{2}}{2}$　　　③ $\dfrac{\sqrt{3}}{2}$

④ $\dfrac{1}{2}$　　　⑤ $\dfrac{\sqrt{2}}{2}$

▶ 해설 내신연계기출

0788

함수 $y=f(x)$가 다음 조건을 만족시킬 때, $f\left(100-\dfrac{\pi}{6}\right)$의 값은?

(가) $f(x)=\begin{cases}\sin x & (0 \le x < 1) \\ \sin(2-x) & (1 \le x \le 2)\end{cases}$
(나) 모든 실수 x에서 $f(x+2)=f(x)$

① 0　　　② $\dfrac{1}{2}$　　　③ $\dfrac{\sqrt{2}}{2}$

④ $\dfrac{\sqrt{3}}{2}$　　　⑤ 1

0789

정의역의 모든 원소 x에 대하여 $f\left(x+\dfrac{\pi}{2}\right)=f(x)$를 만족시키는 함수 $f(x)$를 [보기]에서 있는 대로 고른 것은?

ㄱ. $f(x)=\dfrac{1}{2}\sin 4x$
ㄴ. $f(x)=2\cos \dfrac{x}{4}+1$
ㄷ. $f(x)=4\tan 2x+3$

① ㄱ　　　② ㄷ　　　③ ㄱ, ㄴ
④ ㄱ, ㄷ　　　⑤ ㄱ, ㄴ, ㄷ

0790 최다빈출 ⓦ 중요

다음 [보기]의 함수 중에서 정의역의 모든 원소 x에 대하여
$f(x)=f(x+\pi)$를 만족시키는 것은?

ㄱ. $y=\sin 2x+1$　　　ㄴ. $y=2\cos 6x$
ㄷ. $y=\tan \dfrac{x}{2}$　　　ㄹ. $y=3\tan 2x$

① ㄱ, ㄹ　　　② ㄴ, ㄷ　　　③ ㄴ, ㄹ
④ ㄱ, ㄴ, ㄹ　　　⑤ ㄴ, ㄷ, ㄹ

▶ 해설 내신연계기출

0791

다음 중에서 $f(x)=f(x+1)$을 만족하지 않은 것은?

① $f(x)=\sin 2\pi\left(x-\dfrac{\pi}{2}\right)$　　② $f(x)=2\sin \pi(x-1)+1$

③ $f(x)=\cos 2\pi(x-1)$　　④ $f(x)=2\cos 4\pi(x+1)-1$

⑤ $f(x)=\cos 6\pi x$

0792

정의역의 모든 원소 x에 대하여 $f(x+\pi)=f(x)$를 만족시키는 것만을 [보기]에서 있는 대로 고른 것은?

ㄱ. $f(x)=\cos \dfrac{x}{2}$
ㄴ. $f(x)=\tan x+1$
ㄷ. $f(x)=3\sin \pi x$
ㄹ. $f(x)=2\tan 2x$
ㅁ. $f(x)=3\sin(\pi-4x)$

① ㄱ, ㄴ, ㄷ　　　② ㄱ, ㄴ, ㅁ　　　③ ㄴ, ㄷ, ㄹ
④ ㄴ, ㄹ, ㅁ　　　⑤ ㄷ, ㄹ, ㅁ

유형 04 삼각함수의 그래프의 평행이동과 대칭이동

(1) $y = a\sin(bx+c)+d = a\sin b\left(x+\dfrac{c}{b}\right)+d$ 의 그래프

$\Rightarrow y = a\sin bx$ 의 그래프를 x축의 방향으로 $-\dfrac{c}{b}$ 만큼,

y축의 방향으로 d만큼 평행이동한 것이다.

(2) $y = f(x)$의 그래프를

① x축에 대하여 대칭이동한 그래프를 $-y = f(x)$

② y축에 대하여 대칭이동한 그래프를 $y = f(-x)$

0793 학교기출 ⬛⬛ 유형

함수 $y = 2\sin 2x$의 그래프를 x축의 방향으로 $\dfrac{\pi}{6}$ 만큼, y축의 방향으로 -2만큼 평행이동하면 함수 $y = 2\sin(ax+b)+c$의 그래프와 일치할 때, 상수 a, b, c에 대하여 $a-b+c$의 값은?

$\left(\text{단, } -\dfrac{\pi}{2} < b < 0\right)$

① $\dfrac{\pi}{6}$ ② $\dfrac{\pi}{4}$ ③ $\dfrac{\pi}{3}$

④ $\dfrac{\pi}{2}$ ⑤ π

0794 최다빈출 👑중요   BASIC

함수 $y = \tan \pi x$의 그래프를 x축의 방향으로 1만큼, y축의 방향으로 $\sqrt{3}$만큼 평행이동한 그래프가 점 $\left(\dfrac{3}{4},\, a\right)$를 지날 때, 실수 a의 값은?

① $-1+\sqrt{3}$ ② 1 ③ $\sqrt{3}$

④ $1+\sqrt{3}$ ⑤ $2\sqrt{3}$

▶ 해설 내신연계기출

0795   NORMAL

함수 $y = \cos x$의 그래프를 x축의 방향으로 $\dfrac{\pi}{2}$ 만큼, y축의 방향으로 $\dfrac{1}{2}$ 만큼 평행이동한 그래프를 나타내는 함수를 $y = f(x)$라 할 때, $f(\pi+x)+f(\pi-x)$의 값은?

① -1 ② $-\dfrac{1}{2}$ ③ 0

④ $\dfrac{1}{2}$ ⑤ 1

0796   NORMAL

다음 함수의 그래프 중 함수 $y = \sin x$의 그래프를 x축의 방향으로 π만큼 평행이동한 후, 원점에 대하여 대칭이동한 것과 같은 것은?

① $y = \sin x$ ② $y = \cos x$ ③ $y = -\sin x$

④ $y = -\cos x$ ⑤ $y = \sin \pi x$

0797 최다빈출 👑중요   NORMAL

함수 $y = \sin x$의 그래프를 x축의 방향으로 $\dfrac{\pi}{2}$ 만큼 평행이동한 후, x축에 대하여 대칭이동한 그래프는?

① $y = -\sin x$ ② $y = \sin x$ ③ $y = -\cos x$

④ $y = \cos x$ ⑤ $y = \dfrac{1}{2}\cos x$

▶ 해설 내신연계기출

0798 최다빈출 👑중요   NORMAL

다음 중 함수 $y = \sin 2x$의 그래프를 평행이동 또는 대칭이동하여 일치하는 그래프의 식이 아닌 것은?

① $y = \sin 2x+1$ ② $y = \sin(2x-\pi)+2$

③ $y = -2\sin 2x+3$ ④ $y = \sin(2x-6\pi)$

⑤ $y = -\sin(2x+3\pi)+1$

▶ 해설 내신연계기출

삼각함수의 최댓값, 최솟값, 주기

삼각함수	최댓값	최솟값	주기
$y=a\sin(bx+c)+d$	$\lvert a\rvert+d$	$-\lvert a\rvert+d$	$\dfrac{2\pi}{\lvert b\rvert}$
$y=a\cos(bx+c)+d$	$\lvert a\rvert+d$	$-\lvert a\rvert+d$	$\dfrac{2\pi}{\lvert b\rvert}$
$y=a\tan(bx+c)+d$	없음	없음	$\dfrac{\pi}{\lvert b\rvert}$

0799 학교기출 대표유형

함수 $f(x)=-2\sin 2x+10$의 최댓값은?

① 2   ② 6   ③ 8
④ 10   ⑤ 12

0800

NORMAL

직선 $y=mx(0<m<\sqrt{3})$가 x축과 이루는 예각의 크기를 θ라고 하자. $\sin 3\theta$의 값이 최대가 되도록 하는 상수 m의 값은?

① $\dfrac{1}{2}$ ② $\dfrac{\sqrt{2}}{2}$ ③ $\dfrac{\sqrt{2}}{3}$
④ $\dfrac{\sqrt{3}}{3}$ ⑤ 1

0801

NORMAL

다음 함수의 주기와 최댓값, 최솟값을 옳게 나타낸 것은?

> ㄱ. $y=\sin 4x$ ⇨ 주기 2π, 최댓값 1, 최솟값 -1
> ㄴ. $y=\dfrac{1}{2}\cos x$ ⇨ 주기 π, 최댓값 $\dfrac{1}{2}$, 최솟값 $-\dfrac{1}{2}$
> ㄷ. $y=3\sin x-1$ ⇨ 주기 2π, 최댓값 2, 최솟값 -4
> ㄹ. $y=2\cos\left(x+\dfrac{\pi}{4}\right)$ ⇨ 주기 2π, 최댓값 2, 최솟값 -2

① ㄱ   ② ㄴ   ③ ㄷ, ㄹ
④ ㄱ, ㄴ   ⑤ ㄱ, ㄴ, ㄷ, ㄹ

0802

NORMAL

다음 함수의 주기와 최댓값, 최솟값을 옳게 나타낸 것은?

> ㄱ. $y=2\cos\left(x-\dfrac{\pi}{3}\right)$ ⇨ 주기 2π, 최댓값 2, 최솟값 -2
> ㄴ. $y=\sin\left(3x-\dfrac{\pi}{2}\right)$ ⇨ 주기 $\dfrac{2}{3}\pi$, 최댓값 1, 최솟값 -1
> ㄷ. $y=2\sin\left(x-\dfrac{\pi}{3}\right)$ ⇨ 주기 2π, 최댓값 2, 최솟값 -2

① ㄱ   ② ㄴ   ③ ㄷ
④ ㄱ, ㄴ   ⑤ ㄱ, ㄴ, ㄷ

0803 최다빈출 상 중요

NORMAL

다음 함수의 주기와 최댓값, 최솟값을 옳게 나타낸 것은?

> ㄱ. $y=-\sin x+2$ ⇨ 주기 2π, 최댓값 3, 최솟값 1
> ㄴ. $y=3\cos\left(2x-\dfrac{\pi}{3}\right)+3$ ⇨ 주기 π, 최댓값 6, 최솟값 0
> ㄷ. $y=3\sin(2x-\pi)+2$ ⇨ 주기 π, 최댓값 5, 최솟값 -1

① ㄱ   ② ㄴ   ③ ㄷ
④ ㄱ, ㄴ   ⑤ ㄱ, ㄴ, ㄷ

▶ 해설 내신연계기출

0804

NORMAL

다음 함수의 주기와 최댓값, 최솟값 및 점근선을 옳게 나타낸 것은? (단, n은 정수)

> ㄱ. $y=-1+2\sin 2x$ ⇨ 주기 π, 최댓값 1, 최솟값 -3
> ㄴ. $y=\dfrac{1}{2}\cos\dfrac{x}{2}$ ⇨ 주기 4π, 최댓값 1, 최솟값 $-\dfrac{1}{2}$
> ㄷ. $y=\tan 3x-1$ ⇨ 주기 $\dfrac{\pi}{3}$, 점근선 $x=\dfrac{n}{3}\pi+\dfrac{\pi}{6}$
> ㄹ. $y=\tan\left(\dfrac{1}{2}x+\pi\right)$ ⇨ 주기 π, 점근선 $x=n\pi$

① ㄱ   ② ㄴ   ③ ㄷ, ㄹ
④ ㄱ, ㄷ   ⑤ ㄱ, ㄴ, ㄷ, ㄹ

0805 최다빈출 🔒중요

NORMAL

함수 $f(x) = -4\cos\left(2x + \dfrac{\pi}{3}\right) - 1$의 최댓값을 M, 주기를 p라 할

때, Mp의 값은?

① 2 　　　　② 3 　　　　③ π
④ 2π 　　　　⑤ 3π

▶ 해설 내신연계기출

0806

NORMAL

다음 두 조건을 모두 만족하는 함수 $f(x)$는?

(가) 모든 실수 x에 대하여 $f(x) + f(-x) = 0$
(나) 함수 $f(x)$의 치역은 $\{f(x) | -2 \leq f(x) \leq 2\}$이다.

① $f(x) = \sin 2x$ 　　　　② $f(x) = 2\sin x$
③ $f(x) = \cos 2x$ 　　　　④ $f(x) = 2\cos x$
⑤ $f(x) = 2\tan x$

0807 최다빈출 🔒중요

TOUGH

다음 세 조건을 모두 만족하는 함수 $f(x)$는?

(가) 모든 실수 x에 대하여 $f(x + \pi) = f(x)$
(나) 함수 $f(x)$의 치역은 $\{f(x) | -3 \leq f(x) \leq 3\}$이다.
(다) 모든 실수 x에 대하여 $f(-x) = f(x)$

① $f(x) = 3\sin 2x$ 　　　　② $f(x) = 2\sin 4x$
③ $f(x) = 3\cos 2x$ 　　　　④ $f(x) = -3\cos \dfrac{x}{2}$
⑤ $f(x) = 3\tan 2x$

▶ 해설 내신연계기출

유형 06 삼각함수의 그래프의 성질

	$y = \sin x$	$y = \cos x$	$y = \tan x$
정의역	실수 전체의 집합	실수 전체의 집합	$x \neq n\pi + \dfrac{\pi}{2}$ (n은 정수)인 실수 전체의 집합
치역	$\{y | -1 \leq y \leq 1\}$	$\{y | -1 \leq y \leq 1\}$	실수 전체의 집합
대칭성	원점에 대하여 대칭	y축에 대하여 대칭	원점에 대하여 대칭
주기	2π	2π	π

0808 학교기출 NEW 유형

다음 중 함수 $y = 3\sin 2x + 1$에 대한 설명으로 옳지 않은 것은?

① 주기는 π이다.
② 최댓값은 4, 최솟값은 -2이다.
③ 그래프는 $y = 3\sin x$의 그래프를 y축의 방향으로 평행이동한 것과 일치한다.
④ 그래프는 $y = 3\cos 2x + 1$의 그래프를 x축의 방향으로 평행이동한 것과 일치한다.
⑤ $0 \leq x < 2\pi$에서 x축과 4번 만난다.

0809

BASIC

다음 중 함수 $y = 2\sin\left(2x - \dfrac{\pi}{2}\right) + 1$에 대한 설명으로 옳지 않은 것은?

① 주기는 π이다.
② 최댓값은 3이다.
③ 최솟값은 -1이다.
④ $y = -2\cos 2x + 1$과 같은 함수이다.
⑤ 그래프는 $y = 2\sin x$의 그래프를 평행이동한 것이다.

0810 최다빈출 🔒중요

BASIC

다음 중 함수 $y = 3\cos\left(3x - \dfrac{\pi}{2}\right) + 1$에 대한 설명으로 옳지 않은 것은?

① 모든 실수 x에 대하여 $f\left(x + \dfrac{2}{3}\pi\right) = f(x)$이다.
② 최댓값은 4이다.
③ 최솟값은 -2이다.
④ 그래프는 점 $(0, 1)$을 지난다.
⑤ $y = 3\cos 3x$의 그래프를 x축의 방향으로 $\dfrac{\pi}{2}$만큼, y축의 방향으로 1만큼 평행이동한 것이다.

▶ 해설 내신연계기출

0811

다음 중 함수 $y=-\cos(2x-\pi)+3$에 대한 설명으로 옳지 않은 것은?

① 주기는 π이다.

② 최댓값은 4이다.

③ 최솟값은 2이다.

④ 그래프는 점 $(0, 2)$를 지난다.

⑤ 그래프는 함수 $y=-\cos 2x$의 그래프를 x축의 방향으로 $\dfrac{\pi}{2}$ 만큼, y축의 방향으로 3만큼 평행이동한 것과 같다.

0812 최다빈출 상 중요

함수 $f(x)=3\tan(3x-\pi)+2$에 대한 설명 중 옳은 것은?

① 모든 실수 x에 대하여 $f\left(x+\dfrac{\pi}{6}\right)=f(x)$

② 점근선의 방정식은 $x=\dfrac{n}{3}\pi$ (n은 정수)

③ 최댓값은 5이고, 최솟값은 -1이다.

④ 그래프는 $y=\tan x$의 그래프를 x축의 방향으로 3배, y축의 방향으로 $\dfrac{1}{3}$배한 후, x축과 y축의 방향으로 평행이동한 것이다.

⑤ 그래프는 $y=3\tan 3x$의 그래프를 x축의 방향으로 $\dfrac{\pi}{3}$만큼, y축의 방향으로 2만큼 평행이동한 것이다.

▶ 해설 내신연계기출

0813

다음 함수의 점근선의 방정식이 옳지 않은 것은? (단, n은 정수)

① $y=\tan 2x$의 점근선의 방정식은 $x=\dfrac{n}{2}\pi+\dfrac{\pi}{4}$

② $y=\tan 3x$의 점근선의 방정식은 $x=\dfrac{n}{3}\pi+\dfrac{\pi}{6}$

③ $y=\tan\dfrac{x}{2}$의 점근선의 방정식은 $x=2n\pi+\pi$

④ $y=\tan 2\left(x-\dfrac{\pi}{2}\right)$의 점근선의 방정식은 $x=\dfrac{n}{2}\pi+\dfrac{3}{4}\pi$

⑤ $y=\tan\left(4x+\dfrac{\pi}{2}\right)$의 점근선의 방정식은 $x=\dfrac{n}{4}\pi+\dfrac{\pi}{8}$

유형	07	조건식이 주어진 경우 삼각함수의 미정계수의 결정

(1) $y=a\sin(bx+c)+d$, $y=a\cos(bx+c)+d$의 꼴

　① a, d : 삼각함수의 최댓값, 최솟값 또는 함숫값을 이용하여 구한다.

　② b : 주기를 이용하여 구한다.

　③ c : 함숫값 또는 평행이동을 이용하여 구한다.

$$y=a\sin(bx+c)+d$$

- x축의 방향으로 평행이동 결정
- y축의 방향으로 평행이동 결정
- 주기 결정
- 최댓값, 최솟값 결정

(2) $y=a\tan(bx+c)+d$

　① a, d : 함숫값을 이용하여 구한다.

　② b : 삼각함수의 주기 또는 점근선의 방정식을 이용하여 구한다.

　③ c : 함숫값 또는 평행이동을 이용하여 구한다.

0814 학교기출 대표유형

함수 $y=a\sin bx+1$의 최댓값이 6이고 주기가 $\dfrac{2}{3}\pi$일 때, 양수 a, b에 대하여 $a+b$의 값은?

① 4　　　　② 6　　　　③ 8

④ 10　　　⑤ 12

0815 최다빈출 상 중요

함수 $f(x)=a\sin bx+c$ ($a>0$, $b>0$)의 최댓값이 5, 최솟값이 -1이고 주기가 π일 때, 상수 a, b, c의 합 $a+b+c$의 값을 구하면?

① 2　　　　② 3　　　　③ 7

④ 8　　　　⑤ 9

▶ 해설 내신연계기출

0816

함수 $y=a\sin\dfrac{\pi}{2b}x$의 최댓값은 2이고 주기는 2이다. 두 양수 a, b에 대하여 $a+b$의 값은?

① 2　　　　② $\dfrac{17}{8}$　　　③ $\dfrac{9}{4}$

④ $\dfrac{19}{8}$　　　⑤ $\dfrac{5}{2}$

0817 최다빈출 함 중요

NORMAL

함수 $y=a\cos bx+c$의 최댓값이 5, 최솟값이 -3, 모든 실수 x에 대하여 $f(x+p)=f(x)$를 만족시키는 최소의 양수 p는 4π일 때, 상수 a, b, c에 대하여 abc의 값은? (단, $a>0$, $b>0$)

① 1   ② 2   ③ 4
④ 6   ⑤ 8

▶ 해설 내신연계기출

0818

NORMAL

함수 $f(x)=a\sin\left(bx+\dfrac{\pi}{2}\right)+c$의 최댓값은 5이고 주기는 4π이다. $f\left(\dfrac{2}{3}\pi\right)=3$일 때, 상수 a, b, c에 대하여 abc의 값은? (단, $a>0$, $b<0$)

① -2 ② -1 ③ 0
④ 1   ⑤ 2

0819

NORMAL

함수 $f(x)=a\cos\left(bx+\dfrac{\pi}{3}\right)+c$의 최댓값은 3이고, 주기는 $\dfrac{\pi}{2}$이다. $f\left(\dfrac{\pi}{2}\right)=1$일 때, 상수 a, b, c에 대하여 b^2-ac의 값은? (단, $a>0$, $b>0$)

① 20   ② 26   ③ 30
④ 36   ⑤ 40

0820 최다빈출 함 중요

NORMAL

함수 $f(x)=a\cos\left(\dfrac{3}{2}\pi-px\right)+b$가 다음 세 조건을 모두 만족한다.

(가) $f\left(\dfrac{\pi}{2}\right)=-2$

(나) 함수 $f(x)$의 최댓값이 6

(다) 모든 실수 x에 대하여 $f(x+k)=f(x)$를 만족하는 최소의 양수 k는 2π이다.

상수 a, b, p에 대하여 $a-b+p$의 값은? (단, $a>0$, $p>0$)

① -2 ② 3   ③ 0
④ 1   ⑤ 2

▶ 해설 내신연계기출

0821 최다빈출 함 중요

NORMAL

세 양수 a, b, c에 대하여 함수 $f(x)=a\sin bx+c$가 다음 조건을 만족시킬 때, abc의 값은?

(가) 함수 $f(x)$의 최댓값은 8, 최솟값은 2이다.
(나) 모든 실수 x에 대하여 $f(x+p)=f(x)$를 만족시키는 양수 p의 최솟값은 $\dfrac{\pi}{2}$이다.

① 30   ② 40   ③ 50
④ 60   ⑤ 80

▶ 해설 내신연계기출

0822

TOUGH

함수 $f(x)=a\sin bx+c$의 최댓값이 6, 최솟값이 2이고 모든 실수 x에 대하여 함수 $f(x)$가 $f(x+4\pi)=f(x)$를 만족시킨다. 이때 상수 a, b, c에 대하여 $\dfrac{ac}{b}$의 최댓값은? (단, $a>0$, $b>0$)

① 16   ② 18   ③ 20
④ 32   ⑤ 48

0823

함수 $f(x)=a\tan(bx+c)+d$가 다음 조건을 만족시킬 때, 상수 a, b, c, d에 대하여 $abcd$의 값은? (단, $b>0$, $-\pi<c<0$)

(가) 주기가 $\dfrac{\pi}{2}$인 함수이다.

(나) $f(x)$의 그래프는 $y=a\tan bx$의 그래프를 x축의 방향으로 $\dfrac{\pi}{4}$만큼, y축의 방향으로 -1만큼 평행이동한 것이다.

(다) $f\left(\dfrac{\pi}{3}\right)=\sqrt{3}-1$

① π ② $\dfrac{3}{2}\pi$ ③ 2π

④ $\dfrac{5}{2}\pi$ ⑤ 3π

0824 최다빈출 👑중요

함수 $f(x)=2\tan(ax+b)-3$이 다음 조건을 모두 만족할 때, 상수 a, b에 대하여 ab의 값은? (단, $a>0$, $0<b<\pi$)

(가) 점근선의 방정식이 $x=2n\pi+\dfrac{\pi}{2}$ (n은 정수)

(나) 모든 실수 x에 대하여 $f(x+p)=f(x)$를 만족하는 최소의 양수 p는 2π이다.

① $\dfrac{\pi}{8}$ ② $\dfrac{\pi}{6}$ ③ $\dfrac{\pi}{4}$

④ $\dfrac{\pi}{2}$ ⑤ π

▶ 해설 내신연계기출

0825

어느 바다의 해수면의 높이를 조사하였더니 다음과 같았다.

만조 시간은 4시와 16시이었고 간조 시간은 10시와 22시였다. 만조 때의 해수면의 높이는 7m, 간조 때의 해수면의 높이는 1m이었다.

시각 t에 대하여 해수면의 높이가 삼각함수
$$f(t)=a\cos b\pi(t-4)+c$$
로 나타내어질 때, 상수 a, b, c에 대하여 abc의 값은?
(단, $a>0$, $b>0$, $0\leq t<24$)

① 1   ② 2   ③ 3

④ 4   ⑤ 5

주어진 그래프에서 주기, 최댓값, 최솟값과 그래프가 지나는 점의 좌표를 구한 후 삼각함수의 미정계수를 구한다.

0826 학교기출 대표유형

두 함수 $y=\sin 2x$와 $y=2\sin ax$의 그래프가 다음 그림과 같을 때, 양수 a의 값은?

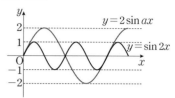

① 1   ② 2   ③ 3
④ 4   ⑤ 5

0827

함수 $y=\tan bx$의 그래프가 오른쪽 그림과 같을 때, 양수 b의 값은?

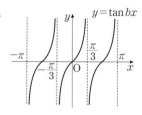

① $\dfrac{1}{2}$ ② 1

③ $\dfrac{3}{2}$ ④ 2

⑤ $\dfrac{5}{2}$

0828 최다빈출 👑중요

함수 $y=a\sin bx+c$의 그래프가 다음 그림과 같을 때, 상수 a, b, c에 대하여 $a+b+c$의 값은? (단, $a>0$, $b>0$)

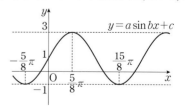

① 3   ② $\dfrac{16}{5}$ ③ $\dfrac{17}{5}$

④ $\dfrac{18}{5}$ ⑤ $\dfrac{19}{5}$

▶ 해설 내신연계기출

0829 최다빈출 왕중요

함수 $f(x)=a\cos bx+c$의 그래프가 다음 그림과 같을 때, $f(\pi)$의 값은? (단, 상수 a, b, c는 양수)

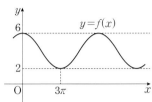

① 1　　　　② 2　　　　③ 3
④ 4　　　　⑤ 5

▶ 해설 내신연계기출

0830 최다빈출 왕중요

함수 $y=a\sin(bx+c)$의 그래프가 다음 그림과 같을 때, 상수 a, b, c에 대하여 abc의 값은? (단, $a>0$, $b>0$, $-\pi<c<\pi$)

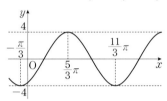

① $-\pi$　　　　② $-\dfrac{2}{3}\pi$　　　　③ $-\dfrac{\pi}{3}$
④ $-\dfrac{\pi}{4}$　　　　⑤ $-\dfrac{\pi}{6}$

▶ 해설 내신연계기출

0831 최다빈출 왕중요

함수 $y=a\sin(bx-c)$의 그래프가 다음 그림과 같을 때, 상수 a, b, c에 대하여 abc의 값은? (단, $a>0$, $b>0$, $0<c<\pi$)

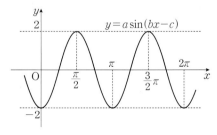

① $\dfrac{2}{3}\pi$　　　　② $\dfrac{4}{3}\pi$　　　　③ 2π
④ $\dfrac{8}{3}\pi$　　　　⑤ 3π

▶ 해설 내신연계기출

0832

함수 $y=a\cos(bx+c)$의 그래프가 다음 그림과 같을 때, 상수 a, b, c에 대하여 abc의 값은? (단, $a>0$, $b>0$, $0<c<\dfrac{\pi}{2}$)

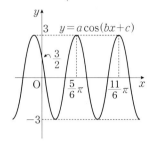

① $\dfrac{\pi}{2}$　　　　② π　　　　③ $\dfrac{3}{2}\pi$
④ 2π　　　　⑤ $\dfrac{5}{2}\pi$

0833 최다빈출 왕중요

다음 그림은 함수
$$y=a\sin(x-b)+c$$
의 그래프를 일부를 그린 것이다. 이 함수의 최댓값은 3, 최솟값은 -1이고 이 그래프가 원점을 지날 때 상수 a, b, c에 대하여 abc의 값은? ($a>0$, $0<b<\dfrac{\pi}{2}$)

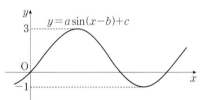

① $\dfrac{\pi}{3}$　　　　② $\dfrac{\pi}{2}$　　　　③ $\dfrac{2}{3}\pi$
④ π　　　　⑤ $\dfrac{3}{2}\pi$

▶ 해설 내신연계기출

0834 최다빈출 왕중요

함수 $y=a\cos b\pi(x-2)+c$의 그래프가 다음 그림과 같을 때, 세 양수 a, b, c에 대하여 $a+b+c$의 값은?

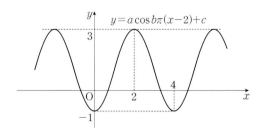

① $\dfrac{5}{2}$　　　　② 3　　　　③ $\dfrac{7}{2}$
④ $\dfrac{9}{2}$　　　　⑤ 5

▶ 해설 내신연계기출

0835

NORMAL

그림은 함수 $f(x)=a\sin\left(bx-\dfrac{\pi}{2}\right)+c$의 그래프의 일부이다.

이때 $f\left(\dfrac{2}{3}\pi\right)$의 값은? (단, $a>0$, $b>0$)

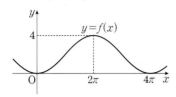

① -1　　　　② $-\dfrac{1}{2}$　　　　③ 0

④ $\dfrac{1}{2}$　　　　⑤ 1

0836 최다빈출 강중요

TOUGH

함수 $f(x)=a\sin(bx+c)+d$가 다음 조건을 모두 만족시킬 때, 상수 a, b, c, d에 대하여 $abcd$의 값은?

$\left(\text{단, } a>0,\ b>0,\ 0<c<\dfrac{\pi}{2}\right)$

> (가) 함수 $f(x)$의 최솟값은 -1이다.
> (나) 함수 $f(x)$의 주기는 π이다.
> (다) 함수 $f(x)$는 $x=\dfrac{\pi}{6}$에서 최댓값을 갖는다.
> (라) $f\left(\dfrac{\pi}{2}\right)=\dfrac{1}{2}$

① π　　　　② $\dfrac{\pi}{2}$　　　　③ $\dfrac{3}{2}\pi$

④ 2π　　　　⑤ $\dfrac{5}{2}\pi$

▶ 해설 내신연계기출

0837

TOUGH

함수 $y=a\cos b(x+c)+d$의 그래프이다. 상수 a, b, c, d의 곱 $abcd$의 값은? (단, $a>0$, $b>0$, $0<c<1$)

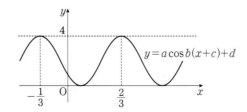

① $-\dfrac{16}{3}\pi$　　　② $-\dfrac{8}{3}\pi$　　　③ 2π

④ $\dfrac{8}{3}\pi$　　　⑤ $\dfrac{16}{3}\pi$

0838 최다빈출 강중요

TOUGH

함수 $y=a\tan b(x-c)+d$의 그래프가 다음 그림과 같을 때, 상수 a, b, c, d에 대하여 $abcd$의 값은? (단, $a>0$, $b>0$, $0\leq c<2\pi$)

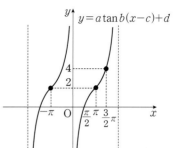

① π　　　　② $\dfrac{3}{2}\pi$　　　　③ 2π

④ $\dfrac{5}{2}\pi$　　　　⑤ 3π

▶ 해설 내신연계기출

0839 최다빈출 강중요

TOUGH

다음 그림과 같이 함수 $y=a\cos bx$의 그래프가 x축에 평행한 직선 l과 만나는 점의 x좌표가 1, 5일 때, 직선 l, $x=1$, $x=5$와 x축으로 둘러싸인 도형의 넓이가 20이다. 이때 상수 a의 값은?

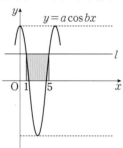

① 5　　　　② 6　　　　③ 8

④ 10　　　　⑤ 12

▶ 해설 내신연계기출

0840

TOUGH

두 함수 $y=4\sin 3x$, $y=3\cos 2x$의 그래프가 x축과 만나는 점을 각각 $A(a,\ 0)$, $B(b,\ 0)$이라 하자. $y=4\sin 3x$의 그래프 위의 임의의 점 P에 대하여 $\triangle ABP$의 넓이의 최댓값은?

$\left(\text{단, } 0<a<\dfrac{\pi}{2}<b<\pi\right)$

① $\dfrac{\pi}{3}$　　　　② $\dfrac{\pi}{2}$　　　　③ $\dfrac{2}{3}\pi$

④ $\dfrac{5}{6}\pi$　　　　⑤ π

유형 09 절댓값 기호가 포함된 삼각함수

함수	$y=|\sin x|$	$y=\sin|x|$
그래프		
정의역	x는 모든 실수	x는 모든 실수
치 역	$0 \leq |\sin x| \leq 1$	$-1 \leq \sin|x| \leq 1$
주 기	π	없음
대칭성	y축에 대칭 (우함수)	y축에 대칭 (우함수)
함수	$y=|\cos x|$	$y=\cos|x|$
그래프		
정의역	x는 모든 실수	x는 모든 실수
치 역	$0 \leq |\cos x| \leq 1$	$-1 \leq \cos|x| \leq 1$
주 기	π	2π
대칭성	y축에 대칭 (우함수)	y축에 대칭 (우함수)
함수	$y=|\tan x|$	$y=\tan|x|$
그래프		
정의역	$\mathrm{R}-\left\{x | x=\frac{\pi}{2}+n\pi\right\}$ (단, R은 실수 전체 집합)	$\mathrm{R}-\left\{x | x=\frac{\pi}{2}+n\pi\right\}$ (단, R은 실수 전체 집합)
치 역	$0 \leq |\tan x|$	y는 모든 실수
주 기	π	없음
대칭성	y축에 대칭 (우함수)	y축에 대칭 (우함수)

참고 ① $y=f(|x|)$의 그래프

⇨ $y=f(x)$의 그래프에서 $x \geq 0$인 부분만 그린 후 $x<0$인 부분은 y축에 대하여 대칭이동한다.

② $y=|f(x)|$의 그래프

⇨ $y=f(x)$의 그래프에서 $y \geq 0$인 부분은 그대로 두고 $y<0$인 부분은 x축에 대하여 대칭이동한다.

0841 학교기출 빈출유형

다음 함수 중 주기함수가 아닌 것은?

① $y=|\sin x|$ ② $y=|\cos x|$ ③ $y=\sin|x|$

④ $y=\cos|x|$ ⑤ $y=|\tan x|$

▶ 해설 내신연계기출

0842 BASIC

다음 [보기]의 함수 중 주기가 같은 것끼리 바르게 짝지은 것은?

> ㄱ. $y=|\cos 2x|$
>
> ㄴ. $y=\cos 2|x|$
>
> ㄷ. $y=|\tan 2x|$
>
> ㄹ. $y=\sin x+|\sin x|$

① ㄱ — ㄴ   ② ㄱ — ㄷ   ③ ㄴ — ㄷ
④ ㄴ — ㄹ   ⑤ ㄷ — ㄹ

0843 최다빈출 상 중요 BASIC

함수 $y=\sin(4x-1)$의 주기를 a, 함수 $y=|\cos(-x)|$의 주기를 b라고 할 때, $\frac{a}{b}$의 값은?

① $\frac{1}{4}$ ② $\frac{1}{2}$ ③ $\frac{\pi}{2}$

④ 1 ⑤ π

▶ 해설 내신연계기출

0844 최다빈출 상 중요 BASIC

[보기]의 함수의 그래프 중 서로 일치하는 것끼리 짝지어진 것을 있는 대로 고른 것은?

> ㄱ. $y=\cos|x|$, $y=\sin\left(\frac{\pi}{2}-x\right)$
>
> ㄴ. $y=\sin|x|$, $y=|\sin x|$
>
> ㄷ. $y=\cos x$, $y=|\cos x|$

① ㄱ   ② ㄴ   ③ ㄷ
④ ㄱ, ㄴ   ⑤ ㄴ, ㄷ

▶ 해설 내신연계기출

0845 최다빈출 상 중요 NORMAL

함수 $f(x)=a|\sin bx|+c$가 다음 조건을 만족할 때, 상수 a, b, c에 대하여 $a+b+c$의 값은? (단, $a>0$, $b>0$)

(가) 모든 실수 x에 대하여 $f(x+p)=f(x)$를 만족하는 최소의 양수 p는 $\frac{\pi}{3}$이다.

(나) 함수 $f(x)$의 최댓값이 5이다.

(다) $f\left(\frac{\pi}{18}\right)=\frac{5}{2}$

① 4   ② 6   ③ 8
④ 10   ⑤ 12

▶ 해설 내신연계기출

삼각함수의 그래프의 대칭성을 이용하여 길이 또는 넓이가 같은 부분을 찾아 도형의 넓이를 구한다.

0846 학교기출 [빈출]유형

오른쪽 그림에서 두 곡선 $y=\tan x$, $y=\tan x+1$과 y축 및 직선 $x=\dfrac{\pi}{4}$ 로 둘러싸인 부분의 넓이는?

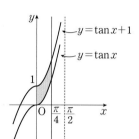

① $\dfrac{\pi}{6}$ ② $\dfrac{\pi}{4}$

③ $\dfrac{\pi}{3}$ ④ $\dfrac{\pi}{2}$

⑤ π

0847 최다빈출 왕중요   NORMAL

오른쪽 그림과 같이 함수 $y=\tan x$ 의 그래프와 x축 및 직선 $y=k$로 둘러싸인 부분의 넓이가 7π일 때, 양의 상수 k의 값은?

$\left(\text{단, } 0 \le x \le \dfrac{3}{2}\pi\right)$

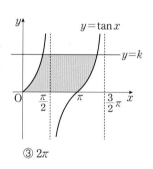

① $\dfrac{\pi}{2}$ ② 4 ③ 2π

④ 7 ⑤ 12

▶ 해설 내신연계기출

0848   NORMAL

그림과 같이 $-4 \le x \le 4$에서 함수 $y=2\cos\dfrac{\pi}{4}x$의 그래프와 직선 $y=-2$로 둘러싸인 도형의 넓이는?

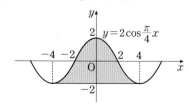

① 6 ② 10 ③ 12

④ 14 ⑤ 16

0849 최다빈출 왕중요   NORMAL

오른쪽 그림과 같이 직사각형 ABCD의 꼭짓점 B와 C는 x축에 있고 꼭짓점 A와 D는 곡선 $y=\sin\dfrac{\pi}{4}x$의 그래프에 있다. $\overline{BC}=2$일 때, 직사각형 ABCD 의 넓이는?

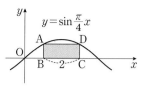

① 1 ② $\sqrt{2}$ ③ $\sqrt{3}$

④ 2 ⑤ $2\sqrt{2}$

▶ 해설 내신연계기출

0850   NORMAL

오른쪽 그림과 같이 곡선 $y=\cos\dfrac{\pi}{4}x$와 x축에 내접하는 직사각형 ABCD가 있다. $\overline{AB}=2$일 때, 직사각형 ABCD 의 넓이는?

① 1 ② $\sqrt{2}$ ③ $\sqrt{3}$

④ 2 ⑤ $2\sqrt{2}$

0851   NORMAL

다음 그림과 같이 함수 $y=2\sin\dfrac{\pi}{12}x\,(0 \le x \le 12)$의 그래프와 x축으로 둘러싸인 도형에 직사각형 ABCD가 내접한다. $\overline{BC}=6$일 때, 직사각형 ABCD의 넓이는?

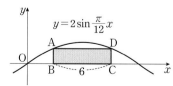

① 4 ② $4\sqrt{2}$ ③ $4\sqrt{3}$

④ $6\sqrt{2}$ ⑤ $6\sqrt{3}$

유형 11 삼각함수의 성질

(1) $-\theta$의 삼각함수

① $\sin(-\theta)=-\sin\theta$

② $\cos(-\theta)=\cos\theta$

③ $\tan(-\theta)=-\tan\theta$

(2) $\dfrac{\pi}{2}\pm\theta$의 삼각함수

① $\sin\left(\dfrac{\pi}{2}+\theta\right)=\cos\theta,\ \sin\left(\dfrac{\pi}{2}-\theta\right)=\cos\theta$

② $\cos\left(\dfrac{\pi}{2}+\theta\right)=-\sin\theta,\ \cos\left(\dfrac{\pi}{2}-\theta\right)=\sin\theta$

③ $\tan\left(\dfrac{\pi}{2}+\theta\right)=-\dfrac{1}{\tan\theta},\ \tan\left(\dfrac{\pi}{2}-\theta\right)=\dfrac{1}{\tan\theta}$

(3) $\pi\pm\theta$의 삼각함수

① $\sin(\pi+\theta)=-\sin\theta,\ \sin(\pi-\theta)=\sin\theta$

② $\cos(\pi+\theta)=-\cos\theta,\ \cos(\pi-\theta)=-\cos\theta$

③ $\tan(\pi+\theta)=\tan\theta,\ \tan(\pi-\theta)=-\tan\theta$

참고

$\alpha+\beta=\pi$	$\alpha+\beta=\dfrac{\pi}{2}$
$\sin\alpha=\sin\beta$	$\sin\alpha=\cos\beta$
$\cos\alpha=-\cos\beta$	$\cos\alpha=\sin\beta$
$\tan\alpha=-\tan\beta$	$\tan\alpha=\cot\beta$

0852 학교기출 대표 유형

임의의 각 θ에 대하여 [보기]에서 옳은 것만을 있는 대로 고른 것은?

ㄱ. $\sin\left(\dfrac{\pi}{2}-\theta\right)=\cos(\pi-\theta)$

ㄴ. $\cos\left(\dfrac{\pi}{2}+\theta\right)=\sin(\pi+\theta)$

ㄷ. $\tan\left(\dfrac{\pi}{2}-\theta\right)=\dfrac{1}{\tan(\pi+\theta)}$

① ㄱ   ② ㄴ   ③ ㄱ, ㄷ

④ ㄴ, ㄷ   ⑤ ㄱ, ㄴ, ㄷ

▶ 해설 내신연계기출

0853 BASIC

다음 조건을 만족하는 a, b에 대하여 $a+b$의 값은?

(가) $\sin\left(\dfrac{\pi}{2}+\theta\right)+\cos(\pi-\theta)-\tan\theta\tan\left(\dfrac{\pi}{2}+\theta\right)=a$

(나) $\sin\left(\dfrac{\pi}{2}+\theta\right)-\sin(\pi-\theta)+\cos(\pi+\theta)+\cos\left(\dfrac{\pi}{2}-\theta\right)=b$

① -2 ② -1 ③ 0

④ 1 ⑤ 2

0854 최다빈출 왕중요 BASIC

$\sin^2\left(\dfrac{\pi}{2}+\theta\right)+4\cos^2(\pi+\theta)+2\sin^2(2\pi-\theta)+3\cos^2\left(\dfrac{3}{2}\pi-\theta\right)$

의 값은?

① -5 ② -3 ③ 0

④ 4 ⑤ 5

▶ 해설 내신연계기출

0855 NORMAL

다음 조건을 만족하는 a, b에 대하여 $a+b$의 값은?

(가) $\sin^2\theta+\sin^2\left(\dfrac{\pi}{2}+\theta\right)+\sin^2(\pi+\theta)+\sin^2\left(\dfrac{3}{2}\pi+\theta\right)=a$

(나) $\cos^2\theta+\cos^2\left(\dfrac{\pi}{2}-\theta\right)+\cos^2(\pi+\theta)+\cos^2\left(\dfrac{3}{2}\pi+\theta\right)=b$

① -1 ② 1 ③ 2

④ 3 ⑤ 4

0856 NORMAL

$\dfrac{\sin\left(\dfrac{\pi}{2}-\theta\right)}{1+\sin(\pi+\theta)}\times\dfrac{\cos(\pi-\theta)}{1+\cos\left(\dfrac{3}{2}\pi+\theta\right)}$ 를 간단히 하면?

① -1 ② $-\sin\theta$ ③ 0

④ $\cos\theta$ ⑤ 1

0857 최다빈출 왕중요 NORMAL

$\dfrac{2\sin\left(\dfrac{\pi}{2}-\theta\right)}{\sin\left(\dfrac{\pi}{2}+\theta\right)\cos^2\theta}+\dfrac{2\tan^2(\pi-\theta)\sin(\pi+\theta)}{\cos\left(\dfrac{3}{2}\pi+\theta\right)}$ 의 값은?

① -1 ② 0 ③ 1

④ 2 ⑤ 3

▶ 해설 내신연계기출

0858

오른쪽 그림과 같이 직선 $x-3y+3=0$ 이 x축의 양의 방향과 이루는 각의 크기를 θ라 할 때,

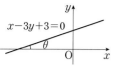

$$\cos(\pi+\theta)+\sin\left(\frac{\pi}{2}-\theta\right)+\tan(-\theta)$$

의 값은?

① -3 ② $-\dfrac{1}{3}$ ③ 0

④ $\dfrac{1}{3}$ ⑤ 3

0859 최다빈출 ✨중요

직선 $x+2y-3=0$이 x축의 양의 방향과 이루는 각의 크기를 θ라 할 때, $\dfrac{\cos\left(\dfrac{3}{2}\pi+\theta\right)}{1+\sin\left(\dfrac{\pi}{2}+\theta\right)}+\dfrac{\cos\left(\dfrac{\pi}{2}+\theta\right)}{1+\cos(\pi+\theta)}$의 값은?

$\left(단, \dfrac{\pi}{2}<\theta<\pi\right)$

① -2 ② $-\dfrac{1}{2}$ ③ 2

④ 4 ⑤ 6

▶ 해설 내신연계기출

0860 최다빈출 ✨중요

오른쪽 그림과 같이 직사각형 ABCD가 중심이 원점이고 반지름의 길이가 1인 원에 내접해 있다. x축과 선분 OA가 이루는 각을 θ라고 할 때, $\cos(\pi-\theta)$와 같은 것은?

$\left(단, 0<\theta<\dfrac{\pi}{4}\right)$

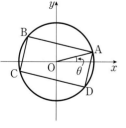

① 점 A의 x좌표   ② 점 B의 y좌표

③ 점 C의 x좌표   ④ 점 C의 y좌표

⑤ 점 D의 x좌표

▶ 해설 내신연계기출

유형 12 일반각에 대한 삼각함수의 성질

$\dfrac{n}{2}\pi\pm\theta$ (단, n은 정수)의 삼각함수 각의 변환 방법

[1단계] 모든 각을 $\dfrac{n}{2}\pi\pm\theta$ 또는 $90°\times n\pm\theta$의 꼴로 고친다.

[2단계] 함수를 결정한다. ← 모양결정 (단, n은 정수)

$\qquad n$이 짝수일 때, $(\pi\pm\theta$꼴)

$\qquad\Rightarrow$ 그대로 $(\sin\to\sin,\ \cos\to\cos,\ \tan\to\tan)$

$\qquad n$이 홀수일 때, $\left(\dfrac{\pi}{2}\pm\theta$꼴$\right)$

$\qquad\Rightarrow$ 바꾼다. $\left(\sin\to\cos,\ \cos\to\sin,\ \tan\to\dfrac{1}{\tan}\right)$

[3단계] 삼각함수의 부호를 결정한다. ← 사분면 조사

$\qquad\theta$를 예각 (제1사분면)으로 생각하고 $\dfrac{n}{2}\pi\pm\theta$가 속한 사분면에서 원래 주어진 삼각함수의 부호가 양이면 $+$, 음이면 $-$를 붙인다.

주의 간단한 삼각비의 값

θ	$0°$	$30°$	$45°$	$60°$	$90°$
$\sin\theta$	0	$\dfrac{1}{2}$	$\dfrac{\sqrt{2}}{2}$	$\dfrac{\sqrt{3}}{2}$	1
$\cos\theta$	1	$\dfrac{\sqrt{3}}{2}$	$\dfrac{\sqrt{2}}{2}$	$\dfrac{1}{2}$	0
$\tan\theta$	0	$\dfrac{1}{\sqrt{3}}$	1	$\sqrt{3}$	없다 (∞)

0861 학교기출 😊유형

$\sin\dfrac{7}{6}\pi+\cos\dfrac{5}{3}\pi$의 값은?

① -1 ② $-\dfrac{1}{2}$ ③ 0

④ $\dfrac{1}{2}$ ⑤ 1

0862

$\sin\left(-\dfrac{\pi}{6}\right)+\cos\dfrac{7}{3}\pi-\tan\dfrac{5}{4}\pi$의 값은?

① -1 ② $-\dfrac{1}{2}$ ③ $\dfrac{1}{2}$

④ $\dfrac{\sqrt{2}}{2}$ ⑤ 1

0863 최다빈출 👑중요 BASIC

$\dfrac{\sin\frac{2}{3}\pi}{\tan\frac{5}{4}\pi}+\dfrac{\cos\frac{11}{6}\pi}{\tan\frac{3}{4}\pi}$ 의 값은?

① $-\sqrt{3}$ ② -1 ③ 0

④ 1 ⑤ $\sqrt{3}$

▶ 해설 내신연계기출

0864 BASIC

$\sin 120^\circ-\cos 210^\circ+\tan 240^\circ$ 의 값은?

① $-2\sqrt{3}$ ② $-\sqrt{3}$ ③ $\sqrt{3}$

④ $2\sqrt{3}$ ⑤ $3\sqrt{3}$

0865 최다빈출 👑중요 NORMAL

다음 조건을 만족하는 a, b에 대하여 $a+b$의 값은?

(가) $\sin 150^\circ\cos 480^\circ-\sin 240^\circ\cos 150^\circ=a$

(나) $\sin\dfrac{2}{3}\pi\tan\dfrac{5}{6}\pi+\cos\left(-\dfrac{13}{3}\pi\right)\tan\dfrac{7}{4}\pi=b$

① -2 ② -1 ③ 0

④ 1 ⑤ 2

▶ 해설 내신연계기출

0866 최다빈출 👑중요 NORMAL

$a=\sin 40^\circ$, $b=\cos 40^\circ$, $c=\sin 135^\circ$의 대소 관계로 옳은 것은?

① $a<b<c$ ② $a<c<b$ ③ $b<c<a$

④ $c<a<b$ ⑤ $c<b<a$

▶ 해설 내신연계기출

0867 NORMAL

$\sin 250^\circ+\cos 100^\circ+\tan 190^\circ$의 값을 다음 삼각함수표를 이용하여 구하면?

θ	$\sin\theta$	$\cos\theta$	$\tan\theta$
10°	0.1736	0.9848	0.1763
20°	0.3420	0.9397	0.3640

① -0.9370 ② -0.9015 ③ 0.3499

④ 0.9397 ⑤ 0.9821

0868 TOUGH

함수 $f(x)=a\sin 3\pi x+b\cos 2\pi x$에 대하여

$$f\left(\frac{11}{6}\right)=\frac{1}{2},\ f\left(\frac{7}{4}\right)=-\sqrt{2}$$

일 때, ab의 값은? (단, a, b는 상수이다.)

① 2 ② 4 ③ 6

④ 8 ⑤ 10

삼각함수를 포함한 식에서 각의 크기가 여러 가지인 경우 각의 크기의 합이 $\frac{\pi}{2}$ 인 것끼리 짝을 지어 각을 변형한다.

$\alpha+\beta=\frac{\pi}{2}$ 일 때, $\beta=\frac{\pi}{2}-\alpha$

① $\sin^2\alpha+\sin^2\beta=\sin^2\alpha+\sin^2\left(\frac{\pi}{2}-\alpha\right)=\sin^2\alpha+\cos^2\alpha=1$

② $\cos^2\alpha+\cos^2\beta=\cos^2\alpha+\cos^2\left(\frac{\pi}{2}-\alpha\right)=\cos^2\alpha+\sin^2\alpha=1$

③ $\tan\alpha\cdot\tan\beta=\tan\alpha\cdot\tan\left(\frac{\pi}{2}-\alpha\right)=\tan\alpha\cdot\frac{1}{\tan\alpha}=1$

0869 학교기출 대표유형

$\sin^2 20°+\sin^2 40°+\sin^2 50°+\sin^2 70°$ 의 값은?

① 1   ② 2   ③ $2\sin 20°$

④ $2\sin 40°$ ⑤ 0

0870 최다빈출 중요 · BASIC

$\sin^2\frac{1}{36}\pi+\sin^2\frac{2}{36}\pi+\sin^2\frac{3}{36}\pi+\cdots+\sin^2\frac{17}{36}\pi+\sin^2\frac{18}{36}\pi$ 의 값은?

① 8   ② $\frac{17}{2}$ ③ 9

④ $\frac{19}{2}$ ⑤ $\frac{21}{2}$

▶ 해설 내신연계기출

0871 · BASIC

$\cos^2\frac{1}{36}\pi+\cos^2\frac{2}{36}\pi+\cos^2\frac{3}{36}\pi+\cdots+\cos^2\frac{17}{36}\pi+\cos^2\frac{18}{36}\pi$ 의 값은?

① 8   ② $\frac{17}{2}$ ③ 9

④ $\frac{19}{2}$ ⑤ $\frac{21}{2}$

0872 · NORMAL

$\theta=\frac{\pi}{50}$ 일 때, $\sin^2\theta+\sin^2 2\theta+\sin^2 3\theta+\cdots+\sin^2 24\theta$ 의 값은?

① 10   ② 12   ③ 16

④ 20   ⑤ 24

0873 · NORMAL

$\sin 1°+\sin 2°+\sin 3°+\cdots+\sin 359°+\sin 360°$ 의 값은?

① -180 ② -1 ③ 0

④ 180   ⑤ 360

0874 · NORMAL

$\tan 5°\times\tan 10°\times\tan 15°\times\cdots\times\tan 80°\times\tan 85°$ 의 값은?

① $-\frac{17}{2}$ ② -7 ③ 0

④ 1   ⑤ 7

0875 · NORMAL

$\log_2\tan 1°+\log_2\tan 2°+\log_2\tan 3°+\cdots+\log_2\tan 89°$ 의 값은?

① $-\log_2 3$ ② -1 ③ 0

④ $\log_2 3$ ⑤ 2

0876

삼각함수 사이의 관계에 대한 [보기]의 설명 중 옳은 것을 모두 고르면?

ㄱ. $1+\tan^2\alpha=\dfrac{1}{\sin^2\alpha}$

ㄴ. $\dfrac{\pi}{2}<\alpha<\pi$이면 $\sin\alpha\cos\alpha<0$

ㄷ. $\alpha+\beta=\dfrac{\pi}{2}$이면 $\tan\alpha\cdot\tan\beta=1$

① ㄱ   ② ㄴ   ③ ㄱ, ㄷ

④ ㄴ, ㄷ   ⑤ ㄱ, ㄴ, ㄷ

0877

최다빈출 왕중요   TOUGH

삼각함수의 성질을 이용하여 다음 조건을 만족하는 a, b, c에 대하여 $a+b+c$의 값은?

(가) $\sin^2 1°+\sin^2 2°+\sin^2 3°+\cdots+\sin^2 89°+\sin^2 90°=a$

(나) $\cos^2 1°+\cos^2 2°+\cos^2 3°+\cdots+\cos^2 89°=b$

(다) $\tan 1°\times\tan 2°\times\tan 3°\times\cdots\times\tan 88°\times\tan 89°=c$

① $\dfrac{81}{2}$ ② $\dfrac{89}{2}$ ③ $\dfrac{91}{2}$

④ 91 ⑤ 101

▶ 해설 내신연계기출

0878

최다빈출 왕중요   TOUGH

자연수 n에 대하여 $f(n)=\cos\dfrac{2n}{3}\pi$에 대하여 $f(1)+f(2)+f(3)+\cdots+f(50)$의 값은?

① -1 ② $-\dfrac{1}{2}$ ③ 0

④ $\dfrac{1}{2}$ ⑤ 1

▶ 해설 내신연계기출

0879

최다빈출 왕중요   TOUGH

$\theta=\dfrac{\pi}{20}$일 때,

$$\sin\theta\cos 9\theta+\sin 2\theta\cos 8\theta+\sin 3\theta\cos 7\theta+\cdots$$
$$+\sin 8\theta\cos 2\theta+\sin 9\theta\cos\theta$$

의 값은?

① 4 ② $\dfrac{9}{2}$ ③ 5

④ $\dfrac{11}{2}$ ⑤ 6

▶ 해설 내신연계기출

유형	14	각이 일정하게 증가하는 삼각함수의 성질

$\alpha+\beta=\pi$	$\alpha+\beta=\dfrac{\pi}{2}$
$\sin\alpha=\sin\beta$	$\sin\alpha=\cos\beta$
$\cos\alpha=-\cos\beta$	$\cos\alpha=\sin\beta$
$\tan\alpha=-\tan\beta$	$\tan\alpha=\cot\beta$

0880

학교기출 최다빈출 유형

$\cos\dfrac{1}{19}\pi+\cos\dfrac{2}{19}\pi+\cos\dfrac{3}{19}\pi+\cdots+\cos\dfrac{18}{19}\pi+\cos\dfrac{19}{19}\pi$의 값은?

① -1 ② $-\dfrac{1}{2}$ ③ 0

④ $\dfrac{1}{2}$ ⑤ 1

0881

최다빈출 왕중요   NORMAL

오른쪽 그림과 같이 좌표평면 위의 단위원을 10등분한 점을 차례로 $P_1(1, 0)$부터 $P_1, P_2, P_3, \cdots, P_{10}$이라 하고 $\angle P_1 OP_2=\theta$일 때, 다음 조건을 만족하는 a, b에 대하여 $a+b$의 값은?

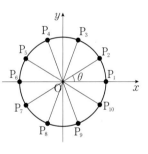

(가) $\sin\theta+\sin 2\theta+\sin 3\theta+\cdots+\sin 10\theta=a$

(나) $\cos\theta+\cos 2\theta+\cos 3\theta+\cdots+\cos 10\theta=b$

① -2 ② -1 ③ 0

④ 1 ⑤ 2

▶ 해설 내신연계기출

0882

TOUGH

좌표평면 위의 단위원을 12등분하는 각 점을 차례로 $P_1(1, 0)$부터 $P_1, P_2, P_3, \cdots, P_{12}=P_0$이라 하고 $\angle P_1 OP_0=\theta$라고 할 때, 다음 조건을 만족하는 a, b에 대하여 $a+b$의 값은?

(가) $\sin\theta+\sin 2\theta+\sin 3\theta+\cdots+\sin 12\theta=a$

(나) $\cos\theta+\cos 2\theta+\cos 3\theta+\cdots+\cos 12\theta=b$

① -2 ② -1 ③ 0

④ 1 ⑤ 2

0883 최다빈출 ❷중요

오른쪽 그림과 같이 중심이 O, 반지름의 길이가 1인 사분원 POQ를 10등분 하는 점을 차례로 P_1, P_2, P_3, $\cdots$, P_9라 하고, $\angle POP_1 = \theta$라고 하자.
$\overline{P_1Q_1}^2 + \overline{P_2Q_2}^2 + \overline{P_3Q_3}^2 + \cdots + \overline{P_9Q_9}^2$의 값은?

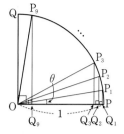

① 4
② $\dfrac{9}{2}$
③ 5

④ $\dfrac{11}{2}$
⑤ 6

▶ 해설 내신연계기출

0884

오른쪽 그림과 같이 반지름의 길이가 1인 사분원의 호 AB를 5등분하는 점을 각각 P_1, P_2, P_3, P_4라고 하자.
점 P_n($n=1, 2, 3, 4$)에서 반지름 OA에 내린 수선의 발을 Q_n($n=1, 2, 3, 4$)이라고 할 때,
$\overline{P_1Q_1}^2 + \overline{P_2Q_2}^2 + \overline{P_3Q_3}^2 + \overline{P_4Q_4}^2$의 값은?

① 0
② $\dfrac{1}{4}$
③ $\dfrac{1}{2}$

④ 1
⑤ 2

0885

두 점 O(0, 0), A$\left(\dfrac{\pi}{2}, 0\right)$을 이은 선분 OA를 6등분 한 점을 차례로 P_1, P_2, P_3, P_4, P_5라고 하자. 점 P_k($k=1, 2, 3, 4, 5$)를 지나 x축에 수직인 직선과 함수 $y=\sqrt{2}\cos x$의 그래프의 교점을 Q_k라고 할 때,
$$\overline{P_1Q_1}^2 + \overline{P_2Q_2}^2 + \overline{P_3Q_3}^2 + \overline{P_4Q_4}^2 + \overline{P_5Q_5}^2$$
의 값은?

① 1
② 2
③ 3

④ 4
⑤ 5

0886

오른쪽 그림과 같이 사분원 POQ를 10등분하는 점을 차례로 P_1, P_2, P_3, $\cdots$, P_9이라 하고 $\angle POP_1 = \theta$라고 할 때, 다음 [보기]의 설명 중 옳은 것을 모두 고르면?

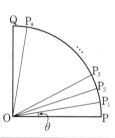

> ㄱ. $\sin^2\theta + \sin^2 2\theta + \sin^2 3\theta + \cdots + \sin^2 9\theta = \dfrac{9}{2}$
>
> ㄴ. $\cos^2\theta + \cos^2 2\theta + \cos^2 3\theta + \cdots + \cos^2 9\theta = \dfrac{9}{2}$
>
> ㄷ. P_i($i=1, 2, \cdots, 9$)의 좌표를 (x_i, y_i)라 할 때,
> $\dfrac{y_1 y_2 y_3 \cdots y_9}{x_1 x_2 x_3 \cdots x_9} = 1$

① ㄱ
② ㄴ
③ ㄱ, ㄷ

④ ㄴ, ㄷ
⑤ ㄱ, ㄴ, ㄷ

유형 15 도형에서 삼각함수의 성질 (1)

삼각형 ABC의 세 내각의 크기를 A, B, C라고 하면 $A+B+C=\pi$

(1) $A+B=\pi-C$에서

① $\sin(A+B)=\sin(\pi-C)=\sin C$

② $\cos(A+B)=\cos(\pi-C)=-\cos C$

(2) $\dfrac{A+B}{2}=\dfrac{\pi}{2}-\dfrac{C}{2}$에서

① $\sin\left(\dfrac{A+B}{2}\right)=\sin\left(\dfrac{\pi}{2}-\dfrac{C}{2}\right)=\cos\dfrac{C}{2}$

② $\cos\left(\dfrac{A+B}{2}\right)=\cos\left(\dfrac{\pi}{2}-\dfrac{C}{2}\right)=\sin\dfrac{C}{2}$

0887 학교기출 빈출 유형

삼각형 ABC의 세 내각의 크기를 각각 A, B, C라 할 때, 다음 [보기] 중 옳은 것을 모두 고른 것은?

ㄱ. $\sin\dfrac{A}{2}=\sin\left(\dfrac{B+C}{2}\right)$

ㄴ. $\sin A=\sin(B+C)$

ㄷ. $\tan A=\tan(B+C)$

① ㄱ ② ㄴ ③ ㄷ
④ ㄱ, ㄴ ⑤ ㄴ, ㄷ

0888 최다빈출 상 중요 NORMAL

삼각형 ABC의 세 내각의 크기 A, B, C에 대하여

$$\sin\frac{2\pi-A}{2}\cos\frac{B+C}{2}+\cos\left(-\frac{A}{2}\right)\sin\frac{B+C}{2}$$

의 값은?

① -1 ② 0 ③ 1
④ 2 ⑤ 3

▶ 해설 내신연계기출

0889 최다빈출 상 중요 NORMAL

삼각형 ABC의 세 내각의 크기를 각각 A, B, C라 할 때, 삼각형 ABC에 대하여 다음 [보기] 중 옳은 것을 모두 고른 것은? $\left(\text{단, } A\neq\dfrac{\pi}{2}\right)$

ㄱ. $\cos\dfrac{A}{2}-\sin\left(\dfrac{B+C}{2}\right)=0$

ㄴ. $\tan A+\tan(B+C)=0$

ㄷ. $\sin\left(\dfrac{2\pi-A}{2}\right)\cos\left(\dfrac{B+C}{2}\right)+\sin\left(\dfrac{\pi+A}{2}\right)\sin\left(\dfrac{B+C}{2}\right)=1$

ㄹ. $\cos(A+B)>0$이면 삼각형 ABC는 둔각삼각형이다.

① ㄱ ② ㄴ ③ ㄷ, ㄹ
④ ㄱ, ㄴ, ㄹ ⑤ ㄱ, ㄴ, ㄷ, ㄹ

▶ 해설 내신연계기출

0890 NORMAL

오른쪽 그림과 같이 사각형 ABCD가 원 O에 내접할 때, 다음 [보기] 중 옳은 것을 모두 고른 것은?

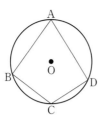

ㄱ. $\cos A=-\cos C$

ㄴ. $\sin(A+B)=-\sin(C+D)$

ㄷ. $\tan(A+C)=\tan(B+D)$

① ㄱ ② ㄴ ③ ㄷ
④ ㄱ, ㄴ ⑤ ㄱ, ㄴ, ㄷ

0891 TOUGH

오른쪽 그림과 같이 원에 내접하는 사각형 ABCD에서 다음 [보기] 중 옳은 것을 모두 고른 것은? (단, A, B, C, D는 모두 직각이 아니다.)

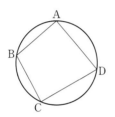

ㄱ. $\sin A+\sin B+\sin C+\sin D=0$

ㄴ. $\cos A+\cos B+\cos C+\cos D=0$

ㄷ. $\tan A+\tan B+\tan C+\tan D=0$

① ㄱ ② ㄴ ③ ㄷ
④ ㄴ, ㄷ ⑤ ㄱ, ㄴ, ㄷ

0892 최다빈출 상 중요 TOUGH

$0<A<\pi$, $0<B<\pi$ 인 서로 다른 두 각 A, B에 대하여

$$\sin A=\sin B$$

가 성립할 때, 다음 [보기] 중 옳은 것을 모두 고른 것은?

ㄱ. $\sin\dfrac{A+B}{2}=1$

ㄴ. $\sin\dfrac{A}{2}-\cos\dfrac{B}{2}=0$

ㄷ. $\tan A+\tan B=0$

① ㄱ ② ㄴ ③ ㄱ, ㄷ
④ ㄴ, ㄷ ⑤ ㄱ, ㄴ, ㄷ

▶ 해설 내신연계기출

[1단계] 주어진 도형의 각을 이용하여 삼각함수의 값을 구한다.
[2단계] 삼각함수의 각의 변환을 이용하여 구하는 삼각함수의 값을
구한다.

0893 학교기출 대표 유형

그림과 같이 동경 OP가 나타내는 각이 θ일 때,
$\sin\left(\dfrac{3}{2}\pi+\theta\right)\cos(\pi-\theta)\tan(\pi+\theta)\cos(-\theta)$값은?

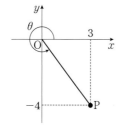

① $-\dfrac{16}{9}$ ② $-\dfrac{9}{25}$ ③ $-\dfrac{16}{25}$

④ $-\dfrac{36}{125}$ ⑤ $-\dfrac{27}{125}$

0894 NORMAL

오른쪽 그림과 같이 길이가 1인 선분
AB를 지름으로 하는 반원 O 위의 두
점 C, D에 대하여
$\angle CAD = \angle DAB = \alpha$, $\angle ABD = \beta$ 일
때, 다음 중 $\sin(\beta-\alpha)$의 값과 같은 것은?

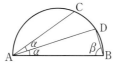

① $\overline{AC}$ ② $\overline{BD}$ ③ $\overline{CD}$

④ $2\overline{AC}$ ⑤ $2\overline{BD}$

0895 최다빈출 강중요 NORMAL

오른쪽 그림과 같이 선분 AB를 지름
으로 하는 원 O 위의 한 점 C에 대하
여 $\angle CAB=\alpha$, $\angle CBA=\beta$라 하자.
$\overline{AC}=1$, $\cos\alpha=\dfrac{1}{3}$일 때, $\sin(\alpha+2\beta)$
의 값은?

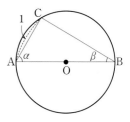

① $\dfrac{\sqrt{2}}{3}$ ② $\dfrac{2\sqrt{2}}{3}$ ③ $\dfrac{\sqrt{2}}{2}$

④ $\dfrac{2\sqrt{2}}{5}$ ⑤ $\dfrac{2\sqrt{3}}{4}$

▶ 해설 내신연계기출

0896 최다빈출 강중요 NORMAL

오른쪽 그림과 같이 선분 AB를 지름
으로 하는 원 O에서
$\overline{AC}=3$, $\overline{BC}=4$, $\angle CAB=\alpha$,
$\angle CBA=\beta$일 때, $\sin(2\alpha+\beta)$의 값
은?

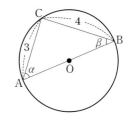

① $\dfrac{2}{3}$ ② $\dfrac{3}{5}$

③ $\dfrac{3}{4}$ ④ $\dfrac{4}{5}$

⑤ $\dfrac{5}{6}$

▶ 해설 내신연계기출

0897 TOUGH

그림과 같이 정삼각형 ABC의 변 AB 위의 점 P, 변 BC 위의 점
Q, R, 변 AC 위의 점 S를 꼭짓점으로 하는 정사각형 PQRS가 있
다. $\angle SBC=\theta$라 할 때, $\dfrac{\sin(2\pi-\theta)}{\cos(\pi+\theta)}-\dfrac{\cos\left(\dfrac{\pi}{2}+\theta\right)}{\sin\left(\dfrac{\pi}{2}-\theta\right)}$의 값은?

(단, $\overline{BQ}<\overline{BR}$)

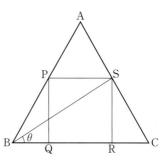

① $\dfrac{3-\sqrt{3}}{3}$ ② $\dfrac{3-\sqrt{3}}{2}$ ③ $3-\sqrt{3}$

④ $\dfrac{3+\sqrt{3}}{3}$ ⑤ $\dfrac{3+\sqrt{3}}{2}$

유형 17 일차식인 삼각함수의 최대·최소

① 두 종류 이상의 삼각함수를 포함하고 있는 삼각함수의 최대·최소
⇨ 한 종류의 삼각함수로 통일한다.

② 절댓값 기호가 포함된 경우
⇨ $0 \le |\sin x| \le 1$, $0 \le |\cos x| \le 1$임을 이용한다.

0898 학교기출 대표유형

함수

$$y = 3\cos(\pi + x) + \sin\left(x - \frac{\pi}{2}\right) + 1$$

의 최댓값 M과 최솟값 m에 대하여 $M + m$의 값은?

① -3 ② -2 ③ 0

④ 1 ⑤ 2

0899 BASIC

함수

$$y = \sin\left(x + \frac{\pi}{2}\right) - 3\cos x + 1$$

의 최댓값과 최솟값의 합은?

① -3 ② -2 ③ 0

④ 1 ⑤ 2

0900 NORMAL

함수 $y = \left|\sin x - \dfrac{1}{2}\right| + \dfrac{1}{2}$ 의 최댓값을 M, 최솟값을 m이라 할 때, $M + m$의 값은?

① 1 ② $\dfrac{3}{2}$ ③ 2

④ $\dfrac{5}{2}$ ⑤ 3

0901 최다빈출 왕중요 NORMAL

함수

$$y = a|\cos x - 1| + b$$

의 최댓값이 5, 최솟값이 -1일 때, $a + b$의 값은?
(단, $a > 0$, b는 상수)

① 2 ② 3 ③ 4

④ 5 ⑤ 6

▶ 해설 내신연계기출

0902 NORMAL

함수

$$f(x) = a|\sin x + 2| + 3$$

의 최댓값이 9일 때, $f\left(\dfrac{\pi}{6}\right)$의 값은? (단, $a > 0$)

① 2 ② 4 ③ 6

④ 8 ⑤ 10

0903 NORMAL

함수

$$y = -|\tan x - 1| + k$$

의 최댓값과 최솟값의 합이 6일 때, 상수 k의 값은?
$\left($단, $-\dfrac{\pi}{4} \le x \le \dfrac{\pi}{4}\right)$

① 2 ② 3 ③ 4

④ 5 ⑤ 6

[1단계] $\sin^2 x + \cos^2 x = 1$임을 이용하여 한 종류의 삼각함수로 통일시킨다.

[2단계] $\sin x = t$(또는 $\cos x = t$)로 치환하고 t의 값의 범위를 구한다.

[3단계] t의 범위 내에서 이차함수 $f(t)$의 그래프를 이용하여 최댓값과 최솟값을 구한다.

주의 삼각함수의 각이 $\dfrac{\pi}{2} n \pm \theta$꼴로 나타내어진 경우 각을 θ로 통일한다.

0904 학교기출 대표 유형

함수 $y = -4\cos^2 x + 4\sin x + 3$의 최댓값을 M, 최솟값을 m이라 할 때, $M + m$의 값은?

① 1 　　　　② 2 　　　　③ 3

④ 4 　　　　⑤ 5

0905 최다빈출 상 중요

함수 $y = \cos^2 x - \sin x + 1$의 최댓값을 M, 최솟값을 m이라 할 때, $M + m$의 값은?

① $\dfrac{9}{4}$ 　　　　② $\dfrac{7}{4}$ 　　　　③ $\dfrac{5}{2}$

④ $\dfrac{7}{2}$ 　　　　⑤ 3

▶ 해설 내신연계기출

0906

함수 $y = \sin^2 x - 2\cos x + 1$은 $x = a$일 때, 최댓값 b를 가진다. 상수 a, b에 대하여 ab의 값은? (단, $0 \le x < 2\pi$)

① π 　　　　② 2π 　　　　③ 3π

④ 4π 　　　　⑤ 5π

0907

함수 $f(x) = \sin^2 x + \sin\left(x + \dfrac{\pi}{2}\right) + 1$의 최댓값을 M이라 할 때, $4M$의 값은?

① 3 　　　　② 6 　　　　③ 9

④ 12 　　　　⑤ 15

0908 최다빈출 상 중요

함수 $y = \sin\left(x + \dfrac{\pi}{2}\right) - \cos^2(x + \pi)$의 최댓값을 M, 최솟값을 m이라고 할 때, $M + m$의 값은? (단, $0 \le x < 2\pi$)

① $-\dfrac{7}{4}$ 　　　　② $-\dfrac{3}{4}$ 　　　　③ $-\dfrac{1}{4}$

④ -2 　　　　⑤ $-\dfrac{1}{2}$

▶ 해설 내신연계기출

0909 최다빈출 상 중요

$0 \le x < 2\pi$에서 함수 $y = -3\cos^2 x + 12\cos\left(\dfrac{\pi}{2} - x\right) + 16 - k$의 최솟값이 1일 때, 이 함수의 최댓값은? (단, k는 상수이다.)

① 24 　　　　② 25 　　　　③ 26

④ 27 　　　　⑤ 28

▶ 해설 내신연계기출

0910

$x+y=2\pi$일 때, $9\sin^2(\pi+x)+9\cos y$의 최댓값은?

① $\dfrac{11}{4}$ ② $\dfrac{15}{4}$ ③ $\dfrac{17}{4}$

④ 9   ⑤ $\dfrac{45}{4}$

0911 최다빈출 왕 중요

$0\le x\le\dfrac{\pi}{4}$일 때, 함수 $y=2\tan x-3+\dfrac{1}{\cos^2 x}$의 최댓값을 M,

최솟값을 m이라고 할 때, $M+m$의 값은?

① -3 ② -2 ③ -1

④ 1   ⑤ 2

▶ 해설 내신연계기출

0912 최다빈출 왕 중요

함수 $y=a\cos^2 x+a\sin x+b$의 최댓값이 10, 최솟값이 1일 때, $a+b$의 값은? (단, $a>0$, b는 상수)

① 3   ② 6   ③ 9

④ 12   ⑤ 15

▶ 해설 내신연계기출

유형 19 유리식인 삼각함수의 최대·최소

[1단계] $\sin x$(또는 $\cos x$ 또는 $\tan x$)를 t로 치환하여 t에 대한 함수를 얻는다.

[2단계] t의 값의 범위를 구한다.

[3단계] 유리함수의 그래프를 이용하여 t의 범위에서 최댓값과 최솟값을 구한다.

0913 학교기출 대표 유형

함수 $y=\dfrac{1}{\sin x-2}+2$의 최댓값을 M, 최솟값을 m이라 할 때, $M+m$의 값은?

① $\dfrac{1}{3}$ ② $\dfrac{2}{3}$ ③ 1

④ $\dfrac{5}{3}$ ⑤ $\dfrac{8}{3}$

0914 최다빈출 왕 중요

함수 $y=\dfrac{\cos x-5}{\cos x+3}$의 최댓값을 M, 최솟값을 m이라 할 때, $M+m$의 값은?

① -6 ② -4 ③ -3

④ 3   ⑤ 4

▶ 해설 내신연계기출

0915 최다빈출 왕 중요

$\dfrac{\pi}{3}\le x\le\dfrac{\pi}{2}$에서 정의된 함수 $y=\dfrac{-\cos x+a}{\cos x-1}$의 최댓값이 -2일 때, 최솟값은? (단, $a>1$)

① -5 ② -4 ③ -3

④ -2 ⑤ -1

▶ 해설 내신연계기출

0916

$0\le x\le\dfrac{\pi}{4}$에서 함수 $y=\dfrac{\cos x+\sin x}{3\cos x-\sin x}$의 최댓값을 M, 최솟값을 m이라 할 때, $M+m$의 값은?

① $\dfrac{1}{3}$ ② $\dfrac{2}{3}$ ③ 1

④ $\dfrac{4}{3}$ ⑤ $\dfrac{5}{3}$

유형 20 일차식의 삼각방정식의 풀이

(1) $\sin x = k$ (또는 $\cos x = k$, $\tan x = k$)꼴의 방정식

⇨ 함수 $y = \sin x$ (또는 $y = \cos x$, $y = \tan x$)의 그래프와
직선 $y = k$의 교점의 x좌표를 구한다.

(2) $\sin(ax+b) = k$꼴의 방정식

⇨ $ax+b = t$로 치환한 후 삼각방정식의 풀이 순서대로 푼다.
이때 t의 범위에 유의한다.

0917 학교기출 대표유형

다음 그림과 같이 함수 $y = \sin x\,(0 \le x \le 2\pi)$의 그래프와 직선 $y = \dfrac{\sqrt{2}}{2}$가 만나는 두 점의 x좌표를 각각 α, $\beta\,(\alpha < \beta)$라고 할 때, $\alpha + \beta$의 값은?

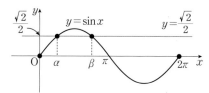

① $\dfrac{2}{3}\pi$　　　② π　　　③ $\dfrac{3}{2}\pi$

④ 2π　　　⑤ 3π

0918 BASIC

$0 \le x < 2\pi$일 때, 방정식 $2\cos x - 1 = 0$의 모든 근의 합은?

① π　　　② $\dfrac{3}{2}\pi$　　　③ 2π

④ 3π　　　⑤ 4π

0919 최다빈출 상중요 NORMAL

$0 \le x < 2\pi$에서 방정식 $2\sin 2x = \sqrt{3}$의 모든 근의 합을 θ라 할 때, $\cos\theta$의 값은?

① -1　　　② $-\dfrac{\sqrt{3}}{2}$　　　③ $-\dfrac{1}{2}$

④ $\dfrac{1}{2}$　　　⑤ 1

▶ 해설 내신연계기출

0920 최다빈출 상중요 NORMAL

방정식 $\sin 3x = \dfrac{1}{2}$을 만족시키는 x의 값을 작은 것부터 크기순으로 나열할 때, 네 번째 수는? ($0 \le x \le 2\pi$)

① $\dfrac{13}{18}\pi$　　　② $\dfrac{17}{18}\pi$　　　③ $\dfrac{19}{18}\pi$

④ $\dfrac{25}{18}\pi$　　　⑤ $\dfrac{29}{18}\pi$

▶ 해설 내신연계기출

0921 최다빈출 상중요 NORMAL

다음 조건을 만족하는 실수 a, b, c에 대하여 $a+b+c$의 값은?
(단, $0 \le \theta < 2\pi$)

(가) $\sin\theta = \dfrac{\sqrt{3}}{2}$의 모든 해의 합을 a

(나) $\cos\theta = -\dfrac{\sqrt{3}}{2}$의 모든 해의 합을 b

(다) $\tan\theta = 1$의 모든 해의 합을 c

① 2π　　　② 3π　　　③ 4π

④ $\dfrac{7}{2}\pi$　　　⑤ $\dfrac{9}{2}\pi$

▶ 해설 내신연계기출

0922 NORMAL

$0 \le x < \dfrac{\pi}{2}$일 때, 방정식

$$2\sin\left(4x - \dfrac{\pi}{3}\right) = 1$$

의 모든 근의 합은?

① $\dfrac{\pi}{4}$　　　② $\dfrac{5}{12}\pi$　　　③ $\dfrac{3}{4}\pi$

④ $\dfrac{7}{3}\pi$　　　⑤ $\dfrac{9}{2}\pi$

0923 최다빈출 왕중요 · NORMAL

$0 \leq x < 2\pi$일 때, 방정식

$$2\cos\left(x - \frac{\pi}{6}\right) - \sqrt{2} = 0$$

의 모든 근의 합은?

① $\frac{3}{4}\pi$ ② $\frac{5}{4}\pi$ ③ $\frac{9}{4}\pi$

④ $\frac{7}{3}\pi$ ⑤ $\frac{9}{2}\pi$

▶ 해설 내신연계기출

0924 최다빈출 왕중요 · NORMAL

$0 \leq x < 2\pi$일 때, 방정식

$$|\sin 2x| = \frac{1}{2}$$

의 모든 실근의 개수는?

① 2 ② 4 ③ 6

④ 8 ⑤ 10

▶ 해설 내신연계기출

0925 · TOUGH

$0 \leq x < 2\pi$일 때, 연립방정식 $\begin{cases} |\sin x| = \dfrac{\sqrt{3}}{2} \\ 2\cos\left(x + \dfrac{\pi}{3}\right) = 1 \end{cases}$ 의 해는?

① $\frac{2}{3}\pi$ ② 2π ③ $\frac{4}{3}\pi$

④ $\frac{3}{2}\pi$ ⑤ $\frac{7}{2}\pi$

0926 · TOUGH

$0 \leq x < 2\pi$일 때, 방정식

$$\sin(\pi\cos x) = 1$$

의 두 근을 α, β라 할 때, $\beta - \alpha$의 값은? (단, $\alpha < \beta$)

① $\frac{3}{4}\pi$ ② $\frac{4}{3}\pi$ ③ $\frac{5}{3}\pi$

④ $\frac{3}{2}\pi$ ⑤ 2π

유형 21 이차식의 삼각방정식

[1단계] $\sin^2 x + \cos^2 x = 1$임을 이용하여 한 삼각함수에 대한 방정식으로 변형한다.

[2단계] $\sin x$(또는 $\cos x$ 또는 $\tan x$)를 t로 치환하여 t에 대한 이차방정식을 얻는다.

[3단계] [2단계]의 해를 구한 다음 치환한 식에 대입하여 x의 값을 구한다.

0927 학교기출 대표유형

$0 \leq x < 2\pi$일 때, 방정식

$$2\sin^2 x + 5\cos x + 1 = 0$$

을 만족하는 x의 값의 합은?

① $\frac{\pi}{2}$ ② π ③ $\frac{3}{2}\pi$

④ 2π ⑤ 3π

0928 최다빈출 왕중요 · NORMAL

$0 \leq x < 2\pi$일 때, 방정식

$$2\cos^2 x + 3\sin x = 3$$

의 모든 실근의 합은 $\dfrac{q}{p}\pi$이다. $p+q$의 값은?
(단, p, q는 서로소인 자연수이다.)

① 5 ② 7 ③ 9

④ 11 ⑤ 13

▶ 해설 내신연계기출

0929 최다빈출 왕중요 · NORMAL

$0 < x < 2\pi$일 때, 방정식

$$\cos^2 x - \sin x = 1$$

의 모든 실근의 합은 $\dfrac{q}{p}\pi$이다. $p+q$의 값은?
(단, p, q는 서로소인 자연수이다.)

① 5 ② 7 ③ 9

④ 11 ⑤ 13

▶ 해설 내신연계기출

0930

NORMAL

$0 \le x \le \pi$일 때, 방정식

$$2\cos^2 x + (2+\sqrt{3})\sin x - (2+\sqrt{3}) = 0$$

의 모든 해의 합은?

① $\dfrac{3}{4}\pi$ ② π ③ $\dfrac{5}{4}\pi$

④ $\dfrac{3}{2}\pi$ ⑤ $\dfrac{7}{4}\pi$

0931

NORMAL

$0 \le x < 2\pi$일 때, 방정식

$$6\cos^2 x - \sin x - 5 = 0$$

의 모든 근의 합은? (단, $0 \le x < 2\pi$)

① π ② 2π ③ 3π
④ 4π ⑤ 5π

0932

NORMAL

$0 \le x < 2\pi$에서 방정식

$$2\cos x = 3\tan x$$

의 서로 다른 두 실근을 α, β $(\alpha < \beta)$라 할 때, $\tan(\beta - \alpha)$의 값은?

$\left(\text{단, } x \ne \dfrac{\pi}{2},\ x \ne \dfrac{3}{2}\pi\right)$

① $-\sqrt{3}$ ② $-\dfrac{1}{\sqrt{3}}$ ③ -1

④ $\dfrac{1}{\sqrt{3}}$ ⑤ $\sqrt{3}$

0933

최다빈출 🅐 중요   NORMAL

$0 \le x < 2\pi$일 때, 방정식

$$\sin x \cos\left(\dfrac{\pi}{2} - x\right) = \dfrac{1}{3}$$

의 모든 해의 합은?

① π ② 2π ③ 3π
④ 4π ⑤ 5π

▶ 해설 내신연계기출

0934

최다빈출 🅐 중요   TOUGH

삼각형 ABC의 세 내각의 크기를 각각 A, B, C라 하자.

$$2\sin^2 A + 5\cos A + 1 = 0$$

일 때, $\cos\left(\dfrac{B+C}{2}\right)$의 값은?

① $\dfrac{\sqrt{2}}{4}$ ② $\dfrac{\sqrt{3}}{4}$ ③ $\dfrac{1}{2}$

④ $\dfrac{\sqrt{2}}{2}$ ⑤ $\dfrac{\sqrt{3}}{2}$

▶ 해설 내신연계기출

0935

TOUGH

삼각형 ABC의 세 내각의 크기 A, B, C에 대하여 등식

$$3\sin^2 \dfrac{A}{2} - 5\cos\dfrac{A}{2} = 1$$

이 성립할 때, $\sin\left(\dfrac{B+C}{2}\right)$의 값은?

① $\dfrac{1}{4}$ ② $\dfrac{1}{3}$ ③ $\dfrac{1}{2}$

④ $\dfrac{2}{3}$ ⑤ $\dfrac{3}{4}$

유형 22 대칭성을 이용한 삼각방정식 (1)

$y = \sin x$ (또는 $\cos x$)와 직선 $y = k$의 교점의 x좌표의 값은 평균을 이용하여 합을 한 번에 구할 수 있다.

(1) $f(x) = \sin x$에서 ← [그림1]

　① $0 \le x < \pi$이고 $f(a) = f(b) = k$ (단, $0 < k < 1$)이면

　　⇨ $\dfrac{a+b}{2} = \dfrac{\pi}{2}$이므로 $a+b = \pi$ (단, $a \ne b$)

　② $\pi \le x < 2\pi$이고 $f(c) = f(d) = k$ (단, $-1 < k < 0$)이면

　　⇨ $\dfrac{c+d}{2} = \dfrac{3}{2}\pi$이므로 $c+d = 3\pi$ (단, $c \ne d$)

(2) $f(x) = \cos x$에서 ← [그림2]

　$0 \le x < 2\pi$이고 $f(e) = f(f) = k$ (단, $-1 < k < 1$)이면

　　⇨ $\dfrac{e+f}{2} = \pi$이므로 $e+f = 2\pi$ (단, $e \ne f$)

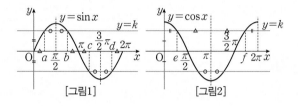

[그림1]　　　[그림2]

0936 학교기출 대표 유형

그림과 같이 $0 \le x \le 3\pi$에서 함수 $y = \sin x$의 그래프가 직선 $y = k(0 < k < 1)$와 만나는 점의 x좌표를 작은 것부터 차례대로 a, b, c, d라 할 때, $a+b+c+d$의 값은?

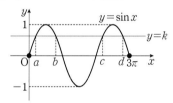

① 3π 　　　② 4π 　　　③ 5π

④ 6π 　　　⑤ 7π

0937 BASIC

$0 \le x < 2\pi$일 때, 방정식

$$\cos x = \dfrac{1}{3}$$

을 만족하는 모든 x의 합은?

① π 　　　② $\dfrac{3}{2}\pi$ 　　　③ $\dfrac{4}{3}\pi$

④ 2π 　　　⑤ 3π

0938 최다빈출 왕중요 NORMAL

그림과 같이 $0 \le x \le 2\pi$에서 두 함수 $y = \sin x$와 $y = \cos x$의 그래프가 직선 $y = k(0 < k < 1)$와 만나는 점의 x좌표를 a, b, c, d라고 할 때, $a+b+c+d$의 값은?

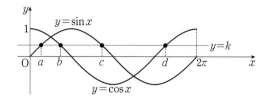

① 2π 　　　② $\dfrac{5}{2}\pi$ 　　　③ 3π

④ $\dfrac{7}{2}\pi$ 　　　⑤ 4π

▶ 해설 내신연계기출

0939 NORMAL

$-\pi \le x \le 4\pi$일 때, 방정식

$$\sin x = -\dfrac{3}{4}$$

의 모든 실근의 합은?

① 6π 　　　② 7π 　　　③ 8π

④ 9π 　　　⑤ 10π

0940 최다빈출 왕중요 NORMAL

$0 \le x < 2\pi$일 때, 방정식

$$\sin x = -\dfrac{1}{3}$$

의 두 근을 α, β라고 할 때, $\sin\left(\alpha+\beta+\dfrac{\pi}{3}\right)$의 값은?

① -1 　　　② $-\dfrac{\sqrt{3}}{2}$ 　　　③ $-\dfrac{1}{2}$

④ $\dfrac{1}{2}$ 　　　⑤ $\dfrac{\sqrt{3}}{2}$

▶ 해설 내신연계기출

0941

$0 \leq x \leq \dfrac{5}{2}\pi$일 때, 방정식

$$3\sin x = 1$$

을 만족시키는 x의 값을 작은 것부터 차례로 a, b, c라고 하자.

이때 $\cos\left(a + \dfrac{b-c}{2}\right)$의 값은?

① -1 ② $-\dfrac{1}{2}$ ③ 0

④ $\dfrac{1}{2}$ ⑤ $\dfrac{\sqrt{3}}{2}$

0942

$-8 \leq x \leq 12$일 때, 함수 $y = \sin \dfrac{\pi}{4}x$의 그래프와 직선 $y = \dfrac{1}{2}$의

교점의 x좌표가 a, b, c, d, e, f라고 한다.

이때 $a+b+c+d+e+f$의 값은?

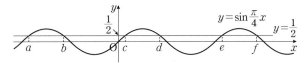

① 10 ② 12 ③ 14

④ 16 ⑤ 18

0943 최다빈출 👑중요

$0 \leq x < 2\pi$일 때, 함수 $y = \cos 2x$의 그래프와 직선 $y = \dfrac{1}{3}$의 교점

의 x좌표를 각각 a, b, c, d라고 하자. $a+b+c+d$의 값은?

① 2π ② $\dfrac{5}{2}\pi$ ③ 3π

④ $\dfrac{7}{2}\pi$ ⑤ 4π

0944

$0 \leq x < \pi$일 때, 방정식

$$|\sin 2x| = \dfrac{2}{3}$$

를 만족하는 모든 근의 합은?

① $\dfrac{\pi}{2}$ ② π ③ $\dfrac{3}{2}\pi$

④ 2π ⑤ $\dfrac{5}{4}\pi$

0945

함수 $y = \sin 2x \,(0 \leq x \leq \pi)$가 직선 $y = \dfrac{3}{5}$과 만나는 두 점을

A, B라 하자. 또한 $y = -\dfrac{3}{5}$과 만나는 두 점을 C, D라 하자.

네 점 A, B, C, D의 x좌표를 각각 α, β, γ, δ라 할 때,

$\alpha + \beta + \gamma + \delta$의 값은?

① 2π ② $\dfrac{11}{4}\pi$ ③ 3π

④ $\dfrac{15}{4}\pi$ ⑤ 4π

0946 최다빈출 👑중요

$0 \leq x \leq \pi$에서 그림과 같이 함수 $y = \sin 2x$의 그래프가 직선

$y = \dfrac{2}{3}$과 두 점 A, B에서 만나고, 직선 $y = -\dfrac{2}{3}$과 두 점 C, D에서

만난다. 네 점 A, B, C, D의 x좌표를 각각 α, β, γ, δ라 할 때,

$\dfrac{\alpha + \delta}{\beta + \gamma}$의 값은? (단, $0 < \alpha < \beta < \gamma < \delta < \pi$)

▶ 해설 내신연계기출

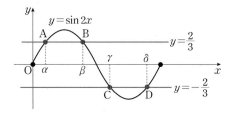

① $\dfrac{1}{3}$ ② $\dfrac{1}{2}$ ③ 1

④ 2 ⑤ 3

▶ 해설 내신연계기출

유형 23 대칭성을 이용한 삼각방정식 (2)

[1단계] 삼각함수 그래프의 대칭성을 이용하여 주어진 x좌표의 합을 구한다.

[2단계] 삼각함수의 성질을 이용하여 주어진 함숫값을 구한다.

0947 학교기출 유형

그림은 함수 $f(x)=\sin \pi x$의 그래프이다.

$$f(\alpha)=f(\beta)=f(\gamma)=\frac{2}{3}$$

일 때, $f(\alpha+\beta+\gamma)$의 값은?

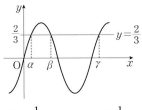

① $-\dfrac{2}{3}$ ② $-\dfrac{1}{2}$ ③ $\dfrac{1}{2}$

④ $\dfrac{2}{3}$ ⑤ 1

▶ 해설 내신연계기출

0948 최다빈출 중요

NORMAL

함수 $f(x)=\sin \pi x \,(x \geq 0)$의 그래프와 직선 $y=\dfrac{2}{3}$가 만나는 점의 x좌표를 작은 것부터 차례대로 α, β, γ라 할 때, $f(\alpha+\beta+\gamma+1)+f\left(\alpha+\beta+\dfrac{1}{2}\right)$의 값은?

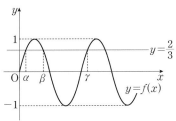

① $-\dfrac{2}{3}$ ② $-\dfrac{1}{3}$ ③ 0

④ $\dfrac{1}{3}$ ⑤ $\dfrac{2}{3}$

▶ 해설 내신연계기출

0949

NORMAL

함수 $f(x)=\sin \dfrac{\pi}{2}x \,(x>0)$의 그래프와 직선 $y=\dfrac{2}{3}$의 교점의 x좌표를 작은 것부터 차례로 α, β, γ, δ라고 할 때, $f(\alpha+\beta+\gamma)+f(\alpha+\delta-3)$의 값은?

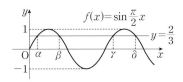

① $-\dfrac{5}{3}$ ② -1 ③ $-\dfrac{2}{3}$

④ $\dfrac{2}{3}$ ⑤ $\dfrac{5}{3}$

0950

NORMAL

함수 $f(x)=\cos 3x$의 그래프와 직선 $y=\dfrac{1}{5}$이 만나는 점의 x좌표를 각각 α, β, $\gamma \,(\alpha<\beta<\gamma)$라 할 때, $f(\beta+\gamma-\alpha)$의 값은?

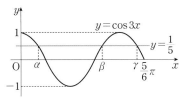

① $-\dfrac{\sqrt{3}}{2}$ ② $-\dfrac{1}{5}$ ③ 1

④ $\dfrac{1}{5}$ ⑤ $\dfrac{\sqrt{3}}{2}$

0951

TOUGH

$0 \leq x \leq 2\pi$에서 함수 $f(x)=\tan x$ 그래프와 직선 $y=2$의 교점의 x좌표는 α, β이고 $f(x)=\tan x$ 그래프와 직선 $y=\dfrac{1}{2}$의 교점의 x좌표는 γ, δ라 할 때, $\cos(\alpha+\beta+\gamma+\delta)$의 값은?

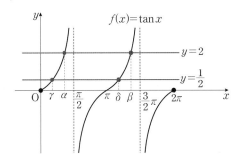

① -1 ② $-\dfrac{1}{2}$ ③ $\dfrac{1}{2}$

④ $\dfrac{\sqrt{3}}{2}$ ⑤ 1

방정식 $f(x)=g(x)$의 서로 다른 실근의 개수

⇨ 두 함수 $y=f(x)$와 $y=g(x)$의 그래프의 서로 다른 교점의 개수와 같다.

0952 학교기출 대표유형

방정식 $\sin \pi x = \dfrac{1}{4}x$의 서로 다른 실근의 개수는?

① 4   ② 5   ③ 6
④ 7   ⑤ 8

0953   NORMAL

함수 $y=\sin \pi x$의 그래프와 직선 $y=\dfrac{3}{10}x$의 교점의 개수는?

① 5   ② 7   ③ 9
④ 11   ⑤ 13

0954 최다빈출 왕중요   NORMAL

방정식 $\cos x = \dfrac{1}{8}x$의 서로 다른 실근의 개수는?

① 3   ② 4   ③ 5
④ 6   ⑤ 7

▶ 해설 내신연계기출

0955   NORMAL

방정식 $\sin x = \dfrac{x}{3\pi}$의 서로 다른 실근의 개수는?
(단, $-3\pi < x < 3\pi$)

① 3   ② 4   ③ 5
④ 6   ⑤ 7

0956 최다빈출 왕중요   NORMAL

$0 \le x < 2\pi$일 때, 방정식

$$\sin 2x = \cos 4x$$

의 서로 다른 실근의 개수는?

① 3   ② 4   ③ 6
④ 8   ⑤ 9

▶ 해설 내신연계기출

0957 최다빈출 왕중요   TOUGH

방정식

$$\frac{1}{3}\log_2 x = \cos 3\pi x$$

를 만족하는 실수 x의 개수는?

① 22   ② 23   ③ 24
④ 25   ⑤ 26

▶ 해설 내신연계기출

0958 최다빈출 왕중요   TOUGH

$0 < x \le 48$에서 두 함수

$$y = \sin \frac{\pi}{3}x, \ y = \sin \frac{2\pi}{3}x$$

의 그래프가 만나는 서로 다른 점의 개수는?

① 24   ② 28   ③ 32
④ 36   ⑤ 40

▶ 해설 내신연계기출

유형 25 삼각방정식이 실근을 가질 조건

[1단계] 주어진 삼각방정식을 $f(x)=k$꼴로 변형한다.

[2단계] $y=f(x)$의 그래프와 직선 $y=k$가 만나도록 하는 k의 값의 범위를 구한다.

참고 $0 \le x < 2\pi$에서

① $\sin x = a(-1 < a < 1)$는 서로 다른 두 실근을 가진다.

② $\sin x = 1$이거나 -1일 때, 각각 한 개의 실근을 가진다.

0959 학교기출 최다빈출 유형

방정식 $3\cos x + 2 = a$이 실근을 갖도록 하는 실수 a의 값의 범위는?

① $-2 \le a \le 5$ ② $-3 \le a \le 3$ ③ $-1 \le a \le 1$

④ $-1 \le a \le 5$ ⑤ $1 \le a \le 5$

0960 NORMAL

$0 \le x < 2\pi$일 때, 방정식

$$\sin x = -\cos\left(x + \frac{3}{2}\pi\right) - 1 + a$$

가 하나의 실근을 갖도록 하는 모든 실수 a의 값의 합은?

① -2 ② -1 ③ 1

④ 2 ⑤ 3

0961 NORMAL

방정식

$$2\sin^2 x - \cos x = k$$

가 실근을 가지도록 하는 정수 k의 개수는?

① 3 ② 4 ③ 5

④ 6 ⑤ 8

0962 최다빈출 ㉮중요 NORMAL

방정식

$$2\cos^2 x - 4\sin x + 1 - a = 0$$

이 실근을 가지도록 하는 실수 a의 최댓값과 최솟값의 합은?

① 2 ② 4 ③ 6

④ 8 ⑤ 9

▶ 해설 내신연계기출

0963 최다빈출 ㉮중요 NORMAL

$0 \le x < 2\pi$일 때, 방정식

$$\sin^2\left(\frac{\pi}{2} + x\right) - 2\sin(x + \pi) + k = 0$$

이 실근을 가질 때, 정수 k의 개수는?

① 2 ② 3 ③ 4

④ 5 ⑤ 6

▶ 해설 내신연계기출

0964 TOUGH

$0 \le x < 2\pi$에서 방정식

$$2\cos^2 x + \sin x - 2 = k$$

가 서로 다른 두 실근을 갖도록 하는 실수 k의 값의 범위는?

① $-1 \le k < \frac{1}{2}$ ② $-1 \le k < \frac{1}{4}$ ③ $-1 \le k < \frac{1}{8}$

④ $\frac{1}{4} \le k < 1$ ⑤ $k = \frac{1}{8}$ 또는 $-3 < k < -1$

0965 최다빈출 ㉮중요 TOUGH

$0 \le x < 2\pi$에서 방정식

$$2\cos^2 x + \sin x - 2 = k$$

가 서로 다른 네 개의 실근을 갖도록 하는 실수 k의 범위는?

① $-1 < k < 1$ ② $-1 < k < \frac{1}{8}$ ③ $-1 < k < 0$

④ $\frac{1}{8} < k < \frac{1}{2}$ ⑤ $\frac{1}{2} < k < 1$

▶ 해설 내신연계기출

(1) $\sin x > k$ (또는 $\cos x > k$ 또는 $\tan x > k$)인 삼각부등식

[1단계] $y = \sin x$ (또는 $y = \cos x$ 또는 $y = \tan x$)의 그래프와 직선 $y = k$의 교점의 x좌표를 구한다.

[2단계] $y = \sin x$ (또는 $y = \cos x$ 또는 $y = \tan x$)의 그래프가 직선 $y = k$보다 **위쪽**에 있는 x의 값의 범위를 구한다.

(2) $\sin x < k$ (또는 $\cos x < k$ 또는 $\tan x < k$)인 삼각부등식

[1단계] $y = \sin x$ (또는 $y = \cos x$ 또는 $y = \tan x$)의 그래프와 직선 $y = k$의 교점의 x좌표를 구한다.

[2단계] $y = \sin x$ (또는 $y = \cos x$ 또는 $y = \tan x$)의 그래프가 직선 $y = k$보다 **아래쪽**에 있는 x의 값의 범위를 구한다.

0966 학교기출 대표유형

$0 \le x < 2\pi$에서 부등식 $2\sin x + 1 < 0$의 해가 $\alpha < x < \beta$일 때, $\cos(\beta - \alpha)$의 값은?

① $-\dfrac{\sqrt{3}}{2}$ ② $-\dfrac{1}{2}$ ③ 0

④ $\dfrac{1}{2}$ ⑤ $\dfrac{\sqrt{3}}{2}$

0967 최다빈출 왕중요 BASIC

$0 \le x < 2\pi$에서 부등식 $3\cos x \le -1$을 만족시키는 x의 값의 범위가 $\alpha \le x \le \beta$일 때, $\sin\dfrac{\alpha + \beta}{3}$의 값은?

① $-\dfrac{\sqrt{3}}{2}$ ② $-\dfrac{1}{2}$ ③ 0

④ $\dfrac{1}{2}$ ⑤ $\dfrac{\sqrt{3}}{2}$

▶ 해설 내신연계기출

0968 NORMAL

$0 \le x < 2\pi$일 때, 두 부등식

$$\sin x > \frac{\sqrt{2}}{2}, \quad \cos x < \frac{1}{2}$$

을 동시에 만족시키는 x의 값의 범위가 $\alpha < x < \beta$일 때, $\beta - \alpha$의 값은?

① $\dfrac{5}{7}\pi$ ② $\dfrac{5}{11}\pi$ ③ $\dfrac{5}{12}\pi$

④ $\dfrac{5}{13}\pi$ ⑤ $\dfrac{\pi}{3}$

0969 NORMAL

$0 < x < \pi$에서 $2\sin\left(2x - \dfrac{\pi}{3}\right) + \sqrt{3} < 0$의 해가 $\alpha < x < \beta$일 때, $\cos(\beta - \alpha)$의 값은?

① $-\dfrac{\sqrt{3}}{2}$ ② $-\dfrac{1}{2}$ ③ 0

④ $\dfrac{1}{2}$ ⑤ $\dfrac{\sqrt{3}}{2}$

0970 최다빈출 왕중요 NORMAL

$0 \le x < 2\pi$에서 부등식 $\cos\left(x - \dfrac{\pi}{6}\right) \le -\dfrac{1}{2}$의 해가 $\alpha \le x \le \beta$일 때, $\cos(\alpha + \beta)$의 값은?

① $-\dfrac{\sqrt{3}}{2}$ ② $-\dfrac{1}{2}$ ③ $\dfrac{1}{2}$

④ $\dfrac{\sqrt{3}}{2}$ ⑤ 1

▶ 해설 내신연계기출

0971 최다빈출 왕중요 NORMAL

$0 \le x < 2\pi$에서 부등식 $\sin x - \cos x > 0$의 해가 $\alpha < x < \beta$일 때, $\alpha + \beta$의 값은?

① $\dfrac{5}{6}\pi$ ② $\dfrac{2}{3}\pi$ ③ $\dfrac{6}{5}\pi$

④ $\dfrac{3}{2}\pi$ ⑤ 2π

▶ 해설 내신연계기출

0972

$0 \le x < \pi$일 때, 부등식 $3|\tan x| \le \sqrt{3}$의 해는?

① $\dfrac{\pi}{3} \le x \le \dfrac{5}{6}\pi$

② $0 \le x \le \dfrac{\pi}{6}$ 또는 $\dfrac{\pi}{2} < x \le \dfrac{5}{6}\pi$

③ $\dfrac{\pi}{6} \le x \le \dfrac{\pi}{3}$ 또는 $\dfrac{2}{3}\pi \le x \le \dfrac{5}{6}\pi$

④ $0 \le x \le \dfrac{\pi}{6}$ 또는 $\dfrac{5}{6}\pi \le x < \pi$

⑤ $\dfrac{\pi}{3} \le x \le \dfrac{2}{3}\pi$ 또는 $\dfrac{5}{6}\pi \le x < \pi$

0973

삼각형 ABC의 세 내각의 크기 A, B, C에 대하여 부등식
$$\tan A - \tan(B+C) + 2 \le 0$$
이 성립할 때, 각 A의 범위는?

① $\dfrac{\pi}{4} \le A < \dfrac{\pi}{2}$ ② $\dfrac{\pi}{3} \le A < \dfrac{\pi}{2}$ ③ $\dfrac{\pi}{2} < A \le \dfrac{3}{4}\pi$

④ $\dfrac{3}{4}\pi \le A < \pi$ ⑤ $\dfrac{\pi}{4} \le A \le \dfrac{3}{4}\pi$

0974

$0 < x < \pi$에서 부등식
$$(2^x - 8)\left(\cos x - \dfrac{1}{2}\right) < 0$$
의 해가 $a < x < b$ 또는 $c < x < d$일 때, $(b-a)+(d-c)$의 값은?
(단, $b < c$)

① $\pi - 3$ ② $\dfrac{7\pi}{6} - 3$ ③ $\dfrac{4\pi}{3} - 3$

④ $3 - \dfrac{\pi}{3}$ ⑤ $3 - \dfrac{\pi}{6}$

유형 27 이차식의 삼각부등식

[1단계] $\sin^2 x + \cos^2 x = 1$을 이용하여 한 종류의 삼각함수로 고친다.
[2단계] 변형한 이차방정식을 푼다.
[3단계] 그래프를 이용하여 x의 값의 범위를 구한다.

0975 학교기출 서술형 유형

$0 \le x < 2\pi$일 때, 부등식
$$2\sin^2 x + \cos x - 1 \le 0$$
의 해는?

① $x = 0$ 또는 $\dfrac{2}{3}\pi \le x \le \dfrac{4}{3}\pi$

② $0 \le x \le \dfrac{\pi}{6}$ 또는 $\dfrac{5}{6}\pi \le x < 2\pi$

③ $\dfrac{\pi}{2} \le x \le \dfrac{2}{3}\pi$ 또는 $\dfrac{4}{3}\pi \le x \le \dfrac{3}{2}\pi$

④ $\dfrac{\pi}{2} \le x \le \dfrac{2}{3}\pi$ 또는 $\dfrac{5}{6}\pi \le x < 2\pi$

⑤ $0 \le x \le \dfrac{\pi}{6}$ 또는 $\dfrac{4}{3}\pi \le x \le \dfrac{3}{2}\pi$

0976

$0 \le x < 2\pi$일 때, 부등식
$$2\sin^2 x - \cos x - 1 > 0$$
의 해는?

① $\dfrac{\pi}{6} < x < \dfrac{\pi}{3}$ 또는 $\dfrac{2}{3}\pi < x < \dfrac{4}{3}\pi$

② $0 < x < \dfrac{\pi}{6}$ 또는 $\dfrac{5}{6}\pi < x < 2\pi$

③ $\dfrac{\pi}{3} < x < \pi$ 또는 $\pi < x < \dfrac{5}{3}\pi$

④ $\dfrac{\pi}{2} < x < \dfrac{2}{3}\pi$ 또는 $\pi < x < \dfrac{5}{3}\pi$

⑤ $\dfrac{\pi}{3} < x < \pi$ 또는 $\dfrac{4}{3}\pi < x < \dfrac{3}{2}\pi$

0977

$0 \le x < 2\pi$에서 부등식
$$2\cos^2 x - 3\sin x \le 0$$
의 해가 $\alpha \le x \le \beta$일 때, $\cos(\beta - \alpha)$의 값은?

① -1 ② $-\dfrac{\sqrt{2}}{2}$ ③ $-\dfrac{1}{2}$

④ $\dfrac{1}{2}$ ⑤ $\dfrac{\sqrt{3}}{2}$

0978 최다빈출 왕 중요 NORMAL

$0 \leq x < 2\pi$일 때, 부등식

$$\cos^2 x - \sin^2 x + 5\cos x + 3 \geq 0$$

의 해가 $0 \leq x \leq a$ 또는 $b \leq x < 2\pi$일 때, 상수 a, b에 대하여 $\cos(a+b)$의 값은?

① -1 ② $-\dfrac{1}{2}$ ③ 0

④ $\dfrac{1}{2}$ ⑤ 1

▶ 해설 내신연계기출

0979 최다빈출 왕 중요 NORMAL

$-\dfrac{\pi}{2} < x < \dfrac{\pi}{2}$일 때, 부등식

$$\sqrt{3}\tan^2 x \leq 2\tan x + \sqrt{3}$$

을 만족시키는 x의 값의 범위가 $\alpha \leq x \leq \beta$일 때, $\sin(\beta - \alpha)$의 값은?

① -1 ② $-\dfrac{1}{2}$ ③ 0

④ $\dfrac{1}{2}$ ⑤ 1

▶ 해설 내신연계기출

0980 TOUGH

부등식

$$\log_2 \cos x + \log_4 \frac{2}{3} < \log_4 \sin x$$

의 해가 $\alpha < x < \beta$일 때, $\alpha + \beta$의 값은? (단, $0 < x < \dfrac{\pi}{2}$)

① $\dfrac{5}{12}\pi$ ② $\dfrac{1}{2}\pi$ ③ $\dfrac{7}{12}\pi$

④ $\dfrac{2}{3}\pi$ ⑤ $\dfrac{5}{6}\pi$

유형 28 삼각함수를 포함한 방정식과 부등식의 활용 (1)

이차방정식 또는 이차부등식에서 계수가 삼각함수로 주어지고 근에 대한 조건이 주어진 경우에는 이차방정식의 판별식을 이용하여 삼각함수를 포함한 식을 세운다.

a, b, c가 실수인 이차방정식 $ax^2 + bx + c = 0$에서 판별식 D

$D = b^2 - 4ac$이라 하면

① $D > 0 \iff$ 서로 다른 두 실근
② $D = 0 \iff$ 중근 (서로 같은 두 실근)
③ $D < 0 \iff$ 서로 다른 두 허근

0981 학교기출 대표 유형

x에 대한 이차방정식 $x^2 + 2x\cos\theta + 1 - \sin\theta = 0$이 서로 다른 두 실근을 갖도록 하는 θ의 값의 범위는? (단, $0 \leq \theta < 2\pi$)

① $0 < \theta < \dfrac{\pi}{2}$ 또는 $\dfrac{\pi}{2} < \theta < \pi$

② $0 < \theta < \pi$

③ $\dfrac{\pi}{2} < \theta < \pi$ 또는 $\pi < \theta < 2\pi$

④ $\dfrac{\pi}{2} < \theta < \dfrac{3}{2}\pi$

⑤ $\pi < \theta < 2\pi$

0982 최다빈출 왕 중요 NORMAL

$0 \leq \theta < 2\pi$일 때, x에 대한 이차방정식

$$6x^2 + (4\sin\theta)x - \cos\theta = 0$$

이 실근을 갖도록 하는 모든 θ의 값의 범위는 $0 \leq \theta \leq \alpha$ 또는 $\beta \leq \theta < 2\pi$이다. $\beta - \alpha$의 값은?

① $\dfrac{\pi}{6}$ ② $\dfrac{\pi}{3}$ ③ $\dfrac{\pi}{2}$

④ $\dfrac{2}{3}\pi$ ⑤ $\dfrac{5}{6}\pi$

▶ 해설 내신연계기출

0983 NORMAL

$0 \leq \theta < 2\pi$일 때, x에 대한 이차방정식

$$x^2 + 2x\cos\theta - \sin\theta - 1 = 0$$

이 중근을 가질 때, θ의 값은?

① $\dfrac{\pi}{6}$ ② $\dfrac{\pi}{2}$ ③ $\dfrac{2}{3}\pi$

④ π ⑤ $\dfrac{3}{2}\pi$

0984 최다빈출 왕 중요 ▪▪▪— NORMAL

x에 대한 이차방정식

$$x^2 + \sqrt{2}\,x - \cos\theta = 0$$

이 중근을 갖도록 하는 θ의 값이 α, β일 때,

$\sin\dfrac{\alpha+\beta}{3}$의 값은? (단, $0 \le \theta \le 2\pi$)

① -1 ② $-\dfrac{\sqrt{3}}{2}$ ③ $-\dfrac{1}{2}$

④ $\dfrac{1}{2}$ ⑤ $\dfrac{\sqrt{3}}{2}$

▶ 해설 내신연계기출

0985 최다빈출 왕 중요 ▪▪▪— NORMAL

$0 \le \theta < 2\pi$일 때, x에 대한 이차방정식

$$6x^2 + (4\cos\theta)x + \sin\theta = 0$$

이 실근을 갖지 않도록 하는 모든 θ의 값의 범위는 $\alpha < \theta < \beta$이다. $3\alpha + \beta$의 값은?

① $\dfrac{5}{6}\pi$ ② π ③ $\dfrac{7}{6}\pi$

④ $\dfrac{4}{3}\pi$ ⑤ $\dfrac{3}{2}\pi$

▶ 해설 내신연계기출

0986 ▪▪▪— NORMAL

함수 $f(x) = x^2 - 2x\cos\theta + \sin^2\theta$의 그래프가 x축에 접하도록 하는 모든 θ의 값의 합은? (단, $0 \le \theta < 2\pi$)

① $\dfrac{\pi}{2}$ ② $\dfrac{3}{4}\pi$ ③ π

④ 2π ⑤ 4π

0987 ▪▪▪▪ TOUGH

$0 \le \theta \le \pi$일 때, 모든 실수 x에 대하여 직선 $y = 2x + 2$와 포물선 $y = x^2 + (2\cos\theta)x + 3\sin^2\theta$가 만나지 않기 위한 θ의 값의 범위는 $\alpha < \theta < \beta$이다. $\alpha + \beta$의 값은?

① $\dfrac{5}{6}\pi$ ② π ③ $\dfrac{7}{6}\pi$

④ $\dfrac{4}{3}\pi$ ⑤ $\dfrac{3}{2}\pi$

0988 최다빈출 왕 중요 ▪▪▪▪ TOUGH

x에 대한 이차방정식

$$2x^2 - 4x\cos^2\theta - 1 = 0$$

의 두 실근 중 한 근은 1보다 크고 다른 한 근은 1보다 작을 때, θ의 값의 범위는? $\left(\text{단, } -\dfrac{\pi}{2} < \theta < \dfrac{\pi}{2}\right)$

① $-\dfrac{\pi}{2} < \theta < \dfrac{\pi}{6}$ ② $-\dfrac{\pi}{3} < \theta < \dfrac{\pi}{3}$ ③ $-\dfrac{\pi}{3} < \theta < \dfrac{\pi}{6}$

④ $\dfrac{\pi}{3} < \theta < \dfrac{\pi}{2}$ ⑤ $\dfrac{\pi}{4} < \theta < \dfrac{\pi}{2}$

0989 ▪▪▪▪ TOUGH

$-\dfrac{\pi}{2} \le \theta \le \dfrac{\pi}{2}$일 때, x에 대한 이차방정식

$$2x^2 - \sqrt{2}\,x\cos 2\theta - 1 = 0$$

의 두 근 사이에 1이 있도록 하는 θ의 값이 될 수 있는 것은?

① $-\dfrac{\pi}{2}$ ② $-\dfrac{\pi}{4}$ ③ $\dfrac{\pi}{10}$

④ $\dfrac{\pi}{6}$ ⑤ $\dfrac{\pi}{3}$

이차부등식이 항상 성립할 조건

① 모든 실수 x에 대하여 $ax^2+bx+c>0$이 성립하려면
$\Rightarrow a>0,\ D<0$

② 모든 실수 x에 대하여 $ax^2+bx+c<0$이 성립하려면
$\Rightarrow a<0,\ D<0$

0990 학교기출 대표유형

모든 실수 x에 대하여 이차부등식

$$x^2-4x+2\sin\theta+3>0$$

이 항상 성립하도록 하는 θ의 값의 범위가 $\alpha<\theta<\beta$일 때, $\cos(\alpha+\beta)$의 값은? (단, $0\le\theta<\pi$)

① -1 ② $-\dfrac{1}{2}$ ③ 0

④ $\dfrac{1}{2}$ ⑤ 1

0991 최다빈출 왕중요 NORMAL

모든 실수 x에 대하여 이차부등식

$$x^2-4x\cos\theta+1\ge0$$

이 성립하도록 하는 θ의 값의 범위가 $\alpha\le\theta\le\beta$일 때, $\alpha+\beta$의 값은? (단, $0\le\theta\le\pi$)

① $\dfrac{\pi}{2}$ ② π ③ $\dfrac{6}{5}\pi$

④ $\dfrac{3}{2}\pi$ ⑤ 2π

▶ 해설 내신연계기출

0992 최다빈출 왕중요 NORMAL

모든 실수 x에 대하여 부등식

$$3x^2-2\sqrt{2}x\cos\theta+\sin\theta>0$$

이 항상 성립하는 θ값의 범위가 $\alpha<\theta<\beta$일 때, $\alpha+\beta$의 값은? (단, $0\le\theta<2\pi$)

① π ② $\dfrac{6}{5}\pi$ ③ $\dfrac{3}{2}\pi$

④ 2π ⑤ $\dfrac{5}{2}\pi$

▶ 해설 내신연계기출

0993 TOUGH

모든 실수 x에 대하여 부등식

$$x^2-2x\tan\theta+3>0$$

이 항상 성립할 때, θ의 값의 범위가 $a\le\theta<b$ 또는 $c<\theta<d$ 또는 $e<\theta<f$일 때, $a+b+c+d+e+f$의 값은?
(단, $0\le\theta<2\pi$)

① 2π ② 3π ③ 4π

④ $\dfrac{8}{3}\pi$ ⑤ 6π

0994 최다빈출 왕중요 TOUGH

모든 실수 x에 대하여 부등식

$$\cos^2x-6\cos x+p-2\ge0$$

이 항상 성립하게 하는 실수 p의 최솟값은?

① 5 ② 6 ③ 7

④ 8 ⑤ 9

▶ 해설 내신연계기출

0995 최다빈출 왕중요 TOUGH

모든 실수 θ에 대하여 부등식

$$\cos^2\theta-4\sin\theta\le3k$$

가 항상 성립할 때, 실수 k의 최솟값은?

① $\dfrac{1}{2}$ ② 1 ③ $\dfrac{4}{3}$

④ 2 ⑤ $\dfrac{7}{3}$

▶ 해설 내신연계기출

0996

$0 < \theta < 2\pi$일 때, $\log\sin\theta - \log\cos\theta = 0$이 성립하도록 하는 θ의 값을 구하는 과정을 다음 단계로 서술하여라.

[1단계] 진수 조건을 만족하는 θ의 값의 범위를 구한다.
[2단계] 로그의 성질을 이용하여 주어진 식을 간단히 한다.
[3단계] θ의 값을 구한다.

0997

함수 $y = -\cos\pi x + 3$의 그래프를 x축에 대하여 대칭이동한 후 y축의 방향으로 -5만큼 평행이동한 그래프의 식은

$$y = a\cos\pi x + b$$

이다. 상수 a, b에 대하여 $a-b$의 값을 구하는 과정을 다음 단계로 서술하여라.

[1단계] x축에 대하여 대칭이동한 그래프의 식을 구한다.
[2단계] y축의 방향으로 -5만큼 평행이동한 그래프의 식을 구한다.
[3단계] $a-b$의 값을 구한다.

0998

함수 $f(x) = a\cos bx + c$가 다음 세 조건을 모두 만족할 때, 상수 a, b, c에 대하여 abc의 값을 구하는 과정을 다음 단계로 서술하여라. (단, $a < 0$, $b > 0$)

(가) 모든 실수 x에 대하여 $f(x+p) = f(x)$를 만족하는 최소의 양수 p는 $\dfrac{2}{3}\pi$이다.

(나) 함수 $f(x)$의 최댓값이 3

(다) $f\left(\dfrac{2}{3}\pi\right) = -1$

[1단계] 조건 (가)를 이용하여 상수 b의 값을 구한다,
[2단계] 조건 (나), (다)를 이용하여 a, c의 값을 구한다.
[3단계] abc의 값을 구한다.

0999

두 함수 $y = \sin 2x$, $y = a\cos(bx+c)$의 그래프가 다음 그림과 같을 때, 상수 a, b, c에 대하여 abc의 값을 구하는 과정을 다음 단계로 서술하여라. (단, $a > 0$, $b > 0$, $0 < c < \pi$)

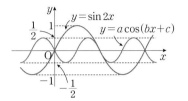

[1단계] 함수 $y = a\cos(bx+c)$의 최댓값과 최솟값을 이용하여 a의 값을 구한다.
[2단계] 함수 $y = \sin 2x$의 주기를 이용하여 b의 값을 구한다.
[3단계] 함수 $y = a\cos bx$을 평행이동하여 c의 값을 구한다.
[4단계] abc의 값을 구한다.

1000

함수 $y = a\cos b(x-c) + d$의 그래프가 그림과 같을 때, 상수 a, b, c, d에 대하여 $abcd$의 값을 구하는 과정을 다음 단계로 서술하여라. (단, $a > 0$, $b > 0$, $0 < c < \pi$)

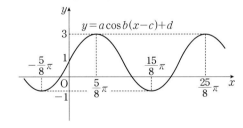

[1단계] 그림에서 최댓값, 최솟값을 이용하여 상수 a, d의 값을 구한다.
[2단계] 주기를 이용하여 상수 b의 값을 구한다.
[3단계] 점 $(0, 1)$을 지남을 이용하여 $0 < c < \pi$을 만족하는 상수 c의 값을 구한다.
[4단계] $abcd$의 값을 구한다.

1001

함수 $f(x)=-3\cos\left(\dfrac{\pi}{2}x-\dfrac{\pi}{2}\right)+1$의 그래프를 그리는 과정을 다음 단계로 서술하여라.

[1단계] 함수 $f(x)$의 주기를 구한다.

[2단계] 함수 $f(x)$의 최댓값과 최솟값을 구한다.

[3단계] $0\leq x\leq 6$에서 함수 $y=3\cos\dfrac{\pi}{2}x$의 그래프를 대칭이동과 평행이동을 이용하여 $f(x)=-3\cos\left(\dfrac{\pi}{2}x-\dfrac{\pi}{2}\right)+1$의 그래프를 그린다.

1002

함수

$$y=\cos^2\left(\dfrac{3}{2}\pi-x\right)+2\cos^2 x+2\sin(\pi+x)$$

의 최댓값을 M, 최솟값을 m이라 할 때, $M+m$의 값을 구하는 과정을 다음 단계로 서술하여라.

[1단계] 주어진 식을 $\sin x$로 통일한다.

[2단계] $\sin x=t$로 놓고 함수식을 변형한다.

[3단계] $M+m$의 값을 구한다.

1003

오른쪽 그림과 같이 $0\leq x<2\pi$에서 두 함수 $y=\sin x$와 $y=\cos x$의 그래프가 직선 $y=k\left(-\dfrac{\sqrt{2}}{2}<k<0\right)$와 만나는 점의 x좌표를 작은 것부터 차례로

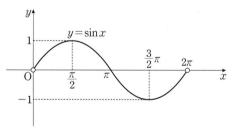

a, b, c, d라 할 때, $\cos(b-a+d-c)$의 값을 구하는 과정을 다음 단계로 서술하여라.

[1단계] 함수 $y=\sin x$의 그래프와 $y=k$와의 교점의 x좌표 b, d에 대하여 $b+d$의 값을 구한다.

[2단계] 함수 $y=\cos x$의 그래프와 $y=k$와의 교점의 x좌표 a, c에 대하여 $a+c$의 값을 구한다.

[3단계] $\cos(b-a+d-c)$의 값을 구한다.

1004

혈액이 혈관 속을 흐르고 있을 때, 혈관벽에 미치는 압력을 혈압이라고 한다. 혈압과 시간 사이의 관계는 근사적으로 코사인함수의 형태를 띤다. 다음은 중기라는 사람의 시간과 혈압 사이의 관계를 함수의 그래프로 나타낸 것이다. 다음 단계로 답하고 그 과정을 서술하여라.

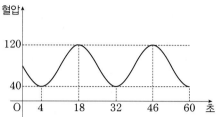

[1단계] 혈압의 양을 y, 시간을 x라 할 때, 함수의 그래프를
$$y=a\cos(bx+c)+d$$로 나타낸다.
(단, $a>0$, $b>0$, $|abc|$가 최소가 된다.)

[2단계] 11초일 때의 혈압의 양을 구한다.

1005

$0<x<2\pi$에서 그림은 $y=\sin x$의 그래프이다. 이 그래프를 이용하여 다음 단계를 만족하는 방정식의 두 근의 합을 각각 a, b, c라 할 때, $a+b+c$의 값을 구하고 그 과정을 서술하여라.

[1단계] $2\sin x-1=0$의 두 근의 합 a을 구한다.

[2단계] $2\sin x+1=0$의 두 근의 합 b을 구한다.

[3단계] $2\sin x+\sqrt{3}=0$의 두 근의 합 c을 구한다.

[4단계] $a+b+c$의 값을 구한다.

1006

$0 \le x < 2\pi$에서 두 함수 $y=\sin x$와 $y=\cos x$의 그래프가 다음 그림과 같을 때, 다음 단계를 만족하는 x값과 범위를 구하는 과정을 서술하여라.

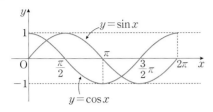

[1단계] 방정식 $\sin x = \cos x$의 모든 근을 구한다.
[2단계] 부등식 $\sin x > \cos x$의 해를 구한다.
[3단계] 부등식 $\sin x < \cos x$의 해를 구한다.
[4단계] 부등식 $\sin x + \cos x \ge 0$의 해를 구한다.

1007

실수 전체에서 정의된 두 함수
$$f(x)=ax+b\,(a>0),\ g(x)=5\sin x$$
에 대하여 합성함수 $(g \circ f)(x)$와 $(f \circ g)(x)$의 최댓값과 최솟값이 각각 같을 때, 상수 a, b에 대하여 $a+b$의 값을 구하는 과정을 다음 단계로 서술하여라.

[1단계] 함수 $(g \circ f)(x)$의 최댓값과 최솟값을 구한다.
[2단계] 함수 $(f \circ g)(x)$의 최댓값과 최솟값을 구한다.
[3단계] [1단계], [2단계]의 최댓값과 최솟값이 각각 같을 때, 상수 a, b에 대하여 $a+b$의 값을 구한다.

1008

x에 대한 이차함수
$$y=x^2-2x\cos\theta-\sin^2\theta$$
의 그래프의 꼭짓점이 직선 $y=2x$ 위에 있을 때, 모든 θ의 값의 합을 α라 할 때, $\cos\alpha$의 값을 구하는 과정을 다음 단계로 서술하여라. (단, $0 \le \theta < 2\pi$)

[1단계] $\sin^2\theta+\cos^2\theta=1$임을 이용하여 이차함수
$$y=x^2-2x\cos\theta-\sin^2\theta$$의 그래프의 꼭짓점의 좌표를 구한다.
[2단계] 꼭짓점이 직선 $y=2x$ 위에 있을 때 θ의 값을 구한다.
[3단계] 모든 θ의 값의 합을 α라 할 때, $\cos\alpha$의 값을 구한다.

1009

$0 \le x \le 2\pi$에서 부등식
$$2\cos^2\left(x-\frac{\pi}{3}\right)+\sin\left(x-\frac{\pi}{3}\right)-1 \ge 0$$
의 해가 $a \le x \le b$일 때, $a+b$의 값을 구하는 과정을 다음 단계로 서술하여라.

[1단계] 한 종류의 삼각함수에 대한 부등식으로 변형한다.
[2단계] x의 값의 범위를 구한다.
[3단계] $a+b$의 값을 구한다.

1010

$0 < \theta < 2\pi$에서 x에 대한 이차함수
$$y=x^2+2x\cos\theta+\sin^2\theta+\cos\theta$$
의 그래프가 x축에 접하도록 하는 θ의 값을 α, $\beta\,(\alpha<\beta)$라 할 때, $\beta-\alpha$의 값을 구하는 과정을 다음 단계로 서술하여라.

[1단계] 판별식을 이용하여 θ에 대한 방정식을 세운다.
[2단계] $0 < \theta < 2\pi$에서 삼각함수의 방정식을 만족하는 θ의 값을 구한다.
[3단계] $\beta-\alpha$의 값을 구한다.

1011

$0 \le x < 2\pi$일 때, 부등식 $2|\cos x| \ge \sqrt{3}$의 해를 구하는 과정을 다음 단계로 서술하여라.

[1단계] $0 \le x < 2\pi$에서 $y=|\cos x|$의 그래프를 그린다.
[2단계] 부등식 $2|\cos x| \ge \sqrt{3}$을 만족시키는 x의 값의 범위를 모두 구한다.

1012

원 $x^2+y^2=1$ 위의 점 P에 대하여 동경 OP가 나타내는 각의 크기를 θ라 할 때, 부등식 $4\cos^2\theta-1\leq 0$을 만족시키는 점 P가 나타내는 곡선의 길이를 다음 단계로 서술하여라.

(단, $0\leq\theta<2\pi$이고 O는 원점이다.)

[1단계] 점 P의 좌표를 θ로 나타낸다.

[2단계] 부등식 $4\cos^2\theta-1\leq 0$을 만족시키는 θ의 범위를 구한다.

[3단계] 점 P가 나타내는 곡선의 길이를 구한다.

1013

다음 단계로 θ의 값과 범위를 구하는 과정을 서술하여라.

(단, $0\leq\theta<2\pi$)

[1단계] x에 대한 방정식 $x^2+2\cos\theta x+\dfrac{1}{4}=0$이 중근을 가지기 위한 θ의 값을 모두 구한다.

[2단계] x에 대한 방정식 $x^2+2\cos\theta x-\cos\theta=0$이 실근을 가지기 위한 θ의 범위를 구한다.

[3단계] x에 대한 방정식 $x^2+2\cos\theta x-\dfrac{1}{2}\cos\theta=0$이 서로 다른 양의 실근을 가지기 위한 θ의 범위를 구한다.

1014

x에 대한 이차방정식
$$x^2+x+1-4\sin^2\theta=0$$
의 부호가 서로 다른 두 근을 갖도록 하는 θ의 값의 범위가
$$a<\theta<b \text{ 또는 } c<\theta<d \ (a<b<c<d)$$
일 때, $\cos\{(c+d)-(a+b)\}$의 값을 구하는 과정을 다음 단계로 서술하여라. (단, $0\leq\theta<2\pi$)

[1단계] 이차방정식의 부호가 서로 다른 두 근 가질 조건을 구한다.

[2단계] 삼각함수를 포함한 부등식의 해를 구한다.

[3단계] $\cos\{(c+d)-(a+b)\}$(단, $a<b<c<d$)의 값을 구한다.

1015

모든 실수 x에 대하여 부등식
$$\cos^2 x+3\sin x-a<0$$
이 항상 성립하도록 하는 실수 a의 값의 범위를 다음 단계로 서술하여라.

[1단계] $\sin^2\theta+\cos^2\theta=1$을 이용하여 식을 정리한다.

[2단계] $\sin x=t$로 치환하여 주어진 함수의 식을 t로 정리한다.

[3단계] $-1\leq t\leq 1$에서 실수 a의 범위를 구한다.

1016

좌표평면에서 곡선 $y=4\sin\left(\dfrac{\pi}{2}x\right)(0\le x\le 2)$ 위의 점 중 y좌표가 정수인 점의 개수를 구하여라.

1017

$0\le x<2\pi$일 때, 자연수 n에 대하여 방정식 $\cos nx=\dfrac{1}{2}$의 서로 다른 실근의 개수를 $f(n)$이라 할 때,

$$f(1)+f(2)+f(3)+\cdots+f(10)$$

의 값을 구하여라.

▶ 해설 내신연계기출

1018

x에 대한 방정식 $\left|\cos x+\dfrac{1}{4}\right|=k$가 서로 다른 3개의 실근을 갖도록 하는 실수 k의 값을 a라 할 때, $40a$의 값을 구하여라.
(단, $0\le x<2\pi$)

1019

$0\le x\le\dfrac{\pi}{6}$에서 두 함수

$$f(x)=\log_3 x+2,\ g(x)=\tan\left(x+\dfrac{\pi}{6}\right)$$

에 대하여 합성함수 $(f\circ g)(x)$의 최댓값과 최솟값을 각각 M, m이라 할 때, $10(M+m)$의 값을 구하여라.

1020

곡선 $y=4\sin\dfrac{1}{4}(x-\pi)(0\le x\le 10\pi)$와 직선 $y=2$가 만나는 점들 중 서로 다른 두 점 A, B와 이 곡선 위의 점 P에 대하여 삼각형 PAB의 넓이의 최댓값을 구하여라. (단, 점 P는 직선 $y=2$ 위의 점이 아니다.)

1021

양의 상수 a에 대하여 곡선 $f(x)=a\sin\dfrac{x+\pi}{3}(0\le x\le 6\pi)$와 직선 $y=-\dfrac{a}{2}$가 만나는 두 점을 각각 A, B라 하자.
곡선 $y=f(x)$ 위의 제1사분면에 있는 점 P에 대하여 삼각형 PAB의 넓이의 최댓값이 6π일 때, a의 값을 구하여라.

1022

실수 k에 대하여 함수

$$f(x)=\cos^2\left(x-\frac{3}{4}\pi\right)-\cos\left(x-\frac{\pi}{4}\right)+k$$

의 최댓값은 3, 최솟값은 m이다. $k+m$의 값을 구하여라.

1023

실수 k에 대하여 함수

$$f(x)=\sin^2\left(x+\frac{\pi}{4}\right)+\sin\left(x-\frac{\pi}{4}\right)+k$$

의 최댓값이 2이다. 함수 $f(x)$의 최솟값을 m이라 할 때, $k+m$의 값을 구하여라.

1024

부등식

$$\sqrt{2}\sin^2\left(\theta-\frac{\pi}{3}\right)+(1+\sqrt{2})\cos\left(\theta+\frac{\pi}{6}\right)+1\le 0$$

의 해가 $\alpha\le\theta\le\beta$일 때, $\cos(\alpha+\beta)$의 값을 구하여라.
(단, $0\le\theta\le 2\pi$)

1025

a, b는 양수이고 $\alpha+\beta+\gamma=\pi$이다.

$$a^2+b^2=3ab\cos\gamma$$

일 때, $9\sin^2(\pi+\alpha+\beta)+9\cos\gamma$의 최댓값을 구하여라.

1026

실수 a에 대하여 $0\le x\le\pi$에서 함수

$$f(x)=2\sin^2 x+2a\cos x-2$$

의 최댓값을 $g(a)$라 할 때, 방정식 $g(a)=a+4$를 만족시키는 모든 실수 a의 값의 합을 구하여라.

1027

어떤 야구선수가 배트로 야구공을 쳤을 때, 야구공의 처음 속력을 vm/s, 야구공이 배트에 맞는 순간 지면과 이루는 각의 크기를 θ, 야구공이 날아간 거리를 $f(\theta)$m라 하면

$$f(\theta)=\frac{v^2}{10}\sin 2\theta$$

가 성립한다고 한다. 야구공의 처음 속력이 30m/s일 때, 야구공이 날아간 거리가 $45\sqrt{3}$ m 이상이 되게 하는 각 θ의 값의 범위가 $\alpha\le\theta\le\beta$일 때, $\sin(\alpha+\beta)$의 값을 구하여라.
(단, $0\le\theta\le\frac{\pi}{2}$이고 공기의 저항은 고려하지 않는다.)

1028

x에 관한 이차방정식

$$x^2 - 4x\cos\theta - 6\sin\theta = 0$$

이 서로 다른 두 양의 실근을 갖도록 하는 θ의 값의 범위가
$\alpha < \theta < \beta$일 때, $\sin\alpha + \cos\beta$의 값을 구하여라. (단, $0 \le \theta < 2\pi$)

1029

$-\dfrac{\pi}{2} < x < \dfrac{\pi}{2}$인 모든 실수 x에 대하여 부등식

$$\tan^4 x + 1 \ge a\tan^2 x$$

가 성립하도록 하는 상수 a의 최댓값을 구하여라.

1030

좌표평면에서 원 $x^2 + y^2 = 1$ 위의 두 점 P, Q가 점 A$(1, 0)$에서
동시에 출발하여 시계 바늘이 도는 방향과 반대 방향으로 매초
$\dfrac{2}{3}\pi$, $\dfrac{4}{3}\pi$의 속력으로 각각 움직인다. 출발 후 100초가 될 때까지
두 점 P, Q의 y좌표가 같아지는 횟수를 구하여라.

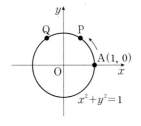

1031

다음은 n이 자연수일 때, x에 대한 방정식 $x^n = 2\cos\theta + 1$의 실근
의 개수에 대한 설명이다.

  (가) n이 짝수이고 $\dfrac{2}{3}\pi < \theta < \dfrac{4}{3}\pi$이면 a개

  (나) n이 짝수이고 $\dfrac{3}{2}\pi < \theta < 2\pi$이면 b개

  (다) n이 홀수이고 $\dfrac{\pi}{3} < \theta < \dfrac{3}{2}\pi$이면 c개

$a + 2b + 3c$의 값을 구하여라.

1032

부채꼴 BAD는 반지름의 길이가 r이고 중심각의 크기가 x인
부채꼴이고 삼각형 ABC는 변 AB의 길이가 r인 직각삼각형이다.
$0 < x < \dfrac{\pi}{2}$일 때, 다음 그림을 이용하여 x, $\sin x$, $\tan x$의 대소 관
계를 정하여라.

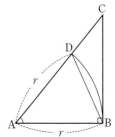

03 사인법칙과 코사인법칙

학교내신기출 객관식 핵심문제총정리

내신정복 기출유형

유형 01 사인법칙 − 각과 변의 관계

삼각형 ABC에서 $\dfrac{a}{\sin A}=\dfrac{b}{\sin B}=\dfrac{c}{\sin C}$를 이용하는 경우

① 한 변의 길이와 두 각의 크기를 알 때
⇨ 나머지 변의 길이를 구할 수 있다.
② 두 변의 길이와 그 끼인각이 아닌 한 각의 크기를 알 때
⇨ 나머지 각의 크기를 구할 수 있다.

참고 한 원의 내접하는 두 삼각형 ABC, DEF에서 사인법칙
외접원의 반지름의 길이가 R이므로
$$\frac{a}{\sin A}=\frac{b}{\sin B}=\frac{c}{\sin C}=\frac{d}{\sin D}=\frac{e}{\sin E}=\frac{f}{\sin F}=2R$$
이 성립한다.

1033 학교기출 대표유형

삼각형 ABC에서
$B=45°$, $C=75°$, $a=120$
일 때, b의 값은?

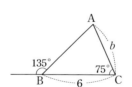

① $20\sqrt{3}$ ② $30\sqrt{3}$
③ $40\sqrt{3}$ ④ $40\sqrt{6}$
⑤ $60\sqrt{3}$

1034

오른쪽 그림과 같은 삼각형 ABC
에서 b의 값은?

① $2\sqrt{6}$ ② $3\sqrt{6}$
③ $5\sqrt{6}$ ④ $8\sqrt{6}$
⑤ $10\sqrt{3}$

BASIC

1035 최다빈출 상중요

삼각형 ABC에서
$a=3\sqrt{2}$, $B=105°$, $C=30°$
일 때, c의 값은?

① 2 ② $\sqrt{5}$
③ $2\sqrt{2}$ ④ 3
⑤ $3\sqrt{2}$

BASIC

▶ 해설 내신연계기출

1036 최다빈출 상중요

NORMAL

오른쪽 그림과 같이 한 원에 내접
하는 두 삼각형 ABC, ABD에서
$\overline{AB}=16\sqrt{2}$, $\angle ABD=45°$
$\angle BCA=30°$ 일 때, 선분 AD의
길이는?

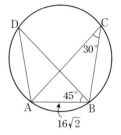

① 16 ② $16\sqrt{2}$
③ 24 ④ 32
⑤ $32\sqrt{2}$

▶ 해설 내신연계기출

1037

NORMAL

오른쪽 그림과 같은 △ABC에서
$B=45°$, $\overline{AB}=\sqrt{2}$, $\overline{AC}=\sqrt{5}$
일 때, $\sin A$의 값은?

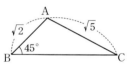

① $\dfrac{\sqrt{10}}{10}$ ② $\dfrac{\sqrt{10}}{5}$
③ $\dfrac{3\sqrt{10}}{10}$ ④ $\dfrac{2\sqrt{10}}{5}$
⑤ $\dfrac{\sqrt{10}}{2}$

1038 최다빈출 상중요

TOUGH

오른쪽 그림과 같이 $\overline{AB}=8$, $\overline{AC}=6$
인 삼각형 ABC에서 $\overline{BC}$의 중점 M
에 대하여 $\angle BAM=\alpha$, $\angle CAM=\beta$
라고 할 때, $\dfrac{\sin \alpha}{\sin \beta}$의 값은?

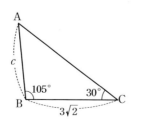

① $\dfrac{1}{2}$ ② $\dfrac{2}{3}$ ③ $\dfrac{3}{4}$
④ $\dfrac{4}{5}$ ⑤ $\dfrac{6}{7}$

▶ 해설 내신연계기출

유형 02 사인법칙 – 외접원과의 관계

삼각형 ABC의 외접원의 반지름의 길이를 R라 할 때,

$$\frac{a}{\sin A} = \frac{b}{\sin B} = \frac{c}{\sin C} = 2R$$

① $\sin A = \dfrac{a}{2R}$, $\sin B = \dfrac{b}{2R}$, $\sin C = \dfrac{c}{2R}$

② $a = 2R\sin A$, $b = 2R\sin B$, $c = 2R\sin C$

1039 학교기출 대표유형

오른쪽 그림과 같이 $A = 30°$, $a = 6$인 삼각형 ABC에서 외접원의 반지름의 길이는?

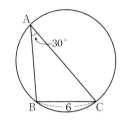

① 2   ② 4
③ 6   ④ 8
⑤ 10

▶ 해설 내신연계기출

1040

삼각형 ABC에서 $A = 150°$, $a = 7$일 때, 이 삼각형에 외접하는 원의 넓이는?

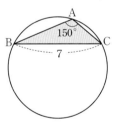

① 32π ② 36π
③ 42π ④ 49π
⑤ 64π

1041

오른쪽 그림과 같이 $A = 30°$인 삼각형 ABC가 반지름의 길이가 6인 원에 내접할 때, $\overline{BC}$의 길이는?

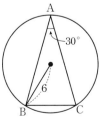

① 2   ② 4
③ 6   ④ 8
⑤ 10

1042

BASIC

반지름의 길이가 5인 원에 내접하는 삼각형 ABC에서 $A = 120°$일 때, 삼각형 ABC의 세 변 중에서 가장 긴 변의 길이는?

① $6\sqrt{2}$ ② $5\sqrt{3}$ ③ $4\sqrt{5}$
④ $2\sqrt{21}$ ⑤ $4\sqrt{6}$

1043 최다빈출 왕중요

삼각형 ABC에서

$$B = 30°, \ C = 45°, \ b = 4$$

일 때, 외접원의 반지름의 길이 R과 c에 대하여 cR의 값은?

① $4\sqrt{2}$ ② $6\sqrt{2}$
③ $8\sqrt{2}$ ④ $12\sqrt{2}$
⑤ $16\sqrt{2}$

▶ 해설 내신연계기출

1044 최다빈출 왕중요

삼각형 ABC에서

$$A = 45°, \ B = 75°, \ c = 3$$

일 때, a의 값과 이 삼각형의 외접원의 반지름의 길이 R의 값을 각각 구하면?

① $\sqrt{6}, \sqrt{3}$ ② $\sqrt{2}, \sqrt{3}$ ③ $\sqrt{6}, \sqrt{6}$
④ $2, \sqrt{6}$ ⑤ $3, \sqrt{3}$

▶ 해설 내신연계기출

1045

삼각형 ABC의 외접원의 반지름의 길이가 4이고

$$A = 60°, \ b = 4\sqrt{2}$$

일 때, C의 크기는?

① 30°   ② 45°   ③ 60°
④ 75°   ⑤ 90°

1046 최다빈출 왕중요 NORMAL

삼각형 ABC에서

$$A=105°, \ B=30°, \ \overline{AB}=4$$

일 때, 삼각형 ABC의 외접원의 넓이는?

① 2π ② 4π ③ 6π
④ 8π ⑤ 10π

▶ 해설 내신연계기출

1047 최다빈출 왕중요 NORMAL

반지름의 길이가 5인 원에 내접하는 삼각형 ABC의 둘레의 길이가 20일 때, $\sin A + \sin B + \sin C$의 값은?

① 2 ② 3 ③ 4
④ 5 ⑤ 6

▶ 해설 내신연계기출

1048 NORMAL

외접원의 반지름의 길이가 5인 원에 내접하는 삼각형 ABC에서

$$\sin A + \sin B + \sin C = \frac{6}{5}$$

일 때, 삼각형 ABC의 둘레의 길이는?

① 10 ② 12 ③ 14
④ 16 ⑤ 18

1049 최다빈출 왕중요 NORMAL

반지름의 길이가 1인 원에 내접하는 삼각형 ABC에서

$$4\sin A \sin(B+C)=1$$

이 성립할 때, $\overline{BC}$의 길이는?

① 1 ② 2 ③ 3
④ 4 ⑤ 5

▶ 해설 내신연계기출

1050 NORMAL

반지름의 길이가 5인 원에 내접하는 삼각형 ABC에서

$$4\cos(B+C)\cos A = -1$$

이 성립할 때, a의 값은?

① $2\sqrt{3}$ ② $3\sqrt{3}$ ③ $4\sqrt{3}$
④ $5\sqrt{3}$ ⑤ $6\sqrt{3}$

1051 TOUGH

반지름의 길이가 6인 원에 내접하는 삼각형 ABC에서

$$A=105°이고 \ 4\sin(A+B)\sin C=1$$

이 성립할 때, b의 값은?

① $2\sqrt{2}$ ② $3\sqrt{2}$ ③ $4\sqrt{2}$
④ $5\sqrt{2}$ ⑤ $6\sqrt{2}$

유형 03 사인법칙의 변형 − 변의 길이의 비

사인법칙에 의하여 삼각형 ABC의 세 변의 길이와 세 각의 크기 사이에는 다음의 관계가 성립한다.

$$a:b:c=\sin A:\sin B:\sin C$$

1052 학교기출 대표 유형

삼각형 ABC에서

$$A:B:C=3:2:1$$

일 때, $a:b:c$의 값은?

① $1:2:3$
② $\sqrt{2}:1:3$
③ $\sqrt{3}:2:1$
④ $1:\sqrt{3}:2$
⑤ $2:\sqrt{3}:1$

1053 최다빈출 왕중요

삼각형 ABC에서

$$A:B:C=3:4:5$$

이고 $a=2$일 때, b의 값은?

NORMAL

① $\sqrt{3}$
② 2
③ $\sqrt{6}$
④ $2\sqrt{2}$
⑤ $3\sqrt{2}$

▶ 해설 내신연계기출

1054

NORMAL

삼각형 ABC에서 $\dfrac{a+b}{5}=\dfrac{b+c}{6}=\dfrac{c+a}{7}$ 일 때,

$\sin A:\sin B:\sin C$는?

① $1:2:3$
② $2:1:3$
③ $3:2:4$
④ $4:3:5$
⑤ $5:6:7$

1055 최다빈출 왕중요

NORMAL

삼각형 ABC에서 $a+b-2c=0$, $a-3b+c=0$일 때, $\sin A:\sin B:\sin C$는?

① $3:5:4$
② $4:3:5$
③ $5:3:4$
④ $5:7:3$
⑤ $7:5:3$

▶ 해설 내신연계기출

유형 04 사인법칙을 이용한 삼각형의 모양 결정

삼각형 ABC의 모양을 결정할 때

$$\frac{a}{\sin A}=\frac{b}{\sin B}=\frac{c}{\sin C}=2R에서$$

[1단계] $\sin A=\dfrac{a}{2R}$, $\sin B=\dfrac{b}{2R}$, $\sin C=\dfrac{c}{2R}$ 를 관계식에 대입한다.

[2단계] a, b, c에 대한 식을 정리하여 삼각형의 모양을 판별한다.

(단, R는 외접원의 반지름의 길이이다.)

참고 $\sin^2 A=\sin^2 B+\sin^2 C$이면 $a^2=b^2+c^2$이므로 삼각형 ABC는 $A=90°$인 직각삼각형이다.

참고 세 변의 길이에 따른 삼각형 모양
삼각형 ABC의 세 변의 길이를 각각 a, b, c라 할 때,
① $a=b$: 이등변삼각형
② $a=b=c$: 정삼각형
③ $a^2=b^2+c^2$: $A=90°$인 직각삼각형
④ $b=c$이고 $a^2=b^2+c^2$: $A=90°$인 직각이등변삼각형

1056 학교기출 대표 유형

삼각형 ABC에서

$$\sin^2 A=\sin^2 B+\sin^2 C$$

가 성립할 때, 삼각형 ABC는 어떤 삼각형인가?

① $a=b$인 이등변삼각형
② $b=c$인 이등변삼각형
③ $c=a$인 이등변삼각형
④ $A=90°$인 직각삼각형
⑤ $C=90°$인 직각삼각형

1057

BASIC

삼각형 ABC에서

$$a\sin A=b\sin B$$

가 성립할 때, 삼각형 ABC는 어떤 삼각형인가?

① $a=b$인 이등변삼각형
② $b=c$인 이등변삼각형
③ $c=a$인 이등변삼각형
④ $A=90°$인 직각삼각형
⑤ $C=90°$인 직각삼각형

1058

BASIC

삼각형 ABC에서

$$a \sin^2 A = c \sin^2 C$$

가 성립할 때, 삼각형 ABC는 어떤 삼각형인가?

① 정삼각형
② $a = c$인 이등변삼각형
③ $b = c$인 이등변삼각형
④ $A = 90°$인 직각삼각형
⑤ $C = 90°$인 직각삼각형

1059 최다빈출 ⚡중요

NORMAL

삼각형 ABC에서

$$a \sin A + b \sin B = c \sin C$$

가 성립할 때, 삼각형 ABC는 어떤 삼각형인가?

① $a = b$인 이등변삼각형
② $b = c$인 이등변삼각형
③ $c = a$인 이등변삼각형
④ $A = 90°$인 직각삼각형
⑤ $C = 90°$인 직각삼각형

▶ 해설 내신연계기출

1060 최다빈출 ⚡중요

NORMAL

삼각형 ABC에서

$$\cos^2 A + \cos^2 B + \sin^2 C = 2$$

가 성립할 때, 삼각형 ABC는 어떤 삼각형인가?

① 정삼각형
② 이등변삼각형
③ $A = 90°$인 직각삼각형
④ $B = 90°$인 직각삼각형
⑤ $C = 90°$인 직각삼각형

▶ 해설 내신연계기출

1061

NORMAL

x에 대한 이차방정식

$$(\cos A - \cos B)x^2 - 2x \sin C + (\cos A + \cos B) = 0$$

이 중근을 가질 때, △ABC는 어떤 삼각형인가?

① $a = b$인 이등변삼각형
② $a = c$인 이등변삼각형
③ $A = 90°$인 직각삼각형
④ $B = 90°$인 직각삼각형
⑤ $C = 90°$인 직각삼각형

1062 최다빈출 ⚡중요

NORMAL

삼각형 ABC에서

$$\sin^2 A + \sin^2 B = 2 \sin A \sin(A + C)$$

가 성립할 때, 삼각형 ABC는 어떤 삼각형인가?

① $a = b$인 이등변삼각형
② $b = c$인 이등변삼각형
③ $c = a$인 이등변삼각형
④ $A = 90°$인 직각삼각형
⑤ $C = 90°$인 직각삼각형

▶ 해설 내신연계기출

1063

TOUGH

삼각형 ABC에서

$$(b - c)\sin A = b \sin B - c \sin C$$

가 성립할 때, 삼각형 ABC는 어떤 삼각형인가?

① 정삼각형
② $a = c$인 이등변삼각형
③ $b = c$인 이등변삼각형
④ $A = 90°$인 직각삼각형
⑤ $C = 90°$인 직각삼각형

유형 05 사인법칙의 실생활 활용

전망대가 바라보이는 평지 위의 두 지점 B, C에서 전망대의 A지점을 올려다본 각의 크기가 각각 α, β이고 두 지점 사이의 거리는 a이다. 두 지점이 전망대 방향으로 일직선에 있다면 전망대의 높이 h가 $h = \dfrac{\sin\alpha\,\sin\beta}{\sin(\beta-\alpha)}a$임을 증명하여라.

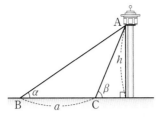

증명 전망대의 A지점에서 지면에 내린 수선의 발을 H라 하면

삼각형 ABC에서 $\alpha + \angle BAC = \beta$

$\therefore \angle BAC = \beta - \alpha$

삼각형 ABC에서 사인법칙에 의하여

$\dfrac{\overline{AC}}{\sin\alpha} = \dfrac{a}{\sin(\beta-\alpha)}$

$\therefore \overline{AC} = \dfrac{a\sin\alpha}{\sin(\beta-\alpha)}$ ...... ㉠

또한, 삼각형 ACH는 직각삼각형이므로

$\therefore h = \overline{AC}\sin\beta$ ...... ㉡

따라서 ㉠을 ㉡에 대입하면 $h = \dfrac{a\sin\alpha}{\sin(\beta-\alpha)}\sin\beta = \dfrac{\sin\alpha\sin\beta}{\sin(\beta-\alpha)}a$

1064 학교기출 대표유형

그림과 같이 $50\sqrt{3}\,\mathrm{m}$만큼 떨어진 두 지점 A, B에서 등대의 꼭대기 C지점을 올려다 본 각의 크기가 각각 30°, 60°일 때, 등대의 높이는?

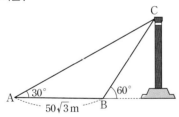

① $55\sqrt{3}$ ② $60\sqrt{3}$ ③ 75

④ $75\sqrt{3}$ ⑤ $85\sqrt{3}$

▶ 해설 내신연계기출

1065

NORMAL

오른쪽 그림과 같이 지면에 수직으로 서 있는 나무의 높이 $\overline{PQ}$를 구하기 위해 20m 떨어진 두 지점 A, B에서 각의 크기를 측정하였더니 $\angle PBQ=45°$, $\angle QBA=75°$, $\angle QAB=60°$이었다.

이때 나무의 높이 $\overline{PQ}$는? (단위는 m)

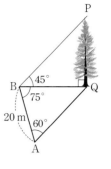

① $5\sqrt{3}$ ② $10\sqrt{3}$ ③ $8\sqrt{6}$

④ $10\sqrt{6}$ ⑤ $12\sqrt{6}$

1066 최다빈출 양 중요

NORMAL

오른쪽 그림과 같이 25m떨어진 두 지점 A, B에서 지면에 수직으로서 있는 나무를 바라보고 측정한 결과 $\angle BAQ=75°$, $\angle ABQ=45°$, A 지점에서 나무의 끝을 바라보고 측정한 결과 $\angle PAQ=30°$를 얻었다.

이때 나무의 높이 $\overline{PQ}$는?

(단위는 m)

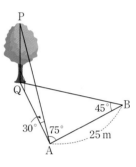

① $\dfrac{20\sqrt{3}}{3}$ ② $\dfrac{25\sqrt{2}}{3}$ ③ $8\sqrt{3}$

④ $\dfrac{25\sqrt{6}}{3}$ ⑤ $\dfrac{31\sqrt{6}}{2}$

▶ 해설 내신연계기출

1067

NORMAL

그림과 같이

$$B=45°,\ C=60°,\ \overline{BC}=80$$

일 때, $\overline{AH}$의 길이가 $a+b\sqrt{3}$일 때, 상수 a, b에 대하여 $a+b$의 값은? $\left(\text{단, } \sin75° = \dfrac{\sqrt{2}+\sqrt{6}}{4}\right)$

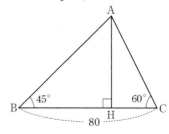

① 40 ② 60 ③ 80

④ 100 ⑤ 120

(1) 삼각형 ABC에서 두 변의 길이와 그 끼인각의 크기가 주어졌을 때,
　　나머지 한 변의 길이를 구하는 경우

　　① $a^2 = b^2 + c^2 - 2bc\cos A$

　　② $b^2 = c^2 + a^2 - 2ca\cos B$

　　③ $c^2 = a^2 + b^2 - 2ab\cos C$

(2) 코사인법칙의 각의 크기
　　삼각형 ABC에서 세 변의 길이가 주어졌을 때, 한 각을 구하는 경우

　　① $\cos A = \dfrac{b^2 + c^2 - a^2}{2bc}$

　　② $\cos B = \dfrac{c^2 + a^2 - b^2}{2ca}$

　　③ $\cos C = \dfrac{a^2 + b^2 - c^2}{2ab}$

참고 코사인법칙의 각의 크기가 120°인 경우

　　① $a=7$, $b=8$, $c=13$일 때, C의 크기

　　　$\cos C = \dfrac{a^2 + b^2 - c^2}{2ab} = \dfrac{7^2 + 8^2 - 13^2}{2 \cdot 7 \cdot 8} = -\dfrac{1}{2}$

　　② $a=3$, $b=5$, $c=7$일 때, C의 크기

　　　$\cos C = \dfrac{a^2 + b^2 - c^2}{2ab} = \dfrac{3^2 + 5^2 - 7^2}{2 \cdot 3 \cdot 5} = -\dfrac{1}{2}$

　　③ $a=10$, $b=6$, $c=14$일 때, C의 크기

　　　$\cos C = \dfrac{a^2 + b^2 - c^2}{2ab} = \dfrac{10^2 + 6^2 - 14^2}{2 \cdot 10 \cdot 6} = -\dfrac{1}{2}$

　　따라서 $0° < C < 180°$이므로 $C = 120°$

1068 학교기출 대표유형

삼각형 ABC에서
$$b=4,\ c=3,\ A=60°$$
일 때, a의 값은?

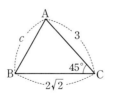

① 2　　　　　　② $\sqrt{5}$

③ $\sqrt{7}$　　　　　④ 3

⑤ $\sqrt{13}$

1069 　　　BASIC

오른쪽 그림과 같이 삼각형 ABC에서
$$a=2\sqrt{2},\ b=3,\ C=45°$$
일 때, c의 값은?

① 2　　　　　　② $\sqrt{5}$

③ $\sqrt{7}$　　　　　④ 3

⑤ $\sqrt{13}$

1070 　　　BASIC

삼각형 ABC에서
$$a=7,\ b=3,\ c=8$$
일 때, A의 크기는?

① 30°　　　　② 45°　　　　③ 60°

④ 120°　　　⑤ 150°

1071 　　　BASIC

삼각형 ABC에서
$$a=3,\ b=5,\ c=7$$
일 때, C의 크기는?

① 30°　　　　② 45°　　　　③ 60°

④ 120°　　　⑤ 150°

1072 최다빈출 상중요 　　　NORMAL

오른쪽 그림과 같이 두 점 A, B가 원점 O를 동시에 출발하여 $\angle AOB = 120°$가 되도록 각각 직선 모양으로 달리고 있다. 두 점 A, B는 초속 5m, 3m의 속력으로 일정하게 달리고 점 A가 60m 이동하였을 때, 두 점 A, B 사이의 거리는?
(단위는 m)

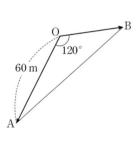

① 72　　　　② 78　　　　③ 84

④ 88　　　　⑤ 90

▶ 해설 내신연계기출

1073 　　　NORMAL

오른쪽 그림과 같이 중심이 O이고 지름 AB의 길이가 4인 원이 있다. 호 BP의 길이가 2θ일 때, $\overline{AP}$의 길이를 θ에 대한 식으로 나타내면?

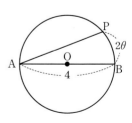

① $2\sqrt{1+\cos\theta}$

② $2\sqrt{2(1-\cos\theta)}$

③ $2\sqrt{2(1+\cos\theta)}$

④ $2\sqrt{2(1-\cos 2\theta)}$

⑤ $2\sqrt{2(1+\cos 2\theta)}$

▶ 해설 내신연계기출

유형 07 코사인법칙의 변형

삼각형 ABC에서 세 변의 길이를 알 때
⇨ 코사인법칙의 변형을 이용하여 세 각의 크기를 구할 수 있다.
⇨ $\cos A = \dfrac{b^2+c^2-a^2}{2bc}$, $\cos B = \dfrac{c^2+a^2-b^2}{2ca}$, $\cos C = \dfrac{a^2+b^2-c^2}{2ab}$

1074 학교기출 빈출 유형

오른쪽 그림과 같은 ABD에서
$\overline{AB}=7$, $\overline{AD}=5$, $\overline{BD}=6$이고
변 BC 위의 한 점 D에 대하여
$\overline{DC}=3$일 때, 삼각형 ABC에
서 $\overline{AC}$의 길이는?

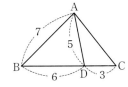

① $3\sqrt{3}$ ② $2\sqrt{10}$ ③ $3\sqrt{5}$

④ $4\sqrt{3}$ ⑤ $5\sqrt{2}$

1075 최다빈출 상 중요 NORMAL

오른쪽 삼각형 ABC에서
$\overline{AB}=3$, $\overline{AC}=5$이고, 변 BC 위의
한 점 D에 대하여 $\overline{BD}=4$, $\overline{DC}=2$
일 때, $\overline{AD}$의 길이는?

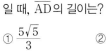

① $\dfrac{5\sqrt{5}}{3}$ ② $\dfrac{\sqrt{105}}{3}$ ③ $\dfrac{7\sqrt{7}}{3}$

④ $\dfrac{10\sqrt{7}}{3}$ ⑤ $20\sqrt{7}$

▶ 해설 내신연계기출

1076 최다빈출 상 중요 NORMAL

오른쪽 그림과 같이 한 변의 길이
가 2인 정사각형 ABCD의 두 변
BC, CD의 중점이 각각 E, F이고
$\angle EAF=\theta$일 때,
$10(\sin\theta+\cos\theta)$의 값은?

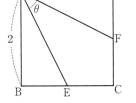

① 7   ② 11

③ 13   ④ 14

⑤ 15

▶ 해설 내신연계기출

1077 NORMAL

정삼각형 ABC에서 변 BC의 삼등분점을 각각 P, Q라 하고
$\angle QAP=\theta$라고 할 때, $\cos\theta$의 값은?

① $\dfrac{12}{13}$ ② $\dfrac{13}{14}$ ③ $\dfrac{14}{15}$

④ $\dfrac{3}{4}$ ⑤ $\dfrac{2}{3}$

1078 NORMAL

오른쪽 그림과 같이 한 변의 길이
가 6인 정육각형 ABCDEF에서
변 BC의 중점을 M이라고 하자.
$\angle DMC=\theta$라고 할 때, $\cos\theta$의
값은?

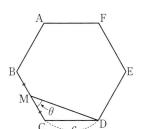

① $\dfrac{2\sqrt{7}}{7}$ ② $\dfrac{3\sqrt{7}}{7}$

③ $\dfrac{3\sqrt{6}}{6}$ ④ $2\sqrt{7}$

⑤ $3\sqrt{7}$

1079 NORMAL

오른쪽 그림과 같이 두 직선 $y=3x$와
$y=x$가 이루는 예각의 크기를 θ라 할
때, $\cos\theta$의 값은?

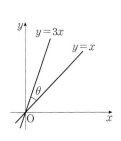

① $\dfrac{\sqrt{5}}{5}$ ② $\dfrac{2\sqrt{5}}{5}$

③ $\dfrac{3\sqrt{5}}{5}$ ④ $\dfrac{4\sqrt{5}}{5}$

⑤ $\sqrt{5}$

1080 최다빈출 왕 중요

오른쪽 그림과 같이 길이가 $2\sqrt{5}$인 선분 AB를 지름으로 하는 원 O 위의 한 점 P에 대하여 $\overline{AP}=4$이다.
$\angle PAB = \theta$라고 할 때, $\cos 2\theta$의 값은?

① $\dfrac{1}{3}$ ② $\dfrac{1}{2}$

③ $\dfrac{2}{5}$ ④ $\dfrac{3}{5}$

⑤ $\dfrac{3}{4}$

1081 최다빈출 왕 중요

오른쪽 그림과 같이 원에 내접하는 사각형 ABCD에서 $\overline{AB}=6$, $\overline{BC}=3$, $\angle ADC=120°$일 때, 대각선 AC의 길이는?

① $2\sqrt{2}$ ② 3

③ $\sqrt{19}$ ④ $2\sqrt{3}$

⑤ $3\sqrt{3}$

▶ 해설 내신연계기출

1082

오른쪽 그림과 같이 삼각형 ABC에서 각 A의 이등분선이 변 BC와 만나는 점을 D라 하자.
$\overline{AB}=4$, $\overline{AC}=6$, $\overline{AD}=3$
일 때, $\overline{BC}$의 길이는?

① $2\sqrt{5}$ ② $2\sqrt{6}$ ③ $\dfrac{2\sqrt{10}}{5}$

④ $2\sqrt{10}$ ⑤ $\dfrac{5\sqrt{10}}{2}$

1083

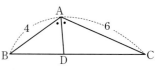

오른쪽 그림과 같이
$\angle A=120°$, $\overline{AB}=4$, $\overline{AC}=6$
인 삼각형 ABC에서 $\angle A$의 이등분선이 변 BC와 만나는 점을 D라고 할 때, 선분 AD의 길이는?

① $\dfrac{11}{5}$ ② $\dfrac{12}{5}$ ③ $\dfrac{13}{5}$

④ $\dfrac{14}{5}$ ⑤ 3

▶ 해설 내신연계기출

1084

오른쪽 그림과 같이
$\overline{AB}=\sqrt{3}$, $\angle B=45°$,
$\angle C=60°$인 삼각형 ABC에서
$\overline{AC}=\overline{CD}$가 되도록 $\overline{BC}$의 연장선 위에 점 D를 잡을 때, $\overline{AD}$의 길이는?

① 2 ② $\sqrt{5}$ ③ $\sqrt{6}$

④ $2\sqrt{2}$ ⑤ $2\sqrt{3}$

유형 08 코사인법칙을 활용한 각의 크기

사인법칙을 이용하여 변의 길이로 유도하여 코사인법칙의 사용

① 두 변의 길이와 그 끼인각의 크기가 주어지고 나머지 한 변의
   길이를 구할 때 : $a^2 = b^2 + c^2 - 2bc\cos A$

② 세 변의 길이가 주어지고 내각의 크기를 구할 때 :
   $$\cos A = \frac{b^2 + c^2 - a^2}{2bc}$$

1085 학교기출 대표 유형

삼각형 ABC의 세 변의 길이 a, b, c에 대하여
$$a^2 - bc = (b-c)^2$$
가 성립할 때, A의 크기는?

① $30°$ ② $45°$ ③ $60°$
④ $90°$ ⑤ $120°$

1086 최다빈출 왕 중요   BASIC

삼각형 ABC의 세 변의 길이 a, b, c에 대하여
$$(a+b+c)(a+b-c) = 3ab$$
일 때, C의 크기는?

① $30°$ ② $45°$ ③ $60°$
④ $90°$ ⑤ $120°$

▶ 해설 내신연계기출

1087   NORMAL

삼각형 ABC에서
$$\sin A : \sin B : \sin C = 4 : 5 : 6$$
일 때, $\cos A$의 값은?

① $\dfrac{1}{2}$ ② $\dfrac{2}{3}$ ③ $\dfrac{3}{4}$
④ $\dfrac{4}{5}$ ⑤ $\dfrac{\sqrt{3}}{2}$

1088   NORMAL

삼각형 ABC에서
$$\sin A : \sin B : \sin C = 3 : 5 : 7$$
일 때, $\tan C$의 값은?

① $-\sqrt{3}$ ② $-\dfrac{1}{\sqrt{3}}$ ③ $\dfrac{1}{\sqrt{3}}$
④ 1 ⑤ $\sqrt{3}$

1089   NORMAL

삼각형 ABC에서
$$\frac{\sin A}{3} = \frac{\sin B}{5} = \frac{\sin C}{7}$$
일 때, $\sin(A+B)$의 값은?

① $\dfrac{1}{4}$ ② $\dfrac{1}{3}$ ③ $\dfrac{1}{2}$
④ $\dfrac{\sqrt{2}}{2}$ ⑤ $\dfrac{\sqrt{3}}{2}$

1090 최다빈출 왕 중요   TOUGH

삼각형 ABC에서
$$6\sin A = 2\sqrt{3}\sin B = 3\sin C$$
가 성립할 때, A의 크기는?

① $30°$ ② $45°$ ③ $60°$
④ $90°$ ⑤ $120°$

▶ 해설 내신연계기출

(1) 사인법칙의 사용

삼각형 ABC의 세 각의 크기를 A, B, C, 세 변의 길이를 a, b, c,

외접원의 반지름의 길이를 R이라고 하면

두 각의 크기와 한 변의 길이를 알고 나머지 변의 길이를 구할 때

$$\frac{a}{\sin A} = \frac{b}{\sin B} = \frac{c}{\sin C} = 2R$$

(2) 코사인법칙의 사용

① 두 변의 길이와 그 끼인각의 크기가 주어지고 나머지 한 변의

길이를 구할 때 : $a^2 = b^2 + c^2 - 2bc\cos A$

② 세 변의 길이가 주어지고 내각의 크기를 구할 때 :

$$\cos A = \frac{b^2 + c^2 - a^2}{2bc}$$

1091 학교기출 대표 유형

삼각형 ABC에서

$A = 120°$, $\overline{AB} = 8$, $\overline{AC} = 6$

일 때, 삼각형 ABC의 외접원의

반지름의 길이는?

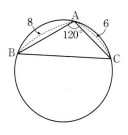

① $\sqrt{37}$ ② $\dfrac{2\sqrt{37}}{3}$

③ $\dfrac{2\sqrt{39}}{3}$ ④ $\dfrac{2\sqrt{111}}{3}$

⑤ $\dfrac{22}{3}$

1092

NORMAL

삼각형 ABC에서

$a = 3$, $b = 5$, $C = 120°$

일 때, 외접원의 반지름의 길이는?

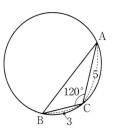

① $\dfrac{3\sqrt{3}}{7}$ ② $\dfrac{2\sqrt{3}}{3}$

③ $\dfrac{5\sqrt{3}}{3}$ ④ $\dfrac{7\sqrt{3}}{3}$

⑤ $\dfrac{11\sqrt{3}}{3}$

1093 최다빈출 상중요

NORMAL

원 O 위의 세 점 A, B, C에 대하여

$\overline{AB} = 5$, $\overline{AC} = 8$, $A = 60°$

일 때, 이 원의 넓이는?

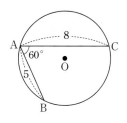

① $\dfrac{49}{5}\pi$ ② $\dfrac{49}{3}\pi$

③ $\dfrac{49}{2}\pi$ ④ $\dfrac{52}{3}\pi$

⑤ $\dfrac{59}{3}\pi$

▶ 해설 내신연계기출

1094 최다빈출 상중요

NORMAL

오른쪽 그림과 같이 반지름의

길이가 R인 원 O에 내접하는

삼각형 ABC가 있다.

$\overline{AB} = 5$, $\overline{AC} = 6$, $\cos A = \dfrac{3}{5}$

일 때, $8R$의 값은?

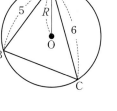

① 15   ② 20

③ 25   ④ 30

⑤ 35

▶ 해설 내신연계기출

1095 최다빈출 상중요

NORMAL

삼각형 ABC에서

$a = 3$, $b = 5$, $c = 7$

일 때, 삼각형 ABC의 외접원의 반지름의 길이는?

① $\dfrac{5\sqrt{3}}{3}$ ② $\dfrac{7\sqrt{3}}{3}$ ③ $\dfrac{13\sqrt{3}}{3}$

④ $\dfrac{14\sqrt{3}}{3}$ ⑤ $5\sqrt{3}$

▶ 해설 내신연계기출

1096

NORMAL

오른쪽 그림과 같은 원 모양의 연못이
있다. 연못가의 세 지점 A, B, C에
대하여

$\overline{AB}=6m$, $\overline{AC}=10m$, $\overline{BC}=14m$

일 때, 이 연못의 넓이는? (단위는 m^2)

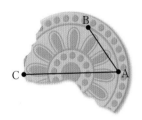

① $\dfrac{144}{5}\pi$ ② $\dfrac{121}{2}\pi$ ③ $\dfrac{196}{3}\pi$

④ $\dfrac{169}{4}\pi$ ⑤ $\dfrac{213}{4}\pi$

1097 최다빈출 ⚡중요

TOUGH

어느 문화재 복원가가 발굴한 유물을
원래 모양으로 복원하려고 한다. 문
화재 복원가는 유물의 안쪽이 원의
형태로 이루어졌을 것으로 추정하여
오른쪽 그림과 같이 유물의 안쪽 원
의 세 지점을 A, B, C로 정하여 측
정하였더니

$\overline{AB}=3$, $\overline{AC}=6$, $\angle BAC=60°$

일 때, 유물의 안쪽 원의 반지름의 길이는?

① $\sqrt{2}$ ② 2 ③ $2\sqrt{2}$

④ 3 ⑤ $3\sqrt{2}$

▶ 해설 내신연계기출

1098

TOUGH

원으로 추정되는 훼손된 유물의 사진
에서 세 점 A, B, C를 찍은 후 삼각형
ABC의 세 변의 길이를 측정하였더니

$a=3cm$, $b=5cm$, $c=7cm$

이 었다. 유물의 원래 넓이는?
(단위는 cm^2)

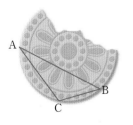

① $\dfrac{21}{2}\pi$ ② $\dfrac{32}{3}\pi$ ③ $\dfrac{27}{2}\pi$

④ $\dfrac{49}{3}\pi$ ⑤ $\dfrac{64}{3}\pi$

유형 10 삼각형의 최대각과 최소각

삼각형에서 내각의 크기가 클수록 그 대변의 길이도 길다. 즉 크기가
가장 큰 내각의 대변의 길이가 가장 길고, 크기가 가장 작은 내각의
대변의 길이가 가장 짧다.
삼각형의 세 변의 길이가 주어지면 코사인법칙의 각의 크기를 구한다.
① 삼각형의 세 내각 중 최대인 각
  ⇨ 변의 길이가 가장 긴 변과 마주 보는 각
② 삼각형의 세 내각 중 최소인 각
  ⇨ 변의 길이가 가장 짧은 변과 마주 보는 각
즉 삼각형 ABC에서 $a<b<c$이면 C가 최대인 각이고 A가 최소인
각이다.

1099 학교기출 대표유형

세 변의 길이가

$a=13$, $b=7$, $c=8$

일 때, 삼각형의 최대인 각의 크기는?

① $75°$ ② $90°$ ③ $120°$

④ $135°$ ⑤ $150°$

1100

NORMAL

삼각형 ABC에서 세 변의 길이가

$a=2$, $b=\sqrt{2}$, $c=\sqrt{3}+1$

일 때, 삼각형의 최소각의 크기는?

① $30°$ ② $45°$ ③ $60°$

④ $90°$ ⑤ $120°$

1101

NORMAL

삼각형 ABC에서

$\dfrac{\sin A}{3}=\dfrac{\sin B}{5}=\dfrac{\sin C}{7}$

일 때, 최대각의 크기는?

① $75°$ ② $90°$ ③ $120°$

④ $135°$ ⑤ $150°$

1102 최다빈출 왕 중요

삼각형 ABC에서

$$\sqrt{3}\sin A = \sqrt{2}\sin B = (3+\sqrt{3})\sin C$$

가 성립할 때, 최대각의 크기는?

① $75°$　　　② $90°$　　　③ $120°$

④ $135°$　　　⑤ $150°$

▶ 해설 내신연계기출

1103

삼각형 ABC에서

$$\sin(A+B) : \sin(B+C) : \sin(C+A) = 7 : 5 : 6$$

이고 최소인 각의 크기를 θ라 할 때, $\cos\theta$의 값은?

① $\dfrac{3}{7}$　　　② $\dfrac{4}{7}$　　　③ $\dfrac{5}{7}$

④ $\dfrac{4}{5}$　　　⑤ $\dfrac{3}{5}$

1104

$\overline{AB}=2$, $\overline{BC}=4$, $\overline{CA}=x$인 ABC에서 C의 크기가 최대일 때, x의 값은?

① $\sqrt{3}$　　　② $\sqrt{5}$　　　③ $2\sqrt{3}$

④ $2\sqrt{5}$　　　⑤ $2\sqrt{7}$

유형 11　삼각형의 모양 결정

삼각형 ABC의 모양을 결정할 때

(1) 사인에 대한 식

$$\sin A = \frac{a}{2R},\ \sin B = \frac{b}{2R},\ \sin C = \frac{c}{2R}$$

임을 이용하여 a, b, c에 대한 식으로 나타낸다.

（단, R는 외접원의 반지름의 길이이다.）

(2) 코사인에 대한 식

코사인법칙의 변형을 이용하여 a, b, c에 대한 식으로 나타낸다.

참고 ① $a\cos A = b\cos B$을 만족하는 삼각형 ABC

　　⇨ $a=b$인 이등변삼각형 또는 $C=90°$인 직각삼각형

② $a\cos B = b\cos A$을 만족하는 삼각형 ABC

　　⇨ $a=b$인 이등변삼각형

③ $a\cos B - b\cos A = c$을 만족하는 삼각형 ABC

　　⇨ $A=90°$인 직각삼각형

1105 학교기출 빈출유형

삼각형 ABC에서

$$\sin A = 2\cos B\sin C$$

가 성립할 때, 삼각형 ABC는 어떤 삼각형인가?

① $b=c$인 이등변삼각형　　② $a=c$인 직각이등변삼각형

③ $A=90°$인 직각삼각형　　④ $B=90°$인 직각삼각형

⑤ $C=90°$인 직각삼각형

1106

삼각형 ABC에서

$$\sin B = 2\sin A\cos C$$

가 성립할 때, 삼각형 ABC는 어떤 삼각형인가?

① $b=c$인 이등변삼각형　　② $a=c$인 이등변삼각형

③ $A=90°$인 직각삼각형　　④ $B=90°$인 직각삼각형

⑤ $C=90°$인 직각삼각형

1107 최다빈출 왕 중요

삼각형 ABC에서

$$2\sin A\cos B = \sin A - \sin B + \sin C$$

을 만족하는 삼각형 ABC는 어떤 삼각형인가?

① $b=c$인 이등변삼각형　　② $a=b$인 이등변삼각형

③ $A=90°$인 직각삼각형　　④ $B=90°$인 직각삼각형

⑤ $C=90°$인 직각삼각형

▶ 해설 내신연계기출

1108

삼각형 ABC에서

$$a\cos B - b\cos A = c$$

가 성립할 때, 삼각형 ABC는 어떤 삼각형인가?

① $b=c$인 이등변삼각형   ② $a=c$인 이등변삼각형

③ $A=90°$인 직각삼각형   ④ $B=90°$인 직각삼각형

⑤ $C=90°$인 직각삼각형

1109 최다빈출 왕 중요

삼각형 ABC에서

$$a\cos A = b\cos B$$

가 성립할 때, 삼각형 ABC는 어떤 삼각형인가? (단, $a \neq b$)

① $b=c$인 이등변삼각형   ② $a=c$인 직각이등변삼각형

③ $A=90°$인 직각삼각형   ④ $B=90°$인 직각삼각형

⑤ $C=90°$인 직각삼각형

▶ 해설 내신연계기출

1110

삼각형 ABC에서

$$\tan A \sin^2 B = \tan B \sin^2 A$$

가 성립할 때, 삼각형 ABC는 어떤 삼각형인가?

① $a=b$인 이등변삼각형 또는 $C=90°$인 직각삼각형

② $b=c$인 이등변삼각형 또는 $A=90°$인 직각삼각형

③ $c=a$인 이등변삼각형 또는 $B=90°$인 직각삼각형

④ $B=90°$인 직각삼각형

⑤ $C=90°$인 직각삼각형

유형 12 코사인법칙의 도형에서의 활용

삼각형에서 두 변의 길이와 그 끼인각의 크기를 알 때, 코사인법칙을 이용하여 나머지 한 변의 길이를 구할 수 있다.

1111 학교기출 대표 유형

그림과 같이 높이가 각각 20m, 30m인 두 지점 A, B가 있다. C지점에서 두 지점 A, B를 올려본 각의 크기가 모두 30°일 때, $\overline{AB}$의 길이는? (단위는 m)

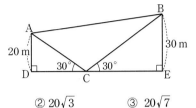

① $20\sqrt{2}$ ② $20\sqrt{3}$ ③ $20\sqrt{7}$

④ $20\sqrt{15}$ ⑤ $20\sqrt{19}$

1112

오른쪽 그림과 같이 지면에서 50m 위에 있는 두 지점 A, B에 대하여 지면 위의 지점 C에서 지점 A를 올려본 각의 크기는 30°이고, 지점 B를 올려본 각의 크기는 45°이다. $\angle ACB = 45°$일 때, 두 지점 A, B 사이의 거리는? (단위는 m)

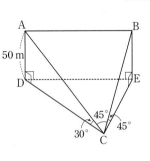

① 25 ② $25\sqrt{2}$ ③ 50

④ $50\sqrt{2}$ ⑤ $75\sqrt{2}$

1113

다음 그림과 같은 직육면체에서

$$\overline{AB}=8, \ \overline{AD}=12, \ \overline{BF}=6$$

이고 점 I는 변 BC를 1 : 2로 내분하는 점이다. $\angle IGD$의 크기를 θ라 할 때, $\cos\theta$의 값은?

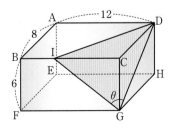

① $\dfrac{2}{3}$ ② $\dfrac{3}{4}$ ③ $\dfrac{3}{5}$

④ $\dfrac{9}{25}$ ⑤ $\dfrac{9}{16}$

공간도형에서의 최단거리
원뿔에서 한 점을 출발하여 옆면을 돌아 또다른 점으로 가는 최단거리는
전개도에서 다음 단계로 구한다.
[1단계] 부채꼴의 중심각을 구한다.
[2단계] 코사인법칙에 의하여 최단거리를 구한다.

1114 학교기출 대표유형

오른쪽 그림과 같이 밑면의 반지름의
길이가 4cm이고 모선의 길이가 12cm
인 원뿔이 있다. 원뿔의 밑면인 원의
둘레 위의 점 P에서 모선 OP의 중점
Q까지 원뿔의 표면을 따라 실을 감을
때, 감은 실의 길이의 최솟값은? (단위
는 cm이다.)

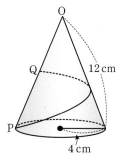

① $3\sqrt{6}$ ② $4\sqrt{6}$
③ $6\sqrt{6}$ ④ $6\sqrt{7}$
⑤ $7\sqrt{7}$

1115 TOUGH

오른쪽 그림과 같이 밑면의 반지름
의 길이가 4cm이고 모선의 길이가
12cm인 원뿔이 있다. 원뿔의 밑면
인 원의 둘레 위의 점 P부터 3cm
떨어진 모선 OP 위의 점 Q까지 원
뿔의 표면을 따라 실을 감을 때, 감
은 실의 길이의 최솟값은?
(단위는 cm이다)

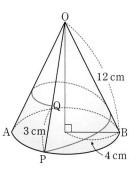

① $6\sqrt{3}$ ② $3\sqrt{37}$
③ $8\sqrt{6}$ ④ $3\sqrt{11}$
⑤ $7\sqrt{37}$

1116 최다빈출 상 중요   TOUGH

오른쪽 그림은 모선 OA의 길이가
6이고 밑면의 지름 AB의 길이가
4인 원뿔이다.
모선 OB 위의 점 P에 대하여
$\overline{OP}=4$일 때, 점 A에서 원뿔의 옆면
을 따라 점 P까지 가는 최단거리는?

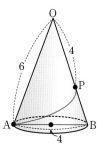

① $2\sqrt{6}$ ② $2\sqrt{7}$
③ $3\sqrt{7}$ ④ $4\sqrt{7}$
⑤ $5\sqrt{7}$

▶ 해설 내신연계기출

1117 최다빈출 상 중요   TOUGH

그림과 같은 이등변삼각형 ABC에서
$\overline{AB}=\overline{AC}=5$, $\overline{AD}=3$, $\angle BAC=30°$이다.
점 B를 출발하여 변 AC, AB, AC 위의 점
을 차례로 지나 점 D에 이르는 최단 거리는?

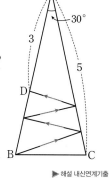

① 6   ② 7
③ $7\sqrt{2}$ ④ $7\sqrt{3}$
⑤ $8\sqrt{3}$

▶ 해설 내신연계기출

1118 TOUGH

그림과 같이 밑면이 정사각형이고,
$$\angle AOB=\angle BOC=\angle COD=\angle DOA=30°,$$
$$\overline{OA}=\overline{OB}=\overline{OC}=\overline{OD}=5$$
인 정사각뿔이 있다.

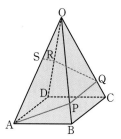

점 P, R은 각각 $\overline{OB}$, $\overline{OD}$ 위의 점이고, 점 Q는 $\overline{OC}$를 4:1로
내분하는 점이며 점 S는 $\overline{OA}$를 2:3으로 내분하는 점이다.
점 A를 출발하여 P, Q, R을 거쳐 점 S에 이르는 최단 거리가
$a\sqrt{3}+\sqrt{b}$일 때, 자연수 a, b에 대하여 $a+b$의 값은?

① 21   ② 22   ③ 23
④ 24   ⑤ 25

04 삼각형의 넓이

학교내신기출 객관식 핵심문제총정리

유형 01 삼각형의 넓이

삼각형 ABC에서 두 변의 길이와 그 끼인각의 크기가 주어진 경우 넓이

$$S=\frac{1}{2}ab\sin C=\frac{1}{2}bc\sin A=\frac{1}{2}ca\sin B$$

참고 삼각형 ABC의 외접원의 반지름의 길이 R이 주어진 경우

$$S=\frac{abc}{4R}=2R^2\sin A\sin B\sin C$$

삼각형 ABC의 내접원의 반지름의 길이 r이 주어진 경우

$$S=\frac{1}{2}r(a+b+c)$$

1119

삼각형 ABC에서

$$A=60°, \overline{AB}=8, \overline{AC}=10$$

일 때, 삼각형 ABC의 넓이는?

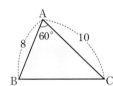

① $10\sqrt{2}$ ② 20

③ $20\sqrt{3}$ ④ 30

⑤ $30\sqrt{3}$

1120 BASIC

삼각형 ABC에서

$$B=120°, \overline{AB}=4, \overline{BC}=3\sqrt{3}$$

일 때, 삼각형 ABC의 넓이는?

① 4   ② $4\sqrt{2}$

③ 6   ④ $6\sqrt{2}$

⑤ 9

1121 BASIC

삼각형 ABC에서

$$a=8, b=3, \cos C=\frac{1}{3}$$

일 때, 삼각형 ABC의 넓이는?

① $4\sqrt{2}$ ② $6\sqrt{2}$ ③ $8\sqrt{2}$

④ $10\sqrt{2}$ ⑤ $12\sqrt{2}$

1122 BASIC

삼각형 ABC에서

$$\overline{AB}=6, \overline{AC}=4$$이고 $$\sin(B+C)=\frac{1}{4}$$

일 때, 삼각형 ABC의 넓이는?

① $\sqrt{3}$ ② 2   ③ $2\sqrt{2}$

④ 3   ⑤ $3\sqrt{2}$

▶ 해설 내신연계기출

1123 NORMAL

오른쪽 그림과 같이 $\overline{AB}=3, \overline{AC}=4$인 삼각형 ABC의 두 변 AB, AC 위에 각각 점 D, E가 있다. 선분 DE가 삼각형 ABC의 넓이를 이등분할 때, $\overline{AD}\cdot\overline{AE}$의 값은?

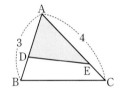

① 4   ② 5   ③ 6

④ 7   ⑤ 8

1124 NORMAL

오른쪽 그림과 같이 반지름의 길이가 4이고 중심각의 크기가 $\frac{3}{4}\pi$인 부채꼴에서 색칠한 부분의 넓이는?

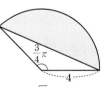

① $3\pi-2\sqrt{2}$ ② $6\pi-4\sqrt{2}$ ③ $9\pi-4\sqrt{2}$

④ $9\pi-2\sqrt{2}$ ⑤ $9\pi-\sqrt{2}$

1125 NORMAL

삼각형 ABC에서 $b=8, c=10$이고 넓이가 $20\sqrt{3}$일 때, a의 값은? $\left(단, 0<A<\frac{\pi}{2}\right)$

① $2\sqrt{21}$ ② $3\sqrt{21}$ ③ $4\sqrt{21}$

④ 30   ⑤ $30\sqrt{3}$

▶ 해설 내신연계기출

1126 NORMAL

삼각형 ABC에서

$$b=2\sqrt{3},\ c=2,\ B=120°$$

일 때, 삼각형 ABC의 넓이는?

① $\sqrt{3}$ 　　② $2\sqrt{3}$

③ $3\sqrt{3}$ 　　④ $2\sqrt{2}$

⑤ $3\sqrt{2}$

▶ 해설 내신연계기출

1127 NORMAL

삼각형 ABC에서

$$\overline{AB}=6,\ \overline{AC}=2\sqrt{13},\ B=60°$$

일 때, 삼각형 ABC의 넓이는?

① $6\sqrt{3}$ 　　② $8\sqrt{3}$

③ $10\sqrt{3}$ 　　④ $12\sqrt{3}$

⑤ $14\sqrt{3}$

1128 NORMAL

삼각형 ABC에서

$$A=120°,\ a=7,\ b+c=8$$

일 때, 삼각형 ABC의 넓이는?

① $\dfrac{3\sqrt{3}}{2}$ 　　② $\dfrac{15\sqrt{3}}{4}$

③ $\dfrac{17\sqrt{3}}{4}$ 　　④ $\dfrac{15\sqrt{3}}{2}$

⑤ $\dfrac{21\sqrt{3}}{2}$

▶ 해설 내신연계기출

1129 NORMAL

오른쪽 그림과 같은 삼각형 ABC에서

$$b=\sqrt{6},\ c=2,\ B=60°,\ C=45°$$

일 때, 삼각형 ABC의 넓이는?

① $\dfrac{1+\sqrt{3}}{2}$ 　　② $\dfrac{2+\sqrt{2}}{2}$

③ $\dfrac{2+\sqrt{3}}{3}$ 　　④ $\dfrac{3+\sqrt{3}}{2}$

⑤ $2\sqrt{3}$

1130  NORMAL

삼각형 ABC가 다음 조건을 만족시킬 때, 삼각형 ABC의 넓이는?

(가) 외접원의 반지름의 길이는 4이다.
(나) $B=60°,\ C=45°$

① $4(1+\sqrt{2})$ 　② $4(1+\sqrt{3})$ 　③ $4(1+\sqrt{6})$

④ $4(3+\sqrt{3})$ 　⑤ $4(3+\sqrt{6})$

▶ 해설 내신연계기출

1131 NORMAL

오른쪽 그림과 같이

$$\overline{AC}=3,\ \overline{BC}=5,\ A=90°$$

인 직각삼각형 ABC에 두 변 AC, BC를 각각 한 변으로 하는 정사각형을 그린다.
색칠한 삼각형 CDE의 넓이는?

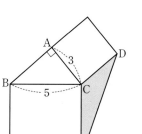

① $2\sqrt{3}$ 　　② 3

③ $3\sqrt{3}$ 　　④ 6

⑤ $6\sqrt{2}$

▶ 해설 내신연계기출

1132 NORMAL

오른쪽 그림과 같이

$$\overline{AB}=6,\ \overline{BC}=8,\ \overline{AC}=4$$

인 삼각형 ABC에서 선분 BC를 한 변으로 하는 정사각형 BEDC를 만들었다.
이때 삼각형 ABE의 넓이는?

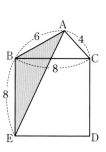

① 17 　　② 19

③ 21 　　④ 24

⑤ 27

1133 최다빈출 왕중요

오른쪽 그림과 같은
삼각형 ABC에서
$\overline{AB}=60$, $\overline{AC}=20$, $A=120°$
이고 ∠A의 이등분선이 $\overline{BC}$와
만나는 점을 D라 할 때, $\overline{AD}$의 길이는?

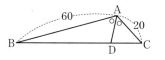

① 14　　　② 15　　　③ 16
④ 17　　　⑤ 18

▶ 해설 내신연계기출

1134

오른쪽 그림과 같은
삼각형 ABC에서
$\overline{AB}=3$, $\overline{AC}=4$, ∠BAC$=60°$
이다. ∠A의 이등분선이 변 BC와 만
나는 점을 D라 할 때, $\overline{AD}$의 길이는?

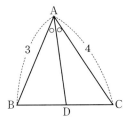

① $\dfrac{12}{7}$　　　② $\dfrac{12}{5}$

③ $\dfrac{12\sqrt{3}}{7}$　　　④ $\dfrac{12\sqrt{3}}{5}$

⑤ $4\sqrt{3}$

1135 최다빈출 왕중요

그림과 같이 삼각형 ABC의 변 AB의 길이를 20% 늘리고,
변 AC의 길이를 10%줄여서 새로운 삼각형 AB′C′을 만들 때,
삼각형 AB′C′의 넓이는 삼각형 ABC의 넓이에서 어떤 변화가
일어나는가?

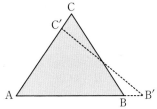

① 2% 감소한다.　② 2% 증가한다.　③ 8% 감소한다.
④ 8% 증가한다.　⑤ 변화가 없다.

▶ 해설 내신연계기출

1136

그림과 같이 삼각형 ABC의 각 변의 길이를 25%늘린 위치에
점 P, Q, R을 잡는다. 삼각형 ABC의 넓이가 32일 때,
삼각형 PQR의 넓이는?

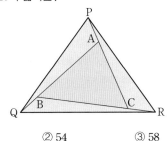

① 48　　　② 54　　　③ 58
④ 62　　　⑤ 66

1137 최다빈출 왕중요

오른쪽 그림과 같이 반지름의 길이가 10
인 원 O위의 세 점 A, B, C에 대하여

$\overset{\frown}{AB}:\overset{\frown}{BC}:\overset{\frown}{CA}=3:4:5$

일 때, 삼각형 ABC의 넓이는?

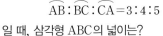

① $25(3+\sqrt{3})$　　② $50(3+\sqrt{3})$
③ $75(3+\sqrt{3})$　　④ $100(3+\sqrt{3})$
⑤ $125(3+\sqrt{3})$

▶ 해설 내신연계기출

1138

오른쪽 그림과 같이 반지름의 길이가 4인
원 O 위의 네 점 A, B, C, D에 대하여
$\overset{\frown}{AB}:\overset{\frown}{BC}:\overset{\frown}{CD}:\overset{\frown}{DA}=4:2:3:3$일 때,
사각형 ABCD의 넓이는?

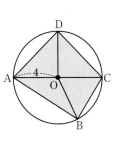

① $4(\sqrt{3}+2)$　　② $4(\sqrt{3}+3)$
③ $8(\sqrt{3}+2)$　　④ $8(\sqrt{3}+3)$
⑤ $16(\sqrt{3}+3)$

삼각형 ABC에서 세 변의 길이가 주어지면 넓이를 다음 단계로 구한다.

[1단계] 코사인법칙을 이용하여 $\cos A$의 값을 구한다.

[2단계] $\sin^2 A + \cos^2 A = 1$임을 이용하여 $\sin^2 A$의 값을 구한다.

[3단계] $S = \dfrac{1}{2}bc\sin A$임을 이용하여 삼각형의 넓이를 구한다.

참고   헤론의 넓이 공식 ← $s = \dfrac{a+b+c}{2}$의 값이 자연수이면 사용하기 편리하다.

삼각형 ABC의 세 변의 길이 a, b, c가 주어진 경우 헤론의 넓이 공식을 이용하여 삼각형 ABC의 넓이 S를 구한다.

$$S = \sqrt{s(s-a)(s-b)(s-c)} \quad \left(\text{단, } s = \frac{a+b+c}{2}\right)$$

1139   학교기출 대표 유형

삼각형 ABC에서
$$a=7,\ b=6,\ c=5$$
일 때, 삼각형 ABC의 넓이는?

① $3\sqrt{6}$ ② $4\sqrt{6}$ ③ $6\sqrt{6}$

④ $12\sqrt{3}$ ⑤ $12\sqrt{6}$

1140   ■■□ NORMAL

삼각형 ABC에서
$$a=9,\ b=7,\ c=5$$
일 때, 삼각형 ABC의 넓이는?

① $\dfrac{21\sqrt{11}}{2}$ ② $7\sqrt{11}$ ③ $\dfrac{21\sqrt{11}}{4}$

④ $\dfrac{11\sqrt{11}}{5}$ ⑤ $9\sqrt{11}$

1141   ■■■ TOUGH

삼각형 ABC의 외접원의 반지름의 길이가 4이고
$$\overline{\text{AB}} : \overline{\text{BC}} : \overline{\text{CA}} = 1 : \sqrt{2} : 2$$
일 때, 삼각형 ABC의 넓이는?

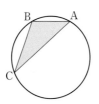

① $\dfrac{7\sqrt{2}}{2}$ ② $\dfrac{7\sqrt{7}}{3}$ ③ $\dfrac{7\sqrt{7}}{2}$

④ $\dfrac{7\sqrt{14}}{2}$ ⑤ $\dfrac{14\sqrt{14}}{3}$

삼각형 ABC의 넓이를 S라 하면

① 세 변의 길이 a, b, c와 외접원의 반지름의 길이 R을 알 때
$$S = \frac{abc}{4R}$$

② 세 각의 크기 A, B, C와 외접원의 반지름의 길이 R을 알 때
$$S = 2R^2 \sin A \sin B \sin C$$

증명   외접원의 반지름의 길이 R이 주어진 경우

사인법칙
$$\frac{a}{\sin A} = \frac{b}{\sin B} = \frac{c}{\sin C} = 2R \text{에서}$$
$$\sin C = \frac{c}{2R} \text{ 이므로}$$
$$S = \frac{1}{2}ab\sin C = \frac{1}{2}ab \cdot \frac{c}{2R} = \frac{abc}{4R}$$

또, 사인법칙
$$\frac{a}{\sin A} = \frac{b}{\sin B} = \frac{c}{\sin C} = 2R \text{에서}$$
$$a = 2R\sin A,\ b = 2R\sin B \text{이므로}$$
$$S = \frac{1}{2}ab\sin C = \frac{1}{2} \cdot 2R\sin A \cdot 2R\sin B \cdot \sin C$$
$$= 2R^2 \sin A \sin B \sin C$$

1142   학교기출 대표 유형

외접원의 반지름의 길이가 5인 삼각형 ABC의 넓이가 6일 때, abc의 값은?

① 120   ② 160   ③ 240

④ 320   ⑤ 360

▶ 해설 내신연계기출

1143   ■■□ NORMAL

정삼각형 ABC의 외접원의 반지름의 길이가 6일 때, 삼각형 ABC의 넓이는?

① $6\sqrt{2}$ ② $9\sqrt{2}$ ③ $12\sqrt{3}$

④ $21\sqrt{3}$ ⑤ $27\sqrt{3}$

1144   최다빈출   상 중요   ■■■ TOUGH

삼각형 ABC에서 $A = 120°$, $B = 30°$이고 외접원의 반지름의 길이가 4일 때, 삼각형 ABC의 넓이는?

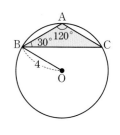

① $4\sqrt{3}$ ② $6\sqrt{3}$

③ $9\sqrt{3}$ ④ $12\sqrt{3}$

⑤ $14\sqrt{3}$

▶ 해설 내신연계기출

<table>
<tr><td>유형</td><td>04</td><td>삼각형의 넓이와 내접원의 반지름의 길이</td></tr>
</table>

내접원의 반지름의 길이 r가 주어진 경우
삼각형 ABC의 세 변의 길이 a, b, c와 내접원의 반지름의 길이 r가
주어진 경우 삼각형 ABC의 넓이를 S라 할 때,

$$S = \frac{1}{2}r(a+b+c)$$

증명 오른쪽 그림과 같이 삼각형 ABC의 내접원의 중심을 I, 반지름의 길이를
r라 하고 내접원의 중심 I와 삼각형 ABC의 세 꼭짓점을 연결하면

$S = \triangle IAB + \triangle IBC + \triangle ICA$
$\quad = \frac{1}{2}cr + \frac{1}{2}ar + \frac{1}{2}br$
$\quad = \frac{1}{2}r(a+b+c)$

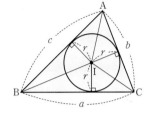

1145 학교기출 IBB유형

삼각형 ABC에서
$$B = 120°, \ a = 8, \ b = 13, \ c = 7$$
일 때, 삼각형 ABC의 내접원의 반지름의 길이는?

① 1   ② $\sqrt{2}$ ③ $\sqrt{3}$
④ 2   ⑤ $\sqrt{5}$

1146 최다빈출 ❀중요 NORMAL

삼각형 ABC에서
$$A = 120°, \ b = 10, \ c = 6$$
일 때, 삼각형 ABC의 내접원의 반지름의 길이는?

① $\sqrt{2}$ ② $\sqrt{3}$ ③ 2
④ $\sqrt{5}$ ⑤ $\sqrt{6}$

▶ 해설 내신연계기출

1147 최다빈출 ❀중요 NORMAL

삼각형 ABC에서 세 변의 길이가
$$a = 7, \ b = 5, \ c = 4$$
일 때, 삼각형 ABC의 내접원의 반지름의 길이는?

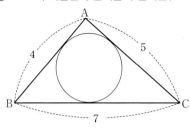

① $\frac{\sqrt{6}}{2}$ ② $\sqrt{6}$ ③ $2\sqrt{6}$
④ $3\sqrt{5}$ ⑤ $6\sqrt{2}$

▶ 해설 내신연계기출

1148 NORMAL

삼각형 ABC에서
$$a = 6, \ b = 8, \ c = 4$$
일 때, 삼각형 ABC의 내접원의 반지름의 길이는?

① $\frac{\sqrt{15}}{3}$ ② $\frac{\sqrt{15}}{2}$ ③ $\frac{2\sqrt{15}}{3}$
④ $\frac{5\sqrt{15}}{6}$ ⑤ $\sqrt{15}$

1149 최다빈출 ❀중요 NORMAL

넓이가 24인 삼각형 ABC가 반지름의 길이가 6인 원에 내접하고
있다.
$$\sin A + \sin B + \sin C = 2$$
일 때, 삼각형 ABC의 내접원의 반지름의 길이는?

① $\frac{3}{2}$ ② 2   ③ $\frac{5}{2}$
④ 3   ⑤ 4

▶ 해설 내신연계기출

삼각형 ABC의 넓이 $\frac{1}{2}ab\sin C$에서 $ab>0$, $\sin C>0$이므로

① $\triangle$ABC가 최대이려면 ab, $\sin C$가 모두 최대이어야 한다.

② $\triangle$ABC가 최소이려면 ab, $\sin C$가 모두 최소이어야 한다.

참고 산술평균과 기하평균의 관계

$a>0$, $b>0$일 때, $a+b\geq 2\sqrt{ab}$

(단, 등호는 $a=b$일 때 성립)

1150 학교기출 대표 유형

삼각형 ABC에서

$$\overline{BC}=a,\ \overline{CA}=b,\ C=60°$$

이고 넓이가 $9\sqrt{3}$일 때, $a+b$의 최솟값은?

① 6   ② 8   ③ 10

④ 12   ⑤ 14

1151

다음 그림에서 두 점 A, B는 삼각형 OAB의 넓이가 $4\sqrt{3}$이 되도록 하면서 각각 두 반직선 OP, OQ위를 움직이고 있다. 이때 선분 AB의 길이의 최솟값은?

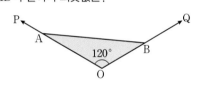

① $2\sqrt{3}$ ② $4\sqrt{3}$ ③ $6\sqrt{3}$

④ $8\sqrt{3}$ ⑤ $10\sqrt{3}$

1152 최다빈출 중요   TOUGH

오른쪽 그림과 같이

$A=60°$, $\overline{AB}=4$, $\overline{AC}=3$

인 삼각형 ABC가 있다. 삼각형 ABC의 변 AB, AC 위를 움직이는 두 점 P, Q에 대하여 선분 PQ가 삼각형 ABC의 넓이를 이등분할 때, $\overline{PQ}$의 길이의 최솟값은?

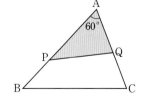

① $\sqrt{3}$ ② 2   ③ $\sqrt{5}$

④ $\sqrt{6}$ ⑤ $2\sqrt{2}$

▶ 해설 내신연계기출

사각형의 넓이를 구할 때,

[1단계] 사각형을 두 개의 삼각형으로 나눈다.

[2단계] 대각선의 길이를 코사인법칙을 이용하여 구한 후

[3단계] 각각의 삼각형의 두 변과 그 끼인각을 찾아 삼각형의 넓이를 구한다.

1153 학교기출 대표 유형

오른쪽 그림과 같이 사각형 ABCD에서 $\overline{AB}=8$, $\overline{BC}=3$, $\overline{CD}=3$, $\overline{DA}=5$, $B=60°$일 때, 이 사각형의 넓이는?

① $6\sqrt{3}$ ② $\frac{15\sqrt{3}}{2}$

③ $\frac{39\sqrt{3}}{4}$ ④ $12\sqrt{3}$

⑤ $14\sqrt{2}$

1154 최다빈출 중요   NORMAL

오른쪽 그림과 같이 사각형 ABCD에서 $\overline{AB}=7$, $\overline{BC}=8$, $\overline{CD}=9$, $\overline{DA}=10$, $B=120°$일 때, 이 사각형의 넓이가 $a\sqrt{3}+b\sqrt{14}$이다. 상수 a, b에 대하여 $a+b$의 값은?

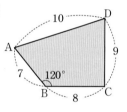

① 14   ② 20   ③ 24

④ 26   ⑤ 32

▶ 해설 내신연계기출

1155   TOUGH

오른쪽 그림과 같이

$\overline{AB}=3$, $\overline{BC}=1$,

$\overline{AD}=3$, $B=120°$, $D=60°$

인 사각형 ABCD의 넓이는?

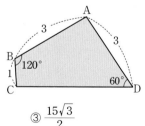

① $\frac{13\sqrt{3}}{4}$ ② $\frac{15\sqrt{3}}{4}$ ③ $\frac{15\sqrt{3}}{2}$

④ $\frac{31\sqrt{3}}{4}$ ⑤ $\frac{31\sqrt{3}}{2}$

유형 07 원에 내접하는 사각형의 넓이

원에 내접하는 사각형의 넓이를 구할 때,

[1단계] 원에 내접하는 사각형의 마주보는 각의 합은 $180°$을 이용한다.

[2단계] 대각선의 길이를 코사인법칙을 이용하여 구한다.

[3단계] 각각의 삼각형의 두 변과 그 끼인각을 찾아 삼각형의 넓이를 구한다.

1156 학교기출 빈출유형

오른쪽 그림과 같이 원에 내접하는 사각형 ABCD에서

$\overline{AB}=5$, $\overline{BC}=3$, $\overline{CD}=3$,

$\overline{AD}=2$, $\angle CDA=120°$

일 때, 사각형 ABCD의 넓이는?

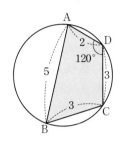

① $6\sqrt{3}$　　　② $\dfrac{21\sqrt{3}}{4}$

③ $\dfrac{22\sqrt{3}}{3}$　　　④ $\dfrac{19\sqrt{3}}{2}$

⑤ $10\sqrt{3}$

1157 최다빈출 중요 NORMAL

오른쪽 그림과 같이 원에 내접하는 사각형 ABCD에서

$\overline{AB}=\sqrt{2}$, $\overline{BC}=2\sqrt{2}$, $\overline{CD}=3$,

$\overline{DA}=1$, $\angle BCD=45°$

일 때, 사각형 ABCD의 넓이는?

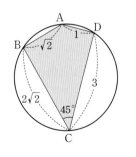

① $\dfrac{3}{2}$　　　② $\dfrac{5}{2}$

③ $\dfrac{7}{2}$　　　④ $\dfrac{9}{2}$

⑤ $\dfrac{11}{2}$

▶ 해설 내신연계기출

1158 TOUGH

오른쪽 그림과 같이 원에 내접하는 사각형 ABCD에서

$\overline{AB}=2$, $\overline{AD}=4$, $\overline{CD}=3$

이고 삼각형 ACD의 넓이가 $4\sqrt{2}$일 때, $\overline{BC}$의 길이는? (단, D의 크기는 예각이다)

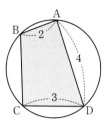

① 2　　　② 3　　　③ 4

④ 5　　　⑤ 6

1159 최다빈출 중요 TOUGH

오른쪽 그림과 같이 원에 내접하는 사각형 ABCD에서

$\overline{AB}=1$, $\overline{BC}=2$, $\overline{CD}=3$, $\overline{DA}=4$

일 때, 사각형 ABCD의 넓이는?

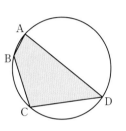

① $2\sqrt{3}$　　　② $3\sqrt{3}$

③ $2\sqrt{6}$　　　④ $4\sqrt{5}$

⑤ $6\sqrt{6}$

▶ 해설 내신연계기출

1160 TOUGH

오른쪽 그림과 같이 원에 내접하는 사각형 ABCD에서

$\overline{AB}=5$, $\overline{BC}=3$, $\overline{CD}=2$, $\overline{DA}=3$

일 때, 원의 넓이는?

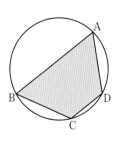

① $\dfrac{17}{3}\pi$　　　② $\dfrac{19}{3}\pi$

③ $\dfrac{21}{3}\pi$　　　④ $\dfrac{23}{3}\pi$

⑤ $\dfrac{25}{3}\pi$

유형 **08** 평행사변형의 넓이

이웃하는 두 변의 길이가 a, b이고
그 끼인각의 크기가 θ인 평행사변형
ABCD의 넓이 S는

$\Rightarrow S = ab\sin\theta$

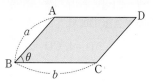

1161 학교기출 대표유형

평행사변형 ABCD에서
$\overline{AB} = 8$, $\overline{BC} = 10$, $B = 150°$
일 때, 넓이는?

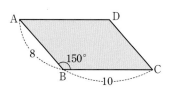

① 20　　　　② 30
③ 40　　　　④ 50
⑤ 60

1162
<small>BASIC</small>

오른쪽 그림과 같은 평행사변형
ABCD에서

$\overline{AB} = 6$, $\overline{BC} = 8$, $C = 135°$
일 때, 이 평행사변형의 넓이는?

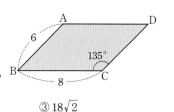

① $12\sqrt{2}$　　　② $16\sqrt{2}$　　　③ $18\sqrt{2}$
④ $22\sqrt{2}$　　　⑤ $24\sqrt{2}$

1163 최다빈출 상중요
<small>NORMAL</small>

오른쪽 그림과 같은 평행사변형
ABCD에서 $\overline{AB} = 4$, $\overline{AD} = 5$이
고 평행사변형 ABCD의 넓이
가 $10\sqrt{3}$일 때, $\overline{BD}$의 길이는?
(단, $0° < \theta < 90°$)

① $2\sqrt{5}$　　　② $\sqrt{21}$　　　③ $\sqrt{22}$
④ $\sqrt{23}$　　　⑤ $2\sqrt{6}$

▶ 해설 내신연계기출

유형 **09** 사각형의 넓이

두 대각선의 길이가 p, q이고,
두 대각선이 이루는 각의 크기가
θ인 사각형 ABCD의 넓이 S는

$\Rightarrow S = \dfrac{1}{2}pq\sin\theta$

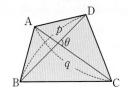

1164 학교기출 대표유형

오른쪽 사각형 ABCD에서 두
대각선의 길이가 각각 12, 10이
고 두 대각선이 이루는 각의 크
기가 135°일 때, 사각형 ABCD
의 넓이는?

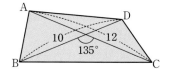

① $10\sqrt{2}$　　　② $15\sqrt{2}$　　　③ $20\sqrt{2}$
④ $25\sqrt{2}$　　　⑤ $30\sqrt{2}$

1165 최다빈출 상중요
<small>NORMAL</small>

오른쪽 그림과 같이 두 대각선의 길
이가 a, b이고, 두 대각선이 이루는
각의 크기가 120°인 사각형 ABCD
가 있다. 이 사각형의 넓이가 $\sqrt{3}$이
고 $a + b = 5$일 때, $a^2 + b^2$의 값은?

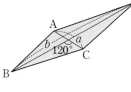

① 13　　　　② 15　　　　③ 17
④ 19　　　　⑤ 21

▶ 해설 내신연계기출

1166 최다빈출 상중요
<small>NORMAL</small>

두 대각선의 길이가 각각 5, 6이고
두 대각선이 이루는 각의 크기가 θ
인 사각형 ABCD에서 $\cos\theta = \dfrac{4}{5}$
일 때, 사각형 ABCD의 넓이는?

① 5　　　　② 7　　　　③ 9
④ 12　　　　⑤ 14

▶ 해설 내신연계기출

서술형 기출유형

학교내신기출 서술형 핵심문제총정리

04

삼각형의 넓이

1167

오른쪽 그림과 같이
$\overline{AB}=\overline{AC}=8$, $\overline{BC}=12$
인 이등변삼각형 ABC에 대하여
변 BC를 1:2로 내분하는 점을
D라 하자. $\angle BAD=\theta$라 할 때,
$\cos\theta$의 값을 구하는 과정을 다음
단계로 서술하여라.

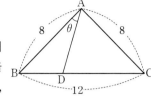

[1단계] $\overline{BD}$, $\overline{DC}$를 구한다.

[2단계] 코사인 법칙을 이용하여 $\overline{AD}$를 구한다.

[3단계] 코사인 법칙을 이용하여 $\cos\theta$의 값을 구한다.

1168

그림과 같이 100m 떨어진 두 지점 A, B에서 산꼭대기 D를
올려본 각의 크기는 각각
$\angle DAC=30°$, $\angle DBC=45°$, $\angle ACB=30°$

일 때, 지면에서부터 산꼭대기까지의 높이 $\overline{CD}$의 값을 구하는
과정을 다음 단계로 서술하여라.

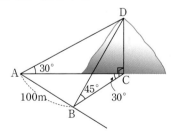

[1단계] $\overline{CD}=x$m라 할 때, 사인법칙을 이용하여 $\overline{AC}$, $\overline{BC}$를 각각
x에 대한 식으로 나타낸다.

[2단계] 삼각형 ABC에서 코사인법칙을 이용하여 x에 대한 방정식
을 세운다.

[3단계] 지면에서부터 산꼭대기까지의 높이 $\overline{CD}$를 구한다.

1169

삼각형 ABC에서
$$\sin A : \sin B : \sin C = 3 : 5 : 7$$
일 때, 이 삼각형의 세 내각 중에서 크기가 가장 큰 내각의 크기를
구하는 과정을 다음 단계로 서술하여라.

[1단계] 사인법칙에 의하여 사인비가 변의 비임을 이용하여 각 변의
길이를 구한다.
[2단계] 가장 큰 내각의 크기를 코사인 법칙에 의하여 구한다.
[3단계] 가장 큰 내각의 크기를 구한다.

1170

오른쪽 그림과 같이
사각형 ABDC에서
$\angle ACD=90°$, $\angle BCD=45°$
$\angle CDA=30°$, $\angle CDB=75°$,
$\overline{CD}=\sqrt{3}$

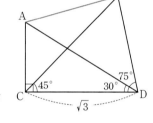

일 때, 선분 $\overline{AB}$의 길이를 구하는
과정을 다음 단계로 서술하여라.

[1단계] 직각삼각형 ACD에서 $\overline{AD}$의 길이를 구한다.

[2단계] 삼각형 BCD에서 $\overline{BD}$의 길이를 구한다.

[3단계] 삼각형 ADB에서 $\overline{AB}$의 길이를 구한다.

1171

삼각형 ABC에서
$$a=13, \; A=120°, \; b+c=15$$
일 때, 삼각형 ABC의 넓이를 구하는 과정을 다음 단계로
서술하여라.

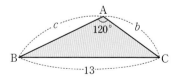

[1단계] 코사인법칙을 이용하여 b, c의 관계식을 세운다.

[2단계] $b+c=15$를 이용하여 b, c의 값을 구한다.

[3단계] 삼각형 ABC의 넓이를 구한다.

1172

다음 그림과 같은 삼각형 ABC에서

$$\overline{AB}=12, \ \overline{AC}=4, \ \angle BAC=60°$$

이고 ∠BAC의 이등분선이 변 BC와 만나는 점을 D라고 할 때, 선분 BD의 길이를 구하는 과정을 다음 단계로 서술하여라.

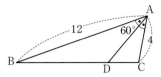

[1단계] 삼각형 ABC의 넓이를 구한다.

[2단계] 삼각형 ABC의 넓이를 이용하여 선분 AD의 길이를 구한다.

[3단계] 코사인법칙을 이용하여 선분 BD의 길이를 구한다.

1173

오른쪽 그림과 같이

$$a=7, \ b=8, \ c=9$$

인 삼각형 ABC의 넓이를 구하는 과정을 다음 단계로 서술하여라.

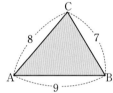

[1단계] 코사인 법칙을 이용하여 $\cos A$를 구한다.

[2단계] $\sin A$를 구한다.

[3단계] 삼각형 ABC의 넓이를 구한다.

1174

오른쪽 그림과 같은 원에 내접하는 삼각형 ABC에서

$$\overline{AB}=10, \ \overline{AC}=8, \ \angle BAC=60°$$

을 만족할 때, 원의 넓이를 구하는 과정을 다음 단계로 서술하여라.

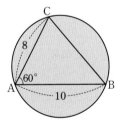

[1단계] 코사인법칙을 이용하여 $\overline{BC}$의 길이를 구한다.

[2단계] 사인법칙을 이용하여 삼각형 ABC의 외접원의 반지름의 길이를 구한다.

[3단계] 원의 넓이를 구한다.

1175

삼각형 ABC의 세 변의 길이 a, b, c가 주어진 경우 헤론의 넓이 공식을 이용하여 삼각형 ABC의 넓이를 S라 할 때,

$$S=\sqrt{s(s-a)(s-b)(s-c)} \left(단, \ s=\frac{a+b+c}{2}\right)$$

임을 코사인법칙을 이용하여 증명하는 과정이다.

$$S=\frac{1}{2}bc\sin A$$

$$=\frac{1}{2}bc \times \boxed{가}$$

이때, 코사인법칙에 의하여

$$S=\frac{1}{2}bc\sqrt{\left(1+\boxed{나}\right)\left(1-\boxed{나}\right)}$$

$$=\frac{bc}{4bc}\sqrt{\{(b+c)^2-a^2\}\{a^2-(b-c)^2\}}$$

$$=\frac{1}{4}\sqrt{(a+b+c)(-a+b+c)(a-b+c)(a+b-c)}$$

$$=\frac{1}{4}\sqrt{\boxed{다} \cdot \left(\boxed{다}-2a\right) \cdot \left(\boxed{다}-2b\right) \cdot \left(\boxed{다}-2c\right)}$$

$$=\sqrt{s(s-a)(s-b)(s-c)}$$

위의 증명에서 (가), (나), (다)에 알맞은 것을 다음 단계로 서술하여라.

[1단계] 삼각함수 사이의 관계를 이용하여 (가)의 값을 구한다.

[2단계] 코사인법칙을 이용하여 (나)의 값을 구한다.

[3단계] $s=\dfrac{a+b+c}{2}$로 치환하여 (다)의 값을 구한다.

1176

삼각형 ABC에서

$$a=5, \ b=7, \ c=9$$

일 때, 다음 단계로 서술하여라.

[1단계] 코사인법칙을 이용하여 $\sin A$를 구한다.

[2단계] 삼각형 ABC의 넓이 S를 구한다.

[3단계] 삼각형 ABC의 외접원의 반지름의 길이를 구한다.

[4단계] 삼각형 ABC의 내접원의 반지름의 길이를 구한다.

1177

세 변의 길이가 각각 4, $x+1$, $5-x$인 삼각형의 넓이의 최댓값을 구하는 과정을 다음 단계로 서술하여라.

[1단계] 삼각형이 결정되기 위한 x의 값의 범위를 구한다.
[2단계] 헤론의 공식을 이용하여 ABC의 넓이를 S라 할 때,
   S를 x에 대한 식으로 나타낸다.
[3단계] S의 최댓값을 구한다.

1178

오른쪽 그림과 같은 평행사변형 ABCD에서
   $\overline{AB}=2$, $\overline{AD}=4$, $B=60°$
일 때, 두 대각선 AC, BD가
이루는 예각 θ에 대하여 $\sin\theta$의 값을 구하는 과정을 다음 단계로 서술하여라.

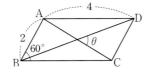

[1단계] 평행사변형 ABCD의 넓이를 구한다.
[2단계] 코사인법칙을 이용하여 두 대각선 AC, BD의 길이를
   구한다.
[3단계] 두 대각선의 길이와 두 대각선이 이루는 각이 주어진
   사각형의 넓이를 이용하여 $\sin\theta$의 값을 구한다.

1179

다음 그림과 같은 사각형 ABCD의 넓이를 구하는 과정을 다음 단계로 서술하여라.

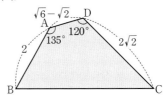

[1단계] 코사인법칙을 이용하여 두 점 A, C를 이은 선분 AC의
   길이를 구한다.
[2단계] 사인법칙을 이용하여 $\angle$CAD의 크기를 구한다.
[3단계] 사각형 ABCD의 넓이를 구한다.

1180

오른쪽 그림과 같이 원에 내접하는 사각형 ABCD가 있다.

$\angle A=60°$이고 $\overline{AB}+\overline{AD}=14$,
$\overline{BC}+\overline{CD}=9$, $\overline{BD}=8$일 때,
사각형 ABCD의 넓이를 구하는 과정을 다음 단계로 서술하여라.

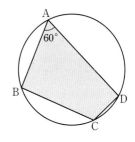

[1단계] 삼각형 ABD에서 코사인법칙을 이용하여 $\overline{AB}\cdot\overline{AD}$의
   값을 구한다.
[2단계] 삼각형 ABD의 넓이를 구한다.
[3단계] 삼각형 BDC에서 코사인법칙을 이용하여 $\overline{BC}\cdot\overline{CD}$의
   값을 구한다.
[4단계] 삼각형 BCD의 넓이를 구한다.
[5단계] 사각형 ABCD의 넓이를 구한다.

1181

삼각형 ABC에서 $a=6\sqrt{3}$, $B=30°$이고 외접원의 반지름의 길이가 6일 때, 삼각형 ABC의 넓이를 모두 구하여라.

1182

그림과 같이 $\overline{AB}=10$, $\overline{BC}=6$, $\overline{CA}=8$인 삼각형 ABC와 그 삼각형의 내부에 $\overline{AP}=6$인 점 P가 있다.
점 P에서 변 AB와 변 AC에 내린 수선의 발을 각각 Q, R이라고 할 때, 선분 QR의 길이가 $\dfrac{p}{q}$일 때, $p+q$의 값을 구하여라.
(단, p와 q는 서로소인 자연수)

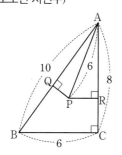

1183

그림과 같이 한 변의 길이가 20인 정삼각형 ABC에서 $\overline{AD}=\overline{EC}$가 되도록 두 선분 AB, AC 위에 각각 점 D, E를 잡으려고 한다.
삼각형 ADE의 넓이가 최대가 될 때, 선분 AD의 길이를 구하여라.

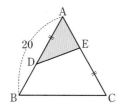

1184

오른쪽 그림과 같이 외접원의 반지름의 길이가 3이고 $\overline{AB}=2$, $\overline{AC}=3$인 삼각형 ABC에서 선분 BC의 길이를 구하여라. (단, $\angle BAC$는 둔각이다.)

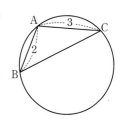

1185

그림과 같이 도형 ABCDE에서
$\angle ACB = \angle ACD = \dfrac{\pi}{3}$, $\overline{AC}=3$, $\overline{BC}=\overline{CD}=4$, $\overline{DE}=5$, $\overline{AE}=6$
이다. 이 도형 ABCDE의 넓이가 $p\sqrt{3}+q$일 때, $p+q$의 값을 구하여라. (단, p와 q는 유리수이다.)

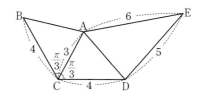

1186

A지점에서 공을 치기 시작하여 B지점에 이르게 하는 골프 경기가 있다. 한 방송사에서 이 골프 경기를 중계방송하기 위하여 출발점인 A지점과
$\overline{AC}=240m$, $\overline{BC}=60m$인 C지점에 각각 카메라를 설치하였다. 한 선수가 A지점에서 친 공이 D지점에 떨어졌을 때, A와 C지점에서 바라본 각이
$\angle CAD = \angle ACD = 30°$이었다.
$\angle BCD = 30°$일 때, D지점에서 B지점 까지의 직선거리를 구하여라.

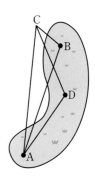

1187

그림과 같이 삼각형 ABC에서
$$\overline{AB}=4, \ \overline{BC}=4, \ \overline{CA}=3$$
이고, 변 BC의 연장선 위에 점 D를 $\overline{CD}=3$이 되도록 잡을 때,
$\overline{AD}^2=\dfrac{q}{p}$이다. $p+q$의 값을 구하여라.

(단, p와 q는 서로소인 자연수이다.)

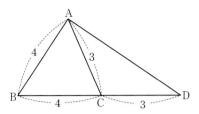

1188

그림과 같이 원에 내접하는 사각형 ABCD가
$$\overline{AB}=10, \ \overline{AD}=2, \ \cos(\angle BCD)=\frac{3}{5}$$
를 만족시킨다. 이 원의 넓이가 $a\pi$일 때, a의 값을 구하여라.

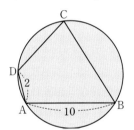

1189

그림과 같이 $\overline{AB}=6, \ \overline{BC}=4, \ \overline{CA}=5$인 삼각형 ABC의 내부의 한 점 P에서 세 변 BC, CA, AB에 내린 수선의 발을 각각 D, E, F라 한다. $\overline{PD}=\sqrt{7}, \ \overline{PE}=\dfrac{\sqrt{7}}{2}$일 때, 삼각형 EFP의 넓이는 $\dfrac{q}{p}\sqrt{7}$이다. 이때 $p+q$의 값을 구하여라. (단, p, q는 서로소인 자연수이다.)

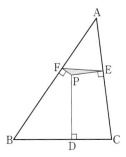

1190

오른쪽 그림과 같이
$$\overline{AB}=3, \ \overline{BC}=a, \ \overline{AC}=4$$
인 삼각형 ABC가 원에 내접하고 있다. 이 원의 반지름의 길이를 R 이라 할 때, 옳은 내용을 [보기]에서 모두 고른 것은?

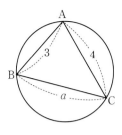

> ㄱ. $a=5$이면 $R=\dfrac{5}{2}$이다.
>
> ㄴ. $R=4$이면 $a=8\sin A$이다.
>
> ㄷ. $1<a\le\sqrt{13}$일 때, A의 최댓값은 $60°$이다.

① ㄱ   ② ㄷ   ③ ㄱ, ㄴ
④ ㄴ, ㄷ   ⑤ ㄱ, ㄴ, ㄷ

1191

그림과 같이 한 변의 길이가 $2\sqrt{3}$이고, $B=120°$인 마름모 ABCD의 내부에 $\overline{EF}=\overline{EG}=2$이고 $\angle EFG=30°$인 이등변삼각형 EFG가 있다. 점 F는 선분 AB 위에, 점 G는 선분 BC 위에 있도록 삼각형 EFG를 움직일 때, $\angle BGF=\theta$라고 하자. [보기]에서 항상 옳은 것만을 있는 대로 고른 것은? (단, $0°<\theta<60°$)

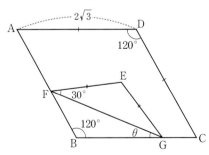

> ㄱ. $\angle BFE=90°-\theta$
>
> ㄴ. $\overline{BF}=4\sin\theta$
>
> ㄷ. 선분 BE의 길이는 항상 일정하다.

① ㄱ   ② ㄱ, ㄴ   ③ ㄱ, ㄷ
④ ㄴ, ㄷ   ⑤ ㄱ, ㄴ, ㄷ

1192

그림과 같이 높이가 1m인 받침대 위에 키가 2m인 동상이 세워져 있다. P지점에 조명을 설치하여 밤에도 동상을 볼 수 있게 하려고 한다. $\angle$APB$=30°$일 때, $\overline{PC}$의 길이를 구하여라.

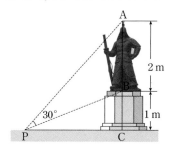

1193

다음 그림과 같이 공장 P와 공장 Q가 동시에 사용하는 창고 B를 새로 지으려고 한다. 창고 A에서 두 공장 P, Q까지의 거리가 각각 30km, 20km이고 공장 P와 창고 A를 이은 직선과 공장 Q와 창고 A를 이은 직선은 도로와 각각 15°, 45°의 각을 이룬다. 창고 B를 두 공장과의 거리의 합이 최소가 되는 지점에 지으려고 할 때, 거리의 합의 최솟값을 구하여라.

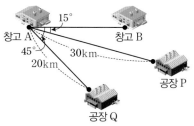

1194

다음 그림과 같이 중심각이 60°, 반지름의 길이가 12인 부채꼴 OAB 위의 세 점 P, Q, R은 각각 호 AB, 선분 OA, 선분 OB 위를 움직인다. 이때 삼각형 PQR의 둘레의 길이의 최솟값을 구하여라.

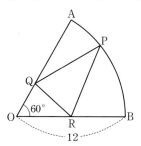

1195

그림과 같이 반지름의 길이가 1인 사분원인 부채꼴 OAB에 선분 OA를 지름으로 하는 반원이 있다. 호 AB 위의 점 P에 대하여 점 P에서 선분 OA에 내린 수선의 발을 H, 선분 OP와 반원의 교점 중 O가 아닌 점을 Q라 하고, $\angle$POH$=\theta$, 삼각형 PQH의 넓이를 $S(\theta)$라고 하자. $\cos\theta=\dfrac{1}{3}$일 때, $S(\theta)$의 값을 구하여라.

$\left(\text{단, } 0<\theta<\dfrac{\pi}{2}\right)$

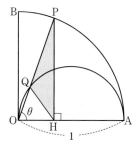

mapl

SYNERGY

YOUR MASTER PLAN

III

수열

01 등차수열

학교내신기출 객관식 핵심문제총정리

유형 01 등차수열의 일반항

(1) 첫째항이 a, 공차가 d인 등차수열 $\{a_n\}$의 일반항 a_n은
$\Rightarrow a_n=a+(n-1)d$ (단, $n=1, 2, 3, \cdots$)

(2) 등차수열 $\{a_n\}$의 공차가 d이다.
$\Rightarrow d=a_2-a_1=a_3-a_2=a_4-a_3=\cdots=a_{n+1}-a_n$

(3) 등차수열의 일반항의 특징
$a_n=pn+q$ (단, p, q는 상수)의 꼴로 n에 관한 일차식이고
첫째항은 $p+q$, 공차는 p이다.

1196 학교기출 대표 유형

일반항 $a_n=pn+q$인 수열 $\{a_n\}$에 대하여 다음 중 옳지 않은 것은?
(단, p, q는 상수)

① 첫째항은 $p+q$이다.
② 공차가 p인 등차수열이다.
③ $a_2=a_3$이면 $p=0$이다.
④ $p\neq 0$이면 $a_{n+1}>a_n$이다.
⑤ $2a_1-a_2=q$

1197 BASIC

첫째항이 5, 공차가 2인 등차수열 $\{a_n\}$에서 41은 몇 번째 항인가?

① 제 15항   ② 제 16항   ③ 제 17항
④ 제 18항   ⑤ 제 19항

1198 최다빈출 왕 중요 BASIC

첫째항이 4인 등차수열 $\{a_n\}$에 대하여
$$a_{10}-a_7=6$$
일 때, a_4의 값은?

① 10   ② 11   ③ 12
④ 13   ⑤ 14

▶ 해설 내신연계기출

1199 BASIC

등차수열 $\{a_n\}$에 대하여 $a_7-a_3=16$일 때,
$$a_1-a_2+a_3-a_4+\cdots+a_9-a_{10}$$
의 값은?

① -22 ② -20 ③ -18
④ -16 ⑤ -14

1200 최다빈출 왕 중요 NORMAL

첫째항과 공차가 같은 등차수열 $\{a_n\}$이
$$a_2+a_4=24$$
를 만족시킬 때, a_5의 값은?

① 20   ② 22   ③ 24
④ 26   ⑤ 28

▶ 해설 내신연계기출

1201 NORMAL

수열 $\{a_n\}$과 공차가 3인 등차수열 $\{b_n\}$에 대하여
$$b_n-a_n=2n$$
이 성립한다. $a_{10}=11$일 때, b_5의 값은?

① 9   ② 12   ③ 14
④ 16   ⑤ 20

1202 NORMAL

첫째항이 a이고 공차가 -2인 등차수열 $\{a_n\}$에 대하여
$$a_3\neq 0, \ (a_2+a_4)^2=16a_3$$
일 때, a의 값은?

① 5   ② 6   ③ 7
④ 8   ⑤ 9

유형 02 항 또는 항의 관계가 주어진 등차수열

[1단계] 주어진 항 또는 항의 관계를 첫째항 a와 공차 d에 대한 식으로 표현한 후 두 식을 연립하여 a, d를 구한다.

[2단계] 주어진 조건을 만족하는 항 a_n을 구한다.

1203 학교기출 대표유형

등차수열 $\{a_n\}$이

$$a_3=3,\ a_7=19$$

를 만족할 때, a_{20}의 값은?

① 71 ② 72 ③ 73
④ 74 ⑤ 75

1204 BASIC

등차수열 $\{a_n\}$에 대하여

$$a_5=5,\ a_{15}=25$$

일 때, a_{20}의 값은?

① 20 ② 25 ③ 30
④ 35 ⑤ 40

1205 최다빈출 합 중요 BASIC

등차수열 $\{a_n\}$에 대하여

$$a_3=5,\ a_6-a_4=4$$

일 때, a_{10}의 값은?

① 14 ② 15 ③ 16
④ 17 ⑤ 19

▶ 해설 내신연계기출

1206 최다빈출 합 중요 BASIC

등차수열 $\{a_n\}$에 대하여

$$a_3=10,\ a_2+a_5=24$$

일 때, a_6의 값은?

① 20 ② 22 ③ 24
④ 26 ⑤ 28

▶ 해설 내신연계기출

1207 BASIC

등차수열 $\{a_n\}$에서

$$a_3=11,\ a_6:a_{10}=5:8$$

일 때, a_{20}의 값은?

① 61 ② 62 ③ 63
④ 64 ⑤ 65

1208 BASIC

공차가 2인 등차수열 $\{a_n\}$에 대하여

$$a_3 a_5=a_2 a_8$$

이 성립할 때, a_7의 값은?

① 11 ② 13 ③ 15
④ 17 ⑤ 19

1209 최다빈출 합 중요 NORMAL

등차수열 $\{a_n\}$에 대하여

$$a_3+a_5=26,\ a_4-a_7=-12$$

일 때, 97은 제 몇 항인가?

① 제 20항 ② 제 25항 ③ 제 30항
④ 제 35항 ⑤ 제 40항

▶ 해설 내신연계기출

1210

등차수열 $\{a_n\}$에 대하여
$$a_2 + a_4 = 54, \ a_{12} + a_{14} = 254$$
일 때, a_{14}의 값은?

NORMAL

① 120   ② 137   ③ 139

④ 140   ⑤ 147

1211 최다빈출 왕 중요

NORMAL

등차수열 $\{a_n\}$에 대하여
$$a_8 = a_2 + 12, \ a_1 + a_2 + a_3 = 15$$
일 때, a_{10}의 값은?

① 17   ② 19   ③ 21

④ 23   ⑤ 25

▶ 해설 내신연계기출

1212 최다빈출 왕 중요

NORMAL

등차수열 $\{a_n\}$에 대하여
$$a_1 + a_3 = 10, \ a_6 + a_8 = 40$$
일 때, $a_{10} + a_{12} + a_{14} + a_{16}$의 값은?

① 149   ② 152   ③ 156

④ 158   ⑤ 161

▶ 해설 내신연계기출

유형 **03** 절댓값 항이 주어진 등차수열

[1단계] 절댓값의 성질을 이용하여 첫째항 a, 공차 d를 구한다.
[2단계] 주어진 조건을 만족하는 항 a_n을 구한다.

1213 학교기출 대표 유형

공차가 양수인 등차수열 $\{a_n\}$이 다음 조건을 만족시킬 때, a_2의 값은?

(가) $a_6 + a_8 = 0$
(나) $|a_6| = |a_7| + 3$

① -15 ② -13 ③ -11

④ -9 ⑤ -7

1214

NORMAL

등차수열 $\{a_n\}$에 대하여
$$a_1 = -15, \ |a_3| - a_4 = 0$$
일 때, a_7의 값은?

① 21   ② 23   ③ 25

④ 27   ⑤ 29

1215 최다빈출 왕 중요

NORMAL

공차가 6인 등차수열 $\{a_n\}$에 대하여
$$|a_2 - 3| = |a_3 - 3|$$
일 때, a_5의 값은?

① 15   ② 18   ③ 21

④ 24   ⑤ 27

▶ 해설 내신연계기출

1216 최다빈출 왕 중요

NORMAL

등차수열 $\{a_n\}$에 대하여 다음 조건을 만족시킬 때, a_{10}항은?

(가) 제 3항은 20이다.
(나) 제 5항과 제 11항은 절댓값이 같고 부호가 서로 반대이다.

① -5 ② -6 ③ -7

④ -8 ⑤ -9

▶ 해설 내신연계기출

유형 **04** 조건을 만족시키는 등차수열

첫째항이 a, 공차가 d인 등차수열 $\{a_n\}$에서

① 처음으로 양수가 되는 항

  ⇨ $a_n = a + (n-1)d > 0$을 만족시키는 자연수 n의 최솟값을 구한다.

② 처음으로 음수가 되는 항

  ⇨ $a_n = a + (n-1)d < 0$을 만족시키는 자연수 n의 최솟값을 구한다.

1217   학교기출 대표 유형

첫째항이 100, 공차가 -3인 등차수열 $\{a_n\}$에 대하여 처음으로 음수가 되는 항은 몇째 항인가?

① 제 33항   ② 제 34항   ③ 제 35항
④ 제 36항   ⑤ 제 37항

1218   BASIC

제 5항이 10이고 제 15항이 -30인 등차수열 $\{a_n\}$에서 처음으로 음수가 되는 항은 몇째 항인가?

① 제 8항   ② 제 9항   ③ 제 10항
④ 제 11항   ⑤ 제 12항

1219   최다빈출 왕중요   NORMAL

등차수열 $\{a_n\}$에 대하여

$$a_1 - a_4 = 9, \ a_3 + a_4 = 99$$

일 때, 이 등차수열에서 처음으로 음수가 되는 항을 제 k항이라 할 때, a_k의 값은?

① -9 ② -7 ③ -5
④ -3 ⑤ -1

▶ 해설 내신연계기출

1220   NORMAL

등차수열 $\{a_n\}$에 대하여

$$a_1 + a_2 + a_3 = -24, \ a_4 + a_5 + a_6 = 48$$

일 때, 이 등차수열에서 처음으로 100보다 크게 되는 항은 제 몇 항인가?

① 제 12항   ② 제 13항   ③ 제 14항
④ 제 15항   ⑤ 제 16항

1221   최다빈출 왕중요   NORMAL

등차수열 $\{a_n\}$에 대하여

$$a_7 = 16, \ a_3 : a_9 = 2 : 5$$

일 때, $a_n > 100$을 만족시키는 자연수 n의 최솟값은?

① 25   ② 35   ③ 40
④ 50   ⑤ 55

▶ 해설 내신연계기출

1222   최다빈출 왕중요   TOUGH

두 집합

$$A = \{x \mid x = 3n - 1, \ n \text{은 자연수}\},$$
$$B = \{y \mid y = 5n - 2, \ n \text{은 자연수}\}$$

에 대하여 집합 $A \cap B$의 원소를 작은 것부터 차례대로 나열한 수열을 $\{a_n\}$이라 하자. 수열 $\{a_n\}$이 처음으로 100보다 커지는 항은?

① 7   ② 8   ③ 9
④ 10   ⑤ 11

▶ 해설 내신연계기출

두 수 a와 b 사이에 n개의 수를 넣어서 만든 등차수열

$$a, x_1, x_2, \cdots, x_n, b$$

① 항수 : $n+2$개

② 첫째항이 a, b는 제 $(n+2)$항이므로 $b=a+(n+2-1)d$

③ 공차 : $d=\dfrac{b-a}{n+1}$ ◀ $a+(n+2-1)d=b$에서 $d=\dfrac{b-a}{n+1}$

1223 학교기출 대표유형

73과 169 사이에 31개의 수 a_1, a_2, a_3, $\cdots$, a_{31}을 넣어

$$73, a_1, a_2, a_3, \cdots, a_{31}, 169$$

가 이 순서대로 등차수열을 이루도록 할 때, 이 수열의 공차는?

① 2   ② $\dfrac{5}{2}$ ③ 3

④ $\dfrac{7}{2}$ ⑤ 4

1224 최다빈출 왕중요   BASIC

두 수 7과 47 사이에 n개의 수를 넣어 만든 수열

$$7, x_1, x_2, x_3, \cdots, x_n, 47$$

이 공차가 2인 등차수열일 때, n의 값은?

① 17   ② 18   ③ 19

④ 20   ⑤ 21

▶ 해설 내신연계기출

1225 최다빈출 왕중요   BASIC

11과 35 사이에 세 개의 수 a, b, c를 넣어

$$11, a, b, c, 35$$

가 이 순서대로 등차수열을 이루도록 할 때, 상수 a, b, c에 대하여 $a+b+c$의 값은?

① 48   ② 52   ③ 59

④ 63   ⑤ 69

▶ 해설 내신연계기출

1226   NORMAL

두 수 -3과 63 사이에 21개의 수를 넣어 만든 수열

$$-3, a_1, a_2, a_3, \cdots, a_{21}, 63$$

이 이 순서대로 등차수열을 이룰 때, $a_1+a_{10}+a_{12}+a_{21}$의 값은?

① 100   ② 110   ③ 120

④ 130   ⑤ 140

① 세 수 a, x, b가 순서대로 등차수열을 이룬다.

   $\Longleftrightarrow$ x를 a와 b의 등차중항이라 한다.

   $\Longleftrightarrow$ $2x=a+b$

   $\Longleftrightarrow$ $x=\dfrac{a+b}{2}$

② a_n, a_{n+1}, a_{n+2}가 이 순서대로 등차수열을 이룬다.

   $\Longleftrightarrow$ $2a_{n+1}=a_n+a_{n+2}$

1227 학교기출 대표유형

다섯 개의 수 a, 3, b, 11, c가 이 순서로 등차수열을 이룰 때, $a+b+c$의 값은?

① 19   ② 20   ③ 21

④ 22   ⑤ 23

1228 최다빈출 왕중요   BASIC

공차가 4인 등차수열 $\{a_n\}$에 대하여 세 항 a_2, a_4, a_8이 이 순서대로 등비수열을 이룰 때, a_{16}의 값은?

① 16   ② 32   ③ 64

④ 72   ⑤ 84

▶ 해설 내신연계기출

1229 최다빈출 왕중요   NORMAL

이차방정식 $3x^2-6x+1=0$의 두 실근을 α, β라 하면 세 실수

$$\alpha^3, p, \beta^3$$

이 순서대로 등차수열을 이룬다. 이때 실수 p의 값은?

① 1   ② 2   ③ 3

④ 4   ⑤ 6

▶ 해설 내신연계기출

1230   NORMAL

x에 대한 이차방정식 $x^2-kx+72=0$의 두 근 α, β에 대하여

$$\alpha, \beta, \alpha+\beta$$

가 이 순서대로 등차수열을 이룰 때, 양수 k의 값은?

① 12   ② 16   ③ 18

④ 20   ⑤ 21

1231

NORMAL

x에 대한 다항식 $f(x)=x^2+ax+b$를 $x+1$, $x-1$, $x-2$로 나눈 나머지는 이 순서로 등차수열을 이루고 $f(x)$는 $x+2$로 나누어 떨어질 때, 상수 a, b에 대하여 $a+b$의 값은?

① 1 ② 2 ③ 3
④ 4 ⑤ 5

1232

NORMAL

양의 실수 x에 대하여 $f(x)=\log x$일 때, 세 실수

$$f(3),\ f(3^t+3),\ f(12)$$

가 이 순서대로 등차수열을 이룰 때, 실수 t의 값은?

① $\frac{1}{4}$ ② $\frac{1}{2}$ ③ $\frac{3}{4}$
④ 1 ⑤ $\frac{5}{4}$

1233

최다빈출 왕중요 NORMAL

세 실수 a, b, c가 이 순서대로 등차수열을 이루고 다음 조건을 만족시킬 때, abc의 값은?

(가) $\frac{2^a\times2^c}{2^b}=32$
(나) $a+c+ca=26$

① 40 ② 60 ③ 80
④ 100 ⑤ 120

▶ 해설 내신연계기출

1234

최다빈출 왕중요 TOUGH

빗변의 길이가 2인 어느 직각삼각형의 세 변의 길이가 짧은 것부터 차례로 등차수열을 이룰 때, 이 직각삼각형의 넓이를 구하면?

① $\frac{24}{25}$ ② $\frac{26}{25}$ ③ $\frac{28}{25}$
④ $\frac{31}{25}$ ⑤ $\frac{32}{25}$

▶ 해설 내신연계기출

유형 07 등차중항의 활용

가로줄, 세로줄이 각각 등차수열이면 등차수열의 일반항과 등차중항을 이용하여 빈칸의 수를 구한다.

1235

학교기출 대표 유형

오른쪽 표에서 모든 가로줄과 세로줄이 각각 등차수열을 이루도록 빈칸을 채울 때, 상수 a, b에 대하여 $a+b$의 값은?

1	2				
		a			
			b		
-7					
					21

① 3 ② 4
③ 5 ④ 7
⑤ 10

1236

최다빈출 왕중요 NORMAL

오른쪽 그림에서 가로줄과 세로줄에 있는 세 수가 각각 등차수열을 이룰 때, $(a-c)+(b-e)$의 값은?

19	a	b
c	d	31
e	23	f

① 8 ② 16
③ 24 ④ 30
⑤ 32

▶ 해설 내신연계기출

1237

TOUGH

아래 표의 빈칸에 수를 써넣어 각 행의 네 수가 등차수열을 이루고 동시에 각 열의 네 수가 등차수열을 이루도록 빈칸을 완성할 때, $a+b+c$의 값은?

	제 1열	제 2열	제 3열	제 4열
제 1행		5		c
제 2행			b	17
제 3행	8	a		
제 4행			23	

① 35 ② 36 ③ 37
④ 38 ⑤ 39

① 세 수가 등차수열을 이룰 때
  ⇨ 세 수를 $a-d$, a, $a+d$라 한다. ← 공차 d
② 네 수가 등차수열을 이룰 때
  ⇨ 네 수를 $a-3d$, $a-d$, $a+d$, $a+3d$라 한다. ← 공차 $2d$
③ 다섯 수가 등차수열을 이룰 때
  ⇨ 다섯 수를 $a-2d$, $a-d$, a, $a+d$, $a+2d$라 한다. ← 공차 d

참고 등차수열을 이루는 수의 표현 : 계산을 편리하게 대칭성 있게 놓는다.
      각 수를 합하면 a만 남도록 한다.

1238 학교기출 대표유형

등차수열을 이루는 세 수의 합이 12이고 각 수의 제곱의 합이 56일 때, 이 세 수의 곱은?

① 36   ② 38   ③ 40
④ 42   ⑤ 48

1239 NORMAL

등차수열을 이루는 네 수의 합이 16이고, 가운데 두 수의 곱은 가장 작은 수와 가장 큰 수의 곱보다 32가 크다고 할 때, 네 수의 곱은?

① -360 ② -240 ③ -64
④ 72   ⑤ 125

1240 최다빈출 왕중요 TOUGH

고대 이집트의 수학 문헌인 "아메스 파피루스"에는 다음과 같은 문제가 기록되어 있다.

> 다섯 사람에게 120개의 빵을 나누어 주는데 각자 배당 받는 몫이 등차수열을 이루고 가장 적게 배당 받는 사람과 그 다음으로 적게 배당 받는 사람의 몫의 합이 나머지 세 사람 몫의 합의 $\frac{1}{7}$이 되도록 하라.

위와 같이 빵을 나누어 줄 때, 가장 많이 배당 받는 사람의 몫을 구하면?

① 45   ② 46   ③ 47
④ 48   ⑤ 49

▶ 해설 내신연계기출

1241 최다빈출 왕중요 TOUGH

삼차방정식 $x^3-6x^2-4x-k=0$의 세 실근이 등차수열을 이룰 때, 상수 k의 값은?

① -25 ② -24 ③ -23
④ -22 ⑤ -21

▶ 해설 내신연계기출

첫째항이 a, 제 n항이 l(끝항), 공차가 d, 항의 수 n인 등차수열의 첫째항부터 n항까지의 합을 S_n이라 할 때,
① 첫째항과 공차가 주어진 경우
  ⇨ $S_n=\dfrac{n\{2a+(n-1)d\}}{2}$
② 첫째항과 제 n항이 (끝항)이 주어지는 경우
  ⇨ $S_n=\dfrac{n(a+l)}{2}$

참고 등차수열의 합의 관계에서 사용되는 공식
    ① 수열 $\{a_n\}$이 등차수열일 때,
      $$S_n=a_1+a_2+\cdots+a_n=\frac{n(a_1+a_n)}{2}=\frac{n(a_2+a_{n-1})}{2}=\cdots$$
    ② 수열 $\{a_n\}$이 등차수열이면 이것을 n개씩 묶어 합한 다음의 수열도 등차수열이다.

1242 학교기출 대표유형

첫째항이 -6이고 공차가 2인 등차수열의 첫째항부터 제 n항까지의 합이 30일 때, n의 값은?

① 10   ② 20   ③ 30
④ 40   ⑤ 50

1243 BASIC

등차수열 $\{a_n\}$에서
$$a_2=5, \ a_{10}=21$$
일 때, 첫째항부터 제 10항까지의 합은?

① 118   ② 119   ③ 120
④ 121   ⑤ 122

1244 최다빈출 왕중요 NORMAL

첫째항이 2인 등차수열 $\{a_n\}$이
$$a_2+a_6+a_{10}=36$$
을 만족시킨다. 첫째항부터 20항까지의 합은?

① 300   ② 360   ③ 400
④ 420   ⑤ 520

▶ 해설 내신연계기출

1245

NORMAL

첫째항부터 제 5항까지의 합이 100, 첫째항부터 제 9항까지의 합이 72인 등차수열에서 처음으로 음수가 되는 항은 제 몇 항인가?

① 6   ② 7   ③ 8
④ 9   ⑤ 10

1246 최다빈출 왕중요

NORMAL

등차수열 $\{a_n\}$에 대하여

$$a_{14}-a_8=24,\ a_8+a_2=10$$

일 때, 수열 $\{a_n\}$의 첫째항부터 제 15항까지의 합은?

① 195   ② 210   ③ 225
④ 240   ⑤ 255

▶ 해설 내신연계기출

1247 최다빈출 왕중요

NORMAL

등차수열 $\{a_n\}$의 첫째항부터 제 n항까지의 합을 S_n이라 하자.

$$a_{10}-a_1=27,\ S_{10}=a_{10}$$

일 때, S_{10}의 값은?

① 10   ② 15   ③ 20
④ 35   ⑤ 30

▶ 해설 내신연계기출

1248 최다빈출 왕중요

NORMAL

등차수열 $\{a_n\}$에 대하여

$$a_3+a_6+a_9=21,\ a_4+a_5+a_6+\cdots+a_{14}=176$$

일 때, $a_k=40$을 만족시키는 상수 k의 값은?

① 15   ② 16   ③ 17
④ 18   ⑤ 19

▶ 해설 내신연계기출

1249

TOUGH

첫째항과 공차가 같은 등차수열 $\{a_n\}$의 첫째항부터 제 n항까지의 합을 S_n이라 할 때, $S_n=ka_n$을 만족하는 k가 두 자리 자연수가 되게 하는 n의 최댓값은? (단, $a_1 \neq 0$)

① 191   ② 193   ③ 195
④ 197   ⑤ 199

1250 최다빈출 왕중요

TOUGH

공차가 양수인 등차수열 $\{a_n\}$의 첫째항부터 제 n항까지의 합을 S_n이라 하자.

$$a_9+a_{15}=0,\ |a_9|+|a_{15}|=48$$

일 때, $S_n>200$을 만족시키는 n의 최솟값은?

① 25   ② 26   ③ 27
④ 28   ⑤ 29

▶ 해설 내신연계기출

1251 최다빈출 왕중요

TOUGH

등차수열 $\{a_n\}$에서 연속된 n개의 항

$$a_1,\ a_2,\ a_3,\ \cdots,\ a_n$$

에 대하여 처음 2개의 항의 합은 12, 마지막 2개의 항의 합은 38, 모든 항의 합은 150일 때 n의 값은?

① 11   ② 12   ③ 13
④ 14   ⑤ 15

▶ 해설 내신연계기출

두 등차수열 $\{a_n\}$, $\{b_n\}$의 각각의 첫째항이 a, b이고 제 n항이 a_n, b_n, 공차가 d, d'이고 첫째항부터 제 n항까지의 합을 각각 S_n, T_n라 할 때,

▷ 수열 $\{a_n+b_n\}$은 공차가 $d+d'$인 등차수열이다.

$$\Rightarrow S_n+T_n=\frac{n\{(a+b)+(a_n+b_n)\}}{2}$$
$$=\frac{n\{2(a+b)+(n-1)(d+d')\}}{2}$$

설명 $a_{n+1}-a_n=d$, $b_{n+1}-b_n=d'$

$(a_{n+1}+b_{n+1})-(a_n+b_n)=d+d'$이므로

수열 $\{a_n+b_n\}$은 공차가 $d+d'$인 등차수열이다.

1252 학교기출 대표유형

두 등차수열 $\{a_n\}$, $\{b_n\}$의 첫째항부터 제 n항까지의 합을 각각 S_n, T_n이라 할 때,

$$a_1+b_1=6, \ S_{100}+T_{100}=1000$$

이다. 이때 $a_{100}+b_{100}$의 값은?

① 6   ② 8   ③ 10

④ 12   ⑤ 14

1253 최다빈출 왕중요   NORMAL

두 등차수열 $\{a_n\}$, $\{b_n\}$에 대하여

$$a_1+b_1=20, \ \sum_{k=1}^{10}a_k+\sum_{k=1}^{10}b_k=425$$

이다. 이때, a_5+b_5의 값은?

① 35   ② 40   ③ 45

④ 50   ⑤ 55

▶ 해설 내신연계기출

1254 최다빈출 왕중요   NORMAL

두 등차수열 $\{a_n\}$, $\{b_n\}$의 공차가 각각 d, d'이라 할 때,

$$a_1+b_1=12, \ d+d'=5$$

을 만족한다. 이때

$(a_1+a_2+a_3+\cdots+a_{20})+(b_1+b_2+b_3+\cdots+b_{20})$의 값은?

① 1100   ② 1120   ③ 1190

④ 1200   ⑤ 1300

▶ 해설 내신연계기출

1255   TOUGH

두 등차수열 $\{a_n\}$, $\{b_n\}$ 에 대하여

$$a_1+b_1=5, \ a_4+b_4=20$$

일 때, $(a_1+a_2+a_3+\cdots+a_7)+(b_1+b_2+b_3+\cdots+b_7)$의 값은?

① 134   ② 136   ③ 138

④ 140   ⑤ 142

두 수 a, b 사이에 n개의 수를 넣어서 만든 $(n+2)$개의 수가 a를 첫째항으로 하는 등차수열을 이룰 때,

① 공차 $d=\dfrac{b-a}{n+1}$ ◀ $b=a+(n+2-1)d$ (d는 공차)

② 첫째항이 a, 끝항이 b, 항수가 $n+2$인 등차수열의 합 S라 하면

$$S=\frac{(n+2)(a+b)}{2}$$

1256 학교기출 대표유형

1과 12 사이에 n개의 수를 넣어 만든 등차수열

$$1, \ a_1, \ a_2, \ \cdots, \ a_n, \ 12$$

의 합이 78일 때, n의 값과 공차 d를 구하면?

① $n=9$, $d=1$ ② $n=10$, $d=1$ ③ $n=10$, $d=2$

④ $n=11$, $d=3$ ⑤ $n=13$, $d=4$

▶ 해설 내신연계기출

1257   BASIC

두 수 -3과 11 사이에 n개의 수를 넣어 만든 수열

$$-3, \ a_1, \ a_2, \ a_3, \ \cdots, \ a_n, \ 11$$

이 등차수열을 이루며 그 합이 32일 때, a_5의 값은?

① 3   ② 5   ③ 7

④ 9   ⑤ 11

1258 최다빈출 왕중요   NORMAL

6과 86 사이에 n개의 수 a_1, a_2, $\cdots$, a_n을 넣어 만든 등차수열

$$6, \ a_1, \ a_2, \ a_3, \ \cdots, \ a_n, \ 86$$

의 모든 항의 합이 966이다. a_6의 값은?

① 26   ② 28   ③ 30

④ 32   ⑤ 34

▶ 해설 내신연계기출

1259

NORMAL

다음 수들이 이 순서대로 등차수열을 이룰 때,
$a_1+a_2+a_3+\cdots+a_{10}$의 값은?

$$3, \ a_1, \ a_2, \ a_3, \ \cdots, \ a_{10}, \ 47$$

① 242   ② 244   ③ 246

④ 248   ⑤ 250

1260 최다빈출 상 중요

TOUGH

2와 59 사이에 n개의 수를 넣은 수열

$$2, \ a_1, \ a_2, \ a_3, \ \cdots, \ a_n, \ 59$$

가 이 순서대로 공차가 3인 등차수열을 이룰 때,
$a_1+a_2+a_3+\cdots+a_n$의 값은?

① 549   ② 564   ③ 580

④ 595   ⑤ 610

▶ 해설 내신연계기출

1261

TOUGH

등차수열

$$4, \ a_1, \ a_2, \ a_3, \ \cdots, \ a_n, \ 70$$

의 모든 항의 합이 851일 때, 이 수열의 첫째항부터 제 8항까지의
합은?

① 106   ② 116   ③ 120

④ 126   ⑤ 136

유형 12   부분의 합이 주어진 등차수열의 합

첫째항이 a, 공차가 d인 등차수열 $\{a_n\}$의 첫째항부터 제 n항까지의
합을 S_n이라 하면

$$S_n=\frac{n\{2a+(n-1)d\}}{2}, \ S_{2n}=\frac{2n\{2a+(2n-1)d\}}{2}$$

⇨ 두 식을 연립하여 a, d의 값을 구한다.

1262 학교기출 대표 유형

첫째항부터 제 5항까지의 합이 130, 첫째항부터 제 10항까지의
합이 435인 등차수열의 첫째항과 공차의 합은?

① 19   ② 33   ③ 52

④ 73   ⑤ 84

1263

BASIC

첫째항부터 제 4항까지의 합이 112, 첫째항부터 제 8항까지의 합이
96인 등차수열 $\{a_n\}$에 대하여 a_3의 값은?

① 24   ② 27   ③ 28

④ 29   ⑤ 30

1264 최다빈출 상 중요

NORMAL

등차수열 $\{a_n\}$에 대하여 첫째항부터 제 n항까지의 합을 S_n이라
하자.

$$S_5=a_1, \ S_{10}=40$$

일 때, a_{10}의 값은?

① 10   ② 13   ③ 16

④ 19   ⑤ 22

▶ 해설 내신연계기출

1265

NORMAL

등차수열 $\{a_n\}$의 첫째항부터 제 n항까지의 합을 S_n이라고 할 때,
$$S_{10}=200, \ S_{20}=500$$
이다. S_{30}의 값은?

① 890   ② 900   ③ 910

④ 920   ⑤ 930

▶ 해설 내신연계기출

1266

NORMAL

등차수열 $\{a_n\}$의 첫째항부터 제 n항까지의 합을 S_n이라 하면
$$S_2=-8, \ S_6=0$$
일 때, $a_7+a_8+a_9+\cdots+a_{15}$의 값은?

① 120   ② 125   ③ 130

④ 135   ⑤ 140

1267

최다빈출 왕 중요   NORMAL

등차수열 $\{a_n\}$의 첫째항부터 제 10항까지의 합이 120이고 첫째항부터 제 20항까지의 합이 440일 때, 제 11항부터 제 30항까지의 합은?

① 780   ② 800   ③ 810

④ 820   ⑤ 840

▶ 해설 내신연계기출

1268

최다빈출 왕 중요   TOUGH

등차수열 $\{a_n\}$의 첫째항부터 제 10항까지의 합이 130이고 제 11항부터 제 20항까지의 합이 430일 때, 첫째항부터 제 30항까지의 합은?

① 1280   ② 1290   ③ 1300

④ 1310   ⑤ 1320

▶ 해설 내신연계기출

유형 13 등차수열과 배수의 합

① 자연수 d의 양의 배수를 작은 것부터 차례대로 나열하면
    ⇨ $d, \ 2d, \ 3d, \ \cdots$
    ⇨ 첫째항과 공차가 d인 등차수열

② 자연수 d로 나누었을 때의 나머지가 $a \, (0 \leq a < d)$인 자연수를 작은 것부터 차례대로 나열하면
    ⇨ $a, \ a+d, \ a+2d, \ \cdots$
    ⇨ 첫째항 a, 공차가 d인 등차수열

1269

학교기출 대표 유형

100 이하의 자연수 중에서 3으로 나누어 1이 남는 수의 합은?

① 1715   ② 1717   ③ 1719

④ 1721   ⑤ 1723

▶ 해설 내신연계기출

1270

NORMAL

8로 나누었을 때 나머지가 3인 자연수 중에서 두 자리 자연수의 합은?

① 654   ② 658   ③ 660

④ 665   ⑤ 667

1271

최다빈출 왕 중요   TOUGH

100 이하의 자연수 중에서 2 또는 3의 배수의 총합을 구하면?

① 3415   ② 3416   ③ 3417

④ 3418   ⑤ 3419

▶ 해설 내신연계기출

1272

TOUGH

100 이하의 자연수 중 100과 서로소인 모든 수의 합은?

① 1996   ② 1998   ③ 2000

④ 2002   ⑤ 2004

유형 14 등차수열의 합의 최대 · 최소

등차수열 $\{a_n\}$에서 첫째항부터 제 n항까지의 합을 S_n이라 할 때,

① 첫째항 > 0, 공차 < 0일 때,

제 $(n+1)$항에서 처음으로 음수가 나온다면

⇨ (S_n의 최댓값)=(양수항의 모든 항들의 합)

② 첫째항 < 0, 공차 > 0일 때,

제 $(n+1)$항에서 처음으로 양수가 나온다면

⇨ (S_n의 최솟값)=(음수항의 모든 항들의 합)

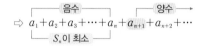

1273 학교기출 대표 유형

첫째항이 -35, 공차가 2인 등차수열에서 첫째항부터 제 n항까지의 합이 최소가 될 때, 그 합의 최솟값은?

① -321 ② -322 ③ -323
④ -324 ⑤ -325

1274 최다빈출 상 중요 NORMAL

첫째항이 25, 공차가 -3인 등차수열 $\{a_n\}$의 첫째항부터 제 n항까지의 합을 S_n이라고 할 때, S_n의 최댓값은?

① 114 ② 115 ③ 116
④ 117 ⑤ 118

▶ 해설 내신연계기출

1275 NORMAL

등차수열 $\{a_n\}$에 대하여

$$a_3=26,\ a_9=8$$

일 때, 첫째항부터 제 n항까지의 합이 최대가 되도록 하는 자연수 n의 값은?

① 11 ② 12 ③ 13
④ 14 ⑤ 15

1276 최다빈출 상 중요 NORMAL

등차수열 $\{a_n\}$에 대하여

$$a_3=44,\ a_{10}=23$$

일 때, 이 수열의 첫째항부터 제 n항까지의 합 S_n의 최댓값은?

① 442 ② 450 ③ 459
④ 467 ⑤ 476

▶ 해설 내신연계기출

1277 NORMAL

등차수열 $\{a_n\}$에 대하여

$$a_7=-20,\ a_{10}=7$$

일 때, 이 수열의 첫째항부터 제 n항까지의 합 S_n의 최솟값은?

① -414 ② -378 ③ -342
④ -306 ⑤ -270

1278 NORMAL

등차수열 $\{a_n\}$은 첫째항이 9이고 첫째항부터 제 4항까지의 합과 첫째항부터 제 6항까지의 합이 같다. 첫째항부터 제 n항까지의 합을 S_n이라 할 때, S_n의 값이 최대가 되는 n의 값은?

① 1 ② 2 ③ 3
④ 4 ⑤ 5

1279 최다빈출 왕 중요
NORMAL

첫째항이 17인 등차수열의 첫째항부터 제 n항까지의 합을 S_n이라 하자. $S_7=S_{11}$일 때, S_n의 최댓값은?

① 65   ② 70   ③ 81

④ 90   ⑤ 97

▶ 해설 내신연계기출

1280
TOUGH

공차가 0이 아닌 등차수열 $\{a_n\}$이

$$a_4 a_5 = a_6 a_7, \quad a_{11} = -121$$

을 만족한다. 수열 $\{a_n\}$의 첫째항부터 제 n항까지의 합을 S_n이라 고 할 때, S_n의 최댓값은?

① 124   ② 275   ③ 325

④ 442   ⑤ 564

1281 최다빈출 왕 중요
TOUGH

등차수열 $\{a_n\}$의 첫째항부터 제 n항까지의 합 S_n이

$$S_{10} = 110, \quad S_{20} = -180$$

을 만족할 때, S_n의 최댓값과 그 때의 n의 값의 합은?

① 122   ② 124   ③ 126

④ 128   ⑤ 130

▶ 해설 내신연계기출

1282
TOUGH

등차수열 $\{a_n\}$에 대하여

$$a_6 = 10, \quad a_{20} - a_{15} = -30$$

을 만족하고 첫째항부터 제 n항까지의 합을 S_n이라 할 때, 다음 [보기]에서 옳은 것만을 있는 대로 고른 것은?

> ㄱ. $S_{10} = 130$이다.
> ㄴ. S_n의 최댓값은 154이다.
> ㄷ. $a_1 + a_2 + a_3 + \cdots + a_m < 0$을 만족하는 m의 최솟값은 14이다.

① ㄱ   ② ㄴ   ③ ㄱ, ㄴ

④ ㄴ, ㄷ   ⑤ ㄱ, ㄴ, ㄷ

유형 15 절댓값이 있는 등차수열의 합

① 첫째항 > 0, 공차 < 0일 때,
   ⇨ (양수항의 모든 항들의 합) + |음수항의 모든 항들의 합|

② 첫째항 < 0, 공차 > 0일 때,
   ⇨ |음수항의 모든 항들의 합| + (양수항의 모든 항들의 합)

1283 학교기출 유형

등차수열 $\{a_n\}$에 대하여

$$a_1 = 50, \quad a_{10} = 23$$

일 때, $|a_1| + |a_2| + |a_3| + \cdots + |a_{30}|$의 값은?

① 685   ② 686   ③ 687

④ 688   ⑤ 689

1284 최다빈출 왕 중요
NORMAL

등차수열 $\{a_n\}$에 대하여

$$a_1 = -43, \quad a_{n+1} - a_n = 3 \, (n = 1, 2, 3, \cdots)$$

을 만족할 때, $|a_1| + |a_2| + |a_3| + \cdots + |a_{30}|$의 값은?

① 675   ② 676   ③ 677

④ 678   ⑤ 679

▶ 해설 내신연계기출

1285 최다빈출 왕 중요
TOUGH

등차수열 $\{a_n\}$에서

$$a_6 = 40, \quad a_{14} = 8$$

일 때, $|a_1 + a_2 + \cdots + a_n|$이 최소가 되는 자연수 n의 값은?

① 21   ② 26   ③ 31

④ 36   ⑤ 41

▶ 해설 내신연계기출

1286
TOUGH

등차수열 $\{a_n\}$에서

$$a_8 = -44, \quad a_{12} - a_7 = 15$$

를 만족시키고 $|a_n|$은 $n = k$일 때, 최솟값 a_k를 갖는다. 이때 $k + a_k$의 값은? (단, k는 자연수)

① 18   ② 20   ③ 22

④ 24   ⑤ 26

유형 16 도형과 등차수열의 합

차가 일정한 수들은 차례대로 등차수열을 이루므로 주어진 조건을 식으로 표현하고 등차수열의 합의 공식을 이용한다.

예를 들면 그림과 같이 두 직선 l, m 사이에 일정한 간격으로 그은 평행한 선분의 길이 a_1, a_2, a_3, $\cdots$, a_n은 차례로 등차수열을 이루므로

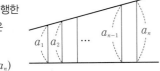

$$a_1+a_2+a_3+\cdots+a_n=\frac{n(a_1+a_n)}{2}$$

1287 학교기출 대표유형

오른쪽 그림과 같이 두 직선 $y=x$, $y=a(x-1)(a>1)$의 교점에서 오른쪽 방향으로 y축에 평행한 14개의 선분을 같은 간격으로 그었다. 이들 중 가장 짧은 선분의 길이는 3이고 가장 긴 선분의 길이는 42일 때, 14개의 선분의 길이의 합은? (단, 각 선분의 양 끝점은 두 직선 위에 있다.)

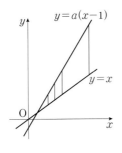

① 300 　　② 305 　　③ 310
④ 312 　　⑤ 315

1288 최다빈출 상 중요 〔NORMAL〕

오른쪽 그림과 같이 평면 위의 평행하지 않은 두 직선 l, m 사이에 평행한 선분 10개를 일정한 간격으로 긋고 그 길이를 왼쪽부터 차례로 a_1, a_2, a_3, $\cdots$, a_{10}이라고 하자. $a_1=4$, $a_7=6$일 때, $a_1+a_2+a_3+\cdots+a_{10}$의 값은?

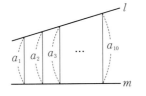

① 10 　　② 15 　　③ 20
④ 55 　　⑤ 65

▶ 해설 내신연계기출

1289 〔NORMAL〕

다음 그림과 같이 두 곡선 $y=x^2+b$, $y=x^2-ax+b$가 직선 $x=1$, $x=2$, $\cdots$, $x=10$과 만나서 생긴 10개의 선분의 길이의 합이 110일 때, 양수 a의 값은? (단, b는 상수)

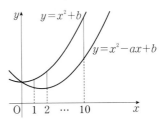

① 2 　　② 3 　　③ 4
④ 5 　　⑤ 6

1290 최다빈출 상 중요 〔NORMAL〕

다음 그림은 두 곡선 $y=x^2+ax+b$, $y=x^2$의 교점에서 오른쪽 방향으로 두 곡선 사이에 y축과 평행한 선분 10개를 일정한 간격으로 그은 것이다. 선분의 길이를 왼쪽부터 차례로 l_1, l_2, l_3, $\cdots$, l_{10}이라고 하면 $l_1=3$, $l_{10}=15$이다. $l_1+l_2+l_3+\cdots+l_{10}$의 값은? (단, $a>0$이고, a, b는 상수이다.)

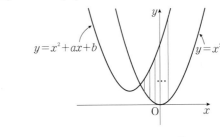

① 60 　　② 70 　　③ 80
④ 90 　　⑤ 100

▶ 해설 내신연계기출

1291 〔TOUGH〕

좌표평면에 그림과 같이 직선 l이 있다. 자연수 n에 대하여 점 $(n, 0)$을 지나고 x축에 수직인 직선이 직선 l과 만나는 점의 y좌표를 a_n이라 하자. $a_4=\dfrac{7}{2}$, $a_7=5$일 때, $\displaystyle\sum_{k=1}^{25} a_k$의 값은?

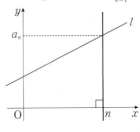

① 100 　　② 150 　　③ 200
④ 250 　　⑤ 300

차가 일정한 수들은 차례대로 등차수열을 이루므로 주어진 조건에서 첫째항과 공차를 구하고 등차수열의 합의 공식을 이용한다.

1292 학교기출 대표유형

어느 공연장의 관람석은 첫 번째 줄이 24석이고 그 다음 줄부터 3석씩 늘어나 20번째 줄까지 배치되어 있다. 이 공연장의 총 관람석의 수는?

① 850   ② 900   ③ 950

④ 1000   ⑤ 1050

1293   TOUGH

수학자 드므와브르에 대하여 다음과 같은 일화가 전해지고 있다.

> 어느 날 드므와브르는 자신의 수면 시간이 매일 15분씩 길어진다는 것을 깨닫고, 수면 시간이 24시간이 되는 날을 계산하여 그날에 자신이 죽을 것이라고 예측하였다. 그런데 놀랍게도 그날에 수면하는 상태에서 생을 마쳤다.

드므와브르가 매일 밤 12시에 잠든다고 가정할 때, 처음 이 사실을 알게 된 날의 수면 시간이 14시간이었다면 그날부터 생을 마칠 때까지 깨어있는 시간의 합은?

① 197   ② 205   ③ 214

④ 224   ⑤ 235

1294 최다빈출 왕중요   TOUGH

민규는 문제 수가 x인 마플시너지를 첫째 날에 15문제를 풀고 둘째 날부터 매일 문제 수를 d만큼씩 증가시키면서 풀어 아홉째 날까지 문제를 풀고 나면 24문제가 남는다. 또 첫째 날에 30문제를 풀고, 둘째 날부터 매일 문제 수를 d만큼씩 증가시키면서 풀어 일곱째 날까지 문제를 풀고 나면 39문제가 남는다. 이때 x의 값은?

① 371   ② 372   ③ 373

④ 374   ⑤ 375

▶ 해설 내신연계기출

수열 $\{a_n\}$의 첫째항부터 제 n항까지의 합 S_n이 주어진 경우 다음 단계를 이용하여 일반항을 구한다.
[1단계] $n=1$일 때, $a_1=S_1$
[2단계] $n \geq 2$일 때, $a_n=S_n-S_{n-1}$

참고 $S_n=An^2+Bn+C$ (단, A, B, C는 실수)의 꼴
① $C=0$이면 첫째항부터 등차수열
② $C \neq 0$이면 둘째항부터 등차수열

1295 학교기출 대표유형

수열 $\{a_n\}$의 첫째항부터 제 n항까지의 합 S_n이
$$S_n=3n^2-2n$$
일 때, a_1+a_{10}의 값은?

① 54   ② 55   ③ 56

④ 57   ⑤ 58

1296 최다빈출 왕중요   BASIC

수열 $\{a_n\}$의 첫째항부터 제 n항까지의 합 S_n이
$$S_n=n^2+n-1$$
일 때, a_1+a_7의 값은?

① 15   ② 16   ③ 19

④ 20   ⑤ 21

▶ 해설 내신연계기출

1297   BASIC

수열 $\{a_n\}$의 첫째항부터 제 n항까지의 합 S_n이
$$S_n=n^2-10n$$
일 때, $a_n<0$을 만족시키는 자연수 n의 개수는?

① 5   ② 6   ③ 7

④ 8   ⑤ 9

1298 최다빈출 왕중요   NORMAL

두 수열 $\{a_n\}$, $\{b_n\}$의 첫째항부터 제 n항까지의 합이 각각
$$4n^2-kn, \ 3n^2+7n$$
이다. $a_8=b_8$일 때, 상수 k의 값은?

① 5   ② 6   ③ 7

④ 8   ⑤ 9

▶ 해설 내신연계기출

1299 최다빈출 왕 중요   NORMAL

수열 $\{a_n\}$의 첫째항부터 제 n항까지의 합 S_n이 다항식 $2x^2+x+1$
을 $x-n$으로 나눈 나머지라 할 때, a_1+a_5의 값은?

① 20   ② 21   ③ 22
④ 23   ⑤ 24

▶ 해설 내신연계기출

1300   NORMAL

공차가 4인 등차수열 $\{a_n\}$의 첫째항부터 제 n항까지의 합을 S_n을
만족할 때,

$$S_n=pn^2+3n$$

일 때, a_{10}의 값은? (단, p는 상수)

① 35   ② 37   ③ 39
④ 41   ⑤ 43

1301 최다빈출 왕 중요   NORMAL

수열 $\{a_n\}$의 첫째항부터 제 n항까지의 합을 S_n이라 할 때,
$S_n=pn^2+qn$이다.

$$a_8-a_4=16, \quad a_3+a_5=30$$

일 때, pq의 값은? (단, p, q는 상수이다.)

① 1   ② 2   ③ 3
④ 4   ⑤ 5

▶ 해설 내신연계기출

1302 최다빈출 왕 중요   NORMAL

첫째항부터 제 n항까지의 합 S_n이

$$S_n=n^2+3n$$

인 수열 $\{a_n\}$에서 $a_1+a_3+a_5+\cdots+a_{2n-1}=220$을 만족시키는
자연수 n의 값은?

① 8   ② 9   ③ 10
④ 11   ⑤ 12

▶ 해설 내신연계기출

1303 최다빈출 왕 중요   NORMAL

수열 $\{a_n\}$의 첫째항부터 제 n항까지의 합 S_n이

$$S_n=n^2+4n+2$$

일 때, $\sum_{k=1}^{3} a_{2k-1}$의 값은?

① 19   ② 20   ③ 23
④ 25   ⑤ 29

▶ 해설 내신연계기출

1304 최다빈출 왕 중요   TOUGH

수열 $\{a_n\}$의 첫째항부터 제 n항까지의 합을 S_n이라고 하자.

$$S_n=-n^2+24n$$

일 때, $\sum_{k=1}^{40} |a_k|$의 값은?

① 144   ② 640   ③ 784
④ 928   ⑤ 956

▶ 해설 내신연계기출

1305 최다빈출 왕 중요   TOUGH

수열 $\{a_n\}$의 첫째항부터 제 n항까지의 합 S_n이

$$S_n=-2n^2+16n+7$$

일 때, [보기]에서 옳은 것만을 있는 대로 고른 것은?

> ㄱ. $a_2-a_1=-4$
> ㄴ. 처음으로 음수가 되는 항은 제 5항이다.
> ㄷ. S_n의 최댓값은 39이다.

① ㄱ   ② ㄴ   ③ ㄷ
④ ㄴ, ㄷ   ⑤ ㄱ, ㄴ, ㄷ

▶ 해설 내신연계기출

02 등비수열

STEP 1
내신정복 기출유형

유형 01 등비수열의 일반항

① 등비수열의 일반항
첫째항이 a, 공비가 r인 등비수열의 일반항 a_n은
$\Rightarrow a_n = ar^{n-1}$ (단, $n=1, 2, 3, \cdots$)

② 등비수열 $\{a_n\}$의 공비가 r이면
$\Rightarrow r = \dfrac{a_2}{a_1} = \dfrac{a_3}{a_2} = \dfrac{a_4}{a_3} = \cdots$

③ 등비수열의 일반항의 특징
$a_n = ar^{n-1} = ar^{-1}r^n = AB^n$이므로 지수꼴이다.
$\Rightarrow$ 밑수가 공비 $r = B$이다.

1306 학교기출 대표유형

공비가 2인 등비수열 $\{a_n\}$에 대하여
$$a_3 + a_4 = 36$$
일 때, a_6의 값은?

① 48   ② 64   ③ 96
④ 108   ⑤ 128

1307 BASIC

등비수열 $\{a_n\}$에 대하여
$$a_2 = 3, \ a_6 = 12$$
일 때, a_{10}의 값은?

① 12   ② 24   ③ 36
④ 48   ⑤ 60

1308 최다빈출 앙 중요 BASIC

등비수열 $\{a_n\}$에 대하여
$$a_3 = 3, \ a_8 = 96$$
일 때, $a_n = 192$을 만족하는 n의 값은?

① 5   ② 7   ③ 9
④ 11   ⑤ 13

▶ 해설 내신연계기출

1309 최다빈출 앙 중요 NORMAL

첫째항이 0이 아닌 등비수열 $\{a_n\}$에 대하여
$$a_3 = 4a_1, \ a_7 = (a_6)^2$$
일 때, 첫째항 a_1의 값은?

① $\dfrac{1}{16}$ ② $\dfrac{1}{8}$ ③ $\dfrac{3}{16}$
④ $\dfrac{1}{4}$ ⑤ $\dfrac{5}{16}$

▶ 해설 내신연계기출

1310 최다빈출 앙 중요 NORMAL

첫째항이 a, 공비가 r인 등비수열 $\{a_n\}$에 대하여
$$a_3 = 28, \ a_2 : a_5 = 8 : 1$$
일 때, $\dfrac{a}{r}$의 값은?

① 28   ② 164   ③ 224
④ 328   ⑤ 442

▶ 해설 내신연계기출

1311 최다빈출 앙 중요 TOUGH

공비가 $r(r \neq 0)$이고 첫째항이 양수인 두 등비수열 $\{a_n\}$, $\{b_n\}$에 대한 설명으로 옳은 것만을 [보기]에서 있는 대로 고른 것은?

> ㄱ. 수열 $\{a_n + b_n\}$은 공비가 r인 등비수열이다.
> ㄴ. 수열 $\{a_n b_n\}$은 공비가 r인 등비수열이다.
> ㄷ. 수열 $\{a_{2n} b_n\}$은 공비가 r^3인 등비수열이다.

① ㄱ   ② ㄴ   ③ ㄷ
④ ㄱ, ㄴ   ⑤ ㄱ, ㄷ

▶ 해설 내신연계기출

유형 02 항의 관계가 주어진 등비수열

항 또는 항의 관계가 주어진 등비수열에서 제 k항 구하기

① 주어진 항 또는 항의 관계를 이용하여 첫째항 a와 공비 r을 구한 후 일반항을 구한다.

② $a_n = ar^{n-1}$, $a_m = ar^{m-1}$에서 $\dfrac{a_n}{a_m} = r^{n-m}$

③ $a_n + a_{n+2} + a_{n+4} = a_n(1 + r^2 + r^4)$

1312 학교기출 대표 유형

공비가 양수인 등비수열 $\{a_n\}$에서

$$a_2 + a_4 = 2, \ a_6 + a_8 = 162$$

일 때, a_3의 값은?

① $\dfrac{3}{5}$ ② $\dfrac{7}{5}$ ③ $\dfrac{9}{5}$

④ $\dfrac{11}{5}$ ⑤ $\dfrac{14}{5}$

1313 최다빈출 😊 중요   BASIC

공비가 실수인 등비수열 $\{a_n\}$에 대하여

$$\frac{a_5}{a_2} = 2, \ a_4 + a_7 = 12$$

일 때, a_{13}의 값은?

① 30 ② 32 ③ 34

④ 36 ⑤ 38

▶ 해설 내신연계기출

1314   BASIC

모든 항이 양수인 등비수열 $\{a_n\}$에 대하여

$$a_1 a_3 = \frac{1}{36}, \ a_5 = \frac{4}{81}$$

일 때, a_4의 값은?

① $\dfrac{1}{27}$ ② $\dfrac{2}{27}$ ③ $\dfrac{1}{9}$

④ $\dfrac{4}{27}$ ⑤ $\dfrac{5}{27}$

1315   NORMAL

첫째항이 양수인 등비수열 $\{a_n\}$이

$$a_1 = 4a_3, \ a_2 + a_3 = -12$$

를 만족시킬 때, a_5의 값은?

① 3 ② 4 ③ 5

④ 6 ⑤ 7

1316 최다빈출 😊 중요   NORMAL

모든 항이 양수인 등비수열 $\{a_n\}$에 대하여

$$a_2 a_4 = 2a_5, \ a_5 = a_4 + 12a_3$$

일 때, $\log_2 a_{10}$의 값은?

① 15 ② 16 ③ 17

④ 18 ⑤ 19

▶ 해설 내신연계기출

1317 최다빈출 😊 중요   NORMAL

공비가 실수인 등비수열 $\{a_n\}$에서

$$a_1 + a_2 + a_3 = 7, \ a_4 + a_5 + a_6 = 56$$

일 때, $\dfrac{a_4 + a_6}{a_1 + a_3}$의 값은?

① 2 ② 4 ③ 8

④ 16 ⑤ 32

▶ 해설 내신연계기출

1318 최다빈출 왕중요

NORMAL

첫째항이 3인 등비수열 $\{a_n\}$에 대하여

$$\frac{a_3}{a_2} - \frac{a_6}{a_4} = \frac{1}{4}$$

일 때, $a_5 = \frac{q}{p}$이다. $p+q$의 값은?

(단, p와 q는 서로소인 자연수이다.)

① 15 ② 17 ③ 19
④ 21 ⑤ 23

▶ 해설 내신연계기출

1319

NORMAL

모든 항이 양수인 등비수열 $\{a_n\}$에 대하여

$$\frac{a_1 a_2}{a_3} = 2, \quad \frac{2a_2}{a_1} + \frac{a_4}{a_2} = 8$$

일 때, a_3의 값은?

① 16 ② 18 ③ 20
④ 22 ⑤ 24

1320 최다빈출 왕중요

TOUGH

등비수열 $\{a_n\}$에 대하여

$$a_1 + a_2 = -64$$
$$a_1 + a_2 + a_3 + a_4 = -80$$
$$a_3 + a_4 + a_5 = -24$$

일 때, a_2의 값은? (단, $n = 1, 2, 3, \cdots$)

① -128 ② -64 ③ 64
④ 128 ⑤ 256

▶ 해설 내신연계기출

유형 03 조건을 만족시키는 등비수열

첫째항이 a, 공비가 r인 등비수열 $\{a_n\}$에서

① 처음으로 k보다 커지는 항을 구하기
 ⇨ $a_n = ar^{n-1} > k$ 를 만족시키는 자연수 n의 최솟값을 구한다.

② 처음으로 k보다 작아지는 항을 구하기
 ⇨ $a_n = ar^{n-1} < k$ 를 만족시키는 자연수 n의 최솟값을 구한다.

1321 학교기출 대표 유형

각 항이 실수이고 제 4항이 5, 제 7항이 40인 등비수열 $\{a_n\}$에 대하여 처음으로 1000 이상이 되는 항은?

① 제 9항 ② 제 10항 ③ 제 11항
④ 제 12항 ⑤ 제 13항

1322 최다빈출 왕중요

NORMAL

공비가 실수인 등비수열 $\{a_n\}$에서

$$a_2 + a_4 = 10, \quad a_3 + a_5 = 20$$

일 때, 처음으로 1000보다 커지는 항은?

① 제 9항 ② 제 10항 ③ 제 11항
④ 제 12항 ⑤ 제 13항

▶ 해설 내신연계기출

1323

NORMAL

모든 항이 양수인 등비수열 $\{a_n\}$에서

$$a_2 = 3a_1^2, \quad a_6 = 9a_4$$

일 때, $a_n < 1000$을 만족시키는 자연수 n의 최댓값은?

① 6 ② 7 ③ 8
④ 9 ⑤ 10

1324 최다빈출 왕중요

NORMAL

첫째항이 2000, 공비가 $\frac{1}{2}$인 등비수열 $\{a_n\}$에서

$$T_n = a_1 a_2 a_3 \cdots a_n$$

이라 할 때, T_n이 최대가 될 때의 n의 값은?

① 11 ② 12 ③ 13
④ 14 ⑤ 15

▶ 해설 내신연계기출

유형 04 두 수 사이에 수를 넣어서 만든 등비수열

두 수 a, b 사이에 n개의 수를 넣어서 등비수열을 만들면

$$a, x_1, x_2, \cdots, x_n, b$$

① 항수 : $n+2$개
② 첫째항이 a이고 b는 제 $(n+2)$항이므로
$$b=a_{n+2}=ar^{n+1} \text{ (단, } r \text{은 공비)}$$

유형 05 등비중항

0이 아닌 세 수 a, b, c가 순서대로 등비수열을 이룰 때, b를 a와 c의 **등비중항**이라 한다.

이때 $\dfrac{b}{a}=\dfrac{c}{b}$이므로 $b^2=ac$가 성립한다.

역으로 $b^2=ac$이면 $\dfrac{b}{a}=\dfrac{c}{b}$이므로 b를 a와 c의 등비중항이라 한다.

1325 학교기출 유형

두 수 2와 162 사이에 세 개의 양수 a, b, c를 넣어

$$2, a, b, c, 162$$

가 이 순서대로 등비수열을 이루도록 할 때, $c-a$의 값은?

① 12　　　　② 24　　　　③ 36
④ 48　　　　⑤ 60

1328 학교기출 유형

세 수

$$a+10, a, 5$$

가 이 순서대로 등비수열을 이루도록 하는 양수 a의 값은?

① 2　　　　② 4　　　　③ 6
④ 8　　　　⑤ 10

1326

두 수 2와 32 사이에 8개의 수 a_1, a_2, a_3, $\cdots$, a_8을 넣어

$$2, a_1, a_2, a_3, \cdots, a_8, 32$$

가 이 순서대로 등비수열을 이루도록 할 때, $3\log_2 a_3$의 값은?

① 6　　　　② 7　　　　③ 8
④ 9　　　　⑤ 10

1329 최다빈출 중요

첫째항이 a이고 공비가 $\dfrac{1}{2}$인 등비수열 $\{a_n\}$에 대하여 세 수

$$a_3, 2, a_7$$

이 이 순서대로 등비수열을 이룰 때, 양수 a의 값은?

① 16　　　　② 20　　　　③ 24
④ 28　　　　⑤ 32

▶ 해설 내신연계기출

1327 최다빈출 중요

두 수 9와 90 사이에 10개의 수 a_1, a_2, a_3, $\cdots$, a_{10}을 넣어

$$9, a_1, a_2, a_3, \cdots, a_{10}, 90$$

가 이 순서대로 등비수열을 이루도록 할 때, $a_1 a_{10}$의 값은?

① 81　　　　② 90　　　　③ 120
④ 150　　　　⑤ 810

▶ 해설 내신연계기출

1330

세 수

$$\sin\theta, 2\cos\theta, \dfrac{3}{\sin\theta}$$

이 이 순서대로 등비수열을 이룰 때, θ의 값은? (단, $0° < \theta < 90°$)

① 15°　　　　② 30°　　　　③ 45°
④ 60°　　　　⑤ 75°

1331 최다빈출 왕 중요 NORMAL

다항식 $f(x)=x^2+ax+2$를 일차식 x, $x-1$, $x-2$로 나누었을 때의 나머지가 이 순서로 등비수열을 이룰 때, 모든 a의 값의 합은?

① -5　　　② -4　　　③ -3
④ -2　　　⑤ -1

▶ 해설 내신연계기출

1332 NORMAL

세 수 x, 2, y가 이 순서대로 등비수열을 이루고 세 수 x, y, 16이 이 순서대로 등비수열을 이룰 때, 실수 x, y에 대하여 $x+y$의 값은?

① 1　　　② 3　　　③ 5
④ 7　　　⑤ 9

1333 NORMAL

1보다 큰 양수 x, y에 대하여 네 수
$$3, \log_3 x, 27, \log_3 y$$
가 이 순서로 등비수열을 이룰 때, $\log_3 \dfrac{y}{x}$의 값은?

① 27　　　② 34　　　③ 52
④ 72　　　⑤ 81

1334 최다빈출 왕 중요 NORMAL

이차방정식 $x^2-kx+125=0$의 두 근 α, β $(\alpha<\beta)$에 대하여
$$\alpha, \beta-\alpha, \beta$$
가 이 순서대로 등비수열을 이룰 때, 양수 k의 값은?

① 20　　　② 21　　　③ 23
④ 25　　　⑤ 30

▶ 해설 내신연계기출

1335 최다빈출 왕 중요 NORMAL

다음 그림과 같이 구간 $x>0$에서 정의된 함수 $f(x)=\dfrac{p}{x}$ $(p>1)$의 그래프에 대하여 세 수
$$f(a), f(\sqrt{3}), f(a+2)$$
가 이 순서대로 등비수열을 이룰 때, 양수 a의 값은?

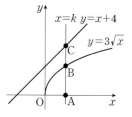

① 1　　　② $\dfrac{9}{8}$　　　③ $\dfrac{5}{4}$
④ $\dfrac{11}{6}$　　　⑤ $\dfrac{3}{2}$

▶ 해설 내신연계기출

1336 NORMAL

오른쪽 그림과 같이 직선 $x=k$가 x축, 곡선 $y=3\sqrt{x}$ 및 직선 $y=x+4$와 만나는 점을 각각 A, B, C라 하자. $\overline{OA}$, $\overline{AB}$, $\overline{AC}$가 이 순서대로 등비수열을 이룰 때, 양수 k의 값은? (단, O는 원점이다.)

① 2　　　② 3　　　③ 4
④ 5　　　⑤ 6

1337 최다빈출 왕 중요 NORMAL

등비수열 $\{a_n\}$의 모든 항이 양수이고
$$a_3 \times a_9 = 9$$
일 때, 첫째항부터 제 11항까지의 곱 $a_1 \times a_2 \times a_3 \times \cdots \times a_{10} \times a_{11}$의 값은?

① 3^8　　　② 3^9　　　③ 3^{10}
④ 3^{11}　　　⑤ 3^{12}

▶ 해설 내신연계기출

1338 최다빈출 왕 중요 TOUGH

다음 그림과 같이 두 직선 l_1, l_2를 공통외접선으로 하고 서로 외접하는 5개의 원이 있다. 가장 큰 원의 반지름의 길이가 18, 가장 작은 원의 반지름의 길이가 8일 때, 한가운데에 있는 원의 반지름의 길이는?

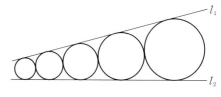

① 9　　　② 10　　　③ 11
④ 12　　　⑤ 13

▶ 해설 내신연계기출

유형 06 등차중항과 등비중항

0이 아닌 세 수 a, b, c가 이 순서대로
① 등차수열을 이룬다. $\Rightarrow 2b = a + c$
② 등비수열을 이룬다. $\Rightarrow b^2 = ac$

1339 학교기출 대표유형

세 수 5, x, 17은 이 순서대로 등차수열을 이루고 세 수 3, y, 12는 이 순서대로 공비가 양수인 등비수열을 이룰 때, $x+y$의 값은?

① 17   ② 18   ③ 19
④ 20   ⑤ 21

1340 최다빈출 상중요   NORMAL

두 허수 a, b에 대하여 세 수 a, 1, b는 이 순서대로 등차수열을 이루고 세 수 a, 2, b는 이 순서대로 등비수열을 이룬다고 한다. $a^3 + b^3$의 값은?

① -22 ② -16 ③ 7
④ 16   ⑤ 22

▶ 해설 내신연계기출

1341   NORMAL

서로 다른 세 수 4, a, b가 이 순서대로 등차수열을 이루고 세 수 a, b, 4는 이 순서대로 등비수열을 이룰 때, 상수 a, b에 대하여 $a+b$의 값은?

① -3 ② -2 ③ -1
④ 1   ⑤ 2

1342 최다빈출 상중요   NORMAL

네 수 4, a, b, 24에 대하여 다음을 만족시킬 때, $a+b$의 값은? (단, $a > 0$)

(가) 세 수 a, b, 24가 이 순서대로 등차수열을 이룬다.
(나) 세 수 4, a, b가 이 순서대로 등비수열을 이룬다.

① 12   ② 18   ③ 24
④ 36   ⑤ 48

▶ 해설 내신연계기출

1343 최다빈출 상중요   NORMAL

세 수 a, $a+b$, $2a-b$는 이 순서대로 등차수열을 이루고 세 수 1, $a-1$, $3b+1$은 이 순서대로 공비가 양수인 등비수열을 이룬다. $a^2 + b^2$의 값은?

① 8   ② 9   ③ 10
④ 12   ⑤ 14

▶ 해설 내신연계기출

1344 최다빈출 상중요   TOUGH

공차가 6인 등차수열 $\{a_n\}$에 대하여
세 항 a_2, a_k, a_8은 이 순서대로 등차수열을 이루고
세 항 a_1, a_2, a_k는 이 순서대로 등비수열을 이룬다.
$k + a_1$의 값은?

① 7   ② 8   ③ 9
④ 10   ⑤ 11

▶ 해설 내신연계기출

1345   TOUGH

0이 아닌 서로 다른 세 수 a, b, c가 이 순서대로 등차수열을 이루고 세 양수 p, q, r이 이 순서대로 등비수열을 이룬다.
이차방정식 $ax^2 + 2bx + c = 0$의 서로 다른 실근의 개수를 m,
이차방정식 $px^2 + qx + r = 0$의 서로 다른 실근의 개수를 n이라 할 때, $m+n$의 값은?

① 0   ② 1   ③ 2
④ 3   ⑤ 4

① 세 수가 등비수열을 이룰 때 $\Rightarrow a,\ ar,\ ar^2$

② 네 수가 등비수열을 이룰 때 $\Rightarrow a,\ ar,\ ar^2,\ ar^3$

참고 등비수열을 이루는 세 실수의 곱이 주어진 경우

세 실수를 $\dfrac{a}{r},\ a,\ ar$로 놓으면 세 수의 곱에서 r이 소거되어

a의 값을 구할 수 있다.

1346 학교기출 대표유형

등비수열을 이루는 세 실수의 합이 7이고 곱이 -27일 때, 세 수 중 가장 큰 수는?

① 6   ② 7   ③ 8

④ 9   ⑤ 10

▶ 해설 내신연계기출

1347 최다빈출 ⑧중요   NORMAL

삼차방정식
$$x^3 - 7x^2 + kx - 8 = 0$$
의 세 근이 등비수열을 이룰 때, 상수 k의 값을 구하면?

① 13   ② 14   ③ 15

④ 16   ⑤ 17

▶ 해설 내신연계기출

1348   NORMAL

곡선 $y = x^3 - 6x^2 - 24x$와 직선 $y = k$가 서로 다른 세 점에서 만나고 그 교점의 x좌표가 차례대로 등비수열을 이룰 때, 실수 k의 값은?

① -81 ② -64 ③ -57

④ -27 ⑤ -4

1349 최다빈출 ⑧중요   TOUGH

두 곡선
$$y = 3x^3 + 4x^2 - 7x,\ y = -3x^2 + k$$
가 서로 다른 세 점에서 만나고 교점의 x좌표가 등비수열을 이룰 때, 실수 k의 값은?

① 1   ② 2   ③ 3

④ 4   ⑤ 5

▶ 해설 내신연계기출

첫째항이 a, 공비가 r, 항의 수가 n인 등비수열의 첫째항부터 제 n항까지의 합을 S_n이라 하면

① $r > 1$일 때, $S_n = \dfrac{a(r^n - 1)}{r - 1}$

② $r = 1$일 때, $S_n = na$

③ $r < 1$일 때, $S_n = \dfrac{a(1 - r^n)}{1 - r}$

1350 학교기출 대표유형

첫째항이 a, 공비가 2인 등비수열의 첫째항부터 제 6항까지의 합이 21일 때, a의 값은?

① 1   ② $\dfrac{1}{2}$ ③ $\dfrac{1}{3}$

④ $\dfrac{1}{4}$ ⑤ $\dfrac{1}{5}$

1351   BASIC

다항식 $-x^9 + x^8 - \cdots + x^2 - x + 1$을 $x - 2$로 나누었을 때의 나머지는?

① -340 ② -341 ③ -342

④ -343 ⑤ -344

1352   BASIC

첫째항이 2이고 공비가 양수인 등비수열 $\{a_n\}$에 대하여
$$a_2 a_4 = 64$$
일 때, 첫째항부터 제 5항까지의 합은?

① 62   ② 65   ③ 68

④ 70   ⑤ 73

1353

NORMAL

첫째항이 1, 공비가 2인 등비수열 $\{a_n\}$에 대하여 수열

$$\{6a_n - a_{n+1}\}$$

의 첫째항부터 제 8항까지의 합은?

① 1018　　　② 1020　　　③ 1022

④ 1024　　　⑤ 1026

1354

최다빈출 🦅 중요　　　　　　NORMAL

등비수열 $\{a_n\}$에 대하여

$$a_3 = 1, \quad a_6 = -\frac{1}{27}$$

이 성립할 때, 첫째항부터 제 10항까지의 합 S_{10}의 값은?

① $\frac{3}{8}\left\{1 - \left(\frac{1}{3}\right)^{10}\right\}$　　② $\frac{3}{4}\left\{1 - \left(\frac{1}{3}\right)^{10}\right\}$　　③ $\frac{3}{4}\left\{1 + \left(\frac{1}{3}\right)^{10}\right\}$

④ $\frac{27}{4}\left\{1 - \left(\frac{1}{3}\right)^{10}\right\}$　　⑤ $\frac{27}{4}\left\{1 + \left(\frac{1}{3}\right)^{10}\right\}$

▶ 해설 내신연계기출

1355

최다빈출 🦅 중요　　　　　　NORMAL

공비가 2, 제 n항이 400인 등비수열의 첫째항부터 제 n항까지의 합이 750일 때, n의 값은?

① 4　　　② 5　　　③ 6

④ 7　　　⑤ 8

▶ 해설 내신연계기출

1356

NORMAL

각 항이 양수인 등비수열에서 제 3항이 6, 제 7항이 24일 때, $a_1^2 + a_2^2 + \cdots + a_{19}^2 + a_{20}^2$의 값은?

① $9(2^{20} - 1)$　　② $3(2^{20} - 1)$　　③ $2(2^{20} - 1)$

④ $2(2^{20} + 1)$　　⑤ $\frac{3}{2}(2^{20} - 1)$

1357

최다빈출 🦅 중요　　　　　　NORMAL

등비수열 $\{a_n\}$의 첫째항부터 제 n항까지의 합 S_n에 대하여

$$\frac{S_4}{S_2} = 9$$

일 때, $\dfrac{a_4}{a_2}$의 값은?

① 3　　　② 4　　　③ 6

④ 8　　　⑤ 9

▶ 해설 내신연계기출

1358

NORMAL

첫째항이 1이 등비수열 $\{a_n\}$의 첫째항부터 제 n항까지의 합을 S_n이라 하면

$$\frac{S_6}{S_3} = 126$$

일 때, S_4의 값은?

① 142　　　② 146　　　③ 150

④ 154　　　⑤ 156

1359

최다빈출 🦅 중요　　　　　　TOUGH

두 수 2와 40 사이에 10개의 수를 넣어서 $a_1 = 2$, $a_{12} = 40$인 등비수열 $\{a_n\}$을 만든다. 이때 수열 $\{a_n\}$, $\left\{\dfrac{1}{a_n}\right\}$의 첫째항부터 제 12항까지의 합을 각각 S_{12}, T_{12}라 할 때, $\dfrac{S_{12}}{T_{12}}$의 값은?

① 20　　　② 40　　　③ 60

④ 80　　　⑤ 100

▶ 해설 내신연계기출

1360

TOUGH

모든 항이 양수인 등비수열 $\{a_n\}$에 대하여

$$a_1 a_2 = a_{10}, \quad a_1 + a_9 = 20$$

일 때, $(a_1 + a_3 + a_5 + a_7 + a_9)(a_1 - a_3 + a_5 - a_7 + a_9)$의 값은?

① 494　　　② 496　　　③ 498

④ 500　　　⑤ 502

[1단계] 첫째항이 a, 공비가 r인 등비수열의 첫째항부터

제 n항까지의 합이 k보다 크면

$$\frac{a(r^n-1)}{r-1} > k \ (\text{단}, \ r \neq 1)$$

[2단계] $\frac{1}{2^n} < k$이면 $2^n > \frac{1}{k}$의 성질을 이용하여 n의 값을 구한다.

1361 학교기출 유형

첫째항이 $\frac{1}{3}$, 공비가 2인 등비수열에서 첫째항부터 제 n항까지의 합이 처음으로 1000보다 크게 되는 n의 값은?

① 9   ② 10   ③ 11

④ 12   ⑤ 13

1362 최다빈출 왕 중요 NORMAL

등비수열 $\{a_n\}$에 대하여

$$a_2 = 4, \ a_5 = 32$$

일 때, 첫째항부터 제 n항까지의 합이 처음으로 240보다 커지는 n의 값은?

① 7   ② 8   ③ 9

④ 10   ⑤ 11

▶ 해설 내신연계기출

1363 최다빈출 왕 중요 NORMAL

등비수열 $1, \frac{1}{2}, \frac{1}{4}, \frac{1}{8}, \cdots$의 첫째항부터 제 n항까지의 합을 S_n이라고 할 때, $|S_n - 2| < 0.01$을 만족시키는 자연수 n의 최솟값은?

① 5   ② 7   ③ 8

④ 9   ⑤ 10

▶ 해설 내신연계기출

1364 TOUGH

등비수열 $\{a_n\}$의 일반항을 $a_n = 2 \cdot \left(\frac{1}{5}\right)^{n-1}$이라 하자.

첫째항부터 제 n항까지의 합을 S_n이라 할 때,

$$S_n > \frac{999}{400}$$

을 만족하는 자연수 n의 최솟값은?

① 5   ② 6   ③ 7

④ 8   ⑤ 9

[1단계] 첫째항부터 제 n항까지의 합

$$S_n = \frac{a(r^n-1)}{r-1} \qquad \cdots\cdots \ ㉠$$

$$S_{2n} = \frac{a(r^{2n}-1)}{r-1} = \frac{a(r^n-1)(r^n+1)}{r-1} \qquad \cdots\cdots \ ㉡$$

$$S_{3n} = \frac{a(r^{3n}-1)}{r-1} = \frac{a(r^n-1)(r^{2n}+r^n+1)}{r-1} \qquad \cdots\cdots \ ㉢$$

[2단계] ㉡÷㉠ $\frac{S_{2n}}{S_n} = r^n + 1$ (단, $r \neq 1$)

㉢÷㉠ $\frac{S_{3n}}{S_n} = r^{2n} + r^n + 1$

참고 자주 사용하는 인수분해 공식

$r^2 - 1 = (r-1)(r+1)$, $r^4 - 1 = (r^2-1)(r^2+1)$

$r^6 - 1 = (r^3-1)(r^3+1)$, $r^{10} - 1 = (r^5-1)(r^5+1)$

1365 학교기출 유형

첫째항부터 제 3항까지의 합이 26, 첫째항부터 제 6항까지의 합이 728인 등비수열 $\{a_n\}$에 대하여 a_5의 값은?

① 18   ② 54   ③ 162

④ 486   ⑤ 1458

1366 최다빈출 왕 중요 NORMAL

등비수열 $\{a_n\}$의 첫째항부터 제 n항까지의 합 S_n에 대하여

$$S_n = 28, \ S_{2n} = 84$$

일 때, S_{4n}의 값은?

① 360   ② 380   ③ 400

④ 420   ⑤ 440

▶ 해설 내신연계기출

1367 NORMAL

첫째항부터 제 5항까지의 합이 2, 첫째항부터 제 10항까지의 합이 14인 등비수열의 첫째항부터 제 15항까지의 합은? (단, 공비는 실수)

① 56   ② 65   ③ 68

④ 86   ⑤ 96

1368 최다빈출 ⚡중요   NORMAL

등비수열 $\{a_n\}$의 첫째항부터 제 n항까지의 합을 S_n이라 하자.

$$S_4 = 18, \ S_6 = 42$$

일 때, $\dfrac{a_{36}}{a_{20}}$의 값은?

① 32   ② 64   ③ 128

④ 256   ⑤ 512

▶ 해설 내신연계기출

1369   NORMAL

첫째항부터 제 4항까지의 합이 2, 첫째항부터 제 8항까지의 합이 8인 등비수열 $\{a_n\}$에 대하여 첫째항부터 제 12항까지의 합은?

① 25   ② 26   ③ 27

④ 28   ⑤ 29

1370 최다빈출 ⚡중요   NORMAL

첫째항부터 제 3항까지의 합이 2, 첫째항부터 제 6항까지의 합이 10인 등비수열에서 제 4항부터 제 9항까지의 합은?

① 20   ② 22   ③ 40

④ 42   ⑤ 44

▶ 해설 내신연계기출

1371 최다빈출 ⚡중요   NORMAL

등비수열 $\{a_n\}$에서

$$a_1 + a_2 + \cdots + a_{10} = 8$$
$$a_{11} + a_{12} + \cdots + a_{20} = 24$$

일 때, $a_{21} + a_{22} + \cdots + a_{30}$의 값은?

① 64   ② 72   ③ 81

④ 124   ⑤ 214

▶ 해설 내신연계기출

1372   TOUGH

등비수열 $\{a_n\}$에서

$$a_1 + a_2 + a_3 + \cdots + a_{10} = 5$$
$$a_{11} + a_{12} + a_{13} + \cdots + a_{20} = 30$$

일 때, $a_1 + a_2 + a_3 + \cdots + a_{30}$의 값은?

① 115   ② 210   ③ 215

④ 315   ⑤ 415

1373 최다빈출 ⚡중요   TOUGH

첫째항이 2이고 항의 개수가 짝수인 등비수열에서 홀수 번째 항들의 합은 182, 짝수 번째 항들의 합은 546이다.

이때 이 수열의 항의 개수는?

① 3   ② 4   ③ 5

④ 6   ⑤ 7

▶ 해설 내신연계기출

각 항이 0이 아닌 등비수열 $\{a_n\}$에서 첫째항부터 제 n항까지의 합을 S_n, 역수의 합을 T_n이라 하면

$$S_n = a_1 + a_2 + a_3 + \cdots + a_n, \quad T_n = \frac{1}{a_1} + \frac{1}{a_2} + \frac{1}{a_3} + \cdots + \frac{1}{a_n}$$

일 때, $T_n = \dfrac{1}{a_1 a_n} S_n$을 만족한다.

해설 각 항이 0이 아니고 공비가 r인 등비수열에서 첫째항부터 제 n항까지의 합을 S_n, 역수의 합을 T_n이라 할 때, S_n과 T_n 사이의 관계를 알아보자.

$S_n = a_1 + a_2 + a_3 + \cdots + a_n$, $T_n = \dfrac{1}{a_1} + \dfrac{1}{a_2} + \dfrac{1}{a_3} + \cdots + \dfrac{1}{a_n}$이라 하면

$$T_n = \frac{1}{a_1} + \frac{1}{a_1 r} + \frac{1}{a_1 r^2} + \frac{1}{a_1 r^3} + \cdots + \frac{1}{a_1 r^{n-1}}$$

$$= \frac{1}{a_1 r^{n-1}}(r^{n-1} + r^{n-2} + r^{n-3} + \cdots + 1)$$

$$= \frac{1}{a_1} \cdot \frac{1}{a_1 r^{n-1}}(a_1 r^{n-1} + a_1 r^{n-2} + a_1 r^{n-3} + \cdots + a_1)$$

$$= \frac{1}{a_1} \cdot \frac{1}{a_1 r^{n-1}}(a_n + a_{n-1} + a_{n-2} + \cdots + a_1)$$

$$= \frac{1}{a_1} \cdot \frac{1}{a_n} S_n$$

$$= \frac{1}{a_1 a_n} S_n$$

따라서 S_n과 T_n 사이의 관계식은 $T_n = \dfrac{1}{a_1 a_n} S_n$를 만족한다.

1374 학교기출 대표 유형

등비수열 $\{a_n\}$에서 첫째항부터 제 5항까지의 합이 $\dfrac{31}{2}$이고 곱이 32일 때, $\dfrac{1}{a_1} + \dfrac{1}{a_2} + \dfrac{1}{a_3} + \dfrac{1}{a_4} + \dfrac{1}{a_5}$의 값은?

① $\dfrac{31}{4}$ ② $\dfrac{31}{8}$ ③ $\dfrac{31}{12}$

④ $\dfrac{8}{31}$ ⑤ $\dfrac{4}{31}$

▶ 해설 내신연계기출

1375 최다빈출 왕중요 TOUGH

등비수열 $\{a_n\}$에 대하여

$$a_1 + a_2 + a_3 + \cdots + a_{10} = 256$$

$$\frac{1}{a_1} + \frac{1}{a_2} + \frac{1}{a_3} + \cdots + \frac{1}{a_{10}} = 4$$

가 성립할 때, $a_1 a_{10}$의 값은?

① 64   ② $32\sqrt{2}$ ③ 32

④ $16\sqrt{2}$ ⑤ 16

▶ 해설 내신연계기출

1376 TOUGH

수열 $\{a_n\}$은 첫째항이 양수이고 공비가 1보다 큰 등비수열이다. $a_3 a_5 = a_1$일 때,

$$\sum_{k=1}^{n} \frac{1}{a_k} = \sum_{k=1}^{n} a_k$$

를 만족시키는 자연수 n의 값은?

① 11   ② 12   ③ 13

④ 14   ⑤ 15

유형 12 등비수열과 도형

도형이 닮음 꼴을 유지하면서 일정한 비율로 커지거나 작아지면
도형의 길이 또는 넓이는 차례로 등비수열을 이룬다.
⇨ 처음 몇 개의 항을 나열하여 규칙성을 파악하고 도형의 성질,
등비수열의 성질을 이용한다.

1377 학교기출 대표유형

그림과 같이 $\overline{AB}=2$, $\overline{BC}=4$이고 $\angle B=90°$인 직각삼각형 ABC에
내접하는 정사각형의 한 변의 길이를 차례대로 a_1, a_2, a_3, $\cdots$이라
할 때, a_8의 값은?

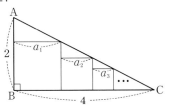

① $2\left(\dfrac{2}{3}\right)^7$ ② $2\left(\dfrac{2}{3}\right)^8$ ③ $4\left(\dfrac{2}{3}\right)^8$

④ $2\left(\dfrac{3}{2}\right)^7$ ⑤ $4\left(\dfrac{3}{2}\right)^8$

▶ 해설 내신연계기출

1378 NORMAL

길이가 1인 선분이 있다. 첫 번
째 시행에서 이 선분을 삼등분
하고 그 중간 부분을 버린다. 두
번째 시행에서는 첫 번째 시행
의 결과로 남은 두 선분을 각각
삼등분하고 그 중간 부분을 버린다. 이와 같은 과정을 계속할 때,
20번째 시행 후 남은 선분의 길이의 합은?

① $\left(\dfrac{2}{3}\right)^{18}$ ② $\left(\dfrac{2}{3}\right)^{19}$ ③ $\left(\dfrac{2}{3}\right)^{20}$

④ $\left(\dfrac{2}{5}\right)^{20}$ ⑤ $\left(\dfrac{2}{5}\right)^{21}$

1379 최다빈출 잘 중요 NORMAL

오른쪽 그림과 같이 한 변의 길이가 2
인 정삼각형 모양의 종이가 있다. 첫
번째 시행에서 각 변의 중점을 이어서
만든 정삼각형 $A_1B_1C_1$을 잘라 내고
두 번째 시행에서 첫 번째 시행 후 남
은 3개의 정삼각형에서 같은 방법으로
만든 정삼각형을 잘라 낸다. 이와 같은
시행을 10회 반복했을 때, 잘라 낸 종이의 넓이의 합은?

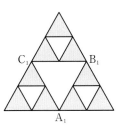

① $\sqrt{2}\left\{1-\left(\dfrac{3}{4}\right)^{10}\right\}$ ② $\sqrt{3}\left\{1-\left(\dfrac{1}{4}\right)^{10}\right\}$ ③ $\sqrt{3}\left\{1-\left(\dfrac{2}{3}\right)^{10}\right\}$

④ $\sqrt{5}\left\{1-\left(\dfrac{3}{4}\right)^{10}\right\}$ ⑤ $\sqrt{3}\left\{1-\left(\dfrac{3}{4}\right)^{10}\right\}$

▶ 해설 내신연계기출

1380 최다빈출 잘 중요 NORMAL

한 변의 길이가 3인 정사각형에서 오른
쪽 그림과 같이 9개의 똑같은 정사각형
을 만든 후 가운데 정사각형을 제거한
다. 남은 8개의 정사각형에 대하여 이
와 같은 시행은 반복할 때, 12회 반복
한 후 남아 있는 부분의 넓이는?

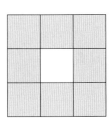

① $\dfrac{8^{10}}{9^{10}}$ ② $\dfrac{8^{12}}{9^{11}}$ ③ $\dfrac{8^{12}}{9^{13}}$

④ $\dfrac{1}{9^{11}}$ ⑤ $\dfrac{1}{9^{12}}$

▶ 해설 내신연계기출

1381 NORMAL

한 변의 길이가 2인 정사각형을 사등
분 한 후 한 조각을 버리고, 나머지
세 개의 정사각형을 다시 사등분한
후 각각 한 조각씩을 버린다. 이와 같
은 과정을 10회 시행하였을 때, 버린
조각의 넓이의 합은?

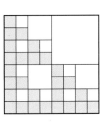

① $4\left\{1-\left(\dfrac{3}{4}\right)^{10}\right\}$ ② $4\left\{1-\left(\dfrac{1}{4}\right)^{10}\right\}$ ③ $16\left\{1-\left(\dfrac{2}{3}\right)^{10}\right\}$

④ $16\left\{1-\left(\dfrac{3}{4}\right)^{10}\right\}$ ⑤ $32\left\{1-\left(\dfrac{3}{4}\right)^{10}\right\}$

(1) 수열 $\{a_n\}$의 첫째항부터 제 n항까지의 합 S_n이 주어진 경우 다음 단계를 이용하여 일반항을 구한다.
  [1단계] $n=1$일 때, $a_1=S_1$
  [2단계] $n \geq 2$일 때, $a_n=S_n-S_{n-1}$
(2) $S_n=Ar^n+B$ (단 A, B는 실수)의 꼴
  ① $A+B=0$: 첫째항부터 등비수열
    $\Rightarrow a_n=S_n-S_{n-1}$, 첫째항 $a_1=S_1$
  ② $A+B\neq 0$: 제 2항부터 등비수열
    $\Rightarrow a_n=S_n-S_{n-1}$, 첫째항 S_1

1382 학교기출 빈출 유형

첫째항부터 제 n항까지의 합 S_n이 $S_n=2^{n+1}-2$인 수열 $\{a_n\}$에 대하여 $\dfrac{a_9}{a_2}$의 값은?

① 16   ② 32   ③ 64
④ 128   ⑤ 256

1383 BASIC

수열 $\{a_n\}$의 첫째항부터 제 n항까지의 합 S_n이
$$S_n=3^{n-1}+k$$
일 때, 이 수열이 첫째항부터 등비수열을 이루기 위한 상수 k의 값은?

① $-\dfrac{1}{3}$ ② 0   ③ 1
④ $\dfrac{1}{3}$ ⑤ 3

1384 최다빈출 완 중요 NORMAL

수열 $\{a_n\}$의 첫째항부터 제 n항까지의 합 S_n이
$$\log_2\{S_n+k\}=n+1$$
일 때, 수열 $\{a_n\}$이 첫째항부터 등비수열을 이룬다.
이때, a_1+k의 값은?

① 0   ② 2   ③ 4
④ 6   ⑤ 8

▶ 해설 내신연계기출

1385 NORMAL

등비수열 $\{a_n\}$의 첫째항이 7이고 공비가 2이다. 첫째항부터 제 n항까지의 합 S_n에 대하여 수열 $\{S_n+k\}$가 등비수열을 이룰 때, 상수 k의 값은?

① 2   ② 3   ③ 4
④ 6   ⑤ 7

1386 NORMAL

수열 $\{a_n\}$의 첫째항부터 제 n항까지의 합을 S_n이라 할 때,
$$S_n=3\cdot 5^{n+1}+k(n \geq 1)$$
이다. 수열 $\{a_n\}$이 등비수열을 이루기 위한 상수 k의 값은?

① -15 ② -10 ③ -3
④ $\dfrac{1}{15}$ ⑤ $\dfrac{1}{3}$

1387 최다빈출 왕 중요 NORMAL

첫째항부터 제 n항까지의 합이
$$S_n=3\cdot 2^{2n+1}+k$$
인 수열 $\{a_n\}$이 등비수열이 되기 위한 상수 k의 값은?

① -6 ② -5 ③ -4
④ -2 ⑤ 6

▶ 해설 내신연계기출

1388 TOUGH

첫째항부터 n항까지의 합
$$S_n=pr^n+q$$
를 만족하는 등비수열 $\{a_n\}$이 있다. 이때 10^p+10^{q+2}의 최솟값은?
(단, p, q는 상수)

① 12   ② 14   ③ 16
④ 20   ⑤ 22

1389

TOUGH

수열 $\{a_n\}$의 첫째항부터 제 n항까지의 합 S_n이

$$S_n=(2^n-1)(4^n+2^n+1)$$

일 때, $a_n>3500$을 만족시키는 자연수 n의 최솟값은?

① 4 　　　　② 6 　　　　③ 7
④ 8 　　　　⑤ 9

1390 최다빈출 왕 중요

TOUGH

수열 $\{a_n\}$의 첫째항부터 제 n항까지의 합 S_n이

$$S_n+1=3^{2n}$$

일 때, 다음 [보기] 중 옳은 것을 모두 고른 것은?

ㄱ. $a_n=8\cdot9^{n-1}$

ㄴ. $a_1+a_3+a_5+a_7=\dfrac{3^{16}-1}{10}$

ㄷ. 수열 $\{a_{2n}\}$의 공비는 9이다.

① ㄱ 　　　② ㄱ, ㄴ 　　　③ ㄱ, ㄷ
④ ㄴ, ㄷ 　　　⑤ ㄱ, ㄴ, ㄷ

▶ 해설 내신연계기출

1391

TOUGH

수열 $\{a_n\}$에서 첫째항부터 제 n항까지의 합을 S_n이라고 할 때, [보기]에서 옳은 것만을 있는 대로 고른 것은?

ㄱ. $S_n=n^2+4n$일 때, $\{a_n\}$은 첫째항이 5이고 공차가 2인 등차수열이다.

ㄴ. $S_n=n^2+4n+2$일 때, $\{a_n\}$은 첫째항이 7이고 공차가 2인 등차수열이다.

ㄷ. $S_n=5^n-1$일 때, $\{a_n\}$은 첫째항이 4이고 공비가 5인 등비수열이다.

① ㄱ 　　　② ㄱ, ㄴ 　　　③ ㄱ, ㄷ
④ ㄴ, ㄷ 　　　⑤ ㄱ, ㄴ, ㄷ

유형 14 등차수열과 등비수열의 합과 일반항 사이의 관계

수열 $\{a_n\}$의 첫째항부터 제 n항까지의 합 S_n이 주어진 경우 다음 단계를 이용하여 일반항을 구한다.

[1단계] $n=1$일 때, $a_1=S_1$
[2단계] $n\geq2$일 때, $a_n=S_n-S_{n-1}$

1392 학교기출 대표 유형

수열 $\{a_n\}$의 첫째항부터 제 n항까지의 합 S_n이

$$S_n=n^2+2^n$$

일 때, a_1+a_5의 값은?

① 26 　　　　② 28 　　　　③ 30
④ 32 　　　　⑤ 34

1393

NORMAL

등차수열 $\{a_n\}$의 첫째항부터 제 n항까지의 합을 S_n이라 하자. $S_{10}=S_{12}$일 때, $S_n=0$을 만족시키는 자연수 n의 값은? (단, $a_1\neq0$)

① 21 　　　　② 22 　　　　③ 23
④ 24 　　　　⑤ 25

1394 최다빈출 왕 중요

NORMAL

첫째항이 6이고 공차가 d인 등차수열 $\{a_n\}$의 첫째항부터 제 n항까지의 합을 S_n이라 할 때,

$$\frac{a_8-a_6}{S_8-S_6}=2$$

가 성립한다. d의 값은?

① -1 　　　② -2 　　　③ -3
④ -4 　　　⑤ -5

▶ 해설 내신연계기출

1395

최다빈출 **왕**중요

첫째항이 1이고 공비가 r인 등비수열 $\{a_n\}$의 첫째항부터 제 n항까지의 합을 S_n이라 할 때,

$$\frac{S_6 - S_4}{3} = \frac{a_6 - a_4}{2}$$

가 성립한다. 양수 r의 값은?

① 2　　　　② $\frac{5}{2}$　　　　③ 3

④ $\frac{7}{2}$　　　　⑤ 4

▶ 해설 내신연계기출

1396

최다빈출 **왕**중요

모든 항이 양수인 등비수열 $\{a_n\}$의 첫째항부터 제 n항까지의 합을 S_n이라 하자.

$$S_4 - S_3 = 2, \ S_6 - S_5 = 50$$

일 때, a_5의 값은?

① 10　　　　② 12　　　　③ 14

④ 16　　　　⑤ 18

▶ 해설 내신연계기출

1397

공비가 양수인 등비수열 $\{a_n\}$의 첫째항부터 제 n항까지의 합을 S_n이라 하자.

$$S_6 - S_3 = 6, \ S_{12} - S_6 = 72$$

일 때, $a_{10} + a_{11} + a_{12}$의 값은?

① 48　　　　② 51　　　　③ 54

④ 57　　　　⑤ 60

1398

최다빈출 **왕**중요

첫째항이 7인 등비수열 $\{a_n\}$의 첫째항부터 제 n항까지의 합을 S_n이라 하자.

$$\frac{S_9 - S_5}{S_6 - S_2} = 3$$

일 때, a_7의 값은?

① 24　　　　② 28　　　　③ 32

④ 42　　　　⑤ 63

▶ 해설 내신연계기출

1399

첫째항이 2인 등비수열 $\{a_n\}$의 첫째항부터 제 n항까지의 합 S_n이 다음 조건을 만족시킬 때, a_4의 값은?

(가) $S_{12} - S_2 = 4S_{10}$

(나) $S_{12} < S_{10}$

① -24　　　　② -16　　　　③ -8

④ 16　　　　⑤ 24

유형 15 등차수열과 등비수열의 관계

① 등차수열 $\{a_n\}$에서 $a_n = a + (n-1)d$
② 등비수열 $\{a_n\}$에서 $a_n = ar^{n-1}$

1400 학교기출 대표 유형

각 항이 실수인 등차수열 $\{a_n\}$과 등비수열 $\{b_n\}$에 대하여
$$a_1 = b_1 = 12, \ a_4 = b_4 = 96$$
일 때, $a_n = b_{10}$이 되는 n의 값은?

① 205   ② 210   ③ 215
④ 220   ⑤ 225

1401 최다빈출 상 중요

NORMAL

등차수열 $\{a_n\}$과 등비수열 $\{b_n\}$은 다음 조건을 만족시킨다.

(가) $a_1 = 2, \ b_1 = 2$
(나) $a_2 = b_2, \ a_4 = b_4$

$a_5 + b_5$의 값은? (단, 수열 $\{b_n\}$의 공비는 1이 아니다.)

① 4   ② 10   ③ 16
④ 20   ⑤ 26

▶ 해설 내신연계기출

1402

TOUGH

등차수열 $\{a_n\}$과 공비가 1보다 작은 등비수열 $\{b_n\}$이
$$a_1 + a_8 = 8, \ b_2 b_7 = 12, \ a_4 = b_4, \ a_5 = b_5$$
를 모두 만족시킬 때, a_1의 값은?

① 14   ② 16   ③ 18
④ 20   ⑤ 22

1403 최다빈출 상 중요

TOUGH

첫째항이 1인 수열 $\{a_n\}$에 대하여 첫째항부터 제 n항까지의 합을 S_n이라 할 때, 수열 $\{a_n\}$은 다음 조건을 만족한다.

(가) 수열 $\{a_{2n-1}\}$은 공차가 3인 등차수열이다.
(나) 수열 $\{S_{2n-1}\}$은 공비가 2인 등비수열이다.

a_{14}의 값은?

① 40   ② 42   ③ 44
④ 46   ⑤ 48

 ▶ 해설 내신연계기출

1404

TOUGH

두 함수 $f(x) = k(x-1)$, $g(x) = 2x^2 - 3x + 1$에 대하여 함수
$$h(x) = \begin{cases} f(x) & (f(x) \geq g(x)) \\ g(x) & (f(x) < g(x)) \end{cases}$$
가 다음 조건을 만족시킬 때, 상수 k의 값은?

(가) 세 수 $h(2), h(3), h(4)$는 이 순서대로 등차수열을 이룬다.
(나) 세 수 $h(3), h(4), h(5)$는 이 순서대로 등비수열을 이룬다.

① 4   ② 6   ③ 8
④ 10   ⑤ 12

1405

TOUGH

두 수열 $\{a_n\}$, $\{b_n\}$이 다음 조건을 만족시킨다.

(가) $a_1 = b_1 = 6$
(나) 수열 $\{a_n\}$은 공차가 p인 등차수열이고, 수열 $\{b_n\}$은 공비가 p인 등비수열이다.

수열 $\{b_n\}$의 모든 항이 수열 $\{a_n\}$의 항이 되도록 하는 1보다 큰 모든 자연수 p의 합은?

① 10   ② 11   ③ 12
④ 15   ⑤ 18

02 등비수열

(1) 원리합계 : 원금과 이자를 더한 금액을 원리합계라 한다.

원금이 A, 연이율 r로 n년 간 예금할 때, 원리합계 S

① 단리법 : 원금에만 일정한 이자를 더하여 원리합계를 계산하는 방법

$$S=A(1+rn) \quad \text{← 공차가 } ar \text{인 등차수열}$$

② 복리법 : 원금에 이자를 포함한 금액을 다시 원금으로 보고 이자를 계산하는 방법

$$S=A(1+r)^n \quad \text{← 공비가 }(1+r)\text{인 등비수열}$$

(2) 적금

① 연이율이 r의 복리로 매년 초에 a원씩 n년 간 적립할 때, n년 말의 적립금의 원리합계 S는

$$S=a(1+r)+a(1+r)^2+\cdots+a(1+r)^n$$
$$=\frac{a(1+r)\{(1+r)^n-1\}}{r} \quad \text{← 첫째항이 } a(1+r), \text{ 공비가 } 1+r \text{인 등비수열의 합}$$

② 연이율이 r의 복리로 매년 말에 a원씩 n년 간 적립할 때, n년 말의 적립금의 원리합계 S는

$$S=a+a(1+r)+a(1+r)^2+\cdots+a(1+r)^{n-1}$$
$$=\frac{a\{(1+r)^n-1\}}{r} \quad \text{← 첫째항이 } a, \text{ 공비가 } 1+r \text{인 등비수열의 합}$$

1406 학교기출 대표유형

월이율 1%, 한 달마다 복리로 매월 초 10만 원씩 적립할 때, 4년 후 연말의 적립금의 원리합계는? (단, $1.01^{48}=1.6$으로 계산한다.)

① 505(만 원) ② 548(만 원) ③ 570(만 원)
④ 606(만 원) ⑤ 634(만 원)

▶ 해설 내신연계기출

1407

연이율 2%, 1년마다 복리로 매년 초 30만 원씩 10년 동안 적립할 때, 10년 말까지 원리합계는? (단, $1.02^{10}=1.2$로 계산한다.)

① 206(만 원) ② 270(만 원) ③ 306(만 원)
④ 365(만 원) ⑤ 506(만 원)

1408

연이율이 3%이고 1년마다 복리로 매년 말에 15만 원씩 10년 동안 적립할 때, 10년 말까지 적립금의 원리합계는?
(단, $1.03^{10}=1.4$로 계산한다.)

① 196(만 원) ② 200(만 원) ③ 206(만 원)
④ 210(만 원) ⑤ 213(만 원)

1409

민호는 매년 초에 100만 원씩을 10년 동안, 진우는 매년 말에 100만 원씩을 10년 동안 적립한다고 할 때, 10년 후 민호가 찾게 될 금액이 진우가 찾게 될 금액보다 얼마나 더 많은가?
(단, 연이율은 10%이고 1년마다 복리로 계산한다. 또 $1.1^{10}=2.6$으로 계산한다.)

① 160(만 원) ② 170(만 원) ③ 260(만 원)
④ 270(만 원) ⑤ 280(만 원)

1410 최다빈출 중요

연이율 2.5%, 1년마다의 복리로 매년 초에 일정한 금액을 적립하여 8년째 말에 451만 원이 되게 하려고 한다. 매년 초 적립하는 금액은? (단, $1.025^8=1.22$로 계산한다.)

① 49(만 원) ② 50(만 원) ③ 60(만 원)
④ 70(만 원) ⑤ 75(만 원)

▶ 해설 내신연계기출

1411 최다빈출 중요

2020년 1월 1일부터 매년 초에 연이율 3%의 복리로 예금하려고 한다. 첫해에 100만 원을 적립하고 둘째 해부터 적립금을 매년 3%씩 늘려 간다고 할 때, 2029년 12월 31일까지의 원리합계는?
(단, $1.03^{10}=1.34$로 계산한다.)

① 1310(만 원) ② 1320(만 원) ③ 1330(만 원)
④ 1340(만 원) ⑤ 1450(만 원)

▶ 해설 내신연계기출

유형 **17** 원리합계와 상환

(1) 원리합계와 상환

　① A원을 n년에 걸쳐 상환할 때,

　　⇨ (A원을 n년 동안 예금할 때의 원리합계)

　　　=(a원을 n년 동안 매년 적립할 때의 원리합계)

　② a원을 n년 동안 받은 연금을 일시불로 받을 때,

　　⇨ (일시불로 받은 금액을 n년 동안 예금할 때의 원리합계)

　　　=(a원을 n년 동안 매년 적립할 때의 원리합계)

(2) 원리합계와 연금의 현가

　① A원을 n년에 걸쳐 상환할 때,

　　⇨ (A원을 n년 동안 예금할 때의 원리합계)

　　　=(a원을 n년 동안 매년 적립할 때의 원리합계)

　② a원을 n년 동안 받은 연금을 일시불로 받을 때,

　　⇨ (일시불로 받은 금액을 n년 동안 예금할 때의 원리합계)

　　　=(a원을 n년 동안 매년 적립할 때의 원리합계)

1412 학교기출 빈출유형

철수는 이달 초에 자가용을 구입하면서 대금을 일부는 현금으로 내고 나머지 1000만 원을 2년(24회)동안 이달 말부터 매달 말에 일정한 금액을 갚기로 하였다. 월이율 1%, 1개월 마다 복리로 계산할 때, 매달 갚아야 할 금액은? (단, $1.01^{24}=1.27$로 계산하되 천 원 이하는 버린다.)

① 40(만 원)　　② 45(만 원)　　③ 47(만 원)

④ 49(만 원)　　⑤ 52(만 원)

1413 최다빈출 왕중요

NORMAL

진영이는 이달 초에 100만 원짜리 최신형 스마트폰을 구입하였는데 구입 당시 40만 원은 현금으로 지불하고 나머지 금액은 이달 말부터 매달 일정한 금액을 월이율 2%의 복리로 24회에 걸쳐 납부하기로 하였다. 진영이가 매달 납부해야 하는 금액은? (단, $1.02^{24}=1.48$)

① 36000원　　　② 37000원　　　③ 38000원

④ 39000원　　　⑤ 40000원

▶ 해설 내신연계기출

1414

TOUGH

송이는 올해 7월 초에 노트북을 할부로 구입한 후 7월부터 매월 말에 9만 원씩 20회에 걸쳐 갚기로 하였다. 월이율이 2%이고 1개월마다의 복리로 계산할 때, 구입 시에 노트북의 값을 일시불로 치른다면 얼마를 지불해야 하는가? (단, $1.02^{20}=1.5$)

① 110(만 원)　　② 120(만 원)　　③ 150(만 원)

④ 200(만 원)　　⑤ 225(만 원)

1415 최다빈출 왕중요

TOUGH

올해부터 매년 말에 800만 원씩 10년 간 받는 연금이 있다.

이 연금을 올해 초에 한꺼번에 받는다면 얼마를 받게 되는가?

(단, $1.05^{10}=1.6$ 연이율 5%, 1년마다의 복리로 계산하고 천 원 미만은 버린다.)

① 5000(만 원)　　② 5600(만 원)　　③ 5800(만 원)

④ 6000(만 원)　　⑤ 6500(만 원)

▶ 해설 내신연계기출

1416

TOUGH

민호는 집을 구입하기 위해 2020년 초에 은행에서 1억 원의 돈을 빌리고 2020년 말부터 매년 말에 10번에 걸쳐 갚으려고 한다. 매년 갚을 액수는 전년도보다 6%씩 늘려서 갚기로 한다면 첫 해에 갚아야 할 돈은 얼마인가? (단, 연이율은 6%이고 1년 마다 복리로 계산하면 $(1.06)^{10}=1.8$이다.)

① 960(만 원)　　② 1000(만 원)　　③ 1060(만 원)

④ 1100(만 원)　　⑤ 1200(만 원)

1417

등차수열 $\{a_n\}$에 대하여

$$a_2 = 38, \quad a_4 = 32$$

일 때, $|a_n|$의 값이 최소가 되는 n의 값을 구하는 과정을 다음 단계로 서술하여라.

[1단계] 등차수열 $\{a_n\}$의 일반항을 구한다.
[2단계] $a_n > 0$이 되는 n의 최댓값을 구한다.
[3단계] $|a_n|$의 값이 최소가 되는 n의 값을 구한다.

1418

두 수 1과 39 사이에 n개의 수를 넣어 만든 등차수열

$$1, \ a_1, \ a_2, \ a_3, \ \cdots, \ a_n, \ 39$$

의 합이 400일 때, 다음 단계로 서술하여라.
(단, n은 12 이상의 자연수이다.)

[1단계] n의 값을 구한다.
[2단계] 공차를 구한다.
[3단계] $a_{10} + a_{11} + a_{12}$의 값을 구한다.

1419

첫째항이 9인 등차수열 $\{a_n\}$에서 제 3항과 제 5항은 절댓값이 같고 부호가 반대일 때, 수열 $\{a_n\}$의 첫째항부터 제 10항까지의 합을 다음 단계로 서술하여라.

[1단계] 제 3항과 제 5항은 절댓값이 같고 부호가 반대일 조건을 만족하는 공차를 구한다.
[2단계] 첫째항부터 제 10항까지의 합을 구한다.

1420

모든 항이 실수인 등비수열 $\{a_n\}$의 제 2항이 2, 제 7항이 64이다. 첫째항부터 제 n항까지의 합이 S_n이라 할 때, $S_n > 1000$을 만족하는 자연수 n의 최솟값을 구하는 과정을 다음 단계로 서술하여라.

[1단계] 등비수열 $\{a_n\}$의 첫째항과 공비를 구한다.
[2단계] 첫째항부터 제 n항까지의 합 S_n을 구한다.
[3단계] $S_n > 1000$을 만족하는 자연수 n의 최솟값을 구한다.

1421

첫째항부터 제 n항까지의 합이 각각 $kn^2 + n$, $n^2 + kn$인 두 등차수열 $\{a_n\}$, $\{b_n\}$에 대하여 $a_3 = b_5$일 때, 상수 k의 값을 구하는 과정을 다음 단계로 서술하여라.

[1단계] 등차수열 $\{a_n\}$의 일반항을 구한다.
[2단계] 등차수열 $\{b_n\}$의 일반항을 구한다.
[3단계] $a_3 = b_5$을 만족하는 상수 k를 구한다.

1422

수열 $\{a_n\}$의 첫째항부터 제 n항까지의 합인 S_n이

$$S_n = n^2 - 10n$$

일 때, $|a_1| + |a_2| + |a_3| + |a_4| + \cdots + |a_{10}|$의 값을 구하는 과정을 다음 단계로 서술하여라.

[1단계] 수열 $\{a_n\}$의 일반항을 구한다.
[2단계] 수열 $\{a_n\}$의 양수인 항과 음수인 항을 구별한다.
[3단계] 등차수열의 합을 이용하여
$$|a_1| + |a_2| + |a_3| + |a_4| + \cdots + |a_{10}|$의 값을 구한다.$$

1423

수열 $\{a_n\}$의 첫째항부터 제 n항까지의 합 S_n이

$$S_n = n^2 - 2n + 5$$

일 때, 일반항 a_n과 $a_2 + a_4 + a_6 + \cdots + a_{98} + a_{100}$의 값을 구하는 과정을 다음 단계로 서술하여라.

[1단계] a_1을 구한다.
[2단계] 수열 $\{a_n\}$의 일반항을 구한다.
[3단계] $a_2 + a_4 + a_6 + \cdots + a_{98} + a_{100}$의 값을 구한다.

1424

수열 $\{a_n\}$의 첫째항부터 제 n항까지의 합 S_n이

$$S_n = n^2 + pn + q$$이고 $a_1 = 3$, $a_8 = 17$

일 때, $\sum_{k=1}^{10} a_k$의 값을 구하는 과정을 다음 단계로 서술하여라.

[1단계] 상수 p, q를 구한다.
[2단계] 일반항 a_n을 구한다.
[3단계] $\sum_{k=1}^{10} a_k$의 값을 구한다.

1425

-15와 27 사이에 n개의 수를 넣어 만든 등차수열

$$-15, a_1, a_2, a_3, \cdots, a_n, 27$$

의 합이 132일 때, $a_1 + a_2 + a_3 + \cdots + a_k$의 값이 최소가 되도록 하는 자연수 k의 값을 구하는 과정을 다음 단계로 서술하여라.
(단, $k \leq n$)

[1단계] 등차수열 $-15, a_1, a_2, a_3, \cdots, a_n, 27$의 합이 132임을 이용하여 n의 값을 구한다.
[2단계] 공차 d를 구한다.
[3단계] $a_1 + a_2 + a_3 + \cdots + a_k$의 값이 최소가 되도록 하는 자연수 k의 값을 구한다.

1426

제 10항이 4, 제 20항이 -36인 등차수열 $\{a_n\}$에 대하여 첫째항부터 제 n항까지의 합 S_n의 최댓값과 그때의 n의 값을 구하는 과정을 다음 단계로 서술하여라.

[1단계] 등차수열의 첫째항과 공차를 구한다.
[2단계] 일반항 a_n과 첫째항부터 제 n항까지의 합 S_n을 구한다.
[3단계] S_n의 최댓값과 그때의 n의 값을 구한다.

1427

첫째항부터 제 5항 까지의 합이 185, 첫째항부터 제 10항까지의 합이 220인 등차수열에 대하여 등차수열의 첫째항부터 제 n항까지의 합 S_n의 최댓값과 그때의 n의 값을 구하는 과정을 다음 단계로 서술하여라.

[1단계] 등차수열의 첫째항과 공차를 구한다.
[2단계] 처음으로 음수가 나오는 항은 제 몇 항인지 구한다.
[3단계] S_n이 최댓값과 그때의 n의 값을 구한다.

1428

삼각형 ABC에서 세 내각의 크기 A, B, C가 이 순서대로 등차수열을 이루고, 세 변의 길이 a, b, c에 대하여 세 수 a, b, $a+c$가 이 순서대로 등비수열을 이룰 때, $\cos A$의 값을 구하는 과정을 다음 단계로 서술하여라.

[1단계] 세 내각의 크기 A, B, C가 이 순서대로 등차수열임을 이용하여 각 B를 구한다.
[2단계] 세 수 a, b, $a+c$가 이 순서대로 등비수열임을 이용하여 a, b, c의 관계식을 구한다.
[3단계] 코사인법칙을 이용하여 $\cos B$를 구하여 a, b의 관계식을 구한다.
[4단계] [2단계], [3단계]에서 코사인법칙을 이용하여 $\cos A$를 구한다.

1429

모든 항이 양수인 등비수열 $\{a_n\}$의 첫째항부터 제 n항까지의 합을 S_n이라고 하자. $\dfrac{S_{15}}{S_5} = 13$일 때, $\dfrac{a_{15}}{a_5}$의 값을 구하는 과정을 다음 단계로 서술하여라.

[1단계] 공비를 r이라 하면 $r = 1$을 제외한 이유를 서술한다.
[2단계] S_5, S_{15}을 각각 구한다.
[3단계] r^5의 값을 구한다.
[4단계] $\dfrac{a_{15}}{a_5}$의 값을 구한다.

1430

첫째항부터 제 5항까지의 합이 4, 첫째항부터 제 10항까지의 합이 -20인 등비수열 $\{a_n\}$에 대하여 첫째항부터 제 15항까지의 합을 구하는 과정을 다음 단계로 서술하여라. (단, 공비는 실수이다.)

[1단계] 등비수열 $\{a_n\}$의 첫째항은 a, 공비를 r, 첫째항부터 제 n항까지의 합을 S_n이라 할 때, S_5, S_{10}을 구한다.
[2단계] r^5의 값을 구한다.
[3단계] 첫째항부터 제 15항까지의 합을 구한다.

1431

수열 $\{a_n\}$의 첫째항부터 제 n항까지의 합 S_n이
$$S_n = 1 - \left(\dfrac{3}{4}\right)^n$$
이면 이 수열은 등비수열임을 다음 단계로 서술하여라.

[1단계] a_1을 구한다.
[2단계] $n \geq 2$일 때 a_n을 구한다.
[3단계] 수열 $\{a_n\}$의 일반항을 구하고 공비를 구한다.

1432

공비가 r이고 $a_2 = 1$인 등비수열 $\{a_n\}$에 대하여 다음 단계에 답하고 그 과정을 서술하여라. (단, $r > 0$, $r \neq 1$)

[1단계] 첫째항 a_1을 r에 관한 식으로 나타낸다.
[2단계] 등비수열 $\{a_n\}$의 일반항을 구한다.
[3단계] 첫째항부터 제 10항까지의 곱을
$$w = a_1 a_2 a_3 \cdots a_{10}$$
이라 할 때, $\log_r w$의 값을 구하여라.

1433

공비가 실수인 등비수열 $\{a_n\}$에 대하여 첫째항부터 제 3항까지의 합이 14, 첫째항부터 제 6항까지의 합이 126일 때, 제 4항부터 제 10항까지의 합을 구하는 과정을 다음 단계로 서술하여라.

[1단계] 첫째항은 a, 공비를 r이라 하면 $r = 1$을 제외한 이유를 서술한다.
[2단계] 첫째항부터 제 n항까지의 합을 S_n이라 할 때, S_3, S_6의 값을 구한다.
[3단계] 첫째항과 공비를 구한다.
[4단계] 제 4항부터 제 10항까지의 합을 구한다.

1434

한 변의 길이가 6인 정삼각형 $A_1B_1C_1$의 세 변 A_1B_1, B_1C_1, C_1A_1을 $1:2$로 내분하는 점을 각각 A_2, B_2, C_2라 하고 삼각형 $A_2B_2C_2$의 세 변 A_2B_2, B_2C_2, C_2A_2를 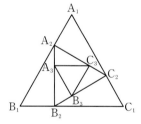 $1:2$로 내분하는 점을 각각 A_3, B_3, C_3이라고 하자. 이와 같은 과정을 반복해서 만든 삼각형 $A_nB_nC_n$의 넓이를 S_n이라고 할 때, $S_1 + S_2 + S_3 + \cdots + S_{10}$의 값을 구하는 과정을 다음 단계로 서술하여라.

[1단계] 삼각형 $A_1B_1C_1$의 넓이 S_1을 구한다.
[2단계] 삼각형 $A_nB_nC_n$의 한 변의 길이를 a_n이라 할 때, S_n과 S_{n+1}을 구하여 수열 $\{S_n\}$의 공비를 구한다.
[3단계] $S_1 + S_2 + S_3 + \cdots + S_{10}$의 값을 구한다.

1435

등차수열 $\{a_n\}$에 대하여

$$a_1+a_3+a_5+\cdots+a_{2n-1}=4n^2-3n\,(n=1,\,2,\,3,\,\cdots)$$

일 때,

$$a_1-a_2+a_3-a_4+\cdots+a_{11}-a_{12}+a_{13}$$

의 값을 구하여라.

1436

두 등차수열 $\{a_n\}$, $\{b_n\}$의 일반항이 $a_n=\dfrac{1}{2}n+3$, $b_n=-2n+2$

일 때, 수열 $\{2a_n+3b_n\}$에 대한 설명 중 옳은 것만을 [보기]에서 있는 대로 고른 것은?

ㄱ. 첫째항은 7이다.
ㄴ. 공차가 -5인 등차수열이다.
ㄷ. 제 1항부터 20항까지의 합은 -810이다.

① ㄱ   ② ㄱ, ㄴ   ③ ㄱ, ㄷ
④ ㄴ, ㄷ   ⑤ ㄱ, ㄴ, ㄷ

1437

수열 $\{a_n\}$의 일반항이 $a_n=\left(\dfrac{1}{2}\right)^{n-1}$일 때, 다음 [보기] 중 옳은 것을 모두 고른 것은?

ㄱ. 첫째항부터 제 n항까지의 합을 S_n이라고 하면 $a_n+S_n=2$이다.
ㄴ. 수열 $\{\log_2 a_n\}$은 등차수열이다.
ㄷ. 수열 $\{a_{n+1}-a_n\}$은 등비수열이다.

① ㄱ   ② ㄴ   ③ ㄱ, ㄷ
④ ㄴ, ㄷ   ⑤ ㄱ, ㄴ, ㄷ

1438

다음은 등차수열 $\{a_n\}$의 첫째항부터 제 n항까지의 합을 S_n이라고 할 때, $S_{2n-1}=(\boxed{(\text{다})})a_n$임을 보이는 과정이다.

$$S_{2n-1}=a_1+a_2+a_3+\cdots+a_{2n-2}+a_{2n-1}$$

여기서 a_1과 a_{2n-1}의 등차중항은

$$\frac{a_1+a_{2n-1}}{2}=\frac{a_1+\{a_1+(\boxed{(\text{가})})\times d\}}{2}=\boxed{(\text{나})}$$

같은 방법으로

a_2와 a_{2n-2}의 등차중항은 $\boxed{(\text{나})}$,

a_3과 a_{2n-3}의 등차중항은 $\boxed{(\text{나})}$,

$$\vdots$$

a_{n-1}과 a_{n+1}의 등차중항은 $\boxed{(\text{나})}$ 이므로

$$S_{2n-1}=2\times\boxed{(\text{나})}\times(n-1)+a_n=(\boxed{(\text{다})})a_n$$

(가), (다)에 들어갈 식을 각각 $f(n)$, $g(n)$이라 할 때, $f(5)+g(5)$의 값을 구하여라.

1439

두 수열 $\{a_n\}$, $\{b_n\}$의 모든 자연수 k에 대하여

$$b_{2k-1}=\left(\frac{1}{2}\right)^{a_1+a_3+\cdots+a_{2k-1}},\quad b_{2k}=2^{a_2+a_4+\cdots+a_{2k}}$$

을 만족시킨다. 수열 $\{a_n\}$은 등차수열이고 $b_1\times b_2\times b_3\times\cdots\times b_{10}=8$일 때, 수열 $\{a_n\}$의 공차를 구하여라.

▶ 해설 내신연계기출

1440

등차수열 $\{a_n\}$이 다음 조건을 만족시킨다.

(가) $a_1+a_2+a_3=159$
(나) $a_{m-2}+a_{m-1}+a_m=96$인 자연수 m에 대하여
$\quad a_1+a_2+a_3+\cdots+a_m=425$ (단, $m>3$)

a_{11}의 값을 구하여라.

1441

등차수열 $\{a_n\}$의 첫째항부터 제 n항까지의 합을 S_n이라 할 때, 수열 $\{a_n\}$과 S_n이 다음 조건을 만족시킨다.

> (가) $S_k > S_{k+1}$을 만족시키는 가장 작은 자연수 k에 대하여 $S_k = 102$이다.
>
> (나) $a_8 = -\dfrac{5}{4} a_5$이고 $a_5 a_6 a_7 < 0$이다.

a_2의 값을 구하여라.

1442

첫째항이 30이고 공차가 $-d$인 등차수열 $\{a_n\}$에 대하여 등식
$$a_m + a_{m+1} + a_{m+2} + \cdots + a_{m+k} = 0$$
을 만족시키는 두 자연수 m, k가 존재하도록 하는 자연수 d의 개수를 구하여라.

1443

각 항이 양수인 등비수열 $\{a_n\}$에 대하여 수열 $\{b_n\}$을 다음과 같이 정의한다.
$$b_n = \log_3 a_n \, (n = 1, 2, 3, \cdots)$$
수열 $\{b_n\}$이 다음 조건을 만족시킬 때, a_{11}의 값을 구한다.

> (가) $b_1 + b_3 + b_5 + \cdots + b_{15} + b_{17} = 36$
>
> (나) $b_2 + b_4 + b_6 + \cdots + b_{16} + b_{18} = 45$

1444

공차가 d_1, d_2인 두 등차수열 $\{a_n\}$, $\{b_n\}$의 첫째항부터 제 n항까지의 합을 각각 S_n, T_n이라 하자.
$$S_n T_n = n^2 (n^2 - 1)$$
일 때, [보기]에서 항상 옳은 것을 모두 고른 것은?

> ㄱ. $a_n = n$이면 $b_n = 4n - 4$이다.
>
> ㄴ. $d_1 d_2 = 4$
>
> ㄷ. $a_1 \neq 0$이면 $a_n = n$이다.

① ㄱ   ② ㄴ   ③ ㄱ, ㄴ

④ ㄱ, ㄷ   ⑤ ㄱ, ㄴ, ㄷ

1445

그림과 같이 함수 $y=|x^2-9|$의 그래프가 직선 $y=k$와 서로 다른 네 점에서 만날 때, 네 점의 x좌표를 각각 a_1, a_2, a_3, a_4라 하자. 네 수 a_1, a_2, a_3, a_4가 이 순서대로 등차수열을 이룰 때, 상수 k의 값을 구하여라. (단, $a_1 < a_2 < a_3 < a_4$)

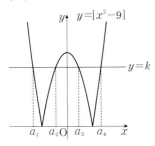

1446

1월 초에 1000만 원을 월이율 0.5%, 1개월 마다 복리로 계산하는 예금상품에 가입하고 1월부터 그 해 12월까지 매월 말에 50만원씩 찾았다. 그 해 12월 말에 통장에 남아있는 금액을 구하여라. (단, $1.005^{12}=1.0617$으로 계산한다.)

1447

그림과 같이 점 P(2, 0)에서 원 $x^2+y^2=2$에 그은 두 접선이 y축과 만나는 서로 다른 두 점을 각각 A, B라 하고, 직선 $y=kx$가 직선 AP와 만나는 점을 Q라 하자. 삼각형 OQA의 넓이를 S_1, 삼각형 OPQ의 넓이를 S_2, 삼각형 OBP의 넓이를 S_3이라 하자. S_1, S_2, S_3이 이 순서대로 등차수열을 이룰 때, 상수 k에 대하여 $100k$의 값을 구하여라. (단, O는 원점, $k > 1$이고, 점 A의 y좌표는 양수이다.)

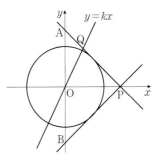

1448

그림과 같이 좌표축 위의 다섯 개의 점 A, B, C, D, E에 대하여 $\overline{AB} \perp \overline{BC}$, $\overline{BC} \perp \overline{CD}$, $\overline{CD} \perp \overline{DE}$가 성립한다.
세 선분 AO, OC, EA의 길이가 이 순서대로 등차수열을 이룰 때, 직선 AB의 기울기를 구하여라. (단, O는 원점이고 $\overline{OA} < \overline{OB}$이다.)

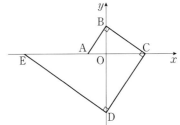

1449

그림과 같이 $\overline{AC}=15$, $\overline{BC}=20$이고 $\angle C=90°$인 직각삼각형 ABC
가 있다. 변 AB를 25등분하는 점 P_1, P_2, $\cdots$, P_{24}를 지나 변 AB에
수직인 직선을 그어 변 AC 또는 변 CB와 만나는 점을 각각
Q_1, Q_2, $\cdots$, Q_{24}라 하자.
$\overline{P_1Q_1}+\overline{P_2Q_2}+\overline{P_3Q_3}+\cdots+\overline{P_{24}Q_{24}}$의 값을 구하여라.

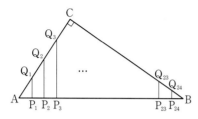

1450

그림과 같이 x축 위에 $\overline{OA_1}=1$, $\overline{A_1A_2}=\dfrac{1}{2}$, $\overline{A_2A_3}=\left(\dfrac{1}{2}\right)^2$, $\cdots$,

$\overline{A_nA_{n+1}}=\left(\dfrac{1}{2}\right)^n$, $\cdots$을 만족하는 점 A_1, A_2, A_3, $\cdots$에 대하여 제 1사
분면에 선분 OA_1, A_1A_2, A_2A_3, $\cdots$을 한 변으로 하는 정사각형
$OA_1B_1C_1$, $A_1A_2B_2C_2$, $A_2A_3B_3C_3$, $\cdots$을 계속하여 만든다. 원점과
점 B_n을 지나는 직선의 방정식을 $y=a_nx$라 할 때, a_{10}의 값이
$\dfrac{b}{2^a-1}$일 때, 자연수 a, b에 대하여 $a+b$의 값을 구하여라.

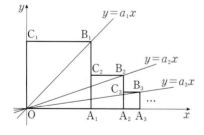

1451

다음 그림과 같이 $\overline{AB}=16$, $\overline{BC}=16$, $\angle B=90°$인 직각이등변삼각
형 ABC가 있다. 첫 번째 시행에서 [그림 1]과 같이 중점을 이어서
만든 직각삼각형의 넓이를 S_1, 두 번째 시행에서 [그림 2]와 같이 각
꼭짓점 A, B, C를 한 꼭짓점으로 하는 3개의 직각이등변삼각형의
각 변의 중점을 이어서 만든 3개의 직각삼각형의 넓이의 합을 S_2라
하자. 이와 같은 방법으로 6회 시행을 했을 때,

$$\sum_{k=1}^{6}S_k=a-b\left(\dfrac{3}{2}\right)^6$$

이다. 이때 $a+b$의 값을 구하여라. (단, a, b는 자연수이다.)

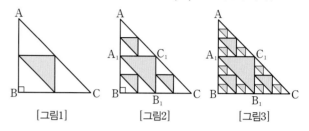

[그림1]　　　[그림2]　　　[그림3]

1452

다음 그림과 같이 한 변의 길이가 9인 정사각형에 대각선을 그어 만
들어진 삼각형 4개의 무게중심을 연결한 정사각형을 A_1, 그 넓이를
a_1이라고 하자. 같은 방법으로 정사각형 A_1에 대각선을 그어 만들어
진 삼각형 4개의 무게중심을 연결한 정사각형을 A_2, 그 넓이를 a_2라
고 하자. 이와 같은 과정을 계속하여 n번째 얻은 정사각형을 A_n, 그
넓이를 a_n이라고 할 때, 수열 $\{a_n\}$의 첫째 항부터 제 10항까지의 합
을 $\dfrac{a}{b}\left\{1-\left(\dfrac{2}{9}\right)^{10}\right\}$라 할 때, $a+b$의 값을 구하여라.

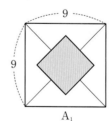　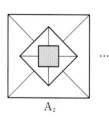

A_1　　　　　A_2

03 수열의 합

유형 01 ∑의 성질을 이용한 계산

① 상수배의 성질 : $\displaystyle\sum_{k=1}^{n} ca_k = c\sum_{k=1}^{n} a_k$ (단, c는 상수)

② 합과 차의 성질 : $\displaystyle\sum_{k=1}^{n}(a_k \pm b_k) = \sum_{k=1}^{n} a_k \pm \sum_{k=1}^{n} b_k$

③ 상수의 성질 : $\displaystyle\sum_{k=1}^{n} c = nc$ (단, c는 상수)

④ $\displaystyle\sum_{k=1}^{n}(a_k \pm c)^2 = \sum_{k=1}^{n} a_k^2 \pm 2c\sum_{k=1}^{n} a_k + c^2 n$ (단, c는 상수)

참고 $\displaystyle\sum_{k=1}^{n} a_k b_k \neq \sum_{k=1}^{n} a_k \sum_{k=1}^{n} b_k,\ \sum_{k=1}^{n}\frac{a_k}{b_k} \neq \frac{\displaystyle\sum_{k=1}^{n} a_k}{\displaystyle\sum_{k=1}^{n} b_k}$

1453 학교기출 대표유형

합의 기호 $\displaystyle\sum$ 에 대하여 다음 중 항상 옳은 것은?

① $\displaystyle\sum_{k=1}^{n} a_{2k} = \sum_{k=1}^{2n} a_k$

② $\displaystyle\sum_{k=1}^{n} a_k b_k = \left(\sum_{k=1}^{n} a_k\right) \cdot \left(\sum_{k=1}^{n} b_k\right)$

③ $\displaystyle\sum_{k=2}^{n} c = c(n-1)$

④ $\displaystyle\sum_{k=1}^{n}(2k-3)^2 = 4\sum_{k=1}^{n} k^2 - 12\sum_{k=1}^{n} k + 9$

⑤ $\displaystyle\sum_{k=1}^{n} a_k + \sum_{k=1}^{2n} b_k = \sum_{k=1}^{n}(a_k + b_k) + b_{2n}$

▶ 해설 내신연계기출

1454 최다빈출 왕중요 BASIC

두 수열 $\{a_n\}$, $\{b_n\}$에 대하여

$$\sum_{k=1}^{10} a_k = 50,\quad \sum_{k=1}^{10} b_k = 30$$

일 때, $\displaystyle\sum_{k=1}^{10}(3a_k - 2b_k + 5)$의 값은?

① 100 ② 110 ③ 120
④ 130 ⑤ 140

▶ 해설 내신연계기출

1455 BASIC

수열 $\{a_n\}$에 대하여

$$\sum_{k=1}^{10} a_k = 15,\quad \sum_{k=1}^{10} a_k^2 = 25$$

일 때, $\displaystyle\sum_{k=1}^{10}(a_k+1)(a_k-2)$의 값은?

① -25 ② -20 ③ -10
④ 10 ⑤ 25

1456 최다빈출 왕중요 BASIC

수열 $\{a_n\}$에 대하여 $\displaystyle\sum_{n=1}^{10} a_n = 10$, $\displaystyle\sum_{n=1}^{10} a_n^2 = 20$일 때, $\displaystyle\sum_{n=1}^{10}(2a_n-3)^2$의 값은?

① 46 ② 47 ③ 48
④ 49 ⑤ 50

▶ 해설 내신연계기출

1457 NORMAL

수열 $\{a_n\}$에서

$$\sum_{k=1}^{10} a_k^2 = 10,\quad \sum_{k=1}^{10}(2a_k-1)^2 = 34$$

일 때, $\displaystyle\sum_{k=1}^{10} a_k$의 값은?

① 2 ② 4 ③ 6
④ 8 ⑤ 10

1458 최다빈출 왕 중요   NORMAL

두 수열 $\{a_n\}$, $\{b_n\}$에 대하여

$$\sum_{k=1}^{10}(a_k-2)=6, \quad \sum_{k=1}^{10}(2a_k-b_k)=10$$

일 때, $\sum_{k=1}^{10}(a_k+b_k)$의 값은?

① 60   ② 64   ③ 68
④ 72   ⑤ 76

▶ 해설 내신연계기출

1459 최다빈출 왕 중요   NORMAL

어떤 자연수 m에 대하여 수열 $\{a_n\}$이

$$\sum_{k=1}^{m}a_k=-1, \quad \sum_{k=1}^{m}a_k^2=3$$

을 만족시킨다. $\sum_{k=1}^{m}(a_k+3)^2=60$일 때, m의 값은?

① 3   ② 4   ③ 5
④ 6   ⑤ 7

▶ 해설 내신연계기출

1460 최다빈출 왕 중요   NORMAL

수열 $\{a_n\}$에 대하여

$$\sum_{k=1}^{10}(a_k+2)=30, \quad \sum_{k=1}^{10}(a_k+1)(a_k-1)=40$$

일 때, $\sum_{k=1}^{10}(2a_k+1)^2$의 값은?

① 150   ② 200   ③ 250
④ 300   ⑤ 350

▶ 해설 내신연계기출

1461 최다빈출 왕 중요   NORMAL

수열 $\{a_n\}$에 대하여

$$\sum_{k=1}^{10}(a_k+1)^2=28, \quad \sum_{k=1}^{10}a_k(a_k+1)=16$$

일 때, $\sum_{k=1}^{10}(a_k)^2$의 값은?

① 12   ② 14   ③ 16
④ 18   ⑤ 20

▶ 해설 내신연계기출

1462   NORMAL

두 수열 $\{a_n\}$, $\{b_n\}$이 모든 자연수 n에 대하여 $a_n+b_n=10$을 만족시킨다. $\sum_{k=1}^{10}(a_k+2b_k)=160$일 때, $\sum_{k=1}^{10}b_k$의 값은?

① 60   ② 70   ③ 80
④ 90   ⑤ 100

1463   NORMAL

$\sum_{k=1}^{20}a_k=3$, $\sum_{k=1}^{20}a_k^2=5$일 때, [보기]에서 옳은 것만을 있는 대로 고른 것은?

ㄱ. $\sum_{k=1}^{20}(3a_k+1)=10$	ㄴ. $\sum_{k=1}^{20}(a_k+1)^2=31$
ㄷ. $\sum_{k=1}^{20}(a_k+1)(a_k-1)=-10$	ㄹ. $\sum_{k=1}^{10}(a_{2k-1}+a_{2k})=3$

① ㄱ, ㄴ   ② ㄱ, ㄹ   ③ ㄱ, ㄷ
④ ㄴ, ㄹ   ⑤ ㄱ, ㄷ, ㄹ

유형 02 합을 $\sum$로 표시

[1단계] k번째 항을 구하기

[2단계] $\displaystyle\sum_{k=1}^{n} a_k$로 표시하기

1464 학교기출 대표유형

수열의 합의 기호 $\sum$ 를 사용하여 나타낸 것 중 옳지 않은 것은?

① $5+5+5+5+5=\displaystyle\sum_{k=1}^{5} 5$

② $1+2+2^2+\cdots+2^n=\displaystyle\sum_{k=1}^{n} 2^k$

③ $1+3+5+\cdots+15=\displaystyle\sum_{k=1}^{8}(2k-1)$

④ $-1+2-3+\cdots+20=\displaystyle\sum_{j=1}^{20}(-1)^j j$

⑤ $9+3+1+\cdots+\left(\dfrac{1}{3}\right)^{n-3}=\displaystyle\sum_{k=1}^{n}\left(\dfrac{1}{3}\right)^{k-3}$

1465 최다빈출 상 중요 BASIC

수열의 합의 기호 $\sum$ 를 사용하여 나타낸 것 중 옳지 않은 것은?

① $3+3^2+3^3+\cdots+3^9=\displaystyle\sum_{n=2}^{10} 3^{n-1}$

② $1+5+9+\cdots+29=\displaystyle\sum_{k=1}^{8}(4k-3)$

③ $5^3+7^3+9^3+\cdots+17^3=\displaystyle\sum_{k=2}^{9}(2k+1)^3$

④ $\displaystyle\sum_{k=1}^{n}\{1+3+5+\cdots+(2k-1)\}=\displaystyle\sum_{k=2}^{n+1}(k-1)^2$

⑤ $\dfrac{1}{1\cdot3}+\dfrac{1}{2\cdot4}+\dfrac{1}{3\cdot5}+\cdots+\dfrac{1}{20\cdot22}=\displaystyle\sum_{k=1}^{20}\dfrac{1}{k(k+2)}$

▶ 해설 내신연계기출

1466 BASIC

다음 [보기] 중 옳은 것만을 있는 대로 고른 것은?

ㄱ. $\displaystyle\sum_{k=1}^{n} k^2=\displaystyle\sum_{k=0}^{n} k^2$ ㄴ. $\displaystyle\sum_{k=1}^{n} 3^k=\displaystyle\sum_{k=0}^{n} 3^k$

ㄷ. $\displaystyle\sum_{i=1}^{l} a_i+\displaystyle\sum_{m=l+1}^{n} a_m=\displaystyle\sum_{k=1}^{n} a_k$ ㄹ. $\displaystyle\sum_{k=1}^{n}(a_{2k-1}+a_{2k})=\displaystyle\sum_{k=1}^{2n} a_k$

① ㄱ   ② ㄱ, ㄴ   ③ ㄴ, ㄹ

④ ㄱ, ㄷ, ㄹ   ⑤ ㄱ, ㄴ, ㄷ, ㄹ

1467 최다빈출 상 중요 NORMAL

수열 $\{a_n\}$에 대하여

$$\sum_{k=1}^{50} a_k=100,\quad a_{51}=\dfrac{1}{10}$$

일 때, $\displaystyle\sum_{k=1}^{50} k(a_k-a_{k+1})$의 값은?

① 80   ② 85   ③ 90

④ 95   ⑤ 100

▶ 해설 내신연계기출

1468 NORMAL

수열 $\{a_n\}$에서

$$\sum_{k=1}^{10} ka_k=80,\quad \sum_{k=1}^{10} ka_{k+1}=10,\quad a_{11}=\dfrac{1}{10}$$

일 때, $\displaystyle\sum_{k=1}^{10} a_k$의 값은?

① 71   ② 72   ③ 73

④ 74   ⑤ 75

1469 최다빈출 상 중요 NORMAL

수열 $\{a_n\}$이

$$\sum_{k=1}^{7} a_k=\sum_{k=1}^{6}(a_k+1)$$

을 만족시킬 때, a_7의 값은?

① 6   ② 7   ③ 8

④ 9   ⑤ 10

▶ 해설 내신연계기출

1470 최다빈출 상 중요 NORMAL

수열 $\{a_n\}$은 $a_1=15$이고

$$\sum_{k=1}^{n}(a_{k+1}-a_k)=2n+1\ (n\geq1)$$

을 만족시킨다. a_{10}의 값은?

① 28   ② 30   ③ 32

④ 34   ⑤ 36

▶ 해설 내신연계기출

1471 최다빈출 왕 중요

수열 $\{a_n\}$에서

$$a_1=2, \quad \sum_{k=1}^{20}(a_{2k}+a_{2k+1})=25$$

일 때, $\sum_{k=1}^{41}a_k$의 값은?

① 25 　　　　② 27 　　　　③ 29
④ 31 　　　　⑤ 33

▶ 해설 내신연계기출

1474

수열 $\{a_n\}$에 대하여

$$\sum_{k=1}^{n}(a_{2k-1}+a_{2k})=4n^2$$

일 때, $\sum_{k=1}^{10}(a_k+2)$의 값은?

① 100 　　　　② 120 　　　　③ 140
④ 160 　　　　⑤ 180

1472 최다빈출 왕 중요

수열 $\{a_n\}$에서

$$\sum_{k=1}^{10}(a_{2k-1}+a_{2k})=50$$

일 때, $\sum_{k=1}^{20}(2a_k-1)$의 값은?

① 50 　　　　② 60 　　　　③ 70
④ 80 　　　　⑤ 90

1475

수열 $\{a_n\}$에 대하여

$$\sum_{k=1}^{n}(a_{2k-1}+a_{2k})=2n^2-n$$

일 때, $\sum_{k=1}^{10}a_k$의 값은?

① 30 　　　　② 35 　　　　③ 40
④ 45 　　　　⑤ 50

▶ 해설 내신연계기출

1473

수열 $\{a_n\}$에서

$$\sum_{k=1}^{n}(a_{3k-2}+a_{3k-1}+a_{3k})=n(n+2)$$

일 때, $\sum_{k=1}^{30}(a_{2k-1}+a_{2k})$의 값은?

① 220 　　　　② 320 　　　　③ 420
④ 440 　　　　⑤ 480

1476 최다빈출 왕 중요

수열 $\{a_n\}$에 대하여

$$\sum_{k=1}^{n}(a_{2k-1}+a_{2k})=2n^2$$

이 성립할 때, $\sum_{k=11}^{30}a_k$의 값은?

① 200 　　　　② 250 　　　　③ 300
④ 350 　　　　⑤ 400

▶ 해설 내신연계기출

유형 03 자연수의 거듭제곱의 합

① $\displaystyle\sum_{k=1}^{n} c = c + c + \cdots + c = nc$

② $\displaystyle\sum_{k=1}^{n} k = 1 + 2 + 3 + \cdots + n = \dfrac{n(n+1)}{2}$

③ $\displaystyle\sum_{k=1}^{n} k(k+1) = 1 \cdot 2 + 2 \cdot 3 + 3 \cdot 4 + \cdots + n(n+1)$

$$= \dfrac{n(n+1)(n+2)}{3}$$

④ $\displaystyle\sum_{k=1}^{n} k^2 = 1^2 + 2^2 + 3^2 + \cdots + n^2 = \dfrac{n(n+1)(2n+1)}{6}$

⑤ $\displaystyle\sum_{k=1}^{n} k^3 = 1^3 + 2^3 + 3^3 + \cdots + n^3 = \left\{ \dfrac{n(n+1)}{2} \right\}^2$

$$= (1+2+3+\cdots+n)^2 = \left(\sum_{k=1}^{n} k \right)^2$$

⑥ $\displaystyle\sum_{k=1}^{n} (2k-1) = 2 \sum_{k=1}^{n} k - \sum_{k=1}^{n} 1 = 2 \cdot \dfrac{n(n+1)}{2} - n = n^2$

⇦ $1 + 3 + 5 + \cdots + (2n-1) = n^2$

← 홀수들의 합은 완전제곱수와 같다.

참고 기본적인 합의 공식

n	$\displaystyle\sum_{k=1}^{n} k = \dfrac{n(n+1)}{2}$	$\displaystyle\sum_{k=1}^{n} k^2 = \dfrac{n(n+1)(2n+1)}{6}$
5	$\displaystyle\sum_{k=1}^{5} k = \dfrac{5(5+1)}{2} = 15$	$\displaystyle\sum_{k=1}^{5} k^2 = \dfrac{5(5+1)(2 \cdot 5+1)}{6} = 55$
10	$\displaystyle\sum_{k=1}^{10} k = \dfrac{10(10+1)}{2} = 55$	$\displaystyle\sum_{k=1}^{10} k^2 = \dfrac{10(10+1)(2 \cdot 10+1)}{6} = 385$

$\sum$ 의 성질을 이용한 합 계산

[1단계] $\displaystyle p \sum_{k=1}^{n} a_k \pm q \sum_{k=1}^{n} b_k = \sum_{k=1}^{n} (pa_k \pm qb_k)$을 이용하여 항을 줄인다.

[2단계] 시그마 공식에서 구하는 값을 구한다.

1477 학교기출 대표유형

함수 $f(x) = \dfrac{1}{2}x + 2$에 대하여 $\displaystyle\sum_{k=1}^{15} f(2k)$의 값은?

① 100　　② 150　　③ 200

④ 250　　⑤ 300

1478

$\displaystyle\sum_{k=1}^{10} k(k+1)$의 값은?

① 300　　② 390　　③ 440

④ 500　　⑤ 600

1479　BASIC

$\displaystyle\sum_{k=1}^{5} \dfrac{k^3}{k+1} + \sum_{k=1}^{5} \dfrac{1}{k+1}$의 값은?

① 30　　② 35　　③ 40

④ 45　　⑤ 50

1480 최다빈출 왕중요　BASIC

$\displaystyle\sum_{k=1}^{10} (2k^2 + k + 2) - \sum_{k=1}^{10} (2k^2 + 1)$의 값은?

① 65　　② 70　　③ 75

④ 80　　⑤ 85

▶ 해설 내신연계기출

1481 최다빈출 왕중요　NORMAL

$\displaystyle\sum_{k=1}^{n} (k^2 - 1) - \sum_{k=1}^{n-1} (k^2 + 3) = 48$을 만족하는 자연수 n의 값은?

① 7　　② 8　　③ 9

④ 10　　⑤ 11

▶ 해설 내신연계기출

1482　NORMAL

$\displaystyle\sum_{k=1}^{n} (k^2 + 1) - \sum_{k=1}^{n-1} (k^2 - 1) = 9n + 7$을 만족하는 자연수 n의 값은?

① 7　　② 8　　③ 9

④ 10　　⑤ 11

1483

$\displaystyle\sum_{m=1}^{12}(m+1)^2 - 2\sum_{j=1}^{12}(j+3) + \sum_{k=1}^{12}5$의 값은?

① 598　　② 626　　③ 650

④ 672　　⑤ 690

1484

이차함수 $f(x)=x^2+x+1$에 대하여 $\displaystyle\sum_{k=1}^{8}f(k+1) - \sum_{k=3}^{8}f(k)$의

값은?

① 72　　② 88　　③ 98

④ 102　　⑤ 112

1485

다음을 만족하는 a, b에 대하여 $a+b$의 값은?

$$a = \sum_{k=1}^{30}(2k+1)^2 - 4\sum_{k=1}^{30}k(k+1)$$
$$b = \sum_{k=1}^{10}k(k+3) - \sum_{k=1}^{10}(k^2+2)$$

① 175　　② 180　　③ 195

④ 200　　⑤ 205

1486

 중요

다음을 계산하면?

$$100^2 - 99^2 + 98^2 - 97^2 + \cdots + 2^2 - 1^2$$

① 5040　　② 5050　　③ 5060

④ 5070　　⑤ 5080

▶ 해설 내신연계기출

1487

$10^3 - 9^3 + 8^3 - 7^3 + \cdots + 2^3 - 1^3$의 값은?

① 550　　② 575　　③ 600

④ 625　　⑤ 650

1488

수열 $\{a_n\}$은 다음과 같이 3으로 나누어떨어지지 않는 자연수를
작은 수부터 차례로 나열한 것이다.

$$1,\ 2,\ 4,\ 5,\ 7,\ 8,\ \cdots$$

이때 $\displaystyle\sum_{k=1}^{60}a_k$의 값은?

① 700　　② 1200　　③ 1700

④ 2200　　⑤ 2700

1489 최다빈출 ③ 중요   NORMAL

실수 전체의 집합에서 정의된 함수

$$f(x)=\sum_{k=1}^{5}(x-2k)^2$$

의 값이 최소가 되도록 하는 x의 값과 최솟값의 합은?

① 36   ② 40   ③ 45

④ 46   ⑤ 52

▶ 해설 내신연계기출

1490   TOUGH

수열 $\{a_n\}$의 일반항이 $a_n=\dfrac{1}{n(n+1)}$ 일 때, $\displaystyle\sum_{k=1}^{10}(x^2-2a_kx)$가

최소가 되는 x의 값은?

① $\dfrac{2}{11}$ ② $\dfrac{3}{11}$ ③ $\dfrac{1}{12}$

④ $\dfrac{1}{11}$ ⑤ $\dfrac{1}{13}$

1491   TOUGH

다음 식의 값에서 옳지 않은 것은?

① $\displaystyle\sum_{k=1}^{15}(2k+1)^2-4\sum_{k=1}^{15}k(k+1)=15$

② $\displaystyle\sum_{k=1}^{20}(k+1)^2-\sum_{k=1}^{20}k(k+1)=230$

③ $\displaystyle\sum_{k=1}^{10}\frac{k^3}{k+2}+\sum_{k=1}^{10}\frac{8}{k+2}=315$

④ $\displaystyle\sum_{k=1}^{9}(1-k^2)+\sum_{k=2}^{9}(1+k^2)=12$

⑤ $\displaystyle\sum_{k=1}^{10}3\times2^{k-1}-\sum_{k=1}^{5}3\times2^{k-1}=2976$

유형 04   지수꼴의 시그마 계산

수열 $\{ar^{k-1}\}$은 첫째항이 a, 공비가 r인 등비수열이므로

$$\sum_{k=1}^{n}ar^{k-1}=a+ar+ar^2+\cdots+ar^{n-1}=\frac{a(r^n-1)}{r-1} \quad \leftarrow \text{등비수열의 합}$$

1492 학교기출 (대표)유형

$\displaystyle\sum_{k=1}^{5}(2^k+5k-1)$의 값은?

① 121   ② 132   ③ 145

④ 163   ⑤ 174

1493   BASIC

$\displaystyle\sum_{k=1}^{n}3^{k-1}=121$을 만족하는 자연수 n의 값은?

① 4   ② 5   ③ 6

④ 7   ⑤ 8

1494   NORMAL

자연수 n에 대하여 2^{n-1}의 모든 양의 약수의 합을 a_n이라 할 때,

$\displaystyle\sum_{n=1}^{8}a_n$의 값은?

① 402   ② 452   ③ 502

④ 510   ⑤ 527

1495 최다빈출 ③ 중요   NORMAL

다항식 $(x+3)^n$을 $x+1$로 나눈 나머지를 R_n이라 할 때,

$\displaystyle\sum_{n=1}^{5}R_n$의 값은?

① 46   ② 50   ③ 54

④ 58   ⑤ 62

▶ 해설 내신연계기출

[1단계] 자연수의 거듭제곱의 합 공식을 이용한다.
[2단계] 미지수를 구한다.

1496 학교기출 대표유형

$\displaystyle\sum_{k=1}^{10}(2k+a)=300$일 때, 상수 a의 값은?

① 15 　　　② 17 　　　③ 19
④ 25 　　　⑤ 30

1497 최다빈출 왕중요　　　　　　BASIC

$\displaystyle\sum_{k=1}^{6}(k+a)=45$일 때, 상수 a의 값은?

① 3 　　　② 4 　　　③ 5
④ 6 　　　⑤ 7

▶ 해설 내신연계기출

1498 최다빈출 왕중요　　　　　　NORMAL

$\displaystyle\sum_{k=1}^{10}(k-1)(k-p)=60$을 만족하는 상수 p의 값은?

① 6 　　　② 7 　　　③ 8
④ 9 　　　⑤ 11

▶ 해설 내신연계기출

1499 최다빈출 왕중요　　　　　　NORMAL

$\displaystyle\sum_{k=1}^{n}k(k+1)=70$일 때, 자연수 n의 값은?

① 3 　　　② 4 　　　③ 5
④ 6 　　　⑤ 7

▶ 해설 내신연계기출

1500 　　　　　　NORMAL

수열 $\{a_n\}$에 대하여
$$a_n=n(n+1)$$
일 때, $\displaystyle\sum_{k=11}^{15}a_k$의 값은?

① 900 　　　② 920 　　　③ 940
④ 960 　　　⑤ 980

1501 　　　　　　NORMAL

수열 $\{a_n\}$에서 $a_n=2n-3$일 때,
$$\sum_{k=2}^{m}a_{k+1}=48$$
을 만족시키는 m의 값은?

① 4 　　　② 5 　　　③ 6
④ 7 　　　⑤ 8

유형 06 등차수열, 등비수열과 $\sum$ 의 활용

[1단계] 등차수열과 등비수열의 관계를 이용하여 a_n 구하기

[2단계] $\sum$ 의 성질을 이용하여 수열의 합을 구하기

1502 학교기출 대표유형

첫째항이 -10이고 공차가 3인 등차수열 $\{a_n\}$에 대하여

$\sum\limits_{k=5}^{10} a_k$의 값은?

① 22　　　② 35　　　③ 50

④ 57　　　⑤ 67

1503 BASIC

첫째항이 2인 등차수열 $\{a_n\}$에서

$$\sum_{n=1}^{10} a_n = 200$$

일 때, a_{11}의 값은?

① 40　　　② 41　　　③ 42

④ 43　　　⑤ 44

1504 최다빈출 왕중요 NORMAL

첫째항이 2인 등차수열 $\{a_n\}$에 대하여

$$a_4 - a_2 = 4$$

일 때, $\sum\limits_{k=11}^{20} a_k$의 값은?

① 280　　　② 290　　　③ 300

④ 310　　　⑤ 320

▶ 해설 내신연계기출

1505 최다빈출 왕중요 NORMAL

공차가 양수인 등차수열 $\{a_n\}$에 대하여 이차방정식

$$x^2 - 14x + 24 = 0$$

의 두 근이 a_3, a_8이다. $\sum\limits_{n=3}^{8} a_n$의 값은?

① 40　　　② 42　　　③ 44

④ 46　　　⑤ 48

▶ 해설 내신연계기출

1506 NORMAL

공차가 2인 등차수열 $\{a_n\}$에 대하여 $a_4 = 9$이다.

수열 $\{b_n\}$을

$$b_n = \sum_{k=1}^{n} k a_k \ (n \geq 1)$$

라 할 때, b_{10}의 값은?

① 770　　　② 785　　　③ 805

④ 825　　　⑤ 830

1507 최다빈출 왕중요 NORMAL

등차수열 $\{a_n\}$에 대하여

$$a_3 = 3, \ a_{10} = 24$$

일 때, $\sum\limits_{k=1}^{50} a_{2k} - \sum\limits_{k=1}^{50} a_{2k-1}$의 값은?

① 100　　　② 120　　　③ 130

④ 150　　　⑤ 200

▶ 해설 내신연계기출

1508 최다빈출 왕 중요   NORMAL

등차수열 $\{a_n\}$이

$$\sum_{k=1}^{n} a_{2k-1} = 4n^2 - 2n$$

을 만족시킬 때, $a_4 + a_6$의 값은?

① 24   ② 30   ③ 36
④ 42   ⑤ 48

▶ 해설 내신연계기출

1509   NORMAL

등차수열 $\{a_n\}$이

$$a_5 + a_{13} = 3a_9, \quad \sum_{k=1}^{18} a_k = \frac{9}{2}$$

를 만족시킬 때, a_{13}의 값은?

① 2   ② 1   ③ 0
④ −1   ⑤ −2

1510 최다빈출 왕 중요   NORMAL

등비수열 $\{a_n\}$에 대하여

$$a_3 = 4(a_2 - a_1), \quad \sum_{k=1}^{6} a_k = 15$$

일 때, $a_1 + a_3 + a_5$의 값은?

① 3   ② 4   ③ 5
④ 6   ⑤ 7

▶ 해설 내신연계기출

1511   NORMAL

등비수열 $\{a_n\}$에서

$$a_2 = 4, \quad a_5 = \frac{1}{2}$$

일 때, $\displaystyle\sum_{k=1}^{10} k \log_2 a_k$의 값은?

① −185   ② −180   ③ −175
④ −170   ⑤ −165

1512 최다빈출 왕 중요   TOUGH

등차수열 $\{a_n\}$에 대하여

$$\sum_{k=1}^{5} a_{5k-1} = 75, \quad \sum_{k=1}^{5} a_{5k-2} = 65$$

가 성립할 때, $\displaystyle\sum_{k=1}^{10} a_{2k}$의 값은?

① 30   ② 35   ③ 60
④ 65   ⑤ 90

▶ 해설 내신연계기출

1513 최다빈출 왕 중요   TOUGH

등비수열 $\{a_n\}$에 대하여

$$\sum_{k=1}^{3} a_{3k-1} = 16, \quad \sum_{k=1}^{3} a_{3k-2} = 8$$

이 성립할 때, $\displaystyle\sum_{k=2}^{10} a_k$의 값은?

① 80   ② 104   ③ 112
④ 124   ⑤ 140

▶ 해설 내신연계기출

1514   TOUGH

수열 $\{a_n\}$은 첫째항이 2, 공비가 $-\dfrac{1}{2}$인 등비수열이다. 모든 자연수 n에 대하여 좌표평면 위의 점 P_n의 좌표를 $(n,\ a_n)$, 점 Q_n의 좌표를 $(n,\ 0)$이라 하자. 삼각형 $P_n Q_n Q_{n+1}$의 넓이를 A_n이라 할 때, $\displaystyle\sum_{n=1}^{20} A_n$의 값은?

① $2 - \left(\dfrac{1}{2}\right)^{19}$ ② $2 - \left(\dfrac{1}{2}\right)^{20}$ ③ $2 + \left(\dfrac{1}{2}\right)^{21}$
④ $2 + \left(\dfrac{1}{2}\right)^{20}$ ⑤ $2 + \left(\dfrac{1}{2}\right)^{19}$

유형 07 자연수의 거듭제곱의 합의 활용

이차방정식의 근과 계수를 이용하여 $\alpha_n + \beta_n$, $\alpha_n\beta_n$의 값을 구하고 $\sum$ 의 성질을 이용하여 값을 계산한다.

1515 학교기출 대표유형

x에 대한 이차방정식

$$nx^2 - (2n^2 - n)x - 5 = 0$$

의 두 근의 합을 a_n (n은 자연수)라 할 때, $\displaystyle\sum_{k=1}^{10} a_k$의 값은?

① 88 ② 91 ③ 94
④ 97 ⑤ 100

1516 최다빈출 왕중요 NORMAL

이차방정식 $x^2 - 2x - 1 = 0$의 두 근을 α, β라고 할 때,

$\displaystyle\sum_{k=1}^{10}(k-\alpha)(k-\beta)$의 값은?

① 255 ② 265 ③ 275
④ 285 ⑤ 295

▶ 해설 내신연계기출

1517 최다빈출 왕중요 NORMAL

x에 대한 이차방정식

$$x^2 - (2n+1)x + n(n+1) = 0$$

의 두 근을 a_n, b_n이라 할 때, $\displaystyle\sum_{n=1}^{10}(1-a_n)(1-b_n)$의 값은?

① 110 ② 220 ③ 330
④ 440 ⑤ 550

▶ 해설 내신연계기출

1518 최다빈출 왕중요 NORMAL

x에 대한 이차방정식

$$x^2 - nx - n + 1 = 0 \ (n\text{은 자연수})$$

의 두 근을 α_n, β_n이라고 할 때, $\displaystyle\sum_{n=1}^{8}(\alpha_n^2 + \beta_n^2)$의 값은?

① 220 ② 240 ③ 260
④ 280 ⑤ 300

▶ 해설 내신연계기출

1519 NORMAL

x에 대한 이차방정식

$$x^2 + 2x - k^2 = 0 \ (k\text{는 자연수})$$

의 두 근을 α_k, β_k이라고 할 때, $\displaystyle\sum_{k=1}^{5}(\alpha_k - \beta_k)^2$의 값은?

① 200 ② 220 ③ 240
④ 260 ⑤ 280

1520 TOUGH

첫째항이 6이고 공차가 양수인 등차수열 $\{a_n\}$에 대하여 이차방정식

$$x^2 - (a_n + a_{n+2})x - a_{n+1} = 0$$

의 서로 다른 두 실근을 α_n, β_n이라 하자.

$$\sum_{n=1}^{10}(\alpha_n + 1)(\beta_n + 1) = 180$$

일 때, a_{11}의 값은?

① 22 ② 24 ③ 26
④ 28 ⑤ 30

a가 한 자리의 자연수 일 때,

$a+aa+aaa+\cdots+aaa\cdots a$ (a가 n개)

$=\dfrac{a}{9}(9+99+999+\cdots+999\cdots9)$

$=\dfrac{a}{9}\{(10-1)+(10^2-1)+(10^3-1)+\cdots+(10^n-1)\}$

$=\dfrac{a}{9}\left\{\dfrac{10(10^n-1)}{10-1}-n\right\}$

$=\dfrac{a}{81}(10^{n+1}-9n-10)$

1521 학교기출 대표유형

$3+33+333+3333+33333=\dfrac{a\cdot10^6-b}{27}$

일 때, 자연수 a, b에 대하여 $a+b$의 값은?

① 54 ② 55 ③ 56
④ 57 ⑤ 58

1522 최다빈출 왕중요

다음 수열의 첫째항부터 제 10항까지의 합

$$9+99+999+9999+\cdots+999\cdots9=\dfrac{10^{11}-10^a}{b}$$

일 때, 자연수 a, b에 대하여 $a+b$의 값은?

① 2 ② 9 ③ 11
④ 13 ⑤ 15

▶ 해설 내신연계기출

1523 TOUGH

수열 $\{a_n\}$에서 a_n은 n자리의 자연수이고, a_n은 각 자리의 숫자는 1 또는 0이며, 같은 숫자끼리 이웃하지 않는다.
예를 들어 $a_1=1$, $a_2=10$, $a_3=101$, $a_4=1010$이다.
이때 a_{20}의 값은?

① $10^{20}-1$ ② $10^{21}-10$ ③ $\dfrac{1}{9}(10^{20}-1)$
④ $\dfrac{1}{99}(10^{20}-1)$ ⑤ $\dfrac{1}{99}(10^{21}-10)$

[1단계] 주어진 수열의 일반항 a_k를 k에 대한 식으로 나타낸다.
[2단계] $\sum$의 성질과 자연수의 거듭제곱의 합을 이용하여 수열의 합을 구한다.

1524 학교기출 대표유형

수열의 합

$$1\cdot5+2\cdot6+3\cdot7+\cdots+10\cdot14$$

의 값은?

① 600 ② 605 ③ 610
④ 615 ⑤ 620

1525 최다빈출 왕중요 NORMAL

수열의 합

$$2\cdot6+3\cdot8+4\cdot10+5\cdot12+\cdots+10\cdot22$$

의 값은?

① 876 ② 878 ③ 880
④ 882 ⑤ 884

▶ 해설 내신연계기출

1526 NORMAL

다음 식의 값은?

$$(1^3-3)+(2^3-7)+(3^3-11)+\cdots+(10^3-39)$$

의 값은?

① 1023 ② 1028 ③ 2815
④ 3025 ⑤ 3235

1527 최다빈출 왕중요 TOUGH

다음 수열의 합을 구하면?

$$1\cdot n+2\cdot(n-1)+3\cdot(n-2)+\cdots+n\cdot1$$

① $\dfrac{n(n+1)(n+2)}{6}$ ② $\dfrac{n(n+1)(n+2)}{5}$

③ $\dfrac{n(n+1)(n+2)}{4}$ ④ $\dfrac{n(n+1)(n+2)}{3}$

⑤ $\dfrac{n(n+1)(n+2)}{2}$

▶ 해설 내신연계기출

유형 10 일반항이 합으로 이루어진 수열의 합

[1단계] 각 항의 규칙을 이용하여 n항의 첫째항부터 제 n항까지의 합 a_n을 $\sum$ 의 성질을 이용하여 구한다.

[2단계] $\sum$ 의 성질과 자연수의 거듭제곱의 합을 이용하여 수열의 합을 구한다.

1528 학교기출 대표유형

다음 수열의 첫째항부터 제 10항까지의 합 S_{10}은?

$$3,\ 3+5,\ 3+5+7,\ \cdots$$

① 385　　　② 420　　　③ 495
④ 510　　　⑤ 520

1529 최다빈출 왕중요

NORMAL

$\displaystyle\sum_{k=1}^{10}(1+2+3+\cdots+k)$의 값은?

① 210　　　② 220　　　③ 230
④ 240　　　⑤ 250

▶ 해설 내신연계기출

1530 최다빈출 왕중요

NORMAL

다음 수열의 첫째항부터 제 20항까지의 합은?

$$1,\ 1+2,\ 1+2+4,\ 1+2+4+8,\ \cdots$$

① $2^{10}-12$　　　② $2^{18}-12$　　　③ $2^{20}-12$
④ $2^{20}-22$　　　⑤ $2^{21}-22$

▶ 해설 내신연계기출

유형 11 삼각형 모양으로 주어진 수들의 합

[1단계] 각 줄을 하나의 군으로 묶는다.
[2단계] 첫 번째 줄에서 n번째 줄까지의 항수를 파악한다.
[3단계] 각 줄에서 k번째의 수를 구한다.

1531 학교기출 대표유형

다음과 같이 나열할 때, 첫 번째 줄에서 10번째 줄까지 나열된 모든 수의 합은?

```
                        1
                    2       4
                3       6       9
            4       8      12      16
        5      10      15      20      25
    6      12      18      24      30      36
  7      14      21      28      35      42      49
8      16      24      32      40      48      56      64
9     18      27      36      45      54      63      72      81
10    20      30      40      50      60      70      80      90     100
```

① 1670　　　② 1705　　　③ 1805
④ 1950　　　⑤ 2105

▶ 해설 내신연계기출

1532

NORMAL

다음 그림과 같이 가로 10칸, 세로 10칸으로 이뤄진 표에

$$1,\ 3,\ 5,\ \cdots,\ 19$$

의 수를 채워 넣었을 때, 표에 채운 모든 수의 합은?

19	19	19	⋯	19	19
17	17	17		17	19
⋮			⋰	⋮	
5	5	5		17	19
3	3	5	⋯	17	19
1	3	5		17	19

① 1010　　　② 1210　　　③ 1230
④ 1330　　　⑤ 1550

1533

다음과 같이 수를 배열할 때, 나열된 수를 모두 더한 것은?

$$1 \cdot 2$$
$$1 \cdot 3 \quad 2 \cdot 3$$
$$1 \cdot 4 \quad 2 \cdot 4 \quad 3 \cdot 4$$
$$1 \cdot 5 \quad 2 \cdot 5 \quad 3 \cdot 5 \quad 4 \cdot 5$$
$$\cdots \quad \cdots \quad \cdots \quad \cdots \quad \cdots$$
$$1 \cdot 10 \quad 2 \cdot 10 \quad 3 \cdot 10 \quad \cdots \quad \cdots \quad 9 \cdot 10$$
$$1 \cdot 11 \quad 2 \cdot 11 \quad 3 \cdot 11 \quad \cdots \quad \cdots \quad 9 \cdot 11 \quad 10 \cdot 11$$

① 1325   ② 1625   ③ 1925

④ 2125   ⑤ 2425

1535

다음 표의 모든 수의 합은?

1									
1	2								
1	2	3							
1	2	3	4						
1	2	3	4	5					
1	2	3	4	5	6				
⋮									
1	2	3	4	5	6	7	8	9	10

① 140   ② 160   ③ 180

④ 200   ⑤ 220

1534

최다빈출 상 중요

자연수를 그림과 같이 쌓아갈 때, 제 1행부터 제 10행까지의 수들의 합은?

제 1행			1			
제 2행		2		3		
제 3행	4		5		6	
제 4행	7	8		9		10
⋮						

① 55   ② 100   ③ 1230

④ 1540   ⑤ 3080

▶ 해설 내신연계기출

1536

다음과 같이 1부터 100까지의 자연수를 나열할 때, 색칠한 부분에 적힌 수들의 합은?

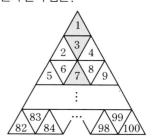

① 210   ② 240   ③ 310

④ 340   ⑤ 400

유형 12 여러 개의 $\sum$ 를 포함한 식의 계산

괄호 안부터 차례로 $\sum$ 를 정리한다.

이때 변수를 나타내는 문자를 찾고, 그 외의 문자는 상수로 생각하여 계산한다.

$$\sum_{k=1}^{n} km \quad \sum_{l=1}^{n}(m+l)$$
다른 문자 : 상수 　　 다른 문자 : 상수

1537 학교기출 미래엔유형

$\sum_{n=1}^{10}\left\{\sum_{i=1}^{n}(i+2)\right\}$의 값은?

① 310 　　② 320 　　③ 330
④ 340 　　⑤ 350

1538 최다빈출 왕중요 BASIC

$\sum_{i=1}^{10}\left\{\sum_{j=1}^{10}(i+j)\right\}$의 값은?

① 550 　　② 750 　　③ 850
④ 950 　　⑤ 1100

▶ 해설 내신연계기출

1539 NORMAL

$\sum_{m=1}^{n}\left\{\sum_{k=1}^{m}(k+m)\right\}=90$을 만족시키는 자연수 n의 값은?

① 4 　　② 5 　　③ 6
④ 7 　　⑤ 8

1540 최다빈출 왕중요 NORMAL

$\sum_{m=1}^{n}\left(\sum_{k=1}^{m}k\right)=20$을 만족하는 양의 정수 n의 값은?

① 4 　　② 5 　　③ 6
④ 7 　　⑤ 8

▶ 해설 내신연계기출

1541 최다빈출 왕중요 NORMAL

이차방정식 $x^2-12x+27=0$의 두 근을 m, n이라 할 때, $\sum_{j=1}^{n}\left(\sum_{i=1}^{m}ij\right)$의 값은?

① 160 　　② 180 　　③ 210
④ 240 　　⑤ 270

▶ 해설 내신연계기출

1542 NORMAL

첫째항이 2, 공차가 2인 등차수열 $\{a_n\}$에 대하여 $\sum_{n=1}^{10}\left(\sum_{k=n+1}^{2n}a_k\right)$의 값은?

① 1170 　　② 1180 　　③ 1190
④ 1200 　　⑤ 1210

1543 최다빈출 왕중요 TOUGH

$\sum_{k=1}^{10}k^2+\sum_{k=2}^{10}k^2+\sum_{k=3}^{10}k^2+\cdots+\sum_{k=10}^{10}k^2$의 값은?

① 1250 　　② 2250 　　③ 3025
④ 3550 　　⑤ 4250

▶ 해설 내신연계기출

로그를 포함한 수열의 합

[1단계] 수열 $\{a_n\}$의 제 k항을 a_k를 로그의 성질을 이용하여 일반항을 변형한다.

$a>0$, $a \neq 1$, $x>0$, $y>0$

① $\log_a xy = \log_a x + \log_a y$

② $\log_a \dfrac{x}{y} = \log_a x - \log_a y$

③ $\log_a x^k = k \log_a x$ (단, k는 실수)

[2단계] $k=1$, 2, 3, $\cdots$을 차례로 대입하여 주어진 식을 간단히 한다.

1544 학교기출 대표 유형

첫째항이 1, 공비가 3인 등비수열 $\{a_n\}$에 대하여

$\displaystyle\sum_{k=1}^{20} \log_3 a_k$의 값은?

① 180   ② 190   ③ 210

④ $\dfrac{1}{2}(3^{19}-1)$ ⑤ $\dfrac{1}{2}(3^{20}-1)$

1545 최다빈출 완 중요   NORMAL

$\displaystyle\sum_{k=1}^{n} \log_3\left(1+\dfrac{1}{k}\right)=4$일 때, 자연수 n의 값을 구하면?

① 75   ② 80   ③ 85

④ 90   ⑤ 95

▶ 해설 내신연계기출

1546   NORMAL

$\log_{10} 2 = a$, $\log_{10} 3 = b$라고 할 때,

$$\sum_{n=1}^{35} \log_{10}\left(\dfrac{n}{n+1}\right)$$

의 값을 a, b로 바르게 나타낸 것은?

① $-4a-b$ ② $-2a+b$ ③ $-a-b$

④ $-2a-2b$ ⑤ $2a+b$

1547   NORMAL

로그함수 $f(x) = \log_3 x$의 그래프 위의 두 점

$$P_n(n, \log_3 n),\ P_{n+1}(n+1, \log_3(n+1))$$

을 지나는 직선 $P_n P_{n+1}$의 기울기를 $g(n)$이라 할 때, $\displaystyle\sum_{k=1}^{80} g(k)$의 값은?

① 3   ② 4   ③ 5

④ 6   ⑤ 7

1548 최다빈출 완 중요   NORMAL

수열 $\{a_n\}$에서

$$a_{2n-1} = 2^n,\ a_{2n} = 5^n$$

일 때, $\displaystyle\sum_{k=1}^{10} \log a_k$의 값은?

① 5   ② 10   ③ 15

④ 20   ⑤ 25

▶ 해설 내신연계기출

1549 최다빈출 완 중요   TOUGH

수열 $\{a_n\}$에 대하여

$$\sum_{k=1}^{n} a_k = \log_3 n(n+1) - 2$$

이 성립할 때, $\displaystyle\sum_{k=1}^{40} a_{2k}$의 값은?

① 1   ② 2   ③ 3

④ 4   ⑤ 5

▶ 해설 내신연계기출

1550   TOUGH

첫째항이 3이고 공비가 $r\,(r>1)$인 등비수열 $\{a_n\}$에 대하여 수열 $\{b_n\}$의 각 항이

$$b_1 = \log_{a_1} a_2$$
$$b_2 = (\log_{a_1} a_2) \times (\log_{a_2} a_3)$$
$$b_3 = (\log_{a_1} a_2) \times (\log_{a_2} a_3) \times (\log_{a_3} a_4)$$
$$\vdots$$
$$b_n = (\log_{a_1} a_2) \times (\log_{a_2} a_3) \times (\log_{a_3} a_4) \times \cdots \times (\log_{a_n} a_{n+1})$$
$$\vdots$$

일 때, $\displaystyle\sum_{k=1}^{10} b_k = 120$이다. 공비 r의 값은?

① 2   ② 3   ③ 4

④ 8   ⑤ 9

유형 14 시그마의 활용

[1단계] 주어진 조건을 이용하여 제 k항 a_k을 구한다.

[2단계] $\sum$ 의 성질과 자연수의 거듭제곱근의 합을 이용하여 수열의 합을 구한다.

1551 학교기출 내신 유형

자연수 n에 대하여

직선 $y=2x+a_n$이 원 $(x-n)^2+(y-4n^2-2n)^2=3n$

을 이등분할 때, $\sum\limits_{k=1}^{5}ka_k$의 값은?

① 500   ② 600   ③ 700

④ 800   ⑤ 900

1552   NORMAL

자연수 n에 대하여 좌표평면에서 점 $A(0, 2)$를 지나는 직선과 점 $B(n, 2)$를 지나는 직선이 서로 수직으로 만나는 점을 P라 하자. 점 P가 나타내는 도형의 넓이를 a_n이라 할 때, $\sum\limits_{n=1}^{8}a_n$의 값은?

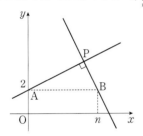

① 51π ② 53π ③ 55π

④ 57π ⑤ 59π

1553   NORMAL

그림과 같이 자연수 n에 대하여 원 $x^2+y^2=25n^2$과 직선 $x-\sqrt{3}y+8n=0$이 만나는 두 점을 A_n, B_n이라 할 때, $\sum\limits_{n=1}^{10}\overline{A_nB_n}$의 값은?

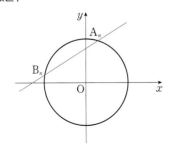

① 280   ② 330   ③ 420

④ 580   ⑤ 640

1554 최다빈출 중요   NORMAL

자연수 n에 대하여 곡선 $y=\dfrac{3}{x}$ $(x>0)$ 위의 점 $\left(n, \dfrac{3}{n}\right)$과 두 점 $(n-1, 0)$, $(n+1, 0)$을 세 꼭짓점으로 하는 삼각형의 넓이를 a_n이라 할 때, $\sum\limits_{n=1}^{10}\dfrac{9}{a_n a_{n+1}}$의 값은?

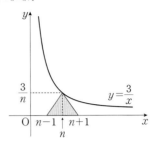

① 410   ② 420   ③ 430

④ 440   ⑤ 450

▶ 해설 내신연계기출

1555   TOUGH

좌표평면에서 자연수 n에 대하여 그림과 같이 곡선 $y=x^2$과 직선 $y=\sqrt{n}x$가 제 1사분면에서 만나는 점을 P_n이라 하자.

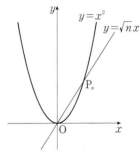

점 P_n을 지나고 직선 $y=\sqrt{n}x$와 수직인 직선이 x축, y축과 만나는 점을 각각 Q_n, R_n이라 하자. 삼각형 OQ_nR_n의 넓이를 S_n이라 할 때, $\sum\limits_{n=1}^{5}\dfrac{2S_n}{\sqrt{n}}$의 값은? (단, O는 원점이다.)

① 80   ② 85   ③ 90

④ 95   ⑤ 100

1556 최다빈출 중요   TOUGH

좌표평면에서 자연수 n에 대하여 점 (n, n)과 직선 $y=-\dfrac{3}{4}x+5$ 사이의 거리를 a_n이라 할 때, $\sum\limits_{k=1}^{10}5a_k$의 값은?

① 203   ② 208   ③ 213

④ 218   ⑤ 223

▶ 해설 내신연계기출

[1단계] 수열 $\{a_n\}$의 제 k항 a_k를 부분분수로 변형한다.

$$\Rightarrow a_k = \frac{1}{(k+a)(k+b)} = \frac{1}{b-a}\left(\frac{1}{k+a} - \frac{1}{k+b}\right) \text{ (단, } a \neq b)$$

[2단계] $k = 1, 2, 3, \cdots, n$을 차례대로 대입하여 주어진 식을 구한다.

참고 자주 사용되는 분수꼴인 수열의 합

① $\sum_{k=1}^{n} \frac{1}{k(k+1)} = \sum_{k=1}^{n}\left(\frac{1}{k} - \frac{1}{k+1}\right) = \frac{n}{n+1}$

② $\sum_{k=1}^{n} \frac{1}{k(k+2)} = \sum_{k=1}^{n}\frac{1}{2}\left(\frac{1}{k} - \frac{1}{k+2}\right)$

$\quad = \frac{1}{2}\left\{\left(\frac{1}{1} + \frac{1}{2}\right) - \left(\frac{1}{n+1} + \frac{1}{n+2}\right)\right\}$

$\quad = \frac{n(3n+5)}{4(n+1)(n+2)}$

③ $\sum_{k=1}^{n} \frac{1}{(2k-1)(2k+1)} = \sum_{k=1}^{n}\frac{1}{2}\left(\frac{1}{2k-1} - \frac{1}{2k+1}\right)$

$\quad = \frac{1}{2}\left(1 - \frac{1}{2n+1}\right) = \frac{n}{2n+1}$

④ $\sum_{k=1}^{n} \frac{1}{(k+1)(k+2)} = \sum_{k=1}^{n}\left(\frac{1}{k+1} - \frac{1}{k+2}\right)$

$\quad = \left(\frac{1}{2} - \frac{1}{n+2}\right) = \frac{n}{2n+4}$

⑤ $\sum_{k=1}^{n} \frac{1}{(3k-1)(3k+2)} = \frac{1}{3}\sum_{k=1}^{n}\left(\frac{1}{3k-1} - \frac{1}{3k+2}\right)$

$\quad = \frac{1}{3}\left(\frac{1}{2} - \frac{1}{3n+2}\right) = \frac{n}{6n+4}$

⑥ $\sum_{k=1}^{n} \frac{1}{k(k+1)(k+2)} = \sum_{k=1}^{n}\frac{1}{2}\left(\frac{1}{k(k+1)} - \frac{1}{(k+1)(k+2)}\right)$

$\quad = \frac{1}{2}\left\{\frac{1}{1 \cdot 2} - \frac{1}{(n+1)(n+2)}\right\}$

$\quad = \frac{n^3 + 3n}{4(n+1)(n+2)}$

$$\sum_{k=1}^{n} \frac{1}{k(k+1)} = \sum_{k=1}^{n}\left(\frac{1}{k} - \frac{1}{k+1}\right) = \frac{n}{n+1}$$

1557 학교기출 대표 유형

$\sum_{k=1}^{n} \frac{1}{k(k+1)} = \frac{99}{100}$를 만족하는 자연수 n의 값은?

① 100   ② 99   ③ 98

④ 97   ⑤ 96

1558   BASIC

$\frac{1}{2 \cdot 4} + \frac{1}{4 \cdot 6} + \frac{1}{6 \cdot 8} + \cdots + \frac{1}{2n(2n+2)}$의 값은?

① $\frac{2n+1}{8(n+1)}$ ② $\frac{n}{4(n+1)}$ ③ $\frac{2n+1}{4(n+1)}$

④ $\frac{n+2}{2(n+1)}$ ⑤ $\frac{2n+1}{2(n+1)}$

1559 최다빈출 중요   NORMAL

수열

$$\frac{1}{3^2-1} + \frac{1}{5^2-1} + \frac{1}{7^2-1} + \cdots + \frac{1}{17^2-1}$$

의 값을 $\frac{p}{q}$라 할 때, $p+q$의 값은? (단, p, q는 서로소인 자연수)

① 10   ② 11   ③ 12

④ 13   ⑤ 14

▶ 해설 내신연계기출

1560 최다빈출 중요   NORMAL

수열 $\{a_n\}$이 $a_n = 3 + 6 + 9 + \cdots + 3n$으로 정의될 때,

$$\sum_{k=1}^{20} \frac{3}{a_k} = \frac{q}{p}$$

이 성립한다. 이때, $p+q$의 값은? (단, p, q는 서로소인 자연수)

① 60   ② 61   ③ 62

④ 63   ⑤ 64

▶ 해설 내신연계기출

1561 최다빈출 중요   NORMAL

수열

$$1 + \frac{1}{1+2} + \frac{1}{1+2+3} + \cdots + \frac{1}{1+2+\cdots+100}$$

의 값은?

① $\frac{200}{99}$ ② $\frac{200}{101}$ ③ $\frac{200}{103}$

④ $\frac{200}{105}$ ⑤ $\frac{200}{107}$

▶ 해설 내신연계기출

1562 최다빈출 중요   TOUGH

수열

$$\frac{3}{1^2} + \frac{5}{1^2+2^2} + \frac{7}{1^2+2^2+3^2} + \cdots + \frac{21}{1^2+2^2+3^2+\cdots+10^2}$$

의 값은?

① $\frac{30}{11}$ ② $\frac{60}{11}$ ③ $\frac{21}{11}$

④ $\frac{50}{11}$ ⑤ $\frac{25}{7}$

▶ 해설 내신연계기출

$$\sum_{k=1}^{n}\frac{1}{k(k+2)}=\sum_{k=1}^{n}\frac{1}{2}\left(\frac{1}{k}-\frac{1}{k+2}\right)=\frac{n(3n+5)}{4(n+1)(n+2)}$$

$$\sum_{k=1}^{n}\frac{1}{(2k-1)(2k+1)}=\sum_{k=1}^{n}\frac{1}{2}\left(\frac{1}{2k-1}-\frac{1}{2k+1}\right)=\frac{n}{2n+1}$$

1563

NORMAL

수열

$$\frac{2}{1\cdot3}+\frac{2}{2\cdot4}+\frac{2}{3\cdot5}+\cdots+\frac{2}{9\cdot11}$$

의 값을 $\dfrac{p}{q}$ 라 할 때, $p+q$의 값은? (단, p, q는 서로소인 자연수)

① 120　　　　② 127　　　　③ 130
④ 132　　　　⑤ 145

1564

NORMAL

$$\frac{1}{2^2-1}+\frac{1}{3^2-1}+\frac{1}{4^2-1}+\cdots+\frac{1}{(n+1)^2-1}$$ 의 값은?

① $\dfrac{3n(3n+5)}{4(n+1)(n+2)}$　　　② $\dfrac{n(2n+5)}{4(n+1)(n+2)}$

③ $\dfrac{n(3n+5)}{3(n+1)(n+2)}$　　　④ $\dfrac{n(3n+4)}{4(n+1)(n+3)}$

⑤ $\dfrac{n(3n+5)}{4(n+1)(n+2)}$

1565

최다빈출 왕 중요　　　TOUGH

자연수 n에 대하여 $a_n=\log_{2^n}{}^{n+2}\sqrt{4}$ 이라 하자. $\displaystyle\sum_{k=1}^{10}a_k$의 값은?

① $\dfrac{169}{132}$　　　② $\dfrac{57}{44}$　　　③ $\dfrac{173}{132}$

④ $\dfrac{175}{132}$　　　⑤ $\dfrac{59}{44}$

▶ 해설 내신연계기출

1566

TOUGH

첫째항이 3, 공차가 2인 등차수열 $\{a_n\}$의 값의 첫째항부터 제 n항

까지의 합을 S_n이라 하면 $\displaystyle\sum_{k=1}^{8}\frac{1}{S_k}=\frac{p}{q}$ 를 만족할 때, $p+q$의 값은?

(단, p, q는 서로소인 자연수)

① 64　　　　② 70　　　　③ 74
④ 78　　　　⑤ 82

1567

NORMAL

$\displaystyle\sum_{k=1}^{10}\frac{2}{(2k-1)(2k+1)}$ 의 값은?

① $\dfrac{1}{3}$　　　② $\dfrac{3}{7}$　　　③ $\dfrac{10}{21}$

④ $\dfrac{5}{7}$　　　⑤ $\dfrac{20}{21}$

1568

최다빈출 왕 중요　　　NORMAL

수열

$$\frac{1}{2^2-1}+\frac{1}{4^2-1}+\frac{1}{6^2-1}+\frac{1}{8^2-1}+\cdots+\frac{1}{60^2-1}$$

의 값은?

① $\dfrac{29}{61}$　　　② $\dfrac{30}{61}$　　　③ $\dfrac{10}{21}$

④ $\dfrac{5}{7}$　　　⑤ $\dfrac{20}{21}$

▶ 해설 내신연계기출

1569

NORMAL

수열

$$\frac{2}{1\cdot3}+\frac{2}{3\cdot5}+\frac{2}{5\cdot7}+\cdots+\frac{2}{19\cdot21}$$

의 값은?

① $\dfrac{1}{3}$　　　② $\dfrac{3}{7}$　　　③ $\dfrac{10}{21}$

④ $\dfrac{5}{7}$　　　⑤ $\dfrac{20}{21}$

1570

NORMAL

수열 $\{a_n\}$에 대하여 $(4n^2-1)a_n=2$일 때, $\displaystyle\sum_{k=1}^{n}a_k=\frac{10}{11}$ 을 만족하는

n의 값은?

① 2　　　　② 3　　　　③ 4
④ 5　　　　⑤ 6

[1단계] 수열 $\{a_n\}$의 제 k항 a_k를 부분분수로 변형한다.

$$\Rightarrow a_k = \frac{1}{(k+a)(k+b)} = \frac{1}{b-a}\left(\frac{1}{k+a} - \frac{1}{k+b}\right) \text{ (단, } a \neq b)$$

[2단계] $k = 1, 2, 3, \cdots, n$을 차례대로 대입하여 주어진 식을 구한다.

1571 학교기출 대표유형

$\displaystyle\sum_{k=1}^{7} \frac{1}{(k+1)(k+2)}$의 값은?

① $\dfrac{1}{6}$ ② $\dfrac{2}{9}$ ③ $\dfrac{5}{18}$

④ $\dfrac{1}{3}$ ⑤ $\dfrac{7}{18}$

1572 BASIC

$\displaystyle\sum_{k=1}^{10} \frac{a}{k^2+3k+2}$의 값이 정수가 되도록 하는 자연수 a의 최솟값은?

① 3   ② 6   ③ 9

④ 12   ⑤ 15

1573 BASIC

$\displaystyle\sum_{k=1}^{50} \frac{1}{(2k+3)(2k+5)}$의 값은?

① $\dfrac{1}{20}$ ② $\dfrac{2}{21}$ ③ $\dfrac{3}{21}$

④ $\dfrac{5}{21}$ ⑤ $\dfrac{2}{7}$

1574 최다빈출 왕중요 NORMAL

수열

$$\frac{1}{2\cdot4} + \frac{1}{3\cdot5} + \frac{1}{4\cdot6} + \cdots + \frac{1}{13\cdot15}$$

의 값은?

① $\dfrac{23}{105}$ ② $\dfrac{34}{105}$ ③ $\dfrac{73}{210}$

④ $\dfrac{82}{210}$ ⑤ $\dfrac{73}{105}$

▶ 해설 내신연계기출

1575 최다빈출 왕중요 NORMAL

수열

$$\frac{1}{1\cdot4} + \frac{1}{4\cdot7} + \frac{1}{7\cdot10} + \frac{1}{10\cdot13} + \cdots + \frac{1}{(3n-2)(3n+1)}$$

의 값은?

① $\dfrac{3}{n+1}$ ② $\dfrac{1}{3n+1}$ ③ $\dfrac{n}{3n+1}$

④ $\dfrac{n}{2n+1}$ ⑤ $\dfrac{3n}{n+1}$

▶ 해설 내신연계기출

1576 최다빈출 왕중요 TOUGH

등식

$$\frac{1}{k(k+1)(k+2)} = \frac{1}{2}\left\{\frac{1}{k(k+1)} - \frac{1}{(k+1)(k+2)}\right\}$$

을 이용하여 $\displaystyle\sum_{k=1}^{n} \frac{1}{k(k+1)(k+2)}$의 합을 구하면?

① $\dfrac{n(n+3)}{2(n+1)(n+2)}$ ② $\dfrac{n(n+1)}{2(n+2)(n+3)}$

③ $\dfrac{n(n+3)}{4(n+1)(n+2)}$ ④ $\dfrac{n(n+1)}{4(n+2)(n+3)}$

⑤ $\dfrac{(n+1)(n+2)}{4(n+3)(n+4)}$

▶ 해설 내신연계기출

유형 17 ∑로 표현된 수열의 합과 일반항 사이의 관계 (1)

수열 $\{a_n\}$의 첫째항부터 제 n항까지의 합을 S_n이라 하면

$S_n = \sum_{k=1}^{n} a_k$ 이므로

$$a_1 = S_1 = \sum_{k=1}^{1} a_k, \quad a_n = S_n - S_{n-1} = \sum_{k=1}^{n} a_k - \sum_{k=1}^{n-1} a_k \ (n \geq 2)$$

이를 이용하여 일반항을 구한 후 시그마의 성질을 사용하여 계산한다.

1577

수열 $\{a_n\}$에 대하여

$$\sum_{k=1}^{n} a_k = n^2 + n$$

일 때, $\sum_{k=1}^{10} a_{2k}$의 값은?

① 55   ② 110   ③ 165

④ 220   ⑤ 245

1578

수열 $\{a_n\}$에 대하여

$$\sum_{k=1}^{n} a_k = n^2 - 2n$$

일 때, $\sum_{k=6}^{10} a_k$의 값은?

① 45   ② 55   ③ 65

④ 75   ⑤ 85

▶ 해설 내신연계기출

1579

수열 $\{a_n\}$에서

$$\sum_{k=1}^{n} a_k = n^2 + 2n$$

일 때, $\sum_{k=1}^{15} a_{2k-1}$의 값은?

① 462   ② 463   ③ 464

④ 465   ⑤ 466

▶ 해설 내신연계기출

1580

수열 $\{a_n\}$에 대하여

$$\sum_{k=1}^{n} a_k = \frac{n}{n+1}$$

일 때, $\sum_{k=1}^{10} \frac{1}{a_k}$의 값은?

① 385   ② 420   ③ 440

④ 450   ⑤ 485

1581

수열 $\{a_n\}$에 대하여

$$\sum_{k=1}^{n} a_k = 2^{n+1} - 2$$

일 때, a_5의 값은?

① 30   ② 32   ③ 34

④ 36   ⑤ 38

1582

수열 $\{a_n\}$의 첫째항부터 제 n항까지의 합이 $S_n = 2^n - 1$일 때,

$$\sum_{k=2}^{5} \frac{1}{a_{k-1} a_k} = \frac{q}{p}$$

이다. $\frac{1}{3}(p+q)$의 값은? (단, p, q는 서로소인 두 자연수이다.)

① 69   ② 70   ③ 71

④ 72   ⑤ 73

▶ 해설 내신연계기출

1583

수열 $\{a_n\}$에 대하여

$$\sum_{k=1}^{n} a_k = 3 \cdot 2^{n+1} - 6$$

일 때, $\sum_{k=1}^{10} a_{2k} = 2^p + q$을 만족하는 상수 p, q에 대하여 $p+q$의 값은? (단, $|q| < 10$인 정수)

① 12   ② 16   ③ 18

④ 20   ⑤ 22

1584

수열 $\{a_n\}$에서

$$\sum_{k=1}^{n} a_k = n^2 + n$$

일 때, $\sum_{k=1}^{20} \dfrac{1}{a_k a_{k+1}}$의 값은?

① $\dfrac{1}{21}$　　② $\dfrac{2}{21}$　　③ $\dfrac{4}{21}$

④ $\dfrac{5}{21}$　　⑤ $\dfrac{6}{21}$

1585 최다빈출 왕 중요

수열 $\{a_n\}$에서

$$\sum_{k=1}^{n} a_k = n^2 + 3n$$

일 때, $\sum_{k=1}^{8} \dfrac{1}{a_k a_{k+1}}$ 값은?

① $\dfrac{1}{11}$　　② $\dfrac{1}{10}$　　③ $\dfrac{1}{8}$

④ $\dfrac{1}{4}$　　⑤ $\dfrac{1}{2}$

▶ 해설 내신연계기출

1586 최다빈출 왕 중요

수열 $\{a_n\}$의 첫째항부터 제 n항까지의 합 S_n이 $S_n = n^2$일 때, $\sum_{k=1}^{100} \dfrac{1}{a_k a_{k+1}} = \dfrac{p}{q}$를 만족시키는 자연수 p, q에 대하여 $p+q$의 값은? (단, p, q는 서로소이다.)

① 293　　② 295　　③ 297

④ 299　　⑤ 301

▶ 해설 내신연계기출

1587

수열 $\{a_n\}$의 첫째항부터 제 n항까지의 합 S_n이

$$S_n = n^2 + 2n$$

일 때, $\sum_{k=1}^{9} \dfrac{1}{a_k a_{k+1}}$의 값은?

① $\dfrac{1}{7}$　　② $\dfrac{2}{7}$　　③ $\dfrac{5}{21}$

④ $\dfrac{5}{14}$　　⑤ $\dfrac{16}{21}$

1588

수열 $\{a_n\}$에서

$$\sum_{k=1}^{n} a_k = n^2 + 4n$$

일 때, $\sum_{k=1}^{10} \dfrac{1}{a_k a_{k+1}}$의 값은?

① $\dfrac{1}{16}$　　② $\dfrac{1}{15}$　　③ $\dfrac{1}{24}$

④ $\dfrac{2}{25}$　　⑤ $\dfrac{2}{27}$

1589 최다빈출 왕 중요

수열 $\{a_n\}$의 첫째항부터 제 n항까지의 합 S_n이

$$S_n = \frac{n(n+3)}{2}$$

일 때, $\sum_{n=1}^{20} \dfrac{1}{a_n a_{n+1}}$의 값은?

① $\dfrac{1}{11}$　　② $\dfrac{2}{11}$　　③ $\dfrac{3}{11}$

④ $\dfrac{4}{11}$　　⑤ $\dfrac{5}{11}$

▶ 해설 내신연계기출

1590

수열 $\{a_n\}$의 첫째항부터 제 n항까지의 합을 S_n이라 하자.

$S_n = n^2 + 1$일 때, $\sum_{k=1}^{10} \dfrac{1}{a_k a_{k+1}}$의 값은?

① $\dfrac{20}{21}$　　② $\dfrac{10}{21}$　　③ $\dfrac{17}{42}$

④ $\dfrac{13}{42}$　　⑤ $\dfrac{17}{84}$

1591 최다빈출 왕 중요

수열 $\{a_n\}$에 대하여 $\sum_{k=1}^{n} a_k = \dfrac{1}{3} n(n+1)(n+2)$일 때, $\sum_{k=1}^{50} \dfrac{1}{a_k}$의 값은?

① $\dfrac{24}{25}$　　② $\dfrac{31}{32}$　　③ $\dfrac{50}{51}$

④ $\dfrac{52}{51}$　　⑤ $\dfrac{100}{101}$

▶ 해설 내신연계기출

유형 18 ∑로 표현된 수열의 합과 일반항 사이의 관계 (2)

$\sum_{k=1}^{n} ka_k = S_n$ 에서

[1단계] $1 \cdot a_1 = S_1$

[2단계] $na_n = S_n - S_{n-1} = \sum_{k=1}^{n} ka_k - \sum_{k=1}^{n-1} ka_k \ (n \geq 2)$ 임을 이용하여

a_n 을 구한다.

1592 학교기출 대표유형

수열 $\{a_n\}$ 에 대하여

$$a_1 + 2a_2 + 3a_3 + \cdots + na_n = 100n \ (n=1,\ 2,\ 3,\ \cdots)$$

일 때, $\sum_{k=1}^{49} \dfrac{a_k}{k+1}$ 의 값은?

① 49   ② 90   ③ 98

④ 108   ⑤ 118

1593 최다빈출 왕중요 ▬▬▬ NORMAL

수열 $\{a_n\}$ 이 모든 자연수 n 에 대하여

$$a_1 + 2a_2 + 3a_3 + \cdots + na_n = 2n^2 + 3n$$

을 만족시킬 때, $\sum_{n=1}^{10} \dfrac{2}{a_n - 4}$ 의 값은?

① 100   ② 110   ③ 120

④ 130   ⑤ 140

▶ 해설 내신연계기출

1594 최다빈출 왕중요 ▬▬▬ NORMAL

수열 $\{a_n\}$ 이

$$\sum_{k=1}^{n} ka_k = \dfrac{n^2(n+1)}{2} \ (n=1,\ 2,\ 3,\ \cdots)$$

을 만족시킬 때, a_{15} 의 값은?

① 16   ② 20   ③ 22

④ 24   ⑤ 26

▶ 해설 내신연계기출

1595 ▬▬▬ NORMAL

수열 $\{a_n\}$ 이 자연수 n 에 대하여

$$\sum_{k=1}^{n} \dfrac{a_k}{k+1} = n^2 + n$$

을 만족시킬 때, $\sum_{k=1}^{12} \dfrac{1}{a_k}$ 의 값은?

① $\dfrac{1}{13}$ ② $\dfrac{2}{13}$ ③ $\dfrac{4}{13}$

④ $\dfrac{6}{13}$ ⑤ $\dfrac{8}{13}$

1596 ▬▬▬ NORMAL

수열 $\{a_n\}$ 이

$$\sum_{k=1}^{n} k^2 a_k = n^2 + n$$

을 만족시킬 때, $\sum_{k=1}^{10} \dfrac{a_k}{k+1}$ 의 값은?

① $\dfrac{17}{11}$ ② $\dfrac{18}{11}$ ③ $\dfrac{19}{11}$

④ $\dfrac{20}{11}$ ⑤ $\dfrac{21}{11}$

1597 ▬▬▬ TOUGH

수열 $\{a_n\}$ 이 모든 자연수 n 에 대하여

$$\sum_{k=1}^{n} (ka_k - 6k^2 + 2) = 3n^2 + 5n$$

을 만족시킨다. $\sum_{n=1}^{10} a_n$ 의 값은?

① 375   ② 380   ③ 385

④ 390   ⑤ 395

1598 최다빈출 왕중요 ▬▬▬ TOUGH

첫째항이 1인 등차수열 $\{a_n\}$ 에 대하여 수열 $\{b_n\}$ 을

$$b_n = a_1 + 2a_2 + 3a_3 + \cdots + na_n \ (n \geq 1)$$

이라 하자. $b_{10} = 715$ 일 때, $\sum_{n=1}^{10} \dfrac{b_n}{n(n+1)}$ 의 값은?

① 30   ② 35   ③ 40

④ 45   ⑤ 50

▶ 해설 내신연계기출

[1단계] 이차방정식의 근과 계수를 이용하여 $\alpha_n + \beta_n$, $\alpha_n\beta_n$의 값을 구하고 문제에 알맞은 식으로 나타낸다.

[2단계] 수열 $\{a_n\}$의 제 k항 a_k를 부분분수로 변형한다.

$$\Rightarrow a_k = \frac{1}{(k+a)(k+b)} = \frac{1}{b-a}\left(\frac{1}{k+a} - \frac{1}{k+b}\right) \text{ (단, } a \neq b)$$

[3단계] $k=1, 2, 3, \cdots, n$을 차례대로 대입하여 주어진 식을 구한다.

1599 학교기출 대표유형

x에 대한 이차방정식 $x^2 + 3x - n(n+1) = 0$의 두 근을 α_n, β_n이라 할 때, $\sum_{n=1}^{10}\left(\frac{1}{\alpha_n} + \frac{1}{\beta_n}\right)$의 값은? (단, n은 자연수)

① $\frac{3}{11}$ ② $\frac{8}{11}$ ③ $\frac{9}{11}$

④ $\frac{10}{11}$ ⑤ $\frac{30}{11}$

1600   NORMAL

자연수 n에 대하여 x에 대한 이차방정식 $x^2 - 42x + n(n+1) = 0$의 두 근을 α_n, β_n이라 하자. 등식

$$\sum_{n=1}^{m}\left(\frac{1}{\alpha_n} + \frac{1}{\beta_n}\right) = 39$$

를 만족시키는 자연수 m의 값은?

① 11   ② 12   ③ 13

④ 14   ⑤ 15

1601 최다빈출 앎중요   NORMAL

x에 대한 이차방정식

$$nx^2 - x + n(n+1) = 0 \ (n=1, 2, 3, \cdots)$$

의 두 근을 α_n, β_n이라고 할 때, $\sum_{k=1}^{10}\left(\frac{1}{\alpha_k} + \frac{1}{\beta_k}\right)$의 값은?

① $\frac{8}{9}$ ② $\frac{9}{10}$ ③ $\frac{10}{11}$

④ $\frac{10}{9}$ ⑤ $\frac{11}{10}$

▶ 해설 내신연계기출

1602 최다빈출 앎중요   NORMAL

x에 대한 이차방정식

$$x^2 + 4x - (2n-1)(2n+1) = 0$$

의 두 근 α_n, β_n에 대하여 $\sum_{n=1}^{10}\left(\frac{1}{\alpha_n} + \frac{1}{\beta_n}\right)$의 값은? (단, n은 자연수)

① $\frac{11}{21}$ ② $\frac{20}{21}$ ③ $\frac{31}{21}$

④ $\frac{40}{21}$ ⑤ $\frac{50}{21}$

▶ 해설 내신연계기출

1603 최다빈출 앎중요   NORMAL

x에 대한 이차방정식

$$x^2 - 6x + (2n+1)(2n+3) = 0$$

의 두 근 α_n, β_n에 대하여 $\sum_{n=1}^{10}\left(\frac{1}{\alpha_n} + \frac{1}{\beta_n}\right)$의 값은? (단, n은 자연수)

① $\frac{19}{23}$ ② $\frac{20}{23}$ ③ $\frac{21}{23}$

④ $\frac{22}{23}$ ⑤ $\frac{24}{23}$

▶ 해설 내신연계기출

1604 최다빈출 앎중요   TOUGH

x에 대한 이차방정식

$$x^2 + 2x - n^2 + 1 = 0$$

의 두 근 α_n, β_n에 대하여 $\sum_{k=2}^{10}\left(\frac{1}{\alpha_k} + \frac{1}{\beta_k}\right)$의 값은? (단, $n \geq 2$)

① $\frac{38}{55}$ ② $\frac{52}{55}$ ③ $\frac{62}{55}$

④ $\frac{72}{55}$ ⑤ $\frac{82}{55}$

▶ 해설 내신연계기출

유형 20 분수꼴로 주어진 수열의 합의 활용

[1단계] 주어진 조건을 만족하는 일반항 a_n을 구한다.

[2단계] 수열 $\{a_n\}$의 제 k항 a_k를 부분분수로 변형한다.

$$\Rightarrow a_k = \frac{1}{(k+a)(k+b)} = \frac{1}{b-a}\left(\frac{1}{k+a} - \frac{1}{k+b}\right) \text{ (단, } a \neq b)$$

[3단계] $k=1, 2, 3, \cdots, n$을 차례대로 대입하여 주어진 식을 구한다.

① $\displaystyle\sum_{k=1}^{n} \frac{1}{k(k+1)} = \sum_{k=1}^{n}\left(\frac{1}{k} - \frac{1}{k+1}\right) = \frac{n}{n+1}$

② $\displaystyle\sum_{k=1}^{n} \frac{1}{k(k+2)} = \sum_{k=1}^{n} \frac{1}{2}\left(\frac{1}{k} - \frac{1}{k+2}\right)$

$$= \frac{1}{2}\left\{\left(\frac{1}{1} + \frac{1}{2}\right) - \left(\frac{1}{n+1} + \frac{1}{n+2}\right)\right\}$$

$$= \frac{n(3n+5)}{4(n+1)(n+2)}$$

1605 학교기출 대표유형

n이 자연수일 때, x에 대한 다항식 $x^3 + (1-n)x^2 + n$을 $x-n$으로 나눈 나머지를 a_n이라 할 때, $\displaystyle\sum_{n=1}^{10} \frac{1}{a_n}$의 값은?

① $\dfrac{7}{8}$ ② $\dfrac{8}{9}$ ③ $\dfrac{9}{10}$

④ $\dfrac{10}{11}$ ⑤ $\dfrac{11}{12}$

▶ 해설 내신연계기출

1606 NORMAL

자연수 n에 대하여 두 함수

$$f(x) = x^2 - (n+1)x + n^2, \quad g(x) = n(x-1)$$

의 그래프의 두 교점의 x좌표를 a_n, b_n이라 할 때, $\displaystyle\sum_{n=1}^{19} \frac{100}{a_n b_n}$의 값은?

① 80   ② 85   ③ 90

④ 95   ⑤ 100

1607 NORMAL

함수 $f(x) = x^2 + x - \dfrac{1}{3}$에 대하여 부등식

$$f(n) < k < f(n)+1 \quad (n=1, 2, 3, \cdots)$$

을 만족시키는 정수 k의 값을 a_n이라 하자. $\displaystyle\sum_{n=1}^{100} \frac{1}{a_n} = \frac{q}{p}$일 때, $p+q$의 값은? (단, p와 q는 서로소인 자연수이다.)

① 191   ② 201   ③ 211

④ 221   ⑤ 231

1608 NORMAL

좌표평면에서 자연수 n에 대하여 직선 $x=n$과 함수 $y=x(x+2)$의 그래프가 만나는 점을 P_n이라 하자.

점 P_n과 두 점 $A_n(n-1, 0)$, $B_n(n, 0)$에 대하여 삼각형 $P_n A_n B_n$의 넓이를 a_n이라 할 때, $\displaystyle\sum_{k=1}^{9} \frac{1}{a_k}$의 값은?

① $\dfrac{14}{11}$ ② $\dfrac{71}{55}$ ③ $\dfrac{72}{55}$

④ $\dfrac{73}{55}$ ⑤ $\dfrac{74}{55}$

1609 TOUGH

좌표평면에서 자연수 n에 대하여 두 원

$$(x-2n)^2 + (y+4)^2 = 2, \quad x^2 + (y-2n)^2 = 3$$

의 중심 사이의 거리를 a_n이라 할 때, $\displaystyle\sum_{k=1}^{8} \frac{8}{(a_k)^2 - 16} = \frac{q}{p}$이다. $p+q$의 값은? (단, p와 q는 서로소인 자연수이다.)

① 70   ② 74   ③ 78

④ 82   ⑤ 86

1610 최다빈출 왕중요 TOUGH

첫째항이 1이고 모든 항이 양수인 등차수열 $\{a_n\}$이

$$\sum_{k=1}^{20} \frac{1}{a_k a_{k+1}} - 5$$

를 만족시킬 때, a_{11}의 값은?

① $\dfrac{5}{2}$ ② $\dfrac{8}{3}$ ③ $\dfrac{17}{6}$

④ 3   ⑤ $\dfrac{19}{6}$

▶ 해설 내신연계기출

1611 최다빈출 왕중요 TOUGH

첫째항이 2이고 각 항이 양수인 수열 $\{a_n\}$의 첫째항부터 제 n항까지의 합을 S_n이라 하자.

$$\sum_{k=1}^{10} \frac{a_{k+1}}{S_k S_{k+1}} = \frac{1}{3}$$

일 때, S_{11}의 값은?

① 6   ② 7   ③ 8

④ 9   ⑤ 10

▶ 해설 내신연계기출

[1단계] 수열 $\{a_n\}$의 제 k항 a_k의 분모를 유리화 한다.

① $\displaystyle\sum_{k=1}^{n}\frac{1}{\sqrt{k+1}+\sqrt{k}}=\sum_{k=1}^{n}(\sqrt{k+1}-\sqrt{k})$

② $\displaystyle\sum_{k=1}^{n}\frac{1}{\sqrt{k+2}+\sqrt{k}}=\sum_{k=1}^{n}\frac{1}{2}(\sqrt{k+2}-\sqrt{k})$

[2단계] $k=1,\ 2,\ 3,\ \cdots,\ n$을 차례로 대입하여 주어진 식을 간단히 한다.

1612 학교기출 대표유형

$\displaystyle\sum_{k=1}^{99}\frac{1}{\sqrt{k+1}+\sqrt{k}}$ 의 값은?

① 7 　　　　② 8 　　　　③ 9
④ 10 　　　　⑤ 11

▶ 해설 내신연계기출

1613 최다빈출 왕중요

수열 $\{a_n\}$의 일반항 a_n이

$$a_n=\frac{2}{\sqrt{n}+\sqrt{n+1}}$$

일 때, $\displaystyle\sum_{k=1}^{48}a_k$의 값은?

① 10 　　　　② 12 　　　　③ 14
④ 16 　　　　⑤ 18

▶ 해설 내신연계기출

1614 최다빈출 왕중요

$\displaystyle\sum_{k=1}^{8}\frac{3}{\sqrt{3k-2}+\sqrt{3k+1}}$ 의 값은?

① 4 　　　　② 8 　　　　③ 10
④ 12 　　　　⑤ 16

▶ 해설 내신연계기출

1615 최다빈출 왕중요

$\displaystyle\sum_{k=1}^{n}\frac{1}{\sqrt{2k+1}+\sqrt{2k-1}}=5$가 되도록 하는 자연수 n의 값은?

① 30 　　　　② 35 　　　　③ 40
④ 50 　　　　⑤ 60

▶ 해설 내신연계기출

1616 최다빈출 왕중요

첫째항이 4, 공차가 1인 등차수열 $\{a_n\}$에 대하여

$$\sum_{k=1}^{12}\frac{1}{\sqrt{a_{k+1}}+\sqrt{a_k}}$$

의 값은?

① 1 　　　　② 2 　　　　③ 3
④ 4 　　　　⑤ 5

▶ 해설 내신연계기출

1617 최다빈출 왕중요

첫째항이 4, 공차가 3인 등차수열 $\{a_n\}$이

$$\sum_{k=1}^{n}\frac{1}{\sqrt{a_k}+\sqrt{a_{k+1}}}=\frac{5}{3}$$

를 만족시킬 때, 자연수 n의 값은?

① 14 　　　　② 15 　　　　③ 16
④ 17 　　　　⑤ 18

▶ 해설 내신연계기출

1618 최다빈출 양 중요　TOUGH

그림과 같이 두 곡선 $y=\sqrt{x+1}$, $y=-\sqrt{x}$와 두 직선 $x=k$,
$x=k+1$에 의해 만들어진 직사각형을 $A_k\,(k=1,\ 2,\ 3,\ \cdots)$라 하자.
직사각형 A_k의 넓이를 S_k라고 할 때, $\displaystyle\sum_{k=1}^{99}\frac{1}{S_k}$의 값은?

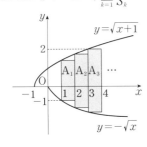

① 5　　　　② 6　　　　③ 7
④ 8　　　　⑤ 9

▶ 해설 내신연계기출

1619　TOUGH

자연수 n에 대하여 직선 $x=n$이 두 곡선
$$y=\sqrt{x},\ y=-\sqrt{x+1}$$
과 만나는 점을 각각 A_n, B_n이라 하자. 삼각형 A_nOB_n의 넓이를 T_n
이라 할 때, $\displaystyle\sum_{n=1}^{24}\frac{n}{T_n}$의 값은? (단, O는 원점이다.)

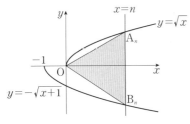

① $\dfrac{13}{2}$　　　② 7　　　③ $\dfrac{15}{2}$
④ 8　　　⑤ $\dfrac{17}{2}$

1620　TOUGH

좌표평면에서 자연수 n에 대하여 원 $x^2+y^2=n$ 위의 점 P와 직선
$l:\sqrt{n}x+y+n+1=0$ 사이의 거리의 최댓값을 a_n이라 할 때,
$\displaystyle\sum_{k=1}^{15}\frac{1}{a_k}$의 값은?

① 1　　　　② 2　　　　③ 3
④ 4　　　　⑤ 5

유형 22　특정한 값이 반복되는 수열의 합

수열 $\{a_n\}$의 각 항이 특정한 값이 반복되어 수열의 합
⇨ $\displaystyle\sum_{k=1}^{n}a_k$는 같은 값을 갖는 항의 개수를 이용하여 구한다.

1621　학교기출 대표 유형

자연수 n에 대하여 n^2을 3으로 나누었을 때의 나머지를 a_n이라
할 때, $\displaystyle\sum_{k=1}^{24}a_k$의 값은?

① 12　　　　② 14　　　　③ 16
④ 18　　　　⑤ 20

1622　최다빈출 양 중요　NORMAL

수열 $\{a_n\}$이
$$a_n=(n^2\text{을 }5\text{로 나누었을 때의 나머지}) \ (n=1,\ 2,\ 3,\ \cdots)$$
와 같이 정의할 때, $\displaystyle\sum_{k=1}^{100}a_k$의 값은?

① 100　　　　② 150　　　　③ 200
④ 250　　　　⑤ 300

▶ 해설 내신연계기출

1623　최다빈출 양 중요　NORMAL

자연수 n에 대하여 3^n을 5로 나누었을 때의 나머지를 a_n이라고
할 때, $\displaystyle\sum_{k=1}^{100}a_k$의 값은?

① 100　　　　② 150　　　　③ 200
④ 250　　　　⑤ 300

▶ 해설 내신연계기출

1624　TOUGH

자연수 n에 대하여 3^n+7^n의 일의 자리의 수를 a_n이라고 할 때,
$\displaystyle\sum_{k=1}^{n}a_k \geq 100$을 만족시키는 n의 최솟값은?

① 36　　　　② 37　　　　③ 38
④ 39　　　　⑤ 40

① 멱급수의 뜻
  등차수열 $\{a_n\}$과 등비수열 $\{b_n\}$에 대하여 두 수열의 곱
  $a_1b_1,\ a_2b_2,\ a_3b_3,\ \cdots,\ a_nb_n$의 꼴로 이루어진 수열의 합을 멱급수라
  한다.
② 멱급수를 구하는 방법
  [1단계] 주어진 수열 S의 양변에 등비수열의 공비 r을 곱한다.
  [2단계] 주어진 식을 $S-rS$의 꼴로 만들어 등비수열의 합의 꼴로
  유도한 후 합한다.

1625 학교기출 대표 유형

다음을 만족하는 자연수 a, b에 대하여 $a+b$의 값은?

$$1\cdot1+2\cdot2+3\cdot2^2+\cdots+10\cdot2^9=a\cdot2^{10}+b$$

① 9 　　　② 10 　　　③ 11
④ 12 　　　⑤ 15

1626 최다빈출 왕중요 　　NORMAL

다음 조건을 만족하는 합을 S라고 하면 $S=p\times2^8+q$이다.

$$1+3\cdot2+5\cdot2^2+7\cdot2^3+\cdots+15\cdot2^7$$

이때 자연수 p, q에 대하여 $p+q$의 값은?
(단, q는 한 자리 자연수)

① 16 　　　② 15 　　　③ 14
④ 13 　　　⑤ 12

▶ 해설 내신연계기출

1627 최다빈출 왕중요 　　NORMAL

$2\cdot\dfrac{1}{2}+3\left(\dfrac{1}{2}\right)^2+4\left(\dfrac{1}{2}\right)^3+\cdots+10\left(\dfrac{1}{2}\right)^9$의 값은?

① $3-6\left(\dfrac{1}{2}\right)^8$ 　　② $6-3\left(\dfrac{1}{2}\right)^8$ 　　③ $6-5\left(\dfrac{1}{2}\right)^{10}$
④ $3-6\left(\dfrac{1}{2}\right)^{11}$ 　　⑤ $5-7\left(\dfrac{1}{2}\right)^9$

▶ 해설 내신연계기출

$\sum$로 표현된 수열의 합과 일반항 사이의 관계를 이용하여 일반항을 구하
거나 $\sum$의 성질을 이용하여 합을 구한다.

1628 학교기출 대표 유형

수열 $\{a_n\}$이

$$\sum_{k=1}^{n}a_{2k-1}=cn^2-14n,\quad \sum_{k=1}^{n}a_{2k}=n^2+cn$$

을 만족시키고 $a_7=14$일 때, $\displaystyle\sum_{k=1}^{10}a_k$의 값은? (단, c는 상수이다.)

① 65 　　　② 70 　　　③ 75
④ 80 　　　⑤ 85

1629 최다빈출 왕중요 　　NORMAL

상수 p에 대하여 수열 $\{a_n\}$이

$$\sum_{k=1}^{n}a_{2k-1}=pn^2+5n,\quad \sum_{k=1}^{n}a_{2k}=4n^2+15pn$$

을 만족시킨다. $a_{11}=27$일 때, a_{16}의 값은?

① 66 　　　② 72 　　　③ 78
④ 84 　　　⑤ 90

▶ 해설 내신연계기출

1630 최다빈출 왕중요 　　NORMAL

수열 $\{a_n\}$에 대하여 a_1, a_2, a_3, $\cdots$, a_{20}은 0, 1, 2 중 하나이다.

$\displaystyle\sum_{k=1}^{20}a_k=17$, $\displaystyle\sum_{k=1}^{20}a_k^2=31$일 때, $\displaystyle\sum_{k=1}^{20}a_k^3$의 값은?

① 55 　　　② 56 　　　③ 57
④ 58 　　　⑤ 59

▶ 해설 내신연계기출

1631 최다빈출 왕중요 　　NORMAL

수열 $\{a_n\}$에 대하여 a_1, a_2, a_3, $\cdots$, a_{20}의 값이 -1, 0, 1 중 하나이
다. $\displaystyle\sum_{k=1}^{20}a_k=1$, $\displaystyle\sum_{k=1}^{20}a_k^2=11$일 때, $a_k=-1\ (1\le k\le20)$을 만족시키는
자연수 k의 개수는?

① 5 　　　② 8 　　　③ 11
④ 15 　　　⑤ 18

▶ 해설 내신연계기출

유형 25 정수로 이루어진 군수열

[1단계] 주어진 수열을 규칙성을 갖는 군으로 나눈다.
[2단계] 각 군의 항수를 파악한다.
[3단계] 각 군의 첫째항 또는 끝항이 갖는 규칙성을 조사한다.

1632 학교기출 대표유형

수열 $\{a_n\}$이

$$1, 1, 3, 1, 3, 5, 1, 3, 5, 7, 1, 3, 5, 7, 9, \cdots$$

일 때, a_{84}의 값은?

① 5   ② 7   ③ 9
④ 11   ⑤ 13

▶ 해설 내신연계기출

1633 최다빈출 알중요   NORMAL

수열

$$1, 3, 3, 5, 5, 5, 7, 7, 7, 7, \cdots$$

에서 19가 제 a항부터 b항까지 계속해서 나타날 때 $a+b$의 값은?

① 97   ② 99   ③ 101
④ 103   ⑤ 105

▶ 해설 내신연계기출

1634   TOUGH

수열 $\{a_n\}$이

$$1, 1, 2, 1, 1, 2, 3, 2, 1, 1, 2, 3, 4, 3, 2, 1, \cdots$$

일 때, a_{90}의 값은?

① 5   ② 7   ③ 9
④ 11   ⑤ 13

유형 26 분수로 이루어진 군수열

① 분모 또는 분자가 같은 것끼리 군으로 묶는다.

예 $\left(\dfrac{1}{1}\right), \left(\dfrac{1}{2}, \dfrac{2}{2}\right), \left(\dfrac{1}{3}, \dfrac{2}{3}, \dfrac{3}{3}\right), \cdots$ ← 분모가 같은 것끼리 묶는다.

② (분모)+(분자)의 값이 같은 것끼리 군으로 묶는다.

예 $\left(\dfrac{1}{1}\right), \left(\dfrac{1}{2}, \dfrac{2}{1}\right), \left(\dfrac{1}{3}, \dfrac{2}{2}, \dfrac{3}{1}\right), \cdots$ ← 분모가 같은 것끼리 묶는다.

1635 학교기출 대표유형

수열

$$1, \dfrac{1}{2}, \dfrac{1}{2}, \dfrac{1}{3}, \dfrac{1}{3}, \dfrac{1}{3}, \dfrac{1}{4}, \dfrac{1}{4}, \dfrac{1}{4}, \dfrac{1}{4}, \cdots$$

에서 $\dfrac{1}{15}$이 처음으로 나오는 항은 제 k항일 때, k의 값은?

① 96   ② 106   ③ 136
④ 228   ⑤ 480

1636   NORMAL

수열

$$\dfrac{1}{2}, \dfrac{1}{3}, \dfrac{2}{3}, \dfrac{1}{4}, \dfrac{2}{4}, \dfrac{3}{4}, \dfrac{1}{5}, \dfrac{2}{5}, \dfrac{3}{5}, \dfrac{4}{5}, \cdots$$

에서 제 141항은?

① $\dfrac{4}{17}$ ② $\dfrac{5}{17}$ ③ $\dfrac{5}{18}$
④ $\dfrac{6}{17}$ ⑤ $\dfrac{7}{18}$

1637 최다빈출 알중요   NORMAL

수열

$$\dfrac{1}{1}, \dfrac{2}{1}, \dfrac{1}{2}, \dfrac{3}{1}, \dfrac{2}{2}, \dfrac{1}{3}, \dfrac{4}{1}, \dfrac{3}{2}, \dfrac{2}{3}, \dfrac{1}{4}, \cdots$$

에서 $\dfrac{6}{15}$은 제 몇 항인가?

① 195   ② 201   ③ 205
④ 210   ⑤ 215

▶ 해설 내신연계기출

1638   TOUGH

다음과 같이 순서쌍으로 이루어진 수열에서 $(12, 10)$은 제 몇 항인가?

$$(1, 1), (2, 1), (1, 2), (3, 1), (2, 2), (1, 3),$$
$$(4, 1), (3, 2), (2, 3), (1, 4), \cdots$$

① 196   ② 215   ③ 220
④ 312   ⑤ 452

문제에서 주어진 조건을 이용하여 규칙을 찾아 일반항을 이용하거나
∑의 성질을 이용하여 합을 구한다.

1639

오른쪽 그림은 맨 위층부터 차례대로
1, 3, 6, 10개의 정육면체 모양의 블
록을 쌓아 만든 4층 탑이다. 이와 같
은 모양으로 10층 탑을 쌓기 위해 필
요한 블록의 개수는?

① 120   ② 220

③ 320   ④ 420   ⑤ 520

▶ 해설 내신연계기출

1640

NORMAL

다음 그림과 같이 크기가 같은 정육면체를 빈틈없이 쌓아서 피라미
드 모양의 입체도형을 만들 때, n단의 입체도형을 만드는데 사용된
정육면체의 개수를 a_n이라 하자. 예를 들어 $a_1=1$, $a_2=5$이다.
a_{10}의 값은?

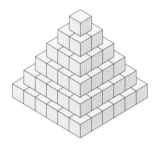

① 240   ② 300   ③ 350

④ 385   ⑤ 440

1641

NORMAL

그림과 같이 크기가 같은 공을 사면체 모양으로 쌓아 올릴 때,
n층의 입체도형을 만드는데 사용된 공의 개수를 a_n이라 하자.
예를 들어 $a_1=1$, $a_2=1+3=4$, $a_3=1+3+6=10$이다.
a_5의 값은?

[1층]   [2층]   [3층]   ···

① 20   ② 35   ③ 56

④ 84   ⑤ 129

1642

NORMAL

그림과 같은 모양의 4층 탑을 쌓았을 때, 크기가 같은 44개의 정육
면체가 필요하였다. 이와 같은 규칙으로 10층 탑을 쌓으려고 할 때,
필요한 정육면체의 총 개수는?

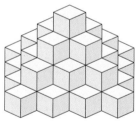

① 650   ② 670   ③ 690

④ 710   ⑤ 730

1643

주어진 개수만큼의 점을 배열한 모양이 다각형을 이루는 경우에 그 점의 개수를 도형수라고 한다. 아래 그림과 같이 오각수는 오각형을 이루는 점의 개수를 말한다. [10단계]의 오각수의 값은?

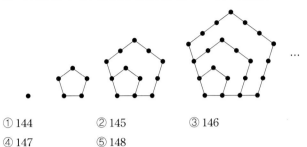

① 144   ② 145   ③ 146

④ 147   ⑤ 148

1645

다음 그림은 밑변의 길이와 높이가 1인 직각이등변삼각형을 붙여 만든 도형이다. n단계에서 밑변의 길이와 높이가 1인 **직각이등변삼각형의 개수**를 a_n이라고 할 때, $\sum\limits_{k=1}^{10} a_k$의 값은?

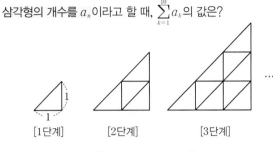

[1단계]   [2단계]   [3단계]

① 385   ② 390   ③ 395

④ 400   ⑤ 405

1644

다음 그림과 같이 삼각형, 사각형을 이루도록 점을 배열할 때, 각 도형을 이루는 점의 개수를 각각 삼각수, 사각수라 한다.

	1단계	2단계	3단계	4단계	
삼각수	●	△			...
	1	3	6	10	
사각수	●	□			...
	1	4	9	16	

이때 [n단계]의 삼각수를 a_n, 사각수를 b_n이라 할 때, $a_{10}+b_{10}$의 값은?

① 55   ② 100   ③ 125

④ 155   ⑤ 255

1646

다음 그림과 같이 한 변의 길이가 $(n+2)$인 정사각형의 가로, 세로를 각각 $(n+2)$등분 하여 한 변의 길이가 1인 정사각형으로 나눈 후 가장 아래쪽 줄의 모든 정사각형과 아래에서 두 번째 줄의 정사각형 2개를 없앤 도형 A_n의 넓이를 a_n이라 할 때 $\sum\limits_{k=1}^{10} a_k$의 값은?

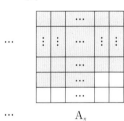

A_1 A_2 ... A_n

① 440   ② 550   ③ 660

④ 770   ⑤ 880

주어진 조건을 이용하여 규칙을 찾아 일반항을 이용하거나 $\sum$ 의 성질을 이용하여 합을 구한다.

1647 학교기출 대표유형

오른쪽 그림과 같이 두 직선 $y=x$와 $x=10$ 및 x축으로 둘러싸인 부분에 속한 점 중에서 x, y좌표가 모두 자연수인 점의 개수는?
(단, 경계선은 포함한다.)

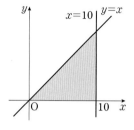

① 30   ② 37
③ 45   ④ 55
⑤ 66

1648 최다빈출 왕중요 NORMAL

그림과 같이 좌표평면에 x축 위의 두 점 F, F′과 점 P$(0,\ n)$ $(n>0)$이 있다. 삼각형 PF′F가 $\angle$FPF′$=90°$인 직각이등변삼각형일 때, n이 자연수일 때 삼각형 PF′F의 세 변 위에 있는 점 중에서 x좌표와 y좌표가 모두 정수인 점의 개수를 a_n이라 하자. $\displaystyle\sum_{n=1}^{5} a_n$의 값은?

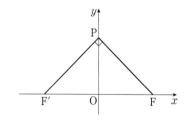

① 40   ② 45   ③ 50
④ 55   ⑤ 60

▶ 해설 내신연계기출

1649 TOUGH

자연수 n에 대하여 곡선 $y=\dfrac{6^n}{x}$ 위의 점 중에서 x좌표와 y좌표가 모두 자연수인 점의 개수를 a_n이라 하자. $\displaystyle\sum_{n=1}^{10} a_n$의 값은?

① 450   ② 505   ③ 605
④ 705   ⑤ 805

1650 TOUGH

다음은 2 이상의 자연수 n에 대하여 함수 $y=\sqrt{x}$의 그래프와 x축 및 직선 $x=n^2$으로 둘러싸인 도형의 내부에 있는 점 중에서 x좌표와 y좌표가 모두 정수인 점의 개수 a_n을 구하는 과정이다.

> $n=2$일 때, 곡선 $y=\sqrt{x}$, x축 및 직선 $x=4$로 둘러싸인 도형의 내부에 있는 점 중에서 x좌표와 y좌표가 모두 정수인 점은 $(2, 1)$, $(3, 1)$이므로 $a_2=$ (가) 이다.
> 3 이상의 자연수 n에 대하여 a_n을 구하여 보자.
>
>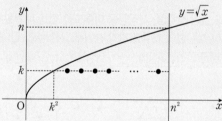
>
> 위의 그림과 같이 $1 \leq k \leq n-1$인 정수 k에 대하여 주어진 도형의 내부에 있는 점 중에서 x좌표가 정수이고, y좌표가 k인 점은 $(k^2+1,\ k)$, $(k^2+2,\ k)$, $\cdots$, ((나) , k) 이므로 이 점의 개수를 b_k라 하면
> $$b_k=\boxed{\text{(나)}}-k^2$$
> 이다. 따라서
> $$a_n=\sum_{k=1}^{n-1}b_k=\boxed{\text{(다)}}$$
> 이다.

위의 (가)에 알맞은 수를 p라 하고 (나), (다)에 알맞은 식을 각각 $f(n)$, $g(n)$이라 할 때, $p+f(4)+g(6)$의 값은?

① 131   ② 133   ③ 135
④ 137   ⑤ 139

서술형 기출유형

1651

모든 자연수 n에 대하여 x에 대한 다항식 $x^2-(n+2)x+n$을 $x-2n$으로 나눈 나머지를 a_n이라 할 때, 다음 물음에 답하고 그 과정을 서술하여라.

[1단계] a_n을 구한다.

[2단계] $\displaystyle\sum_{k=1}^{10}a_k$의 값을 구한다.

1652

자연수 n에 대하여 이차방정식 $x^2-nx+2n-1=0$의 두 근을 a_n, b_n이라고 할 때, $\displaystyle\sum_{k=1}^{10}(a_k{}^2+b_k{}^2)$의 값을 구하는 과정을 다음 단계로 서술하여라.

[1단계] 이차방정식의 근과 계수의 관계에 의하여 a_n+b_n, a_nb_n의 값을 구한다.

[2단계] 곱셈공식에 의하여 $a_n{}^2+b_n{}^2$을 구한다.

[3단계] $\displaystyle\sum_{k=1}^{10}(a_k{}^2+b_k{}^2)$의 값을 구한다.

1653

다음과 같은 수열 $\{a_n\}$이 있다.

$$9,\ 98,\ 997,\ 9996,\ 99995,\ \cdots,\ 9999999990,\ \cdots$$

이 수열의 합을 구하는 그 과정을 다음 단계로 서술하여라.

[1단계] 수열 $\{a_n\}$의 일반항을 구한다.

[2단계] 9999999990은 수열 $\{a_n\}$의 제 몇 항인지 구한다.

[3단계] $9+98+997+9996+99995+\cdots+9999999990$의 값을 등차수열 및 등비수열의 합의 기호 $\sum$ 의 성질을 이용하여 구한다.

1654

다음 각각의 단계별 수열에서 제 k항 a_k라 하고 부분분수로 변형하여 수열의 합을 구하는 과정을 서술하여라.

[1단계] $\dfrac{1}{3^2-1}+\dfrac{1}{5^2-1}+\dfrac{1}{7^2-1}+\cdots+\dfrac{1}{21^2-1}$의 값을 구한다.

[2단계] $\dfrac{1}{2^2-1}+\dfrac{1}{3^2-1}+\dfrac{1}{4^2-1}+\cdots+\dfrac{1}{11^2-1}$의 값을 구한다.

[3단계] $\dfrac{1}{2^2-1}+\dfrac{1}{4^2-1}+\dfrac{1}{6^2-1}+\cdots+\dfrac{1}{20^2-1}$의 값을 구한다.

1655

등식

$$1\cdot n+2^2\cdot(n-1)+\cdots+(n-1)^2\cdot2+n^2\cdot1$$
$$=\frac{n(n+a)^2(n+b)}{12}$$

가 성립할 때, 상수 a, b에 대하여 $a+b$의 값을 구하는 과정을 다음 단계로 서술하여라.

[1단계] 주어진 등식의 제 k항을 a_k라 할 때, a_k을 구한다.

[2단계] 첫째항부터 제 n항까지의 합을 구한다.

[3단계] $a+b$의 값을 구한다.

1656

등식

$$\left(\frac{1+n}{n}\right)^2+\left(\frac{2+n}{n}\right)^2+\left(\frac{3+n}{n}\right)^2+\cdots+\left(\frac{2n}{n}\right)^2$$
$$=\frac{(2n+1)(bn+1)}{an}$$

가 성립할 때, 자연수 a, b에 대하여 $a+b$의 값을 구하는 과정을 다음 단계로 서술하여라.

[1단계] 주어진 등식의 제 k항을 a_k라 할 때, a_k을 구한다.

[2단계] 첫째항부터 제 n항까지의 합을 구한다.

[3단계] ab의 값을 구한다.

1657

다음과 같이 자연수를 나열할 때, n행에 나열되는 수들의 합을 a_n이라 하자. 이때 $\sum\limits_{k=1}^{10} a_k$의 값을 다음 단계로 서술하여라.

1행				1	
2행				2	4
3행			3	6	9
4행		4	8	12	16
5행	5	10	15	20	25
⋮			⋮		

[1단계] n행에 나열되는 수들의 합 a_n을 구한다.

[2단계] 10행의 나열되는 수의 합을 구한다.

[3단계] 1행에서 10행까지 나열된 모든 수의 합 $\sum\limits_{k=1}^{10} a_k$을 구한다.

1658

m, n이 이차방정식

$$x^2 - 14x + 20 = 0$$

의 두 근일 때, $\sum\limits_{k=1}^{m}\left\{\sum\limits_{l=1}^{n}(k+l)\right\}$의 값을 구하는 과정을 다음 단계로 서술하여라.

[1단계] 이차방정식의 근과 계수의 관계를 이용하여 $m+n$, mn의 값을 구한다.

[2단계] $\sum\limits_{k=1}^{m}\left\{\sum\limits_{l=1}^{n}(k+l)\right\}$을 시그마의 성질과 공식을 이용하여 m, n에 대한 식으로 나타낸다.

[3단계] $\sum\limits_{k=1}^{m}\left\{\sum\limits_{l=1}^{n}(k+l)\right\}$의 값을 구한다.

1659

등차수열 $\{a_n\}$에 대하여

$$\sum\limits_{k=1}^{4} a_{4k-1} = 60, \quad \sum\limits_{k=1}^{4} a_{4k-2} = 52$$

가 성립할 때, $\sum\limits_{k=1}^{10} a_{2k}$의 값을 구하는 과정을 다음 단계로 서술하여라.

[1단계] 등차수열의 첫째항과 공차를 구한다.

[2단계] a_{2k}을 구한다.

[3단계] $\sum\limits_{k=1}^{10} a_{2k}$의 값을 구한다.

1660

수열 $\{a_n\}$이 모든 자연수 n에 대하여

$$\sum\limits_{k=1}^{n} a_k = \log\frac{(n+1)(n+2)}{2}$$

를 만족시킨다. $\sum\limits_{k=1}^{20} a_{2k} = p$라 할 때, 10^p을 구하는 과정을 다음 단계로 서술하여라.

[1단계] 수열 $\{a_n\}$의 일반항을 구한다.

[2단계] $\sum\limits_{k=1}^{20} a_{2k}$의 값을 구한다.

[3단계] 10^p의 값을 구한다.

1661

수열 $\{a_n\}$의 첫째항부터 제 n항까지의 합 $S_n = n^2$에 대하여 다음 단계로 그 과정을 서술하여라.

[1단계] a_n을 구한다.

[2단계] $\dfrac{1}{\sqrt{a_k}+\sqrt{a_{k+1}}}$을 구하고 유리화 한다.

[3단계] $\sum\limits_{k=1}^{40} \dfrac{1}{\sqrt{a_k}+\sqrt{a_{k+1}}}$의 값을 구한다.

1662

수열 $\{a_n\}$에 대하여 $\sum\limits_{k=1}^{n} a_k = n^2 + n - 1$로 정의될 때, 다음 단계로 그 과정을 서술하여라.

[1단계] a_1과 $n \geq 2$일 때, a_n을 구한다.

[2단계] $k \geq 2$일 때, $a_k a_{k+1}$의 값을 구한다.

[3단계] $\sum\limits_{k=1}^{20} \dfrac{1}{a_k a_{k+1}}$의 값을 구한다.

1663

$f(a) = \sum\limits_{k=1}^{10}(2k-a)^2$ 에 대하여 다음 단계로 그 과정을 서술하여라.

[1단계] 이차함수 $f(a)$를 구한다.

[2단계] $f(a)$가 최소가 되도록 하는 a의 값과 그때의 최솟값을 각각 구한다.

1664

수열 $\{a_n\}$에 대하여

$$1, \ 1+2, \ 1+2+3, \ 1+2+3+4, \ \cdots$$

첫째항부터 제 10항까지의 합을 구하는 과정을 다음 단계로 서술하여라.

[1단계] 주어진 수열의 일반항 a_n을 구한다.

[2단계] 수열의 첫째항부터 제 10항까지의 합을 기호 $\sum$를 사용하여 나타내고 그 값을 구한다.

1665

다음 단계에 답하고 수열의 합을 구하는 과정을 서술하여라.

[1단계] $a_1=1$, $a_{n+1}=a_n+3$ (단, $n=1, \ 2, \ 3, \ \cdots$)

정의된 수열 $\{a_n\}$에 대하여 $\sum\limits_{k=1}^{10} a_k$의 값을 구한다.

[2단계] $3 \cdot 4 + 5 \cdot 6 + 7 \cdot 8 + \cdots + 13 \cdot 14$를 합의 기호 $\sum$를 사용하여 나타내고 그 합을 구한다.

[3단계] $\dfrac{1}{1+\sqrt{3}} + \dfrac{1}{\sqrt{3}+\sqrt{5}} + \dfrac{1}{\sqrt{5}+\sqrt{7}} + \cdots + \dfrac{1}{\sqrt{47}+\sqrt{49}}$

을 합의 기호 $\sum$를 사용하여 나타내고 그 합을 구한다.

1666

자연수 n에 대하여 다항함수

$$f_n(x) = 4^n x^4 + 3^n x^3 + 2^n x^2 + x + 1$$

을 $x-1$로 나누었을 때의 나머지를 a_n, $x+1$로 나누었을 때의 나머지를 b_n이라 할 때, 다음 단계에 답하고 그 과정을 서술하여라.

[1단계] $f_n(x)$을 $x-1$로 나누었을 때의 나머지 a_n를 구한다.

[2단계] $f_n(x)$을 $x+1$로 나누었을 때의 나머지 b_n를 구한다.

[3단계] $\sum\limits_{n=1}^{10}(a_n-b_n)$의 값을 구한다.

1667

$\sum\limits_{n=1}^{100}[\log_4 n]$의 값을 구하는 과정을 다음 단계로 서술하여라.

(단, $[x]$는 x보다 크지 않은 최대의 정수이다.)

[1단계] $1 \le n \le 100$일 때, $\log_4 n$이 정수가 되도록 하는 자연수 n의 값을 모두 구한다.

[2단계] [1단계]의 결과를 기준으로 $1 \le n \le 100$에서 자연수 n의 범위를 나누어 각 범위에서의 $[\log_4 n]$의 값을 구한다.

[3단계] $\sum\limits_{n=1}^{100}[\log_4 n]$의 값을 구한다.

1668

함수 $f(x) = \dfrac{2^x}{2^x+2}$에 대하여 $\sum\limits_{k=1}^{50} f\left(\dfrac{101-2k}{50}\right)$의 값을 구하는 과정을 다음 단계로 서술하여라.

[1단계] $f(x) + f(2-x) = 1$임을 보인다.

[2단계] $f\left(\dfrac{99}{50}\right) + f\left(\dfrac{1}{50}\right)$, $f\left(\dfrac{97}{50}\right) + f\left(\dfrac{3}{50}\right)$의 값을 구한다.

[3단계] $\sum\limits_{k=1}^{50} f\left(\dfrac{101-2k}{50}\right)$의 값을 구한다.

1669

다음 표를 이용하여

$$1 \leq a \leq 10, \ 1 \leq b \leq 10, \ a < b$$

인 두 자연수 a, b의 곱 ab의 총합 S를 구하는 과정을 다음 단계로 서술하여라.

×	1	2	3	⋯	10
1	1	1×2	1×3	⋯	1×10
2	2×1	2^2	2×3	⋯	2×10
3	3×1	3×2	3^2	⋯	3×10
⋮	⋮	⋮	⋮	⋮	⋮
10	10×1	10×2	10×3	⋯	10^2

[1단계] $(1+2+3+\cdots+10)(1+2+3+\cdots+10)$을 구한다.

[2단계] 대각선의 두 자연수의 곱의 총합 $\sum\limits_{k=1}^{10} k^2$을 구한다.

[3단계] 1에서 10까지의 자연수 중 서로 다른 두 자연수의 곱의 총합 S의 값을 구한다.

▶ 해설 내신연계기출

1670

자연수 n에 대하여 이차함수 $y = x^2 - 2^n x + 4^n$의 최솟값을 a_n이라 하자. $S_n = \sum\limits_{k=1}^{n} a_k$라 할 때, $\sum\limits_{k=1}^{m} \log_2(S_k+1) = 110$을 만족시키는 자연수 m의 값을 다음 단계로 서술하여라.

[1단계] 이차함수 $y = x^2 - 2^n x + 4^n$의 최솟값 a_n을 구한다.

[2단계] $S_n = \sum\limits_{k=1}^{n} a_k$의 값 구한다.

[3단계] $\sum\limits_{k=1}^{m} \log_2(S_k+1) = 110$을 만족시키는 자연수 m의 값을 구한다.

1671

수열 $\{a_n\}$을 $a_n =$ (6^n의 양의 약수 중 짝수인 것의 개수)라 할 때, $\sum\limits_{k=1}^{10} a_k$의 값을 다음 단계로 서술하여라.

[1단계] 6^n의 양의 약수의 개수를 구한다.

[2단계] 짝수인 양의 약수의 개수는 전체 양의 약수의 개수에서 홀수인 양의 약수의 개수를 빼서 a_n 구한다.

[3단계] $\sum\limits_{k=1}^{10} a_k$의 값을 구한다.

1672

자연수 n에 대하여 자연수 $8 \times 3^{n-1}$의 양의 약수의 개수를 a_n이라 하자.

$$f(n) = \sum_{k=1}^{n} \frac{1}{\sqrt{a_k} + \sqrt{a_{k+1}}}$$

이라 할 때, $f(n)$의 값이 자연수가 되도록 하는 100 이하의 자연수 n의 개수를 다음 단계로 서술하여라.

[1단계] 자연수 $8 \times 3^{n-1}$의 양의 약수의 개수 a_n를 구한다.

[2단계] $f(n) = \sum\limits_{k=1}^{n} \dfrac{1}{\sqrt{a_k} + \sqrt{a_{k+1}}}$의 값 구한다.

[3단계] $f(n)$의 값이 자연수가 되도록 하는 100 이하의 자연수 n의 개수를 구한다.

1673

수열 $\{a_n\}$이

$$1, \ 1, \ 2, \ 1, \ 2, \ 4, \ 1, \ 2, \ 4, \ 8, \ 1, \ 2, \ 4, \ 8, \ 16, \ \cdots$$

이다. 다음 단계에 답하고 그 과정을 서술하여라.

[1단계] 제 51항, 즉 a_{51}의 값을 구한다.

[2단계] $\sum\limits_{k=1}^{51} a_k$의 값을 구한다.

1674

수열 $\{a_n\}$이

$$\frac{1}{1}, \ \frac{1}{2}, \ \frac{2}{2}, \ \frac{1}{3}, \ \frac{2}{3}, \ \frac{3}{3}, \ \frac{1}{4}, \ \frac{2}{4}, \ \frac{3}{4}, \ \frac{4}{4}, \ \cdots$$

일 때, $\sum\limits_{k=1}^{55} a_k$의 값을 구하는 과정을 다음 단계로 서술하여라.

[1단계] 수열 $\{a_n\}$의 항을 첫째항부터 분모가 같은 분수끼리 묶어서 나타내고 a_{55}의 값을 구한다.

[2단계] 수열 $\{a_n\}$의 항을 첫째항부터 분모가 같은 분수끼리 묶어서 나타내었을 때, 제 n군의 모든 항의 합을 구한다.

[3단계] $\sum\limits_{k=1}^{55} a_k$의 값을 구한다.

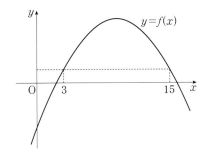
행복한 1등급문제
학 교 내 신 기 출 고 득 점 핵 심 문 제 총 정 리

1675

$\displaystyle\sum_{k=1}^{10} k\left(\dfrac{1}{k}+\dfrac{1}{k+1}+\cdots+\dfrac{1}{10}\right)$의 값을 구하여라.

1676

공차가 3인 등차수열 $\{a_n\}$의 첫째항부터 제 n항까지의 합을 S_n이라 하자.

$$\sum_{k=1}^{15}(S_{2k}-S_{2k-1})=750$$

일 때, a_{30}의 값을 구하여라.

1677

첫째항이 3인 등차수열 $\{a_n\}$에 대하여

$$\sum_{n=1}^{10}(a_{5n}-a_n)=440$$

일 때, $\displaystyle\sum_{n=1}^{10}a_n$의 값을 구하여라.

1678

모든 항이 양수인 등차수열 $\{a_n\}$은

$$a_{26}=30,\ \sum_{n=1}^{13}\{(a_{2n})^2-(a_{2n-1})^2\}=260$$

을 만족시킨다. a_{11}의 값을 구하여라.

1679

수열 $\{a_n\}$은 $a_1+a_2=8$이고

$$\sum_{k=2}^{n}a_k-\sum_{k=1}^{n-1}a_k=2n^2+2\ (n\geq2)$$

를 만족시킨다. $\displaystyle\sum_{k=1}^{10}a_k$의 값을 구하여라.

1680

함수 $y=f(x)$는 $f(3)=f(15)$를 만족하고, 그 그래프는 다음 그림과 같다. 모든 자연수 n에 대하여 $f(n)=\displaystyle\sum_{k=1}^{n}a_k$인 수열 $\{a_n\}$이 있다.

m이 15보다 작은 자연수일 때,

$$a_m+a_{m+1}+\cdots+a_{15}<0$$

을 만족시키는 m의 최솟값을 구하여라.

1681

모든 항이 양의 실수인 등비수열 $\{a_n\}$의 첫째항부터 제 n항까지의 합을 S_n이라 하자. $S_3 = 7a_3$일 때, $\sum_{n=1}^{8} \dfrac{S_n}{a_n}$의 값을 구하여라.

1682

수열 $\{a_n\}$이
$$a_1 = 3, \ a_n = 8n - 4 \ (n = 2, 3, 4, \cdots)$$
를 만족시키고 수열 $\{a_n\}$의 첫째항부터 제 n항까지의 합을 S_n이라 하자. $\sum_{n=1}^{10} \dfrac{1}{S_n} = \dfrac{q}{p}$일 때, $p+q$의 값을 구하여라.
(단, p와 q는 서로소인 자연수이다.)

1683

자연수 n에 대하여
$$\left| \left(n + \dfrac{1}{2}\right)^2 - m \right| < \dfrac{1}{2}$$
을 만족시키는 자연수 m을 a_n이라 하자. $\sum_{k=1}^{5} a_k$의 값을 구하여라.

1684 최다빈출 강 중요

자연수 n에 대하여 x에 대한 이차방정식 $x^2 - 3nx + 1 = 0$의 두 근을 α_n, β_n이라고 할 때
$$\left(\dfrac{1}{\alpha_1} + \dfrac{1}{\alpha_2} + \dfrac{1}{\alpha_3} + \cdots + \dfrac{1}{\alpha_{10}} \right) + \left(\dfrac{1}{\beta_1} + \dfrac{1}{\beta_2} + \cdots + \dfrac{1}{\beta_{10}} \right)$$
의 값을 구하여라.

1685

수열 $\{a_n\}$에 대하여
$$\sum_{k=1}^{10} (2k+1)^2 a_k = 100, \quad \sum_{k=1}^{10} k(k+1) a_k = 23$$
일 때, $\sum_{k=1}^{10} a_k$의 값을 구하여라.

1686

자연수 n에 대하여 그림과 같이 직선 $x = 2n-1$과 두 곡선 $y = \dfrac{1}{x} + 1$, $y = \dfrac{1}{x+2}$ 의 교점을 각각 P_n, Q_n이라 하고 직선 $x = 2n+1$과 두 곡선 $y = \dfrac{1}{x} + 1$, $y = \dfrac{1}{x+2}$ 의 교점을 각각 P_{n+1}, Q_{n+1}이라 하자. 삼각형 $P_n Q_n P_{n+1}$의 넓이를 S_n이라 할 때, $\sum_{n=1}^{8} S_n = \dfrac{q}{p}$이다. $p+q$의 값을 구하여라.
(단, p, q는 서로소인 자연수이다.)

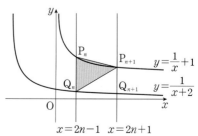

1687

자연수 n에 대하여 함수 $f(x)=x^2+nx$ $(x \geq 0)$의 역함수를 $g(x)$라 하고 직선 $y=-x+n+2$와 두 함수 $y=f(x)$, $y=g(x)$의 그래프가 만나는 점을 각각 P, Q라 하자.

삼각형 POQ의 넓이를 S_n이라 할 때, $\sum\limits_{n=1}^{9} \dfrac{55}{S_n}$의 값을 구하여라. (단, O는 원점이다.)

1688

2 이상의 자연수 n에 대하여 집합
$$\{3^{2k-1} \,|\, k는 자연수, \ 1 \leq k \leq n\}$$
의 서로 다른 두 원소를 곱하여 나올 수 있는 모든 값만을 원소로 하는 집합을 S라 하고 S의 원소의 개수를 $f(n)$이라 하자.

예를 들어 $f(4)=5$이다. 이때 $\sum\limits_{n=2}^{11} f(n)$의 값을 구하여라.

▶ 해설 내신연계기출

1689

좌표평면에서 그림과 같이 길이가 1인 선분이 수직으로 만나도록 연결된 경로가 있다. 이 경로를 따라 원점에서 멀어지도록 움직이는 점 P의 위치를 나타내는 점 A_n을 다음과 같은 규칙으로 정한다.

（ i ）A_0은 원점이다.
（ ii ）n이 자연수일 때, A_n은 점 A_{n-1}에서 점 P가 경로를 따라 $\dfrac{2n-1}{25}$만큼 이동한 위치에 있는 점이다.

예를 들어, 점 A_2와 A_6의 좌표는 각각 $\left(\dfrac{4}{25}, 0\right)$, $\left(1, \dfrac{11}{25}\right)$이다.

자연수 n에 대하여 점 A_n 중 직선 $y=x$ 위에 있는 점을 원점에서 가까운 순서대로 나열할 때, 두 번째 점의 x좌표를 a라 하자. a의 값을 구하여라.

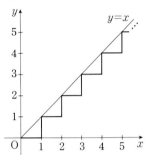

1690

첫째항이 자연수이고 공차가 음의 정수인 등차수열 $\{a_n\}$과 첫째항이 자연수이고 공비가 음의 정수인 등비수열 $\{b_n\}$이 다음 조건을 만족시킬 때, a_7+b_7의 값을 구하여라.

（가）$\sum\limits_{n=1}^{5} (a_n+b_n)=27$

（나）$\sum\limits_{n=1}^{5} (a_n+|b_n|)=67$

（다）$\sum\limits_{n=1}^{5} (|a_n|+|b_n|)=81$

04 수학적 귀납법

유형 01 등차수열의 귀납적 정의

수열 $\{a_n\}$에서

① $a_{n+1}-a_n=d$ (일정) $\Rightarrow$ 공차가 d인 등차수열
② $a_{n+2}-a_{n+1}=a_{n+1}-a_n$ 또는 $2a_{n+1}=a_n+a_{n+2}$ $\Rightarrow$ 등차수열

1691 학교기출 대표유형

수열 $\{a_n\}$이

$$a_1=3,\ a_{n+1}=a_n+5\,(n=1,\,2,\,3,\,\cdots)$$

을 만족시킬 때, a_{10}의 값은?

① 48   ② 50   ③ 52
④ 54   ⑤ 56

1692 최다빈출 왕중요 BASIC

수열 $\{a_n\}$이

$$a_1=-2,\ a_{n+1}-a_n=-3\,(n=1,\,2,\,3,\,\cdots)$$

으로 정의할 때, $a_k=-62$를 만족하는 자연수 k의 값은?

① 21   ② 22   ③ 23
④ 24   ⑤ 25

▶ 해설 내신연계기출

1693 NORMAL

수열 $\{a_n\}$이 $a_1=99$이고 모든 자연수 n에 대하여

$$a_{n+1}=a_n-2$$

를 만족시킬 때, $\displaystyle\sum_{k=1}^{n} a_k$의 값이 최대가 되는 n의 값은?

① 48   ② 50   ③ 52
④ 54   ⑤ 56

1694 최다빈출 왕중요 NORMAL

수열 $\{a_n\}$에 대하여 $a_1=100$이고

$$(a_{n+1}+a_n)^2=4a_na_{n+1}+16\,(n=1,\,2,\,3,\,\cdots)$$

이 성립할 때, a_{20}은? (단, $a_1>a_2>a_3>\cdots>a_n>\cdots$)

① 12   ② 16   ③ 20
④ 24   ⑤ 28

▶ 해설 내신연계기출

1695 최다빈출 왕중요 NORMAL

수열 $\{a_n\}$이 모든 자연수 n에 대하여

$$a_{n+2}-a_{n+1}=a_{n+1}-a_n\,(n=1,\,2,\,3,\,\cdots)$$

을 만족한다. $a_2=10$, $a_8=22$ 일 때, a_{20}의 값은?

① 27   ② 29   ③ 34
④ 38   ⑤ 46

▶ 해설 내신연계기출

1696 최다빈출 왕중요 NORMAL

다음과 같이 귀납적으로 정의된 수열 $\{a_n\}$이

$$2a_{n+1}=a_n+a_{n+2}\,(n=1,\,2,\,3,\,\cdots)$$

를 만족시킨다. $a_2=-1$, $a_3=2$일 때, $\displaystyle\sum_{k=1}^{10} a_k$의 값은?

① 70   ② 75   ③ 85
④ 95   ⑤ 105

▶ 해설 내신연계기출

1697

수열 $\{a_n\}$이 $a_1=36$이고 모든 자연수 n에 대하여

$$a_{n+1}=\frac{a_n+a_{n+2}}{2}$$

를 만족시키고 $a_7-a_9=4$일 때, $a_m<0$을 만족시키는 자연수 m의 최솟값은?

① 18   ② 19   ③ 20
④ 21   ⑤ 22

1698 최다빈출 👑중요

수열 $\{a_n\}$이 모든 자연수 n에 대하여

$$a_{n+2}-2a_{n+1}+a_n=0$$

을 만족시키고 $a_1=50$, $a_3=42$이다. 수열 $\{a_n\}$의 첫째항부터 제 n 항까지의 합을 S_n이라 할 때, S_n의 값이 최대가 되게 하는 n의 값은?

① 11   ② 12   ③ 13
④ 14   ⑤ 15

▶ 해설 내신연계기출

1699

수열 $\{a_n\}$이 모든 자연수 n에 대하여

$$a_1=2,\ a_2=4,\ 2a_{n+1}=a_n+a_{n+2}$$

을 만족할 때, $\displaystyle\sum_{k=1}^{10}\frac{1}{a_k a_{k+1}}$의 값은?

① $\dfrac{1}{22}$ ② $\dfrac{3}{22}$ ③ $\dfrac{5}{22}$
④ $\dfrac{7}{22}$ ⑤ $\dfrac{9}{22}$

1700

모든 항이 양수인 수열 $\{a_n\}$이 다음 조건을 만족시킬 때, a_{10}의 값은?

(가) $a_1=2$
(나) 모든 자연수 n에 대하여 이차방정식
    $x^2-2\sqrt{a_n}x+a_{n+1}-3=0$이 중근을 갖는다.

① 27   ② 29   ③ 31
④ 33   ⑤ 35

1701 최다빈출 👑중요

n이 자연수일 때, 수직선 위의 점 P_n에 대하여 점 P_{n+1}은 선분 $P_n P_{n+2}$의 중점이다. $P_1(0)$, $P_2(3)$일 때, P_9의 좌표는?

① 21   ② 24   ③ 27
④ 30   ⑤ 33

▶ 해설 내신연계기출

1702

수열 $\{b_n\}$은 모든 자연수 n에 대하여 다음 조건을 모두 만족한다.

(가) $b_{n+2}-2b_{n+1}+b_n=0$
(나) 수열 4, a_1, a_2, a_3, $\cdots$, a_n, 70의 모든 항의 합은 1850이고 이 수열은 수열 $\{b_n\}$의 일부를 중간에 빠지는 항이 없이 순서대로 가져온 것이다.

이때 $a_{14}=\dfrac{p}{q}$일 때, $p+q$의 값은 ? (단, p, q는 서로소인 자연수)

① 157   ② 160   ③ 165
④ 167   ⑤ 170

04 수학적 귀납법

수열 $\{a_n\}$에서

① $\dfrac{a_{n+1}}{a_n}=r$(일정) $\Rightarrow$ 공비가 r인 등비수열

② $\dfrac{a_{n+2}}{a_{n+1}}=\dfrac{a_{n+1}}{a_n}$ 또는 $(a_{n+1})^2=a_n \cdot a_{n+2}$ $\Rightarrow$ 등비수열

1703 학교기출 대표유형

다음과 같이 귀납적으로 정의된 수열 $\{a_n\}$이
$$a_1=2,\ a_{n+1}=3a_n\,(n=1,\ 2,\ 3,\ \cdots)$$
으로 정의될 때, a_5의 값은?

① 154   ② 162   ③ 186
④ 236   ⑤ 326

1704 BASIC

수열 $\{a_n\}$이 모든 자연수 n에 대하여
$$a_{n+1}=3a_n$$
을 만족시킨다. $a_2=2$일 때, a_4의 값은?

① 6   ② 9   ③ 12
④ 15   ⑤ 18

1705 최다빈출 왕중요 BASIC

다음과 같이 귀납적으로 정의된 수열 $\{a_n\}$이 다음 조건을 만족시킨다.

(가) $a_1=a_2+3$
(나) $a_{n+1}=-2a_n\,(n \geq 1)$

a_9의 값은?

① 128   ② 256   ③ 512
④ 612   ⑤ 1024

▶ 해설 내신연계기출

1706 최다빈출 왕중요 NORMAL

수열 $\{a_n\}$이
$$a_2=3,\ a_5=24,\ a_{n+1}{}^2=a_n a_{n+2}\,(n=1,\ 2,\ 3,\ \cdots)$$
을 만족할 때, a_{10}의 값은?

① 384   ② 540   ③ 768
④ 900   ⑤ 1536

▶ 해설 내신연계기출

1707 최다빈출 왕중요 NORMAL

수열 $\{a_n\}$이 다음 조건을 만족할 때, $\displaystyle\sum_{k=1}^{5}a_{2k-1}$의 값은?

(가) $a_1=3,\ a_2=6$
(나) $2\log a_{n+1}=\log a_n+\log a_{n+2}\,(n=1,\ 2,\ 3,\ \cdots)$

① 127   ② 255   ③ 511
④ 1023   ⑤ 2045

▷ 해설 내신연계기출

1708 NORMAL

$a_1=2,\ a_{n+1}=2a_n\,(n=1,\ 2,\ 3,\ \cdots)$으로 정의되는 수열 $\{a_n\}$에 대하여
$$T_n=a_1 \times a_2 \times \cdots \times a_n$$
이라 할 때, $\log_2 T_{10}$의 값은?

① 55   ② 56   ③ 57
④ 58   ⑤ 59

1709 최다빈출 😮 중요   NORMAL

모든 항이 양의 실수이고 $a_1=1$인 수열 $\{a_n\}$에 대하여 x에 대한 이차방정식

$$a_n x^2 - 2\sqrt{a_{n+1}}\,x + 3 = 0$$

이 중근을 가질 때, a_5의 값은?

① 68　　　　② 72　　　　③ 78

④ 81　　　　⑤ 91

▶ 해설 내신연계기출

1710 최다빈출 😮 중요   NORMAL

수열 $\{a_n\}$이 $a_1=3$이고

$$a_{n+1}=\begin{cases} a_n+2 & (n\text{이 홀수}) \\ 2a_n & (n\text{이 짝수}) \end{cases}$$

일 때, a_{10}의 값은?

① 102　　　　② 104　　　　③ 106

④ 108　　　　⑤ 110

▶ 해설 내신연계기출

1711   TOUGH

수열 $\{a_n\}$이 $a_1=88$이고, 모든 자연수 n에 대하여

$$a_{n+1}=\begin{cases} a_n-3 & (a_n \geq 65) \\ \dfrac{1}{2}a_n & (a_n < 65) \end{cases}$$

를 만족시킬 때, $\displaystyle\sum_{n=1}^{15} a_n$의 값은?

① 739　　　　② 741　　　　③ 743

④ 745　　　　⑤ 747

1712   TOUGH

어떤 세포를 1회 배양하면 그 중 20%는 죽고 나머지는 각각 10개의 세포로 분열된다고 한다. 이 세포 10개를 10회 배양하였을 때의 세포의 개수는?

① $10\cdot 8^8$　　　② $10\cdot 8^9$　　　③ $10\cdot 8^{10}$

④ $10\cdot 8^{11}$　　　⑤ $10\cdot 8^{12}$

유형 03　$a_{n+1}=a_n+f(n)$꼴

$a_{n+1}=a_n+f(n)$꼴의 점화식에서 일반항 a_n을 구하는 방법

[1단계] n에 1, 2, 3, $\cdots$, $n-1$을 차례로 대입하여 변끼리 더한다.

[2단계] $a_n=a_1+f(1)+f(2)+\cdots+f(n-1)$

$$=a_1+\sum_{k=1}^{n-1} f(k)$$

이때 $f(n)$이 다항식이면 자연수의 거듭제곱의 합을 이용하고 거듭제곱 꼴이면 등비수열의 합을 이용한다.

1713 학교기출 대표 유형

수열 $\{a_n\}$이 모든 자연수 n에 대하여

$$a_1=1,\ a_{n+1}=a_n+3n$$

으로 정의할 때, a_7의 값은?

① 42　　　　② 47　　　　③ 52

④ 64　　　　⑤ 66

1714 최다빈출 😮 중요   NORMAL

수열 $\{a_n\}$이

$$a_{n+1}-a_n=n+1$$

을 만족시킬 때, $a_6=26$일 때, a_1의 값은?

① 4　　　　② 6　　　　③ 8

④ 10　　　　⑤ 12

▶ 해설 내신연계기출

1715   NORMAL

수열 $\{a_n\}$이 모든 자연수 n에 대하여

$$a_{n+1}=a_n+3n$$

을 만족시킨다. $2a_1=a_2+3$일 때, a_6의 값은?

① 36　　　　② 48　　　　③ 51

④ 69　　　　⑤ 90

1716 최다빈출 일 중요 · NORMAL

다음 조건을 만족시키는 수열 $\{a_n\}$에 대하여 a_5의 값은?

(가) $a_1 = 1$
(나) $a_{n+1} = a_n + 2^n \ (n = 1, 2, 3, \cdots)$

① 31   ② 51   ③ 63
④ 125   ⑤ 245

▶ 해설 내신연계기출

1717 · NORMAL

수열 $\{a_n\}$이 $a_1 = p$이고 모든 자연수 n에 대하여

$$a_{n+1} = a_n - 2n$$

을 만족시킨다. 수열 $\{a_n\}$의 첫째항부터 제 5항까지의 합이 10이 되도록 하는 상수 p의 값은?

① 9   ② 10   ③ 11
④ 12   ⑤ 13

1718 최다빈출 일 중요 · TOUGH

수열 $\{a_n\}$이 $a_1 = -2$이고 모든 자연수 n에 대하여

$$a_{n+1} = a_n + \frac{1}{n(n+1)}$$

을 만족시킬 때, a_5의 값은?

① $-\dfrac{7}{5}$ ② $-\dfrac{6}{5}$ ③ -1
④ $-\dfrac{4}{5}$ ⑤ $-\dfrac{3}{5}$

▶ 해설 내신연계기출

유형 04 $a_{n+1} = f(n)a_n$꼴

$a_{n+1} = f(n)a_n$꼴의 점화식에서 일반항 a_n을 구하는 방법

[1단계] n에 1, 2, 3, $\cdots$, $n-1$을 차례로 대입하여 변끼리 곱한다.

[2단계] $a_n = a_1 \cdot f(1) \cdot f(2) \cdots f(n-1)$

1719 학교기출 대표 유형

수열 $\{a_n\}$이 $a_1 = 1$이고 모든 자연수 n에 대하여

$$a_{n+1} = \frac{2n}{n+1}a_n$$

을 만족시킬 때, a_4의 값은?

① $\dfrac{3}{2}$ ② 2 ③ $\dfrac{5}{2}$
④ 3 ⑤ $\dfrac{7}{2}$

▶ 해설 내신연계기출

1720 · NORMAL

수열 $\{a_n\}$이

$$a_1 = 2, \ a_{n+1} = \frac{2n-1}{2n+1}a_n \ (n = 1, 2, 3, \cdots)$$

으로 정의될 때, a_{20}의 값은?

① $\dfrac{1}{39}$ ② $\dfrac{2}{39}$ ③ $\dfrac{4}{39}$
④ $\dfrac{5}{39}$ ⑤ $\dfrac{7}{39}$

1721 최다빈출 일 중요 · TOUGH

수열 $\{a_n\}$이

$$a_1 = 1, \ a_{n+1} = \frac{n}{n+2}a_n \ (n = 1, 2, 3, \cdots)$$

으로 정의될 때, $\displaystyle\sum_{k=1}^{20} a_k$의 값은?

① $\dfrac{20}{21}$ ② $\dfrac{40}{21}$ ③ $\dfrac{20}{11}$
④ $\dfrac{19}{21}$ ⑤ $\dfrac{1}{2}$

▶ 해설 내신연계기출

1722 최다빈출 왕중요 NORMAL

수열 $\{a_n\}$이

$$a_1=1,\ a_{n+1}=9^n a_n\,(n=1,\ 2,\ 3,\ \cdots)$$

으로 정의될 때, $\log_3 a_{10}$의 값은?

① 25 　　② 45 　　③ 60
④ 75 　　⑤ 90

▶ 해설 내신연계기출

1723 TOUGH

수열 $\{a_n\}$이

$$a_1=1,\ a_{n+1}=\frac{n+1}{n}a_n\,(n=1,\ 2,\ 3,\ \cdots)$$

으로 정의될 때, $a_1 a_2 a_3 \cdots a_{10}$을 300으로 나누었을 때의 나머지는?

① 0 　　② 2 　　③ 4
④ 8 　　⑤ 10

1724 최다빈출 왕중요 TOUGH

수열 $\{a_n\}$이

$$a_1=2,\ a_{n+1}=na_n\,(n=1,\ 2,\ 3,\ \cdots)$$

으로 정의된 수열 $\{a_n\}$에 대하여 $\sum_{k=1}^{2020} a_k$를 240으로 나눈 나머지는?

① 68 　　② 70 　　③ 75
④ 80 　　⑤ 85

▶ 해설 내신연계기출

유형 05 　 $a_{n+1}=\dfrac{ra_n}{pa_n+q}$ 꼴

$a_{n+1}=\dfrac{ra_n}{pa_n+q}$ 꼴의 점화식에서 일반항 a_n을 구하는 방법

[1단계] 양변에 역수를 취하여 $\dfrac{1}{a_{n+1}}-\dfrac{1}{a_n}=d\,(일정)$

　　⇨ 공차가 d인 등차수열 꼴로 변형

[2단계] $\dfrac{1}{a_{n+2}}-\dfrac{1}{a_{n+1}}=\dfrac{1}{a_{n+1}}-\dfrac{1}{a_n}$ 또는 $\dfrac{2}{a_{n+1}}=\dfrac{1}{a_n}+\dfrac{1}{a_{n+2}}$

　　⇨ 조화수열

1725 학교기출 대표유형

수열 $\{a_n\}$이 모든 자연수 n에 대하여

$$a_1=\frac{1}{3},\ \frac{1}{a_{n+1}}=\frac{1}{a_n}+2$$

를 만족시킬 때, a_8의 값은?

① $\dfrac{1}{9}$ 　　② $\dfrac{1}{11}$ 　　③ $\dfrac{1}{13}$
④ $\dfrac{1}{15}$ 　　⑤ $\dfrac{1}{17}$

1726 최다빈출 왕중요 NORMAL

수열 $\{a_n\}$이

$$a_1=\frac{1}{2},\ a_{n+1}=\frac{a_n}{3a_n+1}\,(n=1,\ 2,\ 3,\ \cdots)$$

으로 정의될 때, 제 20항은?

① $\dfrac{1}{55}$ 　　② $\dfrac{1}{56}$ 　　③ $\dfrac{1}{57}$
④ $\dfrac{1}{58}$ 　　⑤ $\dfrac{1}{59}$

▶ 해설 내신연계기출

1727 NORMAL

수열 $\{a_n\}$이 $a_1=4$이고 모든 자연수 n에 대하여

$$a_{n+1}=\frac{2a_n}{a_n-1}$$

을 만족시킬 때, a_4의 값은?

① $\dfrac{28}{11}$ 　　② $\dfrac{29}{11}$ 　　③ $\dfrac{30}{11}$
④ $\dfrac{31}{11}$ 　　⑤ $\dfrac{32}{11}$

주어진 식의 n에 $1, 2, 3, \cdots$을 차례로 대입하여 항이 반복되는 규칙을 찾는다.

1728 학교기출 대표유형

BASIC

수열 $\{a_n\}$이
$$a_1 = 1, \quad a_{n+1} = a_n - (-1)^{n+1}$$
으로 정의될 때, 제 2020항은?

① 0   ② 1   ③ 2

④ 3   ⑤ 4

1729 최다빈출 상중요

BASIC

$a_1 = 1, \ a_{n+1} = a_n + (-1)^n \ (n = 1, 2, 3, \cdots)$으로 정의된 수열 $\{a_n\}$의 제 15항은?

① -10 ② -1 ③ 0

④ 1 ⑤ 10

▶ 해설 내신연계기출

1730 최다빈출 상중요

NORMAL

수열 $\{a_n\}$이 $a_2 = 3, \ a_5 = 40$이고
$$a_{n+1} = a_n + 2^n + k \ (n = 1, 2, 3, \cdots)$$
를 만족시킬 때, 상수 k의 값은?

① 1   ② 2   ③ 3

④ 4   ⑤ 5

▶ 해설 내신연계기출

1731 최다빈출 상중요

NORMAL

수열 $\{a_n\}$이 모든 자연수 n에 대하여
$$a_{n+1} + a_n = 2n^2$$
을 만족시킨다. $a_3 + a_5 = 26$일 때, a_2의 값은?

① 1   ② 2   ③ 3

④ 4   ⑤ 5

▶ 해설 내신연계기출

1732

NORMAL

수열 $\{a_n\}$이 다음 조건을 만족시킬 때, $\displaystyle\sum_{n=1}^{5} a_n$의 값은?

(가) $a_1 = 1$
(나) $a_{n+1} + a_n = 2n + 1$

① 10   ② 13   ③ 15

④ 17   ⑤ 19

1733 최다빈출 상중요

NORMAL

수열 $\{a_n\}$에서 $a_n + a_{n+1} = n \ (n = 1, 2, 3, \cdots)$이 성립할 때, $\displaystyle\sum_{k=1}^{20} a_k$의 값은?

① 49   ② 64   ③ 81

④ 100   ⑤ 121

▶ 해설 내신연계기출

1734 최다빈출 상중요

NORMAL

수열 $\{a_n\}$은 $a_1 = 2$이고 모든 자연수 n에 대하여
$$a_{n+1} = \begin{cases} a_n - 1 & (a_n \text{이 짝수인 경우}) \\ a_n + n & (a_n \text{이 홀수인 경우}) \end{cases}$$
를 만족시킨다. a_7의 값은?

① 7   ② 8   ③ 9

④ 10   ⑤ 11

▶ 해설 내신연계기출

1735 최다빈출 왕중요 · NORMAL

수열 $\{a_n\}$을
$$\begin{cases} a_1=1,\ a_2=2 \\ a_{n+2}=a_n+3\,(n=1,\ 2,\ 3,\ \cdots) \end{cases}$$
으로 정의할 때, $a_{12}+a_{13}$의 값은?

① 27　　　　② 30　　　　③ 33
④ 36　　　　⑤ 39

▶ 해설 내신연계기출

1736 · NORMAL

첫째항이 6인 수열 $\{a_n\}$이 모든 자연수 n에 대하여
$$a_{n+1}=\begin{cases} 2-a_n & (a_n \geq 0) \\ a_n+p & (a_n < 0) \end{cases}$$
을 만족시킨다. $a_4=0$이 되도록 하는 모든 실수 p의 값의 합은?

① 6　　　　② 8　　　　③ 10
④ 12　　　　⑤ 14

1737 · NORMAL

수열 $\{a_n\}$에 대하여 $\displaystyle\sum_{n=1}^{20} a_n=p$라 할 때, 등식
$$2a_n+n=p\,(n \geq 1)$$
가 성립한다. a_{10}의 값은? (단, p는 상수이다.)

① $\dfrac{2}{3}$　　　　② $\dfrac{3}{4}$　　　　③ $\dfrac{5}{6}$
④ $\dfrac{11}{12}$　　　　⑤ 1

1738 · NORMAL

두 수열 $\{a_n\}$, $\{b_n\}$이
$$a_n=(\text{자연수 } n\text{을 3으로 나누었을 때의 몫}),$$
$$b_n=(-1)^{n-1} \times 5^{a_n}$$
일 때, $\displaystyle\sum_{k=1}^{9} b_k$의 값은?

① 55　　　　② 75　　　　③ 95
④ 105　　　　⑤ 115

1739 최다빈출 왕중요 · TOUGH

첫째항이 a인 수열 $\{a_n\}$은 모든 자연수 n에 대하여
$$a_{n+1}=\begin{cases} a_n+(-1)^n \times 2 & (n\text{이 3의 배수가 아닌 경우}) \\ a_n+1 & (n\text{이 3의 배수인 경우}) \end{cases}$$
를 만족시킨다. $a_{15}=43$일 때, a의 값은?

① 35　　　　② 36　　　　③ 37
④ 38　　　　⑤ 39

▶ 해설 내신연계기출

1740 최다빈출 왕중요 · TOUGH

수열 $\{a_n\}$이 모든 자연수 n에 대하여
$$a_{n+1}=\begin{cases} \dfrac{a_n+2}{2} & (a_n\text{은 짝수}) \\ \dfrac{a_n-1}{2} & (a_n\text{은 홀수}) \end{cases}$$
를 만족시킨다. $a_1=20$일 때, $\displaystyle\sum_{k=1}^{10} a_k$의 값은?

① 38　　　　② 42　　　　③ 46
④ 50　　　　⑤ 54

▶ 해설 내신연계기출

1741 최다빈출 왕중요 · TOUGH

$a_1=1$, $a_2=1$인 수열 $\{a_n\}$이 모든 자연수 n에 대하여 다음 조건을 모두 만족시킨다.

(가) $a_{2n+2}-a_{2n}=2$
(나) $a_{2n+1}-a_{2n-1}=0$

이때 $a_{50}+a_{55}$의 값은?

① 39　　　　② 47　　　　③ 50
④ 52　　　　⑤ 62

▶ 해설 내신연계기출

$a_{n+1}=pa_n+q\,(p\neq1,\ q\neq0)$꼴에서 일반항 a_n을 구할 때,

[1단계] $a_{n+1}-\alpha=p(a_n-\alpha)\left(\alpha=\dfrac{q}{1-p}\right)$꼴로 변형한다.

[2단계] 수열 $\{a_n-\alpha\}$는 첫째항이 $a_1-\alpha$, 공비가 p인 등비수열

$\Rightarrow a_n-\alpha=(a_1-\alpha)\cdot p^{n-1}$

1742 학교기출 대표유형

수열 $\{a_n\}$이

$$a_1=2,\ a_{n+1}=3a_n-2\,(n=1,\ 2,\ 3,\ \cdots)$$

로 정의될 때, a_6의 값은?

① 240   ② 241   ③ 242

④ 243   ⑤ 244

1743 최다빈출 왕중요 NORMAL

수열 $\{a_n\}$이

$$a_1=2,\ a_{n+1}=\frac{1}{2}a_n+1\,(n=1,\ 2,\ 3,\ \cdots)$$

으로 정의될 때, a_{10}의 값은?

① $\dfrac{1}{2^{10}}$ ② 1   ③ 2

④ 2^5 ⑤ 2^{10}

▶ 해설 내신연계기출

1744 TOUGH

수열 $\{a_n\}$이

$$\begin{cases}a_1=-1\\a_{n+1}=\dfrac{1}{3}a_n+2\,(n=1,\ 2,\ 3,\ \cdots)\end{cases}$$

로 정의될 때, $a_{10}=p-k\times\left(\dfrac{1}{3}\right)^q$이다. $p+q+k$의 값은?

(단, $p,\ q,\ k$는 자연수)

① 12   ② 16   ③ 18

④ 21   ⑤ 24

[1단계] 첫째항, 둘째항, 셋째항을 구해 규칙을 파악한다.

[2단계] 제 n항을 a_n으로 놓고 이웃하는 두 항 $a_n,\ a_{n+1}$ 또는 이웃하는

세 항 $a_n,\ a_{n+1},\ a_{n+2}$ 사이의 관계식을 구한다.

주의 a_n을 정의한 시점에 주의해야 한다.

1745 학교기출 대표유형

80L의 물이 들어 있는 수족관이 있다. 이번 주부터 매주 말에 수족

관에 들어 있던 물의 $\dfrac{3}{4}$을 버리고 20L의 물을 새로 넣으려고 한다.

n번째 주 말에 수족관에 남는 물의 양을 a_n이라 할 때, a_1의 값을

구하고 a_n과 a_{n+1} 사이의 관계식을 구하면?

① $a_1=80,\ a_{n+1}=\dfrac{3}{4}a_n+20\,(n=1,\ 2,\ 3,\ \cdots)$

② $a_1=60,\ a_{n+1}=\dfrac{3}{4}a_n+40\,(n=1,\ 2,\ 3,\ \cdots)$

③ $a_1=60,\ a_{n+1}=\dfrac{1}{4}a_n+40\,(n=1,\ 2,\ 3,\ \cdots)$

④ $a_1=40,\ a_{n+1}=\dfrac{1}{4}a_n+20\,(n=1,\ 2,\ 3,\ \cdots)$

⑤ $a_1=40,\ a_{n+1}=\dfrac{3}{4}a_n+20\,(n=1,\ 2,\ 3,\ \cdots)$

1746 BASIC

물 120L가 들어 있는 어느 수족관에 매일 전날의 물의 $\dfrac{1}{3}$을 퍼내고

30L의 물을 새로 넣는다. n일 후 수족관에 남아 있는 물의 양을

a_nL라 할 때, a_1을 구하고 a_n과 a_{n+1} 사이의 관계식은?

(단, n은 자연수)

① $a_1=70,\ a_{n+1}=\dfrac{1}{3}a_n+30$

② $a_1=70,\ a_{n+1}=\dfrac{2}{3}a_n+30$

③ $a_1=110,\ a_{n+1}=\dfrac{2}{3}a_n+30$

④ $a_1=110,\ a_{n+1}=\dfrac{1}{3}a_n+30$

⑤ $a_1=120,\ a_{n+1}=\dfrac{1}{3}a_n+110$

1747 BASIC

어떤 시험관 안에 세균을 넣으면 한 시간 동안 5마리는 죽고 나머지는 각각 3마리로 분열한다고 한다. 이 시험관에 처음 10마리를 넣고 n시간이 지난 후 시험관 안에 들어있는 세균의 수를 a_n이라 했을 때, a_n과 a_{n+1} 사이의 관계식이 다음과 같다.

$$\begin{cases} a_1 = p \\ a_{n+1} = qa_n + r \, (n=1, 2, 3, \cdots) \end{cases}$$

이때 세 상수 p, q, r에 대하여 $p+q+r$의 값은?

① 3   ② 6   ③ 9
④ 12   ⑤ 15

1748 BASIC

어떤 그릇에 물 20L가 들어 있다. 이 물의 $\dfrac{3}{4}$을 버리고 3L를 다시 넣는다. 또 다시 그 물의 $\dfrac{3}{4}$을 버리고 3L를 다시 넣는다. 이와 같은 시행을 계속할 때, n번째 시행 후 그릇에 남은 물의 양을 a_nL라 하자. 이때 a_4의 값은?

① $\dfrac{17}{4}$ ② $\dfrac{43}{4}$ ③ $\dfrac{65}{16}$
④ $\dfrac{91}{16}$ ⑤ $\dfrac{51}{64}$

1749 NORMAL

어느 수조에 30L의 물이 들어 있다. 이 수조의 물의 $\dfrac{2}{3}$를 사용한 다음에 4L의 물을 넣는 시행을 10번 반복하였을 때, 수조 안에 남아 있는 물의 양은 $\left(\dfrac{a}{3^9} + b\right)$(L)이다. 이때 $a+b$의 값은?

① 10   ② 14   ③ 18
④ 24   ⑤ 30

1750 최다빈출 중요 NORMAL

농도가 10%인 소금물 200g이 들어 있는 그릇이 있다. 이 그릇에서 소금물 50g을 덜어 낸 다음 농도가 6%인 소금물 50g을 다시 넣는 것을 1회 시행이라고 한다. n회 시행 후 이 그릇에 담긴 소금물의 농도를 a_n%라고 할 때,

$$a_{n+1} = pa_n + q \, (n=1, 2, 3, \cdots)$$

가 성립한다. 이때 두 상수 p, q에 대하여 $\dfrac{q}{p}$의 값은?

① $\dfrac{1}{2}$ ② 1   ③ $\dfrac{3}{2}$
④ 2   ⑤ 4

▶ 해설 내신연계기출

1751 NORMAL

20%의 소금물 100g과 10%의 소금물 100g을 섞은 소금물의 농도를 a_1%, a_1%의 소금물 100g과 10%의 소금물 100g을 섞은 소금물의 농도를 a_2%라고 하자. 이와 같은 시행을 n번 반복한 소금물의 농도를 a_n%라고 할 때, $a_1 = a$, $a_{n+1} = pa_n + q \, (n=1, 2, 3, \cdots)$가 성립한다. 이때 두 상수 p, q에 대하여 $a+p+q$의 값은?

① 10   ② $\dfrac{15}{2}$ ③ 18
④ 20   ⑤ $\dfrac{41}{2}$

1752 최다빈출 중요 NORMAL

n명의 학생을 두 조로 나누는 방법의 수를 a_n이라 할 때, a_n과 a_{n+1} 사이의 관계식으로 옳은 것은? (단, $n \geq 2$)

① $a_{n+1} = 2a_n + 1$ ② $a_{n+1} = 2a_n + n$
③ $a_{n+1} = 2a_n + 2n - 2$ ④ $a_{n+1} = a_n + n$
⑤ $a_{n+1} = a_n + n - 1$

▶ 해설 내신연계기출

유형이 정해져 있는 꼴이 아닌 경우
① $n=1, 2, 3, \cdots$을 차례로 대입하여 항이 반복되는 규칙을 찾는다.
② 양변을 같은 식으로 나누어 익숙한 형태로 변형한다.

1753 학교기출 **대표** 유형

수열 $\{a_n\}$에서

$$a_1=1,\ a_{n+1}=\frac{2a_n-1}{3a_n-1}\ (n=1,\ 2,\ 3,\ \cdots)$$

으로 정의될 때, $\displaystyle\sum_{k=1}^{12}a_k$의 값은?

① 6   ② 8   ③ 10

④ $\dfrac{21}{2}$ ⑤ $\dfrac{27}{2}$

1754 NORMAL

첫째항이 $\dfrac{2}{5}$인 수열 $\{a_n\}$은 모든 자연수 n에 대하여

$$a_{n+1}=\begin{cases} 2a_n & (a_n \le 1) \\ -a_n+2 & (a_n > 1) \end{cases}$$

을 만족시킨다. a_4+a_{17}의 값은?

① $\dfrac{6}{5}$ ② $\dfrac{8}{5}$ ③ 2

④ $\dfrac{12}{5}$ ⑤ $\dfrac{14}{5}$

1755 최다빈출 **왕**중요 NORMAL

수열 $\{a_n\}$이 $a_1=1$이고 모든 자연수 n에 대하여

$$a_{n+1}=\begin{cases} 3a_n & (a_n < 4) \\ a_n-4 & (a_n \ge 4) \end{cases}$$

를 만족시킨다. $\displaystyle\sum_{k=1}^{40}a_k$의 값은?

① 160   ② 170   ③ 180

④ 190   ⑤ 200

▶ 해설 내신연계기출

1756 최다빈출 **왕** 중요 NORMAL

수열 $\{a_n\}$은 $a_1=2$이고 모든 자연수 n에 대하여

$$a_{n+1}=\begin{cases} \dfrac{a_n}{2-3a_n} & (n\text{이 홀수인 경우}) \\ 1+a_n & (n\text{이 짝수인 경우}) \end{cases}$$

를 만족시킨다. $\displaystyle\sum_{n=1}^{40}a_n$의 값은?

① 30   ② 35   ③ 40

④ 45   ⑤ 50

▶ 해설 내신연계기출

1757 NORMAL

모든 항이 양수인 수열 $\{a_n\}$은 모든 자연수 n에 대하여

$$a_n a_{n+2}=a_{n+1}$$

을 만족시킨다. $a_1=2$, $a_2=6$일 때, $a_{100}+a_{101}$의 값은?

① $\dfrac{3}{8}$ ② $\dfrac{5}{8}$ ③ $\dfrac{2}{3}$

④ $\dfrac{3}{2}$ ⑤ $\dfrac{5}{2}$

1758 TOUGH

수열 $\{a_n\}$이

$$a_1=1,\ a_{n+1}=\begin{cases} \dfrac{1}{2}a_n & (a_n \ge 2) \\ \sqrt[4]{2}\,a_n & (a_n < 2) \end{cases}\ (n=1,\ 2,\ 3,\ \cdots)$$

를 만족시킬 때, a_{2020}의 값은?

① 2   ② $\sqrt[4]{8}$ ③ $\sqrt[4]{4}$

④ $\sqrt[4]{2}$ ⑤ 1

1759 TOUGH

수열 $\{a_n\}$의 귀납적 정의가

$a_1=1$,

$a_{n+1}=(4a_n$을 7로 나누었을 때의 나머지$)\ (n=1,\ 2,\ 3,\ \cdots)$

일 때, $a_{2019}+a_{2020}+a_{2021}$의 값은?

① 3   ② 4   ③ 5

④ 6   ⑤ 7

유형 10 $a_{n+p}=a_n$을 만족하는 수열

[1단계] 주어진 식의 n 대신 1, 2, 3, $\cdots$, $p-1$을 차례로 대입하여 항을 나열한다.

[2단계] 주기가 p임을 이용하여 구하는 값을 구한다.

1760 학교기출 유형

첫째항이 1인 수열 $\{a_n\}$이 다음 조건을 만족시킨다.

(가) $a_{n+1}=a_n+3$ ($n=1, 2, 3, 4, 5$)

(나) 모든 자연수 n에 대하여 $a_{n+6}=a_n$이다.

a_{50}의 값은?

① 4   ② 7   ③ 10

④ 13   ⑤ 16

1761 최다빈출 중요 NORMAL

수열 $\{a_n\}$은 $a_1=7$이고 다음 조건을 만족시킨다.

(가) $a_{n+2}=a_n-4$ ($n=1, 2, 3, 4$)

(나) 모든 자연수 n에 대하여 $a_{n+6}=a_n$이다.

$\displaystyle\sum_{k=1}^{50} a_k=258$일 때, a_2의 값은?

① 10   ② 11   ③ 12

④ 13   ⑤ 14

▶ 해설 내신연계기출

1762 최다빈출 중요 NORMAL

수열 $\{a_n\}$이

(가) $a_1=1$, $a_2=a$, $a_3=3$, $a_4=7$

(나) $a_{n+4}=2a_n$ ($n=1, 2, 3, \cdots$)

을 만족할 때, $\displaystyle\sum_{k=1}^{20} a_k=434$를 만족시키는 상수 a의 값은?

① 3   ② 4   ③ 5

④ 6   ⑤ 7

▶ 해설 내신연계기출

1763 TOUGH

수열 $\{a_n\}$이 다음 조건을 만족시킨다.

(가) $a_n=n$ ($n=1, 2, 3, 4, 5$)

(나) $a_{k+5}=2a_k$ ($k=1, 2, 3, \cdots$)

이때 $\displaystyle\sum_{k=1}^{5p} a_k=1905$를 만족시키는 상수 p의 값은?

① 3   ② 4   ③ 5

④ 6   ⑤ 7

1764 최다빈출 중요 TOUGH

$p \geq 2$인 자연수 p에 대하여 수열 $\{a_n\}$이 다음 세 조건을 만족시킨다.

(가) $a_1=0$

(나) $a_{k+1}=a_k+1$ ($1 \leq k \leq p-1$)

(다) $a_{k+p}=a_k$ ($k=1, 2, 3, \cdots$)

다음 중 옳은 것을 모두 고른 것은?

> ㄱ. $a_{2k}=2a_k$
>
> ㄴ. $a_1+a_2+\cdots+a_p=\dfrac{p(p-1)}{2}$
>
> ㄷ. $a_p+a_{2p}+\cdots+a_{kp}=k(p-1)$

① ㄱ   ② ㄴ   ③ ㄷ

④ ㄴ, ㄷ   ⑤ ㄱ, ㄴ, ㄷ

▶ 해설 내신연계기출

1765 TOUGH

수열 $\{a_n\}$이 $a_1=1$, $a_2=2$이고

$$a_{n+2}=\frac{a_{n+1}+1}{a_n} \quad (n=1, 2, 3, \cdots)$$

을 만족시킬 때, 옳은 것만을 [보기]에서 있는 대로 고른 것은?

> ㄱ. $a_4=2$
>
> ㄴ. $a_{n+5}=a_n$
>
> ㄷ. $\displaystyle\sum_{n=1}^{100} a_n=\sum_{n=1}^{100} a_{2n}$

① ㄱ   ② ㄴ   ③ ㄱ, ㄴ

④ ㄴ, ㄷ   ⑤ ㄱ, ㄴ, ㄷ

유형 11 a_n과 S_n이 포함된 점화식

a_n과 S_n이 포함된 식은 수열의 합과 일반항 사이의 관계
$a_n=S_n-S_{n-1}\,(n=2,\ 3,\ 4,\ \cdots)$을 이용하여 수열 $\{a_n\}$의 일반항을 구한다.

1766 학교기출 대표 유형

수열 $\{a_n\}$이 귀납적으로

$$a_1=1,\ a_{n+1}=2(a_1+a_2+\cdots+a_n)\,(n=1,\ 2,\ 3,\ \cdots)$$

과 같이 정의될 때, $a_k=162$를 만족하는 자연수 k의 값은?

① 5   ② 6   ③ 7
④ 8   ⑤ 9

1767 최다빈출 왕 중요 NORMAL

수열 $\{a_n\}$의 첫째항부터 제 n항까지의 합을 S_n이라고 할 때,

$$a_1=-1,\ S_n=2a_n+1\,(n=1,\ 2,\ 3,\ \cdots)$$

이 성립한다. 이때 a_{10}의 값은?

① -2^{10} ② -2^9 ③ 2^9
④ 2^{10} ⑤ 2^{11}

▶ 해설 내신연계기출

1768 최다빈출 왕 중요 TOUGH

모든 항이 양수인 수열 $\{a_n\}$의 첫째항부터 제 n항까지의 합을 S_n이라 하면

$$6S_n=a_n{}^2+3a_n-4\,(n=1,\ 2,\ 3,\ \cdots)$$

가 성립한다. a_8의 값은?

① 21   ② 23   ③ 25
④ 27   ⑤ 29

▶ 해설 내신연계기출

1769 TOUGH

수열 $\{a_n\}$의 첫째항부터 제 n항까지의 합을 S_n이라고 할 때,

$$S_{n+2}-2S_{n+1}+S_n=a_{n+1}$$

인 관계가 성립한다. 이때 a_{10}의 값은? (단, $a_1=1$, $a_2=2$)

① 2^8 ② 5×2^8 ③ 2^9
④ 2^{10} ⑤ 5×2^9

1770 TOUGH

수열 $\{a_n\}$의 첫째항부터 제 n항까지의 합을 S_n이라고 할 때,

$$S_1=2,\ 2S_n=(n+1)a_n\,(n=2,\ 3,\ \cdots)$$

을 만족할 때, $\displaystyle\sum_{k=1}^{10}a_k$의 값은?

① 110   ② 115   ③ 120
④ 125   ⑤ 130

유형 12 악수하는 횟수의 수열의 귀납적 정의

어떤 모임에 참석한 사람들 모두가 서로 한 번씩 악수한다고 할 때, 모인
사람이 n명인 경우에 악수한 총 횟수를 a_n이라 할 때,
다음이 성립한다.

$$a_{n+1} = a_n + n \iff a_n = \frac{n(n-1)}{2}(n \geq 2) \leftarrow a_{n+1} = \frac{n(n+1)}{2}$$

1771 학교기출 DEB 유형

어떤 모임에 참석한 사람들 모두가 서로 한 번씩 악수한다고 한다.
모인 n명의 사람이 악수한 총 횟수를 a_n이라 할 때, a_n과 a_{n+1} 사이
의 관계식으로 옳은 것은? (단, $n \geq 2$)

① $a_{n+1} = 2a_n + n$

② $a_{n+1} = a_n + n$

③ $a_{n+1} = a_n + n - 1$

④ $a_{n+1} = a_n + 2n$

⑤ $a_{n+1} = 2a_n + 2n - 1$

▶ 해설 내신연계기출

1772 NORMAL

마플수학 스터디 모임에 참석한 회원이 모두 한 번씩 악수하였다.
이때 n명의 회원이 모인 모임에서 이루어진 악수의 총 횟수를 a_n이
라 할 때, a_{10}의 값은?

① 35 ② 40 ③ 45

④ 55 ⑤ 60

1773 최다빈출 왕중요 TOUGH

어느 부부 동반 모임에서 모인 사람끼리 서로 악수를 할 때,
다음 규칙을 따른다고 한다.

(가) 부부끼리는 악수하지 않는다.

(나) 부부가 아닌 사람끼리는 반드시 악수한다.

n쌍의 부부가 악수하는 총 횟수를 a_n이라고 할 때, a_{10}의 값은?

① 110 ② 120 ③ 140

④ 160 ⑤ 180

▶ 해설 내신연계기출

유형 13 피보나치 수열

연속한 두 항의 합을 나열하여 얻어지는 수열을 **피보나치수열**이라 하며
그 점화식은 다음과 같다.

$$a_{n+2} = a_{n+1} + a_n (n = 1, 2, 3, \cdots)$$

1774 학교기출 DEB 유형

수열 $\{a_n\}$이

$$a_1 = 1, a_2 = 1, a_{n+2} = a_{n+1} + a_n (n = 1, 2, 3, \cdots)$$

으로 정의될 때, a_6의 값은?

① 2 ② 3 ③ 5

④ 8 ⑤ 13

1775 NORMAL

수열 $\{a_n\}$이

$$a_1 = 1, a_2 = 3, a_{n+2} = a_{n+1} + a_n (n = 1, 2, 3, \cdots)$$

으로 정의될 때, a_n을 5로 나눈 나머지를 b_n이라고 할 때,
$\sum_{k=1}^{20} b_k$의 값은?

① 40 ② 41 ③ 44

④ 48 ⑤ 50

1776 최다빈출 왕중요 TOUGH

흰 공과 검은 공이 총 n개 있다. 이 n개의 공을 일렬로 나열할 때,
흰공끼리는 이웃하지 않도록 나열하는 방법의 수를 a_n이라 하자.
예를 들면 $a_1 = 2$, $a_2 = 3$이다. 이때 $n = 3, 4, 5, \cdots$에서 a_n과
a_{n-1}, a_{n-2} 사이의 관계식과 a_7의 값은?

$a_1 = 2$ $a_2 = 3$

① $a_n = a_{n-1} + a_{n-2} (n \geq 3)$, $a_7 = 34$

② $a_n = a_{n-1} + a_{n-2} (n \geq 3)$, $a_7 = 55$

③ $a_n = a_{n-1} - a_{n-2} (n \geq 3)$, $a_7 = 89$

④ $a_{n-1} = a_n + a_{n-2} (n \geq 3)$, $a_7 = 34$

⑤ $a_n = a_{n-1} + 2a_{n-2} (n \geq 3)$, $a_7 = 55$

▶ 해설 내신연계기출

[1단계] 첫째항, 둘째항, 셋째항을 구해 규칙을 파악한다.
[2단계] 제 n항을 a_n으로 놓고 이웃하는 두 항 a_n, a_{n+1} 또는 이웃하는 세 항 a_n, a_{n+1}, a_{n+2} 사이의 관계를 구한다.

1777 학교기출 대표유형

주어진 두 조건을 만족하는 서로 다른 n개의 직선이 같은 평면 위에 놓여 있다. 이 직선들에 의해 만들어지는 모든 교점의 수를 a_n이라고 할 때, 다음 중 옳은 것은? (단, $n \geq 2$)

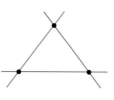

(가) 어느 두 직선도 평행하지 않는다.
(나) 어느 세 직선도 한 점에서 만나지 않는다.

① $a_{n+1}=(n-1)a_n$ ② $a_{n+1}=2a_n$ ③ $a_{n+1}=a_n+n$
④ $a_{n+1}=2a_n+n$ ⑤ $a_{n+1}=a_n+n-1$

▶ 해설 내신연계기출

1778 NORMAL

다음 그림과 같이 크기가 같은 정사각형을 변끼리 붙여 새로운 도형을 만들려고 한다. 이와 같은 과정을 반복하여 n단계를 만드는데 필요한 정사각형의 개수를 a_n이라고 할 때, a_n과 a_{n+1} 사이의 관계식을 이용하여 a_6의 값은?

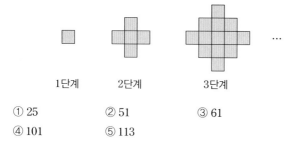

1단계   2단계   3단계

① 25 ② 51 ③ 61
④ 101 ⑤ 113

1779 최다빈출 중요

아래 그림과 같이 평면 위에서 어느 두 직선도 평행하지 않고 어느 세 직선도 한 점에서 만나지 않는 n개의 직선에 의해 나누어지는 영역의 개수를 a_n이라고 할 때, a_{10}의 값은?

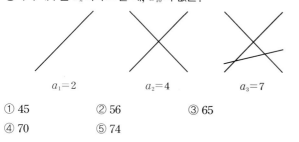

$a_1=2$ $a_2=4$ $a_3=7$

① 45 ② 56 ③ 65
④ 70 ⑤ 74

▶ 해설 내신연계기출

1780 TOUGH

평면 위에 n개의 원이 있다. 이때 임의의 두 원은 서로 다른 두 점에서 만나고, 어떤 세 개의 원도 한 점에서 만나지 않는다. 이 n개의 원으로 나누어진 영역의 개수를 a_n이라고 할 때, a_n과 a_{n+1} 사이의 관계식을 이용하여 a_5의 값은?

① 14 ② 22 ③ 32
④ 44 ⑤ 56

1781 TOUGH

수직선 위의 두 점 P_n, P_{n+1}에 대하여 선분 P_nP_{n+1}을 $3:2$로 외분하는 점을 P_{n+2}라 하자. 두 점 P_1, P_2의 좌표가 1, 5일 때, P_5의 좌표는?

① 29 ② 61 ③ 124
④ 253 ⑤ 509

1782 TOUGH

다음과 같이 정사각형을 가로 방향으로 3등분하여 [도형 1]을 만들고 세로 방향으로 3등분하여 [도형 2]를 만든다.

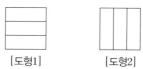

[도형1]   [도형2]

[도형1]과 [도형2]를 번갈아 가며 계속 붙여 아래와 같은 도형을 만든다. 그림과 같이 첫 번째 붙여진 [도형1]의 왼쪽 맨 위 꼭짓점을 A라 하고 [도형1]의 개수와 [도형2]의 개수를 합하여 n개 붙여 만든 도형의 오른쪽 맨 아래 꼭짓점을 B_n이라 하자.

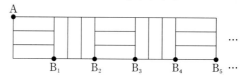

B_1 B_2 B_3 B_4 B_5

꼭짓점 A에서 꼭짓점 B_n까지 선을 따라 최단거리로 가는 경로의 수를 a_n이라 할 때, a_3+a_7의 값은?

① 26 ② 28 ③ 30
④ 32 ⑤ 34

유형 15 수학적 귀납법

모든 자연수 n에 대하여 명제 $p(n)$이 다음 조건을 만족시키면
명제 $p(n)$이 참이다

(ⅰ) $p(1)$이 참이다.
(ⅱ) $p(k)$가 참이면 $p(k+1)$도 참이다.
즉, $p(1)$과 $p(k)$가 참이면 $p(k+1)$이 모두 참이므로
$p(1)$, $p(2)$, $p(3)$, …이 모두 참이다.

1783 학교기출 대표유형

자연수 n에 대하여 명제 $p(n)$이 아래 두 조건을 모두 만족시킬 때,
다음 중 반드시 참인 명제는?

(가) $p(1)$이 참이다.
(나) $p(n)$이 참이면 $p(2n)$이 참이다.

① $p(3)$　　② $p(6)$　　③ $p(10)$
④ $p(16)$　　⑤ $p(18)$

1784 BASIC

자연수 n에 대하여 명제 $p(n)$이 참이면 명제 $p(3n)$이 참이라 할
때, [보기]에서 옳은 것은?

ㄱ. $p(1)$이 참이면 $p(7)$도 참이다.
ㄴ. $p(2)$가 참이면 $p(18)$도 참이다.
ㄷ. $p(3)$이 참이면 $p(81)$도 참이다.

① ㄱ　　② ㄴ　　③ ㄱ, ㄴ
④ ㄴ, ㄷ　　⑤ ㄱ, ㄴ, ㄷ

1785 BASIC

모든 자연수 n에 대하여
'명제 $p(n)$이 참이면 명제 $p(n+3)$도 참'
일 때, 다음 중 옳은 것은? (단, k는 자연수이다.)

① 명제 $p(1)$이 참이면 명제 $p(3)$도 참이다.
② 명제 $p(2)$가 참이면 명제 $p(6)$도 참이다.
③ 명제 $p(3)$이 참이면 명제 $p(3k)$는 항상 참이다.
④ 명제 $p(4)$가 참이면 명제 $p(4k)$는 항상 참이다.
⑤ 명제 $p(5)$가 참이면 명제 $p(5k)$는 항상 참이다.

1786 최다빈출 왕중요 BASIC

모든 자연수 n에 대하여
'명제 $p(n)$, $p(n+1)$중 어느 하나가 참이면
명제 $p(n+2)$가 참이다.'
다음 [보기] 중 옳은 것을 있는 대로 고르면?

ㄱ. $p(1)$이 참이면 모든 2의 양의 배수 k에 대하여 $p(k)$가
참이다.
ㄴ. $p(2)$가 참이면 모든 2의 양의 배수 k에 대하여 $p(k)$가
참이다.
ㄷ. $p(1)$과 $p(2)$가 참이면 모든 자연수 k에 대하여 $p(k)$가
참이다.

① ㄱ　　② ㄴ　　③ ㄱ, ㄴ
④ ㄴ, ㄷ　　⑤ ㄱ, ㄴ, ㄷ

▶ 해설 내신연계기출

1787 최다빈출 왕중요 NORMAL

모든 자연수 n에 대하여 명제 $p(n)$이 다음 조건을 만족할 때,
다음 중 반드시 참인 명제는?

(가) $p(1)$이 참이다.
(나) $p(n)$이 참이면 $p(3n)$이 참이다.
(다) $p(n)$이 참이면 $p(5n)$이 참이다.

① $p(20)$　　② $p(30)$　　③ $p(60)$
④ $p(75)$　　⑤ $p(90)$

▶ 해설 내신연계기출

모든 자연수 n에 대하여 등식 $f(n)=g(n)$이 성립함을 증명하려면

(i) $f(1)=g(1)$임을 보인다.

(ii) $f(k)=g(k)$가 성립한다고 가정한 후

좌변이 $f(k+1)$이 되도록 양변에 같은 식을 더하거나 곱하고 우변이 $g(k+1)$이 됨을 보인다.

1788 학교기출 대표 유형

다음은 모든 자연수 n에 대하여

$$1+2+3+\cdots+n=\frac{n(n+1)}{2}$$

이 성립함을 수학적 귀납법으로 증명한 것이다.

(i) $n=1$일 때, (좌변)=(우변)= (가) 이므로

주어진 식이 성립한다.

(ii) $n=k$일 때, 주어진 식이 성립한다고 가정하면

$$1+2+3+\cdots+k=\frac{k(k+1)}{2}$$

위 식의 양변에 (나) 을 더하면

$$1+2+3+\cdots+k+\boxed{(나)}=\frac{k(k+1)}{2}+\boxed{(나)}$$

$$=\boxed{(다)}$$

따라서 $n=k+1$일 때에도 주어진 식이 성립한다.

그러므로 (i), (ii)에 의하여 주어진 식이 모든 자연수 n에 대하여 성립한다.

위의 (가)에 알맞은 수를 a, (나)와 (다)에 알맞은 식을 각각 $f(k)$, $g(k)$이라 할 때, $af(2)g(6)$의 값은?

① 68 ② 74 ③ 80

④ 84 ⑤ 90

1789

다음은 모든 자연수 n에 대하여 등식

$$1^3+2^3+3^3+\cdots+n^3=\left\{\frac{n(n+1)}{2}\right\}^2$$

이 성립함을 수학적 귀납법으로 증명한 것이다.

(i) $n=1$일 때,

(좌변)$=1^3=1$, (우변)$=\left(\frac{1\cdot2}{2}\right)^2=1$

이므로 주어진 등식이 성립한다.

(ii) $n=k$일 때,

주어진 등식이 성립한다고 가정하면

$$1^3+2^3+3^3+\cdots+k^3=\left\{\frac{k(k+1)}{2}\right\}^2$$

위 식의 양변에 (가) 를 더하면

$$1^3+2^3+3^3+\cdots+k^3+\boxed{(가)}$$

$$=\left\{\frac{k(k+1)}{2}\right\}^2+\boxed{(가)}$$

$$=\left(\frac{k+1}{2}\right)^2\cdot\boxed{(나)}$$

$$=\left[\frac{(k+1)\{(k+1)+1\}}{2}\right]^2$$

따라서 $n=k+1$일 때도 주어진 등식이 성립한다.

그러므로 (i), (ii)에 의해 주어진 등식은 모든 자연수 n에 대하여 성립한다.

위 증명에서 (가), (나)에 알맞은 식을 각각 $f(k)$, $g(k)$라 할 때, $f(1)+g(1)$의 값은?

① 16 ② 17 ③ 18

④ 19 ⑤ 20

1790

NORMAL

모든 자연수 n에 대하여 다음 등식이 성립함을 수학적 귀납법으로 증명하여라.

$$1\cdot2+2\cdot3+\cdots+n(n+1)=\frac{n(n+1)(n+2)}{3} \quad\cdots\cdots\ \text{㉠}$$

(i) $n=1$일 때,

(좌변)$=1\cdot2=2$, (우변)$=\dfrac{1\cdot2\cdot3}{3}=2$

따라서 주어진 등식이 성립한다.

(ii) $n=k$일 때,

주어진 등식이 성립한다고 가정하면

$$1\cdot2+2\cdot3+\cdots+k(k+1)=\frac{k(k+1)(k+2)}{3} \quad\cdots\cdots\ \text{㉡}$$

㉡의 양변에 (가) 를 더하면

$$1\cdot2+2\cdot3+\cdots+k(k+1)+\boxed{\text{(가)}}$$

$$=\frac{k(k+1)(k+2)}{3}+\boxed{\text{(가)}}=\boxed{\text{(나)}}$$

따라서 $n=k+1$일 때에도 주어진 등식이 성립한다.

(i), (ii)에 의하여 ㉠은 모든 자연수 n에 대하여 성립한다.

위의 (가), (나)에 알맞은 식을 각각 $f(k)$, $g(k)$라 할 때, $\dfrac{g(9)}{f(9)}$의 값은?

① 4   ② 5   ③ 6

④ 8   ⑤ 10

1791

NORMAL

다음은 모든 자연수 n에 대하여 등식

$$\sum_{k=1}^{n}k(k+1)(k+2)=\frac{n(n+1)(n+2)(n+3)}{4} \quad\cdots\cdots\ \text{㉠}$$

이 성립함을 수학적 귀납법으로 증명한 것이다.

(i) $n=1$일 때,

(좌변)$=1\times2\times3=6$, (우변)$=\dfrac{1\times2\times3\times4}{4}=6$

이므로 ㉠이 성립한다.

(ii) $n=m$일 때,

㉠이 성립한다고 가정하면

$$\sum_{k=1}^{m}k(k+1)(k+2)=\frac{m(m+1)(m+2)(m+3)}{4} \quad\cdots\cdots\ \text{㉡}$$

㉡의 양변에 (가) 를 더하면

$$\sum_{k=1}^{m+1}k(k+1)(k+2)$$

$$=\frac{m(m+1)(m+2)(m+3)}{4}+\boxed{\text{(가)}}$$

$$=\frac{(m+1)(m+2)\times\boxed{\text{(나)}}}{4}$$

따라서 $n=m+1$일 때에도 ㉠이 성립한다.

(i), (ii)에 의하여 모든 자연수 n에 대하여 ㉠이 성립한다.

위의 과정에서 (가)에 알맞은 식을 $f(m)$, (나)에 알맞은 식을 $g(m)$이라 할 때, $f(2)+g(3)$의 값은?

① 94   ② 96   ③ 98

④ 100   ⑤ 102

다음은 모든 자연수 n에 대하여

$$\frac{1}{1\cdot2}+\frac{1}{2\cdot3}+\frac{1}{3\cdot4}+\cdots+\frac{1}{n(n+1)}=\frac{n}{n+1}$$

이 성립함을 수학적 귀납법으로 증명한 것이다.

(i) $n=1$일 때,

(좌변)$=\frac{1}{1\cdot2}=\frac{1}{2}$, (우변)$=\frac{1}{1+1}=\frac{1}{2}$이므로

$n=1$일 때, 주어진 식이 성립한다.

(ii) $n=k$일 때,

주어진 식이 성립한다고 가정하면

$$\frac{1}{1\cdot2}+\frac{1}{2\cdot3}+\frac{1}{3\cdot4}+\cdots+\frac{1}{k(k+1)}=\frac{k}{k+1}$$

위 식의 양변에 $\boxed{(가)}$ 를 더하면

$$\frac{1}{1\cdot2}+\frac{1}{2\cdot3}+\cdots+\frac{1}{k(k+1)}+\boxed{(가)}$$

$$=\frac{k}{k+1}+\boxed{(가)}$$

$$=\boxed{(나)}$$

따라서 $n=k+1$일 때에도 주어진 식이 성립한다.

그러므로 (i), (ii)에 의하여 주어진 식은 모든 자연수 n에 대하여 성립한다.

(가), (나)에 알맞은 식을 각각 $f(k)$, $g(k)$이라 할 때, $f(10)g(10)$의 값은?

① $\frac{1}{100}$ ② $\frac{11}{12}$ ③ $\frac{1}{121}$

④ $\frac{1}{144}$ ⑤ $\frac{1}{169}$

다음은 모든 자연수 n에 대하여

$$\frac{1}{1\cdot3}+\frac{1}{3\cdot5}+\frac{1}{5\cdot7}+\cdots+\frac{1}{(2n-1)(2n+1)}=\frac{n}{2n+1}$$

이 성립함을 수학적 귀납법으로 증명한 것이다.

(i) $n=1$일 때,

(좌변)$=\frac{1}{1\cdot3}=\frac{1}{3}$, (우변)$=\frac{1}{3}$

따라서 주어진 등식이 성립한다.

(ii) $n=k$일 때,

주어진 등식이 성립한다고 가정하면

$$\frac{1}{1\cdot3}+\frac{1}{3\cdot5}+\frac{1}{5\cdot7}+\cdots+\frac{1}{(2k-1)(2k+1)}=\frac{k}{2k+1}$$

위 식의 양변에 $\boxed{(가)}$ 를 더하면

$$\frac{1}{1\cdot3}+\frac{1}{3\cdot5}+\frac{1}{5\cdot7}+\cdots+\frac{1}{(2k-1)(2k+1)}+\boxed{(가)}$$

$$=\boxed{(나)}$$

따라서 $n=\boxed{(다)}$일 때에도 주어진 등식이 성립한다.

(i), (ii)에 의하여 모든 자연수 n에 대하여 주어진 등식이 성립한다.

위의 증명 과정에서 (가), (나), (다)에 알맞은 식을 각각 $f(k)$, $g(k)$, $h(k)$이라 할 때, $\dfrac{g(10)}{f(10)\cdot h(10)}$의 값은?

① 11   ② 21   ③ 23

④ 27   ⑤ 31

1794

다음은 모든 자연수 n에 대하여 등식

$$1+2+2^2+\cdots+2^{n-1}=2^n-1$$

이 성립함을 수학적 귀납법으로 증명하는 과정이다.

(i) $n=1$일 때, 주어진 등식에서

(좌변)=□, (우변)=2^1-1=□

따라서 $n=1$일 때 주어진 등식이 성립한다.

(ii) $n=k$일 때, 주어진 등식이 성립한다고 가정하면

$$1+2+2^2+\cdots+2^{k-1}=\boxed{(가)} \quad \cdots\cdots ㉠$$

㉠의 양변에 2^k을 더하면

$$1+2+2^2+\cdots+2^{k-1}+2^k=\boxed{(가)}+2^k$$
$$=2\cdot2^k-1$$
$$=2^{k+1}-1$$

따라서 $n=\boxed{(나)}$일 때에도 주어진 등식은 성립한다.

(i), (ii)에서 주어진 등식은 모든 자연수 n에 대하여 성립한다.

위의 (가), (나)에 알맞은 식을 각각 $f(k)$, $g(k)$라 할 때, $f(4)\cdot g(9)$의 값은?

① 120   ② 150   ③ 160

④ 180   ⑤ 200

1795

다음은 모든 자연수 n에 대하여

$$1+2\cdot2+3\cdot4+\cdots+n\cdot2^{n-1}=(n-1)\cdot2^n+1$$

이 성립함을 수학적 귀납법으로 증명한 것이나.

(i) $n=1$일 때, $1=1$이므로 주어진 등식이 성립한다.

(ii) $n=k$일 때, 주어진 등식이 성립한다고 가정하면

$$1+2\cdot2+3\cdot4+\cdots+k\cdot2^{k-1}=(k-1)\cdot2^k+1$$

위의 식의 양변에 $\boxed{(가)}$를 더하면

$$1+2\cdot2+3\cdot4+\cdots+k\cdot2^{k-1}+\boxed{(가)}$$
$$=(k-1)\cdot2^k+1+\boxed{(가)}$$
$$=\boxed{(나)}$$

이므로 $n=k+1$일 때에도 주어진 등식이 성립한다.

(i), (ii)에 의하여 모든 자연수 n에 대하여 주어진 등식이 성립한다.

(가), (나)에 알맞은 식을 각각 $f(k)$, $g(k)$라고 할 때, $f(10)-g(9)$의 값은?

① $2^{10}-1$ ② $2^{11}-1$ ③ $2^{12}-1$

④ $2^{13}-1$ ⑤ $2^{14}-1$

1796

다음은 모든 자연수 n에 대하여 등식

$$-1^2+2^2-3^2+\cdots+(-1)^n\cdot n^2=(-1)^n\cdot\frac{n(n+1)}{2} \quad \cdots\cdots ㉠$$

이 성립함을 수학적 귀납법으로 증명한 것이다.

(i) $n=1$일 때, (좌변)$=-1^2=-1$, (우변)$=(-1)\cdot\frac{1\cdot2}{2}=-1$

따라서 $n=1$일 때, ㉠이 성립한다.

(ii) $n=k$일 때, ㉠이 성립한다고 가정하면

$$-1^2+2^2-3^2+\cdots+(-1)^k\cdot k^2=(-1)^k\cdot\frac{k(k+1)}{2} \quad \cdots\cdots ㉡$$

㉡의 양변에 $\boxed{(가)}$를 더하면

$$-1^2+2^2-3^2+\cdots+(-1)^k\cdot k^2+\boxed{(가)}$$
$$=(-1)^k\cdot\frac{k(k+1)}{2}+\boxed{(가)}$$
$$=(-1)^{k+1}\cdot\boxed{(나)}$$

따라서 $n=k+1$일 때도 ㉠이 성립한다.

(i), (ii)에 의하여 ㉠은 모든 자연수 n에 대하여 성립한다.

위의 과정에서 (가)에 알맞은 식을 $f(k)$, (나)에 알맞은 식을 $g(k)$라 할 때, $f(2)+g(4)$의 값은?

① 1   ② 6   ③ 11

④ 19   ⑤ 24

1797

다음은 모든 자연수 n에 대하여

$$1\cdot2n+3\cdot(2n-2)+5\cdot(2n-4)+\cdots+(2n-1)\cdot2$$
$$=\frac{n(n+1)(2n+1)}{3}$$

이 성립함을 보이는 과정이다.

$$1\cdot2n+3\cdot(2n-2)+5\cdot(2n-4)+\cdots+(2n-1)\cdot2$$
$$=\sum_{k=1}^{n}(\boxed{(가)})\{2n-(2k-2)\}$$
$$=\sum_{k=1}^{n}(\boxed{(가)})\{2(n+1)-2k\}$$
$$=2(n+1)\sum_{k=1}^{n}(\boxed{(가)})-2\sum_{k=1}^{n}(2k^2-k)$$
$$=2(n+1)\{n(n+1)-n\}-2\left\{\frac{n(n+1)(2n+1)}{\boxed{(나)}}-\frac{n(n+1)}{2}\right\}$$
$$=2(n+1)n^2-\frac{1}{3}n(n+1)(\boxed{(다)})$$
$$=\frac{n(n+1)(2n+1)}{3}\text{이다.}$$

위의 (가), (다)에 알맞은 식을 각각 $f(k)$, $g(n)$이라 하고 (나)에 알맞은 수를 a라 할 때, $f(a)\times g(a)$의 값은?

① 50   ② 55   ③ 60

④ 65   ⑤ 70

모든 자연수 n에 대하여 a_n이 m의 배수임을 증명하려면
(i) a_1이 m의 배수임을 보인다.
(ii) a_k가 m의 배수라고 가정한 후 $a_{k+1}=m(\square+\triangle)$꼴로 정리하여
a_{k+1}도 m의 배수임을 보인다.

1798 학교기출 대표 유형

다음은 모든 자연수 n에 대하여 n^3+5n이 6의 배수임을 수학적 귀납법으로 증명한 것이다.

(i) $n=1$일 때, $1+5=6$이므로 n^3+5n은 6의 배수이다.
(ii) $n=k$일 때, n^3+5n이 6의 배수라고 가정하면
$k^3+5k=6m$(m은 자연수)이므로
$(k+1)^3+5(k+1)=\boxed{(가)}+3k(k+1)$
이때 $3k(k+1)$은 6의 배수이므로
$n=\boxed{(나)}$일 때도 n^3+5n은 6의 배수이다.
그러므로 (i), (ii)에 의하여 n^3+5n은 모든 자연수 n에 대하여 6의 배수이다.

위의 증명에서 (가), (나)에 알맞은 것을 순서대로 적은 것은?

① $6m$, k ② $6m$, $k+1$
③ $6(m+1)$, k ④ $6(m+1)$, $k+1$
⑤ $6(m+2)$, $k+1$

1799

다음은 모든 자연수 n에 대하여 $n(n^2+5)$는 6의 배수임을 수학적 귀납법으로 증명하는 과정이다.

(i) $n=1$일 때, $1\cdot(1^2+5)=\boxed{(가)}$이므로
$n(n^2+5)$는 6의 배수이다.
(ii) $n=k$일 때, $k(k^2+5)$가 6의 배수라고 가정하면
$k(k^2+5)=6N$ (N은 자연수)
$(k+1)\{(k+1)^2+5\}$
$=k(k^2+5)+\boxed{(나)}k(k+1)+\boxed{(다)}$ …… ㉠
㉠에서 $k(k+1)$은 연속하는 두 자연수의 곱이므로 2의 배수이고 $k(k^2+5)$는 6의 배수이므로 ㉠은 6의 배수이다.
따라서 $n=k+1$일 때에도 성립한다.
(i), (ii)에서 모든 자연수 n에 대하여 $n(n^2+5)$는 6의 배수이다.

위의 증명에서 (가), (나), (다)에 알맞은 수를 모두 더하면?

① 11   ② 12   ③ 13
④ 14   ⑤ 15

1800 최다빈출 왕 중요

다음은 모든 자연수 n에 대하여
$$4^n-1=3m \ (m\text{은 자연수}) \qquad \cdots\cdots ㉠$$
임을 수학적 귀납법으로 증명한 것이다.

(i) $n=1$일 때, $4^1-1=3$이므로 등식 ㉠이 성립한다.
(ii) $n=k$일 때, 등식 ㉠이 성립한다고 가정하면
$$4^k-1=3l \ (l\text{은 자연수}) \qquad \cdots\cdots ㉡$$
㉡의 양변에 4를 곱하면
$4^{k+1}-4=\boxed{(가)}$
$4^{k+1}-1=\boxed{(나)}=3(\boxed{(다)})$
이때 l은 자연수이므로 $\boxed{(다)}$도 자연수이다.
따라서 $n=k+1$일 때에도 등식 ㉠이 성립한다.
(i), (ii)에 의해 등식 ㉠은 모든 자연수 n에 대하여 성립한다.

(가), (나), (다)에 알맞은 것을 순서대로 나열한 것은?

	(가)	(나)	(다)
①	$4l$	$12l-1$	$4l+3$
②	$4l$	$12l+1$	$4l+3$
③	$12l$	$12l+3$	$4l-1$
④	$12l$	$12l+1$	$4l-1$
⑤	$12l$	$12l+3$	$4l+1$

▶ 해설 내신연계기출

1801

다음은 모든 자연수 n에 대하여 5^n-1이 4의 배수임을 수학적 귀납법으로 증명하는 과정이다.

(i) $n=1$일 때, 5^1-1은 4의 배수이다.
즉 $n=1$일 때, 5^n-1은 4의 배수이다.
(ii) $n=k$일 때, 5^k-1이 4의 배수라고 가정하면
$5^k-1=4m$ (m은 자연수)이므로
$5^k=\boxed{(가)}$
$n=k+1$일 때,
$5^{k+1}-1=5\boxed{(가)}-1=4(\boxed{(나)})$
이므로 $n=k+1$일 때도 5^n-1은 4의 배수이다.
(i), (ii)에 의하여 모든 자연수 n에 대하여 5^n-1이 4의 배수이다.

위의 (가)와 (나)에 알맞은 식을 각각 $f(m)$, $g(m)$라 할 때, $f(3)+g(2)$의 값은?

① 11   ② 16   ③ 21
④ 24   ⑤ 42

1802 최다빈출 🔵 중요

NORMAL

다음은 모든 자연수 n에 대하여 $9^n - 1$이 8의 배수임을 수학적 귀납법으로 증명한 것이다.

(i) $n=1$일 때, $9^1 - 1 = 8$이므로 $9^n - 1$은 8의 배수이다.

(ii) $n=k$일 때, $9^k - 1$이 8의 배수라고 가정하면

$9^k - 1 = 8m$ (m은 자연수)으로 놓을 수 있다.

$$9^{k+1} - 1 = 8 \cdot 9^k + \boxed{(가)} - 1$$
$$= 8(9^k + \boxed{(나)})$$

따라서 $n=k+1$일 때에도 $9^n - 1$은 8의 배수이다.

(i), (ii)에서 모든 자연수 n에 대하여 $9^k - 1$은 8의 배수이다.

위의 증명에서 (가), (나)에 알맞은 것을 $f(k)$, $g(m)$라 할 때, $f(1)g(9)$의 값은?

① 9   ② 18   ③ 27

④ 72   ⑤ 81

▶ 해설 내신연계기출

1803

NORMAL

모든 자연수 n에 대하여 $4^{2n} - 1$이 5의 배수임을 수학적 귀납법으로 증명한 것이다.

(i) $n=1$일 때, $4^2 - 1 = 15$이므로 $4^{2n} - 1$은 5의 배수이다.

(ii) $n=k$일 때, $4^{2n} - 1$이 5의 배수라고 가정하면

$4^{2k} - 1 = 5m$ (m은 자연수)으로 놓을 수 있다.

$n=k+1$일 때 위의 식을 이용하면

$$4^{2k+2} - 1 = 16 \cdot \boxed{(가)} - 1$$

이때 $4^{2k} = \boxed{(나)}$이므로

$$4^{2k+2} - 1 = 16 \cdot \boxed{(나)} - 1 = 5(16m+3)$$

따라서 $n=k+1$일 때에도 $4^{2n} - 1$은 5의 배수이다.

(i), (ii)에서 모든 자연수 n에 대하여 $4^{2n} - 1$은 5의 배수이다.

위의 증명에서 (가), (나)에 알맞은 것을 $f(k)$, $g(m)$라 할 때, $f(1)+g(1)$의 값은?

① 18   ② 20   ③ 22

④ 24   ⑤ 26

1804

TOUGH

다음은 모든 자연수에 대하여 $2^{n+1} + 3^{2n-1}$이 7의 배수임을 수학적 귀납법으로 증명한 것이다.

(i) $n=1$일 때,

$$2^{1+1} + 3^{2 \cdot 1 - 1} = \boxed{(가)}$$

$2^{n+1} + 3^{2n-1}$은 7의 배수이다.

(ii) $n=k$일 때, 주어진 식이 7의 배수라고 가정하면

$2^{k+1} + 3^{2k-1} = 7N$ (N은 자연수)이므로

$2^{k+1} = 7N - 3^{2k-1}$이다.

주어진 식에 $n=k+1$을 대입하면

$$2^{k+2} + 3^{2k+1} = 2 \cdot \boxed{(나)} + 3^{2k+1}$$
$$= 2(\boxed{(다)}) + 3^{2k+1}$$
$$= \boxed{(가)}(2N + 3^{2k-1})$$

따라서 $n=k+1$일 때에도 $2^{n+1} + 3^{2n-1}$은 7의 배수이다.

(i), (ii)에서 모든 자연수 n에 대하여 $2^{n+1} + 3^{2n-1}$은 7의 배수이다.

위의 증명에서 (가), (나), (다)에 알맞은 것을 순서대로 적은 것은?

	(가)	(나)	(다)
①	6	2^{k+1}	$7N - 3^{2k-1}$
②	6	2^{k+1}	$2N - 3^{2k-1}$
③	7	2^k	$2N - 3^{2k-1}$
④	7	2^k	$7N - 3^{2k-1}$
⑤	7	2^{k+1}	$7N - 3^{2k-1}$

$n \geq a$인 모든 자연수 n에 대하여 등식 $f(n) > g(n)$이 성립함을 증명하려면 (단, a는 자연수)

(i) $f(a) > g(a)$임을 보인다.

(ii) $f(k) > g(k)$가 성립한다고 가정한 후 좌변이 $f(k+1)$이 되도록 양변에 같은 식을 더하거나 곱하고 이때의 우변이 $g(k+1)$보다 크거나 같음을 보인다.

1805 학교기출 나빈출 유형

다음은 $h > 0$일 때, $n \geq 2$인 모든 자연수 n에 대하여 부등식

$$(1+h)^n > 1+nh$$

가 성립함을 수학적 귀납법으로 증명한 것이다.

(i) $n = \boxed{(가)}$일 때,

(좌변)$= (1+h)^2 = 1+2h+h^2$

(우변)$= 1+2h$

따라서 주어진 부등식이 성립한다.

(ii) $n = k(k \geq 2)$일 때, 주어진 부등식이 성립한다고 하면

$(1+h)^k > 1+kh$이고

위의 부등식의 양변에 $\boxed{(나)}$를 곱하면

$(1+h)^{k+1} > (1+kh)\boxed{(나)} = 1+(k+1)h+kh^2$

그런데 $kh^2 > 0$이므로

$(1+h)^{k+1} > \boxed{(다)}$

따라서 $n = k+1$일 때에도 성립한다.

(i), (ii)에 의하여 $n \geq 2$인 모든 자연수 n에 대하여 주어진 부등식은 성립한다.

위의 과정에서 (가), (나), (다)에 알맞은 것을 차례로 적으면?

	(가)	(나)	(다)
①	1	$1+h$	$1+(k+1)h$
②	1	$1+2h$	$(k+1)h$
③	2	$1+2h$	$1+(k+1)h$
④	2	$1+h$	$(k+1)h$
⑤	2	$1+h$	$1+(k+1)h$

1806 최다빈출 왕중요

다음은 $n \geq 3$인 모든 자연수 n에 대하여 부등식

$$2^{n+1} > n^2+n+2 \qquad \cdots\cdots \ \text{㉠}$$

가 성립함을 수학적 귀납법으로 증명한 것이다.

(i) $n = \boxed{(가)}$일 때, (좌변)$= 16$, (우변)$= 14$

따라서 $n = \boxed{(가)}$일 때, 부등식 ㉠이 성립한다.

(ii) $n = k(k \geq 3)$일 때 부등식 ㉠이 성립한다고 가정하면

$2^{k+1} > k^2+k+2 \qquad \cdots\cdots \ \text{㉡}$

부등식 ㉡의 양변에 2를 곱하면

$2^{k+2} > 2k^2+2k+4 \qquad \cdots\cdots \ \text{㉢}$

한편 $2k^2+2k+4 - \boxed{(나)} = k(k-1) > 0$

이므로 $2k^2+2k+4 > \boxed{(나)} \qquad \cdots\cdots \ \text{㉣}$

㉢, ㉣에서 $2^{k+2} > \boxed{(나)}$

따라서 $n = \boxed{(다)}$일 때에도 부등식 ㉠이 성립한다.

(i), (ii)에 의해 $n \geq 3$인 모든 자연수 n에 대하여 부등식 ㉠이 성립한다.

위의 과정에서 (가)에 들어갈 수를 a, (나), (다)에 알맞은 식을 각각 $f(k)$, $g(k)$라 할 때, $f(a) + g(a)$의 값은?

① 20 ② 22 ③ 24
④ 26 ⑤ 28

▶ 해설 내신연계기출

1807 최다빈출 왕중요

다음은 4 이상의 자연수 n에 대하여 부등식

$$2^n \geq n^2$$

이 성립함을 수학적 귀납법으로 증명한 것이다.

(i) $n = 4$일 때, (좌변)$= 2^4 = 16 \geq 16 = 4^2 =$(우변)

즉 $n = 4$일 때, 주어진 부등식이 성립한다.

(ii) $n = k$일 때, 주어진 부등식이 성립한다고 가정하면

$2^k \geq k^2 \qquad \cdots\cdots \ \text{㉠}$

부등식 ㉠의 양변에 $\boxed{(가)}$를 곱하면

$\boxed{(가)} \times 2^k \geq \boxed{(가)} \times k^2$

그런데 $\boxed{(가)} \times k^2 - \boxed{(나)} = \boxed{(다)} - 2 > 0 \ (\because k = n \geq 4)$

따라서 $n = k+1$일 때도 주어진 부등식이 성립한다.

(i), (ii)에 의하여 주어진 부등식은 4 이상의 모든 자연수 n에 대하여 성립한다.

위의 과정에서 (가)에 들어갈 수를 a, (나)와 (다)에 알맞은 식을 각각 $f(k)$, $g(k)$라 할 때, $f(a) + g(a)$의 값은?

① 8 ② 10 ③ 12
④ 14 ⑤ 16

▶ 해설 내신연계기출

1808 최다빈출 ⊕ 중요

$n \geq 2$인 모든 자연수 n에 대하여 부등식

$$1+\frac{1}{2}+\frac{1}{3}+\cdots+\frac{1}{n} > \frac{2n}{n+1}$$

이 성립함을 수학적 귀납법으로 증명한 것이다.

(i) $n=$ (가) 일 때,

(좌변)>(우변)이므로 주어진 부등식이 성립한다.

(ii) $n=k(k \geq 2)$일 때, 부등식이 성립한다고 가정하면

$$1+\frac{1}{2}+\frac{1}{3}+\cdots+\frac{1}{k} > \frac{2k}{k+1}$$

이 식의 양변에 (나) 을 더하면

$$1+\frac{1}{2}+\frac{1}{3}+\cdots+\frac{1}{k}+\boxed{(나)} > \frac{2k}{k+1}+\boxed{(나)}$$

$$=\frac{2k+1}{k+1}$$

그런데 자연수 k에 대하여

$$\frac{2k+1}{k+1}-\boxed{(다)}$$

$$=\frac{(2k+1)(k+2)-2(k+1)^2}{(k+1)(k+2)}=\frac{k}{(k+1)(k+2)}>0$$

이므로 $\dfrac{2k+1}{k+1} > \boxed{(다)}$

즉 $1+\frac{1}{2}+\frac{1}{3}+\cdots+\frac{1}{k}+\frac{1}{k+1} > \boxed{(다)}$

위의 등식은 주어진 부등식에 $n=k+1$을 대입한 것과 같다.

따라서 $n=k+1$일 때에도 부등식은 성립한다.

(i), (ii)로부터 (가) 이상인 모든 자연수 n에 대하여 주어진 부등식은 성립한다.

위의 과정에서 (가)에 들어간 수를 a, (나), (다)에 알맞은 식을 각각 $f(k)$, $g(k)$라 할 때, $a+2f(1)+\log_2 g(0)$의 값은?

① 2   ② 3   ③ 4
④ 5   ⑤ 6

▶ 해설 내신연계기출

1809

다음은 $n \geq 2$인 모든 자연수 n에 대하여 부등식

$$\left(1+\frac{1}{2}+\frac{1}{3}+\cdots+\frac{1}{n}\right)(1+2+3+\cdots+n)>n^2 \quad \cdots\cdots (*)$$

이 성립함을 수학적 귀납법을 이용하여 증명하는 과정이다.

주어진 식 $(*)$의 양변을 $\dfrac{n(n+1)}{2}$로 나누면

$$1+\frac{1}{2}+\frac{1}{3}+\cdots+\frac{1}{n} > \frac{2n}{n+1} \quad \cdots\cdots ㉠$$

이다. $n \geq 2$인 자연수 n에 대하여

(i) $n=2$일 때,

(좌변)= (가)

(우변)=$\dfrac{4}{3}$이므로 ㉠이 성립한다.

(ii) $n=k\,(k \geq 2)$일 때, ㉠이 성립한다고 가정하면

$$1+\frac{1}{2}+\frac{1}{3}+\cdots+\frac{1}{k} > \frac{2k}{k+1} \quad \cdots\cdots ㉡$$

이다. ㉡의 양변에 $\dfrac{1}{k+1}$을 더하면

$$1+\frac{1}{2}+\frac{1}{3}+\cdots+\frac{1}{k}+\frac{1}{k+1} > \frac{2k+1}{k+1}$$

이 성립한다. 한편

$$\frac{2k+1}{k+1}-\boxed{(나)}=\frac{k}{(k+1)(k+2)}>0$$

이므로

$$1+\frac{1}{2}+\frac{1}{3}+\cdots+\frac{1}{k}+\frac{1}{k+1} > \boxed{(나)}$$ 이다.

따라서 $n=k+1$일 때도 ㉠이 성립한다.

(i), (ii)에 의하여 $n \geq 2$인 모든 자연수 n에 대하여 ㉠이 성립하므로 $(*)$도 성립한다.

위의 (가)에 알맞은 수를 p, (나)에 알맞은 식을 $f(k)$라 할 때, $8p \times f(10)$의 값은?

① 14   ② 16   ③ 18
④ 20   ⑤ 22

$n \geq 2$인 모든 자연수 n에 대하여 다음 부등식이 성립함을 수학적 귀납법을 이용하여 증명하여라.

$$1 + \frac{1}{2^2} + \frac{1}{3^2} + \cdots + \frac{1}{n^2} < 2 - \frac{1}{n}$$

(i) $n = \boxed{(\text{가})}$ 일 때,

    (좌변)$= \dfrac{5}{4} < \dfrac{3}{2} =$(우변)

    따라서 $n = 2$일 때, 주어진 부등식이 성립한다.

(ii) $n = k (k \geq 2)$일 때, 주어진 부등식이 성립한다고 가정하면

$$1 + \frac{1}{2^2} + \cdots + \frac{1}{k^2} < 2 - \frac{1}{k}$$

위 식의 양변에 $\boxed{(\text{나})}$ 를 더하면

$$1 + \frac{1}{2^2} + \cdots + \frac{1}{k^2} + \boxed{(\text{나})} < 2 - \frac{1}{k} + \boxed{(\text{나})}$$

그런데

$$2 - \frac{1}{k} + \boxed{(\text{나})} = 2 - \frac{k^2 + k + 1}{k(k+1)^2} < 2 - \boxed{(\text{다})}$$

$$1 + \frac{1}{2^2} + \cdots + \boxed{(\text{나})} < 2 - \boxed{(\text{다})}$$

    따라서 $n = k+1$일 때도 주어진 부등식이 성립한다.

(i), (ii)에 의하여 주어진 부등식은 $n \geq 2$인 모든 자연수 n에 대하여 성립한다.

위의 증명 과정에서 (가)에 들어갈 수를 a, (나)와 (다)에 알맞은 식을 각각 $g(k)$, $h(k)$라 할 때, $\dfrac{a \times h(9)}{g(9)}$의 값은?

① 11   ② 20   ③ 23

④ 27   ⑤ 31

▶ 해설 내신연계기출

다음은 $n \geq 2$인 모든 자연수 n에 대하여

$$\sum_{k=1}^{n} \frac{1}{k^3} < \frac{1}{2}\left(3 - \frac{1}{n^2}\right) \qquad \cdots\cdots \text{㉠}$$

이 성립함을 수학적 귀납법으로 증명한 것이다.

(i) $n = 2$일 때,

    (좌변)$= \dfrac{9}{8}$이고 (우변)$= \dfrac{11}{8}$

    이므로 ㉠이 성립한다.

(ii) $n = m (m \geq 2)$일 때,

    ㉠이 성립한다고 가정하면

$$\sum_{k=1}^{m} \frac{1}{k^3} < \frac{1}{2}\left(3 - \frac{1}{m^2}\right)$$이다.

    $n = m+1$일 때,

$$\sum_{k=1}^{m+1} \frac{1}{k^3} = \sum_{k=1}^{m} \frac{1}{k^3} + \boxed{(\text{가})} < \frac{1}{2}\left(3 - \frac{1}{m^2}\right) + \boxed{(\text{가})}$$

    한편

$$\frac{1}{2}\left\{3 - \frac{1}{(m+1)^2}\right\} - \left\{\frac{1}{2}\left(3 - \frac{1}{m^2}\right) + \boxed{(\text{가})}\right\}$$

$$= \frac{\boxed{(\text{나})}}{2m^2(m+1)^3} > 0$$

    이므로 $\sum\limits_{k=1}^{m+1} \dfrac{1}{k^3} < \dfrac{1}{2}\left\{3 - \dfrac{1}{(m+1)^2}\right\}$이 성립한다.

    따라서 $n = m+1$일 때도 ㉠이 성립한다.

그러므로 $n \geq 2$인 모든 자연수 n에 대하여 ㉠이 성립한다.

위의 (가), (나)에 알맞은 식을 각각 $f(m)$, $g(m)$이라 할 때, $f(1)g(3)$의 값은?

① $\dfrac{1}{8}$ ② $\dfrac{3}{8}$ ③ $\dfrac{5}{8}$

④ $\dfrac{5}{4}$ ⑤ $\dfrac{9}{8}$

▶ 해설 내신연계기출

서술형 기출유형
학교내신기출 서술형 핵심문제총정리

1812

첫째항이 9인 수열 $\{a_n\}$에 대하여 이차방정식

$$x^2 - a_n x + a_{n+1} = 0$$

의 두 근 a_n, β_n이

$$(a_n - 1)(\beta_n - 1) = 7$$

을 만족할 때, a_{10}의 값을 구하는 과정을 다음 단계로 서술하여라.

[1단계] 이차방정식의 근과 계수의 관계를 이용하여

$\quad\quad (a_n - 1)(\beta_n - 1) = 7$을 a_n과 a_{n+1}의 관계식으로 정리한다.

[2단계] 수열 $\{a_n\}$에 대하여 a_{10}의 값을 구한다.

1813

두 수열 $\{a_n\}$, $\{b_n\}$에 대하여 첫째항은 모두 1이고

$$a_{n+1} = 2a_n, \quad b_{n+1} = b_n + 3 \, (n=1, 2, 3, \cdots)$$

을 모두 만족시킬 때, $n \geq m$인 자연수 n에 대하여 $a_n > b_n$이 항상 성립하도록 하는 자연수 m의 최솟값을 구하고 그 과정을 다음 단계로 서술하여라.

[1단계] $a_{n+1} = 2a_n$을 만족하는 수열 $\{a_n\}$의 일반항을 구한다.

[2단계] $b_{n+1} = b_n + 3$을 만족하는 수열 $\{b_n\}$의 일반항을 구한다.

[3단계] $n \geq m$인 자연수 n에 대하여 $a_n > b_n$을 만족하는 자연수 m의 최솟값을 구한다.

1814

$a_1 = 3$, $a_2 = 1$인 수열 $\{a_n\}$에 대하여 x에 대한 이차방정식

$$a_n x^2 - 2a_{n+1} x + a_{n+2} = 0 \, (n=1, 2, 3, \cdots)$$

이 중근 b_n을 가질 때, $\displaystyle\sum_{k=1}^{30} b_n$의 값을 구하는 과정을 다음 단계로 서술하여라.

[1단계] 이차방정식이 중근을 가질 때, a_{n+1}과 a_n의 관계식을 구한다.

[2단계] 이 수열 $\{a_n\}$의 공비를 구한다.

[3단계] 중근 b_n을 구한다.

[4단계] $\displaystyle\sum_{k=1}^{30} b_n$의 값을 구한다.

1815

수열 $\{a_n\}$에서

$$a_1 = 1, \quad a_{n+1} = (n+1)a_n \, (n=1, 2, 3, \cdots)$$

으로 정의할 때, $a_1 + a_2 + a_3 + \cdots + a_{100}$을 60으로 나누었을 때의 나머지를 구하는 과정을 다음 단계로 서술하여라.

[1단계] a_2, a_3, a_4, a_5, $\cdots$, a_{100}의 값을 구한다.

[2단계] a_5, a_6, a_7, $\cdots$, a_{100}의 각 항이 60의 배수임을 서술한다.

[3단계] $a_1 + a_2 + a_3 + \cdots + a_{100}$을 60으로 나누었을 때의 나머지를 구한다.

1816

수열 $\{a_n\}$에서

$$a_1 = 1, \quad a_{n+1} = \frac{3a_n - 1}{4a_n - 1} \, (n=1, 2, 3, \cdots) \quad \cdots\cdots \, ㉠$$

으로 정의될 때, $\displaystyle\sum_{k=1}^{10} (2k-1)a_k$의 값을 구하는 과정을 다음 단계로 서술하여라.

[1단계] ㉠의 n대신 1, 2, 3, $\cdots$을 차례로 대입하여 수열 $\{a_n\}$의 일반항 a_n을 구한다.

[2단계] $\displaystyle\sum_{k=1}^{10} (2k-1)a_k$의 값을 구한다.

1817

수열 $\{a_n\}$이

$$a_1 = 1, \quad a_{n+1} = \frac{a_n}{a_n + 1} \, (n \geq 1)$$

을 만족시킬 때, 다음 단계의 값을 구하는 과정을 서술하여라.

[1단계] 주어진 조건을 만족하는 수열 $\{a_n\}$의 일반항 a_n을 구한다.

[2단계] $A = \displaystyle\sum_{k=1}^{10} a_k a_{k+1}$의 값을 구한다.

[3단계] $B = \displaystyle\sum_{k=1}^{10} \frac{1}{a_k a_{k+1}}$의 값을 구한다.

[4단계] AB의 값을 구한다.

1818

수열 $\{a_n\}$이

$$a_1=\frac{1}{2}, \ a_{n+1}=\frac{1}{2-a_n} \ (n=1, 2, 3, \cdots)$$

로 정의될 때, 일반항 a_n을 추측하는 과정을 다음 단계로 서술하여라.

[1단계] a_2, a_3, a_4를 구한다.

[2단계] 일반항 a_n을 추측한다.

[3단계] [2단계]에서 추측한 일반항이 옳음을 수학적 귀납법으로 증명한다.

▷ 해설 내신연계기출

1819

수열 $\{a_n\}$이 모든 자연수 n에 대하여

$$a_n+a_{n+1}=8n+4$$

를 만족시킬 때, 다음 단계로 그 과정을 서술하여라.

[1단계] 수열 $\{a_n\}$이 등차수열이라 할 때, $\displaystyle\sum_{k=1}^{10} a_{2k}$의 값을 구한다.

[2단계] $\displaystyle\sum_{k=1}^{10}\{(-1)^k(a_{2k-1}+a_{2k})\}$의 값을 구한다.

1820

음식 재료들과 함께 1200mL의 물이 들어있는 어느 냄비가 있다. 음식을 맛있게 만들기 위해 이 냄비에 80mL의 물을 더 넣고 물의 $\frac{1}{4}$을 증발시키는 과정을 n번 반복한다고 할 때, 냄비 안에 남아있는 물의 양을 a_n이라 할 때, 다음 단계로 서술하여라.

[1단계] a_1을 구한다.

[2단계] a_n과 a_{n+1} 사이의 관계식을 구한다.

[3단계] a_3을 구한다.

1821

좌표평면 위의 점 A_1의 좌표가 $(1, 0)$일 때, 모든 자연수 n에 대하여 점 A_{n+1}의 좌표를 다음 규칙에 따라 정한다.

(가) 점 A_n을 x축의 방향으로 $2n$만큼 평행이동한 점을 B_n이라 한다.

(나) 점 B_n에서 기울기가 1이고 점 A_n을 지나는 직선에 내린 수선의 발을 C_n이라 한다.

(다) 점 C_n에서 x축에 내린 수선의 발을 A_{n+1}이라 한다.

점 A_n의 x좌표를 a_n이라 할 때,

$$a_{n+1}=pa_n+f(n)$$

이 성립한다. 이때 $p+f(5)$의 값을 구하는 과정을 다음 단계로 서술하여라. (단, p는 상수이다.)

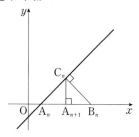

[1단계] 기울기가 1이면서 점 A_n을 지나는 직선의 방정식 구한다.

[2단계] (가)에서 구한 직선에 수직이면서 점 B_n을 지나는 직선의 방정식을 구한다.

[3단계] a_n과 a_{n+1}의 관계식을 구한다.

[4단계] $p+f(5)$의 값을 구한다.

1822

어느 크리에이터 동호회 모임에 참석한 회원이 모두 한 번씩 악수하였다. 이때 n명의 회원이 모인 모임에서 이루어진 악수의 총 횟수를 a_n이라 할 때, a_{10}을 구하는 과정을 다음 단계로 서술하여라.

[1단계] a_1, a_2를 구한다.

[2단계] a_n과 a_{n+1}의 관계식을 구한다.

[3단계] a_{10}의 값을 구한다.

1823

그림과 같이 길이가 동일한 성냥개비를 이용하여 정삼각형 모양을 계속 만들어 나간다. 이렇게 만들어진 가장 큰 정삼각형 모양의 한 변에 놓인 성냥개비의 개수가 n개이고 전체 성냥개비의 개수를 a_n이라 할 때, a_n과 a_{n+1} 사이의 관계식을 구하는 과정을 다음 단계로 서술하여라.

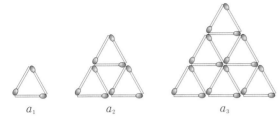

[1단계] a_1, a_2, a_3을 구한다.
[2단계] a_n과 a_{n+1} 사이의 관계식을 이용하여 일반항 a_n을 구한다.
[3단계] a_6의 값을 구한다.

1824

용량이 2L인 두 비커 A, B에 각각 물이 1L씩 들어 있다. 비커 A에 있는 물의 $\frac{1}{3}$을 비커 B로 옮긴 후, 비커 B에 있는 물의 $\frac{1}{3}$을 비커 A로 옮기는 것을 1회 시행이라고 한다. n회 시행 후 비커 A에 남아 있는 물의 양을 a_n이라 할 때,

$$a_{n+1}=pa_n+q\,(n=1,\,2,\,3,\,\cdots)$$

가 성립한다. 상수 p, q의 값을 구하는 과정을 다음 단계로 서술하여라.

[1단계] a_1을 구한다.
[2단계] a_n과 a_{n+1} 사이의 관계식을 이용하여 p, q의 값을 구한다.

1825

60L의 물이 들어 있는 물통에서 전체 물의 $\frac{1}{3}$을 덜어 내고 다시 10L의 물을 넣는 시행을 하려고 한다. 첫 번째 시행 후 물통의 물의 양을 a_1L라고 하고, 두 번째 시행 후 물통의 물의 양을 a_2L라고 하자. 이와 같은 과정을 계속하여 n번 시행 후 물통에 남아 있는 물의 양을 a_nL라 할 때,

$$a_{n+1}=pa_n+q\,(n=1,\,2,\,3,\,\cdots)$$

가 성립한다. 상수 p, q의 값을 구하는 과정을 다음 단계로 서술하여라.

[1단계] a_1을 구한다.
[2단계] a_n과 a_{n+1} 사이의 관계식을 구하여 상수 p, q의 값을 구한다.
[3단계] 수열 $\{a_n\}$의 일반항이 $a_n=20\cdot\left(\frac{2}{3}\right)^{n-1}+30$임을 수학적 귀납법을 이용하여 증명하는 과정이다. 빈칸에 올바른 내용을 서술하여라.

(i) $n=1$일 때,

(ii) $n=k$일 때, 성립한다고 가정하자.

(i), (ii)에 의하여 수열 $\{a_n\}$의 일반항은 $a_n=30\times\left(\frac{2}{3}\right)^n+30$ 이다.

1826

30%의 소금물 100g과 10%의 소금물 100g을 섞은 소금물의 농도를 a_1%, a_1%의 소금물 100g과 10%의 소금물 100g을 섞은 소금물의 농도를 a_2%라고 하자. 이와 같은 시행을 n번 반복한 소금물의 농도를 a_n%라고 할 때, a_n과 a_{n+1} 사이의 관계식을 구하는 과정을 다음 단계로 서술하여라.

[1단계] 30%의 소금물 100g에 들어 있는 소금의 양을 구한다.
[2단계] a_1을 구한다.
[3단계] a_n과 a_{n+1} 사이의 관계식을 구한다.
[4단계] a_5의 값을 구한다.

1827

수열 $\{a_n\}$이

$$\begin{cases} a_1 = 4 \\ a_{n+1} = \dfrac{3n+2}{3n-1} a_n \ (n=1, 2, 3, \cdots) \end{cases}$$

과 같이 귀납적으로 정의될 때, 모든 자연수 n에 대하여

$$a_n = 6n - 2 \qquad \cdots\cdots \ \text{㉠}$$

가 성립함을 수학적 귀납법을 이용하여 다음 단계로 서술하여라.

증명

$a_n = 6n - 2 \qquad \cdots\cdots \ \text{㉠}$

[1단계] $n=1$일 때, (좌변)=____ (우변)=____

따라서 $n=1$일 때, 등식 ㉠이 성립한다.

[2단계] $n=k$일 때, 등식 ㉠이 성립한다고 가정하면

$a_k = 6k - 2$가 성립한다.

_____

_____

따라서 $n=k+1$일 때도 등식 ㉠이 성립한다.

[1단계], [2단계]에서 모든 자연수 n에 대하여 등식 ㉠이 성립한다.

1828

다음 명제가 참임을 수학적 귀납법을 이용하여 다음 단계로 증명하여라.

'모든 자연수 n에 대하여 $7^n - 6n$을 36으로 나눈 나머지는 1이다.'

증명

[1단계] $n=1$일 때, $7^1 - 6 \times 1 = 1$이므로 1을 36으로

나눈 나머지는 ____ (이)다.

따라서 $n=1$일 때 주어진 명제가 성립한다.

[2단계] $n=k$일 때, $7^k - 6k$를 36으로 나눈 나머지가 1이라

가정하면

_____

_____

따라서 $n=k+1$일 때도 주어진 명제가 성립한다.

[1단계], [2단계]에서 주어진 명제는 참이다.

1829

다음 원판은 아래부터 크기가 큰 것에서 작은 것까지 차례대로 쌓여있는데 다음 두 가지 규칙에 따라 모든 원판을 다른 한 기둥으로 옮기려고 한다. 원판이 n개일 때 **최소 이동 횟수**를 a_n 이라 하면 다음 단계로 그 과정을 서술하여라.

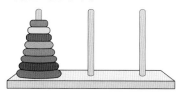

[규칙1] 원판은 한 번에 한 개씩만 한 기둥에서 다른 기둥으로 옮길 수 있다.

[규칙2] 큰 원판을 작은 원판 위에 놓을 수 없다.

[1단계] a_1, a_2, a_3을 각각 구한다.

[2단계] a_{n+1}과 a_n 사이의 관계식을 구한다.

[3단계] 일반항 a_n의 값을 구한다.

[4단계] a_n의 일반항은 다음과 같다고 알려져 있다.

$$a_n = 2^n - 1 \ (n=1, 2, 3, \cdots)$$

위의 식이 성립함을 수학적 귀납법으로 증명한다.

1830

다음 그림과 같이 첫 번째 막대기에 걸려 있는 모든 원판을 세 번째 막대기로 다음 규칙에 따라 옮기려고 한다. 원판이 n개일 때, 시행 횟수를 a_n이라 하면 다음 단계로 그 과정을 서술하여라.

[규칙1] 한 번에 한 개의 원판을 한 막대기에서 바로 옆의 막대기로 옮길 수 있다.

[규칙2] 작은 원판 위에 큰 원판을 올려놓을 수 없다.

일반적으로 원판이 n개일 때, 시행 횟수를 a_n이라고 하면 $a_2 = 8$이다.

[1단계] a_1, a_2를 각각 구한다.

[2단계] a_n과 a_{n+1} 사이의 관계식을 구한다.

[3단계] a_n의 값을 구한다.

[4단계] a_5를 구한다.

1831

$a_2=-1$인 수열 $\{a_n\}$에 대하여

$$a_{n+1} < a_n \, (n=1, 2, 3, \cdots)$$

$$\left(\sum_{k=1}^{n+1} a_k - \sum_{k=1}^{n-1} a_k\right)^2 = 4a_n a_{n+1} + 9 \, (n=2, 3, 4, \cdots)$$

일 때, a_{21}의 값을 구하여라.

▶ 해설 내신연계기출

1832

각 항이 양수인 수열 $\{a_n\}$의 첫째항부터 제 n항까지의 합을 S_n이라 할 때,

$$S_n + S_{n+1} = (a_{n+1})^2$$

이 성립한다. $a_1=10$일 때, a_{10}의 값을 구하여라.

1833

첫째항이 60인 수열 $\{a_n\}$이 모든 자연수 n에 대하여 a_{n+1}을 a_n의 양의 약수의 개수라 할 때, $\sum_{k=1}^{10} a_k$의 값을 구하여라.

1834

수열 $\{a_n\}$이 다음 조건을 만족시킨다.

(가) $a_1=1$, $a_2=4$

(나) $a_{n+2}=a_{n+1}-a_n \, (n=1, 2, 3, \cdots)$

이때 $\sum_{k=1}^{2020} a_k$의 값을 구하고 그 과정을 서술하여라.

1835

수열 $\{a_n\}$은 다음 조건을 만족시킨다.

(가) $a_1=1$, $a_2=2$

(나) a_n은 a_{n-2}와 a_{n-1}의 합을 4로 나눈 나머지 $(n \geq 3)$

$\sum_{k=1}^{m} a_k=166$일 때, m의 값을 구하여라.

1836

첫째항이 2이고 공차가 양수인 등차수열 $\{a_n\}$에 대하여 이차방정식

$$x^2 + (a_n + a_{n+2})x - a_{n+1} = 0$$

의 서로 다른 두 실근을 α_n, β_n이라고 하자.

$\sum_{n=1}^{9} (1-\alpha_n)(1-\beta_n)=127$일 때, a_{10}의 값을 구하여라.

1837

그림과 같이 4 이상의 자연수 n에 대하여 곡선 $y=x^2+x$와 직선 $y=nx-2$가 두 점 A, B에서 만난다. 두 직선 OA, OB의 기울기를 각각 a_n, b_n이라 할 때, $\sum_{n=4}^{20}(a_n+b_n)$의 값을 구하여라. (단, O는 원점이다.)

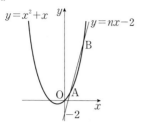

▶ 해설 내신연계기출

1838

곡선 $y=x^2$ 위의 점을 $P_n(x_n, x_n^2)$이라 하자. 점 $P_1(0, 0)$이고 직선 P_nP_{n+1}의 기울기를 a_n이라 할 때, 수열 $\{a_n\}$이 다음 조건을 만족시킨다. (단, n은 자연수이다.)

(가) $a_1=3$

(나) $d>3$인 상수 d에 대하여 $a_{n+1}=a_n+d\,(n=1, 2, 3, \cdots)$
　　이다.

[보기]에서 옳은 것만을 있는 대로 고른 것은?

> ㄱ. $x_2=3$
> ㄴ. $x_{20}=x_{19}+d$
> ㄷ. $\sum_{k=1}^{10}(x_{2k+1}-x_{2k})\le 100$을 만족시키는 d의 최댓값은 13이다.

① ㄱ　　　　　② ㄴ　　　　　③ ㄱ, ㄷ
④ ㄴ, ㄷ　　　　⑤ ㄱ, ㄴ, ㄷ

1839

수열 $\{a_n\}$과 두 함수 $f(x)$, $g(x)$가 다음 두 조건을 모두 만족시킨다.

(가) $a_1=1$, $a_{n+1}=a_n+1\,(n=1, 2, 3, \cdots)$

(나) $g(x)=f(x)+a_n$

무리함수 $f(x)=\sqrt{x-a_n}+a_n$에 대하여 두 함수 $y=f(x)$, $y=g(x)$와 두 직선 $x=a_n$, $x=a_{n+1}$로 둘러싸인 도형의 넓이를 S_n이라고 할 때, $\sum_{k=1}^{10}S_k$의 값을 구하여라.

1840

수열 $\{a_n\}$이 다음 조건을 만족시킨다.

(가) $|a_n|+a_{n+1}=n+6\,(n\ge 1)$

(나) $\sum_{n=1}^{40}a_n=520$

$\sum_{n=1}^{30}a_n$의 값을 구하여라.

1841

자연수 n에 대하여 좌표평면 위의 점 P_n을 다음 규칙에 따라 정한다.

(가) 세 점 P_1, P_2, P_3의 좌표는 각각 $(-1, 0)$, $(1, 0)$, $(-1, 2)$ 이다.

(나) 선분 P_nP_{n+1}의 중점과 선분 $P_{n+2}P_{n+3}$의 중점은 같다.

예를 들어 점 P_4의 좌표는 $(1, -2)$이다.

점 P_{25}의 좌표가 (a, b)일 때, $a+b$의 값을 구하여라.

1842

좌표평면에서 2 이상의 자연수 n에 대하여 A_n을 4개의 점

$$(1, 2n), (n+1, 2n), (n+1, 3n), (1, 3n)$$

을 꼭짓점으로 하는 정사각형이라고 하자. 정사각형 A_n과 직선 $y=kx$가 만나도록 하는 자연수 k의 개수를 a_n이라고 할 때, 옳은 것만을 [보기]에서 있는 대로 고른 것은? (단, O는 원점이다.)

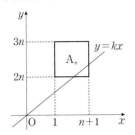

ㄱ. $a_2=5$

ㄴ. $a_{n+1}=a_n+3\,(n=2, 3, 4, \cdots)$

ㄷ. $a_2+a_4+a_6+\cdots+a_{20}=310$

① ㄱ 　　② ㄱ, ㄴ 　　③ ㄱ, ㄷ
④ ㄴ, ㄷ 　　⑤ ㄱ, ㄴ, ㄷ

1843

좌표평면에서 자연수 n에 대하여 A_n을 4개의 점

$$\left(n^2, n^2\right), \left(4n^2, n^2\right), \left(4n^2, 4n^2\right), \left(n^2, 4n^2\right)$$

을 꼭짓점으로 하는 정사각형이라 하자.

정사각형 A_n과 함수 $y=k\sqrt{x}$의 그래프가 만나도록 하는 자연수 k의 개수를 a_n이라 할 때, [보기]에서 옳은 것을 모두 고른 것은?

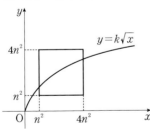

ㄱ. $a_5=15$

ㄴ. $a_{n+2}-a_n=7$

ㄷ. $\displaystyle\sum_{k=1}^{10} a_k=200$

① ㄴ 　　② ㄷ 　　③ ㄱ, ㄴ
④ ㄴ, ㄷ 　　⑤ ㄱ, ㄴ, ㄷ

1844

첫째항이 20이고 공차가 -3인 등차수열 $\{a_n\}$에 대하여 수열 $\{b_n\}$을

$$b_n=a_1-a_2+a_3-a_4+\cdots+(-1)^{n+1}a_n\,(n=1, 2, 3, \cdots)$$

이라 하자. $\displaystyle\sum_{k=1}^{20} b_k$의 값을 구하여라.

1845

공차가 0이 아닌 등차수열 $\{a_n\}$이 있다. 수열 $\{b_n\}$은

$$b_1=a_1$$

이고, 2 이상의 자연수 n에 대하여

$$b_n=\begin{cases} b_{n-1}+a_n & (n\text{이 3의 배수가 아닌 경우}) \\ b_{n-1}-a_n & (n\text{이 3의 배수인 경우}) \end{cases}$$

이다. $b_{10}=a_{10}$일 때, $\dfrac{b_8}{b_{10}}=\dfrac{q}{p}$이다. $p+q$의 값을 구하여라.

(단, p와 q는 서로소인 자연수이다.)

99° + 1°

젊음이
끓어오르는
온도

나는 별이다. Ich bin ein Stern   - Hermann Hesse

Ich bin ein Stern am Firmament,
나는 높은 하늘의 별이니,
Der die Welt betrachtet, die Welt verachtet,
세계를 바라보며, 세상을 경멸하며
Und in der eignen Glut verbrennt.
내 안의 뜨거운 불꽃을 태운다.

Ich bin das Meer, das nächtens stürmt,
나는 밤마다 노도치는 바다이니,
Das klagende Meer, das opferschwer
지난 죄에 또다른 죄를 쌓아
Zu alten Sünden neue türmt.
희생의 무게에 탄식하는 바다이어라.

Ich bin von Eurer Welt verbannt,
나는 당신들의 세상에서 쫓겨나
Vom Stolz erzogen, vom Stolz belogen,
긍지에 의해 자라 긍지에 의해 배신당했나니
Ich bin der König ohne Land.
나는 영토 없는 고독한 왕이다.

Ich bin die stumme Leidenschaft,
나는 침묵의 정열이니
Im Haus ohne Herd, im Krieg ohne Schwert,
집에는 아궁이가 없고, 전쟁에서는 칼을 쥐지 못하며
Und krank an meiner eignen Kraft.
자신의 힘 때문에 앓고 있다.

SYNERGY FINAL TEST

내신 1등급

지수함수와 로그함수

모의평가

총 4회 / 회당 24문제 5지선다형 20문제(4점) 서술형 4문제(5점)

SYNERGY
FINAL TEST

FINAL STEP

01

M A P L ; S Y N E R G Y

지수 로그함수 모의평가

100점 만점 총 24문제
(4점 × 20문제 — 객관식)
(5점 × 04문제 — 서술형)

시험시간 : 50분

01

5지선다 4점

$4^{\frac{3}{2}} \times 4^{-1}$의 값은?

① 1   ② 2   ③ 4

④ 8   ⑤ 16

02

5지선다 4점

다음 중에서 옳은 것은?

① 0의 세제곱근은 없다.

② −64의 세제곱근 중에서 실수인 것은 2개이다.

③ 5의 네제곱근 중에서 실수인 것은 $\sqrt[4]{5}$뿐이다.

④ n이 짝수일 때, −1의 n제곱근 중에서 실수인 것은 2개이다.

⑤ n이 홀수일 때, 2의 n제곱근 중에서 실수인 것은 하나뿐이다.

03

5지선다 4점

$\left(\dfrac{1}{1024}\right)^{\frac{1}{n}}$이 자연수가 되도록 하는 정수 n의 값의 합은?

① −18   ② −16   ③ −14

④ −12   ⑤ −10

04

5지선다 4점

$x=\sqrt[3]{2}+2^{-\frac{1}{3}}$일 때, x^3-3x의 값은?

① $\dfrac{3}{2}$ ② 2   ③ $\dfrac{5}{2}$

④ 3   ⑤ $\dfrac{7}{2}$

05

5지선다 4점

모든 실수 x에 대하여

$$\log_{(a-3)^2}(ax^2+2ax+8)$$

이 정의되기 위한 정수 a의 개수는?

① 4   ② 5   ③ 6

④ 7   ⑤ 8

06

5지선다 4점

$\log_{10}2=a$, $\log_{10}3=b$라고 할 때, $\log_5 6$의 값을 a, b로 나타낸 것은?

① $\dfrac{a+b}{ab}$ ② $\dfrac{ab}{a+b}$ ③ $\dfrac{a+b}{1-a}$

④ $\dfrac{a+b}{1-b}$ ⑤ $\dfrac{ab}{1-a}$

07

5지선다 4점

이차방정식 $x^2-4x+2=0$의 서로 다른 두 근이 $\log a$, $\log b$일 때, $\log_a b+\log_b a$의 값은?

① 3   ② 4   ③ 5

④ 6   ⑤ 7

08

5지선다 4점

지진 발생시 에너지의 세기를 나타내는 척도인 리히터 규모 M과 그 에너지 E 사이에는

$$\log E=11.8+1.5M$$

의 관계가 성립한다고 한다. 어느 해안에서 처음 발생한 리히터 규모 5인 지진의 에너지를 E_1, 며칠 후 발생한 리히터 규모 3인 지진의 에너지를 E_2라고 할 때, $\dfrac{E_1}{E_2}$의 값은?

① 10^2 ② 10^3 ③ 10^4

④ 10^5 ⑤ 10^6

09

5지선다 4점

지수함수 $y=\dfrac{1}{3}\cdot 3^{-x}-2$에 대한 다음 설명 중 옳지 않은 것은?

① x의 값이 증가하면 y의 값은 감소한다.

② 치역은 $\{y|y>-2\}$이다.

③ 그래프는 점 $(-1, -1)$을 지나고 점근선은 $y=-2$이다.

④ 그래프는 제1, 2 ,4사분면을 지난다.

⑤ 그래프는 $y=3^x$의 그래프를 y축에 대하여 대칭이동한 후, x축의 방향으로 -1만큼, y축의 방향으로 -2만큼 평행이동한 그래프와 같다.

10

5지선다 4점

함수 $y=\log_3(x-a)+b$의 그래프가 오른쪽 그림과 같이 원점을 지날 때, 상수 a, b에 대하여 $a+b$값은? (단, 직선 $x=-3$은 점근선이다.)

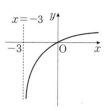

① -4 ② -3 ③ -2

④ -1 ⑤ 0

11

5지선다 4점

오른쪽 그림은 로그함수 $y=\log_2 x$의 그래프와 직선 $y=x$이다. 두 실수 a, b에 대하여 $a+b$의 값은? (단, 점선은 x축 또는 y축에 평행하다.)

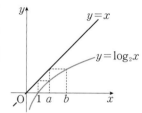

① 1   ② 2

③ 4   ④ 6

⑤ 9

12

5지선다 4점

$0 \le x \le 2$에서 정의된 함수

$$y=-4^x+3\cdot 2^{x+1}+1$$

의 최댓값을 M, 최솟값을 m이라 할 때, $M-m$의 값은?

① 2   ② 4   ③ 6

④ 8   ⑤ 10

13

5지선다 4점

그림과 같이 $a>b>c>1$인 세 상수 a, b, c에 대하여 두 곡선 $y=a^x$, $y=b^x$과 직선 $y=8$이 만나는 점을 각각 A, B라 하고 두 곡선 $y=b^x$, $y=c^x$과 직선 $y=4$가 만나는 점을 각각 C, D라 하자.

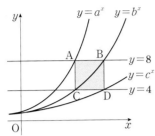

사각형 ACDB가 정사각형일 때, $abc=2^{\frac{q}{p}}$이다. $p+q$의 값은? (단, p, q는 서로소인 자연수이다.)

① 32   ② 36   ③ 40
④ 43   ⑤ 45

14

5지선다 4점

함수 $y=\log_5(2-x)+\log_5(x+8)$의 최댓값은?

① 2   ② 3   ③ 4
④ 5   ⑤ 6

15

5지선다 4점

다음 [보기]에서 로그함수 $y=\log_2 x$의 그래프를 평행이동 또는 대칭이동하여 그 그래프를 얻을 수 있는 것은?

ㄱ. $y=2^{x-2}$	ㄴ. $y=\log_4 x^2$
ㄷ. $y=\dfrac{1}{2^x}+1$	ㄹ. $y=2\log_4 x-1$

① ㄱ, ㄴ   ② ㄴ, ㄷ   ③ ㄱ, ㄷ, ㄹ
④ ㄴ, ㄷ, ㄹ   ⑤ ㄱ, ㄴ, ㄷ, ㄹ

16

5지선다 4점

함수 $y=\left(\dfrac{1}{3}\right)^{x-1}+n$의 그래프가 제 3사분면을 지나지 않게 하는 정수 n의 최솟값은?

① -5 ② -3 ③ -1
④ 1   ⑤ 3

17

5지선다 4점

그림에서 곡선 $y=\log_3 x$와 $y=\log_3(x+3)$이 x축과 만나는 점을 각각 A, B라고 하고 곡선 $y=\log_3(x+3)$이 y축과 만나는 점을 C라고 할 때, 점 C를 지나고 x축에 평행한 직선이 $y=\log_3 x$와 만나는 점을 D라고 하자. 이때 색칠한 부분의 넓이는?

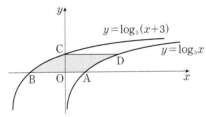

① 2   ② $\dfrac{5}{2}$ ③ 3
④ $\dfrac{7}{2}$ ⑤ 4

18

5지선다 4점

함수 $y=\log_a x+b$의 그래프와 그 역함수의 그래프가 두 점에서 만나고, 두 교점의 x좌표가 1, 2일 때, 상수 a, b에 대하여 $a+b$의 값은? (단, $a>0$, $a\neq 1$)

① 2   ② 3   ③ 4
④ 5   ⑤ 6

19

5지선다 4점

정의역이 $\{x|1 \le x \le 4\}$인 함수

$$y = \left(\log_{\frac{1}{2}} 4x\right)\left(\log_{\frac{1}{2}} \frac{8}{x}\right)$$

의 최댓값을 M, 최솟값을 m이라 할 때, Mm의 값은?

① 10   ② 15   ③ 20

④ 25   ⑤ 30

20

5지선다 4점

어떤 식물성 플랑크톤은 바다 수면에 비치는 햇빛의 양의 5% 이상이 도달하는 깊이까지 살 수 있다고 한다. 어떤 지역에서 햇빛이 수면으로부터 10m씩 내려갈 때마다 햇빛의 양이 16%씩 감소된다고 할 때, 이 식물성 플랑크톤이 살 수 있는 최대 깊이는 몇 m인가? (단, $\log 2 = 0.3$, $\log 8.4 = 0.9$로 계산한다.)

① 100   ② 110   ③ 120

④ 130   ⑤ 140

서 술 형

21번 ~ 24번　5점

21

서술형 5점

$2^{2x} + 2^{-2x} = 3$일 때, $\dfrac{2^{3x} + 2^{-3x}}{2^x + 2^{-x}}$의 값을 구하는 과정을 다음 단계로 서술하여라.

[1단계] $2^x + 2^{-x}$의 값을 구한다. [2점]

[2단계] $2^{3x} + 2^{-3x}$의 값을 구한다. [2점]

[3단계] $\dfrac{2^{3x} + 2^{-3x}}{2^x + 2^{-x}}$의 값을 구한다. [1점]

22

서술형 5점

$\log 3 = 0.4771$, $\log 7.17 = 0.855$를 이용하여 3^{50}이 몇 자리 자연수인지 구하는 과정을 다음 단계로 서술하여라.

[1단계] $\log 3^{50}$의 값을 구한다. [1점]

[2단계] $3^{50} = a \times 10^n$ ($1 \le a < 10$, n은 정수)로 나타낸다. [2.5점]

[3단계] 3^{50}이 몇 자리 자연수인지 구한다. [1.5점]

23

서술형 5점

이차부등식

$$(1 - \log a)x^2 + 2(1 - \log a)x + \log a \ge 0$$

이 모든 실수 x에 대하여 성립하도록 하는 정수 a의 합을 구하는 과정을 다음 단계로 서술하여라.

[1단계] 진수조건과 최고차항의 계수가 양수일 조건을 구한다. [1.5점]

[2단계] 모든 실수 x에 대하여 이차부등식이 성립하기 위한 a값의 범위를 구한다. [2점]

[3단계] 정수 a의 합을 구한다. [1.5점]

24

서술형 5점

연립부등식 $\begin{cases} \log_3 |x-3| < 4 \\ \log_2 x + \log_2 (x-2) \ge 3 \end{cases}$을 만족시키는 정수 x의 개수를 구하는 과정을 다음 단계로 서술하여라.

[1단계] $\log_3 |x-3| < 4$를 만족하는 x의 범위를 구한다. [2점]

[2단계] $\log_2 x + \log_2 (x-2) \ge 3$를 만족하는 x의 범위를 구한다. [2점]

[3단계] 위의 단계의 공통된 범위를 구하여 정수 x의 개수를 구한다. [1점]

FINAL STEP

02

M A P L ; S Y N E R G Y

지수 로그함수 모의평가

100점 만점 총 24문제
(4점 × 20문제 — 객관식)
(5점 × 04문제 — 서술형)

시험시간 : 50분

01
5지선다 4점

다음 [보기]에서 옳은 것만을 있는 대로 고른 것은?

> ㄱ. 1의 세제곱근은 모두 실수이다.
> ㄴ. n이 홀수일 때, $\sqrt[n]{a^n} = a$이다.
> ㄷ. n이 짝수이고 a가 양수일 때, a의 n제곱근 중 실수인 것은 2개이다.

① ㄱ   ② ㄴ   ③ ㄷ

④ ㄴ, ㄷ   ⑤ ㄱ, ㄴ, ㄷ

02
5지선다 4점

다음 중 옳은 것은?

① $\sqrt[3]{7} \times \sqrt[4]{7} = \sqrt[7]{7}$

② $\sqrt[3]{-\sqrt{64}} = -2$

③ $\sqrt[3]{\sqrt[4]{8}} = \sqrt[12]{2}$

④ $\dfrac{\sqrt[3]{-25}}{\sqrt[3]{-2}} = \sqrt[3]{-\dfrac{25}{2}}$

⑤ $\left(\sqrt[3]{5} \times \dfrac{1}{\sqrt{5}}\right)^6 = 5$

03
5지선다 4점

$\log_{x+3}(12-x-x^2)$이 정의되도록 하는 모든 정수 x의 개수는?

① 3   ② 4   ③ 5

④ 6   ⑤ 7

04
5지선다 4점

$\sqrt{x} + \dfrac{1}{\sqrt{x}} = 3$일 때, $\dfrac{x + x^{-1} + 3}{x^2 + x^{-2} - 7}$의 값은? (단, $x > 0$)

① $\dfrac{1}{4}$ ② $\dfrac{1}{5}$ ③ $\dfrac{1}{6}$

④ $\dfrac{1}{7}$ ⑤ $\dfrac{1}{8}$

05
5지선다 4점

양수 a, b, c에 대하여

$$abc = 64이고 \ a^x = b^y = c^z = 16$$

일 때, $\dfrac{1}{x} + \dfrac{1}{y} + \dfrac{1}{z}$의 값은? (단, $xyz \neq 0$)

① $\dfrac{3}{4}$ ② 1   ③ $\dfrac{4}{3}$

④ $\dfrac{3}{2}$ ⑤ 3

06
5지선다 4점

$(\log_6 3)^2 + \dfrac{1}{3}\log_6 27 \times \log_6 4 + (\log_6 2)^2$을 간단히 하면?

① $\dfrac{1}{100}$ ② $\dfrac{1}{2}$ ③ 1

④ 2   ⑤ 100

1이 아닌 세 양수 x, y, z가 다음 조건을 만족시킨다.

(가) $36^{\log_6 x} = \sqrt[3]{y}$

(나) $27^{2\log_3 y} = \sqrt{z}$

$\log_x z$의 값은?

① 32 ② 40 ③ 52
④ 62 ⑤ 72

1이 아닌 양수 x에 대하여 등식

$$\frac{1}{\log_2 x} + \frac{1}{\log_5 x} + \frac{1}{\log_6 x} = \frac{1}{\log_a x}$$

이 성립할 때, a의 값은?

① 10 ② 20 ③ 30
④ 40 ⑤ 60

망각의 법칙에 따르면 학습한 처음 기억 상태를 L_0, t개월 후의 기억 상태를 L이라 할 때

$$\log \frac{L_0}{L} = k \log(t+1) \ (k는 \ 상수)$$

인 관계가 성립한다. 어느 학습에서 처음 기억 상태가 90일 때 9개월 후의 기억 상태가 30이 된다고 하면 처음 기억 상태가 60일 때, 9개월 후의 기억 상태는?

① 20 ② 30 ③ 40
④ 50 ⑤ 60

$y = a^x$의 그래프를 x축의 방향으로 b만큼, y축의 방향으로 c만큼 평행이동하면 함수 $y = 9\left(3^x - \frac{1}{3}\right) - 1$의 그래프와 겹칠 때, 상수 a, b, c에 대하여 $a+b+c$의 값은? (단, $a > 0$)

① -3 ② -2 ③ -1
④ 1 ⑤ 2

실수 a가 $\frac{2^a + 2^{-a}}{2^a - 2^{-a}} = -2$를 만족시킬 때, $4^a + 4^{-a}$의 값은?

① $\frac{5}{2}$ ② $\frac{10}{3}$ ③ $\frac{17}{4}$
④ $\frac{26}{5}$ ⑤ $\frac{37}{6}$

오른쪽 그림과 같이 원점을 지나는 함수 $y = 2^{x+a} + b$의 그래프의 점근선은 직선 $y = -2$이다. 이때 실수 a, b에 대하여 $a+b$의 값은?

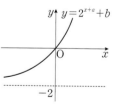

① -2 ② -1
③ 0 ④ 1
⑤ 2

13

5지선다 4점

함수 $y=3^{2x}-2 \cdot 3^x+a$가 $x=b$에서 최솟값 4를 가질 때, 실수 a, b에 대하여 $a+b$의 값은?

① 2   ② 4   ③ 5

④ 6   ⑤ 7

14

5지선다 4점

함수 $y=\log_2(x-2)-1$에 대한 설명으로 옳지 않은 것은?

① 정의역은 $\{x \mid x>2\}$이다.

② 치역은 $\{y \mid y>-1\}$이다.

③ 그래프의 점근선은 직선 $x=2$이다.

④ 그래프는 점 $(4, 0)$을 지난다.

⑤ 함수 $y=2^{x+1}+2$의 그래프와 직선 $y=x$에 대하여 대칭이다.

15

5지선다 4점

$0 \leq x \leq 3$에서 정의된 함수
$$y=\log_3(x^2-2x+3)$$
의 최댓값을 M, 최솟값을 m이라고 할 때, $M-m$의 값은?

① $\log_3 2$ ② 1   ③ $\log_2 3$

④ $1+\log_3 2$ ⑤ $1+\log_2 3$

16

5지선다 4점

함수 $f(x)=-2^{4-3x}+k$의 그래프가 제 2사분면을 지나지 않도록 하는 자연수 k의 최댓값은?

① 10   ② 12   ③ 14

④ 16   ⑤ 18

17

5지선다 4점

4의 세제곱근 중 실수인 것을 a라 할 때, 지수방정식
$$\left(\frac{1}{2}\right)^{x+1}=a$$
의 해는?

① $-\dfrac{5}{3}$ ② $-\dfrac{4}{3}$ ③ -1

④ $-\dfrac{2}{3}$ ⑤ $-\dfrac{1}{3}$

18

5지선다 4점

부등식
$$\log_{\sqrt{2}}(x+5)+\log_{\frac{1}{2}}(1-x) \geq 0$$
를 만족시키는 모든 정수의 개수는?

① 2   ② 3   ③ 4

④ 5   ⑤ 6

19

오른쪽 그림과 같이 함수 $y = \log_2 x$ 의 그래프 위의 점 $P(a, b)$에서 x축, y축에 내린 수선의 발을 각각 R, Q 라고 하자. 원점 O와 점 $A(1, 0)$에 대하여 $\dfrac{(\square \text{OAPQ의 넓이})}{(\triangle \text{APR의 넓이})} = \dfrac{5}{3}$ 를 만족하는 상수 a, b에 대하여 $a+b$의 값은? (단, $a > 1$)

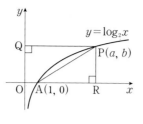

① 3   ② 4   ③ 6
④ 8   ⑤ 12

20

임의의 실수 x에 대하여 부등식

$$2^{x+1} - 2^{\frac{x+4}{2}} + a \geq 0$$

이 성립하도록 하는 실수 a의 최솟값은?

① 1   ② 2   ③ 3
④ 4   ⑤ 5

서 술 형

21

$a > 0$이고 $x = \dfrac{1}{2} \log_a 3$일 때, $\dfrac{a^x - a^{-x}}{a^x + a^{-x}} + \dfrac{a^{3x} - a^{-3x}}{a^{3x} + a^{-3x}}$의 값을 구하는 과정을 다음 단계로 서술하여라.

[1단계] $x = \dfrac{1}{2} \log_a 3$에서 a^{2x}의 값을 구한다. [0.5점]

[2단계] $\dfrac{a^x - a^{-x}}{a^x + a^{-x}}$의 값을 구한다. [2점]

[3단계] $\dfrac{a^{3x} - a^{-3x}}{a^{3x} + a^{-3x}}$의 값을 구한다. [2점]

[4단계] $\dfrac{a^x - a^{-x}}{a^x + a^{-x}} + \dfrac{a^{3x} - a^{-3x}}{a^{3x} + a^{-3x}}$의 값을 구한다. [0.5점]

22

이차방정식 $x^2 - 6x + 2 = 0$의 두 근이 $\log_2 a$, $\log_2 b$일 때, $\log_a b + \log_b a$의 값을 구하는 과정을 다음 단계로 서술하여라.

[1단계] 이차방정식의 두 근이 $\log_2 a$, $\log_2 b$이므로 근과 계수의 관계에 의하여 두 근의 합과 두 근의 곱을 구한다. [1.5점]

[2단계] $\log_a b + \log_b a$의 밑을 2로 변환한다. [1.5점]

[3단계] 곱셈공식의 변형을 이용하여 $\log_a b + \log_b a$의 값을 구한다. [2점]

23

정의역이 $\{x \mid -1 \leq x \leq 4\}$인 지수함수

$$f(x) = 9 \times \left(\dfrac{1}{3}\right)^x - 2$$

의 최댓값과 최솟값을 구하는 과정을 다음 단계로 서술하여라.

[1단계] 함수 $y = 3^x$의 그래프를 평행이동 또는 대칭이동하여 함수 $y = f(x)$의 그래프를 그린다. [2.5점]

[2단계] $-1 \leq x \leq 4$에서 함수 $y = f(x)$의 최댓값과 최솟값을 각각 구한다. [2.5점]

24

부등식 $\log_{x-1}(-2x+3) \geq 1$을 만족하는 x의 범위를 구하는 과정을 다음 단계로 서술하여라.

[1단계] 로그의 밑과 진수조건을 만족하는 x의 범위를 구한다. [2점]

[2단계] 로그부등식을 만족하는 x의 범위를 구한다. [2점]

[3단계] 주어진 부등식의 x의 범위를 구한다. [1점]

FINAL STEP

03

MAPL ; SYNERGY

지수 로그함수 모의평가

100점 만점 총 24문제
(4점 × 20문제 − 객관식)
(5점 × 04문제 − 서술형)

시험시간 : 50분

01

5지선다 4점

다음 [보기]에서 옳은 것만을 있는 대로 고른 것은?

> ㄱ. -3의 세제곱근은 $\sqrt[3]{-3}$ 이다.
>
> ㄴ. 3^{10}의 다섯 제곱근 중에서 실수인 것은 9이다.
>
> ㄷ. -16의 네제곱근 중에서 실수인 것은 2개이다.

① ㄱ   ② ㄴ   ③ ㄷ

④ ㄴ, ㄷ   ⑤ ㄱ, ㄴ, ㄷ

02

5지선다 4점

$9^x - 3^{x+1} = -1$일 때, $\dfrac{27^x + 27^{-x} + 2}{9^x + 9^{-x} + 3}$의 값은?

① 2   ② 5   ③ 8

④ 12   ⑤ 15

03

5지선다 4점

$2 \leq n \leq 100$인 자연수 n에 대하여 $\left(\sqrt[4]{6^5}\right)^{\frac{1}{2}}$이 어떤 자연수의 n제곱근이 되도록 하는 n의 개수는?

① 12   ② 14   ③ 16

④ 18   ⑤ 20

04

5지선다 4점

$a > 0$, $b > 0$일 때,

$$\sqrt[4]{ab^2} \times \sqrt[12]{a^7 b^3} \div \sqrt[6]{a^3 b^5} = a^x b^y$$

을 만족하는 유리수 x, y에 대하여 $x+y$의 값은?

① $\dfrac{1}{4}$ ② $\dfrac{2}{3}$ ③ $\dfrac{3}{4}$

④ $\dfrac{7}{6}$ ⑤ $\dfrac{5}{12}$

05

5지선다 4점

$$\frac{1}{5^{-20}+1} + \frac{1}{5^{-19}+1} + \cdots + \frac{1}{5^{-1}+1} + \frac{1}{5^0+1} + \frac{1}{5^1+1} + \cdots$$
$$+ \frac{1}{5^{19}+1} + \frac{1}{5^{20}+1}$$

의 값은?

① $\dfrac{21}{2}$ ② $\dfrac{25}{2}$ ③ $\dfrac{31}{2}$

④ $\dfrac{41}{2}$ ⑤ $\dfrac{51}{2}$

06

5지선다 4점

$12^x = 32$, $3^y = 16$일 때, $\dfrac{5}{x} - \dfrac{4}{y}$의 값은?

① 2   ② 4   ③ 6

④ 8   ⑤ 10

07

5지선다 4점

2 이상의 자연수 n에 대하여 $a = \sqrt[2n]{4}$일 때,

$\dfrac{a^{3n} - a^{-3n}}{a^{2n} + a^{-2n} + 1}$의 값은?

① $\dfrac{1}{2}$ ② 1 ③ $\dfrac{3}{2}$

④ 2 ⑤ $\dfrac{5}{2}$

08

5지선다 4점

$\log 0.155 = -0.8097$, $\log 245 = 2.3892$일 때,

$$\log a = 0.3892, \quad \log b = 1.1903$$

을 만족하는 양수 a, b에 대하여 $100(a+b)$의 값은?

① 1654 ② 1795 ③ 2019

④ 2191 ⑤ 2456

09

5지선다 4점

함수 $f(x) = \log_2 \left(1 + \dfrac{1}{x+3}\right)$에 대하여

$$f(1) + f(2) + f(3) + \cdots + f(n) = 3$$

을 만족하는 자연수 n의 값은?

① 24 ② 26 ③ 28

④ 30 ⑤ 32

10

5지선다 4점

1보다 큰 세 실수 a, b, c에 대하여

$$\log_c a : \log_c b = 2 : 3$$

일 때, $10\log_a b + 9\log_b a$의 값은?

① 21 ② 24 ③ 26

④ 28 ⑤ 30

11

5지선다 4점

함수 $y = \log_3 \left(\dfrac{x}{9} - 1\right)$의 그래프는 함수 $y = \log_3 x$의 그래프를 x축의 방향으로 m만큼, y축의 방향으로 n만큼 평행이동시킨 것이라 할 때, $m+n$의 값은?

① -5 ② -3 ③ -1

④ 7 ⑤ 9

12

5지선다 4점

별의 밝기를 나타내는 방법으로는 절대 등급과 겉보기 등급이 있다. 절대 등급은 별이 지구와 32.6광년 떨어져 있다고 생각하고 정한 별의 밝기이고, 겉보기 등급은 지구에서 본 별의 상대적 밝기이다.
지구로부터 x광년 떨어진 별의 겉보기 등급을 m, 절대등급을 M이라 하면

$$m - M = 5\log x - 5$$

라고 한다. 지구로부터 631광년 떨어진 별의 절대 등급이 -5일 때, 이 별의 겉보기 등급은? (단, $\log 6.31 = 0.8$로 계산한다.)

① 3 ② 4 ③ 5

④ 6 ⑤ 7

13

5지선다 4점

지수함수 $y=a^x$의 그래프를 y축에 대하여 대칭이동시킨 후, x축의 방향으로 3만큼, y축의 방향으로 2만큼 평행이동시킨 그래프가 점 $(1, 4)$를 지난다. 양수 a의 값은?

① $\sqrt{2}$ ② $2\sqrt{2}$ ③ $3\sqrt{2}$

④ 6   ⑤ $6\sqrt{2}$

16

5지선다 4점

방정식 $\dfrac{2^{x-1}+2^{-x+1}}{2}=3$의 서로 다른 두 실근을 α, β라 할 때, $\alpha+\beta$의 값은?

① 1   ② $\dfrac{3}{2}$ ③ 2

④ $\dfrac{5}{2}$ ⑤ 4

14

5지선다 4점

함수 $y=\log_a(x^2-4x+20)$의 최댓값이 -4일 때, 상수 a의 값은? (단, $a>0$, $a\neq 1$)

① $\dfrac{1}{6}$ ② $\dfrac{1}{5}$ ③ $\dfrac{1}{4}$

④ $\dfrac{1}{3}$ ⑤ $\dfrac{1}{2}$

17

5지선다 4점

다음 조건을 만족하는 방정식의 해를 각각 p, q라 할 때, $p+q$의 값은?

(가) $\log_2(\log_3 x-1)=1$

(나) $\log x+\log(x+3)=\log(x+8)$

① 9   ② 10   ③ 12

④ 27   ⑤ 29

15

5지선다 4점

정의역이 $\{x|2\leq x\leq 16\}$일 때, 함수

$$y=\log_2 x^{\log_2 x}-4\log_2 4x$$의

최댓값과 최솟값의 합은?

① -22 ② -20 ③ -18

④ -16 ⑤ -14

18

5지선다 4점

부등식

$$\log_3(x^2+x-2)\leq \log_3(-2x+2)$$

를 만족시키는 모든 정수 x의 값의 합은?

① -9 ② -7 ③ -5

④ -3 ⑤ -2

19

부등식 $(\log_2 x)(\log_2 8x) \le 4$의 해가 $\alpha \le x \le \beta$일 때, $\alpha\beta$의 값은?

① $\dfrac{1}{16}$ ② $\dfrac{1}{8}$ ③ $\dfrac{1}{4}$

④ 4 ⑤ 8

20

특정 환경의 어느 웹사이트에서 한 메뉴 안에 선택할 수 있는 항목이 n개 있는 경우, 항목을 1개 선택하는데 걸리는 시간 T(초)가 다음 식을 만족시킨다.

$$T = 2 + \frac{1}{3}\log_2(n+1)$$

메뉴가 여러 개인 경우, 모든 메뉴에서 항목을 1개씩 선택하는데 걸리는 전체 시간은 각 메뉴에서 항목을 1개씩 선택하는데 걸리는 시간을 모두 더하여 구한다. 예를 들면 메뉴가 3개이고 각 메뉴 안에 항목이 4개씩 있는 경우, 모든 메뉴에서 항목을 1개씩 선택하는데 걸리는 전체 시간은 $3\left(2 + \frac{1}{3}\log_2 5\right)$초이다. 메뉴가 10개이고 각 메뉴 안에 항목이 n개씩 있을 때, 모든 메뉴에서 항목을 1개씩 선택하는데 걸리는 전체 시간이 30초 이하가 되도록 하는 n의 최댓값은?

① 7 ② 8 ③ 9

④ 10 ⑤ 11

서 술 형

21

6^{50}이 m자리 정수이고 $\left(\dfrac{1}{3}\right)^{20}$이 소수점 아래 n째 자리에서 처음으로 0이 아닌 숫자가 나타난다고 할 때, 상수 m, n에 대하여 $m+n$의 값을 구하는 과정을 다음 단계로 서술하여라.
(단, $\log 2 = 0.3010$, $\log 3 = 0.4771$)

[1단계] 6^{50}이 몇 자리의 정수인지 구한다. [2점]

[2단계] $\left(\dfrac{1}{3}\right)^{20}$이 소수점 아래 몇째 자리에서 처음으로 0이 아닌 숫자가 나타나는지 구한다. [2점]

[3단계] $m+n$의 값을 구한다. [1점]

22

함수

$$y = 4^x + 4^{-x} - 6(2^x + 2^{-x}) + 12$$

의 최솟값을 구하는 과정을 다음 단계로 서술하여라.

[1단계] $2^x + 2^{-x} = t$로 놓고 t의 범위를 구한다. [1.5점]

[2단계] 곱셈공식을 이용하여 y를 t에 관한 이차함수로 나타낸다. [1.5점]

[3단계] 제한범위에서 $y = 4^x + 4^{-x} - 6(2^x + 2^{-x}) + 12$의 최솟값을 구한다. [2점]

23

로그함수 $y = m + \log_a x$ (단, $a > 0$, $a \ne 1$)의 그래프와 그 역함수의 그래프가 두 점에서 만난다. 두 교점의 x좌표가 1, 2일 때, 상수 a, m에 대하여 $a+m$의 값을 구하는 과정을 다음 단계로 서술하여라. (단, m은 상수이다.)

[1단계] 함수와 그 역함수의 교점의 관계를 서술한다. [1.5점]

[2단계] 이 두 교점의 x좌표가 각각 1, 2임을 이용하여 m, a값을 구한다. [2.5점]

[3단계] $a+m$의 값을 구한다. [1점]

24

다음 물음에 답하고 그 과정을 서술하여라.

(1) x에 대한 부등식 $4^x - 2^{x+2} + a > 0$이 임의의 실수 x에 대하여 성립하도록 하는 실수 a의 범위를 구한다. [1.5점]

(2) $(\log_2 x)^2 + \log_4 x + k \ge 0$이 항상 성립하기 위한 실수 k의 값의 범위를 구한다. [1.5점]

(3) 모든 양수 x에 대하여 부등식 $x^{\log x} > (100x)^k$이 항상 성립하도록 하는 실수 k값의 범위를 구한다. [2점]

04

지수 로그함수 모의평가

100점 만점 총 24문제
(4점 × 20문제 − 객관식)
(5점 × 04문제 − 서술형)

시험시간 : 50분

01

5지선다 4점

다음은 상용로그표의 일부이다.

수	...	7	8	9
⋮		⋮	⋮	⋮
5.9	...	.7760	.7767	.7774
6.0	...	.7832	.7839	.7846
6.1	...	.7903	.7910	.7917

이 표를 이용하여 구한 $\log 607 + \log 0.607$의 값은?

① 1.5664   ② 2.0664   ③ 2.5664

④ 3.0664   ⑤ 3.5664

02

5지선다 4점

$\dfrac{a^x+1}{a^{-x}+1}=4$일 때, $\dfrac{a^{2x}+a^x}{a^{2x}-4a^{-x}}$의 값은? (단, $a>0$, $a \neq 1$)

① $\dfrac{1}{2}$ ② $\dfrac{4}{5}$ ③ $\dfrac{3}{2}$

④ $\dfrac{1}{3}$ ⑤ $\dfrac{4}{3}$

03

5지선다 4점

$\log_a 5 = 2$, $\log_b 5 = 3$일 때, $\log_{ab} 5$의 값은?

① $\dfrac{3}{2}$ ② $\dfrac{4}{3}$ ③ $\dfrac{6}{5}$

④ $\dfrac{7}{3}$ ⑤ $\dfrac{5}{2}$

04

5지선다 4점

$\log_{x+1}(9-x^2)$이 정의되도록 하는 모든 정수 x의 값들의 합은?

① 2   ② 3   ③ 4

④ 5   ⑤ 6

05

5지선다 4점

이차방정식 $x^2-10x+2=0$의 두 근이 $\log a$, $\log b$일 때, $\log_a b + \log_b a$의 값은?

① 12   ② 24   ③ 36

④ 48   ⑤ 60

06

5지선다 4점

$(\log_2 3 + \log_4 9)(\log_3 4 + \log_9 2)$의 값은?

① 2   ② 3   ③ 4

④ 5   ⑤ 6

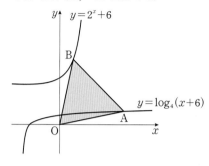

07

양수 x, y, z에 대하여

$$\log_3 x - 2\log_9 y + 3\log_{27} z = -1$$

일 때, $8^{\frac{xz}{y}}$의 값은?

① 1　　　　② 2　　　　③ 3

④ $2\sqrt{2}$　　　⑤ 4

10

그림과 같이 함수 $y=\log_4(x+6)$의 그래프 위의 점 A(a, b)에 대하여 점 B(b, a)는 함수 $y=2^x+6$의 그래프 위의 점이다. 삼각형 ABO의 넓이는? (단, O는 원점이다.)

① 44　　　　② 46　　　　③ 48

④ 50　　　　⑤ 52

08

다음 중 함수 $y=\log_3(3-x)+2$에 대한 설명으로 옳지 않은 것은?

① 정의역은 $\{x|x<3\}$이다.

② x의 값이 증가하면 y의 값은 감소한다.

③ 그래프의 점근선은 직선 $x=3$이다.

④ 그래프는 점 $(2, 2)$를 지난다.

⑤ 그래프는 함수 $y=\log_3 x$의 그래프를 평행이동하면 겹쳐진다.

11

세 수

$$A=\log_{\frac{1}{2}}\sqrt{3},\ B=\log_{\frac{1}{4}}\frac{1}{3},\ C=2\log_4 3$$

의 대소 관계를 바르게 나타낸 것은?

① $A<B<C$　　② $A<C<B$　　③ $B<A<C$

④ $C<A<B$　　⑤ $C<B<A$

09

오른쪽 그림과 같이 지수함수 $y=2^x$, $y=2^x+1$의 두 직선 $x=0$, $x=1$로 둘러싸인 도형을 A라고 할 때, 도형 A의 넓이는?

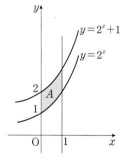

① 1　　　　② 2

③ 3　　　　④ 4

⑤ 5

12

다음 [보기] 중 같은 함수끼리 짝지어진 것을 모두 고르면?

ㄱ. $\begin{cases} y=\log(x-1)(x-2) \\ y=\log(x-1)+\log(x-2) \end{cases}$

ㄴ. $\begin{cases} y=\dfrac{x^2-1}{x-1} \\ y=x+1 \end{cases}$

ㄷ. $\begin{cases} y=x \\ y=\sqrt[3]{x^3} \end{cases}$

ㄹ. $\begin{cases} y=\log_2 x^2 \\ y=2\log_2|x| \end{cases}$

① ㄱ　　　　② ㄴ, ㄷ　　　　③ ㄷ, ㄹ

④ ㄱ, ㄷ, ㄹ　　　⑤ ㄱ, ㄴ, ㄷ, ㄹ

13

5지선다 4점

$y=\left(\dfrac{1}{2}\right)^{x^2-4x+3}+k$의 최댓값이 5일 때, 상수 k의 값은?

① 2   ② 3   ③ 4

④ 5   ⑤ 6

14

5지선다 4점

함수 $y=-\left(\dfrac{1}{3}\right)^{x-2}+k$의 그래프가 제 2사분면을 지나지 않도록 하는 자연수 k의 최댓값은?

① 8   ② 9   ③ 10

④ 11   ⑤ 12

15

5지선다 4점

정의역이 $\{x \mid 1 \le x \le 3\}$인 함수
$$y=\log_3(x+2)-2$$
의 최댓값을 M, 최솟값을 m이라고 할 때, $M+m$의 값은?

① $\log_3 2$ ② $\log_3 5$ ③ $\log_3 2 - 1$

④ $\log_3 5 - 1$ ⑤ $\log_3 5 - 3$

16

5지선다 4점

조건 (가), (나)를 만족하는 방정식의 해를 각각 α, β, γ라 할 때, $\alpha+\beta+\gamma$의 값은?

(가) $\log_2(x+3)=\log_4(3x+13)$

(나) $(\log_3 x)^2-4\log_3 x+3=0$

① 17   ② 19   ③ 20

④ 28   ⑤ 31

17

5지선다 4점

다음 조건을 만족하는 부등식의 공통된 범위에서 정수 x의 합은?

(가) $\log_{0.1}(x^2-9)<\log_{0.1}8x$

(나) $2-\log_{\frac{1}{2}}(x-2)<\log_2(3x+4)$

① 11   ② 16   ③ 18

④ 21   ⑤ 25

18

5지선다 4점

방정식
$$(\log_3 x+k)\cdot\log_3 3x=-2$$
의 두 근을 α, β라 할 때, $\alpha\beta=27$이다. 이때 실수 k의 값은?

① -4 ② -3 ③ -2

④ 6   ⑤ 9

19

5지선다 4점

다음 [보기]의 함수 중 그래프가 원점에 대하여 대칭인 것끼리 짝지어진 것을 모두 고르면?

ㄱ. $y=3^x$, $y=\log_3 x$

ㄴ. $y=3^x$, $y=-\left(\dfrac{1}{3}\right)^x$

ㄷ. $y=\log_2 x$, $y=\log_{\frac{1}{2}} x$

ㄹ. $y=-\log_2 x$, $y=-\log_{\frac{1}{2}}(-x)$

① ㄱ 　　② ㄷ 　　③ ㄱ, ㄴ

④ ㄴ, ㄹ 　　⑤ ㄱ, ㄴ, ㄷ, ㄹ

20

5지선다 4점

함수 $y=(\log_2 x)^2+a\log_{\frac{1}{2}}x+b$는 $x=\dfrac{1}{8}$일 때, 최솟값 -1을 가질 때, 상수 a, b에 대하여 $a+b$의 값은?

① -4 　　② -2 　　③ 2

④ 4 　　⑤ 6

서술형

21번 ~ 24번 5점

21

서술형 5점

방정식

$$(\log_3 x)^2-(2a-8)\log_3 x+2a=0$$

의 두 근이 모두 1보다 클 때, 실수 a의 최솟값을 구하는 과정을 다음 단계로 서술하여라.

[1단계] $\log_3 x=t$로 치환하여 두 근이 모두 1보다 클 때, t에 관한 이차방정식의 조건을 구한다. [1.5점]

[2단계] 실수 a의 범위를 구한다. [3점]

[3단계] a의 최솟값을 구한다. [0.5점]

22

서술형 5점

함수 $y=\log_2(ax+b)$의 그래프가 두 점 $(-1,\,0)$, $(0,\,2)$를 지날 때, 이 그래프의 점근선의 방정식을 구하는 과정을 다음 단계로 서술하여라.

[1단계] $y=\log_2(ax+b)$의 그래프가 점 $(-1,\,0)$, $(0,\,2)$를 지남을 이용하여 상수 a, b의 값을 구한다. [3.5점]

[2단계] 점근선의 방정식을 구한다. [1.5점]

23

서술형 5점

어느 회사의 매출액이 매년 일정한 비율로 증가하여 15년 만에 3배가 되었다. 15년 동안 이 회사의 매출액이 매년 몇 %씩 증가하였는지 구하는 과정을 다음 단계로 서술하여라.
(단, $\log 1.077=0.032$, $\log 3=0.48$로 계산한다.)

[1단계] 회사의 매출액이 매년 일정한 비율로 증가하는 식을 작성한다. [2점]

[2단계] 상용로그를 취하여 상용로그 값을 이용하여 식을 푼다. [2점]

[3단계] 일정한 비율로 증가하는 값을 구한다. [1점]

24

서술형 5점

이차부등식

$$x^2-2(3^a+1)x+10(3^a+1)\geq 0$$

이 모든 실수 x에 대하여 성립하도록 하는 실수 a의 최댓값을 구하는 과정을 다음 단계로 서술하여라.

[1단계] 이차부등식이 모든 실수 x에 대하여 성립할 조건을 구한다. [2.5점]

[2단계] a의 범위를 구하고 최댓값을 구한다. [2.5점]

SYNERGY FINAL TEST

내신 1등급
삼각함수
모의평가

총 4회 / 회당 24문제 5지선다형 20문제(4점) 서술형 4문제(5점)

SYNERGY
FINAL TEST

FINAL STEP

01

M A P L : S Y N E R G Y
삼각함수 모의평가

100점 만점 총 24문제
(4점 × 20문제 — 객관식)
(5점 × 04문제 — 서술형)

시험시간 : 50분

01
5지선다 4점

제 2사분면의 각 θ에 대하여 $\dfrac{\theta}{3}$ 가 위치한 사분면을 모두 적은 것은?

① 제 1, 2사분면   ② 제 2, 4사분면

③ 제 3, 4사분면   ④ 제 1, 2, 3사분면

⑤ 제 1, 2, 4사분면

02
5지선다 4점

$\dfrac{\pi}{2}<\theta<\pi$ 이고 각 8θ를 나타내는 동경과 각 5θ를 나타내는 동경이

일치할 때, $\cos\left(\theta-\dfrac{\pi}{2}\right)$의 값은?

① $-\dfrac{\sqrt{3}}{2}$ ② $-\dfrac{1}{2}$ ③ $\dfrac{1}{\sqrt{2}}$

④ $\dfrac{\sqrt{3}}{2}$ ⑤ $\dfrac{1}{2}$

03
5지선다 4점

둘레의 길이가 32인 부채꼴 중에서 그 넓이가 최대인 것의 반지름의
길이는?

① 2   ② 4   ③ 6

④ 8   ⑤ 10

04
5지선다 4점

$\sin\theta-\cos\theta=\dfrac{1}{2}$ 일 때, $\tan\theta+\dfrac{1}{\tan\theta}$의 값은?

① $\dfrac{3}{8}$ ② $\dfrac{5}{8}$ ③ $\dfrac{7}{8}$

④ $\dfrac{8}{3}$ ⑤ 4

05
5지선다 4점

$\dfrac{1}{1+\sin\theta}+\dfrac{1}{1-\sin\theta}=\dfrac{5}{2}$ 일 때, $\sin\theta$의 값은? $\left(0<\theta<\dfrac{\pi}{2}\right)$

① $\dfrac{\sqrt{5}}{5}$ ② $\dfrac{\sqrt{14}}{5}$ ③ $\dfrac{16}{25}$

④ $\dfrac{18}{25}$ ⑤ $\dfrac{4}{5}$

06
5지선다 4점

이차방정식 $4x^2-5x+k=0$의 두 근이 $\sin\theta$, $\cos\theta$일 때, 상수
k의 값은?

① $\dfrac{1}{2}$ ② $\dfrac{5}{8}$ ③ $\dfrac{3}{4}$

④ $\dfrac{7}{8}$ ⑤ $\dfrac{9}{8}$

07

5지선다 4점

함수 $y=\tan x$에 대한 설명으로 옳지 않은 것은?

① 치역은 실수 전체의 집합이다.
② 주기는 π이다.
③ 그래프는 원점에 대하여 대칭이다.
④ 점근선은 직선 $x=\dfrac{n}{2}\pi$(n은 정수)이다.
⑤ 정의역은 $n\pi+\dfrac{\pi}{2}$ (n은 정수)를 제외한 실수 전체의 집합이다.

08

5지선다 4점

함수
$$f(x)=-3\cos\left(-2\pi x+\dfrac{1}{6}\right)+2$$
의 주기를 p, 최댓값을 M, 최솟값을 m이라 할 때, $p+M+m$의 값은?

① 5   ② 7   ③ 9
④ 11   ⑤ 13

09

5지선다 4점

오른쪽 그림과 같이 $-3\le x\le 3$ 에서 함수 $y=2\cos\dfrac{\pi}{3}x$의 그래프 와 직선 $y=-2$로 둘러싸인 도형 의 넓이는?

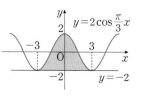

① 6   ② 8   ③ 10
④ 12   ⑤ 14

10

5지선다 4점

$$\dfrac{\sin\left(\dfrac{3}{2}\pi-\theta\right)}{\sin\left(\dfrac{\pi}{2}-\theta\right)\cos^2(\pi-\theta)}+\dfrac{\sin(\pi-\theta)\tan^2(\pi+\theta)}{\cos\left(\dfrac{3}{2}\pi+\theta\right)}$$
을 간단히 한 것은?

① -1 ② $-\sin\theta$ ③ 0
④ $\cos\theta$ ⑤ $\tan\theta$

11

5지선다 4점

오른쪽 그림과 같이 중심이 원점 O이고 반지름의 길이가 1인 원의 둘레를 10등분한 점을 각각 P_0, P_1, P_2, $\cdots$, P_9라고 하자. $\angle P_0OP_1=\theta$라고 할 때, $\sin 2\theta+\sin 7\theta+\cos\theta+\cos 4\theta$ 의 값은? (단, P_0은 원과 시초선 이 만나는 점이다.)

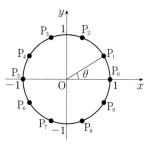

① -1 ② $-\dfrac{1}{2}$ ③ 0
④ $\dfrac{\sqrt{3}}{2}$ ⑤ 1

12

5지선다 4점

삼각형 ABC의 세 내각의 크기 A, B, C에 대하여 다음 [보기] 중 옳은 것만을 있는 대로 고른 것은?

> ㄱ. $\sin A=\sin(B+C)$
> ㄴ. $\cos\dfrac{A}{2}=\cos\left(\dfrac{B+C}{2}\right)$
> ㄷ. $\tan A\tan(B+C)=1$

① ㄱ   ② ㄴ   ③ ㄷ
④ ㄱ, ㄴ   ⑤ ㄴ, ㄷ

13

함수

$$y = \sin^2\left(\frac{\pi}{2}+x\right) - 2\sin(\pi+x) + 3$$

의 최댓값을 M, 최솟값을 m이라 할 때, $M+m$의 값은?

① 2　　　　② 3　　　　③ 4

④ 5　　　　⑤ 6

16

$0 \le x < 2\pi$일 때, 부등식

$$2\sin^2 x - \cos x - 2 \ge 0$$

의 해는?

① $x=0$ 또는 $\frac{2}{3}\pi \le x \le \frac{4}{3}\pi$

② $0 \le x \le \frac{\pi}{6}$ 또는 $\frac{5}{6}\pi \le x < 2\pi$

③ $\frac{\pi}{2} \le x \le \frac{2}{3}\pi$ 또는 $\frac{4}{3}\pi \le x \le \frac{3}{2}\pi$

④ $\frac{\pi}{2} \le x \le \frac{2}{3}\pi$ 또는 $\frac{5}{6}\pi \le x < 2\pi$

⑤ $0 \le x \le \frac{\pi}{6}$ 또는 $\frac{4}{3}\pi \le x \le \frac{3}{2}\pi$

14

$0 \le x < 2\pi$일 때, 방정식

$$2\cos^2 x - \sin x - 1 = 0$$

을 만족하는 x의 값의 합은?

① $\frac{2}{3}\pi$　　　② $\frac{3}{2}\pi$　　　③ 2π

④ $\frac{5}{2}\pi$　　　⑤ 6π

17

모든 x에 대하여 부등식

$$\sin^2 x - 3\sin x - a + 9 \ge 0$$

이 성립하도록 하는 실수 a의 값의 범위는?

① $a \le 3$　　　② $a \le 6$　　　③ $a \le 7$

④ $a \ge 7$　　　⑤ $a \ge 9$

15

방정식

$$\sin^2 x + \cos x + a = 0$$

이 실근을 갖도록 하는 실수 a의 최댓값을 M, 최솟값을 m이라 할 때, $M-m$의 값은?

① $\frac{1}{4}$　　　② $\frac{3}{4}$　　　③ $\frac{5}{4}$

④ $\frac{3}{2}$　　　⑤ $\frac{9}{4}$

18

삼각형 ABC에서

$$\sin A \cos C = \sin B$$

가 성립할 때, 삼각형 ABC는 어떤 삼각형인가?

① $b=c$인 이등변삼각형

② $a=c$인 이등변삼각형

③ $A=90°$인 직각삼각형

④ $B=90°$인 직각삼각형

⑤ $C=90°$인 직각삼각형

19

5지선다 4점

오른쪽 그림과 같이 $\overline{AB}=25$,
$\angle PAQ=30°$, $\angle BAQ=75°$
$\angle ABQ=45°$일 때,
$\overline{PQ}$의 길이는?

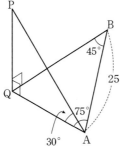

① $\dfrac{25\sqrt{6}}{3}$ 　　② $\dfrac{26\sqrt{6}}{3}$

③ $\dfrac{25\sqrt{2}}{3}$ 　　④ $9\sqrt{3}$

⑤ $10\sqrt{3}$

20

5지선다 4점

오른쪽 그림과 같은 사각형 ABCD
에서 $\overline{AB}=6$, $\overline{BC}=10$, $\overline{CD}=5$,
$\angle ABD=30°$, $\angle BCD=60°$일 때,
사각형 ABCD의 넓이는?

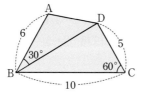

① $10\sqrt{2}$ 　　② $10\sqrt{5}$

③ $20\sqrt{3}$ 　　④ $20\sqrt{5}$

⑤ $20\sqrt{6}$

서 술 형

21번 ~ 24번　5점

21

서술형 5점

함수 $f(x)=a\cos b(x-c\pi)+d$의 그래프가 그림과 같을 때, 상수
a, b, c, d에 대하여 $6abc+d$의 값을 구하는 과정을 다음 단계로
서술하여라. (단, $a>0$, $b>0$, $0<c<1$)

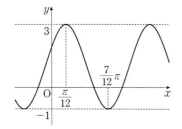

[1단계] 그래프에서 최댓값과 최솟값을 이용하여 상수 a, d의 값을
　　　 구한다. [1.5점]
[2단계] 주기를 이용하여 상수 b의 값을 구한다. [1.5점]
[3단계] 그래프에서 함숫값을 이용하여 상수 c의 값을 구한다.
　　　 [1.5점]
[4단계] $6abc+d$의 값을 구한다. [0.5점]

22

서술형 5점

삼각함수의 성질을 이용하여 다음 조건을 만족하는 a, b, c에 대하
여 $a+b+c$의 값을 다음 단계로 서술하여라.

(가) $\sin^2 91°+\sin^2 92°+\sin^2 93°+\cdots+\sin^2 180°=a$

(나) $\cos^2 10°+\cos^2 20°+\cdots+\cos^2 70°+\cos^2 80°=b$

(다) $\tan 10°\times\tan 20°\times\cdots\times\tan 70°\times\tan 80°=c$

[1단계] $\sin\left(\dfrac{\pi}{2}+\theta\right)=\cos\theta$와 $\cos^2\theta+\cos^2\left(\dfrac{\pi}{2}-\theta\right)=1$임을

　　　 이용하여 a의 값을 구한다. [1.5점]
[2단계] $\cos^2\theta+\cos^2\left(\dfrac{\pi}{2}-\theta\right)=1$임을 이용하여 b의 값을 구한다.

　　　 [1.5점]
[3단계] $\tan\theta\times\tan\left(\dfrac{\pi}{2}-\theta\right)=1$임을 이용하여 c의 값을 구한다.

　　　 [1.5점]
[4단계] $a+b+c$의 값을 구한다. [0.5점]

23

서술형 5점

$-\dfrac{\pi}{2}\leq x\leq\dfrac{\pi}{2}$에서 x에 대한 방정식

$$3\sin^2 x+2\cos x+k-5=0$$

이 서로 다른 두 개의 실근을 갖도록 하는 실수 k의 범위를
구하여라.

[1단계] $\sin^2 x+\cos^2 x=1$임을 이용하여 $\cos x$로 정리한다. [1점]
[2단계] $-\dfrac{\pi}{2}\leq x\leq\dfrac{\pi}{2}$의 범위에서 $\cos x=t$로 치환하여

　　　 t의 범위에 다른 실근의 개수를 구한다. [1.5점]
[3단계] 주어진 방정식이 서로 다른 두 개의 실근을 갖도록 하는
　　　 실수 k의 범위를 구한다. [2.5점]

24

서술형 5점

삼각형 ABC에서

$$a=5,\ b=6,\ c=7$$

일 때, 다음 단계로 서술하여라.

[1단계] 코사인법칙을 이용하여 $\sin A$을 구한다. [1.5점]
[2단계] 삼각형 ABC의 넓이 S을 구한다. [1점]
[3단계] 삼각형 ABC의 외접원의 반지름의 길이를 구한다. [1.5점]
[4단계] 삼각형 ABC의 내접원의 반지름의 길이를 구한다. [1점]

FINAL STEP

02

M A P L ; S Y N E R G Y
삼각함수 모의평가

100점 만점 총 24문제
(4점 × 20문제 – 객관식)
(5점 × 04문제 – 서술형)

시험시간 : 50분

01
5지선다 4점

$\tan \dfrac{5}{6}\pi - \cos \dfrac{7}{6}\pi$의 값은?

① $\dfrac{\sqrt{3}}{6}$　　　　② $\dfrac{\sqrt{3}}{5}$　　　　③ $\dfrac{\sqrt{3}}{4}$

④ $\dfrac{\sqrt{3}}{3}$　　　　⑤ $\dfrac{\sqrt{3}}{2}$

02
5지선다 4점

다음 중 각을 나타내는 동경이 존재하는 사분면이 다른 하나는?

① $-950°$　　　　② $-\dfrac{8}{3}\pi$　　　　③ $\dfrac{11}{18}\pi$

④ $\dfrac{5}{6}\pi$　　　　⑤ $460°$

03
5지선다 4점

$0 < \theta < \dfrac{\pi}{2}$일 때, 각 θ와 각 10θ를 나타내는 두 동경이 서로 일치할 때, 각 θ의 크기를 모두 합하면?

① $\dfrac{9}{2}\pi$　　　　② $\dfrac{4}{9}\pi$　　　　③ $\dfrac{2}{3}\pi$

④ π　　　　⑤ $\dfrac{4}{3}\pi$

04
5지선다 4점

다음 그림과 같이 부채꼴 모양의 종이로 고깔모자를 만들었더니 밑면인 원의 반지름의 길이가 8cm이고, 모선의 길이가 20cm인 원뿔 모양이 되었다. 이 종이의 넓이는? (단, 종이는 겹치지 않도록 한다.)

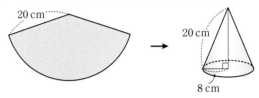

① $160\pi \text{cm}^2$　　　　② $170\pi \text{cm}^2$　　　　③ $180\pi \text{cm}^2$

④ $190\pi \text{cm}^2$　　　　⑤ $200\pi \text{cm}^2$

05
5지선다 4점

θ가 제2사분면의 각이고 $\cos\theta = -\dfrac{5}{13}$일 때, $\dfrac{1}{\sin\theta} + \dfrac{1}{\tan\theta}$의 값은?

① $-\dfrac{3}{4}$　　　　② $-\dfrac{2}{3}$　　　　③ $-\dfrac{1}{2}$

④ $\dfrac{1}{2}$　　　　⑤ $\dfrac{2}{3}$

06
5지선다 4점

$\tan\theta + \dfrac{1}{\tan\theta} = 6$일 때, $\dfrac{1}{\cos^2\theta} + \dfrac{1}{\sin^2\theta}$의 값은?

① $\dfrac{1}{36}$　　　　② $\dfrac{1}{16}$　　　　③ 6

④ 16　　　　⑤ 36

07

5지선다 4점

$\dfrac{\pi}{2} < \theta < \pi$ 에서 $\sin\theta\cos\theta = -\dfrac{1}{2}$ 일 때,

$\sin^3\theta - \cos^3\theta$ 의 값은?

① $-\dfrac{\sqrt{2}}{4}$ ② $-\dfrac{\sqrt{3}}{2}$ ③ $-\dfrac{\sqrt{2}}{2}$

④ $\dfrac{\sqrt{2}}{2}$ ⑤ $\dfrac{\sqrt{3}}{2}$

08

5지선다 4점

함수 $f(x) = 2\tan(2x-\pi)+3$ 에 대하여 다음 [보기] 중 옳은 것은?

> ㄱ. 모든 실수 x 에 대하여 $f\left(x+\dfrac{\pi}{2}\right) = f(x)$ 이다.
>
> ㄴ. 점근선의 방정식은 $x = \dfrac{n}{2}\pi + \dfrac{3}{4}\pi$ (n은 정수)이다.
>
> ㄷ. 함수 $y = f(x)$ 의 그래프는 $y = 3\tan 2x$ 의 그래프를 x축의 방향으로 π만큼, y축의 방향으로 3만큼 평행이동한 것이다.
>
> ㄹ. 최댓값은 5, 최솟값은 1이다.

① ㄱ, ㄴ   ② ㄴ, ㄷ   ③ ㄴ, ㄹ

④ ㄱ, ㄴ, ㄹ   ⑤ ㄱ, ㄴ, ㄷ, ㄹ

09

5지선다 4점

그림은 함수 $f(x) = a\cos\dfrac{\pi}{2b}x + 1$ 의 그래프이다. 두 양수 a, b에 대하여 $a+b$의 값은?

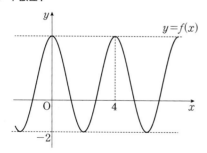

① $\dfrac{7}{2}$ ② 4 ③ $\dfrac{9}{2}$

④ 5 ⑤ $\dfrac{11}{2}$

10

5지선다 4점

$0 \le x < 2\pi$ 일 때, 부등식

$$2\sin^2 x + 3\sin x - 2 \ge 0$$

을 만족시키는 x의 값의 범위가 $\alpha \le x \le \beta$일 때, $\cos(\beta-\alpha)$의 값은?

① -1 ② $-\dfrac{\sqrt{3}}{2}$ ③ $-\dfrac{1}{2}$

④ $\dfrac{1}{2}$ ⑤ $\dfrac{\sqrt{3}}{2}$

11

5지선다 4점

$0 \le x < 2\pi$ 에서

$$f(x) = \cos^2\left(\dfrac{\pi}{2}-x\right) - 3\cos^2 x + 4\sin(\pi+x)$$

의 최댓값과 최솟값의 합은?

① 1 ② 2 ③ 3

④ 4 ⑤ 5

12

5지선다 4점

$\sin(\pi+x) + \cos\left(\dfrac{\pi}{2}+x\right) = -1$을 만족하는 모든 x의 값의 합을 θ라 할 때, $\cos\theta$의 값은? (단, $0 \le x \le 2\pi$)

① -1 ② $-\dfrac{\sqrt{3}}{2}$ ③ 0

④ 1 ⑤ $\dfrac{\sqrt{3}}{2}$

13
5지선다 4점

$0 < x < 2\pi$일 때, 방정식 $4\sin^2 x - 3 = 0$과 부등식 $\sin x \cos x < 0$ 을 모두 만족시키는 서로 다른 모든 x의 값의 합을 θ라 할 때, $\cos\theta$의 값은?

① -1 ② $-\dfrac{1}{2}$ ③ 0

④ $\dfrac{1}{2}$ ⑤ $\dfrac{\sqrt{3}}{2}$

14
5지선다 4점

그림과 같이 $0 \leq x \leq 2\pi$에서 두 함수 $y = \sin x$와 $y = \cos x$의 그래프가 직선 $y = k (0 < k < 1)$와 만나는 점의 x좌표를 a, b, c, d라고 할 때, $a + 2b + c + 2d$의 값은?

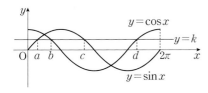

① π ② 2π ③ 3π
④ 4π ⑤ 5π

15
5지선다 4점

오른쪽 그림과 같이 두 함수 $y = \tan x$, $y = \tan x + 3$의 그래프와 y축 및 직선 $x = \dfrac{\pi}{3}$로 둘러싸인 부분의 넓이는?

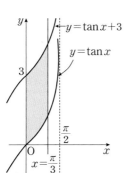

① $\dfrac{\pi}{3}$ ② $\dfrac{\pi}{2}$

③ $\dfrac{2}{3}\pi$ ④ π

⑤ $\dfrac{3}{2}\pi$

16
5지선다 4점

모든 실수 x에 대하여 부등식

$$x^2 - 2x\sin\theta + \sin\theta \geq 0$$

이 항상 성립하도록 하는 θ의 범위가 $\alpha \leq \theta \leq \beta$일 때, $\alpha + \beta$의 값은? (단, $0 \leq \theta < 2\pi$)

① $-\pi$ ② $-\dfrac{\pi}{2}$ ③ 0

④ $\dfrac{\pi}{2}$ ⑤ π

17
5지선다 4점

삼각형 ABC에서

$$A = 120°, \quad B = 45°, \quad b = 6$$

일 때, a의 값과 삼각형의 외접원의 반지름의 길이 R의 곱 aR의 값은?

① $6\sqrt{3}$ ② $9\sqrt{3}$ ③ $12\sqrt{3}$
④ $18\sqrt{3}$ ⑤ $21\sqrt{3}$

18
5지선다 4점

삼각형 ABC에서

$$a\sin A + b\sin B = c\sin C$$

가 성립할 때, 다음 중 삼각형 ABC의 넓이를 나타낸 것으로 옳은 것은?

① $\dfrac{1}{2}ab$ ② $\dfrac{\sqrt{2}}{2}bc$ ③ $\sqrt{2}ca$

④ $\sqrt{3}ab$ ⑤ $2bc$

19

5지선다 4점

오른쪽 그림과 같은 원 모양의 연못이 있다.

연못가의 세 지점 A, B, C에 대하여

$$B=30°, \overline{AB}=2\sqrt{3}\,\text{m}, \overline{BC}=5\text{m}$$

일 때, 이 연못의 넓이는? (단위는 m²)

① 5π ② 7π

③ 9π ④ 12π

⑤ 14π

20

5지선다 4점

오른쪽 그림과 같은 사각형 ABCD에서 $\overline{AB}=4$, $\overline{BC}=\sqrt{6}$, $\overline{AD}=2$, $\angle DAB=60°$, $\angle CBD=45°$일 때, 사각형 ABCD의 넓이는?

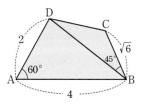

① $2\sqrt{2}+2$ ② $3\sqrt{2}+2$

③ $2\sqrt{3}+3$ ④ $2\sqrt{5}+2$

⑤ $3\sqrt{5}+3$

서 술 형

21번 ~ 24번   5점

21

서술형 5점

이차방정식 $2x^2+\sqrt{2}\,x+a=0$의 두 근이 $\sin\theta$, $\cos\theta$일 때, 상수 a의 값과 $\sin^3\theta+\cos^3\theta$의 값을 구하는 과정을 다음 단계로 서술하여라.

[1단계] 이차방정식의 근과 계수의 관계에의 하여 두 근의 합과 두 근의 곱을 구한다. [1.5점]

[2단계] a의 값을 구한다. [1.5점]

[3단계] 곱셈공식의 변형을 이용하여 $\sin^3\theta+\cos^3\theta$의 값을 구한다. [2점]

22

서술형 5점

x에 관한 이차함수 $y=x^2-2x\sin\theta-\cos^2\theta$의 그래프의 꼭짓점이 직선 $y=\sqrt{2}\,x$의 위에 있을 때, 모든 θ의 값의 합을 α라 한다. $\cos\alpha$의 값을 구하는 과정을 다음 단계로 서술하여라. (단, $0\le\theta<2\pi$)

[1단계] $\sin^2\theta+\cos^2\theta=1$임을 이용하여 이차함수 $y=x^2-2x\sin\theta-\cos^2\theta$의 그래프의 꼭짓점의 좌표를 구한다. [2점]

[2단계] 꼭짓점이 직선 $y=\sqrt{2}\,x$ 위에 있을 때 θ의 값을 구한다. [2점]

[3단계] 모든 θ의 값의 합을 α라 할 때, $\cos\alpha$의 값을 구한다. [1점]

23

서술형 5점

오른쪽 그림과 같이 원에 내접하는 삼각형 ABC에 대하여

$$\overline{BC}=12, B=45°, C=75°$$

을 만족할 때, 원의 넓이를 구하는 과정을 다음 단계로 서술하여라.

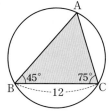

[1단계] $\overline{AC}$의 길이를 구한다. [2.5점]

[2단계] 원의 넓이를 구한다. [2.5점]

24

서술형 5점

오른쪽 그림과 같이 원형 모양의 연못의 넓이를 구하기 위해 연못의 둘레 위에 세 점 A, B, C를 잡아 거리를 측정하였더니

$$\overline{AB}=7\text{m}, \overline{AC}=8\text{m}, \overline{BC}=13\text{m}$$

이었다. 이때 연못의 넓이를 구하는 과정을 다음 단계로 서술하여라.

[1단계] 코사인법칙을 이용하여 각 A의 크기를 구한다. [2점]

[2단계] 사인법칙에 의하여 원의 반지름의 길이를 구한다. [1.5점]

[3단계] 연못의 넓이를 구한다. [1.5점]

FINAL STEP

03

M A P L ; S Y N E R G Y

삼각함수 모의평가

100점 만점 총 24문제
(4점 × 20문제 – 객관식)
(5점 × 04문제 – 서술형)

시험시간 : 50분

01

5지선다 4점

호의 길이가 $\dfrac{4}{3}\pi$이고 넓이가 4π인 부채꼴의 반지름의 길이는?

① 2 　　　　　② 4 　　　　　③ 6

④ 8 　　　　　⑤ 10

02

5지선다 4점

$\sin\theta\cos\theta > 0$, $\sin\theta\tan\theta < 0$ 을 동시에 만족하는 각 θ가 존재하는 사분면은?

① 제 1사분면 　　② 제 2사분면 　　③ 제 3사분면

④ 제 4사분면 　　⑤ 제 1, 4사분면

03

5지선다 4점

$\cos\theta = -\dfrac{1}{3}$일 때, $\sin\theta\tan\theta$의 값은?

① $-\dfrac{5}{2}$ 　　② $-\dfrac{7}{3}$ 　　③ $-\dfrac{8}{3}$

④ $\dfrac{5}{2}$ 　　⑤ $\dfrac{8}{3}$

04

5지선다 4점

이차방정식 $3x^2 - x + k = 0$의 두 근이 $\sin\theta$, $\cos\theta$일 때, 상수 k의 값은?

① $-\dfrac{3}{2}$ 　　② $-\dfrac{4}{3}$ 　　③ $-\dfrac{3}{4}$

④ $-\dfrac{1}{4}$ 　　⑤ $-\dfrac{1}{2}$

05

5지선다 4점

삼각함수 $f(x) = 2\cos\left(3x - \dfrac{\pi}{2}\right) + 1$에 대한 [보기]의 설명 중 옳은 것은?

> ㄱ. $-1 \le f(x) \le 3$이다.
>
> ㄴ. 임의의 실수 x에 대하여 $f\left(x + \dfrac{2}{3}\pi\right) = f(x)$이다.
>
> ㄷ. $y = 2\cos 3x$의 그래프를 x축의 방향으로 $\dfrac{\pi}{2}$만큼 평행이동 한 것이다.

① ㄱ 　　　　　② ㄴ 　　　　　③ ㄷ

④ ㄱ, ㄴ 　　　⑤ ㄱ, ㄴ, ㄷ

06

5지선다 4점

함수 $y = a\cos bx + c$의 그래프가 다음 그림과 같을 때, 실수 a, b, c에 대하여 $a + b + c$의 값은? ($a > 0$, $b > 0$)

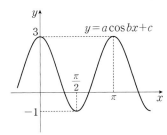

① 4 　　　　　② 5 　　　　　③ 6

④ 7 　　　　　⑤ 8

07

$\dfrac{\pi}{2} < \theta < \pi$인 θ에 대하여 $\sin\theta = \dfrac{3}{5}$일 때,

$$\sin\left(\dfrac{\pi}{2}+\theta\right)+\cos\left(\dfrac{3}{2}\pi+\theta\right)-\tan(\pi-\theta)$$

의 값은?

① $-\dfrac{19}{20}$ ② $-\dfrac{1}{20}$ ③ 0

④ $\dfrac{1}{20}$ ⑤ $\dfrac{19}{20}$

08

오른쪽 그림과 같이 함수
$y = \sin\dfrac{\pi}{2}x\,(0 \le x \le 2)$의

그래프와 x축으로 둘러싸인 부분에
직사각형 ABCD가 내접하고 있다.

$\overline{BC} = \dfrac{2}{3}$일 때, 직사각형 ABCD의 넓이는?

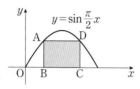

① $\dfrac{1}{2}$ ② $\dfrac{\sqrt{3}}{3}$ ③ $\dfrac{\sqrt{3}}{2}$

④ $\sqrt{3}$ ⑤ $2\sqrt{3}$

09

오른쪽 그림과 같이 원에 내접하는 사각형
ABCD에서 $\angle\text{BAD} = \alpha$, $\angle\text{BCD} = \beta$라

하자. $\cos\alpha = \dfrac{2\sqrt{5}}{5}$일 때, $\tan\beta$의 값은?

① $-\dfrac{3}{5}$ ② $-\dfrac{2}{5}$ ③ $-\dfrac{1}{2}$

④ $-\sqrt{3}$ ⑤ -1

10

$0 \le x \le \pi$에서 정의된 함수

$$y = \sin^2\left(\dfrac{\pi}{2}-x\right)+\sin^2(\pi-x)+3\sin 2x$$

가 $x = a$에서 최댓값 M을 가질 때, aM의 값은?

① $\dfrac{\pi}{2}$ ② π ③ $\dfrac{3}{2}\pi$

④ 2π ⑤ 3π

11

다음 조건을 만족하는 실수 a, b에 대하여 $a+b$의 값은?
(단, $0 \le x < 2\pi$)

(가) $\sqrt{2}\cos x + 1 = 0$의 모든 해의 합을 a
(나) $2\sin 2x - 1 = 0$의 모든 해의 합을 b

① 2π ② 3π ③ 4π

④ 5π ⑤ 6π

12

$0 \le x < 2\pi$일 때, 방정식

$$\cos^2 x - \sin x = \dfrac{5}{4}$$

를 만족시키는 모든 x의 값의 합은?

① π ② $\dfrac{3}{2}\pi$ ③ 2π

④ $\dfrac{5}{2}\pi$ ⑤ 3π

13

5지선다 4점

방정식

$$\sin^2 x - 2\cos x + a + 2 = 0$$

이 실근을 갖도록 하는 정수 a의 개수는?

① 3 ② 4 ③ 5
④ 6 ⑤ 7

14

5지선다 4점

부등식 $\cos\left(x - \dfrac{\pi}{3}\right) < -\dfrac{1}{2}$의 해가 $a < x < b$일 때, $a+b$의 값은?

(단, $0 \le x < 2\pi$)

① 2π ② 3π ③ 4π
④ π ⑤ $\dfrac{8}{3}\pi$

15

5지선다 4점

$0 \le x < 2\pi$에서 부등식

$$2\cos^2 x + 5\sin x - 4 > 0$$

의 해가 $\alpha < x < \beta$일 때, $\cos(\alpha+\beta)$의 값은?

① -1 ② $-\dfrac{\sqrt{3}}{2}$ ③ $-\dfrac{1}{2}$
④ $\dfrac{1}{2}$ ⑤ $\dfrac{\sqrt{3}}{2}$

16

5지선다 4점

부등식

$$\cos^2\theta - 3\cos\theta - a + 9 \ge 0$$

이 모든 θ에 대하여 항상 성립할 때, 실수 a의 값의 범위는?

① $a \ge 0$ ② $a \ge 5$ ③ $a \le 7$
④ $a \le 9$ ⑤ $-1 \le a \le 9$

17

5지선다 4점

오른쪽 그림과 같이 △ABC에서 각 A의 이등분선이 변 BC와 만나는 점을 D라 하자.

$\overline{AB}=4$, $\overline{AC}=6$, $\overline{AD}=3$일 때, $\overline{BD}$의 길이는?

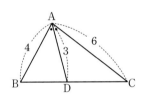

① $2\sqrt{5}$ ② $2\sqrt{6}$ ③ $\dfrac{2\sqrt{10}}{5}$
④ $\sqrt{10}$ ⑤ $\dfrac{5\sqrt{10}}{2}$

18

5지선다 4점

오른쪽 그림과 같은 삼각형 ABC에서 $A = 120°$, $\overline{AB}=2$, $\overline{BC}=\sqrt{19}$ 일 때, 삼각형 ABC의 넓이는?

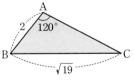

① $\dfrac{3\sqrt{3}}{2}$ ② $2\sqrt{3}$ ③ 4
④ $3\sqrt{3}$ ⑤ $\dfrac{7\sqrt{3}}{2}$

19

오른쪽 그림과 같이 사각형 ABCD에서 $\overline{AB}=\overline{BC}=3$, $\overline{CD}=5$, $\overline{AD}=8$이고 $C=120°$일 때, 이 사각형의 넓이는?

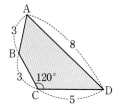

① $\dfrac{19\sqrt{3}}{2}$ ② $\dfrac{39\sqrt{3}}{4}$

③ $10\sqrt{3}$ ④ $10\sqrt{3}$

⑤ $20\sqrt{3}$

20

$\overline{AB}=4$, $\overline{BC}=5$인 평행사변형 ABCD의 넓이가 $10\sqrt{3}$일 때, $\overline{AC}$의 길이는? (단, $0° < B < 90°$)

① $2\sqrt{5}$ ② $\sqrt{21}$ ③ $\sqrt{22}$

④ $\sqrt{23}$ ⑤ $2\sqrt{6}$

서술형

21번 ~ 24번 5점

21

반지름의 길이가 r이고 호의 길이가 l인 부채꼴의 둘레의 길이가 40일 때, 다음 단계로 서술하여라.

[1단계] l을 r에 관한 식으로 나타낸다. [1점]
[2단계] 부채꼴의 넓이의 최댓값을 구한다. [2점]
[3단계] 부채꼴의 넓이가 최대일 때, 반지름의 길이와 중심각의
　　　　크기를 구한다. [2점]

22

x에 대한 방정식

$$x^2 + 2\sqrt{2}\sin\theta x + 3\cos\theta = 0$$

의 두 근이 모두 양수일 때, θ의 값의 범위가 $\alpha < \theta \leq \beta$일 때, $\sin(\beta-\alpha)$의 값을 구하는 과정을 다음 단계로 서술하여라. (단, $0 \leq \theta < 2\pi$)

[1단계] 이차방정식의 두 근이 모두 양수일 조건을 구한다. [2점]
[2단계] 삼각함수를 포함한 부등식의 해를 구한다. [1.5점]
[3단계] $\sin(\beta-\alpha)$의 값을 구한다. [1.5점]

23

오른쪽 그림과 같은 원 모양의 호수의 가장자리의 세 지점을 A, B, C라고 할 때, $\overline{AB}=80$m, $\overline{AC}=100$m, $\angle CAB=60°$이다. 이때 이 호수의 넓이를 다음 단계로 서술하여라.

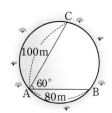

[1단계] 코사인법칙을 이용하여 $\overline{BC}$의 길이를 구한다. [2점]
[2단계] 사인법칙에 의하여 원의 반지름의 길이를 구한다. [2.5점]
[3단계] 호수의 넓이를 구한다. [0.5점]

24

삼각형 ABC에서 외접원의 반지름의 길이를 R이라고 할 때, 다음 단계로 계산 결과와 일치하는 값을 서술하여라.

[1단계] $c=8$, $B=60°$, $C=45°$일 때, b의 값을 구한다. [1점]
[2단계] $R=3$, $B=45°$, $C=75°$일 때, a의 값을 구한다. [1점]
[3단계] $b=6$, $c=12$, $A=120°$일 때, a의 값을 구한다. [1.5점]
[4단계] $a=7$, $b=3$, $C=60°$일 때, c의 값을 구한다. [1.5점]

㉠ $3\sqrt{3}$ ㉡ $\sqrt{37}$ ㉢ $4\sqrt{6}$

㉣ $6\sqrt{7}$ ㉤ $2\sqrt{2}$

FINAL STEP

04

M A P L ; S Y N E R G Y

삼각함수 모의평가

100점 만점 총 24문제
(4점 × 20문제 - 객관식)
(5점 × 04문제 - 서술형)

시험시간 : 50분

01

5지선다 4점

두 동경이 나타내는 각 α, β에 대하여 다음 중 옳은 것은?
(단, n은 정수)

① 두 동경이 일치하면 $\alpha + \beta = 2n\pi$이다.

② 두 동경이 일직선 위에 있고 반대 방향이면 $\alpha - \beta = 2n\pi + \pi$이다.

③ 두 동경이 x축에 대하여 대칭이면 $\alpha - \beta = 2n\pi$이다.

④ 두 동경이 y축에 대하여 대칭이면 $\alpha + \beta = 2n\pi$이다.

⑤ 두 동경이 직선 $y = x$에 대하여 대칭이면 $\alpha - \beta = 2n\pi + \dfrac{\pi}{2}$이다.

02

5지선다 4점

$\sin\theta\cos\theta > 0$, $\sin\theta\tan\theta < 0$일 때,

$$\sin\theta + \tan\theta + |\sin\theta| + |\tan\theta|$$

를 간단히 하면?

① 0　　② $-2\sin\theta$　　③ $-2\tan\theta$

④ $2\sin\theta$　　⑤ $2\tan\theta$

03

5지선다 4점

다음 중 옳지 않은 것은?

① $\dfrac{\cos\theta}{1-\sin\theta} - \dfrac{\sin\theta}{\cos\theta} = \dfrac{1}{\cos\theta}$

② $\dfrac{1}{\cos^2\theta} + \dfrac{\tan\theta}{\cos\theta} = \dfrac{1}{1-\sin\theta}$

③ $\dfrac{2}{\cos\theta} - \dfrac{\cos\theta}{1-\sin\theta} = \dfrac{1-\sin\theta}{\cos\theta}$

④ $\dfrac{\cos^2\theta}{1+\sin\theta} + \dfrac{\cos^2\theta}{1-\sin\theta} = 1$

⑤ $\cos^4\theta - \sin^4\theta = 2\cos^2\theta - 1$

04

5지선다 4점

$\pi < \theta < \dfrac{3}{2}\pi$이고 $\tan\theta = \dfrac{5}{12}$일 때, $\dfrac{\sin\theta}{1-\cos\theta} + \dfrac{\sin\theta}{1+\cos\theta}$의 값은?

① $-\dfrac{26}{5}$　　② $-\dfrac{13}{5}$　　③ $-\dfrac{1}{5}$

④ $\dfrac{13}{5}$　　⑤ $\dfrac{26}{5}$

05

5지선다 4점

θ는 제 4사분면의 각이고 $\sin\theta + \cos\theta = \dfrac{1}{3}$일 때, $\sin\theta - \cos\theta$의 값은?

① $-\dfrac{\sqrt{17}}{3}$　　② $-\dfrac{\sqrt{17}}{2}$　　③ $-\dfrac{\sqrt{15}}{2}$

④ $-\dfrac{\sqrt{15}}{3}$　　⑤ $-\dfrac{\sqrt{15}}{5}$

06

5지선다 4점

$\tan\theta = 5$일 때, $\displaystyle\sum_{k=1}^{10}\tan\left(\dfrac{k\pi}{2} + \theta\right)$의 값은?

① $\dfrac{15}{2}$　　② $\dfrac{24}{5}$　　③ 20

④ 24　　⑤ 25

07

5지선다 4점

다음 중 함수 $f(x)=2\sin\left(2x+\dfrac{\pi}{3}\right)+2$에 대한 설명으로 옳지 않은 것은?

① 주기는 π이다.
② 최댓값은 4이고 최솟값은 0이다.
③ 함수 $y=f(x)$의 그래프는 함수 $y=2\sin 2x+2$의 그래프를 x축의 방향으로 $-\dfrac{\pi}{3}$만큼 평행이동한 것이다.
④ $f\left(\dfrac{\pi}{3}\right)=2$
⑤ $f\left(-\dfrac{\pi}{6}\right)=f\left(\dfrac{5}{6}\pi\right)=2$

08

5지선다 4점

세 상수 a, b, c와 함수 $f(x)=2\cos\pi(x-a)+1$에 대하여 함수 $y=f(x)$의 그래프가 그림과 같을 때, $a+b+c$의 값은?

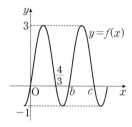

$\left(\text{단, } 0<a<1,\ f\left(\dfrac{4}{3}\right)=f(b)=f(c)=0\right)$

① $\dfrac{14}{3}$　　　② 5　　　③ $\dfrac{16}{3}$

④ $\dfrac{17}{3}$　　　⑤ 6

09

5지선다 4점

$0\le x\le 2\pi$에서 함수 $y=-\cos x+k$의 그래프가 직선 $y=3$과 서로 다른 두 점에서 만나도록 하는 실수 k의 최댓값은?

① 2　　　② 3　　　③ 4

④ 5　　　⑤ 6

10

5지선다 4점

함수
$$y=\sin^2\left(\dfrac{\pi}{2}+x\right)-4\sin(\pi+x)+k$$
의 최댓값과 최솟값의 합이 6일 때, 상수 k의 값은?

① 2　　　② 3　　　③ 4

④ 5　　　⑤ 6

11

5지선다 4점

오른쪽 그림과 같이 밑면의 반지름의 길이가 2이고 모선의 길이가 6인 원뿔이 있다. 원뿔의 밑면인 원의 둘레 위의 점 P가 모선 OA의 중점 Q일 때, 점 A를 출발하여 원뿔의 겉면을 따라 모선 OB를 지나 점 P에 이르는 최단거리는?

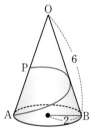

① $3\sqrt{6}$　　　② $2\sqrt{7}$　　　③ $3\sqrt{7}$

④ $6\sqrt{7}$　　　⑤ $7\sqrt{7}$

12

5지선다 4점

방정식
$$3\sin^2 x+(3a-1)\cos x+a-3=0$$
이 서로 다른 세 실근을 갖도록 하는 모든 실수 a의 값의 합은? (단, $0<x\le 2\pi$)

① -1　　　② 0　　　③ 1

④ $\dfrac{3}{2}$　　　⑤ 2

13

5지선다 4점

$-\dfrac{\pi}{2} < x < \dfrac{\pi}{2}$ 에서 부등식

$$\sqrt{3}\sin^2 x - (\sqrt{3}+1)\sin x\cos x + \cos^2 x \leq 0$$

의 해가 $\alpha \leq x \leq \beta$ 일 때, $\alpha + \beta$ 의 값은?

① $\dfrac{\pi}{4}$ 　　② $\dfrac{\pi}{3}$ 　　③ $\dfrac{5}{12}\pi$

④ $\dfrac{\pi}{2}$ 　　⑤ $\dfrac{7}{12}\pi$

14

5지선다 4점

삼각형 ABC에서

$$A = 40°, \ B = 80°, \ \overline{AB} = 6$$

일 때, 삼각형 ABC의 외접원의 반지름의 길이는?

① $2\sqrt{6}$ 　　② $2\sqrt{3}$ 　　③ $2\sqrt{2}$

④ $\sqrt{3}$ 　　⑤ $\sqrt{2}$

15

5지선다 4점

그림과 같이 원에 내접하는
삼각형 ABCD에서
$\cos A = \dfrac{1}{3}$, $\overline{BC} = 6$, $\overline{CD} = 4$
일 때, 다음 중 옳지 않은 것은?

① $\sin(A+C) = 0$
② $\cos(A+B) = \cos(C+D)$
③ $\overline{BD} = 2\sqrt{17}$
④ $\dfrac{\sin(\angle BAC)}{\sin(\angle DAC)} = \dfrac{3}{2}$
⑤ 사각형 ABCD의 외접원의 넓이는 $\dfrac{151}{4}\pi$ 이다.

16

5지선다 4점

반지름의 길이가 6인 원에 내접하는 삼각형 ABC에서 $A = 75°$ 이고

$$2\sin(A+C)\sin B = 1$$

일 성립할 때, c 의 값은?

① $2\sqrt{3}$ 　　② $3\sqrt{3}$ 　　③ $4\sqrt{3}$

④ $5\sqrt{3}$ 　　⑤ $6\sqrt{3}$

17

5지선다 4점

삼각형 ABC에서

$$\sin^2 A\cos(A+C) = \cos(B+C)\sin^2 B$$

가 성립할 때, 삼각형 ABC는 어떤 삼각형인가?

① $a = b$ 인 이등변삼각형
② $b = c$ 인 이등변삼각형
③ $A = 90°$ 인 직각삼각형
④ $B = 90°$ 인 직각삼각형
⑤ $C = 90°$ 인 직각삼각형

18

5지선다 4점

오른쪽 그림과 같이 한 변의 길이가
8인 정삼각형 ABC의 세 변
AB, BC, CA를 3 : 1로 내분하는
점을 각각 P, Q, R이라 하자.
이때 삼각형 PQR의 넓이는?

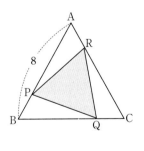

① $6\sqrt{3}$ 　　② $\dfrac{13\sqrt{3}}{2}$

③ $7\sqrt{3}$ 　　④ $\dfrac{15\sqrt{3}}{2}$

⑤ $8\sqrt{3}$

19

5지선다 4점

오른쪽 그림과 같이 반지름의 길이가 6
인 원 O에 내접하는 □ABCD가 있다.
$\overgroup{AB} : \overgroup{BC} : \overgroup{CD} : \overgroup{DA} = 5 : 1 : 3 : 3$일 때,
사각형 ABCD의 넓이는?

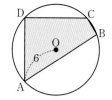

① 50   ② 54   ③ 58

④ 62   ⑤ 66

20

5지선다 4점

오른쪽 그림과 같이 $\overline{BC}=2$, $\overline{CD}=4$,
$\overline{AD}=6$이고, $D=60°$인 원에 내접하는
사각형 ABCD의 넓이는?

① $6\sqrt{3}$ ② $8\sqrt{3}$

③ $10\sqrt{3}$ ④ $12\sqrt{3}$

⑤ $14\sqrt{3}$

서 술 형

21번 ~ 24번   5점

21

서술형 5점

이차방정식 $2x^2+x+p=0$의 두 근이 $\sin\theta$, $\cos\theta$일 때,
$\tan\theta$, $\dfrac{1}{\tan\theta}$을 두 근으로 하고 x^2의 계수가 $-4p$인 이차방정식은
$ax^2+bx+c=0$이다. 이때 상수 a, b, c에 대하여 $a+b+c$의 값을
구하는 과정을 다음 단계로 서술하여라. (단, $a>0$, p는 실수)

[1단계] 두 근이 $\sin\theta$, $\cos\theta$인 이차방정식의 근과 계수의 관계를
이용하여 상수 p의 값을 구한다. [1.5점]

[2단계] [1단계]을 이용하여 $\tan\theta+\dfrac{1}{\tan\theta}$값을 구한다. [1.5점]

[3단계] 두 근 $\tan\theta$, $\dfrac{1}{\tan\theta}$인 x^2의 계수가 $-4p$인 이차방정식을
구한다. [1.5점]

[4단계] $a+b+c$의 값을 구한다. [0.5점]

22

서술형 5점

$0 \le x \le \pi$에서 부등식

$$2\cos^2 x + \sin x + a > 0$$

이 항상 성립하도록 하는 실수 a의 값의 범위를 구하는 과정을
단계로 서술하여라.

[1단계] $\sin^2\theta + \cos^2\theta = 1$을 이용하여 식을 정리한다. [1.5점]

[2단계] $\sin\theta = t$로 치환하여 주어진 함수의 식을 t로 정리한다.
[1.5점]

[3단계] 실수 a의 범위 구한다. [2점]

23

서술형 5점

오른쪽 그림과 같이 원 모양의 그릇이
깨져 있는데 원래 그릇의 반지름의 길이
를 구하기 위해 그릇 테두리에 세 점을
잡아 삼각형을 그렸다. 이 삼각형의 세
변의 길이가 5cm, 6cm, 9cm일 때, 원
래 그릇의 반지름의 길이를 다음 단계로
서술하여라.

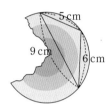

[1단계] 삼각형 ABC에서 코사인법칙을 이용하여 $\cos C$의 값을
구한다. [2점]

[2단계] $\sin C$의 값을 구한다. [1.5점]

[3단계] 사인법칙을 이용하여 외접원의 반지름의 길이를 구한다.
[1.5점]

24

서술형 5점

그림과 같이 바다에 인접해 있는 두 해안 도로가 $60°$의 각을 이루며
만나고 있다. 두 해안 도로가 만나는 지점에서 바다쪽으로 $x\sqrt{3}\,\text{m}$
떨어져 있는 배에서 출발하여 두 해안 도로를 차례대로 한 번씩 거
쳐 다시 배로 되돌아오는 수영코스의 최단 길이가 300 m일 때, x의
값을 구하는 과정을 다음 단계로 서술하여라. (단, 배는 정지해 있고,
두 해안 도로는 일직선 모양이며 그 폭은 무시한다.)

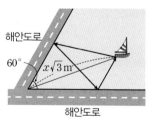

[1단계] 두 해안 도로를 두 직선으로 하고 배의 대칭점을 각각
정한다. [1점]

[2단계] 두 직선의 교점과 대칭인 두 점 사이의 각을 구한다. [1.5점]

[3단계] 최단거리가 300임을 이용하여 x의 값을 구한다. [2.5점]

SYNERGY FINAL TEST

내신 1등급

수열

모의평가

총 4회 / 회당 24문제 5지선다형 20문제(4점) 서술형 4문제(5점)

SYNERGY
FINAL TEST

FINAL STEP

01

M A P L ; S Y N E R G Y
수열 모의평가

100점 만점 총 24문제
(4점 × 20문제 — 객관식)
(5점 × 04문제 — 서술형)

시험시간 : 50분

01

5지선다 4점

첫째항이 2인 등차수열 $\{a_n\}$이
$$a_7 + a_{11} = 20$$
을 만족시킬 때, a_{10}의 값은?

① 7 　　　　② 9 　　　　③ 11
④ 13 　　　　⑤ 15

02

5지선다 4점

첫째항이 1이고 공비가 양수인 등비수열 $\{a_n\}$에 대하여
$$\frac{a_7}{a_5} = 4$$
일 때, a_4의 값은?

① 6 　　　　② 8 　　　　③ 10
④ 12 　　　　⑤ 14

03

5지선다 4점

등차수열 $\{a_n\}$에 대하여
$$a_1 + a_3 = 6, \quad a_4 - a_2 = 6$$
이 성립할 때, a_6의 값은?

① 11 　　　　② 13 　　　　③ 15
④ 17 　　　　⑤ 19

04

5지선다 4점

-5와 15 사이에 n개의 수를 넣어 만든 등차수열
$$-5, \ a_1, \ a_2, \ a_3, \ \cdots, \ a_n, \ 15$$
의 합이 100일 때, 공차 d의 값은?

① $\dfrac{3}{2}$ 　　　② $\dfrac{17}{16}$ 　　　③ $\dfrac{20}{19}$
④ $\dfrac{19}{17}$ 　　　⑤ 3

05

5지선다 4점

등차수열 $\{a_n\}$에 대하여 첫째항부터 제 n항까지의 합을 S_n이라고 할 때,
$$S_{10} = 10, \ S_{20} = 40$$
이다. 이때 S_{30}의 값은?

① 90 　　　　② 91 　　　　③ 92
④ 93 　　　　⑤ 94

06

5지선다 4점

첫째항부터 제 n항까지의 합 S_n이
$$S_n = n^2 + 3n$$
인 수열 $\{a_n\}$에서 $a_2 + a_4 + a_6 + \cdots + a_{2n} = 336$을 만족시키는 자연수 n의 값은?

① 8 　　　　② 9 　　　　③ 10
④ 11 　　　　⑤ 12

07

5지선다 4점

세 수 a, 3, b가 이 순서대로 등차수열을 이루고,

세 수 4, $a+b$, $2b$가 이 순서대로 등비수열을 이룰 때, ab의 값은?

① 6　　　　　② $\dfrac{25}{4}$　　　　　③ $\dfrac{13}{2}$

④ $\dfrac{27}{4}$　　　　　⑤ 7

08

5지선다 4점

등비수열을 이루는 세 수의 합이 -13이고, 곱이 64일 때,
세 수 중 가장 큰 수는?

① $\dfrac{1}{8}$　　　　　② $\dfrac{1}{4}$　　　　　③ 4

④ 6　　　　　⑤ 8

09

5지선다 4점

등비수열 $\{a_n\}$에 대하여 첫째항부터 제 3항까지의 합이 26, 첫째항부터 제 6항까지의 합이 728일 때, 첫째항부터 제 4항까지의 합은?

① 40　　　　　② 60　　　　　③ 80

④ 242　　　　　⑤ 728

10

5지선다 4점

첫째항이 2이고 모든 항이 양수인 등비수열 $\{a_n\}$의 첫째항부터 제 n항까지의 합을 S_n이라 하자.

$$\frac{S_7 - S_4}{S_3} = 25$$

일 때, a_7의 값은?

① 50　　　　　② 100　　　　　③ 125

④ 150　　　　　⑤ 250

11

5지선다 4점

수열 $\{a_n\}$의 첫째항부터 제 n항까지의 합을 S_n이라 하면

$$S_n = 9 \times 2^n + k$$

가 성립한다. 이때 수열 $\{a_n\}$이 첫째항부터 등비수열을 이루도록 하는 상수 k의 값은?

① -18　　　　　② -9　　　　　③ -7

④ -5　　　　　⑤ -3

12

5지선다 4점

연이율 5%이고 1년마다의 복리로 10년 동안 매년 초에 100만 원씩을 적립할 때, 10년 말까지 적립된 금액의 원리합계는?
(단, $1.05^{10} = 1.63$으로 계산한다.)

① 1122(만 원)　　② 1220(만 원)　　③ 1323(만 원)

④ 1360(만 원)　　⑤ 1460(만 원)

13

두 수열 $\{a_n\}$, $\{b_n\}$에 대하여

$$\sum_{n=1}^{10} a_n = 9, \quad \sum_{n=1}^{10} b_n = 7$$

일 때, $\displaystyle\sum_{n=1}^{10}(3a_n + b_n - 2)$의 값은?

① 11 　　② 12 　　③ 13
④ 14 　　⑤ 15

14

$\displaystyle\sum_{k=1}^{10}(k+1)^2 - \sum_{k=1}^{10}(2k+4)$의 값은?

① 345 　　② 350 　　③ 355
④ 360 　　⑤ 365

15

이차방정식 $x^2 - 3x - 5 = 0$의 두 근을 α, β라고 할 때,

$\displaystyle\sum_{k=1}^{10}(k-\alpha)(k-\beta)$의 값은?

① 150 　　② 160 　　③ 170
④ 180 　　⑤ 190

16

수열 $\{a_n\}$에서 $\displaystyle\sum_{k=1}^{n} a_k = n^2 + 2n$일 때, $\displaystyle\sum_{k=1}^{10} k a_{2k}$의 값은?

① 1509 　　② 1595 　　③ 1695
④ 1756 　　⑤ 1895

17

첫째항이 9, 공차가 2인 등차수열 $\{a_n\}$에 대하여

$$\sum_{k=1}^{56} \frac{1}{\sqrt{a_k} + \sqrt{a_{k+1}}}$$

의 값은?

① 1 　　② 2 　　③ 3
④ 4 　　⑤ 5

18

$a_2 = a_1^2$, $a_3 = 27$를 만족하는 수열 $\{a_n\}$에 대하여 x에 대한 이차방정식

$$a_n x^2 + 2a_{n+1} x + a_{n+2} = 0 \ (n = 1, 2, 3, \cdots)$$

이 중근을 가질 때, a_5의 값은?

① 81 　　② 128 　　③ 243
④ 256 　　⑤ 512

19

수열 $\{a_n\}$에서

$$\sum_{k=1}^{10} ka_k = 90, \quad \sum_{k=1}^{10} ka_{k+1} = 20, \quad a_{11} = \frac{1}{10}$$

일 때, $\sum_{k=1}^{10} a_k$의 값은?

① 65   ② 67   ③ 69

④ 71   ⑤ 73

20

다음은 모든 자연수 n에 대하여 등식

$$\sum_{k=1}^{n} k(k+1) = \frac{n(n+1)(n+2)}{3} \quad \cdots\cdots \ \text{㉠}$$

이 성립함을 수학적 귀납법으로 증명한 것이다.

(i) $n=1$일 때, (좌변)$= 1 \cdot 2 = 2$, (우변)$= \dfrac{1 \cdot 2 \cdot 3}{3} = 2$

　이므로 ㉠이 성립한다.

(ii) $n=m$일 때, ㉠이 성립한다고 가정하면

$$\sum_{k=1}^{m} k(k+1) = \frac{m(m+1)(m+2)}{3} \quad \cdots\cdots \ \text{㉡}$$

㉡의 양변에 　(가)　를 더하면

$$\sum_{k=1}^{m+1} k(k+1) = \frac{m(m+1)(m+2)}{3} + \boxed{\text{(가)}}$$

$$= \frac{(m+1)}{3} \times \boxed{\text{(나)}}$$

따라서 $n=m+1$일 때에도 ㉠이 성립한다.

(i), (ii)에 의하여 모든 자연수 n에 대하여 ㉠이 성립한다.

위의 과정에서 (가)에 알맞은 식을 $f(m)$, (나)에 알맞은 식을 $g(m)$이라 할 때, $f(1)+g(2)$의 값은?

① 20   ② 22   ③ 24

④ 26   ⑤ 28

서 술 형

21

제 20항이 37, 제 40항이 -3인 등차수열 $\{a_n\}$에 대하여 첫째항부터 제 n항까지의 합 S_n의 최댓값과 그때의 n의 값을 다음 단계로 서술하여라.

[1단계] 등차수열의 첫째항과 공차를 구한다. [2점]

[2단계] 일반항 a_n과 첫째항부터 제 n항까지의 합 S_n을 구한다.
　　　[1.5점]

[3단계] S_n의 최댓값과 그때의 n의 값을 구한다. [1.5점]

22

n이 자연수일 때, x에 대한 이차방정식

$$x^2 - 21x + (2n-1)(2n+1) = 0$$

의 두 근을 α_n, β_n이라 할 때, $\displaystyle\sum_{n=1}^{10}\left(\frac{1}{\alpha_n}+\frac{1}{\beta_n}\right)$의 값을 구하는 과정을 다음 단계로 서술하여라.

[1단계] 이차방정식의 근과 계수의 관계를 이용하여 두 근 α_n, β_n의 합과 곱을 구한다. [1.5점]

[2단계] $\dfrac{1}{\alpha_n}+\dfrac{1}{\beta_n}$을 n에 관한 식으로 나타낸다. [1점]

[3단계] 부분분수로 변형하여 $\displaystyle\sum_{n=1}^{10}\left(\frac{1}{\alpha_n}+\frac{1}{\beta_n}\right)$의 값을 구한다. [2.5점]

23

x에 대한 이차방정식 $x^2 - 2kx + 3k = 0$의 두 근을 α_k, β_k라 할 때, $\displaystyle\sum_{k=3}^{8}(\alpha_k{}^2 + \beta_k{}^2)$의 값을 구하는 과정을 다음 단계로 서술하여라. (단, k는 자연수이다.)

[1단계] 이차방정식의 근과 계수의 관계에 의하여 $\alpha_k + \beta_k$, $\alpha_k\beta_k$의 값을 구한다. [1.5점]

[2단계] 곱셈공식에 의하여 $\alpha_k{}^2 + \beta_k{}^2$을 구한다. [1.5점]

[3단계] $\displaystyle\sum_{k=3}^{8}(\alpha_k{}^2 + \beta_k{}^2)$의 값을 구한다. [2점]

24

농도가 10%인 소금물 500g이 들어 있는 그릇에서 소금물 100g을 덜어내고 물 100g을 넣고 잘 섞는다. 이와 같은 과정을 n번 반복한 후 소금물의 농도를 a_n%이라고 할 때, 다음을 구하여라.

[1단계] 농도가 10%인 소금물 400g이 들어 있는 소금의 양을 구한다. [1점]

[2단계] a_1, a_2를 구한다. [1.5점]

[3단계] a_n과 a_{n+1} 사이의 관계식을 이용하여 일반항 a_n을 구한다. [2점]

[4단계] a_5의 값을 구한다. [0.5점]

MAPL; SYNERGY

수열 모의평가

100점 만점 총 24문제
(4점 × 20문제 — 객관식)
(5점 × 04문제 — 서술형)

시험시간 : 50분

01

5지선다 4점

등차수열 $\{a_n\}$에 대하여

$$a_2=2, \ a_5-a_3=6$$

일 때, a_6의 값은?

① 10   ② 12   ③ 14
④ 16   ⑤ 18

02

5지선다 4점

첫째항이 3인 등차수열 $\{a_n\}$의 첫째항부터 제 n항까지의 합을 S_n라 할 때, $S_4=S_{10}$을 만족한다. S_n이 최대가 되는 n의 값은?

① 6   ② 7   ③ 8
④ 9   ⑤ 10

03

5지선다 4점

등비수열 $\{a_n\}$에 대하여

$$a_1 a_9=4$$

일 때, $a_2 a_8 + a_4 a_6$의 값은?

① 8   ② 9   ③ 10
④ 11   ⑤ 12

04

5지선다 4점

수열 $\{a_n\}$이

$$a_1=50, \ a_{n+1}-a_n=-3 \ (n=1, \ 2, \ 3, \ \cdots)$$

으로 정의될 때, $a_k=11$을 만족시키는 상수 k의 값은?

① 12   ② 14   ③ 16
④ 18   ⑤ 20

05

5지선다 4점

등비수열 $\{a_n\}$의 공비가 r일 때, 다음 [보기]에서 옳은 것만을 고른 것은? (단, $a_n>0$)

> ㄱ. 수열 $3a_1, 3a_2, 3a_3, \cdots$은 공비가 $3r$인 등비수열이다.
>
> ㄴ. 수열 $\dfrac{1}{a_1}, \dfrac{1}{a_2}, \dfrac{1}{a_3}, \cdots$은 공비가 $\dfrac{1}{r}$인 등비수열이다.
>
> ㄷ. 수열 $\log a_1, \log a_2, \log a_3, \cdots$은 공차가 $\log r$인 등차수열이다.

① ㄱ   ② ㄱ, ㄴ   ③ ㄱ, ㄷ
④ ㄴ, ㄷ   ⑤ ㄱ, ㄴ, ㄷ

06

5지선다 4점

세 수 a, 3, b가 이 순서대로 등차수열이고, 세 수 1, a, b가 이 순서대로 등비수열일 때, $b-a$의 값은? (단, $a<0$)

① 8   ② 10   ③ 12
④ 14   ⑤ 16

07

수열 $\{a_n\}$의 첫째항부터 제 n항까지의 합을 S_n이라 하자.

$a_1=8$이고 모든 자연수 n에 대하여

$$S_n=4\cdot 3^n-k$$

일 때, $k+a_4$의 값은? (단, k는 상수이다.)

① 196 　　　② 204 　　　③ 212
④ 220 　　　⑤ 228

08

어느 부부 동반 모임에서 모인 사람끼리 서로 악수를 할 때,
다음 규칙을 따른다고 한다.

> (가) 부부끼리는 악수하지 않는다.
> (나) 부부가 아닌 사람끼리는 반드시 악수한다.

n쌍의 부부가 악수하는 총 횟수를 a_n이라고 할 때, a_{10}의 값은?

① 120 　　　② 140 　　　③ 160
④ 180 　　　⑤ 200

09

연이율 5%, 1년마다 복리로 계산되는 10년 동안 매년 말에 a만 원씩 적립하려고 한다. 10년 말의 적립금의 원리합계가 2400만 원일 때, a의 값은? (단, $1.05^{10}=1.6$)

① 95 　　　② 100 　　　③ 135
④ 175 　　　⑤ 200

10

수열 $\{a_n\}$에 대하여

$$\sum_{n=1}^{10} a_n=4, \quad \sum_{n=1}^{10}(2a_n-1)^2=34$$

일 때, $\displaystyle\sum_{n=1}^{10} a_n^2$의 값은?

① 6 　　　② 7 　　　③ 8
④ 9 　　　⑤ 10

11

첫째항이 37, 공차가 -4인 등차수열 $\{a_n\}$에 대하여
$\displaystyle\sum_{k=1}^{30} |a_k|$의 값은?

① 820 　　　② 890 　　　③ 930
④ 990 　　　⑤ 1010

12

$f(x)=\log_a\left(1+\dfrac{1}{x}\right)$에 대하여

$$f(1)+f(2)+f(3)+\cdots+f(100)=1$$

을 만족하는 상수 a의 값은?

① 98 　　　② 99 　　　③ 100
④ 101 　　　⑤ 102

13

5지선다 4점

등차수열 $\{a_n\}$이

$$a_2 = -2, \quad a_5 = 7$$

일 때, $\sum_{k=1}^{10} a_{2k}$의 값은?

① 160   ② 200   ③ 250

④ 260   ⑤ 270

14

5지선다 4점

n이 자연수일 때, x에 대한 이차방정식

$$x^2 + 4x - n(n+1) = 0$$

의 두 근을 α_n, β_n이라 할 때, $\sum_{k=1}^{10} \left(\dfrac{1}{\alpha_k} + \dfrac{1}{\beta_k} \right)$의 값은?

① $\dfrac{8}{11}$ ② $\dfrac{10}{11}$ ③ $\dfrac{20}{11}$

④ $\dfrac{30}{11}$ ⑤ $\dfrac{40}{11}$

15

5지선다 4점

수열 $\{a_n\}$을

$$a_n = (2^n \text{을 } 10 \text{으로 나눈 나머지}) \quad (n = 1, 2, 3, \cdots)$$

와 같이 정의할 때, $\sum_{n=1}^{50} a_n$의 값은?

① 238   ② 240   ③ 242

④ 244   ⑤ 246

16

5지선다 4점

수열 $\{a_n\}$이

$$\sum_{k=1}^{n} a_{2k-1} = cn^2 - 6n, \quad \sum_{k=1}^{n} a_{2k} = 3n^2 - cn$$

을 만족시키고 $a_7 = 15$일 때, $\sum_{k=1}^{8} a_k$의 값은? (단, c는 상수이다.)

① 45   ② 50   ③ 55

④ 60   ⑤ 65

17

5지선다 4점

다음의 값이 옳지 않은 것은?

① $\sum_{k=1}^{20} (k+3)^2 - \sum_{k=1}^{20} k(k+6) = 180$

② $\sum_{k=1}^{10} \dfrac{k^3}{k+1} + \sum_{k=1}^{10} \dfrac{1}{k+1} = 340$

③ $\sum_{m=1}^{20} \left\{ \sum_{l=1}^{m} \left(\sum_{k=1}^{l} 2 \right) \right\} = 3080$

④ $\sum_{k=1}^{9} (1 - k^2) + \sum_{k=1}^{10} (1 + k^2) = 120$

⑤ $\sum_{k=1}^{10} \left\{ \sum_{j=1}^{k} (2j+3) \right\} = 605$

18

5지선다 4점

자연수 n에 대하여 직선 $x = n$이 x축, 곡선 $y = 3^x$과 만나는 점을 각각 P_n, Q_n이라 하자. 사다리꼴 $P_n P_{n+1} Q_{n+1} Q_n$의 넓이를 S_n이라고 할 때, $\sum_{k=1}^{n} S_k > 500$이 되도록 하는 자연수 n의 최솟값은?

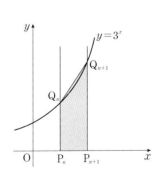

① 4   ② 5

③ 6   ④ 7

⑤ 8

19

수열 $\{a_n\}$이 $a_1=19$, $a_{n+1}=\dfrac{2n-1}{2n+1}a_n$ ($n=1, 2, 3, \cdots$)

으로 정의될 때, a_{10}의 값은?

① 1   ② 3   ③ 5

④ $\dfrac{17}{3}$ ⑤ $\dfrac{19}{3}$

20

$n \geq 4$인 모든 자연수 n에 대하여 부등식

$$1 \times 2 \times 3 \times \cdots \times n > 2^n \qquad \cdots\cdots \ \bigcirc$$

이 성립함을 수학적 귀납법으로 증명한 것이다.

(i) $n=4$일 때,

（좌변）$=1 \times 2 \times 3 \times 4 = 24$, （우변）$=$ （가）

따라서 $n=4$일 때, $\bigcirc$이 성립한다.

(ii) $n=k(k \geq 4)$일 때, $\bigcirc$이 성립한다고 가정하면

$1 \times 2 \times 3 \times \cdots \times k > 2^k$

양변에 （나） 을 곱하면

$1 \times 2 \times 3 \times \cdots \times k \times$ （나） $> 2^k \times$ （나） $\cdots\cdots \ \bigcirc\!\!\!\bigcirc$

위의 부등식의 우변에서 $k \geq 4$이므로

$2^k \times$ （나） $>$ （다） $\qquad \cdots\cdots \ \bigcirc\!\!\!\bigcirc\!\!\!\bigcirc$

$\bigcirc\!\!\!\bigcirc$, $\bigcirc\!\!\!\bigcirc\!\!\!\bigcirc$에서 $1 \times 2 \times 3 \times \cdots \times k \times$ （나） $>$ （다）

$\qquad\qquad\qquad\qquad\qquad\qquad \cdots\cdots \ \textcircled{\tiny ㄹ}$

$\textcircled{\tiny ㄹ}$은 $\bigcirc$의 n에 $k+1$을 대입한 것과 같으므로

$n=k+1$일 때도 $\bigcirc$이 성립한다.

(i), (ii)에 의하여 $n \geq 4$인 모든 자연수 n에 대하여 $\bigcirc$이

성립한다.

위의 과정에서 (가)에 들어갈 수를 a, (나), (다)에 알맞은 식을

각각 $f(k)$, $g(k)$라 할 때, $a+f(4)+g(3)$의 값은?

① 33   ② 34   ③ 35

④ 36   ⑤ 37

서 술 형

21

100 이하의 자연수 중에서 3으로 나누었을 때의 나머지가 1인

수의 합을 구하는 과정을 다음 단계로 서술하여라.

[1단계] 100 이하의 자연수 중에서 3으로 나누었을 때의 나머지가

1인 수를 차례대로 나열한다. [1.5점]

[2단계] 100은 몇 번째 항인지 구한다. [1.5점]

[3단계] 3으로 나누었을 때의 나머지가 1인 수의 합을 구한다. [2점]

22

첫째항부터 제 5항까지의 합이 -70, 첫째항부터 제 10항까지의 합

이 -40인 등차수열에 대하여 등차수열의 첫째항부터 제 n항까지의

합 S_n의 최솟값을 구하는 과정을 다음 단계로 서술하여라.

[1단계] 등차수열의 첫째항과 공차를 구한다. [2점]

[2단계] 첫째항부터 제 n항까지의 합 S_n을 구한다. [1.5점]

[3단계] S_n을 n에 대한 완전제곱식으로 변형하여 S_n의 최솟값을

구한다. [1.5점]

23

다음 수열의 첫째항부터 제 n항까지의 합을 구하는 과정을 다음

단계로 서술하여라.

$$1, \ \frac{1}{1+2}, \ \frac{1}{1+2+3}, \ \frac{1}{1+2+3+4}, \ \cdots$$

[1단계] 수열의 일반항을 a_n이라 할 때, a_n을 구한다. [2.5점]

[2단계] 수열 $\{a_n\}$의 첫째항부터 제 n항까지의 합을 구한다. [2.5점]

24

$a_2=1$, $a_3=2$인 수열 $\{a_n\}$에 대하여 x에 대한 이차방정식

$$a_n x^2 - 2\sqrt{2} \, a_{n+1} x + 2a_{n+2} = 0 \ (n=1, 2, 3, \cdots)$$

이 중근 b_n을 가질 때, $\displaystyle\sum_{k=1}^{10} \sqrt{2} \, b_n$의 값을 구하는 과정을 다음 단계로

서술하여라.

[1단계] 이차방정식이 중근을 가질 때, a_{n+1}과 a_n의 관계식을

구한다. [1.5점]

[2단계] 이 수열 $\{a_n\}$의 공비를 구한다. [0.5점]

[3단계] 중근 b_n을 구한다. [2점]

[4단계] $\displaystyle\sum_{k=1}^{10} \sqrt{2} \, b_n$의 값을 구한다. [1점]

03 | MAPL ; SYNERGY
수열 모의평가

100점 만점 총 24문제
(4점 × 20문제 – 객관식)
(5점 × 04문제 – 서술형)

시험시간 : 50분

FINAL STEP

01

5지선다 4점

등차수열 $\{a_n\}$이
$$a_1+a_2+a_3=21, \quad a_7+a_8+a_9=75$$
를 만족시킬 때, $a_{10}+a_{11}+a_{12}$의 값은?

① 98   ② 100   ③ 102
④ 104   ⑤ 106

02

5지선다 4점

첫째항과 공비가 양수인 등비수열 $\{a_n\}$에 대하여
$$a_1a_5=16, \quad a_3+a_5=12$$
일 때, a_{11}의 값은?

① 16   ② 32   ③ 64
④ 128   ⑤ 256

03

5지선다 4점

첫째항이 -13인 등차수열 $\{a_n\}$의 첫째항부터 제 4항까지의 합과
첫째항부터 제 10항까지의 합이 같을 때, 이 등차수열의 a_{15} 항은?

① -15 ② -5 ③ 5
④ 10   ⑤ 15

04

5지선다 4점

수열 $\{a_n\}$에 대하여 첫째항부터 제 n항까지의 합 S_n이
$$S_n=n^2+3n+1$$
일 때, a_1+a_6의 값은?

① 17   ② 18   ③ 19
④ 20   ⑤ 21

05

5지선다 4점

첫째항이 31, 공차가 -5인 등차수열 $\{a_n\}$의 첫째항부터
제 n항까지의 합을 S_n이라 할 때, S_n의 최댓값은?

① 102   ② 104   ③ 108
④ 112   ⑤ 116

06

5지선다 4점

첫째항이 1, 공비가 $\frac{1}{2}$인 등비수열 $\{a_n\}$의 첫째항부터

제 n항까지의 합을 S_n이라고 할 때, $\sum\limits_{n=1}^{5}\dfrac{S_n}{a_n}$의 값은?

① 52   ② 55   ③ 57
④ 61   ⑤ 65

07

5지선다 4점

첫째항과 공비가 모두 0이 아닌 등비수열 $\{a_n\}$에 대하여

$$\frac{a_{11}}{a_1}+\frac{a_{12}}{a_2}+\frac{a_{13}}{a_3}+\cdots+\frac{a_{20}}{a_{10}}=20$$

을 만족시킬 때, $\dfrac{a_{38}}{a_{18}}$의 값은?

① 4   ② 9   ③ 16

④ 32   ⑤ 64

08

5지선다 4점

다항식 $P(x)=x^2+ax-1$을 $x+1$, $x-1$, $x-3$으로 각각 나눈 나머지가 이 순서대로 등비수열을 이룰 때, 실수 a의 값은? (단, $a\neq 0$)

① -14 ② -10 ③ -8

④ -6 ⑤ -2

09

5지선다 4점

이차방정식 $2x^2-8x-1=0$의 두 실근을 α, β라 하면 세 실수

$$\alpha^2,\ k,\ \beta^2$$

이 순서대로 등차수열을 이룰 때, 실수 k의 값은?

① $\dfrac{15}{2}$ ② $\dfrac{7}{2}$ ③ 4

④ 5   ⑤ $\dfrac{17}{2}$

10

5지선다 4점

다음 수열의 첫째항부터 제 20항까지의 합

$$4+44+444+4444+\cdots+444\cdots4=\frac{a\cdot 10^{20}-b}{81}$$

일 때, 세 자리 이하의 자연수 a, b에 대하여 $a+b$의 값은?

① 650   ② 700   ③ 750

④ 800   ⑤ 850

11

5지선다 4점

$\displaystyle\sum_{k=1}^{10}\left(\sum_{i=1}^{k}ik\right)$의 값은?

① 1705   ② 1805   ③ 1905

④ 2105   ⑤ 2205

12

5지선다 4점

다음 그림과 같이 두 직선 $y=\dfrac{1}{2}x+2$, $y=\dfrac{3}{5}x+1$의 교점의 x좌표를 m이라고 하자. 자연수 n에 대하여 직선 $x=n$과 두 직선의 교점을 각각 P_n, Q_n이라고 할 때, $\displaystyle\sum_{k=1}^{m}\overline{P_kQ_k}$의 값은?

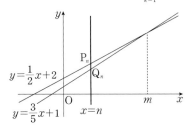

① $\dfrac{9}{2}$ ② $\dfrac{11}{2}$ ③ 10

④ 11   ⑤ $\dfrac{23}{2}$

13

K씨는 올해 초 은행에서 1000만 원을 대출받았다. 이 대출금은 대출받은 후 5년째 말부터 매년 일정한 금액씩 갚아 대출 받은 후 15년째 말에 모두 갚아야 한다. 연 6% 복리를 적용할 때, K씨가 매년 갚아야 하는 금액은?
(단, $(1.06)^{10}=1.8$, $(1.06)^{11}=1.9$, $(1.06)^{15}=2.4$로 계산한다.)

① 140(만 원)　　② 150(만 원)　　③ 160(만 원)
④ 170(만 원)　　⑤ 180(만 원)

14

$\sum\limits_{k=1}^{20}(a_{2k-1}+a_{2k})=47$일 때, $\sum\limits_{k=1}^{40}(2a_k+3)$의 값은?

① 210　　② 211　　③ 212
④ 213　　⑤ 214

15

수열 $\{a_n\}$, $\{b_n\}$에 대하여

$$\sum_{k=1}^{10}2a_k=36,\ \sum_{k=1}^{10}(b_k-2)=24$$

일 때, $\sum\limits_{k=1}^{10}(a_k-b_k)$의 값은?

① −26　　② −18　　③ −10
④ −2　　⑤ 6

16

자연수 n에 대하여 이차방정식

$$x^2-2nx+2n-3=0$$

의 두 근을 a_n, b_n이라 할 때, $\sum\limits_{k=1}^{10}(a_k^2+b_k^2)$의 값은?

① 1210　　② 1310　　③ 1380
④ 1420　　⑤ 1480

17

첫째항이 양수인 수열 $\{a_n\}$이 모든 자연수 n에 대하여

$$a_{n+1}=a_n+6$$

을 만족하고 $a_2^2=a_{11}+2$일 때, $\sum\limits_{k=1}^{10}a_k$의 값은?

① 280　　② 290　　③ 300
④ 310　　⑤ 320

18

다음 조건을 만족시키는 수열 $\{a_n\}$에서 $a_1=7$이고 $\sum\limits_{k=1}^{50}a_k=258$일 때, a_{10}의 값은?

(가) $a_{n+2}-a_n=-4$ ($n=1, 2, 3, 4$)
(나) 모든 자연수 n에 대하여 $a_{n+6}=a_n$이다.

① 3　　② 4　　③ 5
④ 6　　⑤ 7

19

평면 위의 어느 두 직선도 평행하지 않고, 어느 세 직선도 한 점에서 만나지 않도록 n개의 직선을 그을 때, 이 n개의 직선으로 나누어지는 영역의 개수를 a_n이라 하자. 예를 들어 오른쪽 그림에서 $a_3=7$이다. 이때 a_7의 값은?

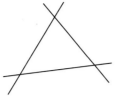

① 16   ② 22   ③ 29
④ 37   ⑤ 46

20

다음은 모든 자연수 n에 대하여 n^3+3n^2+2n은 6의 배수임을 수학적 귀납법으로 증명한 것이다.

$a_n=n^3+3n^2+2n$이라고 하자.
(i) $n=1$이면 $a_1=$ □(가)□ 이므로 6의 배수이다.
(ii) $n=k$일 때 a_n이 6의 배수라고 가정하면
$(k+1)^3+3(k+1)^2+2(k+1)$
$=(k^3+3k^2+2k)+$ □(나)□ $(k+1)(k+$ □(다)□ $)$
이므로 $n=k+1$일 때도 a_n은 6의 배수이다.
(i), (ii)에 의하여 모든 자연수 n에 대하여 a_n은 6의 배수이다.

(가), (나), (다)에 알맞은 수들을 모두 더한 값은?

① 9   ② 10   ③ 11
④ 12   ⑤ 14

서 술 형

21번 ~ 24번 5점

21

등차수열 $\{a_n\}$에서
$$a_3=-2, \ a_9=46$$
일 때, $|a_1|+|a_2|+|a_3|+\cdots+|a_{10}|$의 값을 구하는 과정을 다음 단계로 서술하여라.

[1단계] 수열 $\{a_n\}$의 일반항을 구한다. [1.5점]
[2단계] 수열 $\{a_n\}$의 양수인 항과 음수인 항을 구별한다. [1.5점]
[2단계] 등차수열의 합을 이용하여
$$|a_1|+|a_2|+|a_3|+\cdots+|a_{10}|$$의 값을 구한다. [2점]

22

등식
$$1\times n+2\times(n-1)+3\times(n-2)+\cdots+(n-1)\times2+n\times1$$
$$=\frac{n(n+a)(n+b)}{6}$$
가 성립할 때, 상수 a, b에 대하여 $a+b$의 값을 구하는 과정을 다음 단계로 서술하여라.

[1단계] 주어진 등식의 제 k항을 a_k라 할 때, a_k를 구한다. [1.5점]
[2단계] 첫째항부터 제 n항까지의 합을 구한다. [2.5점]
[3단계] $a+b$의 값을 구한다. [1점]

23

자연수 n에 대하여 다항함수
$$f_n(x)=5^nx^4+4^nx^3+3^nx^2+x+1$$
을 $x-1$로 나누었을 때의 나머지를 a_n, $x+1$로 나누었을 때의 나머지를 b_n이라 할 때, 다음 단계에 답하고 그 과정을 서술하여라.

[1단계] $f_n(x)$를 $x-1$로 나누었을 때의 나머지 a_n을 구한다. [1.5점]
[2단계] $f_n(x)$를 $x+1$로 나누었을 때의 나머지 b_n을 구한다. [1.5점]
[3단계] $\displaystyle\sum_{n=1}^{10}(a_n-b_n)=\frac{2^a+b}{3}$일 때, 상수 a, b에 대하여 $a+b$의 값을 구한다. [2점]

24

n이 자연수일 때, x에 대한 이차방정식
$$x^2+11x-n(n+1)=0$$
의 두 근을 α_n, β_n이라 할 때, $\displaystyle\sum_{n=1}^{10}\left(\frac{1}{\alpha_n}+\frac{1}{\beta_n}\right)$의 값을 구하는 과정을 다음 단계로 서술하여라.

[1단계] 이차방정식의 근과 계수의 관계를 이용하여 $\alpha_n+\beta_n$, $\alpha_n\beta_n$의 값을 구한다. [2점]
[2단계] $\dfrac{1}{\alpha_n}+\dfrac{1}{\beta_n}$을 변형하여 나타낸다. [1.5점]
[3단계] $\displaystyle\sum_{n=1}^{10}\left(\frac{1}{\alpha_n}+\frac{1}{\beta_n}\right)$의 값을 구한다. [1.5점]

FINAL STEP 04

M A P L ; S Y N E R G Y

수열 모의평가

100점 만점 총 24문제
(4점 × 20문제 − 객관식)
(5점 × 04문제 − 서술형)

시험시간 : 50분

01

5지선다 4점

등차수열 $\{a_n\}$에서

$$a_1+a_3+a_5+a_7=0,\ a_{10}=24$$

일 때, 공차는?

① 4   ② 5   ③ 6

④ 7   ⑤ 8

02

5지선다 4점

등비수열 $\{a_n\}$에 대하여

$$a_1+a_4+a_7=14,\ a_4-a_1=2$$

일 때, $a_1(a_{10}-a_1)$의 값은?

① 14   ② 28   ③ 42

④ 56   ⑤ 60

03

5지선다 4점

두 수 1과 99 사이에 m개의 수를 넣어 만든 수열

$$1,\ a_1,\ a_2,\ \cdots,\ a_m,\ 99$$

가 이 순서대로 등차수열을 이룰 때, 이 수열의 공차가 d일 때, 자연수 d의 개수는? (단, $m \neq 0$)

① 4   ② 5   ③ 6

④ 7   ⑤ 8

04

5지선다 4점

삼차방정식

$$x^3-12x^2+44x-p=0$$

의 세 근이 등차수열이 될 때, p의 값은?

① 24   ② 32   ③ 36

④ 40   ⑤ 48

05

5지선다 4점

등차수열 $\{a_n\}$의 첫째항부터 제 5항까지의 합이 20이고 제 6항부터 제 10항까지의 합이 40일 때, 이 등차수열의 첫째항부터 제 15항까지의 합은?

① 118   ② 119   ③ 120

④ 121   ⑤ 122

06

5지선다 4점

첫째항이 1이고 공차가 4인 등차수열 $\{a_n\}$에 대하여

$$S_n=\sum_{k=1}^{n}a_k,\ T_n=\sum_{k=1}^{n}(a_{2k-1}-a_{2k})$$

일 때, $S_m+T_m=63$을 만족시키는 자연수 m의 값은?

① 6   ② 7   ③ 8

④ 9   ⑤ 10

07

5지선다 4점

100과 200 사이의 자연수 중에서 4로 나누었을 때의 나머지가 3인 수들의 합은?

① 2770   ② 3125   ③ 3550

④ 3775   ⑤ 3885

08

5지선다 4점

수열 $\{a_n\}$의 첫째항부터 제 n항까지의 합 S_n이

$$S_n = -n^2 + 4n + 5$$

일 때, [보기]에서 옳은 것만을 있는 대로 고른 것은?

ㄱ. $\{a_n\}$은 등차수열이다.

ㄴ. 수열 $\{a_{2n+1}\}$은 공차가 -4인 등차수열이다.

ㄷ. S_n의 최댓값은 9이다.
---

① ㄱ   ② ㄴ   ③ ㄷ

④ ㄴ, ㄷ   ⑤ ㄱ, ㄴ, ㄷ

09

5지선다 4점

0이 아닌 세 수 $\log 3$, $\log a$, $\log b$는 순서대로 등차수열을 이루고, 세 수 2, 2^{2a}, 2^{9b}은 이 순서대로 등비수열을 이룰 때, $\dfrac{a}{b}$의 값은?

① 3   ② 6   ③ 9

④ 27   ⑤ 81

10

5지선다 4점

등차수열 $\left\{\dfrac{1}{a_n}\right\}$에 대하여 이차방정식 $35x^2 - 12x + 1 = 0$의 두 근이 a_3, a_5일 때, a_4의 값은?

① $\dfrac{1}{9}$ ② $\dfrac{1}{6}$ ③ $\dfrac{1}{7}$

④ 9   ⑤ 7

11

5지선다 4점

모든 항이 실수인 등비수열 $\{a_n\}$에 대하여

$$a_1 a_2 a_3 a_4 a_5 = 32, \quad a_4 a_6 a_8 = 16 a_5 a_7$$

이다. 수열 $\{a_n\}$의 첫째항부터 제 n항까지의 합을 S_n이라 할 때, S_5의 값을 $\dfrac{q}{p}$라 하자. $p + q$의 값은?

(단, p와 q는 서로소인 자연수이다.)

① 27   ② 30   ③ 33

④ 36   ⑤ 39

12

5지선다 4점

그림과 같이 자연수 n에 대하여 기울기가 -2이고 원 $x^2 + y^2 = \dfrac{1}{3^n}$과 제 1사분면에서 접하는 직선을 l_n이라 하자. 직선 l_n의 x절편을 a_n, y절편을 b_n이라 할 때, $a_1 b_1 + a_2 b_2 + a_3 b_3 + \cdots + a_{12} b_{12}$의 값은?

① $\dfrac{4}{5}\left(1 + \dfrac{1}{3^{12}}\right)$ ② $\dfrac{5}{4}\left(1 - \dfrac{1}{3^{12}}\right)$ ③ $\dfrac{5}{4}\left(1 + \dfrac{1}{3^{11}}\right)$

④ $\dfrac{4}{5}\left(2 + \dfrac{1}{3^{12}}\right)$ ⑤ $\dfrac{5}{4}\left(2 - \dfrac{1}{3^{12}}\right)$

13

수열 $\{a_n\}$이 모든 자연수 n에 대하여

$$\sum_{k=1}^{n}(a_k+2n)^2-\sum_{k=1}^{n}(a_k-2n)^2=8n(n+1)(2n+1)$$

을 만족시킬 때, a_{10}의 값은?

① 39　　　　② 41　　　　③ 43

④ 45　　　　⑤ 47

14

$\sum_{l=1}^{5}\left\{\sum_{k=1}^{l}(k+3l)\right\}$의 값은?

① 100　　　　② 120　　　　③ 160

④ 180　　　　⑤ 200

15

자연수 n에 대하여 다항식 $f(x)=x^2-3x+4$를 $x-n$으로 나눈

나머지를 a_n이라 할 때, $\sum_{k=1}^{10}(4k^2-a_{2k})$의 값은?

① 250　　　　② 260　　　　③ 270

④ 290　　　　⑤ 320

16

첫째항이 3, 공차가 4인 등차수열 $\{a_n\}$의 첫째항부터 제 m항까지

의 합이 465일 때, $\sum_{k=1}^{m}\dfrac{2}{\sqrt{1+a_k}+\sqrt{1+a_{k+1}}}$의 값은?

① 3　　　　② 5　　　　③ 7

④ 9　　　　⑤ 11

17

수열 $\{a_n\}$이 모든 자연수 n에 대하여

$$a_1=1,\ a_{n+1}=\frac{k}{a_n+2}$$

를 만족시킬 때, $a_3=\dfrac{3}{2}$이 되도록 하는 상수 k의 값은?

① 4　　　　② 5　　　　③ 6

④ 7　　　　⑤ 8

18

수열 $\{a_n\}$이 모든 자연수 n에 대하여

$$a_{n+1}=a_n+4$$

를 만족시킬 때, $\sum_{k=1}^{12}(a_{2k}-a_k)$의 값은?

① 300　　　　② 304　　　　③ 308

④ 312　　　　⑤ 316

19

수열 $\{a_n\}$이 $a_5=5$이고

$$a_{n+1}=\begin{cases} \dfrac{1}{2}a_n & (a_n : \text{짝수}) \\ a_n+3 & (a_n : \text{홀수}) \end{cases} (n=1, 2, 3, \cdots)$$

가 성립할 때, $a_{101}+a_{102}+a_{103}+\cdots+a_{120}$의 값은?

① 45   ② 47   ③ 49

④ 52   ⑤ 57

20

모든 자연수 n에 대하여

$$\frac{(n+3)!}{8} > 2^n \qquad \cdots\cdots \text{㉠}$$

이 성립함을 수학적 귀납법으로 증명한 것이다.

(i) $n=1$일 때,

(좌변)$=\dfrac{4!}{8}=3$, (우변)$=$ $\boxed{\text{(가)}}$

따라서 $n=1$일 때 ㉠이 성립한다.

(ii) $n=k$일 때, ㉠이 성립한다고 가정하면

$$\frac{(k+3)!}{8} > 2^k$$

$n=k+1$일 때,

$$\frac{(k+4)!}{8}=(\boxed{\text{(나)}}) \times \frac{(k+3)!}{8}$$
$$> (\boxed{\text{(나)}}) \times 2^k = k \times 2^k + 2^{k+2}$$
$$> 2^{k+1}$$

따라서 $n=$ $\boxed{\text{(다)}}$ 일 때도 ㉠이 성립한다.

(i)과 (ii)에 의하여 모든 자연수 n에 대하여 ㉠이 성립한다.

위의 증명 과정에서 (가), (나), (다)에 알맞은 식을 각각 a, $f(k)$, $g(k)$라 할 때, $a+f(10)+g(10)$의 값은?

① 11   ② 21   ③ 23

④ 27   ⑤ 31

서 술 형

21

$a_1=38$인 등차수열 $\{a_n\}$에 대하여 첫째항부터 제 n항까지의 합을 S_n이라고 하자. 자연수 m에 대하여

$$a_m=5, \ S_m=258$$

일 때, S_n의 최댓값과 그때의 n의 값을 구하는 과정을 다음 단계로 서술하여라.

[1단계] 등차수열의 공차를 구한다. [2점]

[2단계] 처음으로 음수가 나오는 항은 제 몇 항인지 구한다. [1.5점]

[3단계] S_n의 최댓값을 구한다. [1.5점]

22

m, n이 이차방정식

$$x^2-8x+12=0$$

의 두 근일 때, $\sum\limits_{k=1}^{m}\left\{\sum\limits_{l=1}^{n}(k+l)\right\}$의 값을 구하는 과정을 다음 단계로 서술하여라.

[1단계] 이차방정식의 근과 계수의 관계를 이용하여 $m+n$, mn의 값을 구한다. [1점]

[2단계] $\sum\limits_{k=1}^{m}\left\{\sum\limits_{l=1}^{n}(k+l)\right\}$을 시그마의 성질과 공식을 이용하여 m, n에 대한 식으로 나타낸다. [2.5점]

[3단계] $\sum\limits_{k=1}^{m}\left\{\sum\limits_{l=1}^{n}(k+l)\right\}$의 값을 구한다. [1.5점]

23

수열 $\{a_n\}$이 귀납적으로

$$a_1=1, \ a_{n+1}=(n+1)a_n \ (n=1, 2, 3, \cdots)$$

과 같이 정의 될 때, $a_1+a_2+a_3+\cdots+a_{50}$을 30으로 나누었을 때의 나머지를 구하는 과정을 다음 단계로 서술하여라.

[1단계] $a_2, a_3, a_4, a_5, \cdots, a_{50}$의 값을 구한다. [2점]

[2단계] $a_5, a_6, a_7, \cdots, a_{50}$의 각 항이 30의 배수임을 서술한다. [2점]

[3단계] $a_1+a_2+a_3+\cdots+a_{50}$을 30으로 나누었을 때의 나머지를 구한다. [1점]

24

$\sum\limits_{n=1}^{2000}[\log 5n]$을 구하는 과정을 다음 단계로 서술하여라.

(단, $[x]$는 x보다 크지 않은 최대의 정수)

[1단계] $1 \le n \le 2000$일 때, $\log 5n$이 정수가 되도록 하는 자연수 n의 값을 모두 구한다. [1.5점]

[2단계] [1단계]의 결과를 기준으로 $1 \le n \le 2000$에서 자연수 n의 범위를 나누어 각 범위에서의 $[\log 5n]$의 값을 구한다. [1.5점]

[3단계] $\sum\limits_{n=1}^{2000}[\log 5n]$의 값을 구한다. [2점]

상용로그표 TABLE OF COMMON LOGARITHM page1

수	0	1	2	3	4	5	6	7	8	9
1.0	.0000	.0043	.0086	.0128	.0170	.0212	.0253	.0294	.0334	.0374
1.1	.0414	.0453	.0492	.0531	.0569	.0607	.0645	.0682	.0719	.0755
1.2	.0792	.0828	.0864	.0899	.0934	.0969	.1004	.1038	.1072	.1106
1.3	.1139	.1173	.1206	.1239	.1271	.1303	.1335	.1367	.1399	.1430
1.4	.1461	.1492	.1523	.1553	.1584	.1614	.1644	.1673	.1703	.1732
1.5	.1761	.1790	.1818	.1847	.1875	.1903	.1931	.1959	.1987	.2014
1.6	.2041	.2068	.2095	.2122	.2148	.2175	.2201	.2227	.2253	.2279
1.7	.2304	.2330	.2355	.2380	.2405	.2430	.2455	.2480	.2504	.2529
1.8	.2553	.2577	.2601	.2625	.2648	.2672	.2695	.2718	.2742	.2765
1.9	.2788	.2810	.2833	.2856	.2878	.2900	.2923	.2945	.2967	.2989
2.0	.3010	.3032	.3054	.3075	.3096	.3118	.3139	.3160	.3181	.3201
2.1	.3222	.3243	.3263	.3284	.3304	.3324	.3345	.3365	.3385	.3404
2.2	.3424	.3444	.3464	.3483	.3502	.3522	.3541	.3560	.3579	.3598
2.3	.3617	.3636	.3655	.3674	.3692	.3711	.3729	.3747	.3766	.3784
2.4	.3802	.3820	.3838	.3856	.3874	.3892	.3909	.3927	.3945	.3962
2.5	.3979	.3997	.4014	.4031	.4048	.4065	.4082	.4099	.4116	.4133
2.6	.4150	.4166	.4183	.4200	.4216	.4232	.4249	.4265	.4281	.4298
2.7	.4314	.4330	.4346	.4362	.4378	.4393	.4409	.4425	.4440	.4456
2.8	.4472	.4487	.4502	.4518	.4533	.4548	.4564	.4579	.4594	.4609
2.9	.4624	.4639	.4654	.4669	.4683	.4698	.4713	.4728	.4742	.4757
3.0	.4771	.4786	.4800	.4814	.4829	.4843	.4857	.4871	.4886	.4900
3.1	.4914	.4928	.4942	.4955	.4969	.4983	.4997	.5011	.5024	.5038
3.2	.5051	.5065	.5079	.5092	.5105	.5119	.5132	.5145	.5159	.5172
3.3	.5185	.5198	.5211	.5224	.5237	.5250	.5263	.5276	.5289	.5302
3.4	.5315	.5328	.5340	.5353	.5366	.5378	.5391	.5403	.5416	.5428
3.5	.5441	.5453	.5465	.5478	.5490	.5502	.5514	.5527	.5539	.5551
3.6	.5563	.5575	.5587	.5599	.5611	.5623	.5635	.5647	.5658	.5670
3.7	.5682	.5694	.5705	.5717	.5729	.5740	.5752	.5763	.5775	.5786
3.8	.5798	.5809	.5821	.5832	.5843	.5855	.5866	.5877	.5888	.5899
3.9	.5911	.5922	.5933	.5944	.5955	.5966	.5977	.5988	.5999	.6010
4.0	.6021	.6031	.6042	.6053	.6064	.6075	.6085	.6096	.6107	.6117
4.1	.6128	.6138	.6149	.6160	.6170	.6180	.6191	.6201	.6212	.6222
4.2	.6232	.6243	.6253	.6263	.6274	.6284	.6294	.6304	.6314	.6325
4.3	.6335	.6345	.6355	.6365	.6375	.6385	.6395	.6405	.6415	.6425
4.4	.6435	.6444	.6454	.6464	.6474	.6484	.6493	.6503	.6513	.6522
4.5	.6532	.6542	.6551	.6561	.6571	.6580	.6590	.6599	.6609	.6618
4.6	.6628	.6637	.6646	.6656	.6665	.6675	.6684	.6693	.6702	.6712
4.7	.6721	.6730	.6739	.6749	.6758	.6767	.6776	.6785	.6794	.6803
4.8	.6812	.6821	.6830	.6839	.6848	.6857	.6866	.6875	.6884	.6893
4.9	.6902	.6911	.6920	.6928	.6937	.6946	.6955	.6964	.6972	.6981
5.0	.6990	.6998	.7007	.7016	.7024	.7033	.7042	.7050	.7059	.7067
5.1	.7076	.7084	.7093	.7101	.7110	.7118	.7126	.7135	.7143	.7152
5.2	.7160	.7168	.7177	.7185	.7193	.7202	.7210	.7218	.7226	.7235
5.3	.7243	.7251	.7259	.7267	.7275	.7284	.7292	.7300	.7308	.7316
5.4	.7324	.7332	.7340	.7348	.7356	.7364	.7372	.7380	.7388	.7396

상용로그표

TABLE OF COMMON LOGARITHM
page2

수	0	1	2	3	4	5	6	7	8	9
5.5	.7404	.7412	.7419	.7427	.7435	.7443	.7451	.7459	.7466	.7474
5.6	.7482	.7490	.7497	.7505	.7513	.7520	.7528	.7536	.7543	.7551
5.7	.7559	.7566	.7574	.7582	.7589	.7597	.7604	.7612	.7619	.7627
5.8	.7634	.7642	.7649	.7657	.7664	.7672	.7679	.7686	.7694	.7701
5.9	.7709	.7716	.7723	.7731	.7738	.7745	.7752	.7760	.7767	.7774
6.0	.7782	.7789	.7796	.7803	.7810	.7818	.7825	.7832	.7839	.7846
6.1	.7853	.7860	.7868	.7875	.7882	.7889	.7896	.7903	.7910	.7917
6.2	.7924	.7931	.7938	.7945	.7952	.7959	.7966	.7973	.7980	.7987
6.3	.7993	.8000	.8007	.8014	.8021	.8028	.8035	.8041	.8048	.8055
6.4	.8062	.8069	.8075	.8082	.8089	.8096	.8102	.8109	.8116	.8122
6.5	.8129	.8136	.8142	.8149	.8156	.8162	.8169	.8176	.8182	.8189
6.6	.8195	.8202	.8209	.8215	.8222	.8228	.8235	.8241	.8248	.8254
6.7	.8261	.8267	.8274	.8280	.8287	.8293	.8299	.8306	.8312	.8319
6.8	.8325	.8331	.8338	.8344	.8351	.8357	.8363	.8370	.8376	.8382
6.9	.8388	.8395	.8401	.8407	.8414	.8420	.8426	.8432	.8439	.8445
7.0	.8451	.8457	.8463	.8470	.8476	.8482	.8488	.8494	.8500	.8506
7.1	.8513	.8519	.8525	.8531	.8537	.8543	.8549	.8555	.8561	.8567
7.2	.8573	.8579	.8585	.8591	.8597	.8603	.8609	.8615	.8621	.8627
7.3	.8633	.8639	.8645	.8651	.8657	.8663	.8669	.8675	.8681	.8686
7.4	.8692	.8698	.8704	.8710	.8716	.8722	.8727	.8733	.8739	.8745
7.5	.8751	.8756	.8762	.8768	.8774	.8779	.8785	.8791	.8797	.8802
7.6	.8808	.8814	.8820	.8825	.8831	.8837	.8842	.8848	.8854	.8859
7.7	.8865	.8871	.8876	.8882	.8887	.8893	.8899	.8904	.8910	.8915
7.8	.8921	.8927	.8932	.8938	.8943	.8949	.8954	.8960	.8965	.8971
7.9	.8976	.8982	.8987	.8993	.8998	.9004	.9009	.9015	.9020	.9025
8.0	.9031	.9036	.9042	.9047	.9053	.9058	.9063	.9069	.9074	.9079
8.1	.9085	.9090	.9096	.9101	.9106	.9112	.9117	.9122	.9128	.9133
8.2	.9138	.9143	.9149	.9154	.9159	.9165	.9170	.9175	.9180	.9186
8.3	.9191	.9196	.9201	.9206	.9212	.9217	.9222	.9227	.9232	.9238
8.4	.9243	.9248	.9253	.9258	.9263	.9269	.9274	.9279	.9284	.9289
8.5	.9294	.9299	.9304	.9309	.9315	.9320	.9325	.9330	.9335	.9340
8.6	.9345	.9350	.9355	.9360	.9365	.9370	.9375	.9380	.9385	.9390
8.7	.9395	.9400	.9405	.9410	.9415	.9420	.9425	.9430	.9435	.9440
8.8	.9445	.9450	.9455	.9460	.9465	.9469	.9474	.9479	.9484	.9489
8.9	.9494	.9499	.9504	.9509	.9513	.9518	.9523	.9528	.9533	.9538
9.0	.9542	.9547	.9552	.9557	.9562	.9566	.9571	.9576	.9581	.9586
9.1	.9590	.9595	.9600	.9605	.9609	.9614	.9619	.9624	.9628	.9633
9.2	.9638	.9643	.9647	.9652	.9657	.9661	.9666	.9671	.9675	.9680
9.3	.9685	.9689	.9694	.9699	.9703	.9708	.9713	.9717	.9722	.9727
9.4	.9731	.9736	.9741	.9745	.9750	.9754	.9759	.9763	.9768	.9773
9.5	.9777	.9782	.9786	.9791	.9795	.9800	.9805	.9809	.9814	.9818
9.6	.9823	.9827	.9832	.9836	.9841	.9845	.9850	.9854	.9859	.9863
9.7	.9868	.9872	.9877	.9881	.9886	.9890	.9894	.9899	.9903	.9908
9.8	.9912	.9917	.9921	.9926	.9930	.9934	.9939	.9943	.9948	.9952
9.9	.9956	.9961	.9965	.9969	.9974	.9978	.9983	.9987	.9991	.9996

삼각함수표 TABLE OF TRIGONOMETRIC FUNCTION

각(θ)	$\sin\theta$	$\cos\theta$	$\tan\theta$	각(θ)	$\sin\theta$	$\cos\theta$	$\tan\theta$
0°	0.0000	1.0000	0.0000	45°	0.7071	0.7071	1.0000
1°	0.0175	0.9998	0.0175	46°	0.7193	0.6947	1.0355
2°	0.0349	0.9994	0.0349	47°	0.7314	0.6820	1.0724
3°	0.0523	0.9986	0.0524	48°	0.7431	0.6691	1.1106
4°	0.0698	0.9976	0.0699	49°	0.7547	0.6561	1.1504
5°	0.0872	0.9962	0.0875	50°	0.7660	0.6428	1.1918
6°	0.1045	0.9945	0.1051	51°	0.7771	0.6293	1.2349
7°	0.1219	0.9925	0.1228	52°	0.7880	0.6157	1.2799
8°	0.1392	0.9903	0.1405	53°	0.7986	0.6018	1.3270
9°	0.1564	0.9877	0.1584	54°	0.8090	0.5878	1.3764
10°	0.1736	0.9848	0.1763	55°	0.8192	0.5736	1.4281
11°	0.1908	0.9816	0.1944	56°	0.8290	0.5592	1.4826
12°	0.2079	0.9781	0.2126	57°	0.8387	0.5446	1.5399
13°	0.2250	0.9744	0.2309	58°	0.8480	0.5299	1.6003
14°	0.2419	0.9703	0.2493	59°	0.8572	0.5150	1.6643
15°	0.2588	0.9659	0.2679	60°	0.8660	0.5000	1.7321
16°	0.2756	0.9613	0.2867	61°	0.8746	0.4848	1.8040
17°	0.2924	0.9563	0.3057	62°	0.8829	0.4695	1.8807
18°	0.3090	0.9511	0.3249	63°	0.8910	0.4540	1.9626
19°	0.3256	0.9455	0.3443	64°	0.8988	0.4384	2.0503
20°	0.3420	0.9397	0.3640	65°	0.9063	0.4226	2.1445
21°	0.3584	0.9336	0.3839	66°	0.9135	0.4067	2.2460
22°	0.3746	0.9272	0.4040	67°	0.9205	0.3907	2.3559
23°	0.3907	0.9205	0.4245	68°	0.9272	0.3746	2.4751
24°	0.4067	0.9135	0.4452	69°	0.9336	0.3584	2.6051
25°	0.4226	0.9063	0.4663	70°	0.9397	0.3420	2.7475
26°	0.4384	0.8988	0.4877	71°	0.9455	0.3256	2.9042
27°	0.4540	0.8910	0.5095	72°	0.9511	0.3090	3.0777
28°	0.4695	0.8829	0.5317	73°	0.9563	0.2924	3.2709
29°	0.4848	0.8746	0.5543	74°	0.9613	0.2756	3.4874
30°	0.5000	0.8660	0.5774	75°	0.9659	0.2588	3.7321
31°	0.5150	0.8572	0.6009	76°	0.9703	0.2419	4.0108
32°	0.5299	0.8480	0.6249	77°	0.9744	0.2250	4.3315
33°	0.5446	0.8387	0.6494	78°	0.9781	0.2079	4.7046
34°	0.5592	0.8290	0.6745	79°	0.9816	0.1908	5.1446
35°	0.5736	0.8192	0.7002	80°	0.9848	0.1736	5.6713
36°	0.5878	0.8090	0.7265	81°	0.9877	0.1564	6.3138
37°	0.6018	0.7986	0.7536	82°	0.9903	0.1392	7.1154
38°	0.6157	0.7880	0.7813	83°	0.9925	0.1219	8.1443
39°	0.6293	0.7771	0.8098	84°	0.9945	0.1045	9.5144
40°	0.6428	0.7660	0.8391	85°	0.9962	0.0872	11.4301
41°	0.6561	0.7547	0.8693	86°	0.9976	0.0698	14.3007
42°	0.6691	0.7431	0.9004	87°	0.9986	0.0523	19.0811
43°	0.6820	0.7314	0.9325	88°	0.9994	0.0349	28.6363
44°	0.6947	0.7193	0.9657	89°	0.9998	0.0175	57.2900
45°	0.7071	0.7071	1.0000	90°	1.0000	0.0000	∞

SYNERGY
MEMO

I 지수함수와 로그함수

0001	④	0002	③	0003	②	0004	①
0005	④	0006	③	0007	⑤	0008	③
0009	⑤	0010	⑤	0011	④	0012	③
0013	④	0014	⑤	0015	⑤	0016	②
0017	③	0018	③	0019	⑤	0020	⑤
0021	⑤	0022	③	0023	①	0024	⑤
0025	①	0026	④	0027	②	0028	④
0029	②	0030	③	0031	③	0032	⑤
0033	③	0034	①	0035	⑤	0036	①
0037	③	0038	②	0039	⑤	0040	④
0041	⑤	0042	③	0043	④	0044	③
0045	②	0046	①	0047	②	0048	④
0049	①	0050	③	0051	②	0052	③
0053	④	0054	④	0055	④	0056	②
0057	⑤	0058	⑤	0059	②	0060	③
0061	①	0062	②	0063	④	0064	⑤
0065	⑤	0066	③	0067	②	0068	③
0069	⑤	0070	③	0071	⑤	0072	④
0073	②	0074	②	0075	②	0076	②
0077	④	0078	②	0079	⑤	0080	②
0081	④	0082	②	0083	②	0084	②
0085	②	0086	②	0087	⑤	0088	③
0089	③	0090	②	0091	⑤	0092	②
0093	⑤	0094	④	0095	①	0096	⑤
0097	②	0098	②				

0099	해설참조	0100	해설참조
0101	해설참조	0102	해설참조
0103	해설참조	0104	해설참조
0105	해설참조	0106	해설참조
0107	해설참조	0108	해설참조
0109	해설참조	0110	해설참조

0111	⑤	0112	26	0113	26	0114	51
0115	(1) 6 (2) 900 (3) 1			0116	(1) 10 (2) $2\sqrt{5}$		
0117	64	0118	16	0119	16	0120	2
0121	8	0122	0.35				

0123	②	0124	③	0125	④	0126	③
0127	③	0128	②	0129	①	0130	④
0131	①	0132	④	0133	④	0134	②
0135	①	0136	③	0137	③	0138	⑤
0139	⑤	0140	⑤	0141	①	0142	④

0143	⑤	0144	③	0145	②	0146	②
0147	⑤	0148	②	0149	④	0150	④
0151	③	0152	③	0153	②	0154	④
0155	①	0156	⑤	0157	①	0158	②
0159	①	0160	③	0161	④	0162	⑤
0163	②	0164	④	0165	③	0166	④
0167	⑤	0168	②	0169	②	0170	①
0171	②	0172	④	0173	④	0174	④
0175	③	0176	③	0177	③	0178	⑤
0179	③	0180	④	0181	⑤	0182	④
0183	①	0184	①	0185	②	0186	④
0187	②	0188	②	0189	③	0190	③
0191	①	0192	③	0193	④	0194	④
0195	③	0196	⑤	0197	③	0198	①
0199	①	0200	①	0201	②	0202	③
0203	②	0204	④	0205	③	0206	①
0207	③	0208	⑤	0209	②	0210	②
0211	④	0212	②	0213	⑤	0214	②
0215	③	0216	⑤	0217	③	0218	②
0219	②			0220	해설참조		

0221	해설참조	0222	해설참조
0223	해설참조	0224	해설참조
0225	해설참조	0226	해설참조
0227	해설참조	0228	해설참조
0229	해설참조	0230	해설참조
0231	해설참조	0232	180

				0232	180	0233	③
0234	12	0235	13	0236	$55\log_2 3$	0237	18
0238	46	0239	30	0240	2	0241	15개
0242	1	0243	25				

0244	④	0245	④	0246	⑤	0247	③
0248	①	0249	①	0250	⑤	0251	②
0252	④	0253	③	0254	③	0255	②
0256	②	0257	②	0258	②	0259	④
0260	①	0261	④	0262	④	0263	⑤
0264	④	0265	②	0266	②	0267	③
0268	⑤	0269	⑤	0270	③	0271	④
0272	②	0273	⑤	0274	⑤	0275	④
0276	③	0277	④	0278	④	0279	④
0280	③	0281	③	0282	④	0283	②
0284	①	0285	③	0286	①	0287	④
0288	④	0289	③	0290	⑤	0291	④
0292	②	0293	①	0294	④	0295	①

0296	③	0297	③	0298	③	0299	④
0300	⑤						
0301	해설참조			0302	해설참조		
0303	해설참조			0304	해설참조		
0305	해설참조			0306	해설참조		
0307	10	0308	7	0309	3	0310	19
0311	304	0312	12	0313	19자리	0314	21
0315	5	0316	26	0317	4	0318	10

0319	⑤	0320	⑤	0321	④	0322	②
0323	⑤	0324	③	0325	②	0326	⑤
0327	③	0328	④	0329	④	0330	③
0331	③	0332	④	0333	①	0334	②
0335	②	0336	⑤	0337	④	0338	⑤
0339	④	0340	①	0341	③	0342	③
0343	④	0344	⑤	0345	②	0346	③
0347	②	0348	③	0349	①	0350	②
0351	①	0352	①	0353	③	0354	④
0355	④	0356	②	0357	②	0358	⑤
0359	③	0360	④	0361	⑤	0362	⑤
0363	⑤	0364	②	0365	①	0366	①
0367	②	0368	①	0369	③	0370	⑤
0371	④	0372	①	0373	②	0374	②
0375	⑤	0376	④	0377	①	0378	⑤
0379	④	0380	④	0381	④	0382	②
0383	④	0384	⑤	0385	①	0386	③
0387	⑤	0388	④	0389	⑤	0390	②
0391	⑤	0392	⑤	0393	②	0394	④
0395	③	0396	④	0397	①	0398	②
0399	④	0400	⑤	0401	②	0402	②
0403	⑤	0404	①	0405	③	0406	②
0407	④	0408	③	0409	⑤	0410	④
0411	④	0412	⑤	0413	④	0414	⑤
0415	③	0416	⑤	0417	①	0418	②
0419	③	0420	⑤	0421	①	0422	①
0423	②	0424	⑤	0425	④	0426	④
0427	④	0428	④	0429	③	0430	③
0431	①	0432	④	0433	③	0434	⑤
0435	①	0436	④	0437	①	0438	②
0439	④	0440	③	0441	①	0442	②
0443	③	0444	①	0445	③	0446	⑤
0447	③	0448	①	0449	③	0450	④
0451	③	0452	①	0453	④	0454	②
0455	⑤	0456	⑤	0457	④	0458	①
0459	④	0460	③	0461	⑤	0462	②

0463	⑤	0464	⑤	0465	①	0466	④
0467	①	0468	②	0469	①	0470	③
0471	④	0472	③	0473	①	0474	②
0475	④	0476	⑤	0477	⑤	0478	①
0479	②	0480	①	0481	①	0482	②
0483	③	0484	④	0485	②	0486	③
0487	①	0488	⑤	0489	④	0490	③
0491	⑤	0492	②	0493	④	0494	④
0495	④	0496	①	0497	②	0498	②
0499	①	0500	④	0501	③	0502	④
0503	⑤						
0504	해설참조			0505	해설참조		
0506	해설참조			0507	해설참조		
0508	해설참조			0509	해설참조		
0510	해설참조			0511	해설참조		
0512	해설참조			0513	해설참조		
0514	해설참조			0515	해설참조		
0516	④	0517	24	0518	$\frac{9}{2}$	0519	20
0520	6	0521	$-\frac{11}{28}$	0522	36	0523	6
0524	64	0525	19	0526	4	0527	12
0528	8	0529	3	0530	⑤	0531	20
0532	9						

0533	⑤	0534	①	0535	③	0536	③
0537	⑤	0538	⑤	0539	④	0540	③
0541	②	0542	②	0543	③	0544	②
0545	③	0546	③	0547	④	0548	⑤
0549	②	0550	④	0551	⑤	0552	③
0553	②	0554	⑤	0555	③	0556	①
0557	②	0558	③	0559	④	0560	②
0561	④	0562	②	0563	③	0564	④
0565	③	0566	④	0567	①	0568	⑤
0569	⑤	0570	⑤	0571	③	0572	①
0573	②	0574	②	0575	①	0576	⑤
0577	①	0578	①	0579	②	0580	②
0581	②	0582	③	0583	④	0584	④
0585	③	0586	③	0587	⑤	0588	④
0589	④	0590	④	0591	④	0592	④
0593	④	0594	①	0595	④	0596	②
0597	③	0598	④	0599	⑤	0600	④
0601	③	0602	④	0603	④	0604	②
0605	③	0606	①	0607	④	0608	④
0609	①	0610	④	0611	①	0612	④
0613	④	0614	①	0615	③	0616	③
0617	①	0618	③	0619	③	0620	①

0621	⑤	0622	①	0623	②	0624	⑤
0625	①	0626	⑤	0627	②	0628	⑤
0629	⑤	0630	⑤	0631	⑤	0632	⑤
0633	②	0634	④	0635	②	0636	⑤
0637	①	0638	③	0639	④	0640	①
0641	④	0642	④	0643	해설참조		
0644	해설참조			0645	해설참조		
0646	해설참조			0647	해설참조		
0648	해설참조			0649	해설참조		
0650	해설참조			0651	해설참조		
0652	해설참조			0653	해설참조		
0654	해설참조			0655	해설참조		
0656	해설참조			0657	해설참조		
0658	해설참조			0659	해설참조		
0660	$24\sqrt{2}$	0661	2	0662	10	0663	1
0664	$\dfrac{17}{2}$	0665	$\dfrac{4}{3}$	0666	$\dfrac{20}{3}$	0667	-1
0668	6	0669	17	0670	6	0671	10

Ⅱ 삼각함수

0672	④	0673	④	0674	②	0675	③
0676	⑤	0677	②	0678	④	0679	②
0680	④	0681	②	0682	①	0683	③
0684	④	0685	①	0686	④	0687	④
0688	②	0689	⑤	0690	④	0691	②
0692	③	0693	②	0694	⑤	0695	②
0696	①	0697	③	0698	②	0699	②
0700	⑤	0701	②	0702	⑤	0703	③
0704	④	0705	④	0706	③	0707	④
0708	①	0709	⑤	0710	③	0711	④
0712	①	0713	②	0714	⑤	0715	④
0716	②	0717	③	0718	①	0719	②
0720	③	0721	②	0722	②	0723	③
0724	③	0725	③	0726	⑤	0727	⑤
0728	②	0729	③	0730	①	0731	⑤
0732	④	0733	①	0734	③	0735	④
0736	①	0737	①	0738	③	0739	④
0740	⑤	0741	②	0742	①	0743	③
0744	③	0745	⑤	0746	④	0747	④
0748	②	0749	①	0750	⑤	0751	⑤
0752	②	0753	③	0754	①	0755	②
0756	②	0757	①	0758	①	0759	④
0760	해설참조			0761	해설참조		
0762	해설참조			0763	해설참조		
0764	해설참조			0765	해설참조		
0766	해설참조			0767	해설참조		

0768	해설참조			0769	해설참조		
0770	해설참조			0771	14		
0772	$a=1,\ \theta=\dfrac{\pi}{3}$			0773	$\dfrac{49}{6}\pi\,(\text{m}^2)$		
0774	32	0775	$\dfrac{1}{2}$	0776	$3\sqrt{3}-\pi$		

0777	⑤	0778	④	0779	④	0780	③
0781	③	0782	④	0783	①	0784	④
0785	⑤	0786	②	0787	⑤	0788	②
0789	④	0790	④	0791	②	0792	④
0793	③	0794	①	0795	⑤	0796	④
0797	④	0798	②	0799	⑤	0800	④
0801	③	0802	⑤	0803	④	0804	④
0805	⑤	0806	②	0807	③	0808	③
0809	⑤	0810	⑤	0811	④	0812	⑤
0813	⑤	0814	③	0815	③	0816	⑤
0817	②	0818	①	0819	①	0820	②
0821	④	0822	①	0823	⑤	0824	①
0825	②	0826	①	0827	③	0828	⑤
0829	⑤	0830	②	0831	③	0832	④
0833	①	0834	③	0835	⑤	0836	④
0837	④	0838	③	0839	④	0840	④
0841	③	0842	②	0843	②	0844	①
0845	③	0846	②	0847	④	0848	⑤
0849	②	0850	②	0851	⑤	0852	④
0853	④	0854	⑤	0855	⑤	0856	①
0857	④	0858	②	0859	④	0860	②
0861	③	0862	①	0863	③	0864	④
0865	①	0866	②	0867	①	0868	⑤
0869	②	0870	④	0871	①	0872	②
0873	③	0874	④	0875	③	0876	④
0877	④	0878	①	0879	②	0880	①
0881	③	0882	③	0883	②	0884	⑤
0885	⑤	0886	⑤	0887	④	0888	⑤
0889	⑤	0890	⑤	0891	④	0892	⑤
0893	④	0894	①	0895	②	0896	②
0897	③	0898	⑤	0899	⑤	0900	④
0901	①	0902	④	0903	③	0904	⑤
0905	①	0906	③	0907	④	0908	①
0909	②	0910	⑤	0911	③	0912	③
0913	④	0914	②	0915	④	0916	④
0917	②	0918	③	0919	①	0920	②
0921	⑤	0922	②	0923	④	0924	④
0925	③	0926	②	0927	⑤	0928	①
0929	②	0930	④	0931	④	0932	①
0933	④	0934	⑤	0935	②	0936	④

0937	④	0938	③	0939	④	0940	②
0941	③	0942	②	0943	⑤	0944	④
0945	①	0946	③	0947	④	0948	②
0949	①	0950	④	0951	①	0952	④
0953	②	0954	③	0955	⑤	0956	③
0957	④	0958	③	0959	④	0960	④
0961	④	0962	①	0963	④	0964	⑤
0965	②	0966	④	0967	⑤	0968	③
0969	⑤	0970	③	0971	④	0972	④
0973	③	0974	③	0975	①	0976	③
0977	③	0978	⑤	0979	⑤	0980	④
0981	①	0982	④	0983	⑤	0984	⑤
0985	④	0986	⑤	0987	①	0988	②
0989	③	0990	①	0991	②	0992	①
0993	⑤	0994	③	0995	③		
0996	해설참조			0997	해설참조		
0998	해설참조			0999	해설참조		
1000	해설참조			1001	해설참조		
1002	해설참조			1003	해설참조		
1004	해설참조			1005	해설참조		
1006	해설참조			1007	해설참조		
1008	해설참조			1009	해설참조		
1010	해설참조			1011	해설참조		
1012	해설참조			1013	해설참조		
1014	해설참조			1015	해설참조		
1016	9개	1017	110	1018	30	1019	40
1020	24π	1021	4	1022	$\dfrac{5}{2}$	1023	$\dfrac{1}{2}$
1024	$\dfrac{1}{2}$	1025	11	1026	4	1027	1
1028	$\dfrac{1}{2}$	1029	2	1030	133	1031	7
1032	$\sin x < x < \tan x$						

1033	④	1034	①	1035	④	1036	④
1037	③	1038	③	1039	③	1040	④
1041	③	1042	②	1043	⑤	1044	①
1045	④	1046	④	1047	①	1048	②
1049	①	1050	④	1051	⑤	1052	⑤
1053	③	1054	④	1055	③	1056	④
1057	①	1058	④	1059	⑤	1060	⑤
1061	④	1062	①	1063	④	1064	④
1065	④	1066	②	1067	③	1068	⑤
1069	②	1070	③	1071	④	1072	⑤
1073	③	1074	④	1075	④	1076	④
1077	②	1078	①	1079	④	1080	④
1081	⑤	1082	⑤	1083	②	1084	④
1085	③	1086	③	1087	③	1088	①

1089	⑤	1090	①	1091	④	1092	④
1093	②	1094	③	1095	②	1096	③
1097	④	1098	④	1099	③	1100	①
1101	③	1102	③	1103	③	1104	④
1105	①	1106	②	1107	②	1108	③
1109	⑤	1110	②	1111	⑤	1112	④
1113	④	1114	④	1115	②	1116	②
1117	②	1118	③				
1119	③	1120	⑤	1121	③	1122	④
1123	③	1124	②	1125	①	1126	①
1127	④	1128	②	1129	④	1130	④
1131	④	1132	③	1133	②	1134	④
1135	④	1136	④	1137	①	1138	③
1139	③	1140	③	1141	③	1142	①
1143	⑤	1144	①	1145	③	1146	②
1147	①	1148	①	1149	②	1150	④
1151	②	1152	④	1153	③	1154	④
1155	②	1156	②	1157	③	1158	②
1159	③	1160	②	1161	③	1162	⑤
1163	②	1164	⑤	1165	③	1166	③
1167	해설참조			1168	해설참조		
1169	해설참조			1170	해설참조		
1171	해설참조			1172	해설참조		
1173	해설참조			1174	해설참조		
1175	해설참조			1176	해설참조		
1177	해설참조			1178	해설참조		
1179	해설참조			1180	해설참조		
1181	$9\sqrt{3}$ 또는 $18\sqrt{3}$			1182	23	1183	10
1184	$\sqrt{3} + 2\sqrt{2}$			1185	15		
1186	$20\sqrt{21}\,(\mathrm{m})$			1187	103	1188	50
1189	103	1190	⑤	1191	⑤	1192	$\sqrt{3}\,\mathrm{m}$
1193	$10\sqrt{7}\,\mathrm{km}$			1194	$12\sqrt{3}$	1195	$\dfrac{2\sqrt{2}}{27}$

III 수열

1196	④	1197	⑤	1198	①	1199	②
1200	①	1201	④	1202	④	1203	①
1204	④	1205	⑤	1206	②	1207	②
1208	②	1209	②	1210	②	1211	③
1212	②	1213	①	1214	①	1215	④
1216	④	1217	③	1218	①	1219	④
1220	⑤	1221	④	1222	②	1223	③
1224	③	1225	⑤	1226	②	1227	②
1228	③	1229	③	1230	③	1231	⑤
1232	④	1233	③	1234	①	1235	⑤

1236	③	1237	③	1238	⑤	1239	②
1240	②	1241	②	1242	①	1243	③
1244	④	1245	②	1246	⑤	1247	②
1248	③	1249	④	1250	②	1251	②
1252	⑤	1253	②	1254	③	1255	④
1256	②	1257	③	1258	③	1259	⑤
1260	①	1261	①	1262	①	1263	①
1264	②	1265	②	1266	④	1267	⑤
1268	②	1269	②	1270	③	1271	③
1272	③	1273	④	1274	④	1275	①
1276	①	1277	③	1278	⑤	1279	③
1280	②	1281	④	1282	③	1283	⑤
1284	①	1285	③	1286	④	1287	⑤
1288	④	1289	①	1290	④	1291	③
1292	⑤	1293	②	1294	⑤	1295	③
1296	①	1297	①	1298	④	1299	④
1300	④	1301	②	1302	③	1303	⑤
1304	④	1305	④				

1306	③	1307	④	1308	③	1309	①
1310	③	1311	⑤	1312	①	1313	②
1314	②	1315	①	1316	⑤	1317	③
1318	③	1319	①	1320	③	1321	④
1322	③	1323	②	1324	①	1325	④
1326	②	1327	⑤	1328	⑤	1329	⑤
1330	②	1331	④	1332	③	1333	④
1334	④	1335	①	1336	④	1337	④
1338	④	1339	①	1340	②	1341	③
1342	③	1343	③	1344	②	1345	③
1346	④	1347	②	1348	②	1349	③
1350	③	1351	②	1352	①	1353	②
1354	④	1355	①	1356	①	1357	④
1358	⑤	1359	④	1360	②	1361	④
1362	①	1363	③	1364	①	1365	③
1366	④	1367	④	1368	④	1369	②
1370	③	1371	②	1372	③	1373	④
1374	②	1375	①	1376	③	1377	②
1378	③	1379	⑤	1380	②	1381	①
1382	④	1383	①	1384	③	1385	⑤
1386	①	1387	①	1388	④	1389	①
1390	②	1391	③	1392	②	1393	②
1394	①	1395	③	1396	①	1397	③
1398	⑤	1399	②	1400	④	1401	②
1402	③	1403	②	1404	③	1405	②
1406	④	1407	③	1408	②	1409	①

1410	②	1411	④	1412	③	1413	②
1414	③	1415	④	1416	③		
1417	해설참조			1418	해설참조		
1419	해설참조			1420	해설참조		
1421	해설참조			1422	해설참조		
1423	해설참조			1424	해설참조		
1425	해설참조			1426	해설참조		
1427	해설참조			1428	해설참조		
1429	해설참조			1430	해설참조		
1431	해설참조			1432	해설참조		
1433	해설참조			1434	해설참조		
1435	25	1436	⑤	1437	⑤	1438	17
1439	$\frac{1}{5}$	1440	26	1441	26	1442	12개
1443	729	1444	③	1445	$\frac{36}{5}$		
1446	4,447,000(원)			1447	200	1448	$\sqrt{2}$
1449	150	1450	11	1451	130	1452	169

1453	③	1454	⑤	1455	③	1456	⑤
1457	②	1458	③	1459	⑤	1460	③
1461	②	1462	①	1463	④	1464	②
1465	③	1466	④	1467	④	1468	①
1469	①	1470	④	1471	②	1472	④
1473	④	1474	②	1475	④	1476	⑤
1477	②	1478	③	1479	④	1480	①
1481	③	1482	②	1483	④	1484	③
1485	①	1486	④	1487	②	1488	⑤
1489	④	1490	④	1491	④	1492	②
1493	②	1494	③	1495	⑤	1496	③
1497	②	1498	①	1499	③	1500	②
1501	④	1502	④	1503	③	1504	④
1505	②	1506	④	1507	④	1508	③
1509	①	1510	③	1511	⑤	1512	⑤
1513	③	1514	①	1515	⑤	1516	②
1517	③	1518	③	1519	③	1520	③
1521	③	1522	③	1523	⑤	1524	②
1525	①	1526	③	1527	①	1528	③
1529	②	1530	⑤	1531	②	1532	④
1533	③	1534	④	1535	⑤	1536	④
1537	③	1538	⑤	1539	②	1540	①
1541	⑤	1542	④	1543	③	1544	②
1545	②	1546	④	1547	②	1548	④
1549	④	1550	⑤	1551	②	1552	④
1553	②	1554	④	1555	④	1556	⑤
1557	②	1558	②	1559	②	1560	②
1561	②	1562	②	1563	②	1564	⑤

1565	④	1566	③	1567	⑤	1568	②
1569	⑤	1570	④	1571	⑤	1572	④
1573	②	1574	③	1575	③	1576	③
1577	④	1578	③	1579	④	1580	③
1581	②	1582	③	1583	③	1584	④
1585	②	1586	⑤	1587	①	1588	④
1589	⑤	1590	④	1591	③	1592	③
1593	②	1594	③	1595	④	1596	④
1597	④	1598	②	1599	⑤	1600	③
1601	③	1602	④	1603	②	1604	④
1605	④	1606	④	1607	②	1608	③
1609	②	1610	①	1611	①	1612	③
1613	②	1614	①	1615	⑤	1616	②
1617	②	1618	⑤	1619	④	1620	③
1621	③	1622	③	1623	②	1624	⑤
1625	②	1626	①	1627	①	1628	③
1629	⑤	1630	⑤	1631	①	1632	④
1633	③	1634	③	1635	②	1636	③
1637	③	1638	③	1639	②	1640	④
1641	②	1642	②	1643	②	1644	④
1645	①	1646	②	1647	④	1648	⑤
1649	②	1650	④	1651	해설참조		
1652	해설참조	1653	해설참조				
1654	해설참조	1655	해설참조				
1656	해설참조	1657	해설참조				
1658	해설참조	1659	해설참조				
1660	해설참조	1661	해설참조				
1662	해설참조	1663	해설참조				
1664	해설참조	1665	해설참조				
1666	해설참조	1667	해설참조				
1668	해설참조	1669	해설참조				
1670	해설참조	1671	해설참조				
1672	해설참조	1673	해설참조				
1674	해설참조	1675	$\dfrac{65}{2}$	1676	92		
1677	120	1678	24	1679	776	1680	5
1681	502	1682	31	1683	70	1684	165
1685	8	1686	169	1687	72	1688	100
1689	8	1690	117				

1691	①	1692	①	1693	②	1694	④
1695	⑤	1696	④	1697	③	1698	③
1699	③	1700	②	1701	②	1702	④
1703	②	1704	⑤	1705	②	1706	③
1707	④	1708	①	1709	④	1710	⑤
1711	⑤	1712	③	1713	④	1714	②

1715	③	1716	①	1717	②	1718	②
1719	②	1720	②	1721	②	1722	⑤
1723	①	1724	①	1725	⑤	1726	⑤
1727	⑤	1728	①	1729	④	1730	④
1731	②	1732	③	1733	④	1734	③
1735	④	1736	②	1737	③	1738	③
1739	⑤	1740	④	1741	③	1742	⑤
1743	③	1744	②	1745	④	1746	④
1747	①	1748	③	1749	②	1750	④
1751	⑤	1752	①	1753	①	1754	①
1755	③	1756	①	1757	②	1758	⑤
1759	⑤	1760	①	1761	②	1762	①
1763	④	1764	④	1765	⑤	1766	②
1767	②	1768	③	1769	③	1770	①
1771	②	1772	③	1773	⑤	1774	④
1775	⑤	1776	①	1777	②	1778	③
1779	②	1780	②	1781	②	1782	④
1783	④	1784	④	1785	③	1786	④
1787	④	1788	④	1789	②	1790	①
1791	⑤	1792	④	1793	②	1794	②
1795	②	1796	②	1797	②	1798	④
1799	⑤	1800	⑤	1801	④	1802	⑤
1803	③	1804	⑤	1805	⑤	1806	④
1807	②	1808	②	1809	⑤	1810	②
1811	④			1812	해설참조		
1813	해설참조			1814	해설참조		
1815	해설참조			1816	해설참조		
1817	해설참조			1818	해설참조		
1819	해설참조			1820	해설참조		
1821	해설참조			1822	해설참조		
1823	해설참조			1824	해설참조		
1825	해설참조			1826	해설참조		
1827	해설참조			1828	해설참조		
1829	해설참조			1830	해설참조		
1831	−58	1832	13	1833	95	1834	7
1835	123	1836	22	1837	221	1838	③
1839	55	1840	315	1841	23	1842	②
1843	④	1844	230	1845	13		

1회 지수로그함수 모의평가

01	②	02	⑤	03	①	04	③	05	②
06	③	07	④	08	②	09	④	10	①
11	④	12	②	13	④	14	①	15	③
16	②	17	③	18	②	19	④	20	④

서술형

21	해설참조	22	해설참조
23	해설참조	24	해설참조

1회 삼각함수 모의평가

01	⑤	02	④	03	④	04	④	05	①
06	⑤	07	④	08	①	09	④	10	①
11	③	12	①	13	⑤	14	④	15	⑤
16	③	17	④	18	③	19	③	20	③

서술형

21	해설참조	22	해설참조
23	해설참조	24	해설참조

2회 지수로그함수 모의평가

01	④	02	②	03	②	04	①	05	④
06	③	07	⑤	08	①	09	②	10	⑤
11	①	12	②	13	③	14	②	15	②
16	④	17	①	18	③	19	③	20	②

서술형

21	해설참조	22	해설참조
23	해설참조	24	해설참조

2회 삼각함수 모의평가

01	①	02	②	03	③	04	①	05	⑤
06	⑤	07	④	08	①	09	②	10	③
11	①	12	①	13	④	14	⑤	15	④
16	⑤	17	④	18	①	19	①	20	③

서술형

21	해설참조	22	해설참조
23	해설참조	24	해설참조

3회 지수로그함수 모의평가

01	②	02	①	03	①	04	①	05	④
06	①	07	③	08	②	09	③	10	①
11	④	12	②	13	①	14	⑤	15	②
16	③	17	⑤	18	②	19	②	20	①

서술형

21	해설참조	22	해설참조
23	해설참조	24	해설참조

3회 삼각함수 모의평가

01	③	02	③	03	③	04	②	05	④
06	②	07	①	08	②	09	③	10	②
11	④	12	⑤	13	③	14	⑤	15	①
16	③	17	①	18	①	19	③	20	②

서술형

21	해설참조	22	해설참조
23	해설참조	24	해설참조

4회 지수로그함수 모의평가

01	③	02	⑤	03	③	04	②	05	④
06	④	07	②	08	⑤	09	①	10	③
11	①	12	③	13	②	14	④	15	⑤
16	⑤	17	④	18	①	19	④	20	③

서술형

21	해설참조	22	해설참조
23	해설참조	24	해설참조

4회 삼각함수 모의평가

01	②	02	⑤	03	④	04	①	05	①
06	④	07	③	08	⑤	09	①	10	②
11	③	12	②	13	③	14	④	15	⑤
16	③	17	①	18	③	19	②	20	②

서술형

21	해설참조	22	해설참조
23	해설참조	24	해설참조

1회 수열 모의평가

01	③	02	②	03	③	04	③	05	①
06	⑤	07	④	08	③	09	③	10	⑤
11	②	12	③	13	④	14	③	15	③
16	②	17	④	18	③	19	④	20	④

서술형

21	해설참조	22	해설참조
23	해설참조	24	해설참조

본 빠른정답지는 마플북스 웹사이트에서도 다운로드하실 수 있습니다.
www.mapl.co.kr

2회 수열 모의평가

01	③	02	②	03	①	04	②	05	④
06	③	07	④	08	④	09	⑤	10	⑤
11	⑤	12	④	13	③	14	⑤	15	⑤
16	④	17	④	18	②	19	①	20	⑤

서술형

21	해설참조	22	해설참조
23	해설참조	24	해설참조

3회 수열 모의평가

01	③	02	③	03	⑤	04	③	05	④
06	③	07	①	08	⑤	09	⑤	10	④
11	①	12	①	13	③	14	⑤	15	①
16	③	17	②	18	⑤	19	③	20	③

서술형

21	해설참조	22	해설참조
23	해설참조	24	해설참조

4회 수열 모의평가

01	①	02	②	03	②	04	⑤	05	③
06	②	07	④	08	④	09	③	10	②
11	③	12	②	13	②	14	⑤	15	④
16	①	17	③	18	④	19	①	20	④

서술형

21	해설참조	22	해설참조
23	해설참조	24	해설참조

One child, one teacher, one pen and
one book can change the world.

Malala Yousafzai

masterplan

MAPL
마플교재 시리즈
SERIES

I'M NOT A BOOK I AM MAPL!

마플수학 교과서로 개념 완성,
마플수학 시너지로 유형 잡고,
마플수학 총정리로 수능 대박!

핵심단권화 수학개념서

마플교과서 시리즈

핵심을 관통하는 단권화 교재
마플수학 교과서
SERIES

수능과 내신을 이 한 권으로! 확인, 변형, 발전 문제와 심화된 고난도 문제를 통해 수학의 힘을 기른다! 학교 내신뿐만 아니라 전국연합모의고사 대비, 수능을 대비하는 복합적인 사고력을 기르는 교재!

출간 예정 교재

2022 개정교육과정 개념서

2022 개정 교육과정의 마플교과서 공통수학1, 공통수학2, 대수, 미적분1, 확률과 통계

Σ

마플시너지 시리즈

내신과 수능, 당신의 1등급이 이 교재의 철학!
마플수학 시너지
SERIES

강력한 개념이 끝나면 이젠 문제풀이다 ! 개정 교육과정의 교과서를 유형별 단원별로 정리한 학교 내신의 완벽한 대비서. 내신 1등급의 필독서 !

출간 예정 교재

2022 개정교육과정 시너지

2022 개정 교육과정의 마플시너지 공통수학1, 공통수학2, 대수, 미적분1, 확률과 통계

Mapl the Bank

마플총정리 시리즈

수능대비 필독서!
마플 수능총정리
SERIES

전국 상위권 학생의 고득점 전략 ! 5000여 문항에 도전한다
교육청, 평가원, 수능, 사관학교, 경찰대 기출을 유형별/단원별로 집대성한 문제은행식 문제집이자 수능 만점의 필독서 !

유형별 기출 문제집

마플 수능기출총정리 기하, 미적분, 확률과 통계, 수학II, 수학I

월별기출 모의고사

마플 모의고사 시리즈

모의고사 1등급 가이드
월별기출모의고사
SERIES

각 지방 교육청 주관 연합학력평가(고 1,2,3) 및 사관학교 1차, 경찰대 1차, 수능모의평가, 수학능력시험(고3)을 진도에 맞게 우수문항을 체계적으로 정리/선별하여 월별로 준비하는 완벽한 리허설 문제집.

기출 모의고사 문제집

마플 월별기출모의고사 문제집 고1 수학영역, 고2 수학영역, 고3 수학영역

마플
시너지
내신문제집
MAPL SYNERGY SERIES

수학 I

1845Q

최다 빈출 문제로 이루어진 내신연계기출

 **0685Q**

도움을 주신 분들
정영필 김민석 강승혁 이승효 김성진 서혜원

내신 일등급을 위한 최고의 교재

마플시너지
수학 I

마플시너지 내신문제집 수학 I
ISBN : 978-89-94845-66-1 (53410)

발행일 : 2019년 3월 11일(1판 1쇄)
인쇄일 : 2024년 10월 31일
판/쇄 : 1판 20쇄

펴낸곳
희망에듀출판부 *(Heemang Institute, inc. Publishing dept.)*

펴낸이
임정선

주소 경기도 부천시 석천로 174 하성빌딩
[174, Seokcheon-ro, Bucheon-si, Gyeonggi-do, Republic of Korea]

교재 오류 및 문의
mapl@heemangedu.co.kr

희망에듀 홈페이지
http://www.heemangedu.co.kr

마플교재 인터넷 구입처
http://www.mapl.co.kr

교재 구입 문의
오성서적
Tel 032) 653-6653
Fax 032) 655-4761

마플시너지
내신문제집
MAPL SYNERGY SERIES

SYNERGY

mapl

YOUR MASTER PLAN

mapl

Σ

서명 : 마플시너지 내신문제집 수학 I
발행일 : 2019년 3월 11일(1판 1쇄)
인쇄일 : 2024년 10월 31일
판/쇄 : 1판 20쇄

펴낸곳
희망에듀출판부
(Heemang Institute, inc. Publishing dept.)

펴낸이
임정선

주소
경기도 부천시 석천로 174 하성빌딩
[174, Seokcheon-ro, Bucheon-si,
Gyeonggi-do, Republic of Korea]

교재 오류 및 문의
mapl@heemangedu.co.kr

희망에듀 홈페이지
http://www.heemangedu.co.kr

마플교재 인터넷 구입처
http://www.mapl.co.kr

교재 구입 문의
오성서적
Tel 032) 653-6653
Fax 032) 655-4761

정가 22000 원

53410

9 788994 845661
ISBN 978-89-94845-66-1

마플 내신대비 문제집

MAPL SYNERGY SERIES
YOUR MASTER PLAN
www.mapl.co.kr

Your master plan.

mapl

마플시너지
정답과 해설

수학 I

내신 일등급을 위한 최고의 교재

마플시너지

수학 I

마플시너지
내신문제집

MAPL SYNERGY SERIES

내신과 수능, 당신의 1등급이 우리의 철학. 마플!

강력한 개념이 끝나면 이젠 문제풀이다!
학교 교과서를 유형별 단원별로 정리한 학교 내신의 완벽한 대비서
내신 1등급의 필독서!

마플
시너지
내신문제집
MAPL SYNERGY SERIES

수학 I

18450

 최다 빈출 문제로 이루어진 내신연계기출
06850

도움을 주신 분들
정영필 김민석 강승혁 이승효 김성진 서혜원

내신 일등급을 위한 최고의 교재

마플시너지
수학 I

마플시너지 내신문제집 수학 I

ISBN : 978-89-94845-66-1 (53410)

발행일 : 2019년 3월 11일(1판 1쇄)

인쇄일 : 2024년 10월 31일

판/쇄 : 1판 20쇄

펴낸곳
희망에듀출판부 *(Heemang Institute, inc. Publishing dept.)*

펴낸이
임정선

주소 경기도 부천시 석천로 174 하성빌딩
[174, Seokcheon-ro, Bucheon-si, Gyeonggi-do, Republic of Korea]

교재 오류 및 문의
mapl@heemangedu.co.kr

희망에듀 홈페이지
http://www.heemangedu.co.kr

마플교재 인터넷 구입처
http://www.mapl.co.kr

교재 구입 문의
오성서적
Tel 032) 653-6653
Fax 032) 655-4761

정답과 해설

mapl SYNERGY
YOUR MASTER PLAN

CONTENTS

01 지수

STEP1 내신정복기출유형

0001

정답 ④

STEP Ⓐ **방정식 $x^3=8$의 근 구하기**

ㄱ. 8의 세제곱근을 x라 하면
$$x^3=8에서 x^3-8=0, (x-2)(x^2+2x+4)=0$$
$$\therefore x=2 \text{ 또는 } x=-1\pm\sqrt{3}i이다.$$
즉 8의 세제곱근은 $2, -1+\sqrt{3}i, -1-\sqrt{3}i$이다. [거짓]

STEP Ⓑ **n제곱근 a의 값이 $\sqrt[n]{a}$임을 이용하기**

ㄴ. 세제곱근 8의 값은
$$\sqrt[3]{8}=\sqrt[3]{2^3}=(\sqrt[3]{2})^3=2 \text{ [참]}$$

STEP Ⓒ **방정식 $x^4=-16$의 실근 구하기**

ㄷ. -16의 네제곱근 중에서 실수인 것을 x라 하면
$$x^4=-16$$
그런데 $x^4\geq0$이므로 방정식을 만족시키는 실근은 존재하지 않는다.
즉 -16의 네제곱근 중에서 실수인 것은 존재하지 않는다. [참]
따라서 옳은 것은 ㄴ, ㄷ이다.

0002

정답 ③

STEP Ⓐ **방정식 $x^3=-1$의 근 구하기**

-1의 세제곱근을 x라 하면
방정식 $x^3=-1$에서 $x^3+1=0, (x+1)(x^2-x+1)=0$
$$x=-1 \text{ 또는 } x=\frac{1\pm\sqrt{3}i}{2}$$
즉 -1의 세제곱근은 $-1, \frac{1+\sqrt{3}i}{2}, \frac{1-\sqrt{3}i}{2}$이다. [거짓]

STEP Ⓑ **방정식 $x^4=1$의 실근 구하기**

1의 네제곱근을 x라 하면
방정식 $x^4=1$에서 $x^4-1=0, (x^2-1)(x^2+1)=0$
$$x=\pm1 \text{ 또는 } x=\pm i$$
즉 1의 네제곱근 중에서 실수인 것은 $-1, 1$이다. [거짓]

STEP Ⓒ **n제곱근 a의 값이 $\sqrt[n]{a}$임을 이용하기**

세제곱근 -8의 값은 $\sqrt[3]{-8}=\sqrt[3]{(-2)^3}=(\sqrt[3]{-2})^3=-2$ [참]
따라서 옳은 것은 ㄷ이다.

0003

정답 ②

STEP Ⓐ **방정식 $x^n=a$의 근을 구하여 근의 진위판단하기**

ㄱ. 0의 제곱근을 x라 하면 x는 방정식 $x^2=0$의 근이므로 0이다. [참]

ㄴ. -27의 세제곱근을 x라 하면
방정식 $x^3=-27$에서 $x^3+27=0, (x+3)(x^2-3x+9)=0$
$$\therefore x=-3 \text{ 또는 } x=\frac{3\pm3\sqrt{3}i}{2}$$
즉 -27의 세제곱근은 $-3, \frac{3+3\sqrt{3}i}{2}, \frac{3-3\sqrt{3}i}{2}$이다. [거짓]

ㄷ. 16의 네제곱근 중 실수인 것을 x라 하면 x는 방정식 $x^4=16$의 실근이므로
$$x=\sqrt[4]{16}=2 \text{ 또는 } x=-\sqrt[4]{16}=-2 \text{ [참]}$$

ㄹ. -81의 네제곱근 중 실수인 것을 x라 하면 $x^4=-81$
그런데 $x^4\geq0$이므로 방정식을 만족시키는 실근은 존재하지 않는다. [거짓]

ㅁ. -64의 여섯 제곱근 중 실수인 것을 x라 하면 방정식 $x^6=-64$을 만족하는 실근이다.
그런데 $x^6\geq0$이므로 방정식을 만족시키는 실근은 존재하지 않는다. [거짓]
따라서 옳은 것은 ㄱ, ㄷ이므로 2개이다.

0004

정답 ①

STEP Ⓐ **방정식 $x^n=a$의 근을 구하여 근의 진위판단하기**

① 81의 네제곱근을 x라 하면 x는 방정식 $x^4=81$의 근이므로 실수인 것은
$$x=\sqrt[4]{81}=3 \text{ 또는 } x=-\sqrt[4]{81}=-3이다. \text{ [참]}$$

② 27의 세제곱근을 x라 하면 x는 방정식 $x^3=27$의 근이므로 실수인 것은
$$x=\sqrt[3]{27}=3뿐이다. \text{ [거짓]}$$

③ 25의 제곱근을 x라 하면 x는 방정식 $x^2=25$의 근이므로 실수인 것은
$$x=\sqrt[2]{25}=5 \text{ 또는 } x=-\sqrt[2]{25}=-5이다. \text{ [거짓]}$$

④ -8의 세제곱근을 x라 하면 x는 방정식 $x^3=-8$의 근이므로 실수인 것은
$$x=-2이다. \text{ [거짓]}$$

⑤ 4의 네제곱근을 x라 하면 x는 방정식 $x^4=4$의 근이므로 실수인 것은
$$x=\sqrt[4]{4}=\sqrt{2} \text{ 또는 } x=-\sqrt[4]{4}=-\sqrt{2}이다. \text{ [거짓]}$$
따라서 옳은 것은 ①이다.

0005

정답 ④

STEP Ⓐ **방정식 $x^n=a$의 근을 구하여 근의 진위판단하기**

① -64의 세제곱근을 x라 하면
방정식 $x^3=-64$에서 $x^3+64=0, (x+4)(x^2-4x+16)=0$
$$\therefore x=-4 \text{ 또는 } x=2\pm2\sqrt{3}i$$
즉 $x=-4$ 또는 $x=2+\sqrt{3}i$ 또는 $x=2-2\sqrt{3}i$이다. [거짓]

② 25의 네제곱근 중 실수인 것을 x라 하면 x는 방정식 $x^4=25$의 실근이므로
$$x=\sqrt[4]{25}=\sqrt{5} \text{ 또는 } x=-\sqrt[4]{25}=-\sqrt{5}이다. \text{ [거짓]}$$

③ 0의 제곱근을 x라 하면 x는 방정식 $x^2=0$의 근이므로 0이다. [거짓]

④ n이 짝수일 때, 5의 n제곱근 중에서 실수인 것은 2개이다. [참]

⑤ n이 홀수일 때, -5의 n제곱근 중 실수인 것은 1개이다. [거짓]
따라서 옳은 것은 ④이다.

내/신/연/계/ 출제문항 001

다음 중에서 옳은 것은?

① 0의 제곱근은 없다.
② 27의 세제곱근 중에서 실수인 것은 2개이다.
③ -64의 네제곱근 중에서 실수인 것은 1개이다.
④ n이 3 이상인 홀수일 때, -19의 n제곱근 중에서 실수인 것은 없다.
⑤ n이 짝수일 때, 39의 n제곱근 중에서 실수인 것은 2개이다.

STEP Ⓐ **방정식 $x^n=a$를 세운 후 근의 진위판단하기**

① 0의 세제곱근은 방정식 $x^3=0$의 근이므로 0이다. [거짓]

② 27의 세제곱근 중 실수인 것을 x라 하면 x는 방정식 $x^3=27$의 실근이므로
$$x=\sqrt[3]{27}=\sqrt[3]{3^3}=3 \text{ [거짓]}$$

③ -64의 네제곱근을 x라 하면 $x^4=-64$이므로 실근은 존재하지 않는다. [거짓]

④ n이 3 이상인 홀수일 때, -19의 n제곱근 중에서 실수인 것은 1개이다. [거짓]

⑤ n이 짝수일 때, 39의 n제곱근 중에서 실수인 것은 2개이다. [참]
따라서 옳은 것은 ⑤이다.

정답 ⑤

0006

STEP Ⓐ **거듭제곱근의 정의 이해하기**

① $a<0$일 때, $\sqrt[4]{a^4}=|a|=-a$이다. [참]

② 세제곱근 64의 값은 $\sqrt[3]{64}=\sqrt[3]{4^3}=(\sqrt[3]{4})^3=4$이다. [참]

③ $x^{2k}=a$인 실수 x는 $2k$가 짝수이고 $a>0$일 때 2개, $a<0$일 때 0개이다. [거짓]

④ $x^{2k+1}=a$인 실수 x는 $2k+1$이 홀수이므로 1개이다. [참]

⑤ 16의 네제곱근 중 실수인 것을 x라 하면 x는 방정식 $x^4=16$의 실근이므로 ±2이다. [참]

따라서 옳지 않은 것은 ③이다.

0007

STEP Ⓐ **실수 a의 n제곱근 중 실수인 것은 n이 홀수일 때는 1개이고 n이 짝수일 때는 a의 값에 따라 다름을 이용하기**

-27의 세제곱근 중 실수인 것을 x라 하면

x는 방정식 $x^3=-27$의 실근이므로 $x=\sqrt[3]{-27}=\sqrt[3]{(-3)^3}=-3$의 1개이다.

$\therefore a=1$

16의 네제곱근 중 실수인 것을 x라 하면

x는 방정식 $x^4=16$의 실근이므로 $x=\sqrt[4]{16}=2$ 또는 $x=-\sqrt[4]{16}=-2$의 2개이다.

$\therefore b=2$

81의 여섯제곱근의 개수는 방정식 $x^6=81$의 근의 개수와 같으므로 6개이다.

$\therefore c=6$

따라서 $a+b+c=1+2+6=9$

내신연계 출제문항 002

-4의 세제곱근 중에서 실수인 것의 개수를 a, $\sqrt{16}$의 네제곱근의 중에서 실수인 것의 개수를 b, -8의 n제곱근의 개수를 c라 하면

$$a+b+c=8$$

이 성립할 때, n의 값은? (단, n은 자연수)

① 2   ② 3   ③ 4
④ 5   ⑤ 6

STEP Ⓐ **실수 a의 n제곱근 중 실수인 것의 개수 구하기**

-4의 세제곱근 중 실수인 것을 x라 하면

x는 방정식 $x^3=-4$의 실근이므로 1개이다.

$\therefore a=1$

$\sqrt{16}$의 네제곱근 중 실수인 것을 x라 하면

x는 방정식 $x^4=\sqrt{16}=4$의 실근이므로 2개이다.

$\therefore b=2$

-8의 n제곱근을 x라 하면

x는 방정식 $x^n=-8$의 근이므로 근의 개수는 n개이다.

$\therefore c=n$

따라서 $a+b+c=1+2+n=8$이므로 $n=5$

0008

STEP Ⓐ **실수 a의 n제곱근 중 실수인 것 구하기**

-8의 세제곱근 중에서 실수인 것을 a라 하면 a는 방정식 $a^3=-8$의 실근이므로 $a=\sqrt[3]{-8}=\sqrt[3]{(-2)^3}=-2$

$\therefore a=-2$

81의 네제곱근 중에서 실수인 것을 b라 하면 b는 방정식 $b^4=81$의 실근이므로 $b=\sqrt[4]{81}=\sqrt[4]{3^4}=3$ 또는 $b=-\sqrt[4]{81}=-\sqrt[4]{3^4}=-3$

이때 b는 음수이므로 $b=-3$

따라서 $ab=6$

0009

STEP Ⓐ **실수 a의 n제곱근 중 실수인 것 구하기**

$\sqrt{2}$의 세제곱근 중에서 실수인 것이 a이므로 $a^3=\sqrt{2}$

$\therefore a=\sqrt[3]{\sqrt{2}}=\sqrt[6]{2}$

$\sqrt[3]{4}$의 네제곱근 중에서 양수인 것이 b이므로 $b^4=\sqrt[3]{4}$

$\therefore b=\sqrt[4]{\sqrt[3]{4}}=\sqrt[12]{4}=\sqrt[6]{2}$

STEP Ⓑ **$a+b=2^k$을 만족하는 상수 k의 값 구하기**

따라서 $a+b=\sqrt[6]{2}+\sqrt[6]{2}=2\sqrt[6]{2}=2^{1+\frac{1}{6}}=2^{\frac{7}{6}}$이므로 $k=\dfrac{7}{6}$

내신연계 출제문항 003

2의 세제곱근 중에서 실수인 것을 a, $\sqrt[3]{16}$의 네제곱근 중에서 양수인 것을 b라고 할 때, 가로의 길이가 a, 세로의 길이가 b인 직사각형의 둘레의 길이는 2^k이다. 이때 실수 k의 값은?

① $\dfrac{2}{3}$ ② $\dfrac{5}{3}$ ③ $\dfrac{7}{3}$

④ 3   ⑤ 4

STEP Ⓐ **실수 a의 n제곱근 중 실수인 것 구하기**

2의 세제곱근에서 실수인 것이 a이므로 $a^3=2$

$\therefore a=2^{\frac{1}{3}}$

$\sqrt[3]{16}$의 네제곱근 중에서 양수인 것이 b이므로 $b^4=\sqrt[3]{16}$

$\therefore b=\sqrt[4]{\sqrt[3]{16}}=\sqrt[12]{2^4}=\sqrt[3]{2}=2^{\frac{1}{3}}$

STEP Ⓑ **직사각형의 둘레의 길이를 구하여 k의 값 구하기**

직사각형의 둘레의 길이는 $2(a+b)=2\left(2^{\frac{1}{3}}+2^{\frac{1}{3}}\right)=4\cdot2^{\frac{1}{3}}=2^{2+\frac{1}{3}}=2^{\frac{7}{3}}$

따라서 $k=\dfrac{7}{3}$

0010

STEP Ⓐ **실수 a의 n제곱근 중 실수인 것 구하기**

a는 8의 5제곱근 중 실수이므로 방정식 $a^5=8$의 실근이다.

$\therefore a=\sqrt[5]{8}=\sqrt[5]{2^3}=2^{\frac{3}{5}}$

b는 4의 4제곱근 중 양수이므로 방정식 $b^4=4$의 양의 실근이다.

$\therefore b=\sqrt[4]{4}=\sqrt[4]{2^2}=2^{\frac{1}{2}}$

STEP Ⓑ **로그의 밑 변환 공식을 이용하여 $\log_a b$의 값 구하기**

따라서 $\log_a b=\dfrac{\log_2 b}{\log_2 a}=\dfrac{\log_2 2^{\frac{1}{2}}}{\log_2 2^{\frac{3}{5}}}=\dfrac{\frac{1}{2}}{\frac{3}{5}}=\dfrac{5}{6}$

2의 세제곱근 중 실수인 것을 a, 3의 제곱근 중 양의 실수인 것을 b라 할 때, $(a^2 b^2)^3 \times (a^3 b^2)^2$의 값은?

① $2^3 \cdot 3^4$ ② $2^4 \cdot 3^5$ ③ $2^5 \cdot 3^5$
④ $2^5 \cdot 3^4$ ⑤ $2^3 \cdot 3^3$

STEP Ⓐ 실수 a의 n제곱근 중 실수인 것 구하기

2의 세제곱근 중 실수인 것이 a이므로 $a^3 = 2$
3의 제곱근 중 양의 실수가 b이므로 $b^2 = 3$

STEP Ⓑ $(a^2 b^2)^3 \times (a^3 b^2)^2$의 값 구하기

따라서 $(a^2 b^2)^3 \times (a^3 b^2)^2 = a^{12} b^{10} = (a^3)^4 (b^2)^5 = 2^4 \cdot 3^5$ [정답] ②

0011

[정답] ④

STEP Ⓐ x가 a의 n제곱근이면 $x^n = a$임을 이용하기

(ⅰ) n이 홀수일 때, $n-1$은 짝수이므로 $(-5)^{n-1}$의 n제곱근은
$\sqrt[n]{(-5)^{n-1}}$이므로 한 개 존재한다.

$\therefore a_3 = a_5 = a_7 = \cdots = a_{99} = 1$

(ⅱ) n이 짝수일 때, $n-1$은 홀수이므로 $(-5)^{n-1}$은 음수이다.
즉 음수의 짝수인 거듭제곱근 중 실수는 없다.

$\therefore a_4 = a_6 = a_8 = \cdots = a_{100} = 0$

STEP Ⓑ n이 홀수일 때 실근이 한 개 존재함을 이용하여 값 구하기

(ⅰ), (ⅱ)에 의하여 n이 홀수일 때만 한 개씩 존재하므로
$a_3 + a_4 + a_5 + \cdots + a_{100} = 49$

2 이상의 자연수 n에 대하여 $\sqrt[3]{-8}$의 n제곱근 중 실수인 것의 개수를 a_n이라 할 때, $a_2 + a_3 + a_4 + \cdots + a_{10}$의 값은?

① 4 ② 6 ③ 8
④ 10 ⑤ 12

STEP Ⓐ 방정식 $x^n = -2$의 실근의 개수가 a_n임을 이해하기

$\sqrt[3]{-8} = \sqrt[3]{(-2)^3} = -2 < 0$이므로
a_n은 -2의 n제곱근 중 실수인 것의 개수이다.
즉 방정식 $x^n = -2$의 실근의 개수이다.

STEP Ⓑ -2의 n제곱근 중 실근의 개수 구하기

자연수 n이 짝수일 때 $a_n = 0$, 자연수 n이 홀수일 때 $a_n = 1$이므로
$a_2 + a_3 + a_4 + \cdots + a_{10} = 0 \cdot 5 + 1 \cdot 4 = 4$ ← $a_n = \begin{cases} 0 & (n \text{은 짝수}) \\ 1 & (n \text{은 홀수}) \end{cases}$ [정답] ①

0012

[정답] ③

STEP Ⓐ 방정식 $x^n = a$의 실근의 개수가 $f_n(a)$임을 이해하기

$f_n(a)$는 실수 a의 n제곱근 중에서 실수인 것의 개수이므로
방정식 $x^n = a$의 실근의 개수이다.

STEP Ⓑ 주어진 n, a에 대하여 $f_n(a)$의 값 구하기

-3의 거듭제곱근 중 실수는 없으므로 $f_2(-3) = 0$
-2의 세제곱근 중 실수는 $\sqrt[3]{-2}$로 오직 한 개이므로 $f_3(-2) = 1$
5의 네제곱근 중 실수는 $\sqrt[4]{5}$, $-\sqrt[4]{5}$로 두 개이므로 $f_4(5) = 2$
따라서 $f_2(-3) + f_3(-2) + f_4(5) = 3$

0013

[정답] ④

STEP Ⓐ 방정식 $x^2 = n-4$의 실근의 개수가 $f(n)$임을 이해하기

$n-4$의 제곱근 중 실수인 것을 x라 하면
방정식 $x^2 = n-4$를 만족시키는 실수 x의 개수는
$n > 4$인 경우 $f(n) = 2$
$n = 4$인 경우 $f(n) = 1$
$n < 4$인 경우 $f(n) = 0$

STEP Ⓑ 방정식 $x^5 = n-4$의 실근의 개수가 $g(n)$임을 이해하기

$n-4$의 다섯 제곱근 중 실수인 것을 y라 하면
방정식 $y^5 = n-4$를 만족시키는 실수 y의 개수는 모든 자연수 n에 대하여
$g(n) = 1$이다.

STEP Ⓒ $f(n) + g(n) = 3$을 만족시키는 10 이하의 자연수 n의 개수 구하기

$f(n) + g(n) = f(n) + 1 = 3$이므로 $f(n) = 2$
따라서 $f(n) + g(n) = 3$을 만족시키는 10 이하의 자연수 n의 개수는
5, 6, 7, 8, 9, 10의 6개이다.

실수 x와 2 이상의 자연수 n에 대하여 $x^2 - 9$의 n제곱근 중에서 실수인 것의 개수를 $f_n(x)$라 하고 함수 $g(x)$를
$$g(x) = f_3(x) + f_4(x) + f_5(x) + f_6(x)$$
라 하자. 방정식 $g(x) = 2$를 만족시키는 정수 x의 개수는?

① 2 ② 3 ③ 4
④ 5 ⑤ 6

STEP Ⓐ 방정식 $x^n = x^2 - 9$의 실근의 개수가 $f_n(x)$임을 이해하기

$x^2 - 9$의 n제곱근 중 실수인 것을 x라 하면
방정식 $x^n = x^2 - 9$를 만족시키는 실수 x의 개수는
(ⅰ) n이 짝수인 경우
　$x^2 - 9 > 0$인 경우
　즉 $x < -3$ 또는 $x > 3$일 때, $f_n(x) = 2$
　$x^2 - 9 = 0$인 경우
　즉 $x = 3$ 또는 $x = -3$일 때, $f_n(x) = 1$
　$x^2 - 9 < 0$인 경우
　즉 $-3 < x < 3$일 때, $f_n(x) = 0$
(ⅱ) n이 3 이상의 홀수인 경우
　x의 값에 관계없이 $f_n(x) = 1$

STEP Ⓑ 방정식 $g(x) = 2$를 만족하는 관계식 구하기

(ⅰ), (ⅱ)에 의하여
$$g(x) = f_3(x) + f_4(x) + f_5(x) + f_6(x)$$
$$= 1 + f_4(x) + 1 + f_6(x)$$
$$= 2 + f_4(x) + f_6(x)$$
즉 $f_3(x) + f_4(x) + f_5(x) + f_6(x) = 2$에서 $2 + f_4(x) + f_6(x) = 2$
$\therefore f_4(x) + f_6(x) = 0$

STEP Ⓒ 방정식 $g(x) = 2$를 만족시키는 정수 x의 개수 구하기

이때 $f_4(x) + f_6(x) = 0$이므로 (ⅰ)에 의하여 $f_4(x) = f_6(x) = 0$
따라서 $g(x) = 2$를 만족시키는 실수 x의 범위는 $-3 < x < 3$이므로
정수 x의 개수는 $-2, -1, 0, 1, 2$의 5개이다. [정답] ④

0014

STEP Ⓐ x의 n제곱근 중에서 실수인 것의 개수가 $f(n, x)$임을 이해하기

자연수 n에 대하여 x의 n제곱근 중에서 실수인 것의 개수가 $f(n, x)$이므로 y에 대한 방정식 $y^n=x$의 실근의 개수이다.

STEP Ⓑ $f(n, x)$의 값을 구하여 [보기]의 진위판단하기

ㄱ. -64의 3제곱근 중에서 실수인 것은 $\sqrt[3]{-64}=-4$이므로
   $f(3, -64)=1$ [참]

ㄴ. 81의 4제곱근 중에서 실수인 것은 $\sqrt[4]{81}=3$, $-\sqrt[4]{81}=-3$이므로
   $f(4, 81)=2$
   -16의 4제곱근 중에서 실수인 것은 없으므로 $f(4, -16)=0$
   32의 5제곱근 중에서 실수인 것은 $\sqrt[5]{32}=2$이므로 $f(5, 32)=1$
   즉 $f(4, 81)+f(4, -16)+f(5, 32)=3$ [참]

ㄷ. $a<0$, $b<0$이고 $a<b$이면 $f(4, a)=0$, $f(4, b)=0$
   $a<0$, $b>0$이고 $a<b$이면 $f(4, a)=0$, $f(4, b)=2$
   $a>0$, $b>0$이고 $a<b$이면 $f(4, a)=2$, $f(4, b)=2$
   $a=0$, $b>0$이고 $a<b$이면 $f(4, a)=1$, $f(4, b)=2$
   $a<0$, $b=0$이고 $a<b$이면 $f(4, a)=0$, $f(4, b)=1$
   즉 임의의 실수 a, b에 대하여 $a<b$이면 $f(4, a) \leq f(4, b)$ [참]
따라서 옳은 것은 ㄱ, ㄴ, ㄷ이다.

0015

STEP Ⓐ 거듭제곱근의 성질을 이용하여 계산하기

$$\sqrt[4]{27} \times \sqrt[4]{3} + \dfrac{\sqrt[5]{96}}{\sqrt[5]{3}} = \sqrt[4]{27 \times 3} + \sqrt[5]{\dfrac{96}{3}}$$
$$= \sqrt[4]{3^4} + \sqrt[5]{2^5}$$
$$= 3 + 2 = 5$$

0016

STEP Ⓐ 거듭제곱근의 성질을 이용하여 계산하기

$$\sqrt[3]{-125} + \sqrt[3]{\sqrt{64}} = \sqrt[3]{(-5)^3} + \sqrt[6]{2^6}$$
$$= -5 + 2 = -3$$

0017

STEP Ⓐ $\sqrt[n]{a^n}$의 성질을 이용하여 계산하기

$$\sqrt[4]{25^2} + (\sqrt[3]{5})^3 + \sqrt[3]{5^6} - \sqrt[4]{(-5)^4} = \sqrt[4]{5^4} + \sqrt[3]{5^3} + \sqrt[3]{(5^2)^3} - \sqrt[4]{(-5)^4}$$
$$= 5 + 5 + 5^2 - |-5|$$
$$= 5 + 25 = 30$$

0018

STEP Ⓐ 거듭제곱근의 성질을 이용하여 계산하기

① $(\sqrt[4]{4})^2 = \sqrt[4]{2^4} = 2$ [참]

② $\dfrac{\sqrt[3]{20}}{\sqrt[3]{5}} = \sqrt[3]{\dfrac{20}{5}} = \sqrt[3]{4}$ [참]

③ $\sqrt[3]{2} \times \sqrt[5]{2} \neq \sqrt[15]{2}$ [거짓]

④ $\sqrt[3]{\sqrt{2}} = \sqrt[3 \times 2]{2} = \sqrt[6]{2}$ [참]

⑤ $\sqrt[4]{125} \times \sqrt{\sqrt{5}} = \sqrt[4]{5^3} \times \sqrt[4]{5} = \sqrt[4]{5^3 \cdot 5} = \sqrt[4]{5^4} = 5$ [참]

따라서 옳지 않은 것은 ③이다.

내/신/연/계/ 출제문항 007

다음 중 옳지 않은 것은?

① $\sqrt{\sqrt[3]{729}} = 3$

② $\sqrt[3]{9} \times \sqrt[3]{81} = 9$

③ $\sqrt[7]{-128} + \sqrt[3]{\sqrt{64}} = 0$

④ $\sqrt[18]{8^2} \times \sqrt[6]{2} = 2$

⑤ $\sqrt{(-2)^2} + \sqrt[3]{(-3)^3} + \sqrt[4]{(-4)^4} + \sqrt[5]{(-5)^5} = -2$

STEP Ⓐ $\sqrt[n]{a^n}$의 성질을 이용하여 계산하기

① $\sqrt{\sqrt[3]{729}} = \sqrt{\sqrt[3]{3^6}} = \sqrt[6]{3^6} = 3$ [참]

② $\sqrt[3]{9} \times \sqrt[3]{81} = \sqrt[3]{3^2} \times \sqrt[3]{3^4} = \sqrt[3]{3^6} = 3^2 = 9$ [참]

③ $\sqrt[7]{-128} + \sqrt[3]{\sqrt{64}} = \sqrt[7]{(-2)^7} + \sqrt[6]{2^6} = -2 + 2 = 0$ [참]

④ $\sqrt[18]{8^2} \times \sqrt[6]{2} = \sqrt[18]{2^6} \times \sqrt[6]{2} = \sqrt[6]{2^2} \times \sqrt[6]{2} = \sqrt[6]{2^3} = \sqrt{2}$ [거짓]

⑤ $\sqrt{(-2)^2} + \sqrt[3]{(-3)^3} + \sqrt[4]{(-4)^4} + \sqrt[5]{(-5)^5}$
$= |-2| + (-3) + |-4| + (-5)$
$= 2 + (-3) + 4 + (-5)$
$= -1 - 1 = -2$ [참]

0019

STEP Ⓐ 거듭제곱근의 성질을 이용하여 계산하기

ㄱ. $\sqrt[3]{-8} + \sqrt[3]{2}\sqrt[3]{4} + \sqrt{\sqrt[3]{64}} = \sqrt[3]{(-2)^3} + \sqrt[3]{2 \cdot 4} + \sqrt[6]{2^6}$
$= -2 + \sqrt[3]{2^3} + 2$
$= -2 + 2 + 2 = 2$ [참]

ㄴ. $\sqrt[6]{27} \times \sqrt[12]{9} \div \sqrt[6]{81} = \dfrac{\sqrt[6]{27} \cdot \sqrt[12]{9}}{\sqrt[6]{81}}$
$= \dfrac{\sqrt[6]{27} \cdot \sqrt[6]{3}}{\sqrt[3]{9}} = \dfrac{\sqrt[6]{27 \cdot 3}}{\sqrt[3]{9}}$
$= \dfrac{\sqrt[6]{3^4}}{\sqrt[3]{3^2}} = \dfrac{\sqrt[3]{3^2}}{\sqrt[3]{3^2}} = 1$ [참]

ㄷ. $\sqrt[3]{8^2} \times \sqrt{9^{-3}} \div \sqrt{\sqrt{81^{-3}}} = \sqrt[3]{2^6} \times \sqrt{3^{-6}} \div \sqrt[4]{3^{-12}}$
$= 2^2 \times 3^{-3} \div 3^{-3}$
$= 4 \times \dfrac{1}{27} \div \dfrac{1}{27}$
$= 4$ [참]

따라서 옳은 것은 ㄱ, ㄴ, ㄷ이다.

0020

정답 ⑤

STEP Ⓐ **거듭제곱근의 성질을 이용하여 계산하기**

$\sqrt[3]{a}=4$에서 $a=2^6$이고

$\sqrt[4]{b}=27$에서 $b=3^{12}$이므로

$\sqrt[6]{a\sqrt{b}}=\sqrt[6]{a\sqrt[12]{b}}=\sqrt[6]{2^6}\sqrt[12]{3^{12}}=2\cdot3=6$

> **참고** $\sqrt[6]{a\sqrt{b}}=\sqrt[6]{a\sqrt[12]{b}}=\sqrt[3]{\sqrt{a}}\times\sqrt[3]{\sqrt[4]{b}}=\sqrt[3]{4}\cdot\sqrt[3]{27}=\sqrt[3]{2^2}\cdot\sqrt[3]{3^3}=2\cdot3=6$

내/신/연/계/ 출제문항 008

$\sqrt[3]{a\sqrt{a}\times\dfrac{a}{\sqrt[4]{a}}}=\sqrt[m]{a^n}$을 만족하는 서로소인 자연수 m, n에 대하여 mn값은? (단, $a>0$, $m\neq1$)

① 4   ② 6   ③ 8
④ 10   ⑤ 12

STEP Ⓐ **거듭제곱근 계산하기**

$$\sqrt[3]{a\sqrt{a}\times\dfrac{a}{\sqrt[4]{a}}}=\sqrt[3]{\sqrt{a^3}\times\sqrt[4]{a^3}}=\sqrt[6]{a^3}\times\sqrt[12]{a^3}$$
$$=\sqrt[12]{a^6}\times\sqrt[12]{a^3}$$
$$=\sqrt[12]{a^9}=\sqrt[4]{a^3}$$

따라서 $m=4$, $n=3$이므로 $m\cdot n=12$

정답 ⑤

0021

정답 ⑤

STEP Ⓐ **거듭제곱근의 성질을 이용하여 진위 판단하기**

ㄱ. $R(6, 3)=\sqrt[6]{3}=\sqrt[3]{\sqrt{3}}=R(3, \sqrt{3})$ [참]

ㄴ. $R(3, a)R(3, b)=\sqrt[3]{a}\sqrt[3]{b}=\sqrt[3]{ab}=R(3, ab)$ [참]

ㄷ. $R(a, a)=R(3a, 64)$에서 $\sqrt[a]{a}=\sqrt[3a]{64}=\sqrt[a]{4}$

∴ $a=4$ [참]

ㄹ. $R(a, R(a, b))=\sqrt[a]{\sqrt[a]{b}}=\sqrt[a^2]{b}=R(a^2, b)$ [참]

따라서 옳은 것은 ㄱ, ㄴ, ㄷ, ㄹ이다.

0022

정답 ③

STEP Ⓐ **지수법칙을 적용할 때, 지수의 범위에 따른 밑 조건 구하기**

a^x	지수 x의 범위	자연수	정수	유리수	실수
	밑 a의 조건	실수	$a\neq0$	$a>0$	$a>0$

지수가 자연수일 때는 밑이 모든 실수에서 정의된다.
지수가 정수일 때는 밑이 $a\neq0$일 때, 정의된다.
지수가 유리수일 때는 밑이 $a>0$일 때, 정의된다.
지수가 실수일 때는 밑이 $a>0$일 때, 정의된다.
따라서 바르게 연결한 것은 ③이다.

0023

정답 ①

STEP Ⓐ **밑을 2로 같게 한 후 지수법칙을 이용하여 계산하기**

$8^{-\frac{3}{2}}\times4^{\frac{5}{4}}=(2^3)^{-\frac{3}{2}}\times(2^2)^{\frac{5}{4}}=2^{-\frac{9}{2}}\times2^{\frac{5}{2}}=2^{-\frac{9}{2}+\frac{5}{2}}=2^{-2}=\dfrac{1}{2^2}=\dfrac{1}{4}$

0024

정답 ⑤

STEP Ⓐ **지수법칙을 이용하여 식을 간단히 하기**

① $2^0\times9^{\frac{1}{2}}=1\times(3^2)^{\frac{1}{2}}=3$ [참]

② $4^{\frac{3}{2}}\times4^{-1}=4^{\frac{3}{2}-1}=4^{\frac{1}{2}}=(2^2)^{\frac{1}{2}}=2$ [참]

③ $4^{\frac{3}{2}}\times27^{\frac{1}{3}}=(2^2)^{\frac{3}{2}}\times(3^3)^{\frac{1}{3}}=8\times3=24$ [참]

④ $\sqrt[3]{2}\times16^{\frac{2}{3}}=2^{\frac{1}{3}}\times2^{\frac{8}{3}}=2^{\frac{1}{3}+\frac{8}{3}}=2^3=8$ [참]

⑤ $\{(-5)^2\}^{\frac{1}{2}}=(|-5|^2)^{\frac{1}{2}}=5$ [거짓]

따라서 옳지 않은 것은 ⑤이다.

내/신/연/계/ 출제문항 009

다음 중 옳지 않은 것은?

① $16^{\frac{3}{4}}\times2^{-3}=1$ ② $4^{-\frac{3}{2}}\times8^{\frac{5}{3}}=4$ ③ $(4^{\frac{3}{4}})^{\frac{2}{3}}=2$
④ $8^{\frac{1}{3}}+9^{\frac{1}{2}}=5$ ⑤ $\{(-2)^4\}^{\frac{1}{2}}\times(3^{\frac{1}{3}})^6=-36$

STEP Ⓐ **지수법칙을 이용하여 식을 간단히 하기**

① $16^{\frac{3}{4}}\times2^{-3}=(2^4)^{\frac{3}{4}}\times2^{-3}=2^3\times2^{-3}=8\times\dfrac{1}{8}=1$ [참]

② $4^{-\frac{3}{2}}\times8^{\frac{5}{3}}=(2^2)^{-\frac{3}{2}}\times(2^3)^{\frac{5}{3}}=2^{-3}\times2^5=2^2=4$ [참]

③ $(4^{\frac{3}{4}})^{\frac{2}{3}}=4^{\frac{3}{4}\cdot\frac{2}{3}}=4^{\frac{1}{2}}=(2^2)^{\frac{1}{2}}=2^1=2$ [참]

④ $8^{\frac{1}{3}}+9^{\frac{1}{2}}=(2^3)^{\frac{1}{3}}+(3^2)^{\frac{1}{2}}=2+3=5$ [참]

⑤ $\{(-2)^4\}^{\frac{1}{2}}\times(3^{\frac{1}{3}})^6=(|-2|^4)^{\frac{1}{2}}\times(3^{\frac{1}{3}})^6=2^2\times3^2=36$ [거짓]

따라서 옳지 않은 것은 ⑤이다.

정답 ⑤

0025

정답 ①

STEP Ⓐ **3의 5제곱근 중 실수인 것 구하기**

a는 3의 5제곱근 중 실수인 것이므로 $a^5=3$

STEP Ⓑ **지수법칙을 이용하여 식을 정리하기**

따라서 $\left(a^{-\frac{\sqrt{2}}{4}}\right)^{\frac{\sqrt{2}}{2}}\div a^{\frac{1}{4}}\times a^3=a^{-\frac{\sqrt{2}}{4}\times\frac{\sqrt{2}}{2}-\frac{1}{4}+3}=a^{-\frac{1}{4}-\frac{1}{4}+3}=a^{\frac{5}{2}}$
$$=(a^5)^{\frac{1}{2}}$$
$$=3^{\frac{1}{2}}$$
$$=\sqrt{3}$$

내/신/연/계/ 출제문항 010

$\sqrt{\sqrt[3]{64^2}}\times32^{-\frac{1}{5}}\div(8^{\frac{2}{3}})^{-\frac{1}{4}}=2^k$을 만족시키는 실수 k의 값은?

① $\dfrac{4}{9}$ ② $\dfrac{9}{5}$ ③ $\dfrac{4}{5}$
④ $\dfrac{3}{2}$ ⑤ $\dfrac{2}{3}$

STEP Ⓐ **지수법칙을 이용하여 밑을 통일시키고 식을 간단히 하기**

$\sqrt{\sqrt[3]{64^2}}\times32^{-\frac{1}{5}}\div(8^{\frac{2}{3}})^{-\frac{1}{4}}=(2^{12})^{\frac{1}{6}}\times(2^5)^{-\frac{1}{5}}\div(2^2)^{-\frac{1}{4}}$
$$=2^2\times2^{-1}\div2^{-\frac{1}{2}}$$
$$=2^{2-1+\frac{1}{2}}=2^{\frac{3}{2}}$$

STEP Ⓑ **k의 값 구하기**

따라서 $2^{\frac{3}{2}}=2^k$이므로 $k=\dfrac{3}{2}$

정답 ④

0026

STEP Ⓐ **지수법칙을 이용하여 식을 간단히 하기**

$$a=\sqrt[3]{32}\times\sqrt[3]{54}=\sqrt[3]{2^5}\times\sqrt[3]{2\cdot3^3}=\sqrt[3]{2^6\times3^3}$$
$$=\sqrt[3]{2^6}\times\sqrt[3]{3^3}$$
$$=2^2\times3$$

$$b=8^{\frac{5}{3}}\times27^{-\frac{5}{3}}=(2^3)^{\frac{5}{3}}\times(3^3)^{-\frac{5}{3}}=2^5\times3^{-5}$$

$$c=\left\{\left(\frac{4}{9}\right)^{-\frac{2}{3}}\right\}^{\frac{9}{4}}=\left\{\left(\frac{2}{3}\right)^{-\frac{4}{3}}\right\}^{\frac{9}{4}}=\left(\frac{2}{3}\right)^{-3}=2^{-3}\times3^3$$

STEP Ⓑ **abc의 값 구하기**

따라서 $abc=(2^2\times3)\times(2^5\times3^{-5})\times(2^{-3}\times3^3)$
$$=2^{2+5-3}\times3^{1-5+3}$$
$$=2^4\times3^{-1}=\frac{16}{3}$$

내/신/연/계 출제문항 011

다음 조건을 만족하는 상수 a, b에 대하여 ab의 값은?

$$a=\left\{\left(\frac{27}{8}\right)^{-\frac{4}{9}}\right\}^{\frac{3}{2}}$$
$$b=\left\{\left(\frac{25}{81}\right)^{\frac{3}{4}}\right\}^{\frac{2}{3}}\times\left\{\left(\frac{5}{9}\right)^{-\frac{4}{3}}\right\}^{\frac{3}{2}}$$

① $\dfrac{4}{9}$ ② $\dfrac{9}{5}$ ③ $\dfrac{4}{5}$

④ $\dfrac{3}{2}$ ⑤ $\dfrac{2}{3}$

STEP Ⓐ **지수법칙을 이용하여 식을 간단히 하기**

$a=\left\{\left(\frac{27}{8}\right)^{-\frac{4}{9}}\right\}^{\frac{3}{2}}=\left(\frac{3}{2}\right)^{3\cdot(-\frac{4}{9})\cdot\frac{3}{2}}=\left(\frac{3}{2}\right)^{-2}=\frac{4}{9}$

$b=\left\{\left(\frac{25}{81}\right)^{\frac{3}{4}}\right\}^{\frac{2}{3}}\times\left\{\left(\frac{5}{9}\right)^{-\frac{4}{3}}\right\}^{\frac{3}{2}}=\left(\frac{5}{9}\right)^{2\cdot\frac{3}{4}\cdot\frac{2}{3}}\times\left(\frac{5}{9}\right)^{-\frac{4}{3}\cdot\frac{3}{2}}$
$$=\left(\frac{5}{9}\right)^{1-2}=\left(\frac{5}{9}\right)^{-1}=\frac{9}{5}$$

따라서 $ab=\dfrac{4}{9}\cdot\dfrac{9}{5}=\dfrac{4}{5}$

정답 ③

0027

정답 ②

STEP Ⓐ **지수법칙을 이용하여 지수를 통일시키고 식을 간단히 하기**

$3\times2^{x+1}-5\times2^x=4$에서
$2^x(3\times2-5)=2^x=4$
즉 $4^x=16$ $\cdots\cdots$ ㉠

$4^y-2\times4^{y-1}=1$에서
$4^y\left(1-2\times\dfrac{1}{4}\right)=1$, $4^y\times\dfrac{1}{2}=1$
즉 $4^y=2$ $\cdots\cdots$ ㉡

따라서 ㉠÷㉡을 하면 $4^{x-y}=8$

0028

정답 ④

STEP Ⓐ **근과 계수의 관계를 이용하여 주어진 식의 값 구하기**

이차방정식 $x^2+5x+1=0$의 두 근을 각각 α, β라 하면
근과 계수의 관계에 의하여 $\alpha+\beta=-5$, $\alpha\beta=1$

STEP Ⓑ **지수법칙을 이용하여 식의 값 구하기**

따라서 $\dfrac{(2\cdot2^\alpha)^\beta}{2^\alpha\cdot4^\beta}=\dfrac{2^\beta\cdot2^{\alpha\beta}}{2^\alpha\cdot2^{2\beta}}=2^{\alpha\beta+\beta-2\beta-\alpha}$
$$=2^{\alpha\beta-(\alpha+\beta)}$$
$$=2^{1-(-5)}$$
$$=2^6$$
$$=64$$

내/신/연/계 출제문항 012

이차방정식 $x^2-2x-2=0$의 두 실근을 α, β라고 할 때,
$\left(\dfrac{2^\beta}{2^\alpha}\right)^{\sqrt{3}}-\left(\dfrac{1}{2^\alpha}\right)^\beta$의 값은? (단, $\alpha<\beta$)

① 30   ② 45   ③ 60
④ 74   ⑤ 90

STEP Ⓐ **근과 계수의 관계를 이용하여 주어진 식의 값 구하기**

이차방정식 $x^2-2x-2=0$의 두 근을 각각 α, β라 하면
근과 계수의 관계에 의하여 $\alpha+\beta=2$, $\alpha\beta=-2$
$\beta-\alpha=\sqrt{(\alpha+\beta)^2-4\alpha\beta}=\sqrt{4-4\cdot(-2)}=2\sqrt{3}$ $(\because\beta>\alpha)$

STEP Ⓑ **지수법칙을 이용하여 식의 값 구하기**

따라서 $\left(\dfrac{2^\beta}{2^\alpha}\right)^{\sqrt{3}}-\left(\dfrac{1}{2^\alpha}\right)^\beta=(2^{\beta-\alpha})^{\sqrt{3}}-2^{-\alpha\beta}$
$$=(2^{2\sqrt{3}})^{\sqrt{3}}-2^{-(-2)}$$
$$=2^6-2^2$$
$$=64-4=60$$

정답 ③

0029

정답 ②

STEP Ⓐ **지수법칙을 이용하여 식을 간단히 하기**

$(2^a)^{b+c}\times(2^b)^{c+a}\times(2^c)^{a+b}$
$=2^{ab+ac}\times2^{bc+ba}\times2^{ca+cb}$
$=2^{ab+ac+bc+ba+ca+cb}$
$=2^{2(ab+bc+ca)}$ $\cdots\cdots$ ㉠

STEP Ⓑ **곱셈법칙을 이용하여 식의 값 구하기**

이때 $a^2+b^2+c^2=(a+b+c)^2-2(ab+bc+ca)$이므로
$12=(\sqrt{10})^2-2(ab+bc+ca)$
$\therefore 2(ab+bc+ca)=10-12=-2$
따라서 ㉠에서 $(2^a)^{b+c}\times(2^b)^{c+a}\times(2^c)^{a+b}=2^{-2}=\dfrac{1}{4}$

세 실수 a, b, c에 대하여
$$a^2+b^2+c^2=13, \quad a+b+c=4$$
일 때, $(2^a)^{b+c} \times (2^b)^{c+a} \times (2^c)^{a+b}$의 값은?

① 2　　　　　② 4　　　　　③ 8
④ 16　　　　　⑤ 32

STEP Ⓐ 지수법칙을 이용하여 식을 간단히 하기

$(2^a)^{b+c} \times (2^b)^{c+a} \times (2^c)^{a+b}$
$= 2^{ab+ac} \times 2^{bc+ba} \times 2^{ca+cb}$
$= 2^{ab+ac+bc+ba+ca+cb}$
$= 2^{2(ab+bc+ca)}$　　　　……㉠

STEP Ⓑ 곱셈법칙을 이용하여 식의 값 구하기

이때 $a^2+b^2+c^2=(a+b+c)^2-2(ab+bc+ca)$이므로
$13=4^2-2(ab+bc+ca)$
$\therefore 2(ab+bc+ca)=16-13=3$
따라서 ㉠에서 $(2^a)^{b+c} \times (2^b)^{c+a} \times (2^c)^{a+b}=2^3=8$

정답 ③

0030

정답 ③

STEP Ⓐ 지수법칙을 이용하여 식을 정리하기

$a_1 \times a_2 \times a_3 \times \cdots \times a_{50} = 2^{\frac{1}{1 \cdot 2}} \times 2^{\frac{1}{2 \cdot 3}} \times 2^{\frac{1}{3 \cdot 4}} \times \cdots \times 2^{\frac{1}{50 \cdot 51}}$
$= 2^{\frac{1}{1 \cdot 2} + \frac{1}{2 \cdot 3} + \cdots + \frac{1}{50 \cdot 51}}$

STEP Ⓑ 부분분수를 이용하여 식을 간단히 하기

$a_1 \times a_2 \times a_3 \times \cdots \times a_{50} = 2^{\left(1-\frac{1}{2}\right)+\left(\frac{1}{2}-\frac{1}{3}\right)+\cdots+\left(\frac{1}{50}-\frac{1}{51}\right)}$
$= 2^{1-\frac{1}{51}}$
$= 2^{\frac{50}{51}}$
따라서 $p=50$, $q=51$이므로 $p+q=101$

$\sqrt[m]{\sqrt[n]{3}} = 3^{f(m, n)}$을 만족하는 $f(m, n)$에 대하여
$$a=3^{f(1, 2)} \times 3^{f(2, 3)} \times 3^{f(3, 4)} \times \cdots \times 3^{f(9, 10)}$$
일 때, $\sqrt[9]{a^{10}}$의 값은?

① $\sqrt[3]{3}$　　　　　② $\sqrt[3]{9}$　　　　　③ 3
④ $2\sqrt[3]{3}$　　　　　⑤ $3\sqrt[3]{3}$

STEP Ⓐ 지수법칙을 이용하여 식을 정리하기

$\sqrt[m]{\sqrt[n]{3}} = \sqrt[mn]{3} = 3^{\frac{1}{mn}}$이므로
$f(m, n) = \dfrac{1}{mn} = \dfrac{1}{n-m}\left(\dfrac{1}{m}-\dfrac{1}{n}\right)$
$a=3^{f(1, 2)} \times 3^{f(2, 3)} \times 3^{f(3, 4)} \times \cdots \times 3^{f(9, 10)}$
$= 3^{\frac{1}{1 \cdot 2}} \times 3^{\frac{1}{2 \cdot 3}} \times 3^{\frac{1}{3 \cdot 4}} \times \cdots \times 3^{\frac{1}{9 \cdot 10}}$
$= 3^{\frac{1}{1 \cdot 2} + \frac{1}{2 \cdot 3} + \frac{1}{3 \cdot 4} + \cdots + \frac{1}{9 \cdot 10}}$
$= 3^{\left(1-\frac{1}{2}\right)+\left(\frac{1}{2}-\frac{1}{3}\right)+\left(\frac{1}{3}-\frac{1}{4}\right)+\cdots+\left(\frac{1}{9}-\frac{1}{10}\right)}$
$= 3^{1-\frac{1}{10}} = 3^{\frac{9}{10}}$

STEP Ⓑ 부분분수를 이용하여 $\sqrt[9]{a^{10}}$의 값 구하기

따라서 $\sqrt[9]{a^{10}} = a^{\frac{10}{9}} = \left(3^{\frac{9}{10}}\right)^{\frac{10}{9}} = 3$

정답 ③

0031

정답 ③

STEP Ⓐ 분모를 유리화하기

$\dfrac{1}{\sqrt{n+1}+\sqrt{n}} = \dfrac{\sqrt{n+1}-\sqrt{n}}{(\sqrt{n+1}+\sqrt{n})(\sqrt{n+1}-\sqrt{n})}$
$= \sqrt{n+1}-\sqrt{n}$

이므로 $a_n = 2^{\sqrt{n+1}-\sqrt{n}}$

STEP Ⓑ 지수법칙을 이용하여 k의 값 구하기

$a_1 \times a_2 \times a_3 \times \cdots \times a_{48}$
$= 2^{\sqrt{2}-1} \times 2^{\sqrt{3}-\sqrt{2}} \times 2^{\sqrt{4}-\sqrt{3}} \times \cdots \times 2^{\sqrt{49}-\sqrt{48}}$
$= 2^{(\sqrt{2}-1)+(\sqrt{3}-\sqrt{2})+(\sqrt{4}-\sqrt{3})+\cdots+(\sqrt{49}-\sqrt{48})}$
$= 2^{\sqrt{49}-1}$
$= 2^{7-1}$
$= 2^6$
따라서 $k=6$

0032

정답 ⑤

STEP Ⓐ 거듭제곱근의 꼴을 유리수인 지수의 꼴로 바꾸어 계산하기

$\sqrt{3\sqrt[4]{27}} = (3 \times 27^{\frac{1}{4}})^{\frac{1}{2}} = (3^{1+\frac{3}{4}})^{\frac{1}{2}} = (3^{\frac{7}{4}})^{\frac{1}{2}} = 3^{\frac{7}{8}}$
따라서 $p=8$, $q=7$이므로 $p+q=7+8=15$

0033

정답 ③

STEP Ⓐ 거듭제곱근의 꼴을 유리수인 지수의 꼴로 바꾸어 계산하기

$\sqrt{a\sqrt[3]{a^4}} = \sqrt{a} \times \sqrt[6]{a^4} = a^{\frac{1}{2}} \times a^{\frac{4}{6}} = a^{\frac{1}{2}+\frac{2}{3}} = a^{\frac{7}{6}}$
$\sqrt[3]{a\sqrt{a^k}} = \sqrt[3]{a} \times \sqrt[6]{a^k} = a^{\frac{1}{3}} \times a^{\frac{k}{6}} = a^{\frac{1}{3}+\frac{k}{6}} = a^{\frac{2+k}{6}}$
따라서 $\dfrac{7}{6} = \dfrac{2+k}{6}$이므로 $k=5$

$a>0$, $a \neq 1$인 실수 a에 대하여 등식
$$\sqrt{a\sqrt[3]{a\sqrt[4]{a}}} = \sqrt[4]{a\sqrt[3]{a^k}}$$
을 만족하는 실수 k의 값은?

① 3　　　　　② $\dfrac{7}{2}$　　　　　③ 5
④ $\dfrac{11}{2}$　　　　　⑤ 6

STEP Ⓐ 거듭제곱근의 꼴을 유리수인 지수의 꼴로 바꾸어 계산하기

$\sqrt{a\sqrt[3]{a\sqrt[4]{a}}} = \sqrt{a} \times \sqrt[6]{a\sqrt[4]{a}} = \sqrt{a} \times \sqrt[6]{a} \times \sqrt[24]{a}$
$= a^{\frac{1}{2}} \times a^{\frac{1}{6}} \times a^{\frac{1}{24}}$
$= a^{\frac{1}{2}+\frac{1}{6}+\frac{1}{24}}$
$= a^{\frac{17}{24}}$

$\sqrt[4]{a\sqrt[3]{a^k}} = \sqrt[4]{a} \times \sqrt[12]{a^k} = a^{\frac{1}{4}} \times a^{\frac{k}{12}} = a^{\frac{k+3}{12}}$

따라서 $\dfrac{17}{24} = \dfrac{k+3}{12}$이므로 $17=2k+6$　$\therefore k=\dfrac{11}{2}$

정답 ④

0034 정답 ①

STEP A 거듭제곱근을 유리수인 지수로 나타내어 계산하기

$$\sqrt[3]{a\sqrt{a}}\times\sqrt[4]{a\sqrt[3]{a}}=\sqrt[3]{a\sqrt[6]{a}}\times\sqrt[4]{a\sqrt[12]{a}}=a^{\frac{1}{3}}\cdot a^{\frac{1}{6}}\times a^{\frac{1}{4}}\cdot a^{\frac{1}{12}}$$
$$=a^{\frac{1}{3}+\frac{1}{6}}\times a^{\frac{1}{4}+\frac{1}{12}}$$
$$=a^{\frac{1}{2}}\times a^{\frac{1}{3}}$$
$$=a^{\frac{1}{2}+\frac{1}{3}}=a^{\frac{5}{6}}$$

따라서 $k=\dfrac{5}{6}$

0035 정답 ⑤

STEP A 거듭제곱근의 꼴을 유리수 지수의 꼴로 바꾸어 계산하기

$\sqrt[3]{a\times\sqrt{a}\times\sqrt[4]{a^3}}\div\sqrt[6]{a\times\sqrt[3]{a^k}}=1$에서

$$\left(a\times a^{\frac{1}{2}}\times a^{\frac{3}{4}}\right)^{\frac{1}{3}}\div\left(a\times a^{\frac{k}{3}}\right)^{\frac{1}{6}}=1$$

$$\left(a^{1+\frac{1}{2}+\frac{3}{4}}\right)^{\frac{1}{3}}\div\left(a^{1+\frac{k}{3}}\right)^{\frac{1}{6}}=1$$

이때 $a^{\frac{3}{4}-\frac{3+k}{18}}=1$에서 $\dfrac{3}{4}-\dfrac{3+k}{18}=0$

따라서 $k=\dfrac{21}{2}$

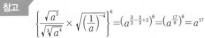

$a>0,\ a\neq1$에 대하여

$$\left\{\frac{\sqrt{a^3}}{\sqrt[3]{\sqrt{a^4}}}\times\sqrt{\left(\frac{1}{a}\right)^{-4}}\right\}^6=a^k$$

일 때, 상수 k의 값은?

① 13   ② 15   ③ 17
④ 19   ⑤ 21

STEP A 거듭제곱근을 유리수인 지수로 나타내어 계산하기

$$\left\{\frac{\sqrt{a^3}}{\sqrt[3]{\sqrt{a^4}}}\times\sqrt{\left(\frac{1}{a}\right)^{-4}}\right\}^6=\left\{\frac{\sqrt{a^3}}{\sqrt[6]{a^4}}\times\sqrt{a^4}\right\}^6=\left\{\frac{\sqrt{a^3\cdot a^4}}{\sqrt[6]{a^4}}\right\}^6$$
$$=\left\{\frac{\sqrt[6]{a^{21}}}{\sqrt[6]{a^4}}\right\}^6=\left\{\sqrt[6]{\frac{a^{21}}{a^4}}\right\}^6$$
$$=\left\{\sqrt[6]{a^{17}}\right\}^6$$
$$=a^{17}$$

따라서 $k=17$ 정답 ③

참고
$$\left\{\frac{\sqrt{a^3}}{\sqrt[3]{\sqrt{a^4}}}\times\sqrt{\left(\frac{1}{a}\right)^{-4}}\right\}^6=\left(a^{\frac{3}{2}-\frac{2}{3}+2}\right)^6=\left(a^{\frac{17}{6}}\right)^6=a^{17}$$

0036 정답 ①

STEP A 거듭제곱근을 유리수인 지수로 나타내어 계산하기

$$\sqrt{\sqrt[3]{a^2b^4}}\div\sqrt[3]{a^2b^4}\times\sqrt{a^8\sqrt[3]{b^4}}=\sqrt[6]{a^2\sqrt[6]{b^4}}\div\sqrt[3]{a^2\sqrt[3]{b^4}}\times\sqrt[6]{a^8\sqrt[6]{b^4}}$$
$$=a^{\frac{2}{6}}b^{\frac{4}{6}}\div a^{\frac{2}{3}}b^{\frac{4}{3}}\times a^{\frac{8}{6}}b^{\frac{4}{6}}$$
$$=a^{\frac{1}{3}-\frac{2}{3}+\frac{4}{3}}b^{\frac{2}{3}-\frac{4}{3}+\frac{2}{3}}$$
$$=a^1b^0$$
$$=a$$

0037 정답 ③

STEP A 거듭제곱근을 유리수인 지수로 나타내어 계산하기

$$6^{\frac{1}{2}}\times12^{-\frac{1}{4}}\div\sqrt[4]{\sqrt{\frac{1}{9}}}=2^{\frac{1}{2}}3^{\frac{1}{2}}\times(2^2)^{-\frac{1}{4}}3^{-\frac{1}{4}}\div\sqrt[8]{\left(\frac{1}{3}\right)^2}$$
$$=2^{\frac{1}{2}}3^{\frac{1}{2}}\times(2^2)^{-\frac{1}{4}}3^{-\frac{1}{4}}\div3^{-\frac{1}{4}}$$
$$=2^{\frac{1}{2}-\frac{1}{2}}\times3^{\frac{1}{2}-\frac{1}{4}+\frac{1}{4}}$$
$$=2^0\times3^{\frac{1}{2}}$$
$$=\sqrt{3}$$

0038 정답 ②

STEP A 거듭제곱근을 유리수인 지수로 나타내어 계산하기

$$\sqrt{\sqrt{16^3}}\times8^{-\frac{1}{3}}\div\left(64^{\frac{2}{3}}\right)^{-\frac{1}{4}}=\sqrt[4]{(2^4)^3}\times(2^3)^{-\frac{1}{3}}\div\left\{(2^6)^{\frac{2}{3}}\right\}^{-\frac{1}{4}}$$
$$=2^3\times2^{-1}\div2^{-1}$$
$$=2^{3-1+1}$$
$$=2^3$$

따라서 $k=3$

0039 정답 ⑤

STEP A 거듭제곱근을 유리수인 지수로 나타내어 계산하기

$$\sqrt[3]{\frac{\sqrt[4]{a}}{\sqrt[3]{a}}}\times\sqrt{\frac{\sqrt[k]{a}}{\sqrt[6]{a}}}=\sqrt[18]{\frac{1}{a}}$$에서

$$\left(a^{\frac{1}{4}-\frac{1}{3}}\right)^{\frac{1}{3}}\times\left(a^{\frac{1}{k}-\frac{1}{6}}\right)^{\frac{1}{2}}=a^{-\frac{1}{18}}$$이므로

$$a^{\frac{1}{12}-\frac{1}{9}+\frac{1}{2k}-\frac{1}{12}}=a^{-\frac{1}{18}},\ a^{\frac{1}{2k}-\frac{1}{9}}=a^{-\frac{1}{18}}$$

따라서 $\dfrac{1}{2k}-\dfrac{1}{9}=-\dfrac{1}{18}$에서 $k=9$

0040 정답 ④

STEP A 이차방정식의 근과 계수의 관계를 이용하여 식 작성하기

x에 대한 이차방정식 $x^2-\sqrt[3]{81}\,x+a=0$의 두 근이 $\sqrt[3]{3}$과 b이므로
이차방정식의 근과 계수의 관계에 의하여

$$\sqrt[3]{3}+b=\sqrt[3]{81},\ \sqrt[3]{3}b=a$$

STEP B 거듭제곱근의 성질을 이용하여 a, b의 값 구하기

$$b=\sqrt[3]{81}-\sqrt[3]{3}=\sqrt[3]{3^4}-\sqrt[3]{3}=3\sqrt[3]{3}-\sqrt[3]{3}=2\sqrt[3]{3}$$

$$a=\sqrt[3]{3}b=\sqrt[3]{3}\times2\sqrt[3]{3}=2\sqrt[3]{3^2}$$

따라서 $ab=2\sqrt[3]{3^2}\times2\sqrt[3]{3}=4\sqrt[3]{3^3}$ ← $\sqrt[3]{3^2\times3^1}$
$$=4\times3$$
$$=12$$

그림과 같이 직선 $x=2\sqrt[3]{2}$가 x축 및 곡선 $y=\sqrt{2x}$와 만나는 점을 각각 A, B라 하자. 삼각형 OAB의 넓이를 S라 할 때, S^2의 값은? (단, O는 원점이다.)

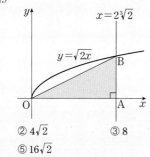

① 4   ② $4\sqrt{2}$ ③ 8

④ $8\sqrt{2}$ ⑤ $16\sqrt{2}$

STEP Ⓐ **거듭제곱근의 꼴을 유리수인 지수의 꼴로 바꾸어 계산하기**

$\overline{OA}=2\sqrt[3]{2}$, $\overline{AB}=\sqrt{2\times2\sqrt[3]{2}}$ 이므로

$$S=\frac{1}{2}\times\overline{OA}\times\overline{AB}=\frac{1}{2}\times2\sqrt[3]{2}\times\sqrt{2\times2\sqrt[3]{2}}$$
$$=2\sqrt[3]{2}\sqrt[6]{2}$$
$$=2^{1+\frac{1}{3}+\frac{1}{6}}=2^{\frac{3}{2}}$$

따라서 $S^2=\left(2^{\frac{3}{2}}\right)^2=2^3=8$

〔정답〕 ③

0041

〔정답〕 ⑤

STEP Ⓐ **유리수인 지수가 정수가 되기 위한 조건 구하기**

$\left(\frac{1}{64}\right)^{-\frac{1}{n}}=64^{\frac{1}{n}}=(2^6)^{\frac{1}{n}}=2^{\frac{6}{n}}$ 이고 주어진 수가 자연수가 되려면 $\frac{6}{n}$ 의 값이 자연수가 되어야 하므로 n은 6의 양의 약수이다.

따라서 이를 만족시키는 정수 n의 값은 1, 2, 3, 6이므로 $1+2+3+6=12$

$\left(\frac{1}{32}\right)^{-\frac{2}{n}}$ 이 자연수가 되도록 하는 모든 정수 n의 합은?

① 9   ② 12   ③ 15

④ 18   ⑤ 21

STEP Ⓐ **유리수인 지수가 정수가 되기 위한 조건 구하기**

$\left(\frac{1}{32}\right)^{-\frac{2}{n}}=32^{\frac{2}{n}}=(2^5)^{\frac{2}{n}}=2^{\frac{10}{n}}$ 이고

주어진 수가 자연수가 되려면 $\frac{10}{n}$ 이 자연수이어야 하므로

n은 10의 양의 약수이다.

따라서 n의 값은 1, 2, 5, 10이므로 합은 $1+2+5+10=18$

〔정답〕 ④

0042

〔정답〕 ②

STEP Ⓐ **유리수인 지수로 나타내기**

$a^3=3$, $b^4=5$, $c^6=7$에서 $a=3^{\frac{1}{3}}$, $b=5^{\frac{1}{4}}$, $c=7^{\frac{1}{6}}$이므로

$(abc)^n=\left(3^{\frac{1}{3}}\times5^{\frac{1}{4}}\times7^{\frac{1}{6}}\right)^n=3^{\frac{n}{3}}\times5^{\frac{n}{4}}\times7^{\frac{n}{6}}$

STEP Ⓑ **$(abc)^n$가 자연수가 되도록 하는 n의 최솟값 구하기**

$(abc)^n$이 자연수가 되려면 자연수 n은 3, 4, 6의 공배수이어야 하므로

n의 최솟값은 12이다.

양수 a, b, c에 대하여

$$a^2=7, \ b^5=13, \ c^6=15$$

일 때, $(abc)^n$이 자연수가 되도록 하는 자연수 n의 최솟값은?

① 6   ② 12   ③ 18

④ 20   ⑤ 30

STEP Ⓐ **유리수인 지수로 나타내기**

$a^2=7$에서 $a=7^{\frac{1}{2}}$

$b^5=13$에서 $b=13^{\frac{1}{5}}$

$c^6=15$에서 $c=15^{\frac{1}{6}}$

이므로

$(abc)^n=\left(7^{\frac{1}{2}}\times13^{\frac{1}{5}}\times15^{\frac{1}{6}}\right)^n=7^{\frac{n}{2}}\times13^{\frac{n}{5}}\times15^{\frac{n}{6}}$ …… ㉠

STEP Ⓑ **$(abc)^n$가 자연수가 되도록 하는 n의 최솟값 구하기**

n이 2, 5, 6의 공배수일 때, ㉠은 자연수가 된다.

따라서 자연수 n의 최솟값은 2, 5, 6의 최소공배수인 30

〔정답〕 ⑤

0043

〔정답〕 ④

STEP Ⓐ **거듭제곱근의 성질을 이용하여 a, b의 값 구하기**

a는 3의 실수인 5제곱근이므로 $a=\sqrt[5]{3}=3^{\frac{1}{5}}$

b는 3의 양의 6제곱근이므로 $b=\sqrt[6]{3}=3^{\frac{1}{6}}$

STEP Ⓑ **$\left(\sqrt[8]{ab^2}\right)^n$이 자연수가 되는 n의 최솟값, 최댓값 구하기**

$\left(\sqrt[8]{ab^2}\right)^n=\left(3^{\frac{1}{5}}3^{\frac{1}{3}}\right)^{\frac{n}{8}}=3^{\frac{n}{15}}$

이때 $3^{\frac{n}{15}}$의 값이 자연수가 되기 위해서는 n이 15의 배수이어야 한다.

두 자리 자연수 중 15의 배수는 15, 30, 45, 60, 75, 90

따라서 n의 최댓값은 90, 최솟값은 15이므로 합은 $90+15=105$

두 양수 a, b가 $a^4=3$, $b^6=9$를 만족시킬 때, 100 이하의 모든 자연수 n에 대하여 $\left(\sqrt[10]{ab^3}\right)^n$의 값이 자연수가 되는 n의 개수는?

① 8   ② 9   ③ 10

④ 11   ⑤ 12

STEP Ⓐ **거듭제곱근을 유리수인 지수로 나타내어 식을 간단히 하기**

$a^4=3$, $b^6=9$에서 $a=3^{\frac{1}{4}}$, $b=9^{\frac{1}{6}}=3^{\frac{1}{3}}$이므로

$\left(\sqrt[10]{ab^3}\right)^n=\left(a^{\frac{1}{10}}\times b^{\frac{3}{10}}\right)^n=\left\{\left(3^{\frac{1}{4}}\right)^{\frac{1}{10}}\times\left(3^{\frac{1}{3}}\right)^{\frac{3}{10}}\right\}^n$

$=\left(3^{\frac{1}{40}}\times3^{\frac{1}{10}}\right)^n$

$=\left(3^{\frac{1}{40}+\frac{1}{10}}\right)^n$

$=3^{\frac{n}{8}}$

STEP Ⓑ **주어진 식에서 n의 조건 구하기**

이때 $3^{\frac{n}{8}}$의 값이 자연수가 되기 위해서는 n이 8의 배수이어야 한다.

따라서 100 이하의 자연수 중 8의 배수는 8, 16, 24, 32, $\cdots$, 96이므로

개수는 12이다.

〔정답〕 ⑤

0044

STEP A 지수법칙을 이용하여 두 수를 간단히 정리하고 각각 자연수가 될 조건 구하기

$(\sqrt{3^n})^{\frac{1}{2}}=(3^{\frac{n}{2}})^{\frac{1}{2}}=3^{\frac{n}{4}}$, $\sqrt[n]{3^{100}}=3^{\frac{100}{n}}$

$3^{\frac{n}{4}}$, $3^{\frac{100}{n}}$이 모두 자연수가 되도록 하는 $n(n\geq 2)$은

4의 배수이고 100의 양의 약수이다. ← 100의 양의 양수 1, 2, 4, 5, 10, 20, 25, 50, 100

STEP B 4의 배수이고 100의 양의 약수인 자연수 n 구하기

따라서 가능한 n의 값은 4, 20, 100이므로 n의 값의 합은 $4+20+100=124$

0045

STEP A 어떤 자연수가 $3^{\frac{5}{6}}$의 n제곱이면 $(3^{\frac{5}{6}})^n$임을 이용하기

$(\sqrt[3]{3^5})^{\frac{1}{2}}=(3^{\frac{5}{3}})^{\frac{1}{2}}=3^{\frac{5}{6}}$이므로 $3^{\frac{5}{6}}$을 어떤 자연수 N의 n제곱근이라 하면

$N=(3^{\frac{5}{6}})^n=3^{\frac{5n}{6}}$

STEP B $\frac{5}{6}n$이 정수이기 위한 자연수 n의 개수 구하기

이때 N이 자연수이려면 $\frac{5}{6}n$은 0 이상의 정수이어야 한다.

즉 $2\leq n\leq 100$에서 n이 6의 배수이어야 하므로

$n=6, 12, \cdots, 96$

따라서 n의 개수는 16

> **참고**
> $\sqrt[n]{\square}=\square^{\frac{1}{n}}$ (단, $\square$은 어떤 자연수)
> 이때 $3^{\frac{5}{6}}=(3^5)^{\frac{1}{6}}=(3^{10})^{\frac{1}{12}}=(3^{15})^{\frac{1}{18}}=\cdots=(3^{80})^{\frac{1}{96}}$이므로
> $(\sqrt[3]{3^5})^{\frac{1}{2}}$은 3^5의 6제곱근, 3^{10}의 12제곱근, 3^{15}의 18제곱근 $\cdots$,
> 3^{80}의 96제곱근과 같다.
> 따라서 구하는 n은 6, 12, 18, $\cdots$, 96이므로 16

$2\leq n\leq 100$인 자연수 n에 대하여 $\sqrt[6]{3^5}$이 어떤 자연수의 n세곱근이 되도록 하는 자연수 n의 개수는?

① 14   ② 16   ③ 18

④ 20   ⑤ 22

STEP A $\sqrt[6]{3^5}$을 어떤 자연수의 n제곱근 꼴로 나타내기

$\sqrt[6]{3^5}$이 어떤 자연수 x의 n제곱근이라 하면

$\sqrt[n]{x}=\sqrt[6]{3^5}$이므로 $x^{\frac{1}{n}}=3^{\frac{5}{6}}$

즉 $x=3^{\frac{5}{6}n}$

STEP B $\frac{5}{6}n$이 정수이기 위한 자연수 n의 개수 구하기

이때 $x=3^{\frac{5}{6}n}$의 값이 자연수가 되기 위해서는 n이 6의 배수이어야 한다.
따라서 $2\leq n\leq 100$ 사이의 자연수 중 6의 배수는 6, 12, 18, $\cdots$, 96이므로
개수는 16개이다.

0046

STEP A $\sqrt{\dfrac{2^a\times 5^b}{2}}$이 자연수인 a, b의 값 구하기

(i) $\sqrt{\dfrac{2^a\times 5^b}{2}}=2^{\frac{a-1}{2}}\times 5^{\frac{b}{2}}$이 자연수이므로

$a-1=2m$, $a=2m+1$(m은 음이 아닌 정수)

$\therefore a=1, 3, 5, \cdots$

$b=2n$(n은 자연수)

$\therefore b=2, 4, 6, \cdots$

STEP B $\sqrt[3]{\dfrac{3^b}{2^{a+1}}}$이 유리수인 a, b의 값 구하기

(ii) $\sqrt[3]{\dfrac{3^b}{2^{a+1}}}=\dfrac{3^{\frac{b}{3}}}{2^{\frac{a+1}{3}}}$이 유리수이므로

$a+1=3k$, $a=3k-1$(k는 자연수)

$\therefore a=2, 5, 8, \cdots$

$b=3l$(l은 자연수)

$\therefore b=3, 6, 9, \cdots$

STEP C 두 조건을 동시에 만족하는 a, b의 값 구하기

(i), (ii)을 동시에 만족하는 a의 최솟값은 5, b의 최솟값은 6
따라서 $a+b$의 최솟값은 $5+6=11$

두 수 $\sqrt{\dfrac{2^a\cdot 5^b}{2}}$와 $\sqrt[3]{\dfrac{2^a\cdot 5^b}{5}}$이 모두 자연수일 때, $a+b$의 최솟값은?
(단, a, b는 자연수이다.)

① 2   ② 3   ③ 5

④ 7   ⑤ 9

STEP A 지수법칙을 이용하여 두 수를 간단히 정리하기

$\sqrt{\dfrac{2^a\cdot 5^b}{2}}=2^{\frac{a-1}{2}}\cdot 5^{\frac{b}{2}}$가 자연수이므로

$\dfrac{a-1}{2}$, $\dfrac{b}{2}$가 음이 아닌 정수가 되어야 한다.

즉 a는 홀수, b는 2의 배수이다.

$\sqrt[3]{\dfrac{2^a\cdot 5^b}{5}}=2^{\frac{a}{3}}\cdot 5^{\frac{b-1}{3}}$이 자연수이므로

$\dfrac{a}{3}$, $\dfrac{b-1}{3}$이 음이 아닌 정수가 되어야 한다.

즉 a는 3의 배수, 즉 $b-1$은 3의 배수이다.

STEP B 각각 자연수가 될 조건 구하기

(i) $\dfrac{a}{3}$가 음이 아닌 정수가 되려면 a는 3의 배수이고

$\dfrac{a-1}{2}$이 음이 아닌 정수가 되려면 a는 홀수이어야 한다.

즉 a는 3, 9, 15, 21, $\cdots$이므로 가장 작은 a는 3

(ii) $\dfrac{b}{2}$가 음이 아닌 정수가 되려면 b는 2의 배수이고

$\dfrac{b-1}{2}$이 음이 아닌 정수가 되려면 $b-1$은 3의 배수

즉 $b=3k+1$(k는 자연수)이어야 한다.

즉 b는 4, 10, 16, 22, $\cdots$이므로 가장 작은 b는 4

따라서 $a+b$의 최솟값은 $3+4=7$

0047

정답 ②

STEP A 거듭제곱근을 유리수 지수로 나타낸 후 지수의 분모를 통분하여 지수를 같게 만든 다음 비교하기

$\sqrt{\sqrt[3]{10}}=\sqrt[6]{10}$, $\sqrt{5}$, $\sqrt[3]{\sqrt{28}}=\sqrt[6]{28}$을 유리수 지수로 나타내면 6, 2, 6의 최소공배수가 6이므로 세 수의 지수를 ●$\frac{1}{6}$꼴로 변형한다.

$A=\sqrt[3]{\sqrt{10}}=\sqrt[6]{10}=10^{\frac{1}{6}}$

$B=\sqrt{5}=5^{\frac{1}{2}}=5^{\frac{3}{6}}=(5^3)^{\frac{1}{6}}=125^{\frac{1}{6}}$

$C=\sqrt[3]{\sqrt{28}}=28^{\frac{1}{6}}$

이때 $10<28<125$이므로 $\sqrt[3]{\sqrt{10}}<\sqrt[3]{\sqrt{28}}<\sqrt{5}$

따라서 세 수 A, B, C의 대소 관계는 $A<C<B$

다른풀이 세 수 A, B, C를 $\sqrt[6]{a}$꼴로 통일하여 풀이하기

$\sqrt[3]{\sqrt{10}}=\sqrt[6]{10}$, $\sqrt{5}$, $\sqrt[3]{\sqrt{28}}=\sqrt[6]{28}$에서 6, 2, 6의 최소공배수가 6이므로 주어진 세 수를 $\sqrt[6]{●}$꼴로 변형하면

$A=\sqrt[3]{\sqrt{10}}=\sqrt[6]{10}$

$B=\sqrt{5}=\sqrt[6]{5^3}=\sqrt[6]{125}$

$C=\sqrt[3]{\sqrt{28}}=\sqrt[6]{28}$

이때 $10<28<125$이므로 $\sqrt[3]{\sqrt{10}}<\sqrt[3]{\sqrt{28}}<\sqrt{5}$ ∴ $A<C<B$

다른풀이 A^6, B^6, C^6꼴로 통일하여 풀이하기

$A=\sqrt[3]{\sqrt{10}}=\sqrt[6]{10}=10^{\frac{1}{6}}$, $B=\sqrt{5}=5^{\frac{1}{2}}$, $C=\sqrt[3]{\sqrt{28}}=\sqrt[6]{28}=28^{\frac{1}{6}}$

이 세 수를 각각 6제곱하면

$A^6=10$, $B^6=5^3=125$, $C^6=28$이므로 $A^6<C^6<B^6$

따라서 세 수 A, B, C의 대소 관계는 $A<C<B$

0048

정답 ④

STEP A 세 수를 모두 $\sqrt[12]{a}$꼴로 변형하여 비교하기

세 수 A, B, C를 각각 $\sqrt[12]{a}$꼴로 변형한다. ◀ 3, 6, 4의 최소공배수가 12이다.

$A=\sqrt[3]{3}=\sqrt[12]{3^4}=\sqrt[12]{81}$

$B=\sqrt{\sqrt[3]{5}}=\sqrt[6]{5}=\sqrt[12]{5^2}=\sqrt[12]{25}$

$C=\sqrt{\sqrt[3]{6}}=\sqrt[6]{6}=\sqrt[12]{6^3}=\sqrt[12]{216}$

이때 $25<81<216$이므로 $\sqrt[12]{25}<\sqrt[12]{81}<\sqrt[12]{216}$

따라서 $B<A<C$

다른풀이 A^{12}, B^{12}, C^{12} 구하기

$A^{12}=(\sqrt[3]{3})^{12}=3^4=81$

$B^{12}=(\sqrt{\sqrt[3]{5}})^{12}=(\sqrt[6]{5})^{12}=5^2=25$

$C^{12}=(\sqrt{\sqrt[3]{6}})^{12}=(\sqrt[6]{6})^{12}=6^3=216$이므로 $B<A<C$

내신연계 출제문항 023

$A=\sqrt[3]{2\sqrt{3}}$, $B=\sqrt{\sqrt[3]{9}}$, $C=\sqrt[6]{5}$ 의 대소 관계로 옳은 것은?

① $A<B<C$ ② $A<C<B$ ③ $B<A<C$
④ $B<C<A$ ⑤ $C<A<B$

STEP A 세 수를 모두 $\sqrt[12]{a}$꼴로 변형하여 비교하기

$A=\sqrt[3]{2\sqrt{3}}=\sqrt[3]{\sqrt{12}}=\sqrt[6]{12}=\sqrt[12]{12^2}=\sqrt[12]{144}$

$B=\sqrt{\sqrt[3]{9}}=\sqrt[6]{9}=\sqrt[12]{9^2}=\sqrt[12]{81}$

$C=\sqrt[6]{5}=\sqrt[12]{5^3}=\sqrt[12]{125}$

이때 $81<125<144$이므로 $\sqrt[12]{81}<\sqrt[12]{125}<\sqrt[12]{144}$

따라서 $B<C<A$

다른풀이 A^6, B^6, C^6 구하기

$A=\sqrt[3]{2\sqrt{3}}$, $B=\sqrt{\sqrt[3]{9}}$, $C=\sqrt[6]{5}$의 각각을 6제곱하면

$A^6=(\sqrt[3]{2\sqrt{3}})^6=\{(\sqrt[3]{2\sqrt{3}})^3\}^2=(2\sqrt{3})^2=12$

$B^6=(\sqrt{\sqrt[3]{9}})^6=\{(\sqrt{\sqrt[3]{9}})^2\}^3=(\sqrt[3]{9})^3=9$

$C^6=(\sqrt[6]{5})^6=(\sqrt{5})^3=5\sqrt{5}$

따라서 $B^6<C^6<A^6$에서 $B<C<A$

정답 ④

0049

정답 ①

STEP A 주어진 조건을 만족하는 a, b, c의 값 구하기

5의 네제곱근 중 양의 실수인 것은 $\sqrt[4]{5}$이므로 $a=\sqrt[4]{5}$

k의 여섯제곱근 중 양의 실수인 것은 $\sqrt[6]{k}$이므로 $b=\sqrt[6]{k}$

9의 세제곱근 중 실수인 것은 $\sqrt[3]{9}$이므로 $c=\sqrt[3]{9}$

STEP B 세 수를 모두 $\sqrt[12]{a}$꼴로 변형하여 비교하기

세 수 를 각각 $\sqrt[12]{a}$꼴로 변형한다. ◀ 3, 4, 6의 최소공배수가 12이다.

$a=\sqrt[4]{5}=\sqrt[12]{5^3}=\sqrt[12]{125}$

$b=\sqrt[6]{k}=\sqrt[12]{k^2}$

$c=\sqrt[3]{9}=\sqrt[12]{9^4}$

이때 $a<b<c$이므로 $5^3<k^2<9^4$

즉 $125<k^2<(9^2)^2$

따라서 $11^2=121<125<144=12^2$이고 $k^2<81^2$이므로 조건을 만족시키는 자연수 k의 개수는 12, 13, …, 80의 69개이다.

내신연계 출제문항 024

세 실수 A, B, C가 다음 조건을 만족한다.

> $A=(3^{\frac{2}{3}}$의 양의 제곱근)
> $B=(2^{\frac{3}{2}}$의 세제곱근)
> $C=(16$의 양의 네제곱근)

이때 세 실수 A, B, C의 대소 관계는?

① $A<B<C$ ② $B<A<C$ ③ $C<B<A$
④ $C<A<B$ ⑤ $A<C<B$

STEP A 거듭제곱근을 유리수 지수로 나타낸 후 지수의 분모를 통분하여 지수를 같게 만든 다음 비교하기

$A=\sqrt{3^{\frac{2}{3}}}$, $B=\sqrt[3]{2^{\frac{3}{2}}}$, $C=\sqrt[4]{16}$을 유리수 지수로 나타낸 후 3, 2의 최소공배수가 6이므로 세 수의 지수를 ●$\frac{1}{6}$꼴로 변형한다.

$A=\sqrt{3^{\frac{2}{3}}}=(3^{\frac{2}{3}})^{\frac{1}{2}}=3^{\frac{1}{3}}=3^{\frac{2}{6}}=(3^2)^{\frac{1}{6}}=9^{\frac{1}{6}}$

$B=\sqrt[3]{2^{\frac{3}{2}}}=(2^{\frac{3}{2}})^{\frac{1}{3}}=2^{\frac{1}{2}}=2^{\frac{3}{6}}=(2^3)^{\frac{1}{6}}=8^{\frac{1}{6}}$

$C=\sqrt[4]{16}=16^{\frac{1}{4}}=2=2^{\frac{6}{6}}=(2^6)^{\frac{1}{6}}=64^{\frac{1}{6}}$

이때 $8<9<64$, $\frac{1}{6}>0$이므로 $B<A<C$

다른풀이 A, B, C를 모두 6제곱하여 풀이하기

$A^6=(3^{\frac{1}{3}})^6=3^2=9$

$B^6=(2^{\frac{1}{2}})^6=2^3=8$

$C^6=2^6=64$

따라서 $B^6<A^6<C^6$이므로 $B<A<C$

정답 ②

0050

정답 ③

STEP A 곱셈공식을 이용하여 주어진 식 계산하기

$(10^{\frac{1}{8}}-1)(10^{\frac{1}{8}}+1)(10^{\frac{1}{4}}+1)(10^{\frac{1}{2}}+1)=\{(10^{\frac{1}{8}})^2-1\}(10^{\frac{1}{4}}+1)(10^{\frac{1}{2}}+1)$
$=(10^{\frac{1}{4}}-1)(10^{\frac{1}{4}}+1)(10^{\frac{1}{2}}+1)$
$=\{(10^{\frac{1}{4}})^2-1\}(10^{\frac{1}{2}}+1)$
$=(10^{\frac{1}{2}}-1)(10^{\frac{1}{2}}+1)$
$=(10^{\frac{1}{2}})^2-1$
$=10-1=9$

내/신/연/계 출제문항 025

$(3^{\frac{1}{2}}+1)(3^{\frac{1}{4}}+1)(81^{\frac{1}{32}}+1)(81^{\frac{1}{32}}-1)$의 값은?

① 2 ② 3 ③ 4
④ 5 ⑤ 8

STEP A 곱셈공식을 이용하여 주어진 식 계산하기

$(3^{\frac{1}{2}}+1)(3^{\frac{1}{4}}+1)(81^{\frac{1}{32}}+1)(81^{\frac{1}{32}}-1)$
$=(3^{\frac{1}{2}}+1)(3^{\frac{1}{4}}+1)\{(3^4)^{\frac{1}{32}}+1\}\{(3^4)^{\frac{1}{32}}-1\}$
$=(3^{\frac{1}{2}}+1)(3^{\frac{1}{4}}+1)(3^{\frac{1}{8}}+1)(3^{\frac{1}{8}}-1)=(3^{\frac{1}{2}}+1)(3^{\frac{1}{4}}+1)\{(3^{\frac{1}{8}})^2-1\}$
$=(3^{\frac{1}{2}}+1)(3^{\frac{1}{4}}+1)(3^{\frac{1}{4}}-1)=(3^{\frac{1}{2}}+1)\{(3^{\frac{1}{4}})^2-1\}$
$=(3^{\frac{1}{2}}+1)(3^{\frac{1}{2}}-1)$
$=3-1=2$

정답 ①

0051

정답 ②

STEP A 곱셈공식을 이용하여 주어진 식 계산하기

$\dfrac{(\sqrt[4]{5}-\sqrt[4]{2})(\sqrt[4]{5}+\sqrt[4]{2})(\sqrt{5}+\sqrt{2})}{(\sqrt[4]{3}-1)(\sqrt[4]{3}+1)(\sqrt{3}+1)}=\dfrac{(\sqrt{5}-\sqrt{2})(\sqrt{5}+\sqrt{2})}{(\sqrt{3}-1)(\sqrt{3}+1)}$
$=\dfrac{5-2}{3-1}=\dfrac{3}{2}$

0052

정답 ③

STEP A 곱셈공식 $(1-a^n)(1+a^n)=1-a^{2n}$을 이용하여 주어진 식 계산하기

$\dfrac{2}{1-a^{\frac{1}{8}}}+\dfrac{2}{1+a^{\frac{1}{8}}}=\dfrac{2(1+a^{\frac{1}{8}}+1-a^{\frac{1}{8}})}{(1-a^{\frac{1}{8}})(1+a^{\frac{1}{8}})}=\dfrac{4}{1-a^{\frac{1}{4}}}$

$\dfrac{4}{1-a^{\frac{1}{4}}}+\dfrac{4}{1+a^{\frac{1}{4}}}=\dfrac{4(1+a^{\frac{1}{4}}+1-a^{\frac{1}{4}})}{(1-a^{\frac{1}{4}})(1+a^{\frac{1}{4}})}=\dfrac{8}{1-a^{\frac{1}{2}}}$

$\dfrac{8}{1-a^{\frac{1}{2}}}+\dfrac{8}{1+a^{\frac{1}{2}}}=\dfrac{8(1+a^{\frac{1}{2}}+1-a^{\frac{1}{2}})}{(1-a^{\frac{1}{2}})(1+a^{\frac{1}{2}})}=\dfrac{16}{1-a}$

따라서 주어진 식은 $\dfrac{16}{1-a}+\dfrac{16}{1+a}=\dfrac{32}{1-a^2}=\dfrac{32}{1-\left(\dfrac{\sqrt{2}}{2}\right)^2}=64$

내/신/연/계 출제문항 026

$a=\sqrt{3}$일 때, $\dfrac{1}{1-a^{\frac{1}{8}}}+\dfrac{1}{1+a^{\frac{1}{8}}}+\dfrac{2}{1+a^{\frac{1}{4}}}+\dfrac{4}{1+a^{\frac{1}{2}}}+\dfrac{8}{1+a}$의 값은?

① −8 ② −4 ③ −2
④ 2 ⑤ 4

STEP A 곱셈공식 $(1-a^n)(1+a^n)=1-a^{2n}$을 이용하여 주어진 식 계산하기

$\dfrac{1}{1-a^{\frac{1}{8}}}+\dfrac{1}{1+a^{\frac{1}{8}}}=\dfrac{1+a^{\frac{1}{8}}+1-a^{\frac{1}{8}}}{(1-a^{\frac{1}{8}})(1+a^{\frac{1}{8}})}=\dfrac{2}{1-a^{\frac{1}{4}}}$

$\dfrac{2}{1-a^{\frac{1}{4}}}+\dfrac{2}{1+a^{\frac{1}{4}}}=\dfrac{2(1+a^{\frac{1}{4}}+1-a^{\frac{1}{4}})}{(1-a^{\frac{1}{4}})(1+a^{\frac{1}{4}})}=\dfrac{4}{1-a^{\frac{1}{2}}}$

$\dfrac{4}{1-a^{\frac{1}{2}}}+\dfrac{4}{1+a^{\frac{1}{2}}}=\dfrac{4(1+a^{\frac{1}{2}}+1-a^{\frac{1}{2}})}{(1-a^{\frac{1}{2}})(1+a^{\frac{1}{2}})}=\dfrac{8}{1-a}$

따라서 주어진 식은

$\dfrac{8}{1-a}+\dfrac{8}{1+a}=\dfrac{8(1+a+1-a)}{(1-a)(1+a)}=\dfrac{16}{1-a^2}=\dfrac{16}{1-3}=-8$

정답 ①

0053

정답 ④

STEP A 곱셈공식을 이용하여 주어진 식 간단히 하기

$x=a+3a^{\frac{1}{3}}b^{\frac{2}{3}}$, $y=b+3a^{\frac{2}{3}}b^{\frac{1}{3}}$에서

$x+y=(a+3a^{\frac{1}{3}}b^{\frac{2}{3}})+(b+3a^{\frac{2}{3}}b^{\frac{1}{3}})$
$=(a^{\frac{1}{3}})^3+3(a^{\frac{1}{3}})^2b^{\frac{1}{3}}+3a^{\frac{1}{3}}(b^{\frac{1}{3}})^2+(b^{\frac{1}{3}})^3$
$=(a^{\frac{1}{3}}+b^{\frac{1}{3}})^3$

$x-y=(a+3a^{\frac{1}{3}}b^{\frac{2}{3}})-(b+3a^{\frac{2}{3}}b^{\frac{1}{3}})$
$=(a^{\frac{1}{3}})^3-3(a^{\frac{1}{3}})^2b^{\frac{1}{3}}+3a^{\frac{1}{3}}(b^{\frac{1}{3}})^2-(b^{\frac{1}{3}})^3$
$=(a^{\frac{1}{3}}-b^{\frac{1}{3}})^3$

STEP B $a^{\frac{2}{3}}+b^{\frac{2}{3}}=5$을 이용하여 주어진 값 구하기

$(x+y)^{\frac{2}{3}}+(x-y)^{\frac{2}{3}}=\{(a^{\frac{1}{3}}+b^{\frac{1}{3}})^3\}^{\frac{2}{3}}+\{(a^{\frac{1}{3}}-b^{\frac{1}{3}})^3\}^{\frac{2}{3}}$
$=(a^{\frac{1}{3}}+b^{\frac{1}{3}})^2+(a^{\frac{1}{3}}-b^{\frac{1}{3}})^2$
$=2(a^{\frac{2}{3}}+b^{\frac{2}{3}})$
$=2\cdot5=10$

내/신/연/계 출제문항 027

$(2^{\frac{1}{3}}+2^{-\frac{2}{3}})^3+(2^{\frac{1}{3}}-2^{-\frac{2}{3}})^3$을 간단히 하면 ?

① 3 ② 5 ③ 7
④ 9 ⑤ 11

STEP A 곱셈공식을 이용하여 주어진 식 간단히 하기

$2^{\frac{1}{3}}=a$, $2^{-\frac{2}{3}}=b$로 놓으면

$(2^{\frac{1}{3}}+2^{-\frac{2}{3}})^3+(2^{\frac{1}{3}}-2^{-\frac{2}{3}})^3$
$=(a+b)^3+(a-b)^3$
$=a^3+3a^2b+3ab^2+b^3+a^3-3a^2b+3ab^2-b^3$
$=2(a^3+3ab^2)$
$=2\{(2^{\frac{1}{3}})^3+3\cdot2^{\frac{1}{3}}\cdot(2^{-\frac{2}{3}})^2\}$
$=2(2+3\cdot2^{\frac{1}{3}}\cdot2^{-\frac{4}{3}})$
$=2(2+3\cdot2^{-1})$
$=2\left(2+\dfrac{3}{2}\right)$
$=7$

정답 ③

0054

STEP Ⓐ $\dfrac{2}{2^{-n}+1}+\dfrac{2}{2^n+1}$ 의 값 구하기

$\dfrac{2}{2^{-n}+1}=\dfrac{2\cdot 2^n}{(2^{-n}+1)2^n}=\dfrac{2^{n+1}}{1+2^n}$ 이므로

$\dfrac{2}{2^{-n}+1}+\dfrac{2}{2^n+1}=\dfrac{2^{n+1}}{1+2^n}+\dfrac{2}{2^n+1}=\dfrac{2(2^n+1)}{2^n+1}=2$

STEP Ⓑ $\dfrac{2}{2^{-n}+1}+\dfrac{2}{2^n+1}=2$ 임을 이용하여 주어진 식 계산하기

즉 $\dfrac{2}{2^{-10}+1}+\dfrac{2}{2^{10}+1}=\dfrac{2^{11}}{1+2^{10}}+\dfrac{2}{2^{10}+1}=\dfrac{2(1+2^{10})}{1+2^{10}}=2$

마찬가지로

$\dfrac{2}{2^{-9}+1}+\dfrac{2}{2^9+1}=\dfrac{2^{10}}{1+2^9}+\dfrac{2}{2^9+1}=2$

$\vdots$

$\dfrac{2}{2^{-1}+1}+\dfrac{2}{2^1+1}=\dfrac{2^2}{1+2^1}+\dfrac{2}{2^1+1}=2$

한편 $\dfrac{2}{2^0+1}=\dfrac{2}{1+1}=1$

따라서 구하는 식은 $2+2+\cdots+2+1=2\times 10+1=21$

내/신/연/계/ 출제문항 028

다음 식의 값은?

$$\dfrac{1}{2^{-5}+1}+\dfrac{1}{2^{-4}+1}+\cdots+\dfrac{1}{2^0+1}+\dfrac{1}{2^1+1}+\cdots+\dfrac{1}{2^5+1}$$

① 4   ② $\dfrac{9}{4}$ ③ 5

④ $\dfrac{11}{2}$ ⑤ 3

STEP Ⓐ 자연수 n에 대하여 $\dfrac{1}{2^{-n}+1}+\dfrac{1}{2^n+1}$ 의 값 구하기

자연수 n에 대하여

$\dfrac{1}{2^{-n}+1}=\dfrac{1}{\dfrac{1}{2^n}+1}=\dfrac{2^n}{2^n+1}$ 이므로

$\dfrac{1}{2^{-n}+1}+\dfrac{1}{2^n+1}=\dfrac{2^n}{2^n+1}+\dfrac{1}{2^n+1}=1$

STEP Ⓑ $\dfrac{1}{2^{-n}+1}+\dfrac{1}{2^n+1}=1$ 임을 이용하여 주어진 식 계산하기

따라서 구하는 값은

$\dfrac{1}{2^{-5}+1}+\dfrac{1}{2^5+1}+\dfrac{1}{2^{-4}+1}+\dfrac{1}{2^4+1}\cdots+\dfrac{1}{2^0+1}$

$=1+1+1+1+1+\dfrac{1}{2^0+1}$

$=5+\dfrac{1}{2}$

$=\dfrac{11}{2}$

0055

STEP Ⓐ 분모, 분자에 2^6을 곱하여 간단히 하기

분모, 분자에 2^6을 곱하면

$\dfrac{2^6(2+2^2+2^3+2^4+2^5)}{2^6(2^{-1}+2^{-2}+2^{-3}+2^{-4}+2^{-5})}$

$=\dfrac{2^6(2+2^2+2^3+2^4+2^5)}{2^5+2^4+2^3+2^2+2}$

$=2^6$

따라서 $n=6$

내/신/연/계/ 출제문항 029

$a>0$, $a\neq 1$일 때,

$$\dfrac{a^2+a^4+a^6+a^8+a^{10}}{a^{-1}+a^{-3}+a^{-5}+a^{-7}+a^{-9}}=a^n$$

을 만족하는 자연수 n의 값은?

① 7   ② 9   ③ 11

④ 13   ⑤ 15

STEP Ⓐ 분모, 분자에 a^{11}을 곱하여 간단히 하기

분모, 분자에 각각 a^{11}을 곱하면

$\dfrac{a^{11}(a^2+a^4+a^6+a^8+a^{10})}{a^{11}(a^{-1}+a^{-3}+a^{-5}+a^{-7}+a^{-9})}$

$=\dfrac{a^{11}(a^2+a^4+a^6+a^8+a^{10})}{a^{10}+a^8+a^6+a^4+a^2}$

$=a^{11}$

따라서 $n=11$

0056

STEP Ⓐ 분모를 a^{-15}, 분자를 a^5으로 묶어 주어진 식 간단히 하기

$$\sqrt{\dfrac{a^5+a^7+a^9+a^{11}}{a^{-9}+a^{-11}+a^{-13}+a^{-15}}}=\sqrt{\dfrac{a^5(1+a^2+a^4+a^6)}{a^{-15}(a^6+a^4+a^2+1)}}$$

$$=\sqrt{a^{20}}=a^{10}$$

0057

STEP Ⓐ 주어진 식의 분모, 분자에 a^5을 곱하여 a^6의 값 구하기

$\dfrac{a+a^5}{a^{-1}+a^{-5}}=3$의 좌변의 분모, 분자에 a^5을 곱하면

$\dfrac{a^6+a^{10}}{a^4+1}=\dfrac{a^6(1+a^4)}{a^4+1}=a^6=3$

STEP Ⓑ 주어진 식의 분모, 분자에 a^6을 곱하여 계산하기

$\dfrac{a^2+a^4+a^6}{a^{-2}+a^{-4}+a^{-6}}$의 분모, 분자에 a^6을 곱하면

$\dfrac{(a^2+a^4+a^6)a^6}{(a^{-2}+a^{-4}+a^{-6})a^6}=\dfrac{a^8+a^{10}+a^{12}}{a^4+a^2+1}=\dfrac{a^8(1+a^2+a^4)}{a^4+a^2+1}$

$=a^8$

$=(a^6)^{\frac{4}{3}}$

$=\sqrt[3]{3^4}$

0058

STEP Ⓐ 곱셈공식 $(a-b)^2=a^2-2ab+b^2$을 이용하여 $a+a^{-1}$의 값 구하기

$a^{\frac{1}{2}}-a^{-\frac{1}{2}}=3$의 양변을 제곱하면

$a-2+a^{-1}=9$

$\therefore a+a^{-1}=11$

STEP Ⓑ 곱셈공식 $(a+b)^2=a^2+2ab+b^2$을 이용하여 a^2+a^{-2}의 값 구하기

따라서 $(a+a^{-1})^2=a^2+2+a^{-2}=121$이므로 $a^2+a^{-2}=119$

내/신/연/계/ 출제문항 030

양수 x에 대하여 $x^{\frac{1}{2}}+x^{-\frac{1}{2}}=3$일 때, $x+x^{-1}+x^2+x^{-2}$의 값은?

① 32 ② 37 ③ 42
④ 47 ⑤ 54

STEP A 곱셈공식 $(a+b)^2=a^2+2ab+b^2$을 이용하여 $x+x^{-1}$의 값 구하기

$\left(x^{\frac{1}{2}}+x^{-\frac{1}{2}}\right)^2=x+2\cdot x^{\frac{1}{2}}\cdot x^{-\frac{1}{2}}+x^{-1}$이므로 $3^2=x+2+x^{-1}$

$\therefore x+x^{-1}=7$

STEP B 곱셈공식 $(a+b)^2=a^2+2ab+b^2$을 이용하여 x^2+x^{-2}의 값 구하기

$(x+x^{-1})^2=x^2+2\cdot x\cdot x^{-1}+x^{-2}$이므로 $7^2=x^2+2+x^{-2}$

$\therefore x^2+x^{-2}=47$

따라서 $x+x^{-1}+x^2+x^{-2}=7+47=54$ 　　정답 ⑤

0059
정답 ②

STEP A 점 (p, q)를 곡선에 대입하여 pq의 값 구하기

점 (p, q)가 곡선 $y=\dfrac{9}{x}(x>0)$ 위의 점이므로

$q=\dfrac{9}{p}$, 즉 $pq=9$ 　　　　　 …… ㉠

STEP B $p^{\frac{1}{2}}+q^{\frac{1}{2}}=2\sqrt{3}$의 양변을 제곱하여 $p+q$의 값 구하기

$p^{\frac{1}{2}}+q^{\frac{1}{2}}=2\sqrt{3}$의 양변을 제곱하여

$\left(p^{\frac{1}{2}}\right)^2+2p^{\frac{1}{2}}q^{\frac{1}{2}}+\left(q^{\frac{1}{2}}\right)^2=12$

$p+2(pq)^{\frac{1}{2}}+q=12$

$p+2(9)^{\frac{1}{2}}+q=12$

$p+6+q=12$

$\therefore p+q=6$ 　　　　　 …… ㉡

STEP C 곱셈공식의 변형을 이용하여 구하기

따라서 ㉠, ㉡에서 $p^2+q^2=(p+q)^2-2pq=6^2-2\cdot9=18$

내/신/연/계/ 출제문항 031

좌표평면에서 두 점 $(2, 0)$, $(0, 4)$를 지나는 직선 위의 점 $\mathrm{P}(a, b)$가 등식 $4^a-2^b=6$을 만족할 때, 4^a+2^b의 값은?

① 8 ② 9 ③ 10
④ 11 ⑤ 12

STEP A 두 점 $(2, 0)$, $(0, 4)$를 지나는 직선 구하기

두 점 $(2, 0)$, $(0, 4)$를 지나는 직선의 방정식은 $\dfrac{x}{2}+\dfrac{y}{4}=1$

$\therefore y=-2x+4$

이때 점 $\mathrm{P}(a, b)$가 직선 $y=-2x+4$ 위의 점이므로 $b=-2a+4$

$\therefore 2a+b=4$

STEP B 곱셈정리를 이용하여 값 구하기

$(4^a+2^b)=(4^a-2^b)^2+4\cdot4^a2^b$

$\quad=6^2+4\cdot2^{2a+b}$

$\quad=6^2+4\cdot2^4$

$\quad=36+64$

$\quad=100$

따라서 $4^a+2^b>0$이므로 $4^a+2^b=\sqrt{100}=10$ 　　정답 ③

0060
정답 ③

STEP A 곱셈공식 $(a+b)^2=a^2+b^2+2ab$를 이용하여 식의 값 구하기

$(3^x+3^{-x})^2=3^{2x}+2+3^{-2x}=9^x+9^{-x}+2=49$

$\therefore 3^x+3^{-x}=7$

$(3^{\frac{x}{2}}+3^{-\frac{x}{2}})^2=3^x+2+3^{-x}=7+2=9$

$\therefore 3^{\frac{x}{2}}+3^{-\frac{x}{2}}=3$

$(3^{\frac{x}{4}}+3^{-\frac{x}{4}})^2=3^{\frac{x}{2}}+2+3^{-\frac{x}{2}}=3+2=5$

$\therefore 3^{\frac{x}{4}}+3^{-\frac{x}{4}}=\sqrt{5}$

0061
정답 ①

STEP A 곱셈공식 $(a+b)^3=a^3+b^3+3ab(a+b)$을 이용하여 식의 값 구하기

$x=2^{\frac{1}{3}}+2^{-\frac{1}{3}}$의 양변을 세제곱하면

$x^3=\left(2^{\frac{1}{3}}+2^{-\frac{1}{3}}\right)^3=2+2^{-1}+3\times2^{\frac{1}{3}}\times2^{-\frac{1}{3}}\left(2^{\frac{1}{3}}+2^{-\frac{1}{3}}\right)$

$\quad=3x+\dfrac{5}{2}$

즉 $x^3=\dfrac{5}{2}+3x$에서 $x^3-3x=\dfrac{5}{2}$

따라서 $2x^3-6x-4=2(x^3-3x)-4=2\cdot\dfrac{5}{2}-4=1$

내/신/연/계/ 출제문항 032

$x=2^{\frac{1}{3}}-2^{-\frac{1}{3}}$일 때, $2x^3+6x+1$의 값은?

① 2 ② 3 ③ 4
④ 5 ⑤ 6

STEP A 곱셈공식 $(a-b)^3=a^3-b^3-3ab(a-b)$을 이용하여 $x+x^{-1}$의 값 구하기

$x=2^{\frac{1}{3}}-2^{-\frac{1}{3}}$의 양변을 세제곱하면

$x^3=\left(2^{\frac{1}{3}}-2^{-\frac{1}{3}}\right)^3=\left(2^{\frac{1}{3}}\right)^3-\left(2^{-\frac{1}{3}}\right)^3-3\cdot2^{\frac{1}{3}}\cdot2^{-\frac{1}{3}}\left(2^{\frac{1}{3}}-2^{-\frac{1}{3}}\right)$

$\quad=2-2^{-1}-3x-\dfrac{3}{2}-3x$

이므로 $x^3+3x=\dfrac{3}{2}$

따라서 $2x^3+6x+1=2(x^3+3x)+1=2\times\dfrac{3}{2}+1=4$ 　　정답 ③

0062
정답 ②

STEP A 곱셈공식 $a^2+b^2=(a+b)^2-2ab$을 이용하여 식의 값 구하기

$x^{\frac{1}{2}}+x^{-\frac{1}{2}}=3$의 양변을 제곱하면 $x+2+x^{-1}=9$

$\therefore x+x^{-1}=7$

> **참고** $x+x^{-1}=\left(x^{\frac{1}{2}}+x^{-\frac{1}{2}}\right)^2-2=9-2=7$

STEP B 곱셈공식 $a^3+b^3=(a+b)^3-3ab(a+b)$을 이용하여 식의 값 구하기

$x^{\frac{1}{2}}+x^{-\frac{1}{2}}=3$의 양변을 세제곱하면

$\left(x^{\frac{1}{2}}+x^{-\frac{1}{2}}\right)^3=x^{\frac{3}{2}}+3x^{\frac{1}{2}}\cdot x^{-\frac{1}{2}}\left(x^{\frac{1}{2}}+x^{-\frac{1}{2}}\right)+x^{-\frac{3}{2}}=3^3$

$x^{\frac{3}{2}}+x^{-\frac{3}{2}}=3^3-3\cdot3=27-9=18$

> **참고** $x^{\frac{3}{2}}+x^{-\frac{3}{2}}=\left(x^{\frac{1}{2}}+x^{-\frac{1}{2}}\right)^3-3\left(x^{\frac{1}{2}}+x^{-\frac{1}{2}}\right)=3^3-3\cdot3=18$

따라서 $\dfrac{x^{\frac{3}{2}}+x^{-\frac{3}{2}}+10}{x+x^{-1}}=\dfrac{18+10}{7}=4$

$3^a + 3^{-a} = 4$일 때, $\dfrac{27^a + 27^{-a}}{9^a + 9^{-a}}$의 값은? (단, $a > 0$)

① $\dfrac{25}{7}$ ② $\dfrac{26}{7}$ ③ $\dfrac{31}{7}$

④ $\dfrac{26}{5}$ ⑤ $\dfrac{31}{7}$

STEP A 곱셈공식을 이용하여 주어진 식 변형하기

$$\dfrac{27^a + 27^{-a}}{9^a + 9^{-a}} = \dfrac{3^{3a} + 3^{-3a}}{3^{2a} + 3^{-2a}}$$

$$= \dfrac{(3^a + 3^{-a})^3 - 3 \cdot 3^a \cdot 3^{-a}(3^a + 3^{-a})}{(3^a + 3^{-a})^2 - 2 \cdot 3^a \cdot 3^{-a}}$$

$$= \dfrac{4^3 - 3 \cdot 4}{4^2 - 2}$$

$$= \dfrac{52}{14} = \dfrac{26}{7}$$

정답 ②

0063

정답 ④

STEP A 곱셈공식 $(a-b)^2 = a^2 - 2ab + b^2$을 이용하여 식의 값 구하기

$a^{\frac{1}{2}} - a^{-\frac{1}{2}} = 2$의 양변을 제곱하면

$a - 2 + a^{-1} = 4$

$\therefore a + a^{-1} = 6$

STEP B 곱셈공식 $a^2 + b^2 = (a+b)^2 - 2ab$을 이용하여 식의 값 구하기

$a + a^{-1} = 6$의 양변을 제곱하면

$a^2 + 2 + a^{-2} = 36$

$\therefore a^2 + a^{-2} = 34$

따라서 $\dfrac{a^2 + a^{-2} - 7}{a + a^{-1} - 3} = \dfrac{34 - 7}{6 - 3} = \dfrac{27}{3} = 9$

$a^{\frac{1}{2}} - a^{-\frac{1}{2}} = 3$일 때, $\dfrac{a^{\frac{3}{2}} - a^{-\frac{3}{2}} - 1}{a + a^{-1} + 1}$의 값은? (단, $a > 0$)

① $\dfrac{33}{10}$ ② $\dfrac{35}{12}$ ③ $\dfrac{34}{11}$

④ $\dfrac{36}{11}$ ⑤ $\dfrac{38}{13}$

STEP A 곱셈공식 $a^2 + b^2 = (a-b)^2 + 2ab$을 이용하여 식의 값 구하기

$a + a^{-1} = \left(a^{\frac{1}{2}} - a^{-\frac{1}{2}}\right)^2 + 2$

$\quad\quad\quad = 9 + 2 = 11$

STEP B 곱셈공식 $a^3 - b^3 = (a-b)(a^2 + ab + b^2)$을 이용하여 식의 값 구하기

$a^{\frac{3}{2}} - a^{-\frac{3}{2}} = \left(a^{\frac{1}{2}} - a^{-\frac{1}{2}}\right)(a + 1 + a^{-1})$

$\quad\quad\quad = 3(11 + 1) = 36$

따라서 $\dfrac{a^{\frac{3}{2}} - a^{-\frac{3}{2}} - 1}{a + a^{-1} + 1} = \dfrac{36 - 1}{11 + 1} = \dfrac{35}{12}$

정답 ②

0064

정답 ⑤

STEP A 주어진 식의 양변을 5^x로 나누어 $5^x + 5^{-x}$의 값 구하기

$5^{2x} - 5^{x+1} = -1$의 양변을 5^x으로 나누면

$5^x - 5 = -5^{-x}$

$\therefore 5^x + 5^{-x} = 5$

STEP B 곱셈공식을 이용하여 $5^{3x} + 5^{-3x}$, $5^{2x} + 5^{-2x}$의 값 구하기

$5^{3x} + 5^{-3x} = (5^x + 5^{-x})^3 - 3 \cdot 5^x \cdot 5^{-x}(5^x + 5^{-x})$

$\quad\quad\quad = 5^3 - 3 \cdot 5 = 110$

$5^{2x} + 5^{-2x} = (5^x + 5^{-x})^2 - 2 \cdot 5^x \cdot 5^{-x}$

$\quad\quad\quad = 5^2 - 2 = 23$

STEP C 주어진 식의 값 구하기

따라서 $\dfrac{5^{3x} + 5^{-3x} - 5}{5^{2x} + 5^{-2x} - 2} = \dfrac{110 - 5}{23 - 2} = \dfrac{105}{21} = 5$

$9^x - 3^{x+1} = -1$일 때, $\dfrac{27^x + 27^{-x} + 2}{9^x + 9^{-x} + 3}$의 값은?

① 2 ② 4 ③ 5

④ 6 ⑤ 7

STEP A 주어진 식의 양변을 3^x로 나누어 $3^x + 3^{-x}$의 값 구하기

$9^x - 3^{x+1} + 1 = 0$에서 $3^{2x} - 3 \cdot 3^x + 1 = 0$

양변을 3^x으로 나누면

$3^x - 3 + \dfrac{1}{3^x} = 0$이므로 $3^x + 3^{-x} = 3$

STEP B 곱셈공식을 이용하여 $3^{3x} + 3^{-3x}$, $3^{2x} + 3^{-2x}$의 값 구하기

$9^x + 9^{-x} = (3^x + 3^{-x})^2 - 2 \cdot 3^x \cdot 3^{-x}$

$\quad\quad\quad = 3^2 - 2 = 7$

$27^x + 27^{-x} = 3^{3x} + 3^{-3x}$

$\quad\quad\quad = (3^x + 3^{-x})^3 - 3 \cdot 3^x \cdot 3^{-x}(3^x + 3^{-x})$

$\quad\quad\quad = 3^3 - 3 \cdot 3 = 18$

따라서 $\dfrac{27^x + 27^{-x} + 2}{9^x + 9^{-x} + 3} = \dfrac{18 + 2}{7 + 3} = \dfrac{20}{10} = 2$

정답 ①

0065

정답 ⑤

STEP A 주어진 식의 양변을 제곱하여 x^2의 값 구하기

$x = 3^{\frac{1}{2}} - 3^{-\frac{1}{2}}$의 양변을 제곱하면

$x^2 = \left(3^{\frac{1}{2}} - 3^{-\frac{1}{2}}\right)^2 = 3 + 3^{-1} - 2$

STEP B x^2의 값을 주어진 식에 대입하여 식 간단히 하기

$\sqrt{x^2 + 4} = \sqrt{3 + 3^{-1} + 2}$

$\quad\quad\quad = \sqrt{\left(3^{\frac{1}{2}} + 3^{-\frac{1}{2}}\right)^2}$

$\quad\quad\quad = 3^{\frac{1}{2}} + 3^{-\frac{1}{2}}$

따라서 $\sqrt{x^2 + 4} + x = 3^{\frac{1}{2}} + 3^{-\frac{1}{2}} + 3^{\frac{1}{2}} - 3^{-\frac{1}{2}} = 2 \cdot 3^{\frac{1}{2}} = 2\sqrt{3}$

0066

STEP Ⓐ **주어진 식의 양변을 제곱하여 x^2-4의 값 구하기**

$x=2^{\frac{1}{4}}+2^{-\frac{1}{4}}$의 양변을 제곱하면

$x^2=(2^{\frac{1}{4}}+2^{-\frac{1}{4}})^2=2^{\frac{1}{2}}+2+2^{-\frac{1}{2}}$이므로

$x^2-4=2^{\frac{1}{2}}-2+2^{-\frac{1}{2}}=(2^{\frac{1}{4}}-2^{-\frac{1}{4}})^2$

STEP Ⓑ **x^2-4의 값을 주어진 식에 대입하여 간단히 하기**

그러므로 $\sqrt{x^2-4}=|2^{\frac{1}{4}}-2^{-\frac{1}{4}}|=2^{\frac{1}{4}}-2^{-\frac{1}{4}}$

따라서 $\sqrt{x^2-4}+x=2^{\frac{1}{4}}-2^{-\frac{1}{4}}+2^{\frac{1}{4}}+2^{-\frac{1}{4}}=2\cdot2^{\frac{1}{4}}=2^{\frac{5}{4}}$이므로 $k=\frac{5}{4}$

0067

STEP Ⓐ **x^2-1의 값을 정리하기**

$x=\dfrac{3^{\frac{1}{4}}+3^{-\frac{1}{4}}}{2}$이므로

$$x^2-1=\left(\frac{3^{\frac{1}{4}}+3^{-\frac{1}{4}}}{2}\right)^2-1=\frac{3^{\frac{1}{2}}+2\cdot3^{\frac{1}{4}}\cdot3^{-\frac{1}{4}}+3^{-\frac{1}{2}}}{4}-1$$
$$=\frac{3^{\frac{1}{2}}+2+3^{-\frac{1}{2}}-4}{4}$$
$$=\frac{3^{\frac{1}{2}}-2+3^{-\frac{1}{2}}}{4}$$
$$=\left(\frac{3^{\frac{1}{4}}-3^{-\frac{1}{4}}}{2}\right)^2$$

STEP Ⓑ **x^2-1의 값을 주어진 식에 대입하여 간단히 하기**

$$x+\sqrt{x^2-1}=\frac{3^{\frac{1}{4}}+3^{-\frac{1}{4}}}{2}+\sqrt{\left(\frac{3^{\frac{1}{4}}-3^{-\frac{1}{4}}}{2}\right)^2}$$
$$=\frac{3^{\frac{1}{4}}+3^{-\frac{1}{4}}}{2}+\frac{3^{\frac{1}{4}}-3^{-\frac{1}{4}}}{2}$$
$$=3^{\frac{1}{4}}$$

따라서 $(x+\sqrt{x^2-1})^4=(3^{\frac{1}{4}})^4=3$

내/신/연/계 출제문항 036

$a>0$, $a\neq1$이고 $x=\dfrac{a^{\frac{1}{n}}-a^{-\frac{1}{n}}}{2}$일 때, $(x+\sqrt{1+x^2})^n$의 값은?

① a ② $a-\dfrac{1}{a}$ ③ $a+\dfrac{1}{a}$

④ a^n ⑤ $\dfrac{1}{a^n}$

STEP Ⓐ **$1+x^2$의 값을 정리하기**

$$1+x^2=1+\left(\frac{a^{\frac{1}{n}}-a^{-\frac{1}{n}}}{2}\right)^2=1+\frac{a^{\frac{2}{n}}-2+a^{-\frac{2}{n}}}{4}$$
$$=\frac{a^{\frac{2}{n}}+2+a^{-\frac{2}{n}}}{4}$$
$$=\left(\frac{a^{\frac{1}{n}}+a^{-\frac{1}{n}}}{2}\right)^2$$

STEP Ⓑ **$1+x^2$의 값을 주어진 식에 대입하여 간단히 하기**

$$x+\sqrt{1+x^2}=\frac{a^{\frac{1}{n}}-a^{-\frac{1}{n}}}{2}+\sqrt{\left(\frac{a^{\frac{1}{n}}+a^{-\frac{1}{n}}}{2}\right)^2}$$
$$=\frac{a^{\frac{1}{n}}-a^{-\frac{1}{n}}}{2}+\frac{a^{\frac{1}{n}}+a^{-\frac{1}{n}}}{2}$$
$$=a^{\frac{1}{n}}$$

따라서 $(x+\sqrt{1+x^2})^n=(a^{\frac{1}{n}})^n=a$

0068

STEP Ⓐ **주어진 식의 분모, 분자에 a^x을 곱하여 정리하기**

$\dfrac{a^{3x}-a^{-3x}}{a^x+a^{-x}}$의 분모, 분자에 각각 a^x을 곱하면

$$\frac{a^x(a^{3x}-a^{-3x})}{a^x(a^x+a^{-x})}=\frac{a^{4x}-a^{-2x}}{a^{2x}+1}=\frac{(a^{2x})^2-\dfrac{1}{a^{2x}}}{a^{2x}+1}=\frac{3^2-\dfrac{1}{3}}{3+1}=\frac{\dfrac{26}{3}}{4}=\frac{13}{6}$$

0069

STEP Ⓐ **주어진 식의 분모, 분자에 a^x을 곱하여 정리하기**

$$\frac{a^{3x}+a^{-3x}}{a^x-a^{-x}}=\frac{a^x(a^{3x}+a^{-3x})}{a^x(a^x-a^{-x})}=\frac{a^{4x}+a^{-2x}}{a^{2x}-1}=\frac{(a^{2x})^2+\dfrac{1}{a^{2x}}}{a^{2x}-1}$$
$$=\frac{3^2+\dfrac{1}{3}}{3-1}$$
$$=\frac{\dfrac{28}{3}}{2}=\frac{14}{3}$$

따라서 $p=3$, $q=14$이므로 $p+q=17$

내/신/연/계 출제문항 037

실수 x에 대하여 $3^{2x}=4$일 때, $\dfrac{3^{3x}+3^{-3x}}{3^x+3^{-x}}$의 값은?

① $\dfrac{11}{4}$ ② 3 ③ $\dfrac{13}{4}$

④ $\dfrac{19}{4}$ ⑤ $\dfrac{27}{4}$

STEP Ⓐ **곱셈공식 $a^3+b^3=(a+b)(a^2-ab+b^2)$을 이용하여 식의 값 구하기**

$$\frac{3^{3x}+3^{-3x}}{3^x+3^{-x}}=\frac{(3^x+3^{-x})(3^{2x}-1+3^{-2x})}{3^x+3^{-x}}$$
$$=3^{2x}+\frac{1}{3^{2x}}-1$$
$$=4+\frac{1}{4}-1=\frac{13}{4}$$

다른풀이 **주어진 식의 분모, 분자에 3^x을 곱하여 풀이하기**

$$\frac{3^{3x}+3^{-3x}}{3^x+3^{-x}}=\frac{3^{4x}+3^{-2x}}{3^{2x}+1}=\frac{4^2+\dfrac{1}{4}}{4+1}=\frac{65}{20}=\frac{13}{4}$$

0070

STEP Ⓐ **a^{4x}, a^{-2x}의 값 구하기**

$a^{2x}=3+2\sqrt{2}$에서 $a^{4x}=(3+2\sqrt{2})^2=17+12\sqrt{2}$

$a^{-2x}=\dfrac{1}{3+2\sqrt{2}}=3-2\sqrt{2}$

STEP Ⓑ **주어진 식의 분모, 분자에 a^x을 곱하여 정리하기**

주어진 식에서 분모, 분자에 a^x을 곱하면

$$\frac{a^{3x}+a^{-x}}{a^x+a^{-3x}}=\frac{a^x(a^{3x}+a^{-x})}{a^x(a^x+a^{-3x})}=\frac{a^{4x}+1}{a^{2x}+a^{-2x}}$$

따라서 $\dfrac{a^{4x}+1}{a^{2x}+a^{-2x}}=\dfrac{18+12\sqrt{2}}{6}=3+2\sqrt{2}$

0071

STEP Ⓐ 주어진 식을 정리하여 a^{2x}의 값 구하기

$\dfrac{a^x+a^{-x}}{a^x-a^{-x}}=\dfrac{4}{3}$ 에서 $\dfrac{a^{2x}+1}{a^{2x}-1}=\dfrac{4}{3}$

$3a^{2x}+3=4a^{2x}-4$

따라서 $a^{2x}=7$ 이므로 $a^{4x}=7^2=49$

0072

STEP Ⓐ 주어진 식을 정리하여 a^{2x}의 값 구하기

$\dfrac{a^x+a^{-x}}{a^x-a^{-x}}=3$ 에서 $3(a^x-a^{-x})=a^x+a^{-x}$

$2a^x=4a^{-x}$, $a^x=2a^{-x}$

양변에 a^x을 곱하면 $a^{2x}=2$

따라서 $a^{2x}+a^{-2x}=2+\dfrac{1}{2}=\dfrac{5}{2}$

0073

STEP Ⓐ 주어진 식을 정리하여 a^{2x}의 값 구하기

$\dfrac{a^x-a^{-x}}{a^x+a^{-x}}=\dfrac{1}{2}$ 에서 $2(a^x-a^{-x})=a^x+a^{-x}$

$a^x=3a^{-x}$

$\therefore a^{2x}=3$

STEP Ⓑ 주어진 식의 분모, 분자에 a^x을 곱하여 정리하기

따라서 $\dfrac{a^{3x}-a^{-x}}{a^{3x}+a^{-x}}=\dfrac{a^{4x}-1}{a^{4x}+1}=\dfrac{3^2-1}{3^2+1}=\dfrac{8}{10}=\dfrac{4}{5}$

$\dfrac{a^x-a^{-x}}{a^x+a^{-x}}=\dfrac{2}{3}$ 일 때, $\dfrac{a^{3x}-a^{-3x}}{a^x+a^{-x}}$ 의 값은? (단, $a>0$, $a \neq 1$)

① $\dfrac{62}{15}$ ② $\dfrac{21}{5}$ ③ $\dfrac{31}{5}$

④ $\dfrac{41}{5}$ ⑤ $\dfrac{51}{15}$

STEP Ⓐ 주어진 식을 정리하여 a^{2x}의 값 구하기

$\dfrac{a^x-a^{-x}}{a^x+a^{-x}}=\dfrac{2}{3}$ 에서 $3(a^x-a^{-x})=2(a^x+a^{-x})$

$\therefore a^x=5a^{-x}$

양변에 a^x을 곱하면 $a^{2x}=5$

STEP Ⓑ 주어진 식의 분모, 분자에 a^x을 곱하여 정리하기

따라서 $\dfrac{a^{3x}-a^{-3x}}{a^x+a^{-x}}=\dfrac{a^x(a^{3x}-a^{-3x})}{a^x(a^x+a^{-x})}=\dfrac{a^{4x}-a^{-2x}}{a^{2x}+1}=\dfrac{5^2-\dfrac{1}{5}}{5+1}=\dfrac{62}{15}$

0074

STEP Ⓐ 주어진 식을 정리하여 a^{2x}의 값 구하기

$\dfrac{a^x-a^{-x}}{a^x+a^{-x}}=\dfrac{1}{3}$ 에서 $\dfrac{a^{2x}-1}{a^{2x}+1}=\dfrac{1}{3}$

$3a^{2x}-3=a^{2x}+1$, $2a^{2x}=4$

$a^{2x}=2$

$\therefore a^x=\sqrt{2}$ ($\because a>0$)

STEP Ⓑ 주어진 식의 분모, 분자에 $a^{\frac{1}{2}x}$을 곱하여 정리하기

따라서 $\dfrac{a^{\frac{3}{2}x}-a^{-\frac{1}{2}x}}{a^{\frac{1}{2}x}+a^{-\frac{3}{2}x}}$ 의 분모, 분자에 $a^{\frac{1}{2}x}$을 곱하면

$\dfrac{a^{\frac{3}{2}x}-a^{-\frac{1}{2}x}}{a^{\frac{1}{2}x}+a^{-\frac{3}{2}x}}=\dfrac{a^{\frac{1}{2}x}(a^{\frac{3}{2}x}-a^{-\frac{1}{2}x})}{a^{\frac{1}{2}x}(a^{\frac{1}{2}x}+a^{-\frac{3}{2}x})}=\dfrac{a^{2x}-1}{a^x+a^{-x}}=\dfrac{(\sqrt{2})^2-1}{\sqrt{2}+\dfrac{1}{\sqrt{2}}}=\dfrac{1}{\dfrac{3}{\sqrt{2}}}=\dfrac{\sqrt{2}}{3}$

0075

STEP Ⓐ 지수법칙을 이용하여 ab를 x, y로 표현하기

$a=16^{\frac{1}{x}}$, $b=16^{\frac{1}{y}}$ 에서 $ab=16^{\frac{1}{x}} \cdot 16^{\frac{1}{y}}=16^{\frac{1}{x}+\frac{1}{y}}=2^{4\left(\frac{1}{x}+\frac{1}{y}\right)}=2^3$

따라서 $4\left(\dfrac{1}{x}+\dfrac{1}{y}\right)=3$ 이므로 $\dfrac{1}{x}+\dfrac{1}{y}=\dfrac{3}{4}$

두 양수 a, b에 대하여 $ab=5$, $a=25^{\frac{1}{x}}$, $b=5^{\frac{2}{y}}$ 일 때, $\dfrac{1}{x}+\dfrac{1}{y}$ 의 값은?

(단, $xy \neq 0$)

① $\dfrac{1}{4}$ ② $\dfrac{1}{3}$ ③ $\dfrac{1}{2}$

④ 1 ⑤ 2

STEP Ⓐ 지수법칙을 이용하여 ab를 x, y로 표현하기

$a=25^{\frac{1}{x}}=5^{\frac{2}{x}}$, $b=5^{\frac{2}{y}}$ 에서 $ab=5^{\frac{2}{x}} \cdot 5^{\frac{2}{y}}=5^{\frac{2}{x}+\frac{2}{y}}=5$

따라서 $\dfrac{2}{x}+\dfrac{2}{y}=1$ 이므로 $\dfrac{1}{x}+\dfrac{1}{y}=\dfrac{1}{2}$

0076

STEP Ⓐ 지수법칙을 이용하여 18^{10}을 a, b로 표현하기

$18^{10}=(2 \times 3^2)^{10}=2^{10} \times 3^{20}=(2^5)^2 \times (3^4)^5=a^2 b^5$

따라서 $p=2$, $q=5$ 이므로 $p+q=2+5=7$

0077

STEP Ⓐ 지수법칙을 이용하여 3^x, 2^x 구하기

$3^{x+1}-3^x=3 \cdot 3^x-3^x=2 \cdot 3^x=a$

$\therefore 3^x=\dfrac{a}{2}$

$2^{x+1}+2^x=2 \cdot 2^x+2^x=3 \cdot 2^x=b$

$\therefore 2^x=\dfrac{b}{3}$

STEP Ⓑ 12^x을 a, b를 이용하여 나타내기

따라서 $12^x=(2^2 \cdot 3)^x=2^{2x} \cdot 3^x=\left(\dfrac{b}{3}\right)^2 \cdot \dfrac{a}{2}=\dfrac{ab^2}{18}$

0078

STEP Ⓐ **지수법칙을 이용하여 18^a 구하기**

$3^{-2a} \times \sqrt{7} = 2^{a-\frac{1}{2}}$ 에서 $\dfrac{\sqrt{7}}{9^a} = \dfrac{2^a}{\sqrt{2}}$

$\therefore 18^a = \sqrt{14}$

STEP Ⓑ **324^a의 값 구하기**

따라서 $324 = 18^2$이므로 $324^a = (18^2)^a = (18^a)^2 = (\sqrt{14})^2 = 14$

다른풀이 양변을 제곱하여 지수법칙을 이용하여 풀이하기

$3^{-2a} \times \sqrt{7} = 2^{a-\frac{1}{2}}$의 양변을 제곱하면

$(3^{-2a} \times \sqrt{7})^2 = (2^{a-\frac{1}{2}})^2$

$3^{-4a} \times 7 = 2^{2a-1}$, $3^{-4a} \times 7 = 4^a \times \dfrac{1}{2}$

양변에 2×3^{4a}을 곱하면

$14 = 4^a \times 3^{4a} = (4 \times 81)^a = 324^a$

따라서 $324^a = 14$

0079

STEP Ⓐ **지수법칙을 이용하여 $4^{\frac{1}{a}}, 2^{\frac{1}{b}}$의 값 구하기**

$5^{2a+b} \times 5^{a-b} = 32 \times 2$

$5^{(2a+b)+(a-b)} = 64$

$5^{3a} = 4^3$ $\therefore 5^a = 4$ ...... ㉠

$5^{a-b} = 2$에서 $5^b = 2$ ...... ㉡

㉠, ㉡에서 $4^{\frac{1}{a}} = 5$, $2^{\frac{1}{b}} = 5$

STEP Ⓑ **$4^{\frac{a+b}{ab}}$의 값 구하기**

따라서 $4^{\frac{a+b}{ab}} = 4^{\frac{1}{a}+\frac{1}{b}} = 4^{\frac{1}{a}} \times 4^{\frac{1}{b}} = 5 \times (2^{\frac{1}{b}})^2 = 5 \times 5^2 = 125$

다른풀이 로그를 이용하여 풀이하기

$5^{2a+b} = 32$에서 $2a+b = \log_5 32$ ...... ㉠

$5^{a-b} = 2$에서 $a-b = \log_5 2$ ...... ㉡

㉠, ㉡을 연립하여 풀면 $a = \log_5 4$, $b = \log_5 2$

$\dfrac{a+b}{ab} = \dfrac{1}{a} + \dfrac{1}{b} = \dfrac{1}{\log_5 4} + \dfrac{1}{\log_5 2} = \log_4 5 + \log_2 5$

$= \log_4 5 + \log_4 25$

$= \log_4 125$

따라서 $4^{\frac{a+b}{ab}} = 4^{\log_4 125} = 125$

내/신/연/계/ 출제문항 040

$20^a = 5$, $20^b = 2$인 두 실수 a, b에 대하여 $10^{\frac{2a}{1-b}}$의 값은?

① 4 ② 9 ③ 16
④ 25 ⑤ 36

STEP Ⓐ **지수법칙을 이용하여 $10^{\frac{1}{1-b}}$의 값 구하기**

$20^b = 2$에서 $20^{-b} = \dfrac{1}{2}$

이 식의 양변에 20을 곱하면

$20^{1-b} = 10$

$\therefore 10^{\frac{1}{1-b}} = 20$

STEP Ⓑ **$10^{\frac{2a}{1-b}}$의 값 구하기**

따라서 $10^{\frac{2a}{1-b}} = (10^{\frac{1}{1-b}})^{2a} = 20^{2a} = (20^a)^2 = 5^2 = 25$

0080

STEP Ⓐ **$12^{\frac{2a+b}{1-a}} = \left(\dfrac{60}{5}\right)^{\frac{2a+b}{1-a}}$ 임을 이용하여 구하기**

$60^a = 5$, $60^b = 6$에서

$12 = \dfrac{60}{5} = \dfrac{60}{60^a} = 60^{1-a}$

$12^{\frac{2a+b}{1-a}} = (60^{1-a})^{\frac{2a+b}{1-a}} = 60^{2a+b} = 60^{2a} \times 60^b$

$= (60^a)^2 \times 60^b$

$= 5^2 \times 6 = 150$

내/신/연/계/ 출제문항 041

양수 a, b에 대하여 $10^a = 9$, $10^b = 2$일 때, $5^{\frac{a+b+1}{1-b}}$의 값은?

① 90 ② 120 ③ 140
④ 160 ⑤ 180

STEP Ⓐ **$5 = \dfrac{10}{2} = \dfrac{10}{10^b} = 10^{1-b}$ 임을 이용하여 구하기**

$5 = \dfrac{10}{2} = \dfrac{10}{10^b} = 10^{1-b}$

$5^{\frac{a+b+1}{1-b}} = (10^{1-b})^{\frac{a+b+1}{1-b}} = 10^{a+b+1} = 10^a \times 10^b \times 10^1$

$= 9 \times 2 \times 10 = 180$

0081

STEP Ⓐ **거듭제곱근의 성질을 이용하여 a, b를 지수로 표현하기**

16의 세제곱근 중 실수인 것은 $a = \sqrt[3]{16} = 2^{\frac{4}{3}}$이므로 $2 = a^{\frac{3}{4}}$

27의 네제곱근 중 양수인 것은 $b = \sqrt[4]{27} = 3^{\frac{3}{4}}$이므로 $3 = b^{\frac{4}{3}}$

STEP Ⓑ **72를 소인수분해하여 a, b로 표현하기**

따라서 $72 = 2^3 \times 3^2 = (a^{\frac{3}{4}})^3 \times (b^{\frac{4}{3}})^2 = a^{\frac{9}{4}} b^{\frac{8}{3}}$

0082

STEP Ⓐ **주어진 조건의 밑이 서로 다르므로 밑을 통일시켜 나타내기**

$24^x = 32$에서 $24 = 32^{\frac{1}{x}} = (2^5)^{\frac{1}{x}} = 2^{\frac{5}{x}}$ ...... ㉠

$3^y = 128$에서 $3 = 128^{\frac{1}{y}} = (2^7)^{\frac{1}{y}} = 2^{\frac{7}{y}}$ ...... ㉡

STEP Ⓑ **조건식을 나누어 구하는 값 구하기**

㉠÷㉡을 하면 $8 = 2^{\frac{5}{x}-\frac{7}{y}}$

따라서 $2^{\frac{5}{x}-\frac{7}{y}} = 2^3$이므로 $\dfrac{5}{x} - \dfrac{7}{y} = 3$

다른풀이 로그를 이용하여 구하기

$24^x = 32$에서 $x = \log_{24} 32$이므로 $\dfrac{1}{x} = \log_{32} 24 = \dfrac{1}{5} \log_2 24$

$\therefore \dfrac{5}{x} = \log_2 24$

$3^y = 128$에서 $y = \log_3 128$이므로 $\dfrac{1}{y} = \log_{128} 3 = \dfrac{1}{7} \log_2 3$

$\therefore \dfrac{7}{y} = \log_2 3$

따라서 $\dfrac{5}{x} - \dfrac{7}{y} = \log_2 24 - \log_2 3 = \log_2 8 = 3$

0083

STEP Ⓐ **주어진 조건의 밑이 서로 다르므로 밑을 통일시켜 나타내기**

$5^x=81$에서 $5^x=3^4$이므로 $5=3^{\frac{4}{x}}$ ····· ㉠

$45^y=243$에서 $45^y=3^5$이므로 $45=3^{\frac{5}{y}}$ ····· ㉡

STEP Ⓑ **조건식을 나누어 구하는 값 구하기**

㉠÷㉡을 하면

$3^{\frac{4}{x}}\div 3^{\frac{5}{y}}=5\div 45=\frac{1}{9}$

따라서 $3^{\frac{4}{x}-\frac{5}{y}}=3^{-2}$이므로 $\frac{4}{x}-\frac{5}{y}=-2$

다른풀이 로그를 이용하여 구하기

$5^x=81$에서 $x=\log_5 81$이므로 $\frac{1}{x}=\log_{81}5=\frac{1}{4}\log_3 5$

$\therefore \frac{4}{x}=\log_3 5$

$45^y=243$에서 $y=\log_{45}243$이므로 $\frac{1}{y}=\log_{243}45=\frac{1}{5}\log_3 45$

$\therefore \frac{5}{y}=\log_3 45$

따라서 $\frac{4}{x}-\frac{5}{y}=\log_3 5-\log_3 45=\log_3 \frac{5}{45}=\log_3 \frac{1}{9}=-2$

내/신/연/계/ 출제문항 042

$8^x=9$, $18^y=81$일 때, $\frac{2}{3x}-\frac{4}{y}$의 값은?

① -3 ② -2 ③ -1
④ 2 ⑤ 3

STEP Ⓐ **주어진 조건의 밑이 서로 다르므로 밑을 통일시켜 나타내기**

$8^x=9$에서 $2^{3x}=3^2$이므로 $2=3^{\frac{2}{3x}}$ ····· ㉠

$18^y=81$에서 $18^y=3^4$이므로 $18=3^{\frac{4}{y}}$ ····· ㉡

STEP Ⓑ **조건식을 나누어 구하는 값 구하기**

㉠÷㉡을 하면

$3^{\frac{2}{3x}}\div 3^{\frac{4}{y}}=2\div 18=\frac{1}{9}$

따라서 $3^{\frac{2}{3x}-\frac{4}{y}}=3^{-2}$이므로 $\frac{2}{3x}-\frac{4}{y}=-2$

다른풀이 로그를 이용하여 구하기

$8^x=9$에서 $x=\log_8 9=\log_{2^3}3^2=\frac{2}{3}\log_2 3$이므로 $\frac{1}{x}=\frac{3}{2}\log_3 2$

$\therefore \frac{2}{3x}=\log_3 2$

$18^y=81$에서 $y=\log_{18}81=4\log_{18}3$이므로 $\frac{1}{y}=\frac{1}{4}\log_3 18$

$\therefore \frac{4}{y}=\log_3 18$

따라서 $\frac{2}{3x}-\frac{4}{y}=\log_3 2-\log_3 18=\log_3 \frac{2}{18}=\log_3 \frac{1}{9}=-2$ **정답** ②

0084

STEP Ⓐ **지수법칙을 이용하여 x, y를 지수로 표현하기**

$27^x=a$에서 $(27^x)^{\frac{1}{x}}=a^{\frac{1}{x}}$이므로 $a^{\frac{1}{x}}=27$

$3^y=a$에서 $(3^y)^{\frac{1}{y}}=a^{\frac{1}{y}}$이므로 $a^{\frac{1}{y}}=3$

STEP Ⓑ $\frac{1}{x}-\frac{1}{y}=2$**임을 이용하여 a의 값 구하기**

이때 $a^{\frac{1}{x}}\div a^{\frac{1}{y}}=a^{\frac{1}{x}-\frac{1}{y}}=27\div 3=9$에서 $\frac{1}{x}-\frac{1}{y}=2$이므로 $a^2=9$

따라서 $a>0$이므로 $a=3$

다른풀이 로그를 이용하여 구하기

$27^x=a$에서 $x=\log_{27}a$이므로 $\frac{1}{x}=\log_a 27$

$3^y=a$에서 $y=\log_3 a$이므로 $\frac{1}{y}=\log_a 3$

이때 $\frac{1}{x}-\frac{1}{y}=\log_a 27-\log_a 3=\log_a 9=2\log_a 3$

따라서 $2\log_a 3=2$이므로 $\log_a 3=1$ $\therefore a=3$

내/신/연/계/ 출제문항 043

$8^x=5^y=a$, $\frac{1}{x}+\frac{1}{y}=3$일 때, a의 값은?

① $2\sqrt[3]{5}$ ② $5\sqrt[3]{2}$ ③ 20
④ 210 ⑤ 400

STEP Ⓐ **지수법칙을 이용하여 x, y를 지수로 표현하기**

$8^x=a$에서 $(8^x)^{\frac{1}{x}}=a^{\frac{1}{x}}$이므로 $a^{\frac{1}{x}}=8$

$5^y=a$에서 $(5^y)^{\frac{1}{y}}=a^{\frac{1}{y}}$이므로 $a^{\frac{1}{y}}=5$

STEP Ⓑ **조건식을 곱하여 구하는 값 구하기**

이때 $a^{\frac{1}{x}}\times a^{\frac{1}{y}}=a^{\frac{1}{x}+\frac{1}{y}}=8\times 5=40$에서 $\frac{1}{x}+\frac{1}{y}=3$이므로 $a^3=40$

따라서 $a=\sqrt[3]{40}=\sqrt[3]{8\times 5}=2\sqrt[3]{5}$

다른풀이 로그를 이용하여 구하기

$8^x=a$에서 $x=\log_8 a$이므로 $\frac{1}{x}=\log_a 8$

$5^y=a$에서 $y=\log_5 a$이므로 $\frac{1}{y}=\log_a 5$

이때 $\frac{1}{x}+\frac{1}{y}=\log_a 8+\log_a 5=\log_a 40$

따라서 $\log_a 40=3$이므로 $a^3=40$ $\therefore a=\sqrt[3]{40}=\sqrt[3]{8\times 5}=2\sqrt[3]{5}$ **정답** ①

0085

STEP Ⓐ **지수법칙을 이용하여 밑을 통일시켜 나타내기**

$2^x=5^y=\left(\frac{1}{10}\right)^z=k$ $(k>0, k\neq 1)$로 놓으면

$2^x=k$에서 $k^{\frac{1}{x}}=2$ ····· ㉠

$5^y=k$에서 $k^{\frac{1}{y}}=5$ ····· ㉡

$\left(\frac{1}{10}\right)^z=k$에서 $k^{\frac{1}{z}}=\frac{1}{10}$ ····· ㉢

STEP Ⓑ **밑을 통일시킨 조건식을 이용하여 구하는 값을 계산하기**

㉠×㉡×㉢을 하면

$k^{\frac{1}{x}+\frac{1}{y}+\frac{1}{z}}=2\times 5\times \frac{1}{10}=1$

따라서 $\frac{1}{x}+\frac{1}{y}+\frac{1}{z}=0$

0086

 정답 ②

STEP **A** 지수법칙을 이용하여 x, y, z를 지수로 표현하기

$2^x = 3^y = 5^z = 20$

$2^x = 20$에서 $2^3 = 20^{\frac{3}{x}}$ ...... ㉠

$3^y = 20$에서 $3^2 = 20^{\frac{2}{y}}$ ...... ㉡

$5^z = 20$에서 $5 = 20^{\frac{1}{z}}$ ...... ㉢

STEP **B** $20^{\frac{3}{x} - \frac{2}{y} + \frac{1}{z}}$의 값 구하기

㉠÷㉡×㉢을 하면

$2^3 \div 3^2 \times 5 = 20^{\frac{3}{x} - \frac{2}{y} + \frac{1}{z}}$

따라서 $20^{\frac{3}{x} - \frac{2}{y} + \frac{1}{z}} = 2^3 \div 3^2 \times 5 = \dfrac{40}{9}$

0087

정답 ⑤

STEP **A** 지수법칙을 이용하여 밑을 통일시켜 나타내기

$a^x = b^y = c^z = 8$이라 하면

$a^x = 2^3$에서 $a = 2^{\frac{3}{x}}$ ...... ㉠

$b^y = 2^3$에서 $b = 2^{\frac{3}{y}}$ ...... ㉡

$c^z = 2^3$에서 $c = 2^{\frac{3}{z}}$ ...... ㉢

STEP **B** 밑을 통일시킨 조건식을 이용하여 구하는 값 계산하기

㉠×㉡×㉢을 하면

$abc = 2^{\frac{3}{x} + \frac{3}{y} + \frac{3}{z}}$

이때 $abc = 64$이므로 $2^{\frac{3}{x} + \frac{3}{y} + \frac{3}{z}} = 2^6$

따라서 $\dfrac{3}{x} + \dfrac{3}{y} + \dfrac{3}{z} = 6$이므로 $\dfrac{1}{x} + \dfrac{1}{y} + \dfrac{1}{z} = 2$

내/신/연/계/ 출제문항 044

양수 a, b에 대하여

$$a^x = b^y = 3^z \text{이고 } \frac{1}{x} + \frac{1}{y} = \frac{2}{z}$$

일 때, ab의 값은? (단, $xyz \neq 0$)

① 3 ② 6 ③ 9
④ 12 ⑤ 27

STEP **A** 지수법칙을 이용하여 x, y, z를 지수로 표현하기

$a^x = b^y = 3^z = k\,(k > 0)$이라 하면

$a = k^{\frac{1}{x}}$, $b = k^{\frac{1}{y}}$, $3 = k^{\frac{1}{z}}$

따라서 $\dfrac{1}{x} + \dfrac{1}{y} = \dfrac{2}{z}$이므로 $ab = k^{\frac{1}{x} + \frac{1}{y}} = k^{\frac{2}{z}} = \left(k^{\frac{1}{z}}\right)^2 = 3^2 = 9$

정답 ③

0088

 정답 ③

STEP **A** 64^a의 값을 임의로 두고 지수법칙을 이용하여 a, b, c를 지수로 표현하기

$64^a = 81^b = k^c = t\,(t > 0,\ t \neq 1)$로 놓으면

$64^a = t$에서 $64 = t^{\frac{1}{a}}$

$81^b = t$에서 $81 = t^{\frac{1}{b}}$

$k^c = t$에서 $k = t^{\frac{1}{c}}$

STEP **B** $\dfrac{4}{a} + \dfrac{6}{b} = \dfrac{8}{c}$임을 이용하여 k의 값 구하기

이때 $\dfrac{4}{a} + \dfrac{6}{b} = \dfrac{8}{c}$이므로 $t^{\frac{4}{a} + \frac{6}{b}} = t^{\frac{8}{c}}$

$k^8 = t^{\frac{8}{c}} = t^{\frac{4}{a} + \frac{6}{b}} = 64^4 \cdot 81^6 = (8 \cdot 27)^8$ ← $k = t^{\frac{1}{c}}$에서 $k^8 = t^{\frac{8}{c}}$

따라서 $k = 216$

내/신/연/계/ 출제문항 045

0이 아닌 실수 a, b, c와 양의 정수 k에 대하여

$$36^a = 16^b = k^c,\ \frac{2}{a} + \frac{3}{b} = \frac{4}{c}$$

일 때, k의 값은?

① 2 ② 4 ③ 8
④ 16 ⑤ 48

STEP **A** 지수법칙을 이용하여 밑을 통일시켜 나타내기

$36^a = 16^b = k^c = t\,(t > 0,\ t \neq 1)$로 놓으면

$36^a = t$에서 $36 = t^{\frac{1}{a}}$

$16^b = t$에서 $16 = t^{\frac{1}{b}}$

$k^c = t$에서 $k = t^{\frac{1}{c}}$

STEP **B** 조건식을 이용하여 구하는 값 구하기

이때 $\dfrac{2}{a} + \dfrac{3}{b} = \dfrac{4}{c}$이므로 $t^{\frac{2}{a} + \frac{3}{b}} = t^{\frac{4}{c}}$

$k^4 = t^{\frac{4}{c}} = t^{\frac{2}{a} + \frac{3}{b}} = 36^2 \cdot 16^3 = 6^4 \cdot (2^3)^4 = (6 \cdot 2^3)^4$

따라서 $k = 48$

정답 ⑤

0089

정답 ③

STEP **A** 지수법칙을 이용하여 x, y, z를 지수로 표현하기

$80^x = 2$에서 $80 = 2^{\frac{1}{x}}$ ...... ㉠

$\left(\dfrac{1}{10}\right)^y = 4$에서 $\dfrac{1}{10} = 2^{\frac{2}{y}}$ ...... ㉡

$a^z = 8$에서 $a^{\frac{1}{3}} = 2^{\frac{1}{z}}$ ...... ㉢

STEP **B** $\dfrac{1}{x} + \dfrac{2}{y} - \dfrac{1}{z} = 1$임을 이용하여 a의 값 구하기

㉠×㉡÷㉢ 을 하면

$2^{\frac{1}{x}} \times 2^{\frac{2}{y}} \div 2^{\frac{1}{z}} = 2^{\frac{1}{x} + \frac{2}{y} - \frac{1}{z}} = 80 \times \dfrac{1}{10} \div a^{\frac{1}{3}} = 8 \div a^{\frac{1}{3}}$

이때 $\dfrac{1}{x} + \dfrac{2}{y} - \dfrac{1}{z} = 1$이므로 $2^1 = 8 \div a^{\frac{1}{3}}$

$\therefore a^{\frac{1}{3}} = 4$

따라서 $a = 4^3 = 64$

$40^x=2$, $\left(\dfrac{1}{10}\right)^y=8$, $a^z=4$를 만족시키는 실수 x, y, z에 대하여

$\dfrac{1}{x}+\dfrac{3}{y}-\dfrac{1}{z}=1$이 성립할 때, 양수 a의 값은?

① 2   ② 4   ③ 8

④ 16   ⑤ 64

STEP Ⓐ **지수법칙을 이용하여 x, y, z를 지수로 표현하기**

$40^x=2$에서 $40=2^{\frac{1}{x}}$

$\left(\dfrac{1}{10}\right)^y=8$에서 $\dfrac{1}{10}=8^{\frac{1}{y}}=2^{\frac{3}{y}}$

$a^z=4$에서 $a^{\frac{1}{z}}=2^{\frac{2}{z}}$

STEP Ⓑ **$\dfrac{1}{x}+\dfrac{3}{y}-\dfrac{1}{z}=1$임을 이용하여 a의 값 구하기**

$2^{\frac{1}{x}+\frac{3}{y}-\frac{1}{z}}=40\times\dfrac{1}{10}\div a^{\frac{1}{2}}=\dfrac{4}{\sqrt{a}}$이므로

$\dfrac{4}{\sqrt{a}}=2$, $\sqrt{a}=2$

따라서 $a=4$ 정답 ②

0090 정답 ②

STEP Ⓐ **지수법칙을 이용하여 밑을 통일시켜 나타내기**

$3^a=k^c$에서 $3=k^{\frac{c}{a}}$ …… ㉠

$5^b=k^c$에서 $5=k^{\frac{c}{b}}$ …… ㉡

STEP Ⓑ **$ab=bc+ca$임을 이용하여 양수 k의 값 구하기**

㉠×㉡을 하면

$15=k^{\frac{c}{a}}k^{\frac{c}{b}}=k^{\frac{c}{a}+\frac{c}{b}}=k^{\frac{bc+ca}{ab}}$

이때 $ab=bc+ca$이므로 $\dfrac{bc+ca}{ab}=\dfrac{ab}{ab}=1$

따라서 $k=15$

0091 정답 ⑤

STEP Ⓐ **지수법칙을 이용하여 구하기**

$2^{\frac{4}{a}}=100$에서 $2^4=100^a$이므로

$2^4=10^{2a}$ …… ㉠

$25^{\frac{2}{b}}=10$에서 $25^2=10^b$이므로

$5^4=10^b$ …… ㉡

㉠×㉡를 하면

$2^4\times5^4=10^{2a}\times10^b$

즉 $10^{2a+b}=10^4$

따라서 $2a+b=4$

0092 정답 ③

STEP Ⓐ **지수법칙을 이용하여 구하기**

$2^{-a}+2^{-b}=\dfrac{1}{2^a}+\dfrac{1}{2^b}$

$=\dfrac{2^a+2^b}{2^{a+b}}$

$=\dfrac{9}{4}$ …… ㉠

그런데 $2^a+2^b=2$이므로 이 값을 ㉠에 대입하면

$\dfrac{2}{2^{a+b}}=\dfrac{9}{4}$

$2^{a+b}=2\times\dfrac{4}{9}=\dfrac{8}{9}$

따라서 $p=9$, $q=8$이므로 $p+q=17$

두 실수 a, b에 대하여

$$2^a\times3^b=4, \quad 2^b\times3^a=9$$

일 때, $a-b$의 값은?

① $\dfrac{1}{2}$ ② $\dfrac{2}{3}$ ③ 1

④ $\dfrac{3}{2}$ ⑤ 2

STEP Ⓐ **지수법칙을 이용하여 구하기**

$2^a\times3^b=4$, $2^b\times3^a=9$이므로 같은 변끼리 나누면

$2^{a-b}\times3^{b-a}=\dfrac{4}{9}$, $\left(\dfrac{2}{3}\right)^{a-b}=\dfrac{4}{9}$

따라서 $a-b=2$ 정답 ⑤

0093 정답 ⑤

STEP Ⓐ **2^a의 값을 임의로 두고 지수법칙을 이용하여 a, b, c를 지수로 표현하기**

$2^a=5^b=10^c=k\,(k>0,\ k\neq1)$이라 하면

$2^a=k$에서 $2=k^{\frac{1}{a}}$ …… ㉠

$5^b=k$에서 $5=k^{\frac{1}{b}}$ …… ㉡

$10^c=k$에서 $10=k^{\frac{1}{c}}$ …… ㉢

STEP Ⓑ **[보기]의 참, 거짓 판별하기**

ㄱ. $b=\dfrac{1}{3}$이면 $2^a=5^b=5^{\frac{1}{3}}$이므로 $a=\log_2 5^{\frac{1}{3}}=\dfrac{1}{3}\log_2 5$ [참]

ㄴ. ㉠×㉡÷㉢을 하면

$2\times5\div10=k^{\frac{1}{a}+\frac{1}{b}-\frac{1}{c}}$

즉 $k^{\frac{1}{a}+\frac{1}{b}-\frac{1}{c}}=1$이므로 $\dfrac{1}{a}+\dfrac{1}{b}-\dfrac{1}{c}=0$이다. [참]

ㄷ. $2^a=k$에서 $a=\log_2 k$

$5^b=k$에서 $b=\log_5 k$이므로 $\dfrac{a}{b}=\dfrac{\log_2 k}{\log_5 k}=\dfrac{\log_k 5}{\log_k 2}=\log_2 5$

즉 $\log_2 4<\log_2 5<\log_2 8$이므로 $2<\dfrac{a}{b}<3$ [참]

> **참고**
>
> $2^a=5^b$에서 $2^{\frac{a}{b}}=5$
>
> $\therefore \dfrac{a}{b}=\log_2 5$
>
> 이때 $\log_2 4<\log_2 5<\log_2 8$에서 $2<\log_2 5<3$이므로
>
> $2<\dfrac{a}{b}<3$

따라서 옳은 것은 ㄱ, ㄴ, ㄷ이다.

등식 $2^a=5^b$을 만족시키는 양의 실수 a, b에 대하여 옳은 것만을 [보기]에서 있는 대로 고른 것은?

> ㄱ. $b=\dfrac{1}{2}$이면 $a=\log_4 5$이다.
>
> ㄴ. $2<\dfrac{a}{b}<3$
>
> ㄷ. $\dfrac{1}{a}+\dfrac{1}{b}$은 무리수이다.

① ㄱ   ② ㄷ   ③ ㄱ, ㄴ

④ ㄱ, ㄷ   ⑤ ㄱ, ㄴ, ㄷ

STEP A [보기]의 진위판단하기

ㄱ. $b=\dfrac{1}{2}$이면 $2^a=5^{\frac{1}{2}}$이므로 $a=\log_2\sqrt{5}=\log_4 5$ [참]

ㄴ. $2^a=5^b$에서 $2^{\frac{a}{b}}=5$

$\therefore \dfrac{a}{b}=\log_2 5$

이때 $\log_2 4<\log_2 5<\log_2 8$에서 $2<\log_2 5<3$이므로

$2<\dfrac{a}{b}<3$ [참]

다른풀이 $2^a=5^b$의 양변에 로그를 취하여 구하기

$2^a=5^b$의 양변에 상용로그를 취하면 $a\log 2=b\log 5$

$\therefore \dfrac{a}{b}=\dfrac{\log 5}{\log 2}=\log_2 5$

ㄷ. **반례** $2^a=5^b=10$으로 놓으면

$2=10^{\frac{1}{a}}$, $5=10^{\frac{1}{b}}$에서 $\dfrac{1}{a}=\log 2$, $\dfrac{1}{b}=\log 5$

$\therefore \dfrac{1}{a}+\dfrac{1}{b}=\log 2+\log 5=\log 10=1$ (유리수) [거짓]

따라서 옳은 것은 ㄱ, ㄴ이다.

 정답 ③

참고

$2^a=5^b=k\ (k>1)$로 놓으면

$2=k^{\frac{1}{a}}$, $5=k^{\frac{1}{b}}$에서 $\dfrac{1}{a}=\log_k 2$, $\dfrac{1}{b}=\log_k 5$

$\dfrac{1}{a}+\dfrac{1}{b}=\log_k 2+\log_k 5=\log_k 10$이므로

$k=10^{\frac{n}{m}}$ (단, m, n은 자연수)일 때, $\dfrac{1}{a}+\dfrac{1}{b}$은 유리수이다.

0094

 정답 ④

STEP A 주어진 식을 이용하여 F_1, F_2의 값 구하기

방향제 12g을 뿌리고 2시간 후에 실내에 남아 있는 방향제의 양이 F_1이므로

$F_1=12\cdot 2^{-\frac{2}{3}}$

방향제 8g을 뿌리고 8시간 후의 실내에 남아 있는 방향제의 양이 F_2이므로

$F_2=8\cdot 2^{-\frac{8}{3}}$

STEP B 지수법칙을 이용하여 $\dfrac{F_1}{F_2}$의 값 구하기

따라서 $\dfrac{F_1}{F_2}=\dfrac{12}{8}\cdot 2^{-\frac{2}{3}+\frac{8}{3}}=\dfrac{3}{2}\cdot 2^2=6$

0095

 정답 ①

STEP A 주어진 식을 이용하여 G_1, G_2의 값 구하기

상대습도가 80%, 기온이 35°C일 때의 식품손상지수는 G_1이므로

$G_1=\dfrac{80-65}{14}(1.05)^{35}=\dfrac{15}{14}(1.05)^{35}$ …… ㉠

상대습도가 70%, 기온이 20°C일 때의 식품손상지수는 G_2이므로

$G_2=\dfrac{70-65}{14}(1.05)^{20}=\dfrac{5}{14}(1.05)^{20}$ …… ㉡

STEP B 지수법칙을 이용하여 $\dfrac{G_1}{G_2}$의 값 구하기

따라서 ㉠÷㉡을 하면 $\dfrac{G_1}{G_2}=3(1.05)^{15}=3\times 2=6$

0096

 정답 ⑤

STEP A 주어진 식을 이용하여 S_1, S_2의 값 구하기

펌프의 1분당 회전수 N은 일정하므로 $S=NQ^{\frac{1}{2}}H^{-\frac{3}{4}}$에서

$Q=24$, $H=5$를 주어진 관계식에 대입하면

$S_1=N\times 24^{\frac{1}{2}}\times 5^{-\frac{3}{4}}$

$Q=12$, $H=10$을 주어진 관계식에 대입하면

$S_2=N\times 12^{\frac{1}{2}}\times 10^{-\frac{3}{4}}$

STEP B 지수법칙을 이용하여 $\dfrac{S_1}{S_2}$의 값 구하기

따라서 $\dfrac{S_1}{S_2}=\dfrac{N\times 24^{\frac{1}{2}}\times 5^{-\frac{3}{4}}}{N\times 12^{\frac{1}{2}}\times 10^{-\frac{3}{4}}}=\dfrac{2^{\frac{1}{2}}\times 12^{\frac{1}{2}}\times 5^{-\frac{3}{4}}}{12^{\frac{1}{2}}\times 2^{-\frac{3}{4}}\times 5^{-\frac{3}{4}}}=2^{\frac{1}{2}}\times\left(\dfrac{1}{2}\right)^{-\frac{3}{4}}=2^{\frac{1}{2}+\frac{3}{4}}=2^{\frac{5}{4}}$

0097

 정답 ②

STEP A 주어진 m_0, v, c의 값을 식에 대입하여 정리하기

$m=m_0(1-v^2c^{-2})^{-\frac{1}{2}}$에서 $m_0=8$, $v=\dfrac{9}{5}\times 10^8$, $c=3\times 10^8$이므로

$m=8\left\{1-\left(\dfrac{9}{5}\times 10^8\right)^2\times(3\times 10^8)^{-2}\right\}^{-\frac{1}{2}}$

$=8\left(1-\dfrac{\frac{81}{25}\times 10^{16}}{9\times 10^{16}}\right)^{-\frac{1}{2}}$

$=8\left(1-\dfrac{9}{25}\right)^{-\frac{1}{2}}$

$=8\times\left\{\left(\dfrac{4}{5}\right)^2\right\}^{-\frac{1}{2}}$

$=8\times\dfrac{5}{4}=10$

따라서 구하는 질량은 10 mg

0098

정답 ②

STEP A 주어진 식을 이용하여 각각의 시간을 구하기

32인분의 식사를 준비하는 데 걸리는 시간은 $3\times 32^{0.5}$

8인분의 식사를 준비하는 데 걸리는 시간은 $3\times 8^{0.5}$이므로

$\dfrac{3\times 32^{0.5}}{3\times 8^{0.5}}=\left(\dfrac{32}{8}\right)^{0.5}=4^{0.5}=2$

따라서 32인분의 식사를 준비하는데 걸리는 시간은 8인분의 식사를 준비하는 데 걸리는 시간의 2(배)

0099

정답 해설참조

1단계 -8의 세제곱근을 모두 구한다.   ◀ 60%

-8의 세제곱근을 x라 하면 $x^3 = -8$이므로

$x^3 + 8 = 0,\ (x+2)(x^2 - 2x + 4) = 0$

$\therefore x = -2$ 또는 $x = 1 \pm \sqrt{3}\,i$

2단계 -8의 세제곱근 중에서 실수인 것을 구한다.   ◀ 40%

따라서 -8의 세제곱근 중 실수인 것은 $\sqrt[3]{-8} = -2$

0100

정답 해설참조

1단계 지수법칙을 이용하여 식을 간단히 정리한다.   ◀ 40%

$\left[\left\{\left(\dfrac{1}{256}\right)^{\frac{9}{4}}\right\}^{\frac{8}{3}}\right]^{\frac{1}{m}} = \left(\dfrac{1}{256}\right)^{\frac{9}{4} \times \frac{8}{3} \times \frac{1}{m}}$

$\qquad = \left(\dfrac{1}{256}\right)^{\frac{6}{m}}$

$\qquad = (2^{-8})^{\frac{6}{m}} = 2^{-\frac{48}{m}} \quad \cdots\cdots \ \bigcirc$

2단계 주어진 식이 자연수가 되는 가능한 정수 m의 값을 모두 구한다.   ◀ 50%

$\bigcirc$이 자연수가 되도록 하는 모든 정수 m의 값은

$-1,\ -2,\ -3,\ -4,\ -6,\ -8,\ -12,\ -16,\ -24,\ -48$

3단계 정수 m의 개수를 구한다.   ◀ 10%

따라서 정수 m의 개수는 10

0101

정답 해설참조

1단계 두 유리수 r, s를 문자로 정한다.   ◀ 30%

$r = \dfrac{m}{n},\ s = \dfrac{p}{q}$ (m, n, p, q는 정수, $n \geq 2$, $q \geq 2$)라 하자.

2단계 지수법칙을 이용하여 성립함을 보인다.   ◀ 70%

$a^r a^s = a^{\frac{m}{n}} a^{\frac{p}{q}} = a^{\frac{mq}{nq}} a^{\frac{np}{nq}}$

$\qquad = a^{\frac{mq + np}{nq}}$

$\qquad = a^{\frac{m}{n} + \frac{p}{q}}$

$\qquad = a^{r+s}$

0102

정답 해설참조

1단계 분모, 분자에 a^x을 곱하여 a^{2x}의 값 구한다.   ◀ 80%

$\dfrac{a^x + a^{-x}}{a^x - a^{-x}} = \dfrac{3}{2}$에서 좌변의 분모, 분자에 a^x을 곱하면

$\dfrac{a^x(a^x + a^{-x})}{a^x(a^x - a^{-x})} = \dfrac{3}{2},\ \dfrac{a^{2x} + 1}{a^{2x} - 1} = \dfrac{3}{2}$

$2a^{2x} + 2 = 3a^{2x} - 3$

$\therefore a^{2x} = 5$

2단계 a^{6x}의 값 구한다.   ◀ 20%

따라서 $a^{6x} = (a^{2x})^3 = 5^3 = 125$

0103

정답 해설참조

1단계 $a^x = b^y = c^z = 27$에서 a, b, c의 값을 구한다.   ◀ 50%

$a^x = b^y = c^z = 27$에서

$a^x = 3^3$에서 $a = 3^{\frac{3}{x}}$ $\cdots\cdots$ $\bigcirc$

$b^y = 27$에서 $b = 3^{\frac{3}{y}}$ $\cdots\cdots$ $\bigcirc\!\!\bigcirc$

$c^z = 2^3$에서 $c = 3^{\frac{3}{z}}$ $\cdots\cdots$ $\bigcirc\!\!\bigcirc\!\!\bigcirc$

2단계 $abc = 9$에서 지수법칙을 이용하여 x, y, z의 관계식을 구한다.   ◀ 30%

$\bigcirc \times \bigcirc\!\!\bigcirc \times \bigcirc\!\!\bigcirc\!\!\bigcirc$을 하면 $abc = 3^{\frac{3}{x} + \frac{3}{y} + \frac{3}{z}}$

$abc = 9$이므로 $abc = 3^{\frac{3}{x} + \frac{3}{y} + \frac{3}{z}} = 3^2$

$\therefore 3\left(\dfrac{1}{x} + \dfrac{1}{y} + \dfrac{1}{z}\right) = 2$

3단계 $\dfrac{1}{x} + \dfrac{1}{y} + \dfrac{1}{z}$의 값을 구한다.   ◀ 20%

따라서 $\dfrac{1}{x} + \dfrac{1}{y} + \dfrac{1}{z} = \dfrac{2}{3}$

0104

정답 해설참조

1단계 곱셈공식을 이용하여 $ab + bc + ca$의 값을 구한다.   ◀ 40%

$(a+b+c)^2 = a^2 + b^2 + c^2 + 2(ab + bc + ca)$이므로

$15 = 12 + 2(ab + bc + ca)$

$\therefore ab + bc + ca = \dfrac{3}{2}$

2단계 지수법칙을 이용하여 주어진 식을 간단히 정리한다.   ◀ 40%

$(2^a)^{b+c} \times (2^b)^{c+a} \times (2^c)^{a+b} = 2^{ab+ac} \times 2^{bc+ba} \times 2^{ca+cb}$

$\qquad\qquad = 2^{2(ab + bc + ca)}$

3단계 주어진 식의 값을 구한다.   ◀ 20%

따라서 $ab + bc + ca = \dfrac{3}{2}$이므로 $2^{2(ab+bc+ca)} = 2^{2 \cdot \frac{3}{2}} = 2^3 = 8$

0105

정답 해설참조

1단계 $a + a^{-1}$값을 구한다.   ◀ 30%

$a + a^{-1} = \left(a^{\frac{1}{2}} + a^{-\frac{1}{2}}\right)^2 - 2a^{\frac{1}{2}} \cdot a^{-\frac{1}{2}}$

$\qquad = 3^2 - 2 = 7$

2단계 $a^{\frac{1}{2}} - a^{-\frac{1}{2}}$값을 구한다.   ◀ 40%

$\left(a^{\frac{1}{2}} - a^{-\frac{1}{2}}\right)^2 = \left(a^{\frac{1}{2}} + a^{-\frac{1}{2}}\right)^2 - 4a^{\frac{1}{2}} \cdot a^{-\frac{1}{2}}$

$\qquad\qquad = 3^2 - 4 = 5$

$a > 1$이므로 $a^{\frac{1}{2}} - a^{-\frac{1}{2}} > 0$

따라서 $a^{\frac{1}{2}} - a^{-\frac{1}{2}} = \sqrt{5}$

참고 $\left(a^{\frac{1}{2}} - a^{-\frac{1}{2}}\right)^2 = a - 2 + a^{-1} = 7 - 2 = 5$

3단계 $a^{\frac{3}{2}} + a^{-\frac{3}{2}}$값을 구한다.   ◀ 30%

$a^{\frac{3}{2}} + a^{-\frac{3}{2}} = \left(a^{\frac{1}{2}} + a^{-\frac{1}{2}}\right)(a - 1 + a^{-1})$

$\qquad = 3 \cdot (7 - 1) = 18$

참고 $a^{\frac{3}{2}} + a^{-\frac{3}{2}} = \left(a^{\frac{1}{2}} + a^{-\frac{1}{2}}\right)^3 - 3\left(a^{\frac{1}{2}} + a^{-\frac{1}{2}}\right) = 27 - 9 = 18$

0106

정답 해설참조

1단계 $a^{\frac{1}{2}}-a^{-\frac{1}{2}}$의 값을 구한다. ◀ 40%

$$\left(a^{\frac{1}{2}}-a^{-\frac{1}{2}}\right)^2=a-2+a^{-1}=11-2=9$$

이때 $a>1$이므로 $a^{\frac{1}{2}}-a^{-\frac{1}{2}}=3$

2단계 $a^{\frac{3}{2}}-a^{-\frac{3}{2}}$의 값을 구한다. ◀ 40%

$a^{\frac{1}{2}}-a^{-\frac{1}{2}}=3$의 양변을 세제곱하면

$$\left(a^{\frac{1}{2}}-a^{-\frac{1}{2}}\right)^3=a^{\frac{3}{2}}-3\cdot a^{\frac{1}{2}}\cdot 2^{-\frac{1}{2}}\left(a^{\frac{1}{2}}-a^{-\frac{1}{2}}\right)-a^{-\frac{3}{2}}=27$$

◀ $(a-b)^3=a^3-3ab(a-b)-b^3$

$$\therefore a^{\frac{3}{2}}-a^{-\frac{3}{2}}=27+3\cdot3=36$$

3단계 $\dfrac{a^{\frac{3}{2}}-a^{-\frac{3}{2}}+14}{a^{\frac{1}{2}}-a^{-\frac{1}{2}}+2}$의 값을 구한다. ◀ 20%

따라서 $\dfrac{a^{\frac{3}{2}}-a^{-\frac{3}{2}}+14}{a^{\frac{1}{2}}-a^{-\frac{1}{2}}+2}=\dfrac{36+14}{3+2}=\dfrac{50}{5}=10$

0107

정답 해설참조

1단계 주어진 값의 분자, 분모에 3^{-3a}을 곱하여 변형한다. ◀ 30%

$\dfrac{3^{6a}+1}{3^{4a}+3^{2a}}$의 분자, 분모에 3^{-3a}을 곱하면

$$\dfrac{3^{6a}+1}{3^{4a}+3^{2a}}=\dfrac{3^{-3a}(3^{6a}+1)}{3^{-3a}(3^{4a}+3^{2a})}=\dfrac{3^{3a}+3^{-3a}}{3^{a}+3^{-a}}$$

2단계 3^a+3^{-a}의 값을 구한다. ◀ 30%

또, $(3^a+3^{-a})^2=9^a+2+9^{-a}=7+2=9$이고

$3^a+3^{-a}>0$이므로 $3^a+3^{-a}=3$

3단계 $3^{3a}+3^{-3a}$의 값을 구한다. ◀ 20%

이때 $3^{3a}+3^{-3a}=(3^a+3^{-a})^3-3(3^a+3^{-a})$

$$=3^3-3\times3$$
$$=18$$

4단계 $\dfrac{3^{6a}+1}{3^{4a}+3^{2a}}$의 값을 구한다. ◀ 20%

따라서 $3^a+3^{-a}=3$, $3^{3a}+3^{-3a}=18$이므로 주어진 식의 값은

$$\dfrac{3^{6a}+1}{3^{4a}+3^{2a}}=\dfrac{3^{3a}+3^{-3a}}{3^{a}+3^{-a}}=\dfrac{18}{3}=6$$

0108

정답 해설참조

1단계 주어진 식의 양변을 3^x으로 나누어 3^x+3^{-x}의 값을 구한다. ◀ 30%

$9^x-3^{x+1}=-1$에서 $3^{2x}-3\cdot3^x+1=0$의 양변을 3^x으로 나누면

$$3^x-3+\dfrac{1}{3^x}=0$$

$$\therefore 3^x+3^{-x}=3$$

2단계 9^x+9^{-x}의 값을 구한다. ◀ 30%

$9^x+9^{-x}=(3^x+3^{-x})^2-2\cdot3^x\cdot3^{-x}=3^2-2=7$

3단계 81^x+81^{-x}의 값을 구한다. ◀ 30%

$81^x+81^{-x}=3^{4x}+3^{-4x}=(3^{2x}+3^{-2x})^2-2=49-2=47$

4단계 $\dfrac{81^x+81^{-x}+1}{9^x+9^{-x}+1}$의 값을 구한다. ◀ 10%

따라서 $9^x+9^{-x}=7$, $81^x+81^{-x}=47$이므로 구하는 값은

$$\dfrac{81^x+81^{-x}+1}{9^x+9^{-x}+1}=\dfrac{47+1}{7+1}=6$$

0109

정답 해설참조

1단계 $\sqrt{\dfrac{n}{2}}$이 양의 정수가 되도록 하는 p, q의 조건을 구한다. ◀ 30%

$\sqrt{\dfrac{n}{2}}$이 자연수가 되려면 $n=2^{2k+1}\times3^{2l}$꼴이므로

$p=2k+1$, $q=2l$ (단, k, l은 음이 아닌 정수)

2단계 $\sqrt[3]{\dfrac{n}{3}}$이 양의 정수가 되도록 하는 p, q의 조건을 구한다. ◀ 40%

$\sqrt[3]{\dfrac{n}{3}}$이 자연수가 되려면 $n=2^{3r}\times3^{3s+1}$꼴이므로

$p=3r$, $q=3s+1$ (단, r, s는 음이 아닌 정수)

3단계 [1단계], [2단계]를 이용하여 n의 최솟값을 구한다. ◀ 30%

p는 3의 배수, q는 2의 배수이면서 (3의 배수)+1이어야 하므로

p의 최솟값과 q의 최솟값은 각각 3, 4이다.

따라서 n의 최솟값은 $2^3\times3^4=648$

다른풀이 $n=2a^2$, $n=3b^3$꼴로 풀이하기

$\sqrt{\dfrac{n}{2}}$이 자연수가 되려면 $\dfrac{n}{2}=a^2$ (a는 자연수)

즉 $n=2a^2$꼴이어야 하고

$\sqrt[3]{\dfrac{n}{3}}$이 자연수가 되려면 $\dfrac{n}{3}=b^3$ (b는 자연수)

즉 $n=3b^3$꼴이어야 하므로 $n=2a^2=3b^3$

이때 a는 3의 배수, b는 2의 배수이어야 하므로

$a=3k$, $b=2l$ (k, l은 자연수)

라 하면 $n=2\times3^2\times k^2=3\times2^3\times l^3$

따라서 구하는 n의 최솟값은 $k=2\times3$, $l=3$일 때, $n=2^3\times3^4=648$

0110

정답 해설참조

1단계 a^2-1을 구한다. ◀ 30%

$$a^2-1=\dfrac{3^{\frac{2}{6}}+2+3^{-\frac{2}{6}}}{4}-1$$

$$=\dfrac{3^{\frac{2}{6}}+3^{-\frac{2}{6}}-2}{4}$$

$$=\left(\dfrac{3^{\frac{1}{6}}-3^{-\frac{1}{6}}}{2}\right)^2$$

2단계 $a+\sqrt{a^2-1}$의 값을 구한다. ◀ 40%

$$a+\sqrt{a^2-1}=\dfrac{3^{\frac{1}{6}}+3^{-\frac{1}{6}}}{2}+\dfrac{3^{\frac{1}{6}}-3^{-\frac{1}{6}}}{2}=3^{\frac{1}{6}}$$

3단계 $(a+\sqrt{a^2-1})^{12}$의 값을 구한다. ◀ 30%

$$(a+\sqrt{a^2-1})^{12}=\left(3^{\frac{1}{6}}\right)^{12}=3^2=9$$

0111

 정답 ⑤

STEP A　x의 범위에 따른 실수 t의 개수 구하기

$t^2=-x^2+9$에서

(i) $-x^2+9>0$에서 $(x-3)(x+3)<0$

　　$-3<x<3$일 때, $t=\sqrt{-x^2+9}$ 또는 $t=-\sqrt{-x^2+9}$이므로

　　실수 t의 값은 2개

　　즉 $f(x)=2$

(ii) $-x^2+9=0$에서 $(x-3)(x+3)=0$

　　$x=-3$ 또는 $x=3$일 때, $t=0$이므로 실수 t의 값은 1개

　　즉 $f(x)=1$

(iii) $-x^2+9<0$에서 $(x-3)(x+3)>0$

　　$x<-3$ 또는 $x>3$일 때, $t^2=-x^2+9<0$을 만족시키는 실수 t의 값은 존재하지 않는다.

　　$\therefore f(x)=0$

STEP B　함수 $y=f(x)$의 그래프 그리기

(i)~(iii)에 의해 함수 $y=f(x)$의 그래프는 다음과 같다.

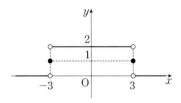

STEP C　[보기]의 참, 거짓 판별하기

ㄱ. $f(-3)=1$ [참]

ㄴ. 방정식 $f(x)=2$를 만족시키는 x의 범위는 $-3<x<3$이므로
　 정수 x는 -2, -1, 0, 1, 2의 5개이다. [참]

ㄷ. 함수 $y=f(x)$의 그래프와 곡선 $y=x^2$은 두 점에서 만난다. [참]

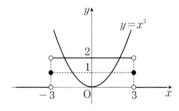

따라서 옳은 것은 ㄱ, ㄴ, ㄷ이다.

실수 x에 대하여 함수 $f(x)$를

　　$f(x)=$(등식 $t^4=x^2-4$를 만족시키는 서로 다른 실수 t의 개수)

로 정의하자. 함수 $y=f(x)$의 그래프는?

① 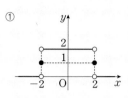　②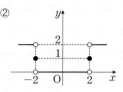

③ 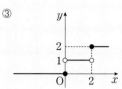　④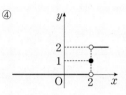

⑤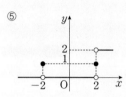

STEP A　x의 범위에 따른 실수 t의 개수 구하기

$t^4=x^2-4$에서

(i) $x^2-4>0$에서 $(x-2)(x+2)>0$

　　즉 $x<-2$ 또는 $x>2$일 때,

　　$t=\sqrt[4]{x^2-4}$ 또는 $t=-\sqrt[4]{x^2-4}$이므로 실수 t의 값은 2개

　　$\therefore f(x)=2$

(ii) $x^2-4=0$에서 $(x-2)(x+2)=0$

　　즉 $x=-2$ 또는 $x=2$일 때,

　　$t=0$이므로 실수 t의 값은 1개

　　$\therefore f(x)=1$

(iii) $x^2-4<0$에서 $t^4=x^2-4<0$을 만족시키는 실수 t의 값은 존재하지 않는다.

　　$\therefore f(x)=0$

STEP B　실근의 개수를 이용한 그래프 그리기

(i)~(iii)에 의해 함수 $y=f(x)$의 그래프는 다음과 같다.

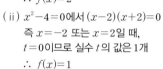

다른풀이　t는 x^2-4의 네제곱근 중 실수 구하기

$t^4=x^2-4$를 만족시키는 실수 t는 x^2-4의 네제곱근 중 실수인 것이다.

(i) $x^2-4>0$일 때,

　　x^2-4의 네제곱근 중 실수인 것은 $\sqrt[4]{x^2-4}$, $-\sqrt[4]{x^2-4}$이므로

　　$f(x)=2$

(ii) $x^2-4=0$일 때,

　　x^2-4의 네제곱근 중 실수인 것은 $\sqrt[4]{x^2-4}=\sqrt[4]{0}=0$이므로

　　$f(x)=1$

(iii) $x^2-4<0$일 때,

　　x^2-4의 네제곱근 중 실수는 존재하지 않으므로 $f(x)=0$　 정답 ②

0112

STEP A 이차방정식의 근과 계수의 관계를 이용하기

x에 대한 이차방정식 $n(n+1)x^2-(2n+1)x+1=0$의 서로 다른 두 실근을 α_n, β_n이므로 이차방정식의 근과 계수의 관계에 의하여

$$\alpha_n+\beta_n=\frac{2n+1}{n(n+1)},\ \alpha_n\beta_n=\frac{1}{n(n+1)}$$

STEP B $\alpha_n+\beta_n-\alpha_n\beta_n$의 값을 n에 관하여 정리하기

$$\alpha_n+\beta_n-\alpha_n\beta_n=\frac{2n+1}{n(n+1)}-\frac{1}{n(n+1)}=\frac{2}{n+1}$$

STEP C 주어진 값이 자연수가 되도록 하는 자연수 n의 값의 합 구하기

$$\left\{\frac{2^{\alpha_n}\times 2^{\beta_n}}{(2^{\alpha_n})^{\beta_n}}\right\}^8=\left(\frac{2^{\alpha_n+\beta_n}}{2^{\alpha_n\beta_n}}\right)^8$$
$$=(2^{\alpha_n+\beta_n-\alpha_n\beta_n})^8$$
$$=(2^{\frac{2}{n+1}})^8$$
$$=2^{\frac{16}{n+1}}$$

이때 $2^{\frac{16}{n+1}}$의 값이 자연수가 되려면 $\frac{16}{n+1}$이 음이 아닌 정수이어야 한다.

따라서 자연수 n의 값은 1, 3, 7, 15이므로 n의 합은 $1+3+7+15=26$

← $n+1$이 16의 양의 약수이면 주어진 값이 자연수가 된다.

0113

STEP A $a_n<0$, $a_n=0$인 경우 $F(n)$의 값 구하기

두 함수 $y=(x+2)^2(x\geq-2)$, $y=n$의 그래프는 다음과 같다.

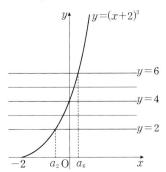

(i) $n=2$, 3일 때,

　$a_n<0$이므로 $F(2)=0$, $F(3)=1$

(ii) $n=4$일 때,

　$a_n=0$이므로 $F(4)=1$

STEP B $a_n>0$인 경우 $F(n)$의 값 구하기

(iii) $n\geq5$일 때, $a_n>0$

　① 5 이상인 홀수 n에 대하여 n제곱하여 양수 a_n이 되는 실수는

　　$\sqrt[n]{a_n}$이므로 $F(5)=F(7)=F(9)=\cdots=F(19)=1$

　② 6 이상인 짝수 n에 대하여 n제곱하여 양수 a_n이 되는 실수는

　　$\sqrt[n]{a_n}$, $-\sqrt[n]{a_n}$이므로 $F(6)=F(8)=F(10)=\cdots=F(20)=2$

STEP C 주어진 값 구하기

따라서 $F(2)+F(3)+F(4)+\cdots+F(20)=0+1+1+(1\times8)+(2\times8)$
$$=26$$

0114

STEP A 거듭제곱근의 정의를 이용하여 $f(n)$의 값 구하기

$(7-2n)^3$의 n제곱근 중에서 실수인 것의 개수를 $f(n)$이므로

(i) $n=2$일 때,

　$(7-4)^3$의 제곱근 중에서 실수인 것의 개수는 2이므로 $f(2)=2$

(ii) $n=3$일 때,

　$(7-6)^3$의 세제곱근 중에서 실수인 것의 개수는 1이므로 $f(3)=1$

(iii) $n\geq4$일 때,

　$(7-2n)^3<0$이므로

　$n=4,\ 6,\ 8,\ \cdots,\ 100$일 때, $f(n)=0$

　$n=5,\ 7,\ 9,\ \cdots,\ 99$일 때, $f(n)=1$

STEP B $f(2)+f(3)+f(4)+f(5)+\cdots+f(100)$의 값 구하기

따라서 $f(2)+f(3)+f(4)+f(5)+\cdots+f(100)=2+1+48=51$

0115

STEP A $a^x=k$이면 $a=k^{\frac{1}{x}}$임을 이용하기

(1) $2^x=3^y=6^z=a$에서 $2=a^{\frac{1}{x}}$, $3=a^{\frac{1}{y}}$, $6=a^{\frac{1}{z}}$

　$2\cdot3\cdot6=a^{\frac{1}{x}}\cdot a^{\frac{1}{y}}\cdot a^{\frac{1}{z}}=a^{\frac{1}{x}+\frac{1}{y}+\frac{1}{z}}$

　이때 $\frac{1}{x}+\frac{1}{y}+\frac{1}{z}=2$이므로 $a^2=36$

　따라서 $a=6$

(2) $2^x=3^y=5^z=a$에서 $a^{\frac{1}{x}}=2$, $a^{\frac{1}{y}}=3$, $a^{\frac{1}{z}}=5$이므로

　$a^{\frac{1}{x}}\times a^{\frac{1}{y}}\times a^{\frac{1}{z}}=a^{\frac{1}{x}+\frac{1}{y}+\frac{1}{z}}=30$

　$\frac{1}{x}+\frac{1}{y}+\frac{1}{z}=\frac{1}{2}$이므로 $a^{\frac{1}{2}}=30$

　따라서 양변을 제곱하면 $a=900$

(3) $2^x=5^{-y}=10^{\frac{z}{2}}=k\ (k>0)$로 놓으면

　$2=k^{\frac{1}{x}}$, $5=k^{-\frac{1}{y}}$, $10=k^{\frac{2}{z}}$

　따라서 $10=2\cdot5=k^{\frac{1}{x}-\frac{1}{y}}=k^{\frac{2}{z}}$이므로 $a=1$

0116

STEP A 산술평균과 기하평균을 이용하여 최솟값 구하기

(1) 점 $(a,\ b)$가 직선 $y=-3x+6$ 위에 있으므로 $b=-3a+6$

　$5^a+(\sqrt[3]{5})^b=5^a+5^{\frac{b}{3}}=5^a+5^{-a+2}$이므로

　$5^a+5^{-a+2}\geq2\sqrt{5^a\times5^{-a+2}}=2\sqrt{5^2}=2\cdot5=10$

　(단, 등호는 $a=-a+2$일 때, 즉 $a=1$일 때 성립)

　따라서 $5^a+(\sqrt[3]{5})^b$의 최솟값은 10

(2) $(2^{-a}\div2^{4b})^{-2}=2^8$에서 $2^{2a+8b}=2^8$이므로 $2a+8b=8$

　즉 $\frac{a}{4}+b=1$이므로

　$(\sqrt[4]{5})^a+5^b=5^{\frac{a}{4}}+5^b\geq2\sqrt{5^{\frac{a}{4}}\times5^b}=2\sqrt{5^{\frac{a}{4}+b}}=2\sqrt{5}$

　따라서 $(\sqrt[4]{5})^a+5^b$의 최솟값은 $2\sqrt{5}$

0117

정답 64

STEP A 정육면체의 부피가 a^4임을 이용하여 x, a의 관계식 구하기

정육면체의 한 모서리의 길이를 x라 하면 정육면체의 부피는 a^4이므로

$x^3=a^4$ ∴ $x=a^{\frac{4}{3}}$ ······ ㉠

STEP B 정삼각형의 넓이를 이용하여 양수 a의 값 구하기

이때 색칠한 정삼각형의 한 변의 길이는 $\sqrt{2}x$이므로 정삼각형의 넓이는

$\dfrac{\sqrt{3}}{4}\cdot(\sqrt{2}x)^2=8\sqrt{3}a^2$ ∴ $x=4a$

따라서 ㉠에서 $4a=a^{\frac{4}{3}}$이므로 양변을 a로 나누면 $4=a^{\frac{1}{3}}$, $a=4^3=64$

내/신/연/계 출제문항 **050**

넓이가 $\sqrt[3]{64}\pi$인 원의 둘레의 길이를 $a\pi$, 부피가 $\sqrt[4]{27}$인 정육면체의 겉넓이를 b라 할 때, $ab=2^{\alpha}3^{\beta}$이 성립한다. 이때 유리수 α, β에 대하여 $\alpha+\beta$의 값은?

① $\dfrac{3}{2}$ ② $\dfrac{4}{3}$ ③ $\dfrac{11}{3}$

④ $\dfrac{13}{3}$ ⑤ $\dfrac{9}{2}$

STEP A 원의 반지름의 길이 r 구하기

원의 반지름의 길이를 r이라 하면

$\pi r^2=\sqrt[3]{32}\pi$

$r>0$이므로 $r=\sqrt[6]{32}=\sqrt[6]{2^6}=2$

원의 둘레의 길이 $a\pi$는 $a\pi=2\pi r=2\pi\times 2=2^2\pi$

∴ $a=2^2$

STEP B 정육면체의 한 모서리의 길이 x 구하기

정육면체의 한 모서리의 길이를 x라 하면

부피는 $x^3=\sqrt[4]{27}$

$x>0$이므로 $x=\sqrt[12]{27}=\sqrt[12]{3^3}=3^{\frac{1}{4}}$

정육면체의 겉넓이 b는 $b=6x^2=6\times(3^{\frac{1}{4}})^2=2\times 3\times 3^{\frac{1}{2}}=2\times 3^{\frac{3}{2}}$

STEP C ab의 값 구하기

$ab=2^2\times 2\times 3^{\frac{3}{2}}=2^3\times 3^{\frac{3}{2}}$이므로 $\alpha=3$, $\beta=\dfrac{3}{2}$

따라서 $\alpha+\beta=\dfrac{9}{2}$

정답 ⑤

0118

정답 16

STEP A 함수 $y=x^n$과 직선 $y=a$의 교점의 x좌표 구하기

함수 $y=x^n$ $(x>0)$과 직선 $y=a$ $(2\le a\le 100$, a는 자연수)의 교점의 x좌표는 $\sqrt[n]{a}$

STEP B $\sqrt[n]{a}$가 자연수가 되는 순서쌍 (n, a)의 개수 구하기

$\sqrt[n]{a}$가 자연수가 되도록 하는 순서쌍 (n, a)는

(i) $n=2$일 때, $(2, 2^2)$, $(2, 3^2)$, $\cdots$, $(2, 10^2)$의 9개

(ii) $n=3$일 때, $(3, 2^3)$, $(3, 3^3)$, $(3, 4^3)$의 3개

(iii) $n=4$일 때, $(4, 2^4)$, $(4, 3^4)$의 2개

(iv) $n=5$일 때, $(5, 2^5)$의 1개

(v) $n=6$일 때, $(6, 2^6)$의 1개

(i)~(v)에 의하여 조건을 만족하는 순서쌍 (n, a)의 개수는

$9+3+2+1+1=16$

0119

정답 16

STEP A 그래프에서 b, c를 a에 대하여 나타내기

점 P_2는 정사각형 OQ_1AB 위에 있으므로 점 B의 y좌표는 a

이때 점 P_2는 $y=x^3$ 위에 있으므로 P_2의 x좌표는 $\sqrt[3]{a}$

∴ $b=\sqrt[3]{a}$

점 P_3는 정사각형 OQ_2CD 위에 있으므로 점 P_3의 y좌표는 $\sqrt[3]{a}$

이때 점 P_3는 $y=x^2$ 위에 있으므로 P_3의 x좌표는 $\sqrt[6]{a}$

∴ $c=\sqrt[6]{a}$

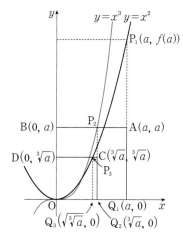

STEP B 다항함수와 지수의 성질을 이용하여 미지수 구하기

$bc=\sqrt[3]{a}\sqrt[6]{a}=a^{\frac{1}{3}}a^{\frac{1}{6}}=a^{\frac{1}{3}+\frac{1}{6}}=a^{\frac{1}{2}}$

즉 $bc=2$이므로 $a^{\frac{1}{2}}=2$

∴ $a=4$

따라서 점 P_1의 y좌표의 값은 $a^2=16$

0120

정답 2

STEP A 주어진 조건에 대입하여 정리하기

$a>0$에서 $0<2^{-\frac{2}{a}}<1$이므로 $1-2^{-\frac{2}{a}}>0$

$\dfrac{Q(4)}{Q(2)}=\dfrac{Q_0(1-2^{-\frac{4}{a}})}{Q_0(1-2^{-\frac{2}{a}})}=\dfrac{1-(2^{-\frac{2}{a}})^2}{1-2^{-\frac{2}{a}}}=\dfrac{(1-2^{-\frac{2}{a}})(1+2^{-\frac{2}{a}})}{1-2^{-\frac{2}{a}}}=1+2^{-\frac{2}{a}}$

STEP B $\dfrac{Q(4)}{Q(2)}=\dfrac{3}{2}$을 만족하는 a의 값 구하기

$\dfrac{Q(4)}{Q(2)}=\dfrac{3}{2}$이므로 $1+2^{-\frac{2}{a}}=\dfrac{3}{2}$, $2^{-\frac{2}{a}}=\dfrac{1}{2}=2^{-1}$

따라서 $-\dfrac{2}{a}=-1$이므로 $a=2$

다른풀이 치환을 이용하여 풀이하기

STEP A $2^{-\frac{2}{a}}=t$로 치환하여 t의 값 구하기

$\dfrac{Q(4)}{Q(2)}=\dfrac{3}{2}$에서 $2Q(4)=3Q(2)$

$2Q_0(1-2^{-\frac{4}{a}})=3Q_0(1-2^{-\frac{2}{a}})$

$2^{-\frac{2}{a}}=t$로 놓으면 $a>0$이므로 $0<t<1$

$2(1-t^2)=3(1-t)$, $2(1-t)(1+t)=3(1-t)$

$2(1+t)=3$에서 $t=\dfrac{1}{2}$

STEP B 지수방정식을 이용하여 a의 값 구하기

즉 $2^{-\frac{2}{a}}=2^{-1}$이므로 $-\dfrac{2}{a}=-1$

따라서 $a=2$

0121

STEP Ⓐ **주어진 조건을 이용하여 v_A, v_B의 식 구하기**

수도관 A의 단면인 원의 넓이 $S=\pi a^2$

둘레의 길이 $L=2\pi a$이고 기울기가 $I=0.01$

물의 속력 v_A이므로 주어진 식에 대입하면

$$v_A=c\left(\frac{\pi a^2}{2\pi a}\right)^{\frac{2}{3}}(0.01)^{\frac{1}{2}}=\frac{c}{10}\left(\frac{a}{2}\right)^{\frac{2}{3}} \qquad \cdots\cdots \text{㉠}$$

수도관 B의 단면인 원의 넓이 $S=\pi b^2$

둘레의 길이 $L=2\pi b$이고 기울기가 $I=0.04$

물의 속력 v_B이므로 주어진 식에 대입하면

$$v_B=c\left(\frac{\pi b^2}{2\pi b}\right)^{\frac{2}{3}}(0.04)^{\frac{1}{2}}=\frac{2c}{10}\left(\frac{b}{2}\right)^{\frac{2}{3}} \qquad \cdots\cdots \text{㉡}$$

STEP Ⓑ $\dfrac{v_A}{v_B}=2$**임을 이용하여 $\dfrac{a}{b}$의 값 구하기**

㉠÷㉡을 하면

$$\frac{v_A}{v_B}=\frac{\dfrac{c}{10}\left(\dfrac{a}{2}\right)^{\frac{2}{3}}}{\dfrac{2c}{10}\left(\dfrac{b}{2}\right)^{\frac{2}{3}}}=\frac{1}{2}\left(\frac{a}{b}\right)^{\frac{2}{3}}=2$$

따라서 $\left(\dfrac{a}{b}\right)^{\frac{2}{3}}=4$이므로 $\dfrac{a}{b}=8$

0122

STEP Ⓐ **를 식으로 나타내기**

수온이 동일하고 A조개와 B조개의 개체중량이 같으므로

$\dfrac{Q_A}{Q_B}$의 식을 먼저 구해보면

$$\frac{Q_A}{Q_B}=\frac{0.01t^{1.25}\omega^{0.25}}{0.05t^{0.75}\omega^{0.30}}=\frac{t^{0.5}}{5\omega^{0.05}} \qquad \cdots\cdots \text{㉠}$$

STEP Ⓑ $t=20$, $\omega=8$**을 대입하여 a, b의 값 구하기**

$t=20$, $\omega=8$을 ㉠에 대입하면

$$\frac{Q_A}{Q_B}=\frac{20^{0.5}}{5\times 8^{0.05}}=\frac{(4\times 5)^{0.5}}{5\times 2^{0.15}}=5^{-1}\times(2^2\times 5)^{0.5}\times(2^3)^{-0.05}$$

$$=5^{-1}\times 2\times 5^{0.5}\times 2^{-0.15}$$

$$=2^{1-0.15}\times 5^{-1+0.5}$$

$$=2^{0.85}\times 5^{-0.5}$$

따라서 $a=0.85$, $b=-0.5$이므로 $a+b=0.85+(-0.5)=0.35$

02 로그

0123

정답 ②

STEP Ⓐ 로그의 정의를 이용하여 로그의 식을 지수의 식으로 나타내기

$\log_2 a = -1$에서 로그의 정의에 의하여 $a = 2^{-1}$

$\therefore a = \dfrac{1}{2}$

$\log_b 9 = 2$에서 로그의 정의에 의하여 $b^2 = 9 = 3^2$

$\therefore b = 3$

따라서 $ab = \dfrac{1}{2} \cdot 3 = \dfrac{3}{2}$

0124

정답 ③

STEP Ⓐ 로그의 정의를 이용하여 로그의 식을 지수의 식으로 나타내기

조건 (가)에서 $\log_3 a = 2$이므로 로그의 정의에 의하여

$3^2 = a$ $\therefore a = 9$

조건(나)에서 $\log_b a = \log_b 9 = 2$이고 로그의 정의에 의하여

$b^2 = 9$이므로 $b = 3$ 또는 $b = -3$

STEP Ⓑ 로그의 밑과 진수의 조건을 만족시키는 a, b의 값 구하기

이때 로그의 밑의 조건에서 b는 1이 아닌 양수이므로 $b = 3$

따라서 구하는 값은 $a + b = 9 + 3 = 12$

0125

정답 ④

STEP Ⓐ 로그의 정의를 이용하여 a, b의 값 구하기

$\log_2 ab = 8$에서 로그의 정의에 의하여 $ab = 2^8$ …… ㉠

$\log_2 \dfrac{a}{b} = 2$에서 로그의 정의에 의하여 $\dfrac{a}{b} = 2^2$

즉 $a = 2^2 b$ …… ㉡

㉡을 ㉠에 대입하면 $2^2 b^2 = 2^8$

즉 $b = 2^3$이므로 $a = 2^5$

STEP Ⓑ $\log_2(a+4b)$의 값 구하기

따라서 $\log_2(a + 4b) = \log_2(2^5 + 4 \cdot 2^3)$

$= \log_2(2^5 + 2^5)$

$= \log_2 2^6$

$= 6$

내/신/연/계/ 출제문항 051

두 실수 a, b가 다음 조건을 만족시킬 때, $\dfrac{b}{a}$의 값은?

> (가) $\log_a b = \dfrac{4}{3}$
>
> (나) $\log_9 a + \log_3 b = 11$

① 3 ② 6 ③ 9

④ 12 ⑤ 81

STEP Ⓐ 로그의 정의를 이용하여 a, b의 관계식 구하기

조건 (가)에서 $\log_a b = \dfrac{4}{3}$ 에서 로그의 정의에 의하여

$b = a^{\frac{4}{3}}$ …… ㉠

STEP Ⓑ 로그의 성질을 이용하여 a, b의 값 구하기

조건 (나)에서

$\log_9 a + \log_3 b = \log_9 a + \log_9 b^2 = \log_9 ab^2 = 11$에서

$ab^2 = 9^{11}$ …… ㉡

㉠을 ㉡에 대입하면

$a\left(a^{\frac{4}{3}}\right)^2 = a^{\frac{11}{3}} = 9^{11}$

$\therefore a = 9^3$

㉠에서 $b = a^{\frac{4}{3}} = (9^3)^{\frac{4}{3}} = 9^4$

따라서 $\dfrac{b}{a} = \dfrac{9^4}{9^3} = 9$

정답 ③

0126

정답 ③

STEP Ⓐ 로그의 정의를 이용하여 3^x, 3^{-x}의 값 구하기

$x = \log_3(2+\sqrt{3})$에서 로그의 정의에 의하여 $3^x = 2 + \sqrt{3}$

$3^{-x} = \dfrac{1}{2+\sqrt{3}} = 2 - \sqrt{3}$

STEP Ⓑ 주어진 값 구하기

따라서 $\dfrac{3^x + 3^{-x}}{3^x - 3^{-x}} = \dfrac{2+\sqrt{3}+2-\sqrt{3}}{2+\sqrt{3}-(2-\sqrt{3})} = \dfrac{4}{2\sqrt{3}} = \dfrac{2\sqrt{3}}{3}$

0127

정답 ③

STEP Ⓐ $a = \log(1+\sqrt{2})$에서 10^{2a}의 값 구하기

$a = \log(1+\sqrt{2})$에서 로그의 정의에 의하여

$10^a = 1 + \sqrt{2}$이므로 $10^{2a} = (1+\sqrt{2})^2 = 3 + 2\sqrt{2}$

STEP Ⓑ 주어진 식의 분모, 분자에 10^a를 곱하여 계산하기

따라서 $\dfrac{10^a + 10^{-a}}{10^a - 10^{-a}} = \dfrac{10^{2a}+1}{10^{2a}-1} = \dfrac{4+2\sqrt{2}}{2+2\sqrt{2}} = \sqrt{2}$

내/신/연/계/ 출제문항 052

$x = \log_{\sqrt{2}}(\sqrt{2}+1)$, $y = \log_{\frac{1}{2}}(3+2\sqrt{2})$일 때, $2^x + 2^y$의 값은?

① $2\sqrt{2}$ ② 4 ③ $4\sqrt{2}$

④ 6 ⑤ $6\sqrt{2}$

STEP Ⓐ 로그의 정의를 이용하여 2^x, 2^y의 값 구하기

$x = \log_{\sqrt{2}}(\sqrt{2}+1)$에서 로그의 정의에 의하여

$(\sqrt{2})^x = \sqrt{2}+1$이므로 양변을 제곱하면

$2^x = (\sqrt{2}+1)^2 = 3 + 2\sqrt{2}$

$y = \log_{\frac{1}{2}}(3+2\sqrt{2})$에서 로그의 정의에 의하여

$\left(\dfrac{1}{2}\right)^y = 3+2\sqrt{2}$이므로 $2^y = \dfrac{1}{3+2\sqrt{2}} = 3 - 2\sqrt{2}$

STEP Ⓑ 주어진 값 구하기

따라서 $2^x + 2^y = (3+2\sqrt{2}) + (3-2\sqrt{2}) = 6$

정답 ④

0128

STEP A $\dfrac{8}{n}$이 될 수 있는 값 구하기

$\log_2 \dfrac{8}{n}$과 n이 자연수이므로

$\dfrac{8}{n}=2^k$ (k은 자연수)꼴이고 n은 8의 약수이어야 한다.

즉 $\dfrac{8}{n}=2$ 또는 $\dfrac{8}{n}=4$ 또는 $\dfrac{8}{n}=8$이므로

$n=4$ 또는 $n=2$ 또는 $n=1$ ← $\dfrac{8}{n}=1$이면 $\log_2\dfrac{8}{n}=\log_2 1=0$이므로 자연수가 아니다.

따라서 모든 n의 값의 합은 $1+2+4=7$

내/신/연/계 출제문항 053

100 이하의 자연수 n에 대하여 $\log_2 \dfrac{n}{6}$이 자연수가 되는 모든 n의 값의 합은?

① 120   ② 140   ③ 160

④ 180   ⑤ 200

STEP A 로그의 정의에 의하여 지수꼴로 나타내어 n의 값 구하기

$\log_2 \dfrac{n}{6}=k$ (k는 자연수)라 하면

$\dfrac{n}{6}=2^k$, $n=3\times 2^{k+1}$

STEP B 모든 n의 값의 합 구하기

n이 100 이하인 자연수이므로 가능한 k는 1, 2, 3, 4이다.

따라서 모든 자연수 n의 값의 합은 $3(2^2+2^3+2^4+2^5)=180$ 정답 ④

0129

정답 ①

STEP A $5\log_n 2$의 값이 자연수가 되는 n의 값 구하기

$5\log_n 2$의 값이 자연수가 되려면

$\log_n 2=1$ 또는 $\log_n 2=\dfrac{1}{5}$이어야 한다.

$\log_n 2=1$에서 $n=2$

$\log_n 2=\dfrac{1}{5}$에서 $n=2^5=32$

따라서 구하는 모든 n의 값의 합은 $2+32=34$

다른풀이 로그꼴을 지수꼴로 바꾸어 자연수 n 구하기

$5\log_n 2=k$ (단, k는 자연수)라 하면

$\log_n 2=\dfrac{k}{5}$이므로 $n^{\frac{k}{5}}=2$

이때 $n=2^{\frac{5}{k}}$ (자연수)이므로

자연수 $k=1$이면 $n=2^5=32$

자연수 $k=5$이면 $n=2^1=2$

따라서 구하는 모든 n의 값의 합은 $2+32=34$

내/신/연/계 출제문항 054

$\dfrac{1}{4}\log 2^{2n}+\dfrac{1}{2}\log 5^n$이 정수가 되도록 하는 50 이하의 자연수 n의 개수는?

① 28   ② 25   ③ 22

④ 19   ⑤ 16

STEP A 로그의 성질을 이용하여 정리하기

$\dfrac{1}{4}\log 2^{2n}+\dfrac{1}{2}\log 5^n=\dfrac{n}{2}\log 2+\dfrac{n}{2}\log 5=\dfrac{n}{2}\log 10=\dfrac{n}{2}$

STEP B 정수가 되는 50 이하의 자연수 n의 개수 구하기

$\dfrac{n}{2}$이 정수이므로 n은 2의 배수이다.

따라서 50 이하의 자연수 n의 개수는 25   정답 ②

0130

정답 ④

STEP A 로그의 밑과 진수의 조건을 이용하여 x에 대한 부등식으로 나타내기

$\log_{(x-3)}(-x^2+9x-14)$가 정의되기 위해서는

밑의 조건에 의해 $x-3>0$, $x-3\neq 1$ $\therefore x>3$, $x\neq 4$ …… ㉠

진수의 조건에 의해 $-x^2+9x-14>0$

$x^2-9x+14<0$, $(x-2)(x-7)<0$ $\therefore 2<x<7$ …… ㉡

STEP B 두 조건을 동시에 만족시키는 x의 값의 범위 구하기

㉠, ㉡을 동시에 만족시키는 x의 값의 범위는 $3<x<7$, $x\neq 4$

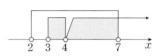

따라서 정수 x는 5, 6이므로 합은 11

0131

정답 ①

STEP A 밑 조건을 이용하여 x값의 범위 구하기

$\log_{|x-1|}(-x^2+2x+3)$이 정의되기 위해서는

로그의 밑의 조건으로부터 $|x-1|>0$, $|x-1|\neq 1$

$\therefore x\neq 1$, $x\neq 0$, $x\neq 2$ …… ㉠

STEP B 진수의 조건을 이용하여 x의 범위 구하기

로그의 진수의 조건으로부터 $-x^2+2x+3>0$

$x^2-2x-3<0$, $(x+1)(x-3)<0$

$\therefore -1<x<3$ …… ㉡

㉠, ㉡의 공통범위를 구하면

$-1<x<0$ 또는 $0<x<1$ 또는 $1<x<2$ 또는 $2<x<3$

따라서 정수 x는 없으므로 0개이다.

내/신/연/계 출제문항 055

$\log_{|x+1|}(-x^2+x+2)$가 정의되도록 하는 정수 x의 개수는?

① 0   ② 1   ③ 2

④ 3   ⑤ 4

STEP A 밑 조건을 이용하여 x값의 범위 구하기

$\log_{|x+1|}(-x^2+x+2)$가 정의되기 위해서는

로그의 밑의 조건으로부터 $|x+1|>0$, $|x+1|\neq 1$

$\therefore x\neq -1$, $x\neq 0$, $x\neq -2$ …… ㉠

STEP B 진수의 조건을 이용하여 x의 범위 구하기

로그의 진수의 조건으로부터 $-x^2+x+2>0$

$x^2-x-2<0$, $(x+1)(x-2)<0$

$\therefore -1<x<2$ …… ㉡

㉠, ㉡의 공통범위를 구하면

$-1<x<0$ 또는 $0<x<2$

따라서 정수 x는 1이므로 1개이다.   정답 ②

0132

정답 ④

STEP Ⓐ **로그의 밑과 진수의 조건을 이용하여 x에 대한 부등식으로 나타내기**

$\log_{(x-1)^2}(-x^2+8x-7)$가 정의되기 위해서는

로그의 밑의 조건으로부터 $(x-1)^2>0$, $(x-1)^2\neq1$이어야 한다.

$\therefore x\neq1$, $x\neq0$, $x\neq2$ ...... ㉠

로그의 진수의 조건으로부터 $-x^2+8x-7>0$

$x^2-8x+7<0$, $(x-1)(x-7)<0$

$\therefore 1<x<7$ ...... ㉡

STEP Ⓑ **두 조건을 동시에 만족시키는 x의 값의 범위 구하기**

㉠, ㉡을 동시에 만족시키는 x의 값의 범위는 $1<x<2$ 또는 $2<x<7$

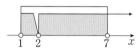

따라서 조건을 만족시키는 정수 x의 개수는 3, 4, 5, 6의 4개이다.

0133

정답 ③

STEP Ⓐ **밑의 조건을 이용하여 x값의 범위 구하기**

$\log_{x-1}\{x(n-x)\}$가 정의되기 위해서는

로그의 밑의 조건으로부터 $x-1>0$, $x-1\neq1$

$x>1$, $x\neq2$ ...... ㉠

STEP Ⓑ **진수의 조건을 이용하여 x의 범위 구하기**

로그의 진수의 조건에 의하여

$x(n-x)>0$, $x(x-n)<0$

$\therefore 0<x<n$ ...... ㉡

㉠, ㉡의 공통 범위를 구하면 $1<x<n$, $x\neq2$

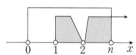

따라서 정수 x는 3, 4, 5, $\cdots$, $n-1$이므로 개수는 $n-3$이므로 $n-3=50$

$\therefore n=53$

0134

정답 ②

STEP Ⓐ **밑의 조건을 이용하여 a 값의 범위 구하기**

로그의 밑의 조건에서 $a>0$, $a\neq1$

$\therefore 0<a<1$ 또는 $a>1$ ...... ㉠

STEP Ⓑ **진수의 조건을 이용하여 a의 범위 구하기**

진수의 조건에서 모든 실수 x에 대하여 $x^2+ax+a+3>0$이어야 하므로

이차방정식 $x^2+ax+a+3=0$의 판별식을 D라 하면

$D=a^2-4(a+3)<0$, $a^2-4a-12<0$

$(a+2)(a-6)<0$

$\therefore -2<a<6$ ...... ㉡

㉠, ㉡의 공통범위를 구하면 $0<a<1$ 또는 $1<a<6$

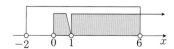

따라서 정수 a는 2, 3, 4, 5이므로 구하는 합은 $2+3+4+5=14$

0135

정답 ①

STEP Ⓐ **밑의 조건을 이용하여 a의 값 구하기**

밑의 조건에서 $|a-1|>0$, $|a-1|\neq1$

$\therefore a\neq0$, $a\neq1$, $a\neq2$인 모든 실수 ...... ㉠

STEP Ⓑ **진수의 조건을 이용하여 a의 범위 구하기**

진수 조건에서 모든 실수 x에 대하여 $x^2+ax+a>0$이어야 하므로

이차방정식 $x^2+ax+a=0$의 판별식을 D라 하면

$D=a^2-4a<0$

$a(a-4)<0$

$\therefore 0<a<4$ ...... ㉡

따라서 ㉠, ㉡의 공통범위에 의하여 정수 a의 값은 3이므로 1개이다.

내/신/연/계/ 출제문항 056

모든 실수 x에 대하여

$$\log_{(a-1)}(x^2-2ax+5a)$$

가 정의될 때, 정수 a의 값의 합은?

① 6   ② 7   ③ 8

④ 9   ⑤ 10

STEP Ⓐ **밑의 조건을 이용하여 a의 값의 범위 구하기**

$\log_{(a-1)}(x^2-2ax+5a)$가 정의되기 위해서는

로그의 밑의 조건에서 $a-1>0$, $a-1\neq1$

$\therefore 1<a<2$ 또는 $a>2$ ...... ㉠

STEP Ⓑ **진수의 조건을 이용하여 a의 범위 구하기**

진수 조건에 의해 모든 실수 x에 대하여 $x^2-2ax+5a>0$이어야 하므로

이차방정식 $x^2-2ax+5a=0$의 판별식을 D라 하면

$\dfrac{D}{4}=a^2-5a<0$

$a(a-5)<0$

$\therefore 0<a<5$ ...... ㉡

㉠, ㉡을 동시에 만족시키는 a의 값의 범위는 $1<a<2$ 또는 $2<a<5$

따라서 구하는 정수 a의 값은 3, 4이므로 구하는 합은 $3+4=7$ 정답 ②

0136

정답 ③

STEP Ⓐ **밑의 조건을 이용하여 a의 조건 구하기**

$\log_{|a-3|}(ax^2+ax+2)$가 정의되기 위해서는

로그의 밑의 조건에 의해 $|a-3|>0$, $|a-3|\neq1$

$\therefore a\neq3$, $a\neq4$, $a\neq2$인 모든 실수 ...... ㉠

STEP Ⓑ **진수의 조건을 이용하여 a의 범위 구하기**

로그의 진수 조건에 의해 모든 실수 x에 대하여

$ax^2+ax+2>0$이 성립하려면

(i) $a=0$일 때, $2>0$이므로 성립한다.

(ii) $a>0$일 때, $ax^2+ax+2>0$이므로

        이차방정식 $ax^2+ax+2=0$의 판별식을 D라 하면

        $D=a^2-8a<0$

        $a(a-8)<0$ $\therefore 0<a<8$

(i), (ii)에서 $0\leq a<8$ ...... ㉡

㉠, ㉡의 공통범위를 구하면

$0\leq a<2$ 또는 $2<a<3$ 또는 $3<a<4$ 또는 $4<a<8$

따라서 정수 a는 0, 1, 5, 6, 7이므로 5개이다.

내/신/연/계/ 출제문항 057

모든 실수 x에 대하여
$$\log_{|a-1|}(ax^2-ax+3)$$
이 정의되도록 하는 정수 a의 개수는?

① 5   ② 6   ③ 7
④ 8   ⑤ 9

STEP Ⓐ 밑의 조건을 이용하여 a의 조건 구하기

$\log_{|a-1|}(ax^2-ax+3)$이 정의되기 위해서는
로그의 밑의 조건에 의해 $|a-1|>0$, $|a-1| \neq 1$
$\therefore a \neq 1,\ a \neq 0,\ a \neq 2$인 모든 실수   …… ㉠

STEP Ⓑ 진수조건을 이용하여 a의 범위 구하기

로그의 진수 조건에 의해 모든 실수 x에 대하여 $ax^2-ax+3>0$이
성립하려면
(i) $a=0$일 때, $3>0$이므로 성립한다.
(ii) $a>0$일 때, $ax^2-ax+3>0$이므로
     이차방정식 $ax^2-ax+3=0$의 판별식 D는
$$D=a^2-12a<0$$
$$a(a-12)<0$$
$$\therefore 0<a<12$$
(i), (ii)에서 $0 \leq a < 12$ …… ㉡
따라서 ㉠, ㉡에 의하여 정수 a는 3, 4, 5, 6, 7, 8, 9, 10, 11이므로 9개이다.

정답 ⑤

0137

정답 ③

STEP Ⓐ 로그의 성질을 이용하여 계산하기

① $\log_{10} 10 = 1$
② $\log_7 1 = 0$
③ $\log_{\sqrt{2}} 8 = \log_{2^{\frac{1}{2}}} 2^3 = 2 \times 3 \log_2 2 = 6$
④ $\log_3 42 = \log_3(3 \times 2 \times 7) = 1 + \log_3 2 + \log_3 7$
⑤ $\log_5 \sqrt{10} = \log_5(2 \times 5)^{\frac{1}{2}} = \frac{1}{2}(1 + \log_5 2)$
따라서 옳지 않은 것은 ③이다.

0138

정답 ⑤

STEP Ⓐ 로그의 성질을 이용하여 계산하기

① $4^{-\frac{1}{2}} \times \log_2 4 = (2^2)^{-\frac{1}{2}} \times \log_2 2^2 = 2^{2 \times (-\frac{1}{2})} \times 2 \log_2 2$
$$= 2^{-1} \times 2$$
$$= 2^0 = 1 \text{ [참]}$$
② $\frac{1}{\sqrt[3]{8}} \times \log_3 81 = \frac{1}{\sqrt[3]{2^3}} \times \log_3 3^4 = \frac{1}{2} \times 4 = 2 \text{ [참]}$
③ $\log_{\frac{1}{2}} \sqrt{32} \times \log_2 \frac{1}{16} = \log_{2^{-1}} 2^{\frac{5}{2}} \times \log_2 2^{-4} = -\frac{5}{2} \log_2 2 \times (-4 \log_2 2)$
$$= -\frac{5}{2} \times (-4)$$
$$= 10 \text{ [참]}$$
④ $\log_4(\sqrt{2^7} \times 4^{\frac{1}{4}}) = \log_4(2^{\frac{7}{2}} \times 2^{\frac{1}{2}}) = \log_4 2^{(\frac{7}{2} + \frac{1}{2})}$
$$= \log_{2^2} 2^4$$
$$= \frac{4}{2} \log_2 2$$
$$= 2 \text{ [참]}$$
⑤ $8^{\frac{2}{3}} + \log_2 8 = (2^3)^{\frac{2}{3}} + \log_2 2^3 = 2^2 + 3 = 7 \text{ [거짓]}$
따라서 옳지 않은 것은 ⑤이다.

내/신/연/계/ 출제문항 058

다음 중 옳지 않은 것은?

① $\left(\frac{1}{4}\right)^{-2} \times \log_2 8 = 48$ ② $\log_2 4 \times \log_4 2^{-2} = -2$
③ $27^{\frac{1}{3}} + \log_2 4 = 5$ ④ $\log_3 \frac{9}{2} + \log_3 6 = 3$
⑤ $\log_5 \frac{9}{25} - \log_5 9 = 2$

STEP Ⓐ 로그의 성질을 이용하여 계산하기

① $\left(\frac{1}{4}\right)^{-2} \times \log_2 8 = (4^{-1})^{-2} \times \log_2 2^3 = 16 \times 3 = 48 \text{ [참]}$
② $\log_2 4 \times \log_4 2^{-2} = \log_2 2^2 \times \log_4 4^{-1} = 2 \cdot (-1) = -2 \text{ [참]}$
③ $27^{\frac{1}{3}} + \log_2 4 = (3^3)^{\frac{1}{3}} + 2 \log_2 2 = 3 + 2 = 5 \text{ [참]}$
④ $\log_3 \frac{9}{2} + \log_3 6 = \log_3\left(\frac{9}{2} \times 6\right) = \log_3 3^3 = 3 \log_3 3 = 3 \text{ [참]}$
⑤ $\log_5 \frac{9}{25} - \log_5 9 = (\log_5 9 - \log_5 25) - \log_5 9 = -\log_5 25$
$$= -\log_5 5^2$$
$$= -2 \log_5 5$$
$$= -2 \text{ [거짓]}$$
따라서 옳지 않은 것은 ⑤이다.

정답 ⑤

0139

정답 ⑤

STEP Ⓐ 로그의 성질을 이용하여 계산하기

① $\log_2 16 + \log_2 \frac{1}{8} = \log_2\left(16 \times \frac{1}{8}\right) = \log_2 2 = 1 \text{ [참]}$
② $\log_2 6 - \log_2 \frac{3}{2} = \log_2 \frac{6}{\frac{3}{2}} = \log_2 4 = \log_2 2^2 = 2 \text{ [참]}$
③ $\log_2 40 - \log_2 5 = \log_2 \frac{40}{5} = \log_2 8 = \log_2 2^3 = 3 \log_2 2 = 3 \text{ [참]}$
④ $\log_2 \frac{24}{5} + \log_2 \frac{80}{3} = \log_2\left(\frac{24}{5} \times \frac{80}{3}\right) = \log_2 128 = \log_2 2^7 = 7 \text{ [참]}$
⑤ $\log_3 12 + \log_3 9 - \log_3 4 = \log_3\left(\frac{12 \times 9}{4}\right) = \log_3 3^3 = 3 \text{ [거짓]}$
따라서 옳지 않은 것은 ⑤이다.

0140

정답 ⑤

STEP Ⓐ 로그의 성질을 이용하여 계산하기

① $\log_2 4 - \log_{\frac{1}{3}} 27 = \log_2 2^2 - \log_{3^{-1}} 3^3 = 2 - (-3) = 5 \text{ [참]}$
② $\log_2 \frac{3}{4} + 2 \log_2 \frac{1}{\sqrt{12}} = \log_2\left(\frac{3}{4} \times \frac{1}{12}\right) = \log_2 \frac{1}{16} = -4 \text{ [참]}$
③ $\frac{1}{3} \log_3 \sqrt{27} + \log_{\frac{1}{2}} \frac{1}{\sqrt{2}} = \frac{1}{3} \log_3 3^{\frac{3}{2}} + \log_{\frac{1}{2}}\left(\frac{1}{2}\right)^{\frac{1}{2}}$
$$= \frac{1}{3} \cdot \frac{3}{2} + \frac{1}{2} = 1 \text{ [참]}$$
④ $\log_3 6 + \log_3 2 - \log_3 4 = \log_3 \frac{6 \times 2}{4} = \log_3 3 = 1 \text{ [참]}$
⑤ $\log_5(6 - \sqrt{11}) + \log_5(6 + \sqrt{11}) = \log_5(6 - \sqrt{11})(6 + \sqrt{11})$
$$= \log_5\{6^2 - (\sqrt{11})^2\}$$
$$= \log_5(36 - 11)$$
$$= \log_5 25$$
$$= \log_5 5^2$$
$$= 2 \log_5 5$$
$$= 2 \text{ [거짓]}$$
따라서 옳지 않은 것은 ⑤이다.

0141

 정답 ①

STEP A 로그의 성질을 이용하여 계산하기

$$\log_3\left(\sqrt[3]{81}\times\frac{1}{3}\right)=\log_3\left(\sqrt[3]{3^4}\times\frac{1}{3}\right)$$
$$=\log_3\left(3^{\frac{4}{3}}\times 3^{-1}\right)$$
$$=\log_3 3^{\frac{4}{3}-1}$$
$$=\log_3 3^{\frac{1}{3}}$$
$$=\frac{1}{3}\log_3 3$$
$$=\frac{1}{3}\times 1=\frac{1}{3}$$

0142

 정답 ④

STEP A 로그의 성질을 이용하여 계산하기

$$2\log_3\sqrt{18}+\frac{1}{3}\log_3 64-\log_3\frac{8}{9}=\log_3(\sqrt{18})^2+\log_3(4^3)^{\frac{1}{3}}-\log_3\frac{8}{9}$$
$$=\log_3 18+\log_3 4-\log_3\frac{8}{9}$$
$$=\log_3\left(18\times 4\times\frac{9}{8}\right)$$
$$=\log_3 3^4=4$$

0143

 정답 ⑤

STEP A 로그의 성질을 이용하여 계산하기

$$2\log_2\sqrt{3}-\log_2 6+7\log_2\sqrt{2}+\log_5 3\sqrt{15}-\log_5 3-\log_5\sqrt{3}$$
$$=\log_2(\sqrt{3})^2-\log_2 6+\log_2(\sqrt{2})^7+\log_5 3\sqrt{15}-\log_5 3-\log_5\sqrt{3}$$
$$=\log_2\frac{3\times(\sqrt{2})^7}{6}+\log_5\frac{3\sqrt{15}}{3\sqrt{3}}$$
$$=\log_2 2^{\frac{5}{2}}+\log_5 5^{\frac{1}{2}}$$
$$=\frac{5}{2}+\frac{1}{2}=3$$

0144

 정답 ③

STEP A 로그의 성질을 이용하여 계산하기

$$2\log_2 a+\log_2\frac{a}{3}-4\log_2\sqrt[4]{a}=\log_2 a^2+\log_2\frac{a}{3}-\log_2(\sqrt[4]{a})^4$$
$$=\log_2\left(a^2\cdot\frac{a}{3}\cdot\frac{1}{a}\right)$$
$$=\log_2\frac{a^2}{3}=3$$

즉 $\frac{a^2}{3}=2^3=8$이므로 $a^2=24$

0145

 정답 ②

STEP A 곱셈공식과 로그의 성질을 이용하여 구하기

$$(\log_6 4)^2+(\log_6 9)^2+2\log_6 4\cdot\log_6 9=(\log_6 4+\log_6 9)^2$$
$$=(\log_6 36)^2$$
$$=(\log_6 6^2)^2$$
$$=2^2=4$$

$(\log_{10}2)^2+(\log_{10}5)^2+\log_{10}4\cdot\log_{10}5$의 값은?

① 1   ② 2   ③ 3
④ 4   ⑤ 5

STEP A 곱셈공식과 로그의 성질을 이용하여 구하기

$$(\log_{10}2)^2+(\log_{10}5)^2+\log_{10}4\cdot\log_{10}5$$
$$=(\log_{10}2)^2+(\log_{10}5)^2+2\log_{10}2\cdot\log_{10}5$$
$$=(\log_{10}2+\log_{10}5)^2$$
$$=(\log_{10}10)^2$$
$$=1$$

정답 ①

0146

 정답 ②

STEP A 로그의 성질을 이용하여 직선의 기울기 구하기

두 점 $A(\sqrt[3]{-125}, \log_2\sqrt[4]{48})$, $B(-\sqrt{\sqrt[3]{64}}, \log_2\sqrt[4]{3})$을 지나는
직선의 기울기는

$$\frac{\log_2\sqrt[4]{3}-\log_2\sqrt[4]{48}}{-\sqrt{\sqrt[3]{64}}-\sqrt[3]{-125}}=\frac{\log_2\sqrt[4]{\frac{3}{48}}}{-\sqrt[6]{2^6}-\sqrt[3]{(-5)^3}}$$
$$=\frac{\log_2\sqrt[4]{\frac{1}{16}}}{-2-(-5)}$$
$$=\frac{\log_2\frac{1}{2}}{3}=-\frac{1}{3}$$

좌표평면 위의 두 점 $(1, \log_2 5)$, $(2, \log_2 10)$을 지나는 직선의 기울기는?

① 1   ② 2   ③ 3
④ 4   ⑤ 5

STEP A 로그의 성질을 이용하여 직선의 기울기 구하기

두 점 $(1, \log_2 5)$, $(2, \log_2 10)$을 지나는 직선의 기울기는

$$\frac{\log_2 10-\log_2 5}{2-1}=\log_2\frac{10}{5}=\log_2 2=1$$ 정답 ①

0147

 정답 ⑤

STEP A 직선의 수직 조건과 로그의 성질을 이용하여 식의 값을 구하기

직선 AB는 직선 $y=-x+4$에 수직이므로 직선 AB의 기울기는 1

$$\frac{\log_3 b-\log_3 a}{3-(-1)}=1$$

$$\log_3 b-\log_3 a=\log_3\frac{b}{a}=4$$

따라서 $\frac{b}{a}=3^4=81$

0148

STEP Ⓐ **로그의 성질을 이용하여 주어진 식 간단히 하기**

$\log_2(a^3-1) - \log_2(a^2+a+1) = \log_2 \dfrac{a^3-1}{a^2+a+1}$

$\qquad\qquad = \log_2 \dfrac{(a-1)(a^2+a+1)}{a^2+a+1}$

$\qquad\qquad = \log_2(a-1)$

STEP Ⓑ **a의 값을 대입하여 주어진 식의 값 구하기**

이때 $a = (\sqrt{2}-1)^{-1} = \dfrac{1}{\sqrt{2}-1} = \sqrt{2}+1$이므로

(주어진 식) $= \log_2(a-1)$

$\qquad\qquad = \log_2(\sqrt{2}+1-1)$

$\qquad\qquad = \log_2 \sqrt{2}$

$\qquad\qquad = \dfrac{1}{2}\log_2 2$

$\qquad\qquad = \dfrac{1}{2}$

0149

정답 ④

STEP Ⓐ **로그의 성질을 이용하여 $a+b$, ab의 값 구하기**

$\log_2(a+b)=3$에서 $a+b=2^3=8$

$\log_3 a + \log_3 b = 1$에서 $\log_3 ab = 1$, $ab=3$

STEP Ⓑ **곱셈공식을 이용하여 구하기**

따라서 $a^2+b^2 = (a+b)^2 - 2ab = 8^2 - 2 \cdot 3 = 58$

내/신/연/계/ 출제문항 061

$\log_2(a+b)=3$, $\log_3 a + \log_3 b = 2$일 때, $(a-b)^2$의 값은?

① 26　　　　② 28　　　　③ 30
④ 32　　　　⑤ 34

STEP Ⓐ **로그의 성질을 이용하여 $a+b$, ab의 값 구하기**

$\log_2(a+b)=3$에서 $a+b=2^3=8$

$\log_3 a + \log_3 b = 2$에서 $\log_3 ab = 2$이므로 $ab=3^2=9$

STEP Ⓑ **곱셈공식을 이용하여 구하기**

따라서 $(a-b)^2 = (a+b)^2 - 4ab = 64 - 4 \cdot 9 = 28$

정답 ②

0150

정답 ④

STEP Ⓐ **주어진 식을 연립하여 $\log_3 a$, $\log_3 b$의 값 구하기**

$ab=27$의 양변에 3을 밑으로 하는 로그를 취하면

$\log_3 ab = \log_3 27 = 3$

$\log_3 ab = \log_3 a + \log_3 b = 3$　　　…… ㉠

$\log_3 \dfrac{b}{a} = 5$에서 $\log_3 \dfrac{b}{a} = \log_3 b - \log_3 a = 5$ …… ㉡

㉠, ㉡을 연립하여 풀면

$\log_3 a = -1$, $\log_3 b = 4$

따라서 $4\log_3 a + 9\log_3 b = -4 + 36 = 32$

내/신/연/계/ 출제문항 062

$x = \log_2 5$, $8^y = 20$일 때, $3y - x$의 값은?

① 0　　　　② 1　　　　③ 2
④ 3　　　　⑤ 4

STEP Ⓐ **로그의 정의를 이용하여 $3y$의 값 구하기**

$8^y = 20$에서 $2^{3y} = 20$이므로 $3y = \log_2 20$

STEP Ⓑ **로그의 성질을 이용하여 $3y - x$의 값 구하기**

$3y - x = \log_2 20 - \log_2 5 = \log_2 \dfrac{20}{5} = \log_2 4$

$\qquad\qquad = \log_2 2^2$

$\qquad\qquad = 2\log_2 2$

$\qquad\qquad = 2 \times 1$

$\qquad\qquad = 2$

다른풀이 **지수법칙을 이용하여 풀이하기**

$x = \log_2 5$에서 $2^x = 5$

$8^y = (2^3)^y = 2^{3y} = 20$

$2^{3y-x} = 2^{3y} \div 2^x = 20 \div 5 = 4 = 2^2$이므로

$3y - x = 2$

정답 ③

0151

정답 ③

STEP Ⓐ **로그의 성질을 이용하여 주어진 식의 값을 구하기**

$\log_{\sqrt{3}} a = 2\log_3 a = 4\log_9 a = \log_9 a^4$이므로

$\log_9 a^4 = \log_9 ab$에서 $a^4 = ab$

$a(a^3 - b) = 0$에서 $b = a^3$ ($\because a > 1$)

따라서 $\log_a b = \log_a a^3 = 3$

다른풀이 **밑의 변환 공식을 이용하여 풀이하기**

$\log_{\sqrt{3}} a = \log_9 ab$에서 $2\log_3 a = \dfrac{1}{2}\log_3 ab$

$4\log_3 a = \log_3 a + \log_3 b$

$3\log_3 a = \log_3 b$

즉 $3 = \dfrac{\log_3 b}{\log_3 a} = \log_a b$

내/신/연/계/ 출제문항 063

$a > 0$, $a \neq 1$, $b > 0$이고 $\log_3 \sqrt{a} = \log_{27} b$일 때, $\log_a ab$의 값은?

① $\dfrac{3}{2}$　　　　② $\dfrac{5}{2}$　　　　③ $\dfrac{7}{2}$
④ 5　　　　⑤ $\dfrac{12}{5}$

STEP Ⓐ **로그의 성질을 이용하여 a, b의 관계식 구하기**

$\log_3 \sqrt{a} = \log_{27} b$, $\log_3 \sqrt{a} = \log_{3^3} b$, $\log_3 \sqrt{a} = \dfrac{1}{3}\log_3 b$

$3\log_3 \sqrt{a} = \log_3 b$, $\log_3 (\sqrt{a})^3 = \log_3 b$

$\therefore b = (\sqrt{a})^3 = a^{\frac{3}{2}}$

따라서 $\log_a ab = \log_a a \cdot a^{\frac{3}{2}} = \log_a a^{\frac{5}{2}} = \dfrac{5}{2}$

정답 ②

0152

정답 ③

STEP ⓐ $x^3+y^3+z^3-3xyz=0$을 만족하는 x, y, z의 조건 구하기

$x^3+y^3+z^3-3xyz=0$의 좌변을 인수분해하면

$(x+y+z)(x^2+y^2+z^2-xy-yz-zx)=0$

그런데 $x+y+z>0$이므로 $x^2+y^2+z^2-xy-yz-zx=0$

$\frac{1}{2}\{(x-y)^2+(y-z)^2+(z-x)^2\}=0$

$\therefore x-y=0,\ y-z=0,\ z-x=0$

$\therefore x=y=z$

STEP ⓑ 주어진 식의 값 구하기

따라서 $\log_2(x-y+2)+\log_2(y-z+4)+\log_2(z-x+8)$

$\qquad =\log_2 2+\log_2 4+\log_2 8$

$\qquad =6$

내/신/연/계 출제문항 064

1이 아닌 양수 a, b, c에 대하여

$$\log a+\log b+\log c=0$$

일 때, $\log_a b+\log_b a+\log_a c+\log_c a+\log_b c+\log_c b$의 값은?

① -5　　　　② -3　　　　③ -1

④ 3　　　　⑤ 5

STEP ⓐ 로그의 성질을 이용하여 abc의 값 구하기

$\log a+\log b+\log c=0$에서 $\log abc=0$

$\therefore abc=1$

STEP ⓑ 주어진 식의 값 구하기

따라서 $\log_a b+\log_b a+\log_a c+\log_c a+\log_b c+\log_c b$

$\qquad =\log_a bc+\log_b ac+\log_c ab$

$\qquad =\log_a \dfrac{1}{a}+\log_b \dfrac{1}{b}+\log_c \dfrac{1}{c}$

$\qquad =-1+(-1)+(-1)=-3$

정답 ②

0153

정답 ②

STEP ⓐ 주어진 조건의 밑이 서로 다르므로 밑을 통일시켜 나타내기

$a=b^2=c^3=k$ (k는 실수)라 하면

$a=k,\ b=k^{\frac{1}{2}},\ c=k^{\frac{1}{3}}$

STEP ⓑ 로그의 성질을 이용하여 구하기

따라서 $\log_a b+\log_b c+\log_c a=\log_k k^{\frac{1}{2}}+\log_{k^{\frac{1}{2}}} k^{\frac{1}{3}}+\log_{k^{\frac{1}{3}}} k$

$\qquad\qquad\qquad\qquad =\dfrac{1}{2}+\dfrac{2}{3}+3$

$\qquad\qquad\qquad\qquad =\dfrac{25}{6}$

다른풀이 밑을 각각 통일하여 풀이하기

$a=b^2=c^3$에서 $b=a^{\frac{1}{2}},\ c=b^{\frac{2}{3}},\ a=c^3$

따라서 $\log_a b+\log_b c+\log_c a=\log_a a^{\frac{1}{2}}+\log_b b^{\frac{2}{3}}+\log_c c^3$

$\qquad\qquad\qquad\qquad =\dfrac{1}{2}+\dfrac{2}{3}+3$

$\qquad\qquad\qquad\qquad =\dfrac{25}{6}$

내/신/연/계 출제문항 065

1이 아닌 세 양수 a, b, c에 대하여

$$a^2=b^3=c^5$$

이 성립할 때, $\log_a bc+\log_b ca+\log_c ab$의 값은?

① $\dfrac{22}{3}$　　　② $\dfrac{23}{3}$　　　③ $\dfrac{25}{3}$

④ $\dfrac{17}{2}$　　　⑤ $\dfrac{31}{2}$

STEP ⓐ 주어진 조건의 밑이 서로 다르므로 밑을 통일시켜 나타내기

$a^2=b^3=c^5=k$ (k는 실수)라 하면 $a=k^{\frac{1}{2}},\ b=k^{\frac{1}{3}},\ c=k^{\frac{1}{5}}$

STEP ⓑ 로그의 성질을 이용하여 구하기

따라서 $\log_a bc+\log_b ca+\log_c ab=\log_{k^{\frac{1}{2}}} k^{\frac{1}{3}}k^{\frac{1}{5}}+\log_{k^{\frac{1}{3}}} k^{\frac{1}{5}}k^{\frac{1}{2}}+\log_{k^{\frac{1}{5}}} k^{\frac{1}{2}}k^{\frac{1}{3}}$

$\qquad\qquad\qquad\qquad =\log_{k^{\frac{1}{2}}} k^{\frac{1}{3}+\frac{1}{5}}+\log_{k^{\frac{1}{3}}} k^{\frac{1}{5}+\frac{1}{2}}+\log_{k^{\frac{1}{5}}} k^{\frac{1}{2}+\frac{1}{3}}$

$\qquad\qquad\qquad\qquad =2\left(\dfrac{1}{3}+\dfrac{1}{5}\right)+3\left(\dfrac{1}{5}+\dfrac{1}{2}\right)+5\left(\dfrac{1}{2}+\dfrac{1}{3}\right)$

$\qquad\qquad\qquad\qquad =\dfrac{22}{3}$

정답 ①

0154

정답 ④

STEP ⓐ $\sqrt[3]{a}=\sqrt{b}=\sqrt[4]{c}=k$로 놓고 로그의 성질을 이용하여 정리하기

조건 (가)에서 $\sqrt[3]{a}=\sqrt{b}=\sqrt[4]{c}=k$라 하면 $a=k^3,\ b=k^2,\ c=k^4$

이를 (나)에 대입하면

$\log_8 a+\log_4 b+\log_2 c=\log_8 k^3+\log_4 k^2+\log_2 k^4$

$\qquad\qquad\qquad\qquad =\log_2 k+\log_2 k+4\log_2 k$

$\qquad\qquad\qquad\qquad =6\log_2 k$

즉 $6\log_2 k=2$

$\log_2 k=\dfrac{1}{3}$

STEP ⓑ $\log_2 abc$의 값 구하기

따라서 $\log_2 abc=\log_2(k^3\times k^2\times k^4)=\log_2 k^9=9\log_2 k=9\times\dfrac{1}{3}=3$

0155

정답 ①

STEP ⓐ 거듭제곱근의 성질을 이용하여 a, b의 관계식 구하기

조건 (가)에서 $\sqrt[3]{a}$는 ab의 네제곱근이므로 ◀ $(\sqrt[3]{a})^4=ab$

$a^{\frac{4}{3}}=ab$　$\therefore b=a^{\frac{1}{3}}$　　……㉠

STEP ⓑ 로그의 성질을 이용하여 a, b의 관계식 구하기

㉠을 조건 (나)에 대입하면

$\log_a bc+\log_b ac=\log_a a^{\frac{1}{3}}c+\log_{a^{\frac{1}{3}}} ac$

$\qquad\qquad\qquad =\dfrac{1}{3}\log_a a+\log_a c+3(\log_a a+\log_a c)$

$\qquad\qquad\qquad =\dfrac{10}{3}+4\log_a c=4$

$\log_a c=\dfrac{1}{6}$　$\therefore c=a^{\frac{1}{6}}$　　……㉡

STEP ⓒ $a=\left(\dfrac{b}{c}\right)^k$를 만족하는 k 구하기

㉠, ㉡을 대입하면

$a=\left(\dfrac{b}{c}\right)^k=\left(\dfrac{a^{\frac{1}{3}}}{a^{\frac{1}{6}}}\right)^k=\left(a^{\frac{1}{3}-\frac{1}{6}}\right)^k=a^{\frac{k}{6}}$이므로 $1=\dfrac{k}{6}$

따라서 $k=6$

0156

STEP Ⓐ **로그의 성질을 이용하여 계산하기**

$$3^{\log_9 4} \times \log_2 \sqrt[3]{64} = 4^{\log_9 3} \times \log_2 \sqrt[3]{2^6}$$
$$= 4^{\frac{1}{2}} \times \log_2 2^2$$
$$= (2^2)^{\frac{1}{2}} \times 2$$
$$= 2 \times 2 = 4$$

0157

정답 ①

STEP Ⓐ $a^{\log_c b} = b^{\log_c a}$ **을 이용하여 식을 계산하기**

$$4^{\log_2 5} + 3^{\log_3 a} = 5^{\log_2 4} + a^{\log_3 3}$$
$$= 5^{\log_2 2^2} + a^1$$
$$= 5^2 + a$$
$$= 25 + a$$

따라서 $25 + a = 30$에서 $a = 5$

0158

정답 ②

STEP Ⓐ $a^{\log_c b} = b^{\log_c a}$ **을 이용하여 식을 계산하기**

$$2\log_3 5 - 3\log_{\frac{1}{3}} 4 - 2\log_3 20 = \log_3 5^2 - (-\log_3 4^3) - \log_3 20^2$$
$$= \log_3 \frac{5^2 \cdot 4^3}{20^2}$$
$$= \log_3 4$$

따라서 $27^{2\log_3 5 - 3\log_{\frac{1}{3}} 4 - 2\log_3 20} = 27^{\log_3 4} = 3^{3\log_3 4} = 3^{\log_3 4^3} = 4^3 = 64$

내/신/연/계 출제문항 066

$2^{3\log_2 2 + \log_2 5 - \frac{1}{3}\log_2 8}$의 값은?

① 15   ② 20   ③ 25
④ 30   ⑤ 35

STEP Ⓐ **로그의 성질을 이용하여 주어진 식의 값 구하기**

$$3\log_2 2 + \log_2 5 - \frac{1}{3}\log_2 8 = \log_2 8 + \log_2 5 - \log_2 2$$
$$= \log_2 \frac{8 \times 5}{2}$$
$$= \log_2 20$$

$2^{\log_2 20} = x$로 놓으면 $\log_2 20 = \log_2 x$

따라서 $2^{\log_2 20} = x = 20$

정답 ②

0159

정답 ①

STEP Ⓐ **함숫값을 대입한 후 로그의 성질을 이용하여 정리하기**

$$f\left(\frac{1}{2}\right) \times f\left(\frac{2}{3}\right) \times f\left(\frac{3}{4}\right) \times f\left(\frac{4}{5}\right) \times \cdots \times f\left(\frac{15}{16}\right)$$
$$= 3^{\log_2 \frac{1}{2}} \times 3^{\log_2 \frac{2}{3}} \times 3^{\log_2 \frac{3}{4}} \times \cdots \times 3^{\log_2 \frac{15}{16}}$$
$$= 3^{\log_2 \frac{1}{2} + \log_2 \frac{2}{3} + \log_2 \frac{3}{4} + \cdots + \log_2 \frac{15}{16}}$$
$$= 3^{\log_2 \left(\frac{1}{2} \times \frac{2}{3} \times \frac{3}{4} \times \cdots \times \frac{15}{16}\right)}$$
$$= 3^{\log_2 \frac{1}{16}} = 3^{-4}$$
$$= \frac{1}{81}$$

0160

정답 ③

STEP Ⓐ **부등식을 이용하여 로그의 정수, 소수 부분 구하기**

$1 = \log_3 3 < \log_3 5 < \log_3 9 = 2$이므로 정수부분은 1

$a = 1$, $b = \log_3 5 - 1 = \log_3 \frac{5}{3}$

$3^a = 3$, $3^b = 3^{\log_3 \frac{5}{3}} = \frac{5}{3}$

STEP Ⓑ **주어진 값 구하기**

따라서 $\dfrac{3^a + 3^b}{3^{-a} + 3^{-b}} = \dfrac{3 + \frac{5}{3}}{\frac{1}{3} + \frac{3}{5}} = \dfrac{\frac{14}{3}}{\frac{14}{15}} = \dfrac{15}{3} = 5$

> **KEYPOINT**
>
> 양수 M과 정수 n에 대하여 $a^n \le M < a^{n+1}$ $(a > 0,\ a \ne 1)$일 때,
> ⇨ $\log_a a^n \le \log_a M < \log_a a^{n+1}$ ∴ $n \le \log_a M < n+1$
> ⇨ $\log_a M$의 정수 부분은 n, 소수 부분은 $\log_a M - n$이다.

내/신/연/계 출제문항 067

$\log_2 6$의 정수 부분을 x, 소수 부분을 y라고 할 때, $2(2^x + 2^y)$의 값은?

① 3   ② 5   ③ 7
④ 11   ⑤ 13

STEP Ⓐ **부등식을 이용하여 로그의 정수, 소수 부분 구하기**

$2 = \log_2 4 < \log_2 6 < \log_2 8 = 3$이므로 정수부분은 2

$x = 2$, $y = \log_2 6 - 2 = \log_2 \frac{6}{4} = \log_2 \frac{3}{2}$

STEP Ⓑ $2(2^x + 2^y)$**의 값 구하기**

따라서 $2(2^x + 2^y) = 2(2^2 + 2^{\log_2 \frac{3}{2}}) = 2\left(4 + \frac{3}{2}\right) = 2 \cdot \frac{11}{2} = 11$

정답 ④

0161

정답 ④

STEP Ⓐ **로그의 성질을 이용하여 주어진 식 간단히 하기**

$$\log_3 x + 2\log_9 y + 3\log_{27} z = \log_3 x + 2\log_{3^2} y + 3\log_{3^3} z$$
$$= \log_3 x + \log_3 y + \log_3 z$$
$$= \log_3 xyz$$

$\log_3 xyz = 2$이므로 $xyz = 3^2 = 9$

STEP Ⓑ $\{(2^x)^y\}^z$**의 값 구하기**

따라서 $\{(2^x)^y\}^z = 2^{xyz} = 2^9 = 512$

세 양수 x, y, z가

$$\log_2 x + 2\log_4 y + 3\log_8 z = 1$$

을 만족시킬 때, $\left\{\left(2^{\frac{x}{3}}\right)^{2y}\right\}^{3z}$의 값은?

① 2　　　　　② 4　　　　　③ 8
④ 16　　　　⑤ 32

STEP Ⓐ 로그의 성질을 이용하여 주어진 식 간단히 하기

$$\log_2 x + 2\log_4 y + 3\log_8 z = \log_2 x + \frac{2\log_2 y}{\log_2 2^2} + \frac{3\log_2 z}{\log_2 2^3}$$
$$= \log_2 x + \log_2 y + \log_2 z$$
$$= \log_2 xyz$$

$\log_2 xyz = 1$이므로 $xyz = 2$

STEP Ⓑ $\left\{\left(2^{\frac{x}{3}}\right)^{2y}\right\}^{3z}$**의 값 구하기**

따라서 $\left\{\left(2^{\frac{x}{3}}\right)^{2y}\right\}^{3z} = 2^{\frac{x}{3}\cdot 2y\cdot 3z} = 2^{2xyz} = 4^{xyz} = 4^2 = 16$　　정답 ④

0162　　정답 ⑤

STEP Ⓐ 로그의 성질을 이용하여 [보기]의 참, 거짓 판별하기

ㄱ. $2^{\log_2 1 + \log_2 2 + \log_2 3 + \log_2 4 + \log_2 5 + \log_2 6} = 2^{\log_2(1\cdot 2\cdot 3\cdot 4\cdot 5\cdot 6)}$
　　　$= 2^{\log_2 720} = 720$ [참]

ㄴ. $\log_2(2^1 \times 2^2 \times 2^3 \times 2^4 \times 2^5)^2 = \log_2(2^{1+2+3+4+5})^2$
　　　$= \log_2(2^{15})^2$
　　　$= \log_2 2^{30} = 30$ [참]

ㄷ. $(\log_2 2^1)(\log_2 2^2)(\log_2 2^3)(\log_2 2^4)(\log_2 2^5)$
　　　$= 1 \times 2 \times 3 \times 4 \times 5 = 120$ [참]

따라서 옳은 것은 ㄱ, ㄴ, ㄷ이다.

다음 [보기]에서 옳은 것만을 있는 대로 고른 것은?

> ㄱ. $\log_4(\log_3 2) + \log_4(\log_4 3) + \log_4(\log_5 4) + \cdots$
> 　　　　　　　　　$+ \log_4(\log_{16} 15) = -1$
> ㄴ. $\log_6(37^{\frac{1}{8}} - 1)(37^{\frac{1}{8}} + 1)(37^{\frac{1}{4}} + 1)(37^{\frac{1}{2}} + 1) = 2$
> ㄷ. $\log_2(\log_2 2^4 \times \log_3 3^4 \times \cdots \times \log_{11} 11^4) = 20$
> ㄹ. $\log_2\left(1 + \frac{1}{2}\right) + \log_2\left(1 + \frac{1}{3}\right) + \log_2\left(1 + \frac{1}{4}\right) + \cdots$
> 　　　　　　　　　$+ \log_2\left(1 + \frac{1}{63}\right) = 5$

① ㄱ　　　　② ㄱ, ㄴ　　　　③ ㄴ, ㄷ
④ ㄴ, ㄷ, ㄹ　　⑤ ㄱ, ㄴ, ㄷ, ㄹ

STEP Ⓐ 로그의 성질을 이용하여 [보기]의 참, 거짓 판별하기

ㄱ. $\log_4(\log_3 2) + \log_4(\log_4 3) + \log_4(\log_5 4) + \cdots + \log_4(\log_{16} 15)$
　　$= \log_4(\log_3 2 \times \log_4 3 \times \log_5 4 \times \cdots \times \log_{16} 15)$
　　$= \log_4(\log_{16} 2)$
　　$= \log_4 \frac{1}{4} = \log_{2^2} 2^{-2} = -1$　[참]

ㄴ. $\log_6(37^{\frac{1}{8}} - 1)(37^{\frac{1}{8}} + 1)(37^{\frac{1}{4}} + 1)(37^{\frac{1}{2}} + 1)$
　　$= \log_6(37^{\frac{1}{4}} - 1)(37^{\frac{1}{4}} + 1)(37^{\frac{1}{2}} + 1)$　◀ $(37^{\frac{1}{8}}-1)(37^{\frac{1}{8}}+1)=(37^{\frac{1}{8}})^2-1=37^{\frac{1}{4}}-1$
　　$= \log_6(37^{\frac{1}{2}} - 1)(37^{\frac{1}{2}} + 1)$　◀ $(37^{\frac{1}{4}}-1)(37^{\frac{1}{4}}+1)=(37^{\frac{1}{4}})^2-1=37^{\frac{1}{2}}-1$
　　$= \log_6(37 - 1) = \log_6 36 = 2$ [참]

ㄷ. $\log_2(\log_2 2^4 \times \log_3 3^4 \times \cdots \times \log_{11} 11^4)$
　　$= \log_2(4 \times 4 \times \cdots \times 4)$
　　$= \log_2 4^{10}$
　　$= \log_2 2^{20} = 20$ [참]

ㄹ. $\log_2\left(1 + \frac{1}{2}\right) + \log_2\left(1 + \frac{1}{3}\right) + \log_2\left(1 + \frac{1}{4}\right) + \cdots + \log_2\left(1 + \frac{1}{63}\right)$
　　$= \log_2 \frac{3}{2} + \log_2 \frac{4}{3} + \log_2 \frac{5}{4} + \cdots + \log_2 \frac{64}{63}$
　　$= \log_2\left(\frac{3}{2} \times \frac{4}{3} \times \frac{5}{4} \times \cdots \times \frac{64}{63}\right)$
　　$= \log_2 \frac{64}{2}$
　　$= \log_2 32$
　　$= \log_2 2^5 = 5$ [참]

따라서 옳은 것은 ㄱ, ㄴ, ㄷ, ㄹ이다.　　정답 ⑤

0163　　정답 ②

STEP Ⓐ 로그의 성질을 이용하여 주어진 식 간단히 하기

$$\log\left(1 + \frac{1}{1}\right) + \log\left(1 + \frac{1}{2}\right) + \log\left(1 + \frac{1}{3}\right) + \cdots + \log\left(1 + \frac{1}{99}\right)$$
$$= \log\left\{\left(1 + \frac{1}{1}\right) \times \left(1 + \frac{1}{2}\right) \times \left(1 + \frac{1}{3}\right) \times \cdots \times \left(1 + \frac{1}{99}\right)\right\}$$
$$= \log\left(2 \times \frac{3}{2} \times \frac{4}{3} \times \cdots \times \frac{100}{99}\right)$$
$$= \log 100 = \log 10^2 = 2$$

0164　　정답 ②

STEP Ⓐ 로그의 성질을 이용하여 주어진 식 간단히 하기

$$\log\left(1 - \frac{1}{2}\right) + \log\left(1 - \frac{1}{3}\right) + \log\left(1 - \frac{1}{4}\right) + \cdots + \log\left(1 - \frac{1}{100}\right)$$
$$= \log\left\{\left(1 - \frac{1}{2}\right) \times \left(1 - \frac{1}{3}\right) \times \left(1 - \frac{1}{4}\right) \times \cdots \times \left(1 - \frac{1}{100}\right)\right\}$$
$$= \log\left(\frac{1}{2} \times \frac{2}{3} \times \frac{3}{4} \times \cdots \times \frac{99}{100}\right)$$
$$= \log \frac{1}{100}$$
$$= \log 10^{-2}$$
$$= -2$$

$a = \log\left(1 + \frac{1}{1}\right) + \log\left(1 + \frac{1}{2}\right) + \log\left(1 + \frac{1}{3}\right) + \cdots + \log\left(1 + \frac{1}{30}\right)$일 때, 10^a의 값은?

① 28　　　　② 29　　　　③ 30
④ 31　　　　⑤ 32

STEP Ⓐ 로그의 성질을 이용하여 주어진 식 간단히 하기

$$a = \log\left(1 + \frac{1}{1}\right) + \log\left(1 + \frac{1}{2}\right) + \log\left(1 + \frac{1}{3}\right) + \cdots + \log\left(1 + \frac{1}{30}\right)$$
$$= \log\left\{\left(1 + \frac{1}{1}\right) \times \left(1 + \frac{1}{2}\right) \times \left(1 + \frac{1}{3}\right) \times \cdots \times \left(1 + \frac{1}{30}\right)\right\}$$
$$= \log\left(\frac{2}{1} \times \frac{3}{2} \times \frac{4}{3} \times \cdots \times \frac{31}{30}\right)$$
$$= \log 31$$

STEP Ⓑ 10^a**의 값 구하기**

따라서 $10^a = 10^{\log 31} = 31^{\log 10} = 31$　　정답 ④

0165

정답 ③

STEP A 로그의 성질을 이용하여 주어진 식 간단히 하기

$f(x)=\log_a\left(1+\dfrac{1}{x}\right)=\log_a\dfrac{x+1}{x}$ 이므로

$f(1)+f(2)+f(3)+\cdots+f(100)$

$=\log_a\dfrac{2}{1}+\log_a\dfrac{3}{2}+\log_a\dfrac{4}{3}+\cdots+\log_a\dfrac{101}{100}$

$=\log_a\left(\dfrac{2}{1}\times\dfrac{3}{2}\times\dfrac{4}{3}\times\cdots\times\dfrac{101}{100}\right)$

$=\log_a 101$

STEP B $f(1)+f(2)+f(3)+\cdots+f(100)=1$을 만족하는 a 구하기

$f(1)+f(2)+f(3)+\cdots+f(100)=1$이므로 $\log_a 101=1$

따라서 $a=101$

0166

정답 ④

STEP A 로그의 성질을 이용하여 주어진 식 간단히 하기

$f(x)=\log_3\left(1+\dfrac{1}{x+2}\right)=\log_3\dfrac{x+3}{x+2}$ 이므로

$f(1)+f(2)+\cdots+f(n)=\log_3\dfrac{4}{3}+\log_3\dfrac{5}{4}+\cdots+\log_3\dfrac{n+3}{n+2}$

$=\log_3\left(\dfrac{4}{3}\times\dfrac{5}{4}\times\cdots\times\dfrac{n+3}{n+2}\right)$

$=\log_3\dfrac{n+3}{3}$

STEP B n의 값 구하기

이때 $\log_3\dfrac{n+3}{3}=4$이므로 $\dfrac{n+3}{3}=3^4$, $n+3=243$

따라서 $n=240$

내/신/연/계/ 출제문항 **071**

함수 $f(x)=\log_2\left(1+\dfrac{1}{x+3}\right)$에서

$$f(1)+f(2)+f(3)+\cdots+f(n)=3$$

을 만족시키는 자연수 n의 값은?

① 24   ② 28   ③ 32

④ 36   ⑤ 40

STEP A 로그의 성질을 이용하여 주어진 식 간단히 하기

$f(x)=\log_2\left(1+\dfrac{1}{x+3}\right)=\log_2\dfrac{x+4}{x+3}$ 이므로

$f(1)+f(2)+f(3)+\cdots+f(n)$

$=\log_2\dfrac{5}{4}+\log_2\dfrac{6}{5}+\log_2\dfrac{7}{6}+\cdots+\log_2\dfrac{n+4}{n+3}$

$=\log_2\left(\dfrac{5}{4}\times\dfrac{6}{5}\times\dfrac{7}{6}\times\cdots\times\dfrac{n+4}{n+3}\right)$

$=\log_2\dfrac{n+4}{4}$

STEP B n의 값 구하기

이때 $\log_2\dfrac{n+4}{4}=3$이므로 $\dfrac{n+4}{4}=8$

따라서 $n=28$

정답 ②

0167

정답 ⑤

STEP A 로그의 밑의 변환 공식을 이용하여 구하기

① $\log_2 9\times\log_3\sqrt{2}=\dfrac{\log 9}{\log 2}\times\dfrac{\log\sqrt{2}}{\log 3}=\dfrac{2\log 3}{\log 2}\times\dfrac{\frac{1}{2}\log 2}{\log 3}$

$\qquad\qquad\qquad\qquad =2\times\dfrac{1}{2}=1$

② $\log_3\sqrt{8}\times\log_2 9=\dfrac{\log 2^{\frac{3}{2}}}{\log 3}\times\dfrac{\log 3^2}{\log 2}=\dfrac{\frac{3}{2}\log 2}{\log 3}\times\dfrac{2\log 3}{\log 2}$

$\qquad\qquad\qquad\qquad =\dfrac{3}{2}\times 2=3$

③ $\left(\dfrac{1}{\log_8 2}\right)^3+\log_2 16^2=(\log_2 2^3)^3+\log_2 2^8$

$\qquad\qquad\qquad\qquad =3^3+8=27+8=35$

④ $\log_2 48-\log_2 3+\dfrac{\log_3 64}{\log_3 2}=\log_2\dfrac{48}{3}+\log_2 64$

$\qquad\qquad\qquad\qquad =\log_2 2^4+\log_2 2^6$

$\qquad\qquad\qquad\qquad =4+6=10$

⑤ $\log_2(\log_2 3)+\log_2(\log_3 4)=\log_2(\log_2 3\times\log_3 4)$

$\qquad\qquad\qquad\qquad =\log_2\left(\dfrac{\log 3}{\log 2}\times\dfrac{\log 2^2}{\log 3}\right)$

$\qquad\qquad\qquad\qquad =\log_2 2=1$ [거짓]

따라서 옳지 않은 것은 ⑤이다.

내/신/연/계/ 출제문항 **072**

다음 중 옳지 않은 것은?

① $\log_5 27\times\log_3 5=3$

② $\log_2 5\times\log_5 3\times\log_3 16=4$

③ $\log_5 3\times\left(\log_3\sqrt{5}-\log_{\frac{1}{9}}125\right)=2$

④ $\dfrac{1}{\log_3 2}+\dfrac{1}{\log_6 2}-\dfrac{1}{\log_9 2}=2$

⑤ $\log_2(\log_{25}3)-\log_2(\log_5 81)=-3$

STEP A 로그의 밑의 변환 공식을 이용하여 구하기

① $\log_5 27\times\log_3 5=\dfrac{\log 27}{\log 5}\times\dfrac{\log 5}{\log 3}=\dfrac{3\log 3}{\log 5}\times\dfrac{\log 5}{\log 3}=3$

② $\log_2 5\times\log_5 3\times\log_3 16=\log_2 5\times\dfrac{\log_2 3}{\log_2 5}\times\dfrac{\log_2 16}{\log_2 3}$

$\qquad\qquad\qquad\qquad =\log_2 16=\log_2 2^4=4$

③ $\log_5 3\times\left(\log_3\sqrt{5}-\log_{\frac{1}{9}}125\right)=\log_5 3\times\left(\dfrac{1}{2}\log_3 5+\dfrac{3}{2}\log_3 5\right)$

$\qquad\qquad\qquad\qquad =\log_5 3\times 2\log_3 5$

$\qquad\qquad\qquad\qquad =2\log_5 3\times\log_3 5=2$

④ $\dfrac{1}{\log_3 2}+\dfrac{1}{\log_6 2}-\dfrac{1}{\log_9 2}=\log_2 3+\log_2 6-\log_2 9$

$\qquad\qquad\qquad\qquad =\log_2\left(3\times 6\times\dfrac{1}{9}\right)$

$\qquad\qquad\qquad\qquad =\log_2 2=1$ [거짓]

⑤ $\log_2(\log_{25}3)-\log_2(\log_5 81)=\log_2\left(\dfrac{\log_{25}3}{\log_5 81}\right)$

$\qquad\qquad\qquad\qquad =\log_2\left(\dfrac{\frac{1}{2}\log_5 3}{4\log_5 3}\right)$

$\qquad\qquad\qquad\qquad =\log_2\dfrac{1}{8}=-3$

따라서 옳지 않은 것은 ④이다.

정답 ④

I

지수함수와 로그함수

0168

정답 ②

STEP Ⓐ 로그의 밑의 변환 공식을 이용하여 구하기

$\dfrac{1}{x}+\dfrac{1}{y}=\dfrac{1}{\log_{3}6}+\dfrac{1}{\log_{12}6}$

$=\log_{6}3+\log_{6}12$

$=\log_{6}(3\times12)$

$=\log_{6}6^{2}$

$=2$

0169

정답 ②

STEP Ⓐ 로그의 밑의 변환 공식을 이용하여 구하기

$\dfrac{1}{\log_{4}18}+\dfrac{2}{\log_{9}18}=\log_{18}4+2\log_{18}9$

$=\log_{18}2^{2}+2\log_{18}3^{2}$

$=\log_{18}2^{2}+\log_{18}(3^{2})^{2}$

$=\log_{18}(2^{2}\times3^{4})=\log_{18}(2\times3^{2})^{2}$

$=\log_{18}18^{2}$

$=2\log_{18}18$

$=2$

0170

정답 ①

STEP Ⓐ 로그의 밑의 변환 공식을 이용하여 구하기

$x=\dfrac{\log_{6}3}{1-\dfrac{\log_{2}3}{\log_{2}6}}=\dfrac{\log_{6}3}{1-\log_{6}3}=\dfrac{\log_{6}3}{\log_{6}\dfrac{6}{3}}$

$=\dfrac{\log_{6}3}{\log_{6}2}$

$=\log_{2}3$

따라서 $2^{x}=2^{\log_{2}3}=3$

0171

정답 ②

STEP Ⓐ 로그의 밑의 변환을 이용하여 식 간단히 하기

$\dfrac{1}{\log_{3}b}+\dfrac{1}{\log_{9}b}+\dfrac{1}{\log_{27}b}=\log_{b}3+\log_{b}9+\log_{b}27$

$=\log_{b}3+\log_{b}3^{2}+\log_{b}3^{3}$

$=\log_{b}3+2\log_{b}3+3\log_{b}3$

$=6\log_{b}3=3\log_{b}3^{2}$

$=\dfrac{3}{\log_{9}b}$

따라서 $a=9$

내/신/연/계 출제문항 073

1이 아닌 양수 x에 대하여

$$\dfrac{1}{\log_{2}x}+\dfrac{1}{\log_{3}x}+\dfrac{1}{\log_{5}x}=\dfrac{1}{\log_{a}x}$$

일 때, 양수 a의 값은?

① 30 　　　② 32 　　　③ 35

④ 48 　　　⑤ 50

STEP Ⓐ 로그의 밑의 변환을 이용하여 식 간단히 하기

$\dfrac{1}{\log_{2}x}+\dfrac{1}{\log_{3}x}+\dfrac{1}{\log_{5}x}=\log_{x}2+\log_{x}3+\log_{x}5$

$=\log_{x}(2\times3\times5)$

$=\log_{x}30$

$=\dfrac{1}{\log_{30}x}$

따라서 $a=30$

정답 ①

0172

정답 ④

STEP Ⓐ 로그의 밑의 변환을 이용하여 식 간단히 하기

$\dfrac{3}{\log_{2}x}+\dfrac{2}{\log_{3}x}=3\log_{x}2+2\log_{x}3$

$=\log_{x}(2^{3}\times3^{2})$

$=\log_{x}72$

$=\dfrac{1}{\log_{72}x}$

따라서 $a=72$

0173

정답 ④

STEP Ⓐ 이차방정식의 근과 계수의 관계를 이용하기

이차방정식 $x^{2}-4x+k=0$의 두 근이 α, β이므로
근과 계수의 관계에 의하여 $\alpha+\beta=4$, $\alpha\beta=k$

STEP Ⓑ 로그의 밑의 변환을 이용하여 k의 값 구하기

$\log_{(\alpha+\beta)}\beta+\dfrac{1}{\log_{\alpha}(\alpha+\beta)}=\log_{(\alpha+\beta)}\beta+\log_{(\alpha+\beta)}\alpha$

$=\log_{(\alpha+\beta)}\alpha\beta$

$=\log_{4}k$

따라서 $\log_{4}k=\dfrac{1}{2}$이므로 $k=4^{\frac{1}{2}}=2$

내/신/연/계 출제문항 074

이차방정식 $x^{2}-2x+k=0$의 서로 다른 두 실근 α, β를 가질 때,

$$\log_{(\alpha+\beta)}\beta+\dfrac{1}{\log_{\alpha}(\alpha+\beta)}=2$$

가 성립하도록 하는 양수 k의 값은? (단, $\alpha\neq1$)

① 1 　　　② $\sqrt{2}$ 　　　③ 2

④ $2\sqrt{2}$ 　　　⑤ 4

STEP Ⓐ 근과 계수의 관계를 이용하여 관계식 구하기

이차방정식 $x^{2}-2x+k=0$의 두 근이 α, β이므로
근과 계수의 관계에 의하여 $\alpha+\beta=2$, $\alpha\beta=k$

STEP Ⓑ 조건을 만족하는 양수 k의 값 구하기

$\log_{(\alpha+\beta)}\beta+\dfrac{1}{\log_{\alpha}(\alpha+\beta)}=\log_{(\alpha+\beta)}\beta+\log_{(\alpha+\beta)}\alpha$

$=\log_{(\alpha+\beta)}\alpha\beta$

$=\log_{2}k$

따라서 $\log_{2}k=2$이므로 $k=2^{2}=4$

정답 ⑤

0174

정답 ④

STEP Ⓐ 로그의 성질을 이용하여 a, b의 관계식 구하기

$\log_a c : \log_b c = 2 : 1$에서 $\log_a c = 2\log_b c$

이때 $\dfrac{1}{\log_c a} = \dfrac{2}{\log_c b}$이므로 $\dfrac{\log_c b}{\log_c a} = \log_a b = 2$

따라서 $\log_a b + \log_b a = \log_a b + \dfrac{1}{\log_a b} = 2 + \dfrac{1}{2} = \dfrac{5}{2}$

다른풀이 로그의 성질을 이용하여 a, b의 관계식 구하여 풀이하기

$\log_a c : \log_b c = 2 : 1$이므로 $\log_a c = 2\log_b c$

$\dfrac{\log c}{\log a} = \dfrac{2\log c}{\log b}$, $2\log a = \log b$, $\log a^2 = \log b$

$\therefore b = a^2$

따라서 $\log_a b + \log_b a = \log_a a^2 + \log_{a^2} a = 2 + \dfrac{1}{2} = \dfrac{5}{2}$

내/신/연/계 출제문항 075

1보다 큰 실수 a, b, c에 대하여
$$\log_a c : \log_b c = 3 : 2$$
일 때, $\log_a b + \log_b a$의 값은?

① $\dfrac{11}{6}$ ② $\dfrac{13}{6}$ ③ $\dfrac{3}{2}$

④ $\dfrac{2}{3}$ ⑤ $\dfrac{13}{2}$

STEP Ⓐ 로그의 성질을 이용하여 a, b의 관계식 구하기

$\log_a c : \log_b c = 3 : 2$에서 $2\log_a c = 3\log_b c$

이때 $\dfrac{2}{\log_c a} = \dfrac{3}{\log_c b}$이므로 $2\log_c b = 3\log_c a$

$\log_c b^2 = \log_c a^3$, $b^2 = a^3$

$\therefore b = a^{\frac{3}{2}}$

따라서 $\log_a b + \log_b a = \log_a a^{\frac{3}{2}} + \log_{a^{\frac{3}{2}}} a = \dfrac{3}{2} + \dfrac{2}{3} = \dfrac{13}{6}$

다른풀이 로그의 성질을 이용하여 a, b의 관계식 구하기

$\log_a c : \log_b c = 3 : 2$에서 $2\log_a c = 3\log_b c$

이때 $\dfrac{2}{\log_c a} = \dfrac{3}{\log_c b}$이므로 $\dfrac{\log b}{\log a} = \dfrac{3}{2}$

따라서 $\log_a b + \log_b a = \dfrac{\log b}{\log a} + \dfrac{\log a}{\log b} = \dfrac{3}{2} + \dfrac{2}{3} = \dfrac{13}{6}$

정답 ②

0175

정답 ③

STEP Ⓐ $\log_a 2 = x$, $\log_b 2 = y$이라 두고 주어진 식을 변형하기

$\log_a 2 = x$, $\log_b 2 = y$라 하면

$\log_a 2 + \log_b 2 = x + y = 2$

$\log_2 a + \log_2 b = \dfrac{1}{\log_a 2} + \dfrac{1}{\log_b 2} = \dfrac{1}{x} + \dfrac{1}{y} = \dfrac{x+y}{xy} = -1$이므로

$\dfrac{2}{xy} = -1$ $\therefore xy = -2$

STEP Ⓑ 곱셈공식을 이용하여 $(\log_a 2)^2 + (\log_b 2)^2$의 값 구하기

따라서 $(\log_a 2)^2 + (\log_b 2)^2 = x^2 + y^2 = (x+y)^2 - 2xy$
$$= 2^2 - 2(-2)$$
$$= 8$$

0176

정답 ③

STEP Ⓐ 로그의 정의를 이용하여 $a+b$, $a-b$의 값 구하기

$5^{a+b} = 4$에서 $a + b = \log_5 4$

$2^{a-b} = 3$에서 $a - b = \log_2 3$

$a^2 - b^2 = (a+b)(a-b) = \log_5 4 \times \log_2 3 = \dfrac{\log_2 2^2}{\log_2 5} \times \log_2 3$
$$= 2 \times \dfrac{\log_2 3}{\log_2 5}$$
$$= 2\log_5 3$$

STEP Ⓑ $a^{\log_c b} = b^{\log_c a}$을 이용하여 식을 계산하기

따라서 $5^{a^2 - b^2} = 5^{2\log_5 3} = 3^2 = 9$

다른풀이 곱셈공식을 이용하여 주어진 식 변형하기

$5^{a^2 - b^2} = (5^{a+b})^{a-b} = 4^{a-b} = (2^{a-b})^2 = 3^2 = 9$

내/신/연/계 출제문항 076

두 실수 a, b가
$$3^{a+b} = 4, \quad 2^{a-b} = 5$$
를 만족할 때, $3^{a^2 - b^2}$의 값은?

① 9   ② 16   ③ 25

④ 27   ⑤ 36

STEP Ⓐ 로그의 정의를 이용하여 $a+b$, $a-b$의 값 구하기

$3^{a+b} = 4$에서 $a + b = \log_3 4$ ······ ㉠

$2^{a-b} = 5$에서 $a - b = \log_2 5$ ······ ㉡

㉠, ㉡의 각 변끼리 각각 곱하면

$a^2 - b^2 = (a+b)(a-b) = \log_3 4 \times \log_2 5 = \dfrac{\log 4}{\log 3} \times \dfrac{\log 5}{\log 2}$
$$= 2 \times \dfrac{\log 5}{\log 3}$$
$$= 2\log_3 5 = \log_3 5^2 = \log_3 25$$

$\therefore a^2 - b^2 = \log_3 25$

STEP Ⓑ $a^{\log_c b} = b^{\log_c a}$을 이용하여 식을 계산하기

따라서 $3^{a^2 - b^2} = 3^{\log_3 25} = 25$

다른풀이 곱셈공식을 이용하여 주어진 식 변형하기

$3^{a^2 - b^2} = (3^{a+b})^{a-b} = 4^{a-b} = (2^{a-b})^2 = 5^2 = 25$

정답 ③

0177

정답 ③

STEP Ⓐ 로그의 밑의 변환 공식을 이용하여 ab의 값 구하기

$\dfrac{\log_a b}{2a} = \dfrac{3}{4}$이므로 $\log_a b = \dfrac{3a}{2}$ ······ ㉠

$\dfrac{18\log_b a}{b} = \dfrac{3}{4}$이므로 $\log_b a = \dfrac{b}{24}$ ······ ㉡

㉠×㉡에서

$\log_a b \times \log_b a = \dfrac{3a}{2} \times \dfrac{b}{24} = 1$

따라서 $ab = 16$

$\dfrac{\log_3 4}{a}=\dfrac{\log_3 9}{b}=\dfrac{\log_3 36}{c}=\log_3 6$일 때, $a+b+c$의 값은?

① 2   ② 4   ③ 8
④ 16   ⑤ 32

STEP Ⓐ 로그의 밑의 변환 공식을 이용하여 a, b, c의 값 구하기

$\dfrac{\log_3 4}{a}=\log_3 6$에서 $a=\dfrac{\log_3 4}{\log_3 6}=\log_6 4$

$\dfrac{\log_3 9}{b}=\log_3 6$에서 $b=\dfrac{\log_3 9}{\log_3 6}=\log_6 9$

$\dfrac{\log_3 36}{c}=\log_3 6$에서 $c=\dfrac{\log_3 36}{\log_3 6}=\log_6 36$

STEP Ⓑ 로그의 성질을 이용하여 계산하기

따라서 $a+b+c=\log_6 4+\log_6 9+\log_6 36=\log_6(4\times 9\times 36)$
$=\log_6 6^4=4$ 정답 ②

0178

정답 ⑤

STEP Ⓐ 밑을 변환하여 로그의 성질을 이용하여 [보기]의 진위판단하기

ㄱ. $\log_2 6\times \log_6 3\times \log_3 16=\log_2 6\times \dfrac{\log_2 3}{\log_2 6}\times \dfrac{\log_2 16}{\log_2 3}$
$=\log_2 16=\log_2 2^4=4$ [참]

ㄴ. $(\log_3 50-\log_3 2)\times \log_5 27=\log_3 \dfrac{50}{2}\times \log_5 27$
$=\log_3 25\times \log_5 27$
$=\log_3 5^2\times \log_5 3^3$
$=2\log_3 5\times 3\log_5 3=6$ [참]

ㄷ. $\log_2(\log_3 25)+\log_2(\log_5 9)=\log_2(\log_3 25\times \log_5 9)$
$=\log_2\left(\dfrac{\log_3 25}{\log_3 3}\times \dfrac{\log_3 9}{\log_3 5}\right)$
$=\log_2\left(\dfrac{2\log_3 5}{\log_3 3}\times \dfrac{2\log_3 3}{\log_3 5}\right)$
$=\log_2 4=2$ [참]

따라서 옳은 것은 ㄱ, ㄴ, ㄷ이다.

0179

정답 ③

STEP Ⓐ 밑을 변환하여 로그의 성질을 이용하여 계산하기

$\dfrac{3}{2}\log_5 3+(\log_5 \sqrt{2})(\log_2 25)-\log_5 3\sqrt{15}$

$=(\log_5 \sqrt{2})(\log_2 25)+\dfrac{3}{2}\log_5 3-\log_5 3\sqrt{15}$

$=\dfrac{1}{2}\log_5 2\cdot 2\log_2 5+\log_5 3^{\frac{3}{2}}-\log_5 3\sqrt{15}$

$=1+\log_5 \dfrac{3\sqrt{3}}{3\sqrt{15}}$

$=1+\log_5 \dfrac{1}{\sqrt{5}}$

$=1-\dfrac{1}{2}$

$=\dfrac{1}{2}$

0180

정답 ④

STEP Ⓐ 로그의 여러 가지 성질을 이용하여 계산하기

$(\log_2 9+\log_{\sqrt 3} 2)^2-(\log_2 9-\log_{\sqrt 3} 2)^2$
$=(\log_2 9)^2+2\log_2 9\cdot \log_{\sqrt 3} 2+(\log_{\sqrt 3} 2)^2$
$\qquad\qquad -\{(\log_2 9)^2-2\log_2 9\cdot \log_{\sqrt 3} 2+(\log_{\sqrt 3} 2)^2\}$
$=4\log_2 9\cdot \log_{\sqrt 3} 2$
$=4\log_2 3^2\cdot \log_{3^{\frac{1}{2}}} 2$
$=4\cdot 2\cdot 2\cdot \log_2 3\cdot \log_3 2=16$

0181

정답 ⑤

STEP Ⓐ 로그의 성질을 이용하여 계산하기

$(\log_4 9+\log_2 27)(\log_3 2+\log_9 8)=(\log_{2^2} 3^2+\log_2 3^3)(\log_3 2+\log_{3^2} 2^3)$
$=(\log_2 3+3\log_2 3)\left(\log_3 2+\dfrac{3}{2}\log_3 2\right)$
$=4\log_2 3\times \dfrac{5}{2}\log_3 2$
$=4\times \dfrac{5}{2}=10$

0182

정답 ④

STEP Ⓐ 로그의 성질을 이용하여 계산하기

$(\log_3 2+\log_9 8)(\log_2 3+\log_4 9)=\left(\log_3 2+\dfrac{3}{2}\log_3 2\right)(\log_2 3+\log_2 3)$
$=\dfrac{5}{2}\log_3 2\times 2\log_2 3$
$=5\log_3 2\times \dfrac{1}{\log_3 2}=5$

$(\log_4 5+\log_8 5)(\log_5 2-\log_{25} 2)=\left(\dfrac{1}{2}\log_2 5+\dfrac{1}{3}\log_2 5\right)\left(\log_5 2-\dfrac{1}{2}\log_5 2\right)$
$=\dfrac{5}{6}\log_2 5\times \dfrac{1}{2}\log_5 2$
$=\dfrac{5}{12}\log_2 5\times \dfrac{1}{\log_2 5}=\dfrac{5}{12}$

따라서 구하는 값은 $\dfrac{5}{\frac{5}{12}}=12$

$5^{\log_5 3\cdot \log_5 7}+(\log_3 5-\log_{\sqrt 3} 25)(\log_5 3+\log_{\frac{1}{5}} \sqrt[3]{3})$의 값은?

① 1   ② 2   ③ 3
④ 4   ⑤ 5

STEP Ⓐ 밑을 변환하여 로그의 성질을 이용하여 계산하기

$5^{\log_5 3\cdot \log_5 7}=5^{\log_5 7}=7$

$\log_3 5-\log_{\sqrt 3} 25=\log_3 5-\dfrac{\log_3 5^2}{\log_3 \sqrt 3}=\log_3 5-4\log_3 5$
$\qquad\qquad\qquad =-3\log_3 5$

$\log_5 3+\log_{\frac{1}{5}} \sqrt[3]{3}=\log_5 3+\dfrac{\log_5 \sqrt[3]{3}}{\log_5 \frac{1}{5}}=\log_5 3-\dfrac{1}{3}\log_5 3$
$\qquad\qquad\qquad\qquad =\dfrac{2}{3}\log_5 3$

$\therefore -3\log_3 5\times \dfrac{2}{3}\log_5 3=-2$

따라서 구하는 값은 $7+(-2)=5$ 정답 ⑤

0183

정답 ①

STEP A 로그의 여러 가지 성질을 이용하여 계산하기

$\log(\log_2 3) + \log(\log_3 4) + \log(\log_4 5) + \cdots + \log(\log_{1023} 1024)$

$= \log(\log_2 3 \times \log_3 4 \times \log_4 5 \times \cdots \times \log_{1023} 1024)$

$= \log\left(\frac{\log 3}{\log 2} \times \frac{\log 4}{\log 3} \times \frac{\log 5}{\log 4} \times \cdots \times \frac{\log 1024}{\log 1023}\right)$

$= \log\left(\frac{\log 1024}{\log 2}\right)$

$= \log(\log_2 1024)$

$= \log(\log_2 2^{10})$

$= \log 10$

$= 1$

내/신/연/계 출제문항 079

$\log(\log_2 3) + \log(\log_3 4) + \log(\log_4 5) + \cdots + \log(\log_{63} 64)$를 간단히 하면?

① $\log 3$　　　② $\log 4$　　　③ $\log 5$

④ $\log 6$　　　⑤ $\log 7$

STEP A 로그의 여러 가지 성질을 이용하여 계산하기

$\log(\log_2 3) + \log(\log_3 4) + \log(\log_4 5) + \cdots + \log(\log_{63} 64)$

$= \log(\log_2 3 \times \log_3 4 \times \log_4 5 \times \cdots \times \log_{63} 64)$

$= \log\left(\frac{\log 3}{\log 2} \times \frac{\log 4}{\log 3} \times \frac{\log 5}{\log 4} \times \cdots \times \frac{\log 64}{\log 63}\right)$

$= \log\left(\frac{\log 64}{\log 2}\right)$

$= \log(\log_2 64)$

$= \log(\log_2 2^6)$

$= \log 6$

정답 ④

0184

정답 ①

STEP A 로그의 성질을 이용하여 주어진 식 변형하기

$\log_a(\log_2 3) + \log_a(\log_3 4) + \cdots + \log_a(\log_7 8)$

$= \log_a(\log_2 3 \times \log_3 4 \times \log_4 5 \times \cdots \times \log_7 8)$

STEP B 로그의 성질을 이용하여 a의 값 구하기

이때 $\log_2 3 \times \log_3 4 \times \log_4 5 \times \cdots \times \log_7 8$

$\frac{\log_2 3}{\log_2 2} \times \frac{\log_2 4}{\log_2 3} \times \frac{\log_2 5}{\log_2 4} \times \cdots \times \frac{\log_2 8}{\log_2 7} = \frac{\log_2 8}{\log_2 2} = 3$

이므로 주어진 등식은 $\log_a 3 = -\frac{1}{2}$ 이어야 한다.

따라서 $a^{-\frac{1}{2}} = 3$이므로 $a = 3^{-2} = \frac{1}{9}$

0185

정답 ②

STEP A 3^a의 값을 임의로 두고 a, b, c를 로그로 나타내기

$3^a = 5^b = k^c = t$라고 하면

$a = \log_3 t$, $b = \log_5 t$, $c = \log_k t$

STEP B 조건 $ab = bc + ca$와 로그의 성질을 이용하여 k의 값 구하기

$ab = bc + ca$에서

$\log_3 t \cdot \log_5 t = \log_5 t \cdot \log_k t + \log_k t \cdot \log_3 t$

$\frac{1}{\log_t 3} \cdot \frac{1}{\log_t 5} = \frac{1}{\log_t 5} \cdot \frac{1}{\log_t k} + \frac{1}{\log_t k} \cdot \frac{1}{\log_t 3}$

$\frac{1}{\log_t 3 \cdot \log_t 5} = \frac{1}{\log_t k}\left(\frac{1}{\log_t 5} + \frac{1}{\log_t 3}\right)$

$\log_t k = (\log_t 3 \cdot \log_t 5)\left(\frac{1}{\log_t 5} + \frac{1}{\log_t 3}\right) = \log_t 3 + \log_t 5 = \log_t 15$

따라서 $k = 15$

다른풀이 $ab = bc + ca$의 양변에 abc로 나누어 $\frac{1}{c} = \frac{1}{a} + \frac{1}{b}$ 유도하기

$3^a = 5^b = k^c = t$라고 하면

$a = \log_3 t$, $b = \log_5 t$, $c = \log_k t$　　　$\cdots\cdots$ ㉠

$ab = bc + ca$의 양변을 abc로 나누면

$\frac{1}{c} = \frac{1}{a} + \frac{1}{b}$　　　$\cdots\cdots$ ㉡

㉠을 ㉡에 대입하면

$\frac{1}{\log_k t} = \frac{1}{\log_3 t} + \frac{1}{\log_5 t}$

$\log_t k = \log_t 3 + \log_t 5 = \log_t 15$

따라서 $k = 15$

0186

정답 ④

STEP A 두 직선이 일치하기 위한 조건 구하기

두 직선 $(\log_2 a)x + (\log_3 8)y + \log_2 b = 0$, $(\log_2 3)x + (\log_3 2)y + 1 = 0$

이 일치하기 위해서는 $\frac{\log_2 a}{\log_2 3} = \frac{\log_3 8}{\log_3 2} = \frac{\log_2 b}{1}$

STEP B 로그의 여러 가지 성질을 이용하여 계산하기

$\frac{\log_2 a}{\log_2 3} = \frac{\log_3 8}{\log_3 2}$에서 $\log_3 a = \log_2 8 = \log_2 2^3 = 3$

$\therefore a = 3^3 = 27$

$\frac{\log_3 8}{\log_3 2} = \frac{\log_2 b}{1}$에서 $\log_2 8 = 3 = \log_2 b$

$\therefore b = 2^3 = 8$

따라서 $a + b = 27 + 8 = 35$

0187

정답 ②

STEP A 로그의 밑변환 공식을 이용하여 $\log_b a$의 값 구하기

$\log_3 a = \frac{1}{\log_b 27}$에서 $\log_3 a \cdot \log_b 3^3 = 1$

$\log_3 a \times \frac{3}{\log_3 b} = 1$, $\frac{\log_3 a}{\log_3 b} = \frac{1}{3}$

$\therefore \log_b a = \frac{1}{3}$

STEP B 로그의 성질을 이용하여 계산하기

따라서 $\log_a b^2 + \log_b a^2 = 2(\log_a b + \log_b a) = 2\left(3 + \frac{1}{3}\right) = \frac{20}{3}$

0188

정답 ②

STEP A $\log_a b = \log_b a$에서 a, b의 관계식 구하기

$\log_a b = \log_b a$에서 $\log_a b = \dfrac{1}{\log_a b}$, $(\log_a b)^2 = 1$

$\therefore \log_a b = 1$ 또는 $\log_a b = -1$

a, b는 서로 다른 양수이므로 $\log_a b = -1$ $\therefore b = \dfrac{1}{a}$

STEP B 산술평균과 기하평균을 이용하여 주어진 식의 최솟값 구하기

$a > 0$, $\dfrac{1}{a} > 0$이므로

$$(a+1)(b+9) = (a+1)\left(\dfrac{1}{a} + 9\right) = 10 + 9a + \dfrac{1}{a}$$
$$\geq 10 + 2\sqrt{9a \times \dfrac{1}{a}}$$
$$= 16$$

따라서 최솟값은 16

다른풀이 밑의 변환공식을 이용하여 풀이하기

$\log_a b = \log_b a$이므로 $\dfrac{\log b}{\log a} = \dfrac{\log a}{\log b}$

$(\log a)^2 - (\log b)^2 = 0$, $\log a = \pm \log b$

그런데 $a \neq b$이므로 $\log a = -\log b = \log \dfrac{1}{b}$

$a = \dfrac{1}{b}$, 즉 $b = \dfrac{1}{a}$이고 $9a > 0$, $\dfrac{1}{a} > 0$이므로

$(a+1)(b+9) = (a+1)\left(\dfrac{1}{a} + 9\right) = 10 + 9a + \dfrac{1}{a} \geq 10 + 2\sqrt{9a \times \dfrac{1}{a}} = 16$

(단, 등호는 $9a = \dfrac{1}{a}$, 즉 $a = \dfrac{1}{3}$일 때 성립)

따라서 구하는 최솟값은 16

내/신/연/계/ 출제문항 080

$a > 1$, $b > 1$일 때, $(\log_a b)^2 + (\log_b a^2)^2$의 최솟값은?

① 1   ② 2   ③ 4
④ 8   ⑤ 10

STEP A 산술평균과 기하평균을 이용하여 주어진 식의 최솟값 구하기

$a > 1$, $b > 1$에서 $(\log_a b)^2 > 0$, $(\log_b a^2)^2 > 0$이므로

$(\log_a b)^2 + (\log_b a^2)^2 = (\log_a b)^2 + (2\log_b a)^2$
$\geq 2\sqrt{(\log_a b)^2 \times (2\log_b a)^2}$
$= 2\sqrt{\left(\log_a b \times \dfrac{2}{\log_a b}\right)^2} = 4$

(단, 등호는 $(\log_a b)^2 = 2$일 때 성립)

따라서 $(\log_a b)^2 + (\log_b a^2)^2$의 최솟값은 4   정답 ③

0189

정답 ③

STEP A 로그의 밑의 변환 공식을 이용하여 a, b, c의 관계식 구하기

주어진 식을 밑이 a인 로그로 변환하면

$\dfrac{1}{\log_a (b+c)} + \dfrac{1}{\log_a (c-b)} = \dfrac{2}{\log_a (c-b)\log_a (b+c)}$

양변에 $\log_a (c-b)\log_a (b+c)$를 곱하면

$\log_a (c-b) + \log_a (b+c) = 2$

로그의 성질에 의하여 $\log_a (c-b)(c+b) = 2$이므로 $\log_a (c^2 - b^2) = 2$

로그의 정의에 의하여 $c^2 - b^2 = a^2$

따라서 $c^2 = a^2 + b^2$이므로 삼각형 ABC는 $\angle C = 90°$인 직각삼각형이다.

KEYPOINT

삼각형의 세변의 길이가 a, b, c일 때,
① $a = b = c$ ⇨ 정삼각형
② $a = b$ 또는 $b = c$ 또는 $c = a$ ⇨ 이등변삼각형
③ $c^2 = a^2 + b^2$ ⇨ 빗변의 길이가 c인 직각삼각형

내/신/연/계/ 출제문항 081

삼각형 ABC의 세 변 $\overline{BC}$, $\overline{CA}$, $\overline{AB}$의 길이를 각각 a, b, c라고 할 때,

$$\log_c (a+b) + \log_c (a-b) = \log_{(a+b)} c \times \log_c (a+b)^2$$

가 성립한다. 삼각형 ABC가 어떤 삼각형인가?
(단, $a > b$, $c \neq 1$, $a+b \neq 1$)

① 빗변이 a인 직각삼각형   ② 빗변이 b인 직각삼각형
③ 빗변이 c인 직각삼각형   ④ $a = b$인 이등변삼각형
⑤ $a = c$인 이등변삼각형

STEP A 로그의 밑의 변환 공식을 이용하여 a, b, c의 관계식 구하기

$\log_c (a+b) + \log_c (a-b) = \log_{(a+b)} c \cdot \log_c (a+b)^2$

$\log_c (a+b)(a-b) = \log_{(a+b)} (a+b)^2 = 2$

$\log_c (a^2 - b^2) = 2$

로그의 정의에 의하여 $a^2 - b^2 = c^2$

$\therefore a^2 = b^2 + c^2$

따라서 삼각형 ABC는 빗변이 a인 직각삼각형이다.   정답 ①

0190

정답 ③

STEP A 로그의 성질을 이용하여 $\log_6 72$를 a, b로 나타내기

$\log_5 2 = a$, $\log_5 3 = b$이므로

$\log_6 72 = \dfrac{\log_5 72}{\log_5 6} = \dfrac{\log_5 (2^3 \times 3^2)}{\log_5 (2 \times 3)}$
$= \dfrac{3\log_5 2 + 2\log_5 3}{\log_5 2 + \log_5 3}$
$= \dfrac{3a + 2b}{a + b}$

0191

정답 ①

STEP A $\log_{10} 5$를 a로 나타내기

$\log_{10} 2 = a$, $\log_{10} 3 = b$이므로

$\log_{10} 5 = \log_{10} \dfrac{10}{2} = \log_{10} 10 - \log_{10} 2 = 1 - a$

STEP B 로그의 성질을 이용하여 $\log_5 12$를 a, b로 나타내기

따라서 $\log_5 12 = \dfrac{\log_{10} 12}{\log_{10} 5} = \dfrac{\log_{10} (3 \times 2^2)}{\log_{10} \dfrac{10}{2}}$
$= \dfrac{\log_{10} 3 + 2\log_{10} 2}{1 - \log_{10} 2}$
$= \dfrac{b + 2a}{1 - a}$

내/신/연/계 출제문항 082

$\log_{10}2=a$, $\log_{10}3=b$일 때, $\log_{12}15$를 a, b로 나타내면?

① $\dfrac{a+b}{2a+b}$ ② $\dfrac{2a+b}{a+2b}$ ③ $\dfrac{1-a+b}{a+b}$

④ $\dfrac{a+2b}{2a+b}$ ⑤ $\dfrac{1-a+b}{2a+b}$

STEP Ⓐ $\log_{10}5$를 a로 나타내기

$\log_{10}2=a$, $\log_{10}3=b$이므로

$\log_{10}5=\log_{10}\dfrac{10}{2}=\log_{10}10-\log_{10}2=1-a$

STEP Ⓑ 로그의 성질을 이용하여 $\log_{12}15$를 a, b로 나타내기

$\log_{12}15=\dfrac{\log_{10}15}{\log_{10}12}=\dfrac{\log_{10}(5\times3)}{\log_{10}(2^2\times3)}=\dfrac{\log_{10}5+\log_{10}3}{2\log_{10}2+\log_{10}3}$

$\qquad\qquad=\dfrac{1-a+b}{2a+b}$ 정답 ⑤

0192

정답 ③

STEP Ⓐ 밑을 3으로 변환하기

$\log_23=a$, $\log_315=b$에서 $\log_32=\dfrac{1}{a}$, $\log_315=b$

STEP Ⓑ 로그의 성질을 이용하여 $\log_{30}54$를 변형하기

$\log_{30}54=\dfrac{\log_354}{\log_330}=\dfrac{\log_3(2\times3^3)}{\log_3(2\times15)}=\dfrac{\log_32+3}{\log_32+\log_315}$

$\qquad\qquad=\dfrac{\dfrac{1}{a}+3}{\dfrac{1}{a}+b}=\dfrac{1+3a}{1+ab}$

0193

정답 ⑤

STEP Ⓐ 함수 $f(x)$에 $\log_36$을 대입하고 간단히 하기

$f(\log_36)=\dfrac{\log_36+1}{2\log_36-1}=\dfrac{\log_36+\log_33}{\log_36^2-\log_33}=\dfrac{\log_318}{\log_312}$

STEP Ⓑ 로그의 성질을 이용하여 $\dfrac{\log_318}{\log_312}$을 변형하기

로그의 밑의 변환 공식에 의하여

$f(\log_36)=\dfrac{\log_318}{\log_312}=\dfrac{\dfrac{\log18}{\log3}}{\dfrac{\log12}{\log3}}=\dfrac{\log18}{\log12}=\dfrac{\log(2\times3^2)}{\log(2^2\times3)}$

$\qquad\qquad=\dfrac{\log2+2\log3}{2\log2+\log3}$

$\qquad\qquad=\dfrac{a+2b}{2a+b}$

다른풀이 $\log_36$을 직접 a, b로 나타내어 풀이하기

$\log_36=\dfrac{\log6}{\log3}=\dfrac{\log(2\times3)}{\log3}=\dfrac{\log2+\log3}{\log3}=\dfrac{a+b}{b}$

$f(\log_36)=f\left(\dfrac{a+b}{b}\right)=\dfrac{\dfrac{a+b}{b}+1}{2\times\dfrac{a+b}{b}-1}=\dfrac{\dfrac{a+2b}{b}}{\dfrac{2a+b}{b}}=\dfrac{\dfrac{a+2b}{b}\times b}{\dfrac{2a+b}{b}\times b}=\dfrac{a+2b}{2a+b}$

0194

정답 ④

STEP Ⓐ 로그의 정의를 이용하여 a, b의 값 구하기

$2^a=3$에서 $a=\log_23$

$\therefore\ \log_32=\dfrac{1}{a}$

$3^b=5$에서 $b=\log_35$

STEP Ⓑ 로그의 성질을 이용하여 $\log_{15}90$을 변형하기

$\log_{15}90=\dfrac{\log_390}{\log_315}=\dfrac{\log_3(3^2\times2\times5)}{\log_3(3\times5)}$

$\qquad\qquad=\dfrac{\log_33^2+\log_32+\log_35}{\log_33+\log_35}$

$\qquad\qquad=\dfrac{2+\dfrac{1}{a}+b}{1+b}$

$\qquad\qquad=\dfrac{2a+1+ab}{a(1+b)}$

내/신/연/계 출제문항 083

$2^a=3$, $2^b=5$일 때, $\log_5\sqrt[3]{108}$을 a, b로 나타낸 것은?

① $\dfrac{2a+2}{3b}$ ② $\dfrac{3a+2}{b}$ ③ $\dfrac{3a+1}{3b}$

④ $\dfrac{2a+3}{b}$ ⑤ $\dfrac{3a+2}{3b}$

STEP Ⓐ 로그의 정의에 의하여 a, b의 값 구하기

$2^a=3$에서 $\log_23=a$

$2^b=5$에서 $\log_25=b$

STEP Ⓑ 로그의 성질을 이용하여 $\log_5\sqrt[3]{108}$을 변형하기

$\log_5\sqrt[3]{108}=\dfrac{\log_2\sqrt[3]{108}}{\log_25}$

$\log_2\sqrt[3]{108}=\dfrac{1}{3}\log_2108=\dfrac{1}{3}\log_2(2^2\times3^3)$

$\qquad\qquad=\dfrac{1}{3}(\log_22^2+\log_23^3)$

$\qquad\qquad=\dfrac{1}{3}(2+3\log_23)$

$\qquad\qquad=\dfrac{2}{3}+\log_23$

따라서 $\log_5\sqrt[3]{108}=\dfrac{\dfrac{2+3\log_23}{3}}{\log_25}=\dfrac{\dfrac{2+3a}{3}}{\dfrac{b}{1}}=\dfrac{3a+2}{3b}$ 정답 ⑤

0195

정답 ③

STEP Ⓐ 로그의 정의를 이용하여 x, y, z를 a, b, c로 나타내기

$10^x=a$에서 $x=\log_{10}a$

$10^y=b$에서 $y=\log_{10}b$

$10^z=c$에서 $z=\log_{10}c$

STEP Ⓑ 로그의 성질을 이용하여 $\log_{ab}c$를 변형하기

$\log_{ab}c$를 밑이 10인 로그로 변환하면

$\log_{ab}c=\dfrac{\log_{10}c}{\log_{10}ab}=\dfrac{\log_{10}c}{\log_{10}a+\log_{10}b}=\dfrac{z}{x+y}$

0196

정답 ⑤

STEP Ⓐ 진수를 소인수분해하여 $\log_3 2$, $\log_3 5$의 값을 a, b로 나타내기

$\log_3 \sqrt{30} = a$에서 $\frac{1}{2}\log_3 30 = a$

$\log_3 30 = 2a$에서 $\log_3(3 \times 2 \times 5) = 2a$이므로

$1 + \log_3 2 + \log_3 5 = 2a$ ⋯⋯ ㉠

$\log_3 \frac{6}{25} = b$에서 $\log_3 6 - \log_3 25 = b$

$1 + \log_3 2 - 2\log_3 5 = b$ ⋯⋯ ㉡

㉠×2+㉡을 하면 $3(1 + \log_3 2) = 4a + b$

$\therefore \log_3 2 = \frac{4a+b-3}{3}$

㉠−㉡을 하면 $3\log_3 5 = 2a - b$

$\therefore \log_3 5 = \frac{2a-b}{3}$

STEP Ⓑ 로그의 성질을 이용하여 $\log_3 60$을 a, b로 나타내기

따라서 $\log_3 60 = \log_3(3 \times 2^2 \times 5) = 1 + 2\log_3 2 + \log_3 5$

$\qquad = 1 + 2 \cdot \frac{4a+b-3}{3} + \frac{2a-b}{3}$

$\qquad = \frac{10a+b-3}{3}$

0197

정답 ③

STEP Ⓐ 로그의 정의와 성질을 이용하여 $\frac{5}{x}$, $\frac{2}{y}$의 값 구하기

$184^x = 32$에서 $x = \log_{184} 32$이므로 $\frac{1}{x} = \log_{32} 184 = \frac{1}{5}\log_2 184$

$\therefore \frac{5}{x} = \log_2 184$

$23^y = 4$에서 $y = \log_{23} 4$이므로 $\frac{1}{y} = \log_4 23 = \frac{1}{2}\log_2 23$

$\therefore \frac{2}{y} = \log_2 23$

STEP Ⓑ $\frac{5}{x} - \frac{2}{y}$의 값 구하기

따라서 $\frac{5}{x} - \frac{2}{y} = \log_2 184 - \log_2 23 = \log_2 \frac{184}{23} = \log_2 8 = \log_2 2^3 = 3$

다른풀이 $a^x = k$, $b^y = k$이면 $a = k^{\frac{1}{x}}$, $b = k^{\frac{1}{y}}$을 이용하여 구하기

$184^x = 32$에서 $184 = 32^{\frac{1}{x}} = (2^5)^{\frac{1}{x}} = 2^{\frac{5}{x}}$ ⋯⋯ ㉠

$23^y = 4$에서 $23 = 4^{\frac{1}{y}} = (2^2)^{\frac{1}{y}} = 2^{\frac{2}{y}}$ ⋯⋯ ㉡

㉠÷㉡을 하면 $8 = 2^{\frac{5}{x} - \frac{2}{y}}$

따라서 $2^{\frac{5}{x} - \frac{2}{y}} = 2^3$이므로 $\frac{5}{x} - \frac{2}{y} = 3$

0198

정답 ①

STEP Ⓐ 로그의 정의와 성질을 이용하여 $\frac{1}{x}$, $\frac{1}{y}$의 값 구하기

$25^x = 15$에서 $x = \log_{25} 15$

$\therefore \frac{1}{x} = \log_{15} 25$

$9^y = 15$에서 $y = \log_9 15$

$\therefore \frac{1}{y} = \log_{15} 9$

STEP Ⓑ $\frac{x+y}{xy}$의 값 구하기

따라서 $\frac{x+y}{xy} = \frac{1}{x} + \frac{1}{y} = \log_{15} 25 + \log_{15} 9 = \log_{15}(25 \cdot 9) = \log_{15} 15^2 = 2$

다른풀이 $a^x = k$, $b^y = k$이면 $a = k^{\frac{1}{x}}$, $b = k^{\frac{1}{y}}$을 이용하여 구하기

$25^x = 15$에서 $25 = 15^{\frac{1}{x}}$ ⋯⋯ ㉠

$9^y = 15$에서 $9 = 15^{\frac{1}{y}}$ ⋯⋯ ㉡

㉠×㉡을 하면 $225 = 15^{\frac{1}{x} + \frac{1}{y}}$, $15^{\frac{1}{x} + \frac{1}{y}} = 15^2$

따라서 $\frac{1}{x} + \frac{1}{y} = 2$이므로 $\frac{x+y}{xy} = \frac{1}{x} + \frac{1}{y} = 2$

0199

정답 ①

STEP Ⓐ 로그의 정의와 성질을 이용하여 x, y, z의 값 구하기

$3^x = 5^y = 15^z = k\,(k > 0)$라 하면

$x = \log_3 k$, $y = \log_5 k$, $z = \log_{15} k$

STEP Ⓑ $\frac{(x+y)z}{xy}$의 값 구하기

따라서 $\frac{(x+y)z}{xy} = \left(\frac{1}{x} + \frac{1}{y}\right)z$

$\qquad = (\log_k 3 + \log_k 5)\log_{15} k$

$\qquad = \log_k 15 \cdot \log_{15} k$

$\qquad = 1$

다른풀이 $a^x = k$, $b^y = k$이면 $a = k^{\frac{1}{x}}$, $b = k^{\frac{1}{y}}$을 이용하여 구하기

STEP Ⓐ 3^x의 값을 k라 두고 $\frac{x+y}{xy}$의 값을 k로 표현하기

$3^x = 5^y = 15^z = k$라 하면

$3 = k^{\frac{1}{x}}$, $5 = k^{\frac{1}{y}}$이므로 $3 \times 5 = k^{\frac{1}{x}} k^{\frac{1}{y}}$, $15 = k^{\frac{1}{x} + \frac{1}{y}} = k^{\frac{x+y}{xy}}$

즉 $\frac{x+y}{xy} = \log_k 15$

STEP Ⓑ 주어진 식의 값 구하기

이때 $z = \log_{15} k$이므로 $\frac{(x+y)z}{xy} = \log_k 15 \cdot \log_{15} k$

$\qquad = \frac{\log 15}{\log k} \cdot \frac{\log k}{\log 15}$

$\qquad = 1$

내/신/연/계 출제문항 084

$2^x = 3^y = \left(\frac{1}{18}\right)^z$일 때, $\frac{1}{x} + \frac{2}{y} + \frac{1}{z}$의 값은? (단, $xyz \neq 0$)

① -1 ② 0 ③ 1

④ 2 ⑤ 4

STEP Ⓐ 로그의 정의와 성질을 이용하여 x, y, z의 값 구하기

$2^x = 3^y = \left(\frac{1}{18}\right)^z = k\,(k > 0)$라 하면

$x = \log_2 k$, $y = \log_3 k$, $z = \log_{\frac{1}{18}} k$

STEP Ⓑ $\frac{1}{x} + \frac{2}{y} + \frac{1}{z}$의 값 구하기

따라서 $\frac{1}{x} + \frac{2}{y} + \frac{1}{z} = \log_k 2 + 2\log_k 3 + \log_k \frac{1}{18}$

$\qquad = \log_k\left(2 \times 9 \times \frac{1}{18}\right)$

$\qquad = \log_k 1 = 0$

정답 ②

0200

STEP Ⓐ $2^x=5^y=10$에서 x, y의 값 구하기

$2^x=10$에서 $x=\log_2 10=1+\log_2 5$

$5^y=10$에서 $y=\log_5 10=1+\log_5 2$

STEP Ⓑ 로그의 성질을 이용하여 주어진 값 구하기

따라서 $(x-1)(y-1)=\log_2 5 \times \log_5 2=1$

내/신/연/계/ 출제문항 085

두 실수 x, y가 $2^x=5^y=10$을 만족할 때, $y-\dfrac{x}{x-1}$의 값은?

① -2 ② -1 ③ 0

④ 1 ⑤ 2

STEP Ⓐ 로그의 정의를 이용하여 x, y의 값 구하기

$2^x=5^y=10$에서

$2^x=10$이므로 $x=\log_2 10$

$5^y=10$이므로 $y=\log_5 10$

STEP Ⓑ 로그의 성질을 이용하여 주어진 식의 값 구하기

따라서 $y-\dfrac{x}{x-1}=\log_5 10-\dfrac{\log_2 10}{\log_2 10-1}=\log_5 10-\dfrac{\log_2 10}{\log_2 \frac{10}{2}}$

$=\log_5 10-\log_5 10=0$ 정답 ③

0201

정답 ②

STEP Ⓐ $2^x=5^y=80$에서 x, y의 값 구하기

$2^x=80$에서 $x=\log_2 80$

$5^y=80$에서 $y=\log_5 80$

STEP Ⓑ 로그의 성질을 이용하여 주어진 식의 값 구하기

$xy-x-4y+4=(x-4)(y-1)$

$=(\log_2 80-4)(\log_5 80-1)$

$=(\log_2 80-\log_2 16)(\log_5 80-\log_5 5)$

$=\log_2 \dfrac{80}{16} \times \log_5 \dfrac{80}{5}$

$=\log_2 5 \times \log_5 16$

$=\log_2 5 \times \log_5 2^4$

$=4\log_2 5 \times \log_5 2=4$

0202

정답 ③

STEP Ⓐ 로그의 정의를 이용하여 a, b의 값 구하기

$80^a=4$에서 $a=\log_{80} 4$

$80^b=5$에서 $b=\log_{80} 5$

STEP Ⓑ 로그의 성질을 이용하여 주어진 식의 값 구하기

$\dfrac{1-a-b}{1-2a}=\dfrac{1-\log_{80} 4-\log_{80} 5}{1-2\log_{80} 4}=\dfrac{\log_{80}\left(80 \times \frac{1}{4} \times \frac{1}{5}\right)}{\log_{80}\left(80 \times \frac{1}{4^2}\right)}$

$=\dfrac{\log_{80} 4}{\log_{80} 5}=\log_5 4$

따라서 $25^{\frac{1-a-b}{1-2a}}=25^{\log_5 4}=4^{\log_5 5^2}=4^2=16$

0203

STEP Ⓐ $a^2 b^3=1$을 이용하여 $\log_a b$의 값 구하기

$a^2 b^3=1$에서 $\log_a a^2 b^3=\log 1=0$

$\log_a a^2+\log_a b^3=0$

$\therefore \log_a b=-\dfrac{2}{3}$

STEP Ⓑ 로그의 성질을 이용하여 주어진 식의 값 구하기

따라서 $\log_a a^4 b^3=\log_a a^4+\log_a b^3=4+3\log_a b$

$=4+3\cdot\left(-\dfrac{2}{3}\right)$

$=4-2=2$

다른풀이 $a^x=k$, $b^y=k$이면 $a=k^{\frac{1}{x}}$, $b=k^{\frac{1}{y}}$을 이용하여 풀이하기

$a^2 b^3=1$에서 $b=a^{-\frac{2}{3}}$

따라서 $\log_a a^4 b^3=\log_a a^4 \left(a^{-\frac{2}{3}}\right)^3=\log_a a^4 \cdot a^{-2}$

$=\log_a a^2=2$

내/신/연/계/ 출제문항 086

두 양수 a, b에 대하여 $a^4 b^2=1$일 때, $\log_a a^3 b$의 값은? (단, $a \neq 1$)

① 1 ② 2 ③ 3

④ 4 ⑤ 5

STEP Ⓐ $a^4 b^2=1$을 이용하여 $\log_a b$의 값 구하기

$a^4 b^2=1$의 양변에 a를 밑으로 하는 로그를 취하면

$\log_a a^4 b^2=\log_a 1$

$\log_a a^4+\log_a b^2=0$

$4+2\log_a b=0$

$\log_a b=-2$

STEP Ⓑ 로그의 성질을 이용하여 주어진 식의 값 구하기

따라서 $\log_a a^3 b=\log_a a^3+\log_a b=3+\log_a b$

$=3-2=1$ 정답 ①

0204

정답 ④

STEP Ⓐ 근과 계수의 관계를 이용하여 $\log_5 a$, $\log_5 b$의 관계식 구하기

이차방정식 $x^2-4x+2=0$의 근과 계수의 관계에 의하여

$\log_5 a+\log_5 b=4$, $\log_5 a \cdot \log_5 b=2$

STEP Ⓑ 로그의 성질을 이용하여 주어진 식의 값 구하기

따라서 $\log_a b+\log_b a=\dfrac{\log_5 b}{\log_5 a}+\dfrac{\log_5 a}{\log_5 b}$

$=\dfrac{(\log_5 b)^2+(\log_5 a)^2}{\log_5 a \cdot \log_5 b}$

$=\dfrac{(\log_5 a+\log_5 b)^2-2\log_5 a \cdot \log_5 b}{\log_5 a \cdot \log_5 b}$

$=\dfrac{4^2-2\cdot 2}{2}=6$

이차방정식 $x^2-6x-3=0$의 두 근이 $\log_{10}a$, $\log_{10}b$일 때, $\log_ab+\log_ba$의 값은?

① -20 ② -18 ③ -16
④ -14 ⑤ -12

STEP A 근과 계수의 관계를 이용하여 $\log a$, $\log b$의 관계식 구하기

이차방정식 $x^2-6x-3=0$의 두 근이 $\log_{10}a$, $\log_{10}b$이므로
근과 계수의 관계에 의하여
$\log a+\log b=6$, $\log a\cdot\log b=-3$

STEP B 로그의 성질을 이용하여 주어진 식의 값 구하기

따라서 $\log_ab+\log_ba=\dfrac{\log b}{\log a}+\dfrac{\log a}{\log b}$

$=\dfrac{(\log a)^2+(\log b)^2}{\log a\cdot\log b}$

$=\dfrac{(\log a+\log b)^2-2\log a\cdot\log b}{\log a\cdot\log b}$

$=\dfrac{6^2-2\cdot(-3)}{-3}$

$=-14$

0205

STEP A 근과 계수의 관계를 이용하여 $\log a$, $\log b$의 관계식 구하기

이차방정식 $x^2-3x+1=0$의 두 근이 $\log a$, $\log b$이므로
근과 계수의 관계에 의하여
$\log a+\log b=3$, $\log a\cdot\log b=1$

STEP B 로그의 성질과 곱셈공식을 이용하여 구하기

따라서 $\log_ab^2+\log_ba^2=2\log_ab+2\log_ba$

$=2\left(\dfrac{\log b}{\log a}+\dfrac{\log a}{\log b}\right)$

$=2\cdot\dfrac{(\log a)^2+(\log b)^2}{\log a\cdot\log b}$

$=2\cdot\dfrac{(\log a+\log b)^2-2\log a\cdot\log b}{\log a\cdot\log b}$

$=2\cdot\dfrac{3^2-2}{1}$

$=14$

이차방정식 $x^2-7x+7=0$의 두 근이 $\log a$, $\log b$일 때, $\log_ab^3+\log_ba^3$의 값은?

① 10 ② 12 ③ 14
④ 15 ⑤ 16

STEP A 근과 계수의 관계를 이용하여 $\log a$, $\log b$의 관계식 구하기

이차방정식 $x^2-7x+7=0$의 두 근이 $\log a$, $\log b$이므로
근과 계수의 관계에서
$\log a+\log b=7$, $\log a\cdot\log b=7$

STEP B 로그의 성질과 곱셈공식을 이용하여 구하기

$\log_ab+\log_ba=\dfrac{\log b}{\log a}+\dfrac{\log a}{\log b}=\dfrac{(\log a)^2+(\log b)^2}{\log a\cdot\log b}$

$\log_ab^3+\log_ba^3=3\log_ab+3\log_ba=3\left(\dfrac{\log b}{\log a}+\dfrac{\log a}{\log b}\right)$

$=3\cdot\dfrac{(\log a)^2+(\log b)^2}{\log a\cdot\log b}$

$=3\cdot\dfrac{(\log a+\log b)^2-2\log a\cdot\log b}{\log a\cdot\log b}$

$=3\cdot\dfrac{7^2-2\cdot7}{7}=15$ 정답 ④

0206

STEP A 근과 계수의 관계를 이용하여 $\log a$, $\log b$의 관계식 구하기

이차방정식 $x^2-6x+6=0$의 두 근이 $\log_2a$, $\log_2b$이므로
근과 계수의 관계에 의하여
$\log_2a+\log_2b=6$, $\log_2a\cdot\log_2b=6$

STEP B $\log_ab+\log_ba$의 값 구하기

$\log_ab+\log_ba=\dfrac{\log_2b}{\log_2a}+\dfrac{\log_2a}{\log_2b}=\dfrac{(\log_2b)^2+(\log_2a)^2}{\log_2a\cdot\log_2b}$

$=\dfrac{(\log_2a+\log_2b)^2-2\log_2a\cdot\log_2b}{\log_2a\cdot\log_2b}$

$=\dfrac{6^2-2\cdot6}{6}=4$

STEP C $2^{\log_ab}\cdot a^{\log_b2}$의 값 구하기

따라서 $2^{\log_ab}\cdot a^{\log_b2}=2^{\log_ab}\cdot2^{\log_ba}=2^{\log_ab+\log_ba}=2^4$

0207 정답 ③

STEP A 이차방정식의 근과 계수의 관계를 이용하여 구하기

이차방정식 $x^2-8x+k=0$의 두 근이 $\log_\alpha\beta^2$, $\log_\beta\alpha^2$이므로
근과 계수의 관계에 의하여
$\log_\alpha\beta^2+\log_\beta\alpha^2=2\log_\alpha\beta+2\log_\beta\alpha=8$
$\therefore\ \log_\alpha\beta+\log_\beta\alpha=4$
$\log_\alpha\beta^2\cdot\log_\beta\alpha^2=4\log_\alpha\beta\cdot\log_\beta\alpha=4$
$\therefore\ k=4$

STEP B 주어진 값 구하기

따라서 $k\left(\dfrac{\log\beta}{\log\alpha}+\dfrac{\log\alpha}{\log\beta}\right)=4(\log_\alpha\beta+\log_\beta\alpha)=4\times4=16$

0208

STEP A 근과 계수의 관계를 이용하여 관계식 구하기

이차방정식 $x^2-2x\log2+\log5-\log2=0$의 두 근이 α, β이므로
근과 계수의 관계에 의하여
$\alpha+\beta=2\log2$, $\alpha\beta=\log5-\log2$

STEP B 조건을 만족하는 $(\alpha+1)(\beta+1)$의 값 구하기

따라서 $(\alpha+1)(\beta+1)=\alpha\beta+(\alpha+\beta)+1$

$=\log5-\log2+2\log2+1$

$=\log2+\log5+1$

$=\log10+1$

$=1+1=2$

0209

정답 ②

STEP Ⓐ 근과 계수의 관계를 이용하여 관계식 구하기

이차방정식 $2x^2-6x+1=0$의 두 근이 α, β이므로 근과 계수의 관계에 의하여

$\alpha+\beta=3$, $\alpha\beta=\dfrac{1}{2}$

STEP Ⓑ $\log_{6\alpha\beta}2\alpha(\alpha+1)+\log_{6\alpha\beta}2\beta(\beta+1)$**의 값 구하기**

따라서 $\log_{6\alpha\beta}2\alpha(\alpha+1)+\log_{6\alpha\beta}2\beta(\beta+1)=\log_{6\alpha\beta}4\alpha\beta(\alpha+1)(\beta+1)$

$\qquad\qquad\qquad\qquad =\log_{6\alpha\beta}4\alpha\beta(\alpha\beta+\alpha+\beta+1)$

$\qquad\qquad\qquad\qquad =\log_{6\cdot\frac{1}{2}}\left\{4\cdot\dfrac{1}{2}\cdot\left(\dfrac{1}{2}+3+1\right)\right\}$

$\qquad\qquad\qquad\qquad =\log_3 9=2$

다른풀이 두 근을 변형하여 풀이하기

STEP Ⓐ 근과 계수의 관계를 이용하여 관계식 구하기

이차방정식 $2x^2-6x+1=0$의 두 근이 α, β이므로 근과 계수의 관계에 의하여

$\alpha+\beta=3$, $\alpha\beta=\dfrac{1}{2}$

STEP Ⓑ $\log_{6\alpha\beta}2\alpha(\alpha+1)+\log_{6\alpha\beta}2\beta(\beta+1)$**의 값 구하기**

$2\alpha^2-6\alpha+1=0$에서 $2\alpha(\alpha+1)=8\alpha-1$

$2\beta^2-6\beta+1=0$에서 $2\beta(\beta+1)=8\beta-1$

따라서 $\log_{6\alpha\beta}2\alpha(\alpha+1)+\log_{6\alpha\beta}2\beta(\beta+1)=\log_{6\alpha\beta}(8\alpha-1)+\log_{6\alpha\beta}(8\beta-1)$

$\qquad\qquad\qquad\qquad =\log_{6\alpha\beta}(8\alpha-1)(8\beta-1)$

$\qquad\qquad\qquad\qquad =\log_{6\alpha\beta}\{64\alpha\beta-8(\alpha+\beta)+1\}$

$\qquad\qquad\qquad\qquad =\log_{6\cdot\frac{1}{2}}\left\{64\cdot\dfrac{1}{2}-8\cdot3+1\right\}$

$\qquad\qquad\qquad\qquad =\log_3(32-24+1)$

$\qquad\qquad\qquad\qquad =\log_3 9=2$

내/신/연/계/ 출제문항 089

이차방정식 $x^2-6x+3=0$의 두 근을 α, β라 할 때,
$\log(\alpha+1)+\log(\beta+1)$의 값은?

① 1   ② 2   ③ 3
④ 4   ⑤ 5

STEP Ⓐ 근과 계수의 관계를 이용하여 관계식 구하기

이차방정식 $x^2-6x+3=0$의 두 근이 α, β이므로 근과 계수의 관계에 의하여

$\alpha+\beta=6$, $\alpha\beta=3$

STEP Ⓑ 로그의 성질을 이용하여 주어진 식의 값 구하기

따라서 $\log(\alpha+1)+\log(\beta+1)=\log(\alpha+1)(\beta+1)$

$\qquad\qquad\qquad\qquad\quad =\log(\alpha\beta+\alpha+\beta+1)$

$\qquad\qquad\qquad\qquad\quad =\log(6+3+1)$

$\qquad\qquad\qquad\qquad\quad =\log 10=1$ 정답 ①

0210

정답 ②

STEP Ⓐ 로그의 성질을 이용하여 각 값을 계산하여 대소 비교하기

$A=11^{\log_{11}3}=3^{\log_{11}11}=3$

$B=\dfrac{\log_5 125}{\log_2 4}=\dfrac{\log_5 5^3}{\log_2 2^2}=\dfrac{3\log_5 5}{2\log_2 2}=\dfrac{3}{2}$

$C=\log_3 63-\log_3 7=\log_3\dfrac{63}{7}=\log_3 9=\log_3 3^2=2$

따라서 $B<C<A$

0211

정답 ④

STEP Ⓐ 로그의 성질을 이용하여 각 값을 계산하여 대소 비교하기

세 수를 정리하면

$A=3^{\log_3 12-\log_3 6}=3^{\log_3\frac{12}{6}}=3^{\log_3 2}=2$

$B=\log_5 25-\log_5\dfrac{1}{125}=\log_5 5^2-\log_5\dfrac{1}{5^3}=2-(-3)=5$

$C=\log_2\{\log_4(\log_8 64)\}=\log_2(\log_4 2)=\log_2\dfrac{1}{2}=-1$ ◀ $\log_8 64=\log_8 8^2=2$

따라서 $C<A<B$

0212

정답 ②

STEP Ⓐ 로그의 성질을 이용하여 각 값을 계산하여 대소 비교하기

$A=\log_4 2+\dfrac{1}{\log_4 9}=\dfrac{1}{2}+\dfrac{1}{2}=1$

$B=\dfrac{1}{\log_2 3}+\dfrac{1}{\log_3 2}=\log_3 2+\dfrac{1}{\log_3 2}$

$\log_3 2>0$, $\dfrac{1}{\log_3 2}>0$이므로 산술평균과 기하평균의 관계에 의하여

$\log_3 2+\dfrac{1}{\log_3 2}>2\sqrt{\log_3 2\cdot\dfrac{1}{\log_3 2}}=2$ (단, 등호가 성립하지 않는다.)

$\therefore\ B>2$

$C=3^{1-\log_3 2}=3^{\log_3\frac{3}{2}}=\dfrac{3}{2}$

따라서 $A<C<B$

0213

정답 ⑤

STEP Ⓐ 지수법칙을 이용하여 $\log_a MN=\log_a M+\log_a N$ 증명하기

$x=\log_a M$, $y=\log_a N$으로 놓으면 $a^x=\boxed{M}$, $a^y=N$

지수법칙에 의하여 $a^{x+y}=\boxed{MN}$

로그의 정의에 의하여 $x+y=\log_a\boxed{MN}$

그러므로 $\log_a MN=\log_a M+\log_a N$이다.

내/신/연/계/ 출제문항 090

로그의 성질 $\log_a\dfrac{M}{N}=\log_a M-\log_a N$을 유도하는 과정을 지수법칙

$a^m\div a^n=a^{m-n}$ $(a>0,\ a\neq 1,\ m,\ n$은 실수$)$을 이용하여 증명하여라.

STEP Ⓐ 로그의 정의에 의하여 로그의 식을 지수의 식으로 바꾸기

$\log_a\dfrac{M}{N}=\log_a M-\log_a N$에서

$\log_a M=m$, $\log_a N=n$이라 하면

로그의 정의에 의하여

$a^m=M$, $a^n=N$

STEP Ⓑ $a^m\div a^n=a^{m-n}$**을 이용하여 로그의 정의 구하기**

이때 $\dfrac{M}{N}=a^m\div a^n=a^{m-n}$이므로 로그의 정의에 의하여

$\log_a\dfrac{M}{N}=m-n=\log_a M-\log_a N$ 정답 해설참조

0214

STEP Ⓐ **지수법칙을 이용하여 $\log_a b^n = \dfrac{n}{m}\log_a b$ 증명하기**

$x = \log_{a^m} b^n$으로 놓으면 $b^n = \boxed{(a^m)^x} = (a^x)^{\boxed{m}}$이므로

$a^x = \boxed{b^{\frac{n}{m}}}$

따라서 $x = \log_a \boxed{b^{\frac{n}{m}}} = \dfrac{n}{m}\log_a b$가 성립한다.

0215

STEP Ⓐ **$\log_{10}5$를 유리수라 가정하고 모순점 찾기**

$\log_{10}5$를 유리수라 하면 서로소인 두 자연수 p, q에 대하여

$\log_{10}5 = \dfrac{p}{q}\ (p<q)$

로그의 정의에 의하여 $10^{\frac{p}{q}} = 5$, $10^p = 5^q$

이므로 $2^p 5^p = 5^q$, 즉 $5^{q-p} = \boxed{2^p}$

그런데 5^{q-p}은 $\boxed{5의\ 배수}$

이고 $\boxed{2^p}$은 $\boxed{2의\ 배수}$

이므로 5^{q-p}과 $\boxed{2^p}$은 항상 같지 않다.

따라서 $\log 5$는 무리수이다.

> **참고** 5^{q-p}은 홀수이고 $\boxed{2^p}$은 짝수라고 할 수 있다.

내/신/연/계 출제문항 091

다음은 $\log_{10}2$가 유리수가 아님을 증명한 것이다.

> **[증명]**
>
> $\log_{10}2$가 유리수라고 가정하자.
>
> $\log_{10}2 = \dfrac{n}{m}$ (m, n은 서로소인 자연수) ...... ㉠
>
> 으로 놓으면 $0 < \log_{10}2 < 1$이므로 $\boxed{(가)}$ 이다.
>
> ㉠에서 $10^{\frac{n}{m}} = 2$이므로 $2^{\boxed{(나)}} = 5^n$
>
> 이때 $\boxed{(가)}$ 이므로
>
> $2^{\boxed{(나)}}$은 $\boxed{(다)}$ 이고 5^n은 홀수가 되어 모순이다.
>
> 따라서 $\log_{10}2$는 유리수가 아니다.

위 증명에서 (가), (나), (다)에 알맞은 것은?

	(가)	(나)	(다)
①	$m > n$	$m-n$	짝수
②	$m > n$	$m-n$	홀수
③	$m < n$	$m-n$	홀수
④	$m < n$	$m+n$	홀수
⑤	$m > n$	$m+n$	짝수

STEP Ⓐ **$\log_{10}2$를 유리수라 가정하고 모순점 찾기**

$\log_{10}2$가 유리수라고 가정하자.

$\log_{10}2 = \dfrac{n}{m}$ (m, n은 서로소인 자연수)으로 놓으면

$0 < \log_{10}2 < 1$이므로 $\boxed{m > n}$ 이다.

$\log_{10}2 = \dfrac{n}{m}$ 로그의 정의에 의하여 $10^{\frac{n}{m}} = 2$

양변을 m제곱하면 $2^m = 10^n$

양변을 2^n으로 나누면 $2^{\boxed{m-n}} = 5^n$

이때 $\boxed{m > n}$이므로 $2^{\boxed{m-n}}$은 $\boxed{짝수}$ 이고 5^n은 홀수가 되어 모순이다.

따라서 $\log 2$는 무리수이다.

0216

STEP Ⓐ **양변에 밑이 2인 로그 취하기**

(가) $n = 2^k \cdot m$에서 $\log_2 n = \log_2(2^k \cdot m) = \boxed{k + \log_2 m}$

STEP Ⓑ **로그의 정의 이용하기**

(나) $\log_2 m = \dfrac{q}{p}$에서 $m = 2^{\frac{q}{p}}$이므로 $\boxed{m^p = 2^q}$

STEP Ⓒ **2^q가 홀수일 때, q의 값 구하기**

(다) 2^q이 홀수이어야 하므로 $\boxed{q = 0}$

0217

STEP Ⓐ **두 지점 사이의 거리가 같은 부분을 이용하여 x, y에 관한 식 세우기**

$\log_{10}21 - \log_{10}3 = \log_{10}14 - \log_{10}y$ ...... ㉠

$\log_{10}x - \log_{10}21 = \log_{10}26 - \log_{10}14$ ...... ㉡

STEP Ⓑ **로그의 성질을 이용하여 x, y의 값 구하기**

㉠에서 $\log_{10}y = \log_{10}\dfrac{14 \times 3}{21} = \log_{10}2$

$\therefore y = 2$

㉡에서 $\log_{10}x = \log_{10}\dfrac{26 \times 21}{14} = \log_{10}39$

$\therefore x = 39$

따라서 $x - y = 39 - 2 = 37$

내/신/연/계 출제문항 092

그림과 같이 눈금 1이 새겨진 점 O로부터의 거리가 $\log_{10}x$인 곳에 눈금 x를 새긴 자를 '로그자' 라고 한다.

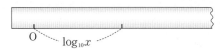

두 점 A, B에 새겨진 눈금이 각각 3, 30일 때, 두 점 A, B 사이의 거리를 구하면?

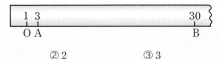

① 1   ② 2   ③ 3

④ 4   ⑤ 5

STEP Ⓐ **$\overline{AB} = \overline{OB} - \overline{OA}$임을 이용하여 $\overline{AB}$의 길이 구하기**

$\overline{AB} = \overline{OB} - \overline{OA}$

$\overline{OA} = \log_{10}3$, $\overline{OB} = \log_{10}30$

따라서 $\overline{AB} = \overline{OB} - \overline{OA} = \log_{10}30 - \log_{10}3$

$\qquad\qquad = \log_{10}\dfrac{30}{3}$

$\qquad\qquad = \log_{10}10 = 1$

0218

정답 ②

STEP A 곱하여 1000이 되는 수끼리 묶어서 생각하기

$1000 = 2^3 \times 5^3$이므로 1000의 양의 약수의 개수는 $(3+1)(3+1) = 16$

16개의 양의 약수를 작은 수부터 차례로 $a_1, a_2, a_3, \cdots a_{16}$이라 하면

$a_1 \times a_{16} = a_2 \times a_{15} = \cdots = a_8 \times a_9 = 1000$

STEP B $\log_{10} a_1 + \log_{10} a_2 + \cdots + \log_{10} a_{16}$**의 값 구하기**

따라서 $\log_{10} a_1 + \log_{10} a_2 + \cdots + \log_{10} a_{16} = \log_{10}(a_1 \times a_2 \times \cdots \times a_{16})$

$= \log_{10} 1000^8$

$= \log_{10} 10^{24}$

$= 24$

KEYPOINT

양의 약수의 개수와 총합

자연수 $N = a^\alpha b^\beta$ (a, b는 서로 다른 소수 α, β는 음이 아닌 정수)에 대하여)

① 약수의 개수 : $(\alpha+1)(\beta+1)$(개)

② 약수의 총합 : $(a^0 + a^1 + a^2 + \cdots + a^\alpha)(b^0 + b^1 + b^2 + \cdots + b^\beta)$

내/신/연/계/ 출제문항 093

100의 모든 양의 약수들을 $a_1, a_2, a_3, \cdots, a_9$라 할 때,

$\log_{10} a_1 + \log_{10} a_2 + \log_{10} a_3 + \cdots + \log_{10} a_9$의 값은?

① 9   ② 10   ③ 11

④ 12   ⑤ 13

STEP A 100**의 약수의 개수 구하기**

$10^2 = 2^2 \times 5^2$이므로 100의 약수의 개수는 $(2+1)(2+1) = 9$(개)

약수를 크기순으로

$a_1, a_2, a_3, \cdots, a_9$ (단, $a_1 < a_2 < \cdots < a_9$)이라 하면

$a_1 a_9 = a_2 a_8 = a_3 a_7 = a_4 a_6 = 10^2, a_5 = 10$

STEP B $a_1 a_9 = a_2 a_8 = a_3 a_7 = a_4 a_6 = 10^2$**을 이용하여 구하기**

따라서 $\log_{10} a_1 + \log_{10} a_2 + \cdots + \log_{10} a_9$

$= \log_{10}(a_1 \times a_2 \times \cdots \times a_9)$

$= \log_{10}(a_1 a_9 \times a_2 a_8 \times a_3 a_7 \times a_4 a_6 \times a_5)$

$= \log_{10}(10^2 \times 10^2 \times 10^2 \times 10^2 \times 10)$

$= \log_{10} 10^9 = 9$

정답 ①

0219

정답 ②

STEP A $\sqrt{ab} = -\sqrt{a}\sqrt{b}$**이면** $a \leq 0, b \leq 0$**임을 이용하여** n**의 범위 구하기**

$\sqrt{(-n-1)(n-2)} = -\sqrt{-n-1}\sqrt{n-2}$가 성립하려면

$-n-1 \leq 0, n-2 \leq 0$이므로 $-1 \leq n \leq 2$

STEP B **각각의 정수** n**에 대하여** x**의 값을 구하여 곱하기**

$n = -1$일 때, $\log x = -\frac{1}{2}$ $\therefore x = 10^{-\frac{1}{2}}$

$n = 0$일 때, $\log x = \frac{1}{2}$ $\therefore x = 10^{\frac{1}{2}}$

$n = 1$일 때, $\log x = \frac{3}{2}$ $\therefore x = 10^{\frac{3}{2}}$

$n = 2$일 때, $\log x = \frac{5}{2}$ $\therefore x = 10^{\frac{5}{2}}$

따라서 모든 x값의 곱은 $10^{-\frac{1}{2}} \times 10^{\frac{1}{2}} \times 10^{\frac{3}{2}} \times 10^{\frac{5}{2}} = 10^{-\frac{1}{2}+\frac{1}{2}+\frac{3}{2}+\frac{5}{2}} = 10^4$

0220

정답 해설참조

| 1단계 | 로그의 정의를 이용하여 로그의 식을 지수의 식으로 나타낸다. | ◀ 30% |

$x = \log_3(2 + \sqrt{3})$에서 $3^x = 2 + \sqrt{3}$

| 2단계 | 3^{-x}의 값을 구한다. | ◀ 30% |

$3^{-x} = \dfrac{1}{2 + \sqrt{3}} = 2 - \sqrt{3}$

| 3단계 | $\dfrac{3^x - 3^{-x}}{3^x + 3^{-x}}$의 값을 구한다. | ◀ 40% |

$3^x + 3^{-x} = 2 + \sqrt{3} + 2 - \sqrt{3} = 4$

$3^x - 3^{-x} = 2 + \sqrt{3} - (2 - \sqrt{3}) = 2\sqrt{3}$

$\dfrac{3^x - 3^{-x}}{3^x + 3^{-x}} = \dfrac{2\sqrt{3}}{4} = \dfrac{\sqrt{3}}{2}$

0221

정답 해설참조

| 1단계 | 비례식을 정리하여 $\log_a b$의 값 구한다. | ◀ 50% |

$\log_a c : \log_b c = 2 : 3$에서 $\dfrac{1}{\log_c a} : \dfrac{1}{\log_c b} = 2 : 3$

$\dfrac{3}{\log_c a} = \dfrac{2}{\log_c b}$, $\dfrac{\log_c b}{\log_c a} = \dfrac{2}{3}$이므로 $\log_a b = \dfrac{2}{3}$

| 2단계 | 로그의 밑의 변환 공식을 이용하여 $\log_a b + \log_b a$의 값을 구한다. | ◀ 50% |

$\log_a b + \dfrac{1}{\log_a b} = \dfrac{2}{3} + \dfrac{3}{2} = \dfrac{13}{6}$

0222

정답 해설참조

| 1단계 | $\log_2 a = x$, $\log_2 b = y$로 놓고 주어진 조건의 식을 세운다. | ◀ 40% |

$\log_2 a = x$, $\log_2 b = y$로 놓으면

$\log_8 a = \dfrac{1}{3}x$, $\log_4 b^2 = \log_2 b = y$이므로

$\log_8 a + \log_4 b^2 = 5$에서 $\dfrac{1}{3}x + y = 5$

$\therefore x + 3y = 15$ ⋯⋯ ㉠

$\log_8 b = \dfrac{1}{3}y$, $\log_4 a^2 = \log_2 a = x$이므로

$\log_8 b + \log_4 a^2 = 7$에서 $\dfrac{1}{3}y + x = 7$

$\therefore 3x + y = 21$ ⋯⋯ ㉡

| 2단계 | 연립방정식을 풀어 x, y의 값을 구한다. | ◀ 20% |

㉠, ㉡을 연립하여 풀면

$x = 6, y = 3$

| 3단계 | 로그의 정의를 이용하여 a, b의 값을 구하여 $a + b$의 값 구한다. | ◀ 40% |

$\log_2 a = 6$, $\log_2 b = 3$이므로 $a = 2^6 = 64$, $b = 2^3 = 8$

따라서 $a + b = 64 + 8 = 72$

0223

정답 해설참조

| 1단계 | $\log_a b = x$, $\log_c a = y$로 놓고 로그의 정의를 이용하여 b, a 값을 구한다. | ◀ 30% |

$\log_a b = x$, $\log_c a = y$로 놓으면
로그의 정의에 따라 $a^x = b$, $c^y = a$

| 2단계 | 지수의 성질을 이용하여 b를 구한다. | ◀ 20% |

지수의 성질에 따르면 $b = a^x = (c^y)^x = c^{xy}$

| 3단계 | [2단계]에서 로그의 정의를 이용하여 xy를 구한다. | ◀ 20% |

로그의 정의에 따라 $xy = \log_c b$이므로

$\log_a b \times \log_c a = \log_c b$ ······ ㉠

| 4단계 | $a \neq 1$일 때, $\log_c a \neq 0$임을 이용하여 $\log_a b = \dfrac{\log_c b}{\log_c a}$임을 보인다. | ◀ 30% |

그런데 $a \neq 1$일 때, $\log_c a \neq 0$이므로 ㉠의 양변을 $\log_c a$로 나누면 다음이 성립한다.

$$\log_a b = \frac{\log_c b}{\log_c a}$$

0224

정답 해설참조

| 1단계 | $5^x = 4$에서 로그의 정의를 이용하여 $\dfrac{2}{x}$의 값을 구한다. | ◀ 40% |

$5^x = 4$에서 $x = \log_5 4 = \log_5 2^2 = 2\log_5 2$

$\therefore \dfrac{2}{x} = \dfrac{2}{2\log_5 2} = \log_2 5$

| 2단계 | $40^y = 8$에서 로그의 정의를 이용하여 $\dfrac{3}{y}$의 값을 구한다. | ◀ 40% |

$40^y = 8$에서 $y = \log_{40} 8 = \log_{40} 2^3 = 3\log_{40} 2$

$\therefore \dfrac{3}{y} = \dfrac{3}{3\log_{40} 2} = \log_2 40$

| 3단계 | $\dfrac{2}{x} - \dfrac{3}{y}$의 값을 구한다. | ◀ 20% |

$\dfrac{2}{x} - \dfrac{3}{y} = \log_2 5 - \log_2 40 = \log_2 \dfrac{5}{40} = \log_2 \dfrac{1}{8}$
$\qquad\qquad = \log_2 2^{-3} = -3$

0225

정답 해설참조

| 1단계 | 로그의 밑 조건을 만족하는 a의 범위를 구한다. | ◀ 30% |

$\log_{a-2}(-a^2 + 3a + 10)$이 정의되기 위해서는
로그의 밑의 조건으로 부터 $a - 2 > 0$, $a - 2 \neq 1$이므로
$a > 2$, $a \neq 3$ ······ ㉠

| 2단계 | 로그의 진수조건을 만족하는 a의 범위를 구한다. | ◀ 30% |

로그의 진수의 조건으로 부터 $-a^2 + 3a + 10 > 0$이므로
$a^2 - 3a - 10 < 0$, $(a+2)(a-5) < 0$
$\therefore -2 < a < 5$ ······ ㉡

| 3단계 | 두 조건을 동시에 만족하는 a의 범위를 구한다. | ◀ 40% |

㉠, ㉡의 공통 범위를 구하면 $2 < a < 3$, $3 < a < 5$

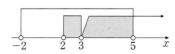

0226

정답 해설참조

| 1단계 | $\log_{10} 5$를 a로 나타낸다. | ◀ 30% |

$\log_{10} 5 = \log_{10} \dfrac{10}{2}$
$\qquad\quad = \log_{10} 10 - \log_{10} 2$
$\qquad\quad = 1 - a$

| 2단계 | $\log_5 12$를 a, b로 나타낸다. | ◀ 40% |

$\log_5 12 = \dfrac{\log_{10} 12}{\log_{10} 5}$
$\qquad\quad = \dfrac{\log_{10}(2^2 \cdot 3)}{\log_{10} 5}$
$\qquad\quad = \dfrac{2\log_{10} 2 + \log_{10} 3}{\log_{10} 5}$
$\qquad\quad = \dfrac{2a + b}{1 - a}$

| 3단계 | 10^{a+2b}의 값을 구한다. | ◀ 30% |

$a + 2b = \log_{10} 2 + 2\log_{10} 3 = \log_{10}(2 \cdot 3^2) = \log_{10} 18$
따라서 $10^{a+2b} = 10^{\log_{10} 18} = 18$

0227

정답 해설참조

| 1단계 | $\log_a b = \log_b a$를 만족하는 서로 다른 두 양수 a, b의 관계식을 구한다. | ◀ 40% |

$\log_a b = \log_b a$에서 $\log_a b = \dfrac{1}{\log_a b}$, $(\log_a b)^2 = 1$
$\log_a b = 1$ 또는 $\log_a b = -1$
$\therefore b = a$ 또는 $b = \dfrac{1}{a}$
이때 $a \neq b$이므로 $b = \dfrac{1}{a}$ ······ ㉠

| 2단계 | $(a+3)(b+12)$를 전개하여 산술평균과 기하평균을 이용하여 최솟값을 구한다. | ◀ 40% |

$a > 0$, $\dfrac{1}{a} > 0$이므로
$(a+3)(b+12) = (a+3)\left(\dfrac{1}{a} + 12\right)$
$\qquad\qquad\qquad = 1 + 12a + \dfrac{3}{a} + 36$
$\qquad\qquad\qquad = 37 + 12a + \dfrac{3}{a}$
$\qquad\qquad\qquad \geq 37 + 2\sqrt{12a \cdot \dfrac{3}{a}}$
$\qquad\qquad\qquad = 49$
따라서 $(a+3)(b+12)$의 최솟값은 49

| 3단계 | 최소가 되는 a, b의 값을 구한다. | ◀ 20% |

이때 등호는 $12a = \dfrac{3}{a}$일 때, 성립하므로 $a^2 = \dfrac{1}{4}$
따라서 $a = \dfrac{1}{2}$, $b = 2$

내/신/연/계/ 출제문항 094

1이 아닌 서로 다른 두 양수 a, b에 대하여 $\log_a b$가 x에 대한 이차방정식 $x^2-1=0$의 한 근일 때, $4a+9b$의 최솟값을 다음 단계로 서술하여라.

[1단계] 양수 a, b의 관계식을 구한다.
[2단계] 산술평균과 기하평균을 이용하여 $4a+9b$의 최솟값을 구한다.
[3단계] 최소가 되는 a, b의 값을 구한다.

> 1단계 양수 a, b의 관계식을 구한다. ◀ 30%

$x^2-1=0$의 두 근이 $x=1$ 또는 $x=-1$이므로
$\log_a b=1$이면 $a=b$이므로 서로 다른 두 양수 a, b라는 조건에 모순

$\log_a b=-1$이면 $b=a^{-1}=\dfrac{1}{a}$ ······ ㉠

> 2단계 산술평균과 기하평균을 이용하여 $4a+9b$의 최솟값을 구한다. ◀ 40%

$4a+9b=4a+\dfrac{9}{a}$ 이므로 산술평균과 기하평균에 의하여

$4a+9b=4a+\dfrac{9}{a} \geq 2\sqrt{4a \cdot \dfrac{9}{a}}=12$

따라서 $4a+9b$의 최솟값은 12

> 3단계 최소가 되는 a, b의 값을 구한다. ◀ 30%

이때 등호는 $4a=\dfrac{9}{a}$ 에서 $a^2=\dfrac{9}{4}$

$\therefore a=\dfrac{3}{2}$

㉠에서 $b=\dfrac{2}{3}$

따라서 $a=\dfrac{3}{2}$, $b=\dfrac{2}{3}$ 이고 최솟값은 12

정답 해설참조

0228

> 1단계 이차방정식의 두 근이 $\log_2 a$, $\log_2 b$이므로 근과 계수의 관계에 의하여 두 근의 합과 두 근의 곱을 구한다. ◀ 30%

이차방정식 $x^2-2x-7=0$의 두 근이 $\log_2 a$, $\log_2 b$이므로
근과 계수의 관계에 의하여
$\log_2 a+\log_2 b=2$, $\log_2 a \times \log_2 b=-7$

> 2단계 $\log_a b+\log_b a$을 밑을 2로 변환한다. ◀ 30%

$\log_a b+\log_b a=\dfrac{\log_2 b}{\log_2 a}+\dfrac{\log_2 a}{\log_2 b}$

> 3단계 곱셈공식의 변형을 이용하여 $\log_a b+\log_b a$의 값 구한다. ◀ 40%

$\log_a b+\log_b a=\dfrac{\log_2 b}{\log_2 a}+\dfrac{\log_2 a}{\log_2 b}$

$=\dfrac{(\log_2 a)^2+(\log_2 b)^2}{\log_2 a \cdot \log_2 b}$

$=\dfrac{(\log_2 a+\log_2 b)^2-2\log_2 a \cdot \log_2 b}{\log_2 a \cdot \log_2 b}$

$=\dfrac{2^2-2 \times (-7)}{-7}$

$=-\dfrac{18}{7}$

0229

정답 해설참조

> 1단계 10^9의 약수의 개수를 구한다. ◀ 30%

$10^9=2^9 \times 5^9$이므로 10^9의 약수의 개수는
$(9+1)(9+1)=100$

> 2단계 10^9의 모든 양의 약수의 곱 N을 구한다. ◀ 50%

약수를 크기순으로
a_1, a_2, a_3, $\cdots$, a_{100} (단 $a_1 < a_2 < \cdots < a_{100}$)이라 하면
$a_1 a_{100}=a_2 a_{99}=a_3 a_{98}=\cdots=a_{50} a_{51}=10^9$이므로
모든 양의 약수의 곱은
$N=a_1 a_2 a_3 a_4 \cdots a_{99} a_{100}=(10^9)^{50}=10^{450}$

> 3단계 $\log_{10} N$의 값을 구한다. ◀ 20%

따라서 $\log_{10} N=\log_{10} 10^{450}=450$

0230

정답 해설참조

> 1단계 이차방정식의 두 근이 α, β이므로 근과 계수의 관계에 의하여 두 근의 합과 두 근의 곱을 구한다. ◀ 30%

이차방정식 $x^2-5x+5=0$의 두 근이 α, β이므로
근과 계수의 관계에 의하여
$\alpha+\beta=5$, $\alpha\beta=5$

> 2단계 곱셈공식을 이용하여 a의 값 구한다. ◀ 40%

$(\alpha-\beta)^2=(\alpha+\beta)^2-4\alpha\beta$
$\qquad\quad =5^2-4 \cdot 5=5$
$\therefore a=\alpha-\beta=\sqrt{5} \ (\because \alpha > \beta)$

> 3단계 $\log_a \alpha+\log_a \beta$의 값을 구한다. ◀ 30%

$\log_a \alpha+\log_a \beta=\log_a \alpha\beta=\log_{\sqrt{5}} 5=2\log_5 5=2$

0231

정답 해설참조

> 1단계 기울기를 이용하여 ab를 구한다. ◀ 50%

두 점 $A(1, -\log a)$, $B(5, \log b)$를 지나는 직선의 기울기가 $\dfrac{1}{2}$이므로

$\dfrac{\log b-(-\log a)}{5-1}=\dfrac{1}{2}$, $\dfrac{\log b+\log a}{4}=\dfrac{1}{2}$

$\log ab=2$
$\therefore ab=100$

> 2단계 순서쌍 (a, b)의 개수를 구한다. ◀ 50%

서로 다른 두 자연수 a, b의 순서쌍 (a, b)는

$(1, 100)$, $(2, 50)$, $(4, 25)$, $(5, 20)$, $(20, 5)$, $(25, 4)$, $(50, 2)$, $(100, 1)$이므로
개수는 8개이다.

0232

 정답 180

STEP A 로그의 정의를 이용하여 ab, $a+b$의 값 구하기

$\log_2 a + \log_2 b = 1$에서 $\log_2 ab = 1$

로그의 정의에 의하여 $ab = 2$

$\log_3(1+a) + \log_3(1+b) = 2$에서 $\log_3(1+a)(1+b) = 2$

$\log_3(1+a+b+ab) = 2$, $\log_3(1+a+b+2) = 2$

로그의 정의에 의하여 $3+a+b = 3^2$

$\therefore a+b = 6$

STEP B 곱셈공식을 이용하여 식의 값 구하기

따라서 $a^3+b^3 = (a+b)^3 - 3ab(a+b) = 6^3 - 3 \cdot 2 \cdot 6 = 180$

0233

정답 ③

STEP A 10^a을 3으로 나눌 때, 몫이 정수이고 나머지가 2가 되는 a 구하기

$0 < a < 1$일 때,

$1 < 10^a < 10$이므로 3으로 나눈 나머지가 2인 자연수 10^a은

$10^a = 3Q+2$에서 자연수는 $10^a = 2$, 5, 8

$\therefore a = \log 2$, $\log 5$, $\log 8$

STEP B 로그의 성질을 이용하여 모든 a의 값의 합 구하기

따라서 구하는 모든 a의 값의 합은

$\log 2 + \log 5 + \log 8 = \log 2 \times 5 + 3\log 2 = 1 + 3\log 2$

0234

 정답 12

STEP A 로그의 정의를 이용하여 집합의 원소 구하기

$\log_a b = \dfrac{k}{2}$에서 $b = a^{\frac{k}{2}}$

$\therefore b^2 = a^k$

이므로

$A_k = \left\{ \dfrac{b}{a} \middle| b^2 = a^k,\ a$와 b는 2 이상 100 이하의 자연수$\right\}$이다.

STEP B $n(A_3) + n(A_4)$의 값 구하기

(i) $k=3$일 때,

　$b^2 = a^3$을 만족하는 자연수 a, b의 순서쌍은

　$(2^2,\ 2^3)$, $(3^2,\ 3^3)$, $(4^2,\ 4^3)$이므로 $A_3 = \{2,\ 3,\ 4\}$

　즉 $n(A_3) = 3$

(ii) $k=4$일 때,

　$b^2 = a^4$을 만족하는 자연수 a, b의 순서쌍은

　$(2,\ 2^2)$, $(3,\ 3^2)$, $(4,\ 4^2)$, $\cdots$, $(9,\ 9^2)$, $(10,\ 10^2)$이므로

　$A_4 = \{2,\ 3,\ 4,\ \cdots,\ 10\}$

　즉 $n(A_4) = 9$

(i), (ii)에 의하여 $n(A_3) + n(A_4) = 3+9 = 12$

0235

정답 13

STEP A 주어진 식을 연립하여 $\log_2 ab$, $\log_2 bc$, $\log_2 ca$의 값 구하기

$\log_2 ab + \log_2 bc = 5$ ……㉠

$\log_2 bc + \log_2 ca = 8$ ……㉡

$\log_2 ca + \log_2 ab = 7$ ……㉢

㉠+㉡+㉢을 하면

$2(\log_2 ab + \log_2 bc + \log_2 ca) = 20$

$\log_2 ab + \log_2 bc + \log_2 ca = 10$ ……㉣

㉣−㉡을 하면 $\log_2 ab = 2$

$\therefore ab = 4$ ……㉤

㉣−㉢을 하면 $\log_2 bc = 3$

$\therefore bc = 8$ ……㉥

㉣−㉠을 하면 $\log_2 ca = 5$

$\therefore ca = 32$ ……㊀

STEP B $a+b+c$의 값 구하기

㉣에서 $\log_2(abc)^2 = 10$, $\log_2 abc = 5$

$\therefore abc = 32$ ……㉦

㉦÷㉤, ㉦÷㉥, ㉦÷㊀을 각각 하면

$c = 8$, $a = 4$, $b = 1$

따라서 $a+b+c = 13$

다른풀이 로그의 성질을 이용하여 풀이하기

STEP A 로그의 성질을 이용하여 각 등식을 간단히 하기

$\log_2 ab + \log_2 bc = \log_2 ab^2 c = 5$에서

$ab^2 c = 2^5$ ……㉠

$\log_2 bc + \log_2 ca = \log_2 abc^2 = 8$에서

$abc^2 = 2^8$ ……㉡

$\log_2 ca + \log_2 ab = \log_2 a^2 bc = 7$에서

$a^2 bc = 2^7$ ……㉢

STEP B abc의 값 구하기

이때 ㉠, ㉡, ㉢을 각 변끼리 곱하면

$a^4 b^4 c^4 = 2^{20}$이므로 $abc = 2^5$ ……㉣

STEP C $a+b+c$의 값 구하기

㉠÷㉣을 하면 $b = 1$

㉡÷㉣을 하면 $c = 2^3 = 8$

㉢÷㉣을 하면 $a = 2^2 = 4$

따라서 $a = 4$, $b = 1$, $c = 8$ 이므로 $a+b+c = 13$

0236

 정답 $55\log_2 3$

STEP A 6^n, 5^n이 각각 홀수인지 짝수인지 판단하여 수열 $\{a_n\}$의 일반항 a_n 구하기

자연수 n에 대하여 6^n은 짝수이고 5^n은 홀수이므로

$a_n = f(6^n) - f(5^n)$

　$= \log_2 6^n - \log_5 5^n$

　$= n(1 + \log_2 3) - n$

　$= (\log_2 3)n$ ← 공차가 $\log_2 3$인 등차수열

STEP B $a_1 + a_2 + a_3 + \cdots + a_{10}$의 값 구하기

$a_1 + a_2 + a_3 + \cdots + a_{10} = \log_2 3 + 2\log_2 3 + 3\log_2 3 + \cdots + 10\log_2 3$

　　　　　$= (1+2+3+\cdots+10)\log_2 3$

　　　　　$= 55\log_2 3$

0237

STEP Ⓐ **주어진 식을 이용하여 $\log_3 a$, $\log_3 b$의 관계식 구하기**

$\log_a 9 = \log_b 27$에서 $\log_9 a = \log_{27} b$

$\dfrac{1}{2}\log_3 a = \dfrac{1}{3}\log_3 b$

$\therefore \log_3 a = \dfrac{2}{3}\log_3 b$

STEP Ⓑ **$\log_{ab} a^2 b^3$의 값 구하기**

$\log_{ab} a^2 b^3 = \log_{ab}\{(ab)^2 \cdot b\} = 2 + \log_{ab} b = 2 + \dfrac{\log_3 b}{\log_3 ab}$

$\qquad = 2 + \dfrac{\log_3 b}{\log_3 a + \log_3 b}$

$\qquad = 2 + \dfrac{\log_3 b}{\dfrac{2}{3}\log_3 b + \log_3 b}$

$\qquad = 2 + \dfrac{\log_3 b}{\dfrac{5}{3}\log_3 b}$

$\qquad = 2 + \dfrac{3}{5}$

$\qquad = \dfrac{13}{5}$

따라서 $p = 13$, $q = 5$이므로 $p + q = 18$

0238

STEP Ⓐ **200의 약수의 개수 구하기**

$200 = 2^3 \times 5^2$이므로 200의 양의 약수의 개수는

$(3+1)(2+1) = 12$

STEP Ⓑ **200의 모든 양의 약수의 곱 $a_1 a_2 a_3 \cdots a_{12}$을 구하기**

$200 = 2^3 \times 5^2$이므로 200의 양의 약수를 표로 나타내면 다음과 같다.

	5^0	5^1	5^2
2^0	$2^0 \cdot 5^0$	$2^0 \cdot 5^1$	$2^0 \cdot 5^2$
2^1	$2^1 \cdot 5^0$	$2^1 \cdot 5^1$	$2^1 \cdot 5^2$
2^2	$2^2 \cdot 5^0$	$2^2 \cdot 5^1$	$2^2 \cdot 5^2$
2^3	$2^3 \cdot 5^0$	$2^3 \cdot 5^1$	$2^3 \cdot 5^2$

즉 200의 모든 양의 약수들의 곱은

$a_1 a_2 a_3 \cdots a_{12} = (2^0 \cdot 2^1 \cdot 2^2 \cdot 2^3)^3 \cdot (5^0 \cdot 5^1 \cdot 5^2)^4$

$\qquad = 2^{18} \cdot 5^{12}$

> **참고** 200의 양의 약수가 a_1, a_2, a_3, $\cdots$, a_{12}이므로
> $a_1 a_{12} = a_2 a_{11} = \cdots = a_6 a_7 = 200$
> 모든 약수의 곱은
> $a_1 a_2 a_3 \cdots a_{12} = 200^6 = (2^3 \times 5^2)^6 = 2^{18} \times 5^{12}$

STEP Ⓒ **로그의 성질을 이용하여 주어진 값 구하기**

로그의 성질을 이용하여

$\log_2 a_1 + \log_2 a_2 + \log_2 a_3 + \cdots + \log_2 a_{12}$

$= \log_2(a_1 a_2 a_3 \cdots a_{12})$

$= \log_2(2^{18} \cdot 5^{12})$

$= 18\log_2 2 + 12\log_2 5$

$= 18 + 12(\log_2 10 - \log_2 2)$ ← $\log_2 5 = \log_2 \dfrac{10}{2} = \log_2 10 - \log_2 2$

$= 18 + 12\left(\dfrac{1}{\log_{10} 2} - 1\right)$

$= 18 + 12\left(\dfrac{1}{0.3} - 1\right)$

$= 46$

0239

STEP Ⓐ **진수조건을 만족하는 이차함수 $f(x)$의 그래프 그리기**

$f(x) = -x^2 + ax + 4$라 하면 로그의 진수 조건에 의해

$f(x) = -x^2 + ax + 4 > 0$

즉 $f(x)$의 그래프는 x축 위쪽의 영역이다.

$f(x) = -x^2 + ax + 4$

$\qquad = -\left(x^2 - ax + \dfrac{a^2}{4} - \dfrac{a^2}{4}\right) + 4$

$\qquad = -\left(x - \dfrac{a}{2}\right)^2 + \dfrac{a^2}{4} + 4$

이때 a는 자연수이고 $f(x) > 0$이므로
이차함수 $y = f(x)$의 그래프는 오른쪽
그림과 같다.

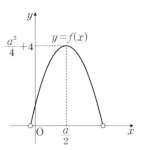

STEP Ⓑ **주어진 조건을 만족하는 자연수 a의 값 구하기**

$\log_2(-x^2 + ax + 4)$의 값이 자연수가
되는 실수 x의 개수가 6이므로
$y = f(x)$의 그래프는 오른쪽 그림과
같이 $y = 2^1$, $y = 2^2$, $y = 2^3$과 각각
2개의 점에서 만나고 $y = 2^n$ ($n \geq 4$)
와는 만나지 않는다.

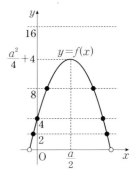

즉 $2^3 < \dfrac{a^2}{4} + 4 < 2^4$, $4 < \dfrac{a^2}{4} < 12$

$\therefore 16 < a^2 < 48$

이때 a가 자연수이므로 $a = 5$, 6

따라서 $5 \times 6 = 30$

0240

STEP Ⓐ **이차방정식의 근과 계수의 관계에서 $\beta - \alpha$의 값 구하기**

이차방정식의 근과 계수의 관계에서 $\alpha + \beta = 5$, $\alpha\beta = 5$이므로

$(\beta - \alpha)^2 = (\beta + \alpha)^2 - 4\alpha\beta = 5^2 - 4 \cdot 5 = 5$

$\alpha < \beta$이므로 $a = \beta - \alpha = \sqrt{5}$

STEP Ⓑ **로그의 성질을 이용하여 주어진 식의 값 구하기**

따라서 $\log_{\sqrt{5}}(3\alpha + \beta) + \log_{\sqrt{5}}(\alpha + 3\beta) - \log_{\sqrt{5}} 19$

$\qquad = \log_{\sqrt{5}}(3\alpha + \beta)(\alpha + 3\beta) - \log_{\sqrt{5}} 19$

$\qquad = \log_{\sqrt{5}}\{3(\alpha^2 + \beta^2) + 10\alpha\beta)\} - \log_{\sqrt{5}} 19$

$\qquad = \log_{\sqrt{5}}\{3(\alpha + \beta)^2 + 4\alpha\beta)\} - \log_{\sqrt{5}} 19$ ← $\alpha^2 + \beta^2 = (\alpha + \beta)^2 - 2\alpha\beta$

$\qquad = \log_{\sqrt{5}}(3 \cdot 5^2 + 4 \cdot 5) - \log_{\sqrt{5}} 19$

$\qquad = \log_{\sqrt{5}} 95 - \log_{\sqrt{5}} 19$

$\qquad = \log_{\sqrt{5}} \dfrac{95}{19}$

$\qquad = \log_{\sqrt{5}} 5$

$\qquad = 2$

0241

STEP A $4\log m - 2\log n$의 값을 임의로 두고 m, n의 관계식 구하기

$4\log m - 2\log n = \log\dfrac{m^4}{n^2} = k$ (k는 자연수)로 놓으면

$\dfrac{m^4}{n^2} = 10^k$, $m^4 = 10^k \cdot n^2$

$\therefore m^2 = 10^{\frac{k}{2}} n$

STEP B 순서쌍 (m, n)의 개수 구하기

이때 m^2과 n이 자연수이므로 $10^{\frac{k}{2}}$도 자연수이어야 한다.

(i) $k = 2$일 때, $m = \sqrt{10n}$ 이므로 $(10, 10)$, $(20, 40)$, $(30, 90)$의 3개

(ii) $k = 4$일 때, $m = 10\sqrt{n}$ 이므로

　　$(10, 1)$, $(20, 4)$, $(30, 9)$, $(40, 16)$, $\cdots$, $(100, 100)$의 10개

(iii) $k = 6$일 때, $m = 10\sqrt{10n}$ 이므로 $(100, 10)$의 1개

(iv) $k = 8$일 때, $m = 100\sqrt{n}$ 이므로 $(100, 1)$의 1개

(i)~(iv)에서 구하는 순서쌍 (m, n)의 개수는 $3 + 10 + 1 + 1 = 15$개

0242

STEP A 로그의 여러가지 성질을 이용하여 조건을 적절히 변형하여 구하기

$$(\log_{12}4)^2 + \dfrac{1 + \log_{12}4}{1 + \log_3 4} = (\log_{12}4)^2 + \dfrac{\log_{12}48}{\log_3 12}$$

$$= (\log_{12}4)^2 + \log_{12}48 \times \log_{12}3$$

$$= (\log_{12}4)^2 + (2\log_{12}4 + \log_{12}3) \times \log_{12}3$$

$$= (\log_{12}4)^2 + 2\log_{12}4 \times \log_{12}3 + (\log_{12}3)^2$$

$$= (\log_{12}4 + \log_{12}3)^2$$

$$= (\log_{12}12)^2 = 1$$

0243

STEP A 주어진 집합의 조건을 나타내기

$A_n = \{k \mid k \in S$ 이고 $(\log_2 n - \log_2 k)$는 정수$\}$라 할 때,

S가 100 이하의 자연수 전체의 집합이므로

n, $k \in S$에서 n, k는 100 이하의 자연수이다.

$\log_2 n - \log_2 k = \log_2 \dfrac{n}{k}$이 정수이므로 $\dfrac{n}{k} = 2^m$ (m은 정수)이다.

STEP B n이 짝수일 때와 홀수일 때로 나누어 구하기

n이 짝수일 때와 홀수일 때로 나누어 $f(n) = 1$인 n을 구하면 다음과 같다.

(i) n이 짝수일 때, $k = n$이면 $\dfrac{n}{k} = \dfrac{n}{n} = 1 = 2^0$이므로 $n \in A_n$

　　$k = \dfrac{n}{2}$이면 $\dfrac{n}{k} = \dfrac{n}{\frac{n}{2}} = 2 = 2^1$이므로 $\dfrac{n}{2} \in A_n$

　　즉 집합 A_n의 원소의 개수는 2 이상이다.

(ii) $1 \le n \le 50$인 홀수일 때, $k = n$이면 $\dfrac{n}{k} = 1 = 2^0$이므로 $n \in A_n$

　　$k = 2n$이면 $\dfrac{n}{k} = \dfrac{1}{2} = 2^{-1}$이므로 $2n \in A_n$

　　즉 집합 A_n의 원소의 개수는 2 이상이다.

(iii) n이 50보다 큰 홀수일 때, $\dfrac{n}{k} = 2^m$이면 $k = \dfrac{n}{2^m}$ (m은 정수)을

　　만족시키는 정수 m은 0뿐이다.

　　즉 집합 A_n의 원소의 개수는 1

STEP C 만족하는 n의 개수 구하기

(i)~(iii)에서 n은 50보다 큰 홀수이므로 $f(n) = 1$인 n의 개수는

51, 53, 55, $\cdots$, 99의 25개이다.

03 상용로그

0244

정답 ④

STEP Ⓐ **상용로그의 진수를 5.13×10^n꼴로 나타낸 다음 로그의 성질을 이용하여 계산하기**

$\log x = -1.29 = -1 - 0.29 = -2 + 0.71 = \log 10^{-2} + \log 5.13$
$\qquad\qquad = \log 0.0513$

따라서 $x = 0.0513$

0245

정답 ④

STEP Ⓐ **상용로그의 진수를 5.18×10^n꼴로 나타낸 다음 로그의 성질을 이용하여 계산하기**

$\log(51.8)^2 = 2\log 51.8 = 2\log(5.18 \times 10)$
$\qquad\qquad\quad = 2(\log 5.18 + \log 10)$
$\qquad\qquad\quad = 2(0.7143 + 1)$
이고
$\log 518 = \log(5.18 \times 10^2) = \log 5.18 + \log 10^2$
$\qquad\qquad\qquad\qquad\qquad = 0.7143 + 2$

STEP Ⓑ **$\log(51.8)^2 - \log 518$의 값 구하기**

$\log(51.8)^2 - \log 518 = 2(0.7143 + 1) - (0.7143 + 2)$
$\qquad\qquad\qquad\qquad = 2 \times 0.7143 + 2 - 0.7143 - 2$
$\qquad\qquad\qquad\qquad = 0.7143$

다른풀이 로그의 성질을 이용하여 풀이하기

$\log(51.8)^2 - \log 518 = \log \dfrac{(51.8)^2}{518} = \log \dfrac{(51.8)^2}{51.8 \times 10} = \log 5.18 = 0.7143$

0246

정답 ⑤

STEP Ⓐ **로그의 성질을 이용하여 주어진 식의 값 구하기**

$\log\left(\dfrac{302}{0.175}\right) = \log 302 - \log(0.175)$
$\qquad\qquad\quad = \log(3.02 \times 10^2) - \log(1.75 \times 10^{-1})$
$\qquad\qquad\quad = \log 3.02 + \log 10^2 - (\log 1.75 + \log 10^{-1})$
$\qquad\qquad\quad = a + 2 - (b - 1)$
$\qquad\qquad\quad = a - b + 3$

내/신/연/계 출제문항 095

$\log 4.27 = a$일 때, 427×0.00427의 상용로그의 값을 a로 나타낸 것으로 옳은 것은?

① $a - 1$ 　　② $a + 2$ 　　③ $2a - 1$
④ $2a$ 　　⑤ $2a + 2$

STEP Ⓐ **상용로그의 진수를 4.27×10^n꼴로 나타낸 다음 로그의 성질을 이용하여 계산하기**

$\log(427 \times 0.00427) = \log 427 + \log 0.00427$
$\qquad\qquad\qquad = \log(4.27 \times 10^2) + \log(4.27 \times 10^{-3})$
$\qquad\qquad\qquad = \log 4.27 + 2 + \log 4.27 + (-3)$
$\qquad\qquad\qquad = 2\log 4.27 - 1$
$\qquad\qquad\qquad = 2a - 1$

정답 ③

0247

정답 ③

STEP Ⓐ **상용로그의 진수를 4.17×10^n꼴로 나타낸 다음 로그의 성질을 이용하여 a, b의 값 구하기**

$\log 417 = 2.6201 = 2 + 0.6201$에서 $\log 4.17 = 0.6201$
즉 $a = 4.17$
$\log b = 3.6201 = 3 + 0.6201$
$\qquad = \log 10^3 + \log 4.17$
$\qquad = \log 4170$
즉 $b = 4170$
따라서 $a + b = 4.17 + 4170 = 4174.17$

0248

정답 ①

STEP Ⓐ **$\log x = n + \alpha$ (n은 정수, $0 < \alpha < 1$)꼴로 바꾸기**

$\log 54.3 = 1.7348 = 1 + 0.7348$에서 $\log 5.43 = 0.7348$
$a = \log 5430$
$\quad = \log(5.43 \times 10^3)$
$\quad = 3 + 0.7348$
$\quad = 3.7348$
$\log b = -1.2652$
$\qquad = -2 + 0.7348$ ◀ $-1 - 0.2652 = -1 - 1 + 1 - 0.2652 = -2 + 0.7348$
$\qquad = -2 + \log 5.43$
$\qquad = \log 10^{-2} + \log 5.43$
$\qquad = \log(10^{-2} \times 5.43)$
$\qquad = \log 0.0543$
$\therefore b = 0.0543$

STEP Ⓑ **$a + b$의 값 구하기**

따라서 $a + b = 3.7348 + 0.0543 = 3.7891$

내/신/연/계 출제문항 096

다음 조건을 만족시키는 두 상수 a, b에 대하여 $a + b$의 값은?
(단, $\log 4.73 = 0.6749$로 계산한다.)

> (가) $\log 473 = a$
> (나) $\log b = -1.3251$

① 2.7222 　　② 2.9249 　　③ 3.1479
④ 3.2629 　　⑤ 3.4284

STEP Ⓐ **$\log x = n + \alpha$ (n은 정수, $0 < \alpha < 1$)꼴로 바꾸기**

$a = \log 473 = \log(4.73 \times 10^2)$
$\qquad\qquad = 2 + 0.6749$
$\qquad\qquad = 2.6749$
$\log b = -1.3251 = -2 + 0.6749$ ◀ $-1 - 0.3251 = -1 - 1 + 1 - 0.3251$
$\qquad = -2 + \log 4.73$
$\qquad = \log 10^{-2} + \log 4.73$
$\qquad = \log(10^{-2} \times 4.73)$
$\qquad = \log 0.0473$
$\therefore b = 0.0473$

STEP Ⓑ **$a + b$의 값 구하기**

따라서 $a + b = 2.6749 + 0.0473 = 2.7222$

정답 ①

0249

정답 ①

STEP A 로그의 뜻과 성질을 이용하여 로그의 값 구하기

$10^{0.94}=k$에서 $\log k=0.94$

따라서 $\log k^2+\log\dfrac{k}{10}=2\log k+\log k-\log 10$
$$=3\log k-1$$
$$=3\times 0.94-1$$
$$=2.82-1$$
$$=1.82$$

내/신/연/계/ 출제문항 097

$\log x\sqrt{x}=0.3$일 때, $\log_{\sqrt{x}}2+\log_x 25$의 값은?

① 3.3   ② 5.3   ③ 8
④ 9   ⑤ 10

STEP A 로그의 뜻과 성질을 이용하여 로그의 값 구하기

$\log x\sqrt{x}=\log x^{\frac{3}{2}}=\dfrac{3}{2}\log x=0.3$이므로

$\log x=\dfrac{2}{3}\times 0.3=0.2$

STEP B $\log_{\sqrt{x}}2+\log_x 25$의 값 구하기

따라서 $\log_{\sqrt{x}}2+\log_x 25=\log_{x^{\frac{1}{2}}}2+\log_x 5^2$
$$=2\log_x 2+\log_x 5^2$$
$$=\log_x(2^2\times 5^2)$$
$$=2\log_x 10$$
$$=\dfrac{2}{\log x}=\dfrac{2}{0.2}$$
$$=10$$

정답 ⑤

0250

정답 ⑤

STEP A 로그의 성질을 이용하여 주어진 식 변형하기

$\log(0.362\times 3410)=\log 0.362+\log 3410$

STEP B 상용로그표를 이용하여 $\log 0.362+\log 3410$의 값 구하기

상용로그표에서 $\log 3.62=0.5587$이므로

$\log 0.362=\log 3.62\times 10^{-1}$
$$=\log 3.62+\log 10^{-1}$$
$$=-1+0.5587$$

상용로그표에서 $\log 3.41=0.5328$이므로

$\log 3410=\log 3.41\times 10^3$
$$=\log 3.41+\log 10^3$$
$$=3+0.5328$$

따라서 $\log(0.362\times 3410)=(-1+0.5587)+(3+0.5328)$
$$=3.0915$$

0251

정답 ②

STEP A 로그의 성질을 이용하여 구하려는 상용로그의 진수를 상용로그표에서 구할 수 있는 형태로 나타내기

$\log\sqrt{419}=\dfrac{1}{2}\log 419$ ← $\sqrt{419}=419^{\frac{1}{2}}$
$$=\dfrac{1}{2}\log(4.19\times 100)$$
$$=\dfrac{1}{2}(\log 4.19+\log 100)$$
$$=\dfrac{1}{2}(\log 4.19+2)$$

상용로그표에서 $\log 4.19=0.6222$

따라서 $\log\sqrt{419}=\dfrac{1}{2}(0.6222+2)=1.3111$

0252

정답 ④

STEP A 로그의 성질을 이용하여 $\log k$의 값 구하기

$\log(453\times k)=2.3291$에서 $\log 453+\log k=2.3291$

$\log k=2.3291-\log 453=2.3291-\log(4.53\times 10^2)$
$$=2.3291-(2+0.6561)$$
$$=-0.3270$$
$$=-1+0.6730$$

STEP B 상용로그표를 이용하여 k의 값 구하기

즉 상용로그표로부터 $\log 4.71=0.6730$이므로

$\log k=-1+\log 4.71=\log(4.71\times 10^{-1})=\log 0.471$

따라서 $k=0.471$

내/신/연/계/ 출제문항 098

$\log\dfrac{262}{k}=1.0186$일 때, 다음 상용로그표를 이용하여 양수 k의 값을 구하면?

수	0	1	2	3
⋮	⋮	⋮	⋮	⋮
2.5	.3979	.3997	.4014	.4031
2.6	.4150	.4166	.4183	.4200
2.7	.4314	.4330	.4346	.4518
⋮	⋮	⋮	⋮	⋮

① 26.1   ② 25.0   ③ 25.1
④ 26.2   ⑤ 27.2

STEP A 로그의 성질을 이용하여 $\log k$의 값 구하기

$\log\dfrac{262}{k}=\log 262-\log k=1.0186$
$$=\log(2.62\times 10^2)-\log k$$
$$=\log 2.62+2-\log k$$
$$=0.4183+2-\log k$$
$$=-\log k+2.4183$$
$$=1.0186$$

$\therefore \log k=1.3997$

STEP B 상용로그표를 이용하여 k의 값 구하기

$\log k=1.3997=1+0.3997=\log 10+\log 2.51$
$$=\log(10\times 2.51)$$
$$=\log 25.1$$

따라서 $k=25.1$

정답 ③

0253

정답 ③

STEP A 로그의 성질을 이용하여 $\log 200$의 정수, 소수 부분을 구하기

$\log 200 = \log(10^2 \times 2) = \log 10^2 + \log 2 = 2 + \log 2$

이때 정수부분은 $n=2$와 소수부분은 $\alpha = \log 2$

따라서 $10^n + 10^\alpha = 10^2 + 10^{\log 2} = 100 + 2 = 102$

0254

정답 ③

STEP A 근과 계수의 관계를 이용하여 n, α의 관계식 구하기

$\log A = n + \alpha$ (단, n은 정수, $0 \le \alpha < 1$)라 하면

이차방정식 $4x^2 - 11x + k = 0$의 두 근이 n, α이므로

근과 계수의 관계에 의하여

$n + \alpha = \dfrac{11}{4}$, $n\alpha = \dfrac{k}{4}$

STEP B n이 정수, $0 \le \alpha < 1$임을 이용하여 n, α의 값 구하기

그런데 n은 정수이고 $0 \le \alpha < 1$이므로 $\dfrac{11}{4} = 2 + \dfrac{3}{4}$

$n = 2$, $\alpha = \dfrac{3}{4}$

따라서 $k = 4n\alpha = 4 \cdot 2 \cdot \dfrac{3}{4} = 6$

내/신/연/계 출제문항 099

이차방정식 $4x^2 + 13x + k = 0$의 두 근이 $\log A$의 정수 부분과 소수 부분일 때, 실수 k의 값은?

① -12 ② -13 ③ -15
④ -17 ⑤ -19

STEP A 근과 계수의 관계를 이용하여 n, α의 관계식 구하기

$\log A = n + \alpha$ (단, n은 정수, $0 \le \alpha < 1$)라 하면

이차방정식 $4x^2 + 13x + k = 0$의 두 근이 n, α이므로

근과 계수의 관계에 의하여

$n + \alpha = -\dfrac{13}{4}$, $n\alpha = \dfrac{k}{4}$

STEP B n이 정수, $0 \le \alpha < 1$임을 이용하여 n, α의 값 구하기

이때 $n + \alpha = -\dfrac{13}{4} = -4 + \dfrac{3}{4}$이므로 $n = -4$, $\alpha = \dfrac{3}{4}$

따라서 $k = 4n\alpha = 4 \cdot (-4) \cdot \dfrac{3}{4} = -12$

정답 ①

0255

정답 ②

STEP A 근과 계수의 관계를 이용하여 n, α의 관계식 구하기

$\log A = [\log A] + \log A - [\log A] = n + \alpha$ (단, n은 정수, $0 < \alpha < 1$)

이차방정식 $5x^2 - 12x + k = 0$의 두 근이 n, α이므로

근과 계수의 관계로부터

$n + \alpha = \dfrac{12}{5}$, $n\alpha = \dfrac{k}{5}$

STEP B n이 정수, $0 \le \alpha < 1$임을 이용하여 n, α의 값 구하기

이때 n은 정수, $0 \le \alpha < 1$이므로 $\dfrac{12}{5} = 2 + \dfrac{2}{5}$

$\therefore n = 2$, $\alpha = \dfrac{2}{5}$

따라서 $k = 5n\alpha = 5 \cdot 2 \cdot \dfrac{2}{5} = 4$

0256

정답 ②

STEP A 로그의 성질을 이용하여 $\log 300$의 정수, 소수 부분을 구하기

$\log 300 = \log(10^2 \times 3) = \log 10^2 + \log 3 = 2 + \log 3$

이때 정수 부분 $n = 2$와 소수 부분 $\alpha = \log 3$이다.

STEP B $9^{\frac{1}{n}}$, $3^{\frac{1}{\alpha}}$의 값을 구하여 근과 계수의 관계 이용하기

$9^{\frac{1}{n}} = 9^{\frac{1}{2}} = 3$, $3^{\frac{1}{\alpha}} = 3^{\frac{1}{\log 3}} = 3^{\log_3 10} = 10$

이차방정식 $x^2 + px + q = 0$의 두 근이 3, 10이므로 근과 계수의 관계에서

$3 + 10 = -p$, $3 \times 10 = q$

따라서 $p = -13$, $q = 30$이므로 $p + q = 17$

내/신/연/계 출제문항 100

$\log 30$의 정수부분과 소수부분을 각각 n, α라 할 때, 3^n, $3^{\frac{1}{\alpha}}$을 두 근으로 하는 이차방정식이 $x^2 - ax + b = 0$일 때, $a+b$의 값은?

① 41 ② 43 ③ 45
④ 47 ⑤ 49

STEP A 로그의 성질을 이용하여 $\log 30$의 정수, 소수 부분을 구하기

$\log 30 = \log(10 \times 3) = \log 10 + \log 3 = 1 + \log 3$이므로

$n = 1$, $\alpha = \log 3$

STEP B 3^n, $3^{\frac{1}{\alpha}}$의 값을 구하여 근과 계수의 관계 이용하기

이때 $\dfrac{1}{\alpha} = \dfrac{1}{\log 3} = \log_3 10$이므로

$3^{\frac{1}{\alpha}} = 3^{\log_3 10} = 10^{\log 3} = 10$, $3^n = 3^1 = 3$

이차방정식 $x^2 - ax + b = 0$의 두 근이 3, 10이므로 근과 계수의 관계에서

$3 + 10 = a$, $3 \times 10 = b$

따라서 $a = 13$, $b = 30$이므로 $a + b = 43$ 정답 ②

0257

정답 ②

STEP A $\log 6^{10}$의 정수부분을 구하기

$\log 6^{10} = 10 \log 6$
$= 10(\log 2 + \log 3)$
$= 10(0.3010 + 0.4771)$
$= 7.781$

따라서 $\log 6^{10}$의 정수 부분이 7이므로 6^{10}은 8자리의 정수이다.

0258

정답 ②

STEP A $\log 5^{30}$의 정수부분을 구하기

$\log 5^{30} = 30 \log 5$
$= 30 \log \dfrac{10}{2}$
$= 30(\log 10 - \log 2)$
$= 30(1 - 0.3010)$
$= 30 \times 0.699$
$= 20.97$

따라서 $\log 5^{30}$의 정수 부분이 20이므로 5^{30}은 21자리의 정수이다.

0259

정답 ④

STEP A 7^{100}이 85자리의 정수임을 이용하여 $\log 7$의 범위 구하기

7^{100}은 85자리의 정수이므로 $\log 7^{100}$의 정수 부분은 84

즉 $84 \le \log 7^{100} < 85$에서 $84 \le 100 \log 7 < 85$

$\therefore 0.84 \le \log 7 < 0.85$ ...... ㉠

STEP B 부등식을 이용하여 $\log 7^{30}$의 정수 부분 구하기

$\log 7^{30} = 30 \log 7$이므로 ㉠의 각 변에 30을 곱하면

이때 $30 \times 0.84 \le 30 \log 7 < 30 \times 0.85$이므로 $25.2 \le \log 7^{30} < 25.5$

따라서 $\log 7^{30}$의 정수 부분이 25이므로 7^{30}은 26자리의 정수이다.

내신연계 출제문항 101

23^{100}은 137자리의 정수일 때, 23^{50}은 몇 자리 정수인가?

① 32　　　　② 35　　　　③ 47
④ 54　　　　⑤ 69

STEP A 23^{100}이 137자리의 정수임을 이용하여 $\log 23$의 범위 구하기

23^{100}은 137자리 정수이므로 $\log 23^{100}$의 정수 부분은 136이다.

즉 $136 \le \log 23^{100} < 137$에서 $136 \le 100 \log 23 < 137$

$\therefore 1.36 \le \log 23 < 1.37$ ...... ㉠

STEP B 부등식을 이용하여 $\log 23^{50}$의 정수 부분 구하기

$\log 23^{50} = 50 \log 23$이므로 ㉠의 각 변에 50을 곱하면

$68 \le 50 \log 23 < 68.5$이므로 $68 \le \log 23^{50} < 69$

따라서 $\log 23^{50}$의 정수 부분이 68이므로 23^{50}은 69자리의 자연수이다.

정답 ⑤

0260

정답 ①

STEP A 주어진 식에서 x의 값 구하기

$\log_3\{\log_4(\log_2 x)\} = 1$에서 $\log_4(\log_2 x) = 3$, $\log_2 x = 4^3 = 64$

$\therefore x = 2^{64}$

STEP B $\log x$의 정수 부분 구하기

양변에 상용로그를 취하면 $\log x = 64 \log 2$, $\log x = 19.2$

따라서 $\log x$의 정수 부분이 19이므로 x는 20자리의 정수이다.

$\therefore n = 20$

0261

정답 ④

STEP A $\log\left(\dfrac{1}{2}\right)^{50}$의 정수 부분 구하기

$$\log\left(\frac{1}{2}\right)^{50} = -50 \log 2 = -50 \times 0.3010$$
$$= -15.0500$$
$$= -16 + 0.9500$$

따라서 $\log\left(\dfrac{1}{2}\right)^{50}$의 정수 부분이 -16이므로 $\left(\dfrac{1}{2}\right)^{50}$은 소수점 아래 16째 자리에서 처음으로 0이 아닌 숫자가 나타난다.

> 참고
> $\log\left(\dfrac{1}{2}\right)^{50} = -50 \log 2 = -50 \cdot 0.3010 = -15.0500$이므로
> $-16 < \log\left(\dfrac{1}{2}\right)^{50} < -15$, 즉 $10^{-16} < \left(\dfrac{1}{2}\right)^{50} < 10^{-15}$

0262

정답 ④

STEP A $\log\left(\dfrac{1}{5}\right)^9$의 정수 부분 구하기

$$\log\left(\frac{1}{5}\right)^9 = \log 5^{-9}$$
$$= -9 \log 5$$
$$= -9 \log \frac{10}{2}$$
$$= -9(1 - \log 2)$$
$$= -9 \times 0.699$$
$$= -6.291$$
$$= -7 + 0.709$$

따라서 $\log\left(\dfrac{1}{5}\right)^9$의 정수 부분이 -7이므로 $\left(\dfrac{1}{5}\right)^9$은 소수점 아래 7째 자리에서 처음으로 0이 아닌 숫자가 나타난다.

0263

정답 ⑤

STEP A 18^{18}이 23자리의 정수임을 이용하여 $18 \log 18$의 범위 구하기

18^{18}은 23자리의 정수이므로 $\log 18^{18}$의 정수 부분은 22이다.

즉 $22 \le \log 18^{18} < 23$에서

$22 \le 18 \log 18 < 23$, $18^{18} \ne 10^{22}$이므로

$22 < 18 \log 18 < 23$ ...... ㉠

STEP B 부등식을 이용하여 $\log 18^{-18}$의 정수 부분 구하기

㉠의 각 변에 -1을 곱하면

$-23 < -18 \log 18 < -22$

$-23 < \log 18^{-18} < -22$

따라서 $\log 18^{-18}$의 정수 부분이 -23이므로 18^{-18}은 소수점 아래 23째 자리에서 처음으로 0이 아닌 숫자가 나타난다.

내신연계 출제문항 102

자연수 a에 대하여 a^{20}이 100자리 정수일 때, a^{-10}은 소수점 아래 n째 자리에서 처음으로 0이 아닌 숫자가 나타날 때, n의 값은?

① 47　　　　② 48　　　　③ 49
④ 50　　　　⑤ 51

STEP A a^{20}이 100자리의 정수임을 이용하여 $\log a$의 범위 구하기

a^{20}이 100자리 정수이므로 $\log a^{20}$의 정수 부분은 99이다.

즉 $99 \le \log a^{20} < 100$이므로 $99 \le 20 \log a < 100$

$\therefore 4.95 \le \log a < 5$ ...... ㉠

STEP B 부등식을 이용하여 $\log a^{-10}$의 정수 부분 구하기

한편 $\log a^{-10} = -10 \log a$이고

㉠에서 $-50 < -10 \log a \le -49.5$

따라서 $\log a^{-10}$의 정수 부분이 -50이므로 a^{-10}은 소수점 아래 50째 자리에서 처음으로 0이 아닌 숫자가 나타난다.

$\therefore n = 50$

정답 ④

0264

STEP A $\log 5^{15}$의 정수 부분을 구하여 5^{15}의 자릿수 구하기

$$\log 5^{15} = 15 \log 5 = 15 \log \frac{10}{2} = 15(\log 10 - \log 2)$$
$$= 15(1 - 0.3010)$$
$$= 10.485$$

이때 $\log 5^{15}$의 정수 부분이 10이므로 5^{15}은 11자리 수이다.

STEP B $\log 5^{15}$의 소수 부분의 범위를 이용하여 최고 자리의 숫자 구하기

또, $\log 5^{15}$의 소수 부분이 0.485이므로 $\log 4 = 2 \log 2 = 0.602$

$\log 3 < 0.485 < \log 4$

$10 + \log 3 < 10.485 < 10 + \log 4$

$\log(3 \cdot 10^{10}) < \log 5^{15} < \log(4 \cdot 10^{10})$

$\therefore 3 \cdot 10^{10} < 5^{15} < 4 \cdot 10^{10}$

즉 5^{15}의 최고 자리의 숫자는 3

따라서 $a = 11$, $b = 3$이므로 $a - b = 8$

2^{50}은 a자리의 수이고 최고 자리의 숫자는 b라고 할 때, 상수 a, b에 대하여 $a + b$의 값은? (단, $\log 2 = 0.3010$)

① 14 　　　② 15 　　　③ 16
④ 17 　　　⑤ 18

STEP A $\log 2^{50}$의 정수 부분을 구하여 a의 값 구하기

$\log 2^{50} = 50 \times \log 2 = 50 \times 0.3010 = 15.05 = 15 + 0.05$

$\log 2^{50}$의 정수 부분이 15이므로 2^{50}은 16자리의 정수이다.

$\therefore a = 16$

STEP B 2^{50}의 최고 자리의 숫자 구하기

$\log 2 = 0.3010$이므로 $0 < 0.05 < \log 2$

$15 < 15 + 0.05 < 15 + \log 2$

$\log 10^{15} < \log 2^{50} < \log(2 \cdot 10^{15})$

$10^{15} < 2^{50} < 2 \cdot 10^{15}$

즉 2^{50}의 최고 자리의 숫자는 1

따라서 $a = 16$, $b = 1$이므로 $a + b = 17$

0265

STEP A $\log 50^{-5}$의 정수 부분을 구하여 n의 값 구하기

$$\log\left(\frac{1}{50}\right)^5 = 5 \log \frac{2}{100} = 5(\log 2 - 2) = 5(0.3010 - 2)$$
$$= -8.495$$
$$= -9 + 0.505$$

$\log\left(\frac{1}{50}\right)^5$의 정수 부분이 -9이므로 $\left(\frac{1}{50}\right)^5$는 소수점 아래 9째 자리에서 처음으로 0이 아닌 숫자가 나타난다.

$\therefore n = 9$

STEP B $\log 50^{-5}$의 소수 부분의 범위를 이용하여 m의 값 구하기

이때 $\log 3 = 0.4771$, $\log 4 = 2 \log 2 = 0.602$이므로 $\log 3 < 0.505 < \log 4$

$-9 + \log 3 < -9 + 0.505 < -9 + \log 4$

$\log(3 \times 10^{-9}) < \log 50^{-5} < \log(4 \times 10^{-9})$

$\therefore 3 \times 10^{-9} < 50^{-5} < 4 \times 10^{-9}$

즉 50^{-5}의 소수점 아래 9째 자리의 수는 3 $\therefore m = 3$

따라서 $n = 9$, $m = 3$이므로 $m + n = 12$

$\log 2 = 0.3010$, $\log 3 = 0.4771$에 대하여 $\left(\frac{5}{6}\right)^{30}$은 소수점 아래 a째 자리에서 처음으로 0이 아닌 숫자 b가 나타날 때, $a + b$의 값은?

① 7 　　　② 8 　　　③ 9
④ 10 　　　⑤ 11

STEP A $\log\left(\frac{5}{6}\right)^{30}$의 정수 부분을 구하여 a의 값 구하기

$$\log\left(\frac{5}{6}\right)^{30} = 30 \log \frac{10}{2^2 \times 3} = 30(1 - 2\log 2 - \log 3)$$
$$= 30(1 - 2 \times 0.3010 - 0.4771)$$
$$= -2.373 = -3 + 0.627$$

$\log\left(\frac{5}{6}\right)^{30}$의 정수 부분이 -3이므로 $\left(\frac{5}{6}\right)^{30}$은 소수점 아래 3째 자리에서 처음으로 0이 아닌 숫자가 나타난다.

$\therefore a = 3$

STEP B $\log\left(\frac{5}{6}\right)^{30}$의 소수 부분의 범위를 이용하여 b의 값 구하기

이때 $\log 4 = 2 \log 2 = 0.602$, $\log 5 = 1 - \log 5 = 0.6990$이므로

$\log 4 < 0.627 < \log 5$

$-3 + \log 4 < -3 + 0.627 < -3 + \log 5$

$\log(3 \times 10^{-3}) < \log\left(\frac{5}{6}\right)^{30} < \log(5 \times 10^{-3})$

$\therefore \frac{4}{10^3} < \left(\frac{5}{6}\right)^{30} < \frac{5}{10^3}$

즉 $\left(\frac{5}{6}\right)^{30}$의 소수점 아래 3째 자리의 수는 4 $\therefore b = 4$

따라서 $a = 3$, $b = 4$이므로 $a + b = 7$

0266

STEP A $\log x^2$의 정수 부분을 구하여 a의 값 구하기

$\log x^2 = 2 \log x = -\frac{8}{5} = -2 + \frac{2}{5} = -2 + 0.4$

즉 $\log x^2$의 정수 부분이 -2이므로 x^2은 소수점 아래 둘째 자리에서 처음으로 0이 아닌 숫자가 나타난다.

$\therefore a = 2$

STEP B $\log x^2$의 소수 부분의 범위를 이용하여 b의 값 구하기

한편 $\log 2 < 0.4 < \log 3$이므로 $-2 + \log 2 < \log x^2 < -2 + \log 3$

$\log 10^{-2} + \log 2 < \log x^2 < \log 10^{-2} + \log 3$

$\log \frac{2}{100} < \log x^2 < \log \frac{3}{100}$

$\therefore 0.02 < x^2 < 0.03$

즉 x^2은 소수점 아래 둘째 자리에서 처음으로 0이 아닌 숫자 2가 나타난다.

$\therefore b = 2$

따라서 $a + b = 2 + 2 = 4$

0267

STEP A 소수 부분이 같으면 두 상용로그의 차가 정수임을 이해하기

$\log x^2 - \log x = 2 \log x - \log x = \log x$

즉 $\log x$가 정수이다.

STEP B $\log x$의 범위를 구하여 $\log x$의 값 구하기

$10 \le x < 100$의 각 변에 상용로그를 취하면

$1 \le \log x < 2$

따라서 $\log x$가 정수이므로 $\log x = 1$에서 $x = 10$

0268

정답 ⑤

STEP Ⓐ $\log x$의 범위 구하기

$10 < x < 1000$에서 $\log 10 < \log x < \log 1000$이므로

$1 < \log x < 3$ ...... ㉠

STEP Ⓑ 두 상용로그의 차가 정수임을 이용하여 x의 값 구하기

$\log \sqrt[3]{x}$와 $\log x$의 차가 정수이므로 $\log x - \log \sqrt[3]{x} = \dfrac{2}{3}\log x$

즉 $\dfrac{2}{3}\log x$가 정수이므로 ㉠에서 $\dfrac{2}{3} < \dfrac{2}{3}\log x < 2$

$\dfrac{2}{3}\log x = 1$에서 $\log x = \dfrac{3}{2}$

$\therefore x = 10^{\frac{3}{2}}$

STEP Ⓒ x^8의 값 구하기

따라서 $x^8 = \left(10^{\frac{3}{2}}\right)^8 = 10^{12}$

0269

정답 ⑤

STEP Ⓐ 소수 부분이 같으면 두 상용로그의 차가 정수임을 이해하기

조건 (나)에서 $\log x^2$의 소수 부분과 $\log x^5$의 소수 부분이 같으므로

$\log x^5 - \log x^2 = 5\log x - 2\log x = 3\log x$

즉 $3\log x$는 정수이다.

STEP Ⓑ $3\log x$의 범위를 구하여 $3\log x$의 값 구하기

조건 (가)에서 $\log x$의 정수부분이 2이므로 $2 \le \log x < 3$

$\therefore 6 \le 3\log x < 9$

이때 $3\log x$가 정수이므로 $3\log x = 6$ 또는 $3\log x = 7$ 또는 $3\log x = 8$

STEP Ⓒ 양수 x의 값을 구하여 모두 곱하기

$\log x = 2$ 또는 $\log x = \dfrac{7}{3}$ 또는 $\log x = \dfrac{8}{3}$

$\therefore x = 10^2$ 또는 $x = 10^{\frac{7}{3}}$ 또는 $x = 10^{\frac{8}{3}}$

따라서 모든 양수 x값의 곱은 $10^2 \times 10^{\frac{7}{3}} \times 10^{\frac{8}{3}} = 10^{2+\frac{7}{3}+\frac{8}{3}} = 10^7$이므로

$n = 7$

내/신/연/계/ 출제문항 105

다음 조건을 만족시키는 모든 양수 x의 값의 곱을 k라 할 때, $\log k^3$의 값은?

> (가) $\log x$의 정수 부분이 2이다.
> (나) $\log x^2$의 소수 부분과 $\log \sqrt{x}$의 소수 부분이 같다.

① 11 　　　　② 12 　　　　③ 13
④ 14 　　　　⑤ 15

STEP Ⓐ 소수 부분이 같으면 두 상용로그의 차가 정수임을 이해하기

조건 (나)에서 $\log x^2$의 소수 부분과 $\log \sqrt{x}$의 소수 부분이 같으므로

$\log x^2 - \log \sqrt{x} = 2\log x - \dfrac{1}{2}\log x = \dfrac{3}{2}\log x$

즉 $\dfrac{3}{2}\log x$는 정수이다.

STEP Ⓑ $\dfrac{3}{2}\log x$의 범위를 구하여 $\dfrac{3}{2}\log x$의 값 구하기

조건 (가)에서 $\log x$의 정수 부분이 2이므로 $2 \le \log x < 3$

$\therefore 3 \le \dfrac{3}{2}\log x < \dfrac{9}{2}$

이때 $\dfrac{3}{2}\log x$가 정수이므로 $\dfrac{3}{2}\log x = 3$ 또는 $\dfrac{3}{2}\log x = 4$

STEP Ⓒ 양수 x의 값을 구하여 모두 곱하기

$\log x = 2$ 또는 $\log x = \dfrac{8}{3}$

$\therefore x = 10^2$ 또는 $x = 10^{\frac{8}{3}}$

모든 양수 x의 값의 곱 k는

$k = 10^2 \times 10^{\frac{8}{3}} = 10^{2+\frac{8}{3}} = 10^{\frac{14}{3}}$

따라서 $\log k^3 = 3\log k = 3\log 10^{\frac{14}{3}} = 3 \cdot \dfrac{14}{3} = 14$

정답 ④

0270

정답 ③

STEP Ⓐ 소수 부분의 합이 1이면 두 상용로그의 합이 정수임을 이해하기

$\log x$의 소수 부분과 $\log \sqrt{x}$의 소수 부분의 합이 1이므로

$\log x + \log \sqrt{x} = \log x + \dfrac{1}{2}\log x = \dfrac{3}{2}\log x$

즉 $\dfrac{3}{2}\log x$가 정수이다.

STEP Ⓑ $\dfrac{3}{2}\log x$의 범위를 구하여 x의 값 구하기

$10 \le x < 100$에서 $1 \le \log x < 2$

$\therefore \dfrac{3}{2} \le \dfrac{3}{2}\log x < 3$

이때 $\dfrac{3}{2}\log x$가 정수이므로 $\dfrac{3}{2}\log x = 2$

따라서 $\log x = \dfrac{4}{3}$이므로 $x = 10^{\frac{4}{3}}$

0271

정답 ④

STEP Ⓐ $\log x$의 범위 구하기

$10^3 < x < 10^4$이므로 $3 < \log x < 4$ ...... ㉠

STEP Ⓑ 소수 부분의 합이 1이면 두 상용로그의 합이 정수임을 이해하기

$\log x$와 $\log \sqrt[3]{x}$의 소수 부분의 합이 1이므로

$\log x + \log \sqrt[3]{x} = \log x + \log x^{\frac{1}{3}} = \log x + \dfrac{1}{3}\log x = \dfrac{4}{3}\log x$

즉 $\dfrac{4}{3}\log x$가 정수이다.

STEP Ⓒ $\dfrac{4}{3}\log x$의 범위를 구하여 x의 값 구하기

㉠으로부터

$4 < \dfrac{4}{3}\log x < \dfrac{16}{3} = 5.33$이므로 $\dfrac{4}{3}\log x = 5$

이때 $\log x = \dfrac{15}{4}$이므로 $x = 10^{\frac{15}{4}}$

STEP Ⓓ $\log \sqrt{x}$의 소수 부분을 구하기

즉 $\log \sqrt{x} = \log 10^{\frac{15}{8}} = \dfrac{15}{8} = 1 + \dfrac{7}{8}$

$\log \sqrt{x}$의 소수 부분은 $\dfrac{7}{8}$

따라서 $p = 8$, $q = 7$이므로 $p + q = 15$

0272

정답 ③

STEP Ⓐ 소수 부분의 합이 1이면 두 상용로그의 합이 정수임을 이해하기

조건 (나)에서 $\log x$의 소수 부분과 $\log x^2$의 소수 부분의 합이 1이므로

$\log x^2 + \log x = 2\log x + \log x = 3\log x$에서 $3\log x$가 정수이다.

STEP Ⓑ $3\log x$의 범위를 구하여 x의 값 구하기

조건 (가)에서 $\log x$의 정수 부분이 2이므로 $2 \le \log x < 3$

$\therefore 6 \le 3\log x < 9$

이때 $3\log x$는 정수이므로

$3\log x = 6$ 또는 $3\log x = 7$ 또는 $3\log x = 8$

$\log x = 2$ 또는 $\log x = \dfrac{7}{3}$ 또는 $\log x = \dfrac{8}{3}$

$\therefore x = 10^2$ 또는 $x = 10^{\frac{7}{3}}$ 또는 $x = 10^{\frac{8}{3}}$

STEP Ⓒ 소수 부분의 합이 1이 되지 않는 x의 값 제외하기

그런데 $x = 10^2$이면 $\log x = 2$, $\log x^2 = 4$가 되어 $\log x$의 소수 부분과 $\log x^2$의 소수 부분의 합이 0이 된다. 즉 $x \ne 10^2$

STEP Ⓓ 모든 x의 값의 곱을 구하여 $\log k$의 값 구하기

따라서 $x = 10^{\frac{7}{3}}$ 또는 $x = 10^{\frac{8}{3}}$이므로 $k = 10^{\frac{7}{3}} \times 10^{\frac{8}{3}} = 10^{\frac{7}{3}+\frac{8}{3}} = 10^5$

$\therefore \log k = \log 10^5 = 5$

내/신/연/계 출제문항 106

$10^2 < x < 10^4$인 x에 대하여 $\log x$의 소수부분과 $\log \sqrt{x}$의 소수부분의 합이 1이 되는 x를 모두 곱한 값을 k라 할 때, $\log k$의 값은?

① 3   ② 4   ③ 5
④ 6   ⑤ 7

STEP Ⓐ $\log x$의 범위 구하기

$10^2 < x < 10^4$이므로 $2 < \log x < 4$ …… ㉠

STEP Ⓑ 소수 부분의 합이 1이면 두 상용로그의 합이 정수임을 이해하기

$\log x$와 $\log \sqrt{x}$의 소수 부분의 합이 1이므로 $\log x + \log \sqrt{x} = \dfrac{3}{2}\log x$

즉 $\dfrac{3}{2}\log x$는 정수이다.

STEP Ⓒ $\dfrac{3}{2}\log x$의 범위를 구하여 x의 값 구하기

㉠으로부터 $3 < \dfrac{3}{2}\log x < 6$이므로 $\dfrac{3}{2}\log x = 4$ 또는 $\dfrac{3}{2}\log x = 5$

(i) $\dfrac{3}{2}\log x = 4$일 때, $\log x = \dfrac{8}{3}$ $\therefore x = 10^{\frac{8}{3}}$

(ii) $\dfrac{3}{2}\log x = 5$일 때, $\log x = \dfrac{10}{3}$ $\therefore x = 10^{\frac{10}{3}}$

(i), (ii)에서 x의 값의 곱은 $k = 10^{\frac{8}{3}} \times 10^{\frac{10}{3}} = 10^{\frac{18}{3}} = 10^6$

따라서 $\log k = \log 10^6 = 6$

정답 ④

0273

정답 ⑤

STEP Ⓐ 정수 n의 범위에 따라 $[\log n]$의 값 구하기

자연수 N에 대하여 $[\log N]$은 $\log N$의 정수부분이다.

N이 n 자리의 자연수이면 $\log N$의 정수부분은 $n-1$이다.

자연수 $1, 2, 3, \cdots, 100$에 대하여

$[\log 1] = [\log 2] = [\log 3] = \cdots = [\log 9] = 0$

$[\log 10] = [\log 11] = [\log 12] = \cdots = [\log 99] = 1$

$[\log 100] = 2$

STEP Ⓑ 주어진 식의 값 구하기

$[\log 1] + [\log 2] + [\log 3] + [\log 4] + \cdots + [\log 100]$
$= 0 \cdot 9 + 1 \cdot 90 + 2 \cdot 1$
$= 92$

0274

정답 ⑤

STEP Ⓐ N이 두 자리의 자연수일 때, $[\log N]$의 값 구하기

N이 두 자리의 자연수이므로

$10 \le N < 100$에서 $1 \le \log N < 2$

즉 모든 두 자리의 자연수 N에 대하여 $[\log N] = 1$

STEP Ⓑ 조건을 만족하는 N의 값 구하기

따라서 $\log_4 N = [\log N] + 2 = 3$이므로 $N = 4^3 = 64$

0275

정답 ③

STEP Ⓐ 정수 k의 범위에 따라 $[\log_2 k]$의 값 구하기

$1 \le k \le 50$인 정수 k에 대하여

$2^0 \le k < 2$에서 $0 \le \log_2 k < 1$, $[\log_2 k] = 0$

$2 \le k < 2^2$에서 $1 \le \log_2 k < 2$, $[\log_2 k] = 1$

$2^2 \le k < 2^3$에서 $2 \le \log_2 k < 3$, $[\log_2 k] = 2$

$2^3 \le k < 2^4$에서 $3 \le \log_2 k < 4$, $[\log_2 k] = 3$

$2^4 \le k < 2^5$에서 $4 \le \log_2 k < 5$, $[\log_2 k] = 4$

$2^5 \le k \le 50$에서 $5 \le \log_2 k < 6$, $[\log_2 k] = 5$

STEP Ⓑ 주어진 식의 값 구하기

$[\log_2 1] + [\log_2 2] + [\log_2 3] + [\log_2 4] + \cdots + [\log_2 50]$
$= 0 + 1 \cdot 2 + 2 \cdot 4 + 3 \cdot 8 + 4 \cdot 16 + 5 \cdot 19$
$= 0 + 2 + 8 + 24 + 64 + 95$
$= 193$

내/신/연/계 출제문항 107

$[\log_3 1] + [\log_3 2] + [\log_3 3] + [\log_3 4] + \cdots + [\log_3 100]$의 값은?
(단, $[x]$는 x보다 크지 않은 최대의 정수)

① 272   ② 276   ③ 280
④ 284   ⑤ 288

STEP Ⓐ 정수 n의 범위에 따라 $[\log_3 n]$의 값 구하기

$1 \le n \le 100$인 정수 n에 대하여

$1 \le n < 3$에서 $0 \le \log_3 n < 1$, $[\log_3 n] = 0$

$3 \le n < 9$에서 $1 \le \log_3 n < 2$, $[\log_3 n] = 1$

$9 \le n < 27$에서 $2 \le \log_3 n < 3$, $[\log_3 n] = 2$

$27 \le n < 81$에서 $3 \le \log_3 n < 4$, $[\log_3 n] = 3$

$81 \le n \le 100$에서 $4 \le \log_3 n < 5$, $[\log_3 n] = 4$

STEP Ⓑ 주어진 식의 값 구하기

$[\log_3 1] + [\log_3 2] + [\log_3 3] + [\log_3 4] + \cdots + [\log_3 100]$
$= 0 \cdot 2 + 1 \cdot 6 + 2 \cdot 18 + 3 \cdot 54 + 4 \cdot 20$
$= 0 + 6 + 36 + 162 + 80$
$= 284$

정답 ④

0276

STEP A $\log x^2$과 $\log \dfrac{1}{x}$의 소수 부분이 같음을 이해하기

조건 (나)에서

$\log x^2 - [\log x^2]$은 $\log x^2$의 소수 부분이고

$\log \dfrac{1}{x} - \left[\log \dfrac{1}{x}\right]$은 $\log \dfrac{1}{x}$의 소수 부분이므로

$\log x^2$의 소수 부분과 $\log \dfrac{1}{x}$의 소수 부분이 같다.

STEP B 두 상용로그의 차가 정수임을 이용하여 x의 값 구하기

즉 $\log x^2 - \log \dfrac{1}{x} = 2\log x + \log x = 3\log x$에서

$3\log x$가 정수이다.

조건 (가)에서

$3 \le \log x < 4$이므로 $9 \le 3\log x < 12$

이때 $3\log x$가 정수이므로

$3\log x = 9$ 또는 $3\log x = 10$ 또는 $3\log x = 11$

$\log x = 3$ 또는 $\log x = \dfrac{10}{3}$ 또는 $\log x = \dfrac{11}{3}$

$\therefore x = 10^3$ 또는 $x = 10^{\frac{10}{3}}$ 또는 $x = 10^{\frac{11}{3}}$

STEP C 모든 x의 값을 곱하여 $\log M$의 값 구하기

$M = 10^3 \times 10^{\frac{10}{3}} \times 10^{\frac{11}{3}} = 10^{3+\frac{10}{3}+\frac{11}{3}} = 10^{10}$

따라서 $\log M = \log 10^{10} = 10$

내/신/연/계 출제문항 108

다음 조건을 만족하는 자연수 N의 값은?
(단, $[x]$는 x를 넘지 않는 최대 정수이다.)

> (가) $[\log N] = [\log 225]$
> (나) $\log N - [\log N] = \log 32 - [\log 20]$

① 32   ② 230   ③ 320
④ 2250   ⑤ 3200

STEP A 조건 (가)에서 $\log N$의 정수 부분 구하기

조건 (가)에서 $[\log 225] = 2$이므로 $\log N$의 정수 부분은 2이다.

STEP B 조건 (나)에서 $\log N$의 소수 부분 구하기

조건 (나)에서 $\log 32 - [\log 20] = \log 32 - 1 = \log 3.2$이므로
$\log N$의 소수 부분은 $\log 3.2$

STEP C $\log N$의 값을 구하여 N의 값 구하기

$\log N = 2 + \log 3.2$
$\quad\quad = \log 10^2 + \log 3.2$
$\quad\quad = \log(3.2 \times 10^2)$
$\quad\quad = \log 320$

따라서 $N = 320$

0277

STEP A 주어진 음향 출력, 음향 파워 레벨 값을 이용하여 k의 값 구하기

음향 출력이 $\dfrac{1}{10^4}$ W일 때, 음향 파워 레벨은 80dB이므로

$80 = 10\log \dfrac{\dfrac{1}{10^4}}{k}$, $8 = \log 10^{-4} - \log k$

$\log k = -12$

$\therefore k = 10^{-12}$

STEP B 음향 출력이 200W일 때, 주어진 식에 대입하여 음향 파워 레벨의 값 구하기

이때 음향 출력이 200W일 때, 이 스피커의 음향 파워 레벨은

$y = 10\log \dfrac{200}{10^{-12}} = 10\log 200 + 120$

$\quad = 10\log(2 \times 10^2) + 120$

$\quad = 10(0.3 + 2) + 120$

$\quad = 143$

0278

STEP A 주어진 식에 $I = 600$, $S = 0.7$을 대입하여 k의 값 구하기

$I = 600$, $S = 0.7$이므로

$0.7 = k\log 600 = k\log(10^2 \times 6)$

$\quad\quad\quad = k(\log 10^2 + \log 6)$

$\quad\quad\quad = 2.8k$

즉 $0.7 = 2.8k$에서 $k = \dfrac{1}{4}$

STEP B 자극의 세기가 60일 때, 감각의 세기 구하기

따라서 자극의 세기가 60일 때, 구하는 감각의 세기는

$\dfrac{1}{4}\log 60 = \dfrac{1}{4}\log(10 \times 6) = \dfrac{1}{4}(\log 10 + \log 6) = 0.45$

내/신/연/계 출제문항 109

금속에 열을 가했을 때, 금속의 온도는 시간이 흐름에 따라 변한다.
어느 금속의 처음 온도를 $T_0°$C, 열을 가한 지 t분 후 온도를 $T°$C라고 하면
$$3^{T-T_0} = (7t+6)^k \ (k는 \ 상수)$$
이라고 한다. 이 금속의 처음 온도가 30°C이고 열을 가한 지 3분 후 온도가
300°C일 때, 480°C가 되는 것은 열을 가한지 몇 분 후인가?

① $\dfrac{235}{7}$분   ② $\dfrac{236}{7}$분   ③ $\dfrac{237}{7}$분
④ $\dfrac{239}{7}$분   ⑤ $\dfrac{240}{7}$분

STEP A 주어진 식에 $T_0 = 30$, $t = 3$, $T = 300$ 을 대입하여 k의 값 구하기

$T_0 = 30$이고 $t = 3$일 때, $T = 300$이므로

$3^{300-30} = (7 \times 3 + 6)^k$, $3^{270} = 3^{3k}$

$\therefore k = 90$

STEP B $T = 480$일 때, t의 값 구하기

따라서 $t = a$일 때, $T = 480$이라 하면

$3^{480-30} = (7a+6)^{90}$, $3^{45} = (7a+6)^9$, $7a+6 = 243$

$\therefore a = \dfrac{237}{7}$(분)

0279

STEP Ⓐ $C_2=2C_1$임을 이용하여 상수 k의 값 구하기

$C_2=2C_1$이므로 $0.42=k(\log 2C_1-\log C_1)$
$$=k\log\frac{2C_1}{C_1}$$
$$=k\log 2$$
$$=0.3k$$
$\therefore k=1.4$

STEP Ⓑ $C_2=8C_1$임을 이용하여 필요한 에너지 구하기

이때 $C_2=8C_1$이므로 $E=1.4(\log 8C_1-\log C_1)$
$$=1.4\times\log\frac{8C_1}{C_1}$$
$$=1.4\times\log 8$$
$$=1.4\times\log 2^3$$
$$=1.4\times 3\log 2$$
$$=1.4\times 0.9$$
$$=1.26$$
따라서 구하는 에너지는 1.26kcal

내/신/연/계 출제문항 110

소리의 세기가 $I(\text{W/m}^2)$인 음원으로부터 $r(\text{m})$만큼 떨어진 지점에서 측정된 소리의 상대적 세기 P(데시벨)는
$$P=10\left(12+\log\frac{I}{r^2}\right)$$
이다. 어떤 음원으로부터 1m만큼 떨어진 지점에서 측정된 소리의 상대적 세기가 80(데시벨)일 때, 같은 음원으로부터 10m만큼 떨어진 지점에서 측정된 소리의 상대적 세기가 a(데시벨)이다. a의 값은?

① 50　　　　② 55　　　　③ 60
④ 65　　　　⑤ 70

STEP Ⓐ 주어진 조건에서 $\log I$ 구하기

음원으로부터 $r=1\text{m}$만큼 떨어진 지점에서 측정된 소리의 상대적 세기가 $P=80$(데시벨)이므로 조건식에 대입하면
$$80=10\left(12+\log\frac{I}{1^2}\right)=120+10\log I$$ 에서
$$10\log I=-40$$
즉 $\log I=-4$이므로 $I=10^{-4}$

STEP Ⓑ $\log I$를 주어진 조건에 대입하여 a 구하기

이때 같은 음원으로부터 $r=10\text{m}$일 때, 소리의 상대적 세기가 a(데시벨)이므로 $I=10^{-4}$, $r=10$, $P=a$를 주어진 식에 대입하면
$$a=10\left(12+\log\frac{10^{-4}}{10^2}\right)$$
$$=10(12+\log 10^{-6})$$
$$=10(12-6)$$
$$=60$$
따라서 $a=60$

 정답 ③

0280

STEP Ⓐ 일상적인 대화 소리의 크기를 I_a라 두고 I_0로 표현하기

일상적인 대화 소리의 크기를 I_a, 일상적인 대화 소리의 세기를 L_a라고 하면
$$L_a=60=10\log\frac{I_a}{I_0},\ \frac{I_a}{I_0}=10^6$$
$\therefore I_a=10^6 I_0$

STEP Ⓑ I_b가 I_a의 1000배임을 이용하여 L_b의 값 구하기

번잡한 곳의 소리의 크기를 I_b, 번잡한 곳의 소리의 세기를 L_b라고 하면
$$L_b=10\log\frac{I_b}{I_0}$$
이때 I_b는 I_a의 1000배이므로 $I_b=1000I_a=10^3\times 10^6 I_0=10^9 I_0$
즉 $L_b=10\log\frac{I_b}{I_0}=10\log\frac{10^9 I_0}{I_0}=90$
따라서 번잡한 곳의 소리의 세기는 $90dB$

0281

STEP Ⓐ 주어진 식에 값을 대입하여 C_1, C_2의 값 구하기

가용 대역폭이 $B(\text{Hz})$로 일정하고 수신 신호 전력이 1.2W일 때, 잡음 전력이 0.4W인 채널 용량을 $C_1(\text{bps})$이라 하면
$$C_1=B\log_2\left(1+\frac{1.2}{0.4}\right)=B\log_2 4=2B$$
가용 대역폭이 $B(\text{Hz})$로 일정하고 수신 신호 전력이 1.2W일 때, 잡음 전력이 $a(\text{W})$인 채널 용량을 $C_2(\text{bps})$라 하면
$$C_2=B\log_2\left(1+\frac{1.2}{a}\right)$$

STEP Ⓑ $C_2=3C_1$임을 이용하여 a의 값 구하기

$C_2=3C_1$이므로 $B\log_2\left(1+\frac{1.2}{a}\right)=3\times 2B$
즉 $\log_2\left(1+\frac{1.2}{a}\right)=6$에서 로그의 정의에 의하여
$$1+\frac{1.2}{a}=2^6,\ \frac{1.2}{a}=63$$
$\therefore a=\frac{1.2}{63}=\frac{2}{105}$
따라서 $p=105$, $q=2$이므로 $p+q=107$

0282

STEP Ⓐ 매질 A에서 매질 B로 투과시킬 때의 투과손실 구하기

매질 A에서 매질 B로 투과시킬 때, 입사되는 음파의 에너지가 투과된 음파의 에너지의 a배이므로 $I=aT$
이때 투과손실 $TL_1=10\log\frac{aT}{T}=10\log a$ …… ㉠

STEP Ⓑ 매질 A에서 매질 C로 투과시킬 때의 투과손실 구하기

매질 A에서 매질 C로 투과시킬 때, 입사되는 음파의 에너지가 투과된 음파의 에너지의 4배이므로 $I=4T$
이때 투과손실 $TL_2=10\log\frac{4T}{T}=10\log 4$ …… ㉡

STEP Ⓒ $\frac{TL_1}{TL_2}=\frac{5}{2}$임을 이용하여 a의 값 구하기

㉠÷㉡에서
$$\frac{TL_1}{TL_2}=\frac{10\log a}{10\log 4}=\log_4 a=\frac{5}{2}$$
따라서 $a=4^{\frac{5}{2}}=2^5=32$

도로용량이 C인 어느 도로구간의 교통량을 V, 통행시간을 t라 할 때, 다음과 같은 관계식이 성립한다고 한다.

$$\log\left(\frac{t}{t_0}-1\right)=k+4\log\frac{V}{C}\,(t>t_0)$$

(단, t_0은 도로 특성 등에 따른 기준통행시간이고, k는 상수이다.)
이 도로구간의 교통량이 도로용량의 2배일 때, 통행시간은 기준통행시간 t_0의 $\frac{7}{2}$배이다. k의 값은?

① $-4\log 2$ ② $1-7\log 2$ ③ $-3\log 2$
④ $1-6\log 2$ ⑤ $1-5\log 2$

STEP Ⓐ 문제의 조건에서 V와 C, t와 t_0의 비를 확인하여 주어진 관계식에 대입하여 k의 값 구하기

도로구간의 교통량이 도로용량의 2배이므로 $V=2C$
또, 통행시간은 기준 통행시간 t_0의 $\frac{7}{2}$배이므로 $t=\frac{7}{2}t_0$

따라서 이 값을 $\log\left(\frac{t}{t_0}-1\right)=k+4\log\frac{V}{C}$에 대입하면

$$k=\log\left(\frac{7}{2}-1\right)-4\log\frac{2C}{C}=\log\frac{5}{2}-4\log 2=\log\frac{5}{32}$$
$$=\log\frac{10}{64}$$
$$=1-\log 64$$
$$=1-6\log 2 \qquad \text{정답 ④}$$

0283 정답 ②

STEP Ⓐ 주어진 식을 이용하여 E_1, E_2의 값 구하기

규모 8의 지진의 에너지를 E_1, 규모 6의 지진의 에너지를 E_2라고 하면
$\log E_1=11.8+1.5\times 8$ ...... ㉠
$\log E_2=11.8+1.5\times 6$ ...... ㉡

STEP Ⓑ 로그의 성질을 이용하여 $\dfrac{E_1}{E_2}$의 값 구하기

㉠$-$㉡을 하면
$\log E_1-\log E_2=3$, $\log\dfrac{E_1}{E_2}=3$이므로 $\dfrac{E_1}{E_2}=10^3=1000$
따라서 규모 8의 지진은 규모 6의 지진에 비하여 에너지가 10^3배 더 강하다.

지진의 규모가 M인 지진의 진원지에서 에너지의 크기를 E라고 하면
$$\log E=11.8+1.5M$$
인 관계가 성립한다. 지진의 규모가 9인 진원지에서의 에너지의 크기를 E_1, 지진의 규모가 5.5인 진원지에서의 에너지의 크기를 E_2라고 한다.
E_1은 E_2의 k배일 때, k의 값은? (단, $\log 1.77=0.25$)

① 17.7 ② 177 ③ 1770
④ 17700 ⑤ 177000

STEP Ⓐ 주어진 식을 이용하여 E_1, E_2의 값 구하기

규모 9.0의 지진의 에너지를 E_1, 규모 5.5의 지진의 에너지를 E_2라고 하면
$\log E_1=11.8+1.5\times 9$ ...... ㉠
$\log E_2=11.8+1.5\times 5.5$ ...... ㉡

STEP Ⓑ 로그의 성질을 이용하여 $\dfrac{E_1}{E_2}$의 값 구하기

㉠$-$㉡을 하면 $\log E_1-\log E_2=5.25$

$\log\dfrac{E_1}{E_2}=5.25=5+0.25$이므로 $\dfrac{E_1}{E_2}=177000$
따라서 $E_1=177000E_2$이므로 $k=177000$ 정답 ⑤

0284 정답 ①

STEP Ⓐ 오렌지 주스와 포도 주스의 수소 이온 농도를 구하기

pH가 2.3인 오렌지 주스와 pH가 3.4인 포도 주스의 수소 이온 농도를 각각 a, b로 놓으면
$2.3=-\log a$ ...... ㉠
$3.4=-\log b$ ...... ㉡

STEP Ⓑ 로그의 성질을 이용하여 a, b의 관계식 구하기

㉡$-$㉠을 하면 $1.1=\log a-\log b=\log\dfrac{a}{b}$, $\dfrac{a}{b}=10^{1.1}$
$\therefore a=10^{1.1}b$
따라서 pH가 2.3인 오렌지 주스의 수소 이온 농도는 pH가 3.4인 포도 주스의 수소 이온 농도의 $10^{1.1}$배이다.

어떤 용액의 수소이온 농도를 $[\mathrm{H^+}]$라 할 때, 이 용액의 산성도를 나타내는 pH는
$$\mathrm{pH}=-\log[\mathrm{H^+}]$$
로 정의된다. 사탕 한 개를 먹은 직후 타액의 pH는 6.6이었다.
10분 후 채취한 타액의 수소 이온 농도가 처음 채취한 타액의 50배였다면 이때의 pH는? (단, $\log 2=0.3$으로 계산한다.)

① 3.7 ② 4.0 ③ 4.3
④ 4.6 ⑤ 4.9

STEP Ⓐ 처음 채취한 타액의 수소 이온 농도를 구하기

처음 채취한 타액의 수소 이온 농도를 k라 하면
$-\log k=6.6$ $\therefore \log k=-6.6$

STEP Ⓑ 10분 후에 채취한 타액의 pH 구하기

10분후 채취한 타액의 수소 이온 농도가 처음 채취한 타액의 50배이므로 이때의 pH는 $-\log 50k=-\log k-\log 50=6.6-(2-\log 2)$
$$=6.6-(2-0.3)$$
$$=6.6-1.7=4.9$$
따라서 10분 후에 채취한 타액의 pH는 4.9   정답 ⑤

0285 정답 ③

STEP Ⓐ 조건을 만족하는 각각의 추진체의 분사속력을 식으로 표현하기

두 로켓 A, B의 추진체의 분사속력을 각각 $v_A\mathrm{km/s}$, $v_B\mathrm{km/s}$라고 하면
$9=v_A\log_a 16$ ...... ㉠
$3=v_B\log_a 10$ ...... ㉡

㉠$\div$㉡를 하면 $\dfrac{9}{3}=\dfrac{v_A\log_a 16}{v_B\log_a 10}$

$3=\dfrac{v_A}{v_B}\log 16=\dfrac{v_A}{v_B}\log(10\times 1.6)=\dfrac{v_A}{v_B}(\log 10+\log 1.6)=\dfrac{v_A}{v_B}\times 1.2$

즉 $\dfrac{v_A}{v_B}=2.5$이므로 $v_A=2.5v_B$
따라서 로켓 A의 추진체의 분사속력은 로켓 B의 추진체의 분사속력의 2.5배이다.

0286

STEP Ⓐ 주어진 값을 식에 대입하여 전파 감쇠비를 구하기

세기가 100와트(W)인 전파가 어떤 벽을 투과하여 세기가 25.2와트(W)인
전파로 바뀌었을 때, 이 벽의 전파 감쇠비는

$$10\log\frac{y}{x}\,\text{dB}=10\log\frac{25.2}{100}\,\text{dB}=10(\log 25.2-\log 100)\,\text{dB}$$
$$=10(\log 2.52\times 10-\log 100)\,\text{dB}$$
$$=10(\log 2.52+\log 10-\log 10^2)\,\text{dB}$$
$$=10(0.4014+1-2)\,\text{dB}$$
$$=10\times(-0.5986)\,\text{dB}$$
$$=-5.986\,\text{dB}$$

0287

**STEP Ⓐ 2004년도와 2014년도의 노동 및 자본 투입량과 산업 생산량을
문자로 정리하기**

2004년도 노동 및 자본의 투입량을 각각 x, y라고 하면
2014년도 노동 및 자본의 투입량은 각각 $4x$, $2y$
또, 2004년도 산업 생산량을 z라고 하면 2014년도 산업 생산량은 $3z$

STEP Ⓑ 지수법칙과 로그의 성질을 이용하여 α의 값 구하기

$$3z=2\cdot(4x)^\alpha\cdot(2y)^{1-\alpha}=2^{\alpha+1}\cdot 2x^\alpha y^{1-\alpha}=2^{\alpha+1}\cdot z$$
$2^{\alpha+1}=3$이므로 $\alpha+1=\log_2 3$

즉 $\alpha=\log_2 3-1=\dfrac{\log 3}{\log 2}-1=0.6$

따라서 $\alpha=0.6$

내/신/연/계 출제문항 114

UHD패널을 생산하는 어느 공장의 연간 생산량 P는 다음과 같다.
$$\text{P}=2a^k b^{1-k}$$
(단, a는 인력 투입량, b는 자본 투입량, $0<k<1$인 상수)
올해의 인력 투입량과 자본 투입량은 10년 전보다 각각 2배, 4배가 증가하
였으며 생산량은 3.125배 증가하였다. 이때 상수 k의 값은?
(단, $\log 2=0.3$으로 계산한다.)

① $\dfrac{1}{6}$ 　② $\dfrac{1}{5}$ 　③ $\dfrac{1}{3}$
④ $\dfrac{1}{2}$ 　⑤ 2

STEP Ⓐ 10년 전과 올해의 인력 투입량과 자본 투입량을 정리하기

10년 전의 인력과 자본 투입량, 연간 생산량을 각각 a, b, P라고 하면
올해의 인력과 자본 투입량은 각각 $2a$, $4b$이고 생산량은 3.125P이므로

$$3.125\text{P}=2(2a)^k(4b)^{1-k}=2\times 2^k a^k\times 4^{1-k}b^{1-k}$$
$$=2\times 2^k a^k\times 2^{2-2k}b^{1-k}$$
$$=2^k\times 2^{2-2k}\times 2a^k b^{1-k}$$
$$=2^{2-k}\text{P}$$

곧 $3.125=2^{2-k}$이므로 $2^k=\dfrac{4}{3.125}=1.28$

따라서 $k=\log_2 1.28=\dfrac{\log 1.28}{\log 2}=\dfrac{\log 128-\log 100}{\log 2}$
$$=\frac{7\log 2-2}{\log 2}$$
$$=\frac{2.1-2}{0.3}$$
$$=\frac{0.1}{0.3}=\frac{1}{3}$$

0288

STEP Ⓐ 주어진 조건을 이용하여 관계식 구하기

지반 A, B의 유효수직응력을 각각 S_A, S_B, 저항력을 각각 R_A, R_B
상대밀도를 각각 D_A, D_B라 하면
$S_A=1.44S_B$, $R_A=1.5R_B$, $D_B=65$이므로

$$D_A=-98+66\log\frac{1.5R_B}{\sqrt{1.44S_B}} \qquad \cdots\cdots \text{㉠}$$
$$D_B=-98+66\log\frac{R_B}{\sqrt{S_B}} \qquad \cdots\cdots \text{㉡}$$

이때 $D_B=65$이므로 ㉡에서
$$65=-98+66\log\frac{R_B}{\sqrt{S_B}},\ 66\log\frac{R_B}{\sqrt{S_B}}=163$$
$$\therefore\ \log\frac{R_B}{\sqrt{S_B}}=\frac{163}{66}$$

STEP Ⓑ 지반 A의 상대밀도 구하기

따라서 ㉠에서 $D_A=-98+66\log\dfrac{1.5R_B}{\sqrt{1.44S_B}}$
$$=-98+66\log\frac{1.5R_B}{1.2\sqrt{S_B}}$$
$$=-98+66\log\left(\frac{5}{4}\cdot\frac{R_B}{\sqrt{S_B}}\right)$$
$$=-98+66\left(\log\frac{5}{4}+\log\frac{R_B}{\sqrt{S_B}}\right)$$
$$=-98+66\left(0.1+\frac{163}{66}\right)$$
$$=-98+6.6+163$$
$$=71.6$$

다른풀이 D_A에 D_B를 대입하여 풀이하기

STEP Ⓐ 주어진 조건을 이용하여 관계식 구하기

지반 A, B의 유효수직응력을 각각 S_A, S_B
시험기가 지반 A, B에 들어가면서 받는 저항력을 각각 R_A, R_B라 하면
$S_A=1.44S_B$, $R_A=1.5R_B$
또, 지반 A, B의 상대밀도를 각각 D_A, D_B라 하면

$$D_A=-98+66\log\frac{R_A}{\sqrt{S_A}}=-98+66\log\frac{1.5R_B}{\sqrt{1.44S_B}} \qquad \cdots\cdots \text{㉠}$$
$$D_B=-98+66\log\frac{R_B}{\sqrt{S_B}}=65 \qquad \cdots\cdots \text{㉡}$$

STEP Ⓑ 지반 A의 상대밀도 구하기

따라서 ㉠에서 $D_A=-98+66\log\dfrac{1.5R_B}{\sqrt{1.44S_B}}$
$$=-98+66\log\frac{1.5R_B}{1.2\sqrt{S_B}}$$
$$=-98+66\log\left(\frac{5}{4}\times\frac{R_B}{\sqrt{S_B}}\right)$$
$$=-98+66\left(\log\frac{5}{4}+\log\frac{R_B}{\sqrt{S_B}}\right)$$
$$=-98+66\log\frac{5}{4}+66\log\frac{R_B}{\sqrt{S_B}}$$
$$=D_B+66(1-3\log 2)\ (\because\ \text{㉡})$$
$$=65+66\times 0.1\ (\because\ \log 2=0.3)$$
$$=71.6$$

0289

정답 ③

STEP A 주어진 식을 이용하여 I_2, I_4에 관한 식 구하기

2등성의 별의 밝기와 4등성의 별의 밝기를 각각 I_2, I_4라고 하면

$$2=-\frac{5}{2}\log_{10}I_2+C \qquad \cdots\cdots \text{㉠}$$

$$4=-\frac{5}{2}\log_{10}I_4+C \qquad \cdots\cdots \text{㉡}$$

STEP B 로그의 성질을 이용하여 $\dfrac{I_2}{I_4}$의 값 구하기

㉠-㉡을 하면

$$-2=-\frac{5}{2}(\log_{10}I_2-\log_{10}I_4)$$

$$2=\frac{5}{2}\log\frac{I_2}{I_4}, \ \frac{4}{5}=\log\frac{I_2}{I_4}$$

$$\therefore \frac{I_2}{I_4}=10^{\frac{4}{5}}$$

따라서 2등성인 별의 밝기는 4등성인 별의 밝기의 $10^{\frac{4}{5}}$배이다.

0290

정답 ⑤

STEP A 주어진 식을 이용하여 I_1, I_3에 관한 식 구하기

1등성인 별의 밝기를 I_1, 3등성인 별의 밝기를 I_3라고 하면

$$1=-\frac{5}{2}\log I_1+C \qquad \cdots\cdots \text{㉠}$$

$$3=-\frac{5}{2}\log I_3+C \qquad \cdots\cdots \text{㉡}$$

STEP B 로그의 성질을 이용하여 $\dfrac{I_1}{I_3}$의 값 구하기

㉠-㉡을 하면

$$-2=-\frac{5}{2}(\log I_1-\log I_3)=-\frac{5}{2}\log\frac{I_1}{I_3}$$

$$\log\frac{I_1}{I_3}=\frac{4}{5}=0.8$$

$\log 6.31=0.8$이므로 $\dfrac{I_1}{I_3}=6.31$

따라서 1등성인 별의 밝기는 3등성인 별의 밝기의 6.31배이다.

0291

정답 ④

STEP A 주어진 조건을 만족하는 식을 표현하기

1등급인 별의 밝기를 m이라 하고 6등급인 별의 밝기를 n이라 하면

$$\log n-\log m=\frac{2}{5}(1-6)=-2$$

STEP B 1등급인 별의 밝기와 6등급인 별의 밝기의 관계식 구하기

$\log\dfrac{n}{m}=-2$에서 $\dfrac{n}{m}=10^{-2}=\dfrac{1}{100}$

$$\therefore m=100n$$

따라서 1등급인 별의 밝기는 6등급인 별의 밝기의 100배이다.

0292

정답 ②

STEP A 주어진 식에 겉보기등급, 거리, 절대등급을 대입하여 식 구하기

별 A의 겉보기등급이 1, 별 A까지의 거리가 d_A, 별 A의 절대등급이 M_A이므로 $M_A=1-5(\log d_A-1)$

별 A와 절대등급이 같은 별 B의 겉보기등급이 6, 별 B까지의 거리가 d_B이므로 $M_A=6-5(\log d_B-1)$

STEP B 두 별의 절대등급이 같음을 이용하여 $\dfrac{d_A}{d_B}$의 값 구하기

즉 $1-5(\log d_A-1)=6-5(\log d_B-1)$

$$5(\log d_A-1)-5(\log d_B-1)=-5$$

$$\log d_A-\log d_B=-1 \quad \therefore \log\frac{d_A}{d_B}=-1$$

따라서 $\dfrac{d_A}{d_B}=10^{-1}=\dfrac{1}{10}$

0293

정답 ①

STEP A $m-M=-2.86=-5+5\log r$임을 이용하여 r의 값 구하기

$m=-1.46$, $M=1.4$에서 $m-M=-1.46-1.4=-2.86$

$-2.86=-5+5\log r$이므로 $2.14=5\log r$, $\log r=\dfrac{2.14}{5}=0.428$

로그의 정의에 의하여 $r=2.68(\mathrm{pc})$

따라서 시리우스는 지구로부터 2.68pc 떨어진 거리에 있다.

내신연계 출제문항 115

별의 밝기는 지구에서 그 별을 볼 때 밝기인 겉보기 등급과 그 별이 지구에서 10파섹의 거리에 있다고 가정했을 때 밝기인 절대 등급으로 나타낸다. 지구까지 거리가 x파섹인 별의 겉보기 등급을 m, 절대등급을 M이라 하면

$$m-M=5\log x-5$$

인 관계가 성립한다고 한다. 겉보기 등급이 4, 절대등급이 -5인 별의 지구까지 거리는 몇 파섹인가? (단, $\log 6.31=0.8$로 계산한다.)

① 6.31 ② 63.1 ③ 631
④ 6310 ⑤ 63100

STEP A 주어진 식에 대입하여 상용로그의 성질을 이용하여 구하기

$m=4$, $M=-5$이므로 $4-(-5)=5\log x-5$

$\log x=2.8=2+0.8=\log 10^2+\log 6.31$

$\qquad\qquad\quad =\log 631$

따라서 $x=631$이므로 631파섹이다.

정답 ③

0294

정답 ④

STEP A 주어진 식에 겉보기등급, 절대등급을 대입하여 $\log r$의 값 구하기

어느 별의 겉보기 등급이 -1.36, 절대 등급이 1.32이므로 대입하면

$$-1.36-1.32=-5+5\log\frac{r}{3.25}$$

$$5-2.68=5\log\frac{r}{3.25}$$

$$2.32=5\log\frac{r}{3.25}, \ 0.464=\log\frac{r}{3.25}$$

$$0.464=\log r-\log 3.25$$

이때 $\log 3.25=0.5119$이므로 $0.464=\log r-0.5119$

$$\therefore \log r=0.9759$$

STEP **B** 상용로그표를 이용하여 r의 값 구하기

즉 $\log 9.46 = 0.9759$이므로 $\log r = \log 9.46$

따라서 $r = 9.46$

0295

 ①

STEP **A** n년 후의 외국인 관광객의 수를 식으로 표현하기

외국인 관광객의 수를 a라 하면 n년 후의 관광객의 수는

$a(1+0.18)^n = 5a$

$(1.18)^n = 5$

STEP **B** 양변에 상용로그를 취하여 n의 값 구하기

양변에 상용로그를 취하면

$\log(1.18)^n = \log 5$

$n \log 1.18 = \log 5$

$0.07n = \log \dfrac{10}{2} = 1 - \log 2 = 0.7$

따라서 $n = 10$

0296

 ③

STEP **A** n분 후 후각의 강도를 식으로 표현하기

정상인의 후각의 강도가 1분마다 10%씩 감소하고 처음 반응하는 후각의 강도가 P이므로 n분후 P의 30%가 되는 순간의 후각의 강도는

$P(1-0.1)^n = 0.3P$

$0.9^n = 0.3$

STEP **B** 상용로그를 취하여 n의 값 구하기

위 식의 양변에 상용로그를 취하면

$n \log 0.9 = \log 0.3$

$n(\log 3^2 - \log 10) = \log 3 - \log 10$

$n(2 \cdot 0.48 - 1) = 0.48 - 1$

$-0.04n = -0.52$

따라서 $n = 13$(분)

0297

 ③

STEP **A** n년 후의 농도를 식으로 표현하기

현재 미세먼지 농도를 a라 하고 매년 $r\%$씩 감소시킨다고 하면

10년 후의 농도는 $\dfrac{1}{3}a$이므로

$a\left(1 - \dfrac{r}{100}\right)^{10} = \dfrac{1}{3}a$

$\therefore \left(1 - \dfrac{r}{100}\right)^{10} = \dfrac{1}{3}$

STEP **B** 양변에 상용로그를 취하여 r의 값 구하기

양변에 상용로그를 취하면

$\log\left(1 - \dfrac{r}{100}\right)^{10} = \log \dfrac{1}{3}$, $10 \log\left(1 - \dfrac{r}{100}\right) = -\log 3$

$\log\left(1 - \dfrac{r}{100}\right) = -\dfrac{0.48}{10} = -0.048 = -1 + 0.952$

이때 $\log 8.96 = 0.952$이므로

$1 - \dfrac{r}{100} = 0.896$

$\therefore r = 10.4$

따라서 매년 10.4%씩 감소시켜야 한다.

내/신/연/계/ 출제문항 116

어느 산유국에서 매년 일정한 비율로 산유량을 증가시켜 20년 후의 산유량이 올해 산유량의 2배가 되도록 하려고 한다. 산유량을 매년 몇 $\%$씩 증가시켜야 하는가? (단, $\log 1.035 = 0.015$, $\log 2 = 0.3$으로 계산한다.)

① 3.4%   ② 3.5%   ③ 3.6%

④ 3.7%   ⑤ 3.8%

STEP **A** 20년 후의 산유량을 식으로 표현하기

올해의 산유량이 a이고 산유량을 매년 $r\%$씩 증가시킨다고 하면

20년 후의 산유량은 $a\left(1 + \dfrac{r}{100}\right)^{20}$

이것이 올해의 산유량의 2배가 되어야 하므로 $a\left(1 + \dfrac{r}{100}\right)^{20} = 2a$

STEP **B** 상용로그를 취하여 r의 값 구하기

위 식의 양변에 상용로그를 취하면

$20 \log\left(1 + \dfrac{r}{100}\right) = \log 2$

$\log\left(1 + \dfrac{r}{100}\right) = \dfrac{0.3}{20} = 0.015$

이때 $\log 1.035 = 0.015$이므로 $1 + \dfrac{r}{100} = 1.035$

$\therefore \dfrac{r}{100} = 0.035$

따라서 매년 산유량을 3.5%씩 증가시켜야 한다. ②

0298

 ③

STEP **A** 30년 후의 매출액을 식으로 표현하기

현재 매출액을 a라 하고 매년 $r\%$씩 늘었다고 하면

30년 후의 매출액은 $a\left(1 + \dfrac{r}{100}\right)^{30}$

STEP **B** 기업의 매출액이 2배가 되는 경우를 식으로 표현하기

이것이 30년 만에 2배가 되어야 하므로

$a\left(1 + \dfrac{r}{100}\right)^{30} = 2a$이므로 $\left(1 + \dfrac{r}{100}\right)^{30} = 2$

STEP **C** 상용로그를 취하여 r의 값 구하기

양변에 상용로그를 취하면

$\log\left(1 + \dfrac{r}{100}\right)^{30} = \log 2$

$30 \log\left(1 + \dfrac{r}{100}\right) = 0.30$, $\log\left(1 + \dfrac{r}{100}\right) = \dfrac{0.30}{30} = 0.01$

이때 $\log 1.03 = 0.01$이므로 $1 + \dfrac{r}{100} = 1.03$

$\therefore r = 3$

따라서 매년 3%씩 늘었다.

내/신/연/계/ 출제문항 117

어느 광고 기획사에서 기획한 화장품 광고의 인지도는 광고를 시작한 후 일정한 비율로 늘어나 5주 후면 처음 인지도의 2배가 될 것으로 예상했다. 광고의 인지도는 매주 몇 $\%$씩 늘어나는가?
(단, $\log 2 = 0.3$, $\log 1.15 = 0.06$으로 계산한다.)

① 12%   ② 15%   ③ 18%

④ 20%   ⑤ 22%

STEP **A** 5주 후 화장품 광고의 인지도를 식으로 표현하기

처음 화장품 광고의 인지도를 a라 하고 매주 인지도가 $r\%$씩 늘어난다고 하면

5주 후 화장품 광고의 인지도는 $a\left(1 + \dfrac{r}{100}\right)^5$

5주 후 처음 인지도의 2배가 되는 경우를 나타내면

$a\left(1+\dfrac{r}{100}\right)^5=2a$이므로 $\left(1+\dfrac{r}{100}\right)^5=2$

STEP **C** 상용로그를 취하여 a의 값 구하기

양변에 상용로그를 취하면

$\log\left(1+\dfrac{r}{100}\right)^5=\log 2$, $5\log\left(1+\dfrac{r}{100}\right)=\log 2$

$\log\left(1+\dfrac{r}{100}\right)=\dfrac{0.3}{5}=0.06$

이때 $\log 1.15=0.06$이므로 $1+\dfrac{r}{100}=1.15$

$\therefore r=15$

따라서 화장품의 광고의 인지도는 매주 15%씩 늘어날 것으로 예상되었다.

정답 ②

0299

정답 ④

STEP **A** 미생물의 개체 수를 식으로 표현하기

11시간 후의 개체 수가 처음의 k배라 하면

$k=\left(1+\dfrac{30}{100}\right)^{11}=\left(\dfrac{13}{10}\right)^{11}$

STEP **B** 상용로그를 취하여 k의 값 구하기

양변에 상용로그를 취하면

$\begin{aligned}\log k&=\log\left(\dfrac{13}{10}\right)^{11}=11(\log 13-1)\\&=11(1+\log 1.3-1)\\&=11\times 0.1139\\&=1.2529\end{aligned}$

이때 $\log 1.79=0.2529$이므로

$\begin{aligned}\log k&=1.2529=1+0.2529\\&=\log 10+\log 1.79\\&=\log 17.9\end{aligned}$

에서 $k=17.9$

따라서 11시간 후의 개체 수는 처음의 약 18배가 된다.

0300

정답 ⑤

STEP **A** 24시간 후의 물질 M의 양을 x라 두고 식으로 표현하기

처음 이 물질 M의 양이 10이었을 때, 24시간 후의 물질 M의 양

$\begin{aligned}x&=10(1+0.40)^{12}(1-0.1)^{12}\\&=10(1.40)^{12}(0.9)^{12}\\&=10(1.26)^{12}\end{aligned}$

STEP **B** 상용로그를 취하여 $\log x$의 값 구하기

이때 $\begin{aligned}\log x&=\log 10(1.26)^{12}\\&=\log 10+\log(1.26)^{12}\\&=1+12\log 1.26\\&=1+12\cdot 0.1004\\&=2.2048\\&=2+0.2048\\&=\log 10^2+\log 1.6\\&=\log 100\cdot 1.6\\&=\log 160\end{aligned}$

따라서 $x=160$

0301

정답 해설참조

1단계 $\log a=3.7505$를 만족하는 a의 값을 구한다. ◀ 50%

$\log 5.63$과 $\log a$의 소수 부분이 같으므로

$\begin{aligned}\log a&=3+0.7505\\&=3+\log 5.63\\&=\log 1000+\log 5.63\\&=\log 1000\times 5.63\\&=\log 5630\end{aligned}$

$\therefore a=5630$

2단계 $\log 0.0563=b$를 만족하는 b의 값을 구한다. ◀ 50%

$\begin{aligned}\log 0.0563&=\log(10^{-2}\times 5.63)\\&=-2+\log 5.63\\&=-2+0.7505\\&=-1.2495\end{aligned}$

$\therefore b=-1.2495$

0302

정답 해설참조

1단계 $\log 3^{30}$의 값을 구한다. ◀ 20%

$\begin{aligned}\log 3^{30}&=30\log 3\\&=30\times 0.4771\\&=14.3130\end{aligned}$

2단계 $3^{30}=a\times 10^n$ ($1\le a<10$, n은 정수)로 나타냈을 때, n과 $\log a$의 값을 구한다. ◀ 20%

$\begin{aligned}\log 3^{30}&=14+0.3130\\&=\log 10^{14}+\log a\\&=\log(a\times 10^{14})\end{aligned}$

이때 $\log a=0.3130$이므로 $3^{30}=a\times 10^{14}$

$\therefore n=14$, $\log a=0.3130$

3단계 3^{30}이 몇 자리 자연수인지 구한다. ◀ 20%

$\log 3^{30}=30\log 3=14+0.3130$

정수 부분이 14이므로 3^{30}은 15자리 정수이다.

4단계 3^{30}의 최고자리의 숫자를 구한다. ◀ 40%

$14+0.3010<14+0.313<14+0.4771$이므로

$\log 10^{14}+\log 2<\log 3^{30}<\log 10^{14}+\log 3$

$\log(2\times 10^{14})<\log 3^{30}<\log(3\times 10^{14})$

$2\times 10^{14}<3^{30}<3\times 10^{14}$

따라서 3^{30}의 최고자리 숫자는 2이다.

0303

1단계 $\log x = 3.378$일 때, x의 값을 구한다. ◀ 30%

$\log x = 3.378 = 3 + 0.378$
$\qquad = \log 10^3 + \log 2.39$
$\qquad = \log 10^3 \times 2.39$
$\therefore x = 2390$

2단계 $\log\left(\dfrac{1}{2}\right)^{22}$ 의 값을 구한다. ◀ 20%

$\log\left(\dfrac{1}{2}\right)^{22} = -22\log 2$
$\qquad = -22 \times 0.3010$
$\qquad = -6.622$
$\qquad = -7 + 0.378$

3단계 $\left(\dfrac{1}{2}\right)^{22}$ 의 어림값을 $a \times 10^n (1 \le a < 10, n$은 정수)꼴로 나타낸다. ◀ 30%

$\log\left(\dfrac{1}{2}\right)^{22} = -7 + 0.378$
$\qquad = \log 10^{-7} + \log 2.39$
$\qquad = \log 2.39 \times 10^{-7}$
즉 $\left(\dfrac{1}{2}\right)^{22} = 2.39 \times 10^{-7}$이므로 $a = 2.39$, $n = -7$

4단계 $\left(\dfrac{1}{2}\right)^{22}$ 이 소수점 아래 몇 째 자리에서 처음으로 0이 아닌 숫자가 나타나는지 구하여라. ◀ 20%

$\left(\dfrac{1}{2}\right)^{22}$ 이 소수점 아래 일곱번째 자리에서 처음으로 0이 아닌 숫자가 나온다.

0304

1단계 밝기가 a인 빛이 이 유리판을 n장 통과하였을 때의 밝기를 식으로 나타내어 본다. ◀ 40%

1장을 통과할 때, 빛의 밝기 $a(1 - 0.05) = 0.95a$
2장을 통과할 때, 빛의 밝기 $a(1 - 0.05)^2 = 0.95^2 a$
3장을 통과할 때, 빛의 밝기 $a(1 - 0.05)^3 = 0.95^3 a$
$\qquad \vdots$
n장을 통과할 때, 빛의 밝기 $a(1 - 0.05)^n = 0.95^n a$

2단계 밝기가 1000인 빛이 이 유리판을 10장 통과하였을 때의 밝기를 구한다. ◀ 60%

10장을 통과할 때, 빛의 밝기가
$1000(1 - 0.05)^{10} = 1000 \cdot 0.95^{10}$이므로
$\log 1000 \cdot 0.95^{10} = \log 1000 + \log 0.95^{10}$
$\qquad = \log 10^3 + 10 \log 0.95$
$\qquad = 3 + 10(-1 + 0.9777)$ ◀ $\log 9.5 = 0.9777$
$\qquad = 3 + 10 \cdot (-0.02230)$
$\qquad = 3 - 0.223$
$\qquad = 2.777$
$\qquad = 2 + 0.777$
$\qquad = \log 10^2 + \log 5.984$
$\qquad = \log(100 \cdot 5.984)$
$\qquad = \log 598.4$
따라서 $1000 \cdot 0.95^{10} = 598.4$

0305

1단계 주어진 등식에 흡수 계수와 엑스레이의 처음 세기를 대입하여 로그의 성질을 이용하여 d에 대한 관계식을 구한다. ◀ 50%

흡수 계수가 0.69인 어떤 물질에 엑스레이를 쏘았더니 이 물질을 통과한 후의 엑스레이의 세기는 처음 세기의 $\dfrac{1}{5}$이므로

$k = 0.69$, $I = \dfrac{1}{5} I_0$을 $\log I = \log I_0 - \dfrac{k}{2.3} d$에 대입하면

$\log\left(\dfrac{1}{5} I_0\right) = \log I_0 - \dfrac{0.69}{2.3} d$

$\log \dfrac{1}{5} + \log I_0 = \log I_0 - \dfrac{0.69}{2.3} d$

$\therefore 0.3d = \log 5$

2단계 [1단계]에서 구한 식에 $\log 5$를 대입한다. ◀ 30%

$\log 2 = 0.3$에서 $\log 5 = \log \dfrac{10}{2} = 1 - \log 2 = 1 - 0.3 = 0.7$이므로
$0.3d = \log 5 = 0.7$

3단계 물질의 두께 d를 구한다. ◀ 20%

즉 $d = \dfrac{7}{3}$

따라서 구하는 물질의 두께는 $\dfrac{7}{3}$

0306

1단계 음원에서 떨어진 거리가 d_1m, d_2m인 두 지점에서 소리의 크기를 각각 S_1dB, S_2dB이라고 할 때, $S_2 = S_1 + 20\log \dfrac{d_1}{d_2}$ 이 성립함을 보인다. ◀ 40%

음원에서 떨어진 거리가 d_1m, d_2m인 두 지점에서
소리의 세기를 각각 $I_1 \mathrm{W/m^2}$, $I_2 \mathrm{W/m^2}$라고 하면

$S_2 - S_1 = 10\log \dfrac{I_2}{I_0} - 10\log \dfrac{I_1}{I_0}$

$\qquad = 10\log \dfrac{I_2}{I_1} = 10\log \dfrac{\dfrac{k}{d_2^2}}{\dfrac{k}{d_1^2}}$

$\qquad = 10\log \left(\dfrac{d_1}{d_2}\right)^2 = 20\log \dfrac{d_1}{d_2}$

$\therefore S_2 = S_1 + 20\log \dfrac{d_1}{d_2}$

2단계 공연장의 스피커에서 2m 떨어진 곳의 소리의 크기가 100dB이라고 할 때, 이 스피커에서 10m 떨어진 곳의 소리의 크기는 얼마인지 구한다. (단, $\log 2 = 0.3$으로 계산한다.) ◀ 30%

$d_1 = 2$, $S_1 = 100$, $d_2 = 10$이므로
$S_2 = 100 + 20\log \dfrac{2}{10} = 100 + 20(\log 2 - \log 10) = 86$
따라서 86dB

3단계 전투기가 이착륙할 때, 소음원에서 1m 떨어진 곳의 소리의 크기를 120dB, 그 소음원의 소리의 크기가 60dB인 곳을 경계선으로 하여 그 외부를 주거지역으로 설정하려고 할 때, 경계선은 그 소음원에서 몇 m떨어져 있는지 구한다. ◀ 30%

전투기가 이착륙할 때, 소음원에서 1m 떨어진 곳의 소리의 크기를 120dB,
xm 떨어진 곳의 소리의 크기를 60dB이라고 하면
$60 = 120 + 20\log \dfrac{1}{x}$, $-60 = -20\log x$
$\log x = 3$에서 $x = 1000$
따라서 1000m 떨어져 있어야 한다.

지수함수와 로그함수

0307

 10

STEP A 상용로그의 정수 부분과 소수 부분을 구하여 A, B의 값 구하기

$A = 10^{-1.3980}$에서

$$\log A = -1.3980 = -2 + 0.6020 = -2 + 2 \times 0.3010$$
$$= -2 + 2\log 2$$
$$= \log 10^{-2} + 2\log 2$$
$$= \log 0.04$$

$\therefore A = 0.04$

$B = 10^{-1.2219}$에서

$$\log B = -1.2219 = -2 + 0.7781$$
$$= -2 + 0.3010 + 0.4771$$
$$= \log 10^{-2} + \log 2 + \log 3$$
$$= \log 0.06$$

$\therefore B = 0.06$

STEP B $100(A+B)$의 값 구하기

따라서 $100(A+B) = 100(0.04+0.06) = 10$

0308

 7

STEP A n^{10}이 9자리 정수임을 이용하여 $\log n^{10}$의 정수 부분 구하기

n^{10}이 9자리 정수이므로 $\log n^{10}$의 정수 부분이 8이다.

STEP B n^{10}이 9자리 정수이므로 $8 \le \log n^{10} < 9$임을 이용하기

$8 \le \log n^{10} < 9$

$8 \le 10 \log n < 9$, $0.8 \le \log n < 0.9$

즉 $0.3010 + 0.4771 < 0.8 \le \log n < 0.9 < 0.9030$

$\log 2 + \log 3 < \log n < 3\log 2$

$\log(2\times 3) < \log n < \log 2^3$

따라서 $6 < n < 8$이므로 정수 $n = 7$

0309

 3

STEP A 상용로그의 정수 부분의 성질을 이용하여 $\log n$의 값의 범위 구하기

$\left(\dfrac{n}{10}\right)^{10}$이 소수 여섯째 자리에서 처음으로 0이 아닌 숫자가 나타나므로

$\log\left(\dfrac{n}{10}\right)^{10}$의 정수 부분은 -6

즉 $-6 \le \log\left(\dfrac{n}{10}\right)^{10} < -5$이므로

$-6 \le 10(\log n - 1) < -5$

$0.4 \le \log n < 0.5$

STEP B $\log n$의 범위에서 n의 범위 구하기

이때 $\log 2 = 0.3010$, $\log 3 = 0.4771$, $\log 4 = 2\log 2 = 2 \times 0.3010 = 0.6020$

이므로 $\log 2 < 0.4 \le \log n < 0.5 < \log 4$

$\therefore 2 < n < 4$

따라서 구하는 자연수 n의 값은 3

0310

 19

STEP A $f(n)$이 0, 1, 2일 때로 나누어 n의 개수 구하기

$f(n+10) = f(n) + 1$을 만족시키려면 $n+10$의 자릿수가 n의 자릿수보다 1만큼 커야 한다.

$1 \le n \le 100$이므로 $0 \le f(n) \le 2$

(i) n이 한 자리의 자연수일 때,

$f(n) = 0$, 즉 $1 \le n \le 9$일 때, $f(n+10) = 1$이어야 하므로

$10 \le n+10 < 100$ $\therefore 1 \le n \le 9$

(ii) n이 두 자리의 자연수일 때,

$f(n) = 1$, 즉 $10 \le n \le 99$일 때, $f(n+10) = 2$이어야 하므로

$100 \le n+10 < 1000$ $\therefore 90 \le n \le 99$

(iii) $f(n) = 2$, 즉 $n = 100$일 때,

$f(n+10) = f(110) = 2$이므로 $f(n+10) = 3$을 만족하지 않는다.

(i)~(iii)에서 구하는 자연수 n의 개수는 $9 + 10 = 19$

0311

 304

STEP A 상용로그의 정수부분을 이용하여 k 구하기

(i) $1 \le x < 10$일 때, $0 \le \log x < 1$이므로 $[\log x] = 0$

$\therefore [\log 1] + [\log 2] + [\log 3] + \cdots + [\log 9] = 0$

(ii) $10 \le x < 100$일 때, $1 \le \log x < 2$이므로 $[\log x] = 1$

$\therefore [\log 10] + [\log 11] + [\log 12] + \cdots + [\log 99] = 1 \cdot 90 = 90$

(iii) $100 \le x < k$ ($100 \le k < 1000$)일 때,

$2 \le \log x < 3$이므로 $[\log x] = 2$

$\therefore [\log 100] + [\log 101] + [\log 102] + \cdots + [\log k] = 2(k-99)$

$\leftarrow k-100+1 = k-99$

(i)~(iii)에서 $[\log 1] + [\log 2] + [\log 3] + \cdots + [\log k] = 500$

이므로 $0 + 90 + 2(k-99) = 500$

따라서 $k - 99 = 205$이므로 $k = 304$

0312

 12

STEP A 6^{12}의 상용로그의 정수 부분의 성질을 이용하여 자릿수 구하기

$\log 6^{12} = 12\log 6 = 12 \times 0.7781 = 9.3372$

$\log 6^{12}$의 정수 부분이 9이므로 6^{12}은 10자리 정수이므로 $a = 10$

STEP B $\log 6^{12}$의 소수 부분의 범위를 이용하여 최고자리 숫자 구하기

이때 $\log 2 = 0.3010$, $\log 3 = 0.4771$에서

$\log 2 = 0.3010 < 0.3372 < \log 3 = 0.4771$이므로

$9 + \log 2 < 9.3372 < 9 + \log 3$

$\log 2 \cdot 10^9 < \log 6^{12} < \log 3 \cdot 10^9$

$\therefore 2 \cdot 10^9 < 6^{12} < 3 \cdot 10^9$

즉 6^{12}의 최고 자리의 숫자는 $b = 2$

따라서 $a + b = 12$

0313

 19자리

STEP A 7^{100}가 85자리의 정수임을 이용하여 $\log 7$의 범위 구하기

7^{100}은 85자리의 정수이므로 $\log 7^{100}$의 정수 부분은 84

즉 $84 \le \log 7^{100} < 85$에서 $84 \le 100\log 7 < 85$

$\therefore 0.84 \le \log 7 < 0.85$ ...... ㉠

STEP B 11^{100}가 105자리의 정수임을 이용하여 $\log 11$의 범위 구하기

또, 11^{100}은 105자리의 정수이므로 $\log 11^{100}$의 정수 부분은 104

즉 $104 \le \log 11^{100} < 105$에서 $104 \le 100\log 11 < 105$

$\therefore 1.04 \le \log 11 < 1.05$ …… ㉡

STEP C $\log 77^{10}$의 범위를 구하여 자릿수 구하기

이때 $\log 77^{10} = 10\log 77 = 10(\log 7 + \log 11)$이므로

$10 \times$(㉠$+$㉡)을 하면 $18.8 \le 10(\log 7 + \log 11) < 19$

$\therefore 18.8 \le \log 77^{10} < 19$

따라서 $\log 77^{10}$의 정수 부분이 18이므로 77^{10}은 19자리의 정수이다.

0314

 21

STEP A 조건 (가)에서 $2 \le \log x < 3$임을 구하기

조건 (가)에서 상용로그의 가우스함수는 정수 부분이므로
$[\log x] = [\log 365] = 2$에서 $2 \le \log x < 3$

STEP B 소수 부분이 같으면 두 상용로그의 차가 정수임을 이용하기

조건 (나)에서 $\log x^3$과 $\log \dfrac{1}{x}$의 소수 부분이 같으므로

$\log x^3 - \log \dfrac{1}{x} = 4\log x$는 정수이다.

$8 \le 4\log x < 12$이므로 $4\log x = 8, 9, 10, 11$

STEP C 모든 x의 값의 곱을 구하기

$x = 10^2, 10^{\frac{9}{4}}, 10^{\frac{5}{2}}, 10^{\frac{11}{4}}$이므로 모든 양의 실수 x의 곱은

$10^{2+\frac{9}{4}+\frac{5}{2}+\frac{11}{4}} = 10^{\frac{19}{2}}$이므로 $p = 19$, $q = 2$

따라서 $p + q = 21$

0315

정답 5

STEP A 소수 부분의 합이 1이면 두 상용로그의 합이 정수임을 이해하기

(나)에서 $\log x$의 소수 부분과 $\log x^2$의 소수 부분의 합이 1이므로
$\log x^2 + \log x = 2\log x + \log x = 3\log x$에서 $3\log x$가 정수이다.

STEP B 조건 (가)에서 $3\log x$의 범위 구하기

(가)에서 $\log x$의 정수 부분이 2이므로 $2 \le \log x < 3$

$\therefore 6 \le 3\log x < 9$

STEP C 모든 x의 값의 곱을 구하기

이때 $3\log x$는 정수이므로

$3\log x = 6$ 또는 $3\log x = 7$ 또는 $3\log x = 8$

$\log x = 2$ 또는 $\log x = \dfrac{7}{3}$ 또는 $\log x = \dfrac{8}{3}$

$\therefore x = 10^2$ 또는 $x = 10^{\frac{7}{3}}$ 또는 $x = 10^{\frac{8}{3}}$

그런데 $x = 10^2$이면 $\log x = 2$, $\log x^2 = 4$가 되어 $\log x$의 소수 부분과
$\log x^2$의 소수 부분의 합이 0이 된다.

따라서 $x = 10^{\frac{7}{3}}$ 또는 $x = 10^{\frac{8}{3}}$이므로 모든 실수 x의 값의 곱은

$10^{\frac{7}{3}} \times 10^{\frac{8}{3}} = 10^{\frac{7}{3}+\frac{8}{3}} = 10^5$ $\therefore n = 5$

0316

정답 26

STEP A L을 $m_0 f_0$을 이용한 식으로 나타내기

주파수가 f_0인 영역에서 벽의 단위 면적당 질량을 m_0이라 하고
그때의 음향 투과 손실을 L_0이라고 하면 $L_0 = 20\log m_0 f_0 - 48$

이때 주파수가 일정하므로 벽의 단위 면적당 질량이 20배가 되었을 때
음향 투과 손실 L은 $L = 20\log 20 m_0 f_0 - 48$

STEP B 로그의 성질을 이용하여 L과 L_0의 관계식 구하기

$$
\begin{aligned}
L &= 20(\log 20 + \log m_0 f_0) - 48 = 20(1 + \log 2 + \log m_0 f_0) - 48 \\
&= 20 \times 1.3 + 20\log m_0 f_0 - 48 \\
&= 26 + 20\log m_0 f_0 - 48 \\
&= 26 + L_0
\end{aligned}
$$

STEP C a의 값 구하기

따라서 음향 투과 손실은 $26dB$만큼 늘어나므로 $a = 26$

0317

 4

STEP A 약물 A, B의 흡수율과 배설률의 관계식 세우기

약물 A의 흡수율과 배설률을 각각 K_A, E_A라 하고
약물 B의 흡수율과 배설률을 각각 K_B, E_B라 하자. 주어진 조건에 의하여

$K_A = K_B$, $E_A = \dfrac{1}{2}K_A$, $E_B = \dfrac{1}{4}K_B$

STEP B 주어진 조건을 만족하는 관계식 구하기

약물 A의 혈중 농도가 최고치에 도달하는 시간이 3시간이므로

$$3 = c \times \frac{\log K_A - \log E_A}{K_A - E_A} = c \times \frac{\log K_A - \log \frac{1}{2}K_A}{K_A - \frac{1}{2}K_A} = c \times \frac{\log 2}{\frac{1}{2}K_A}$$

$$= c \times \frac{2\log 2}{K_A}$$

이므로 $\dfrac{c}{K_A} = \dfrac{3}{2\log 2}$

STEP C 약물 B의 혈중 농도가 최고치에 도달하는 시간 구하기

약물 B의 혈중 농도가 최고치에 도달하는 시간은

$$
\begin{aligned}
c \times \frac{\log K_B - \log E_B}{K_B - E_B} &= c \times \frac{\log K_A - \log \frac{1}{4}K_A}{K_A - \frac{1}{4}K_A} = c \times \frac{\log 4}{\frac{3}{4}K_A} \\
&= \frac{c}{K_A} \times \frac{8\log 2}{3} \\
&= \frac{3}{2\log 2} \times \frac{8\log 2}{3} \\
&= 4
\end{aligned}
$$

따라서 $a = 4$

0318

 10

STEP A 주어진 수를 관계식에 대입한 후 k 구하기

물 1mL당 초기 박테리아 수가 8×10^5이고 약품을 투여한 지 3시간이 지나는
순간 1mL당 박테리아 수는 2×10^5이 되므로 $C_0 = 8 \times 10^5$이고 $t = 3$,
$C = 2 \times 10^5$를 주어진 관계식에 대입하면

$\log \dfrac{2 \times 10^5}{8 \times 10^5} = -3k$에서 $3k = -\log \dfrac{1}{4} = 2\log 2 = 0.6$

$\therefore k = 0.2$ ($\because \log 2 = 0.3$)

STEP B 주어진 조건과 로그의 성질을 이용하여 a의 값 구하기

$\log \dfrac{C}{8 \times 10^5} = -0.2t$에서 약품을 투여한 지 a시간 후에 처음으로 1mL당

박테리아의 수가 8×10^3 이하가 되므로

$\log \dfrac{8 \times 10^3}{8 \times 10^5} = -0.2a$에서 $0.2a = -\log \dfrac{1}{100} = 2$

따라서 $a = 10$

04 지수함수와 로그함수

0319

정답 ⑤

STEP Ⓐ 지수함수의 성질 이해하기

① $f(x)=a^x$에서 $f(x+y)=a^{x+y}=a^x\times a^y=f(x)f(y)$ [참]

② $f(x)=a^x$에서 $f(-x)=a^{-x}=\dfrac{1}{a^x}=\dfrac{1}{f(x)}$ [참]

③ $f(x)=a^x$에서 $f(2x)=(a^x)^2$이므로 $\sqrt{f(2x)}=f(x)$ [참]

④ $f(x)=a^x$에서 $f\left(\dfrac{x}{2}\right)=a^{\frac{x}{2}}=\sqrt{a^x}=\sqrt{f(x)}$ [참]

⑤ $f(x)=a^x$에서 $f(x^n)=a^{x^n}\neq(a^x)^n=\{f(x)\}^n$ [거짓]

따라서 옳지 않은 것은 ⑤이다.

0320

정답 ⑤

STEP Ⓐ $3^a=b$와 지수법칙을 이용하여 참, 거짓 판별하기

$(a, b)\in A$이므로 $3^a=b$

ㄱ. $3^{2a}=(3^a)^2=b^2$이므로 $(2a, b^2)\in A$ [참]

ㄴ. $3^{\frac{a}{2}}=(3^a)^{\frac{1}{2}}=\sqrt{b}$이므로 $\left(\dfrac{a}{2}, \sqrt{b}\right)\in A$

$\therefore \left(\dfrac{a}{2}, \dfrac{b}{9}\right)\notin A$ [거짓]

ㄷ. $3^{-a}=(3^a)^{-1}=b^{-1}=\dfrac{1}{b}$이므로 $\left(-a, \dfrac{1}{b}\right)\in A$ [참]

ㄹ. $3^{a+1}=3\cdot3^a=3b$이므로 $(a+1, 3b)\in A$ [참]

따라서 집합 A의 원소인 것은 ㄱ, ㄷ, ㄹ이다.

0321

정답 ④

STEP Ⓐ $b=0$을 대입하여 $g(0)$의 값 구하기

ㄱ. $b=0$을 대입하면 $g(a)=g(a)g(0)$

이때 $g(a)>0$이므로 $g(0)=1$ [참]

STEP Ⓑ $a=x$, $b=-x$를 대입하여 $g(x)$와 $g(-x)$의 관계식 구하기

ㄴ. $a=x$, $b=-x$를 대입하면

$g(x-x)=g(x)g(-x)$

$g(0)=g(x)g(-x)$

즉 $g(0)=1$이므로 $g(-x)=\dfrac{1}{g(x)}$ [참]

STEP Ⓒ b 대신 $-b$를 대입하여 $g(a-b)$의 값 구하기

ㄷ. b 대신 $-b$를 대입하면

$g(a-b)=g(a)g(-b)=\dfrac{g(a)}{g(b)}$ [거짓]

STEP Ⓓ b 대신 a를 대입하여 $g(a)=\sqrt{g(2a)}$ 증명하기

ㄹ. b 대신 a를 대입하면

$g(a+b)=g(a+a)=g(a)g(a)$

$g(2a)=\{g(a)\}^2$, $g(a)=\pm\sqrt{g(2a)}$

이때 $g(x)>0$이므로 $g(a)=\sqrt{g(2a)}$ [참]

따라서 옳은 것은 ㄱ, ㄴ, ㄹ이다.

실수 전체의 집합에서 정의된 함수 f는 함숫값이 항상 양수이고 임의의 두 실수 a, b에 대하여 $f(a+b)=f(a)f(b)$인 성질을 만족시킨다. 이때 [보기]에서 옳은 것을 모두 고른 것은?

> ㄱ. $f(0)=1$
> ㄴ. $f(-a)=\dfrac{1}{f(a)}$
> ㄷ. $f(a)=\sqrt{f(2a)}$

① ㄱ
② ㄴ
③ ㄱ, ㄴ
④ ㄱ, ㄷ
⑤ ㄱ, ㄴ, ㄷ

STEP Ⓐ $f(a+b)=f(a)f(b)$의 성질을 이용하여 진위판단하기

ㄱ. $f(0+0)=f(0)f(0)$에서 $f(0)>0$이므로 $f(0)=1$ [참]

ㄴ. $f(-a+a)=f(-a)f(a)$에서 $1=f(-a)f(a)$이므로

$f(-a)=\dfrac{1}{f(a)}$ [참]

ㄷ. $f(a+a)=f(a)f(a)$에서 $f(2a)=\{f(a)\}^2$

$f(a)>0$이므로 $f(a)=\sqrt{f(2a)}$ [참]

따라서 옳은 것은 ㄱ, ㄴ, ㄷ이다. 정답 ⑤

0322

정답 ②

STEP Ⓐ $f(0)=8$임을 이용하여 k의 값 구하기

$f(x)=\left(\dfrac{1}{2}\right)^{x-k}$에서 $f(0)=8$이므로

$\left(\dfrac{1}{2}\right)^{-k}=8$, $2^k=8$

$\therefore k=3$

STEP Ⓑ $f(2)$의 값 구하기

따라서 $f(2)=\left(\dfrac{1}{2}\right)^{2-3}=2$

0323

정답 ⑤

STEP Ⓐ $f(2)=7$임을 이용하여 $a+a^{-1}$의 값 구하기

$f(2)=\dfrac{a^2+a^{-2}}{2}=7$에서 $a^2+a^{-2}=14$이므로

$(a+a^{-1})^2=a^2+a^{-2}+2=16$

이때 $a>0$이므로 $a+a^{-1}=4$

STEP Ⓑ $a^3+b^3=(a+b)^3-3ab(a+b)$를 이용하여 $f(3)$의 값 구하기

따라서 $a^3+a^{-3}=(a+a^{-1})^3-3\cdot a\cdot a^{-1}(a+a^{-1})=4^3-3\cdot4=52$이므로

$f(3)=\dfrac{a^3+a^{-3}}{2}=\dfrac{52}{2}=26$

1이 아닌 양수 a에 대하여 함수 $f(x)=\dfrac{a^x-a^{-x}}{2}$과 실수 p에 대하여 $f(p)=1$일 때, $f(2p)$의 값은?

① $\sqrt{2}$ ② $2\sqrt{2}$ ③ $3\sqrt{2}$

④ $4\sqrt{2}$ ⑤ $5\sqrt{2}$

STEP Ⓐ **곱셈공식** $(a+b)^2=(a-b)^2+4ab$**를 이용하여** a^p+a^{-p}**의 값 구하기**

$f(p)=1$에서 $\dfrac{a^p-a^{-p}}{2}=1$이므로 $a^p-a^{-p}=2$

$\therefore (a^p+a^{-p})^2=(a^p-a^{-p})^2+4=2^2+4=8$

그런데 $a^p+a^{-p}>0$이므로 $a^p+a^{-p}=2\sqrt{2}$

STEP Ⓑ $a^{2p}-a^{-2p}=(a^p+a^{-p})(a^p-a^{-p})$**을 이용하여 값 구하기**

따라서 $f(2p)=\dfrac{a^{2p}-a^{-2p}}{2}=\dfrac{(a^p+a^{-p})(a^p-a^{-p})}{2}$

$\qquad\qquad =\dfrac{2\sqrt{2}\cdot 2}{2}=2\sqrt{2}$

정답 ②

0324

정답 ③

STEP Ⓐ **지수함수의 성질을 이용하여** a, b**의 값 구하기**

$f(2a)f(b)=4$에서 $2^{-2a}\times 2^{-b}=2^{-2a-b}=2^2$

$\therefore -2a-b=2$ $\cdots\cdots$ ㉠

$f(a-b)=2$에서 $2^{-a+b}=2$

$\therefore -a+b=1$ $\cdots\cdots$ ㉡

㉠, ㉡을 연립하여 풀면 $a=-1$, $b=0$

STEP Ⓑ $2^{3a}+2^{3b}$**의 값 구하기**

$\therefore 2^{3a}+2^{3b}=2^{-3}+2^0=\dfrac{1}{8}+1=\dfrac{9}{8}$

따라서 $p=8$, $q=9$이므로 $p+q=17$

다른풀이 지수법칙을 이용하여 풀이하기

$f(2a)f(b)=4$에서 $2^{-2a}\times 2^{-b}=4$ $\cdots\cdots$ ㉠

$f(a-b)=2$에서 $2^{-(a-b)}=2^{-a}\times 2^b=2$ $\cdots\cdots$ ㉡

㉠×㉡을 하면 $2^{-3a}=8$, $2^{3a}=\dfrac{1}{8}=\left(\dfrac{1}{2}\right)^3$

즉 $2^a=\dfrac{1}{2}$이므로 $a=-1$

$2^a=\dfrac{1}{2}$을 ㉡에 대입하면 $2\cdot 2^b=2$

즉 $2^b=1$이므로 $b=0$

$\therefore 2^{3a}+2^{3b}=2^{-3}+2^0=\dfrac{1}{8}+1=\dfrac{9}{8}$

따라서 $p=8$, $q=9$이므로 $p+q=17$

0325

정답 ②

STEP Ⓐ **지수함수의 그래프의 성질 이해하기**

$f(x)=a^x$에서 $f(2)=a^2=9$이므로 $a=3$ $(a>0)$

즉 지수함수 $f(x)=3^x$의 그래프의 성질은 다음과 같다.

① 점 $(0,1)$을 지난다. [참]

② 점근선은 x축이다. [거짓]

③ $x_1<x_2$일 때, $f(x_1)<f(x_2)$이다. [참]

④ 그래프가 제 1, 2사분면을 지난다. [참]

⑤ 치역은 양의 실수 전체의 집합이다. [참]

따라서 옳지 않은 것은 ②이다.

0326

정답 ⑤

STEP Ⓐ **지수함수의 그래프의 성질 이해하기**

① 정의역은 실수전체의 집합이고 치역은 양의 실수 전체의 집합이다. [참]

② 점근선은 $y=0$이다. [참]

③ x의 값이 증가하면 y의 값은 감소한다. [참]

④ 그래프가 제 1, 2사분면을 지난다. [참]

⑤ 그래프는 지수함수 $y=2^x$의 그래프를 y축에 대하여 대칭이동한 것과 일치한다. [거짓]

따라서 옳지 않은 것은 ⑤이다.

0327

정답 ③

STEP Ⓐ a, b**의 범위에 따라** $f(n)>g(n)$**의 참, 거짓 판별하기**

ㄱ. $f(n)=a^n$, $g(n)=b^n$이므로

(i) $1<b<a$ (ii) $0<b<1<a$ (iii) $0<b<a<1$

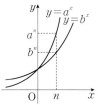 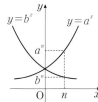 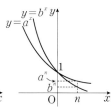

즉 위 그래프에서 양수 n에 대하여 항상 $a^n>b^n$이므로

$f(n)>g(n)$ [참]

STEP Ⓑ $f(n)<g(-n)$**에서 반례를 이용하여 거짓임을 판별하기**

ㄴ. $f(n)<g(-n)$일 때, $0<b<a<1$인 것이 존재한다.

반례 $a=\dfrac{1}{2}$, $b=\dfrac{1}{3}$, $n=1$이면

$\qquad f(1)=\dfrac{1}{2}$, $g(-1)=\left(\dfrac{1}{3}\right)^{-1}=3$

$\qquad f(1)<g(-1)$이지만 $a<1$이다. [거짓]

STEP Ⓒ $f(n)=g(-n)$**에서** a, b **사이의 관계를 구하여 참임을 판별하기**

ㄷ. $f(n)=g(-n)$이면 $a^n=b^{-n}$이므로 $a=\dfrac{1}{b}$

$f\left(\dfrac{1}{n}\right)=a^{\frac{1}{n}}=\left(\dfrac{1}{b}\right)^{\frac{1}{n}}=(b^{-1})^{\frac{1}{n}}=b^{-\frac{1}{n}}=g\left(-\dfrac{1}{n}\right)$ [참]

따라서 옳은 것은 ㄱ, ㄷ이다.

0328

정답 ③

STEP Ⓐ **지수법칙을 이용하여** $a+b$**의 값 구하기**

$4^a=\alpha$, $4^b=\beta$이므로 $\alpha\beta=4^a\times 4^b=4^{a+b}$

$\therefore 4^{a+b}=64=4^3$

따라서 $a+b=3$

0329

정답 ④

STEP Ⓐ **지수법칙을 이용하여** k**의 값 구하기**

$f(1)=p$에서 $a=p$, $f(5)=q$에서 $a^5=q$이므로

$f(k)=\dfrac{q^2}{p^3}=\dfrac{(a^5)^2}{a^3}=\dfrac{a^{10}}{a^3}=a^7$

$\therefore f(k)=a^k=a^7$

따라서 $k=7$

0330

정답 ③

STEP Ⓐ 지수법칙을 이용하여 $f\left(\dfrac{b+c}{2}\right)$의 값 구하기

$f(b)=a^b=3$, $f(c)=a^c=6$
이므로
$a^b \times a^c = a^{b+c} = 18$

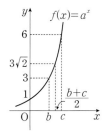

따라서 $f\left(\dfrac{b+c}{2}\right) = a^{\frac{b+c}{2}} = (a^{b+c})^{\frac{1}{2}}$
$= 18^{\frac{1}{2}}$
$= 3\sqrt{2}$

다른풀이 로그의 성질을 이용하여 풀이하기

$f(b)=a^b=3$, $f(c)=a^c=6$에서 $b=\log_a 3$, $c=\log_a 6$
이때 $b+c=\log_a 3+\log_a 6 = \log_a(3\times 6) = \log_a 18$이므로
$f\left(\dfrac{b+c}{2}\right) = a^{\frac{b+c}{2}} = (a^{b+c})^{\frac{1}{2}} = (a^{\log_a 18})^{\frac{1}{2}} = 18^{\frac{1}{2}} = 3\sqrt{2}$

내·신·연·계 출제문항 **120**

함수 $f(x)=a^x+1\,(a>1)$의 그래프가
오른쪽 그림과 같고
$$f(\alpha)=4,\ f(\beta)=10$$
을 만족시킬 때, $f\left(\dfrac{\alpha+\beta}{3}\right)$의 값은?
(단, α, β는 상수이다.)

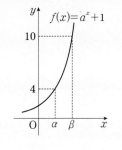

① 3   ② 4   ③ 5
④ 6   ⑤ 7

STEP Ⓐ 지수법칙을 이용하여 $f\left(\dfrac{\alpha+\beta}{3}\right)$의 값 구하기

$f(\alpha)=a^\alpha+1=4$에서 $a^\alpha=3$
$f(\beta)=a^\beta+1=10$에서 $a^\beta=9$
$f\left(\dfrac{\alpha+\beta}{3}\right) = a^{\frac{\alpha+\beta}{3}}+1 = \sqrt[3]{a^{\alpha+\beta}}+1 = \sqrt[3]{a^\alpha a^\beta}+1 = \sqrt[3]{3\times 9}+1$
$= \sqrt[3]{3^3}+1 = 3+1 = 4$

참고

$f\left(\dfrac{\alpha+\beta}{3}\right) = a^{\frac{\alpha+\beta}{3}}+1 = (a^{\alpha+\beta})^{\frac{1}{3}}+1 = (a^\alpha \times a^\beta)^{\frac{1}{3}}+1$
$= (3\times 9)^{\frac{1}{3}}+1$
$= 3+1 = 4$

정답 ②

0331

정답 ③

STEP Ⓐ 점 A의 x좌표를 a로 놓고 점 B, C의 좌표 구하기

점 A의 좌표를 $(a, 3^{-a})$이라 하면
점 A와 점 B는 y좌표가 같으므로 점 B의 y좌표는 3^{-a}이다.
점 B는 함수 $y=9^x$의 그래프 위의 점이므로
$9^x=3^{-a}$에서 $3^{2x}=3^{-a}$, $2x=-a$ ∴ $x=-\dfrac{a}{2}$
∴ $B\left(-\dfrac{a}{2},\ 3^{-a}\right)$
또, 점 B와 점 C는 x좌표가 같으므로 점 C의 x좌표는 $-\dfrac{a}{2}$이고
점 C는 함수 $y=3^{-x}$의 그래프 위의 점이므로 $y=3^{\frac{a}{2}}$이다.
∴ $C\left(-\dfrac{a}{2},\ 3^{\frac{a}{2}}\right)$

STEP Ⓑ $\overline{AB}=3$을 이용하여 $\overline{BC}$의 길이 구하기

이때 $\overline{AB}=3$이므로 $-\dfrac{a}{2}-a=3$ ∴ $a=-2$

따라서 $\overline{BC}=3^{-a}-3^{\frac{a}{2}}=3^2-3^{-1}=\dfrac{26}{3}$

0332

정답 ③

STEP Ⓐ 두 점 C, D의 x좌표를 a에 관한 식으로 표현하기

$A(a, 9^a)$, $B(a, 3^a)$이므로 두 점 C, D의 x좌표를 각각 x_1, x_2라고 하면
$3^{x_1}=9^a=3^{2a}$에서 $x_1=2a$
$9^{x_2}=3^a$에서 $3^{2x_2}=3^a$이므로 $x_2=\dfrac{a}{2}$

STEP Ⓑ 주어진 식의 값 구하기

따라서 $\dfrac{\overline{BD}}{\overline{AC}}=\dfrac{a-\dfrac{a}{2}}{2a-a}=\dfrac{1}{2}$

내·신·연·계 출제문항 **121**

오른쪽 그림과 같이 세 함수
$y=2^x$, $y=4^x$, $y=8^x$의 그래프가 직
선 $y=k\,(k>1)$와 만나는 점을 각각
A, B, C라 할 때, $\dfrac{\overline{BC}}{\overline{AC}}$의 값은?

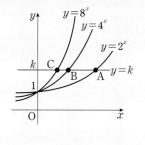

① $\dfrac{1}{5}$ ② $\dfrac{1}{4}$
③ $\dfrac{1}{3}$ ④ $\dfrac{1}{2}$
⑤ 1

STEP Ⓐ 점 A의 x좌표를 a로 놓고 점 B, C의 좌표 구하기

점 A의 좌표를 $(a, 2^a)$이라 하면
점 B와 점 A의 y좌표가 같으므로 점 B의 y좌표는 2^a이다.
점 B는 함수 $y=4^x$의 그래프 위의 점이므로
$4^x=2^a$에서 $2^{2x}=2^a$, $2x=a$ ∴ $x=\dfrac{a}{2}$
∴ $B\left(\dfrac{a}{2},\ 2^a\right)$
또, 점 C와 점 A의 y좌표가 같으므로 점 C의 y좌표는 2^a이고
점 C는 함수 $y=8^x$의 그래프 위의 점이므로
$8^x=2^a$에서 $2^{3x}=2^a$, $3x=a$ ∴ $x=\dfrac{a}{3}$
∴ $C\left(\dfrac{a}{3},\ 2^a\right)$

STEP Ⓑ 주어진 식의 값 구하기

따라서 $\dfrac{\overline{BC}}{\overline{AC}}=\dfrac{\dfrac{a}{2}-\dfrac{a}{3}}{a-\dfrac{a}{3}}=\dfrac{\dfrac{a}{6}}{\dfrac{2a}{3}}=\dfrac{1}{4}$

정답 ②

0333

정답 ①

STEP Ⓐ 그래프에서 a, b, c를 p, q로 표현하기

$\left(\dfrac{1}{2}\right)^p=a$, $\left(\dfrac{1}{2}\right)^{-q}=b$, $\left(\dfrac{1}{2}\right)^{-p-q}=c$

STEP Ⓑ 지수법칙을 이용하여 a, b, c의 관계식 구하기

$\left(\dfrac{1}{2}\right)^{-q} \div \left(\dfrac{1}{2}\right)^p = \left(\dfrac{1}{2}\right)^{-q-p}$이므로 $\dfrac{b}{a}=c$
따라서 $b=ac$

0334

정답 ②

STEP A 그래프에서 점 A와 B의 좌표 구하기

점 A의 좌표를 $(a, 4)$, 점 B의 좌표를 $(b, 4)$라고 하면

$\left(\dfrac{1}{2}\right)^a = 4$에서 $a = -2$, $\left(\dfrac{1}{4}\right)^b = 4$에서 $b = -1$

$\therefore$ A$(-2, 4)$, B$(-1, 4)$

STEP B 삼각형 AOB의 넓이 구하기

따라서 삼각형 AOB의 넓이는 $\dfrac{1}{2} \cdot 1 \cdot 4 = 2$

 내신연계 출제문항 122

오른쪽 그림과 같이 두 함수 $y = 2^x$, $y = 4^x$의 그래프와 직선 $y = 4$와의 교점을 각각 A, B라 할 때, 삼각형 OAB의 넓이는? (단, O는 원점이다.)

① $\dfrac{3}{2}$ ② 2

③ 3 ④ 4

⑤ $\dfrac{9}{2}$

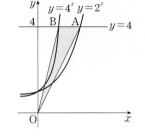

STEP A 그래프에서 점 A와 B의 좌표 구하기

점 A의 좌표를 $(a, 4)$, 점 B의 좌표를 $(b, 4)$라고 하면

$2^a = 4$에서 $a = 2$이고 $4^b = 4$에서 $b = 1$

$\therefore$ A$(2, 4)$, B$(1, 4)$

STEP B 삼각형 OAB의 넓이 구하기

따라서 삼각형 OAB의 넓이는 $\dfrac{1}{2} \cdot (2-1) \cdot 4 = 2$

정답 ②

0335

정답 ②

STEP A 삼각형 ABC의 넓이가 16임을 이용하여 $\overline{BC}$의 길이 구하기

$y = a$, $y = b$ 사이의 거리가 16이므로

$b - a = 16$ ...... ㉠

또한, 삼각형 ABC의 넓이가 16이므로 $\dfrac{1}{2} \cdot 16 \cdot \overline{BC} = 16$

$\therefore \overline{BC} = 2$

STEP B a, b의 값 구하기

즉 B$(\log_4 a, a)$, C$(\log_2 a, a)$이므로 $\log_2 a - \log_4 a = 2$

$\log_2 a - \dfrac{1}{2}\log_2 a = \dfrac{1}{2}\log_2 a = 2$

$\therefore \log_2 a = 4$

이때 $a = 2^4 = 16$이므로 ㉠에서 $b = 32$

STEP C 삼각형 ACD의 넓이 구하기

A$(\log_4 b, b)$, D$(\log_2 b, b)$이므로 A$\left(\dfrac{5}{2}, 32\right)$, D$(5, 32)$

따라서 삼각형 ACD의 넓이는 $\dfrac{1}{2} \cdot \overline{AD} \cdot (b - a) = \dfrac{1}{2} \cdot \dfrac{5}{2} \cdot 16 = 20$

0336

정답 ⑤

STEP A 점 A의 좌표 구하기

점 A에서 x축에 내린 수선의 발을 D, 점 B에서 x축에 내린 수선의 발을 E라 하면

점 A는 $y = 3^x$의 그래프 위의 점이고

y좌표가 $\dfrac{1}{3}$이므로 $\dfrac{1}{3} = 3^x$, $x = -1$

즉 A$\left(-1, \dfrac{1}{3}\right)$이므로 점 D$(-1, 0)$

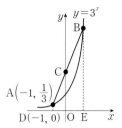

STEP B 내분점의 성질을 이용하여 점 B의 y좌표 구하기

y축 위의 점 C는 $\overline{AB}$를 $1:2$로 내분하는 점이므로

$\overline{AC} : \overline{CB} = 1 : 2$에서 $\overline{DO} : \overline{OE} = 1 : 2$가 된다.

점 E$(2, 0)$이므로 B$(2, 3^2)$, 즉 B$(2, 9)$

따라서 점 B의 y좌표는 9

다른풀이 내분점을 이용하여 풀이하기

점 A는 $y = 3^x$의 그래프 위의 점이고 y좌표가 $\dfrac{1}{3}$이므로

$\dfrac{1}{3} = 3^x$, $x = -1$

$\therefore$ A$\left(-1, \dfrac{1}{3}\right)$

점 B의 x좌표를 b라 놓으면 점 B$(b, 3^b)$이고

선분 AB를 $1:2$로 내분하는 점 C$\left(\dfrac{1 \cdot b + 2 \cdot (-1)}{1+2}, \dfrac{1 \cdot 3^b + 2 \cdot \frac{1}{3}}{1+2}\right)$에 대하여 점 C는 y축에 있으므로 x좌표가 0이므로 $\dfrac{b-2}{3} = 0$

$\therefore b = 2$

따라서 점 B의 y좌표는 $3^2 = 9$

0337

정답 ②

STEP A 지수함수 $y = 16 \cdot 4^x + 1$의 그래프 그리기

$y = 16 \cdot 4^x + 1 = 4^{x+2} + 1$의 그래프는 다음 그림과 같다.

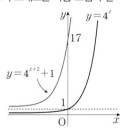

STEP B 그래프를 이용하여 참, 거짓 판별하기

① 밑 4는 1보다 크므로 x의 값이 증가하면 y의 값도 증가한다. [참]

② 정의역은 실수 전체의 집합이고 치역은 $\{y | y > 1\}$이다. [거짓]

③ 함수 $y = 4^{x+2} + 1$의 그래프는 함수 $y = 4^x$의 그래프를 x축의 방향으로 -2만큼, y축의 방향으로 1만큼 평행이동하면 겹쳐진다. [참]

④ $x = -2$일 때, $y = 4^{-2+2} + 1 = 2$이므로 $y = 4^{x+2} + 1$의 그래프는 점 $(-2, 2)$를 지난다. [참]

⑤ 그래프의 점근선의 방정식은 $y = 1$이다. [참]

따라서 옳지 않은 것은 ②이다.

0338

STEP Ⓐ **지수함수 $y=\left(\frac{1}{3}\right)^{x-2}+3$의 그래프의 이동 경로 구하기**

$y=\left(\frac{1}{3}\right)^{x-2}+3$의 그래프는 $y=\left(\frac{1}{3}\right)^{x}$의 그래프를 x축의 방향으로 2만큼,

y축의 방향으로 3만큼 평행이동하여 얻어진다.

STEP Ⓑ **지수함수의 그래프의 참, 거짓 판별하기**

① 점근선은 직선 $y=3$이다. [거짓]
② 정의역은 실수 전체이다. [거짓]
③ 치역은 $\{y\,|\,y>3\}$이다. [거짓]
④ x의 값이 증가하면 y의 값은 감소한다. [거짓]
⑤ $y=\left(\frac{1}{3}\right)^{x}$의 그래프를 x축의 방향으로 2만큼, y축의 방향으로 3만큼
  평행이동하여 얻어진다. [참]
따라서 옳은 것은 ⑤이다.

내신연계 출제문항 123

함수 $y=\frac{1}{3}\cdot3^{-x}+2$에 대하여 [보기]에서 옳은 것은?

> ㄱ. 치역은 $\{y\,|\,y\geq2$인 모든 실수$\}$이다.
> ㄴ. x의 값이 증가하면 y의 값은 감소한다.
> ㄷ. 함수 $y=\left(\frac{1}{3}\right)^{x}$의 그래프를 평행이동하여 겹쳐질 수 있다.

① ㄱ   ② ㄴ   ③ ㄱ, ㄴ
④ ㄴ, ㄷ   ⑤ ㄱ, ㄴ, ㄷ

STEP Ⓐ **지수함수 $y=\frac{1}{3}\cdot3^{-x}+2$의 그래프의 이동 경로 구하기**

$y=\frac{1}{3}\cdot3^{-x}+2=\frac{1}{3}\cdot\left(\frac{1}{3}\right)^{x}+2=\left(\frac{1}{3}\right)^{x+1}+2$이므로 $y=\left(\frac{1}{3}\right)^{x}$의 그래프를

x축의 방향으로 -1만큼, y축의 방향으로 2만큼 평행이동하여 얻어진다.

STEP Ⓑ **지수함수의 그래프의 참, 거짓 판별하기**

ㄱ. 치역은 $\{y\,|\,y>2$인 모든 실수$\}$이다. [거짓]
ㄴ. x의 값이 증가하면 y의 값은 감소한다. [참]
ㄷ. 함수 $y=\left(\frac{1}{3}\right)^{x}$의 그래프를 x축의 방향으로 -1만큼, y축의 방향으로
  2만큼 평행이동한 그래프이다. [참]
따라서 옳은 것은 ㄴ, ㄷ이다. 정답 ④

0339

STEP Ⓐ **$y=2^{-x}+3$가 얻어지는 경로 구하기**

$y=2^{-x}+3$의 그래프는 $y=2^{x}$의 그래프를 y축의 방향으로 3만큼 평행이동한
후 y축에 대하여 대칭이동한 그래프이다.

STEP Ⓑ **지수함수의 그래프의 참, 거짓 판별하기**

① 점근선은 $y=3$이다. [참]
② $x=0$일 때, $y=2^{0}+3=4$이므로 점 $(0,\ 4)$를 지난다. [참]
③ 정의역이 실수 전체의 집합이고 치역은 $y>3$인 집합이다. [참]
④ 함수 $y=2^{x}-3$의 그래프를 원점에 대하여 대칭이동한 그래프는
  $y=-2^{-x}+3$이다. [거짓]
⑤ 함수 $y=2^{x}$의 그래프를 y축으로 3만큼 평행이동한 후 y축에 대하여
  대칭이동한 그래프와 같다. [참]
따라서 옳지 않은 것은 ④이다.

0340

STEP Ⓐ **x축에 대하여 대칭이동한 함수식 구하기**

함수 $y=-5^{x-2}+3$의 그래프를 x축에 대하여 대칭이동하면
$y=5^{x-2}-3$

STEP Ⓑ **$y=5^{x}$를 이용하여 $y=5^{x-2}-3$의 그래프의 점근선 구하기**

$y=5^{x}$의 그래프를 x축으로 2만큼, y축으로 -3만큼 평행이동한 그래프이므로
점근선이 $y=-3$
따라서 그래프의 개형은 ①이다.

0341

STEP Ⓐ **각 함수식이 얻어지는 경로를 구하여 [보기]의 진위판단하기**

ㄱ. $y=5^{x}$의 그래프를 x축에 대하여 대칭이동한 후 y축의 방향으로
  1만큼 평행이동하면 $y=-5^{x}+1$의 그래프가 된다. [참]
ㄴ. $y=5^{x}$의 그래프를 x축으로 -1만큼, y축의 방향으로 -3만큼
  평행이동하면 $y=5^{x+1}-3$의 그래프가 된다. [참]
ㄷ. $y=5^{2x-1}$의 그래프는 $y=25^{x}$의 그래프를 x축의 방향으로 $\frac{1}{2}$만큼
  평행이동하여 얻을 수 있으나 $y=5^{x}$의 그래프로부터는 얻을 수 없다.
  [거짓]
ㄹ. $y=\left(\frac{1}{5}\right)^{x}+1$의 그래프는 $y=5^{x}$의 그래프를 y축에 대하여 대칭이동한 후
  y축의 방향으로 1만큼 평행이동한 것과 같다. [참]
따라서 겹쳐지는 것은 ㄱ, ㄴ, ㄹ이다.

0342

STEP Ⓐ **각 함수식이 얻어지는 경로를 구하여 [보기]의 진위판단하기**

ㄱ. $y=\left(\frac{1}{9}\right)^{x}-1$의 그래프는 함수 $y=9^{x}$의 그래프를 y축에 대하여
  대칭이동한 후 y축의 방향으로 -1만큼 평행이동한 것과 같다. [참]
ㄴ. $y=3^{2x-1}=\frac{1}{3}\cdot9^{x}=9^{x-\frac{1}{2}}$의 그래프는 함수 $y=9^{x}$의 그래프를 x축의
  방향으로 $\frac{1}{2}$만큼 평행이동하여 겹쳐질 수 있다. [참]
ㄷ. $y=3^{3x+1}=3\cdot27^{x}=27^{x+\frac{1}{3}}$의 그래프는 함수 $y=27^{x}$의 그래프를 x축의
  방향으로 평행이동하여 겹쳐질 수 있다. [거짓]
ㄹ. $y=\frac{9^{x}+1}{9}=9^{x-1}+\frac{1}{9}$이므로 함수 $y=9^{x}$의 그래프를 x축의 방향으로
  1만큼, y축의 방향으로 $\frac{1}{9}$만큼 평행이동하여 겹쳐질 수 있다. [참]
따라서 겹쳐지는 것은 ㄱ, ㄴ, ㄹ이다.

내신연계 출제문항 124

다음 [보기]의 함수의 그래프 중 함수 $y=3^{x}$의 그래프를 평행이동 또는
대칭이동하여 겹쳐지는 것을 모두 고른 것은?

> ㄱ. $y=-3^{x}+2$
> ㄴ. $y=9\times3^{x}-1$
> ㄷ. $y=\frac{3^{x}-1}{3}$
> ㄹ. $y=\frac{1}{9}\left(\frac{1}{3}\right)^{x}$

① ㄱ   ② ㄴ   ③ ㄱ, ㄴ, ㄹ
④ ㄴ, ㄷ, ㄹ   ⑤ ㄱ, ㄴ, ㄷ, ㄹ

STEP A 각 함수식이 얻어지는 경로를 구하여 [보기]의 진위판단하기

ㄱ. 함수 $y=3^x$의 그래프를 x축에 대하여 대칭이동한 후 y축의 방향으로 2만큼 평행이동한 것과 같다. [참]

ㄴ. $y=9\times 3^x-1=3^{x+2}-1$이므로 함수 $y=3^x$의 그래프를 x축의 방향으로 -2만큼, y축의 방향으로 -1만큼 평행이동한 것과 같다. [참]

ㄷ. $y=\dfrac{3^x-1}{3}=3^{x-1}-\dfrac{1}{3}$의 그래프는 $y=3^x$의 그래프를 x축의 방향으로 1만큼, y축의 방향으로 $-\dfrac{1}{3}$만큼 평행이동한 것과 같다. [참]

ㄹ. $y=\dfrac{1}{9}\left(\dfrac{1}{3}\right)^x=\left(\dfrac{1}{3}\right)^{x+2}=3^{-(x+2)}$이므로 $y=3^x$의 그래프를 y축에 대하여 대칭이동한 그래프의 식을 x축으로 -2만큼 평행이동한 것과 같다. [참]

따라서 겹쳐지는 것은 ㄱ, ㄴ, ㄷ, ㄹ이다. 정답 ⑤

0343
정답 ④

STEP A 지수함수 $y=3^x$의 그래프를 조건에 따라 이동한 그래프의 식 구하기

$y=3^x$의 그래프를 x축의 방향으로 m만큼, y축의 방향으로 n만큼 평행이동한 그래프의 식은 $y=3^{x-m}+n$

STEP B 평행이동한 식과 주어진 식을 비교하여 m, n의 값 구하기

이때 $y=\dfrac{1}{9}\cdot 3^x+3=3^{-2}\cdot 3^x+3=3^{x-2}+3$이므로 $m=2$, $n=3$

따라서 $mn=2\times 3=6$

0344
정답 ⑤

STEP A 지수함수 $y=2^{2x}$의 그래프를 조건에 따라 이동한 그래프의 식 구하기

함수 $y=2^{2x}$의 그래프를 x축의 방향으로 p만큼, y축의 방향으로 q만큼 평행이동한 그래프의 식은 $y=2^{2(x-p)}+q$

STEP B 평행이동한 식과 주어진 식을 비교하여 p, q의 값 구하기

이때 $y=\dfrac{1}{16}\cdot 2^{2x}+\dfrac{5}{2}=2^{2(x-2)}+\dfrac{5}{2}$이므로

$y=2^{2(x-p)}+q$이 $y=2^{2(x-2)}+\dfrac{5}{2}$와 일치하므로 $p=2$, $q=\dfrac{5}{2}$

따라서 $pq=5$

0345
정답 ②

STEP A $y=3\cdot 2^x+4$가 얻어지는 경로를 구하여 m, n의 값 구하기

$y=3\cdot 2^x+4=2^{\log_2 3}\cdot 2^x+4=2^{x+\log_2 3}+4$이므로 $y=2^x$의 그래프를 x축의 방향으로 $-\log_2 3$만큼, y축의 방향으로 4만큼 평행이동한 것이다.

즉 $m=-\log_2 3$, $n=4$

STEP B n^m의 값 구하기

따라서 $n^m=4^{-\log_2 3}=3^{-\log_2 4}=\left(\dfrac{1}{3}\right)^2=\dfrac{1}{9}$

내신연계 출제문항 125

함수 $y=3\cdot 2^x+\dfrac{1}{4}$의 그래프는 함수 $y=2^x$의 그래프를 x축의 방향으로 a만큼, y축의 방향으로 b만큼 평행이동한 것일 때 b^a의 값은?

① 2   ② 3   ③ 6
④ 8   ⑤ 9

STEP A $y=3\cdot 2^x+\dfrac{1}{4}$가 얻어지는 경로를 구하여 a, b의 값 구하기

$y=3\times 2^x+\dfrac{1}{4}=2^{x+\log_2 3}+\dfrac{1}{4}$이므로 함수 $y=2^x$의 그래프를 x축의 방향으로 $-\log_2 3$만큼, y축의 방향으로 $\dfrac{1}{4}$만큼 평행이동한 그래프의 식이다.

즉 $a=-\log_2 3$, $b=\dfrac{1}{4}$

STEP B b^a의 값 구하기

따라서 $b^a=\left(\dfrac{1}{4}\right)^{-\log_2 3}=4^{\log_2 3}=3^{\log_2 4}=3^2=9$ 정답 ⑤

0346
정답 ③

STEP A 함수 $y=2^x$의 그래프를 조건에 따라 이동한 그래프의 식 구하기

$y=2^x$의 그래프를 y축에 대하여 대칭이동하면

$y=2^{-x}=\left(\dfrac{1}{2}\right)^x$ …… ㉠

다시 ㉠을 x축의 방향으로 m만큼, y축의 방향으로 n만큼 평행이동하면

$y=\left(\dfrac{1}{2}\right)^{x-m}+n=2^m\cdot\left(\dfrac{1}{2}\right)^x+n$

STEP B 두 함수식을 비교하여 m, n의 값 구하기

$y=2^m\cdot\left(\dfrac{1}{2}\right)^x+n$이 $y=8\cdot\left(\dfrac{1}{2}\right)^x+4$와 일치하므로 $m=3$, $n=4$

따라서 $m+n=7$

0347
정답 ②

STEP A 함수 $y=a^x$의 그래프를 조건에 따라 이동한 그래프의 식 구하기

함수 $y=a^x$의 그래프를 x축에 대하여 대칭이동한 그래프의 식은

$y=-a^x$ …… ㉠

㉠의 그래프를 x축의 방향으로 1만큼, y축의 방향으로 2만큼 평행이동한 그래프의 식은 $y=-a^{x-1}+2$

STEP B 점 $(3, -3)$을 대입하여 a의 값 구하기

함수 $y=-a^{x-1}+2$의 그래프가 점 $(3, -3)$을 지나므로

$-3=-a^2+2$, $a^2=5$

따라서 $a=\sqrt{5}$ ($\because a>0$)

0348
정답 ③

STEP A $y=a\cdot 3^x$의 그래프를 조건에 따라 이동한 그래프의 식 구하기

함수 $y=a\cdot 3^x$의 그래프를 원점에 대하여 대칭이동한 그래프의 식은

$y=-a\cdot 3^{-x}$ …… ㉠

㉠의 그래프를 x축의 방향으로 2만큼, y축의 방향으로 3만큼 평행이동한 그래프의 식은 $y=-a\cdot 3^{-x+2}+3$

STEP B 점 $(1, -6)$을 대입하여 a의 값 구하기

함수 $y=-a\cdot 3^{-x+2}+3$의 그래프가 점 $(1, -6)$을 지나므로

$-6=-a\cdot 3^{-1+2}+3$, $-9=-3a$

따라서 $a=3$

함수 $y=3^{x-1}$의 그래프를 x축에 대하여 대칭이동한 후 y축의 방향으로 2만큼 평행이동한 그래프가 점 $(2, p)$를 지날 때, p의 값은?

① -1 ② -2 ③ -3
④ -4 ⑤ -5

STEP Ⓐ $y=3^{x-1}$의 그래프를 조건에 따라 이동한 그래프의 식 구하기

함수 $y=3^{x-1}$의 그래프를 x축에 대하여 대칭이동한 그래프의 식은
$y=-3^{x-1}$ …… ㉠
㉠의 그래프를 y축의 방향으로 2만큼 평행이동한 그래프의 식은
$y=-3^{x-1}+2$

STEP Ⓑ 점 $(2, p)$를 대입하여 p의 값 구하기

따라서 함수 $y=-3^{x-1}+2$의 그래프가 점 $(2, p)$를 지나므로
$p=-3^{2-1}+2=-1$ 정답 ①

0349
정답 ①

STEP Ⓐ 점근선의 방정식을 이용하여 b의 값 구하기

함수 $y=2^{x-a}+b$의 그래프의 점근선은 $y=b$
주어진 그래프의 점근선이 직선 $y=-1$이므로 $b=-1$

STEP Ⓑ 점 $(0, 1)$을 대입하여 a의 값 구하기

또한, 함수 $y=2^{x-a}-1$의 그래프가 점 $(0, 1)$을 지나므로
$1=2^{-a}-1$, $2^{-a}=2$
$\therefore a=-1$
따라서 $a=-1$, $b=-1$이므로 $a+b=-2$

0350
정답 ②

STEP Ⓐ 점근선의 방정식을 이용하여 b의 값 구하기

함수 $y=3^{x+a}+b$의 그래프의 점근선은 직선 $y=b$
주어진 그래프의 점근선이 직선 $y=-3$이므로 $b=-3$

STEP Ⓑ 점 $(0, 0)$을 대입하여 a의 값 구하기

또한, $y=3^{x+a}-3$의 그래프가 원점을 지나므로
$0=3^a-3$에서 $a=1$
따라서 $a+b=1-3=-2$

0351
정답 ①

STEP Ⓐ 점근선의 방정식을 이용하여 b의 값 구하기

함수 $y=\left(\dfrac{1}{2}\right)^{x+a}+b$의 그래프의 점근선은 $y=b$
주어진 그래프의 점근선의 방정식이 $y=-1$이므로 $b=-1$

STEP Ⓑ 점 $(-3, 1)$을 대입하여 a의 값 구하기

또한, $y=\left(\dfrac{1}{2}\right)^{x+a}+b$의 그래프가 점 $(-3, 1)$을 지나므로
$1=\left(\dfrac{1}{2}\right)^{-3+a}-1$, $\left(\dfrac{1}{2}\right)^{-3+a}=2$
$-3+a=-1$
$\therefore a=2$
따라서 $a+b=2+(-1)=1$

함수 $y=\left(\dfrac{1}{3}\right)^{x+a}+b$의 그래프가 오른쪽 그림과 같고 직선 $y=-3$이 이 그래프의 점근선일 때, 상수 a, b에 대하여 $a+b$ 의 값은?

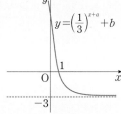

① -6 ② -5
③ -4 ④ -3
⑤ -2

STEP Ⓐ 점근선의 방정식을 이용하여 b의 값 구하기

함수 $y=\left(\dfrac{1}{3}\right)^{x+a}+b$의 점근선은 $y=b$
주어진 그래프의 점근선의 방정식이 $y=-3$이므로 $b=-3$

STEP Ⓑ 점 $(1, 0)$을 대입하여 a의 값 구하기

또한, $y=\left(\dfrac{1}{3}\right)^{x+a}-3$의 그래프가 점 $(1, 0)$을 지나므로
$0=\left(\dfrac{1}{3}\right)^{1+a}-3$, $\left(\dfrac{1}{3}\right)^{1+a}=3$
$1+a=-1$에서 $a=-2$
따라서 $a=-2$, $b=-3$이므로 $a+b=-5$ 정답 ②

0352
정답 ①

STEP Ⓐ 점근선의 방정식을 이용하여 b의 값 구하기

함수 $y=-\left(\dfrac{1}{2}\right)^{x+a}+b$의 그래프의 점근선의 방정식은
$y=b$이므로 $b=1$

STEP Ⓑ 점 $(2, 0)$을 대입하여 a의 값 구하기

또한, $y=-\left(\dfrac{1}{2}\right)^{x+a}+1$의 그래프가 점 $(2, 0)$을 지나므로
$-\left(\dfrac{1}{2}\right)^{2+a}+1=0$, $\left(\dfrac{1}{2}\right)^{2+a}=1$
$2+a=0$에서 $a=-2$
따라서 $a=-2$, $b=1$이므로 $a+b=-1$

0353
정답 ③

STEP Ⓐ 치역은 $\{y|y>1\}$임을 이용하여 b의 값 구하기

함수 $y=3^x$의 치역은 $\{y|y>0\}$이므로 함수 $y=3^x$의 그래프를 x축의 방향으로 $-a$만큼, y축의 방향으로 b만큼 평행이동한 함수 $y=3^{x+a}+b$의 치역은 $\{y|y>b\}$이므로 $b=1$

STEP Ⓑ 점 $(0, 10)$을 대입하여 a의 값 구하기

함수 $y=3^{x+a}+1$의 그래프가 점 $(0, 10)$을 지나므로
$3^{0+a}+1=10$
$3^a=9=3^2$
$\therefore a=2$
따라서 $a+b=2+1=3$

0354

정답 ④

STEP Ⓐ 두 함수 $f(x)=2^x+k$, $g(x)=-3^x+6$의 점근선을 구하기

함수 $f(x)=2^x+k$의 그래프는 함수 $y=2^x$의 그래프를 y축의 방향으로 k만큼 평행이동한 것이므로 점근선은 $y=k$

함수 $g(x)=-3^x+6$의 그래프는 함수 $y=3^x$의 그래프를 x축에 대하여 대칭이동한 다음 y축의 방향으로 6만큼 평행이동한 것이므로 점근선은 $y=6$

STEP Ⓑ 임의의 두 실수 x_1, x_2에 대하여 $f(x_1) \geq g(x_2)$가 성립할 때, 실수 k의 범위 구하기

즉 임의의 두 실수 x_1, x_2에 대하여 $f(x_1) \geq g(x_2)$가 성립하려면 두 그래프의 위치 관계는 그림과 같아야 한다.

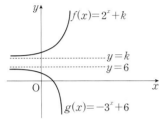

따라서 $k \geq 6$이어야 하므로 자연수 k의 최솟값은 6

0355

정답 ④

STEP Ⓐ 조건 (가)에서 점 $(1, 7)$을 대입하여 a, b의 관계식 구하기

함수 $f(x)=2^{ax}+b$의 그래프가 점 $(1, 7)$을 지나므로
$$2^a+b=7 \qquad \cdots\cdots \; \text{㉠}$$

STEP Ⓑ 조건 (나)를 이용하여 b의 값 구하기

함수 $f(x)=2^{ax}+b$의 그래프의 점근선은 직선 $y=b$이고
함수 $f(x)=2^{ax}+b$의 그래프를 x축의 방향으로 1만큼, y축의 방향으로 2만큼 평행이동한 그래프의 점근선은 직선 $y=b+2$이므로
$b+2=5$에서 $b=3$
$b=3$를 ㉠에 대입하면 $2^a=7-3=4$
$\therefore a=2$

STEP Ⓒ ab의 값 구하기

따라서 $a=2$, $b=3$이므로 $ab=6$

0356

정답 ②

STEP Ⓐ $|3^x-3|=k$의 실근의 개수는 $y=|3^x-3|$와 $y=k$의 교점의 개수임을 이해하기

방정식 $|3^x-3|=k$의 실근의 개수는
$y=|3^x-3|$의 그래프와 직선 $y=k$의 교점의 개수와 같다.

STEP Ⓑ 그래프를 이용하여 k의 범위 구하기

$y=|3^x-3|$의 그래프는 오른쪽 그림과 같으므로 주어진 방정식이 서로 다른 두 실근을 갖도록 하는 k의 값의 범위는
$0 < k < 3$

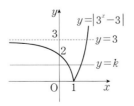

STEP Ⓒ 정수 k의 합 구하기

따라서 정수 k는 1, 2이므로 합은 $1+2=3$

---

x에 대한 방정식 $|5^x-25|=k$가 서로 다른 두 실근을 가질 때, 정수 k의 개수는?

① 22　　　② 23　　　③ 24
④ 25　　　⑤ 26

STEP Ⓐ $|5^x-25|=k$의 실근의 개수는 $y=|5^x-25|$와 $y=k$의 교점의 개수임을 이해하기

방정식 $|5^x-25|=k$의 실근의 개수는
$y=|5^x-25|$의 그래프와 직선 $y=k$의 교점의 개수와 같다.

STEP Ⓑ 그래프를 이용하여 k의 범위 구하기

그런데 $y=|5^x-25|$의 그래프는 오른쪽 그림과 같으므로 주어진 방정식이 서로 다른 두 실근을 갖도록 하는 k의 값의 범위는 $0 < k < 25$

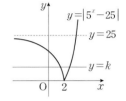

STEP Ⓒ 정수 k의 개수 구하기

따라서 정수 k는 1, 2, 3, $\cdots$, 24이므로 개수는 24개이다.

다른풀이 절댓값의 성질을 이용하여 풀이하기

방정식 $|5^x-25|=k$에서
$5^x-25=-k$ 또는 $5^x-25=k$
$5^x=25-k$ 또는 $5^x=25+k$
이때 주어진 방정식이 서로 다른 두 실근을 가지므로
$25-k > 0$, $25+k > 0$, $k > 0$
따라서 $0 < k < 25$

정답 ③

0357

정답 ②

STEP Ⓐ $|2^{x-2}-5|=k$의 실근의 개수는 $y=|2^{x-2}-5|$와 $y=k$의 교점의 개수임을 이해하기

방정식 $|2^{x-2}-5|=k$의 실근의 개수는
$y=|2^{x-2}-5|$의 그래프와 직선 $y=k$의 교점의 개수와 같다.

STEP Ⓑ 그래프를 이용하여 k의 범위 구하기

$y=2^{x-2}-5$의 그래프는 함수 $y=2^x$의 그래프를 x축의 방향으로 2만큼, y축의 방향으로 -5만큼 평행이동한 것이고 이 그래프의 x축 아랫부분을 x축에 대하여 대칭이동하면 $|2^{x-2}-5|=k$의 그래프는 다음과 같다.

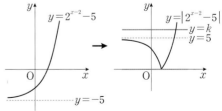

이때 직선 $y=k$가 함수 $y=|2^{x-2}-5|$의 그래프와 오직 한 점에서 만나도록 하는 실수 k의 값의 범위는 $k=0$ 또는 $k \geq 5$
따라서 10보다 작은 정수 k는 0, 5, 6, 7, 8, 9이므로 6개이다.

0358

정답 ⑤

STEP Ⓐ **조건을 만족하는 2^k의 범위 구하기**

$x_1 < 0$이므로 함수 $y=2^{x+k}$의 그래프의
y절편은 2보다 커야 하므로
$2^k > 2$ ...... ㉠

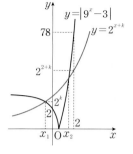

$0 < x_2 < 2$이므로 함수 $y=2^{x+k}$의
$x=2$일 때의 함숫값은 함수 $y=|9^x-3|$의
$x=2$일 때의 함숫값 78보다 작아야 하므로
$2^{2+k} < 78$ ...... ㉡

㉠, ㉡에서 $2 < 2^k < \dfrac{39}{2}$

STEP Ⓑ **자연수 k의 합 구하기**

따라서 주어진 조건을 만족시키는 자연수 k의 합은 $2+3+4=9$

0359

정답 ③

STEP Ⓐ **(밑)> 1일 때, 증가하는 함수임을 이해하기**

함수 $y=3^{x-1}+2$는 밑 3이 1보다 크므로
x의 값이 증가하면 y의 값도 증가한다.

STEP Ⓑ **주어진 범위에서 최댓값, 최솟값 구하기**

$-1 \le x \le 1$에서

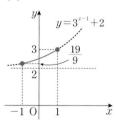

$x=-1$일 때, 최솟값은 $m=3^{-2}+2=\dfrac{19}{9}$

$x=1$일 때, 최댓값은 $M=1+2=3$

따라서 $Mm=3 \cdot \dfrac{19}{9}=\dfrac{19}{3}$

0360

정답 ④

STEP Ⓐ **함수 $f(x)$가 $0<$(밑)<1일 때, 감소하는 함수임을 이해하기**

지수함수 $f(x)=\left(\dfrac{1}{2}\right)^{x-2}$은 밑 $\dfrac{1}{2}$이 1보다 작으므로
x의 값이 증가하면 $f(x)$의 값은 감소한다.

STEP Ⓑ **주어진 범위에서 최댓값, 최솟값 구하기**

$2 \le x \le 4$에서

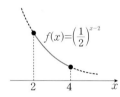

$x=2$일 때, 최댓값은 $f(2)=\left(\dfrac{1}{2}\right)^{2-2}=1$

$x=4$일 때, 최솟값은 $f(4)=\left(\dfrac{1}{2}\right)^{4-2}=\dfrac{1}{4}$

0361

정답 ⑤

STEP Ⓐ **함수 $f(x)$가 $0<$(밑)<1일 때, 감소하는 함수임을 이해하기**

지수함수 $f(x)=\left(\dfrac{1}{2}\right)^{x+1}+2$은 밑 $\dfrac{1}{2}$이 $0<\dfrac{1}{2}<1$이므로
x의 값이 증가하면 $f(x)$의 값은 감소한다.

STEP Ⓑ **주어진 범위에서 최댓값, 최솟값 구하기**

$-2 \le x \le 1$에서

$x=-2$일 때, 최댓값 $M=\left(\dfrac{1}{2}\right)^{-1}+2=4$

$x=1$일 때, 최솟값 $m=\left(\dfrac{1}{2}\right)^2+2=\dfrac{9}{4}$

따라서 $M+m=4+\dfrac{9}{4}=\dfrac{25}{4}$

0362

정답 ⑤

STEP Ⓐ **주어진 식을 지수법칙을 이용하여 정리하기**

$f(x)=2^{x+1} \cdot \left(\dfrac{1}{4}\right)^x=2^{x+1} \cdot 2^{-2x}=2 \cdot \left(\dfrac{1}{2}\right)^x$

STEP Ⓑ **함수 $f(x)$가 $0<$(밑)<1일 때, 감소하는 함수임을 이해하기**

지수함수 $f(x)=2 \times \left(\dfrac{1}{2}\right)^x$은 밑 $\dfrac{1}{2}$이 $0<\dfrac{1}{2}<1$이므로
x의 값이 증가하면 $f(x)$의 값은 감소한다.

STEP Ⓒ **주어진 범위에서 최댓값, 최솟값 구하기**

$-2 \le x \le 1$에서
$x=-2$일 때,
최댓값은 $M=f(-2)=2 \times \left(\dfrac{1}{2}\right)^{-2}=8$
$x=1$일 때,
최솟값은 $m=f(1)=2 \times \dfrac{1}{2}=1$
따라서 $Mm=8 \times 1=8$

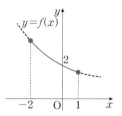

내/신/연/계/ 출제문항 **129**

$-1 \le x \le 2$에서 정의된 함수 $y=2^{x-1} \cdot 3^{-x+1}$의 최댓값을 M,
최솟값을 m이라고 할 때, Mm의 값은?

① $\dfrac{1}{2}$ ② $\dfrac{2}{3}$ ③ $\dfrac{3}{2}$

④ $\dfrac{9}{8}$ ⑤ $\dfrac{8}{3}$

STEP Ⓐ **주어진 식을 지수법칙을 이용하여 정리하기**

$y=2^{x-1} \cdot 3^{-x+1}=2^{x-1} \cdot \left(\dfrac{1}{3}\right)^{x-1}=\left(\dfrac{2}{3}\right)^{x-1}$

STEP Ⓑ **$0<$(밑)<1일 때, 감소하는 함수임을 이해하기**

지수함수 $y=\left(\dfrac{2}{3}\right)^{x-1}$은 밑 $\dfrac{2}{3}$가 1보다 작으므로
x의 값이 증가하면 $f(x)$의 값은 감소한다.

STEP Ⓒ **주어진 범위에서 최댓값, 최솟값 구하기**

$x=-1$일 때, 최댓값 $M=\left(\dfrac{2}{3}\right)^{-1-1}=\left(\dfrac{2}{3}\right)^{-2}=\dfrac{9}{4}$

$x=2$일 때, 최솟값 $m=\left(\dfrac{2}{3}\right)^{2-1}=\dfrac{2}{3}$

따라서 $Mm=\dfrac{9}{4} \cdot \dfrac{2}{3}=\dfrac{3}{2}$

정답 ③

0363

정답 ⑤

STEP Ⓐ **함수 $f(x)$가 $0<$(밑)<1일 때, 감소하는 함수임을 이해하기**

함수 $f(x)=a^x$은 $0<a<1$이므로 x의 값이 증가하면 $f(x)$의 값은 감소한다.

STEP Ⓑ **주어진 범위에서 최댓값, 최솟값 구하기**

$-2 \le x \le 1$에서
$x=1$일 때, 최솟값은 $a^1=\dfrac{5}{6}$

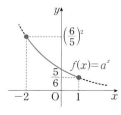

$x=-2$일 때, 최댓값은
$M=a^{-2}=\left(\dfrac{5}{6}\right)^{-2}=\left(\dfrac{6}{5}\right)^2$

따라서 $a \times M=\dfrac{5}{6} \times \left(\dfrac{6}{5}\right)^2=\dfrac{6}{5}$

0364

STEP Ⓐ **0 <(밑)< 1일 때, 감소하는 함수임을 이해하기**

함수 $y=\left(\dfrac{1}{2}\right)^{x-1}+b$에서 밑 $\dfrac{1}{2}$은 1보다 작으므로

x의 값이 증가하면 $f(x)$의 값은 감소한다.

STEP Ⓑ **주어진 범위에서 최댓값, 최솟값을 이용하여 a, b의 값 구하기**

$-3 \le x \le a$에서

$x=-3$일 때, 최대이고 y의 최댓값은 24이므로

$\left(\dfrac{1}{2}\right)^{-4}+b=24$, $16+b=24$

$\therefore b=8$

또, $x=a$일 때, 최소이고 최솟값은 16이므로

$\left(\dfrac{1}{2}\right)^{a-1}+8=16$, $\left(\dfrac{1}{2}\right)^{a-1}=8$, $2^{-a+1}=2^3$

$-a+1=3$

$\therefore a=-2$

따라서 $a=-2$, $b=8$이므로 $a+b=6$

내/신/연/계/ 출제문항 130

$-1 \le x \le 2$에서 함수 $f(x)=\left(\dfrac{1}{3}\right)^{x-a}+b$의 최댓값이 56, 최솟값이 4일 때,

두 상수 a, b에 대하여 3^{ab}의 값은?

① 322   ② 324   ③ 326
④ 328   ⑤ 330

STEP Ⓐ **함수 $f(x)$가 $0<$(밑)<1일 때, 감소하는 함수임을 이해하기**

함수 $f(x)=\left(\dfrac{1}{3}\right)^{x-a}+b$에서 밑 $\dfrac{1}{3}$은 1보다 작으므로

x의 값이 증가하면 $f(x)$의 값은 감소한다.

STEP Ⓑ **주어진 범위에서 최댓값, 최솟값 구하기**

$-1 \le x \le 2$에서

$x=-1$일 때, 함수 $f(x)$의 최댓값은 $f(-1)=\left(\dfrac{1}{3}\right)^{-a-1}+b$

$\left(\dfrac{1}{3}\right)^{-a-1}+b=56$에서 $3\cdot3^a+b=56$ …… ㉠

$x=2$일 때, 함수 $f(x)$의 최솟값은 $f(2)=\left(\dfrac{1}{3}\right)^{-a+2}+b$

$\left(\dfrac{1}{3}\right)^{-a+2}+b=4$에서 $\left(\dfrac{1}{9}\right)\cdot3^a+b=4$ …… ㉡

STEP Ⓒ **3^{ab}의 값 구하기**

㉠-㉡을 하면

$\left(3-\dfrac{1}{9}\right)\times3^a=52$

$\dfrac{26}{9}\times3^a=52$

$\therefore 3^a=18$

$3^a=18$을 ㉠에 대입하면 $b=2$

따라서 $3^{ab}=(3^a)^b=18^2=324$

0365

STEP Ⓐ **함수 $f(x)=4^x$의 최댓값 구하기**

함수 $f(x)=4^x$은 x의 값이 증가하면 함숫값도 증가하므로

$-1 \le x \le 3$에서 $x=3$일 때, $f(x)$의 최댓값은 $M=4^3=64$

STEP Ⓑ **함수 $g(x)$의 최솟값 구하기**

함수 $g(x)=\left(\dfrac{1}{2}\right)^x$은 x의 값이 증가하면 함숫값은 감소하므로

$-1 \le x \le 3$에서 $x=3$일 때, $g(x)$의 최솟값은 $m=\left(\dfrac{1}{2}\right)^3=\dfrac{1}{8}$

따라서 $Mm=64\cdot\dfrac{1}{8}=8$

0366

STEP Ⓐ **$f(x)$의 최솟값 구하기**

$f(x)=\left(\dfrac{1}{2}\right)^x$에서 밑이 $0<\dfrac{1}{2}<1$이므로

x의 값이 증가하면 $f(x)$의 값은 감소한다.

$\dfrac{1}{3} \le x \le 3$에서

$x=3$일 때, $f(x)$의 최솟값은 $m=f(3)=\left(\dfrac{1}{2}\right)^3=\dfrac{1}{8}$

STEP Ⓑ **$g(x)$의 최댓값 구하기**

$g(x)=\log_9 x$에서 밑이 1보다 크므로

x의 값이 증가하면 $g(x)$의 값도 증가한다.

$\dfrac{1}{3} \le x \le 3$에서

$x=3$일 때, $g(x)$의 최댓값은 $M=g(3)=\log_9 3=\dfrac{1}{2}$

$\therefore M=\dfrac{1}{2}$

따라서 $Mm=\dfrac{1}{2}\cdot\dfrac{1}{8}=\dfrac{1}{16}$

0367

STEP Ⓐ **지수함수의 밑이 1보다 클 때, a의 값 구하기**

$f(x)=3\left(\dfrac{3}{a}\right)^x$에서

(ⅰ) $\dfrac{3}{a}>1$, 즉 $0<a<3$일 때,

    x의 값이 증가하면 $f(x)$의 값도 증가하므로 $-2 \le x \le 1$에서

    $x=1$일 때, $f(x)$의 최댓값은 $f(1)=\dfrac{9}{a}=12$

    $\therefore a=\dfrac{3}{4}$

STEP Ⓑ **지수함수의 밑이 1보다 작을 때, a의 값 구하기**

(ⅱ) $\dfrac{3}{a}=1$, 즉 $a=3$일 때,

    $f(x)=3$이므로 함수 $f(x)$의 최댓값이 12가 아니다.

(ⅲ) $0<\dfrac{3}{a}<1$, 즉 $a>3$일 때,

    x의 값이 증가하면 $f(x)$의 값은 감소하므로 $-2 \le x \le 1$에서

    $x=-2$일 때, $f(x)$의 최댓값은 $f(-2)=\dfrac{a^2}{3}=12$

    $\therefore a=6$

(ⅰ)~(ⅲ)에서 $a=\dfrac{3}{4}$ 또는 $a=6$

따라서 구하는 모든 양수 a의 값의 합은 $\dfrac{3}{4}+6=\dfrac{27}{4}$

정의역이 $\{x|-1 \le x \le 2\}$인 함수 $f(x)=\left(\dfrac{3}{a}\right)^x$의 최댓값이 4가 되도록 하는 모든 양수 a의 값의 곱은?

① 16   ② 18   ③ 20
④ 22   ⑤ 24

STEP Ⓐ **지수함수의 밑이 1보다 클 때, a의 값 구하기**

$f(x)=\left(\dfrac{3}{a}\right)^x$에서

(i) $\dfrac{3}{a}>1$, 즉 $0<a<3$일 때,

    x의 값이 증가하면 $f(x)$의 값도 증가하므로 $-1 \le x \le 2$에서

    $x=2$일 때, $f(x)$의 최댓값은 $f(2)=\left(\dfrac{3}{a}\right)^2=4$

    즉 $a^2=\dfrac{9}{4}$에서 $a=\dfrac{3}{2}$ $(\because 0<a<3)$

STEP Ⓑ **지수함수의 밑이 1보다 작을 때, a의 값 구하기**

(ii) $\dfrac{3}{a}=1$, 즉 $a=3$일 때,

    $f(x)=1$이므로 함수 $f(x)$의 최댓값이 4가 아니다.

(iii) $0<\dfrac{3}{a}<1$, 즉 $a>3$일 때,

    x의 값이 증가하면 $f(x)$의 값은 감소하므로 $-1 \le x \le 2$에서

    $x=-1$에서 $f(x)$의 최댓값은 $f(-1)=\left(\dfrac{3}{a}\right)^{-1}=\dfrac{a}{3}=4$

    즉 $a=12$

STEP Ⓒ **양수 a의 값의 곱을 구하기**

(i)~(iii)에서 $a=\dfrac{3}{2}$ 또는 $a=12$

따라서 구하는 모든 양수 a의 값의 곱은 $\dfrac{3}{2} \cdot 12=18$ 정답 ②

0368

정답 ①

STEP Ⓐ **함수 $f(x)$가 $0<$(밑)<1일 때, 감소하는 함수임을 이해하기**

$y=\left(\dfrac{1}{2}\right)^{x^2-2x+a}$에서

$f(x)=x^2-2x+a$라고 하면 $f(x)=(x-1)^2+a-1$

이때 밑 $\dfrac{1}{2}$이 1보다 작으므로

$f(x)$가 최소일 때, $y=\left(\dfrac{1}{2}\right)^{f(x)}$은 최대이다.

STEP Ⓑ **$f(x)$의 최솟값을 구하여 주어진 함수의 최댓값 구하기**

따라서 $f(x)=a-1$일 때, 최댓값은 $\left(\dfrac{1}{2}\right)^{a-1}=16$이므로 $a=-3$

0369

정답 ③

STEP Ⓐ **함수 $f(x)$가 $0<$(밑)<1일 때, 감소하는 함수임을 이해하기**

함수 $y=a^{-2x^2+4x-4}$에서

$f(x)=-2x^2+4x-4$라 하면 $0<a<1$이므로

$f(x)$가 최대일 때, y는 최솟값을 가진다.

STEP Ⓑ **$f(x)$의 최댓값을 구하여 주어진 함수의 최솟값 구하기**

이때 $f(x)=-2x^2+4x-4=-2(x-1)^2-2$에서

$f(x)$의 최댓값은 -2이므로 y의 최솟값은 a^{-2}

따라서 $a^{-2}=16$이고 $0<a<1$이므로 구하는 a의 값은 $\dfrac{1}{4}$

0370

정답 ⑤

STEP Ⓐ **함수 $f(x)$가 (밑)>1일 때, 증가하는 함수임을 이해하기**

지수함수 $y=2^{x^2+2x+3}$의 밑이 1보다 크므로 x^2+2x+3이

최소일 때, 최솟값을 갖고

최대일 때, 최댓값을 가진다.

STEP Ⓑ **$-1 \le x \le 1$에서 지수의 범위 구하기**

$f(x)=x^2+2x+3$이라 하면

$f(x)=(x+1)^2+2$이므로

$-1 \le x \le 1$에서 $2 \le f(x) \le 6$

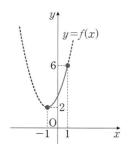

STEP Ⓒ **함수의 최댓값 M, 최솟값 m의 값 구하기**

$-1 \le x \le 1$에서 함수 $y=2^{x^2+2x+3}=2^{f(x)}$는

$f(x)=6$일 때, 최대이고 최댓값은 $M=2^6=64$

$f(x)=2$일 때, 최소이고 최솟값은 $m=2^2=4$

따라서 $M+m=64+4=68$

0371

정답 ④

STEP Ⓐ **함수 $f(x)$가 $0<$(밑)<1일 때, 감소하는 함수임을 이해하기**

지수함수 $y=\left(\dfrac{1}{3}\right)^{x^2-2x-3}$의 밑 $\dfrac{1}{3}$은 1보다 작으므로

x^2-2x-3이 최소일 때, 최댓값을 갖고 최대일 때, 최솟값을 가진다.

STEP Ⓑ **$0 \le x \le 3$에서 지수의 범위 구하기**

$f(x)=x^2-2x-3$이라 하면

$f(x)=(x-1)^2-4$이므로

$0 \le x \le 3$에서 $-4 \le f(x) \le 0$

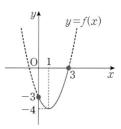

STEP Ⓒ **$f(x)$의 최댓값, 최솟값을 구하여 $M+m$의 값 구하기**

$0 \le x \le 3$에서 함수 $y=\left(\dfrac{1}{3}\right)^{x^2-2x-3}=\left(\dfrac{1}{3}\right)^{f(x)}$는

$f(x)=0$일 때, 최소이고 최솟값은 $m=\left(\dfrac{1}{3}\right)^0=1$

$f(x)=-4$일 때, 최대이고 최댓값은 $M=\left(\dfrac{1}{3}\right)^{-4}=3^4=81$

따라서 $M+m=81+1=82$

내/신/연/계/ 출제문항 132

$-1 \leq x \leq 2$에서 정의된 함수 $y=\left(\dfrac{1}{2}\right)^{x^2-2x+3}$의 최댓값을 M, 최솟값을 m이라 할 때, $\dfrac{M}{m}$의 값은?

① $\dfrac{1}{4}$ 　　　② $\dfrac{1}{16}$ 　　　③ 2

④ 4 　　　⑤ 16

STEP Ⓐ　함수 $f(x)$가 $0<$(밑)<1일 때, 감소하는 함수임을 이해하기

지수함수 $y=\left(\dfrac{1}{2}\right)^{x^2-2x+3}$의 밑 $\dfrac{1}{2}$는 1보다 작으므로

x^2-2x+3이 최소일 때, 최댓값을 갖고 최대일 때, 최솟값을 가진다.

STEP Ⓑ　$-1 \leq x \leq 2$에서 지수의 범위 구하기

$f(x)=x^2-2x+3$이라 하면

$f(x)=(x-1)^2+2$이므로

$-1 \leq x \leq 2$에서 $2 \leq f(x) \leq 6$

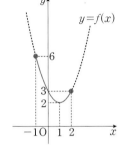

STEP Ⓒ　최댓값, 최솟값을 구하여 $\dfrac{M}{m}$의 값 구하기

$-1 \leq x \leq 2$에서 함수 $y=\left(\dfrac{1}{2}\right)^{x^2-2x+3}=\left(\dfrac{1}{2}\right)^{f(x)}$는

$f(x)=6$일 때, 최소이고 최솟값은 $m=\left(\dfrac{1}{2}\right)^6=\dfrac{1}{64}$

$f(x)=2$일 때, 최대이고 최댓값은 $M=\left(\dfrac{1}{2}\right)^2=\dfrac{1}{4}$

따라서 $\dfrac{M}{m}=16$　　　**정답 ⑤**

0372　**정답 ①**

STEP Ⓐ　함수 $f(x)$가 $0<$(밑)<1일 때, 감소하는 함수임을 이해하기

지수함수 $y=a^{x^2-4x+b}$의 밑 $0<a<1$이므로

x^2-4x+b가 최소일 때, 최댓값을 갖고 최대일 때, 최솟값을 가진다.

STEP Ⓑ　$0 \leq x \leq 3$에서 지수의 범위 구하기

지수를 $f(x)=x^2-4x+b$이라 하면

$f(x)=(x-2)^2-4+b$이므로

$0 \leq x \leq 3$에서 $b-4 \leq f(x) \leq b$

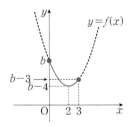

STEP Ⓒ　$\dfrac{M}{m}=16$을 만족하는 a의 값 구하기

지수함수 $y=a^{f(x)}$의 밑이 $0<a<1$이므로

$f(x)=b$일 때, 최소이고 최솟값은 $m=a^b$

← 지수 $f(x)$가 최대일 때, $y=a^{f(x)}$가 최솟값을 가진다.

$f(x)=b-4$일 때, 최대이고 최댓값은 $M=a^{b-4}$

← 지수 $f(x)$가 최소일 때, $y=a^{f(x)}$가 최댓값을 가진다.

$\dfrac{M}{m}=\dfrac{a^{b-4}}{a^b}=a^{-4}=\left(\dfrac{1}{a}\right)^4=16$

따라서 $0<a<1$이므로 $a=\dfrac{1}{2}$

내/신/연/계/ 출제문항 133

정의역이 $\{x|0 \leq x \leq 3\}$인 함수 $y=a^{x^2-4x+3}$의 최댓값이 8이다. 이때 상수 a의 값은? (단, $0<a<1$)

① $\dfrac{1}{8}$ 　　　② $\dfrac{1}{6}$ 　　　③ $\dfrac{1}{4}$

④ 4 　　　⑤ 8

STEP Ⓐ　$0 \leq x \leq 3$에서 지수의 범위 구하기

지수를 $f(x)=x^2-4x+3$이라 하면

$f(x)=(x-2)^2-1$이므로

$0 \leq x \leq 3$에서 $-1 \leq f(x) \leq 3$

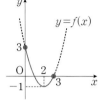

STEP Ⓑ　$y=a^{f(x)}$의 최댓값이 8임을 이용하여 a의 값 구하기

지수함수 $y=a^{f(x)}$의 밑이 $0<a<1$이므로

지수 $f(x)$가 최소일 때, $y=a^{f(x)}$가 최댓값을 가지므로

$f(x)=-1$일 때, 최대이고 최댓값은 $a^{-1}=8$

따라서 $a=\dfrac{1}{8}$　　　**정답 ①**

0373　**정답 ②**

STEP Ⓐ　$1 \leq x \leq 4$에서 지수의 범위 구하기

지수를 $f(x)=x^2-6x+8$이라 하면

$f(x)=(x-3)^2-1$이므로

$1 \leq x \leq 4$에서 $-1 \leq f(x) \leq 3$

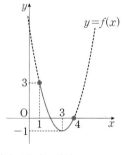

STEP Ⓑ　$y=a^{f(x)}$의 최댓값이 27임을 이용하여 a의 값 구하기

(i) $0<a<1$일 때,

　지수 $f(x)$가 최소일 때, $y=a^{f(x)}$가 최댓값을 가지므로

　$f(x)=-1$일 때, 최대이고 최댓값은 $a^{-1}=27$

　$\therefore a=\dfrac{1}{27}$

(ii) $a>1$일 때,

　지수 $f(x)$가 최대일 때, $y=a^{f(x)}$가 최댓값을 가지므로

　$f(x)=3$일 때, 최대이고 최댓값은 $a^3=27$

　$\therefore a=3$

(i), (ii)에서 구하는 모든 양수 a의 값의 곱은 $\dfrac{1}{27} \cdot 3=\dfrac{1}{9}$

0374

정답 ②

STEP Ⓐ **함수 $f(x)$가 (밑)> 1일 때, 증가하는 함수임을 이해하기**

지수함수 $y=3^{-x^2+2x+a}$의 밑 3이 1보다 크므로

$-x^2+2x+a$이 최소일 때, 최솟값을 갖고 최대일 때, 최댓값을 가진다.

STEP Ⓑ $\frac{1}{2} \leq x \leq 3$**에서 지수의 범위 구하기**

지수를 $f(x)=-x^2+2x+a$이라 하면

$f(x)=-(x-1)^2+1+a$

이므로

$\frac{1}{2} \leq x \leq 3$에서 $a-3 \leq f(x) \leq a+1$

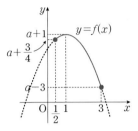

STEP Ⓒ a**와 최솟값 m의 값 구하기**

$\frac{1}{2} \leq x \leq 3$에서 함수 $y=3^{-x^2+2x+a}=3^{f(x)}$는

$f(x)=a+1$일 때, 최대이고 최댓값이 3^{a+1}이므로 $3^{a+1}=81$

$\therefore a=3$

$f(x)=a-3$일 때, 최소이고 최솟값은 $m=3^{a-3}=3^0=1$

따라서 $a+m=3+1=4$

0375

정답 ⑤

STEP Ⓐ $2^x=t$**로 치환하고 t의 범위 구하기**

$y=4^x-2^{x+1}+4=(2^x)^2-2\cdot2^x+4$ ◀ 밑을 2로 통일하여 정리하기

$2^x=t$로 놓으면 $-1 \leq x \leq 2$에서 $2^{-1} \leq 2^x \leq 2^2$

$\therefore \frac{1}{2} \leq t \leq 4$

STEP Ⓑ **주어진 범위에서 이차함수의 최댓값, 최솟값 구하기**

즉 주어진 함수는

$f(t)=t^2-2t+4=(t-1)^2+3$

$\frac{1}{2} \leq t \leq 4$에서 함수 $f(t)=(t-1)^2+3$는

$t=1$일 때, 최소이고 최솟값 $f(1)=3$

$t=4$일 때, 최대이고 최댓값 $f(4)=12$

따라서 $M+m=12+3=15$

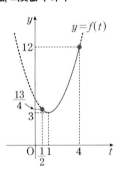

0376

정답 ③

STEP Ⓐ $\left(\frac{1}{2}\right)^x=t$**로 치환하고 t의 범위 구하기**

$y=\left(\frac{1}{4}\right)^x-\left(\frac{1}{2}\right)^{x-1}+3$

$=\left\{\left(\frac{1}{2}\right)^x\right\}^2-2\cdot\left(\frac{1}{2}\right)^x+3$

$\left(\frac{1}{2}\right)^x=t$로 놓으면

$-1 \leq x \leq 2$에서 $\left(\frac{1}{2}\right)^2 \leq \left(\frac{1}{2}\right)^x \leq \left(\frac{1}{2}\right)^{-1}$

$\therefore \frac{1}{4} \leq t \leq 2$

STEP Ⓑ **주어진 범위에서 이차함수의 최댓값, 최솟값 구하기**

주어진 함수는

$f(t)=t^2-2t+3=(t-1)^2+2$

$\frac{1}{4} \leq t \leq 2$에서 $f(t)=(t-1)^2+2$는

$t=2$일 때, 최대이고 최댓값 $M=f(2)=3$

$t=1$일 때, 최소이고 최솟값 $m=f(1)=2$

따라서 $M+m=5$

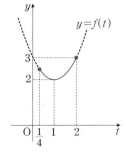

내/신/연/계 출제문항 134

정의역이 $\{x|-2 \leq x \leq 1\}$인 함수 $y=\dfrac{1-2^{x+1}+4^{x+1}}{4^x}$의 최댓값을 M,

최솟값을 m이라 할 때, $M+m$의 값은?

① 13 　　　② 15 　　　③ 17

④ 19 　　　⑤ 21

STEP Ⓐ $\left(\frac{1}{2}\right)^x=t$**로 치환하고 t의 범위 구하기**

$y=\dfrac{1-2^{x+1}+4^{x+1}}{4^x}=\left(\frac{1}{4}\right)^x-2\left(\frac{1}{2}\right)^x+4=\left\{\left(\frac{1}{2}\right)^x\right\}^2-2\cdot\left(\frac{1}{2}\right)^x+4$

$\left(\frac{1}{2}\right)^x=t$로 놓으면 $-2 \leq x \leq 1$에서 $\left(\frac{1}{2}\right)^1 \leq \left(\frac{1}{2}\right)^x \leq \left(\frac{1}{2}\right)^{-2}$

$\therefore \frac{1}{2} \leq t \leq 4$

STEP Ⓑ **주어진 범위에서 이차함수의 최댓값, 최솟값 구하기**

주어진 함수는

$f(t)=t^2-2t+4=(t-1)^2+3$

$\frac{1}{2} \leq t \leq 4$에서 $f(t)=(t-1)^2+3$은

$t=4$일 때, 최대이고

최댓값 $M=f(4)=12$

$t=1$일 때, 최소이고

최솟값 $m=f(1)=3$

따라서 $M+m=15$

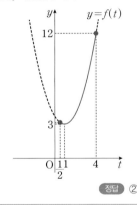

정답 ②

0377

정답 ①

STEP Ⓐ $(\sqrt{2})^x=t$**로 치환하여 t에 관한 이차식으로 변형하기**

$y=2^x-\sqrt{2^{x+4}}+3=(\sqrt{2})^{2x}-4(\sqrt{2})^x+3$

이때 $(\sqrt{2})^x=t$로 놓으면 $-2 \leq x \leq 4$에서 $(\sqrt{2})^{-2} \leq (\sqrt{2})^x \leq (\sqrt{2})^4$

$\therefore \frac{1}{2} \leq t \leq 4$

STEP Ⓑ **제한 범위에서 이차함수의 최대 최소 구하기**

주어진 함수는

$f(t)=t^2-4t+3=(t-2)^2-1$

$\frac{1}{2} \leq t \leq 4$에서

$t=4$일 때, 최대이고

최댓값 $M=f(4)=3$

$t=2$일 때, 최소이고

최솟값 $m=f(2)=-1$

따라서 $M+m=3+(-1)=2$

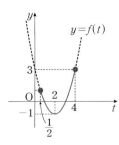

0378

STEP Ⓐ $2^{\log x}=t$로 치환하고 t의 범위 구하기

$y=2^{\log x}\cdot x^{\log 2}+2\times 2^{\log 100x}$

$=(2^{\log x})^2+2\times 2^{2+\log x}$

$=(2^{\log x})^2+8\times 2^{\log x}$

$2^{\log x}=t$로 놓으면 $1\le x\le 100$에서 $\log 1\le \log x\le \log 100$

즉 $0\le \log x\le 2$이므로 $2^0\le 2^{\log x}\le 2^2$

$\therefore 1\le t\le 4$

STEP Ⓑ 주어진 범위에서 이차함수의 최댓값, 최솟값 구하기

주어진 함수는

$f(t)=t^2+8t=(t+4)^2-16$

$1\le t\le 4$에서

함수 $f(t)=(t+4)^2-16$는

$t=1$일 때, 최소이고

최솟값 $m=f(1)=9$

$t=4$일 때, 최대이고

최댓값 $M=f(4)=48$

따라서 $M+m=9+48=57$

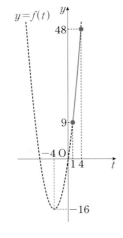

내/신/연/계/ 출제문항 135

$x>1$인 함수

$$y=3^{\log x}\times x^{\log 3}-3(3^{\log x}+x^{\log 3})+12$$

이 $x=a$에서 최솟값이 b일 때, $a+b$의 값은?

① 9　　　　② 10　　　　③ 11
④ 12　　　　⑤ 13

STEP Ⓐ $3^{\log x}=t$로 치환하고 t의 범위 구하기

$y=3^{\log x}\times x^{\log 3}-3(3^{\log x}+x^{\log 3})+12$ ← $3^{\log x}=x^{\log 3}$

$=3^{\log x}\times 3^{\log x}-3(3^{\log x}+3^{\log x})+12$

$=(3^{\log x})^2-6\cdot 3^{\log x}+12$

$3^{\log x}=t$로 놓으면 $x>1$에서 $t>1$

STEP Ⓑ 주어진 범위에서 이차함수의 최솟값 구하기

주어진 함수는

$f(t)=t^2-6t+12=(t-3)^2+3$

$t=3$일 때, 최소이고 최솟값이 3이므로

$t=3^{\log x}=3$에서 $\log x=1$

$\therefore x=10$

따라서 $a=10$, $b=3$일 때, $a+b=13$

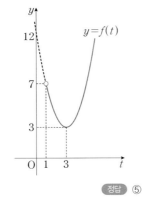

0379

STEP Ⓐ 함수 $f(x)$를 변형하여 $x=1$에서 최솟값을 가짐을 구하기

$y=4^x-2^{x+2}+a=(2^x)^2-4\cdot 2^x+a$

$2^x=t\,(t>0)$로 놓으면 $y=t^2-4t+a$　……㉠

STEP Ⓑ $x=b$에서 최솟값이 2인 이차함수의 식 구하기

이때 y는 $x=b$, 즉 $t=2^b$일 때, 최솟값 2를 가지므로

$y=(t-2^b)^2+2=t^2-2\cdot 2^b t+2^{2b}+2$　……㉡

㉠, ㉡의 식이 같으므로

$y=t^2-2\cdot 2^b t+2^{2b}+2=t^2-4t+a$

$2\cdot 2^b=4$, $2^{2b}+2=a$

따라서 $b=1$, $a=6$이므로 $a+b=7$

다른풀이 2^x의 이차함수의 최솟값을 이용하여 풀이하기

$y=(2^x)^2-4\cdot 2^x+a=(2^x-2)^2+a-4$이므로

함수 y는 $2^x=2$, 즉 $x=1$에서 최솟값 $a-4$를 갖는다.

즉 $b=1$이고 $a-4=2$에서 $a=6$

따라서 $a=6$, $b=1$이므로 $a+b=7$

내/신/연/계/ 출제문항 136

함수 $y=9^x-2\cdot 3^x+a$가 $x=b$에서 최솟값 3을 가질 때, 두 상수 a, b에 대하여 $a+b$의 값은?

① 2　　　　② 4　　　　③ 6
④ 8　　　　⑤ 10

STEP Ⓐ 밑을 3으로 통일하여 $3^x=t\,(t>0)$로 치환하기

$y=9^x-2\cdot 3^x+a=(3^x)^2-2\cdot 3^x+a$

$3^x=t\,(t>0)$로 놓으면 $y=t^2-2t+a$　……㉠

STEP Ⓑ $x=b$에서 최솟값이 3인 이차함수의 식 구하기

이때 y는 $x=b$, 즉 $t=3^b$일 때, 최솟값 3을 가지므로

$y=(t-3^b)^2+3=t^2-2\cdot 3^b t+3^{2b}+3$　……㉡

㉠, ㉡의 식이 같으므로

$y=t^2-2\cdot 3^b t+3^{2b}+3=t^2-2t+a$

$2\cdot 3^b=2$, $3^{2b}+3=a$

따라서 $b=0$, $a=4$이므로 $a+b=4$

다른풀이 3^x의 이차함수의 최솟값을 이용하여 풀이하기

$y=9^x-2\cdot 3^x+a=(3^x)^2-2\cdot 3^x+a=(3^x-1)^2+a-1$이므로

함수 $f(x)$는 $3^x=1$, 즉 $x=0$에서 최솟값 $a-1$을 갖는다.

$b=0$이고 $a-1=3$에서 $a=4$

따라서 $a+b=4$

0380

정답 ③

STEP A 합성함수가 최댓값, 최솟값을 가질 조건 구하기

$f(x)=x^2-6x+a$, $g(x)=\left(\frac{1}{2}\right)^x$에서 $g(f(x))=\left(\frac{1}{2}\right)^{f(x)}$

이때 밑 $\frac{1}{2}$이 1보다 작으므로 $f(x)$가 최소일 때, $(g\circ f)(x)$은 최댓값을 갖고 $f(x)$가 최대일 때, $(g\circ f)(x)$은 최솟값을 가진다.

STEP B $1\le x\le 4$에서 $f(x)$의 범위 구하기

$1\le x\le 4$에서

$f(x)=x^2-6x+a=(x-3)^2-9+a$

이므로

$-9+a\le f(x)\le -5+a$

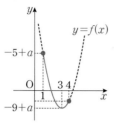

STEP C $(g\circ f)(x)$의 최댓값이 4임을 이용하여 a의 값 구하기

$g(f(x))=\left(\frac{1}{2}\right)^{f(x)}$의 밑이 1보다 작으므로

$f(x)$가 최소일 때,

$g(f(x))=\left(\frac{1}{2}\right)^{f(x)}$가 최댓값 4를 가지므로

$f(x)=-9+a$일 때,

최대이고 최댓값은 $\left(\frac{1}{2}\right)^{-9+a}=4$, $2^{9-a}=2^2$

$9-a=2$ $\therefore a=7$

STEP D $(g\circ f)(x)$의 최솟값 구하기

따라서 $f(x)$가 최대일 때, $g(f(x))=\left(\frac{1}{2}\right)^{f(x)}$가 최솟값을 가지므로

$f(x)=-5+7=2$일 때, 최소이고 최솟값은 $\left(\frac{1}{2}\right)^2=\frac{1}{4}$

내/신/연/계 출제문항 137

두 함수 $f(x)=x^2-6x+3$, $g(x)=a^x(a>0,\ a\ne 1)$에 대하여 $1\le x\le 4$에서 합성함수 $(g\circ f)(x)$의 최댓값은 27, 최솟값은 m이다. m의 값은?

① $\frac{1}{27}$　　　② $\frac{1}{3}$　　　③ $\frac{\sqrt{3}}{3}$

④ 3　　　　　⑤ $3\sqrt{3}$

STEP A $1\le x\le 4$에서 함수 $f(x)$의 범위 구하기

$f(x)=x^2-6x+3=(x-3)^2-6$이므로

$1\le x\le 4$에서 $-6\le f(x)\le -2$

◆ 함수 $f(x)$는 $x=3$에서 최솟값 -6,
　$x=1$에서 최댓값 -2를 갖는다.

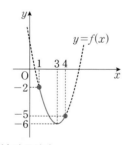

STEP B a의 범위를 나누어 합성함수의 최솟값 구하기

(i) $0<a<1$일 때, $g(f(x))=a^{f(x)}$는 감소하는 함수이므로

　　$f(x)=-6$일 때, 최댓값을 갖고 $f(x)=-2$일 때, 최솟값을 갖는다.

　　즉 $a^{-6}=27$이므로 $a=\frac{\sqrt{3}}{3}$ $\therefore m=a^{-2}=3$

(ii) $a>1$일 때, $g(f(x))=a^{f(x)}$는 증가하는 함수이므로

　　$f(x)=-2$일 때, 최댓값을 갖고 $f(x)=-6$일 때, 최솟값을 갖는다.

　　즉 $a^{-2}=27$이므로 $a=\frac{\sqrt{3}}{9}$

　　그런데 $a>1$을 만족시키지 않으므로 모순이다.

(i), (ii)에서 $(g\circ f)(x)$의 최솟값은 3

정답 ④

0381

정답 ①

STEP A 합성함수 $f(g(x))$, $g(f(x))$의 함수식 구하기

$f(g(x))=f(a^x)=-a^{2x}+2a^x+1=-(a^x-1)^2+2$

$g(f(x))=a^{f(x)}=a^{-x^2+2x+1}=a^{-(x-1)^2+2}$

STEP B $a>1$인 경우, $a^x=t$로 치환하여 최댓값 구하기

(i) $a>1$일 때, $a^x=t\ (t>0)$라 하면

　　$f(g(x))=-(t-1)^2+2\ \left(\frac{1}{a}\le t\le a^2\right)$

　　이때 $0<\frac{1}{a}<1$이고 $a^2>1$이므로 $f(g(x))$의 최댓값은 2

　　함수 $g(f(x))=a^{f(x)}$은 $f(x)$가 최대일 때, 최댓값을 갖는다.

　　즉 $x=1$일 때, 최댓값 a^2을 가지므로 $a^2=2$

　　$\therefore a=\sqrt{2}\ (\because a>1)$

STEP C $0<a<1$인 경우, $a^x=t$로 치환하여 최댓값 구하기

(ii) $0<a<1$일 때, $a^x=t\ (t>0)$라 하면

　　$f(g(x))=-(t-1)^2+2\ \left(a^2\le t\le \frac{1}{a}\right)$

　　이때 $0<a^2<1$이고 $\frac{1}{a}>1$이므로 $f(g(x))$의 최댓값은 2

　　함수 $g(f(x))=a^{f(x)}$은 $f(x)$가 최소일 때, 최댓값을 갖는다.

　　즉 $x=-1$일 때, 최댓값 a^{-2}을 가지므로 $a^{-2}=2$

　　$\therefore a=\frac{1}{\sqrt{2}}=\frac{\sqrt{2}}{2}\ (\because 0<a<1)$

(i), (ii)에서 모든 a값의 합은 $\sqrt{2}+\frac{\sqrt{2}}{2}=\frac{3\sqrt{2}}{2}$

0382

정답 ②

STEP A 로그함수의 성질 이해하기

① $f(a^x)=\log_a a^x=x$ [거짓]

② $f(xy)=\log_a xy=\log_a x+\log_a y=f(x)+f(y)$ [참]

③ $f\left(\frac{y}{x}\right)=\log_a \frac{y}{x}=\log_a y-\log_a x=f(y)-f(x)$ [거짓]

④ $f\left(\frac{1}{x^k}\right)=\log_a \frac{1}{x^k}=-k\log_a x=-kf(x)$ [거짓]

⑤ $f(x)+f\left(\frac{1}{x}\right)=\log_a x+\log_a \frac{1}{x}=\log_a x-\log_a x=0$ [거짓]

따라서 옳은 것은 ②이다.

0383

정답 ④

STEP A 로그의 성질을 이용하여 [보기]의 참, 거짓 판별하기

ㄱ. $(a,\ b)\in A$이므로 $b=\log_2 a$

　　이때 $\log_2 2a=\log_2 2+\log_2 a=1+\log_2 a=1+b$이므로

　　$(2a,\ b+1)\in A$ [참]

ㄴ. $\left(\frac{a}{2},\ b\right)\in A$이므로 $b=\log_2 \frac{a}{2}$

　　이때 $b=\log_2 a-\log_2 2=\log_2 a-1$에서

　　$b+1=\log_2 a$이므로 $(a,\ b+1)\in A$ [거짓]

ㄷ. $(a,\ b)\in A$, $(c,\ d)\in A$이면 $b=\log_2 a$, $d=\log_2 c$

　　이때 $b+d=\log_2 a+\log_2 c=\log_2 ac$이므로 $(ac,\ b+d)\in A$ [참]

ㄹ. $(a,\ b)\in A$, $(c,\ d)\in A$이면 $b=\log_2 a$, $d=\log_2 c$

　　이때 $b-d=\log_2 a-\log_2 c=\log_2 \frac{a}{c}$이므로 $\left(\frac{a}{c},\ b-d\right)\in A$ [참]

따라서 옳은 것은 ㄱ, ㄷ, ㄹ이다.

집합 $L=\{(x, y)|y=\log x,\ x>0\}$에 대하여 [보기]에서 옳은 것만을 있는 대로 고른 것은?

> ㄱ. $(10, 1)\in L$
> ㄴ. $(a, b)\in L$이면 $(10a, b+1)\in L$
> ㄷ. $(a, b)\in L$이면 $(a^2, 2b)\in L$
> ㄹ. $(a, b)\in L$, $(c, d)\in L$이면 $(a+c, bd)\in L$

① ㄱ, ㄴ   ② ㄱ, ㄷ   ③ ㄱ, ㄴ, ㄷ
④ ㄱ, ㄷ, ㄹ   ⑤ ㄴ, ㄷ, ㄹ

STEP Ⓐ **로그의 성질을 이용하여 참, 거짓 판별하기**

ㄱ. $1=\log 10$이므로 $(10, 1)\in L$ [참]

ㄴ. $(a, b)\in L$이면 $b=\log a$에서 $\log 10a=\log a+1=b+1$이므로
$(10a, b+1)\in L$ [참]

ㄷ. $(a, b)\in L$이면 $b=\log a$에서 $\log a^2=2\log a=2b$이므로
$(a^2, 2b)\in L$ [참]

ㄹ. $(a, b)\in L$, $(c, d)\in L$이면 $b=\log a$, $d=\log c$
이때 $bd=(\log a)(\log c)\neq\log(a+c)$이므로 $(a+c, bd)\notin L$ [거짓]
따라서 옳은 것은 ㄱ, ㄴ, ㄷ이다.   정답 ③

0384

정답 ⑤

STEP Ⓐ **로그함수의 성질 이해하기**

ㄱ. $f(1\times 1)=f(1)+f(1)$에서 $f(1)=0$ [참]

ㄴ. $f\left(x\times \dfrac{1}{x}\right)=f(x)+f\left(\dfrac{1}{x}\right)=0$ ← $f(1)=0$

  즉 $f\left(\dfrac{1}{x}\right)=-f(x)$ [참]

ㄷ. $f(x^n)=f(\underbrace{x\times x\times x\times\cdots\times x})=\underbrace{f(x)+f(x)+\cdots+f(x)}_{n개}=nf(x)$ [참]

따라서 옳은 것은 ㄱ, ㄴ, ㄷ이다.

0385

정답 ①

STEP Ⓐ **로그의 성질을 이용하여 주어진 식 계산하기**

$f\left(\dfrac{1}{3}\right)\times\dfrac{1}{f(3)}=\log_{\frac{1}{4}}\dfrac{1}{3}\times\dfrac{1}{\log_{\frac{1}{4}}3}$

$\qquad\qquad=\dfrac{1}{2}\log_2 3\times\dfrac{-2}{\log_2 3}$

$\qquad\qquad=-1$

0386

정답 ③

STEP Ⓐ **역함수의 성질을 이용하여 $(f\circ g)(27)$의 값 구하기**

두 함수 $f(x)$, $g(x)$는 서로 역함수이므로
$(f\circ g)(27)=27$

STEP Ⓑ **로그의 성질을 이용하여 $(g\circ h)(27)$의 값 구하기**

$(g\circ h)(27)=g(h(27))=g(27^3)$

$\qquad\qquad\quad=\log_3 27^3$

$\qquad\qquad\quad=3\log_3 3^3=9$

따라서 $(f\circ g)(27)-(g\circ h)(27)=27-9=18$

세 함수 $f(x)=2^x$, $g(x)=x^2$, $h(x)=\log_2 x$에 대하여
$(f\circ g)(2)+(g\circ h)(2)+(f\circ h)(2)$의 값은?

① 15   ② 17   ③ 19
④ 21   ⑤ 23

STEP Ⓐ **합성함수의 함숫값을 계산하기**

$g(2)=2^2=4$, $h(2)=\log_2 2=1$이므로
$(f\circ g)(2)+(g\circ h)(2)+(f\circ h)(2)=f(g(2))+g(h(2))+f(h(2))$

$\qquad\qquad\qquad\qquad\qquad\qquad\quad=f(4)+g(1)+f(1)$

$\qquad\qquad\qquad\qquad\qquad\qquad\quad=2^4+1^2+2^1=19$ 정답 ③

0387

정답 ⑤

STEP Ⓐ **진수조건을 이용하여 집합 A 구하기**

$y=\log_2(6x-x^2)$의 정의역은 $6x-x^2>0$, $x(x-6)<0$
$\therefore A=\{x|0<x<6\}$

STEP Ⓑ **진수조건을 이용하여 집합 B 구하기**

$y=\log_5(x-1)$의 정의역은 $x-1>0$
$\therefore B=\{x|x>1\}$

STEP Ⓒ **집합 $A\cap B$를 구하여 정수 x 구하기**

따라서 $A\cap B=\{x|1<x<6\}$이고 이 범위에 속하는 정수 x는
2, 3, 4, 5이므로 합은 $2+3+4+5=14$

0388

정답 ④

STEP Ⓐ **로그함수의 식을 간단히 정리하기**

$f(x)=\log_{\frac{1}{5}}\dfrac{1}{x}=\log_{5^{-1}}x^{-1}=\log_5 x$

STEP Ⓑ **로그함수의 그래프의 성질 이해하여 참, 거짓의 진위판단하기**

① 정의역은 양의 실수 전체의 집합이고 치역은 실수 전체의 집합이다. [참]
② 그래프의 점근선은 y축이다. [참]
③ 두 양수 x_1, x_2에 대하여 $x_1<x_2$이면 $f(x_1)<f(x_2)$이다. [참]
④ 함수 $y=f(x)$의 그래프가 점 $(1, 0)$을 지나므로 방정식 $f(x)=0$을
만족시키는 실수 x의 값이 1로 존재한다. [거짓]
⑤ 함수 $y=f(x)$의 그래프는 함수 $y=\log_{\frac{1}{5}}x$의 그래프와 x축에 대하여
대칭이다. [참]
따라서 옳지 않은 것은 ④이다.

0389

정답 ⑤

STEP Ⓐ **로그함수의 그래프의 성질 이해하기**

① 밑 $\dfrac{1}{10}$이 1보다 작으므로 두 양수 x_1, x_2에 대하여 $x_1<x_2$이면
$f(x_1)>f(x_2)$이다. [거짓]
② 치역은 실수 전체의 집합이다. [거짓]
③ 함수 $y=f(x)$의 그래프는 점 $(1, 0)$을 지난다. [거짓]
④ 점근선의 방정식은 $x=0$이다. [거짓]
⑤ 함수 $y=\dfrac{1}{10^x}$의 그래프와 직선 $y=x$에 대하여 대칭이다. [참]
따라서 옳은 것은 ⑤이다.

정의역이 $\{x \mid x > 0\}$일 때, 함수 $y = \log_3 \dfrac{1}{x}$의 그래프에 대한 다음 설명 중 옳은 것은?

① $y = -\log_{\frac{1}{3}} x$의 그래프와 일치한다.

② 점 $(3, 1)$을 지난다.

③ 점근선은 x축이다.

④ 치역은 양의 실수 전체의 집합이다.

⑤ x의 값이 증가하면 y의 값은 감소한다.

STEP Ⓐ **로그함수의 그래프의 성질 이해하기**

① $y = \log_{\frac{1}{3}} x$의 그래프와 일치한다. [거짓]

② 점 $(3, -1)$을 지난다. [거짓]

③ 점근선은 y축이다. [거짓]

④ 치역은 실수 전체의 집합이다. [거짓]

⑤ x의 값이 증가하면 y의 값은 감소한다. [참]

따라서 옳은 것은 ⑤이다.

정답 ⑤

0390

정답 ②

STEP Ⓐ **로그의 성질을 이용하여 $y = \log_2 x$와 같은 그래프를 가지는 것 찾기**

ㄱ. $y = \log_4 x^2 = \dfrac{2}{2}\log_2 |x| = \log_2 |x|$ [거짓]

ㄴ. $y = \log_2 \dfrac{1}{x} = \log_2 x^{-1} = -\log_2 x$ [거짓]

ㄷ. $y = \log_{\frac{1}{2}} x = \log_{2^{-1}} x = -\log_2 x$ [거짓]

ㄹ. $y = \log_{\frac{1}{2}} \dfrac{1}{x} = \log_{2^{-1}} x^{-1} = \dfrac{-1}{-1}\log_2 x = \log_2 x$ [참]

따라서 로그함수 $y = \log_2 x$와 그 그래프가 일치하는 것은 ㄹ이다.

0391

정답 ⑤

STEP Ⓐ **$\overline{AB} = \overline{BC}$에서 a의 값 구하기**

$y = k$일 때, 점 A, B, C, D의 x좌표는 $k = a^x$, $k = 2^x$, $k = b^x$에서

$x = \log_a k$, $x = \log_2 k$, $x = \log_b k$이므로

$\overline{AB} = \log_a k$, $\overline{BC} = \log_2 k - \log_a k$, $\overline{CD} = \log_b k - \log_2 k$

$\overline{AB} = \overline{BC}$에서 $\log_a k = \log_2 k - \log_a k$, $2\log_a k = \log_2 k$

$\dfrac{2}{\log_k a} = \dfrac{1}{\log_k 2}$

즉 $2\log_k 2 = \log_k a$

$\therefore a = 4$

STEP Ⓑ **$\overline{BC} = \overline{CD}$에서 b의 값 구하기**

$\overline{BC} = \overline{CD}$에서 $\log_2 k - \log_a k = \log_b k - \log_2 k$

$2\log_2 k = \log_a k + \log_b k$

즉 $2\log_2 k = \log_4 k + \log_b k$에서 $\dfrac{3}{2}\log_2 k = \log_b k$

$\dfrac{3}{2}\log_k b = \log_k 2$

$\therefore b = 2^{\frac{2}{3}}$

STEP Ⓒ **ab의 값 구하기**

따라서 $a = 4$, $b = 2^{\frac{2}{3}}$이므로 $ab = 2^2 \cdot 2^{\frac{2}{3}} = 2^{\frac{8}{3}}$

오른쪽 그림과 같이 두 곡선 $y = a^x$, $y = b^x (1 < a < b)$가 직선 $y = t (t > 1)$와 만나는 점의 x좌표를 각각 $f(t)$, $g(t)$라 할 때, $2f(a) = 3g(a)$가 성립한다. $f(c) = g(27)$을 만족시키는 실수 c의 값은?

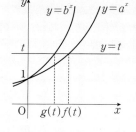

① 6   ② 9   ③ 12

④ 15   ⑤ 18

STEP Ⓐ **$f(t)$, $g(t)$ 구하기**

$a^{f(t)} = t$이므로 $f(t) = \log_a t$이고

$b^{g(t)} = t$이므로 $g(t) = \log_b t$

STEP Ⓑ **$2f(a) = 3g(a)$임을 이용하여 $\log_a b$의 값 구하기**

$2f(a) = 3g(a)$이므로

$2\log_a a = 3\log_b a$에서 $\log_b a = \dfrac{2}{3}$

$\therefore \log_a b = \dfrac{3}{2}$

STEP Ⓒ **$f(c) = g(27)$에서 c의 값 구하기**

$f(c) = g(27) = \log_b 27 = \dfrac{\log_a 27}{\log_a b}$

$= \dfrac{2}{3}\log_a 27$

$= \log_a 27^{\frac{2}{3}}$

$= \log_a 9$

따라서 $c = 9$

정답 ②

0392

정답 ⑤

STEP Ⓐ **세 곡선이 직선 $x = p$와 만나는 점의 좌표 구하기**

세 곡선이 직선 $x = p$와 만나는 점은 각각

$Q(p, \log_q p)$, $R(p, \log_8 p)$, $S(p, \log_s p)$

STEP Ⓑ **$\overline{PR} = 2\overline{QP}$, $\overline{SP} = 3\overline{QP}$에서 p, q의 관계식 구하기**

$\overline{PQ} = \overline{QR} = \overline{RS}$이므로

$\overline{PR} = 2\overline{QP}$에서 $\log_8 p = 2\log_q p$ ...... ㉠

$\overline{PS} = 3\overline{QP}$에서 $\log_s p = 3\log_q p$ ...... ㉡

STEP Ⓒ **$3\log_8 p = 6\log_q p = 2\log_s p = k$라 두고 q, s의 값 구하기**

㉠, ㉡에서 $3\log_8 p = 6\log_q p = 2\log_s p = k$라고 하면

로그의 성질에 의해 $p = 8^{\frac{k}{3}} = q^{\frac{k}{6}} = s^{\frac{k}{2}}$

따라서 $q = (8^{\frac{k}{3}})^{\frac{6}{k}} = 8^2 = 64$, $s = (8^{\frac{k}{3}})^{\frac{2}{k}} = 8^{\frac{2}{3}} = 4$

0393

STEP Ⓐ 세 점 P, Q, R의 y좌표 구하기

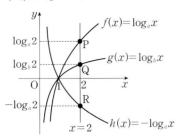

세 점 P, Q, R의 좌표는

P(2, $\log_a 2$), Q(2, $\log_b 2$), R(2, $-\log_a 2$)

STEP Ⓑ 로그의 밑 변환의 성질을 이용하여 $g(a)$의 값 구하기

$\overline{PQ} : \overline{QR} = 1 : 2$에서 $\overline{QR} = 2\overline{PQ}$이므로

$\log_b 2 - (-\log_a 2) = 2(\log_a 2 - \log_b 2)$

$3\log_b 2 = \log_a 2$, $3\dfrac{\log 2}{\log b} = \dfrac{\log 2}{\log a}$

$\therefore \dfrac{\log a}{\log b} = \dfrac{1}{3}$

따라서 $g(a) = \log_b a = \dfrac{\log a}{\log b} = \dfrac{1}{3}$

내/신/연/계/ 출제문항 142

두 곡선 $y = \log_4 x$, $y = \log_{\frac{1}{2}} x$와 직선 $x = a(a > 1)$가 만나는 두 점을 각각 A, B라 하고 점 B를 지나고 x축에 평행한 직선이 곡선 $y = \log_4 x$와 만나는 점을 C라 하자. 이때 $\overline{AB} = 3$일 때, 점 C의 x좌표는?

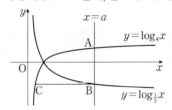

① $\dfrac{1}{32}$　　② $\dfrac{1}{16}$　　③ $\dfrac{1}{8}$

④ $\dfrac{1}{4}$　　⑤ $\dfrac{1}{2}$

STEP Ⓐ $\overline{AB} = 3$임을 이용하여 a의 값 구하기

$\overline{AB} = \log_4 a - \log_{\frac{1}{2}} a = \dfrac{1}{2}\log_2 a + \log_2 a = \dfrac{3}{2}\log_2 a = 3$

이므로

$\log_2 a = 2$에서 $a = 4$

STEP Ⓑ 점 C의 y좌표가 -2임을 이용하여 점 C의 x좌표 구하기

이때 점 B의 좌표는 $(4, -2)$이므로

점 C의 y좌표는 -2

따라서 점 C의 x좌표를 p라 하면 $-2 = \log_4 p$이므로 $p = 4^{-2} = \dfrac{1}{16}$

0394

STEP Ⓐ $a > c > 1$에서 $y = a^x$와 $y = c^x$에 대응되는 그래프 찾기

$a > c > 1$이므로 $y = a^x$, $y = c^x$의 그래프는

$x > 0$일 때, $a^x > c^x$이므로 ⓒ은 $y = a^x$, ⓔ은 $y = c^x$

STEP Ⓑ $ab = 1$, $cd = 1$에서 $y = b^x$와 $y = d^x$에 대응되는 그래프 찾기

또한, $ab = 1$에서 $b = \dfrac{1}{a}$이고 $cd = 1$에서 $d = \dfrac{1}{c}$이므로

$y = b^x = \left(\dfrac{1}{a}\right)^x$, $y = d^x = \left(\dfrac{1}{c}\right)^x$

$x < 0$일 때, $\left(\dfrac{1}{a}\right)^x > \left(\dfrac{1}{c}\right)^x$이므로

ⓛ은 $y = b^x = \left(\dfrac{1}{a}\right)^x$, ⓣ은 $y = d^x = \left(\dfrac{1}{c}\right)^x$

따라서 $y = a^x \longleftrightarrow$ ⓒ, $y = b^x \longleftrightarrow$ ⓛ, $y = c^x \longleftrightarrow$ ⓔ, $y = d^x \longleftrightarrow$ ⓣ

0395

STEP Ⓐ $0 < x < 1$에서 a, b의 범위에 따라 그래프 그리기

$0 < x < 1$인 범위에서 $\log_a x > \log_b x$이기 위해서는 밑의 범위에 따라 그래프를 그리면 다음과 같다.

ㄱ.　　　　ㄴ.　　　　ㄷ.

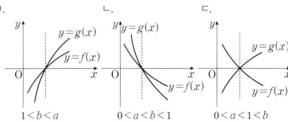

$1 < b < a$　　$0 < a < b < 1$　　$0 < a < 1 < b$

따라서 옳은 것은 ㄱ, ㄷ이다.

0396

STEP Ⓐ a, b의 범위에 따라 지수함수, 로그함수의 그래프 그리기

ㄱ. $a > 1$이고 $b > 1$　　　　ㄴ. $a > 1$이고 $0 < b < 1$

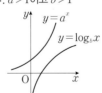　　　　

ㄷ. $0 < a < 1$이고 $b > 1$　　　　ㄹ. $0 < a < 1$이고 $0 < b < 1$

따라서 그림에서 두 그래프가 항상 만나는 것은 ㄴ, ㄷ, ㄹ이다.

> 참고　$y = a^x (a > 1)$와 $y = \log_b x (b > 1)$의 그래프는 만날 수 있다.
> 지수함수 $y = (\sqrt{2})^x$와 로그함수 $y = \log_{\sqrt{2}} x$의 그래프는 $y = x$에 대칭이고 두 그래프는 $x = 2$와 $x = 4$에서 만난다.

0397

STEP A 로그함수의 그래프의 특징을 이용하여 $a>b$임을 구하기

주어진 지수함수와 로그함수의 그래프는 모두 감소하는 그래프이므로
밑은 모두 0과 1 사이의 값이다.
이때 로그함수의 밑이 커질수록 그래프는 x축과 멀어지므로 $a>b$

> **참고** $x>1$에서 $x=2$일 때, $\log_a 2 < \log_b 2 < 0$이므로 $\dfrac{1}{\log_2 a} < \dfrac{1}{\log_2 b} < 0$
> 즉 $\log_2 a > \log_2 b$ $\therefore a>b$

STEP B 함수 $y=c^x$의 역함수를 그래프에 그려 $b>c$임을 구하기

지수함수 $y=c^x$의 그래프를 $y=x$에
대하여 대칭이동하면 $y=\log_c x$의
그래프이고 오른쪽 그림과 같이 곡선
$y=c^x$과 직선 $y=x$ 위의 점 A에서
만난다.
따라서 $y=\log_c x$는 $y=\log_b x$와
$y=\log_a x$에 비해 x축에
더 가까워지므로 $a>b>c$

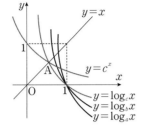

> **다른풀이** $y=\log_c x$의 그래프를 그리고 $y=1$에서 x좌표를 비교하여 대소 관계 풀이하기
>
> $y=c^x$의 그래프를 직선 $y=x$에
> 대하여 대칭시키면 $y=\log_c x$의
> 그래프이고 직선 $y=1$과의 교점을
> 구해보면 오른쪽 그림과 같다.
> $\therefore a>b>c$

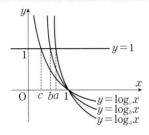

그림은 세 양수 a, b, c를 밑으로 하는 로그함수의 그래프이다.

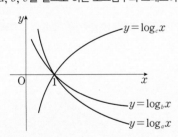

$a^{x_1}=b^{x_2}=c^{x_3}>1$일 때, x_1, x_2, x_3의 대소 관계를 옳게 나타낸 것은?

① $x_1>x_2>x_3$ ② $x_2>x_1>x_3$ ③ $x_2>x_3>x_1$
④ $x_3>x_1>x_2$ ⑤ $x_3>x_2>x_1$

STEP A 밑에 따른 로그함수의 그래프에서 a, b, c의 대소 구하기

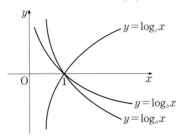

위의 그림과 같이 서로 다른 양수 a, b, c에 대하여 $0<b<a<1<c$

STEP B $a^{x_1}=b^{x_2}=c^{x_3}>1$을 만족하는 그래프를 그려 x_1, x_2, x_3의 대소 관계 구하기

주어진 조건에서 $a^{x_1}=b^{x_2}=c^{x_3}>1$이므로 다음 그래프와 같다.

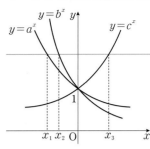

따라서 $x_1<x_2<0$, $x_3>0$이므로 $x_3>x_2>x_1$

0398

STEP A $y=\log_2 x$, $y=\log_3 x$, $y=2^{-x}$, $y=3^{-x}$의 그래프를 그려 각 그래프의 교점의 x좌표 비교하기

$\left(\dfrac{1}{3}\right)^a=\log_2 a$, $\left(\dfrac{1}{2}\right)^b=\log_3 b$, $\left(\dfrac{1}{3}\right)^c=\log_3 c$에서

$\left(\dfrac{1}{3}\right)^a=\log_2 a$에서 a는 $y=\left(\dfrac{1}{3}\right)^x$과 $y=\log_2 x$와의 교점의 x좌표이다.

$\left(\dfrac{1}{2}\right)^b=\log_3 b$에서 b는 $y=\left(\dfrac{1}{2}\right)^x$과 $y=\log_3 x$와의 교점의 x좌표이다.

$\left(\dfrac{1}{3}\right)^c=\log_3 c$에서 c는 $y=\left(\dfrac{1}{3}\right)^x$과 $y=\log_3 x$와의 교점의 x좌표이다.

그래프를 그려 보면 다음과 같다.

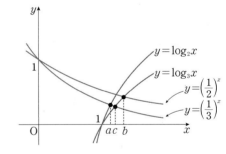

따라서 a, b, c의 대소는 $a<c<b$

다음 등식을 만족시키는 세 실수 a, b, c가 있다.

$$\left(\dfrac{1}{3}\right)^a=2a, \quad \left(\dfrac{1}{3}\right)^{2b}=b, \quad \left(\dfrac{1}{2}\right)^{2c}=c$$

이때 세 실수 a, b, c의 대소 관계를 옳게 나타낸 것은?

① $a<b<c$ ② $a<c<b$ ③ $b<a<c$
④ $b<c<a$ ⑤ $c<a<b$

STEP A $y=3^{-x}$, $y=9^{-x}$, $y=4^{-x}$의 그래프를 그려 $y=2x$, $y=x$의 그래프의 교점의 x좌표 비교하기

$\left(\dfrac{1}{3}\right)^a=2a$에서 a는 $y=\left(\dfrac{1}{3}\right)^x$과 $y=2x$와의 교점의 x좌표이다.

$\left(\dfrac{1}{9}\right)^b=b$에서 b는 $y=\left(\dfrac{1}{9}\right)^x$과 $y=x$와의 교점의 x좌표이다.

$\left(\dfrac{1}{4}\right)^c=c$에서 c는 $y=\left(\dfrac{1}{4}\right)^x$과 $y=x$와의 교점의 x좌표이다.

그래프를 그려 보면 다음과 같다.

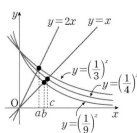

따라서 a, b, c의 대소는 $a<b<c$

0399

STEP ⓐ 세 수 A, B, C의 밑을 2로 같게 하기

$A=\sqrt[4]{32}=2^{\frac{5}{4}}$, $B=\sqrt[3]{4}=2^{\frac{2}{3}}$, $C=\sqrt[5]{16}=2^{\frac{4}{5}}$

STEP ⓑ $y=2^x$가 증가함수임을 이용하여 A, B, C의 크기 비교하기

함수 $y=2^x$의 밑이 1보다 크므로 x의 값이 증가하면 y의 값도 증가한다.

$\frac{2}{3}<\frac{4}{5}<\frac{5}{4}$이므로 $2^{\frac{2}{3}}<2^{\frac{4}{5}}<2^{\frac{5}{4}}$

따라서 $B<C<A$

0400

STEP ⓐ 세 수 A, B, C의 밑을 2로 같게 하기

$A=\sqrt[3]{16}=2^{\frac{4}{3}}$

$B=\sqrt{4\sqrt{2}}=(2^2\times2^{\frac{1}{2}})^{\frac{1}{2}}=(2^{\frac{5}{2}})^{\frac{1}{2}}=2^{\frac{5}{4}}$

$C=0.5^{-\frac{2}{3}}=\left(\frac{1}{2}\right)^{-\frac{2}{3}}=(2^{-1})^{-\frac{2}{3}}=2^{\frac{2}{3}}$

STEP ⓑ $y=2^x$가 증가함수임을 이용하여 A, B, C의 크기 비교하기

함수 $y=2^x$의 밑이 1보다 크므로 x의 값이 증가하면 y의 값도 커지므로 세 수 A, B, C에서 밑이 2로 같을 때, 지수가 클수록 그 값이 크다.

$\frac{2}{3}<\frac{5}{4}<\frac{4}{3}$이므로 $2^{\frac{2}{3}}<2^{\frac{5}{4}}<2^{\frac{4}{3}}$

따라서 $C<B<A$

0401

STEP ⓐ $y=\left(\frac{99}{100}\right)^x$와 $y=\left(\frac{101}{100}\right)^x$의 그래프를 그려 $x=\frac{99}{100}$, $\frac{101}{100}$일 때의 함숫값 비교하기

$\frac{101}{100}>1$, $0<\frac{99}{100}<1$이므로 지수함수 $y=\left(\frac{99}{100}\right)^x$, $y=\left(\frac{101}{100}\right)^x$은 다음 그래프와 같다.

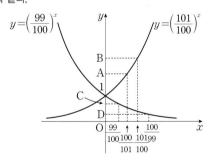

이때 $\frac{99}{100}<\frac{100}{101}<\frac{100}{100}<\frac{100}{99}$이므로

$\left(\frac{99}{100}\right)^{\frac{100}{99}}<\left(\frac{99}{100}\right)^{\frac{100}{100}}<\left(\frac{101}{100}\right)^{\frac{100}{101}}<\left(\frac{101}{100}\right)^{\frac{100}{100}}$

따라서 $D<C<A<B$

0402

STEP ⓐ 주어진 부등식에서 a, b의 범위 구하기

$b^2<b$에서 $b(b-1)<0$

즉 $0<b<1$

$a<a^2$에서 $a(a-1)>0$이고

$a>0$이므로 $a>1$

STEP ⓑ a^a, $a^{\frac{1}{a}}$, b^b, $b^{\frac{1}{b}}$의 대소 비교하기

(ⅰ) $a>1$이고 $a>\frac{1}{a}>0$이므로

함수 $y=a^x$의 그래프는 증가하는 함수의 그래프이므로 $a^a>a^{\frac{1}{a}}>a^0=1$

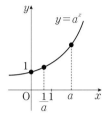

(ⅱ) $0<b<1$이고 $0<b<\frac{1}{b}$이므로

함수 $y=b^x$의 그래프는 감소하는 함수의 그래프이므로 $1=b^0>b^b>b^{\frac{1}{b}}$

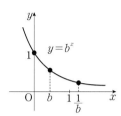

(ⅰ), (ⅱ)에서 $a^a>a^{\frac{1}{a}}>1>b^b>b^{\frac{1}{b}}$

따라서 $a^a>a^{\frac{1}{a}}>b^b>b^{\frac{1}{b}}$

내·신·연·계 출제문항 **145**

$0<a<1$일 때, 세 수 a, a^a, a^{a^a}의 대소 관계는?

① $a<a^a<a^{a^a}$ ② $a<a^{a^a}<a^a$ ③ $a^a<a<a^{a^a}$

④ $a^a<a^{a^a}<a$ ⑤ $a^{a^a}<a^a<a$

STEP ⓐ 감소함수 $y=a^x$임을 이용하여 대소 관계 구하기

$0<a<1$일 때, $y=a^x$은 x의 값이 증가하면 y의 값은 감소하는 그래프이므로 $0<a<1$에서 밑이 a인 지수함수의 꼴로 만들면

$a^0>a^a>a^1$

∴ $1>a^a>a$

또, $1>a^a>a$에서 밑이 a인 지수함수의 꼴로 다시 만들면

$a^1<a^{a^a}<a^a$

∴ $a^1<a^{a^a}<a^a$

0403

STEP ⓐ 세 유리수 $\frac{n}{n+1}$, $\frac{n+1}{n+2}$, $\frac{n+2}{n+3}$의 대소 관계 구하기

$A=\sqrt[n+1]{a^n}=a^{\frac{n}{n+1}}=a^{1-\frac{1}{n+1}}$

$B=\sqrt[n+2]{a^{n+1}}=a^{\frac{n+1}{n+2}}=a^{1-\frac{1}{n+2}}$

$C=\sqrt[n+3]{a^{n+2}}=a^{\frac{n+2}{n+3}}=a^{1-\frac{1}{n+3}}$

n이 자연수일 때, $\frac{1}{n+1}>\frac{1}{n+2}>\frac{1}{n+3}$이므로

$\frac{n}{n+1}<\frac{n+1}{n+2}<\frac{n+2}{n+3}$

STEP ⓑ $y=a^x$가 감소함수임을 이용하여 A, B, C의 크기 비교하기

따라서 $0<a<1$에서 지수함수 $y=a^x$은 x의 값이 증가하면 y의 값은 감소하므로 $C<B<A$

---

n이 자연수일 때, 세 수

$$A=\sqrt[n+1]{a^n},\ B=\sqrt[n+2]{a^{n+1}},\ C=\sqrt[n+3]{a^{n+2}}$$

의 대소 관계에 대한 다음 보기의 설명 중 옳은 것을 있는 대로 고른 것은?

> ㄱ. $a=1$ 이면 $A=B=C$
> ㄴ. $0<a<1$이면 $A>B>C$
> ㄷ. $a>1$이면 $A<B<C$

① ㄱ 　　② ㄴ 　　③ ㄱ, ㄷ
④ ㄴ, ㄷ 　　⑤ ㄱ, ㄴ, ㄷ

STEP ❶ 세 유리수 $\dfrac{n}{n+1}$, $\dfrac{n+1}{n+2}$, $\dfrac{n+2}{n+3}$의 대소 관계 구하기

$A=\sqrt[n+1]{a^n}=a^{\frac{n}{n+1}}$, $B=\sqrt[n+2]{a^{n+1}}=a^{\frac{n+1}{n+2}}$, $C=\sqrt[n+3]{a^{n+2}}=a^{\frac{n+2}{n+3}}$이므로

$\dfrac{n}{n+1}-\dfrac{n+1}{n+2}=\dfrac{n(n+2)-(n+1)^2}{(n+1)(n+2)}=\dfrac{-1}{(n+1)(n+2)}<0$

$\therefore \dfrac{n}{n+1}<\dfrac{n+1}{n+2}$　　$\cdots\cdots$ ㉠

$\dfrac{n+1}{n+2}-\dfrac{n+2}{n+3}=\dfrac{(n+1)(n+2)-(n+2)^2}{(n+2)(n+3)}=\dfrac{-1}{(n+2)(n+3)}<0$

$\therefore \dfrac{n+1}{n+2}<\dfrac{n+2}{n+3}$　　$\cdots\cdots$ ㉡

㉠, ㉡에서 $\dfrac{n}{n+1}<\dfrac{n+1}{n+2}<\dfrac{n+2}{n+3}$

참고

$A=\sqrt[n+1]{a^n}=a^{\frac{n}{n+1}}=a^{1-\frac{1}{n+1}}$

$B=\sqrt[n+2]{a^{n+1}}=a^{\frac{n+1}{n+2}}=a^{1-\frac{1}{n+2}}$

$C=\sqrt[n+3]{a^{n+2}}=a^{\frac{n+2}{n+3}}=a^{1-\frac{1}{n+3}}$

n이 자연수일 때, $\dfrac{1}{n+1}>\dfrac{1}{n+2}>\dfrac{1}{n+3}$이므로

$\dfrac{n}{n+1}<\dfrac{n+1}{n+2}<\dfrac{n+2}{n+3}$

STEP ❷ 지수함수 $y=a^x$을 이용하여 A, B, C의 크기 비교하기

ㄱ. $a=1$ 이면 $A=B=C$ [참]

ㄴ. $0<a<1$이면
지수함수 $y=a^x$은 x의 값이 증가하면 y의 값은 감소하므로
$a^{\frac{n}{n+1}}>a^{\frac{n+1}{n+2}}>a^{\frac{n+2}{n+3}}$　$\therefore A>B>C$ [참]

ㄷ. $a>1$이면
지수함수 $y=a^x$은 x의 값이 증가하면 y의 값도 증가하므로
$a^{\frac{n}{n+1}}<a^{\frac{n+1}{n+2}}<a^{\frac{n+2}{n+3}}$　$\therefore A<B<C$ [참]

따라서 옳은 것은 ㄱ, ㄴ, ㄷ이다.　　정답 ⑤

0404　　정답 ①

STEP ❶ $A-B<0$이면 $A<B$임을 이용하여 대소 비교하기

(i) $3^a=5$와 $7^b=29$의 비교
$(3^a)^2=9^a=25$, $7^b=29$에서 $9^a-7^b=25-29<0$
$9^a<7^b$, $9^a<7^b<9^b$이므로 $9^a<9^b$, 즉 $a<b$

(ii) $7^b=29$와 $8^c=27$의 비교
$7^b=29$, $8^c=27$에서 $8^c-7^b=27-29<0$
$8^c<7^b$, $8^c<7^b<8^b$이므로 $8^c<8^b$, 즉 $c<b$

(iii) $3^a=5$와 $8^c=27$의 비교
$(3^a)^2=9^a=25$, $8^c=27$에서 $9^a-8^c=25-27<0$
$9^a<8^c$, $9^a<8^c<9^c$이므로 $9^a<9^c$, 즉 $a<c$

(i)~(iii)에 의해 $a<c<b$

다른풀이 $3^a=5$에서 양변을 제곱하여 그래프를 이용하여 대소 비교하기

$(3^a)^2=9^a=25$, $7^b=29$, $8^c=27$이고
$25<27<29$에서 $9^a<8^c<7^b$이므로
오른쪽 그림에서 세 양수 a, b, c의
대소 관계는 $a<c<b$

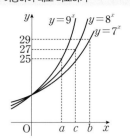

0405　　정답 ③

STEP ❶ 세 수 A, B, C를 모두 2를 밑으로 하는 로그의 꼴로 나타내기

$A=-2\log_2\dfrac{1}{9}=\log_2\left(\dfrac{1}{9}\right)^{-2}=\log_2 81$

$B=4+\log_2 5=\log_2 2^4+\log_2 5=\log_2(16\times 5)=\log_2 80$

$C=2+2\log_2 5=\log_2 2^2+\log_2 5^2=\log_2(4\times 25)=\log_2 100$

STEP ❷ 진수의 대소를 비교하여 세 수의 대소 관계를 결정하기

세 진수의 대소를 비교하면 $80<81<100$이므로
로그함수 $y=\log_2 x$는 x의 값이 증가할 때, y의 값도 증가하므로
$\log_2 80<\log_2 81<\log_2 100$
따라서 $B<A<C$

0406　　정답 ②

STEP ❶ 세 수 A, B, C를 모두 3을 밑으로 하는 로그의 꼴로 나타내기

$A=\log_{\sqrt3}2=\log_{(\sqrt3)^2}2^2=\log_3 4$

$B=\dfrac{\log5}{\log3}=\log_3 5$

$C=\dfrac{1}{2}\log_3 21=\log_3 21^{\frac{1}{2}}=\log_3\sqrt{21}$

STEP ❷ 진수의 대소를 비교하여 세 수의 대소 관계를 결정하기

세 진수의 대소를 비교하면
$4^2=16$, $5^2=25$, $(\sqrt{21})^2=21$에서
$16<21<25$이므로 $4<\sqrt{21}<5$
로그함수 $y=\log_3 x$는 x의 값이 증가할 때, y의 값도 증가하므로
$\log_3 4<\log_3\sqrt{21}<\log_3 5$
따라서 $A<C<B$

0407　　정답 ④

STEP ❶ [보기]의 진위판단하기

ㄱ. $a^2<a$에서 $a(a-1)<0$이므로 $0<a<1$
지수함수 $y=a^x$는 x의 값이 증가할 때, y의 값은 감소하므로
$a<b$에서 $a^a>a^b$ [거짓]

ㄴ. $a<b$이고 $0<a<1$이므로 로그함수 $y=\log_a x$는 x의 값이 증가할 때,
y의 값은 감소하므로 $\log_a a>\log_a b$에서 $\log_a b<1$ [참]

ㄷ. $a^2<a<b$에서 $0<a<1$이고
$1<a+1<b+1$, $0<a<1$에서 $a<1<b+1$이므로
$\log_{b+1}a<0$, $\log_{b+1}(a+1)>0$
$\log_{b+1}a\times\log_{b+1}(a+1)<0$ [참]

따라서 옳은 것은 ㄴ, ㄷ이다.

0408

정답 ③

STEP **A** $a^2=b^3=c^5=k$라 두고 상용로그를 취하여 $\log a$, $\log b$, $\log c$의 값 구하기

$a^2=b^3=c^5=k$라 하고 각 변에 상용로그를 취하면
$2\log a=3\log b=5\log c=\log k$이므로

$\log a=\dfrac{1}{2}\log k$, $\log b=\dfrac{1}{3}\log k$, $\log c=\dfrac{1}{5}\log k$

STEP **B** 밑의 변환공식을 이용하여 대소 비교하기

$\text{A}=\log_a b=\dfrac{\log b}{\log a}=\dfrac{\dfrac{1}{3}\log k}{\dfrac{1}{2}\log k}=\dfrac{2}{3}$

$\text{B}=\log_b c=\dfrac{\log c}{\log b}=\dfrac{\dfrac{1}{5}\log k}{\dfrac{1}{3}\log k}=\dfrac{3}{5}$

$\text{C}=\log_c a=\dfrac{\log a}{\log c}=\dfrac{\dfrac{1}{2}\log k}{\dfrac{1}{5}\log k}=\dfrac{5}{2}$

따라서 $\dfrac{3}{5}<\dfrac{2}{3}<\dfrac{5}{2}$이므로 $\text{B}<\text{A}<\text{C}$

0409

정답 ⑤

STEP **A** 주어진 그래프에서 a, b의 범위 구하기

그림에서 $x>1$일 때, $0>\log_a x>\log_b x$이므로 $0<a<b<1$

STEP **B** $y=\log_a x$가 감소함수임을 이용하여 $\log_a b$의 범위 구하기

$0<a<1$이므로 함수 $y=\log_a x$는 x의 값이 증가하면 y의 값은 감소한다.
이때 $0<a<b<1$이므로 $\log_a a>\log_a b>\log_a 1$
$\therefore 1>\log_a b>0$

STEP **C** $y=\log_b x$가 감소함수임을 이용하여 $\log_b a$의 범위 구하기

$0<b<1$이므로 함수 $y=\log_b x$도 x의 값이 증가하면 y의 값은 감소한다.
이때 $0<a<b<1$이므로 $\log_b a>\log_b b>\log_b 1$
$\therefore \log_b a>1$이고 $1-\log_b a<0$

STEP **D** A, B, C의 대소 관계 구하기

따라서 $1-\log_b a<\log_a b<\log_b a$이므로 $\log_b \dfrac{b}{a}<\log_a b<\log_b a$
$\therefore \text{C}<\text{A}<\text{B}$

다른풀이 적당한 값을 대입하여 대소 비교하기

적당한 $a=\dfrac{1}{4}$, $b=\dfrac{1}{2}$을 대입하면

$\text{A}=\log_a b=\log_{\frac{1}{4}}\dfrac{1}{2}=\dfrac{1}{2}$

$\text{B}=\log_b a=\log_{\frac{1}{2}}\dfrac{1}{4}=2$

$\text{C}=\log_b \dfrac{b}{a}=\log_{\frac{1}{2}}2=-1$

따라서 $\text{C}<\text{A}<\text{B}$

내/신/연/계/ 출제문항 147

$0<b<a<1$일 때, 다음의 대소 관계로 옳은 것은?

$$\text{A}=\log_a b,\ \text{B}=\log_b a,\ \text{C}=1-\log_a b$$

① $\text{A}<\text{B}<\text{C}$ ② $\text{A}<\text{C}<\text{B}$ ③ $\text{B}<\text{A}<\text{C}$
④ $\text{C}<\text{A}<\text{B}$ ⑤ $\text{C}<\text{B}<\text{A}$

STEP **A** $y=\log_a x$가 감소함수임을 이용하여 $\log_a b$의 범위 구하기

$0<a<1$이므로 함수 $y=\log_a x$는 x의 값이 증가하면 y의 값은 감소한다.
이때 $0<b<a<1$이므로 $\log_a b>\log_a a>\log_a 1$
$\therefore \log_a b>1$이고 $1-\log_a b<0$

STEP **B** $y=\log_b x$가 감소함수임을 이용하여 $\log_a a$의 범위 구하기

$0<b<1$이므로 함수 $y=\log_b x$도 x의 값이 증가하면 y의 값은 감소한다.
이때 $0<b<a<1$이므로 $\log_b b>\log_b a>\log_b 1$
$\therefore 1>\log_b a>0$

STEP **C** A, B, C의 대소 관계 구하기

따라서 $1-\log_a b<\log_b a<\log_a b$이므로 $\text{C}<\text{B}<\text{A}$ 정답 ⑤

0410

정답 ④

STEP **A** $a\le x<a^2$에서 $\log_a x$의 범위 구하기

$a>2$이고 $a\le x<a^2$이므로 $\log_a a\le\log_a x<\log_a a^2$
$\therefore 1\le\log_a x<2$ ...... ㉠

STEP **B** $\text{A}-\text{B}<0$이면 $\text{A}<\text{B}$임을 이용하여 대소 비교하기

(i) $\text{A}-\text{B}=(\log_a x)^2-\log_a x^2=\log_a x(\log_a x-2)$
    ㉠에서 $\log_a x>0$, $\log_a x-2<0$이므로 $\text{A}-\text{B}<0$
    $\therefore \text{A}<\text{B}$

STEP **C** $\log_a(\log_a x)$, $(\log_a x)^2$의 범위를 구하여 대소 비교하기

(ii) ㉠에서 $1\le\log_a x<2$일 때,
    $\log_a 1\le\log_a(\log_a x)<\log_a 2<\log_a a$ ← $a>2$
    $\therefore 0\le\log_a(\log_a x)<\log_a 2<1$
    한편 $1\le\log_a x<2$에서 $1\le(\log_a x)^2<4$이므로
    $\log_a(\log_a x)<(\log_a x)^2$
(i), (ii)에서 $\log_a(\log_a x)<(\log_a x)^2<\log_a x^2$이므로 $\text{C}<\text{A}<\text{B}$

다른풀이 그래프를 이용하여 풀이하기

STEP **A** $a\le x<a^2$에서 $\log_a x$의 범위 구하기

$a>2$이므로 $a\le x<a^2$의 각 변에 밑이 a인 로그를 취하면
$\log_a a\le\log_a x<\log_a a^2$ $\therefore 1\le\log_a x<2$

STEP **B** $\log_a x=t$로 치환하여 그래프를 이용하여 대소 비교하기

$\log_a x=t$로 놓으면 $1\le t<2$
$(\log_a x)^2=t^2$, $\log_a x^2=2t$
$\log_a(\log_a x)=\log_a t$
세 함수 $y=t^2$, $y=2t$, $y=\log_a t$의
그래프를 그리면 오른쪽 그림과 같으므로
$\log_a t<t^2<2t$
따라서 $\log_a(\log_a x)<(\log_a x)^2<\log_a x^2$
이므로 $\text{C}<\text{A}<\text{B}$

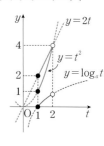

$1 < x < 9$일 때, 세 수
$$A = \log_3 x^2, \quad B = (\log_3 x)^2, \quad C = \log_3(\log_3 x)$$
의 대소 관계를 바르게 나타낸 것은?

① $A < B < C$　　② $A < C < B$　　③ $B < A < C$
④ $C < A < B$　　⑤ $C < B < A$

STEP A $1 < x < 9$에서 $\log_3 x$의 범위 구하기

$1 < x < 9$에 밑이 3인 로그를 취하면 $3 > 1$이므로
$\log_3 1 < \log_3 x < \log_3 9$
$\therefore 0 < \log_3 x < 2$　　　　……… ㉠

STEP B $A - B > 0$이면 $A > B$임을 이용하여 대소 비교하기

(i) $A - B = \log_3 x^2 - (\log_3 x)^2$
　　　　　$= 2\log_3 x - (\log_3 x)^2$
　　　　　$= \log_3 x(2 - \log_3 x)$
㉠에서 $\log_3 x > 0$, $2 - \log_3 x > 0$이므로 $A - B > 0$　$\therefore A > B$

STEP C $\log_3(\log_3 x)$, $(\log_3 x)^2$의 범위를 구하여 대소 비교하기

(ii) ㉠에서 $0 < \log_3 x < 1$일 때, $\log_3(\log_3 x) < 0$
한편 $(\log_3 x)^2 > 0$이므로 $\log_3(\log_3 x) < (\log_3 x)^2$　…… ㉡
또, ㉠에서 $1 \le \log_3 x < 2$일 때,
$\log_3 1 \le \log_3(\log_3 x) < \log_3 2 < \log_3 3$이므로 $0 \le \log_3(\log_3 x) < 1$
한편 $(\log_3 x)^2 \ge 1$이므로 $\log_3(\log_3 x) < (\log_3 x)^2$　…… ㉢
㉡, ㉢에서 $C < B$
(i), (ii)에서 $C < B < A$

다른풀이 그래프를 이용하여 풀이하기

STEP A $1 < x < 9$에서 $\log_3 x$의 범위 구하기

$1 < x < 9$에 밑이 3인 로그를 취하면 $3 > 1$이므로
$\log_3 1 < \log_3 x < \log_3 9$
$\therefore 0 < \log_3 x < 2$　　　　……… ㉠

STEP B $\log_3 x = t$로 치환하여 그래프를 이용하여 대소 비교하기

$\log_3 x = t$로 놓으면 $0 < t < 2$
$A = 2t$, $B = t^2$, $C = \log_3 t$의 그래프는
를 그리면 오른쪽 그림과 같으므로
$\log_3 t < t^2 < 2t$
$C < B < A$임을 알 수 있다.

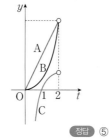

정답 ⑤

0411

정답 ④

STEP A 주어진 그림에서 a, b, c의 값 구하기

주어진 그림에서 $y = \log_2 x$의 그래프는
점 $A(a, 1)$를 지나므로 $\log_2 a = 1$
$\therefore a = 2$
점 $B(b, 2)$를 지나므로 $\log_2 b = 2$
$b = 2^2 = 4$
점 $C(c, 4)$를 지나므로 $\log_2 c = 4$
$c = 2^4 = 16$

STEP B $a + b + c$의 값 구하기

따라서 $a = 2$, $b = 4$, $c = 16$이므로 $a + b + c = 22$

0412

정답 ⑤

STEP A 주어진 그림에서 b, c, d의 관계식 구하기

주어진 그림에서 $y = \log_3 x$의 그래프는
점 (c, b), (d, c)를 지나므로
$b = \log_3 c$, $c = \log_3 d$
$\therefore c = 3^b$, $d = 3^c$

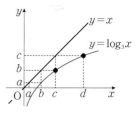

STEP B 주어진 식의 값 구하기

따라서 $\left(\dfrac{1}{3}\right)^{b-c} = 3^{-b+c} = \dfrac{3^c}{3^b} = \dfrac{d}{c}$

0413

정답 ④

STEP A 주어진 그림에서 a, b, c의 관계식 구하기

주어진 그림에서 $y = \log_{\frac{1}{3}} x$의 그래프는
점 (a, c), (b, a)를 지나므로
$c = \log_{\frac{1}{3}} a$, $a = \log_{\frac{1}{3}} b$
로그의 정의에 의해
$a = \left(\dfrac{1}{3}\right)^c = 3^{-c}$, $b = \left(\dfrac{1}{3}\right)^a = 3^{-a}$

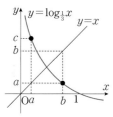

STEP B 주어진 식의 값 구하기

따라서 $3^{-a-c} = 3^{-a} \times 3^{-c} = ab$

오른쪽 그림은 함수 $y = \log_{\frac{3}{2}} x$의
그래프와 직선 $y = x$이다.
$d = 2b$일 때, $\left(\dfrac{2}{3}\right)^{a-c}$의 값은?
(단, 점선은 x축 또는 y축에 평행하다.)

① 1　　　　　　② 2
③ 4　　　　　　④ 6
⑤ 8

STEP A 주어진 그림에서 a, b, c, d의 관계식 구하기

주어진 그림에서 $y = \log_{\frac{3}{2}} x$의
그래프는
점 (b, a), (d, c)를 지나므로
$a = \log_{\frac{3}{2}} b$, $c = \log_{\frac{3}{2}} d$
$\left(\dfrac{3}{2}\right)^a = b$, $\left(\dfrac{3}{2}\right)^c = d$　…… ㉠

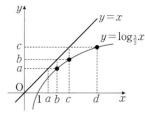

STEP B $d = 2b$를 이용하여 $\left(\dfrac{2}{3}\right)^{a-c}$의 값 구하기

㉠에 $d = 2b$를 대입하면
$\left(\dfrac{3}{2}\right)^c = 2\left(\dfrac{3}{2}\right)^a$
$\therefore \left(\dfrac{3}{2}\right)^{c-a} = 2$
따라서 $\left(\dfrac{2}{3}\right)^{a-c} = \left(\dfrac{3}{2}\right)^{c-a} = 2$

정답 ②

0414

정답 ⑤

STEP Ⓐ 지수함수 $y=3^x$와 $y=x$ 위의 점을 이용하여 a, b의 값 구하기

$f(x)=3^x$이라 하면 지수함수 $y=3^x$의

그래프에서 $a=f\left(\dfrac{1}{2}\right)=3^{\frac{1}{2}}=\sqrt{3}$

또한, $b=f(a)=3^a=3^{\sqrt{3}}$

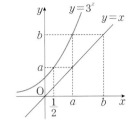

STEP Ⓑ $\log_{\sqrt{a}}b$의 값 구하기

따라서 $a=\sqrt{3}$, $b=3^a=3^{\sqrt{3}}$이므로

$\log_{\sqrt{a}}b=2\log_a b=2\log_{\sqrt{3}}3^{\sqrt{3}}=2\times\sqrt{3}\log_3 3=4\sqrt{3}$

0415

정답 ③

STEP Ⓐ 지수함수 $y=3^x$에서 b의 값 구하기

$f(x)=3^x$이라 하면 지수함수 $y=3^x$의 그래프에서

$b=f(1)=3^1=3$

STEP Ⓑ 로그함수 $y=\log_3 x$에서 a의 값 구하기

$g(x)=\log_3 x$라 하면 $y=\log_3 x$의 그래프에서

$b=g(a)=\log_3 a$

즉 $3=\log_3 a$에서 $a=3^3$

STEP Ⓒ $\log_3 ab$의 값 구하기

따라서 $\log_3 ab=\log_3(3\times 3^3)=\log_3 3^4=4$

0416

정답 ⑤

STEP Ⓐ 지수함수와 로그함수의 관계를 만족하는 함숫값을 구하기

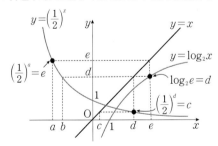

ㄱ. $\left(\dfrac{1}{2}\right)^d=c$ [참]

ㄴ. $\left(\dfrac{1}{2}\right)^a=2^{-a}=e$에서 $a=-\log_2 e$

또, $d=\log_2 e$이므로 $-a=d$ $\therefore a+d=0$ [참]

ㄷ. $\left(\dfrac{1}{2}\right)^d=2^{-d}=c$

또, $\log_2 e=d$이므로 $e=2^d$ $\therefore ce=2^{-d}\times 2^d=1$ [참]

따라서 옳은 것은 ㄱ, ㄴ, ㄷ이다.

0417

정답 ①

STEP Ⓐ 그래프에서 a, b, c의 값 구하기

$a=\log_2 16=4$, $b=\log_2 p$, $c=\log_2 2=1$

STEP Ⓑ $a-b=2(b-c)$임을 이용하여 p의 값 구하기

이때 $a-b=2(b-c)$에서 $4-\log_2 p=2(\log_2 p-1)$ $\therefore \log_2 p=2$

따라서 $p=4$

0418

정답 ②

STEP Ⓐ 그래프에서 $a+b$의 값 구하기

$\log_2 2a=b$이므로 $2a=2^b$ ……… ㉠

$\log_2 8a=2b$이므로 $8a=2^{2b}$ ……… ㉡

㉠을 ㉡에 대입하면 $8a=(2a)^2$

$2a=a^2$

$a>0$이므로 $a=2$

$a=2$를 ㉠에 대입하면 $b=2$

따라서 $a+b=2+2=4$

다른풀이 로그의 성질을 이용하여 풀이하기

$\log_2 2a=b$이므로

$b=1+\log_2 a$ ……… ㉠

$\log_2 8a=2b$이므로

$2b=3+\log_2 a$ ……… ㉡

㉡-㉠을 하면 $b=2$

$b=2$를 ㉠에 대입하면 $\log_2 a=1$

$\therefore a=2$

따라서 $a+b=2+2=4$

0419

정답 ③

STEP Ⓐ 그래프에서 a, b의 값 구하기

두 점 $(3, a)$, $(4, b)$는 함수 $y=\log_3 x$의 그래프 위의 점이므로

$a=\log_3 3=1$, $b=\log_3 4$

STEP Ⓑ k의 값 구하기

또, 점 $\left(k, \dfrac{a+b}{2}\right)$는 함수 $y=\log_3 x$의 그래프 위의 점이므로

$\dfrac{a+b}{2}=\log_3 k$, $\dfrac{1+\log_3 4}{2}=\log_3 k$

$1+\log_3 4=2\log_3 k$, $\log_3 12=\log_3 k^2$

$\therefore k^2=12$

따라서 $k>0$이므로 $k=2\sqrt{3}$

0420

정답 ⑤

STEP Ⓐ 점 B의 좌표를 $(m, 0)$이라 두고 점 A의 좌표 표현하기

점 B의 좌표를 $(m, 0)$이라고 하면 점 A의 좌표는 $(m, 2)$

STEP Ⓑ 점 A를 $y=\log_2 x$에 대입하여 m의 값 구하기

이때 점 A는 $y=\log_2 x$ 위의 점이므로 $\log_2 m=2$

$\therefore m=4$

STEP Ⓒ $\overline{AD}=2$를 이용하여 점 D의 좌표 구하기

따라서 점 A의 좌표는 $(4, 2)$이고 $\overline{AD}=2$, 점 D의 좌표는 $(6, 2)$이므로

$a+b=8$

0421

정답 ①

STEP A 점 A, B의 x좌표를 a, 점 C, D의 x좌표를 b라 두고 a, b의 관계식 구하기

사각형 ABCD는 한 변의 길이가 2인 정사각형이다.
점 A, B의 x좌표를 a, 점 C, D의 x좌표를 b라 하면 $b-a=2$
$\therefore b=a+2$

STEP B 정사각형의 한 변의 길이가 2임을 이용하여 a의 값 구하기

이때 점 D의 y좌표는 $\log_3(a+2)$, 점 B의 y좌표는 $\log_3 a$
이때 정사각형의 한 변의 길이가 2이므로 $\log_3(a+2)-\log_3 a=2$
$\log_3\left(\dfrac{a+2}{a}\right)=2$, $\dfrac{a+2}{a}=3^2$
따라서 $a=\dfrac{1}{4}$

내신연계 출제문항 **150**

그림에서 두 점 D, E가 함수 $y=\log_2 x$의 그래프 위에 있고 정사각형 ABCD의 넓이가 16일 때, 정사각형 FGBE의 한 변의 길이는?

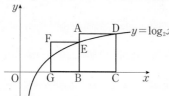

① $2-\log_2 2$　② 2　③ $3-\log_3 3$
④ $2+\log_2 3$　⑤ $3+\log_3 2$

STEP A 점 C의 좌표를 구하기

정사각형 ABCD의 넓이가 16이므로 한 변의 길이가 4이다.
점 C$(a, 0)$이라 하면 $\overline{CD}=4$이므로 D$(a, 4)$
점 D가 $y=\log_2 x$의 그래프 위의 점이므로 $4=\log_2 a$
$\therefore a=2^4=16$
$\therefore$ C$(16, 0)$

STEP B 정사각형 FGBE의 한 변의 길이 구하기

한편 $\overline{BC}=4$이므로 B$(12, 0)$
이때 점 E$(12, b)$라 하면 점 E는 $y=\log_2 x$의 그래프 위의 점이므로
$b=\log_2 12=\log_2(4\times 3)=2+\log_2 3$
따라서 정사각형 FGBE의 한 변의 길이는 $2+\log_2 3$
정답 ④

0422

정답 ①

STEP A 선분 AB를 $1:2$로 내분한 점의 좌표 구하기

함수 $f(x)=\log_2 x$의 그래프 위의 두 점 A$(a, \log_2 a)$, B$(b, \log_2 b)$를
이은 선분 AB를 $1:2$로 내분한 점은 $\left(\dfrac{2a+b}{3}, \dfrac{2\log_2 a+\log_2 b}{3}\right)$

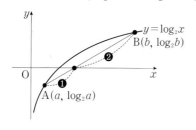

STEP B 선분 AB를 $1:2$로 내분한 점의 y좌표가 0임을 이용하여 구하기

내분점이 x축 위에 있으므로 $\dfrac{2\log_2 a+\log_2 b}{3}=0$
따라서 $2\log_2 a+\log_2 b=\log_2 a^2 b=0$이므로 $a^2 b=1$

내신연계 출제문항 **151**

함수 $y=\log_3 x$의 그래프 위의 서로 다른 두 점 A, B가 다음 두 조건을 만족한다.

> (가) 선분 A, B의 중점이 x축 위에 있다.
> (나) 선분 AB를 $3:1$로 외분하는 점이 y축 위에 있다.

이때 삼각형 OAB의 넓이는? (단, O는 원점이다.)

① $\dfrac{\sqrt{2}}{2}$　② $\sqrt{2}$　③ $\dfrac{\sqrt{3}}{3}$
④ $\sqrt{3}$　⑤ $2\sqrt{3}$

STEP A 점 A, B의 좌표를 구하기

두 점 A$(a, \log_3 a)$, B$(b, \log_3 b)$
$(a, b$는 양수)라 하면
조건 (가)에서 선분 AB의
중점 M의 y좌표는 0이므로
$\dfrac{\log_3 a+\log_3 b}{2}=0$, $\log_3 ab=0$
$\therefore ab=1$　　……㉠

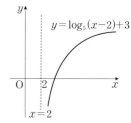

조건 (나)에서 선분 AB를 $3:1$로
외분하는 점의 x좌표는 0이므로
$\dfrac{3b-a}{3-1}=0$
$\therefore a=3b$　　……㉡
㉠, ㉡에서
$a=\sqrt{3}$, $b=\dfrac{\sqrt{3}}{3}$이므로 A$\left(\sqrt{3}, \dfrac{1}{2}\right)$, B$\left(\dfrac{\sqrt{3}}{3}, -\dfrac{1}{2}\right)$

STEP B 삼각형 OAB의 넓이 구하기

따라서 그림에서 삼각형 OAB의 넓이는 $\left(\dfrac{1}{2}\cdot\dfrac{2\sqrt{3}}{3}\cdot\dfrac{1}{2}\right)\cdot 2=\dfrac{\sqrt{3}}{3}$
정답 ③

0423

정답 ②

STEP A 주어진 로그함수의 그래프 그리기

함수 $y=\log_5(x-2)+3$의 그래프는
$y=\log_5 x$의 그래프를 x축으로 2만큼,
y축의 방향으로 3만큼 평행이동한
식이므로 그래프는 오른쪽 그림과 같다.

STEP B 로그함수의 그래프의 성질을 이용하여 진위판단하기

① x의 값이 증가하면 y의 값도 증가한다. [참]
② 점근선은 $x=2$이다. [거짓]
③ $y=\log_5 x$의 그래프를 x축의 방향으로 2만큼, y축의 방향으로 3만큼
　평행이동 하여 얻어진다. [참]
④ 정의역은 $\{x|x>2\}$이다. [참]
⑤ 치역은 실수 전체의 집합이다. [참]
따라서 옳지 않은 것은 ②이다.

0424

정답 ⑤

STEP A 주어진 로그함수의 그래프 그리기

$y=-\log_{2}(x-2)+1$에서

$y=\log_{\frac{1}{2}}(x-2)+1$이므로

이 함수의 그래프는 $y=\log_{\frac{1}{2}}x$의

그래프를 x축으로 2만큼, y축의

방향으로 1만큼 평행이동한 식이므로

그래프는 오른쪽 그림과 같다.

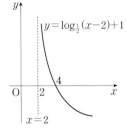

STEP B 로그함수의 그래프의 성질을 이용하여 진위판단하기

① 정의역은 $\{x|x>2\}$이다. [참]

② 치역은 모든 실수이다. [참]

③ 그래프의 점근선은 $x=2$이다. [참]

④ x값이 증가하면 y값은 감소한다. [참]

⑤ 그래프는 $y=\log_{2}x$의 그래프를 대칭이동과 평행이동하면 겹쳐진다. [거짓]

따라서 옳지 않은 것은 ⑤이다.

0425

정답 ④

STEP A 주어진 로그함수의 그래프 그리기

로그함수

$y=\log_{2}(2-x)+1$

$\quad=\log_{2}-(x-2)+1$

이므로 이 함수의 그래프는

$y=\log_{2}(-x)$의 그래프를 x축으로

2만큼, y축의 방향으로 1만큼 평행

이동한 식이므로 그래프는 오른쪽

그림과 같다.

STEP B 로그함수의 그래프의 성질을 이용하여 진위판단하기

① 정의역은 $\{x|x<2\}$이다. [참]

② $y=\log_{2}(2-x)+1$의 그래프의 점근선의 방정식은 $x=2$이다. [참]

③ $y=\log_{2}(2-x)+1$의 그래프는 점 $(1, 1)$을 지난다. [참]

④ $y=\log_{2}(-x)$의 그래프를 x축의 방향으로 2만큼, y축의 방향으로 1만큼 평행이동하면 $y=\log_{2}(2-x)+1$의 그래프와 겹쳐진다. [거짓]

⑤ $y=\log_{2}(2-x)+1$은 x의 값이 증가하면 y의 값은 감소한다. [참]

따라서 옳지 않은 것은 ④이다.

0426

정답 ④

STEP A 주어진 로그함수의 그래프 그리기

$y=\log_{\frac{1}{3}}(-x+1)+2$

$\quad=\log_{\frac{1}{3}}-(x-1)+2$

이 함수의 그래프는 $y=\log_{\frac{1}{3}}x$의

그래프를 y축에 대하여 대칭이동한

식을 x축의 방향으로 1만큼, y축의

방향으로 2만큼 평행이동한 식이므로

그래프는 오른쪽 그림과 같다.

STEP B 로그함수의 그래프의 성질을 이용하여 진위판단하기

① 정의역은 $\{x|x<1\}$이다. [거짓]

② 치역은 실수전체이다. [거짓]

③ 그래프의 점근선은 직선 $x=1$이다. [거짓]

④ x의 값이 증가하면 y의 값도 증가한다. [참]

---

⑤ $y=\log_{\frac{1}{3}}(-x+1)+2$에서 $y-2=\log_{\frac{1}{3}}(-x+1)$, $\left(\frac{1}{3}\right)^{y-2}=-x+1$

$x=-\left(\frac{1}{3}\right)^{y-2}+1$

x와 y를 바꾸면 $y=-\left(\frac{1}{3}\right)^{x-2}+1$

함수 $y=-\left(\frac{1}{3}\right)^{x-2}+1$의 그래프가 직선 $y=x$에 대하여 대칭이다. [거짓]

따라서 옳은 것은 ④이다.

내/신/연/계/ 출제문항 152

함수 $y=\log_{\frac{1}{2}}(-2x+6)-1$에 대한 설명으로 옳지 않은 것은?

① 정의역은 $\{x|x<3\}$이다.

② 그래프의 점근선은 직선 $x=3$이다.

③ x의 값이 증가하면 y의 값은 감소한다.

④ $y=\log_{\frac{1}{2}}x$의 그래프를 y축에 대하여 대칭이동한 식을 x축의 방향으로 3만큼, y축의 방향으로 -2만큼 평행이동한 식이다.

⑤ 함수 $y=-\left(\frac{1}{2}\right)^{x+2}+3$의 그래프와 직선 $y=x$에 대하여 대칭이다.

STEP A 주어진 로그함수의 그래프 그리기

$y=\log_{\frac{1}{2}}(-2x+6)-1$

$\quad=\log_{\frac{1}{2}}2(-x+3)-1$

$\quad=\log_{\frac{1}{2}}(-x+3)-2$

이 함수의 그래프는 $y=\log_{\frac{1}{2}}x$의

그래프를 y축에 대하여 대칭이동한

식을 x축의 방향으로 3만큼, y축의

방향으로 -2만큼 평행이동한 식이므로

그래프는 오른쪽 그림과 같다.

STEP B 로그함수의 그래프의 성질을 이용하여 진위판단하기

① 정의역은 $\{x|x<3\}$이다. [참]

② 그래프의 점근선은 직선 $x=3$이다. [참]

③ x의 값이 증가하면 y의 값도 증가한다. [거짓]

④ $y=\log_{\frac{1}{2}}x$의 그래프를 y축에 대하여 대칭이동한 식을 x축의 방향으로 3만큼, y축의 방향으로 -2만큼 평행이동한 식이다. [참]

⑤ $y=\log_{\frac{1}{2}}(-2x+6)-1$에서 $y+1=\log_{\frac{1}{2}}(-2x+6)$

$\left(\frac{1}{2}\right)^{y+1}=-2x+6$, $x=-\left(\frac{1}{2}\right)^{y+2}+3$

x와 y를 바꾸면 $y=-\left(\frac{1}{2}\right)^{x+2}+3$

함수 $y=-\left(\frac{1}{2}\right)^{x+2}+3$의 그래프가 직선 $y=x$에 대하여 대칭이다. [참]

따라서 옳지 않은 것은 ③이다.

정답 ③

0427

정답 ④

STEP A 지수함수의 성질을 이용하여 보기의 진위판단하기

ㄱ. $y=\frac{1}{9}\cdot 3^{x}+1=3^{x-2}+1$이므로

함수 $y=3^{x}$의 그래프를 x축의

방향으로 2만큼, y의 방향으로

1만큼 평행이동한 것이다. [참]

ㄴ. 점근선의 방정식은 $y=1$이다. [거짓]

ㄷ. 함수 $y=\log_{3}(x-1)+2$의 그래프를

직선 $y=x$에 대하여 대칭이동하면

$x=\log_{3}(y-1)+2$

이때 $\log_{3}(y-1)=x-2$이므로 $y-1=3^{x-2}$ $\therefore$ $y=3^{x-2}+1$ [참]

따라서 옳은 것은 ㄱ, ㄷ이다.

다음 보기에서 함수 $y=5^{-x+1}+1$에 대한 설명으로 옳은 것을 모두 고른 것은?

> ㄱ. 치역은 $\{y|y \geq 1$인 모든 실수$\}$이다.
> ㄴ. x의 값이 증가하면 y의 값은 감소한다.
> ㄷ. 역함수는 $y=\log_{\frac{1}{5}}(x-1)+1$이다.

① ㄱ   ② ㄴ   ③ ㄷ
④ ㄴ, ㄷ   ⑤ ㄱ, ㄴ, ㄷ

STEP Ⓐ **지수함수의 성질을 이용하여 [보기]의 진위판단하기**

$y=5^{-x+1}+1=\left(\dfrac{1}{5}\right)^{x-1}+1$이므로 함수 $y=\left(\dfrac{1}{5}\right)^{x}$의 그래프를 x축의 방향으로

1만큼, y축의 방향으로 1만큼 평행이동한 것이다.

ㄱ. $5^{-x+1}+1 > 1$이므로 치역은 $\{y|y > 1$인 모든 실수$\}$이다. [거짓]

ㄴ. 함수 $y=5^{-x+1}+1=\left(\dfrac{1}{5}\right)^{x-1}+1$은

    x의 값이 증가하면 y의 값은 감소한다. [참]

ㄷ. $y=5^{-x+1}+1$에서 x를 y로 나타내면

    $\left(\dfrac{1}{5}\right)^{x-1}=y-1$, $x-1=\log_{\frac{1}{5}}(y-1)$, $x=\log_{\frac{1}{5}}(y-1)+1$

    x와 y를 서로 바꾸면 구하는 역함수는 $y=\log_{\frac{1}{5}}(x-1)+1$ [참]

따라서 옳은 것은 ㄴ, ㄷ이다.   정답 ④

0428
정답 ④

STEP Ⓐ **평행이동과 대칭이동을 이용하여 그래프를 그려 감소함수 구하기**

① 함수 $y=\left(\dfrac{1}{2}\right)^{-x-2}=2^{x+2}$의 그래프는 함수 $y=2^x$의 그래프를 x축의

    방향으로 -2만큼 평행이동한 것이므로 다음과 같다.

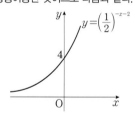

    즉 x의 값이 커질 때, y의 값도 커진다.

② 함수 $y=-\left(\dfrac{1}{2}\right)^{x}+2$의 그래프는 함수 $y=\left(\dfrac{1}{2}\right)^{x}$의 그래프를 x축에 대하여

    대칭이동한 후 y축의 방향으로 2만큼 평행이동한 것이므로 다음과 같다.

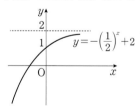

    즉 x의 값이 커질 때, y의 값도 커진다.

③ 함수 $y=-\log_{\frac{1}{2}}(x-2)+1=\log_2(x-2)+1$의 그래프는 함수 $y=\log_2 x$의

    그래프를 x축의 방향으로 2만큼, y축의 방향으로 1만큼 평행이동한 것이므로 다음과 같다.

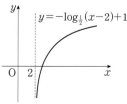

    즉 x의 값이 커질 때, y의 값도 커진다.

④ 함수 $y=\log_2(-2x+4)-2=\log_2(-x+2)-1$의 그래프는 함수

    $y=\log_2 x$의 그래프를 y축에 대하여 대칭이동한 후 x축의 방향으로

    2만큼, y축의 방향으로 -1만큼 평행이동한 것이므로 다음과 같다.

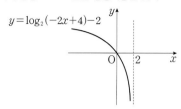

    즉 x의 값이 커질 때, y의 값은 작아진다.

⑤ 함수 $y=-\log_2(2-x)$의 그래프는 함수 $y=\log_2 x$의 그래프를 원점에

    대하여 대칭이동한 후 x축의 방향으로 2만큼 평행이동한 것이므로

    다음과 같다.

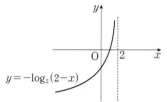

    즉 x의 값이 커질 때, y의 값도 커진다.

따라서 x의 값이 커질 때 y의 값이 작아지는 함수는 ④이다.

> **KEY POINT**
>
> 평행이동하여도 함수의 그래프의 개형(증가하는 꼴, 감소하는 꼴)은
> 변하지 않으므로 함수의 대칭이동만 파악하여 빠르게 답을 구할 수 있다.

0429
정답 ③

STEP Ⓐ **주어진 함수가 평행이동된 정도 구하기**

$y=\log_a(x-2)+3$의 그래프는 $y=\log_a x$의 그래프를 x축의 방향으로

2만큼, y축의 방향으로 3만큼 평행이동한 것이다.

STEP Ⓑ **함수 $y=\log_a(x-2)+3$가 항상 지나는 점 구하기**

이때 $y=\log_a x$의 그래프는 a의 값에 관계없이 항상 점 $(1, 0)$을 지나므로

함수 $y=\log_a(x-2)+3$의 그래프는 항상 일정한 점 $(3, 3)$을 지난다.

따라서 $p=3$, $q=3$이므로 $p+q=3+3=6$

지수함수 $y=a^{x+3}-5$의 그래프가 a의 값에 관계없이 항상 일정한 점 (p, q)를 지날 때, pq의 값은? (단, $a > 0$, $a \neq 1$)

① -15 ② -8 ③ 0
④ 1   ⑤ 12

STEP Ⓐ **주어진 함수의 평행이동이 된 정도 구하기**

$y=a^{x+3}-5$의 그래프는 $y=a^x$의 그래프를 x축의 방향으로 -3만큼,

y축의 방향으로 -5만큼 평행이동한 것이다.

STEP Ⓑ **평행이동을 이용하여 함수가 항상 지나는 점 구하기**

이때 $y=a^x$의 그래프는 a의 값에 관계없이 항상 점 $(0, 1)$을 지나므로

함수 $y=a^{x+3}-5$의 그래프는 항상 일정한 점 $(-3, -4)$를 지난다.

따라서 $p=-3$, $q=-4$이므로 $pq=(-3) \cdot (-4)=12$ 정답 ⑤

0430

STEP Ⓐ $y=\log_2 x$를 평행이동, 대칭이동하여 얻을 수 있는 식 구하기

ㄱ. $y=\log_2(2-x)=\log_2\{-(x-2)\}$이므로 이 함수는 $y=\log_2 x$의 그래프를 y축에 대하여 대칭이동한 후 x축의 방향으로 2만큼 평행이동한 것이다. [참]

ㄴ. $y=\log_2\dfrac{4}{x}+1=\log_2 4-\log_2 x+1=3-\log_2 x$이므로 이 함수는 $y=\log_2 x$의 그래프를 x축에 대하여 대칭이동한 후 y축의 방향으로 3만큼 평행이동한 것이다. [참]

ㄷ. $y=4\log_2 x$의 그래프는 $y=\log_2 x$의 그래프를 이동하여 얻을 수 없다. [거짓]

ㄹ. $y=2^{-x}$는 $y=\log_2 x$의 그래프를 $y=x$에 대하여 대칭이동한 후 y축에 대하여 대칭이동한 것이다. [참]

따라서 옳은 것은 ㄱ, ㄴ, ㄹ이다.

다음 [보기]에서 로그함수 $y=\log_3 x$의 그래프를 평행이동 또는 대칭이동하여 그 그래프를 얻을 수 있는 것은?

보기
ㄱ. $y=\log_3(9-3x)$ ㄴ. $y=\log_3\dfrac{3}{x}+1$

ㄷ. $y=3^{-x}$ ㄹ. $y=\log_9 x^2$

① ㄱ　　　② ㄴ, ㄷ　　　③ ㄱ, ㄴ,ㄷ
④ ㄱ, ㄷ, ㄹ　　　⑤ ㄱ, ㄴ, ㄷ, ㄹ

STEP Ⓐ $y=\log_3 x$를 평행이동, 대칭이동하여 얻을 수 있는 식 구하기

ㄱ. $y=\log_3(9-3x)=\log_3 3\{-(x-3)\}=\log_3\{-(x-3)\}+1$
즉 함수 $y=\log_3(9-3x)$의 그래프는 함수 $y=\log_3 x$의 그래프를 y축에 대하여 대칭이동한 후 x축의 방향으로 3만큼, y축으로 1만큼 평행이동한 것이다. [참]

ㄴ. $y=\log_3\dfrac{3}{x}+1=1-\log_3 x+1$에서 $-(y-2)=\log_3 x$

즉 함수 $y=\log_3\dfrac{3}{x}$의 그래프는 함수 $y=\log_3 x$의 그래프를 x축에 대하여 대칭이동한 후 y축의 방향으로 2만큼 평행이동한 것이다. [참]

ㄷ. 함수 $y=\log_3 x$의 그래프를 직선 $y=x$에 대하여 대칭이동하면 함수 $y=3^x$의 그래프가 되고 이것을 다시 y축에 대하여 대칭이동하면 함수 $y=3^{-x}$의 그래프가 된다. [참]

ㄹ. $y=\log_9 x^2=\log_{3^2}x^2=\log_3|x|$이므로 $y=\log_3 x$의 그래프를 평행이동 또는 대칭이동하여 겹칠 수 없다. [거짓]

따라서 로그함수 $y=\log_3 x$의 그래프를 평행이동 또는 대칭이동하여 그래프를 얻을 수 있는 것은 ㄱ, ㄴ, ㄷ이다.

0431

STEP Ⓐ 평행이동한 함수의 함수식 구하기

함수 $y=\log_2 x$를 x축의 방향으로 -4만큼, y축의 방향으로 3만큼 평행이동하면 $y-3=\log_2(x+4)$ ∴ $y=\log_2(x+4)+3$

STEP Ⓑ 대칭이동한 함수의 함수식 구하기

또, 직선 $y=x$에 대해서 대칭이동한 함수는 $x=\log_2(y+4)+3$
즉 $y+4=2^{x-3}$

STEP Ⓒ $g(5)$의 값 구하기

따라서 $g(x)=2^{x-3}-4$이므로 $g(5)=2^2-4=0$

함수 $f(x)=\log_2 x+2$의 그래프를 x축의 방향으로 1만큼, y축의 방향으로 -1만큼 평행이동한 다음 직선 $y=x$에 대하여 대칭이동하면 함수 $y=g(x)$의 그래프와 겹쳐진다. $g(5)$의 값은?

① 15　　　② 17　　　③ 19
④ 21　　　⑤ 23

STEP Ⓐ 평행이동한 함수의 함수식 구하기

함수 $y=\log_2 x+2$를 x축의 방향으로 1만큼, y축의 방향으로 -1만큼 평행이동하면 $y+1=\log_2(x-1)+2$
∴ $y=\log_2(x-1)+1$

STEP Ⓑ 대칭이동한 함수의 함수식 구하기

또, 직선 $y=x$에 대해서 대칭이동한 함수는 $x=\log_2(y-1)+1$
즉 $y-1=2^{x-1}$

STEP Ⓒ $g(5)$의 값 구하기

따라서 $g(x)=2^{x-1}+1$이므로 $g(5)=2^4+1=17$

0432

STEP Ⓐ 평행이동한 함수의 함수식 구하기

$y=\log_2 4x=\log_2 x+2$

$y=\log_8 16x^3=\log_{2^3}x^3+\log_{2^3}2^4=\log_2 x+\dfrac{4}{3}$

즉 $y=\log_2 4x$의 그래프는 함수 $y=\log_8 16x^3$의 그래프를 y축의 방향으로 $\dfrac{2}{3}$만큼 평행이동한 것이다.

STEP Ⓑ $f(1)+f(2)+f(3)+\cdots+f(9)$의 값 구하기

즉 $f(k)$의 값은 k의 값에 관계없이 항상 $\dfrac{2}{3}$이므로

$f(1)+f(2)+f(3)+\cdots+f(9)=\dfrac{2}{3}\cdot 9=6$

양의 실수 전체의 집합에서 정의된 두 함수 $y=\log_3 9x$, $y=\log_9 27x^2$의 그래프와 직선 $x=k$가 만나는 점을 각각 P, Q라 하고, 선분 PQ의 길이를 $f(k)$라 할 때, $f(1)+f(2)+f(3)+\cdots+f(10)$의 값은? (단, k는 상수)

① $\dfrac{7}{2}$　　　② $\dfrac{9}{2}$　　　③ 5
④ $\dfrac{17}{2}$　　　⑤ 10

STEP Ⓐ 평행이동한 함수의 함수식 구하기

$y=\log_3 9x=\log_3 x+2$

$y=\log_9 27x^2=\log_{3^2}x^2+\log_{3^2}3^3=\log_3 x+\dfrac{3}{2}$

즉 $y=\log_3 9x$의 그래프는 함수 $y=\log_9 27x^2$의 그래프를 y축의 방향으로 $\dfrac{1}{2}$만큼 평행이동한 것이다.

STEP Ⓑ $f(1)+f(2)+f(3)+\cdots+f(10)$의 값 구하기

즉 $f(k)$의 값은 k의 값에 관계없이 항상 $\dfrac{1}{2}$이므로

$f(1)+f(2)+f(3)+\cdots+f(10)=\dfrac{1}{2}\cdot 10=5$

0433

STEP Ⓐ 세 함수의 그래프 그리기

함수의 그래프는 다음과 같다.

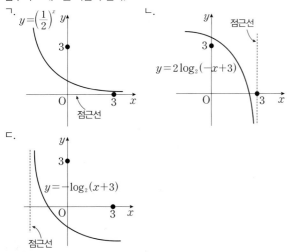

따라서 조건 (가), (나)를 만족하는 그래프는 ㄱ, ㄴ이다.

0434

정답 ⑤

STEP Ⓐ 함수 $y=\log_2 x$을 평행이동한 그래프의 식 구하기

로그함수 $y=\log_2 x$의 그래프를 x축의 방향으로 -2만큼, y축의 방향으로 1만큼 평행이동한 그래프의 식은 $y-1=\log_2(x+2)$

STEP Ⓑ 로그의 성질을 이용하여 a, b의 값 구하기

$y-1=\log_2(x+2)$에서 $y=\log_2(x+2)+1$

$y=\log_2(x+2)+\log_2 2=\log_2 2(x+2)$
$\qquad\qquad\qquad\qquad\qquad =\log_2(2x+4)$

따라서 $a=2$, $b=4$이므로 $a+b=6$

0435

정답 ①

STEP Ⓐ 함수 $y=\log_2(x-2)+1$을 평행이동한 그래프의 식 구하기

함수 $y=\log_2(x-2)+1$의 그래프를 x축의 방향으로 a만큼, y축의 방향으로 b만큼 평행이동한 그래프의 식은
$y-b=\log_2(x-a-2)+1$
$\therefore y=\log_2(x-a-2)+1+b \qquad \cdots\cdots \text{㉠}$

STEP Ⓑ 주어진 함수식을 변형하여 두 함수식 비교하기

$y=\log_2(4x-8)=\log_2 4(x-2)$
$\qquad\qquad\qquad\quad =\log_2 4+\log_2(x-2)$
$\qquad\qquad\qquad\quad =\log_2(x-2)+2 \qquad \cdots\cdots \text{㉡}$

㉠, ㉡에서 $a+2=2$, $1+b=2$이므로 $a=0$, $b=1$

따라서 $a+b=1$

0436

정답 ④

STEP Ⓐ 함수 $y=\log_5 x$을 평행이동한 그래프의 식 구하기

함수 $y=\log_5 x$의 그래프를 x축의 방향으로 a만큼, y축의 방향으로 2만큼 평행이동한 그래프의 식은 $y-2=\log_5(x-a)$

STEP Ⓑ 그래프가 지나는 점 $(9, 3)$을 대입하여 a의 값 구하기

이 그래프가 점 $(9, 3)$을 지나므로 $3-2=\log_5(9-a)$

$\log_5(9-a)=1$, $9-a=5$

따라서 $a=4$

내/신/연/계 출제문항 158

함수 $y=\log_2(4x+4)$의 그래프를 x축의 방향으로 1만큼, y축의 방향으로 -1만큼 평행이동한 다음 x축에 대하여 대칭이동한 그래프가 점 $(8, k)$를 지난다. 상수 k의 값은?

① -4 ② -3 ③ -1
④ 3 ⑤ 4

STEP Ⓐ 함수 $y=\log_2(4x+4)$의 그래프를 조건에 따라 이동한 그래프의 식 구하기

함수 $y=\log_2(4x+4)$의 그래프를 x축의 방향으로 1만큼, y축의 방향으로 -1만큼 평행이동한 그래프의 식은
$y=\log_2\{4(x-1)+4\}-1=\log_2 4x-1$
$\qquad\qquad\qquad\qquad\qquad =\log_2 4+\log_2 x-1$
$\qquad\qquad\qquad\qquad\qquad =\log_2 x+1$

이 함수의 그래프를 x축에 대하여 대칭이동한 그래프의 식은
$-y=\log_2 x+1$
$\therefore y=-\log_2 x-1 \qquad \cdots\cdots \text{㉠}$

STEP Ⓑ 그래프가 지나는 점 $(8, k)$를 대입하여 k의 값 구하기

따라서 ㉠이 점 $(8, k)$를 지나므로
$k=-\log_2 8-1=-\log_2 2^3-1$
$\qquad =-3-1=-4$

정답 ①

0437

정답 ①

STEP Ⓐ 두 점 $A(a, 1)$, $B(27, b)$를 대입하여 a, b의 값 구하기

함수 $y=\log_3 x$의 그래프 위에 두 점 $A(a, 1)$, $B(27, b)$가 있으므로 각각 대입하면
$\log_3 a=1$, $\log_3 27=b$이므로 $a=3$, $b=3$

STEP Ⓑ 평행이동한 그래프가 중점을 지남을 이용하여 m 구하기

함수 $y=\log_3 x$의 그래프를 x축의 방향으로 m만큼 평행이동한 함수 $y=\log_3(x-m)$의 그래프가 두 점 $A(3, 1)$, $B(27, 3)$의 중점의 좌표 $(15, 2)$를 지나므로 $\log_3(15-m)=2$

따라서 $3^2=15-m$이므로 $m=6$

0438

정답 ②

STEP Ⓐ 함수 $y=3^x+1$을 평행이동한 그래프의 식 구하기

함수 $y=3^x+1$의 그래프를 x축의 방향으로 1만큼, y축의 방향으로 3만큼 평행이동한 그래프의 식은 $y=3^{x-1}+1+3$
$\therefore y=3^{x-1}+4$

STEP Ⓑ $y=x$에 대하여 대칭이동한 그래프의 식 구하기

다음 직선 $y=x$에 대하여 대칭이동한 그래프의 식은 $x=3^{y-1}+4$
$\therefore y=\log_3(x-4)+1$

따라서 $a=-4$, $b=1$이므로 $a+b=-3$

내/신/연/계 출제문항 159

함수 $y=2^x+2$의 그래프를 x축의 방향으로 m만큼 평행이동한 그래프가 함수 $y=\log_2 8x$의 그래프를 x축의 방향으로 2만큼 평행이동한 그래프와 직선 $y=x$에 대하여 대칭일 때, 상수 m의 값은?

① 1   ② 2   ③ 3
④ 4   ⑤ 5

STEP Ⓐ $y=2^x+2$를 x축의 방향으로 m만큼 평행이동한 식 작성하기

함수 $y=2^x+2$의 그래프를 x축의 방향으로 m만큼 평행이동한 그래프를 나타내는 함수는 $y=2^{x-m}+2$ …… ㉠

STEP Ⓑ $y=\log_2 8x$를 x축의 방향으로 2만큼 평행이동한 식 작성하기

함수 $y=\log_2 8x$의 그래프를 x축의 방향으로 2만큼 평행이동한 그래프를 나타내는 함수는 $y=\log_2 8(x-2)$ …… ㉡

STEP Ⓒ 직선 $y=x$에 대하여 대칭임을 이용하여 상수 m 구하기

㉡을 직선 $y=x$에 대하여 대칭이동한 그래프를 나타내는 함수는
$x=\log_2 8(y-2)=3+\log_2(y-2)$에서
$y=2^{x-3}+2$ …… ㉢

따라서 ㉠과 ㉢이 일치해야하므로 $m=3$ 정답 ③

+α
$y=2^{x-m}+2$를 직선 $y=x$에 대하여 대칭이동한 그래프는
$x=2^{y-m}+2,\ x-2=2^{y-m}$
$y-m=\log_2(x-2)$
$\therefore\ y=\log_2(x-2)+m$
따라서 $y=\log_2 2^m(x-2)=\log_2 8(x-2)$이므로 $m=3$

0439

정답 ④

STEP Ⓐ 함수 $y=\log_2 x$를 대칭이동한 그래프의 식 구하기

함수 $y=\log_2 x$의 그래프를 직선 $y=x$에 대하여 대칭이동한 그래프의 식은
$x=\log_2 y$ $\therefore\ y=2^x$

STEP Ⓑ 함수 $y=2^x$을 평행이동한 그래프의 식 구하기

함수 $y=2^x$의 그래프를 x축의 방향으로 m만큼, y축의 방향으로 n만큼 평행이동한 그래프를 나타내는 함수의 식은 $y-n=2^{x-m}$
$\therefore\ y=2^{x-m}+n$ …… ㉠

STEP Ⓒ 주어진 함수식을 변형하여 두 함수식 비교하기

한편 $3=2^{\log_2 3}$이므로
$y=\dfrac{1}{3}\times 2^x+4=2^{x-\log_2 3}+4$ …… ㉡
㉠, ㉡의 그래프가 일치하므로 $m=\log_2 3,\ n=4$
따라서 $n^m=4^{\log_2 3}=3^{\log_2 4}=3^2=9$

0440

정답 ③

STEP Ⓐ 그래프에서 점근선의 방정식을 구하여 a의 값 구하기

함수 $y=\log_2(x+a)+b$의 그래프의 점근선은 직선 $x=-a$이고
주어진 그래프에서 점근선이 직선 $x=-2$이므로 $a=2$

STEP Ⓑ 그래프가 지나는 점을 대입하여 b의 값 구하기

$y=\log_2(x+2)+b$의 그래프가 점 $(0,\ 2)$를 지나므로
$2=\log_2 2+b$에서 $b=1$
따라서 $a=2,\ b=1$이므로 $a+b=3$

0441

정답 ①

STEP Ⓐ 그래프에서 점근선의 방정식을 구하여 a의 값 구하기

함수 $y=\log_{\frac{1}{3}}(x-a)+b$의 그래프의 점근선은 직선 $x=a$이고
주어진 그래프에서 점근선이 직선 $x=-3$이므로 $a=-3$

STEP Ⓑ 그래프가 지나는 점을 대입하여 b의 값 구하기

$y=\log_{\frac{1}{3}}(x+3)+b$의 그래프가 원점 $(0,\ 0)$을 지나므로
$0=\log_{\frac{1}{3}}3+b$
$\therefore\ b=1$
따라서 $a+b=-3+1=-2$

내/신/연/계 출제문항 160

함수 $y=\log_3(x+a)+b$의 그래프가 다음 그림과 같고 직선 $x=-3$이 이 그래프의 점근선일 때, 상수 a, b에 대하여 $a+b$의 값은?

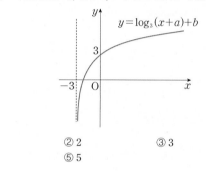

① 1   ② 2   ③ 3
④ 4   ⑤ 5

STEP Ⓐ 그래프에서 점근선의 방정식을 구하여 a의 값 구하기

$y=\log_3(x+a)+b$의 그래프의 점근선은 직선 $x=-a$이고
주어진 그래프에서 점근선이 직선 $x=-3$이므로 $a=3$

STEP Ⓑ 그래프가 지나는 점을 대입하여 b의 값 구하기

$y=\log_3(x+3)+b$의 그래프가 점 $(0,\ 3)$을 지나므로
$3=\log_3(0+3)+b$
$3=1+b$에서 $b=2$
따라서 $a+b=3+2=5$ 정답 ⑤

0442

정답 ②

STEP Ⓐ 점근선의 방정식에서 a의 값 구하기

$y=\dfrac{1}{2}\log_3(x-b)+a$의 점근선은 직선 $x=b$이므로 $b=4$

STEP Ⓑ 그래프가 지나는 점을 대입하여 b의 값 구하기

$y=\dfrac{1}{2}\log_3(x-4)+a$의 그래프가 점 $(13,\ 2)$를 지나므로
$2=\dfrac{1}{2}\log_3 9+a$에서 $2=1+a$
$\therefore\ a=1$
따라서 $3(a+b)=3(1+4)=15$

0443

정답 ③

STEP Ⓐ 함수의 점근선을 이용하여 a의 값 구하기

$y=\log_2(2x+a)+b$의 그래프의 점근선은 직선 $2x+a=0$

즉 직선 $x=-\dfrac{a}{2}$이므로 $-\dfrac{a}{2}=2$에서 $a=-4$

STEP Ⓑ 주어진 함수에 점 $(3,5)$를 대입하여 b의 값 구하기

함수 $y=\log_2(2x+a)+b$의 그래프가 점 $(3,5)$를 지나므로

$\log_2(2\cdot3+a)+b=5$ $\qquad$ ......㉠

$a=-4$를 ㉠에 대입하면 $\log_2(2\cdot3-4)+b=5$

$\log_22+b=5$ $\quad\therefore b=4$

따라서 $a+b=(-4)+4=0$

0444

정답 ①

STEP Ⓐ 로그함수를 평행이동한 식 작성하기

함수 $y=\log_2(2x+a)+b$의 그래프를 x축의 방향으로 2만큼, y축의 방향으로 -3만큼 평행이동한 그래프를 나타내는 식은

$y=\log_2(2x-4+a)+b-3$

STEP Ⓑ 그래프의 점근선과 점 $(5,-1)$을 지남을 이용하여 a, b 구하기

직선 $x=1$이 이 그래프의 점근선이므로 $\dfrac{4-a}{2}=1$

$\therefore a=2$

즉 $y=\log_2(2x-2)+b-3$이고 이 그래프가 점 $(5,-1)$을 지나므로

$-1=\log_28+b-3$

$\therefore b=-1$

따라서 $a+b=2+(-1)=1$

내/신/연/계/ 출제문항 161

함수 $y=3-\log_{\frac{1}{2}}(x+3)$의 점근선이 직선 $x=a$이고 이 함수의 그래프가 두 점 $(0,b)$, $(c,0)$을 지날 때, $(a+b)c$의 값은?

① $-\dfrac{15}{4}\log_23$ ② $-\dfrac{23}{8}\log_23$ ③ $-\dfrac{15}{4}\log_32$

④ $\dfrac{23}{8}\log_32$ ⑤ $\dfrac{15}{4}\log_23$

STEP Ⓐ 점근선의 방정식에서 a의 값 구하기

$y=3-\log_{\frac{1}{2}}(x+3)$의 점근선은 직선 $x=-3$이므로 $a=-3$

STEP Ⓑ 함수식에 점 $(0,b)$, $(c,0)$를 대입하여 b, c의 값 구하기

함수의 그래프가 점 $(0,b)$를 지나므로 $b=3-\log_{\frac{1}{2}}3=3+\log_23$

함수의 그래프가 점 $(c,0)$을 지나므로 $0=3-\log_{\frac{1}{2}}(c+3)$

$\therefore c=-\dfrac{23}{8}$

따라서 $(a+b)c=(-3+3+\log_23)\cdot\left(-\dfrac{23}{8}\right)=-\dfrac{23}{8}\log_23$

정답 ②

0445

정답 ③

STEP Ⓐ 로그함수 $f(x)$와 x축의 교점의 좌표 구하기

$f(x)=\log_a(bx-1)$의 x축과 만나는 교점의 좌표는 $0=\log_a(bx-1)$

즉 $bx-1=1$

$\therefore x=\dfrac{2}{b}$ $\qquad$ ......㉠

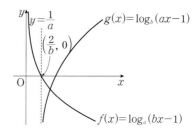

STEP Ⓑ 곡선 $y=g(x)$의 점근선 구하기

$g(x)=\log_b(ax-1)$의 점근선은 직선 $ax-1=0$

$\therefore x=\dfrac{1}{a}$ $\qquad$ ......㉡

STEP Ⓒ 주어진 조건을 이용하여 a와 b 사이의 관계식과 a의 값의 범위 구하기

㉠, ㉡에서 $y=f(x)$가 x축과 만나는 점의 좌표는 $\left(\dfrac{2}{b},0\right)$이므로

이 점이 점근선 $x=\dfrac{1}{a}$ 위에 있어야 하므로 $\dfrac{2}{b}=\dfrac{1}{a}$ $\quad\therefore b=2a$

또한, $0<a<1<b$에서 $1<b$이므로 $1<2a$

$\therefore \dfrac{1}{2}<a<1$

따라서 $b=2a\left(\dfrac{1}{2}<a<1\right)$

다른풀이 평행이동을 이용하여 풀이하기

곡선 $y=f(x)$와 x축과의 교점의 y좌표는 0이므로

$\log_a(bx-1)=0$, $bx-1=1$ $\quad\therefore x=\dfrac{2}{b}$

그러므로 x축과의 교점은 $\left(\dfrac{2}{b},0\right)$

한편 $y=\log_b(ax-1)=\log_ba\left(x-\dfrac{1}{a}\right)=\log_b\left(x-\dfrac{1}{a}\right)+\log_ba$이므로

함수 $y=g(x)$의 그래프는 $y=\log_bx$의 그래프를 x축의 방향으로 $\dfrac{1}{a}$만큼, y축의 방향으로 $\log_ba$만큼 평행이동한 것이다.

그러므로 곡선 $y=g(x)$의 점근선은 $x=\dfrac{1}{a}$

이때 점 $\left(\dfrac{2}{b},0\right)$이 직선 $x=\dfrac{1}{a}$ 위에 있어야 하므로 $\dfrac{2}{b}=\dfrac{1}{a}$ $\quad\therefore b=2a$

따라서 $b>1$에서 $a=\dfrac{1}{2}b$, $a>\dfrac{1}{2}$이고 조건에서 $a<1$이므로 $\dfrac{1}{2}<a<1$

0446

정답 ⑤

STEP Ⓐ 평행이동을 이용하여 $\overline{BC}$ 구하기

$y=\log_39x=\log_39+\log_3x=2+\log_3x$

즉 $y=\log_3x$의 그래프를 y축 방향으로 2만큼 평행이동한 것이므로 $\overline{BC}=2$

이때 $\overline{AB}=\overline{BC}$에서 $\overline{AB}=2$

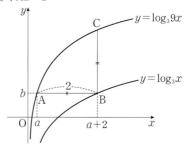

STEP Ⓑ $\overline{AB}=2$임을 이용하여 a, 3^b의 값 구하기

$A(a,b)$, $B(a+2,b)$라 하면 $b=\log_39a=\log_3(a+2)$

즉 $9a=a+2$에서 $a=\dfrac{1}{4}$

또한, $3^b=9a=\dfrac{9}{4}$

따라서 $a+3^b=\dfrac{1}{4}+\dfrac{9}{4}=\dfrac{5}{2}$

104

0447

정답 ③

STEP A 주어진 조건을 만족하는 a, b에 대한 식 구하기

점 A의 x좌표가 2이고 $\overline{AB}=2$이므로 점 B의 x좌표는 $2+2=4$

즉 점 B, C의 x좌표는 4이므로

$\overline{BC}=\log_a 4-\log_b 4=2$ ...... ㉠

또한, 점 A, B의 y좌표가 같으므로

$\log_a 2=\log_b 4$ ...... ㉡

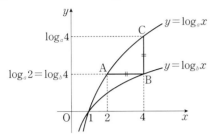

STEP B 연립하여 a, b의 값 구하기

㉠, ㉡에 의하여 $\log_a 4-\log_a 2=\log_a 2=2$에서 $a^2=2$

$\therefore a=\sqrt{2}$

이때 $a=\sqrt{2}$를 ㉡에 대입하면 $b=2$

따라서 $a^2+b^2=(\sqrt{2})^2+2^2=6$

0448

정답 ①

STEP A $\overline{AC}$의 길이 구하기

함수 $y=3^{x+1}$의 그래프를 x축의 방향으로 3만큼 평행이동하면

함수 $y=3^{x-2}$의 그래프이다.

$\overline{AB}=3$이고 $\overline{AB}=\overline{AC}$이므로 $\overline{AC}=3$

이때 점 A의 좌표를 $(a, 3^{a+1})$이라 하면 점 C의 좌표는 $(a, 3^{a-2})$이므로

$\overline{AC}=3^{a+1}-3^{a-2}=3$

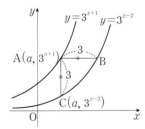

STEP B 주어진 식을 전개하여 a의 값 구하기

$3^{a+1}-3^{a-2}=3\cdot 3^a-\dfrac{1}{9}\cdot 3^a=\dfrac{26}{9}\cdot 3^a=3$

따라서 점 A의 y좌표는 $3^{a+1}=\dfrac{81}{26}$

다른풀이 그래프의 평행이동을 이용하여 풀이하기

점 A의 좌표를 $(a, 3^{a+1})$이라 하면 점 A와 점 C의 x좌표가 같으므로

$C(a, 3^{a-2})$으로 나타낼 수 있다.

이때 점 B의 x좌표를 b라 하면 점 B의 좌표는 $(b, 3^{b-2})$이고

점 A와 점 B의 y좌표가 같으므로 $3^{a+1}=3^{b-2}$

즉 $a+1=b-2$

$\therefore b=a+3$

$\overline{AC}=\overline{AB}$이고 $\overline{AB}=b-a=3$, $\overline{AC}=3^{a+1}-3^{a-2}$이므로

$3^{a+1}-3^{a-2}=3^a\left(3-\dfrac{1}{9}\right)=\dfrac{26}{9}\cdot 3^a=3$

$\therefore 3^a=\dfrac{27}{26}$

따라서 점 A의 y좌표는 3^{a+1}이므로 $3\cdot 3^a=3\cdot\dfrac{27}{26}=\dfrac{81}{26}$

내/신/연/계/ 출제문항 **162**

오른쪽 그림과 같이 함수 $f(x)=2^{x-1}$의 그래프 위의 두 점 A, B와 함수

$g(x)=2^{x+1}$의 그래프 위의 한 점 C가 있다. 두 선분 AC, BC가 각각 x축, y축과 평행하고 $\overline{AC}=\overline{BC}$일 때, 점 C의 y좌표는?

(단, 점 B는 제1사분면 위에 있다.)

① $\dfrac{12}{5}$　　　② $\dfrac{8}{3}$　　　③ $\dfrac{16}{5}$

④ $\dfrac{13}{3}$　　　⑤ $\dfrac{27}{2}$

STEP A 두 함수의 그래프 사이의 관계를 이용하여 $\overline{AC}$, $\overline{BC}$의 길이 구하기

$g(x)=2^{x+1}=2^{(x+2)-1}=f(x+2)$이므로 함수 $y=g(x)$의 그래프는

함수 $y=f(x)$의 그래프를 x축의 방향으로 -2만큼 평행이동한 것이다.

즉 선분 AC가 x축과 평행하므로

$\overline{AC}=2$, $\overline{BC}=\overline{AC}=2$ ...... ㉠

STEP B $\overline{BC}=2$임을 이용하여 점 C의 y좌표 구하기

점 C의 좌표를 $(a, 2^{a+1})$이라 하면 점 B의 좌표는 $(a, 2^{a-1})$이므로

$\overline{BC}=2^{a+1}-2^{a-1}=2^{a-1}\cdot(4-1)=3\cdot 2^{a-1}=2$

즉 $2^{a-1}=\dfrac{2}{3}$

따라서 점 C의 y좌표는 $2^{a+1}=4\cdot 2^{a-1}=4\cdot\dfrac{2}{3}=\dfrac{8}{3}$

정답 ②

0449

정답 ②

STEP A 함수 $f(x)$의 식 구하기

$y=f(x)$는 $y=-2^x$을 y축의 방향으로 m만큼 평행이동시킨 곡선이므로

$y=-2^x+m$

$\therefore f(x)=-2^x+m$

STEP B 점 A와 B의 좌표를 m으로 나타내기

$y=f(x)$가 x축과 만나는 점 A의

x좌표는 $0=-2^x+m$에서 $2^x=m$

$\therefore x=\log_2 m$

점 A의 좌표는 $A(\log_2 m, 0)$

또, 점 B는 $y=2^x$과 $y=-2^x+m$의 교점이므로 $2^x=-2^x+m$에서

$2\cdot 2^x=m$, $2^x=\dfrac{m}{2}$

$\therefore x=\log_2\dfrac{m}{2}$

점 B의 좌표는 $B\left(\log_2\dfrac{m}{2}, \dfrac{m}{2}\right)$

STEP C $\overline{OA}=2\overline{BC}$임을 이용하여 m의 값 구하기

$\overline{OA}=2\overline{BC}$에서

$\log_2 m=2\log_2\dfrac{m}{2}$, $\log_2 m=\log_2\left(\dfrac{m}{2}\right)^2$

즉 $m=\dfrac{m^2}{4}$, $m^2-4m=0$

따라서 $m=4$ ($\because m>2$)

0450

STEP Ⓐ 함수 $y=\left(\dfrac{1}{3}\right)^x$의 그래프를 평행이동한 그래프의 식을 구하기

$y=\left(\dfrac{1}{3}\right)^{x-1}+k$의 그래프는 $y=\left(\dfrac{1}{3}\right)^x$의 그래프를 x축의 방향으로 1만큼,
y축의 방향으로 k만큼 평행이동한 것이다.

STEP Ⓑ 그래프가 제 1사분면을 지나지 않을 조건 구하기

x의 값이 증가하면 y의 값은 감소하므로
그래프가 제 1사분면을 지나지 않으려면
$x=0$일 때, y의 값이 0보다 작거나
같아야 한다.

즉 $\left(\dfrac{1}{3}\right)^{0-1}+k=3+k\leq 0$

$\therefore k\leq -3$
따라서 정수 k의 최댓값은 -3

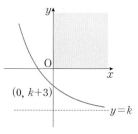

$(0,\ k+3)$
$y=k$

함수 $y=2^{x+1}+k$의 그래프가 제 2사분면을 지나지 않도록 하는 상수 k의
최댓값은?

① -3 ② -2 ③ -1
④ 1 ⑤ 3

STEP Ⓐ 함수 $y=2^x$의 그래프를 평행이동한 그래프의 식을 구하기

$y=2^{x+1}+k$의 그래프는 $y=2^x$의 그래프를 x축의 방향으로 -1만큼,
y축의 방향으로 k만큼 평행이동한 것이다.

STEP Ⓑ 그래프가 제 2사분면을 지나지 않을 조건 구하기

함수 $y=2^{x+1}+k$는 x의 값이 증가할 때,
y의 값은 증가하므로 그래프가
제 2사분면을 지나지 않으려면
$x=0$일 때,
y의 값이 0보다 작거나 같아야 한다.
즉 $2^{0+1}+k\leq 0$
$2+k\leq 0$에서 $k\leq -2$
따라서 상수 k의 최댓값은 -2

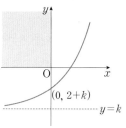

$(0,\ 2+k)$
$y=k$

정답 ②

0451

정답 ③

STEP Ⓐ 로그함수 $y=\log_{\frac{1}{2}}x$를 평행이동한 그래프의 식을 이해하기

$y=\log_{\frac{1}{2}}(x+\sqrt{8})+k$의 그래프는 함수 $y=\log_{\frac{1}{2}}x$의 그래프를 x축의
방향으로 $-\sqrt{8}$만큼, y축의 방향으로 k만큼 평행이동한 것이다.

STEP Ⓑ 제 3사분면을 지나지 않도록 하는 k의 범위 구하기

함수 $y=\log_{\frac{1}{2}}(x+\sqrt{8})+k$는 x의
값이 증가하면 y의 값은 감소하므로
그래프가 제 3사분면을 지나지 않도록
하려면 $x=0$일 때, $y\geq 0$이어야한다.

즉 $y=\log_{\frac{1}{2}}\sqrt{8}+k=-\dfrac{3}{2}+k\geq 0$

$\therefore k\geq \dfrac{3}{2}$

따라서 상수 k의 최솟값은 $\dfrac{3}{2}$

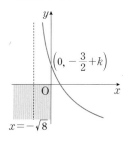

$\left(0,\ -\dfrac{3}{2}+k\right)$
$x=-\sqrt{8}$

함수 $y=\log_2 k(x+2)$의 그래프가 제 2사분면을 지나지 않을 때,
양수 k의 최댓값은?

① $\dfrac{1}{2}$ ② 1 ③ $\dfrac{3}{2}$
④ 2 ⑤ $\dfrac{5}{2}$

STEP Ⓐ 로그함수 $y=\log_2 x$을 평행이동한 그래프의 식을 이해하기

$k>0$이므로 $y=\log_2 k(x+2)=\log_2(x+2)+\log_2 k$의 그래프는
함수 $y=\log_2 x$의 그래프를 x축의 방향으로 -2만큼, y축의 방향으로
$\log_2 k$만큼 평행이동한 것이다.

STEP Ⓑ 제 2사분면을 지나지 않도록 하는 k의 범위 구하기

이 함수의 그래프는 함수 $y=\log_2 x$의
그래프를 평행이동한 것과 같으므로
제 2사분면을 지나지 않으려면
(y축과 만나는 점의 y좌표)≤ 0이어야
한다. $\log_2 2k\leq 0$, $\log_2 2k\leq \log_2 1$
$2k\leq 1$ $\therefore k\leq \dfrac{1}{2}$
$k>0$이므로 $0<k\leq \dfrac{1}{2}$

따라서 양수 k의 최댓값은 $\dfrac{1}{2}$

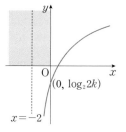

$(0,\ \log_2 2k)$
$x=-2$

정답 ①

0452

정답 ①

STEP Ⓐ $y=2^{x+2}-1$의 그래프를 그리기

곡선 $y=2^{x+2}-1$은 곡선 $y=2^x$을
x축의 방향으로 -2만큼, y축의
방향으로 -1만큼 평행이동한 곡선
으로 $x=0$일 때, $2^{0+2}-1=3$이므로
점 $(0,\ 3)$을 지나고
$y=0$일 때, $2^{x+2}-1=0$에서 $x=-2$
이므로 점 $(-2,\ 0)$을 지난다.

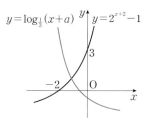

$y=\log_{\frac{1}{3}}(x+a)$
$y=2^{x+2}-1$

STEP Ⓑ 두 곡선이 제 2사분면에서 만나기 위한 조건 구하기

곡선 $y=2^{x+2}-1$과 곡선 $y=\log_{\frac{1}{3}}(x+a)$가 제 2사분면에서 만나려면
a의 값은 곡선 $y=\log_{\frac{1}{3}}(x+a)$가 점 $(0,\ 3)$을 지나도록 하는
a의 값보다는 커야 한다.
곡선 $y=\log_{\frac{1}{3}}(x+a)$가 점 $(0,\ 3)$을 지나도록 하는

a의 값은 $3=\log_{\frac{1}{3}}(0+a)$에서 $a=\left(\dfrac{1}{3}\right)^3=\dfrac{1}{27}$이므로 $a>\dfrac{1}{27}$ ······ ㉠

곡선 $y=\log_{\frac{1}{3}}(x+a)$가 점 $(-2,\ 0)$을 지나도록 하는 a의 값은

$0=\log_{\frac{1}{3}}(-2+a)$에서 $a-2=\left(\dfrac{1}{3}\right)^0=1$이므로 $a=3$, 즉 $a<3$ ······ ㉡

STEP Ⓒ a의 값의 범위를 구하여 $\alpha\beta$의 값 구하기

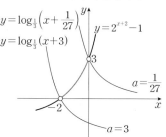

$y=\log_{\frac{1}{3}}\left(x+\dfrac{1}{27}\right)$
$y=2^{x+2}-1$
$y=\log_{\frac{1}{3}}(x+3)$
$a=\dfrac{1}{27}$
$a=3$

따라서 ㉠, ㉡을 모두 만족시키는 a의 값의 범위는 $\dfrac{1}{27}<a<3$이므로

$\alpha\beta=\dfrac{1}{27}\cdot 3=\dfrac{1}{9}$

다른풀이 점근선 $x=-a$의 범위를 나누어 풀이하기

곡선 $y=\log_{\frac{1}{3}}(x+a)$의 점근선이 직선 $x=-a$이므로 a의 값을 다음 범위로 나누어 구한다.

(i) $-a\geq 0$, 즉 $a\leq 0$일 때,

두 곡선은 제 1사분면에서 만나므로 구하는 a의 값은 없다.

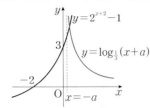

(ii) $-2\leq -a<0$, 즉 $0<a\leq 2$일 때,

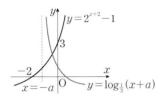

$\log_{\frac{1}{3}}(0+a)<3$이어야 하므로 $a>\left(\frac{1}{3}\right)^3$에서 $a>\frac{1}{27}$

그런데 $0<a\leq 2$이므로 $\frac{1}{27}<a\leq 2$

(iii) $-a<-2$, 즉 $a>2$일 때,

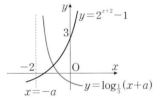

$\log_{\frac{1}{3}}(-2+a)>0$이고 $\log_{\frac{1}{3}}(0+a)<3$

그런데 $a>2$이므로 $2<a<3$

(i)~(iii)에서 구하는 a의 값의 범위는 $\frac{1}{27}<a<3$

따라서 $\alpha\beta=\frac{1}{27}\cdot 3=\frac{1}{9}$

0453

정답 ④

STEP A 주어진 넓이를 두 부분으로 나누어 생각하기

두 함수 $y=2^x$, $y=2^{x+3}$의 그래프와 두 직선 $y=1$, $y=8$로 둘러싸인 부분을 y축을 경계로 S_1, S_2로 나누자.

STEP B 한 부분을 옮겨 넓이를 구하기 쉬운 형태로 바꾸기

함수 $y=2^{x+3}$의 그래프는 함수 $y=2^x$의 그래프를 x축의 방향으로 -3만큼 평행이동한 것이므로 S_1을 x축의 방향으로 3만큼 평행이동시키면 함수 $y=2^x$의 그래프와 두 직선 $x=3$, $y=1$로 둘러싸인 부분과 같아진다.

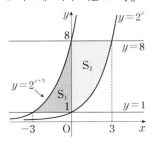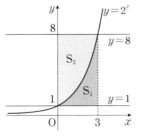

STEP C 넓이 S 구하기

따라서 넓이 $S=S_1+S_2$는 네 직선 $x=0$, $x=3$, $y=1$, $y=8$로 둘러싸인 직사각형의 넓이와 같으므로 $S=3\times 7=21$

0454

정답 ②

STEP A 한 부분을 옮겨 넓이를 구하기 쉬운 형태로 바꾸기

$y=9\left(\frac{1}{3}\right)^x=\left(\frac{1}{3}\right)^{x-2}$이므로 두 함수 $y=\left(\frac{1}{3}\right)^x$, $y=9\left(\frac{1}{3}\right)^x$의 그래프와 두 직선 $y=1$, $y=3$으로 둘러싸인 부분의 넓이는 다음 그림의 색칠한 부분과 같다.

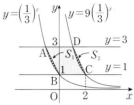

이때 빗금 친 두 부분 S_1, S_2의 넓이는 같다.

STEP B 평행사변형의 넓이 구하기

따라서 구하는 넓이는 평행사변형 ABCD의 넓이와 같으므로 $2\cdot 2=4$

내/신/연/계 출제문항 165

오른쪽 그림에서 두 지수함수 $y=2^x$, $y=8\cdot 2^x$의 두 그래프와 두 직선 $y=1$, $y=4$로 둘러싸인 도형의 넓이는?

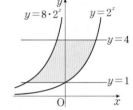

① 6   ② 8
③ 9   ④ 12
⑤ 16

STEP A 한 부분을 옮겨 넓이를 구하기 쉬운 형태로 바꾸기

두 함수 $y=2^x$, $y=8\cdot 2^x=2^{x+3}$의 그래프와 직선 $y=1$, $y=4$로 둘러싸인 도형은 오른쪽 그림의 색칠한 부분과 같다.

이때 빗금 친 두 부분 S_1, S_2의 넓이는 같다.

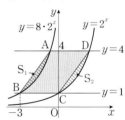

STEP B 평행사변형의 넓이 구하기

따라서 구하는 넓이는 평행사변형 ABCD의 넓이와 같으므로 $3\cdot 3=9$

정답 ③

0455

정답 ⑤

STEP A 그래프가 평행이동된 정도 구하기

$y=\left(\dfrac{1}{2}\right)^{x-3}+6$의 그래프는 $y=\left(\dfrac{1}{2}\right)^{x}$의 그래프를 x축의 방향으로 3만큼 y축의 방향으로 6만큼 평행 이동한 것이다.

STEP B 평행이동을 이용하여 지수함수와 직선의 교점의 좌표 구하기

즉 $y=\left(\dfrac{1}{2}\right)^{x}$의 그래프 위의 점 $(0, 1)$이 $y=\left(\dfrac{1}{2}\right)^{x-3}+6$의 그래프 위의 점 $(3, 7)$로 이동한다.

그러므로 $y=\left(\dfrac{1}{2}\right)^{x-3}+6$의 그래프와 직선 $y=2x+1$의 교점은 $(3, 7)$

STEP C 한 부분을 옮겨 넓이를 구하기 쉬운 형태로 바꾸기

[그림1]의 A부분과 B부분의 넓이가 서로 같으므로 구하고자 하는 도형의 넓이는 [그림2]와 같이 색칠된 평행사변형의 넓이와 같다.
따라서 구하는 도형의 넓이는 $4 \cdot 6 = 24$

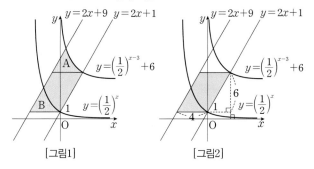

0456

정답 ⑤

STEP A 두 함수 사이의 x축의 평행이동을 구하기

$A_0(-1, 0)$이므로 $\left(\dfrac{1}{2}\right)^{-1}=2$에서 $A_1(-1, 2)$

$3\left(\dfrac{1}{2}\right)^{x}=\left(\dfrac{1}{2}\right)^{\log_{\frac{1}{2}}3} \cdot \left(\dfrac{1}{2}\right)^{x}=\left(\dfrac{1}{2}\right)^{x-\log_{\frac{1}{2}}3}$ 이므로 곡선 $y=3\left(\dfrac{1}{2}\right)^{x}$ 은

곡선 $y=\left(\dfrac{1}{2}\right)^{x}$을 x축의 방향으로 $\log_2 3$만큼 평행이동한 곡선이다.

STEP B 점 A_2의 y좌표 구하기

$\overline{A_1 B_1}=\overline{A_2 B_2}=\log_2 3$이므로 두 점 B_1과 A_2의 x좌표는

$-1+\log_2 3=\log_2 2^{-1}+\log_2 3=\log_2 \dfrac{3}{2}$

점 A_2의 y좌표는 $\left(\dfrac{1}{2}\right)^{\log_2 \frac{3}{2}}=2^{-\log_2 \frac{3}{2}}=2^{\log_2 \frac{2}{3}}=\dfrac{2}{3}$

한편 선분 A_2B_2의 연장선이 선분 A_0A_1과 만나는 점을 C라 하면

STEP C 구하는 도형의 넓이 구하기

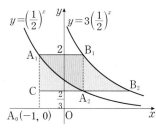

위의 그림과 같이 색칠된 두 부분의 넓이가 같으므로 구하는 도형의 넓이는 직사각형 $A_1CA_2B_1$의 넓이와 같다.

따라서 구하는 도형의 넓이는 $\left(2-\dfrac{2}{3}\right) \times \log_2 3 = \dfrac{4}{3} \log_2 3$

0457

정답 ④

STEP A 두 함수 사이의 x축의 평행이동을 구하기

$y=\dfrac{2^x}{4}=2^{x-2}$이므로 곡선 $y=\dfrac{2^x}{4}$은 곡선 $y=2^x$을 x축의 방향으로 2만큼 평행이동한 것이다.

STEP B 평행사변형의 넓이 구하기

곡선 $y=2^x$과 직선 A_kC_k로 둘러싸인 부분의 넓이는

곡선 $y=\dfrac{2^x}{4}$과 직선 B_kD_k로 둘러싸인 부분의 넓이와 같다.

즉 $S(k)$는 사각형 $A_kC_kB_kD_k$의 넓이와 같다.

사각형 $A_kC_kB_kD_k$는 $\overline{A_kD_k}=\overline{B_kC_k}=2$인

평행사변형이고 $A_k\left(k, 2^k\right)$, $B_k\left(k, \dfrac{2^k}{4}\right)$에서

$\overline{A_kB_k}=2^k-\dfrac{2^k}{4}=\dfrac{3}{4} \cdot 2^k$

평행사변형의 넓이는

$S(k)=\overline{B_kC_k} \cdot \overline{A_kB_k}$

$=2 \cdot \left(\dfrac{3}{4} \cdot 2^k\right)$

$=\dfrac{3}{2} \cdot 2^k$

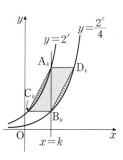

STEP C $S(k+2)-S(k)=72$를 만족시키는 상수 k의 값 구하기

$S(k+2)-S(k)=\dfrac{3}{2} \cdot 2^{k+2}-\dfrac{3}{2} \cdot 2^k$

$=\dfrac{3}{2} \cdot 2^k \cdot (4-1)$

$=\dfrac{9}{2} \cdot 2^k$

따라서 $\dfrac{9}{2} \cdot 2^k=72$에서 $2^k=2^4$ 이므로 $k=4$

0458

정답 ①

STEP A 두 함수 사이의 y축에 대한 평행이동 구하기

곡선 $y=\log_2 4x=\log_2 x+2$이므로 $y=\log_2 x$의 그래프를 y축의 방향으로 2만큼 평행이동한 것이다.

STEP B 한 부분을 옮겨 넓이를 구하기 쉬운 형태로 바꾸기

그림과 같이 $y=\log_2 4x$와 $x=4$, $y=2$로 둘러싸인 부분의 넓이 S_1과 곡선 $y=\log_2 x$와 $x=4$, $y=0$로 둘러싸인 부분의 넓이 S_2가 서로 같다.

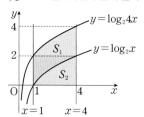

따라서 구하는 넓이는 가로의 길이가 $4-1=3$, 세로의 길이가 2인 직사각형의 넓이와 같으므로 $3 \times 2=6$

0459

STEP ⓐ 두 곡선의 평행이동의 관계 구하기

곡선 $y=\log_2 4x=\log_2 x+2$을 y축의 방향으로 -5만큼 평행이동하면 곡선 $y=\log_2 x-3$와 일치한다.

STEP ⓑ 한 부분을 옮겨 넓이를 구하기 쉬운 형태로 바꾸기

그림과 같이 $y=\log_2 4x$와 $x=8$, $y=2$로 둘러싸인 부분의 넓이 S_1과 곡선 $y=\log_2 x-3$과 $x=8$, $y=-3$로 둘러싸인 부분의 넓이 S_2가 서로 같다.

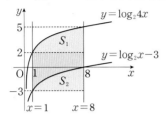

따라서 구하는 넓이는 가로의 길이가 $8-1=7$, 세로의 길이가 5인 직사각형의 넓이와 같으므로 $7\times 5=35$

내신연계 출제문항 166

다음 그림과 같이 두 곡선 $y=\log_3 3x$, $y=\log_3 \dfrac{x}{3}$와 두 직선 $x=1$, $x=9$로 둘러싸인 도형의 넓이는?

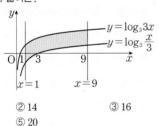

① 12   ② 14   ③ 16
④ 18   ⑤ 20

STEP ⓐ 두 함수 사이의 y축에 대한 평행이동 구하기

$y=\log_3 3x=\log_3 x+1$, $y=\log_3 \dfrac{x}{3}=\log_3 x-1$이므로

$y=\log_3 3x$의 그래프는 $y=\log_3 \dfrac{x}{3}$의 그래프를 y축의 방향으로 2만큼 평행이동한 것이다.

STEP ⓑ 직사각형의 넓이 구하기

그림과 같이 $y=\log_3 3x$와 $x=9$, $y=1$로 둘러싸인 부분의 넓이 S_1과 곡선 $y=\log_3 \dfrac{x}{3}$와 $x=9$, $y=-1$로 둘러싸인 부분의 넓이 S_2가 서로 같다.

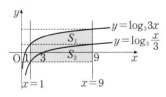

따라서 구하는 넓이는 가로의 길이가 $9-1=8$, 세로의 길이가 2인 직사각형의 넓이와 같으므로 $8\times 2=16$

 정답 ③

0460

정답 ③

STEP ⓐ 두 곡선의 평행이동의 관계 구하기

곡선 $y=\log_6 (x+1)$을 x축의 방향으로 2만큼, y축의 방향으로 -4만큼 평행이동하면 곡선 $y=\log_6 (x-1)-4$와 일치한다.

STEP ⓑ 한 부분을 옮겨 넓이를 구하기 쉬운 형태로 바꾸기

그림과 같이 직선 $y=-2x$와 곡선 $y=\log_6 (x-1)-4$의 교점을 A, 직선 $y=-2x+8$과 x축의 교점을 B라 두면 곡선 $y=\log_6 (x+1)$과 직선 $y=-2x+8$ 및 x축으로 둘러싸인 부분의 넓이 S_1과 곡선 $y=\log_6 (x-1)-4$와 직선 $y=-2x+8$ 및 직선 AC로 둘러싸인 부분의 넓이 S_2가 서로 같으므로 구하는 넓이는 평행사변형 OACB의 넓이와 같다.

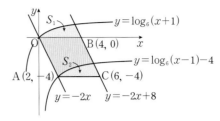

점 A는 점 O를 x축의 방향으로 2만큼, y축의 방향으로 -4만큼 평행이동한 점이므로 $A(2, -4)$이고 $-2x+8=0$에서 $x=4$이므로 $B(4, 0)$
$-2x+8=-4$에서 $x=6$이므로 $C(6, -4)$

STEP ⓒ 평행사변형의 넓이 구하기

따라서 $\overline{AC}=4$, 점 A의 y좌표는 -4이므로 평행사변형 OACB의 넓이는
$4\times 4=16$

0461

정답 ⑤

STEP ⓐ $f^{-1}(p)=q$이면 $f(q)=p$임을 이용하여 a, b의 값 구하기

함수 $f(x)$와 $g(x)$가 서로 역수 관계이므로 $g(a)=3$에서 $f(3)=a$

$\therefore a=\left(\dfrac{1}{3}\right)^{3-3}+2=1+2=3$

또, $g(5)=b$에서 $f(b)=5$

$\left(\dfrac{1}{3}\right)^{b-3}+2=5$, $\left(\dfrac{1}{3}\right)^{b-3}=3$, $3^{-b+3}=3$

$-b+3=1$ $\therefore b=2$

따라서 $a+b=3+2=5$

내신연계 출제문항 167

함수 $f(x)=2^x$의 역함수 $g(x)$가
$$g(a)=\frac{2}{3}, \quad g(b)=\frac{1}{3}$$
를 만족시킬 때, $g(ab)$의 값은?

① $\dfrac{1}{4}$ ② $\dfrac{1}{3}$ ③ $\dfrac{1}{2}$
④ 1   ⑤ 3

STEP ⓐ $f^{-1}(p)=q$이면 $f(q)=p$임을 이용하여 값 구하기

함수 $y=f(x)$의 역함수가 $y=g(x)$이므로

$g(a)=\dfrac{2}{3}$에서 $f\left(\dfrac{2}{3}\right)=a$, 즉 $2^{\frac{2}{3}}=a$ ...... ㉠

$g(b)=\dfrac{1}{3}$에서 $f\left(\dfrac{1}{3}\right)=b$, 즉 $2^{\frac{1}{3}}=b$ ...... ㉡

이때 ㉠×㉡을 하면 $ab=2^{\frac{2}{3}}\times 2^{\frac{1}{3}}=2^{\frac{2+1}{3}}=2^1$

$g(ab)=g(2)=k$라 하면 $f(k)=2$

따라서 $2^k=2$이므로 $k=1$

다른풀이 역함수를 구하여 풀이하기

함수 $f(x)=2^x$의 역함수가 $g(x)=\log_2 x$이므로

$g(a)=\log_2 a=\dfrac{2}{3}$, $g(b)=\log_2 b=\dfrac{1}{3}$

$g(ab)=\log_2 ab=\log_2 a+\log_2 b=\dfrac{2}{3}+\dfrac{1}{3}=1$

 정답 ④

0462

정답 ②

STEP Ⓐ $f^{-1}(p)=q$**이면** $f(q)=p$**임을 이용하여 값 구하기**

$f^{-1}(2)=a$라 하면 역함수의 성질에 따라

$f(a)=2$이므로 $f(a)=\log_3(2a^2+1)=2$

로그의 정의에 따라 $2a^2+1=9$, $a^2=4$

그런데 $a>0$이므로 $a=2$

따라서 $f^{-1}(2)=2$이므로 $(f^{-1}\circ f^{-1})(2)=f^{-1}(f^{-1}(2))=f^{-1}(2)=2$

0463

정답 ⑤

STEP Ⓐ **로그함수의 역함수 구하기**

$y=\log_2(x+1)-2$를 x에 대하여 풀면

$\log_2(x+1)=y+2$, $x+1=2^{y+2}$

$\therefore x=2^{y+2}-1$

여기서 x와 y를 바꾸면 구하는 역함수는 $y=2^{x+2}-1$이므로

$a=2$, $b=2$, $c=-1$

따라서 $a+b+c=2+2-1=3$

내신연계 출제문항 168

두 함수 $y=3^{x+a}+2$, $y=\log_3(x-b)-1$의 그래프가 직선 $y=x$에 대하여
대칭일 때, 상수 a, b에 대하여 $a+b$의 값은?

① -3　　　　② -2　　　　③ -1
④ 2　　　　⑤ 3

STEP Ⓐ **지수함수의 역함수 구하기**

$y=3^{x+a}+2$에서 $3^{x+a}=y-2$

$x+a=\log_3(y-2)$, $x=\log_3(y-2)-a$

x와 y를 서로 바꾸면 $y=\log_3(x-2)-a$

이 함수와 $y=\log_3(x-b)-1$이 서로 같으므로 $a=1$, $b=2$

따라서 $a+b=1+2=3$

정답 ⑤

0464

정답 ⑤

STEP Ⓐ **지수함수의 역함수 구하기**

$y=3^{\frac{x-1}{2}}-4$에서 $y+4=3^{\frac{x-1}{2}}$

양변에 밑이 3인 로그를 취하면

$\log_3(y+4)=\dfrac{x-1}{2}(y>-4)$이므로 $x=2\log_3(y+4)+1$

x와 y를 바꾸면 구하는 역함수는 $y=2\log_3(x+4)+1\,(x>-4)$

따라서 $a+b+c=7$

0465

정답 ①

STEP Ⓐ **지수함수의 점근선을** $y=x$**에 대하여 대칭을 이용하기**

함수 $f(x)=2^{x-2}+3$의 그래프의 점근선은 $y=3$이고

함수 $y=f(x)$의 그래프와 역함수 $y=f^{-1}(x)$의 그래프는

직선 $y=x$에 대하여 대칭이므로 역함수 $y=f^{-1}(x)$의 그래프의 점근선은 $x=3$

따라서 $a=3$

내신연계 출제문항 169

함수 $f(x)=\log_2(2x-4)+3$의 역함수를 $g(x)$라 할 때, 곡선 $y=g(x)$의
점근선의 방정식은?

① $x=2$　　　　② $x=3$　　　　③ $y=2$
④ $y=3$　　　　⑤ $y=4$

STEP Ⓐ **로그함수의 점근선을** $y=x$**에 대하여 대칭을 이용하기**

$y=\log_2 2(x-2)+3=\log_2 2+\log_2(x-2)+3=\log_2(x-2)+4$의 그래프의
점근선의 방정식은 $x=2$

그런데 역함수 $y=g(x)$의 그래프는 함수 $y=f(x)$의 그래프를 직선 $y=x$에
대하여 대칭이동한 것이므로 점근선도 직선 $y=x$에 대하여 대칭이동된다.

따라서 곡선 $y=g(x)$의 점근선의 방정식은 $y=2$

정답 ③

0466

정답 ④

STEP Ⓐ **평행이동한 그래프의 함수식 구하기**

함수 $y=\log_3 x$의 그래프를 x축의 방향으로 a만큼, y축의 방향으로 2만큼
평행이동한 그래프를 나타내는 함수는 $y=\log_3(x-a)+2$ ……… ㉠

STEP Ⓑ **로그함수의 역함수 구하기**

$f(x)=\log_3(x-a)+2$

함수 $f(x)$의 역함수 $f^{-1}(x)$는 ㉠에서 x대신 y를, y대신 x를 대입하면

되므로 $x=\log_3(y-a)+2$

$x-2=\log_3(y-a)$, $3^{x-2}=y-a$

즉 $y=3^{x-2}+a$이므로 $f^{-1}(x)=3^{x-2}+a$

STEP Ⓒ **두 함수식을 비교하여** a**의 값 구하기**

따라서 $f^{-1}(x)=3^{x-2}+4$이므로 $a=4$

내신연계 출제문항 170

함수 $y=10^{ax}$의 역함수가 $y=\dfrac{a}{100}\log x$일 때, 양수 a의 값은?
(단, $\log x$는 상용로그)

① 1　　　　② 10　　　　③ 10^2
④ 10^3　　　　⑤ 10^4

STEP Ⓐ **지수함수의 역함수를 구하기**

함수 $y=10^{ax}$의 양변에 상용로그를 취하면

$\log y=\log 10^{ax}=ax\log 10=ax$

$x=\dfrac{\log y}{a}$이므로 x와 y를 바꾸면 $y=\dfrac{1}{a}\log x$

함수 $y=10^{ax}$의 역함수가 $y=\dfrac{1}{a}\log x$이므로 $\dfrac{1}{a}\log x=\dfrac{a}{100}\log x$

이 식이 모든 양수 x에 대하여 성립하므로 $\dfrac{1}{a}=\dfrac{a}{100}$, $a^2=100$

따라서 $a=10\,(\because a>0)$

다른풀이 지수함수와 로그함수의 역함수 관계를 이용하여 풀이하기

지수함수 $y=10^{ax}=(10^a)^x$의 역함수는 로그함수 $y=\log_{10^a} x$이므로

$\log_{10^a} x=\dfrac{a}{100}\log x$

로그의 밑의 변환 공식에서 $\dfrac{\log x}{\log 10^a}=\dfrac{a}{100}\log x$

$\dfrac{\log x}{a}=\dfrac{a}{100}\log x$, $\dfrac{1}{a}=\dfrac{a}{100}$, $a^2=100$

따라서 양수 a는 $a=10$

정답 ②

0467

정답 ①

STEP A 이차방정식의 근의 공식을 이용하여 2^x의 값 구하기

$y=\dfrac{1}{2}(2^x-2^{-x})$이라 하면 $2y=2^x-2^{-x}=2^x-\dfrac{1}{2^x}$에서

2^x의 이차방정식 $(2^x)^2-2y\cdot 2^x-1=0 \,(2^x\neq 0)$

근의 공식에 의하여 $2^x=y\pm\sqrt{y^2+1}$

$2^x>0$이므로 $2^x=y+\sqrt{y^2+1}$

STEP B 로그의 정의를 이용하여 역함수 구하기

로그의 정의에 의하여 $x=\log_2\!\left(y+\sqrt{y^2+1}\right)$

$\therefore y=\log_2\!\left(x+\sqrt{x^2+1}\right)$

STEP C $g(a)+g(-a)$의 값 구하기

따라서 $g(x)=\log_2\!\left(x+\sqrt{x^2+1}\right)$이므로

$g(a)+g(-a)=\log_2\!\left(a+\sqrt{a^2+1}\right)+\log_2\!\left(-a+\sqrt{a^2+1}\right)$

$\qquad\qquad\quad=\log_2(-a^2+a^2+1)=\log_2 1=0$

> **참고**
> $f(x)=\dfrac{1}{2}(2^x-2^{-x})$의 그래프는 원점에 대하여 대칭이므로 $f(-x)=-f(x)$
> $f(x)=\dfrac{1}{2}(2^x+2^{-x})$의 그래프는 y축에 대하여 대칭이므로 $f(-x)=f(x)$

0468

정답 ②

STEP A 함수와 그 역함수의 교점은 함수와 직선 $y=x$의 교점과 같음을 이해하기

함수 $y=\log_a(x-m)+1$의 그래프와 그 역함수의 그래프의 교점은 두 함수 $y=\log_a(x-m)+1$, $y=x$의 그래프의 교점과 같다.

STEP B 방정식에 두 근 1, 2를 대입하여 a, m의 값 구하기

즉 $\log_a(x-m)+1=x$의 두 근이 1, 2이므로

$\log_a(1-m)+1=1$ $\qquad$ ……… ㉠

$\log_a(2-m)+1-2$ $\qquad$ ……… ㉡

㉠에서 $\log_a(1-m)=0$이므로 $1-m=1$

$\therefore m=0$

㉡에 $m=0$을 대입하면 $\log_a 2=1$

$\therefore a=2$

따라서 $a+m=2$

내/신/연/계 출제문항 171

함수 $y=\log_3(x-m)+n$의 그래프와 그 역함수의 그래프가 두 점에서 만나고 이 두 점의 x좌표가 각각 1, 3일 때, 상수 m, n에 대하여 $(4m)^n$의 값은?

① 8 ② 10 ③ 12
④ 14 ⑤ 16

STEP A 함수와 그 역함수의 교점은 함수와 직선 $y=x$의 교점과 같음을 이해하기

$y=\log_3(x-m)+n$의 그래프와 그 역함수의 그래프의 교점은 두 함수 $y=\log_3(x-m)+n$, $y=x$의 그래프의 교점과 같다.

STEP B 방정식에 두 근 1, 3을 대입하여 m, n의 값 구하기

즉 $\log_3(x-m)+n=x$의 두 근이 1, 3이므로

$\log_3(1-m)+n=1$ $\qquad$ ……… ㉠

$\log_3(3-m)+n=3$ $\qquad$ ……… ㉡

㉡$-$㉠을 하면

$\log_3(3-m)-\log_3(1-m)=2$

$\log_3(3-m)=\log_3 9(1-m)$

즉 $3-m=9-9m$이므로 $m=\dfrac{3}{4}$

$m=\dfrac{3}{4}$을 ㉠에 대입하면

$\log_3\!\left(1-\dfrac{3}{4}\right)+n=1$, $\log_3\dfrac{1}{4}+n=1$

즉 $n=-\log_3\dfrac{1}{4}+1=\log_3 4+\log_3 3=\log_3 12$

따라서 $(4m)^n=\left(4\cdot\dfrac{3}{4}\right)^{\log_3 12}=3^{\log_3 12}=12$ $\qquad$ 정답 ③

0469

정답 ①

STEP A 함수와 그 역함수의 교점은 함수와 직선 $y=x$의 교점과 같음을 이용하여 교점의 좌표 구하기

$y=2^{x-m}+n$ 그래프와 그 역함수의 그래프의 교점은 두 함수 $y=2^{x-m}+n$, $y=x$의 그래프의 교점과 같고 두 교점의 x좌표가 1, 2이므로 교점의 좌표는 $(1, 1)$, $(2, 2)$

STEP B 방정식에 두 근 1, 2를 대입하여 m, n의 값 구하기

$1=2^{1-m}+n$ $\qquad$ ……… ㉠

$2=2^{2-m}+n$ $\qquad$ ……… ㉡

㉡$-$㉠을 하면

$2^{2-m}-2^{1-m}=1$

$2\cdot 2^{1-m}-2^{1-m}=1$에서 $2^{1-m}=1$

$1-m=0$에서 $m=1$

$m=1$을 ㉠에 대입하여 풀면 $n=0$

따라서 $m=1$, $n=0$이므로 $m+n=1$

내/신/연/계 출제문항 172

함수 $f(x)-a^{x-m}\,(a>0,\ a\neq 1)$의 그래프와 그 역함수의 그래프기 두 점에서 만나고 두 교점의 x좌표가 1과 3일 때, $a+m$의 값은?

① $2-\sqrt{3}$ ② 2 ③ $1+\sqrt{3}$
④ 3 ⑤ $2+\sqrt{3}$

STEP A 함수와 그 역함수의 교점은 함수와 직선 $y=x$의 교점과 같음을 이용하여 교점의 좌표 구하기

$f(x)$의 그래프와 그 역함수의 그래프의 교점은 $f(x)$의 그래프와 직선 $y=x$의 교점과 같고 두 교점의 x좌표가 1, 3이므로 교점의 좌표는 $(1, 1)$, $(3, 3)$

STEP B $f(1)=1$, $f(3)=3$임을 이용하여 a, m의 값 구하기

$f(1)=1$에서 $a^{1-m}=1$이므로 $1-m=0$

$\therefore m=1$

$f(3)=3$에서 $a^{3-m}=3$이므로 $a^2=3$

$a>0$이므로 $a=\sqrt{3}$

따라서 $a+m=1+\sqrt{3}$ 정답 ③

0470

정답 ③

STEP A 함수와 그 역함수의 교점은 함수와 직선 $y=x$의 교점과 같음을 이용하여 교점의 좌표 구하기

지수함수 $f(x)$의 그래프와 그 역함수의 그래프의 교점은 $f(x)$의 그래프와 직선 $y=x$의 교점과 같고 교점의 x좌표가 3이므로 교점의 좌표는 $(3,\ 3)$

$\therefore b=3$

STEP B $f(3)=3$임을 이용하여 a의 값 구하기

이때 $f(3)=3$이므로 $3=a^{3-2}+1$

$\therefore a=2$

따라서 $2a+b=4+3=7$

0471

정답 ④

STEP A $g(1)=a$라 두고 역함수의 성질을 이용하여 a의 값 구하기

$(g\circ f)(x)=x$이면 함수 $g(x)$는 함수 $f(x)$의 역함수이므로

$g(1)=a$로 놓으면 $f(a)=1$

$f(a)=\log(a-2)=1,\ a-2=10,\ a=12$

따라서 $g(1)=12$

내/신/연/계/ 출제문항 173

함수 $f(x)=1+3\log_2 x$에 대하여 함수 $g(x)$가 $(g\circ f)(x)=x$를 만족시킬 때, $g(13)$의 값은?

① 2   ② 4   ③ 8

④ 16   ⑤ 32

STEP A $g(f(x))=x$에서 $f(x)$와 $g(x)$는 서로 역함수 관계임을 이용하기

$g(f(x))=(g\circ f)(x)=x$이면 $f(x)$와 $g(x)$는 서로 역함수 관계이다.

이때 $f(x)=1+3\log_2 x$에서 $g(13)=a$라 하면

$f(a)=13$이므로 $1+3\log_2 a=13,\ \log_2 a=4$

$\therefore a=16$

따라서 $g(13)=16$

다른풀이 직접 역함수를 구하여 풀이하기

$g(f(x))=x$를 만족하면 $g(x)=f^{-1}(x)$

$y=1+3\log_2 x$에서 x와 y를 바꾸면

$x=1+3\log_2 y,\ \dfrac{x-1}{3}=\log_2 y$

$\therefore y=2^{\frac{x-1}{3}}$

따라서 $g(x)=2^{\frac{x-1}{3}}$이므로 $g(13)=2^{\frac{13-1}{3}}=2^4=16$

정답 ④

0472

정답 ③

STEP A $g(f(x))=x$에서 $f(x)$와 $g(x)$는 서로 역함수 관계임을 이용하기

$g(f(x))=(g\circ f)(x)=x$이면 $f(x)$와 $g(x)$는 서로 역함수 관계이다.

이때 $g(9)=-2$에서 $f(-2)=9$이므로 $f(-2)=2^{2+a}+1=9,\ 2^{2+a}=8$

$2^{2+a}=2^3,\ 2+a=3$

$\therefore a=1$

즉 $f(x)=2^{-x+1}+1$

STEP B $g(17)$의 값 구하기

$g(17)=k$라 하면 $f(k)=17$이므로 $f(k)=2^{-k+1}+1=17,\ 2^{-k+1}=16$

$2^{-k+1}=2^4,\ -k+1=4$

$\therefore k=-3$

따라서 $g(17)=-3$

0473

정답 ①

STEP A 역함수의 성질을 이용하여 함수 $y=\log_2(x-a)$가 지나는 점 구하기

함수 $y=f(x)$는 함수 $y=\log_2(x-a)$의 역함수이므로

점 $(5,\ 3)$은 함수 $y=\log_2(x-a)$의 그래프 위의 점이다.

STEP B 함수가 지나는 점을 대입하여 a의 값 구하기

따라서 $3=\log_2(5-a)$에서 $5-a=2^3$ $\therefore a=-3$

0474

정답 ②

STEP A 대칭이동한 그래프의 함수식 구하기

함수 $y=\log_5(x-10)$의 그래프를 x축에 대하여 대칭이동한 그래프의 식을 나타내면 $y=-\log_5(x-10)=\log_{\frac{1}{5}}(x-10)$

STEP B $y=x$에 대하여 대칭이동하여 $a,\ b$의 값 구하기

이 그래프와 직선 $y=x$에 대하여 대칭인 그래프의 식은 $y=\left(\dfrac{1}{5}\right)^x+10$

따라서 $a=\dfrac{1}{5},\ b=10$이므로 $ab=2$

0475

정답 ④

STEP A 로그함수의 역함수 구하기

$y=f(x)$는 $y=\log_3 x$의 역함수이므로 $f(x)=3^x$

STEP B 점 A, B, C의 좌표를 구하여 $\overline{AB}+\overline{BC}$의 값 구하기

이때 점 A, B, C의 좌표는 각각 점 $A(0,\ 1),\ B(3,\ 1),\ C(3,\ 3^3)$

따라서 $\overline{AB}+\overline{BC}=3+(3^3-1)=3+26=29$

0476

정답 ⑤

STEP A 로그함수의 역함수 구하기

$y=g(x)$는 $y=\log_2 x$의 역함수이므로 $g(x)=2^x$

STEP B 점 B, C, D의 좌표 구하기

오른쪽 그림에서 점 B, C, D의 좌표를 각각 $B(b,\ 1),\ C(b,\ c),\ D(d,\ c)$라고 하면

$\log_2 b=1$에서 $b=2$

$g(2)=2^2=4$에서 $c=4$

$\log_2 d=4$에서 $d=2^4=16$

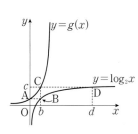

STEP C $\dfrac{\overline{CD}}{\overline{AB}}$의 값 구하기

따라서 $\dfrac{\overline{CD}}{\overline{AB}}=\dfrac{16-2}{2-0}=7$

그림에서 함수 $y=f(x)$의 그래프는 함수 $y=\log_2(x-1)$의 그래프와
직선 $y=x$에 대하여 대칭이다. 두 점 P$(2, b)$, Q(a, b)가 각각 $y=f(x)$,
$y=\log_2(x-1)$의 그래프 위에 있을 때, 상수 a, b에 대하여 $a+b$의 값은?

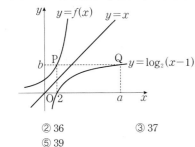

① 35   ② 36   ③ 37
④ 38   ⑤ 39

STEP Ⓐ 함수 $f(x)$와 $y=\log_2(x-1)$는 서로 역함수 관계임을 이용하기

함수 $y=f(x)$의 그래프는 함수 $y=\log_2(x-1)$의 그래프가 직선 $y=x$에
대하여 대칭이므로 두 함수 $y=f(x)$, $y=\log_2(x-1)$은 서로 역함수 관계이
다.
점 P$(2, b)$는 $y=f(x)$의 그래프 위의 점이므로 점 $(b, 2)$는 $y=\log_2(x-1)$의
그래프 위의 점이다.
즉 $2=\log_2(b-1)$에서 $b-1=2^2$ $\therefore b=5$
또, 점 Q(a, b), 즉 Q$(a, 5)$는 $y=\log_2(x-1)$의 그래프 위의 점이므로
$5=\log_2(a-1)$에서 $a-1=2^5$ $\therefore a=33$
따라서 $a+b=33+5=38$

다른풀이 역함수를 이용하여 $y=f(x)$ 구하여 풀이하기

함수 $y=f(x)$는 함수 $y=\log_2(x-1)$의 역함수이므로
$y=\log_2(x-1)$에서 $2^y=x-1$ $\therefore x=2^y+1$
x와 y를 서로 바꾸면 $y=2^x+1$ $\therefore f(x)=2^x+1$
점 P$(2, b)$는 $y=f(x)$의 그래프 위의 점이므로 $b=2^2+1=5$
또, 점 Q(a, b), 즉 Q$(a, 5)$는 $y=\log_2(x-1)$의 그래프 위의 점이므로
$5=\log_2(a-1)$에서 $a-1=2^5$ $\therefore a=33$
따라서 $a+b=33+5=38$

정답 ④

0477

정답 ⑤

STEP Ⓐ 네 점 A, B, C, D의 좌표 구하기

$f(b)=g(1)=a$에서 $\log_2 b=2^1=a$이므로 $a=2$, $b=4$
$\therefore$ D$(1, 2)$, B$(4, 2)$
이때 함수 $f(x)$와 $g(x)$는 서로 역함수관계이므로 직선 $y=x$에 대하여
대칭이다.
즉 두 점 B와 C, A와 D는 각각 직선 $y=x$에 대하여 대칭이므로
A$(2, 1)$, C$(2, 4)$

STEP Ⓑ 사각형 ABCD의 넓이 구하기

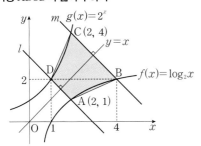

따라서 사각형 ABCD의 넓이는 $\triangle$ABD$+\triangle$BCD$=\dfrac{1}{2}\cdot 3\cdot 1+\dfrac{1}{2}\cdot 3\cdot 2=\dfrac{9}{2}$

0478

정답 ①

STEP Ⓐ $y=2^x-1$과 $y=\log_2(x+1)$이 역함수 관계임을 이해하기

$y=2^x-1$에서 $2^x=y+1$
로그의 정의에 의하여 $x=\log_2(y+1)$
x와 y를 서로 바꾸면 $y=\log_2(x+1)$
즉 $y=2^x-1$과 $y=\log_2(x+1)$은 서로 $y=x$에 대해 대칭인 역함수 관계이다.

STEP Ⓑ 네 점 A, B, C, D의 좌표를 구하여 사다리꼴의 넓이 구하기

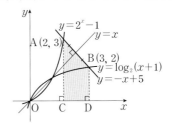

선분 AB와 직선 $y=x$는 서로 수직이고 점 A$(2, 3)$와 B는 $y=x$대칭이므로
점 B$(3, 2)$
또한, C$(2, 0)$, D$(3, 0)$이 되므로 사다리꼴 ACDB의 넓이는
$\dfrac{1}{2}\cdot(\overline{AC}+\overline{BD})\cdot\overline{CD}=\dfrac{1}{2}\cdot(3+2)\cdot 1=\dfrac{5}{2}$

다른풀이 두 직선을 연립하여 점 B의 좌표를 구하여 풀이하기

기울기가 -1이고 점 A$(2, 3)$을 지나는 직선의 방정식은
$y-3=-(x-2)$ $\therefore y=-x+5$
점 B는 직선 $y=-x+5$와 곡선 $y=\log_2(x+1)$의 교점이므로
$-x+5=\log_2(x+1)$, $x+1=2^{-x+5}$
$\therefore x=3$, 즉 B$(3, 2)$
따라서 사다리꼴 ACDB의 넓이는 $\dfrac{1}{2}\cdot(\overline{AC}+\overline{BD})\cdot\overline{CD}=\dfrac{1}{2}\cdot(3+2)\cdot 1=\dfrac{5}{2}$

0479

정답 ②

STEP Ⓐ $y=a^x-b$과 $y=\log_a(x+b)$이 역함수 관계임을 이해하기

함수 $y=\log_a(x+b)$의 역함수는 함수 $y=a^x-b$이므로
두 점 P, Q는 직선 $y=x$에 대하여 대칭이다.
즉 점 P의 좌표가 $(14, 2)$이므로 점 Q좌표는 $(2, 14)$

STEP Ⓑ 점 Q의 좌표가 함수 $y=a^x-b$ 위에 있음을 이용하여 a, b의 관계식 구하기

점 Q$(2, 14)$는 함수 $y=a^x-b$의 그래프 위에 있으므로
$14=a^2-b$ ...... ㉠

STEP Ⓒ 삼각형 PQR의 넓이가 78임을 이용하여 점 R의 좌표를 구하여 a, b의 관계식 구하기

점 Q에서 $\overline{PR}$에 내린 수선의 발을 H라고 하면
$\overline{QH}=12$이므로
$\triangle$PQR$=\dfrac{1}{2}\cdot\overline{PR}\cdot 12=78$
$\overline{PR}=13$이므로 점 R의 좌표는 $(1, 2)$
점 R은 함수 $y=a^x-b$의 그래프 위에
있으므로
$2=a-b$ ...... ㉡

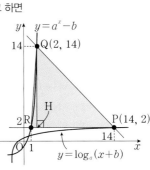

STEP Ⓓ $\log_2 ab$의 값 구하기

㉠, ㉡를 연립하여 풀면
$a>0$, $b>0$이므로 $a=4$, $b=2$
따라서 $\log_2 ab=\log_2 8=3$

그림과 같이 **기울기가 −1인 직선**이 두 곡선 $y=2^x$, $y=\log_2 x$와 만나는 두 점을 각각 A, B라 하고, 점 B를 지나고 x축과 평행한 직선이 곡선 $y=2^x$과 만나는 점을 C라 하자. 선분 AB의 길이가 $12\sqrt{2}$, 삼각형 ABC의 넓이가 84이다. 점 A의 x좌표를 a라 할 때, $a-\log_2 a$의 값은?

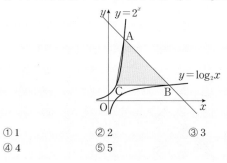

① 1   ② 2   ③ 3
④ 4   ⑤ 5

STEP Ⓐ 역함수 관계를 이용하여 세 점 A, B, C의 좌표를 a로 나타내기

두 곡선 $y=2^x$, $y=\log_2 x$가 $y=x$에 대하여 대칭이므로 기울기가 −1인 직선 위의 두 점 A$(a, 2^a)$, B$(2^a, a)$이고 점 C는 점 B와 y좌표가 같고 곡선 $y=2^x$ 위에 있으므로 C$(\log_2 a, a)$

STEP Ⓑ 선분의 길이와 삼각형의 넓이를 이용하여 $a-\log_2 a$의 값 구하기

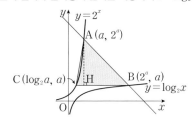

선분 AB의 길이가 $12\sqrt{2}$이므로
$\overline{AB}=\sqrt{(2^a-a)^2+(a-2^a)^2}=12\sqrt{2}$
$\therefore 2^a-a=12$ ...... ㉠
점 A에서 선분 BC에 내린 수선의 발을 H라 하면
$\overline{AH}=2^a-a=12$
삼각형 ABC의 넓이는 $\dfrac{1}{2}\cdot\overline{BC}\cdot\overline{AH}=\dfrac{1}{2}\cdot\overline{BC}\cdot12=84$
$\therefore \overline{BC}=14$
이때 $\overline{BC}=2^a-\log_2 a=14$ ...... ㉡
따라서 ㉡−㉠을 하면 $a-\log_2 a=2$ 정답 ②

0480   정답 ①

STEP Ⓐ 점 B의 좌표 구하기

점 A$(4, 0)$을 지나고 y축에 평행한 직선이 곡선 $y=\log_2 x$와 만나는 점은 B$(4, 2)$이다.

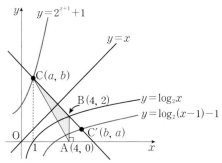

STEP Ⓑ 점 C의 좌표 구하기

점 B를 지나고 기울기가 −1인 직선이 곡선 $y=2^{x+1}+1$과 만나는 점을 C(a, b)라 하자.
점 C를 직선 $y=x$에 대하여 대칭이동시킨 점 C′(b, a)는 곡선 $y=\log_2(x-1)-1$ 위에 있다. ◀ $y=2^{x+1}+1$을 $y=x$에 대하여 대칭인 함수
점 C′을 x축 방향으로 −1만큼, y축 방향으로 1만큼 평행이동시킨 점 $(b-1, a+1)$은 점 B$(4, 2)$이다.
$a+1=2$, $b-1=4$이므로 $a=1$, $b=5$

STEP Ⓒ 삼각형 ABC의 넓이 구하기

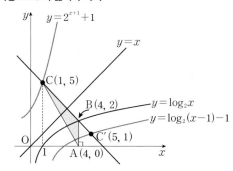

따라서 삼각형 ABC의 넓이는 $\dfrac{1}{2}\cdot2\cdot3=3$

0481   정답 ①

STEP Ⓐ 함수 $f(x)$가 (밑)$>$ 1일 때, 증가하는 함수임을 이해하기

함수 $y=\log_2(x+2)-2$는 밑이 1보다 크므로 x의 값이 증가하면 y의 값도 증가한다.

STEP Ⓑ 주어진 범위에서 최댓값과 최솟값 구하기

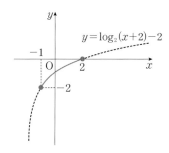

$-1\le x\le 2$에서 $x=2$일 때, 최대이고 최댓값은 $\log_2(2+2)-2=0$
$x=-1$일 때, 최소이고 최솟값은 $\log_2(-1+2)-2=-2$
따라서 함수 y의 최댓값과 최솟값의 합은 $0+(-2)=-2$

0482   정답 ②

STEP Ⓐ 함수 $f(x)$가 $0<$(밑)$<$ 1일 때, 감소하는 함수임을 이해하기

함수 $f(x)=\log_{\frac{1}{3}}(x+a)$의 그래프는 x의 값이 커질 때, 함수 $f(x)$의 값은 감소한다.

STEP Ⓑ 최댓값이 −3일 때, a의 값 구하기

$x=5$일 때, 함수 $f(x)$의 최댓값은 $f(5)=-3$
$f(5)=\log_{\frac{1}{3}}(5+a)=-3$이므로 $3^3=5+a$
따라서 $a=22$

내신연계 출제문항 176

정의역이 $\{x \mid a \le x \le 10\}$인 함수
$$f(x) = \log_{\frac{1}{3}}(x-1) + b$$
의 최댓값이 1, 최솟값이 -3일 때, 상수 a, b에 대하여 $a+b$의 값은?

① $\dfrac{1}{10}$ ② $\dfrac{1}{9}$ ③ 1

④ $\dfrac{10}{9}$ ⑤ 10

STEP Ⓐ 함수 $f(x)$가 $0 <$ (밑) < 1일 때, 감소하는 함수임을 이해하기

함수 $y = \log_{\frac{1}{3}}(x-1) + b$의 그래프는 x의 값이 커질 때,

함수 $f(x)$의 값은 감소한다.

STEP Ⓑ 최댓값이 1, 최솟값이 -3임을 이용하여 a, b의 값 구하기

$x = a$일 때, 함수 $f(x)$의 최댓값이 1이므로

$\log_{\frac{1}{3}}(a-1) + b = 1$ ……㉠

$x = 10$일 때, 함수 $f(x)$의 최솟값이 -3이므로

$\log_{\frac{1}{3}}(10-1) + b = -3$ ……㉡

㉡에서 $\log_{\frac{1}{3}}9 + b = -2 + b = -3$ $\therefore b = -1$

$b = -1$을 ㉠에 대입하면 $\log_{\frac{1}{3}}(a-1) - 1 = 1$ $\therefore a = \dfrac{10}{9}$

따라서 $a+b = \dfrac{10}{9} + (-1) = \dfrac{1}{9}$ 정답 ②

0483

정답 ③

STEP Ⓐ 지수함수 로그함수의 증가 감소 판별하기

조건 (가)에서 함수는 x의 값이 증가하면 y의 값은 감소한다.
조건 (나)에서 함수는 x의 값이 증가하면 y의 값도 증가한다.

STEP Ⓑ 각각의 최댓값 구하기

조건 (가)에서

$x = 1$에서 최댓값은 $3^{-1+2} + 1 = 4$

$x = 3$에서 최솟값 $3^{-3+2} + 1 = \dfrac{4}{3}$

조건 (나)에서

$x = 3$에서 최댓값 $\log_2(3+1) + 2 = 4$

$x = 1$에서 최솟값 $\log_2(1+1) + 2 = 3$

따라서 $M_1 = 4$, $M_2 = 4$이므로 $M_1 + M_2 = 4 + 4 = 8$

내신연계 출제문항 177

다음 조건을 만족하는 함수의 최댓값을 각각 M_1, M_2라 할 때, $M_1 + M_2$의 값은?

(가) $y = \left(\dfrac{1}{3}\right)^{x-1} - 2 \ (-1 \le x \le 2)$

(나) $y = \log_{\frac{1}{3}}\left(x + \dfrac{2}{3}\right) + 1 \ \left(-\dfrac{1}{3} \le x \le \dfrac{7}{3}\right)$

① 8 ② 9 ③ 10
④ 11 ⑤ 12

STEP Ⓐ 함수 $f(x)$가 $0 <$ (밑) < 1일 때, 감소하는 함수임을 이해하기

조건 (가), (나)의 그래프는 x의 값이 커질 때, 함수 $f(x)$의 값은 감소한다.

STEP Ⓑ 각각의 최댓값 구하기

조건 (가)에서

$x = -1$에서 최댓값 $\left(\dfrac{1}{3}\right)^{-1-1} - 2 = 7$

$x = 2$에서 최솟값 $\left(\dfrac{1}{3}\right)^{2-1} - 2 = -\dfrac{5}{3}$

조건 (나)에서

$x = -\dfrac{1}{3}$에서 최댓값 $\log_{\frac{1}{3}}\left(-\dfrac{1}{3} + \dfrac{2}{3}\right) + 1 = 2$

$x = \dfrac{7}{3}$에서 최솟값 $\log_{\frac{1}{3}}\left(\dfrac{7}{3} + \dfrac{2}{3}\right) + 1 = -1 + 1 = 0$

따라서 $M_1 = 7$, $M_2 = 2$이므로 $M_1 + M_2 = 7 + 2 = 9$ 정답 ②

0484

정답 ④

STEP Ⓐ 함수 $f(x)$가 (밑) > 1일 때, 증가하는 함수임을 이해하기

$y = \log_2(x^2 - 2x + 3)$에서 밑 2는 1보다 크므로

$x^2 - 2x + 3$의 값이 감소하면 y의 값도 감소한다.

STEP Ⓑ 최솟값 구하기

진수를 $f(x) = x^2 - 2x + 3$라 하면

$f(x) = (x-1)^2 + 2$에서 $x = 1$일 때, 최솟값이 2이므로

$y = \log_2(x^2 - 2x + 3)$의 최솟값은 $\log_2 2 = 1$

따라서 $a = 1$, $b = 1$이므로 $ab = 1$

0485

정답 ②

STEP Ⓐ 함수 $f(x)$가 $0 <$ (밑) < 1일 때, 감소하는 함수임을 이해하기

함수 $y = \log_{\frac{1}{2}}(x^2 + 4x + 12)$에서 밑 $\dfrac{1}{2}$는 1보다 작으므로

$x^2 + 4x + 12$의 값이 감소하면 y의 값은 증가한다.

STEP Ⓑ 함수의 최댓값 구하기

$f(x) = x^2 + 4x + 12$라 하면

$f(x) = (x+2)^2 + 8$에서 $x = -2$일 때, 최솟값이 8이므로

$y = \log_{\frac{1}{2}}(x^2 + 4x + 12)$의 최댓값은 $\log_{\frac{1}{2}}8 = -3$

따라서 $a = -2$, $b = -3$이므로 $a + b = -5$

0486

정답 ③

STEP Ⓐ 함수 $f(x)$가 (밑) > 1일 때, 증가하는 함수임을 이해하기

$y = \log_2(x^2 + 2x + 5)$에서 밑 2는 1보다 크므로

$x^2 + 2x + 5$의 값이 증가하면 y의 값도 증가한다.

STEP Ⓑ $-2 \le x \le 1$에서 진수의 범위 구하기

진수를 $f(x) = x^2 + 2x + 5$이라 하면

$f(x) = (x+1)^2 + 4$

$-2 \le x \le 1$에서 $4 \le f(x) \le 8$

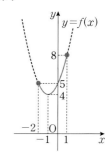

STEP Ⓒ $y = \log_2 f(x)$의 최댓값, 최솟값 구하기

$-2 \le x \le 1$에서 함수 $y = \log_2(x^2 + 2x + 5) = \log_2 f(x)$는

$f(x) = 8$일 때, 최대이고 최댓값은 $M = \log_2 8 = 3$

$f(x) = 4$일 때, 최소이고 최솟값은 $m = \log_2 4 = 2$

따라서 $M + m = 3 + 2 = 5$

함수 $y=3+\log_3(x^2-4x+31)$의 최솟값은?

① 4　　　　　　② 5　　　　　　③ 6
④ 7　　　　　　⑤ 8

STEP Ⓐ **함수 $f(x)$가 (밑)>1일 때, 증가하는 함수임을 이해하기**

$y=3+\log_3(x^2-4x+31)$에서 밑 3은 1보다 크므로
$x^2-4x+31$의 값이 증가하면 y의 값도 증가한다.

STEP Ⓑ **최솟값 구하기**

$f(x)=x^2-4x+31$라 하면 $f(x)=(x-2)^2+27$에서 $f(x)$의 최솟값이 27
따라서 $y=3+\log_3(x^2-4x+31)$의 최솟값은 $3+\log_3 27=3+3=6$

정답 ③

0487

정답 ①

STEP Ⓐ **함수 $f(x)$가 $0<$(밑)<1일 때, 감소하는 함수임을 이해하기**

함수 $y=\log_{\frac{1}{2}}(-x^2+4x+4)$에서 밑 $\frac{1}{2}$는 1보다 작으므로
$-x^2+4x+4$의 값이 증가하면 y의 값은 감소한다.

STEP Ⓑ **$0\le x\le 4$에서 진수의 범위 구하기**

진수를 $f(x)=-x^2+4x+4$이라 하면
$f(x)=-(x-2)^2+8$이므로
$0\le x\le 4$에서 $4\le f(x)\le 8$

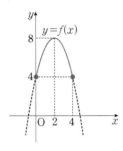

STEP Ⓒ **함수의 최댓값, 최솟값을 구하기**

$0\le x\le 4$에서 함수 $y=\log_{\frac{1}{2}}(-x^2+4x+4)=\log_{\frac{1}{2}}f(x)$는
$f(x)=4$일 때, 최대이고, 최댓값은 $M=\log_{\frac{1}{2}}4=-2$
$f(x)=8$일 때, 최소이고, 최솟값은 $m=\log_{\frac{1}{2}}8=-3$
따라서 $M-m=-2-(-3)=1$

0488

정답 ⑤

STEP Ⓐ **진수조건을 이용하여 x의 범위 구하기**

$y=\log_3(x-1)+\log_3(7-x)$에서 로그의 진수는 양수이므로
$x-1>0,\ 7-x>0$　∴ $1<x<7$

STEP Ⓑ **$y=\log_3(x-1)+\log_3(7-x)$의 최댓값 구하기**

$y=\log_3(x-1)+\log_3(7-x)$
　$=\log_3(x-1)(7-x)$
　$=\log_3(-x^2+8x-7)$
진수를 $f(x)=-x^2+8x-7$라 하면
밑 3은 1보다 크므로 진수 $f(x)$가
최대일 때, $y=\log_3 f(x)$도 최대이다.
$f(x)=-(x-4)^2+9$이므로 $1<x<7$
에서 $f(x)$는 $x=4$에서 최댓값이 9이다.
$y=\log_3 f(x)$는 $f(x)=9$일 때, 최대이고 최댓값은 $\log_3 9=2$
따라서 $a+b=4+2=6$

함수 $y=\log_2(x+2)+\log_2(6-x)$의 최댓값은?

① 2　　　　　　② 3　　　　　　③ 4
④ 5　　　　　　⑤ 6

STEP Ⓐ **진수조건을 이용하여 x의 범위 구하기**

$y=\log_2(x+2)+\log_2(6-x)$에서 로그의 진수는 양수이므로
$x+2>0,\ 6-x>0$
∴ $-2<x<6$

STEP Ⓑ **$y=\log_2(x+2)+\log_2(6-x)$의 최댓값 구하기**

$y=\log_2(x+2)+\log_2(6-x)$
　$=\log_2(x+2)(6-x)$
　$=\log_2(-x^2+4x+12)$
진수를 $f(x)=-x^2+4x+12$라 하면
밑 2는 1보다 크므로 진수 $f(x)$가
최대일 때, $y=\log_2 f(x)$도 최대이다.
$f(x)=-(x-2)^2+16$이므로
$-2<x<6$에서 $f(x)$는 $x=2$에서
최댓값이 16이다.
따라서 $y=\log_2 f(x)$는 $f(x)=16$일 때,
최대이고 최댓값은 $\log_2 16=4$

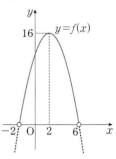

정답 ③

0489

정답 ④

STEP Ⓐ **진수의 범위 구하기**

$y=\log_a(2x^2+4x+11)$에서 진수를 $f(x)=2x^2+4x+11$이라 하면
$f(x)=2(x+1)^2+9$이므로 $f(x)$는 $x=-1$에서 최솟값 9를 갖고 최댓값은
없다.

STEP Ⓑ **$\log_a f(x)$의 최댓값이 -2임을 이용하여 a의 값 구하기**

즉 함수 $y=\log_a f(x)$이 최댓값 -2를 가지려면
$0<a<1$이고 $\log_a 9=-2$이어야 한다.
따라서 $a^{-2}=9=\left(\frac{1}{3}\right)^{-2}$에서 $a=\frac{1}{3}$

0490

정답 ③

STEP Ⓐ **함수 $f(x)$가 $0<$(밑)<1일 때, 감소하는 함수임을 이해하기**

함수 $y=\log_{\frac{1}{8}}(x^2-ax+b)$가 $x=2$일 때, 최댓값 -1을 가지므로
이차함수 $y=x^2-ax+b$는 $x=2$일 때 최솟값을 가져야 한다.
$y=x^2-ax+b=\left(x-\frac{a}{2}\right)^2+b-\frac{a^2}{4}$에서 $\frac{a}{2}=2$
∴ $a=4$

STEP Ⓑ **$a+b$의 값 구하기**

또, 함수 $y=\log_{\frac{1}{8}}(x^2-4x+b)$에서 $x=2$일 때의 함숫값이 -1이므로
$-1=\log_{\frac{1}{8}}(4-8+b)$
$b-4=8$
∴ $b=12$
따라서 $a+b=4+12=16$

0491

STEP Ⓐ $0 \le x \le 3$에서 진수의 범위 구하기

$y = \log_a(x^2 - 2x + 3)$에서

진수를 $f(x) = x^2 - 2x + 3$이라 하면

$f(x) = (x-1)^2 + 2$

$0 \le x \le 3$에서 $2 \le f(x) \le 6$

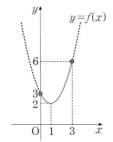

STEP Ⓑ $0 < a < 1$일 때, $y = \log_a f(x)$의 최댓값이 -1임을 이용하여 a의 값 구하기

$0 < a < 1$이므로 $f(x)$의 값이 최소일 때, $y = \log_a f(x)$의 값은 최대이다.

즉 $y = \log_a 2 = -1$이므로 $a^{-1} = 2$

따라서 $a = \dfrac{1}{2}$

내·신·연·계 출제문항 180

정의역이 $\{x \mid -1 \le x \le 2\}$인 함수

$$f(x) = \log_2(x^2 - 2x + a)$$

의 최솟값이 3일 때, 상수 a의 값은?

① 7 　　　② 9 　　　③ 11

④ 13 　　　⑤ 15

STEP Ⓐ $-1 \le x \le 2$에서 진수의 범위 구하기

$\log_2(x^2 - 2x + a)$의 밑이 1보다 크므로 $x^2 - 2x + a$가 최소일 때, 함수 $f(x)$는 최솟값을 갖는다.

STEP Ⓑ 진수의 최솟값을 구하여 a의 값 구하기

즉 $\log_2(x^2 - 2x + a)$의 최솟값이 3이므로 $x^2 - 2x + a$의 최솟값은 $2^3 = 8$

$x^2 - 2x + a = (x-1)^2 + a - 1$

$-1 \le x \le 2$에서 $x = 1$일 때, $x^2 - 2x + a$는 최솟값 $a - 1$을 가지므로

$a - 1 = 8$

따라서 $a = 9$

0492

STEP Ⓐ $(f \circ g)(x)$을 정리하기

$f(x) = \log_{\frac{1}{2}} \dfrac{8}{x}$, $g(x) = 2x^2 - 4x + 18$에서

$(f \circ g)(x) = f(g(x)) = f(2x^2 - 4x + 18) = \log_{\frac{1}{2}} \dfrac{8}{2x^2 - 4x + 18}$

$\qquad\qquad = \log_{\frac{1}{2}} \dfrac{4}{x^2 - 2x + 9}$

$\qquad\qquad = \log_{\frac{1}{2}} 4 - \log_{\frac{1}{2}}(x^2 - 2x + 9)$

$\qquad\qquad = -2 + \log_2(x^2 - 2x + 9)$

STEP Ⓑ $g(x)$의 최솟값 구하기

$\log_2(x^2 - 2x + 9)$는 밑이 1보다 크므로 $x^2 - 2x + 9$의 값이 감소하면 y의 값도 감소한다.

진수를 $h(x) = x^2 - 2x + 9$라 하면 $h(x) = (x-1)^2 + 8$에서 $x = 1$일 때, 최솟값은 8이므로 $\log_2(x^2 - 2x + 9)$의 최솟값은 $\log_2 8 = \log_2 2^3 = 3$

STEP Ⓒ $(f \circ g)(x)$의 최솟값 구하기

따라서 $(f \circ g)(x)$의 최솟값은 $(f \circ g)(1) = -2 + 3 = 1$

0493

STEP Ⓐ $(f \circ g)(x)$가 최댓값을 가질 조건 구하기

$(f \circ g)(x) = f(g(x)) = 2^{g(x)}$에서 밑 2는 1보다 크므로 $g(x)$가 최대일 때, 최댓값을 갖는다.

STEP Ⓑ $g(x)$의 최댓값 구하기

$g(x) = \log_{\frac{1}{2}}(x^2 - 2x + 3)$에서 밑 $\dfrac{1}{2}$은 1보다 작으므로 $x^2 - 2x + 3$의 값이 감소하면 $g(x)$의 값은 증가한다.

진수를 $h(x) = x^2 - 2x + 3$라 하면

$h(x) = (x-1)^2 + 2$에서 $x = 1$일 때, 최솟값은 2이므로

$g(x) = \log_{\frac{1}{2}}(x^2 - 2x + 3)$의 최댓값은 $\log_{\frac{1}{2}} 2 = -1$

STEP Ⓒ $(f \circ g)(x)$의 최댓값 구하기

즉 $(f \circ g)(x)$의 최댓값은 $2^{-1} = \dfrac{1}{2}$

따라서 $a = 1$, $b = \dfrac{1}{2}$이므로 $ab = \dfrac{1}{2}$

0494

STEP Ⓐ $\log_2 x = t$로 치환하고 t의 범위 구하기

$y = (\log_2 x)^2 - \log_2 x^2 - 3$에서 $y = (\log_2 x)^2 - 2\log_2 x - 3$

$\log_2 x = t$로 놓으면 $y = t^2 - 2t - 3 = (t-1)^2 - 4$ $\qquad$ ……… ㉠

이때 $\dfrac{1}{4} \le x \le 8$에서 $\log_2 \dfrac{1}{4} \le \log_2 x \le \log_2 8$이므로 $-2 \le t \le 3$

STEP Ⓑ 주어진 함수의 최댓값, 최솟값 구하기

$-2 \le t \le 3$에서 ㉠의 그래프를 그리면 오른쪽 그림과 같다.

$t = -2$일 때, 최대이고 최댓값은 5

$t = 1$일 때, 최소이고 최솟값은 -4

를 갖는다.

따라서 최댓값과 최솟값의 합은

$5 + (-4) = 1$

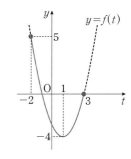

0495

STEP Ⓐ $\log_{\frac{1}{3}} x = t$로 치환하고 t의 범위 구하기

$y = (\log_{\frac{1}{3}} x)^2 - \log_{\frac{1}{3}} x^2 + 2$에서 $y = (\log_{\frac{1}{3}} x)^2 - 2\log_{\frac{1}{3}} x + 2$

$\log_{\frac{1}{3}} x = t$로 놓으면

$y = t^2 - 2t + 2 = (t-1)^2 + 1$ $\qquad$ ……… ㉠

이때 $\dfrac{1}{9} \le x \le 27$에서 $\log_{\frac{1}{3}} 27 \le \log_{\frac{1}{3}} x \le \log_{\frac{1}{3}} \dfrac{1}{9}$이므로 $-3 \le t \le 2$

STEP Ⓑ $-3 \le t \le 2$에서 함수의 최댓값, 최솟값 구하기

$-3 \le t \le 2$에서 ㉠의 그래프를 그리면 오른쪽 그림과 같다.

$t = -3$일 때, 최대이고 최댓값은 $M = 17$

$t = 1$일 때, 최소이고 최솟값은 $m = 1$을 갖는다.

따라서 $M - m = 17 - 1 = 16$

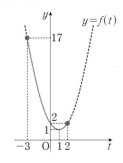

정의역이 $\{x \mid 1 \leq x \leq 81\}$인 함수
$$y = (\log_3 x)(\log_{\frac{1}{3}} x) + \log_3 x^2 + 10$$
의 최댓값을 M, 최솟값을 m이라 할 때, $M+m$의 값은?

① 10   ② 12   ③ 13
④ 16   ⑤ 18

STEP Ⓐ $\log_3 x = t$로 치환하고 t의 범위 구하기

$y = (\log_3 x)(\log_{\frac{1}{3}} x) + \log_3 x^2 + 10$에서

$y = (\log_3 x)(-\log_3 x) + 2\log_3 x + 10$

$\log_3 x = t$로 놓으면

$y = t(-t) + 2t + 10$

$\quad = -t^2 + 2t + 10$

$\quad = -(t-1)^2 + 11 \quad \cdots\cdots \bigcirc$

이때 $1 \leq x \leq 81$에서 $\log_3 1 \leq \log_3 x \leq \log_3 81$이므로 $0 \leq t \leq 4$

STEP Ⓑ $0 \leq t \leq 4$에서 함수의 최댓값, 최솟값 구하기

$0 \leq t \leq 4$에서 $\bigcirc$의 그래프를 그리면
오른쪽 그림과 같다.
$t = 1$일 때, 최대이고 최댓값은 $M = 11$
$t = 4$일 때, 최소이고 최솟값은 $m = 2$를
갖는다.
따라서 $M + m = 11 + 2 = 13$

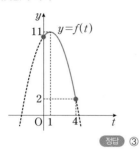

정답 ③

0496

정답 ①

STEP Ⓐ $\log_2 x = t$로 치환하고 t의 범위 구하기

$y = (\log_2 2x)\left(\log_2 \dfrac{8}{x}\right)$

$\quad = (1 + \log_2 x)(3 - \log_2 x)$

$\quad = 3 + 2\log_2 x - (\log_2 x)^2$

이때 $\log_2 x = t$로 놓으면

$y = 3 + 2t - t^2 = -(t-1)^2 + 4 \quad \cdots\cdots \bigcirc$

$\dfrac{1}{16} \leq x \leq 4$에서 $\log_2 \dfrac{1}{16} \leq \log_2 x \leq \log_2 4$이므로 $-4 \leq t \leq 2$

STEP Ⓑ $-4 \leq t \leq 2$에서 함수의 최댓값, 최솟값 구하기

$-4 \leq t \leq 2$에서 $\bigcirc$의 그래프를 그리면
오른쪽 그림과 같다.
$t = 1$일 때, 최대이고 최댓값은 $M = 4$
$t = -4$일 때, 최소이고 최솟값은
$m = -21$을 갖는다.
따라서 $M + m = 4 + (-21) = -17$

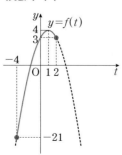

$\dfrac{1}{4} \leq x \leq 8$에서 함수 $y = (\log_2 4x)\left(\log_2 \dfrac{x}{16}\right) + 3$의 최댓값과 최솟값의
합은?

① -3 ② -2 ③ -1
④ 2 ⑤ 3

STEP Ⓐ $\log_2 x = t$로 치환하고 t의 범위 구하기

$y = (\log_2 4x)\left(\log_2 \dfrac{x}{16}\right) + 3$에서

$y = (\log_2 4 + \log_2 x)(\log_2 x - \log_2 16) + 3$

$\quad = (\log_2 x + 2)(\log_2 x - 4) + 3$

$\quad = (\log_2 x)^2 - 2\log_2 x - 5$

이때 $\log_2 x = t$로 놓으면

$y = t^2 - 2t - 5 = (t-1)^2 - 6 \quad \cdots\cdots \bigcirc$

$\dfrac{1}{4} \leq x \leq 8$이므로 $\log_2 \dfrac{1}{4} \leq t \leq \log_2 8$

$\therefore -2 \leq t \leq 3$

STEP Ⓑ $-2 \leq t \leq 3$에서 함수의 최댓값, 최솟값 구하기

$-2 \leq t \leq 3$에서 $\bigcirc$의 그래프를 그리면
오른쪽 그림과 같다.
$t = 1$일 때, 최소이며 최솟값은 -6
$t = -2$일 때, 최대이며 최댓값은 3
따라서 최댓값과 최솟값의 합은
$3 + (-6) = -3$

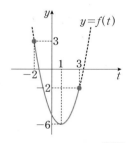

정답 ①

0497

정답 ②

STEP Ⓐ $\log_3 x = t$로 치환하여 t에 대한 함수로 나타내기

$y = (\log_3 x)^2 + a\log_{27} x^2 + b$에서

$y = (\log_3 x)^2 + \dfrac{2}{3} a\log_3 x + b$

이때 $\log_3 x = t$로 놓으면

$y = t^2 + \dfrac{2}{3} at + b \quad \cdots\cdots \bigcirc$

STEP Ⓑ $x = \dfrac{1}{3}$에서 최솟값 1을 가짐을 이용하여 a, b의 값 구하기

이때 y는 $x = \dfrac{1}{3}$, 즉 $t = \log_3 \dfrac{1}{3} = -1$일 때, 최솟값 1을 가지므로

$y = (t+1)^2 + 1 = t^2 + 2t + 2 \quad \cdots\cdots \bigcirc$

$\bigcirc$과 $\bigcirc$이 일치하므로

$\dfrac{2}{3} a = 2$, $b = 2$

따라서 $a = 3$, $b = 2$이므로 $ab = 6$

0498

정답 ②

STEP A 산술평균과 기하평균의 관계를 이용하여 최솟값 구하기

$y=2^{x+k}+\left(\frac{1}{2}\right)^{x-k}=2^{x+k}+2^{-x+k}$

$2^{x+k}>0$, $2^{-x+k}>0$이므로 산술평균과 기하평균의 관계에 의하여

$$y=2^{x+k}+2^{-x+k}\geq 2\sqrt{2^{x+k}\times 2^{-x+k}}=2\sqrt{2^{2k}}$$
$$=2\cdot 2^k$$
$$=2^{k+1}$$

(단, 등호는 $2^{x+k}=2^{-x+k}$에서 $x+k=-x+k$, 즉 $x=0$일 때 성립)

주어진 함수는 $x=0$일 때, 최솟값은 2^{k+1}이므로

$2^{k+1}=8=2^3$, $k+1=3$

따라서 $k=2$

0499

정답 ①

STEP A $2^x+2^{-x}=t$로 치환하고 산술평균 기하평균을 이용하여 범위 구하기

$2^x+2^{-x}=t$로 놓으면 $2^x>0$, $2^{-x}>0$이므로

$2^x+2^{-x}\geq 2\sqrt{2^x\cdot 2^{-x}}$에서 $t\geq 2$

STEP B $t\geq 2$에서 주어진 함수의 최댓값 구하기

$4^x+4^{-x}=(2^x+2^{-x})^2-2=t^2-2$이므로

주어진 함수는

$y=6t-(t^2-2)$
$=-t^2+6t+2$
$=-(t-3)^2+11\ (t\geq 2)$

따라서 구하는 최댓값은 $t=3$일 때, 11

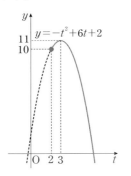

내신연계 출제문항 183

함수 $y=4^x+4^{-x}-4(2^x+2^{-x})$의 최솟값은?

① -8 ② -6 ③ -4

④ -2 ⑤ 0

STEP A $2^x+2^{-x}=t$로 치환하고 산술기하평균을 이용하여 범위 구하기

$2^x+2^{-x}=t$로 놓으면

$2^x>0$, $2^{-x}>0$이고 산술평균과 기하평균의 관계에 의하여

$2^x+2^{-x}\geq 2\sqrt{2^x\cdot 2^{-x}}=2$이므로 $t\geq 2$

STEP B $t\geq 2$에서 주어진 함수의 최솟값 구하기

$4^x+4^{-x}=(2^x+2^{-x})^2-2\times 2^x\times 2^{-x}=t^2-2$이므로

$y=t^2-2-4t=(t-2)^2-6$

따라서 주어진 함수는 $t=2$일 때, 최솟값 -6을 갖는다.

정답 ②

0500

정답 ④

STEP A $2^x+2^{-x}=t$로 치환하고 산술기하평균을 이용하여 범위 구하기

$2^x+2^{-x}=t$로 놓으면

$2^x>0$, $2^{-x}>0$이고 산술평균과 기하평균의 관계에 의하여

$2^x+2^{-x}\geq 2\sqrt{2^x\cdot 2^{-x}}=2$이므로 $t\geq 2$

STEP B $t\geq 2$에서 주어진 함수의 최솟값 구하기

$y=4^x+4^{-x}-2(2^x+2^{-x})+6$
$=(2^x+2^{-x})^2-2-2(2^x+2^{-x})+6$

이므로

$y=t^2-2t+4=(t-1)^2+3\ (t\geq 2)$

y는 $t=2^x+2^{-x}=2$일 때, 최솟값 4를

갖는다.

즉 $2^{2x}-2\cdot 2^x+1=0$, $(2^x-1)^2=0$에서

$2^x=1$

$\therefore x=0$

따라서 $a=0$, $b=4$이므로 $a+b=4$

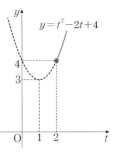

0501

정답 ③

STEP A 주어진 식을 변형하고 산술기하평균을 이용하여 최솟값 구하기

$\log_3\left(x+\frac{1}{y}\right)+\log_3\left(y+\frac{4}{x}\right)=\log_3\left(x+\frac{1}{y}\right)\left(y+\frac{4}{x}\right)$
$=\log_3\left(xy+\frac{4}{xy}+5\right)$

밑이 1보다 크므로 진수 $xy+\frac{4}{xy}+5$가 최소일 때, 최솟값을 갖는다.

이때 $x>0$, $y>0$에서 $xy>0$, $\frac{4}{xy}>0$이므로

산술평균과 기하평균의 관계에 의하여

$xy+\frac{4}{xy}+5\geq 2\sqrt{xy\cdot\frac{4}{xy}}+5=2\cdot 2+5=9$

(단, 등호는 $xy=2$일 때 성립)

따라서 $xy+\frac{4}{xy}+5$의 최솟값은 9이므로 주어진 식의 최솟값은 $\log_3 9=2$

0502

정답 ④

STEP A 산술평균과 기하평균을 이용하여 최댓값 구하기

$x>0$, $y>0$이므로

$4x+y\geq 2\sqrt{4xy}$에서 $16\geq 4\sqrt{xy}\ (\because 4x+y=16)$

$\therefore xy\leq 16$ (단, 등호는 $4x=y$일 때 성립)

$\log_2 x+\log_2 y=\log_2 xy\leq \log_2 16=4$

따라서 $x=2$, $y=8$일 때, 최댓값 4를 갖는다.

다른풀이 x에 관한 식으로 정리하여 이차함수의 최대 최소를 이용한다.

$4x+y=16$에서 $y=16-4x$이므로

$\log_2 x+\log_2 y=\log_2 xy=\log_2 x(16-4x)$

이때 밑이 2이므로 $x(16-4x)$가 최대일 때, $\log_2 x+\log_2 y$는 최댓값을 가진다.

$f(x)=x(16-4x)$
$=-4x^2+16x$
$=-4(x-2)^2+16$

$0<x<4$일 때, 최댓값이 16

따라서 $\log_2 x+\log_2 y=\log_2 xy$의 최댓값은 $\log_2 16=\log_2 2^4=4$

0503

정답 ⑤

STEP Ⓐ **직사각형의 넓이를 α, β로 표현하기**

직사각형의 넓이를 S라 하면 직사각형의 가로의 길이는 $\beta-\alpha=4$이고
세로의 길이는 $3^{\alpha}-(-3^{-\beta})=3^{\alpha}+3^{-\beta}$이므로 직사각형의 넓이는
$S=(\beta-\alpha)(3^{\alpha}+3^{-\beta})=4(3^{\alpha}+3^{-\beta})$

STEP Ⓑ **산술평균과 기하평균을 이용하여 직사각형 넓이의 최솟값 구하기**

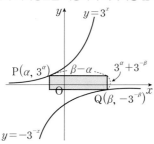

$3^{\alpha}>0$, $3^{-\beta}>0$이므로 산술평균과 기하평균의 관계에 의해
$$S=4(3^{\alpha}+3^{-\beta})\geq 4\times 2\sqrt{3^{\alpha}\times 3^{-\beta}}$$
$$=8\sqrt{3^{\alpha-\beta}}$$
$$=8\sqrt{3^{-4}}=\frac{8}{9}$$

등호는 $3^{\alpha}=3^{-\beta}$, 즉 $\alpha+\beta=0$일 때 성립한다.

따라서 직사각형의 넓이의 최솟값은 $\dfrac{8}{9}$

내/신/연/계 출제문항 184

직선 $x=a$와 두 곡선 $y=2^{-x+3}+4$, $y=-2^{x-5}-3$의 교점을 각각 P, Q라
할 때, 선분 PQ를 대각선으로 하는 정사각형의 넓이의 최솟값은?

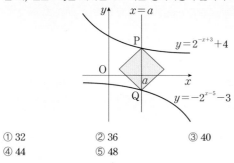

① 32　　　② 36　　　③ 40
④ 44　　　⑤ 48

STEP Ⓐ **직선과 두 곡선의 교점 P, Q 사이의 길이 구하기**

직선 $x=a$와 두 곡선 $y=2^{-x+3}+4$, $y=-2^{x-5}-3$의 교점은
$P(a, 2^{-a+3}+4)$, $Q(a, -2^{a-5}-3)$이므로 정사각형의 대각선의 길이는
$\overline{PQ}=(2^{-a+3}+4)-(-2^{a-5}-3)=7+2^{-a+3}+2^{a-5}$

STEP Ⓑ **산술평균과 기하평균의 관계를 이용하여 대각선 $\overline{PQ}$의 최솟값 구하기**

$2^{-a+3}>0$, $2^{a-5}>0$이므로 산술 기하평균의 관계에 의해
$$\overline{PQ}=7+2^{-a+3}+2^{a-5}\geq 7+2\sqrt{2^{-a+3}2^{a-5}}$$
$$=7+2\sqrt{2^{-2}}=8 \text{ (등호는 } a=4 \text{일 때 성립)}$$
즉 선분 PQ길이의 최솟값은 8

STEP Ⓒ **정사각형의 넓이의 최솟값 구하기**

선분 PQ를 대각선으로 하는 정사각형의 한 변의 길이는 $4\sqrt{2}$
따라서 정사각형 넓이의 최솟값은 $(4\sqrt{2})^2=32$

정답 ①

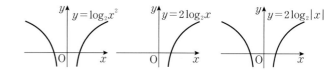

STEP 2 　　　서술형 기출유형

0504

정답 해설참조

| 1단계 | 세 함수의 그래프의 개형을 그린다. | ◀ 70% |

◀ 70%

| 2단계 | 함수가 같은 것을 구한다. | ◀ 30% |

따라서 함수 $y=\log_2 x^2$와 $y=2\log_2|x|$의 그래프는 일치하므로 같다.

0505

정답 해설참조

| 1단계 | 함수 $y=2^x$의 그래프를 조건에 따라 이동한 그래프의 식을 구한다. | ◀ 30% |

함수 $y=2^x$의 그래프를 x축의 방향으로 c만큼 평행이동한 후 x축에 대하여
대칭이동한 그래프의 식은 $y=-2^{x-c}$

| 2단계 | 이동한 그래프를 이용하여 a, b, c의 관계를 구한다. | ◀ 30% |

$y=-\left(\dfrac{1}{2}\right)^{ax+b}=-2^{-ax-b}$이 $y=-2^{x-c}$와 일치하므로
$a=-1$, $b=c$

| 3단계 | $y=f(x)$가 점 $(5, -1)$을 지남을 이용하여 c의 값을 구한다. | ◀ 20% |

$y=-2^{x-c}$의 그래프는 점 $(5, -1)$을 지나므로 $-1=-2^{5-c}$
$\therefore c=5$

| 4단계 | $a+b+c$의 값을 구한다. | ◀ 20% |

따라서 $a=-1$, $b=5$, $c=5$이므로 $a+b+c=9$

0506

정답 해설참조

| 1단계 | 점근선의 방정식을 이용하여 a의 값을 구한다 | ◀ 30% |

점근선의 방정식이 $x=-3$이므로
$a=3$

| 2단계 | 점 $(0, 2)$을 지남을 이용하여 b의 값을 구한다. | ◀ 50% |

$y=\log_3(x+3)+b$의 그래프가 점 $(0, 2)$를 지나므로 $2=\log_3 3+b$
$\therefore b=1$

| 3단계 | $a+b$의 값을 구한다. | ◀ 20% |

따라서 $a+b=3+1=4$

0507

정답 해설참조

| 1단계 | 점 A을 A′로 평행이동한 좌표를 비교하여 m의 값을 구한다. | ◀ 30% |

점 $A(1, f(1))$을 x축 방향으로 m만큼, y축 방향으로 n만큼
평행이동한 점 A'의 좌표는 $(1+m, f(1)+n)$이므로
$1+m=3$에서 $m=2$

| 2단계 | 함수 $f(x)=2^x$을 평행이동한 그래프의 식 $g(x)$를 구한다. | ◀ 30% |

$f(x)=2^x$의 그래프를 x축 방향으로 2만큼, y축 방향으로 n만큼
평행이동한 그래프의 식은 $g(x)=2^{x-2}+n$

| 3단계 | 함수 $y=g(x)$의 그래프가 점 $(0, 1)$을 지남을 이용하여 n의 값을 구한다. | ◀ 30% |

$y=g(x)$의 그래프가 점 $(0, 1)$을 지나므로

$g(0)=2^{-2}+n=1$에서 $n=\dfrac{3}{4}$

| 4단계 | $m+n$의 값을 구한다. | ◀ 10% |

따라서 $m+n=2+\dfrac{3}{4}=\dfrac{11}{4}$

0508

정답 해설참조

| 1단계 | m과 n의 값을 구한다. | ◀ 40% |

그래프에서 점근선의 방정식이 $y=1$이므로 $n=1$

$y=ma^x+1$ ...... ㉠

또한, ㉠이 점 $(0, 3)$을 지나므로 $3=ma^0+1=m+1$

$\therefore m=2$

| 2단계 | a의 값의 범위를 구한다. | ◀ 20% |

$y=2a^x+1$이 x가 커지면 y가 감소하는 그래프이므로

밑 a는 $0<a<1$

| 3단계 | 로그함수 $y=\log_a(m-x)^n$의 그래프의 개형을 그린다. | ◀ 40% |

$y=\log_a(m-x)^n=\log_a(2-x)^1$

즉 $y=\log_a\{-(x-2)\}$이므로

$y=\log_a x$의 그래프를 y축에 대하여 대칭이동한 그래프의 식을 x축의 방향으로 2만큼 평행이동한 그래프의 식이므로 오른쪽 그림과 같다.

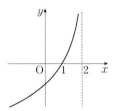

0509

정답 해설참조

| 1단계 | 두 점 P, Q가 직선 $y=x+k$ 위의 점임을 이용하여 두 점의 좌표를 구하고 선분 PQ의 길이가 $3\sqrt{2}$인 α, β의 관계식을 구한다. | ◀ 40% |

두 점 P, Q는 직선 $y=x+k$ 위의 점이므로

$P(\alpha, \alpha+k)$, $Q(\beta, \beta+k)$ ...... ㉠

$\overline{PQ}=3\sqrt{2}$에서

$\sqrt{(\beta-\alpha)^2+(\beta-\alpha)^2}=3\sqrt{2}$

$\sqrt{2(\beta-\alpha)^2}=3\sqrt{2}$, $(\beta-\alpha)^2=9$

$\therefore \beta-\alpha=3(\because \beta>\alpha)$

| 2단계 | 두 점 P, Q가 함수 $y=\log_3 x$의 그래프 위의 점임을 이용하여 각각의 좌표를 구한다. | ◀ 20% |

또한, 두 점 P, Q는 함수 $y=\log_3 x$ 위의 점이므로

$P(\alpha, \log_3\alpha)$, $Q(\beta, \log_3\beta)$ ...... ㉡

| 3단계 | $\dfrac{\beta}{\alpha}$의 값을 구한다. | ◀ 40% |

㉠, ㉡에서

$\alpha+k=\log_3\alpha$ ...... ㉢

$\beta+k=\log_3\beta$ ...... ㉣

이므로

㉣$-$㉢을 하면 $\beta-\alpha=\log_3\beta-\log_3\alpha$

$3=\log_3\dfrac{\beta}{\alpha}(\because \beta-\alpha=3)$

따라서 $\dfrac{\beta}{\alpha}=3^3=27$

0510

정답 해설참조

| 1단계 | 삼각형 OAB의 넓이가 6임을 이용하여 실수 k의 값을 구한다. | ◀ 30% |

두 함수 $y=a^x$, $y=\log_a x$는 서로 역함수 관계이므로 두 함수의 그래프는 직선 $y=x$에 대하여 대칭이다.

따라서 직선 $y=-x+k$가 y축과 만나는 점을 D라 하면 $\overline{DA}=\overline{BC}=\overline{AB}$

(삼각형 OCD의 넓이)
$=3\times$(삼각형 OAB의 넓이)
$=3\times6=18$

또한, 삼각형 OCD의 넓이는 $\dfrac{1}{2}k^2$이므로

$\dfrac{1}{2}k^2=18$에서 $k=6(\because k>0)$

| 2단계 | 두 점 A, B의 좌표를 구하여 실수 a의 값을 구한다. | ◀ 30% |

$k=6$이므로 $C(6, 0)$, $D(0, 6)$이고 $\overline{DA}=\overline{AB}=\overline{BC}$이므로

$A(2, 4)$, $B(4, 2)$

점 $A(2, 4)$가 함수 $y=a^x$의 그래프 위의 점이므로

$4=a^2$에서 $a=2(\because a>1)$

| 3단계 | 함수 $y=a^x$의 그래프가 y축과 만나는 점을 P, 함수 $y=\log_a x$의 그래프가 x축과 만나는 점을 Q라 할 때, 사각형 APQB의 넓이를 구한다. | ◀ 40% |

$P(0, 1)$, $Q(1, 0)$이므로 $\overline{PQ}=\sqrt{2}$이고

$A(2, 4)$, $B(4, 2)$이므로 $\overline{AB}=2\sqrt{2}$

직선 AB와 원점 사이의 거리는 $3\sqrt{2}$,

직선 PQ와 원점 사이의 거리는 $\dfrac{\sqrt{2}}{2}$

이므로 두 직선 AB, PQ 사이의 거리는

$3\sqrt{2}-\dfrac{\sqrt{2}}{2}=\dfrac{5\sqrt{2}}{2}$ ◀ 원점 O에서 두 직선 $y=-x+1$, $y=-x+6$ 사이의 거리

따라서 사다리꼴 APQB의 넓이는 $\dfrac{1}{2}\times(\sqrt{2}+2\sqrt{2})\times\dfrac{5\sqrt{2}}{2}=\dfrac{15}{2}$

0511

정답 해설참조

| 1단계 | 2^x로 놓고 주어진 함수를 t에 대한 이차함수의 꼴로 표현한다. | ◀ 30% |

$y=4^x-2^{x+2}+1=(2^x)^2-4\cdot2^x+1$

$2^x=t(t>0)$로 놓으면 $f(t)=t^2-4t+1$

| 2단계 | $0\le x\le 3$일 때, t의 값의 범위를 구한다. | ◀ 20% |

$0\le x\le 3$에서 $2^0\le 2^x\le 2^3$

$\therefore 1\le t\le 8$

| 3단계 | $M-m$의 값을 구한다. | ◀ 50% |

$f(t)=t^2-4t+1=(t-2)^2-3$

$1\le t\le 8$에서

함수 $f(t)=(t-2)^2-3$는

$t=2$일 때, 최소이고

최솟값 $m=f(2)=-3$

$t=8$일 때, 최대이고

최댓값 $M=f(8)=33$

따라서 $M-m=33-(-3)=36$

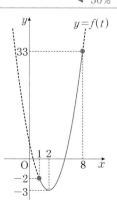

0512

| 1단계 | $2^x+2^{-x}=t$로 놓고 t의 범위를 구한다. | ◀ 20% |

$2^x+2^{-x}=t$로 놓으면

$2^x>0$, $2^{-x}>0$이므로 산술평균과 기하평균의 관계에 의하여

$2^x+2^{-x}\geq 2\sqrt{2^x\cdot 2^{-x}}=2$이므로 $t\geq 2$

| 2단계 | 곱셈공식을 이용하여 y를 t에 관한 이차함수로 나타낸다. | ◀ 20% |

$y=(2^x+2^{-x})^2-2+2^x+2^{-x}$이므로

$y=t^2+t-2=\left(t+\dfrac{1}{2}\right)^2-\dfrac{9}{4}$

| 3단계 | 제한범위에서 $y=4^x+4^{-x}+2^x+2^{-x}$의 최솟값을 구한다. | ◀ 30% |

$t\geq 2$에서

$y=t^2+t-2=\left(t+\dfrac{1}{2}\right)^2-\dfrac{9}{4}$이므로

$t=2$일 때, 최솟값 4를 갖는다.

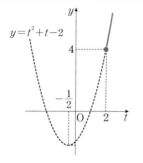

| 4단계 | $y=4^x+4^{-x}+2^x+2^{-x}+a$의 최솟값이 0일 때, a의 값을 구하여라. | ◀ 30% |

$y=t^2+t+a-2=\left(t+\dfrac{1}{2}\right)^2+a-\dfrac{9}{4}(t\geq 2)$이므로

$t=2$일 때, 최솟값은 $y=4+a$

따라서 $4+a=0$에서 $a=-4$

0513

| 1단계 | 함수 $y=3^x$의 그래프를 y축의 방향으로 p만큼 평행이동하면 함수 $y=3^x+2$의 그래프와 일치한다. 이때 p의 값을 구한다. | ◀ 30% |

함수 $y=3^x$의 그래프를 y축의 방향으로 2만큼 평행이동하면

함수 $y=3^x+2$의 그래프와 일치하므로 $p=2$

| 2단계 | 함수 $y=3^x$의 그래프와 y축, 직선 $y=3$로 둘러싸인 도형을 y축의 방향으로 p만큼 평행이동한다. | ◀ 40% |

오른쪽 그림과 같이 도형의 넓이 B를
y축의 방향으로 2만큼 평행이동하면
도형의 넓이 C가 된다.

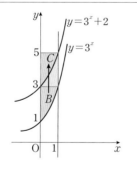

| 3단계 | 도형 A의 넓이를 구한다. | ◀ 30% |

따라서 도형의 넓이 B와 C가 같으므로 도형 A의 넓이는 직사각형의
넓이이므로 $1\times 2=2$

0514

(1) 함수 $y=\log_a(-2x^2-4x+7)$의 최솟값이 -2일 때,
상수 a의 값을 다음 단계로 서술하여라.

| 1단계 | 진수를 $f(x)=-2x^2-4x+7$이라 하고 최댓값을 구한다. | ◀ 50% |

$y=\log_a(-2x^2-4x+7)$에서 진수를 $f(x)=-2x^2-4x+7$이라 하면

$f(x)=-2(x+1)^2+9$에서 $x=-1$일 때,

$f(x)$는 최댓값 9를 갖고 최솟값은 없다.

| 2단계 | $y=\log_a f(x)$의 최솟값이 -2임을 이용하여 a의 값을 구한다. | ◀ 50% |

즉 함수 $y=\log_a(-2x^2-4x+7)$이 최솟값 -2를 가지려면

$0<a<1$이고 $\log_a 9=-2$이어야 한다.

따라서 $a^{-2}=9=\left(\dfrac{1}{3}\right)^{-2}$이므로 $a=\dfrac{1}{3}$

(2) (1)에서 구한 a에 대하여 정의역이 $\{x|-3\leq x\leq 0\}$일 때,
함수 $y=\log_a(-2x^2-4x+7)$의 최댓값과 최솟값을 다음 단계로
서술하여라.

| 1단계 | 진수를 $f(x)=-2x^2-4x+7$이라 하고 $-3\leq x\leq 0$에서 $f(x)$의 범위를 구한다. | ◀ 60% |

$y=\log_{\frac{1}{3}}(-2x^2-4x+7)$에서

밑 $\dfrac{1}{3}$는 1보다 작으므로

$-2x^2-4x+7$의 값이 증가하면

y의 값은 감소한다.

진수를 $f(x)=-2x^2-4x+7$이라 하면

$f(x)=-2(x+1)^2+9$

$-3\leq x\leq 0$에서 $1\leq f(x)\leq 9$

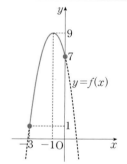

| 2단계 | $-3\leq x\leq 0$에서 $y=\log_a f(x)$의 최솟값을 구한다. | ◀ 40% |

$-3\leq x\leq 0$에서 함수 $y=\log_{\frac{1}{3}}f(x)$는

$f(x)=9$일 때, 최소이고 최솟값은 $\log_{\frac{1}{3}}9=-2$

$f(x)=1$일 때, 최대이고 최댓값은 $\log_{\frac{1}{3}}1=0$

0515

| 1단계 | 함수와 그 역함수의 교점의 관계를 서술한다. | ◀ 20% |

함수 $y=\log_a x+m$의 그래프와 그 역함수의 그래프의 교점은

함수 $y=\log_a x+m$의 그래프와 직선 $y=x$의 교점과 같다.

| 2단계 | 이 두 교점의 x좌표가 각각 1, 3임을 이용하여 m, a값을 구한다. | ◀ 70% |

방정식 $\log_a x+m=x$의 두 근이 1, 3이므로 $\log_a 1+m=1$

$\therefore m=1$

또, $\log_a 3+m=3$이므로 $\log_a 3=2$, $a^2=3$

그런데 $a>1$이므로 $a=\sqrt{3}$

| 3단계 | am의 값을 구한다. | ◀ 10% |

따라서 $a=\sqrt{3}$, $m=1$이므로 $am=\sqrt{3}$

0516

정답 ④

STEP Ⓐ 밑의 범위에 따른 지수함수와 로그함수의 그래프를 그려서 교점의 개수를 구하기

$y=\log_{\frac{1}{4}}x$는 밑이 $\frac{1}{4}$이므로 감소함수이며 점 $(1, 0)$을 지난다.

$y=\left(\frac{2}{3}\right)^x$는 밑이 $\frac{2}{3}$이므로 감소함수이며 점 $(0, 1)$과 $\left(1, \frac{2}{3}\right)$를 지난다.

$y=3^x$는 밑이 3이므로 증가함수이며 점 $(0, 1)$과 $(1, 3)$을 지난다.

세 그래프의 $x=0$과 $x=1$일 때, 교점을 조사하여 그래프를 그리면 다음과 같다.

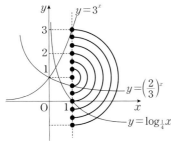

$\therefore a=4$, $b=6$, $c=1$

따라서 $c<a<b$

참고 함수 $y=3^{-x}$의 그래프와 반원의 교점의 개수를 구하여라.

$y=3^{-x}$의 그래프는 다음 그림과 같이 두 점 $(0, 1)$, $\left(1, \frac{1}{3}\right)$을 지나므로 교점의 개수는 5이다.

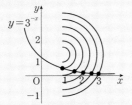

0517

정답 24

STEP Ⓐ 함수 $y=2-\log_2\left(ax+\frac{a}{6}\right)$가 감소함수임을 이해하기

$a>0$이고 밑이 1보다 크므로

함수 $y=2-\log_2\left(ax+\frac{a}{6}\right)=\log_{\frac{1}{2}}\left(ax+\frac{a}{6}\right)+2$의 그래프는
x의 값이 커질 때, y의 값은 작아진다.

STEP Ⓑ 함수의 그래프가 제3사분면을 지나지 않을 조건 구하기

이 그래프가 제3사분면을 지나지 않기 위해서는 y축과 만나는 점의 y좌표가 0과 같거나 크면 된다.

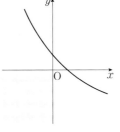

즉 $2-\log_2\left(a\cdot 0+\frac{a}{6}\right)\geq 0$, $2-\log_2\frac{a}{6}\geq 0$

$\log_2\frac{a}{6}\leq 2=\log_24$, $\frac{a}{6}\leq 4$, $a\leq 24$

따라서 구하는 자연수 a는
$1, 2, 3, \cdots, 24$이고 그 개수는 24개이다.

0518

정답 $\frac{9}{2}$

STEP Ⓐ 두 함수의 그래프가 y축과 만나는 점 A, B의 좌표 구하기

$f(0)=2^0+1=2$, $g(0)=-2^{-1}+7=\frac{13}{2}$이므로

두 점 A, B의 좌표는 각각 A$(0, 2)$, B$\left(0, \frac{13}{2}\right)$

즉 $\overline{AB}=\frac{13}{2}-2=\frac{9}{2}$

STEP Ⓑ 두 함수의 교점 C의 좌표 구하기

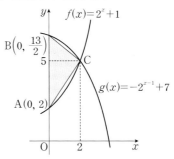

두 함수의 식 $y=2^x+1$, $y=-2^{x-1}+7$을 연립하여 풀면

$2^x+1=-2^{x-1}+7$, $\frac{3}{2}\cdot 2^x=6$, $2^x=4$　$\therefore x=2$

$f(2)=2^2+1=5$이므로 점 C의 좌표는 $(2, 5)$

STEP Ⓒ 삼각형 ACB의 넓이 구하기

따라서 삼각형 ACB의 넓이는 $\frac{1}{2}\cdot 2\cdot\frac{9}{2}=\frac{9}{2}$

내신연계 출제문항 185

그림과 같이 두 곡선 $y=2^x-1$, $y=2^{-x}+\frac{a}{9}$의 교점을 A라 하자.

점 B의 좌표가 $(4, 0)$일 때, 삼각형 AOB의 넓이가 16이 되도록 하는 양수 a의 값을 구하여라.
(단, O는 원점이다.)

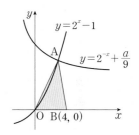

STEP Ⓐ 삼각형 AOB의 넓이가 16일 때, 높이 구하기

삼각형 AOB의 넓이가 16이고 $\overline{OB}=4$이므로 높이가 8이 되어야 한다.
즉 교점 A의 y좌표는 8이다.

STEP Ⓑ 교점의 x좌표를 구하여 a 구하기

교점 A는 곡선 $y=2^x-1$ 위의
점이므로 교점 A의 x좌표를 α라 하면
$2^\alpha-1=8$　$\therefore \alpha=\log_29$

이때 점 A$(\log_29, 8)$은
곡선 $y=2^{-x}+\frac{a}{9}$ 위의 점이므로

$8=2^{-\log_29}+\frac{a}{9}=\frac{1}{9}+\frac{a}{9}$

따라서 $a=71$

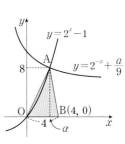

다른풀이 교점 A의 y좌표가 같음을 이용하여 풀이하기

교점 A의 y좌표를 두 함수식에 각각 대입하면

$8=2^x-1$ ...... ㉠

$8=2^{-x}+\frac{a}{9}$ ...... ㉡

㉠에서 $2^x=9$, $2^{-x}=\frac{1}{9}$이므로 ㉡에 대입하면 $8=\frac{1}{9}+\frac{a}{9}$

따라서 $\frac{a}{9}=\frac{71}{9}$이므로 $a=71$

정답 71

0519

정답 20

STEP A 두 그래프의 교점의 y좌표가 같음을 이용하여 방정식 세우기

두 점 P, Q의 x좌표의 비가 $1:2$이므로 두 점 P, Q의 x좌표를
각각 a, $2a$라 하면 점 P는 두 곡선 $y=3^{-x}$과 $y=k \cdot 3^x$의 교점이므로
$$3^{-a}=k \cdot 3^a \qquad \cdots\cdots \ \bigcirc$$
점 Q는 두 곡선 $y=-4 \cdot 3^x+8$과 $y=k \cdot 3^x$의 교점이므로
$$-4 \cdot 3^{2a}+8=k \cdot 3^{2a} \qquad \cdots\cdots \ \bigcirc$$

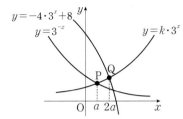

STEP B 두 식을 연립하여 k 구하기

$\bigcirc$에서 $1=k \cdot 3^{2a}$, $3^{2a}=\dfrac{1}{k}$

이것을 $\bigcirc$에 대입하면 $-4 \cdot \dfrac{1}{k}+8=k \cdot \dfrac{1}{k}$

$-\dfrac{4}{k}+8=1$ $\therefore k=\dfrac{4}{7}$

따라서 $35k=35 \cdot \dfrac{4}{7}=20$

0520

정답 6

STEP A 역함수 관계임을 이용하여 두 점 A, B의 좌표 구하기

함수 $y=\log_a x$는 함수 $y=a^x$의 역함수이므로 두 곡선 $y=a^x$와
$y=\log_a x$는 직선 $y=x$에 대하여 대칭이다.

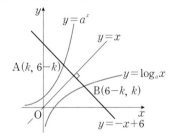

이때 점 A의 x좌표를 k라 하면 $\mathrm{A}(k, 6-k)$이고 점 $\mathrm{B}(6-k, k)$

STEP B $\overline{\mathrm{AB}}=2\sqrt{2}$을 이용하여 a의 값 구하기

$\overline{\mathrm{AB}}=\sqrt{(6-2k)^2+(2k-6)^2}=2\sqrt{2}$

양변을 제곱하면 $2(2k-6)^2=8$

$k^2-6k+8=0$, $(k-2)(k-4)=0$

$\therefore k=2$ 또는 $k=4$

(i) $k=2$이면 $\mathrm{A}(2, 4)$, $\mathrm{B}(4, 2)$이고

　　점 $\mathrm{A}(2, 4)$가 곡선 $y=a^x$ 위의 점이므로 $a^2=4$

　　이때 $a>1$이므로 $a=2$

(ii) $k=4$이면 $\mathrm{A}(4, 2)$, $\mathrm{B}(2, 4)$이므로 점 A의 x좌표가

　　점 B의 x좌표보다 작다는 조건을 만족시키지 못한다.

(i), (ii)에서 $a=2$이므로 $3a=3 \cdot 2=6$

함수 $f(x)=a^x+k$의 그래프와 함수 $g(x)=\log_a(x-k)$의 그래프가 서로
다른 두 점 A, B에서 만나고 $\overline{\mathrm{AB}}=2\sqrt{2}$이다. 선분 AB를 수직으로 이등분
하는 직선의 방정식이 $y=-x+2$일 때, $f(4)$의 값을 구하여라.
(단, $a>1$이고, k는 상수이다.)

STEP A 두 함수가 역함수의 관계임을 이해하기

두 함수 $f(x)=a^x+k$, $g(x)=\log_a(x-k)$는 서로 역함수 관계에 있고
함수 $f(x)$는 증가하는 함수이므로 두 점 A, B를 지나는 직선의 방정식은
$y=x$이다.

또한, 선분 AB의 수직이등분선 $y=-x+2$와 직선 $y=x$의 교점의 좌표가
$(1, 1)$이다.

STEP B $\overline{\mathrm{AB}}=2\sqrt{2}$을 이용하여 a, k의 값 구하기

$\overline{\mathrm{AB}}=2\sqrt{2}$이고 직선 AB의 기울기가 1이므로
$\mathrm{A}(0, 0)$, $\mathrm{B}(2, 2)$ 또는 $\mathrm{A}(2, 2)$, $\mathrm{B}(0, 0)$

즉 함수 $y=f(x)$의 그래프가 두 점 A, B를 지나므로
$f(0)=0$, $f(2)=2$

$a^0+k=0$, $a^2+k=2$이고 조건에서 $a>1$이므로
$k=-1$, $a=\sqrt{3}$

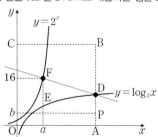

따라서 $f(x)=(\sqrt{3})^x-1$이므로 $f(4)=(\sqrt{3})^4-1=9-1=8$　정답 8

0521

정답 $-\dfrac{11}{28}$

STEP A 점 E의 좌표 구하기

다음 그림과 같이 선분 AD를 $2:3$으로 내분하는 점을 P라 하자.

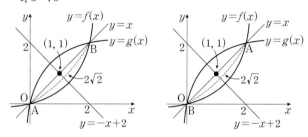

점 F의 좌표를 $\mathrm{F}(a, 16)$라 하면 $2^a=16$에서 $a=4$

두 점 E, F의 x좌표가 서로 같으므로 점 E의 좌표를 $\mathrm{E}(4, b)$라 하면
$\log_2 4=b$에서 $b=2$

STEP B 점 D의 좌표 구하기

두 점 E, P의 y좌표가 서로 같으므로 점 P의 좌표를 $\mathrm{P}(c, 2)$라 하자.

이때 $\overline{\mathrm{AP}}:\overline{\mathrm{PD}}=2:3$이므로 점 D의 좌표는 $\mathrm{D}(c, 5)$

점 D는 곡선 $y=\log_2 x$ 위에 있으므로 $\log_2 c=5$에서 $c=32$

STEP C 직선 DF의 기울기 구하기

따라서 두 점 D, F의 좌표는 $\mathrm{D}(32, 5)$, $\mathrm{F}(4, 16)$이므로 직선 DF의 기울기는

$\dfrac{16-5}{4-32}=-\dfrac{11}{28}$

0522

STEP A 직선의 기울기가 -1임을 이용하여 점 P의 x좌표 구하기

점 P의 좌표를 (a, b) (단, a, b는 양수)라 하고
점 P에서 x축에 내린 수선의 발을 H라 하자.
이때 두 점 P, Q를 지나는 직선의 기울기가 -1이므로
삼각형 PHQ는 $\overline{PH} = \overline{HQ}$인 직각이등변삼각형이다.

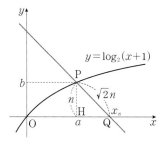

이때 $\overline{PQ} = \sqrt{2}\,n$이므로 $\overline{PH} = n$, 즉 $b = n$
점 $P(a, n)$이 곡선 $y = \log_2(x+1)$ 위의 점이므로 $n = \log_2(a+1)$
$\therefore a = 2^n - 1$

STEP B 점 Q의 x좌표 x_n을 구하여 x_5의 값 구하기

이때 $\overline{OQ} = \overline{OH} + \overline{HQ}$, $\overline{HQ} = n$이므로 $x_n = a + n = 2^n - 1 + n$
따라서 $x_5 = 2^5 - 1 + 5 = 32 - 1 + 5 = 36$

다른풀이 두 점 사이의 거리를 이용하여 풀이하기

STEP A 직선의 기울기가 -1임을 이용하여 x_n 구하기

점 P의 좌표를 (a, b) (단, a, b는 양수)라 하자.
점 Q의 좌표가 $(x_n, 0)$이고 직선 PQ의 기울기가 -1이므로
$\dfrac{0-b}{x_n - a} = -1$에서 $x_n - a = b$
$\therefore x_n = a + b$

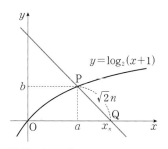

$\overline{PQ} = \sqrt{(x_n - a)^2 + (0-b)^2} = \sqrt{b^2 + b^2} = \sqrt{2}\,b$ ← $x_n - a = b$
$\overline{PQ} = \sqrt{2}\,n$에서 $b = n$
점 $P(a, n)$이 곡선 $y = \log_2(x+1)$ 위의 점이므로
$n = \log_2(a+1)$에서 $a = 2^n - 1$
$x_n = a + b = 2^n - 1 + n$

STEP B x_5의 값 구하기

따라서 $x_5 = 2^5 - 1 + 5 = 32 - 1 + 5 = 36$

0523

STEP A 두 함수의 평행이동을 이용하여 m의 값 구하기

$f(x) = a^{x-m} + n$의 그래프는 $y = a^x$의 그래프를 x축의 방향으로 m만큼,
y축의 방향으로 n만큼 평행이동한 그래프이고
$g(x) = a^{m-x} + n = \left(\dfrac{1}{a}\right)^{x-m} + n$의 그래프는 $y = \left(\dfrac{1}{a}\right)^x$의 그래프를 x축의
방향으로 m만큼, y축의 방향으로 n만큼 평행이동한 그래프이다.
이때 $y = a^x$과 $y = \left(\dfrac{1}{a}\right)^x$의 그래프는 y축, 즉 직선 $x = 0$에 대하여 대칭이므로
$y = f(x)$와 $y = g(x)$의 그래프는 직선 $x = m$에 대하여 대칭이다.
$\therefore m = 2$

STEP B 점근선의 방정식을 이용하여 n의 값 구하기

또한, $y = f(x)$와 $y = g(x)$의 그래프의 점근선의 방정식이
$y = 1$이므로 $n = 1$

STEP C $\overline{AB} = \dfrac{8}{3}$을 이용하여 a의 값 구하기

$f(x) = a^{x-2} + 1$, $g(x) = \left(\dfrac{1}{a}\right)^{x-2} + 1$에서
$A\left(3, a+1\right)$, $B\left(3, \dfrac{1}{a} + 1\right)$
$\overline{AB} = \dfrac{8}{3}$이므로
$a + 1 - \left(\dfrac{1}{a} + 1\right) = \dfrac{8}{3}$, $a - \dfrac{1}{a} = \dfrac{8}{3}$
$3a^2 - 8a - 3 = 0$, $(3a+1)(a-3) = 0$
$\therefore a = 3 (\because a > 1)$
따라서 $a + m + n = 3 + 2 + 1 = 6$

내신연계 출제문항 187

오른쪽 그림과 같이 두 지수함수
$f(x) = a^{x-k}$, $g(x) = \left(\dfrac{1}{a}\right)^{x-k}$의
그래프와 직선 $x = 1$의 교점을
각각 P, Q라고 할 때,
$\overline{PQ} = \dfrac{8}{3}$이다.
두 함수 $y = f(x)$, $y = g(x)$의
그래프가 직선 $x = 2$에 대하여
대칭일 때, $a - k$의 값을 구하여라.
(단, $a > 1$)

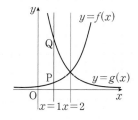

STEP A 두 함수의 평행이동을 이용하여 k의 값 구하기

두 함수 $y = f(x)$, $y = g(x)$의 그래프는 $y = a^x$, $y = \left(\dfrac{1}{a}\right)^x$의 그래프를
각각 x축으로 k만큼 평행이동한 그래프이다.
즉 두 그래프 $y = f(x)$, $y = g(x)$는 직선 $x = 2$에 대하여 대칭이므로
$k = 2$

STEP B $\overline{PQ} = \dfrac{8}{3}$임을 이용하여 a의 값 구하기

두 함수 $f(x) = a^{x-2}$, $g(x) = \left(\dfrac{1}{a}\right)^{x-2}$의 그래프와 직선 $x = 1$에서
교점의 y좌표가 $f(1) = a^{1-2} = \dfrac{1}{a}$, $g(1) = \left(\dfrac{1}{a}\right)^{1-2} = a$이므로
$a - \dfrac{1}{a} = \dfrac{8}{3}$
$3a^2 - 8a - 3 = 0$, $(3a+1)(a-3) = 0$
$a = -\dfrac{1}{3}$ 또는 $a = 3$
그런데 $a > 1$이므로 $a = 3$
따라서 $a - k = 3 - 2 = 1$

0524

정답 64

STEP A 조건을 만족하는 a는 $a > 1$를 만족함을 이해하기

함수 $y = \log_a(x-1) - 4$의 그래프는
a의 값에 관계없이 항상 점 $(2, -4)$을
지난다.
$0 < a < 1$일 때, 오른쪽 그림과 같이
함수 $y = \log_a(x-1) - 4$와 직사각형
ABCD는 만나지 않으므로
만나기 위해서는 $a > 1$

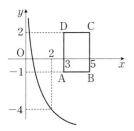

STEP B $a > 1$일 때, a의 최댓값과 최솟값을 구하기

$a > 1$일 때, 오른쪽 그림과 같이
함수 $y = \log_a(x-1) - 4$와 직사각형
ABCD가 만날 때,
(i) 로그함수의 그래프가 B$(5, -1)$을
    지날 때, a가 최대이므로
    $\log_a 4 - 4 = -1$, $\log_a 4 = 3$, $a^3 = 4$
    a의 최댓값 $M = 4^{\frac{1}{3}}$
(ii) 로그함수의 그래프가 D$(3, 2)$를
    지날 때, a가 최소이므로
    $\log_a 2 - 4 = 2$, $\log_a 2 = 6$, $a^6 = 2$
    a의 최솟값 $m = 2^{\frac{1}{6}}$

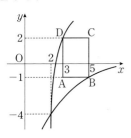

따라서 $\left(\dfrac{M}{m}\right)^{12} = \left(\dfrac{2^{\frac{2}{3}}}{2^{\frac{1}{6}}}\right)^{12} = \left(2^{\frac{1}{2}}\right)^{12} = 64$

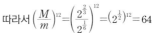
내신연계 출제문항 188

함수 $y = \log_a(x+2) - 3$의 그래프가 네 점 A$(2, -2)$, B$(6, -2)$,
C$(6, 1)$, D$(2, 1)$을 꼭짓점으로 하는 사각형 ABCD와 만나도록 하는
실수 a의 최댓값을 M, 최솟값을 m이라 할 때, $(Mm)^2$의 값을 구하여라.
(단, $a > 0$, $a \neq 1$)

STEP A 조건을 만족하는 a는 $a > 1$를 만족함을 이해하기

함수 $y = \log_a(x+2) - 3$의 그래프는 a의 값에 관계없이 항상 점 $(-1, -3)$을
지나고 사각형 ABCD는 다음과 같다.

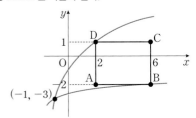

함수 $y = \log_a(x+2) - 3$의 그래프가 사각형 ABCD와 만나려면
x의 값이 커질 때, y의 값도 커지는 함수이어야 한다.

STEP B $a > 1$일 때, a의 최댓값과 최솟값을 구하기

즉 그림과 같이 함수 $y = \log_a(x+2) - 3$와 직사각형 ABCD가 만날 때,
(i) 로그함수의 그래프가 B$(6, -2)$을 지날 때, a가 최대이므로
    $-2 = \log_a 8 - 3$에서 $\log_a 8 = 1$ $\therefore a = 8$
    즉 a의 최댓값 $M = 8$
(ii) 로그함수의 그래프가 D$(2, 1)$을 지날 때, a가 최소이므로
    $1 = \log_a 4 - 3$에서 $\log_a 4 = 4$, $a^4 = 4$ $\therefore a = \sqrt{2}$
    즉 a의 최솟값 $m = \sqrt{2}$
(i), (ii)에서 $(Mm)^2 = (8\sqrt{2})^2 = 128$

정답 128

0525

정답 19

STEP A 주어진 조건을 이용하여 a, b의 값 구하기

$y = \log_2(x-1)$의 그래프가 x축과 만나는 점이 $(2, 0)$이므로 $a = 2$
함수 $y = \log_2(x-1)$의 역함수는 $g(x) = 2^x + 1$이므로
역함수 $y = g(x)$의 그래프가 점 $(2, b)$를 지나므로
$b = g(2) = 2^2 + 1 = 5$

STEP B 점 $(c, 5)$를 $y = \log_2(x-1)$에 대입하여 c의 값 구하기

함수 $y = \log_2(x-1)$의 그래프가 점 $(c, 5)$를 지나므로
$5 = \log_2(c-1)$, $c - 1 = 2^5$
$\therefore c = 2^5 + 1 = 33$

STEP C 점 $(33, d)$를 $y = g(x)$에 대입하여 d의 값 구하기

또한, 역함수 $y = g(x)$의 그래프가 점 $(33, d)$를 지나므로
$d = g(33) = 2^{33} + 1$
따라서 $\log_{(b-1)}(c-1)(d-1) = \log_4(2^5 \cdot 2^{33}) = \log_4 4^{19} = 19$

0526

정답 4

STEP A 선분 PQ의 중점이 원의 중심임을 이용하여 점 P, Q의 좌표
구하기

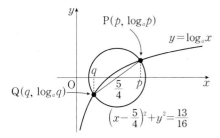

P$(p, \log_a p)$, Q$(q, \log_a q)$ $(p > q)$로 놓으면
선분 PQ이 중점이 원의 중심 $\left(\dfrac{5}{4}, 0\right)$이므로
$\dfrac{p+q}{2} = \dfrac{5}{4}$, $\dfrac{\log_a p + \log_a q}{2} = 0$에서 $p + q = \dfrac{5}{2}$, $pq = 1$
p, q를 두 실근으로 갖는 t에 대한 이차방정식은
$t^2 - \dfrac{5}{2}t + 1 = 0$, $2t^2 - 5t + 2 = 0$
$t = \dfrac{1}{2}$ 또는 $t = 2$
즉 $p = 2$, $q = \dfrac{1}{2}$
$\therefore$ P$(2, \log_a 2)$, Q$\left(\dfrac{1}{2}, -\log_a 2\right)$

STEP B 두 점 사이의 거리를 구하여 a의 값 구하기

선분 PQ의 길이가 원의 지름 $\dfrac{\sqrt{13}}{2}$이므로
$\left(2 - \dfrac{1}{2}\right)^2 + \{\log_a 2 - (-\log_a 2)\}^2 = \left(\dfrac{\sqrt{13}}{2}\right)^2$
$(2\log_a 2)^2 = \dfrac{13}{4} - \dfrac{9}{4} = 1$
$\therefore (\log_a 4)^2 = 1$
따라서 $a > 1$이므로 $\log_a 4 = 1$에서 $a = 4$

0527

STEP A 그래프가 평행이동한 정도를 구하여 정삼각형의 한 변의 길이 구하기

주어진 함수는 $y=\log_2 4x=\log_2 x+2$이므로 $y=\log_2 x$의 그래프를 y축으로 2만큼 평행이동한 그래프이므로 정삼각형의 한 변의 길이는 2

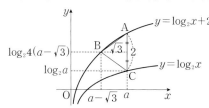

STEP B A와 C의 x좌표를 a라 두고 점 B의 좌표 구하기

A와 C의 x좌표를 a라 하면 $\overline{AC}=2$이고 정삼각형의 높이가 $\sqrt{3}$이므로 점 B의 x좌표는 $a-\sqrt{3}$이며 점 B의 y좌표는 $\log_2 4(a-\sqrt{3})$

STEP C 점 B의 y좌표가 점 C의 y좌표에 1을 더한 값과 같음을 이용하여 a의 값 구하기

또한, 점 B의 y좌표는 점 C의 y좌표에 1을 더한 값과 같으므로
$$\log_2 4(a-\sqrt{3})=\log_2 a+1=\log_2 2a$$
즉 $4(a-\sqrt{3})=2a$에서 $a=2\sqrt{3}$

STEP D a의 값을 대입하여 p, q의 값 구하기

이때 점 B의 좌표는 $B(a-\sqrt{3},\ \log_2 4(a-\sqrt{3}))$에서 $B(\sqrt{3},\ \log_2 4\sqrt{3})$
따라서 $p=\sqrt{3}$, $q=\log_2 4\sqrt{3}$이므로 $p\times 2^q=\sqrt{3}\times 2^{\log_2 4\sqrt{3}}=\sqrt{3}\times 4\sqrt{3}=12$

0528

STEP A 밑이 0과 1 사이, 1과 2 사이, 2보다 크거나 같을 때를 나누어 각각의 그래프 그리기

지수함수 $g(x)=\left(\dfrac{a-1}{3}\right)^x$의 밑 $\dfrac{a-1}{3}$의 범위에 따라 다음과 같이 나누어 정리한다.

(i) $0<\dfrac{a-1}{3}<1$일 때,
∴ 한 점에서 만난다.

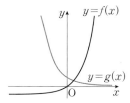

(ii) $1<\dfrac{a-1}{3}<2$일 때,
∴ 한 점에서 만난다.

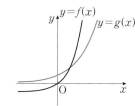

(iii) $\dfrac{a-1}{3}\geq 2$일 때,
∴ 만나지 않는다.

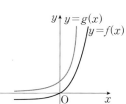

STEP B 두 함수의 그래프가 한 점에서 만나도록 하는 a의 범위 구하기

(i)~(iii)에 의해 $0<\dfrac{a-1}{3}<1$, $1<\dfrac{a-1}{3}<2$
∴ $1<a<4$, $4<a<7$
따라서 정수 a의 최솟값은 2, 최댓값은 6이므로 합은 8

0529

STEP A 점 A의 x좌표를 a로 놓고 세 점 A, B, D의 좌표 구하기

점 A의 x좌표를 a라 하면 $\overline{AB}=2$, $\overline{BD}=2$이므로
$A(a,\ 2\log_2 a)$, $B(a+2,\ 2\log_2 a)$ $D(a+2,\ 2\log_2 a+2)$

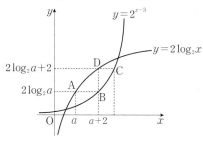

STEP B 점 D의 좌표 구하기

이때 점 D는 함수 $y=2\log_2 x$의 그래프 위의 점이므로
$$2\log_2 a+2=2\log_2(a+2)$$
$$\log_2 4a^2=\log_2(a+2)^2$$
$$4a^2=a^2+4a+4$$
$$3a^2-4a-4=0$$
$$(3a+2)(a-2)=0$$
∴ $a=-\dfrac{2}{3}$ 또는 $a=2$

진수조건에서 $a>0$이므로 $a=2$
∴ $D(4,\ 4)$

STEP C 네 점 A, B, C, D의 좌표를 구하여 사각형 ABCD의 넓이 구하기

두 점 C, D의 y좌표가 같으므로 $2^{x-3}=4=2^2$에서 $x=5$
∴ $C(5,\ 4)$
$A(2,\ 2)$, $B(4,\ 2)$, $C(5,\ 4)$ $D(4,\ 4)$

따라서 사각형 ABCD의 넓이는 $\triangle ABD+\triangle BCD=\dfrac{1}{2}\cdot 2\cdot 2+\dfrac{1}{2}\cdot 2\cdot 1$
$$=2+1$$
$$=3$$

> **참고** 선분 AB와 선분 CD가 평행하므로 사각형 ABCD는 사다리꼴이므로 사다리꼴 ABCD의 넓이는
> $\dfrac{1}{2}\cdot(\overline{AB}+\overline{DC})\cdot\overline{BC}=\dfrac{1}{2}\cdot(2+1)\cdot 2=3$

0530

STEP A 직선과 두 로그함수의 그래프를 그려 참, 거짓을 판단하기

ㄱ. 그림에서 $y=x$의 그래프를 그려 x_1, x_2의 좌표값을 y축에 표시하면
$1<x_1<2$, $0<y_2<1$이므로 $x_1>y_2$ [참]

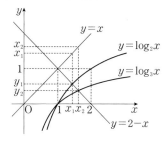

STEP B 직선의 기울기를 이용하여 참, 거짓을 판단하기

ㄴ. $(x_1,\ y_1)$, $(x_2,\ y_2)$는 직선 $y=2-x$ 위의 점이므로
직선의 기울기가 -1이므로 $\dfrac{y_2-y_1}{x_2-x_1}=-1$
∴ $x_2-x_1=-(y_2-y_1)=y_1-y_2$ [참]

ㄷ. $x_1y_1-x_2y_2=x_1(2-x_1)-x_2(2-x_2)$
$\qquad\qquad\quad=(x_2{}^2-x_1{}^2)-2(x_2-x_1)$
$\qquad\qquad\quad=(x_2-x_1)(x_2+x_1-2)$
$x_2-x_1>0$이고 $x_1>1$, $x_2>1$에서 $x_1+x_2>2$이므로 $x_1y_1-x_2y_2>0$
$\quad\therefore x_1y_1>x_2y_2$ [참]
따라서 옳은 것은 ㄱ, ㄴ, ㄷ이다.

다른풀이 ㄷ에서 직사각형의 넓이를 이용하여 참, 거짓 판단하기

x_1y_1은 x_1을 가로, y_1을 세로로 하는 직사각형의 넓이를 나타내고
x_2y_2는 x_2를 가로, y_2를 세로로 하는 직사각형의 넓이를 나타낸다.
이 두 직사각형의 공통된 부분을 제외한 나머지 부분의 넓이가 각각
$x_1(y_1-y_2)$, $y_2(x_2-x_1)$이고 ㄱ, ㄴ이 참이므로
$x_1(y_1-y_2)>y_2(x_2-x_1)$에서 $x_1y_1-x_1y_2>y_2x_2-y_2x_1$
$\therefore x_1y_1>x_2y_2$

내신연계 출제문항 189

두 곡선 $y=2^x$, $y=\log_2x$와 직선 $y=-x+5$가 만나는 점을 각각
$A(a_1, a_2)$, $B(b_1, b_2)$라 할 때, 옳은 것만을 [보기]에서 있는 대로 고른 것은?

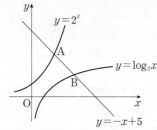

ㄱ. $a_1>b_2$
ㄴ. $a_1+a_2=b_1+b_2$
ㄷ. $\dfrac{a_1}{a_2}<\dfrac{b_2}{b_1}$

① ㄱ　　　　② ㄷ　　　　③ ㄱ, ㄴ
④ ㄴ, ㄷ　　　⑤ ㄱ, ㄴ, ㄷ

STEP A 지수함수 $y=2^x$의 역함수의 그래프 그리기

지수함수 $y=2^x$을 $y=x$에 대칭하면 $y=\log_2x$이고
지수함수 $y=2^x$ 위의 점 $A(a_1, a_2)$를 $y=x$에 대칭이동한 점 $A'(a_2, a_1)$

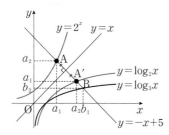

STEP B 각 로그함수, 지수함수와 직선과의 교점을 구하여 [보기]의 참, 거짓 판별하기

ㄱ. $y=\log_2x$와 $y=-x+5$가 만나는 점 $A'(a_2, a_1)$
$\quad\therefore a_1>b_2$ [참]

ㄴ. 두 점 A, B는 $y=-x+5$ 위의 점이므로 $a_2=-a_1+5$, $b_2=-b_1+5$
$\quad\therefore a_1+a_2=b_1+b_2=5$ [참]

ㄷ. 직선 OA′의 기울기 $\dfrac{a_1-0}{a_2-0}$과 직선 OB의 기울기 $\dfrac{b_2-0}{b_1-0}$를 비교하면

　OA′의 기울기가 OB의 기울기보다 크므로 $\dfrac{a_1}{a_2}>\dfrac{b_2}{b_1}$ [거짓]

따라서 옳은 것은 ㄱ, ㄴ이다.

정답 ③

0531

정답 20

STEP A 역함수관계임을 이용하여 점 B의 좌표를 p, q로 나타내기

곡선 $y=2^x$과 $y=\log_2x$는 직선 $y=x$에 대하여 대칭이다.
또한, 직선 $y=x$와 수직인 직선 $y=-x+a$와 $y=2^x$, $y=\log_2x$의 교점이
각각 A, B이므로 두 점 A와 B는 직선 $y=x$에 대하여 대칭이다.
점 $A(p, q)$이므로 $B(q, p)$ $\qquad\qquad$ ······ ㉠

STEP B 점 B가 선분 AC의 내분점임을 이용하여 a와 q를 p로 나타내기

조건 (가)에서
점 B는 선분 AC를 $3:1$로 내분하는 점이다.
점 $C(a, 0)$이므로
$B\left(\dfrac{3\cdot a+1\cdot p}{3+1}, \dfrac{3\cdot 0+1\cdot q}{3+1}\right)$, 즉 $B\left(\dfrac{3a+p}{4}, \dfrac{q}{4}\right)$
이때 $q=\dfrac{3a+p}{4}$, $p=\dfrac{q}{4}$ $(\because$ ㉠$)$
이므로 $a=\dfrac{1}{3}(4q-p)=5p$, $q=4p$ $\qquad$ ······ ㉡

STEP C $\triangle OBC=40$임을 이용하여 $p+q$의 값 구하기

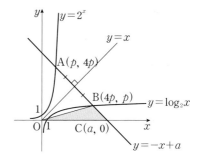

조건 (나)에서
$\triangle OBC=\dfrac{1}{2}ap=\dfrac{1}{2}\cdot 5p\cdot p=\dfrac{5}{2}p^2=40$
$p^2=16$에서 $p=4$이므로 $a=20$
($p<0$인 경우에는 문제의 조건을 만족시킬 수 없다.)
따라서 점 $A(p, q)$는 직선 $y=-x+a$ 위의 점이므로 $p+q=a=20$

0532

STEP Ⓐ 주기가 2인 함수 $f(x)$의 그래프 그리기

모든 실수 x에 대하여 $f(x+2)=f(x)$이므로
함수 $f(x)$는 주기함수이고 주기는 2이다.

$$f(x)=\left|x-\frac{1}{2}\right|+1\left(-\frac{1}{2}\le x<\frac{3}{2}\right)$$

$$=\begin{cases}-x+\dfrac{3}{2} & \left(-\dfrac{1}{2}\le x<\dfrac{1}{2}\right)\\[2mm] x+\dfrac{1}{2} & \left(\dfrac{1}{2}\le x<\dfrac{3}{2}\right)\end{cases}$$

이므로 $f(x)$의 그래프는 다음과 같다.

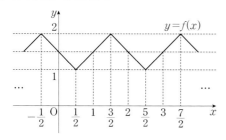

STEP Ⓑ 자연수 n에 따른 지수함수 $y=2^{\frac{x}{n}}$의 그래프 개형 그리기

지수함수 $y=2^{\frac{x}{n}}$의 그래프는 점 $(0,\ 1)$과 점 $(n,\ 2)$를 지나는 함수이므로
그래프는 다음과 같다.

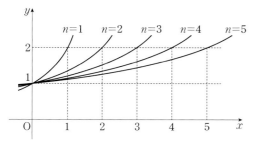

STEP Ⓒ 두 그래프의 교점의 개수가 5가 되는 자연수 n 구하기

함수 $y=f(x)$의 그래프와 지수함수 $y=2^{\frac{x}{n}}$의 그래프의 교점의 개수가 5가
되려면 다음 그림과 같아야 한다.

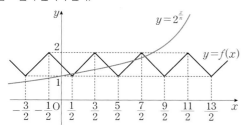

조건에서 $1\le f(x)\le 2$이고 $x<0$에서 $0<y=2^{\frac{x}{n}}<1$이므로
$x<0$에서는 교점이 없다.

$x>0$에서 $y=2^{\frac{x}{n}}$의 그래프와 $y=f(x)$와의 교점을 생각하면

$2^{\frac{x}{n}}=2$의 해 $x=n$이 $\dfrac{7}{2}<x<\dfrac{11}{2}$이어야 한다.

즉 $\dfrac{7}{2}<n<\dfrac{11}{2}$에서 n이 자연수이므로 $n=4$ 또는 $n=5$

따라서 합은 $4+5=9$

mapl YOUR MASTER PLAN

MEMO

05 지수함수와 로그함수의 활용

0533 정답 ⑤

STEP Ⓐ **밑을 같게 하여 지수방정식의 해 구하기**

$(2^{-3})^{2-x}=2^{x+4}$, $2^{-6+3x}=2^{x+4}$

$-6+3x=x+4$

따라서 $x=5$

0534 정답 ①

STEP Ⓐ **밑을 같게 하여 지수 비교하기**

$\left(\dfrac{1}{3}\right)^{x^2-x}=\left(\dfrac{1}{27}\right)^{x-1}$에서 $\left(\dfrac{1}{3}\right)^{x^2-x}=\left(\dfrac{1}{3}\right)^{3x-3}$

$x^2-x=3x-3$이므로 $x^2-4x+3=0$

$(x-1)(x-3)=0$

$\therefore x=1$ 또는 $x=3$

STEP Ⓑ **$\alpha+\beta$의 값 구하기**

따라서 주어진 방정식의 두 근이 α, β이므로 $\alpha+\beta=4$

0535 정답 ③

STEP Ⓐ **지수방정식을 풀어 두 실근 구하기**

$(2^{2x}-16)(3^{2x}-9)=0$에서 $2^{2x}=16$ 또는 $3^{2x}=9$

$2^{2x}=16$에서 $2^{2x}=2^4$ $\therefore x=2$

$3^{2x}=9$에서 $3^{2x}=3^2$ $\therefore x=1$

따라서 주어진 방정식의 두 실근이 1, 2이므로 $\alpha+\beta=2+1=3$

0536 정답 ③

STEP Ⓐ **밑을 같게하여 지수방정식 풀기**

$\dfrac{10^{x^2+1}}{10^x}=1000$에서 $10^{x^2+1}=10^x\times10^3=10^{x+3}$이므로

$x^2+1=x+3$, $x^2-x-2=0$

STEP Ⓑ **근과 계수의 관계를 이용하여 모든 근의 합 구하기**

따라서 근과 계수의 관계에서 모든 근의 합은 1

내신연계 출제문항 190

방정식 $\dfrac{9^{x^2+1}}{3^{x-1}}=81$의 두 근을 α, β라 할 때, $\alpha+\beta$의 값은?

① $\dfrac{1}{2}$ ② 1   ③ $\dfrac{3}{2}$

④ 2   ⑤ $\dfrac{5}{2}$

STEP Ⓐ **지수법칙을 이용하여 방정식의 근 구하기**

$\dfrac{9^{x^2+1}}{3^{x-1}}=\dfrac{(3^2)^{x^2+1}}{3^{x-1}}=\dfrac{3^{2x^2+2}}{3^{x-1}}=3^{2x^2-x+3}$이므로 $3^{2x^2-x+3}=3^4$

즉 $2x^2-x+3=4$이므로 $2x^2-x-1=0$, $(x-1)(2x+1)=0$

$\therefore x=1$ 또는 $x=-\dfrac{1}{2}$

STEP Ⓑ **$\alpha+\beta$의 값 구하기**

따라서 주어진 방정식의 두 근이 α, β이므로 $\alpha+\beta=1+\left(-\dfrac{1}{2}\right)=\dfrac{1}{2}$ 정답 ①

0537 정답 ⑤

STEP Ⓐ **지수가 같은 경우에 x의 값 구하기**

방정식 $(x-1)^{2x+3}=(x-1)^{x^2}$

(i) $2x+3=x^2$일 때, $(x+1)(x-3)=0$

$\therefore x=3 (\because x>1)$

STEP Ⓑ **밑이 1일 때 x의 값 구하기**

(ii) $x-1=1$에서 $x=2$

(i), (ii)에서 해는 $x=2$ 또는 $x=3$이므로 합은 5

0538 정답 ⑤

STEP Ⓐ **$x=1$이 주어진 식을 만족하는지 확인하기**

(i) $x=1$일 때, 주어진 방정식은 $1=1$이므로 성립한다.

STEP Ⓑ **지수가 같음을 이용하여 x의 값 구하기**

(ii) $x\neq1$일 때, $x+6=x^2$에서 $x^2-x-6=0$, $(x+2)(x-3)=0$

$\therefore x=-2$ 또는 $x=3$

$x>0$이므로 $x=3$

따라서 모든 근의 합은 $1+3=4$

0539 정답 ④

STEP Ⓐ **x^2-x-1이 1, -1일 때, x의 값 구하기**

방정식 $(x^2-x-1)^{x+2}=1$에서

(i) $x^2-x-1=1$일 때, $x^2-x-2=0$, $(x+1)(x-2)=0$

$\therefore x=-1$ 또는 $x=2$

(ii) $x^2-x-1=-1$일 때, $x^2-x=0$, $x(x-1)=0$

$\therefore x=0 (\because x=1$일 때, $x+2$는 짝수가 아님)

STEP Ⓑ **$x^2-x-1\neq0$이고 $x+2=0$일 때, x의 값 구하기**

(iii) $x^2-x-1\neq0$이고 $x+2=0$일 때, $x=-2$

(i)～(iii)에서 정수 x는 -2, -1, 0, 2이므로 4개이다.

내신연계 출제문항 191

다음을 만족시키는 실수 x의 개수는?

$$(x^2-2x)^{x^2+6x+5}=1$$

① 1   ② 2   ③ 3

④ 4   ⑤ 5

STEP Ⓐ **x^2-2x이 1, -1일 때, 실수 x의 개수 구하기**

방정식 $(x^2-2x)^{x^2+6x+5}=1$에서

(i) $x^2-2x=1$일 때, $x^2-2x-1=0$에서 실수 x는 2개이다.

(ii) $x^2-2x=-1$일 때, $x^2-2x+1=0$, $(x-1)^2=0$

$\therefore x=1$

이때 지수가 $x^2+6x+5=12$이므로 $(-1)^{12}=1$을 만족한다.

즉 실수 x는 1개이다.

STEP **B** $x^2+6x+5=0$일 때, 실수 x의 개수 구하기

(ⅲ) $x^2+6x+5=0$일 때,

$(x+1)(x+4)=0$

∴ $x=-1$ 또는 $x=-4$

이때 $x^2-2x \neq 0$이다.

즉 실수 x는 2개이다.

(ⅰ)~(ⅲ)에서 실수 x의 개수는 5

정답 ⑤

0540

정답 ③

STEP **A** $3^x=t$로 치환하고 t에 관한 이차방정식 풀기

방정식 $9^x-4 \cdot 3^{x+1}+27=0$에서 $(3^x)^2-12 \cdot 3^x+27=0$

$3^x=t$로 놓으면 $t^2-12t+27=(t-3)(t-9)=0$

∴ $t=3$ 또는 $t=9$

STEP **B** 방정식을 만족하는 x의 합 구하기

따라서 $3^x=3$에서 $x=1$ 또는 $3^x=9$에서 $x=2$이므로 합은 $1+2=3$

0541

정답 ②

STEP **A** 밑을 같게 만들고 지수를 비교하여 x의 값 구하기

조건 (가)에서 $\left(\frac{4}{5}\right)^{3x+1}=\left(\frac{5}{4}\right)^{2x+5}$, $\left(\frac{4}{5}\right)^{3x+1}=\left(\frac{4}{5}\right)^{-2x-5}$

$3x+1=-2x-5$

∴ $x=-\frac{6}{5}$

STEP **B** $2^x=t$로 치환하고 t에 관한 이차방정식 풀기

조건 (나)에서 $(2^x)^2-6 \cdot 2^x-16=0$

$2^x=t(t>0)$로 놓으면

$t^2-6t-16=0$, $(t-8)(t+2)=0$

$t>0$이므로 $t=8$, 즉 $2^x=8$

∴ $x=3$

STEP **C** $5a+b$의 값 구하기

따라서 $a=-\frac{6}{5}$, $b=3$이므로 $5a+b=-3$

0542

정답 ②

STEP **A** $\left(\frac{1}{2}\right)^x=t$로 치환하여 t의 값 구하기

$\left(\frac{1}{2}\right)^x=t(t>0)$라 하면 $t^2+\frac{1}{4}t=4t+1$

$4t^2-15t-4=0$, $(4t+1)(t-4)=0$

∴ $t=4(\because t>0)$

STEP **B** $\log_2 \alpha^2$의 값 구하기

$t=\left(\frac{1}{2}\right)^x$이므로 $\left(\frac{1}{2}\right)^x=4$, $\left(\frac{1}{2}\right)^x=\left(\frac{1}{2}\right)^{-2}$

∴ $x=-2$

따라서 $\alpha=-2$이므로 $\log_2 \alpha^2=\log_2(-2)^2=2$

0543

정답 ③

STEP **A** $2^x=t$로 치환하고 t에 관한 이차방정식 풀기

방정식 $2^x+2^{3-x}=6$에서 $2^x+\frac{8}{2^x}=6$

$2^x=t(t>0)$로 놓으면 $t+\frac{8}{t}=6$

양변에 t를 곱하여 정리하면

$t^2-6t+8=0$, $(t-2)(t-4)=0$

∴ $t=2$ 또는 $t=4$

STEP **B** $(1+2\alpha)(1+2\beta)$의 값 구하기

즉 $2^x=2$ 또는 $2^x=4$이므로 $x=1$ 또는 2

따라서 $(1+2\alpha)(1+2\beta)=(1+2)(1+4)=15$

0544

정답 ②

STEP **A** $a^x=t$로 치환하고 t에 관한 이차방정식 풀기

$a^{2x}-a^x=2(a>0, a \neq 1)$에서 $a^x=t(t>0)$로 놓으면

$t^2-t-2=0$, $(t-2)(t+1)=0$

$t>0$이므로 $t=2$

STEP **B** a의 값 구하기

즉 $a^x=2$에서 $x=\frac{1}{5}$을 대입하면 $a^{\frac{1}{5}}=2$

따라서 $a=2^5=32$

0545

정답 ③

STEP **A** $2^x+2^{-x}=t$로 치환하고 산술기하평균을 이용하여 t의 범위 구하기

$2(4^x+4^{-x})-(2^x+2^{-x})-6=0$에서 $2^x+2^{-x}=t(t \geq 2)$로 놓으면

산술평균과 기하평균의 관계에 의해

$t=2^x+2^{-x} \geq 2\sqrt{2^x \cdot 2^{-x}}=2$이므로 $t \geq 2$

STEP **B** t에 관한 이차방정식을 풀어 t의 값 구하기

$4^x+4^{-x}=(2^x)^2+(2^{-x})^2=(2^x+2^{-x})^2-2=t^2-2$

즉 $2(4^x+4^{-x})-(2^x+2^{-x})-6=0$에서 $2(t^2-2)-t-6=0$

$(t+2)(2t-5)=0$

$t \geq 2$이므로 $t=\frac{5}{2}$

STEP **C** 방정식을 만족하는 x값의 합 구하기

$2^x+2^{-x}=\frac{5}{2}$에서 $2 \cdot (2^x)^2-5 \cdot 2^x+2=0$

$(2 \cdot 2^x-1)(2^x-2)=0$

∴ $2^x=\frac{1}{2}$ 또는 $2^x=2$

따라서 $x=-1$ 또는 $x=1$이므로 합은 0

방정식
$$2(4^x+4^{-x})-3(2^x+2^{-x})-1=0$$
의 두 근을 α, β라 할 때, $4^\alpha+4^\beta$의 값은?

① $\dfrac{7}{4}$ ② $\dfrac{13}{4}$ ③ $\dfrac{15}{4}$

④ $\dfrac{17}{4}$ ⑤ $\dfrac{21}{4}$

STEP Ⓐ $2^x+2^{-x}=t$로 놓고 t의 값 구하기

$2(4^x+4^{-x})-3(2^x+2^{-x})-1=0$에서

$2(2^x+2^{-x})^2-3(2^x+2^{-x})-5=0$

$2^x+2^{-x}=t$라 하면

$2t^2-3t-5=0$, $(t+1)(2t-5)=0$

$\therefore t=-1$ 또는 $t=\dfrac{5}{2}$

이때 산술평균과 기하평균의 관계에 의하여

$t=2^x+2^{-x}\geq 2\sqrt{2^x \cdot 2^{-x}}=2$ (단, 등호는 $2^x=2^{-x}$, 즉 $x=0$일 때 성립한다.)

즉 $2^x+2^{-x}=\dfrac{5}{2}$ $\left(\because 2^x+2^{-x}\geq 2\right)$

STEP Ⓑ $2^x+2^{-x}=t$의 두 근을 α, β이므로 $2^\alpha+2^\beta$, $2^\alpha \cdot 2^\beta$의 값 구하기

$2^x+2^{-x}=\dfrac{5}{2}$의 양변에 $2\cdot 2^x$을 곱하면

$2(2^x)^2-5\cdot 2^x+2=0$

$2^x=k(k>0)$라 하면 $2k^2-5k+2=0$ $\quad\cdots\cdots$ ㉠

주어진 방정식의 두 근이 α, β이므로 ㉠의 두 근은 2^α, 2^β이다.

이차방정식의 근과 계수의 관계에 의하여

$2^\alpha+2^\beta=\dfrac{5}{2}$, $2^\alpha \cdot 2^\beta=1$

STEP Ⓒ $4^\alpha+4^\beta$의 값을 구하기

따라서 $4^\alpha+4^\beta=(2^\alpha+2^\beta)^2-2\cdot 2^\alpha 2^\beta$

$\qquad =\left(\dfrac{5}{2}\right)^2-2\cdot 1=\dfrac{17}{4}$

정답 ④

0546
정답 ③

STEP Ⓐ $\overline{\mathrm{AB}}=32$에서 k에 대한 지수방정식 구하기

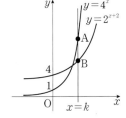

두 함수 $y=f(x)$, $y=g(x)$와
직선 $x=k$와 만나는 두 점
$\mathrm{A}(k,\ 4^k)$, $\mathrm{B}(k,\ 2^{k+2})$이고
$\overline{\mathrm{AB}}=32$이므로
$|4^k-2^{k+2}|=32$

STEP Ⓑ 4^k-2^{k+2}가 32, -32일 때, $2^k=t$로 치환하여 k의 값 구하기

(ⅰ) $4^k-2^{k+2}=32$이면 $(2^k)^2-4\cdot 2^k-32=0$

$\quad 2^k=t$로 놓으면 $t^2-4t-32=0$, $(t+4)(t-8)=0$

$\quad t>0$이므로 $t=8$

$\quad$ 즉 $2^k=8=2^3$이므로 $k=3$

(ⅱ) $4^k-2^{k+2}=-32$이면 $(2^k)^2-4\cdot 2^k+32=0$

$\quad 2^k=t$로 놓으면 $t^2-4t+32=0$

$\quad$ 이때 위의 방정식을 만족시키는 실수 t는 존재하지 않는다.

(ⅰ), (ⅱ)에서 $k=3$

오른쪽 그림과 같이 직선 $x=k$가 두 곡선
$y=2^{x-2}$, $y=-2^{-x+1}$과 만나는 점을 각각
A, B라 하자. $\overline{\mathrm{AB}}=\dfrac{3}{2}$을 만족시키는 모든
상수 k의 값의 합은?

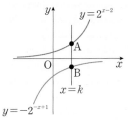

① 1 ② 2

③ 3 ④ 4

⑤ 5

STEP Ⓐ $\overline{\mathrm{AB}}=\dfrac{3}{2}$을 만족하는 2^k의 지수방정식 구하기

두 점 A, B의 좌표는 각각 $\mathrm{A}\left(k,\ 2^{k-2}\right)$, $\mathrm{B}\left(k,\ -2^{-k+1}\right)$이고

$\overline{\mathrm{AB}}=\dfrac{3}{2}$이므로 $2^{k-2}-(-2^{-k+1})=\dfrac{3}{2}$

$\dfrac{1}{4}\cdot 2^k+2\cdot 2^{-k}=\dfrac{3}{2}$

STEP Ⓑ $2^k=t$로 치환하여 이차방정식의 해 구하기

위의 방정식의 양변에 4×2^k를 곱하면 $(2^k)^2-6\times 2^k+8=0$

$2^k=t(t>0)$이 놓으면 $t^2-6t+8=0$, $(t-2)(t-4)=0$

$\therefore t=2$ 또는 $t=4$

$2^k=2$ 또는 $2^k=4$

따라서 $k=1$ 또는 $k=2$이므로 모든 상수 k의 값의 합은 $1+2=3$

정답 ③

0547
정답 ④

STEP Ⓐ $3^x=t$로 치환하여 t에 관한 이차방정식으로 변형하기

방정식 $9^x-3^{x+3}+81=0$에서 $(3^x)^2-27\cdot 3^x+81=0$

$3^x=t$로 놓으면 $t^2-27t+81=0$ $\quad\cdots\cdots$ ㉠

STEP Ⓑ t에 대한 이차방정식이므로 근과 계수의 관계를 이용하여 k의 값 구하기

주어진 방정식의 두 근을 α, β라고 하면 ㉠의 두 근은 3^α, 3^β이므로

이차방정식의 근과 계수의 관계에 의하여 $3^\alpha \times 3^\beta=81$, 즉 $3^{\alpha+\beta}=3^4$

따라서 $\alpha+\beta=4$

0548
정답 ⑤

STEP Ⓐ $5^x=t(t>0)$로 치환하여 나타내기

방정식 $25^x-6\cdot 5^x+k=0$에서

$(5^x)^2-6\cdot 5^x+k=0$

$5^x=t$로 놓으면 $t^2-6t+k=0$ $\quad\cdots\cdots$ ㉠

주어진 방정식의 두 근을 α, β라 하면 $\alpha+\beta=1$이고

㉠의 두 근은 5^α, 5^β

STEP Ⓑ t에 대한 이차방정식이므로 근과 계수의 관계를 이용하여 k의 값 구하기

이차방정식의 근과 계수의 관계에 의하여 두 근의 곱은

$5^\alpha \cdot 5^\beta=k$, $5^{\alpha+\beta}=5$

따라서 $k=5$

방정식 $9^x-4\cdot3^{x+1}+k=0$의 두 근의 합이 3일 때, 상수 k의 값은?

① 3 ② 9 ③ 16
④ 20 ⑤ 27

STEP Ⓐ $5^x=t\,(t>0)$로 **치환하여 나타내기**

방정식 $9^x-4\cdot3^{x+1}+k=0$에서 $(3^x)^2-12\cdot3^x+k=0$
$3^x=t$로 놓으면 $t^2-12t+k=0$ ...... ㉠
주어진 방정식의 두 근을 α, β라 하면
$\alpha+\beta=3$이고 ㉠의 두 근은 3^α, 3^β

STEP Ⓑ t에 대한 이차방정식이므로 근과 계수의 관계를 이용하여 k의 값 구하기

이차방정식의 근과 계수의 관계에 의하여 두 근의 곱은
$3^\alpha\cdot3^\beta=k$, $3^{\alpha+\beta}=3^3$
따라서 $k=27$ 정답 ⑤

0549

정답 ②

STEP Ⓐ $2^x=t\,(t>0)$로 **치환하여 나타내기**

$2\cdot4^x+a\cdot2^x+a+13=0$에서 $2(2^x)^2+a\cdot2^x+a+13=0$
$2^x=t$로 놓으면 $2t^2+at+a+13=0$ ...... ㉠
주어진 방정식의 두 근을 α, β라 하면 $\alpha+\beta=1$이고
㉠의 두 근은 2^α, 2^β

STEP Ⓑ t에 대한 이차방정식이므로 근과 계수의 관계를 이용하여 a의 값 구하기

이차방정식의 근과 계수의 관계에 의하여 두 근의 곱은
$2^\alpha\cdot2^\beta=2^{\alpha+\beta}=2^1=\dfrac{a+13}{2}$이므로 $a=-9$

STEP Ⓒ 두 근의 곱을 구하기

$2t^2+at+a+13=0$에서 $2t^2-9t+4=0$
$(2t-1)(t-4)=0$
$\therefore t=\dfrac{1}{2}$ 또는 $t=4$
즉 $2^x=\dfrac{1}{2}$ 또는 $2^x=4$
$\therefore x=-1$ 또는 $x=2$
따라서 구하는 두 근의 곱은 $(-1)\cdot2=-2$

0550

정답 ④

STEP Ⓐ $2^x=t$로 **치환하여 t에 관한 이차방정식으로 변형하기**

방정식 $4^x-7\cdot2^x+12=0$에서 $(2^x)^2-7\cdot2^x+12=0$
$2^x=t\,(t>0)$로 놓으면
$t^2-7t+12=0$ ...... ㉠

STEP Ⓑ t에 대한 이차방정식이므로 근과 계수의 관계를 이용하여 k의 값 구하기

주어진 방정식의 두 근을 α, β라고 하면 ㉠의 두 근은 2^α, 2^β이므로
이차방정식의 근과 계수의 관계에 의하여
$2^\alpha+2^\beta=7$, $2^\alpha\cdot2^\beta=12$
따라서 $4^\alpha+4^\beta=(2^\alpha)^2+(2^\beta)^2=(2^\alpha+2^\beta)^2-2\cdot2^\alpha\cdot2^\beta$
$\qquad\qquad\qquad=7^2-2\cdot12$
$\qquad\qquad\qquad=49-24=25$

$2^x=t$로 치환하여 방정식 구하기

방정식 $4^x-7\cdot2^x+12=0$에서 $2^x=t\,(t>0)$로 놓으면
$t^2-7t+12=0$, $(t-3)(t-4)=0$
$\therefore t=3$ 또는 $t=4$
즉 $2^x=3$ 또는 $2^x=4$

따라서 주어진 방정식의 두 근이 α, β이므로 $\begin{cases}2^\alpha=3\\2^\beta=4\end{cases}$ 또는 $\begin{cases}2^\alpha=4\\2^\beta=3\end{cases}$
$2^{2\alpha}+2^{2\beta}=(2^\alpha)^2+(2^\beta)^2=3^2+4^2=25$

방정식 $9^x-4\cdot3^x+1=0$의 두 근을 α, β라 할 때, $9^\alpha+9^\beta$의 값은?

① 14 ② 16 ③ 18
④ 20 ⑤ 24

STEP Ⓐ $3^x=t$로 **치환하여 t에 관한 이차방정식으로 변형하기**

방정식 $9^x-4\cdot3^x+1=0$에서 $(3^x)^2-4\cdot3^x+1=0$
$3^x=t\,(t>0)$로 놓으면 $t^2-4t+1=0$ ...... ㉠

STEP Ⓑ t에 대한 이차방정식이므로 근과 계수의 관계를 이용하여 k의 값 구하기

주어진 방정식의 두 근을 α, β라고 하면 ㉠의 두 근은 3^α, 3^β이므로
이차방정식의 근과 계수의 관계에 의하여 $3^\alpha+3^\beta=4$, $3^\alpha\cdot3^\beta=1$
따라서 $9^\alpha+9^\beta=(3^\alpha)^2+(3^\beta)^2=(3^\alpha+3^\beta)^2-2\cdot3^\alpha\cdot3^\beta$
$\qquad\qquad\qquad=4^2-2\cdot1=14$ 정답 ①

0551

정답 ⑤

STEP Ⓐ A, B의 x좌표를 α, β라 두고 근과 계수의 관계를 이용하여 관계식 구하기

두 점 A, B의 x좌표를 각각 α, β라 하면 방정식 $2^x=-\left(\dfrac{1}{2}\right)^x+k$에서
$(2^x)^2-k\cdot2^x+1=0$이므로 이 방정식의 두 근은 2^α, 2^β이므로
근과 계수의 관계에 의하여 $2^\alpha+2^\beta=k$ ...... ㉠

STEP Ⓑ $\overline{AB}$의 중점의 y좌표를 이용하여 k의 값 구하기

한편 두 점 A, B는 함수 $y=2^x$ 위의 점이므로 A$(\alpha,\,2^\alpha)$, B$(\beta,\,2^\beta)$로 놓으면
중점의 좌표가 $\left(0,\,\dfrac{5}{4}\right)$이므로 $\dfrac{2^\alpha+2^\beta}{2}=\dfrac{5}{4}$ ...... ㉡
따라서 ㉠과 ㉡에서 $k=\dfrac{5}{2}$

치환을 이용하여 k 구하기

두 점 A, B는 함수 $y=2^x$ 위의 점이므로 A$(\alpha,\,2^\alpha)$, B$(\beta,\,2^\beta)$로 놓으면
중점의 좌표가 $\left(0,\,\dfrac{5}{4}\right)$이므로
$\dfrac{\alpha+\beta}{2}=0$ ...... ㉠
$\dfrac{2^\alpha+2^\beta}{2}=\dfrac{5}{4}$ ...... ㉡
㉠에서 $\beta=-\alpha$이므로 ㉡에 대입하면 $\dfrac{2^\alpha+2^{-\alpha}}{2}=\dfrac{5}{4}$
$2(2^\alpha)^2-5\cdot2^\alpha+2=0$, $(2\cdot2^\alpha-1)(2^\alpha-2)=0$
$\therefore \alpha=-1$ 또는 $\alpha=1$
이때 A$(1,\,2)$, B$\left(-1,\,\dfrac{1}{2}\right)$라 하면 이 두 점은 곡선 $y=-\left(\dfrac{1}{2}\right)^x+k$ 위의 점
이므로 A$(1,\,2)$를 대입하면 $2=-\left(\dfrac{1}{2}\right)^1+k$
따라서 $k=\dfrac{5}{2}$

0552

STEP Ⓐ $\overline{AB}$의 중점의 좌표를 이용하여 a, b의 관계식 구하기

두 점 A, B의 x좌표가 각각 a, b이므로

A$(a, 2^a)$, B$(b, 2^b)$이므로

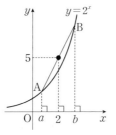

$\overline{AB}$의 중점의 좌표가 $(2, 5)$이므로

$\dfrac{a+b}{2}=2$, $a+b=4$ ····· ㉠

$\dfrac{2^a+2^b}{2}=5$, $2^a+2^b=10$ ····· ㉡

㉠에서 $a=4-b$이므로 이것을 ㉡에 대입하면

$2^{4-b}+2^b=10$, $16\cdot2^{-b}+2^b=10$

STEP Ⓑ $2^b=t$로 치환하고 방정식을 풀어 t의 값 구하기

이때 $2^b=t\,(t>0)$로 놓으면 $16t^{-1}+t=10$

$t^2-10t+16=0$, $(t-2)(t-8)=0$

$\therefore t=2$ 또는 $t=8$

STEP Ⓒ 점 B의 y좌표 구하기

즉 $2^b=2$ 또는 $2^b=8$이므로 $b=1$ 또는 $b=3$

그런데 $b>2$이므로 $b=3$

따라서 점 B의 y좌표는 $2^3=8$

내신연계 출제문항 196

오른쪽 그림과 같이 곡선 $y=3^{x+1}-5$ 위의 두 점 A, B의 x좌표가 각각 a, $b\,(a>b)$이고 선분 AB의 중점이 원점 O일 때, 선분 AB의 길이는?

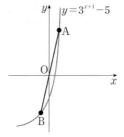

① 8
② $2\sqrt{17}$
③ $6\sqrt{2}$
④ $2\sqrt{19}$
⑤ $4\sqrt{5}$

STEP Ⓐ 선분 AB의 중점이 원점 O임을 이용하여 지수방정식 유도하기

곡선 $y=3^{x+1}-5$ 위의 두 점 A, B의 x좌표가 각각 a, b이므로

A$(a, 3^{a+1}-5)$, B$(b, 3^{b+1}-5)$

선분 AB의 중점이 원점이므로

$\dfrac{a+b}{2}=0$ ····· ㉠

$\dfrac{3^{a+1}-5+3^{b+1}-5}{2}=0$ ····· ㉡

㉠에서 $b=-a$이므로 이것을 ㉡에 대입하면

$\dfrac{3^{a+1}-5+3^{-a+1}-5}{2}=0$에서 $3^{a+1}+3^{-a+1}-10=0$

위의 방정식의 양변에 3^a를 곱하면 $3\cdot3^{2a}-10\cdot3^a+3=0$

STEP Ⓑ $3^a=t\,(t>0)$로 치환하여 t에 대한 이차방정식 구하기

$3^a=t\,(t>0)$으로 놓으면 $3t^2-10t+3=0$

$(3t-1)(t-3)=0$

$\therefore t=\dfrac{1}{3}$ 또는 $t=3$

즉 $3^a=\dfrac{1}{3}$ 또는 $3^a=3$

$\therefore a=-1$ 또는 $a=1$

STEP Ⓒ 선분 AB의 길이 구하기

이때 점 A의 a는 양수이므로 $a=1$이고 A$(1, 4)$, B$(-1, -4)$

따라서 $\overline{AB}=\sqrt{2^2+8^2}=\sqrt{68}=2\sqrt{17}$

0553

STEP Ⓐ $3^x=t$로 치환했을 때, 방정식이 서로 다른 두 실근을 가질 조건 구하기

방정식 $9^x-2a\cdot3^x+2a+8=0$이 서로 다른 두 실근을 가지려면

$3^x=t\,(t>0)$로 놓으면 이차방정식 $t^2-2at+2a+8=0$이 서로 다른 두 양의 실근을 가져야 한다.

STEP Ⓑ 판별식 D, 두 근의 합, 두 근의 곱이 모두 양수임을 이용하여 a의 범위 구하기

(ⅰ) 판별식을 D라 하면

$\dfrac{D}{4}=a^2-2a-8>0$, $(a+2)(a-4)>0$

$\therefore a<-2$ 또는 $a>4$

(ⅱ) (두 근의 합) >0이므로 $2a>0$

$\therefore a>0$

(ⅲ) (두 근의 곱) >0이므로 $2a+8>0$

$\therefore a>-4$

(ⅰ)~(ⅲ)을 동시에 만족하는 a의 범위는 $a>4$

다른풀이 이차함수의 근의 위치를 이동하여 풀이하기

$9^x-2a\cdot3^x+2a+8=0$에서

$3^x=t$로 놓으면

$t^2-2at+2a+8=0$ ····· ㉠

$t>0$이므로 주어진 방정식이 서로 다른 두 실근을 가지려면 ㉠이 서로 다른 두 양의 실근을 가져야 한다.

$f(t)=t^2-2at+2a+8$이라 놓으면

$y=f(t)$의 그래프는 오른쪽 그림과 같아야 한다.

(ⅰ) 이차방정식 $f(t)=0$의 판별식을 D라 할 때, 이 이차방정식이 서로 다른 두 실근을 가지므로

$\dfrac{D}{4}=a^2-2a-8>0$, $(a+2)(a-4)>0$

$\therefore a<-2$ 또는 $a>4$

(ⅱ) $t=0$일 때, $f(0)=2a+8>0$

$\therefore a>-4$

(ⅲ) $f(t)=t^2-2at+2a+8=(t-a)^2-a^2+2a+8$이므로 축은 $t=a>0$

$\therefore a>0$

(ⅰ)~(ⅲ)에서 $a>4$

0554

STEP Ⓐ $\left(\dfrac{1}{3}\right)^x=t$로 치환했을 때, 방정식이 서로 다른 두 실근을 가질 조건 구하기

$\left(\dfrac{1}{3}\right)^{2x}-a\left(\dfrac{1}{3}\right)^x+9=0$에서 $\left(\dfrac{1}{3}\right)^x=t\,(t>0)$로 놓으면

$t^2-at+9=0$ ····· ㉠

㉠이 서로 다른 두 양의 실근을 가져야 한다.

STEP Ⓑ 판별식 D, 두 근의 합, 두 근의 곱이 모두 양수임을 이용하여 a의 범위 구하기

(ⅰ) 판별식을 D라 하면

㉠이 서로 다른 두 실근을 가지므로

$D=a^2-36>0$, $(a+6)(a-6)>0$

$\therefore a<-6$ 또는 $a>6$

(ⅱ) (두 근의 합) >0에서 $a>0$

(ⅲ) (두 근의 곱) >0에서 $9>0$

(ⅰ)~(ⅲ)을 동시에 만족하는 a의 범위는 $a>6$

따라서 정수 a의 최솟값은 7

내/신/연/계 출제문항 197

x에 대한 방정식 $4^x-a\cdot2^{x+1}+a^2-a-6=0$이 서로 다른 두 실근을
갖도록 하는 상수 a의 값의 범위는?

① $a>-6$ 　　② $-6<a<-2$ 　　③ $a>0$

④ $-2<a<3$ 　　⑤ $a>3$

STEP Ⓐ $2^x=t$로 놓고 t에 대한 이차방정식으로 나타내기

$4^x-a\cdot2^{x+1}+a^2-a-6=0$에서

$(2^x)^2-2a\cdot2^x+a^2-a-6=0$ …… ㉠

$2^x=t\,(t>0)$라 하면

$t^2-2at+a^2-a-6=0$ …… ㉡

STEP Ⓑ t에 대한 이차방정식이 서로 다른 두 양의 실근을 갖도록 하는
a의 값의 범위를 구하기

방정식 ㉠이 서로 다른 두 실근을 갖기 위해서는 방정식 ㉡이
서로 다른 두 양의 실근을 갖는다.

방정식 ㉡이 서로 다른 두 양의 실근을 α, β라 하면 $\alpha>0$, $\beta>0$이므로

(i) 판별식을 D라 하면 $\dfrac{D}{4}=a^2-(a^2-a-6)=a+6>0$에서 $a>-6$

(ii) $\alpha+\beta=2a>0$에서 $a>0$

(iii) $\alpha\beta>0$에서 $a^2-a-6>0$, $(a-3)(a+2)>0$

　　∴ $a>3$ 또는 $a<-2$

(i)~(iii)에서 공통된 a의 범위는 $a>3$　　　정답 ⑤

0555

정답 ③

STEP Ⓐ $3^x=t$로 치환했을 때, 방정식이 단 하나의 해를 가질 조건 구하기

$16\cdot3^{-x}+3^{x+2}=2a$에서 $3^x=t\,(t>0)$로 놓으면

$16t^{-1}+9t=2a$, $9t^2-2at+16=0$

$t>0$이고 두 근의 곱이 양수이므로 이 방정식이 단 하나의 해를 가진다면
양수인 중근을 가져야 한다.

STEP Ⓑ 두 근의 합이 양수, 판별식 D가 0임을 이용하여 a의 값 구하기

(i) (두 근의 합)$=\dfrac{2a}{9}>0$　　∴ $a>0$

(ii) 판별식을 D라 하면 $\dfrac{D}{4}=a^2-9\cdot16=0$　　∴ $a^2=144$

따라서 $a=12$

0556

정답 ①

STEP Ⓐ 판별식을 이용하여 p의 값 구하기

$\left(\dfrac{1}{4}\right)^{x-1}-2\cdot\left(\dfrac{1}{2}\right)^{x-p}+16=0$에서 $\left(\dfrac{1}{2}\right)^x=t\,(t>0)$로 놓으면

$4t^2-2\cdot2^p t+16=0$ …… ㉠

$t>0$이고 두 근의 곱이 양수이므로 이 방정식이 단 하나의 해를 가진다면
양수인 중근을 가져야 한다.

$\dfrac{D}{4}=(2^p)^2-4\cdot16=0$

$4^p-4^3=0$　　∴ $p=3$

STEP Ⓑ 오직 하나의 실근 α 구하기

$p=3$을 ㉠에 대입하면 $4t^2-16t+16=0$, $(t-2)^2=0$

∴ $t=2$

즉 $\left(\dfrac{1}{2}\right)^\alpha=2$이므로 $\alpha=-1$

따라서 $p+\alpha=3+(-1)=2$

> **주의** $t>0$에서 ㉠이 오직 하나의 실근을 가지려면
> ㉠의 두 근이 서로 다른 부호인 경우도 확인해야 하지만 ㉠에서
> (두 근의 곱)$=\dfrac{16}{4}=4>0$이므로 두 근은 서로 같은 부호이다.

0557

정답 ②

STEP Ⓐ $5^x=t$로 치환했을 때, 방정식이 서로 다른 두 양의 실근을 가질
조건 구하기

$5^{2x}-5^{x+1}+k=0$에서 $5^x=t$로 놓으면

$t^2-5t+k=0$ …… ㉠

$x>0$이면 $t=5^x>5^0=1$

$t>1$이므로 주어진 방정식이 서로 다른
두 양의 실근을 가지려면 ㉠이 1보다
큰 서로 다른 두 실근을 가져야 한다.

$f(t)=t^2-5t+k$라 놓으면 $y=f(t)$의
그래프는 오른쪽 그림과 같아야 한다.

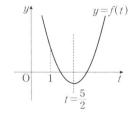

STEP Ⓑ t에 대한 이차방정식이 서로 다른 두 1보다 큰 근을 갖도록 하는
k의 값의 범위를 구하기

(i) 이차방정식 ㉠의 판별식을 D라 할 때, 이 이차방정식이 서로 다른
두 실근을 가지므로 $D=25-4k>0$　　∴ $k<\dfrac{25}{4}$

(ii) $t=1$일 때, $f(1)=1-5+k>0$　　∴ $k>4$

(i), (ii)에서 동시에 만족하는 k의 범위는 $4<k<\dfrac{25}{4}$

따라서 정수 k의 값은 5, 6이므로 k의 개수는 2

내/신/연/계 출제문항 198

방정식

$$9^x-2(a+4)3^x-3a^2+24a=0$$

의 서로 다른 두 근이 모두 양수가 되도록 하는 모든 정수 a의 값의 합은?

① 14 　　② 17 　　③ 19

④ 21 　　⑤ 25

STEP Ⓐ $3^x=t$로 놓고 t에 대한 이차방정식으로 나타내기

지수방정식 $9^x-2(a+4)3^x-3a^2+24a=0$에서

$3^x=t$로 놓으면

$t^2-2(a+4)t-3a^2+24a=0$ …… ㉠

주어진 방정식이 서로 다른 두 실근이 모두 양수이려면 $x>0$이므로
$t=3^x>1$

즉 ㉠의 서로 다른 두 실근이 모두 t가 1보다 크면 된다.

STEP Ⓑ 이차방정식이 1보다 큰 서로 다른 두 실근을 가질 조건 구하기

이차방정식 $t^2-2(a+4)t-3a^2+24a=0$의
서로 다른 두 근이 1보다 크므로
$f(t)=t^2-2(a+4)t-3a^2+24a$의 그래프가
오른쪽 그림과 같아야 한다.

(i) 방정식 ㉠의 판별식은 $D>0$이므로

　$\dfrac{D}{4}=(a+4)^2-(-3a^2+24a)>0$

　　$=4a^2-16a+16>0$

　　$=4(a-2)^2>0$

　∴ $a\ne2$인 모든 실수

(ii) $f(t)=\{t-(a+4)\}^2-4a^2+16a-16$이므로 축의 방정식은 $t=a+4$

　즉 $a+4>1$　　∴ $a>-3$

(iii) $f(1)=1-2(a+4)-3a^2+24a>0=-3a^2+22a-7>0$

　　　　　　　　　　　$=3a^2-22a+7<0$

　　　　　　　　　　　$=(3a-1)(a-7)<0$

　∴ $\dfrac{1}{3}<a<7$

(i)~(iii)을 동시에 만족하는 a의 범위는 $\dfrac{1}{3}<a<2$ 또는 $2<a<7$

따라서 정수 a는 1, 3, 4, 5, 6이므로 합은 $1+3+4+5+6=19$　　정답 ③

0558 정답 ②

STEP A $2^x = t$로 놓고 t에 대한 이차방정식으로 나타내기

$2^{2x} - (a-4)2^{x+1} + 2a = 0$에서

$(2^x)^2 - 2(a-4)2^x + 2a = 0$

$2^x = t (t > 0)$로 놓으면

$t^2 - 2(a-4)t + 2a = 0$ ...... ㉠

주어진 방정식의 두 근이 모두 1보다 크면 $x > 1$이므로

$t = 2^x > 2^1 = 2$

즉 ㉠의 두 근은 2보다 크면 된다.

STEP B 이차방정식이 2보다 큰 조건 구하기

$f(t) = t^2 - 2(a-4)t + 2a$라 하면

이차방정식 ㉠의 두 근은 2보다 클 조건은

(ⅰ) 방정식 ㉠의 판별식 $D \geq 0$에서

$\dfrac{D}{4} = (a-4)^2 - 2a \geq 0$

$a^2 - 10a + 16 \geq 0$

$(a-2)(a-8) \geq 0$

$\therefore a \leq 2$ 또는 $a \geq 8$

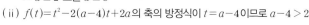

(ⅱ) $f(t) = t^2 - 2(a-4)t + 2a$의 축의 방정식이 $t = a-4$이므로 $a-4 > 2$

$\therefore a > 6$

(ⅲ) $f(2) > 0$이어야 하므로 $f(2) = 4 - 4(a-4) + 2a > 0$

$\therefore a < 10$

(ⅰ)~(ⅲ)을 동시에 만족하는 a의 범위는 $8 \leq a < 10$

따라서 만족하는 정수 a는 8, 9이므로 2개이다.

0559 정답 ④

STEP A 밑을 $\dfrac{3}{2}$으로 통일시키기

$\left(\dfrac{3}{2}\right)^{x^2-2x} \leq \left(\dfrac{9}{4}\right)^{x+6}$에서 $\left(\dfrac{3}{2}\right)^{x^2-2x} \leq \left(\dfrac{3}{2}\right)^{2x+12}$

STEP B (밑) > 1임을 이용하기

밑이 1보다 크므로 $x^2 - 2x \leq 2x + 12$

$x^2 - 4x - 12 \leq 0$, $(x-6)(x+2) \leq 0$

$\therefore -2 \leq x \leq 6$

따라서 주어진 조건을 만족시키는 모든 정수 x의 합은

$-2 + (-1) + 0 + 1 + 2 + 3 + 4 + 5 + 6 = 18$

0560 정답 ②

STEP A 밑을 $\dfrac{1}{3}$으로 통일시키기

$\left(\dfrac{1}{3}\right)^{3x-2} \geq \left(\dfrac{1}{9}\right)^{x+2}$에서 $\left(\dfrac{1}{3}\right)^{3x-2} \geq \left(\dfrac{1}{3}\right)^{2(x+2)}$

STEP B 밑이 0과 1 사이일 때, 지수부등식 풀기

밑이 0과 1 사이 이므로 $3x - 2 \leq 2x + 4$

$\therefore x \leq 6$

따라서 $x \leq 6$을 만족하는 자연수의 개수는 1, 2, 3, 4, 5, 6의 6개이다.

0561 정답 ④

STEP A 밑을 3으로 통일시키기

$\dfrac{27}{9^x} \geq 3^{x-9}$를 정리하면 $3^{3-2x} \geq 3^{x-9}$

STEP B $3^{f(x)} \geq 3^{g(x)}$에서 (밑) > 1이므로 $f(x) \geq g(x)$임을 이용하기

밑이 1보다 크므로 $3 - 2x \geq x - 9$

$3x \leq 12$이므로 $x \leq 4$

따라서 자연수 x는 1, 2, 3, 4이므로 4개이다.

내/신/연/계/ 출제문항 199

부등식 $\dfrac{81}{9^{2x}} \geq 3^{1-3x}$을 만족시키는 자연수 x의 개수는?

① 1   ② 2   ③ 3

④ 4   ⑤ 5

STEP A 밑을 3으로 통일시키기

$\dfrac{81}{9^{2x}} \geq 3^{1-3x}$를 정리하면 $\dfrac{3^4}{(3^2)^{2x}} \geq 3^{1-3x}$

$3^{4-4x} \geq 3^{1-3x}$

STEP B $3^{f(x)} \geq 3^{g(x)}$에서 (밑) > 1이므로 $f(x) \geq g(x)$임을 이용하기

밑이 1보다 크므로 $4 - 4x \geq 1 - 3x$

$\therefore x \leq 3$

따라서 자연수 x는 1, 2, 3이므로 3개이다. 정답 ③

0562 정답 ②

STEP A $2^{f(x)} \leq 2^{g(x)}$에서 (밑) > 1이므로 $f(x) \leq g(x)$임을 이용하기

$\left(\dfrac{1}{8}\right)^{1-x^2} \leq 2^{ax-3}$에서 $2^{-3+3x^2} \leq 2^{ax-3}$

밑이 1보다 크므로 $-3 + 3x^2 \leq ax - 3$

$3x^2 - ax \leq 0$, $x(3x-a) \leq 0$

$\therefore 0 \leq x \leq \dfrac{a}{3}$ ($\because a$는 자연수)

STEP B 정수 x가 4개가 되도록 하는 자연수 a의 합 구하기

주어진 부등식을 만족시키는 정수 x의 개수가 4이려면

정수인 x가 0, 1, 2, 3이어야 하므로 $3 \leq \dfrac{a}{3} < 4$

$\therefore 9 \leq a < 12$

따라서 자연수 a는 9, 10, 11이므로 구하는 합은 $9 + 10 + 11 = 30$

내/신/연/계/ 출제문항 200

부등식 $\left(\dfrac{1}{81}\right)^{x^2} > 3^{ax}$을 만족시키는 정수 x가 2개가 되도록 하는 모든 자연수 a의 값의 합은?

① 32   ② 42   ③ 52
④ 62   ⑤ 72

STEP Ⓐ $3^{f(x)} > 3^{g(x)}$에서 (밑)>1이므로 $f(x) > g(x)$임을 이용하기

$\left(\dfrac{1}{81}\right)^{x^2} > 3^{ax}$에서 $3^{-4x^2} > 3^{ax}$

밑이 1보다 크므로 $-4x^2 > ax$

$4x^2 + ax < 0,\ x(4x+a) < 0$

$\therefore -\dfrac{a}{4} < x < 0\ (\because a$는 자연수$)$

STEP Ⓑ 정수 x가 2개가 되도록 하는 자연수 a의 합 구하기

주어진 부등식을 만족시키는 정수 x의 개수가 2이려면

정수인 x가 $-2, -1$이어야 하므로 $-3 \leq -\dfrac{a}{4} < -2$

$\therefore 8 < a \leq 12$

따라서 자연수 a는 9, 10, 11, 12이므로 구하는 합은 $9+10+11+12=42$

정답 ②

0563

정답 ③

STEP Ⓐ 일차함수 $f(x)$의 식을 세우고 부등식의 해 구하기

일차함수 $f(x)$에 대하여 $f(-5)=0$이므로

$f(x)=a(x+5)\,(a>0)$로 놓을 수 있다.

$2^{f(x)} \leq 8$에서 $2^{f(x)} \leq 2^3$이므로 밑이 1보다 크므로

$f(x) \leq 3$

STEP Ⓑ 해가 $x \leq -4$일 때, $f(0)$ 구하기

즉 $a(x+5) \leq 3$

$a>0$이므로 $x+5 \leq \dfrac{3}{a}$

$\therefore x \leq \dfrac{3}{a}-5$

즉 주어진 부등식의 해가 $x \leq \dfrac{3}{a}-5$이므로

$\dfrac{3}{a}-5=-4$에서 $\dfrac{3}{a}=1$

$\therefore a=3$

따라서 $f(x)=3(x+5)$이므로 $f(0)=15$

다른풀이 그래프를 이용하여 풀이하기

$y=f(x)$는 일차함수이므로

$f(x)=ax+b$라 하면

$f(-5)=-5a+b=0$ $\qquad$ …… ㉠

$2^{f(x)} \leq 8=2^3$에서 $f(x) \leq 3$의 해가

$x \leq -4$이므로 오른쪽 그림과 같이

$f(-4)=3$

$f(-4)=-4a+b=3$ $\qquad$ …… ㉡

㉠, ㉡을 연립하면 $a=3,\ b=15$

따라서 $f(x)=3x+15$이므로 $f(0)=b=15$

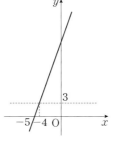

0564

정답 ④

STEP Ⓐ 밑을 같게 하여 감소하는 지수부등식의 해 구하기

$\left(\dfrac{1}{2}\right)^{f(x)g(x)} \geq \left(\dfrac{1}{8}\right)^{g(x)}$에서 $\left(\dfrac{1}{2}\right)^{f(x)g(x)} \geq \left(\dfrac{1}{2}\right)^{3g(x)}$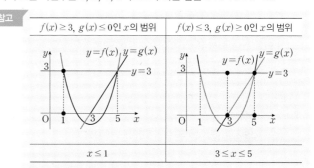

지수함수의 밑이 1보다 작으므로 감소한다.

$\therefore f(x)g(x) \leq 3g(x)$

STEP Ⓑ 그래프를 이용하여 x의 범위 구하기

$\{f(x)-3\}g(x) \leq 0$

(i) $f(x)-3 \geq 0,\ g(x) \leq 0$인 경우 x의 범위는

$\qquad$ 즉 $f(x) \geq 3$이고 $g(x) \leq 0$인 x의 범위이므로 $x \leq 1$

(ii) $f(x)-3 \leq 0,\ g(x) \geq 0$인 경우 x의 범위는

$\qquad$ 즉 $f(x) \leq 3$이고 $g(x) \geq 0$인 x의 범위이므로 $3 \leq x \leq 5$

(i), (ii)에서 조건을 만족시키는 x의 범위는 $x \leq 1$ 또는 $3 \leq x \leq 5$

따라서 모든 자연수는 1, 3, 4, 5이므로 구하는 합은 $1+3+4+5=13$

참고

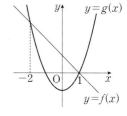

$f(x) \geq 3,\ g(x) \leq 0$인 x의 범위	$f(x) \leq 3,\ g(x) \geq 0$인 x의 범위
$x \leq 1$	$3 \leq x \leq 5$

내/신/연/계/ 출제문항 201

직선 $y=f(x)$와 곡선 $y=g(x)$가 오른쪽 그림과 같을 때, 부등식 $\left(\dfrac{1}{2}\right)^{f(x)} < \left(\dfrac{1}{2}\right)^{g(x)}$의 해는?

① $x < -2$ ② $x > 1$
③ $x > -2$ ④ $-2 < x < 1$
⑤ $x < -2$ 또는 $x > 1$

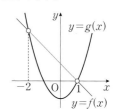

STEP Ⓐ $0 < ($밑$) < 1$일 때의 지수함수의 성질 이해하기

$\left(\dfrac{1}{2}\right)^{f(x)} < \left(\dfrac{1}{2}\right)^{g(x)}$에서 밑 $\dfrac{1}{2}$이 1보다

작으므로 $f(x) > g(x)$

따라서 그림에서 $y=f(x)$의 그래프가

$y=g(x)$의 그래프보다 위쪽에 있는

x의 값의 범위이므로 $-2 < x < 1$

정답 ④

0565

STEP Ⓐ $2^x = t$로 치환하고 t에 관한 이차부등식 풀기

$2^{2x} - 10 \cdot 2^{x+1} + 64 \leq 0$에서

$(2^x)^2 - 20 \cdot 2^x + 64 \leq 0$

$2^x = t \, (t > 0)$로 놓으면

$t^2 - 20t + 64 \leq 0$, $(t-4)(t-16) \leq 0$

$\therefore 4 \leq t \leq 16$

STEP Ⓑ 부등식을 만족시키는 정수 x의 값의 합 구하기

즉 $4 \leq 2^x \leq 16$이므로 $2 \leq x \leq 4$

따라서 구하는 정수 x의 값의 합은 $2+3+4=9$

0566

정답 ④

STEP Ⓐ $2^x = t$로 치환하고 t에 관한 이차부등식 풀기

$4^x - 4 \leq 9(2^{x+1} - 4)$에서 $4^x - 9 \cdot 2^{x+1} + 32 \leq 0$이므로

$(2^x)^2 - 18 \cdot 2^x + 32 \leq 0$

$2^x = t \, (t > 0)$로 놓으면

$t^2 - 18t + 32 \leq 0$, $(t-2)(t-16) \leq 0$

$\therefore 2 \leq t \leq 16$

STEP Ⓑ 부등식을 만족시키는 정수 x의 개수 구하기

즉 $2^1 \leq 2^x \leq 2^4$에서 $1 \leq x \leq 4$

따라서 정수 x의 개수는 $1, 2, 3, 4$이므로 4개이다.

0567

정답 ①

STEP Ⓐ $3^x = t$로 치환하고 t에 관한 이차부등식 풀기

$3^{2x+1} - 28 \times 3^x + 9 \leq 0$에서 $3 \times (3^x)^2 - 28 \times 3^x + 9 \leq 0$

$3^x = t \, (t > 0)$로 놓으면 $3t^2 - 28t + 9 \leq 0$

$(3t-1)(t-9) \leq 0$

$\therefore \dfrac{1}{3} \leq t \leq 9$

STEP Ⓑ 부등식을 만족시키는 정수 x의 개수 구하기

즉 $3^{-1} \leq 3^x \leq 3^2$에서 $-1 \leq x \leq 2$

따라서 정수 x는 $-1, 0, 1, 2$이므로 구하는 합은 $-1+0+1+2=2$

0568

정답 ⑤

STEP Ⓐ $\left(\dfrac{1}{2}\right)^x = t$로 치환하고 t에 관한 이차부등식 풀기

$\left(\dfrac{1}{4}\right)^x - 9 \cdot \left(\dfrac{1}{2}\right)^{x+1} + 2 \leq 0$에서 $\left\{\left(\dfrac{1}{2}\right)^x\right\}^2 - \dfrac{9}{2}\left(\dfrac{1}{2}\right)^x + 2 \leq 0$

$\left(\dfrac{1}{2}\right)^x = t \, (t > 0)$로 놓으면 $t^2 - \dfrac{9}{2}t + 2 \leq 0$

$2t^2 - 9t + 4 \leq 0$, $(2t-1)(t-4) \leq 0$

$\therefore \dfrac{1}{2} \leq t \leq 4$

STEP Ⓑ x의 범위를 구하여 실수 x의 최댓값, 최솟값 구하기

즉 $\left(\dfrac{1}{2}\right)^1 \leq \left(\dfrac{1}{2}\right)^x \leq \left(\dfrac{1}{2}\right)^{-2}$이고 $0 < \dfrac{1}{2} < 1$이므로

$-2 \leq x \leq 1$

따라서 $M=1$, $m=-2$이므로 $M-m=1-(-2)=3$

내신연계 출제문항 202

부등식 $\left(\dfrac{1}{9}\right)^x - \left(\dfrac{1}{3}\right)^x - 6 \leq 0$을 만족시키는 실수 x의 최솟값은?

① -2 ② -1 ③ 0

④ 1 ⑤ 2

STEP Ⓐ $\left(\dfrac{1}{3}\right)^x = t$로 치환하고 t에 관한 이차부등식 풀기

$\left(\dfrac{1}{9}\right)^x - \left(\dfrac{1}{3}\right)^x - 6 \leq 0$에서 $\left\{\left(\dfrac{1}{3}\right)^x\right\}^2 - \left(\dfrac{1}{3}\right)^x - 6 \leq 0$

$\left(\dfrac{1}{3}\right)^x = t \, (t > 0)$로 놓으면

$t^2 - t - 6 \leq 0$, $(t+2)(t-3) \leq 0$

$\therefore -2 \leq t \leq 3$

STEP Ⓑ x의 범위를 구하여 실수 x의 최솟값 구하기

그런데 $t > 0$이므로 $0 < t \leq 3$

$0 < \left(\dfrac{1}{3}\right)^x \leq 3$에서 $3^{-x} \leq 3$

$\therefore x \geq -1$

따라서 실수 x의 최솟값은 -1

정답 ②

0569

정답 ⑤

STEP Ⓐ $a^x = t$로 치환하고 t에 관한 이차부등식 풀기

$8a^{2x} - 9a^x + 1 < 0$에서 $a^x = t \, (t > 0)$로 놓으면

$8t^2 - 9t + 1 < 0$

$(8t-1)(t-1) < 0$

$\therefore \dfrac{1}{8} < t < 1$, 즉 $\left(\dfrac{1}{2}\right)^3 < a^x < \left(\dfrac{1}{2}\right)^0$

STEP Ⓑ a의 값 구하기

이때 해가 $0 < x < 3$이므로 밑 a는 0과 1 사이 이어야 한다.

따라서 $a = \dfrac{1}{2}$

내신연계 출제문항 203

양수 a에 대하여 x에 대한 부등식 $a^{2x} - 6a^x + 8 \leq 0$의 해가

$-1 \leq x \leq -\dfrac{1}{2}$일 때, 상수 a의 값은?

① $\dfrac{1}{16}$ ② $\dfrac{1}{8}$ ③ $\dfrac{1}{4}$

④ $\dfrac{1}{2}$ ⑤ 2

STEP Ⓐ $a^x = t$로 치환하고 t에 관한 이차부등식 풀기

$a^{2x} - 6a^x + 8 \leq 0$에서 $a^x = t \, (t > 0)$로 놓으면

$t^2 - 6t + 8 \leq 0$

$(t-2)(t-4) \leq 0$

$\therefore 2 \leq t \leq 4$, 즉 $2^1 \leq a^x \leq 2^2$

STEP Ⓑ a의 값 구하기

이때 해가 $-1 \leq x \leq -\dfrac{1}{2}$이므로 밑 a는 1보다 작은 양수이다.

따라서 $a = \dfrac{1}{4}$

정답 ③

0570

정답 ⑤

STEP Ⓐ 주어진 조건을 이용하여 부등식 세우기

함수 $f(x)$의 그래프가 $y=g(x)$의 그래프보다 위쪽에 있으므로
구하는 x의 값의 범위는 부등식 $f(x)>g(x)$의 해와 같다.

STEP Ⓑ $2^x=t$로 치환하고 이차부등식을 풀어 x의 범위 구하기

즉 $2^{2x}>2\cdot2^x+8$에서 $(2^x)^2-2\cdot2^x-8>0$

$2^x=t$로 놓으면 $t^2-2t-8>0$, $(t+2)(t-4)>0$

$t>0$이므로 $t>4$

따라서 $2^x>4$이므로 $x>2$

0571

정답 ③

STEP Ⓐ $0<$(밑)<1일 때, 지수방정식 풀이하기

$\begin{cases}\left(\dfrac{2}{3}\right)^{x+3}<\left(\dfrac{9}{4}\right)^{x-2} & \cdots\cdots ㉠\\ 2^{x-1}<\sqrt{2^{x+3}} & \cdots\cdots ㉡\end{cases}$

㉠에서

$\left(\dfrac{2}{3}\right)^{x+3}<\left\{\left(\dfrac{2}{3}\right)^{-2}\right\}^{x-2}$

$\left(\dfrac{2}{3}\right)^{x+3}<\left(\dfrac{2}{3}\right)^{-2x+4}$

밑이 1보다 작으므로 $x+3>-2x+4$, $3x>1$

$\therefore x>\dfrac{1}{3}$　　　$\cdots\cdots ㉢$

STEP Ⓑ (밑)>1일 때, 지수방정식 풀이하기

㉡에서

$2^{x-1}<\sqrt{2^{x+3}}$

$2^{x-1}<(2^{x+3})^{\frac{1}{2}}$

$2^{x-1}<2^{\frac{1}{2}x+\frac{3}{2}}$

밑이 1보다 크므로 $x-1<\dfrac{1}{2}x+\dfrac{3}{2}$, $\dfrac{1}{2}x<\dfrac{5}{2}$

$\therefore x<5$　　　$\cdots\cdots ㉣$

㉢, ㉣을 동시에 만족하면 $\dfrac{1}{3}<x<5$

따라서 $\alpha=\dfrac{1}{3}$, $\beta=5$이므로 $\dfrac{\beta}{\alpha}=\dfrac{5}{\dfrac{1}{3}}=15$

0572

정답 ①

STEP Ⓐ 밑을 같게 만들고 지수를 비교하여 x의 범위 구하기

조건 (가)에서 $\left(\dfrac{1}{2}\right)^{3x}\geq\left(\dfrac{1}{2}\right)^{2x+2}$ 밑이 0과 1 사이이므로

$3x\leq2x+2$

$\therefore x\leq2$　　　$\cdots\cdots ㉠$

STEP Ⓑ $2^x=t$로 치환하고 이차부등식을 풀어 x의 범위 구하기

조건 (나)에서 $2^x=t\,(t>0)$로 놓으면

주어진 부등식은 $t^2<10t-16$

$t^2-10t+16<0$, $(t-2)(t-8)<0$

$\therefore 2<t<8$

즉 $2^1<2^x<2^3$이므로 $1<x<3$ $\cdots\cdots ㉡$

㉠, ㉡의 공통부분은 $1<x\leq2$

따라서 정수 x는 2이므로 1개이다.

다음 조건을 동시에 만족하는 정수 x의 개수는?

> (가) $\left(\dfrac{1}{2}\right)^{-x^2+6}\leq\left(\dfrac{1}{2}\right)^x$
>
> (나) $4^{-x}-3\cdot2^{-x}-4<0$

① 2　　　　② 3　　　　③ 4
④ 5　　　　⑤ 6

STEP Ⓐ 조건 (가)을 만족하는 x의 범위 구하기

조건 (가)에서 $\left(\dfrac{1}{2}\right)^{-x^2+6}\leq\left(\dfrac{1}{2}\right)^x$ 밑이 1보다 작으므로

$-x^2+6\geq x$

$x^2+x-6\leq0$, $(x+3)(x-2)\leq0$

$\therefore -3\leq x\leq2$　　　$\cdots\cdots ㉠$

STEP Ⓑ 조건 (나)을 만족하는 x의 범위 구하기

조건 (나)에서 $\left(\dfrac{1}{2}\right)^x=t\,(t>0)$로 놓으면 주어진 부등식은

$t^2-3t-4<0$, $(t+1)(t-4)<0$

$\therefore 0<t<4\,(\because t>0)$

즉 $0<\left(\dfrac{1}{2}\right)^x<\left(\dfrac{1}{2}\right)^{-2}$이므로 $x>-2$　　$\cdots\cdots ㉡$

㉠, ㉡의 공통부분은 $-2<x\leq2$

따라서 정수 x는 -1, 0, 1, 2이므로 4개이다.　　정답 ③

0573

정답 ②

STEP Ⓐ $\left(\dfrac{1}{3}\right)^x=t$로 치환하고 이차부등식을 풀어 t의 범위 구하기

조건 (가)에서 $\left(\dfrac{1}{3}\right)^x=t\,(t>0)$로 놓으면

$t^2-6t-27\leq0$

$(t+3)(t-9)\leq0$

$t>0$이므로 $t-9\leq0$

$\therefore t\leq9$

STEP Ⓑ 지수부등식을 풀어 x의 범위 구하기

즉 $\left(\dfrac{1}{3}\right)^x\leq9$에서 $\left(\dfrac{1}{3}\right)^x\leq\left(\dfrac{1}{3}\right)^{-2}$

$\therefore x\geq-2$　　　$\cdots\cdots ㉠$

STEP Ⓒ $5^x=X$로 치환하고 이차부등식을 풀어 x의 범위 구하기

조건 (나)에서 $5^{2x}+5\leq6\cdot5^x$, $(5^x)^2-6\cdot5^x+5\leq0$

$5^x=X$로 놓으면

$X^2-6X+5\leq0$, $(X-1)(X-5)\leq0$

$\therefore 1\leq X\leq5$, 즉 $5^0\leq5^x\leq5^1$

$\therefore 0\leq x\leq1$　　　$\cdots\cdots ㉡$

㉠, ㉡에 의해 $0\leq x\leq1$

따라서 $a=0$, $b=1$이므로 $a+b=1$

0574

STEP ② 이차부등식이 모든 실수 x에 대하여 성립할 조건 구하기

이차부등식 $x^2-2(2^a+1)x-2^a+29>0$이 모든 실수 x에 대하여 성립하려면 이차방정식 $x^2-2(2^a+1)x-2^a+29=0$의 판별식 $D<0$이어야 한다.

STEP ③ $2^a=t$로 치환하고 이차부등식을 풀어 a의 범위 구하기

$\dfrac{D}{4}=(2^a+1)^2+2^a-29<0$, $(2^a)^2+3\cdot2^a-28<0$

$2^a=t$로 놓으면 $t^2+3t-28<0$, $(t-4)(t+7)<0$

이때 $t>0$이므로 $0<t<4$, 즉 $0<2^a<2^2$

따라서 $a<2$

내/신/연/계 출제문항 205

이차부등식
$$x^2-(2\cdot3^a-6)x+4\cdot3^a>0$$
이 모든 실수 x에 대하여 성립할 때, 실수 a의 범위는?

① $-2<a<0$　　② $a<2$　　③ $a>2$
④ $0<a<2$　　⑤ $1<a<3$

STEP ② 이차부등식이 모든 실수 x에 대하여 성립할 조건 구하기

이차부등식 $x^2-2(3^a-3)x+4\cdot3^a>0$이 모든 실수 x에 대하여 성립하려면 이차방정식 $x^2-2(3^a-3)x+4\cdot3^a=0$의 판별식 $D<0$이어야 한다.

STEP ③ $3^a=t$로 치환하고 이차부등식을 풀어 a의 범위 구하기

$\dfrac{D}{4}=(3^a-3)^2-4\cdot3^a<0$

$3^{2a}-10\cdot3^a+9<0$

$3^a=t\,(t>0)$로 놓으면 $t^2-10t+9<0$, $(t-1)(t-9)<0$

$\therefore 1<t<9$

$t=3^a$이므로 $3^0<3^a<3^2$

따라서 $0<a<2$

0575

STEP ② $2^a=t$로 치환하여 이차부등식으로 변형하기

$4^{x+1}-2^{x+3}\geq k$에서 $4\cdot(2^x)^2-8\cdot2^x-k\geq0$

$2^x=t\,(t>0)$로 놓으면 $4t^2-8t-k\geq0$

$f(t)=4t^2-8t-k$라 하면 $f(t)=4(t-1)^2-4-k$

STEP ③ $t>0$인 모든 실수 t에 대하여 $f(t)\geq0$이 성립할 조건 구하기

$t>0$인 모든 실수 t에 대하여 성립하려면
$f(t)$는 $t=1$일 때, 최솟값 $-4-k$를 가지므로 $-4-k\geq0$

$\therefore k\leq-4$

따라서 k의 최댓값은 -4

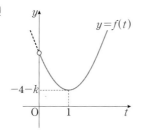

0576

STEP ② $2^x=t$로 치환하여 이차부등식으로 변형하기

$4^x-2(a-4)2^x+2a\geq0$에서 $2^x=t\,(t>0)$로 놓으면

$t^2-2(a-4)t+2a\geq0$

$f(t)=\{t-(a-4)\}^2-(a-4)^2+2a\geq0$

STEP ③ 이차함수의 축 $t=a-4$의 위치에 따라 a의 범위 구하기

(i) $a-4\geq0$일 때,

$f(t)\geq0$이 $t>0$인 모든 실수 t에 대하여 성립하려면 최솟값 $-(a-4)^2+2a\geq0$이어야 한다.

$-a^2+8a-16+2a\geq0$

$a^2-10a+16\leq0$, $(a-2)(a-8)\leq0$

$\therefore 2\leq a\leq8$

이때 $a-4\geq0$이므로 $4\leq a\leq8$

(ii) $a-4<0$일 때,

$f(t)\geq0$이 $t>0$인 모든 실수 t에 대하여 성립하려면

$f(0)=2a\geq0$이므로 $a\geq0$

이때 $a-4<0$이므로 $0\leq a<4$

(i), (ii)에서 $0\leq a\leq8$

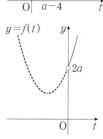

STEP ⓒ 정수 a의 개수 구하기

따라서 정수 a의 개수는 0, 1, 2, 3, 4, 5, 6, 7, 8이므로 9개이다.

내/신/연/계 출제문항 206

모든 실수 x에 대하여
$$4^x-a\cdot2^{x+1}+4\geq0$$
이 성립하기 위한 실수 a의 최댓값은?

① 0　　② 1　　③ 2
④ 3　　⑤ 4

STEP ② $2^x=t$로 치환하여 이차부등식으로 변형하기

$4^x-a\cdot2^{x+1}+4\geq0$에서 $(2^x)^2-2a\cdot2^x+4\geq0$

$2^x=t\,(t>0)$로 놓으면 $t^2-2at+4\geq0$

$\therefore (t-a)^2-a^2+4\geq0$　　…… ㉠

STEP ③ $t>0$인 범위에서 부등식이 항상 성립함을 이용하기

주어진 부등식이 모든 실수 x에 대하여 성립하려면 부등식 ㉠이 $t>0$인 모든 실수 t에 대하여 성립해야 한다.

$f(t)=(t-a)^2-a^2+4\,(t>0)$으로 놓으면

(i) $a\geq0$일 때,

$f(t)$는 $t=a$일 때, 최솟값 $-a^2+4$를 가지므로 $-a^2+4\geq0$, $a^2-4\leq0$

$(a+2)(a-2)\leq0$

$\therefore -2\leq a\leq2$

즉 $a\geq0$이므로 $0\leq a\leq2$

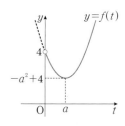

(ii) $a<0$일 때,

$f(0)=4>0$이므로 부등식이 $t>0$인 모든 실수 t에 대하여 부등식 ㉠이 성립한다.

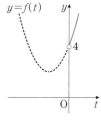

(i), (ii)에서 실수 a의 범위는 $a\leq2$이므로 최댓값은 2

0577

STEP A 진수 조건에서 x의 범위 구하기

진수조건에서 $5x+1>0$

$\therefore x>-\dfrac{1}{5}$

STEP B 로그의 성질을 이용하여 x의 값 구하기

$2\log_4(5x+1)=1$에서 $2\log_{2^2}(5x+1)=1$

$\log_2(5x+1)=1$, 즉 $5x+1=2$에서 $x=\dfrac{1}{5}$

따라서 $\alpha=\dfrac{1}{5}$이므로 $\log_5\dfrac{1}{\alpha}=\log_5 5=1$

0578

정답 ①

STEP A 진수 조건에서 x의 범위 구하기

진수 조건에 의하여 $x-1>0$, $x+2>0$

$\therefore x>1$ ······ ㉠

STEP B 로그의 성질을 이용하여 x의 값 구하기

$\log_2(x-1)+\log_2(x+2)=2$에서 $\log_2(x-1)(x+2)=\log_2 4$

$(x-1)(x+2)=4$, $x^2+x-6=0$, $(x+3)(x-2)=0$

따라서 ㉠에서 $x=2$

내/신/연/계 출제문항 207

방정식 $\log(x^2-3x-4)-\log(x+1)-1=0$의 해는?

① 13 ② 14 ③ 15
④ 16 ⑤ 17

STEP A 진수 조건에서 x의 범위 구하기

진수의 조건에 의하여 $x^2-3x-4>0$, $x+1>0$

$\therefore x>4$ ······ ㉠

STEP B 로그의 성질을 이용하여 x의 값 구하기

$\log(x^2-3x-4)-\log(x+1)-1=0$에서

$\log(x^2-3x-4)=\log(x+1)+1$

$\log(x^2-3x-4)=\log 10(x+1)$

$x^2-3x-4=10x+10$, $x^2-13x-14=0$

$\therefore x=-1$ 또는 $x=14$

따라서 ㉠을 만족하는 $x=14$

0579

정답 ②

STEP A 진수 조건에서 x의 범위 구하기

진수 조건에 의하여 $x>0$, $x-7>0$

$\therefore x>7$

STEP B 로그의 성질을 이용하여 x의 값 구하기

$\log_8 x-\log_8(x-7)=\dfrac{1}{3}$에서

$\log_8 x=\log_8(x-7)+\log_8 8^{\frac{1}{3}}=\log_8 2(x-7)$

즉 $x=2x-14$

$\therefore x=14$

따라서 진수의 조건을 만족하므로 구하는 해는 14

0580

정답 ②

STEP A 진수 조건에서 x의 범위 구하기

진수의 조건에서 $x-4>0$, $x-2>0$이므로

$\therefore x>4$ ······ ㉠

STEP B 로그의 성질을 이용하여 밑을 9로 통일하여 x의 값 구하기

$\log_3(x-4)=\log_9(x-2)$에서 $\log_9(x-4)^2=\log_9(x-2)$

로그의 밑이 9로 같으므로

$(x-4)^2=x-2$, $(x-3)(x-6)=0$

$\therefore x=3$ 또는 $x=6$

따라서 ㉠을 만족하는 $x=6$

내/신/연/계 출제문항 208

방정식 $\log_2(x-1)=\log_4(x+5)$의 해는?

① 2 ② 4 ③ 6
④ 8 ⑤ 10

STEP A 진수 조건에서 x의 범위 구하기

진수의 조건에서 $x-1>0$, $x+5>0$이므로

$\therefore x>1$ ······ ㉠

STEP B 로그의 성질을 이용하여 밑을 4로 통일하여 x의 값 구하기

$\log_2(x-1)=\log_4(x+5)$에서 $\log_4(x-1)^2=\log_4(x+5)$

로그의 밑이 4로 같으므로 $(x-1)^2=x+5$

$x^2-3x-4=0$, $(x+1)(x-4)=0$

$\therefore x=-1$ 또는 $x=4$

따라서 ㉠을 만족하는 $x=4$

0581

정답 ②

STEP A 진수 조건에서 x의 범위 구하기

조건 (가)에서 진수가 양수이므로

$x+1>0$, $x-1>0$

$\therefore x>1$ ······ ㉠

STEP B 로그의 성질을 이용하여 x의 값 구하기

주어진 방정식을 변형하면

$\log_8(x+1)(x-1)=\log_8 8$

$x^2-1=8$, $x^2=9$

$\therefore x=-3$ 또는 $x=3$ ······ ㉡

㉠, ㉡에서 구하는 근은 $x=3$

STEP C 진수 조건에서 x의 범위 구하기

조건 (나)에서 진수가 양수이므로

$x>0$, $x-2>0$

$\therefore x>2$ ······ ㉢

STEP D 로그의 성질을 이용하여 x의 값 구하기

$\log_3 x-1=2\log_9(x-2)$에서 $\log_3 x=\log_3(x-2)+\log_3 3$

$\log_3 x=\log_3 3(x-2)$, $x=3(x-2)$

$2x=6$

$\therefore x=3$ ······ ㉣

㉢, ㉣에서 구하는 근은 $x=3$

따라서 $p=3$, $q=3$이므로 $p+q=3+3=6$

0582

정답 ③

STEP Ⓐ $x=4$를 대입하고 로그의 성질을 이용하여 a의 값 구하기

$\log x + \log(x+a) = 1 + \log(a+1)$의 근이 $x=4$이므로

$\log 4 + \log(4+a) = 1 + \log(a+1)$

$\log 4(4+a) = \log 10(a+1)$

$16 + 4a = 10a + 10,\ 6a = 6$ ∴ $a=1$

STEP Ⓑ 진수 조건에서 a의 범위 구하기

진수의 조건에서 $4+a > 0,\ a+1 > 0$ ∴ $a > -1$

따라서 $a=1$

내신연계 출제문항 209

방정식 $\log_2(x+a-2) + \log_2(x+a) = 3$의 근이 $x=7$일 때, 실수 a의 값은?

① -9　　② -3　　③ -1
④ 3　　⑤ 9

STEP Ⓐ $x=7$를 대입하고 로그의 성질을 이용하여 a의 값 구하기

$\log_2(x+a-2) + \log_2(x+a) = 3$의 근이 $x=7$이므로

$\log_2(5+a) + \log_2(7+a) = 3,\ \log_2(5+a)(7+a) = 3$

$(5+a)(7+a) = 8,\ a^2 + 12a + 27 = 0$

$(a+9)(a+3) = 0$

∴ $a = -9$ 또는 $a = -3$

STEP Ⓑ 진수 조건에서 a의 범위 구하기

진수의 조건에서 $5+a > 0,\ 7+a > 0$

따라서 $a > -5$이므로 $a = -3$

정답 ②

0583

정답 ④

STEP Ⓐ 진수 조건에서 x의 범위 구하기

$\log_2(x+4) + \log_2(p-2x) = 5$에서 진수가 양수이므로

$x+4 > 0,\ p-2x > 0$

∴ $-4 < x < \dfrac{p}{2}$

STEP Ⓑ 로그의 성질을 이용하여 주어진 식 정리하기

또한, $\log_2(x+4)(p-2x) = 5,\ (x+4)(p-2x) = 2^5$

$2x^2 + (8-p)x + 32 - 4p = 0$

STEP Ⓒ 실근을 가질 때, $f(x)$의 최솟값 ≤ 0임을 이용하여 p의 최솟값 구하기

$f(x) = 2x^2 + (8-p)x + 32 - 4p = 2\left(x + \dfrac{8-p}{4}\right)^2 - \dfrac{1}{8}p^2 - 2p + 24$ 라 하면

$-4 < x < \dfrac{p}{2}$에서 그림과 같이 $y=f(x)$의 그래프가 x축과 만나야한다.

$f(-4) = 32 - 32 + 4p + 32 - 4p = 32 > 0$

$f\left(\dfrac{p}{2}\right) = 2 \cdot \dfrac{p^2}{4} + (8-p) \cdot \dfrac{p}{2} + 32 - 4p = 32 > 0$

$x = -\dfrac{8-p}{4}$일 때,

최솟값 $-\dfrac{1}{8}p^2 - 2p + 24 \le 0$이어야 하므로

$p^2 + 16p - 192 \ge 0,\ (p-8)(p+24) \ge 0$

이때 p가 양수이므로 $p \ge 8$

따라서 p의 최솟값은 8

0584

정답 ④

STEP Ⓐ $\log_5 x = t$라 치환하고 이차방정식을 풀어 t의 값 구하기

$(\log_5 x)^2 + \log_5 x^2 - 3 = 0$에서 $(\log_5 x)^2 + 2\log_5 x - 3 = 0$

$\log_5 x = t$로 놓으면

$t^2 + 2t - 3 = 0,\ (t+3)(t-1) = 0$

∴ $t = -3$ 또는 $t = 1$

STEP Ⓑ $\alpha\beta$의 값 구하기

즉 $\log_5 x = -3$ 또는 $\log_5 x = 1$이므로

$x = 5^{-3} = \dfrac{1}{125}$ 또는 $x = 5$

따라서 $\alpha\beta = \dfrac{1}{125} \cdot 5 = \dfrac{1}{25}$

0585

정답 ③

STEP Ⓐ $\log_{\frac{1}{2}} x = t$라 치환하고 이차방정식을 풀어 t의 값 구하기

$(\log_{\frac{1}{2}} x)^2 - 3\log_{\frac{1}{2}} x^2 + 8 = 0$에서 $(\log_{\frac{1}{2}} x)^2 - 6\log_{\frac{1}{2}} x + 8 = 0$

$\log_{\frac{1}{2}} x = t$로 놓으면

$t^2 - 6t + 8 = 0,\ (t-2)(t-4) = 0$

∴ $t = 2$ 또는 $t = 4$

STEP Ⓑ $\alpha\beta$의 값 구하기

즉 $\log_{\frac{1}{2}} x = 2$ 또는 $\log_{\frac{1}{2}} x = 4$

$\log_{\frac{1}{2}} x = 2$에서 $x = \left(\dfrac{1}{2}\right)^2 = \dfrac{1}{4}$

$\log_{\frac{1}{2}} x = 4$에서 $x = \left(\dfrac{1}{2}\right)^4 = \dfrac{1}{16}$

따라서 $\alpha + \beta = \dfrac{1}{4} + \dfrac{1}{16} = \dfrac{5}{16}$

내신연계 출제문항 210

방정식
$$(\log_3 x)^2 - 6\log_3 \sqrt{x} + 2 = 0$$
의 서로 다른 두 실근을 α, β라 할 때, $\alpha\beta$의 값은?

① $\dfrac{1}{9}$　　② 3　　③ 27
④ 81　　⑤ 243

STEP Ⓐ $\log_3 x = t$라 치환하고 이차방정식을 풀어 t의 값 구하기

$(\log_3 x)^2 - 6\log_3 \sqrt{x} + 2 = 0$에서 $(\log_3 x)^2 - 3\log_3 x + 2 = 0$

$\log_3 x = t$라 하면 $t^2 - 3t + 2 = 0,\ (t-1)(t-2) = 0$

∴ $t = 1$ 또는 $t = 2$

STEP Ⓑ t값을 이용하여 α, β의 값 구하기

$\log_3 x = 1$ 또는 $\log_3 x = 2$

∴ $x = 3$ 또는 $x = 3^2 = 9$

따라서 모든 실근의 곱은 $3 \cdot 9 = 27$

다른풀이 근과 계수의 관계를 이용하여 풀이하기

$(\log_3 x)^2 - 6\log_3 \sqrt{x} + 2 = 0$에서 $(\log_3 x)^2 - 3\log_3 x + 2 = 0$

$\log_3 x = t$라 하면 $t^2 - 3t + 2 = 0$ …… ㉠

방정식 ㉠의 두 실근은 $\log_3 \alpha$, $\log_3 \beta$이므로 이차방정식의 근과 계수의 관계에 의하여 $\log_3 \alpha + \log_3 \beta = 3,\ \log_3 \alpha\beta = 3$

따라서 $\alpha\beta = 27$

정답 ③

0586

STEP Ⓐ $\log_3 x = t$라 치환하고 이차방정식을 풀어 t의 값 구하기

$\left(\log_3 \dfrac{9}{x}\right)\left(\log_3 \dfrac{x}{3}\right)+6=0$에서 $(2-\log_3 x)(\log_3 x-1)+6=0$

$\log_3 x=t$로 치환하면

$(2-t)(t-1)+6=0$

$t^2-3t-4=0,\ (t-4)(t+1)=0$

$\therefore t=4$ 또는 $t=-1$

STEP Ⓑ $\alpha\beta$의 값 구하기

따라서 $\log_3 x=4$ 또는 $\log_3 x=-1$이므로 $x=3^4$ 또는 $x=\dfrac{1}{3}$

$\therefore \alpha\beta=3^4 \cdot \dfrac{1}{3}=27$

내신연계 출제문항 211

방정식

$$\log_2 x \times \log_2 \dfrac{x}{16}=12$$

의 서로 다른 두 근을 α, β라 할 때, $\log_4 \alpha\beta$의 값은?

① $\dfrac{1}{4}$　　　② $\dfrac{1}{2}$　　　③ $\dfrac{3}{2}$

④ 2　　　⑤ 5

STEP Ⓐ $\log_2 x=t$라 치환하고 이차방정식을 풀어 t의 값 구하기

로그의 진수의 조건에 의하여 $x>0$ ······ ㉠

$\log_2 x(\log_2 x-\log_2 16)=12$

$\log_2 x=t$로 놓으면 $t(t-4)=12$

$t^2-4t-12=0,\ (t+2)(t-6)=0$

$\therefore t=-2$ 또는 $t=6$

STEP Ⓑ 두 근의 곱 구하기

$\log_2 x=-2$ 또는 $\log_2 x=6$이므로

$x=2^{-2}$ 또는 $x=2^6$ ······ ㉡

㉠, ㉡에서 $\alpha=2^{-2}$, $\beta=2^6$ 또는 $\alpha=2^6$, $\beta=2^{-2}$

따라서 $\log_4 \alpha\beta=\log_4 (2^{-2}\cdot 2^6)=\log_{2^2} 2^4=\dfrac{4}{2}\log_2 2=2$

0587

STEP Ⓐ $\log_3 x=t$라 치환하고 이차방정식을 풀어 t의 값 구하기

$\log_3 x=3\log_x 3+2$에서 $\log_3 x=\dfrac{3}{\log_3 x}+2$

이때 $\log_3 x=t$로 놓으면 $t=\dfrac{3}{t}+2$

$t^2-2t-3=0,\ (t+1)(t-3)=0$

$\therefore t=-1$ 또는 $t=3$

STEP Ⓑ $\alpha+\dfrac{1}{\beta}$의 값 구하기

즉 $\log_3 x=-1$에서 $x=3^{-1}$ 또는 $\log_3 x=3$에서 $x=3^3$

따라서 $\alpha=27$, $\beta=\dfrac{1}{3}$이므로 $\alpha+\dfrac{1}{\beta}=27+3=30$

0588

STEP Ⓐ $\log_2 x=t$라 치환하고 이차방정식을 풀어 t의 값 구하기

$3(\log_2 x-\log_8 x)=32\log_4 x \times \log_{16} x$에서

$3\left(\log_2 x-\dfrac{1}{3}\log_2 x\right)=32\times \dfrac{1}{2}\log_2 x \times \dfrac{1}{4}\log_2 x$

$2\log_2 x=4(\log_2 x)^2$

$4(\log_2 x)^2-2\log_2 x=0$

$\log_2 x=t$로 놓으면 $4t^2-2t=0$

$2t(2t-1)=0$

$\therefore t=0$ 또는 $t=\dfrac{1}{2}$

STEP Ⓑ $\log_3 (\alpha^2+\beta^2)$의 값 구하기

따라서 $\log_2 x=0$ 또는 $\log_2 x=\dfrac{1}{2}$이므로 $x=1$ 또는 $x=\sqrt{2}$

$\therefore \log_3 (\alpha^2+\beta^2)=\log_3 \{1^2+(\sqrt{2})^2\}=\log_3 3=1$

0589

STEP Ⓐ 진수 조건에서 x의 범위 구하기

조건 (가)에서

$x-1>0,\ x+1>0$에서 $x>1$

STEP Ⓑ 로그의 성질을 이용하여 x의 값 구하기

밑을 9로 통일하면

$\log_9 (x-1)^2=\log_9 (x+1)$에서

$(x-1)^2=x+1$

$x(x-3)=0$에서 $x=0$ 또는 $x=3$

그런데 $x>1$이므로 $x=3$

STEP Ⓒ $\log x=t$로 치환하고 이차방정식을 풀어 t의 값 구하기

조건 (나)에서 주어진 방정식을 변형하면

$(\log x)^2-3\log x+2=0$

$\log x=t$로 놓으면

$t^2-3t+2=0$

$(t-1)(t-2)=0$에서 $t=1$ 또는 $t=2$

STEP Ⓓ $\alpha+\beta+\gamma$의 값 구하기

그런데 $t=\log x$이므로 $\log x=1$ 또는 $\log x=2$

$x=10$ 또는 $x=100$이고 이 값은 모두 $x>0$을 만족한다.

따라서 $\alpha=3$, $\beta=10$, $\gamma=100$이므로 $\alpha+\beta+\gamma=113$

내신연계 출제문항 212

다음 (가), (나)의 조건을 만족하는 방정식의 해를 각각 α, β, γ라 할 때, $\alpha\beta\gamma$의 값은?

(가) $\log_3 (x^2-2)+1=\log_3 (5x-4)$
(나) $(\log_2 x)^2+3\log_2 x-4=0$

① $\dfrac{1}{6}$　　　② $\dfrac{1}{4}$　　　③ $\dfrac{1}{2}$

④ 2　　　⑤ 4

STEP Ⓐ 진수 조건에서 x의 범위 구하기

조건 (가)에서 진수는 양수이므로

$x^2-2>0,\ 5x-4>0$

$\therefore x>\sqrt{2}$ ······ ㉠

STEP **B** 로그의 성질을 이용하여 x의 값 구하기

$\log_3(x^2-2)+1=\log_3(5x-4)$에서 $\log_3 3(x^2-2)=\log_3(5x-4)$

$3x^2-6=5x-4$, $3x^2-5x-2=0$

$(x-2)(3x+1)=0$

$\therefore x=-\dfrac{1}{3}$ 또는 $x=2$ $\qquad$ …… ⓛ

㉠, ㉡에서 구하는 근은 $x=2$

STEP **C** $\log_2 x$에 관한 이차방정식 풀기

조건 (나)에서 $(\log_2 x)^2+3\log_2 x-4=0$

$(\log_2 x+4)(\log_2 x-1)=0$

$\log_2 x=-4$ 또는 $\log_2 x=1$

$\therefore x=\dfrac{1}{16}$ 또는 $x=2$

따라서 $\alpha=2$, $\beta=\dfrac{1}{16}$, $\gamma=2$이므로 $\alpha\beta\gamma=\dfrac{1}{4}$ [정답] ②

0590 [정답] ③

STEP **A** $\log_2 x=t$로 치환하여 t에 관한 이차방정식 구하기

$2\log_2 x^3-(\log_2 2x)^2=0$에서 $6\log_2 x-(1+\log_2 x)^2=0$

$\log_2 x=t$로 놓으면 $6t-(1+t)^2=0$

$t^2-4t+1=0$ $\qquad$ …… ㉠

STEP **B** t에 대한 이차방정식에서 근과 계수의 관계를 이용하여 $\alpha\beta$의 값 구하기

주어진 방정식의 두 근을 α, β라 하면 방정식 ㉠의 두 근은

$\log_2\alpha$, $\log_2\beta$이므로 이차방정식의 근과 계수의 관계에 의하여

$\log_2\alpha+\log_2\beta=4$

따라서 $\log_2\alpha\beta=\log_2 16$이므로 $\alpha\beta=16$

0591 [정답] ②

STEP **A** $\log_3 x=t$로 치환하여 t에 관한 이차방정식 구하기

$(\log_3 x)^2+k\log_3 x-8=0$에서 $\log_3 x=t$로 놓으면

$t^2+kt-8=0$ $\qquad$ …… ㉠

STEP **B** t에 대한 이차방정식에서 근과 계수의 관계를 이용하여 $\alpha\beta$의 값 구하기

주어진 방정식의 두 근을 α, β라 하면 방정식 ㉠의 두 근은

$\log_3\alpha$, $\log_3\beta$이므로 이차방정식의 근과 계수의 관계에 의하여

$\log_3\alpha+\log_3\beta=-k$

즉 $\log_3\alpha\beta=-k$

따라서 두 근의 곱이 9이므로 $\alpha\beta=9$에서 $k=-\log_3 9=-2$

방정식 $\log_3 x-\log_x 27-a=0$의 두 근의 곱이 9일 때, 상수 a의 값은?
(단, $x>1$)

① -2 $\qquad\qquad$ ② -1 $\qquad\qquad$ ③ 1

④ 2 $\qquad\qquad$ ⑤ 3

STEP **A** $\log_3 x=t$로 치환하여 t에 관한 이차방정식 구하기

$\log_3 x-\log_x 27-a=0$에서 $\log_3 x-\dfrac{3}{\log_3 x}-a=0$

$\log_3 x=t\,(t>0)$로 놓으면 $t-\dfrac{3}{t}-a=0$

$\therefore t^2-at-3=0$ $\qquad$ …… ㉠

STEP **B** t에 대한 이차방정식에서 근과 계수의 관계를 이용하여 $\alpha\beta$의 값 구하기

주어진 방정식의 두 근을 α, β라 하면 방정식 ㉠의 두 근은

$\log_3\alpha$, $\log_3\beta$이므로 이차방정식의 근과 계수의 관계에 의하여

$\log_3\alpha+\log_3\beta=\log_3\alpha\beta=a$

따라서 두 근의 곱이 9이므로 $\alpha\beta=9$에서 $a=\log_3 9=2$ [정답] ④

0592 [정답] ③

STEP **A** $\log x=t$로 치환하여 t에 관한 이차방정식 구하기

$\log 2x\cdot\log 3x=1$에서 $(\log 2+\log x)(\log 3+\log x)=1$

$(\log x)^2+(\log 2+\log 3)\log x+(\log 2)(\log 3)-1=0$

$\log x=t$로 놓으면

$t^2+(\log 6)t+\log 2\cdot\log 3-1=0$ $\qquad$ …… ㉠

STEP **B** t에 대한 이차방정식에서 근과 계수의 관계를 이용하여 $\alpha\beta$의 값 구하기

주어진 방정식의 두 근을 α, β로 놓으면 방정식 ㉠의 두 근은

$\log\alpha$, $\log\beta$이므로 이차방정식의 근과 계수의 관계에 의하여

$\log\alpha+\log\beta=-\log 6$

따라서 $\log\alpha\beta=\log\dfrac{1}{6}$이므로 $\alpha\beta=\dfrac{1}{6}$

방정식 $\log_2 x\cdot\log_2 5x=4$의 두 근을 α, β라고 할 때, $\alpha\beta$의 값은?

① $\dfrac{1}{5}$ $\qquad\qquad$ ② 1 $\qquad\qquad$ ③ $\sqrt{5}$

④ $\log_2 5$ $\qquad\qquad$ ⑤ 5

STEP **A** $\log_2 x=t$로 치환하여 t에 관한 이차방정식 구하기

$\log_2 x\cdot\log_2 5x=4$에서 $\log_2 x(\log_2 x+\log_2 5)=4$

$(\log_2 x)^2+\log_2 5\cdot\log_2 x-4=0$

$t^2+\log_2 5\cdot t-4=0$ $\qquad$ …… ㉠

STEP **B** t에 대한 이차방정식에서 근과 계수의 관계를 이용하여 $\alpha\beta$의 값 구하기

주어진 방정식의 두 근을 α, β라 하면 방정식 ㉠의 두 근은

$\log_2\alpha$, $\log_2\beta$이므로 이차방정식의 근과 계수의 관계에 의하여

$\log_2\alpha+\log_2\beta=-\log_2 5$, $\log_2\alpha\beta=\log_2\dfrac{1}{5}$

따라서 $\alpha\beta=\dfrac{1}{5}$ [정답] ①

0593

STEP A $\log_3 x = t$로 치환하여 t에 관한 이차방정식 구하기

$(\log_3 x)^2 + \log_3 x^2 - 4 = 0$에서 $(\log_3 x)^2 + 2\log_3 x - 4 = 0$

$\log_3 x = t$로 놓으면

$t^2 + 2t - 4 = 0$ ...... ㉠

STEP B t에 대한 이차방정식에서 근과 계수의 관계를 이용하여 $\alpha\beta$의 값 구하기

주어진 방정식의 두 근을 α, β라 하면 방정식 ㉠의 두 근은
$\log_3\alpha$, $\log_3\beta$이므로 이차방정식의 근과 계수의 관계에 의하여

$\log_3\alpha + \log_3\beta = -2$, $\log_3\alpha \cdot \log_3\beta = -4$

$\therefore \log_\alpha\beta + \log_\beta\alpha = \dfrac{\log_3\beta}{\log_3\alpha} + \dfrac{\log_3\alpha}{\log_3\beta}$

$= \dfrac{(\log_3\alpha)^2 + (\log_3\beta)^2}{\log_3\alpha \cdot \log_3\beta}$

$= \dfrac{(\log_3\alpha + \log_3\beta)^2 - 2\log_3\alpha \cdot \log_3\beta}{\log_3\alpha \cdot \log_3\beta}$

$= \dfrac{(-2)^2 - 2 \cdot (-4)}{-4} = -3$

0594

STEP A 방정식의 양변에 3를 밑으로 하는 로그를 취하여 정리하기

$x^{\log_3 x} = \dfrac{27}{x^2}$의 양변에 3를 밑으로 하는 로그를 취하면

$\log_3 x^{\log_3 x} = \log_3 \dfrac{27}{x^2}$

$(\log_3 x)^2 = 3 - 2\log_3 x$, $(\log_3 x)^2 + 2\log_3 x - 3 = 0$

STEP B $\log_3 x = t$로 치환하고 이차방정식을 풀어 x의 값 구하기

$\log_3 x = t$로 놓으면 $t^2 + 2t - 3 = 0$

$(t+3)(t-1) = 0$

$\therefore t = -3$ 또는 $t = 1$

$t = \log_3 x$이므로 $\log_3 x = -3$ 또는 $\log_3 x = 1$

$\therefore x = \dfrac{1}{27}$ 또는 $x = 3$

따라서 모든 근의 곱은 $\dfrac{1}{27} \cdot 3 = \dfrac{1}{9}$

0595

STEP A 방정식의 양변에 2를 밑으로 하는 로그를 취하여 로그방정식 세우기

$x^{\log_2 x} = 64x$의 양변에 2를 밑으로 하는 로그를 취하면

$\log_2 x^{\log_2 x} = \log_2 64x$, $(\log_2 x)^2 - \log_2 x - 6 = 0$

STEP B $\log_2 x = t$로 치환하고 이차방정식을 풀어 x의 값 구하기

$\log_2 x = t$로 놓으면 $t^2 - t - 6 = 0$

$(t+2)(t-3) = 0$

$\therefore t = -2$ 또는 $t = 3$

STEP C 모든 근의 곱 구하기

즉 $\log_2 x = -2$ 또는 $\log_2 x = 3$이므로 $x = \dfrac{1}{4}$ 또는 $x = 8$

따라서 모든 근의 곱은 $\dfrac{1}{4} \times 8 = 2$

0596

STEP A 진수 조건에서 x의 범위 구하기

진수의 조건에서 $x > 0$ ...... ㉠

STEP B $2^{\log x} = t$로 치환하고 이차방정식을 풀어 t의 값 구하기

$x^{\log 2} = 2^{\log x}$이므로 주어진 방정식은 $(2^{\log x})^2 - 10 \cdot 2^{\log x} + 16 = 0$

이때 $2^{\log x} = t$로 놓으면 $t^2 - 10t + 16 = 0$

$(t-2)(t-8) = 0$

$\therefore t = 2$ 또는 $t = 8$

STEP C $\dfrac{\beta}{\alpha}$의 값 구하기

즉, $2^{\log x} = 2$ 또는 $2^{\log x} = 8$이므로

$\log x = 1$ 또는 $\log x = 3$

$\therefore x = 10$ 또는 $x = 1000$

모두 ㉠을 만족시키고 $\alpha < \beta$이므로 $\alpha = 10$, $\beta = 1000$

따라서 $\dfrac{\beta}{\alpha} = \dfrac{1000}{10} = 100$

내/신/연/계/ 출제문항 215

방정식

$$5^{\log x} \cdot x^{\log 5} - 3(5^{\log x} + x^{\log 5}) + 5 = 0$$

의 모든 근의 합은?

① 10   ② 11   ③ 12

④ 13   ⑤ 14

STEP A 진수 조건에서 x의 범위 구하기

진수의 조건에서 $x > 0$ ...... ㉠

STEP B $5^{\log x} = t$로 치환하고 이차방정식을 풀어 t의 값 구하기

$x^{\log 5} = 5^{\log x}$이므로 주어진 방정식은
$(5^{\log x})^2 - 6 \cdot 5^{\log x} + 5 = 0$

이때 $5^{\log x} = t (t > 0)$로 놓으면 $t^2 - 6t + 5 = 0$

$(t-1)(t-5) = 0$

$\therefore t = 1$ 또는 $t = 5$

STEP C 모든 근의 합 구하기

즉 $5^{\log x} = 1$ 또는 $5^{\log x} = 5$이므로

$\log x = 0$ 또는 $\log x = 1$

$\therefore x = 1$ 또는 $x = 10$

따라서 주어진 방정식의 모든 근의 합은 $1 + 10 = 11$

0597

STEP A 진수 조건에서 x의 범위 구하기

로그의 진수의 조건에 의하여 $x - 2 > 0$

$\therefore x > 2$ ...... ㉠

STEP B $\log_2 f(x) > \log_2 g(x)$에서 (밑) > 1이면 $f(x) > g(x)$임을 이용하기

$\log_2 (x-2) < 2$에서 $\log_2 (x-2) < \log_2 2^2$

밑이 1보다 크므로 $x - 2 < 2^2$

$\therefore x < 6$ ...... ㉡

㉠, ㉡에서 $2 < x < 6$

따라서 부등식을 만족시키는 자연수 x는 3, 4, 5이므로 그 합은 $3 + 4 + 5 = 12$

0598

정답 ③

STEP A 진수 조건을 만족하는 x의 범위 구하기

로그의 진수의 조건에 의하여 $x+1>0$, $2x+5>0$

$x>-1$ ...... ㉠

STEP B $\log_2 f(x) \geq \log_2 g(x)$에서 $0<$(밑)<1이면 $f(x) \leq g(x)$임을 이용하기

$2\log_{\frac{1}{3}}(x+1) \geq \log_{\frac{1}{3}}(2x+5)$에서 $\log_{\frac{1}{3}}(x+1)^2 \geq \log_{\frac{1}{3}}(2x+5)$

밑이 1보다 작으므로

$(x+1)^2 \leq 2x+5$에서 $x^2-4 \leq 0$

$\therefore -2 \leq x \leq 2$ ...... ㉡

㉠, ㉡의 공통 범위를 구하면 $-1 < x \leq 2$

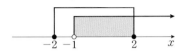

따라서 구하는 정수 x의 개수는 0, 1, 2이므로 3개이다.

0599

정답 ⑤

STEP A 진수 조건을 만족하는 x의 범위 구하기

로그의 진수의 조건에 의하여 $x-1>0$, $2x+6>0$

즉 $x>1$이고 $x>-3$이므로 $x>1$ ...... ㉠

STEP B $\log_4 f(x) < \log_4 g(x)$에서 (밑)$>1$이면 $f(x)<g(x)$임을 이용하기

$\log_2(x-1) < \log_4(2x+6)$에서 $\log_4(x-1)^2 < \log_4(2x+6)$

밑이 1보다 크므로

$(x-1)^2 < 2x+6$에서 $x^2-4x-5<0$

$(x+1)(x-5)<0$이므로 $-1<x<5$ ...... ㉡

㉠, ㉡을 모두 만족하는 x의 값의 범위는 $1<x<5$

따라서 모든 정수의 x의 값의 합은 $2+3+4=9$

0600

정답 ⑤

STEP A 진수 조건을 만족하는 x의 범위 구하기

로그의 진수의 조건에 의하여 $x-1>0$, $x+5>0$

$\therefore x>1$ ...... ㉠

STEP B $\log_{\frac{1}{9}} f(x) > \log_{\frac{1}{9}} g(x)$에서 $0<$(밑)<1이면 $f(x)<g(x)$임을 이용하기

$\log_{\frac{1}{3}}(x-1) > \log_{\frac{1}{9}}(x+5)$에서

$\log_{\frac{1}{9}}(x-1)^2 > \log_{\frac{1}{9}}(x+5)$

밑이 1보다 작으므로

$(x-1)^2 < x+5$에서 $x^2-3x-4<0$

$(x+1)(x-4)<0$

$\therefore -1<x<4$ ...... ㉡

STEP C 진수 조건을 이용하여 x의 범위 구하기

따라서 ㉠, ㉡을 모두 만족하는 x의 값의 범위는 $1<x<4$

0601

정답 ③

STEP A 진수 조건을 이용하여 x의 범위 구하기

로그의 진수조건에 의해 $x-1>0$, $4x-7>0$

$\therefore x > \frac{7}{4}$ ...... ㉠

STEP B $\log_3 f(x) \leq \log_3 g(x)$에서 (밑)$>1$이면 $f(x) \leq g(x)$임을 이용하기

부등식 $\log_3(x-1) + \log_3(4x-7) \leq 3$에서

$\log_3(x-1)(4x-7) \leq \log_3 27$

$(x-1)(4x-7) \leq 27$, $4x^2-11x-20 \leq 0$, $(x-4)(4x+5) \leq 0$

$\therefore -\frac{5}{4} \leq x \leq 4$ ...... ㉡

㉠, ㉡에서 공통범위는 $\frac{7}{4} < x \leq 4$

따라서 정수 x는 2, 3, 4이므로 정수 x의 개수는 3개이다.

0602

정답 ④

STEP A 진수 조건을 이용하여 x의 범위 구하기

진수의 조건에 의하여 $x+3>0$, $7-x>0$

$\therefore -3<x<7$ ...... ㉠

STEP B $\log_2 f(x) > \log_2 g(x)$에서 (밑)$>1$이면 $f(x)>g(x)$임을 이용하기

$\log_2(x+3) - \log_{\frac{1}{2}}(7-x) > 4$에서 $\log_2(x+3) + \log_2(7-x) > 4$

$\log_2(x+3)(7-x) > 4$, $\log_2(x+3)(7-x) > \log_2 16$

밑이 1보다 크므로 $(x+3)(7-x) > 16$

$x^2-4x-5<0$, $(x-5)(x+1)<0$

$\therefore -1<x<5$ ...... ㉡

㉠, ㉡을 동시에 만족시키는 x값의 범위는 $-1<x<5$

따라서 정수 x의 개수는 0, 1, 2, 3, 4이므로 5개이다.

내/신/연/계 출제문항 216

부등식

$$\log_3(2x+5) > 1 - \log_{\frac{1}{3}}(x-1)$$

를 만족시키는 정수 x의 개수는?

① 2 ② 4 ③ 6

④ 8 ⑤ 10

STEP A 진수조건을 만족하는 x의 범위 구하기

로그의 진수의 조건에 의하여 $x-1>0$이고 $2x+5>0$

즉 $x>1$이고 $x>-\frac{5}{2}$이므로 $x>1$ ...... ㉠

STEP B $\log_3 f(x) > \log_3 g(x)$에서 (밑)$>1$이면 $f(x)>g(x)$임을 이용하기

$\log_3(2x+5) > 1 - \log_{\frac{1}{3}}(x-1)$에서

$1 - \log_{\frac{1}{3}}(x-1) = 1 + \log_3(x-1)$

$= \log_3 3 + \log_3(x-1)$

$= \log_3 3(x-1)$

이므로 주어진 부등식은 $\log_3(2x+5) > \log_3 3(x-1)$, $2x+5 > 3(x-1)$

$\therefore x<8$ ...... ㉡

㉠, ㉡의 공통범위를 구하면 $1<x<8$

따라서 정수 x의 개수는 2, 3, 4, 5, 6, 7의 6개이다. 정답 ③

0603

STEP A 진수조건을 만족하는 x의 범위 구하기

로그의 진수조건에 의하여

$x > 0, \ 10x - 1 > 0$

$\therefore \ x > \dfrac{1}{10}$ ...... ㉠

STEP B $\log_3 f(x) \leq \log_9 g(x)$에서 (밑) > 1이면 $f(x) \leq g(x)$임을 이용하기

$\log_3 x - \log_9 (10x-1) + 1 \leq 0$에서

$\log_9 x^2 - \log_9 (10x-1) + \log_9 9 \leq 0$

$\log_9 9x^2 \leq \log_9 (10x-1)$

밑이 1보다 크므로 $9x^2 \leq 10x-1, \ 9x^2 - 10x + 1 \leq 0$

$(9x-1)(x-1) \leq 0$

$\therefore \ \dfrac{1}{9} \leq x \leq 1$ ...... ㉡

㉠, ㉡의 공통범위를 구하면 $\dfrac{1}{9} \leq x \leq 1$

따라서 정수 x의 개수는 1로 1개이다.

0604

정답 ②

STEP A 로그의 성질을 이용하여 부등식 풀이하기

$2\log_2 |x-1| \leq 1 - \log_2 \dfrac{1}{2}$에서 $2\log_2|x-1| \leq 1 - (-1)$

$\therefore \ \log_2|x-1| \leq 1$

이때 $\log_2|x-1| \leq \log_2 2$이므로 $|x-1| \leq 2$

즉 $-2 \leq x-1 \leq 2$

$\therefore \ -1 \leq x \leq 3$ ...... ㉠

STEP B 진수조건을 만족하는 정수 x의 개수 구하기

진수조건에 의하여 $|x-1| \neq 0$에서

$x \neq 1$ ...... ㉡

㉠, ㉡에서 $-1 \leq x < 1, \ 1 < x \leq 3$

따라서 정수 x는 $-1, 0, 2, 3$이므로 4개이다.

내신연계 출제문항 217

부등식

$$\log_2 x^2 - \log_2 |x| \leq 3$$

을 만족시키는 정수 x의 개수는?

① 12   ② 13   ③ 14
④ 15   ⑤ 16

STEP A 진수 조건에서 x의 범위 구하기

$\log_2 x^2 - \log_2 |x| \leq 3$에서 진수조건에 의해 $x^2 > 0, \ |x| > 0$

$\therefore \ x \neq 0$ ...... ㉠

STEP B 로그부등식을 풀어 x의 범위 구하기

이때 $|x|^2 = x^2$이므로 $\log_2 |x|^2 - \log_2 |x| \leq 3$에서

$2\log_2 |x| - \log_2 |x| \leq 3$

$\log_2 |x| \leq 3, \ |x| \leq 2^3$

$\therefore \ -8 \leq x \leq 8$ ...... ㉡

STEP C 부등식을 만족시키는 정수 x의 개수 구하기

㉠, ㉡에서 $-8 \leq x < 0, \ 0 < x \leq 8$

따라서 구하는 정수 x는 $\pm 1, \pm 2, \pm 3, \cdots, \pm 8$이므로 16개이다.

참고   그래프를 이용한 $\log_2 x^2 - \log_2 |x| \leq 3$의 해결

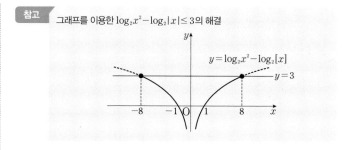

다른풀이 x의 범위를 이용하여 풀이하기

$\log_2 x^2 - \log_2 |x| \leq 3$에서

(i) $x > 0$일 때, $\log_2 x^2 - \log_2 x \leq 3, \ \log_2 x \leq 3$

     $\therefore \ 0 < x \leq 8$

(ii) $x < 0$일 때, $\log_2 x^2 - \log_2 (-x) \leq 3, \ \log_2 (-x) \leq 3$

     $\therefore \ -8 \leq x < 0$

(i), (ii)에서 $-8 \leq x < 0, \ 0 < x \leq 8$이므로 정수 x의 개수는 16개이다.

정답 ⑤

0605

정답 ③

STEP A 진수조건을 만족하는 x의 범위 구하기

$\log_2 x + \log_2 (x-2) \geq 3$에서 진수조건에 의하여

$x > 0, \ x-2 > 0$

$\therefore \ x > 2$ ...... ㉠

STEP B 밑이 같은 로그부등식으로 유도하여 x의 범위 구하기

$\log_3 |x-3| < 4$에서 $\log_3 |x-3| < \log_3 3^4$

$x \neq 3, \ |x-3| < 81$

$-81 < x-3 < 81$

$\therefore \ x \neq 3, \ -78 < x < 84$ ...... ㉡

$\log_2 x(x-2) \geq \log_2 2^3$

$x(x-2) \geq 8, x^2 - 2x - 8 \geq 0, \ (x+2)(x-4) \geq 0$

$\therefore \ x \leq -2 \ 또는 \ x \geq 4$ ...... ㉢

㉠, ㉡, ㉢의 공통범위는 $4 \leq x < 84$

따라서 부등식을 만족하는 정수 x의 개수는 $84 - 4 = 80$

내신연계 출제문항 218

다음 조건을 만족하는 부등식의 공통된 범위가 $\alpha < x < \beta$일 때, $\alpha + \beta$의 값은?

> (가) $4^x - 18 \cdot 2^x + 32 < 0$
> (나) $\log_2 (x-3) + \log_2 (x+1) \leq 5$

① 3   ② 4   ③ 6
④ 7   ⑤ 8

STEP A $2^x = t$로 치환하고 이차방정식을 풀어 x의 값 구하기

조건 (가)에서

$4^x - 18 \cdot 2^x + 32 < 0$에서 $2^x = t \, (t > 0)$라 하면

$t^2 - 18t + 32 < 0, \ (t-2)(t-16) < 0$

$\therefore \ 2 < t < 16$

즉 $2 < 2^x < 16$이므로 $1 < x < 4$ ...... ㉠

STEP B 진수 조건에서 x의 범위 구하기

조건 (나)에서 진수 조건에 의하여 $x-3 > 0, \ x+1 > 0$

$\therefore \ x > 3$ ...... ㉡

STEP **C** 로그부등식을 풀어 x의 범위 구하기

로그부등식에서 $\log_2(x-3)(x+1) \leq 5$, $(x-3)(x+1) \leq 32$

$x^2 - 2x - 35 \leq 0$, $(x+5)(x-7) \leq 0$

$\therefore -5 \leq x \leq 7$ $\qquad\qquad$ ...... ©

$\bigcirc$, ©에서 $3 < x \leq 7$

따라서 (가), (나)의 공통범위는 $3 < x < 4$이므로 $\alpha + \beta = 3 + 4 = 7$ 정답 ④

0606
정답 ①

STEP **A** 진수 조건에서 x의 범위 구하기

로그의 진수조건에 의해 $x - 1 > 0$, $\frac{1}{2}x + k > 0$

$x > 1$이고 $x > -2k$

자연수 k에 대하여 $-2k < 1$이므로 $x > 1$ ...... $\bigcirc$

STEP **B** $\log_5 f(x) \leq \log_5 g(x)$에서 (밑)$> 1$이면 $f(x) \leq g(x)$임을 이용하기

$\log_5(x-1) \leq \log_5\left(\frac{1}{2}x + k\right)$에서 밑이 1보다 크므로 $x - 1 \leq \frac{1}{2}x + k$

$\therefore x \leq 2k + 2$ $\qquad\qquad$ ...... ©

STEP **C** 조건을 만족하는 자연수 k의 값 구하기

$\bigcirc$, ©에서 $1 < x \leq 2(k+1)$이고 모든 정수 x의 개수가 3이므로

$2(k+1) - 1 = 2k + 1 = 3$

따라서 $k = 1$

참고

자연수 k에 대하여 $1 < 2k + 2$이므로 $\bigcirc$, ©에서 $1 < x \leq 2k + 2$
이 부등식을 만족하는 모든 정수 x의 개수가 3이므로 $4 \leq 2k + 2 < 5$

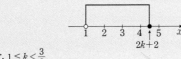

$\therefore 1 \leq k < \frac{3}{2}$
따라서 자연수 k는 1

내/신/연/계/ 출제문항 219

x의 부등식

$$\log_9(x-1) \leq \log_9\left(\frac{1}{2}x + k\right)$$

를 만족시키는 모든 정수 x의 개수가 5일 때, 자연수 k의 값은?

① 1 $\qquad$ ② 2 $\qquad$ ③ 3
④ 4 $\qquad$ ⑤ 5

STEP **A** 진수 조건에서 x의 범위 구하기

로그의 진수조건에 의해 $x - 1 > 0$, $\frac{1}{2}x + k > 0$

$x > 1$이고 $x > -2k$

자연수 k에 대하여 $-2k < 1$이므로 $x > 1$ ...... $\bigcirc$

STEP **B** $\log_9 f(x) \leq \log_9 g(x)$에서 (밑)$> 1$이면 $f(x) \leq g(x)$임을 이용하기

$\log_9(x-1) \leq \log_9\left(\frac{1}{2}x + k\right)$에서 밑이 1보다 크므로 $x - 1 \leq \frac{1}{2}x + k$

$\therefore x \leq 2k + 2$ $\qquad\qquad$ ...... ©

STEP **C** 조건을 만족하는 자연수 k의 값 구하기

$\bigcirc$, ©에서 $1 < x \leq 2(k+1)$이고 모든 정수 x의 개수가 5이므로

$2(k+1) - 1 = 2k + 1 = 5$

따라서 $k = 2$ 정답 ②

0607
정답 ②

STEP **A** 해 $\frac{1}{3} < x < 9$에서 밑이 3인 로그부등식으로 나타내기

해 $\frac{1}{3} < x < 9$에서 각 변에 밑이 3인 로그를 취하면

$\log_3 \frac{1}{3} < \log_3 x < \log_3 9$

$-1 < \log_3 x < 2$ $\qquad\qquad$ ...... $\bigcirc$

STEP **B** $(1 + \log_3 x)(a - \log_3 x) > 0$의 부등식의 해가 같도록 a의 값 구하기

$(1 + \log_3 x)(a - \log_3 x) > 0$에서 $(\log_3 x + 1)(\log_3 x - a) < 0$

이 부등식의 해가 $-1 < \log_3 x < a$

따라서 $\bigcirc$이므로 $a = 2$

다른풀이 부등식의 해와 방정식의 해 사이의 관계를 이용하여 풀이하기

부등식 $(1 + \log_3 x)(a - \log_3 x) > 0$의 해가 $\frac{1}{3} < x < 9$이면

방정식 $(1 + \log_3 x)(a - \log_3 x) = 0$의 해가 $x = \frac{1}{3}$ 또는 $x = 9$

따라서 $x = 9$를 방정식에 대입하면 $a - \log_3 9 = 0$ $\therefore a = 2$

0608
정답 ②

STEP **A** 로그의 성질을 이용하여 주어진 부등식을 간단히 하기

$\log_2(-x^2 + ax - 5) \geq \log_2 x + 2$에서 $\log_2(-x^2 + ax - 5) \geq \log_2 4x$

로그의 밑 2는 1보다 크므로 $-x^2 + ax - 5 \geq 4x$

STEP **B** 이차부등식의 해가 $1 \leq x \leq 5$임을 이용하여 a의 값 구하기

즉 $x^2 + (4 - a)x + 5 \leq 0$의 해가 $1 \leq x \leq 5$이므로

$x^2 - (1+5)x + 1 \cdot 5 \leq 0$

따라서 $4 - a = -6$이므로 $a = 10$

0609
정답 ①

STEP **A** 진수 조건에서 x의 범위 구하기

로그의 진수의 조건에 의하여
$x + 3 > 0$, $1 - x > 0$

$\therefore -3 < x < 1$ $\qquad\qquad$ ...... $\bigcirc$

STEP **B** 밑의 범위에 따른 로그부등식의 해 구하기

$\log_a(x+3) > \log_a(1-x) + 1$에서

$\log_a(x+3) > \log_a a(1-x)$

(i) $a > 1$일 때, 밑이 1보다 크므로

$\qquad x + 3 > a(1-x)$, $(1+a)x > a - 3$

$\qquad 1 + a > 0$이므로 $x > \frac{a-3}{1+a}$ ...... ©

$\qquad \bigcirc$, ©의 공통범위가 주어진 부등식의 해 $-\frac{1}{3} < x < 1$이어야 하므로

$\qquad \frac{a-3}{1+a} = -\frac{1}{3}$, $1 + a = -3(a-3)$, $4a = 8$

$\qquad \therefore a = 2$

(ii) $0 < a < 1$일 때, 밑이 1보다 작으므로

$\qquad x + 3 < a(1-x)$, $(1+a)x < a - 3$

$\qquad 1 + a > 0$이므로 $x < \frac{a-3}{1+a}$ ...... ©

$\qquad \bigcirc$, ©의 공통범위가 주어진 부등식의 해 $-\frac{1}{3} < x < 1$이 되도록 하는 a의 값은 존재하지 않는다.

(i), (ii)에서 $a = 2$

0610

STEP ⓐ 진수 조건에서 x의 범위 구하기

진수는 양수이므로 $x > 0$, $\log_2 x > 0$

$\therefore x > 1$ ...... ㉠

STEP ⓑ 로그부등식을 풀어 x의 범위 구하기

$-1 \leq \log_{\frac{1}{3}}(\log_2 x) \leq 1$에서 $\log_{\frac{1}{3}} 3 \leq \log_{\frac{1}{3}}(\log_2 x) \leq \log_{\frac{1}{3}} \frac{1}{3}$

밑이 1보다 작으므로 $\frac{1}{3} \leq \log_2 x \leq 3$

$\log_2 2^{\frac{1}{3}} \leq \log_2 x \leq \log_2 8$

밑이 1보다 크므로 $2^{\frac{1}{3}} \leq x \leq 8$ ...... ㉡

STEP ⓒ $\alpha^3 \beta$의 값 구하기

㉠, ㉡을 동시에 만족시키는 범위는 $2^{\frac{1}{3}} \leq x \leq 8$

따라서 $\alpha = 2^{\frac{1}{3}}$, $\beta = 8$이므로 $\alpha^3 \beta = 2 \cdot 8 = 16$

내/신/연/계 출제문항 220

로그함수 $f(x) = \log_2 x$에 대하여 부등식 $f(f(f(x))) < 0$을 만족하는 정수 x의 개수는?

① 1 ② 2 ③ 3
④ 4 ⑤ 5

STEP ⓐ 진수 조건에서 x의 범위 구하기

$f(f(f(x))) < 0$에서 $\log_2 \{\log_2 (\log_2 x)\} < 0$이므로

진수 조건에서 $\log_2(\log_2 x) > 0$, 즉 $\log_2 x > 1$

$\therefore x > 2$ ...... ㉠

STEP ⓑ 진수에 로그를 포함한 x의 범위 구하기

$\log_2\{\log_2(\log_2 x)\} < \log_2 1$에서 밑이 1보다 크므로 $\log_2(\log_2 x) < 1$

이때 $\log_2(\log_2 x) < \log_2 2$에서 $\log_2 x < 2$, $\log_2 x < \log_2 2^2$

밑이 1보다 크므로 $x < 4$ ...... ㉡

㉠, ㉡의 공통 범위는 $2 < x < 4$

따라서 정수 x는 3이므로 1개이다.

0611

STEP ⓐ $A = \{x \mid \log_3(\log_2 x) \leq 1\}$의 해 구하기

집합 A의 진수의 조건에서 $\log_2 x > 0$

$\therefore x > 1$ ...... ㉠

$\log_3(\log_2 x) \leq 1$에서 $\log_3(\log_2 x) \leq \log_3 3$

밑이 1보다 크므로 $\log_2 x \leq 3$

$\therefore x \leq 2^3 = 8$ ...... ㉡

㉠, ㉡에서 $A = \{x \mid 1 < x \leq 8\}$

STEP ⓑ $B = \{x \mid \log_2(\log_3 x) \leq 1\}$의 해 구하기

집합 B의 진수의 조건에서 $\log_3 x > 0$

$\therefore x > 1$ ...... ㉢

$\log_2(\log_3 x) \leq 1$에서 $\log_2(\log_3 x) \leq \log_2 2$

밑이 1보다 크므로 $\log_3 x \leq 2$

$\therefore x \leq 3^2 = 9$ ...... ㉣

㉢, ㉣에서 $B = \{x \mid 1 < x \leq 9\}$

따라서 $A \subset B$이므로 $A \cap B = A$

0612

STEP ⓐ 진수 조건에서 x의 범위 구하기

진수 조건에서

$\log_2 x > 0$, $x > 0$, $x - 4 > 0$이므로

$x > 4$ ...... ㉠

STEP ⓑ 진수에 로그를 포함한 x의 범위 구하기

$\log_{\frac{1}{2}}(\log_2 x) \geq -2$에서

$\log_{\frac{1}{2}}(\log_2 x) \geq \log_{\frac{1}{2}}\left(\frac{1}{2}\right)^{-2}$

$\log_{\frac{1}{2}}(\log_2 x) \geq \log_{\frac{1}{2}} 4$

밑이 1보다 작으므로 $\log_2 x \leq 4$

$\log_2 x \leq \log_2 2^4$, $\log_2 x \leq \log_2 16$

밑이 1보다 크므로 $x \leq 16$ ...... ㉡

STEP ⓒ 밑을 같게 하여 x의 범위 구하기

$\log_{\frac{1}{2}} x + \log_{\frac{1}{2}}(x-4) < -5$에서

$\log_{\frac{1}{2}} x(x-4) < \log_{\frac{1}{2}}\left(\frac{1}{2}\right)^{-5}$

$\log_{\frac{1}{2}} x(x-4) < \log_{\frac{1}{2}} 32$

밑이 1보다 작으므로 $x(x-4) > 32$

$x^2 - 4x - 32 > 0$, $(x+4)(x-8) > 0$

$\therefore x < -4$ 또는 $x > 8$ ...... ㉢

㉠, ㉡, ㉢에서 $8 < x \leq 16$

따라서 정수 x의 개수는 9, 10, 11, ⋯, 16이므로 8개이다.

0613

STEP ⓐ 진수 조건에서 x의 범위 구하기

로그의 진수는 양수이어야 하므로

$x > 0$ ...... ㉠

STEP ⓑ $\log_{\frac{1}{3}} x = t$로 치환하고 이차부등식을 풀어 t의 범위 구하기

$(\log_{\frac{1}{3}} x)^2 - 4\log_{\frac{1}{3}} x + 3 < 0$

$\log_{\frac{1}{3}} x = t$로 놓으면 $t^2 - 4t + 3 < 0$

$(t-1)(t-3) < 0$

$\therefore 1 < t < 3$

STEP ⓒ x의 범위를 구하여 정수 x의 합 구하기

이때 $t = \log_{\frac{1}{3}} x$이므로 $1 < \log_{\frac{1}{3}} x < 3$

$\log_{\frac{1}{3}} \frac{1}{3} \leq \log_{\frac{1}{3}} x \leq \log_{\frac{1}{3}}\left(\frac{1}{3}\right)^3$

$\therefore \frac{1}{27} < x < \frac{1}{3}$ ...... ㉡

㉠, ㉡에서 $\frac{1}{27} < x < \frac{1}{3}$

따라서 $\alpha = \frac{1}{27}$, $\beta = \frac{1}{3}$이므로 $\frac{\beta}{\alpha} = 9$

0614

정답 ③

STEP A 진수 조건에서 x의 범위 구하기

로그의 진수는 양수이어야 하므로 $x > 0$　 …… ㉠

STEP B $\log_2 x = t$로 치환하고 이차부등식을 풀어 t의 범위 구하기

주어진 부등식을 변형하면 $(\log_2 x)(2\log_2 x - 2) \leq 0$

양변을 2로 나누고 $\log_2 x = t$로 놓으면 $t(t-1) \leq 0$

$\therefore 0 \leq t \leq 1$

STEP C x의 범위를 구하여 정수 x의 합 구하기

이때 $t = \log_2 x$이므로 $0 \leq \log_2 x \leq 1$, $\log_2 1 \leq \log_2 x \leq \log_2 2$

$\therefore 1 \leq x \leq 2$　 …… ㉡

㉠, ㉡에서 $1 \leq x \leq 2$

따라서 정수 x는 1, 2이므로 합은 $1 + 2 = 3$

내신연계 출제문항 221

부등식

$$(\log_3 x)(\log_3 3x) \leq 20$$

을 만족시키는 자연수 x의 최댓값은?

① 9　　　　② 16　　　　③ 27
④ 64　　　　⑤ 81

STEP A $\log_3 x = t$로 치환하고 이차부등식을 풀어 t의 범위 구하기

$(\log_3 x)(\log_3 3x) \leq 20$에서 $(\log_3 x)(\log_3 3 + \log_3 x) \leq 20$

$(\log_3 x)(1 + \log_3 x) \leq 20$

$\log_3 x = t$로 놓으면 $t(1+t) \leq 20$

$t^2 + t - 20 \leq 0$, $(t+5)(t-4) \leq 0$

$\therefore -5 \leq t \leq 4$

STEP B x의 범위를 구하여 자연수 x의 최댓값 구하기

이때 $-5 \leq \log_3 x \leq 4$에서 $3^{-5} \leq x \leq 3^4$

$\therefore \dfrac{1}{243} \leq x \leq 81$

따라서 자연수 x의 최댓값은 81

정답 ⑤

0615

정답 ③

STEP A $3^{5(1-x)} \leq 3^{-x^2+1}$의 해 구하기

부등식 $3^{5(1-x)} \leq \left(\dfrac{1}{3}\right)^{x^2-1}$에서 $3^{5(1-x)} \leq 3^{-x^2+1}$

밑이 1보다 크므로 $5(1-x) \leq -x^2 + 1$

$x^2 - 5x + 4 \leq 0$, $(x+1)(x-4) \leq 0$

$\therefore 1 \leq x \leq 4$　 …… ㉠

STEP B $(\log_2 x)^2 - 4\log_2 x + 3 < 0$의 해 구하기

부등식 $(\log_2 x)^2 - 4\log_2 x + 3 < 0$에서 $x > 0$이고

$(\log_2 x - 3)(\log_2 x - 1) < 0$이므로 $1 < \log_2 x < 3$

$2 < x < 8$　 …… ㉡

㉠, ㉡의 공통범위를 구하면 $2 < x \leq 4$

따라서 자연수 x는 3, 4이므로 곱은 12

내신연계 출제문항 222

연립부등식 $\begin{cases} (\log_2 x)^2 - \log_2 x^2 < 3 \\ 4^x - 2^{x+2} \leq 32 \end{cases}$ 를 만족하는 모든 정수 x의

값들의 합은?

① 10　　　　② 8　　　　③ 6
④ 4　　　　⑤ 2

STEP A $(\log_2 x)^2 - \log_2 x^2 < 3$의 해 구하기

$(\log_2 x)^2 - \log_2 x^2 < 3$에서 $(\log_2 x)^2 - 2\log_2 x - 3 < 0$

$\log_2 x = t$로 놓으면

$t^2 - 2t - 3 < 0$, $(t+1)(t-3) < 0$

$\therefore -1 < t < 3$

즉 $-1 < \log_2 x < 3$에서 $\log_2 2^{-1} < \log_2 x < \log_2 2^3$

$\therefore \dfrac{1}{2} < x < 8$　 …… ㉠

STEP B $4^x - 2^{x+2} \leq 32$의 해 구하기

$4^x - 2^{x+2} \leq 32$에서 $(2^x)^2 - 4 \cdot 2^x - 32 \leq 0$

$2^x = s \,(s > 0)$로 놓으면

$s^2 - 4s - 32 \leq 0$, $(s+4)(s-8) \leq 0$

이때 $s + 4 > 0$이므로 $s - 8 \leq 0$　 $\therefore s \leq 8$

즉 $2^x \leq 8$

$\therefore x \leq 3$　 …… ㉡

㉠, ㉡에서 공통인 x의 범위는 $\dfrac{1}{2} < x \leq 3$

따라서 정수 x는 1, 2, 3이므로 합은 6이다.

정답 ③

0616

정답 ③

STEP A 진수 조건에서 x의 범위 구하기

진수의 조건에서 $x > 0$　 …… ㉠

STEP B 부등식의 양변에 3을 밑으로 하는 로그를 취하여 로그부등식 세우기

$x^{\log_3 x} \leq 9x$의 양변에 3을 밑으로 하는 로그를 취하면

$\log_3 x^{\log_3 x} \leq \log_3 9x$

$(\log_3 x)^2 \leq \log_3 3^2 + \log_3 x$

$\therefore (\log_3 x)^2 - \log_3 x - 2 \leq 0$

STEP C $\log_3 x = t$로 치환하고 이차부등식을 풀어 t의 범위 구하기

$\log_3 x = t$로 놓으면 $t^2 - t - 2 \leq 0$

$(t+1)(t-2) \leq 0$

$\therefore -1 \leq t \leq 2$

STEP D x의 범위를 구하여 $\alpha\beta$의 값 구하기

$-1 \leq \log_3 x \leq 2$이므로

$\dfrac{1}{3} \leq x \leq 9$　 …… ㉡

따라서 ㉠, ㉡에서 $\dfrac{1}{3} \leq x \leq 9$이므로 $\alpha\beta = 3$

내·신·연·계 출제문항 223

부등식 $x^{\log\frac{1}{2}x} \geq 4x^3$의 해가 $\alpha \leq x \leq \beta$일 때, $\alpha+\beta$의 값은?

① $\dfrac{1}{4}$ ② $\dfrac{1}{2}$ ③ $\dfrac{3}{4}$

④ 1 ⑤ $\dfrac{5}{4}$

STEP ⓐ 진수 조건에서 x의 범위 구하기

진수의 조건에서 $x > 0$ ……㉠

STEP ⓑ 부등식의 양변에 $\dfrac{1}{2}$을 밑으로 하는 로그를 취하여 로그부등식 세우기

$x^{\log\frac{1}{2}x} \geq 4x^3$의 양변에 $\dfrac{1}{2}$을 밑으로 하는 로그를 취하면

$\log_{\frac{1}{2}} x^{\log\frac{1}{2}x} \leq \log_{\frac{1}{2}} 4x^3$

$(\log_{\frac{1}{2}}x)^2 - 3\log_{\frac{1}{2}}x + 2 \leq 0$

STEP ⓒ $\log_{\frac{1}{2}}x = t$로 치환하고 이차부등식을 풀어 t의 범위 구하기

$\log_{\frac{1}{2}}x = t$로 놓으면 $t^2 - 3t + 2 \leq 0$, $(t-1)(t-2) \leq 0$

$\therefore 1 \leq t \leq 2$

STEP ⓓ x의 범위를 구하여 $\alpha+\beta$의 값 구하기

$1 \leq \log_{\frac{1}{2}}x \leq 2$이므로 $\dfrac{1}{4} \leq x \leq \dfrac{1}{2}$ ……㉡

따라서 ㉠, ㉡에서 $\dfrac{1}{4} \leq x \leq \dfrac{1}{2}$이므로 $\alpha+\beta = \dfrac{3}{4}$

 정답 ③

0617

 정답 ①

STEP ⓐ 진수 조건에서 x의 범위 구하기

진수의 조건에서 $x > 0$ ……㉠

STEP ⓑ 부등식의 양변에 2를 밑으로 하는 로그를 취하여 로그부등식 세우기

$x^{\log_2 x - 3} \leq \dfrac{1}{4}$의 양변에 2을 밑으로 하는 로그를 취하면

$\log_2 x^{\log_2 x - 3} \leq \log_2 \dfrac{1}{4}$, $(\log_2 x - 3)\log_2 x \leq -2$

$\therefore (\log_2 x)^2 - 3\log_2 x + 2 \leq 0$

STEP ⓒ $\log_2 x = t$로 치환하고 이차부등식을 풀어 t의 범위 구하기

$\log_2 x = t$로 놓으면 $t^2 - 3t + 2 \leq 0$, $(t-1)(t-2) \leq 0$

$\therefore 1 \leq t \leq 2$

STEP ⓓ x의 범위를 구하여 $\alpha+\beta$의 값 구하기

$1 \leq \log_2 x \leq 2$이므로 $2 \leq x \leq 4$ ……㉡

㉠, ㉡에서 $2 \leq x \leq 4$

따라서 정수 x는 2, 3, 4이므로 합은 $2+3+4=9$

0618

 정답 ③

STEP ⓐ 진수 조건에서 x의 범위 구하기

진수의 조건에 의하여 $x > 0$ ……㉠

STEP ⓑ $3^{\log x} = t$로 치환하고 이차부등식을 풀어 t의 범위 구하기

$3^{\log x} \cdot x^{\log 3} - 2(3^{\log x} + x^{\log 3}) + 3 < 0$에서 $3^{\log x} = t$로 놓으면

$3^{\log x} = x^{\log 3}$이므로 주어진 부등식은 $t^2 - 4t + 3 < 0$

$(t-1)(t-3) < 0$

$\therefore 1 < t < 3$

STEP ⓒ x값의 범위 구하기

즉 $1 < 3^{\log x} < 3$이므로 $0 < \log x < 1$

$\therefore 1 < x < 10$ ……㉡

따라서 ㉠, ㉡을 동시에 만족시키는 x값의 범위는 $1 < x < 10$

0619

 정답 ③

STEP ⓐ 판별식 $D > 0$을 이용하여 로그부등식 세우기

이차방정식 $x^2 + 2(1+\log_2 a)x + 3 + \log_2 a = 0$이 서로 다른 두 실근을 가지려면 판별식 $D > 0$이어야 하므로

$\dfrac{D}{4} = (1+\log_2 a)^2 - (3+\log_2 a) > 0$

STEP ⓑ 로그부등식을 풀어 a의 범위 구하기

$(\log_2 a)^2 + \log_2 a - 2 > 0$, $(\log_2 a + 2)(\log_2 a - 1) > 0$

$\therefore \log_2 a < -2$ 또는 $\log_2 a > 1$

즉 $0 < a < \dfrac{1}{4}$ 또는 $a > 2$ ← 진수의 조건에서 $a > 0$

따라서 구하는 자연수 a의 최솟값은 3

0620

정답 ①

STEP ⓐ 판별식 $D < 0$을 이용하여 로그부등식 세우기

이차방정식 $x^2 - 2(2-\log_2 a)x + 1 = 0$ 실근이 존재하지 않으므로 판별식을 D라 하면 $D < 0$이어야 하므로

$\dfrac{D}{4} = \{-(2-\log_2 a)\}^2 - 1 < 0$

STEP ⓑ 로그부등식을 풀어 a의 범위 구하기

$(\log_2 a)^2 - 4\log_2 a + 3 < 0$, $(\log_2 a - 1)(\log_2 a - 3) < 0$

즉 $1 < \log_2 a < 3$이므로 $2 < a < 8$

따라서 정수 a의 개수는 3, 4, 5, 6, 7이므로 5개이다.

내·신·연·계 출제문항 224

x에 대한 이차방정식

$$x^2 - 2(1+\log_3 a)x + 4(1+\log_3 a) = 0$$

이 실근을 갖지 않게 하는 실수 a의 값 중에서 정수인 것의 개수는?

① 25 ② 26 ③ 27

④ 28 ⑤ 29

STEP ⓐ 판별식 $D < 0$을 이용하여 로그부등식 세우기

진수의 조건에 의하여 $a > 0$ ……㉠

이차방정식 $x^2 - 2(1+\log_3 a)x + 4(1+\log_3 a) = 0$의 실근이 존재하지 않으므로 판별식을 D라 하면 $D < 0$이어야 하므로

$\dfrac{D}{4} = (1+\log_3 a)^2 - 4(1+\log_3 a) < 0$

$\therefore (\log_3 a)^2 - 2\log_3 a - 3 < 0$

STEP ⓑ 로그부등식을 풀어 a의 범위 구하기

$\log_3 a = t$라 하면 $t^2 - 2t - 3 < 0$, $(t+1)(t-3) < 0$

$\therefore -1 < t < 3$

$\log_3 a = t$이므로 $-1 < \log_3 a < 3$

$\log_3 \dfrac{1}{3} < \log_3 a < \log_3 27$

밑 3이 $3 > 1$이므로 $\dfrac{1}{3} < a < 27$

따라서 정수 a의 개수는 1, 2, 3, …, 26이므로 26개이다.

 정답 ②

0621

 ⑤

STEP Ⓐ 이차방정식의 두 근이 양수일 조건 구하기

이차방정식 $x^2-2x\log_3a+2-\log_3a=0$의 두 근 α, β이 모두 양수일 때,

(ⅰ) 판별식 $D\geq0$이므로 $\dfrac{D}{4}=(\log_3a)^2-(2-\log_3a)\geq0$

$(\log_3a)^2+\log_3a-2\geq0$, $(\log_3a+2)(\log_3a-1)\geq0$

$\therefore \log_3a\leq-2$ 또는 $\log_3a\geq1$

즉 $0<a\leq\dfrac{1}{9}$ 또는 $a\geq3$

(ⅱ) 두 근의 합 $2\log_3a>0$ $\therefore a>1$

(ⅲ) 두 근의 곱 $2-\log_3a>0$, $\log_3a<2$ $\therefore a<9$

STEP Ⓑ 정수 a의 개수 구하기

(ⅰ)~(ⅲ)에서 공통된 범위는 $3\leq a<9$

따라서 정수 a의 개수는 3, 4, 5, 6, 7, 8이므로 6개이다.

0622

정답 ①

STEP Ⓐ 로그의 성질을 이용하여 식을 정리하여 $\log_2x=t$로 치환하기

$(\log_2x)^2=\log_2x^4+2k$에서

$(\log_2x)^2-4\log_2x-2k=0$ ...... ㉠

$\log_2x=t$로 놓으면 $t^2-4t-2k=0$ ...... ㉡

STEP Ⓑ 판별식 $D>0$을 이용하여 로그부등식 세우기

이때 방정식 ㉠이 한 실근을 가지므로 $t=\log_2x$를 근으로 갖는
방정식 ㉡의 근은 중근을 가져야 한다.
즉 방정식 ㉡의 판별식을 D라 하면

$\dfrac{D}{4}=(-2)^2-(-2k)=0$

따라서 $k=-2$

0623

정답 ②

STEP Ⓐ 로그의 성질을 이용하여 식을 정리하여 $\log_2x=t$로 치환하기

$(\log_2x)\left(\log_2\dfrac{8}{x}\right)=\dfrac{a}{4}$에서 $(\log_2x)(\log_28-\log_2x)=\dfrac{a}{4}$

$(\log_2x)^2-3\log_2x+\dfrac{a}{4}=0$ ...... ㉠

$\log_2x=t$로 놓으면 $t^2-3t+\dfrac{a}{4}=0$ ...... ㉡

STEP Ⓑ 판별식 $D>0$을 이용하여 로그부등식 세우기

이때 방정식 ㉠이 서로 다른 두 양의 근을 가지려면 실수인 $t=\log_2x$를
근으로 갖는 방정식 ㉡의 해는 서로 다른 두 실근이어야 한다.
즉 방정식 ㉡의 판별식을 D라 하면

$D=(-3)^2-4\cdot1\cdot\dfrac{a}{4}>0$

$\therefore a<9$

따라서 정수 a의 최댓값은 8이다.

0624

정답 ⑤

STEP Ⓐ 진수 조건에서 a의 범위 구하기

진수는 양수이므로 $a>0$ ...... ㉠

STEP Ⓑ 주어진 부등식이 모든 실수 x에 대하여 성립할 조건 구하기

주어진 부등식이 모든 실수 x에 대하여 성립하려면
이차방정식 $x^2+2x\log_2a+4\log_2a-3=0$의 판별식 $D<0$이어야 한다.

STEP Ⓒ $\log_2a=t$로 치환하고 이차부등식을 풀어 a의 범위 구하기

$\dfrac{D}{4}=(\log_2a)^2-(4\log_2a-3)<0$

$(\log_2a)^2-4\log_2a+3<0$

$\log_2a=t$로 놓으면 $t^2-4t+3<0$, $(t-1)(t-3)<0$

$\therefore 1<t<3$

즉 $\log_22<\log_2a<\log_22^3$

밑 2는 1보다 크므로 $2<a<8$ ...... ㉡

따라서 ㉠, ㉡을 동시에 만족시키는 범위는 $2<a<8$

모든 실수 x에 대하여 부등식
$$x^2+2x\log_3a+2\log_3a>0$$
이 성립하도록 하는 자연수 a의 개수는?

① 5   ② 6   ③ 7
④ 8   ⑤ 9

STEP Ⓐ 진수 조건에서 a의 범위 구하기

진수는 양수이므로 $a>0$ ...... ㉠

STEP Ⓑ 주어진 부등식이 모든 실수 x에 대하여 성립할 조건 구하기

주어진 부등식이 모든 실수 x에 대하여 성립하려면
이차방정식 $x^2+2x\log_3a+2\log_3a=0$의 판별식 $D<0$이어야 한다.

STEP Ⓒ $\log_3a=t$로 치환하고 이차부등식을 풀어 a의 범위 구하기

$\dfrac{D}{4}=(\log_3a)^2-2\log_3a<0$

$(\log_3a)(\log_3a-2)<0$

$\therefore 0<\log_3a<2$

즉 $3^0<a<3^2$, $1<a<9$ ...... ㉡

㉠, ㉡을 동시에 만족시키는 범위는 $1<a<9$

따라서 구하는 자연수 a의 개수는 7개이다. 정답 ③

0625

정답 ①

STEP Ⓐ $\log_3x=t$로 치환하여 t에 대하여 이차부등식 세우기

$(\log_3x)^2+\log_9x+k\geq0$에서 $(\log_3x)^2+\dfrac{1}{2}\log_3x+k\geq0$

$2(\log_3x)^2+\log_3x+2k\geq0$

이때 $\log_3x=t$라 하면 t는 실수이므로
모든 실수 t에 대하여 $2t^2+t+2k\geq0$이 성립해야 한다.

STEP Ⓑ 이차부등식이 모든 실수에 대하여 성립할 조건을 이용하여 k의 범위 구하기

이차방정식 $2t^2+t+2k=0$의 판별식을 D라고 하면
$D=1-4\cdot2\cdot2k\leq0$이어야 한다.

$\therefore k\geq\dfrac{1}{16}$

따라서 k의 최솟값은 $\dfrac{1}{16}$

x에 대한 부등식 $(\log_2 x)^2 \geq \log_2 ax^2$이 항상 성립하도록 하는 실수 a의 최댓값은?

① $\dfrac{1}{8}$ ② $\dfrac{1}{4}$ ③ $\dfrac{1}{2}$

④ 4 ⑤ 8

STEP Ⓐ $\log_2 x = t$로 치환하여 t에 대하여 이차부등식 세우기

진수가 양수이므로 $ax^2 > 0$ $\therefore a > 0$ $\cdots\cdots$ ㉠

$(\log_2 x)^2 \geq \log_2 ax^2$에서 $(\log_2 x)^2 - 2\log_2 x - \log_2 a \geq 0$

이때 $\log_2 x = t$라 하면 t는 실수이므로

모든 실수 t에 대하여 $t^2 - 2t - \log_2 a \geq 0$이 성립해야 한다.

STEP Ⓑ 이차부등식이 모든 실수에 대하여 성립할 조건을 이용하여 k의 범위 구하기

이차방정식 $t^2 - 2t - \log_2 a = 0$의 판별식을 D라고 하면

$\dfrac{D}{4} = 1 + \log_2 a \leq 0$

$\log_2 a \leq -1$ $\therefore a \leq \dfrac{1}{2}$ $\cdots\cdots$ ㉡

㉠, ㉡의 공통범위를 구하면 $0 < a \leq \dfrac{1}{2}$

따라서 a의 최댓값은 $\dfrac{1}{2}$

 정답 ③

0626

 정답 ⑤

STEP Ⓐ 부등식의 양변에 3을 밑으로 하는 로그를 취하여 로그부등식 세우기

$x^{-\log_3 x} \leq ax^2$의 양변에 밑이 3인 로그를 취하면

$\log_3 x^{-\log_3 x} \leq \log_3 ax^2$

$-(\log_3 x)^2 \leq \log_3 a + \log_3 x^2$, $(\log_3 x)^2 + 2\log_3 x + \log_3 a \geq 0$

STEP Ⓑ $\log_3 x = t$로 치환하여 이차부등식 세우기

$\log_3 x = t$로 놓으면 $t^2 + 2t + \log_3 a \geq 0$

STEP Ⓒ 부등식이 모든 양수 x에 대하여 성립할 조건을 이용하여 a의 범위 구하기

이 부등식이 모든 양수 x에 대하여 성립하려면 방정식 $t^2 + 2t + \log_3 a = 0$의

판별식 $D \leq 0$이어야 하므로 $\dfrac{D}{4} = 1 - \log_3 a \leq 0$, $\log_3 a \geq 1$

따라서 $a \geq 3$

0627

 정답 ②

STEP Ⓐ 부등식의 양변에 상용로그를 취하여 이차부등식 세우기

$10^{x^2 + \log a} > a^{-2x}$의 양변에 상용로그를 취하면

$x^2 + \log a > -2x \log a$

$x^2 + 2x \log a + \log a > 0$ $\cdots\cdots$ ㉠

STEP Ⓑ 이차부등식이 모든 실수에 대하여 성립할 조건을 이용하여 k의 범위 구하기

㉠이 모든 실수 x에 대하여 성립하려면

x에 대한 이차방정식 $x^2 + 2x \log a + \log a = 0$의 판별식을 D라 할 때,

$\dfrac{D}{4} = (\log a)^2 - \log a < 0$, $\log a(\log a - 1) < 0$이어야 하므로

$0 < \log a < 1$ $\therefore 1 < a < 10$

따라서 모든 자연수 a의 값의 합은 $2 + 3 + 4 + 5 + 6 + 7 + 8 + 9 = 44$

0628

 정답 ⑤

STEP Ⓐ 해발 5000m인 곳의 기압이 500hPa일 때 a의 값 구하기

해발 5000m인 곳의 기압이 500hPa이므로

$500 = 1000 \times 2^{-\frac{5000}{a}}$, $\dfrac{1}{2} = 2^{-\frac{5000}{a}}$

$2^{-1} = 2^{-\frac{5000}{a}}$에서 $-1 = -\dfrac{5000}{a}$

$\therefore a = 5000$

STEP Ⓑ 해발 2500m인 곳의 기압 구하기

따라서 해발 2500m인 곳의 기압은

$\mathrm{P} = 1000 \times 2^{-\frac{2500}{5000}} = 1000 \times 2^{-\frac{1}{2}} = \dfrac{1000}{\sqrt{2}} = 500\sqrt{2}$

0629

정답 ⑤

STEP Ⓐ 빛의 세기가 $\dfrac{A}{256}$ W/m²인 곳의 수심 구하기

빛의 세기가 $\dfrac{A}{256}$ W/m²인 곳의 수심을 xm라고 하면

$A \times 2^{-\frac{x}{4}} = \dfrac{A}{256}$에서 $2^{-\frac{x}{4}} = \dfrac{1}{256}$

$2^{-\frac{x}{4}} = 2^{-8}$, $-\dfrac{x}{4} = -8$

$\therefore x = 32$

따라서 빛의 세기가 $\dfrac{A}{256}$ W/m²인 곳의 수심은 32m이다.

어느 펀드 상품에 A만 원을 투자할 때 t년 후의 이익금은 $A\left(\dfrac{3}{2}\right)^{\frac{t}{5}}$만 원이라

고 한다. 이 펀드 상품에 100만 원을 투자할 때, 이익금이 225만 원이 되는 t의 값은?

① 8 ② 10 ③ 12

④ 14 ⑤ 16

STEP Ⓐ 펀드 상품에 100만 원을 투자할 때, 이익금이 225만 원이 되는 t의 값 구하기

100만 원을 투자한 지 t년 후의 이익금은 $100 \times \left(\dfrac{3}{2}\right)^{\frac{t}{5}}$만 원이므로

$100 \times \left(\dfrac{3}{2}\right)^{\frac{t}{5}} = 225$, $\left(\dfrac{3}{2}\right)^{\frac{t}{5}} = \dfrac{225}{100}$

이때 $\dfrac{225}{100} = \left(\dfrac{3}{2}\right)^2$이므로 $\left(\dfrac{3}{2}\right)^{\frac{t}{5}} = \left(\dfrac{3}{2}\right)^2$

$\dfrac{t}{5} = 2$ $\therefore t = 10$

따라서 이익금이 225만 원이 되는 것은 투자한 지 10년 후이다.

 정답 ②

0630

정답 ⑤

STEP A 각 값을 주어진 식에 대입하여 a의 값 구하기

실내에 방향제 4g을 뿌리고 4시간 후에 실내에 남아 있는 방향제의 양이

1g이므로 $f(4)=4\times 2^{-\frac{4}{a}}=1$에서 $2^{-\frac{4}{a}}=\frac{1}{4}$

즉 $2^{-\frac{4}{a}}=2^{-2}$이므로 $\frac{4}{a}=2$

$\therefore a=2$

STEP B $f(t)\leq 0.5$가 되는 t의 최솟값 구하기

이때 $f(t)=4\times 2^{-\frac{t}{2}}\leq 0.5$, $2^{-\frac{t}{2}+2}\leq 2^{-1}$이므로 $-\frac{t}{2}+2\leq -1$

$\therefore t\geq 6$

따라서 6시간 후부터이다.

0631

정답 ⑤

STEP A 주어진 식을 이용하여 지진해일의 높이 a의 값 구하기

어떤 지점에서 높이가 am인 지진해일의 규모 $\log_8 a$는

높이가 81m인 지진해일의 규모의 0.75배이므로

$\log_8 a=0.75\log_8 81$

$\log_8 a=\frac{3}{4}\log_8 3^4$

$\log_8 a=\log_8 (3^4)^{\frac{3}{4}}$

따라서 $a=(3^4)^{\frac{3}{4}}=3^3=27$

0632

정답 ⑤

STEP A $f(a)=80$에서 a의 값 구하기

$f(a)=80$에서 $\log(a+1)=1$

$\therefore a=9$

STEP B $f(b)=71$에서 b의 값 구하기

$f(b)=71$에서 $\log(b+1)=0.7$

$\therefore b=4$

따라서 $a-b=5$

0633

정답 ②

STEP A $f\left(\frac{9}{8}\right)=300$에서 k의 값 구하기

초기 온도가 20°C이므로 $f(x)=20+k\log(8x+1)$

$f\left(\frac{9}{8}\right)=300$이므로 $20+k\log\left(8\cdot\frac{9}{8}+1\right)=300$

$\therefore k=280$

STEP B $f(a)=860$이라 두고 식에 대입하여 a의 값 구하기

$f(a)=860$이라 하면 $20+280\log(8a+1)=860$

$\log(8a+1)=3$, $8a+1=1000$

$\therefore a=\frac{999}{8}$

따라서 건물의 온도가 860°C가 되는데 걸리는 시간은 $\frac{999}{8}$(분)

내신연계 출제문항 228

화재가 발생한 건물의 온도는 시간에 따라 변한다. 어느 건물의 초기 온도를 T_0°C, 화재가 발생한 지 x분 후의 온도를 $f(x)$°C라고 할 때,

$$f(x)=T_0+k\log(8x+1)\,(k\text{는 상수})$$

이 성립한다고 한다.

초기 온도가 30°C인 건물에서 화재가 발생한 지 $\frac{9}{8}$분 만에 건물의 온도가

300°C까지 올랐다고 할 때, 이 건물에 화재가 발생한 후 건물의 온도가 570°C 이상이 되는 데에 걸리는 시간의 최솟값은?

① $\frac{99}{8}$(분) ② $\frac{999}{8}$(분) ③ $\frac{1000}{3}$(분)

④ 110(분) ⑤ 1000(분)

STEP A $T_0=30$°C, $x=\frac{9}{8}$, $f(x)=300$°C을 대입하여 k의 값 구하기

초기 온도가 30°C인 건물에서 화재가 발생한 지 $\frac{9}{8}$분 만에 건물의 온도가

300°C이므로

$300=30+k\log\left(8\cdot\frac{9}{8}+1\right)$

$300=30+k\log 10$

$\therefore k=270$

STEP B 화재가 발생한 후 건물의 온도가 570°C 이상이 되는 데에 걸리는 시간

이 건물에 화재가 발생한 후 건물의 온도가 570°C 이상이 되는 데에 걸리는 시간을 t라 하면

$f(x)=30+270\log(8t+1)\geq 570$

$\log(8t+1)\geq 2$

밑이 1보다 크므로 $8t+1\geq 10^2$

$\therefore t\geq \frac{99}{8}$

따라서 시간의 최솟값은 $\frac{99}{8}$

정답 ①

0634

정답 ④

STEP A $R=5$인 접속 케이블로 연결하여 작동시켰을 때의 전송 손실을 식으로 표현하기

임피던스가 $r=8$인 스피커를 저항이 $R=5$인 접속 케이블로 연결하여

작동시켰을 때의 전송 손실은 $10\log\left(1+\frac{2\times 5}{8}\right)=10\log\frac{9}{4}$

STEP B 저항이 a인 접속 케이블로 교체하여 작동시켰을 때의 전송 손실의 2배인 식을 표현하기

저항이 a인 접속 케이블로 교체하여 작동시켰을 때의 전송 손실의 2배이므로

$10\log\frac{9}{4}=2\times 10\log\left(1+\frac{2a}{8}\right)$

$\log\frac{9}{4}=\log\left(1+\frac{2a}{8}\right)^2$

$\frac{9}{4}=\left(1+\frac{a}{4}\right)^2$, $1+\frac{a}{4}=\frac{3}{2}$ $(\because a>0)$

따라서 $a=2$

아날로그 통신의 통신선에서 통신 용량을 Cbit/s, 대역폭을 B헤르츠(Hz), 수신된 신호의 강도의 최댓값을 S 와트(W), 잡음 신호의 크기를 N 와트(W)라 하면

$$C=B\log_2\left(1+\frac{S}{N}\right)$$

인 관계가 성립한다. 현재 사용하는 통신선은 수신된 신호의 강도가 최대 4W이고 잡음 신호의 크기가 0.5W일 때, 잡음 신호의 크기만을 변형하여 통신 용량이 현재의 2배인 통신선을 개발하려면 잡음 신호의 크기는 몇 W인가?

① $\frac{1}{100}$ ② $\frac{1}{20}$ ③ $\frac{1}{10}$

④ 10   ⑤ 20

STEP A 구하고자 하는 값을 x라 두고 식 세우기

통신 용량이 현재의 2배인 통신선의 잡음 신호의 크기를 xW라고 하면

$$2B\log_2\left(1+\frac{4}{0.5}\right)=B\log_2\left(1+\frac{4}{x}\right)$$

STEP B 로그방정식을 풀어 x의 값 구하기

$$\log_2 9^2=\log_2\left(1+\frac{4}{x}\right),\ 9^2=1+\frac{4}{x}$$

따라서 $x=\frac{1}{20}$

0635

STEP A 주어진 조건에서 각각의 열전도 계수 구하기

실험을 시작한 지 10초 후에 200°C, 20초 후에 202°C이므로

$$K=\frac{C(\log 20-\log 10)}{202-200}=\frac{C\log 2}{2} \quad \cdots\cdots ㉠$$

또, 실험을 시작한 지 10초 후에 200°C, x초 후에 206°C이므로

$$K=\frac{C(\log x-\log 10)}{206-200}=\frac{C(\log x-1)}{6} \quad \cdots\cdots ㉡$$

STEP B 열전도 계수는 일정함을 이용하여 로그방정식의 해 구하기

㉠, ㉡에서 열전도 계수 K는 일정하므로

$$\frac{C\log 2}{2}=\frac{C(\log x-1)}{6}$$

$$3\log 2=\log x-1$$

$$\log x=\log 2^3+\log 10=\log 80$$

$$\therefore x=80$$

따라서 측정온도가 206°C가 될 때는 실험을 시작한지 80초 후이다.

어느 세라믹 재료의 열전도 계수 (K)는 적절한 실험 조건에서 일정하고 다음과 같이 계산된다고 한다.

$$K=C\frac{\log t_2-\log t_1}{T_2-T_1}$$

(단, C는 0보다 큰 상수이고 $T_1\,°C$, $T_2\,°C$는 실험을 시작한 후 각각 t_1초, t_2초일 때, 세라믹 재료의 측정 온도이다.)
이 세라믹 재료의 열전도 계수를 측정하는 실험에서 실험을 시작한 후 15초일 때와 30초일 때의 측정 온도가 각각 400°C, 404°C이었다. 측정 온도가 412°C가 될 때는 실험을 시작한 지 몇 초 후인가?

① 100초   ② 110초   ③ 120초

④ 130초   ⑤ 140초

STEP A 주어진 조건에서 각각의 열전도 계수 구하기

$t_1=15$일 때 $T_1=400$, $t_2=30$일 때, $T_2=404$이므로

$$K=C\frac{\log 30-\log 15}{404-400}=C\frac{\log 2}{4} \quad \cdots\cdots ㉠$$

$t_3=x$일 때, $T_3=412$라 하면

$$K=C\frac{\log x-\log 30}{412-404}=C\frac{\log x-\log 30}{8} \quad \cdots\cdots ㉡$$

STEP B 열전도 계수는 일정함을 이용하여 로그방정식의 해 구하기

㉠, ㉡에서 K는 일정하고 C는 상수이므로

$$\frac{\log 2}{4}=\frac{\log x-\log 30}{8}$$

$$\log x=2\log 2+\log 30=\log 120$$

따라서 $x=120$
즉 측정온도가 412°C가 될 때는 실험을 시작한지 120초 후이다.

0636

STEP A 방사성 물질의 질량을 식으로 표현하기

이 방사성 물질의 초기 질량을 a라고 하면 t년 후의 질량 $f(t)$는

$$f(t)=a\left(\frac{1}{2}\right)^{\frac{t}{24}}$$

이므로 방사성 물질의 질량이 초기 질량의 60%가 되는 때는

$$a\left(\frac{1}{2}\right)^{\frac{t}{24}}=\frac{60}{100}a$$

STEP B 양변에 상용로그를 취하여 t의 값 구하기

$$\left(\frac{1}{2}\right)^{\frac{t}{24}}=\frac{3}{5}$$

양변에 상용로그를 취하면

$$\log\left(\frac{1}{2}\right)^{\frac{t}{24}}=\log\frac{3}{5}$$

$$-\frac{t}{24}\log 2=\log\frac{3}{5}=\log 3-\log 5=0.48-0.7=-0.22$$

$$\therefore t=\frac{24\cdot 0.22}{\log 2}=\frac{24\cdot 0.22}{0.3}=17.6$$

0637

STEP A 남아 있는 ^{14}C의 양을 식으로 표현하기

처음 ^{14}C의 양이 100g일 때,

x년 후에 남아 있는 ^{14}C의 양이 12.5g이므로

$$f(x)=100\cdot\left(\frac{1}{2}\right)^{\frac{x}{5730}}=12.5$$

STEP B 밑을 같게 만들고 지수를 비교하여 x의 값 구하기

$$\left(\frac{1}{2}\right)^{\frac{x}{5730}}=\frac{125}{1000},\ \left(\frac{1}{2}\right)^{\frac{x}{5730}}=\left(\frac{1}{2}\right)^3,\ \frac{x}{5730}=3$$

$$\therefore x=17190$$

따라서 17190년 전의 유물이라고 할 수 있다.

방사성 탄소 동위 원소 ^{14}C는 5730년마다 그 양이 반으로 줄어든다고 한다. 즉, 처음 ^{14}C의 양이 a mg이었을 때 x년 후에 남아 있는 양을 $f(x)$ mg이라고 하면

$$f(x) = a \times \left(\frac{1}{2}\right)^{\frac{x}{5730}}$$

이 성립한다고 한다. 어떤 유물을 발굴하여 조사하였더니 ^{14}C가 6.25 mg 남아 있었다. 처음 ^{14}C의 양이 100 mg이었다면 이 유물은 몇 년 전의 것이라고 할 수 있는가?

① 18190   ② 19210   ③ 21190
④ 22190   ⑤ 22920

STEP A 남아 있는 ^{14}C의 양을 식으로 표현하기

처음 ^{14}C의 양이 100 mg일 때, x년 후에 남아 있는 ^{14}C의 양이 6.25 mg이므로

$$f(x) = 100 \times \left(\frac{1}{2}\right)^{\frac{x}{5730}} = 6.25$$

STEP B 밑을 같게 만들고 지수를 비교하여 x의 값 구하기

$\left(\frac{1}{2}\right)^{\frac{x}{5730}} = \frac{625}{10000}$, $\left(\frac{1}{2}\right)^{\frac{x}{5730}} = \left(\frac{1}{2}\right)^4$

$\frac{x}{5730} = 4$, 즉 $x = 22920$

따라서 22920년 전의 유물이라고 할 수 있다.   정답 ⑤

0638

   정답 ③

STEP A 남아 있는 ^{235}U의 양을 식으로 표현하기

x억 년 후 최초의 양의 25% 이하가 된다고 하면

$a\left(\frac{1}{2}\right)^{\frac{x}{7}} \leq \frac{1}{4}a$, $\left(\frac{1}{2}\right)^{\frac{x}{7}} \leq \left(\frac{1}{2}\right)^2$

$\frac{x}{7} \geq 2$, $x \geq 14$

따라서 ^{235}U의 양이 처음으로 최초의 양의 25% 이하가 되는 것은 14억 년 후이다.

방사성 오염 물질 중 하나인 세슘의 반감기는 30년이다. 즉 처음 유출된 세슘의 양이 a g이었을 때, t년 후에 남아 있는 양을 $f(t)$ g이라 하면

$$f(t) = a \cdot \left(\frac{1}{2}\right)^{\frac{t}{30}}$$

이 성립한다고 한다. 공기 중에 유출된 세슘의 양이 처음 유출된 양의 $\frac{1}{32}$ 이하가 되는 것은 몇 년 후인가?

① 130   ② 140   ③ 150
④ 160   ⑤ 170

STEP A 공기 중에 처음 유출된 세슘의 양을 식으로 표현하기

공기 중에 처음 유출된 세슘의 양을 a라고 하면

t년 후 세슘의 양은 $a\left(\frac{1}{2}\right)^{\frac{t}{30}}$

STEP B 처음 유출된 양의 $\frac{1}{32}$ 이하가 될 때, 시간 구하기

처음 유출된 양의 $\frac{1}{32}$ 이하가 되는 것은 $a\left(\frac{1}{2}\right)^{\frac{t}{30}} \leq \frac{a}{32}$에서 $\left(\frac{1}{2}\right)^{\frac{t}{30}} \leq \left(\frac{1}{2}\right)^5$

따라서 $\frac{t}{30} \geq 5$에서 $t \geq 150$이므로 공기 중에 유출된 세슘의 양이

처음 유출된 양의 $\frac{1}{32}$ 이하가 되는 것은 150년 후이다.   정답 ③

0639

   정답 ④

STEP A 필터의 개수가 n일 때, 불순물의 양을 식으로 표현하기

처음 불순물의 양을 a, 필터를 한 번 통과하면 불순물의 50%가 제거되므로 필터의 개수를 n개로 놓을 때, 불순물의 원리합계는

$$a\left(1 - \frac{50}{100}\right)^n = a\left(\frac{1}{2}\right)^n$$

STEP B 필터 n개를 통과한 후의 불순물의 양이 2% 이하인 경우를 식으로 표현하기

$a\left(\frac{1}{2}\right)^n \leq \frac{2}{100}a$에서 $\left(\frac{1}{2}\right)^n \leq \frac{2}{100}$

STEP C 양변에 상용로그를 취하여 n의 최솟값 구하기

양변에 상용로그를 취하면 $\log\left(\frac{1}{2}\right)^n \leq \log\frac{2}{100}$

$-n\log 2 \leq \log 2 - 2$

$-0.3n \leq -1.7$ ← $\log 2 = 0.3$

$\therefore n \geq \frac{17}{3} = 5.66$

따라서 필터의 개수는 최소 6개이다.

0640

   정답 ①

STEP A 20년 후의 원리합계를 식으로 표현하기

연이율이 r%인 예금 통장에 100만 원을 입금했을 때, 20년 후의 원리합계는 $100\left(1 + \frac{r}{100}\right)^{20}$만 원이다.

STEP B 20년 후의 원리합계가 200만 원 이상인 경우를 식으로 표현하기

$100\left(1 + \frac{r}{100}\right)^{20} \geq 200$에서 $\left(1 + \frac{r}{100}\right)^{20} \geq 2$

STEP C 양변에 상용로그를 취하여 r의 최솟값 구하기

양변에 상용로그를 취하면

$\log\left(1 + \frac{r}{100}\right)^{20} \geq \log 2$

$20\{\log(100 + r) - 2\} \geq \log 2 = 0.3$

$20\log(100 + r) \geq 40.3$

$\log(100 + r) \geq 2.015 = \log 103$

$100 + r \geq 103$에서 $r \geq 3$이다

따라서 연이율의 최솟값은 3이다.

0641

   정답 ④

STEP A n년 후 미세먼지 농도를 식으로 표현하기

현재 미세 먼지농도를 a라고 하면
매년 4%씩 증가하는 n년 후 미세먼지 농도는

$a\left(1 + \frac{4}{100}\right)^n$

STEP B 미세 먼지 농도가 현재의 2배 이상인 경우를 식으로 표현하기

$a\left(1 + \frac{4}{100}\right)^n \geq 2a$에서 $1.04^n \geq 2$

STEP C 양변에 상용로그를 취하여 n의 값 구하기

양변에 상용로그를 취하면

$\log 1.04^n \geq \log 2$

$n\log 1.04 \geq \log 2$, $x \geq \frac{0.30}{0.02} = 15$

따라서 최소 15년 후이다.

0642

STEP A n년 후 세계 석유 소비량을 식으로 표현하기

현재 세계 석유 소비량을 a라 하고
매년 4%씩 감소하는 n년 후의 세계 석유 소비량은
$$a\left(1-\frac{4}{100}\right)^n$$

STEP B 세계 석유 소비량이 처음으로 현재 소비량의 $\frac{1}{2}$ 이하인 경우를 식으로 표현하기

$a\left(1-\frac{4}{100}\right)^n \leq \frac{1}{2}a$에서 $\left(\frac{96}{100}\right)^n \leq \frac{1}{2}$

STEP C 양변에 상용로그를 취하여 n의 값 구하기

양변에 상용로그를 취하면
$$\log\left(\frac{96}{100}\right)^n \leq \log\frac{1}{2}$$
$$n(\log 9.6 - 1) \leq -\log 2$$
$$\therefore n \geq \frac{0.3}{0.02} = 15$$

따라서 세계 석유 소비량이 처음으로 현재 소비량의 $\frac{1}{2}$ 이하가 되는 것은 15년 후이다.

내·신·연·계 출제문항 233

어느 하천의 수질은 현재 4급수로서 생화학적 산소 요구량(BOD)이 8이라고 한다. 이 지역 주민들의 적극적인 수질 개선으로 BOD가 매년 20%씩 감소한다고 할 때, 이 하천의 수질이 1급수로써 BOD가 1 이하가 되는 것은 몇 년 후인가? (단, $\log 2 = 0.3$으로 계산한다.)

① 4년 후 ② 6년 후 ③ 7년 후
④ 8년 후 ⑤ 9년 후

STEP A n년 후의 BOD를 식으로 나타내기

BOD가 매년 20%씩 감소하므로 n년 후 이 하천의 BOD는
$$8\left(1-\frac{20}{100}\right)^n$$

STEP B BOD가 1 이하인 경우를 식으로 표현하기

이 하천의 수질이 1급수로써 BOD가 1 이하가 되려면
$8\left(1-\frac{20}{100}\right)^n \leq 1$에서 $\left(\frac{8}{10}\right)^n \leq \frac{1}{8}$

STEP C 양변에 상용로그를 취하여 n의 최솟값 구하기

양변에 상용로그를 취하면
$$\log\left(\frac{8}{10}\right)^n \leq \log\frac{1}{8}$$
$$n\log\frac{8}{10} \leq \log 2^{-3}$$
$$n(3\log 2 - 1) \leq -3\log 2$$
$$n \geq \frac{-3\log 2}{3\log 2 - 1} = \frac{-3 \times 0.3}{3 \times 0.3 - 1} = \frac{-0.9}{-0.1} = 9$$

따라서 이 하천의 수질이 1급수로써 BOD가 1 이하가 되는 것은 9년 후이다.

정답 ⑤

0643

정답 해설참조

| 1단계 | $4^x - 2^{x+2} - 32 = 0$의 근을 구한다. | ◀ 50% |

$4^x - 2^{x+2} - 32 = 0$에서 $(2^x)^2 - 4 \cdot 2^x - 32 = 0$
$2^x = t\,(t>0)$로 놓으면 $t^2 - 4t - 32 = 0$
$(t-8)(t+4) = 0$
이때 $t = 2^x > 0$이므로 $t = 8$
따라서 $2^x = 2^3$에서 $x = 3$

| 2단계 | $9^x - 2 \cdot 3^x - 3 < 0$의 x의 범위를 구한다. | ◀ 50% |

$9^x - 2 \cdot 3^x - 3 < 0$에서 $(3^x)^2 - 2 \cdot 3^x - 3 < 0$
$3^x = t$로 놓으면 $t^2 - 2t - 3 < 0$
$(t-3)(t+1) < 0$
이때 $t = 3^x > 0$이므로 $t - 3 < 0$ $\therefore t < 3$
따라서 $3^x < 3$에서 $x < 1$

0644

정답 해설참조

| 1단계 | 밑을 3으로 통일하여 $3^x = t\,(t>0)$로 놓은 후 t에 대한 방정식으로 나타낸다. | ◀ 30% |

$9^x - 5 \times 3^{x+1} + k = 0$에서 $(3^x)^2 - 15 \cdot 3^x + k = 0$
$3^x = t\,(t>0)$로 놓으면 $t^2 - 15t + k = 0$

| 2단계 | t에 대한 방정식의 두 근을 원 방정식의 두 근 α, β로 나타낸다. | ◀ 40% |

방정식 $(3^x)^2 - 15 \cdot 3^x + k = 0$의 서로 다른 두 실근을 각각 α, β라고 하면
방정식 $t^2 - 15t + k = 0$의 서로 다른 두 실근은 3^α, 3^β이다.

| 3단계 | 근과 계수의 관계를 이용하여 $\alpha + \beta = 3$임을 이용하여 상수 k의 값을 구한다. | ◀ 30% |

방정식 $t^2 - 15t + k = 0$의 두 근이 3^α, 3^β이므로 근과 계수의 관계에 의하여
$3^\alpha \times 3^\beta = k$, 즉 $3^{\alpha+\beta} = k$
따라서 $\alpha + \beta = 3$이므로 $k = 3^3 = 27$

0645

정답 해설참조

| 1단계 | $2^x + 2^{-x} = t$로 놓고 t의 값을 구한다. | ◀ 40% |

$4^x + 4^{-x} + 3(2^x + 2^{-x}) - 16 = 0$에서 $(2^x + 2^{-x})^2 + 3(2^x + 2^{-x}) - 18 = 0$
$2^x + 2^{-x} = t$라 하면
$t^2 + 3t - 18 = 0$, $(t+6)(t-3) = 0$
$\therefore t = -6$ 또는 $t = 3$
이때 산술평균과 기하평균의 관계에 의하여
$t = 2^x + 2^{-x} \geq 2\sqrt{2^x \cdot 2^{-x}} = 2$ (단, 등호는 $2^x = 2^{-x}$, 즉 $x = 0$일 때 성립)
즉 $2^x + 2^{-x} = 3 (\because 2^x + 2^{-x} \geq 2)$

| 2단계 | $2^x + 2^{-x} = t$의 두 근을 α, β이므로 $2^\alpha + 2^\beta$, $2^\alpha \cdot 2^\beta$의 값을 구한다. | ◀ 30% |

$2^x + 2^{-x} = 3$의 양변에 2^x을 곱하면
$2^{2x} + 1 = 3 \cdot 2^x$
$(2^x)^2 - 3 \cdot 2^x + 1 = 0$
$2^x = k\,(k>0)$라 하면 $k^2 - 3k + 1 = 0$ ······ ㉠
주어진 방정식의 두 근이 α, β이므로 ㉠의 두 근은 2^α, 2^β이다.
이차방정식의 근과 계수의 관계에 의하여
$2^\alpha + 2^\beta = 3$, $2^\alpha \cdot 2^\beta = 1$

| 3단계 | $4^{-\alpha}+4^{-\beta}$의 값을 구한다. | ◀ 30% |

$$4^{-\alpha}+4^{-\beta}=\frac{1}{2^{2\alpha}}+\frac{1}{2^{2\beta}}=\frac{2^{2\alpha}+2^{2\beta}}{2^{2\alpha}2^{2\beta}}$$
$$=\frac{(2^{\alpha}+2^{\beta})^2-2\cdot2^{\alpha}2^{\beta}}{(2^{\alpha}2^{\beta})^2}$$
$$=\frac{3^2-2\cdot1}{1^2}=7$$

0646

정답 해설참조

| 1단계 | $2^x-2^{-x}=t$로 놓고 t에 관한 이차방정식으로 변형한다. | ◀ 40% |

$4^x+4^{-x}+a(2^x-2^{-x})+7=0$에서 $2^x-2^{-x}=t$로 놓으면
$4^x+4^{-x}=(2^x-2^{-x})^2+2=t^2+2$이므로
$t^2+2+at+7=0$
$t^2+at+9=0$ $\qquad\qquad$ ······ ㉠

| 2단계 | $2^x-2^{-x}=t$이 모든 실수의 값을 가지므로 t에 관한 이차방정식이 실근을 가짐을 이용하여 a의 범위를 구한다. | ◀ 40% |

$t=2^x-2^{-x}$이 모든 실수의 값을 가질 수 있으므로 이차방정식 ㉠이 실근을 갖기 위해서는 이차방정식 ㉠의 판별식을 D라 할 때, $D\geq0$이어야 한다.
$D=a^2-36\geq0$, $(a+6)(a-6)\geq0$
$\therefore a\leq-6$ 또는 $a\geq6$

| 3단계 | m^2의 값을 구한다. | ◀ 20% |

따라서 양수 a의 최솟값은 6이므로 $m=6$
$\therefore m^2=36$

0647

정답 해설참조

| 1단계 | 양수 x에 대하여 부등식 $(\log_2 x)^2+8\log_2 x+2k>0$이 성립하는 k의 범위를 구한다. | ◀ 40% |

$(\log_2 x)^2+8\log_2 x+2k>0$에서 양수 x에 대하여 $\log_2 x=t$로 놓으면
$t^2+8t+2k>0$
모든 실수 t에 대하여 위의 부등식이 항상 성립해야 하므로
방정식 $t^2+8t+2k=0$의 판별식을 D라고 하면
$\frac{D}{4}=16-2k<0$
$\therefore k>8$ $\qquad\qquad$ ······ ㉠

| 2단계 | 양수 x에 대하여 부등식 $4^x+2^{x+2}-k>-10$가 항상 성립하는 k의 범위를 구한다. | ◀ 40% |

$4^x+2^{x+2}-k>-10$에서 $(2^x)^2+4\cdot2^x-k+10>0$
양수 x에 대하여 $2^x=t\,(t>1)$로 놓으면
$t^2+4t-k+10>0$
이때 $f(t)=(t+2)^2-k+6$이라 하면
$t>1$일 때, 이차부등식이 항상 성립하기 위해서는
$f(1)=15-k\geq0$
$\therefore k\leq15$ $\qquad\qquad$ ······ ㉡

| 3단계 | 동시에 만족하는 k의 범위를 구한다. | ◀ 20% |

따라서 ㉠, ㉡에서 공통으로 만족하는 k의 범위는 $8<k\leq15$

0648

정답 해설참조

| 1단계 | 최고차항의 계수가 0일 때, 성립함을 보인다. | ◀ 20% |

$1-\log_3 a=0$, 즉 $\log_3 a=1$일 때 $a=3$ $\qquad$ ······ ㉠
주어진 부등식은 $0\cdot x^2+0\cdot x+\log_3 3>0$에서 $1>0$이므로 항상 성립한다.

| 2단계 | 최고차항의 계수가 양수일 때, 모든 실수 x에 대하여 이차부등식이 성립하기 위한 a값의 범위를 구한다. | ◀ 60% |

$1-\log_3 a\neq0$, 즉 $a\neq3$일 때,
부등식 $(1-\log_3 a)x^2+2(1-\log_3 a)x+\log_3 3>0$이
모든 실수 x에 대하여 성립하려면
$1-\log_3 a>0$에서 $\log_3 a<1$ $\therefore a<3$ $\qquad$ ······ ㉡
이차방정식 $(1-\log_3 a)x^2+2(1-\log_3 a)x+\log_3 a=0$의
판별식을 D라 할 때, $D<0$이어야 한다.
$\frac{D}{4}=(1-\log_3 a)^2-(1-\log_3 a)\log_3 a<0$
$2(\log_3 a)^2-3\log_3 a+1<0$
$(2\log_3 a-1)(\log_3 a-1)<0$
$\therefore \frac{1}{2}<\log_3 a<1$
즉 $\log_3 3^{\frac{1}{2}}<\log_3 a<\log_3 3$이므로
$\sqrt{3}<a<3$ $\qquad\qquad$ ······ ㉢

| 3단계 | 양수 a값의 범위를 구한다. | ◀ 20% |

따라서 ㉠, ㉡, ㉢을 동시에 만족하는 a의 범위는 $\sqrt{3}<a\leq3$

0649

정답 해설참조

| 1단계 | x에 대한 이차방정식 이기위한 조건을 구한다. | ◀ 20% |

주어진 이차방정식이므로
$\log a+3\neq0$이어야 하므로 $a\neq\frac{1}{1000}$ $\qquad$ ······ ㉠

| 2단계 | 이차방정식이 실근을 가지기 위해 판별식을 이용하여 로그 부등식을 유도한다. | ◀ 20% |

주어진 이차방정식이 실근을 가져야 하므로
이 이차방정식의 판별식을 D라 하면
$\frac{D}{4}=(\log a+1)^2-(\log a+3)\geq0$
$(\log a)^2+\log a-2\geq0$

| 3단계 | 로그부등식의 해를 구한다. | ◀ 30% |

이 식에서 $\log a=t$로 놓으면 $t^2+t-2\geq0$
$(t+2)(t-1)\geq0$
$\therefore t\leq-2$ 또는 $t\geq1$
$\log a\leq-2$에서 $\log a\leq\log\frac{1}{100}$이므로 $a\leq\frac{1}{100}$
$\log a\geq1$에서 $\log a\geq\log10$이므로 $a\geq10$
즉 $a\leq\frac{1}{100}$ 또는 $a\geq10$ $\qquad$ ······ ㉡

| 4단계 | 진수조건과 로그부등식의 해를 이용하여 a의 범위를 구한다. | ◀ 30% |

한편 진수의 조건에서 $a>0$ $\qquad\qquad$ ······ ㉢
따라서 ㉠, ㉡, ㉢의 공통범위의 a의 값의 범위는
$0<a<\frac{1}{1000}$ 또는 $\frac{1}{1000}<a\leq\frac{1}{100}$ 또는 $a\geq10$

0650

정답 해설참조

1단계 $\alpha+\beta$의 값을 구하여라. ◀ 40%

$4^x-2^{x+2}+8=0$에서 $(2^x)^2-4\cdot2^x+8=0$

$2^x=t\,(t>0)$로 놓으면 $t^2-4t+8=0$ ······ ㉠

주어진 방정식의 두 근이 α, β이므로 이차방정식 ㉠의 두 근은 2^α, 2^β이다.

이차방정식의 근과 계수의 관계에 의하여

$2^\alpha\times2^\beta=8$, $2^{\alpha+\beta}=2^3$

$\therefore \alpha+\beta=3$

2단계 방정식 $(\log_3 x)^2+a\log_3 x+b=0$의 두 근이 각각 $\alpha+\beta$, $3^{\alpha+\beta}$일 때, 두 상수 a, b를 구한다. ◀ 40%

방정식 $(\log_3 x)^2+a\log_3 x+b=0$의 두 근은 각각

$\alpha+\beta=3$, $3^{\alpha+\beta}=3^3=27$

이때 $\log_3 x=s$라 하면 s에 대한 이차방정식 $s^2+as+b=0$의

두 근은 각각 $\log_3 3=1$, $\log_3 27=3$

즉 두 근이 1, 3이므로 근과 계수의 관계에 의하여

$1+3=-a$, $1\times3=b$

$\therefore a=-4$, $b=3$

3단계 $a+b$의 값을 구한다. ◀ 20%

따라서 $a+b=-4+3=-1$

0651

정답 해설참조

1단계 로그의 밑과 진수조건을 만족하는 x의 범위를 구한다. ◀ 30%

로그의 밑의 조건에 의해

$x-2>0$, $x-2\neq1$

$\therefore 2<x<3$, $x>3$ ······ ㉠

진수의 조건에 의해

$2x^2-11x+14>0$이므로 $(2x-7)(x-2)>0$

$\therefore x<2$ 또는 $x>\dfrac{7}{2}$ ······ ㉡

㉠, ㉡을 동시에 만족하는 x의 범위는

$x>\dfrac{7}{2}$ ······ ㉢

2단계 (밑)>1일 때, 로그부등식을 만족하는 x의 범위를 구한다. ◀ 30%

$\log_{x-2}(2x^2-11x+14)>2$에서

$\log_{x-2}(2x^2-11x+14)>\log_{x-2}(x-2)^2$

밑이 $x-2>1$, 즉 $x>3$일 때 밑이 1보다 크므로

$2x^2-11x+14>(x-2)^2$, $x^2-7x+10>0$

$(x-2)(x-5)>0$

$\therefore x<2$ 또는 $x>5$

그런데 $x>3$이므로 $x>5$ ······ ㉣

㉢, ㉣을 동시에 만족하는 x의 값의 범위는 $x>5$

3단계 $0<$(밑)<1일 때, 로그부등식을 만족하는 x의 범위를 구한다. ◀ 30%

밑이 $0<x-2<1$, 즉 $2<x<3$일 때 밑이 0과 1 사이에 있으므로

$2x^2-11x+14<(x-2)^2$, $x^2-7x+10<0$

$(x-2)(x-5)<0$

$\therefore 2<x<5$

그런데 $2<x<3$이므로 $2<x<3$ ······ ㉤

㉢, ㉤을 동시에 만족하는 x의 값은 없다.

4단계 x의 범위를 구한다. ◀ 10%

따라서 구하는 해는 $x>5$

0652

정답 해설참조

1단계 주어진 부등식의 양변에 밑이 2인 로그를 취하여 정리한다. ◀ 30%

$x^{\log_2 x}>(4x)^a$의 양변에 밑이 2인 로그를 취하면

$\log_2 x^{\log_2 x}>\log_2(4x)^a$

$\log_2 x\cdot\log_2 x>a(\log_2 4+\log_2 x)$

$\therefore (\log_2 x)^2-a\log_2 x-2a>0$

2단계 주어진 부등식을 치환한다. ◀ 30%

$\log_2 x=t$로 놓으면 $t^2-at-2a>0$

이때 모든 실수 t에 대하여 이 부등식 $t^2-at-2a>0$이 성립해야 한다.

3단계 판별식을 이용하여 a의 범위를 구한다. ◀ 40%

방정식 $t^2-at-2a=0$의 판별식을 D라 하면 $D<0$이어야 하므로

$D=a^2+8a<0$, $a(a+8)<0$

따라서 $-8<a<0$

0653

정답 해설참조

1단계 함수 $f(x)$의 역함수 $g(x)$을 구한다. ◀ 40%

$y=\log_2(x+7)-1$에서 $y+1=\log_2(x+7)$

$2^{y+1}=x+7$, $x=2^{y+1}-7$

x와 y를 바꾸면

$y=2^{x+1}-7$이므로 $g(x)=2^{x+1}-7$

2단계 주어진 부등식에 대입하여 식을 정리한다. ◀ 30%

$g(x)+g(1-x)\leq\dfrac{5}{2^{x-2}}$에 대입하면

$2^{x+1}-7+2^{1-x+1}-7\leq\dfrac{5}{2^{x-2}}$

$2\cdot2^x-14+\dfrac{4}{2^x}\leq\dfrac{20}{2^x}$

모든 실수 x에 대하여 $2^x>0$이므로 양변에 2^x을 곱하면

$2(2^x)^2-14\cdot2^x-16\leq0$

$\therefore (2^x)^2-7\cdot2^x-8\leq0$

3단계 x의 범위를 구한다. ◀ 30%

$2^x=t\,(t>0)$로 놓으면 $t^2-7t-8\leq0$

$(t+1)(t-8)\leq0$

이때 $t>0$이므로 $t+1>0$

따라서 $0<t\leq8$이므로 $0<2^x\leq2^3$에서 $x\leq3$

0654

정답 해설참조

1단계 진수의 조건을 만족하는 x의 범위를 구한다. ◀ 20%

진수의 조건에 의해 $x>0$, $\log_3 x>0$이므로

$x>1$ ······ ㉠

2단계 부등식을 만족하는 가장 큰 정수 x을 구한다. ◀ 40%

$\log_{\frac{1}{6}}(\log_3 x)\geq-2$에서 $\log_{\frac{1}{6}}(\log_3 x)\geq\log_{\frac{1}{6}}\left(\dfrac{1}{6}\right)^{-2}$

$\log_3 x\leq36$ $\therefore x\leq3^{36}$ ······ ㉡

㉠, ㉡을 동시에 만족하는 x의 값의 범위는 $1<x\leq3^{36}$

즉 가장 큰 정수는 3^{36}

3단계 가장 큰 정수의 자리수를 구한다. ◀ 40%

따라서 $\log3^{36}=36\log3=36\cdot0.4771=17.1756$이므로 3^{36}은 18자리의 정수이다.

0655

정답 해설참조

1단계 빛의 세기가 수면에서 빛의 세기의 $\frac{1}{8}$이 되는 곳의 수심은 몇 m인지 구한다. ◀ 50%

빛의 세기가 수면에서 빛의 세기의 $\frac{1}{8}$이 되므로

$I_0\left(\dfrac{1}{2}\right)^{\frac{x}{4}}=\dfrac{1}{8}I_0$에서 $\left(\dfrac{1}{2}\right)^{\frac{x}{4}}=\dfrac{1}{8}$

$\left(\dfrac{1}{2}\right)^{\frac{x}{4}}=\left(\dfrac{1}{2}\right)^3$

즉 $\dfrac{x}{4}=3$에서 $x=12$

따라서 수심은 12m이다.

2단계 빛의 세기가 수면에서 빛의 세기의 25% 이하가 되려면 수심은 최소 몇 m이어야 하는지 구한다. ◀ 50%

$I_0\left(\dfrac{1}{2}\right)^{\frac{x}{4}}\leq\dfrac{25}{100}I_0$에서 $\left(\dfrac{1}{2}\right)^{\frac{x}{4}}\leq\dfrac{1}{4}$

$\left(\dfrac{1}{2}\right)^{\frac{x}{4}}\leq\left(\dfrac{1}{2}\right)^2$

밑이 1보다 작으므로 $\dfrac{x}{4}\geq 2$ $\therefore x\geq 8$

따라서 수심은 최소 8m이어야 한다.

0656

정답 해설참고

1단계 구입한지 n년 후에 이 태블릿 컴퓨터의 가격을 원리합계로 표현한다. ◀ 20%

구입한지 n년 후에 이 태블릿 컴퓨터의 가격은

$125(1-0.2)^n=125\left(\dfrac{4}{5}\right)^n$ 만 원

2단계 가격이 80만 원이 되는 것은 몇 년 후인지 구한다. ◀ 40%

가격이 80만 원이 되는 것은 x년 후라 하면

$125\left(\dfrac{4}{5}\right)^x=80$

$\left(\dfrac{4}{5}\right)^x=\dfrac{80}{125}$

이때 $\dfrac{80}{125}=\left(\dfrac{4}{5}\right)^2$이므로 $\left(\dfrac{4}{5}\right)^x=\left(\dfrac{4}{5}\right)^2$

$\therefore x=2$

3단계 가격이 64만 원 이하가 되는 것은 최소 몇 년 후인지 구한다. ◀ 40%

가격이 64만 원 이하가 되는 것은 최소 n 년 후라 하면

$125\left(\dfrac{4}{5}\right)^x\leq 64$

$\left(\dfrac{4}{5}\right)^x\leq\dfrac{64}{125}$

이때 $\dfrac{64}{125}=\left(\dfrac{4}{5}\right)^3$이므로 $\left(\dfrac{4}{5}\right)^x\leq\left(\dfrac{4}{5}\right)^3$

$\therefore x\geq 3$

따라서 최소 3년 후이다.

0657

정답 해설참조

1단계 처음 통과시키는 물에 포함된 불순물의 양이 a일 때, 정수필터에 한 번 통과시키면 불순물의 양이 얼마가 되는지 구한다. ◀ 20%

처음 불순물의 양을 a라고 할 때, 정수필터를 한번 통과 시킨 후에 남아 있는 불순물의 양은 $(1-0.6)a=0.4a$

2단계 처음 통과시키는 물에 포함된 불순물의 양이 a일 때, 정수필터에 n번 통과시킨 후 불순물의 양을 $f(n)$라 하고 $f(n)$을 구한다. ◀ 30%

처음 불순물의 양을 a라고 할 때, 정수필터를 n번 통과 시킨 후에 남아있는 불순물의 양은 $f(n)=a(1-0.6)^n=0.4^n a$

3단계 [2단계]에서 구한 $f(n)$를 이용하여 불순물의 양을 처음 양의 2% 이하가 되게 하려면 정수필터를 최소한 몇 번 통과시켜야 하는지 구한다. (단, $\log 2=0.3$으로 계산한다.) ◀ 50%

불순물의 양을 처음 양의 2% 이하가 되므로

$f(n)=a\times 0.4^n\leq 0.02a$

즉 $0.4^n\leq 0.02$

양변에 상용로그를 취하면 $n(\log 4-1)\leq\log 2-2$

$n\geq\dfrac{\log 2-2}{2\log 2-1}=\dfrac{0.3-2}{2\times 0.3-1}=4.25$

따라서 정수필터를 최소한 5번 통과시켜야 한다.

0658

정답 해설참조

1단계 $\log 6$의 값을 구한다. ◀ 20%

$\log 6=\log(2\cdot 3)=\log 2+\log 3=0.30+0.48$
$\qquad\qquad =0.78$

2단계 $\log 5$의 값을 구한다. ◀ 20%

$\log 5=\log\dfrac{10}{2}=\log 10-\log 2=1-0.3$
$\qquad\qquad =0.7$

3단계 먼지 제거 장치가 가동되기 시작하고 512초 후 1m^3당 먼지의 양 (μg)을 구한다. ◀ 20%

$x(512)=20+180\cdot 3^{-\frac{512}{256}}=20+180\cdot 3^{-2}$
$\qquad\qquad =40$

4단계 먼지 제거 장치가 가동되기 시작하고 n초 후 처음으로 작업장의 1m^3당 먼지의 양이 $170\mu g$ 이하가 되었다고 할 때, 자연수 n의 값을 구한다. ◀ 40%

$x(n)=20+180\cdot 3^{-\frac{n}{256}}\leq 170$

$180\cdot 3^{-\frac{n}{256}}\leq 150$

$\therefore 3^{-\frac{n}{256}}\leq\dfrac{5}{6}$ ...... ㉠

㉠의 양변에 상용로그를 취하면

$\log 3^{-\frac{n}{256}}\leq\log\dfrac{5}{6}$

$-\dfrac{n}{256}\cdot\log 3\leq\log 5-\log 6$

$-\dfrac{n}{256}\cdot 0.48\leq 0.7-0.78$

$-\dfrac{n}{256}\cdot 0.48\leq -0.08$

$\dfrac{n}{256}\geq\dfrac{1}{6}$

$\therefore n\geq\dfrac{256}{6}=42.6\cdots$

따라서 $n=43$

0659

1단계 $c=0.3$인 어느 학습에서 처음 기억상태가 100일 때, 기억상태가 50 이하가 되는 것은 최소 몇 개월 후인지 구한다. ◀ 30%
(단, $\log 2 = 0.30$)

$c=0.3$, $P_0 = 100$이므로

$\dfrac{100}{(t+1)^{0.3}} \le 50$, $(t+1)^{0.3} \ge 2$

양변에 상용로그를 취하면

$\log(t+1)^{0.3} \ge \log 2$

$0.3\log(t+1) \ge 0.3$

$\log(t+1) \ge 1$, $\log(t+1) \ge \log 10$

$t+1 \ge 10$

$\therefore t \ge 9$

따라서 최소 9개월 후이다.

2단계 $c=0.2$인 어느 학습에서 처음 기억상태가 90일 때, 4개월 후 기억상태는 얼마인지 구한다. ◀ 30%

$c=0.2$, $P_0=90$, $t=4$이므로

$P = \dfrac{90}{5^{0.2}}$

양변에 상용로그를 취하면

$\log P = \log \dfrac{90}{5^{0.2}}$

$\log P = \log(3^2 \times 10) - 0.2\log 5$

$\quad\quad = 2\log 3 + 1 - 0.2(1 - \log 2)$

$\quad\quad = 1.82 = 1 + 0.82$

$\quad\quad = \log 10 + \log 6.6 = \log 66$

즉 $P = 66$

3단계 $c=0.3$인 시험 A와 $c=0.2$인 시험 B에서 시험점수는 기억상태에 비례한다고 하자. 두 시험의 처음 점수가 같을 때, 6개월 후에 두 시험을 본다면 점수가 더 높은 시험은 무엇인지 예상한다. ◀ 40%

6개월 후 두 시험 A, B에 대한 기억상태를 각각 P_A, P_B라고 하면

$P_A = \dfrac{P_0}{7^{0.3}} = P_0\left(\dfrac{1}{7}\right)^{0.3}$, $P_B = \dfrac{P_0}{7^{0.2}} = P_0\left(\dfrac{1}{7}\right)^{0.2}$

함수 $y = \left(\dfrac{1}{7}\right)^x$는 x의 값이 증가하면 y의 값은 감소하므로

$\left(\dfrac{1}{7}\right)^{0.3} < \left(\dfrac{1}{7}\right)^{0.2}$, 즉 $P_A < P_B$

따라서 시험 B의 점수가 더 높을 것으로 예상할 수 있다.

STEP 3 행복한 1등급 문제

0660

STEP A $x=p$와 두 함수 $f(x)$, $g(x)$의 교점 A, B의 **중점 이용하기**

$x=p$와 두 함수 $f(x)=a^x$, $g(x)=a^{-x}$의 교점이 $A(p, a^p)$, $B(p, a^{-p})$

이때 선분 AB의 중점의 좌표가 $\left(p, \dfrac{a^p + a^{-p}}{2}\right) = (p, 3)$이므로

$a^p + a^{-p} = 6$

STEP B $x=2p$와 두 함수 $f(x)$, $g(x)$의 교점 C, D의 선분의 길이 **구하기**

또한, $x=2p$와 두 함수 $f(x)=a^x$, $g(x)=a^{-x}$의 교점이

$C(2p, a^{2p})$, $D(2p, a^{-2p})$이므로 $\overline{CD} = a^{2p} - a^{-2p} = (a^p - a^{-p})(a^p + a^{-p})$

이때 $a^p + a^{-p} = 6$이므로 $(a^p - a^{-p})^2 = (a^p + a^{-p})^2 - 4 = 6^2 - 4 = 32$

$a > 1$, $p > 0$에서 $a^p > a^{-p}$이므로 $a^p - a^{-p} = 4\sqrt{2}$

따라서 $\overline{CD} = 6 \cdot 4\sqrt{2} = 24\sqrt{2}$

0661

STEP A **주어진 조건에 대입하여 정리하기**

$a > 0$에서 $0 < 2^{-\frac{2}{a}} < 1$이므로 $1 - 2^{-\frac{2}{a}} > 0$

$\dfrac{Q(4)}{Q(2)} = \dfrac{Q_0\left(1 - 2^{-\frac{4}{a}}\right)}{Q_0\left(1 - 2^{-\frac{2}{a}}\right)} = \dfrac{1 - \left(2^{-\frac{2}{a}}\right)^2}{1 - 2^{-\frac{2}{a}}}$

$\quad\quad\quad = \dfrac{\left(1 - 2^{-\frac{2}{a}}\right)\left(1 + 2^{-\frac{2}{a}}\right)}{1 - 2^{-\frac{2}{a}}}$

$\quad\quad\quad = 1 + 2^{-\frac{2}{a}}$

STEP B $\dfrac{Q(4)}{Q(2)} = \dfrac{3}{2}$을 만족하는 a의 값 구하기

$\dfrac{Q(4)}{Q(2)} = \dfrac{3}{2}$이므로 $1 + 2^{-\frac{2}{a}} = \dfrac{3}{2}$, $2^{-\frac{2}{a}} = \dfrac{1}{2} = 2^{-1}$

따라서 $-\dfrac{2}{a} = -1$이므로 $a = 2$

다른풀이 치환을 이용하여 풀이하기

STEP A $2^{-\frac{2}{a}} = t$로 **치환하여** t의 값 구하기

$\dfrac{Q(4)}{Q(2)} = \dfrac{3}{2}$에서 $2Q(4) = 3Q(2)$

$2Q_0\left(1 - 2^{-\frac{4}{a}}\right) = 3Q_0\left(1 - 2^{-\frac{2}{a}}\right)$

$2^{-\frac{2}{a}} = t$로 놓으면 $a > 0$이므로 $0 < t < 1$이다.

$2(1 - t^2) = 3(1 - t)$, $2(1-t)(1+t) = 3(1-t)$

$2(1+t) = 3$에서 $t = \dfrac{1}{2}$

STEP B **지수방정식을 이용하여** a**의 값 구하기**

즉 $2^{-\frac{2}{a}} = 2^{-1}$이므로 $-\dfrac{2}{a} = -1$ $\therefore a = 2$

I 지수함수와 로그함수

0662

STEP A $\overline{AB}=2\sqrt{10}$와 직선 AB의 기울기가 3임을 이용하여 a, b의 관계식 세우기

함수 $y=2^x$의 그래프 위의 서로 다른 두 점 A$(a, 2^a)$, B$(b, 2^b)$이므로

$\overline{AB}=2\sqrt{10}$에서 $\overline{AB}=\sqrt{(b-a)^2+(2^b-2^a)^2}=2\sqrt{10}$

$(b-a)^2+(2^b-2^a)^2=40$ ······ ㉠

직선 AB의 기울기가 3이므로

$\dfrac{2^b-2^a}{b-a}=3$, $2^b-2^a=3(b-a)$ ······ ㉡

STEP B 연립하여 2^a, 2^b의 값 구하기

㉠, ㉡을 연립하여 풀면 $(b-a)^2+9(b-a)^2=40$

$\therefore b-a=2 (\because b>a)$ ······ ㉢

㉢을 ㉡에 대입하면 $2^b-2^a=6$ ······ ㉣

㉢에서 $b=a+2$을 ㉣에 대입하면 $2^{a+2}-2^a=6$

$4 \cdot 2^a-2^a=3 \cdot 2^a=6$ $\therefore 2^a=2$

㉣에서 $2^b=8$

따라서 $2^a+2^b=10$

0663

STEP A 로그방정식을 이용하여 해 구하기

직선 $x=k$가 두 곡선 $y=\log_2 x$, $y=-\log_2(8-x)$와 만나는 점이

A$(k, \log_2 k)$, B$(k, -\log_2(8-k))$이고 $\overline{AB}=2$이므로

$|\log_2 k-(-\log_2(8-k))|=|\log_2 k+\log_2(8-k)|=2$

$|\log_2 k(8-k)|=2$

$\therefore \log_2 k(8-k)=-2$ 또는 $\log_2 k(8-k)=2$

(i) $\log_2 k(8-k)=-2$일 때,

$k(8-k)=\dfrac{1}{4}$, $4k^2-32k+1=0$

이때 진수조건 $0<x<8$이므로

$k=\dfrac{8-3\sqrt{7}}{2}$ 또는 $k=\dfrac{8+3\sqrt{7}}{2}$

(ii) $\log_2 k(8-k)=2$일 때,

$k(8-k)=4$, $k^2-8k+4=0$

이때 진수조건 $0<x<8$이므로

$k=4-2\sqrt{3}$ 또는 $k=4+2\sqrt{3}$

(i), (ii)에 의하여 모든 실수 k의 값의 곱은

$\left(\dfrac{8-3\sqrt{7}}{2}\right)\left(\dfrac{8+3\sqrt{7}}{2}\right)(4-2\sqrt{3})(4+2\sqrt{3})=\dfrac{1}{4} \cdot 4=1$

다른풀이 그래프를 그리고 근과 계수의 관계를 이용하여 풀이하기

$|\log_2 x-(-\log_2(8-x))|=|\log_2 x+\log_2(8-x)|=2$

(i) $\log_2 x>-\log_2(8-x)\left(x>\dfrac{1}{8-x}\right)$일 때,

$\log_2 k(8-k)=2$, $k(8-k)=2^2$

즉 이차방정식 $k^2-8k+4=0$의 두 근을 α, β라 하면

$\alpha\beta=4$

(ii) $\log_2 x<-\log_2(8-x)\left(x<\dfrac{1}{8-x}\right)$일 때,

$\log_2 k(8-k)=-2$, $k(8-k)=\dfrac{1}{4}$

이차방정식 $k^2-8k+\dfrac{1}{4}=0$의 두 근을 γ, δ라 하면 $\gamma\delta=\dfrac{1}{4}$

(i), (ii)에서 네 실근 α, β, γ, δ의 곱은 $\alpha\beta\gamma\delta=4 \cdot \dfrac{1}{4}=1$

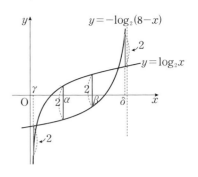

0664

STEP A 두 곡선이 x축과 만나는 점 A를 a로 나타내기

곡선 $y=a\log_2(x-a+1)$이 x축과 만나므로

$a\log_2(x-a+1)=0$에서 $x-a+1=1$

$\therefore x=a$

또한, 곡선 $y=2^{x-a}-1$이 x축과 만나므로

$2^{x-a}-1=0$에서 $x=a$

$\therefore$ A$(a, 0)$

STEP B 삼각형 OAB의 넓이를 이용하여 점 B의 좌표 구하기

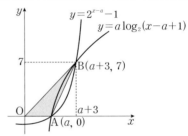

점 B의 y좌표를 $k(k>0)$라 하면 삼각형 OAB의 넓이는

$\dfrac{1}{2} \cdot \overline{OA} \cdot k=\dfrac{1}{2} \cdot a \cdot k=\dfrac{7}{2}a$이므로 $k=7$

$2^{x-a}-1=7$이므로 $x=a+3$

$\therefore$ B$(a+3, 7)$

STEP C 두 점 A, B의 좌표를 구하여 선분 AB의 중점의 좌표 구하기

점 B$(a+3, 7)$는 곡선 $y=a\log_2(x-a+1)$ 위의 점이므로

$a\log_2(a+3-a+1)=7$에서 $a=\dfrac{7}{2}$

$\therefore$ A$\left(\dfrac{7}{2}, 0\right)$, B$\left(\dfrac{13}{2}, 7\right)$

선분 AB의 중점 M의 좌표는 $\left(5, \dfrac{7}{2}\right)$이므로 $p=5$, $q=\dfrac{7}{2}$

따라서 $p+q=\dfrac{17}{2}$

0665

STEP A 밑이 같거나 진수가 1인 경우의 x값 구하기

방정식 $\log_{(x^2+2x+1)}(3x-1)=\log_{(x+7)}(3x-1)$에서

(ⅰ) 밑이 같을 때, $x^2+2x+1=x+7$에서

$x^2+x-6=0$, $(x+3)(x-2)=0$

$\therefore x=-3$ 또는 $x=2$

(ⅱ) 진수가 1일 때, $3x-1=1$

$\therefore x=\dfrac{2}{3}$

STEP B 밑 조건과 진수조건을 만족하는 x의 범위 구하기

밑 조건에서 $x^2+2x+1>0$, $x^2+2x+1\neq1$

$\therefore x\neq0$, $x\neq-1$, $x\neq-2$인 모든 실수 ······ ㉠

$x+7>0$, $x+7\neq1$

$\therefore -7<x<-6$, $x>-6$ ······ ㉡

진수조건에서 $3x-1>0$

$\therefore x>\dfrac{1}{3}$ ······ ㉢

㉠, ㉡, ㉢에서 $x>\dfrac{1}{3}$

따라서 $x=2$ 또는 $x=\dfrac{2}{3}$이므로 곱은 $2\cdot\dfrac{2}{3}=\dfrac{4}{3}$

0666

STEP A 점 A, C의 y좌표를 a라 두고 A, B의 좌표를 a로 표현하기

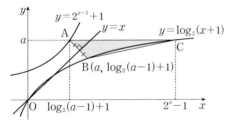

점 A, C의 y좌표가 a라 하면 점 $A(\log_2(a-1)+1, a)$의 $y=x$대칭인

점 B의 좌표는 $B(a, \log_2(a-1)+1)$

STEP B 점 B를 $y=\log_2(x+1)$에 대입하여 a의 값 구하기

이때 점 $B(a, \log_2(a-1)+1)$가 곡선 $y=\log_2(x+1)$ 위의 점이므로

대입하면 $\log_2(a-1)+1=\log_2(a+1)$

$\log_2(a-1)+\log_22=\log_2(a+1)$

$\log_22(a-1)=\log_2(a+1)$, $2(a-1)=a+1$

$\therefore a=3$

STEP C 무게중심의 정의를 이용하여 삼각형 ABC의 무게중심의 좌표 구하기

즉 세 점 $A(2, 3)$, $B(3, 2)$, $C(7, 3)$이므로 삼각형 ABC의 무게중심은

$\left(\dfrac{2+3+7}{3}, \dfrac{3+2+3}{3}\right)$, 즉 $\left(4, \dfrac{8}{3}\right)$이므로 $p=4$, $q=\dfrac{8}{3}$

따라서 $p+q=\dfrac{20}{3}$

0667

STEP A 두 함수의 교점 A의 좌표 구하기

$y=\log_2(x-a)+b$의 그래프와 $y=f(x)$의 그래프의 교점은

$y=\log_2(x-a)+b$의 그래프와 직선 $y=x$의 교점과 같으므로

점 A의 좌표를 (t, t)라고 하면 삼각형 ABC의 넓이가 $\dfrac{5}{2}$이므로

$t^2-2\cdot\dfrac{1}{2}t(t-1)-\dfrac{1}{2}\cdot1\cdot1=t-\dfrac{1}{2}=\dfrac{5}{2}$

$\therefore t=3$

점 A의 좌표는 $(3, 3)$이므로

$3=\log_2(3-a)+b$ ······ ㉠

STEP B 점 C의 좌표를 구하여 a, b의 관계식 구하기

$y=f(x)$의 그래프가 점 $C(1, 0)$을 지나므로 $y=\log_2(x-a)+b$의

그래프는 점 $B(0, 1)$을 지나야 한다.

$1=\log_2(-a)+b$ ······ ㉡

㉠, ㉡에서 $b=3-\log_2(3-a)=1-\log_2(-a)$이므로

$\log_2(3-a)=\log_2(-a)+2$

$\log_2(3-a)=\log_2(-4a)$

$3-a=-4a$

$\therefore a=-1$

㉡에서 $b=1$

따라서 $ab=-1$

0668

STEP A 로그의 진수 조건 구하기

로그의 진수조건에 의하여 $x+1>0$, $2x-1>0$

$\therefore x>\dfrac{1}{2}$ ······ ㉠

STEP B 부등식의 양변을 밑이 같은 부등식을 만들어 x의 값 구하기

$\log\sqrt{5(x+1)}\leq1-\dfrac{1}{2}\log(2x-1)$에서

$\dfrac{1}{2}\{\log5+\log(x+1)\}\leq1-\dfrac{1}{2}\log(2x-1)$

$\log5+\log(x+1)\leq2-\log(2x-1)$

$\log(x+1)+\log(2x-1)\leq2-\log5$

$\log\{(x+1)(2x-1)\}\leq\log20$

$(x+1)(2x-1)\leq20$, $2x^2+x-21\leq0$

$(2x+7)(x-3)\leq0$

$\therefore -\dfrac{7}{2}\leq x\leq3$ ······ ㉡

㉠, ㉡에서 $\dfrac{1}{2}<x\leq3$

따라서 정수 x는 1, 2, 3이므로 합은 $1+2+3=6$

0669

정답 17

STEP A 주어진 식을 3^x에 대한 부등식으로 정리하기

$(3^{x+2}-1)(3^{x-p}-1)\leq 0$에서 $(9\cdot 3^x-1)\left(\dfrac{1}{3^p}\cdot 3^x-1\right)\leq 0$

$\dfrac{1}{3^p}\cdot 9\left(3^x-\dfrac{1}{9}\right)(3^x-3^p)\leq 0$

STEP B 부등식을 만족시키는 정수 x의 개수가 20이 되도록 하는 p의 값 구하기

주어진 부등식의 양변에 $3^{-2}\times 3^p$을 곱하면

$(3^x-3^{-2})(3^x-3^p)\leq 0$

p가 자연수이므로 $3^{-2}\leq 3^x\leq 3^p$

$\therefore -2\leq x\leq p$

이때 $-2\leq x\leq p$를 만족시키는 정수 x는 $-2, -1, 0, 1, \cdots, p$

따라서 정수 x의 개수는 $p+3=20$이므로 $p=17$

0670

정답 6

STEP A $f(x)$의 역함수 $g(x)$ 구하기

함수 $f(x)=\log_2(x-3)+1$에서

$y=\log_2(x-3)+1$, $y-1=\log_2(x-3)$

$x-3=2^{y-1}$

x, y을 서로 바꾸면 $y=2^{x-1}+3$이므로 $g(x)=2^{x-1}+3$

STEP B 치환을 이용하여 지수방정식 구하기

방정식 $g(x)\{g(x)-8\}-4\cdot 2^x+31=0$에서

$(2^{x-1}+3)(2^{x-1}+3-8)-4\cdot 2^x+31=0$

$2^{2x-2}-2\cdot 2^{x-1}-4\cdot 2^x+16=0$

$\therefore 2^{2x}-20\cdot 2^x+64=0$

$2^x=t\,(t>0)$로 놓으면 $t^2-20t+64=0$

$(t-4)(t-16)=0$

$\therefore t=4$ 또는 $t=16$

즉 $2^x=4$ 또는 $2^x=16$이므로 $x=2$ 또는 $x=4$

따라서 $\alpha=2$, $\beta=4$ 또는 $\alpha=4$, $\beta=2$이므로 $\alpha+\beta=2+4=6$

0671

정답 10

STEP A 주어진 조건에 대입하여 정리하기

금융상품에 초기자산 ω_0을 투자하고

15년이 지난 시점에서의 기대자산 ω은 초기자산의 3배이므로

$\omega=3\omega_0$, $t=15$를 대입하면

$3\omega_0=\dfrac{\omega_0}{2}\times 10^{15a}(1+10^{15a})$

$6=10^{15a}(1+10^{15a})$, $(10^{15a})^2+10^{15a}-6=0$

$(10^{15a}+3)(10^{15a}-2)=0$

$10^{15a}>0$이므로 $10^{15a}=2$

STEP B 10^{15a}을 구하고 k 구하기

초기자산 ω_0을 투자하고

30년이 지난 시점에서의 기대자산이 초기자산의 k배이므로

$\omega=k\omega_0$, $t=30$

$kw_0=\dfrac{w_0}{2}10^{30a}(1+10^{30a})$이므로 $2k=10^{30a}(1+10^{30a})$

$10^{15a}=2$를 대입하면

$2k=(10^{15a})^2\{1+(10^{15a})^2\}=2^2(1+2^2)=20$

따라서 $k=10$

11 MAPL;SYNERGY 삼각함수

01 STEP1 내신정복기출유형 삼각함수의 정의

0672
정답 ④

STEP A 주어진 각을 일반각으로 나타내기

① $-300° = 360° \times (-1) + 60°$

② $-240° = 360° \times (-1) + 120°$

③ $420° = 360° \times 1 + 60°$

④ $750° = 360° \times 2 + 30°$

⑤ $1040° = 360° \times 2 + 320°$

따라서 30°와 동경의 위치가 같은 각은 750°

0673
정답 ④

STEP A 주어진 각을 일반각으로 나타내기

어떤 각의 동경을 구할 때에는 그 각을 일반각으로 나타낸다.

① $-60° = 360° \times (-1) + 300°$

② $300° = 360° \times 0 + 300°$

③ $660° = 360° \times 1 + 300°$

④ $-760° = 360° \times (-3) + 320°$

⑤ $1020° = 360° \times 2 + 300°$

따라서 각을 나타내는 동경이 나머지 넷과 다른 하나는 ④이다.

0674
정답 ②

STEP A 주어진 각을 일반각으로 나타내기

ㄱ. $-\dfrac{17}{3}\pi = 2\pi \cdot (-3) + \dfrac{\pi}{3}$ [참]

ㄴ. $-\dfrac{13}{3}\pi = 2\pi \times (-3) + \dfrac{5}{3}\pi$

ㄷ. $-\dfrac{5}{3}\pi = 2\pi \times (-1) + \dfrac{\pi}{3}$ [참]

ㄹ. $\dfrac{7}{3}\pi = 2\pi \times 1 + \dfrac{\pi}{3}$ [참]

ㅁ. $\dfrac{17}{3}\pi = 2\pi \times 2 + \dfrac{5}{3}\pi$

따라서 한 각의 크기가 $\dfrac{\pi}{3}$인 것은 ㄱ, ㄷ, ㄹ이다.

내/신/연/계/ 출제문항 234

다음 각 중에서 같은 위치의 동경을 나타내는 것이 아닌 것은?

① $60°$ ② $1140°$ ③ $-\dfrac{5}{3}\pi$

④ $-330°$ ⑤ $\dfrac{7}{3}\pi$

STEP A 주어진 각을 일반각으로 나타내기

① $60° = \dfrac{\pi}{3}$

② $1140° = 360° \times 3 + 60°$

③ $-\dfrac{5}{3}\pi = 2\pi \times (-1) + \dfrac{\pi}{3}$

④ $-330° = 360° \times (-1) + 30°$

⑤ $\dfrac{7}{3}\pi = 2\pi + \dfrac{\pi}{3}$

따라서 같은 위치의 동경을 나타내는 것이 아닌 것은 ④이다.
정답 ④

0675
정답 ③

STEP A 주어진 각을 일반각으로 나타내어 사분면 구하기

① $170° = 360° \times 0 + 170°$: 제 2사분면

② $480° = 360° \times 1 + 120°$: 제 2사분면

③ $\dfrac{4}{3}\pi = 2\pi \times 0 + \dfrac{4}{3}\pi$: 제 3사분면

④ $-\dfrac{7}{6}\pi = 2\pi \times (-1) + \dfrac{5}{6}\pi$: 제 2사분면

⑤ $-580° = 360° \times (-2) + 140°$: 제 2사분면

따라서 사분면이 다른 하나는 ③이다.

0676
정답 ⑤

STEP A 주어진 각을 일반각으로 나타내어 사분면 구하기

① $920° = 360° \times 2 + 200°$: 제 3사분면

② $-520° = 360° \times (-2) + 200°$: 제 3사분면

③ $-\dfrac{5}{6}\pi = -\pi + \dfrac{\pi}{6}$: 제 3사분면

④ $\dfrac{4}{3}\pi = 2\pi \times 0 + \dfrac{4}{3}\pi$: 제 3사분면

⑤ $\dfrac{11}{4}\pi = 2\pi + \dfrac{3}{4}\pi$: 제 2사분면

따라서 사분면이 다른 하나는 ⑤이다.

0677
정답 ②

STEP A 제 2사분면의 각을 일반각으로 나타내기

각 θ가 제 2사분면의 각이므로 정수 n에 대하여

$2n\pi + \dfrac{\pi}{2} < \theta < 2n\pi + \pi$ (n은 정수)

STEP B 각 $\dfrac{\theta}{2}$를 나타내는 동경이 존재할 수 있는 사분면 구하기

$n\pi + \dfrac{\pi}{4} < \dfrac{\theta}{2} < n\pi + \dfrac{\pi}{2}$ (n은 정수)

(i) n이 짝수이면 각 $\dfrac{\theta}{2}$는 제 1사분면의 각이고

(ii) n이 홀수이면 각 $\dfrac{\theta}{2}$는 제 3사분면의 각이다.

(i), (ii)에서 각 $\dfrac{\theta}{2}$는 제 1사분면 또는 제 3사분면의 각이다.

0678

정답 ④

STEP A 제 3사분면의 각을 일반각으로 나타내기

각 θ가 제 3사분면의 각이므로

$2n\pi+\pi<\theta<2n\pi+\dfrac{3}{2}\pi$ (n은 정수)

$\dfrac{2n}{3}\pi+\dfrac{\pi}{3}<\dfrac{\theta}{3}<\dfrac{2n}{3}\pi+\dfrac{\pi}{2}$ (단, n은 정수)

STEP B 각 $\dfrac{\theta}{3}$를 나타내는 동경이 존재할 수 있는 사분면 구하기

(i) $n=3k$ (k는 정수)일 때, $2k\pi+\dfrac{\pi}{3}<\dfrac{\theta}{3}<2k\pi+\dfrac{\pi}{2}$

즉 각 $\dfrac{\theta}{3}$은 제 1사분면의 각이다.

(ii) $n=3k+1$ (k는 정수)일 때, $2k\pi+\pi<\dfrac{\theta}{3}<2k\pi+\dfrac{7}{6}\pi$

즉 각 $\dfrac{\theta}{3}$는 제 3사분면의 각이다.

(iii) $n=3k+2$ (k는 정수)일 때, $2k\pi+\dfrac{5}{3}\pi<\dfrac{\theta}{3}<2k\pi+\dfrac{11}{6}\pi$

즉 각 $\dfrac{\theta}{3}$는 제 4사분면의 각이다.

(i)~(iii)에서 각 $\dfrac{\theta}{3}$는 제 1사분면 또는 제 3사분면 또는 제 4사분면의 각이다.

내 신 연 계 출제문항 **235**

θ가 제 2사분면의 각일 때, $\dfrac{\theta}{3}$를 나타내는 동경이 존재하는 범위를 단위원 안에 나타내고, 그 넓이를 구하면?

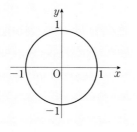

① $\dfrac{\pi}{4}$ ② $\dfrac{\pi}{3}$

③ $\dfrac{\pi}{2}$ ④ π

⑤ $\dfrac{3}{2}\pi$

STEP A 제 2사분면의 각을 일반각으로 나타내기

각 θ가 제 2사분면의 각이므로

$2n\pi+\dfrac{\pi}{2}<\theta<2n\pi+\pi$ (n은 정수)

$\dfrac{2}{3}n\pi+\dfrac{\pi}{6}<\dfrac{\theta}{3}<\dfrac{2}{3}n\pi+\dfrac{\pi}{3}$

STEP B 각 $\dfrac{\theta}{3}$를 나타내는 동경이 존재할 수 있는 사분면 구하기

$n=0$이면 $\dfrac{\pi}{6}<\dfrac{\theta}{3}<\dfrac{\pi}{3}$에서 $\dfrac{\theta}{3}$는 제 1사분면의 각

$n=1$이면 $\dfrac{5}{6}\pi<\dfrac{\theta}{3}<\pi$에서 $\dfrac{\theta}{3}$는 제 2사분면의 각

$n=2$이면 $\dfrac{3}{2}\pi<\dfrac{\theta}{3}<\dfrac{5}{3}\pi$에서 $\dfrac{\theta}{3}$는 제 4사분면의 각
⋮

즉 $n=3$, 4, 5, …에 대해서도 동경의 위치가 제 1사분면, 제 2사분면, 제 4사분면으로 반복한다.

따라서 각 $\dfrac{\theta}{3}$는 제 1사분면, 제 2사분면, 제 4사분면의 각이다.

STEP C 단위원 안에 나타낸 범위의 넓이 구하기

단위원 안에 나타내면 오른쪽 그림과 같다.

따라서 반지름의 길이가 1, 중심각의 크기가 $30°\left(=\dfrac{\pi}{6}\right)$인 3개의 부채꼴의

넓이는 $3\cdot\dfrac{1}{2}\cdot1^2\cdot\dfrac{\pi}{6}=\dfrac{\pi}{4}$

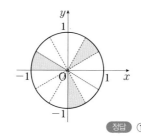

정답 ①

0679

정답 ②

STEP A $\sin\theta<0$, $\tan\theta>0$을 만족하는 각을 일반각으로 나타내기

$\sin\theta<0$, $\tan\theta>0$을 만족하는 각 θ는 제 3사분면의 각이므로

$2n\pi+\pi<\theta<2n\pi+\dfrac{3}{2}\pi$ (n은 정수)에서

$n\pi+\dfrac{\pi}{2}<\dfrac{\theta}{2}<n\pi+\dfrac{3}{4}\pi$

STEP B 각 $\dfrac{\theta}{2}$를 나타내는 동경이 존재할 수 있는 사분면 구하기

(i) $n=2k$ (k는 정수)일 때, $2k\pi+\dfrac{\pi}{2}<\dfrac{\theta}{2}<2k\pi+\dfrac{3}{4}\pi$

즉 각 $\dfrac{\theta}{2}$의 동경은 제 2사분면에 있다.

(ii) $n=2k+1$ (k는 정수)일 때, $2k\pi+\dfrac{3}{2}\pi<\dfrac{\theta}{2}<2k\pi+\dfrac{7}{4}\pi$

즉 각 $\dfrac{\theta}{2}$의 동경은 제 4사분면에 있다.

(i), (ii)에서 각 $\dfrac{\theta}{2}$는 제 2사분면 또는 제 4사분면의 각이다.

0680

정답 ④

STEP A $\mathrm{OP}_n=\mathrm{OP}_{n+6}$ 구하기

$2n\pi+(-1)^n\times\dfrac{n}{3}\pi$에서

$\mathrm{OP}_1=2\pi-\dfrac{1}{3}\pi$, $\mathrm{OP}_2=4\pi+\dfrac{2}{3}\pi$, $\mathrm{OP}_3=6\pi-\pi=5\pi$,

$\mathrm{OP}_4=8\pi+\dfrac{4}{3}\pi$, $\mathrm{OP}_5=10\pi-\dfrac{5}{3}\pi$, $\mathrm{OP}_6=12\pi+2\pi$,

$\mathrm{OP}_7=14\pi-\dfrac{7}{3}\pi=14\pi-\left(2\pi+\dfrac{1}{3}\pi\right)=12\pi-\dfrac{1}{3}\pi$

즉 $\mathrm{OP}_1=\mathrm{OP}_7$이므로 $\mathrm{OP}_n=\mathrm{OP}_{n+6}$

STEP B 동경 OP_1과 같은 위치의 개수 구하기

따라서 동경 OP_1과 같은 위치에 있는 것은
동경 OP_7, OP_{13}, OP_{19}, OP_{25}, …, OP_{97}이므로 16개이다.

0681

정답 ②

STEP A 두 각 α, β를 나타내는 동경이 일치하면
$\beta-\alpha=2n\pi$ (단, n은 정수)임을 이용하기

각 θ, 7θ의 동경이 일치하므로

$7\theta-\theta=2n\pi$ (n은 정수)에서 $\theta=\dfrac{n}{3}\pi$

$\pi<\theta<\dfrac{3}{2}\pi$이므로 $\theta=\dfrac{4}{3}\pi$

STEP B $\cos\theta$의 값 구하기

따라서 $\cos\theta=\cos\dfrac{4}{3}\pi=\cos\left(\pi+\dfrac{\pi}{3}\right)=-\cos\dfrac{\pi}{3}=-\dfrac{1}{2}$

0682

STEP Ⓐ 두 각 α, β를 나타내는 동경이 일치하면
$\beta-\alpha=2n\pi$ (단, n은 정수)임을 이용하기

각 θ, 7θ의 동경이 일치하므로
$7\theta-\theta=2n\pi$ (n은 정수)에서 $\theta=\dfrac{n}{3}\pi$

STEP Ⓑ $0<\theta<\pi$에서 각 θ의 값 구하기

이때 $0<\theta<\pi$이므로 $\theta=\dfrac{\pi}{3}$ 또는 $\theta=\dfrac{2}{3}\pi$

$p=\dfrac{\pi}{3}+\dfrac{2}{3}\pi=\pi$

STEP Ⓒ $\cos p$의 값 구하기

따라서 $\cos p=\cos\pi=-1$

0683

STEP Ⓐ 두 동경의 위치에 따른 두 각의 관계식 구하기

각 θ, 7θ의 동경이 일치하므로
$7\theta-\theta=2n\pi$ (단, n은 정수)
$\therefore \theta=\dfrac{n}{3}\pi$ ...... ㉠

STEP Ⓑ $\dfrac{\pi}{2}<\theta<\pi$에서 각 θ의 값 구하기

$\dfrac{\pi}{2}<\theta<\pi$이므로 $\dfrac{\pi}{2}<\dfrac{n}{3}\pi<\pi$

이때 $\dfrac{3}{2}<n<3$에서 $n=2$

이것을 ㉠에 대입하면 $\theta=\dfrac{2}{3}\pi$

STEP Ⓒ $\cos\left(\theta-\dfrac{\pi}{2}\right)$의 값 구하기

따라서 $\cos\left(\theta-\dfrac{\pi}{2}\right)=\cos\left(\dfrac{2}{3}\pi-\dfrac{\pi}{2}\right)=\cos\dfrac{\pi}{6}=\dfrac{\sqrt{3}}{2}$

 내신연계 출제문항 236

$0<\theta<\pi$이고 θ의 동경과 5θ의 동경이 일치할 때, $\sin\left(\theta+\dfrac{\pi}{6}\right)$의 값은?

① $\dfrac{1}{2}$ ② $\dfrac{1}{\sqrt{2}}$ ③ $\dfrac{\sqrt{3}}{2}$

④ 1 ⑤ $-\dfrac{\sqrt{3}}{2}$

STEP Ⓐ 두 동경의 위치에 따른 두 각의 관계식 구하기

각 θ, 5θ의 동경이 일치하므로
$5\theta-\theta=2n\pi$ (단, n은 정수)
$\therefore \theta=\dfrac{n}{2}\pi$ ...... ㉠

STEP Ⓑ $0<\theta<\pi$에서 각 θ의 값 구하기

$0<\theta<\pi$이므로 $0<\dfrac{n}{2}\pi<\pi$
이때 $0<n<2$에서 $n=1$
이것을 ㉠에 대입하면 $\theta=\dfrac{\pi}{2}$

STEP Ⓒ $\sin\left(\theta+\dfrac{\pi}{6}\right)$의 값 구하기

따라서 $\sin\left(\theta+\dfrac{\pi}{6}\right)=\sin\left(\dfrac{\pi}{2}+\dfrac{\pi}{6}\right)=\cos\dfrac{\pi}{6}=\dfrac{\sqrt{3}}{2}$

0684

STEP Ⓐ 두 각 α, β를 나타내는 동경이 원점에 대하여 대칭이면
$\beta-\alpha=(2n+1)\pi$ (단, n은 정수)임을 이용하기

두 동경 5θ, θ가 원점에 대하여 대칭이므로
$5\theta-\theta=2n\pi+\pi$ (단, n은 정수)
즉 $\theta=\dfrac{n}{2}\pi+\dfrac{\pi}{4}$ (단, n은 정수)

따라서 $\pi<\theta<\dfrac{3}{2}\pi$이므로 $\theta=\dfrac{5}{4}\pi$

 내신연계 출제문항 237

$0<\theta<\pi$에서 각 θ의 동경과 각 5θ의 동경이 원점에 대하여 대칭일 때, 각 θ의 모든 값의 합은?

① $\dfrac{3}{4}\pi$ ② π ③ $\dfrac{5}{4}\pi$

④ $\dfrac{4}{3}\pi$ ⑤ $\dfrac{5}{2}\pi$

STEP Ⓐ 두 동경의 위치에 따른 두 각의 관계식 구하기

각 θ의 동경과 각 5θ의 동경이 원점에 대하여 대칭이므로
$5\theta-\theta=2n\pi+\pi$에서
$\theta=\dfrac{n}{2}\pi+\dfrac{\pi}{4}$ (단, n은 정수) ...... ㉠

STEP Ⓑ $0<\theta<\pi$에서 각 θ의 값의 합 구하기

그런데 $0<\theta<\pi$이므로 $n=0$ 또는 $n=1$
이것을 ㉠에 대입하면
$\theta=\dfrac{\pi}{4}$ 또는 $\theta=\dfrac{3}{4}\pi$

따라서 구하는 모든 θ의 값의 합은 $\dfrac{\pi}{4}+\dfrac{3}{4}\pi=\pi$

0685

STEP Ⓐ 두 동경의 위치에 따른 두 각의 관계식 구하기

각 θ, 6θ의 동경이 일직선 위에 있고 방향이 반대이므로
$6\theta-\theta=(2n+1)\pi$ (n은 정수)
$\therefore \theta=\dfrac{(2n+1)\pi}{5}$

STEP Ⓑ $0<\theta<\dfrac{\pi}{2}$에서 각 θ의 값 구하기

$0<\theta<\dfrac{\pi}{2}$이므로 $n=0$
$\therefore \theta=\dfrac{\pi}{5}$

STEP Ⓒ $\cos\left(\theta+\dfrac{2}{15}\pi\right)$의 값 구하기

따라서 $\cos\left(\theta+\dfrac{2}{15}\pi\right)=\cos\left(\dfrac{\pi}{5}+\dfrac{2}{15}\pi\right)=\cos\dfrac{\pi}{3}=\dfrac{1}{2}$

내신연계 출제문항 238

각 θ와 각 10θ를 나타내는 동경이 일직선 위에 있고 방향이 반대일 때, 각 θ의 크기를 모두 합하면? (단, $0 < \theta < \dfrac{\pi}{2}$)

① $\dfrac{1}{9}\pi$ ② $\dfrac{2}{9}\pi$ ③ $\dfrac{1}{3}\pi$

④ $\dfrac{4}{9}\pi$ ⑤ $\dfrac{5}{9}\pi$

STEP A 두 동경의 위치에 따른 두 각의 관계식 구하기

두 동경이 일직선 위에 있고 방향이 반대일 때,

$10\theta - \theta = (2n+1)\pi$ (단, n은 정수)

$\therefore \theta = \dfrac{2n+1}{9}\pi$

STEP B $0 < \theta < \dfrac{\pi}{2}$에서 각 θ의 값의 합 구하기

이때 $0 < \theta < \dfrac{\pi}{2}$이므로 $n=0$ 또는 $n=1$

따라서 $\theta = \dfrac{1}{9}\pi$ 또는 $\theta = \dfrac{3}{9}\pi$이므로 합은 $\dfrac{1}{9}\pi + \dfrac{3}{9}\pi = \dfrac{4}{9}\pi$ ④

0686

 ④

STEP A 두 동경의 위치에 따른 두 각의 관계식 구하기

각 3θ, 7θ의 동경이 일직선 위에 있으므로

(i) 두 동경이 일치할 때,

$7\theta - 3\theta = 2n\pi$ (단, n은 정수)

$\therefore \theta = \dfrac{2n}{4}\pi$

이때 $0 < \theta < \pi$이므로 $n=1$

$\therefore \theta = \dfrac{2}{4}\pi$

(ii) 두 동경이 일직선 위에 있고 방향이 반대일 때,

$7\theta - 3\theta = (2n+1)\pi$ (단, n은 정수)

$\therefore \theta = \dfrac{2n+1}{4}\pi$

이때 $0 < \theta < \pi$이므로 $n=0$ 또는 $n=1$

$\theta = \dfrac{\pi}{4}$ 또는 $\theta = \dfrac{3}{4}\pi$

STEP B $0 < \theta < \pi$에서 각 θ의 값의 합 구하기

(i), (ii)에서 θ의 합은 $\dfrac{2}{4}\pi + \dfrac{\pi}{4} + \dfrac{3}{4}\pi = \dfrac{6}{4}\pi = \dfrac{3}{2}\pi$

0687

 ④

STEP A 두 동경의 위치에 따른 두 각의 관계식 구하기

각 2θ, 3θ의 동경이 x축에 대하여 대칭이므로

$2\theta + 3\theta = 2n\pi$ (단, n은 정수)

$\therefore \theta = \dfrac{2n}{5}\pi$

STEP B $0 < \theta < \pi$에서 각 θ의 값 구하기

$0 < \theta < \pi$에서 $0 < \dfrac{2n}{5}\pi < \pi$

이때 $0 < n < \dfrac{5}{2}$이므로 $n=1$ 또는 $n=2$

따라서 $\theta = \dfrac{2}{5}\pi$ 또는 $\theta = \dfrac{4}{5}\pi$이므로 합은 $\dfrac{2}{5}\pi + \dfrac{4}{5}\pi = \dfrac{6}{5}\pi$

0688

 ②

STEP A y축에 대하여 대칭이면 $\alpha + \beta = 2n\pi + \pi$임을 이용하기

두 각 α, β를 나타내는 동경이 y축에 대하여 대칭이면

$\alpha + \beta = 2n\pi + \pi$ (n은 정수)임을 이용한다.

각 5θ를 나타내는 동경과 각 θ를 나타내는 동경이 y축에 대하여 대칭이므로 $5\theta + \theta = 2n\pi + \pi$ (단, n은 정수)

$6\theta = 2n\pi + \pi$

$\therefore \theta = \dfrac{n}{3}\pi + \dfrac{\pi}{6}$ ...... ㉠

STEP B $\pi < \theta < \dfrac{3}{2}\pi$에서 각 θ의 값 구하기

$\pi < \theta < \dfrac{3}{2}\pi$에서

$\pi < \dfrac{n}{3}\pi + \dfrac{\pi}{6} < \dfrac{3}{2}\pi$이므로 $\dfrac{5}{2} < n < 4$

$\therefore n=3$ ($\because n$은 정수)

따라서 이것을 ㉠에 대입하면 $\theta = \pi + \dfrac{\pi}{6} = \dfrac{7}{6}\pi$

내신연계 출제문항 239

$0 < \theta < \pi$일 때, θ와 9θ를 나타내는 동경이 y축에 대하여 대칭일 때, 각 θ 중에서 가장 큰 각은 $\dfrac{q}{p}\pi$이다. $p+q$의 값을 구하면? (단, p와 q는 서로소인 자연수이다.)

① 11   ② 13   ③ 15

④ 17   ⑤ 19

STEP A 두 동경의 위치에 따른 두 각의 관계식 구하기

두 동경 θ와 9θ의 동경이 y축에 대하여 대칭이므로

$9\theta + \theta = 2n\pi + \pi$ (단, n은 정수)

$\therefore \theta = \dfrac{1}{5}n\pi + \dfrac{\pi}{10}$

STEP B $0 < \theta < \pi$에서 각 θ의 값 구하기

이때 $0 < \theta < \pi$에서 $0 < \dfrac{1}{5}n\pi + \dfrac{\pi}{10} < \pi$

즉 $-\dfrac{1}{2} < n < \dfrac{9}{2}$이므로 최대가 되는 정수 n은 $n=4$

따라서 $\theta = \dfrac{9}{10}\pi$이므로 $p+q=19$ ⑤

0689

 ⑤

STEP A 두 동경의 위치에 따른 두 각의 관계식 구하기

두 동경이 직선 $y=x$에 대하여 대칭이므로

$\theta + 2\theta = 2n\pi + \dfrac{\pi}{2}$ (단, n은 정수)

$\therefore \theta = \dfrac{2}{3}n\pi + \dfrac{\pi}{6}$

STEP B $0 < \theta < \pi$에서 각 θ의 값 구하기

이때 $0 < \theta < \pi$이므로 $0 < \dfrac{2}{3}n\pi + \dfrac{\pi}{6} < \pi$

즉 $-\dfrac{1}{4} < n < \dfrac{5}{4}$

따라서 θ의 최댓값은 $n=1$일 때, $\dfrac{5}{6}\pi$

내/신/연/계 출제문항 240

$0 < \theta < \frac{\pi}{2}$ 이고, 두 각 θ, 5θ 를 나타내는 두 동경이 직선 $y = x$ 에 대하여 대칭일 때, 모든 각 θ 의 값의 합은?

① 0 ② $\frac{\pi}{6}$ ③ $\frac{\pi}{2}$

④ $\frac{7}{12}\pi$ ⑤ π

STEP Ⓐ 두 동경의 위치에 따른 두 각의 관계식 구하기

두 각 θ, 5θ 를 나타내는 두 동경이
직선 $y = x$ 에 대해 대칭이므로

$\theta + 5\theta = 2n\pi + \frac{\pi}{2}$ (단, n은 정수)

$6\theta = 2n\pi + \frac{\pi}{2}$

$\therefore \theta = \frac{n}{3}\pi + \frac{\pi}{12}$ …… ㉠

STEP Ⓑ $0 < \theta < \frac{\pi}{2}$ 에서 각 θ의 값의 합 구하기

$0 < \theta < \frac{\pi}{2}$ 이므로 $0 < \frac{n}{3}\pi + \frac{\pi}{12} < \frac{\pi}{2}$

$-\frac{\pi}{12} < \frac{n}{3}\pi < \frac{5}{12}\pi$ $\therefore -\frac{1}{4} < n < \frac{5}{4}$

이때 n은 정수이므로 $n = 0$ 또는 $n = 1$

이를 ㉠에 대입하면 $\theta = \frac{\pi}{12}$ 또는 $\theta = \frac{5}{12}\pi$

따라서 모든 θ 의 크기의 합은 $\frac{\pi}{12} + \frac{5}{12}\pi = \frac{\pi}{2}$ 정답 ③

0690 정답 ④

STEP Ⓐ 호도법과 육십분법의 관계에 의하여 나타내기

1라디안 $= \frac{180^\circ}{\pi}$, $1^\circ = \frac{\pi}{180}$ 라디안이므로

① $105^\circ = 105 \times 1^\circ = 105 \times \frac{\pi}{180} = \frac{7}{12}\pi$ [참]

② $\frac{3}{5}\pi = \frac{3}{5}\pi \times 1($라디안$) = \frac{3}{5}\pi \times \frac{180^\circ}{\pi} = 108^\circ$ [참]

③ $\frac{11}{6}\pi = \frac{11}{6}\pi \times 1($라디안$) = \frac{11}{6}\pi \times \frac{180^\circ}{\pi} = 330^\circ$ [참]

④ $-\frac{5}{4}\pi = -\frac{5}{4}\pi \times 1($라디안$) = -\frac{5}{4}\pi \times \frac{180^\circ}{\pi} = -225^\circ$ [거짓]

⑤ $\frac{10}{3}\pi = \frac{10}{3}\pi \times 1($라디안$) = \frac{10}{3}\pi \times \frac{180^\circ}{\pi} = 600^\circ$ [참]

따라서 옳지 않은 것은 ④이다.

0691 정답 ②

STEP Ⓐ 호도법과 육십분법의 관계에 의하여 나타내기

1라디안 $= \frac{180^\circ}{\pi}$, $1^\circ = \frac{\pi}{180}$ 라디안이므로

① $-75^\circ = (-75) \times 1^\circ = (-75) \times \frac{\pi}{180} = -\frac{5}{12}\pi$ [참]

② $135^\circ = 135 \times 1^\circ = 135 \times \frac{\pi}{180} = \frac{3}{4}\pi$ [거짓]

③ $420^\circ = 420 \times 1^\circ = 420 \times \frac{\pi}{180} = \frac{7}{3}\pi$ [참]

④ $\frac{3}{5}\pi = \frac{3}{5}\pi \times 1($라디안$) = \frac{3}{5}\pi \times \frac{180^\circ}{\pi} = 108^\circ$ [참]

⑤ $\frac{13}{6}\pi = \frac{13}{6}\pi \times 1($라디안$) = \frac{13}{6}\pi \times \frac{180^\circ}{\pi} = 390^\circ$ [참]

따라서 옳지 않은 것은 ②이다.

내/신/연/계 출제문항 241

육십분법을 호도법으로, 호도법을 육십분법으로 나타낸 것 중 틀린 것은?

① $75^\circ = \frac{5}{12}\pi$ ② $105^\circ = \frac{3}{4}\pi$ ③ $220^\circ = \frac{11}{9}\pi$

④ $\frac{5}{6}\pi = 150^\circ$ ⑤ $\frac{7}{4}\pi = 315^\circ$

STEP Ⓐ 호도법과 육십분법의 관계에 의하여 나타내기

1라디안 $= \frac{180^\circ}{\pi}$, $1^\circ = \frac{\pi}{180}$ 라디안이므로

① $75^\circ = 75 \times 1^\circ = 75 \times \frac{\pi}{180} = \frac{5}{12}\pi$ [참]

② $105^\circ = 105 \times 1^\circ = 105 \times \frac{\pi}{180} = \frac{7}{12}\pi$ [거짓]

③ $220^\circ = 220 \times 1^\circ = 220 \times \frac{\pi}{180} = \frac{11}{9}\pi$ [참]

④ $\frac{5}{6}\pi = \frac{5}{6}\pi \times 1($라디안$) = \frac{5}{6}\pi \times \frac{180^\circ}{\pi} = 150^\circ$ [참]

⑤ $\frac{7}{4}\pi = \frac{7}{4}\pi \times 1($라디안$) = \frac{7}{4}\pi \times \frac{180^\circ}{\pi} = 315^\circ$ [참]

따라서 옳지 않은 것은 ②이다.   정답 ②

0692 정답 ③

STEP Ⓐ 일반각과 호도법 진위판단하기

1라디안 $= \frac{180^\circ}{\pi}$, $1^\circ = \frac{\pi}{180}$ 라디안이므로

ㄱ. $1($라디안$) = \frac{180^\circ}{\pi}$ [거짓]

ㄴ. 270°를 나타내는 동경은 y축 위에 존재하므로 어느 사분면의 각도 아니다. [거짓]

ㄷ. $-190^\circ = 360^\circ \times (-1) + 170^\circ$ 이므로 -190°는 제 2사분면의 각이다. [참]

ㄹ. $-290^\circ = 360^\circ \times (-1) + 70^\circ$

$\frac{43}{18}\pi = 2\pi + \frac{7}{18}\pi$

$\frac{79}{18}\pi = 2\pi \times 2 + \frac{7}{18}\pi$

이때 $\frac{7}{18}\pi = \frac{7}{18}\pi \times \frac{180^\circ}{\pi} = 70^\circ$이므로

-290°, $\frac{43}{18}\pi$, $\frac{79}{18}\pi$를 나타내는 동경은 모두 일치한다. [참]

따라서 옳은 것은 ㄷ, ㄹ이다.

0693 정답 ②

STEP Ⓐ $l = r\theta$를 이용하여 부채꼴의 반지름의 길이 구하기

중심각의 크기가 $\theta = 30^\circ = \frac{\pi}{6}$, 호의 길이가 $l = \frac{\pi}{2}$ 이므로
부채꼴의 반지름의 길이를 r이라 하면
호의 길이는 $l = r\theta$에서 $r \cdot \frac{\pi}{6} = \frac{\pi}{2}$

$\therefore r = 3$

STEP Ⓑ $S = \frac{1}{2}rl = \frac{1}{2}r^2\theta$임을 이용하여 구하기

따라서 부채꼴의 넓이는 $S = \frac{1}{2} \cdot 3 \cdot \frac{\pi}{2} = \frac{3}{4}\pi$

0694

정답 ⑤

STEP A 부채꼴의 호의 길이와 넓이 구하기

부채꼴의 반지름의 길이를 r, 호의 길이를 l, 넓이를 S라고 하면

$l = r\theta = 4 \cdot \dfrac{3}{4}\pi = 3\pi$

$S = \dfrac{1}{2}r^2\theta = \dfrac{1}{2} \cdot 4^2 \cdot \dfrac{3}{4}\pi = 6\pi$

따라서 호의 길이와 부채꼴의 넓이의 합은 $3\pi + 6\pi = 9\pi$

0695

정답 ②

STEP A $l = r\theta$를 이용하여 부채꼴의 반지름의 길이 구하기

중심각의 크기가 $\theta = \dfrac{4}{7}\pi$, 호의 길이가 $l = 4\pi$이므로

호의 길이 $l = r\theta$에서 반지름의 길이는

$r = \dfrac{l}{\theta} = 4\pi \cdot \dfrac{7}{4\pi} = 7$

STEP B $S = \dfrac{1}{2}rl = \dfrac{1}{2}r^2\theta$임을 이용하여 구하기

따라서 부채꼴의 넓이 $S = \dfrac{1}{2}rl = \dfrac{1}{2} \cdot 7 \cdot 4\pi = 14\pi$

0696

정답 ①

STEP A 부채꼴의 넓이와 호의 길이를 이용하여 반지름의 길이 구하기

부채꼴의 반지름의 길이를 r, 중심각의 크기를 θ라 하면

호의 길이가 3π이고 넓이가 12π이므로

$\dfrac{1}{2} \cdot r \cdot 3\pi = 12\pi$ ← $S = \dfrac{1}{2}rl$

$\therefore r = 8$

STEP B $l = r\theta$를 이용하여 부채꼴의 중심각의 크기 구하기

따라서 $8\theta = 3\pi$이므로 $\theta = \dfrac{3}{8}\pi$

내 신 연 계 출제문항 242

호의 길이가 π이고, 넓이가 3π인 부채꼴의 반지름의 길이를 a, 중심각의 크기를 $\dfrac{\pi}{b}$라 할 때, $a + b$의 값은?

① 6   ② 8   ③ 10
④ 12   ⑤ 14

STEP A $S = \dfrac{1}{2}rl = \dfrac{1}{2}r^2\theta$임을 이용하여 a의 값 구하기

호의 길이가 π, 반지름의 길이가 a인 부채꼴의 넓이가 3π이므로

$\dfrac{1}{2}a\pi = 3\pi$

$\therefore a = 6$

STEP B $l = r\theta$를 이용하여 b의 값 구하기

중심각의 크기가 $\dfrac{\pi}{b}$이고 부채꼴의 호의 길이가 π이므로

$6 \cdot \dfrac{\pi}{b} = \pi$

$\therefore b = 6$

따라서 $a + b = 6 + 6 = 12$

정답 ④

0697

정답 ③

STEP A 부채꼴의 중심각 구하기

부채꼴의 중심각의 크기를 θ, 반지름의 길이를 r, 호의 길이를 l이라 하면

$l = r\theta$, 즉 $\dfrac{9}{4}\pi = 3\theta$

$\therefore \theta = \dfrac{3}{4}\pi$

STEP B $\sin\theta\cos\theta$의 값 구하기

따라서 $\sin\theta\cos\theta = \sin\dfrac{3}{4}\pi\cos\dfrac{3}{4}\pi$

$= \sin\left(\pi - \dfrac{\pi}{4}\right)\cos\left(\pi - \dfrac{\pi}{4}\right)$

$= \sin\dfrac{\pi}{4} \cdot \left(-\cos\dfrac{\pi}{4}\right)$

$= \dfrac{\sqrt{2}}{2} \cdot \left(-\dfrac{\sqrt{2}}{2}\right)$

$= -\dfrac{1}{2}$

0698

정답 ②

STEP A $S = \dfrac{1}{2}rl = \dfrac{1}{2}r^2\theta$임을 이용하여 원의 반지름의 길이 구하기

부채꼴의 반지름의 길이를 r, 호의 길이를 l, 넓이를 S라고 하면

$S = \dfrac{1}{2}r^2\theta$에서 $90\pi = \dfrac{1}{2}r^2 \cdot \dfrac{5}{9}\pi$, $r^2 = 2^2 \cdot 9^2$

$r > 0$이므로 $r = 18$

STEP B $l = r\theta$를 이용하여 a의 값 구하기

따라서 $l = r\theta = 18 \cdot \dfrac{5}{9}\pi = 10\pi$이므로 $a = 10$

내 신 연 계 출제문항 243

넓이가 8π이고 중심각의 크기가 $\dfrac{\pi}{4}$인 부채꼴의 호의 길이는?

① $\dfrac{\pi}{2}$ ② $\dfrac{2}{3}\pi$ ③ $\dfrac{5}{6}\pi$
④ 2π ⑤ $\dfrac{5}{2}\pi$

STEP A 부채꼴의 넓이와 중심각을 이용하여 반지름의 길이 구하기

부채꼴의 반지름의 길이를 r이라 하면 부채꼴의 넓이가 8π이므로

$\dfrac{1}{2} \cdot r^2 \cdot \dfrac{\pi}{4} = 8\pi$, $r^2 = 64$

이때 $r > 0$이므로 $r = 8$

STEP B 부채꼴의 호의 길이 $r\theta$의 값 구하기

따라서 부채꼴의 호의 길이는 $l = r\theta = 8 \cdot \dfrac{\pi}{4} = 2\pi$

정답 ④

0699

정답 ②

STEP A 부채꼴의 넓이 구하기

부채꼴의 호의 길이를 l, 반지름의 길이를 r, 중심각의 크기를 θ라고 하면

$l + 2r = 12$ ……㉠

$l = r\theta = r \cdot 1 = r$ ……㉡

㉠, ㉡에서 $3r = 12$이므로 $r = 4$

따라서 부채꼴의 넓이는 $\dfrac{1}{2}r^2\theta = \dfrac{1}{2} \cdot 4^2 \cdot 1 = 8$

0700

정답 ⑤

STEP A 부채꼴의 반지름의 길이 구하기

부채꼴의 반지름이 r이고 중심각의 크기가 $\dfrac{\pi}{3}$이므로

$\overparen{AB} = r \cdot \dfrac{\pi}{3} = \dfrac{4}{3}\pi$

$\therefore r = 4$

STEP B 직각삼각형 OHA에서 $\overline{AH}$, $\overline{OH}$의 길이 구하기

이때 직각삼각형 OHA에서 $\overline{OA}=4$이고 $\angle AOH = \dfrac{\pi}{3}$이므로

$\overline{OH} = 4\cos\dfrac{\pi}{3} = 4 \cdot \dfrac{1}{2} = 2$, $\overline{AH} = 4\sin\dfrac{\pi}{3} = 4 \cdot \dfrac{\sqrt{3}}{2} = 2\sqrt{3}$

STEP C 색칠한 부분 AHB의 넓이 구하기

(색칠한 부분 AHB의 넓이)
= (부채꼴 AOB의 넓이) − (직각삼각형 OHA의 넓이)
$= \dfrac{1}{2} \cdot 4^2 \cdot \dfrac{\pi}{3} - \dfrac{1}{2} \cdot 2 \cdot 2\sqrt{3}$
$= \dfrac{8}{3}\pi - 2\sqrt{3}$

0701

정답 ②

STEP A 중심각 θ를 이용하여 $\overline{OC}=r'$, $\overline{OB}=r$로 나타내기

부채꼴의 반지름이 r이고 중심각의
크기를 θ라고 하면

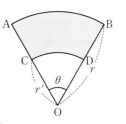

$\overparen{AB} = 2\pi = r\theta$, $\overparen{CD} = \dfrac{4}{3}\pi = r'\theta$

$\theta = \dfrac{2\pi}{r} = \dfrac{4\pi}{3r'}$

$\therefore r' = \dfrac{2}{3}r$ ...... ㉠

STEP B 색칠한 부분의 넓이를 $\overline{OC}=r'$, $\overline{OB}=r$로 나타내기

색칠한 부분의 넓이가 $\dfrac{10}{3}\pi = \dfrac{1}{2}\left(2\pi r - \dfrac{4}{3}\pi r'\right)$

$\dfrac{10}{3} = r - \dfrac{2}{3}r'$ ...... ㉡

STEP C $\overline{AC}$ 구하기

㉠, ㉡을 연립하여 풀면 $r=6$, $r'=4$

따라서 $\overline{AC} = 6 - 4 = 2$

오른쪽 그림과 같은 두 부채꼴 AOB, COD
에 대하여 $\overparen{AB}=4\pi$, $\overparen{CD}=\dfrac{2}{3}\pi$이다. 색칠한

부분의 넓이가 $\dfrac{35}{3}\pi$일 때, $\overline{AC}$의 길이는?

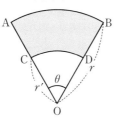

① 1 ② 2
③ 3 ④ 4
⑤ 5

STEP A 중심각 θ를 이용하여 $\overline{OC}=r'$, $\overline{OB}=r$로 나타내기

부채꼴의 반지름이 r이고 중심각의
크기를 θ라고 하면

$\overparen{AB} = 4\pi = r\theta$, $\overparen{CD} = \dfrac{2}{3}\pi = r'\theta$

$\theta = \dfrac{4\pi}{r} = \dfrac{2\pi}{3r'}$, $r' = \dfrac{1}{6}r$ ...... ㉠

STEP B 색칠한 부분의 넓이를 $\overline{OC}=r'$, $\overline{OB}=r$로 나타내기

색칠한 부분의 넓이가 $\dfrac{35}{3}\pi = \dfrac{1}{2}\left(4\pi r - \dfrac{2}{3}\pi r'\right)$

$\dfrac{35}{3} = 2r - \dfrac{1}{3}r'$ ...... ㉡

STEP C $\overline{AC}$ 구하기

㉠, ㉡에서 $r=6$, $r'=1$

따라서 $\overline{AC} = 6 - 1 = 5$

정답 ⑤

0702

정답 ⑤

STEP A 부채꼴의 넓이 $\dfrac{1}{2}r^2\theta$를 이용하여 구하기

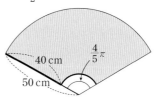

와이퍼의 고무판이 회전하면서 닦는 부분의 넓이는 반지름의 길이가 50cm,

중심각의 크기가 $\dfrac{4}{5}\pi$인 부채꼴의 넓이에서 반지름의 길이가 10cm, 중심각의

크기가 $\dfrac{4}{5}\pi$인 부채꼴의 넓이를 뺀 것과 같으므로 구하는 넓이를 S라 하면

$S = \dfrac{1}{2} \cdot 50^2 \cdot \dfrac{4}{5}\pi - \dfrac{1}{2} \cdot 10^2 \cdot \dfrac{4}{5}\pi = \dfrac{1}{2}(2500 - 100) \cdot \dfrac{4}{5}\pi = 960\pi\,\text{cm}^2$

다음 그림과 같이 80cm인 어느 자동차의 와이퍼는 유리를 닦는 부분의 길
이가 60cm이고, $\dfrac{3}{4}\pi$만큼 회전한다. 이 와이퍼가 유리를 닦는 부분의 넓이
는? (단, 닦인 면은 부채꼴의 일부로 생각한다.)

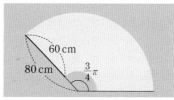

① $1440\pi\,\text{cm}^2$ ② $1960\pi\,\text{cm}^2$ ③ $2050\pi\,\text{cm}^2$
④ $2250\pi\,\text{cm}^2$ ⑤ $2625\pi\,\text{cm}^2$

STEP A 부채꼴의 넓이 $\dfrac{1}{2}r^2\theta$를 이용하여 구하기

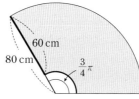

구하는 넓이는 반지름의 길이가 80cm, 중심각의 크기가 $\dfrac{3}{4}\pi$인 부채꼴의 넓이

에서 반지름의 길이가 20cm, 중심각의 크기가 $\dfrac{3}{4}\pi$인 부채꼴의 넓이를 뺀 것과

같으므로 구하는 넓이를 S라 하면

$S = \dfrac{1}{2} \cdot 80^2 \cdot \dfrac{3}{4}\pi - \dfrac{1}{2} \cdot 20^2 \cdot \dfrac{3}{4}\pi$

$= \dfrac{1}{2} \cdot (80^2 - 20^2) \cdot \dfrac{3}{4}\pi$

$= 2250\pi\,(\text{cm}^2)$

정답 ④

0703

정답 ③

STEP Ⓐ 부채꼴의 중심각의 크기 구하기

부채꼴 AOB에서 반지름이 3, 호의 길이가 2π인 중심각 θ는

$\theta = \dfrac{l}{r} = \dfrac{2}{3}\pi$ ⬅ $l = r\theta$

STEP Ⓑ 부채꼴의 넓이 $\dfrac{1}{2}r^2\theta$를 이용하여 구하기

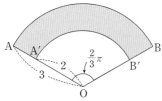

색칠한 부분의 넓이는 반지름의 길이가 3, 중심각의 크기가 $\dfrac{2}{3}\pi$인 부채꼴의

넓이에서 반지름의 길이가 2, 중심각의 크기가 $\dfrac{2}{3}\pi$인 부채꼴의 넓이를 뺀 것과 같다.

따라서 구하는 넓이를 S라 하면

$S = \dfrac{1}{2} \cdot 3^2 \cdot \dfrac{2}{3}\pi - \dfrac{1}{2} \cdot 2^2 \cdot \dfrac{2}{3}\pi = 3\pi - \dfrac{4}{3}\pi = \dfrac{5}{3}\pi$

0704

정답 ④

STEP Ⓐ 와이퍼 전체의 길이 구하기

와이퍼 전체의 길이를 $a$cm라고 하면

와이퍼의 고무판이 회전하면서 닦는 부분의 넓이가 1500πcm²이므로

$\dfrac{1}{2} \cdot a^2 \cdot \dfrac{2}{3}\pi - \dfrac{1}{2} \cdot (a-50)^2 \cdot \dfrac{2}{3}\pi = 1500\pi$

$a^2 - (a-50)^2 = 4500$, $100a = 7000$

$\therefore a = 70$

STEP Ⓑ 고무판이 회전하면서 닦는 부분의 둘레의 길이 구하기

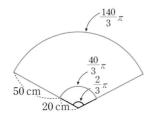

따라서 고무판이 회전하면서 닦는 부분의 둘레의 길이는

$50 + 50 + 70 \times \dfrac{2}{3}\pi + 20 \times \dfrac{2}{3}\pi = 100 + 60\pi$(cm)

내 신 연 계 출제문항 246

다음 그림은 승용차의 와이퍼가 부채꼴 모양으로 움직이며 유리창을 닦는 모양이다. 선분 OA의 길이는 70이고 와이퍼가 움직이는 각은 120°이다. 와이퍼의 블레이드가 닦은 부분의 넓이가 1500π일 때, 와이퍼의 PQ의 길이는?

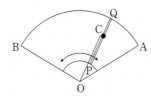

① 40   ② 45   ③ 50
④ 55   ⑤ 60

STEP Ⓐ 닦은 부분의 넓이 구하기

$\overline{OP} = a$라 하면

$120° = \dfrac{2}{3}\pi$이므로 와이퍼의 블레이드가 닦은 부분의 넓이는

$\dfrac{1}{2} \cdot 70^2 \cdot \dfrac{2}{3}\pi - \dfrac{1}{2} \cdot a^2 \cdot \dfrac{2}{3}\pi = \dfrac{1}{3}\pi(4900 - a^2)$

STEP Ⓑ 닦은 부분의 넓이가 1500π임을 이용하여 $\overline{PQ}$의 길이 구하기

이때 와이퍼의 블레이드가 닦은 부분의 넓이가 1500π이므로

$\dfrac{1}{3}\pi(4900 - a^2) = 1500\pi$, $4900 - a^2 = 4500$

$a^2 = 400$

$\therefore a = 20$ $(\because a > 0)$

따라서 $\overline{PQ} = 70 - 20 = 50$

정답 ③

0705

정답 ④

STEP Ⓐ 원뿔의 모선의 길이 구하기

원뿔의 밑면의 반지름의 길이가 6이고 높이가 8이므로

모선의 길이는 $\sqrt{6^2 + 8^2} = 10$

STEP Ⓑ 원뿔의 겉넓이 구하기

이 원뿔의 전개도에서 옆면인 부채꼴의 호의 길이는 밑면의 둘레의 길이와 같으므로 12π이다.

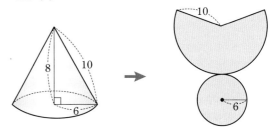

(원뿔의 겉넓이) = (원뿔의 옆면의 넓이) + (원뿔의 밑면의 넓이)

$= \left(\dfrac{1}{2} \cdot 10 \cdot 12\pi\right) + (\pi \cdot 6^2)$

$= 60\pi + 36\pi = 96\pi$

0706

정답 ③

STEP Ⓐ 부채꼴의 호의 길이 구하기

고깔모자를 펼친 부채꼴 모양의 도형에서 호의 길이를 l, 중심각을 θ라 하면 원뿔 모양의 모자를 전개하면 다음 그림과 같다.

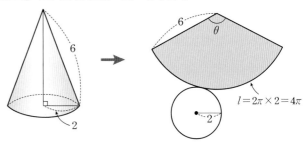

부채꼴의 호의 길이는 모자의 밑면의 둘레의 길이와 같다.

밑면의 반지름의 길이가 2이므로 둘레의 길이 $l = 2\pi \times 2 = 4\pi$

즉 부채꼴의 호의 길이는 4π이다.

STEP Ⓑ 전개도의 부채꼴의 겉넓이 구하기

$\therefore$ (고깔모자의 겉넓이) = (옆면인 부채꼴의 넓이)

$= \dfrac{1}{2} \times 6 \times 4\pi = 12\pi$

호의 길이가 8πcm, 넓이가 20πcm^{2}인 부채꼴 OAB가 있다. 이 부채꼴을 접어 만든 원뿔 모양의 용기는 밑면의 둘레의 길이가 호 AB의 길이와 같다. 이때 이 용기의 부피는?

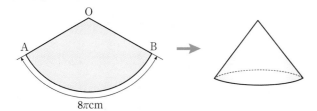

① 8πcm^3 ② 10πcm^3 ③ 12πcm^3

④ 16πcm^3 ⑤ 20πcm^3

STEP A 부채꼴 OAB의 반지름의 길이 구하기

부채꼴 OAB의 반지름의 길이를 $r$cm라고 하면 넓이는

$\dfrac{1}{2} r \cdot 8\pi = 20\pi$

$\therefore r = 5$cm

STEP B (부채꼴의 호의 길이)=(원뿔의 밑면인 원의 둘레의 길이)임을 이용하기

한편 부채꼴 OAB를 접어 만든 원뿔 모양의 용기는 오른쪽 그림과 같이 나타낼 수 있다.
이때 이 용기의 밑면의 둘레의 길이는 부채꼴 OAB의 호의 길이와 같으므로 이 용기의 밑면의 반지름의 길이를 r'cm라고 하면

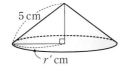

$2\pi r' = 8\pi$, $r' = 4$cm

STEP C 원뿔의 부피 구하기

또, 원뿔의 높이는 $\sqrt{5^2 - 4^2} = 3$(cm)

따라서 구하는 원뿔의 부피는 $\dfrac{1}{3} \cdot 4^2 \pi \cdot 3 = 16\pi$(cm^3) ← $V = \dfrac{1}{3}\pi r^2 h$

정답 ④

0707

정답 ④

STEP A 부채꼴의 호의 길이 구하기

부채꼴 OAB의 중심각의 크기 θ는 $\theta = \dfrac{\sqrt{3}}{2}\pi$이고

$\overline{OA} = 12$, $\overline{OC} = 4$이므로 부채꼴 OAB에서 호 AB의 길이는

$\overline{OA} \cdot \theta = 12 \cdot \dfrac{\sqrt{3}}{2}\pi = 6\sqrt{3}\pi$

부채꼴 OCD에서 호 CD의 길이는

$\overline{OC} \cdot \theta = 4 \cdot \dfrac{\sqrt{3}}{2}\pi = 2\sqrt{3}\pi$

STEP B 원뿔대 모양의 아랫부분과 윗부분의 원의 반지름의 길이 구하기

원뿔대의 모양의 도형의 밑면 중 아랫부분의 원의 둘레의 길이는 호 AB의 길이와 같으므로 원의 반지름을 r_1이라 하면

$2\pi r_1 = 6\sqrt{3}\pi$에서 $r_1 = 3\sqrt{3}$

원뿔대 모양의 도형의 밑면 중 윗부분의 원의 둘레의 길이는 호 CD의 길이와 같으므로 원의 반지름의 길이를 r_2라 하면

$2\pi r_2 = 2\sqrt{3}\pi$에서 $r_2 = \sqrt{3}$

STEP C 선분 EF의 길이 구하기

원뿔대 모양의 도형을 선분 EF와 점 A를 포함하는 평면으로 자른 단면은 다음 그림과 같다.

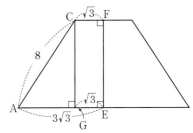

사다리꼴 CAEF에서 $\overline{CA} = \overline{OA} - \overline{OC} = 12 - 4 = 8$

점 C에서 $\overline{AE}$에 내린 수선의 발을 G라 하면

$\overline{GE} = \overline{CF} = \sqrt{3}$

$\overline{AG} = \overline{AE} - \overline{GE} = 3\sqrt{3} - \sqrt{3} = 2\sqrt{3}$

따라서 $\overline{EF} = \overline{GC} = \sqrt{\overline{CA}^2 - \overline{AG}^2} = \sqrt{8^2 - (2\sqrt{3})^2} = \sqrt{52} = 2\sqrt{13}$

0708

정답 ①

STEP A 부채꼴의 넓이 S를 반지름의 길이 r에 대한 이차식으로 나타내어 이차함수의 최대를 이용하기

부채꼴의 반지름의 길이를 r, 호의 길이를 l이라 하면
둘레의 길이가 8이므로 $2r + l = 8$

$\therefore l = 8 - 2r$ (단, $0 < r < 4$)

부채꼴의 넓이를 S라 하면

$S = \dfrac{1}{2}rl = \dfrac{1}{2}r(8 - 2r) = -r^2 + 4r = -(r-2)^2 + 4$

STEP B 넓이의 최댓값 구하기

따라서 $r = 2$일 때, 넓이의 최댓값은 4

0709

정답 ⑤

STEP A 부채꼴의 넓이 S를 반지름의 길이 r에 대한 이차식으로 나타내어 이차함수의 최대를 이용하기

부채꼴의 반지름의 길이를 r, 호의 길이를 l이라고 하면
둘레의 길이가 20이므로 $2r + l = 20$

$\therefore l = 20 - 2r$ …… ㉠

한편 부채꼴의 넓이는 $S = \dfrac{1}{2}rl$이므로 이 식에 ㉠을 대입하면

$S = \dfrac{1}{2}rl = \dfrac{1}{2}r(20 - 2r) = -r^2 + 10r = -(r-5)^2 + 25 (0 < r < 10)$

STEP B 넓이가 최대일 때, 반지름의 길이 구하기

따라서 $r = 5$일 때, S의 최댓값은 25이므로 넓이가 최대인 부채꼴의 반지름의 길이는 5

다른풀이 산술평균과 기하평균을 이용하여 풀이하기

오른쪽 그림과 같이 부채꼴의 반지름의 길이를 r, 호의 길이를 l, 중심각의 크기를 θ라 하면 둘레의 길이는

$2r + l = 20$ …… ㉠

이때 부채꼴의 넓이 S는 $S = \dfrac{1}{2}rl$

$2r > 0$, $l > 0$이므로 산술평균과 기하평균의 관계에 의해

$\dfrac{2r + l}{2} \geq \sqrt{2rl}$, $\dfrac{20}{2} \geq \sqrt{2rl}$ ($\because$ ㉠)

$\therefore \dfrac{1}{2}rl \leq 25$

위 부등식에서 등호가 성립할 때, 부채꼴의 넓이가 최대가 되므로 그때의 r, l의 값은 $2r = l = 10$에서 $r = 5$, $l = 10$

참고 중심각의 크기는 $\theta = \dfrac{l}{r} = \dfrac{10}{5} = 2$

둘레의 길이가 52인 부채꼴 중에서 넓이가 최대인 부채꼴의 반지름의 길이는?

① 6   ② 9   ③ 13
④ 15   ⑤ 16

STEP A 부채꼴의 넓이 S를 반지름의 길이 r에 대한 이차식으로 나타내어 이차함수의 최대를 이용하기

부채꼴의 반지름의 길이를 r, 호의 길이를 l, 넓이를 S라 하면
둘레의 길이가 52이므로
$2r+l=52$, $l=52-2r$ $\cdots\cdots$ ㉠

한편 부채꼴의 넓이는 $S=\dfrac{1}{2}rl$이므로 이 식에 ㉠을 대입하면

$$S=\dfrac{1}{2}rl=\dfrac{1}{2}r(52-2r)$$
$$=-r^2+26r$$
$$=-(r-13)^2+169$$

STEP B 넓이가 최대일 때, 반지름의 길이 구하기

따라서 $r=13$일 때, S의 최댓값은 169이므로 넓이가 최대인 부채꼴의
반지름의 길이는 13   정답 ③

0710
정답 ③

STEP A 부채꼴의 넓이 S를 반지름의 길이 r에 대한 이차식으로 나타내어 이차함수의 최대를 이용하기

부채꼴의 반지름의 길이를 r, 호의 길이를 l이라 하면
둘레의 길이가 16이므로 $2r+l=16$
즉 $l=16-2r$이므로 부채꼴의 넓이를 S라 하면

$$S=\dfrac{1}{2}rl=\dfrac{1}{2}r(16-2r)$$
$$=-r^2+8r$$
$$=-(r-4)^2+16 \,(0<r<8)$$

STEP B 넓이가 최대일 때, 중심각의 크기 구하기

따라서 S는 $r=4$일 때, 최댓값 16을 가지므로 구하는 부채꼴의 중심각의
크기를 θ라 하면 $\dfrac{1}{2}\cdot4^2\cdot\theta=16$ $\therefore \theta=2$

0711
정답 ④

STEP A 부채꼴의 넓이 S를 반지름의 길이 r에 대한 이차식으로 나타내어 이차함수의 최대를 이용하기

부채꼴의 반지름의 길이를 r, 호의 길이를 l이라고 하면
$2r+l=40$
$\therefore l=40-2r$
이때 부채꼴의 넓이를 S라고 하면

$$S=\dfrac{1}{2}rl=\dfrac{1}{2}r(-2r+40)$$
$$=-r^2+20r$$
$$=-(r-10)^2+100 \,(0<r<20)$$

STEP B 넓이가 최대일 때, 반지름의 길이와 중심각의 크기 구하기

반지름의 길이 $r=10$일 때, 부채꼴의 넓이가 최대이고 이때의 호의 길이는
$l=40-20=20$이므로 $\theta=\dfrac{l}{r}=\dfrac{20}{10}=2$
따라서 $r+\theta=10+2=12$

다른풀이   산술평균과 기하평균을 이용한 넓이의 최대 구하기

오른쪽 그림과 같이 부채꼴의 반지름의
길이를 r, 호의 길이를 l, 중심각의
크기를 θ라 하면 둘레의 길이는
$2r+l=40$ $\cdots\cdots$ ㉠
이때 부채꼴의 넓이 $S=\dfrac{1}{2}rl$
$2r>0$, $l>0$이므로
산술평균과 기하평균의 관계에 의해 $\dfrac{2r+l}{2}\ge\sqrt{2rl}$, $\dfrac{40}{2}\ge\sqrt{2rl}$ ($\because$ ㉠)

$2rl\le400$ $\therefore S=\dfrac{1}{2}rl\le100$

위 부등식에서 등호가 성립할 때, 부채꼴의 넓이가 최대가 되므로
그때의 r, l의 값은 $2r=l=20$에서 $r=10$, $l=20$
구하는 중심각의 크기는 $\theta=\dfrac{l}{r}=\dfrac{20}{10}=2$
따라서 $r+\theta=10+2=12$

길이가 60인 철사로 만든 부채꼴의 넓이가 최대가 될 때, 반지름의 길이와
중심각의 크기를 각각 a, θ라 할 때, $a+\theta$의 값은?
(단, θ의 단위는 라디안이다.)

① 15   ② 16   ③ 17
④ 18   ⑤ 19

STEP A 부채꼴의 넓이 S를 반지름의 길이 r에 대한 이차식으로 나타내어 이차함수의 최대를 이용하기

부채꼴의 반지름의 길이를 r, 호의 길이를 l이라 하면
부채꼴의 둘레의 길이가 60이므로 $2r+l=60$에서 $l=60-2r$
$r>0$, $l>0$이므로 $0<r<30$
부채꼴의 넓이 S는 $S=\dfrac{1}{2}rl=\dfrac{1}{2}r(60-2r)$
$$=-r^2+30r$$
$$=-(r-15)^2+225$$

STEP B 넓이가 최대일 때, 반지름의 길이와 중심각의 크기 구하기

즉 $r=15$일 때, 부채꼴의 넓이 S가 최대가 되므로 $a=15$
이때 부채꼴의 호의 길이는 $60-2\times15=30$
$l=r\theta$에서 $30=15\theta$, $\theta=2$
따라서 $a+\theta=15+2=17$ 정답 ③

0712
정답 ①

STEP A 삼각함수의 정의를 이용하여 $\sin\theta$, $\cos\theta$의 값 구하기

$\overline{\mathrm{OP}}=\sqrt{(-6-0)^2+(-8-0)^2}=10$이므로
$\sin\theta=-\dfrac{8}{10}=-\dfrac{4}{5}$, $\cos\theta=-\dfrac{6}{10}=-\dfrac{3}{5}$
따라서 $\sin\theta+\cos\theta=\left(-\dfrac{4}{5}\right)+\left(-\dfrac{3}{5}\right)=-\dfrac{7}{5}$

0713
정답 ②

STEP A 삼각함수의 정의를 이용하여 $\sin\theta$, $\cos\theta$의 값 구하기

$\overline{\mathrm{OP}}=\sqrt{1^2+(-2)^2}=\sqrt{5}$이므로
$\sin\theta=-\dfrac{2}{\sqrt{5}}$, $\cos\theta=\dfrac{1}{\sqrt{5}}$
따라서 $\sin\theta\cos\theta=\left(-\dfrac{2}{\sqrt{5}}\right)\cdot\dfrac{1}{\sqrt{5}}=-\dfrac{2}{5}$

0714

정답 ⑤

STEP Ⓐ **삼각함수의 정의를 이용하여 $\sin\theta$, $\cos\theta$, $\tan\theta$의 값 구하기**

$\overline{\mathrm{OP}}=\sqrt{3^2+(-4)^2}=5$이므로

$\sin\theta=-\dfrac{4}{5}$, $\cos\theta=\dfrac{3}{5}$,

$\tan\theta=-\dfrac{4}{3}$

$\sin\theta\tan\theta+\cos\theta=\left(-\dfrac{4}{5}\right)\cdot\left(-\dfrac{4}{3}\right)+\dfrac{3}{5}$

$\qquad\qquad\qquad=\dfrac{16+9}{15}=\dfrac{5}{3}$

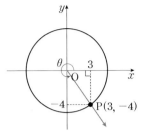

0715

정답 ④

STEP Ⓐ **삼각함수의 정의를 이용하여 $\sin\theta$, $\cos\theta$, $\tan\theta$의 값 구하기**

점 $\mathrm{P}(-8,\ 15)$에서

$\overline{\mathrm{OP}}=\sqrt{(-8)^2+15^2}=17$이므로
점 P는 중심이 원점이고 반지름의
길이가 $r=17$인 원 위의 점이다.
즉 $r=17$, $x=-8$, $y=15$이므로
삼각함수의 정의에 의하여

$\sin\theta=\dfrac{15}{17}$, $\cos\theta=-\dfrac{8}{17}$,

$\tan\theta=-\dfrac{15}{8}$

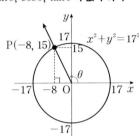

STEP Ⓑ **주어진 값 구하기**

따라서 $\dfrac{17\sin\theta+16\tan\theta}{17\cos\theta+3}=\dfrac{17\cdot\dfrac{15}{17}+16\cdot\left(-\dfrac{15}{8}\right)}{17\left(-\dfrac{8}{17}\right)+3}$

$\qquad\qquad\qquad\qquad\quad=\dfrac{15-30}{-8+3}=3$

내신연계 출제문항 250

원점 O와 점 $\mathrm{P}(-5,\ 12)$를 지나는 동경 OP가 나타내는 각의 크기를 θ라

할 때, $\dfrac{13\sin\theta-10\tan\theta}{13\cos\theta-7}$의 값은?

① -5 ② -3 ③ -2
④ 3 ⑤ 5

STEP Ⓐ **삼각함수의 정의를 이용하여 $\sin\theta$, $\cos\theta$, $\tan\theta$의 값 구하기**

점 $\mathrm{P}(-5,\ 12)$에서

$\overline{\mathrm{OP}}=\sqrt{(-5)^2+12^2}=13$이므로
점 P는 중심이 원점이고 반지름의
길이가 $r=13$인 원 위의 점이다.
즉 $r=13$, $x=-5$, $y=12$이므로
삼각함수의 정의에 의하여

$\sin\theta=\dfrac{12}{13}$, $\cos\theta=-\dfrac{5}{13}$,

$\tan\theta=-\dfrac{12}{5}$

STEP Ⓑ **주어진 값 구하기**

$\therefore \dfrac{13\sin\theta-10\tan\theta}{13\cos\theta-7}=\dfrac{13\cdot\dfrac{12}{13}-10\cdot\left(-\dfrac{12}{5}\right)}{13\left(-\dfrac{5}{13}\right)-7}=\dfrac{12+24}{-5-7}=-3$ 정답 ②

0716

정답 ②

STEP Ⓐ **삼각함수의 정의를 이용하여 $\sin\theta$, $\cos\theta$, $\tan\theta$의 값 구하기**

점 B를 원점으로 하는 좌표평면 위에
놓으면

$\overline{\mathrm{AB}}=\sqrt{12^2+(-5)^2}=13$이므로

$\sin\theta=\dfrac{12}{13}$, $\cos\theta=-\dfrac{5}{13}$,

$\tan\theta=-\dfrac{12}{5}$

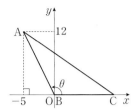

STEP Ⓑ **주어진 값 구하기**

따라서 $\dfrac{13\sin\theta-5\tan\theta}{13\cos\theta+2}=\dfrac{13\cdot\dfrac{12}{13}-5\left(-\dfrac{12}{5}\right)}{13\cdot\left(-\dfrac{5}{13}\right)+2}$

$\qquad\qquad\qquad\qquad=\dfrac{24}{-3}=-8$

내신연계 출제문항 251

오른쪽 그림과 같이 원 $x^2+y^2=1$이
x축의 양의 부분과 만나는 점을 A라
하자. 원점 O와 원 위의 점 B를 지나는
동경 OB가 나타내는 각이 θ일 때,
선분 AB의 길이는? $\left(\text{단},\ 0<\theta<\dfrac{\pi}{2}\right)$

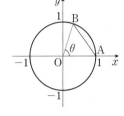

① $\sqrt{\sin\theta}$ ② $\sqrt{\cos\theta}$
③ $\sqrt{2-2\sin\theta}$ ④ $\sqrt{2-2\cos\theta}$
⑤ $\sqrt{\sin\theta\cos\theta}$

STEP Ⓐ **삼각함수의 정의를 이용하여 $\sin\theta$, $\cos\theta$, $\tan\theta$의 값 구하기**

반지름의 길이가 1이고 동경 OB가 나타내는 각이 θ이므로
점 B의 좌표는 $(\cos\theta,\ \sin\theta)$

STEP Ⓑ **선분 AB의 길이 구하기**

이때 점 $\mathrm{A}(1,\ 0)$이므로 선분 AB의 길이는

$\sqrt{(\cos\theta-1)^2+\sin^2\theta}=\sqrt{\sin^2\theta+\cos^2\theta-2\cos\theta+1}$

$\qquad\qquad\qquad\qquad\qquad=\sqrt{2-2\cos\theta}$ 정답 ④

0717

정답 ③

STEP Ⓐ **삼각함수의 정의를 이용하여 $\sin\alpha$, $\cos\beta$, $\tan\beta$의 값 구하기**

원점 O와 점 $\mathrm{P}(-4,\ -3)$에 대하여

$\overline{\mathrm{OP}}=\sqrt{(-4)^2+(-3)^2}=5$

$\therefore \sin\alpha=-\dfrac{3}{5}$

점 $\mathrm{P}(-4,\ -3)$을 직선 $y=x$에 대하여 대칭이동한 점 Q의 좌표는

$(-3,\ -4)$이므로 $\overline{\mathrm{OQ}}=\sqrt{(-3)^2+(-4)^2}=5$

$\therefore \cos\beta=-\dfrac{3}{5}$, $\tan\beta=\dfrac{4}{3}$

STEP Ⓑ **$(\sin\alpha+\cos\beta)\tan\beta$의 값 구하기**

따라서 $(\sin\alpha+\cos\beta)\tan\beta=\left\{-\dfrac{3}{5}+\left(-\dfrac{3}{5}\right)\right\}\cdot\dfrac{4}{3}$

$\qquad\qquad\qquad\qquad\qquad=-\dfrac{6}{5}\cdot\dfrac{4}{3}=-\dfrac{8}{5}$

내/신/연/계/ 출제문항 252

점 P$(1, -\sqrt{3})$을 직선 $y=x$에 대하여 대칭이동한 점을 P$'$이라 하자. 동경 OP$'$이 나타내는 각의 크기를 θ라 할 때, $\dfrac{4\sin\theta\cos\theta}{\tan\theta}$의 값은? (단, O는 원점이다.)

① -3 ② $-\dfrac{\sqrt{3}}{2}$ ③ -1

④ 1 ⑤ 3

STEP Ⓐ **삼각함수의 정의를 이용하여 $\sin\theta$, $\cos\theta$, $\tan\theta$의 값 구하기**

점 P$(1, -\sqrt{3})$을 직선 $y=x$에 대하여 대칭이동한 점 P$'$의 좌표는 P$'(-\sqrt{3}, 1)$이므로 $\overline{OP'}=\sqrt{(-\sqrt{3})^2+1^2}=2$

∴ $\sin\theta=\dfrac{1}{2}$, $\cos\theta=-\dfrac{\sqrt{3}}{2}$, $\tan\theta=-\dfrac{1}{\sqrt{3}}$

STEP Ⓑ **$\dfrac{4\sin\theta\cos\theta}{\tan\theta}$의 값 구하기**

따라서 $\dfrac{4\sin\theta\cos\theta}{\tan\theta}=\dfrac{4\cdot\dfrac{1}{2}\cdot\left(-\dfrac{\sqrt{3}}{2}\right)}{-\dfrac{1}{\sqrt{3}}}=3$ （정답 ⑤）

0718

（정답 ①）

STEP Ⓐ **삼각함수의 정의를 이용하여 $\sin\theta$, $\cos\theta$, $\tan\theta$의 값 구하기**

$\overline{OP}=\sqrt{\left(-\dfrac{3}{5}\right)^2+\left(\dfrac{4}{5}\right)^2}=1$이므로

$\sin\theta=\dfrac{4}{5}$, $\cos\theta=-\dfrac{3}{5}$

STEP Ⓑ **$\sin(\pi+\theta)\cos(\pi+\theta)$의 값 구하기**

따라서 $\sin(\pi+\theta)\cos(\pi+\theta)=(-\sin\theta)\cdot(-\cos\theta)$
$=\left(-\dfrac{4}{5}\right)\cdot\dfrac{3}{5}=-\dfrac{12}{25}$

0719

（정답 ②）

STEP Ⓐ **삼각함수의 정의를 이용하여 $\cos\theta$, $\tan\theta$의 값 구하기**

오른쪽 그림과 같이 원점 O를 중심으로 하고 반지름의 길이가 13인 원이 직선 $5x+12y=0$, 즉 $y=-\dfrac{5}{12}x$와 만나는 점 중에서 제 2사분면 위의 점을 P라 하면 P$(-12, 5)$

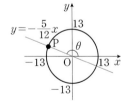

$\overline{OP}=13$이므로
$\cos\theta=-\dfrac{12}{13}$, $\tan\theta=-\dfrac{5}{12}$

∴ $13\cos\theta-12\tan\theta=-12+5=-7$

내/신/연/계/ 출제문항 253

직선 $4x+3y=0(y>0)$이 x축의 양의 방향과 이루는 각을 θ라 할 때, $5(\sin\theta+\cos\theta)$의 값은?

① -1 ② $-\dfrac{1}{2}$ ③ $-\dfrac{\sqrt{3}}{2}$

④ $\dfrac{1}{2}$ ⑤ 1

STEP Ⓐ **삼각함수의 정의를 이용하여 $\cos\theta$, $\tan\theta$의 값 구하기**

오른쪽 그림과 같이 원점 O를 중심으로 하고 반지름의 길이가 5인 원이 직선 $4x+3y=0$, 즉 $y=-\dfrac{4}{3}x$와 만나는 점 중에서 제 2사분면 위의 점을 P라 하면 P$(-3, 4)$

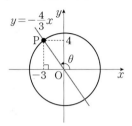

$\overline{OP}=\sqrt{(-3)^2+4^2}=5$이므로
$\sin\theta=\dfrac{4}{5}$, $\cos\theta=-\dfrac{3}{5}$

따라서 $5(\sin\theta+\cos\theta)=5\cdot\dfrac{1}{5}=1$ （정답 ⑤）

0720

（정답 ③）

STEP Ⓐ **동경 OP를 좌표평면 위에 나타내고 직각삼각형을 그려 θ에 대한 삼각함수의 값 구하기**

점 P$(a, b)(a<0)$가 직선 $y=-\dfrac{1}{2}x$ 위의 점일 때, $b=-\dfrac{1}{2}a$에서 P$\left(a, -\dfrac{1}{2}a\right)$

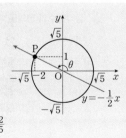

이때 $a<0$이므로 점 P(a, b)는 제 2사분면 위에 있고
$\overline{OP}=\sqrt{a^2+\left(-\dfrac{1}{2}a\right)^2}=\dfrac{\sqrt{5}}{2}|a|=-\dfrac{\sqrt{5}}{2}a(a<0)$ 이므로
$\sin\theta=\dfrac{-\dfrac{1}{2}a}{-\dfrac{\sqrt{5}}{2}a}=\dfrac{\sqrt{5}}{5}$, $\cos\theta=\dfrac{a}{-\dfrac{\sqrt{5}}{2}a}=-\dfrac{2\sqrt{5}}{5}$

따라서 $\sin\theta\cos\theta=\dfrac{\sqrt{5}}{5}\cdot\left(-\dfrac{2\sqrt{5}}{5}\right)=-\dfrac{2}{5}$

참고 원점을 중심으로 하고 반지름의 길이가 $\sqrt{5}$인 원을 그려 직선 $y=-\dfrac{1}{2}x$와 원이 만나는 제 2사분면 위의 점을 P라고 하면 점 P의 좌표는 $(-2, 1)$ $x=-2$, $y=1$, $r=\sqrt{5}$이므로 $\sin\theta=\dfrac{\sqrt{5}}{5}$, $\cos\theta=-\dfrac{2\sqrt{5}}{5}$ 따라서 $\sin\theta\cos\theta=\dfrac{\sqrt{5}}{5}\cdot\left(-\dfrac{2\sqrt{5}}{5}\right)=-\dfrac{2}{5}$

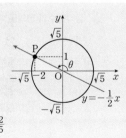

출제문항 254

오른쪽 그림과 같이 직선 $y=-\sqrt{3}x$가 x축의 양의 방향과 이루는 각의 크기를 θ라고 할 때, $\sqrt{3}\sin\theta+\cos\theta$의 값은?

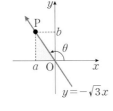

① -3 　　② $-\dfrac{\sqrt{3}}{2}$

③ -1 　　④ 1

⑤ 3

STEP A 동경 OP를 좌표평면 위에 나타내고 직각삼각형을 그려 θ에 대한 삼각함수의 값 구하기

$P(a,\,b)\,(a<0)$가 직선 $y=-\sqrt{3}x$
위의 점일 때, $b=-\sqrt{3}a$에서
$P(a,\,-\sqrt{3}a)$
이때 $a<0$이므로 점 $P(a,\,b)$는
제 2사분면 위에 있고
$\overline{OP}=\sqrt{a^2+(-\sqrt{3}a)^2}=2|a|=-2a\,(a<0)$
이므로

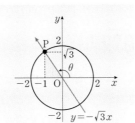

$\sin\theta=\dfrac{-\sqrt{3}a}{-2a}=\dfrac{\sqrt{3}}{2}$, $\cos\theta=\dfrac{a}{-2a}=-\dfrac{1}{2}$

따라서 $\sqrt{3}\sin\theta+\cos\theta=\sqrt{3}\cdot\dfrac{\sqrt{3}}{2}+\left(-\dfrac{1}{2}\right)=\dfrac{3}{2}-\dfrac{1}{2}=1$

정답 ④

참고 원점을 중심으로 하고 반지름의 길이가 2인 원을 그려 직선 $y=-\sqrt{3}x$와 원이 만나는 제 2사분면 위의 점을 P라고 하면 점 P의 좌표는 $(-1,\,\sqrt{3})$
$x=-1$, $y=\sqrt{3}$, $r=2$이므로
$\sin\theta=\dfrac{\sqrt{3}}{2}$, $\cos\theta=-\dfrac{1}{2}$
따라서
$\sqrt{3}\sin\theta+\cos\theta=\sqrt{3}\cdot\dfrac{\sqrt{3}}{2}+\left(-\dfrac{1}{2}\right)$
$=\dfrac{3}{2}-\dfrac{1}{2}=1$

0721
정답 ③

STEP A $ab<0$이면 a와 b의 부호가 서로 다르고 $ab>0$이면 a와 b의 부호가 서로 같음을 이용하기

(i) $\sin\theta\cos\theta<0$일 때, $\sin\theta$와 $\cos\theta$의 값의 부호가 서로 다르므로 θ는 제 2사분면 또는 제 4사분면의 각이다.

(ii) $\cos\theta\tan\theta<0$일 때, $\cos\theta$와 $\tan\theta$의 값의 부호가 서로 다르므로 θ는 제 3사분면 또는 제 4사분면의 각이다.

(i), (ii)에서 각 θ는 제 4사분면의 각이다.

0722
정답 ③

STEP A $ab<0$이면 a와 b의 부호가 서로 다르고 $\dfrac{a}{b}>0$에서 $ab>0$
이므로 a와 b의 부호가 서로 같음을 이용하기

(i) $\sin\theta\cos\theta<0$일 때, $\sin\theta$와 $\cos\theta$의 값의 부호가 서로 다르므로 θ는 제 2사분면 또는 제 4사분면의 각이다.

(ii) $\dfrac{\sin\theta}{\tan\theta}>0$일 때, $\sin\theta$와 $\tan\theta$의 값의 부호가 서로 같으므로 θ는 제 1사분면 또는 제 4사분면의 각이다.

(i), (ii)에서 각 θ는 제 4사분면의 각이다.

0723
정답 ③

STEP A $ab>0$이면 a와 b의 부호가 서로 같고 $ab<0$이면 a와 b의 부호가 서로 다름을 이용하기

(i) $\sin\theta\cos\theta>0$일 때, $\sin\theta$와 $\cos\theta$의 값의 부호가 서로 같으므로 θ는 제 1사분면 또는 제 3사분면의 각이다.

(ii) $\cos\theta\tan\theta<0$일 때, $\cos\theta$와 $\tan\theta$의 값의 부호가 서로 다르므로 θ는 제 3사분면 또는 제 4사분면의 각이다.

(i), (ii)에서 θ는 제 3사분면의 각이다.

STEP B 주어진 식을 간단히 하기

따라서 θ는 제 3사분면의 각이므로 $\sin\theta<0$, $\cos\theta<0$, $\tan\theta>0$
$|\sin\theta+\cos\theta|-\sqrt{\sin^2\theta}-|\cos\theta-\tan\theta|$
$=-(\sin\theta+\cos\theta)+\sin\theta+(\cos\theta-\tan\theta)$
$=-\tan\theta$

0724
정답 ③

STEP A $ab>0$이면 a와 b의 부호가 서로 같고 $ab<0$이면 a와 b의 부호가 서로 다름을 이용하기

(i) $\sin\theta\cos\theta>0$일 때, $\sin\theta$와 $\cos\theta$의 값의 부호가 서로 같으므로 θ는 제 1사분면 또는 제 3사분면의 각이다.

(ii) $\tan\theta\sin\theta<0$일 때, $\tan\theta$와 $\sin\theta$의 값의 부호가 서로 다르므로 θ는 제 2사분면 또는 제 3사분면의 각이다.

(i), (ii)에서 θ는 제 3사분면의 각이다.

STEP B 주어진 식을 간단히 하기

$\dfrac{\sqrt{\sin^2\theta}}{\sin\theta}+\dfrac{\sqrt{\cos^2\theta}}{\cos\theta}+\dfrac{\sqrt{\tan^2\theta}}{\tan\theta}=\dfrac{|\sin\theta|}{\sin\theta}+\dfrac{|\cos\theta|}{\cos\theta}+\dfrac{|\tan\theta|}{\tan\theta}$
$\qquad\qquad=\dfrac{-\sin\theta}{\sin\theta}+\dfrac{-\cos\theta}{\cos\theta}+\dfrac{\tan\theta}{\tan\theta}$
$\qquad\qquad=(-1)+(-1)+1$
$\qquad\qquad=-1$

 출제문항 255

$\cos\theta\tan\theta>0$, $\cos\theta+\tan\theta<0$을 만족하는 각 θ에 대하여
$\sqrt{\tan^2\theta}+\sqrt{\cos^2\theta}+|\sin\theta|-\sqrt{(\tan\theta+\cos\theta)^2}$을 간단히 하면?

① $\sin\theta$

② $-\sin\theta$

③ $\sin\theta-2\cos\theta$

④ $\sin\theta+2\tan\theta$

⑤ $\sin\theta-2\cos\theta-2\tan\theta$

STEP A $ab>0$, $a+b<0$이면 $a<0$, $b<0$임을 이용하기

$\cos\theta\tan\theta>0$이므로
$\cos\theta>0$, $\tan\theta>0$ 또는 $\cos\theta<0$, $\tan\theta<0$
이때 $\cos\theta+\tan\theta<0$이므로 $\cos\theta<0$, $\tan\theta<0$
즉 θ는 제 2사분면의 각이다.

STEP B 주어진 식을 간단히 하기

따라서 $\sin\theta>0$, $\cos\theta<0$, $\tan\theta<0$이므로
$\sqrt{\tan^2\theta}+\sqrt{\cos^2\theta}+|\sin\theta|-\sqrt{(\tan\theta+\cos\theta)^2}$
$=|\tan\theta|+|\cos\theta|+|\sin\theta|-|\tan\theta+\cos\theta|$
$=-\tan\theta-\cos\theta+\sin\theta+\tan\theta+\cos\theta$
$=\sin\theta$

정답 ①

0725

정답 ③

STEP Ⓐ $\sqrt{a}\sqrt{b}=-\sqrt{ab}$ 이면 $a<0$, $b<0$ (단, $ab \neq 0$)임을 이용하기

$\sqrt{\sin\theta}\sqrt{\cos\theta}=-\sqrt{\sin\theta\cos\theta}$ 이고 $\sin\theta\cos\theta \neq 0$이므로

$\sin\theta<0$, $\cos\theta<0$

즉 θ는 제 3사분면의 각이므로 $\tan\theta>0$

STEP Ⓑ 주어진 식을 간단히 하기

따라서 $1-\sin\theta>0$, $1+\tan\theta>0$, $\sin\theta+\cos\theta<0$이므로

$\sqrt{\tan^2\theta}+\sqrt{(1-\sin\theta)^2}-\sqrt{(1+\tan\theta)^2}-\sqrt{(\sin\theta+\cos\theta)^2}$

$=|\tan\theta|+|1-\sin\theta|-|1+\tan\theta|-|\sin\theta+\cos\theta|$

$=\tan\theta+(1-\sin\theta)-(1+\tan\theta)-\{-(\sin\theta+\cos\theta)\}$

$=\tan\theta+1-\sin\theta-1-\tan\theta+\sin\theta+\cos\theta$

$=\cos\theta$

내/신/연/계 출제문항 256

$\sin\theta\cos\theta<0$, $\cos\theta\tan\theta>0$일 때,

$|\sin\theta-\cos\theta|-\sqrt{\tan^2\theta+2\sin\theta+\cos^2\theta}$를 간단히 하면?

① $\sin\theta$ ② $-\sin\theta$ ③ $\cos\theta$
④ $\sin\theta+\tan\theta$ ⑤ $\sin\theta-\tan\theta$

STEP Ⓐ $ab<0$이면 a와 b의 부호가 서로 다르고
$ab>0$이면 a와 b의 부호가 서로 같음을 이용하기

(ⅰ) $\sin\theta\cos\theta<0$일 때, $\sin\theta$와 $\cos\theta$의 값의 부호가 서로 다르므로
θ는 제 2사분면 또는 제 4사분면의 각이다.

(ⅱ) $\cos\theta\tan\theta>0$일 때, $\cos\theta$와 $\tan\theta$의 값의 부호가 서로 같으므로
θ는 제 1사분면 또는 제 2사분면의 각이다.

(ⅰ), (ⅱ)에서 θ는 제 2사분면의 각이다.

STEP Ⓑ 주어진 식을 간단히 하기

θ는 제 2사분면의 각이므로 $\sin\theta>0$, $\cos\theta<0$, $\tan\theta<0$

즉 $\sin\theta-\cos\theta>0$이므로

$|\sin\theta-\cos\theta|=\sin\theta-\cos\theta$ …… ㉠

한편 $\sin\theta=\tan\theta \cdot \cos\theta$이므로

$\sqrt{\tan^2\theta+2\sin\theta+\cos^2\theta}$

$=\sqrt{\tan^2\theta+2\tan\theta \cdot \cos\theta+\cos^2\theta}$

$=\sqrt{(\tan\theta+\cos\theta)^2}$

$=|\tan\theta+\cos\theta|$

이때 $\tan\theta+\cos\theta<0$이므로

$|\tan\theta+\cos\theta|=-(\tan\theta+\cos\theta)$ …… ㉡

㉠, ㉡에서

$|\sin\theta-\cos\theta|-\sqrt{\tan^2\theta+2\sin\theta+\cos^2\theta}$

$=\sin\theta-\cos\theta+(\tan\theta+\cos\theta)$

$=\sin\theta+\tan\theta$

정답 ④

0726

정답 ⑤

STEP Ⓐ $ab>0$이면 a와 b의 부호가 서로 같고
$ab<0$이면 a와 b의 부호가 서로 다름을 이용하기

(ⅰ) $\sin\theta\cos\theta>0$일 때, $\sin\theta$와 $\cos\theta$의 값의 부호가 서로 같으므로
θ는 제 1사분면 또는 제 3사분면의 각이다.

(ⅱ) $\tan\theta\sin\theta<0$일 때, $\tan\theta$와 $\sin\theta$의 값의 부호가 서로 다르므로
θ는 제 2사분면 또는 제 3사분면의 각이다.

(ⅰ), (ⅱ)에서 θ는 제 3사분면의 각이다.

STEP Ⓑ $\dfrac{\theta}{3}$가 나타내는 동경이 존재하는 사분면 구하기

즉 θ는 제 3사분면의 각이므로 $2n\pi+\pi<\theta<2n\pi+\dfrac{3}{2}\pi$ (n은 정수)

$\dfrac{2}{3}n\pi+\dfrac{\pi}{3}<\dfrac{\theta}{3}<\dfrac{2}{3}n\pi+\dfrac{1}{2}\pi$

(ⅰ) $n=3k$ (k는 정수)일 때,
$2k\pi+\dfrac{\pi}{3}<\dfrac{\theta}{3}<2k\pi+\dfrac{\pi}{2}$이므로 제 1사분면의 각이다.

(ⅱ) $n=3k+1$ (k는 정수)일 때,
$2k\pi+\pi<\dfrac{\theta}{3}<2k\pi+\dfrac{7}{6}\pi$이므로 제 3사분면의 각이다.

(ⅲ) $n=3k+2$ (k는 정수)일 때,
$2k\pi+\dfrac{5}{3}\pi<\dfrac{\theta}{3}<2k\pi+\dfrac{11}{6}\pi$이므로 제 4사분면의 각이다.

(ⅰ)~(ⅲ)에서 $\dfrac{\theta}{3}$는 제 1, 3, 4사분면의 각이다.

0727

정답 ⑤

STEP Ⓐ 삼각함수 사이의 관계를 이용하여 진위판단하기

① $\sin^4\theta-\cos^4\theta=(\sin^2\theta+\cos^2\theta)(\sin^2\theta-\cos^2\theta)$
$\qquad\qquad\qquad =\sin^2\theta-\cos^2\theta$
$\qquad\qquad\qquad =\sin^2\theta-(1-\sin^2\theta)$
$\qquad\qquad\qquad =2\sin^2\theta-1$ [참]

② $\dfrac{\sin^2\theta}{1+\cos\theta}=\dfrac{1-\cos^2\theta}{1+\cos\theta}=\dfrac{(1+\cos\theta)(1-\cos\theta)}{1+\cos\theta}=1-\cos\theta$ [참]

③ $\tan^2\theta-\sin^2\theta=\tan^2\theta\left(1-\dfrac{\sin^2\theta}{\tan^2\theta}\right)$
$\qquad\qquad\qquad =\tan^2\theta(1-\cos^2\theta)$
$\qquad\qquad\qquad =\tan^2\theta\sin^2\theta$ [참] ← $\sin^2\theta+\cos^2\theta=1$

④ $(\sin\theta+\cos\theta)^2+(\sin\theta-\cos\theta)^2$
$\quad =(\sin^2\theta+2\sin\theta\cos\theta+\cos^2\theta)+(\sin^2\theta-2\sin\theta\cos\theta+\cos^2\theta)$
$\quad =2(\sin^2\theta+\cos^2\theta)=2$ [참]

⑤ $\dfrac{\cos^2\theta}{1-\sin\theta}+\dfrac{\cos^2\theta}{1+\sin\theta}=\dfrac{\cos^2\theta(1+\sin\theta)+\cos^2\theta(1-\sin\theta)}{1-\sin^2\theta}$
$\qquad\qquad\qquad\qquad =\dfrac{2\cos^2\theta}{1-\sin^2\theta}=\dfrac{2\cos^2\theta}{\cos^2\theta}=2$ [거짓]

따라서 옳지 않은 것은 ⑤이다.

0728

정답 ②

STEP Ⓐ 삼각함수 사이의 관계를 이용하여 주어진 식을 간단히 하기

$\overline{AB}=\sqrt{(\cos\theta+\sin\theta)^2+(\sin\theta-\cos\theta)^2}$

$\quad =\sqrt{\cos^2\theta+2\sin\theta\cos\theta+\sin^2\theta+\sin^2\theta-2\sin\theta\cos\theta+\cos^2\theta}$

$\quad =\sqrt{2(\sin^2\theta+\cos^2\theta)}$

$\quad =\sqrt{2}$

0729

정답 ③

STEP Ⓐ 삼각함수 사이의 관계를 이용하여 주어진 식을 간단히 하기

$\sin^4\theta - \cos^4\theta = (\sin^2\theta + \cos^2\theta)(\sin^2\theta - \cos^2\theta)$
$= \sin^2\theta - \cos^2\theta$
$= (1 - \cos^2\theta) - \cos^2\theta$
$= 1 - 2\boxed{\cos^2\theta}$

$\tan^2\theta - \sin^2\theta = \tan^2\theta(1 - \cos^2\theta) = \tan^2\theta\boxed{\sin^2\theta}$

따라서 (가) $\cos^2\theta$, (나) $\sin^2\theta$이므로 ③이다.

0730

정답 ①

STEP Ⓐ 삼각함수 사이의 관계를 이용하여 주어진 식을 간단히 하기

(i) $\dfrac{\tan^2\theta}{1 + \tan^2\theta} = \dfrac{\frac{\sin^2\theta}{\cos^2\theta}}{1 + \frac{\sin^2\theta}{\cos^2\theta}} = \dfrac{\frac{\sin^2\theta}{\cos^2\theta}}{\frac{\cos^2\theta + \sin^2\theta}{\cos^2\theta}} = \dfrac{\frac{\sin^2\theta}{\cos^2\theta}}{\frac{1}{\cos^2\theta}} = \boxed{\sin^2\theta}$

(ii) $\dfrac{\cos\theta}{1 + \sin\theta} + \tan\theta = \dfrac{\cos^2\theta + \sin\theta(1 + \sin\theta)}{(1 + \sin\theta)\cos\theta} = \dfrac{\cos^2\theta + \sin\theta + \sin^2\theta}{(1 + \sin\theta)\cos\theta}$
$= \dfrac{1 + \sin\theta}{(1 + \sin\theta)\cos\theta}$
$= \boxed{\dfrac{1}{\cos\theta}}$

(iii) $\dfrac{\cos\theta}{1 - \sin\theta} + \dfrac{1 - \sin\theta}{\cos\theta} = \dfrac{\cos^2\theta + (1 - \sin\theta)^2}{(1 - \sin\theta)\cos\theta}$
$= \dfrac{2 - 2\sin\theta}{(1 - \sin\theta)\cos\theta} = \boxed{\dfrac{2}{\cos\theta}}$

따라서 (가) $\sin^2\theta$, (나) $\dfrac{1}{\cos\theta}$, (다) $\dfrac{2}{\cos\theta}$이므로 ①이다.

0731

정답 ⑤

STEP Ⓐ 삼각함수 사이의 관계를 이용하여 [보기]의 참, 거짓의 진위판단 하기

ㄱ. $\left(\dfrac{1}{\cos\theta} + \tan\theta\right)\left(\dfrac{1}{\cos\theta} - \tan\theta\right)$
$= \left(\dfrac{1}{\cos\theta} + \dfrac{\sin\theta}{\cos\theta}\right)\left(\dfrac{1}{\cos\theta} - \dfrac{\sin\theta}{\cos\theta}\right)$
$= \left(\dfrac{1 + \sin\theta}{\cos\theta}\right)\left(\dfrac{1 - \sin\theta}{\cos\theta}\right)$
$= \dfrac{1 - \sin^2\theta}{\cos^2\theta} = \dfrac{\cos^2\theta}{\cos^2\theta} = 1$ [참]

ㄴ. $\dfrac{\cos^2\theta - \sin^2\theta}{1 + 2\sin\theta\cos\theta} + \dfrac{\tan\theta - 1}{\tan\theta + 1}$
$= \dfrac{\cos^2\theta - \sin^2\theta}{\sin^2\theta + 2\sin\theta\cos\theta + \cos^2\theta} + \dfrac{\frac{\sin\theta}{\cos\theta} - 1}{\frac{\sin\theta}{\cos\theta} + 1}$
$= \dfrac{(\cos\theta + \sin\theta)(\cos\theta - \sin\theta)}{(\sin\theta + \cos\theta)^2} + \dfrac{\sin\theta - \cos\theta}{\sin\theta + \cos\theta}$
$= \dfrac{\cos\theta - \sin\theta}{\sin\theta + \cos\theta} + \dfrac{\sin\theta - \cos\theta}{\sin\theta + \cos\theta} = 0$ [참]

ㄷ. $\left(\dfrac{1}{\sin\theta} - \sin\theta\right)^2 - \left(\dfrac{1}{\tan\theta} - \tan\theta\right)^2 + \left(\dfrac{1}{\cos\theta} - \cos\theta\right)^2$
$= \left(\dfrac{1}{\sin^2\theta} + \sin^2\theta - 2\right) - \left(\dfrac{1}{\tan^2\theta} + \tan^2\theta - 2\right) + \left(\dfrac{1}{\cos^2\theta} + \cos^2\theta - 2\right)$
$= (\sin^2\theta + \cos^2\theta) + \left(\dfrac{1}{\sin^2\theta} - \dfrac{1}{\tan^2\theta}\right) + \left(\dfrac{1}{\cos^2\theta} - \tan^2\theta\right) - 2$
$= (\sin^2\theta + \cos^2\theta) + \left(\dfrac{1}{\sin^2\theta} - \dfrac{\cos^2\theta}{\sin^2\theta}\right) + \left(\dfrac{1}{\cos^2\theta} - \dfrac{\sin^2\theta}{\cos^2\theta}\right) - 2$
$= (\sin^2\theta + \cos^2\theta) + \dfrac{1 - \cos^2\theta}{\sin^2\theta} + \dfrac{1 - \sin^2\theta}{\cos^2\theta} - 2 = 1 + 1 + 1 - 2 = 1$ [참]

따라서 옳은 것은 ㄱ, ㄴ, ㄷ이다.

내/신/연/계/ 출제문항 257

다음 [보기]에서 옳은 것만을 있는 대로 고른 것은?

ㄱ. $\dfrac{\sin^3\theta}{\cos\theta - \cos^3\theta} = \tan\theta$

ㄴ. $\tan^2\theta - \sin^2\theta = \tan^2\theta\sin^2\theta$

ㄷ. $\dfrac{\tan\theta}{\cos\theta} + \dfrac{1}{\cos^2\theta} = \dfrac{1}{1 - \sin\theta}$

ㄹ. $\dfrac{\cos^2\theta - \sin^2\theta}{1 + 2\sin\theta\cos\theta} + \dfrac{\tan\theta - 1}{\tan\theta + 1} = 0$

① ㄱ, ㄴ   ② ㄴ, ㄷ   ③ ㄱ, ㄴ, ㄷ
④ ㄱ, ㄷ, ㄹ   ⑤ ㄱ, ㄴ, ㄷ, ㄹ

STEP Ⓐ 삼각함수 사이의 관계를 이용하여 주어진 식을 간단히 하기

ㄱ. $\dfrac{\sin^3\theta}{\cos\theta - \cos^3\theta} = \dfrac{\sin^3\theta}{\cos\theta(1 - \cos^2\theta)}$
$= \dfrac{\sin^3\theta}{\cos\theta\sin^2\theta}$
$= \dfrac{\sin\theta}{\cos\theta} = \tan\theta$ [참]

ㄴ. $\tan^2\theta - \sin^2\theta = \dfrac{\sin^2\theta}{\cos^2\theta} - \sin^2\theta$
$= \sin^2\theta\left(\dfrac{1}{\cos^2\theta} - 1\right)$
$= \sin^2\theta\left(\dfrac{1 - \cos^2\theta}{\cos^2\theta}\right)$
$= \dfrac{\sin^2\theta}{\cos^2\theta}\cdot(1 - \cos^2\theta)$
$= \tan^2\theta\sin^2\theta$ [참]

참고 $\tan^2\theta - \sin^2\theta = \tan^2\theta(1 - \cos^2\theta) = \tan^2\theta\sin^2\theta$

ㄷ. $\dfrac{\tan\theta}{\cos\theta} + \dfrac{1}{\cos^2\theta} = \dfrac{\sin\theta}{\cos\theta}\cdot\dfrac{1}{\cos\theta} + \dfrac{1}{\cos^2\theta}$
$= \dfrac{\sin\theta + 1}{\cos^2\theta} = \dfrac{1 + \sin\theta}{1 - \sin^2\theta}$
$= \dfrac{1 + \sin\theta}{(1 + \sin\theta)(1 - \sin\theta)}$
$= \dfrac{1}{1 - \sin\theta}$ [참]

ㄹ. $\dfrac{\cos^2\theta - \sin^2\theta}{1 + 2\sin\theta\cos\theta} + \dfrac{\tan\theta - 1}{\tan\theta + 1}$
$= \dfrac{\cos^2\theta - \sin^2\theta}{\sin^2\theta + \cos^2\theta + 2\sin\theta\cos\theta} + \dfrac{\frac{\sin\theta}{\cos\theta} - 1}{\frac{\sin\theta}{\cos\theta} + 1}$
$= \dfrac{(\cos\theta + \sin\theta)(\cos\theta - \sin\theta)}{(\sin\theta + \cos\theta)^2} + \dfrac{\sin\theta - \cos\theta}{\sin\theta + \cos\theta}$
$= \dfrac{\cos\theta - \sin\theta}{\sin\theta + \cos\theta} + \dfrac{\sin\theta - \cos\theta}{\sin\theta + \cos\theta} = 0$ [참]

따라서 옳은 것은 ㄱ, ㄴ, ㄷ, ㄹ이다.

정답 ⑤

0732

STEP **A** 삼각함수 사이의 관계를 이용하여 주어진 식을 간단히 하기

$1+\tan^2\theta=1+\dfrac{\sin^2\theta}{\cos^2\theta}=\dfrac{\cos^2\theta+\sin^2\theta}{\cos^2\theta}=\dfrac{1}{\cos^2\theta}$

이므로 $\dfrac{1}{\cos^2\theta}-\tan^2\theta=1$

STEP **B** 주어진 값 구하기

$\left(\dfrac{1}{\cos^2 1°}-\tan^2 1°\right)+\left(\dfrac{1}{\cos^2 3°}-\tan^2 3°\right)+\cdots+\left(\dfrac{1}{\cos^2 99°}-\tan^2 99°\right)$

$=\underbrace{1+1+1+\cdots+1}_{50개}=1\times 50=50$

내/신/연/계/ 출제문항 258

다음 식의 값은?

$$\left(\dfrac{1}{\cos^2 1°}+\dfrac{1}{\cos^2 3°}+\dfrac{1}{\cos^2 5°}+\cdots+\dfrac{1}{\cos^2 21°}+\dfrac{1}{\cos^2 23°}\right)$$
$$-(\tan^2 1°+\tan^2 3°+\tan^2 5°+\cdots+\tan^2 21°+\tan^2 23°)$$

① 10   ② 11   ③ 12
④ 15   ⑤ 16

STEP **A** 삼각함수 사이의 관계를 이용하여 주어진 식을 간단히 하기

$1+\tan^2\theta=1+\dfrac{\sin^2\theta}{\cos^2\theta}=\dfrac{\cos^2\theta+\sin^2\theta}{\cos^2\theta}=\dfrac{1}{\cos^2\theta}$

이므로 $\dfrac{1}{\cos^2\theta}-\tan^2\theta=1$

STEP **B** 주어진 값 구하기

$\left(\dfrac{1}{\cos^2 1°}-\tan^2 1°\right)+\left(\dfrac{1}{\cos^2 3°}-\tan^2 3°\right)+\cdots+\left(\dfrac{1}{\cos^2 23°}-\tan^2 23°\right)$

$=\underbrace{1+1+1+\cdots+1+1}_{12개}=1\times 12=12$ 정답 ③

0733

정답 ①

STEP **A** 삼각함수 사이의 관계를 이용하기

$\sin^2\theta+\cos^2\theta=1$에서

$\cos^2\theta=1-\sin^2\theta=1-\left(-\dfrac{4}{5}\right)^2=\dfrac{9}{25}$

이때 각 θ가 제 3사분면의 각이므로 $\cos\theta<0$

즉 $\cos^2\theta=\dfrac{9}{25}$에서 $\cos\theta=-\dfrac{3}{5}$

또, $\tan\theta=\dfrac{\sin\theta}{\cos\theta}$이므로 $\tan\theta=\dfrac{-\dfrac{4}{5}}{-\dfrac{3}{5}}=\dfrac{4}{3}$

STEP **B** 주어진 조건의 값 구하기

따라서 $5\cos\theta+3\tan\theta=5\cdot\left(-\dfrac{3}{5}\right)+3\cdot\dfrac{4}{3}=-3+4=1$

0734

정답 ③

STEP **A** 로그의 진수조건을 만족하는 θ의 범위 구하기

진수는 $\sin\theta>0$, $\cos\theta>0$이므로 $0<\theta<\dfrac{\pi}{2}$이어야 한다.

STEP **B** 주어진 조건의 값 구하기

$\log\sin\theta-\log\cos\theta=\dfrac{1}{2}\log3$에서

$\log\dfrac{\sin\theta}{\cos\theta}=\log\sqrt{3}$이므로 $\dfrac{\sin\theta}{\cos\theta}=\sqrt{3}$

$\therefore \tan\theta=\sqrt{3}$

따라서 $\theta=\dfrac{\pi}{3}\left(\because 0<\theta<\dfrac{\pi}{2}\right)$

0735

정답 ④

STEP **A** 삼각함수 사이의 관계를 이용하기

$\sin^2\theta+\cos^2\theta=1$에서 $\sin\theta=\dfrac{\sqrt{3}}{3}$이므로

$\cos^2\theta=1-\sin^2\theta=1-\left(\dfrac{\sqrt{3}}{3}\right)^2=\dfrac{2}{3}$

이때 $\cos\theta<0$이므로 $\cos\theta=-\dfrac{\sqrt{6}}{3}$

또, $\tan\theta=\dfrac{\sin\theta}{\cos\theta}$이므로 $\tan\theta=\dfrac{\dfrac{\sqrt{3}}{3}}{-\dfrac{\sqrt{6}}{3}}=-\dfrac{\sqrt{2}}{2}$

STEP **B** 주어진 조건의 값 구하기

따라서 $\sqrt{3}\cos\theta-4\tan\theta=\sqrt{3}\cdot\left(-\dfrac{\sqrt{6}}{3}\right)-4\cdot\left(-\dfrac{\sqrt{2}}{2}\right)$

$=-\sqrt{2}+2\sqrt{2}$

$=\sqrt{2}$

내/신/연/계 출제문항 259

$\sqrt{\sin\theta}\sqrt{\cos\theta}=-\sqrt{\sin\theta\cos\theta}$ 이고 $\sin\theta=-\dfrac{4}{5}$일 때,
$\cos\theta+\tan\theta$의 값은?

① $\dfrac{10}{15}$ 　② $\dfrac{11}{15}$ 　③ $\dfrac{4}{5}$

④ $\dfrac{13}{15}$ 　⑤ $\dfrac{14}{15}$

STEP Ⓐ **주어진 조건을 만족하는 θ의 범위 구하기**

$\sqrt{\sin\theta}\sqrt{\cos\theta}=-\sqrt{\sin\theta\cos\theta}$ 에서
$\sin\theta<0$, $\cos\theta<0$ 이므로 θ는 제 3사분면의 각이다.

STEP Ⓑ **삼각함수 사이의 관계를 이용하여 $\sin\theta$ 구하기**

$\sin\theta=-\dfrac{4}{5}$ 이므로 $\sin^2\theta+\cos^2\theta=1$에서

$\cos^2\theta=1-\sin^2\theta=1-\left(-\dfrac{4}{5}\right)^2=\dfrac{9}{25}$

각 θ는 제 3사분면의 각이므로 $\cos\theta=-\dfrac{3}{5}$

이때 $\tan\theta=\dfrac{\sin\theta}{\cos\theta}=\dfrac{-\dfrac{4}{5}}{-\dfrac{3}{5}}=\dfrac{4}{3}$

따라서 $\cos\theta+\tan\theta=-\dfrac{3}{5}+\dfrac{4}{3}=\dfrac{11}{15}$

다른풀이 **반지름이 5인 원을 제 3사분면에 표시하여 구하기**

θ는 제 3사분면의 각이므로 $\sin\theta=-\dfrac{4}{5}$에서 θ가 나타내는 동경 OP는
다음 그림과 같다.

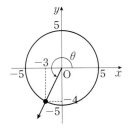

따라서 $\cos\theta=-\dfrac{3}{5}$, $\tan\theta=\dfrac{4}{3}$ 이므로

$\cos\theta+\tan\theta=-\dfrac{3}{5}+\dfrac{4}{3}=\dfrac{11}{15}$　　　정답 ②

0736　　정답 ①

STEP Ⓐ **삼각함수 사이의 관계를 이용하기**

$\sin^2\theta+\cos^2\theta=1$에서

$\sin^2\theta=1-\cos^2\theta=1-\left(-\dfrac{1}{3}\right)^2=\dfrac{8}{9}$

θ가 제 2사분면의 각이므로 $\sin\theta>0$

$\sin^2\theta=\dfrac{8}{9}$에서 $\sin\theta=\sqrt{\dfrac{8}{9}}=\dfrac{2\sqrt{2}}{3}$

또, $\tan\theta=\dfrac{\sin\theta}{\cos\theta}$이므로 $\tan\theta=\dfrac{\sin\theta}{\cos\theta}=\dfrac{\dfrac{2\sqrt{2}}{3}}{-\dfrac{1}{3}}=-2\sqrt{2}$

STEP Ⓑ **주어진 조건의 값 구하기**

따라서 $\sin\theta+\tan\theta=\dfrac{2\sqrt{2}}{3}-2\sqrt{2}=-\dfrac{4\sqrt{2}}{3}$

내/신/연/계 출제문항 260

θ가 제 3사분면의 각이고 $\cos\theta=-\dfrac{2}{3}$일 때, $\sin\theta\tan\theta$의 값은?

① $-\dfrac{5}{6}$ 　② $-\dfrac{\sqrt{5}}{2}$ 　③ $-\dfrac{\sqrt{5}}{3}$

④ $-\dfrac{3}{4}$ 　⑤ $-\dfrac{1}{2}$

STEP Ⓐ **삼각함수 사이의 관계를 이용하기**

$\cos\theta=-\dfrac{2}{3}$ 이므로 $\sin^2\theta+\cos^2\theta=1$에서

$\sin^2\theta=1-\cos^2\theta=1-\left(-\dfrac{2}{3}\right)^2=\dfrac{5}{9}$

각 θ는 제 3사분면의 각이므로 $\sin\theta=-\dfrac{\sqrt{5}}{3}$ $(\because \sin\theta<0)$

이때 $\tan\theta=\dfrac{\sin\theta}{\cos\theta}=\dfrac{-\dfrac{\sqrt{5}}{3}}{-\dfrac{2}{3}}=\dfrac{\sqrt{5}}{2}$

STEP Ⓑ **주어진 조건의 값 구하기**

따라서 $\sin\theta\tan\theta=-\dfrac{\sqrt{5}}{3}\cdot\dfrac{\sqrt{5}}{2}=-\dfrac{5}{6}$　　　정답 ①

0737　　정답 ①

STEP Ⓐ **$\sin^2\theta+\cos^2\theta=1$을 이용하여 $\sin\theta$ 구하기**

θ가 제 2사분면의 각이므로 $\sin\theta>0$, $\tan\theta<0$

$\sin^2\theta+\cos^2\theta=1$에서

$\sin\theta=\sqrt{1-\cos^2\theta}=\sqrt{1-\left(-\dfrac{4}{5}\right)^2}=\dfrac{3}{5}$

$\tan\theta=\dfrac{\sin\theta}{\cos\theta}=\dfrac{\dfrac{3}{5}}{-\dfrac{4}{5}}=-\dfrac{3}{4}$

STEP Ⓑ **주어진 값 구하기**

따라서 $\dfrac{10\sin\theta-1}{12\tan\theta}=\dfrac{10\cdot\dfrac{3}{5}-1}{12\cdot\left(-\dfrac{3}{4}\right)}=-\dfrac{5}{9}$

다른풀이 **삼각함수의 정의를 이용하여 풀이하기**

$\dfrac{\pi}{2}<\theta<\pi$ 이고 $\cos\theta=-\dfrac{4}{5}$인 각 θ를 나타내는 동경과 중심이 원점이고
반지름의 길이가 $r=5$인 원의 교점을 P라 하자.

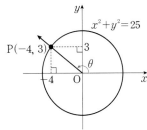

$x^2+y^2=25$에 $x=-4$를 대입하면 $y^2=9$에서 $y=\pm3$이고
점 P가 제 2사분면 위의 점이므로 $y=3$
즉 P$(-4, 3)$에서 $r=5$, $x=-4$, $y=3$이므로 삼각함수의 정의에 의하여
$\sin\theta=\dfrac{3}{5}$, $\tan\theta=-\dfrac{3}{4}$

따라서 $\dfrac{10\sin\theta-1}{12\tan\theta}=\dfrac{10\cdot\dfrac{3}{5}-1}{12\cdot\left(-\dfrac{3}{4}\right)}=-\dfrac{5}{9}$

0738

정답 ③

STEP Ⓐ 삼각함수 사이의 관계를 이용하여 $\sin\theta$, $\cos\theta$의 값 구하기

$\sin^2\theta+\cos^2\theta=1$의 양변을 $\sin^2\theta$로 나누면

$1+\dfrac{1}{\tan^2\theta}=\dfrac{1}{\sin^2\theta}$

$\therefore \dfrac{1}{\sin^2\theta}=1+\dfrac{1}{\left(\dfrac{3}{4}\right)^2}=\dfrac{25}{9}$

$\therefore \sin^2\theta=\dfrac{9}{25}$

이때 θ는 제 3사분면의 각이므로 $\sin\theta<0$

$\therefore \sin\theta=-\dfrac{3}{5}$

또한, $\sin^2\theta+\cos^2\theta=1$에서 $\cos^2\theta=1-\sin^2\theta=1-\left(-\dfrac{3}{5}\right)^2=\dfrac{16}{25}$

이때 θ는 제 3사분면의 각이므로 $\cos\theta<0$

$\therefore \cos\theta=-\dfrac{4}{5}$

STEP Ⓑ 주어진 조건의 값 구하기

따라서 $\sin\theta+\cos\theta=-\dfrac{3}{5}+\left(-\dfrac{4}{5}\right)=-\dfrac{7}{5}$

다른풀이 삼각함수의 정의를 이용하여 풀이하기

θ가 제 3사분면의 각이고 $\tan\theta=\dfrac{3}{4}$

각 θ를 나타내는 동경과 중심이 원점이고 반지름의 길이가 $r=5$인 원의 교점은 $P(-4, -3)$

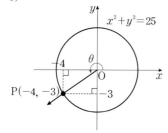

즉 $r=5$, $x=-4$, $y=-3$이므로 삼각함수의 정의에 의하여

$\sin\theta=-\dfrac{3}{5}$, $\cos\theta=-\dfrac{4}{5}$

따라서 $\sin\theta+\cos\theta=-\dfrac{3}{5}+\left(-\dfrac{4}{5}\right)=-\dfrac{7}{5}$

내/신/연/계/ 출제문항 261

θ가 제 3사분면의 각이고 $\tan\theta=\dfrac{1}{2}$일 때, $\sin\theta+\cos\theta$의 값은?

① $-3\sqrt{5}$ ② $-2\sqrt{5}$ ③ $-\dfrac{3\sqrt{5}}{5}$

④ $-\dfrac{2\sqrt{5}}{5}$ ⑤ $-\dfrac{\sqrt{5}}{5}$

STEP Ⓐ 삼각함수 사이의 관계를 이용하여 $\sin\theta$, $\cos\theta$의 값 구하기

$\sin^2\theta+\cos^2\theta=1$의 양변을 $\sin^2\theta$로 나누면

$1+\dfrac{1}{\tan^2\theta}=\dfrac{1}{\sin^2\theta}$

$\therefore \dfrac{1}{\sin^2\theta}=1+\dfrac{1}{\left(\dfrac{1}{2}\right)^2}=5$ $\therefore \sin^2\theta=\dfrac{1}{5}$

이때 θ는 제 3사분면의 각이므로 $\sin\theta<0$

$\therefore \sin\theta=-\dfrac{1}{\sqrt{5}}$

또한, $\sin^2\theta+\cos^2\theta=1$에서 $\cos^2\theta=1-\sin^2\theta=1-\left(-\dfrac{1}{\sqrt{5}}\right)^2=\dfrac{4}{5}$

이때 θ는 제 3사분면의 각이므로 $\cos\theta<0$

$\therefore \cos\theta=-\dfrac{2}{\sqrt{5}}$

STEP Ⓑ 주어진 조건의 값 구하기

따라서 $\sin\theta+\cos\theta=-\dfrac{1}{\sqrt{5}}+\left(-\dfrac{2}{\sqrt{5}}\right)=-\dfrac{3}{\sqrt{5}}=-\dfrac{3\sqrt{5}}{5}$

다른풀이 삼각함수의 정의를 이용하여 풀이하기

θ가 제 3사분면의 각이므로 각 θ를 나타내는 동경 OP에 대하여

점 P의 좌표는 $\tan\theta=\dfrac{1}{2}=\dfrac{-1}{-2}$에서 $P(-2, -1)$로 놓을 수 있다.

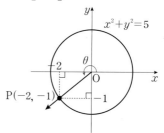

이때 $\overline{OP}=\sqrt{(-2)^2+(-1)^2}=\sqrt{5}$이므로

$\sin\theta=-\dfrac{1}{\sqrt{5}}=-\dfrac{\sqrt{5}}{5}$, $\cos\theta=-\dfrac{2}{\sqrt{5}}=-\dfrac{2\sqrt{5}}{5}$, $\sin\theta+\cos\theta=-\dfrac{3\sqrt{5}}{5}$

정답 ③

0739

정답 ④

STEP Ⓐ 삼각함수 사이의 관계를 이용하여 $\sin\theta$, $\cos\theta$의 값 구하기

$\sin^2\theta+\cos^2\theta=1$의 양변을 $\sin^2\theta$로 나누면

$1+\dfrac{1}{\tan^2\theta}=\dfrac{1}{\sin^2\theta}$

$\therefore \dfrac{1}{\sin^2\theta}=1+\dfrac{1}{\left(-\dfrac{1}{2}\right)^2}=5$

$\therefore \sin^2\theta=\dfrac{1}{5}$

$\sin^2\theta+\cos^2\theta=1$에서 $\cos^2\theta=1-\sin^2\theta=1-\dfrac{1}{5}=\dfrac{4}{5}$

이때 $\tan\theta=-\dfrac{1}{2}<0$이므로 θ는 제 2, 4사분면의 각이다.

(ⅰ) θ가 제 2사분면의 각이면

$\sin\theta=\dfrac{1}{\sqrt{5}}$, $\cos\theta=-\dfrac{2}{\sqrt{5}}$

(ⅱ) θ가 제 4사분면의 각이면

$\sin\theta=-\dfrac{1}{\sqrt{5}}$, $\cos\theta=\dfrac{2}{\sqrt{5}}$

STEP Ⓑ 주어진 조건의 값 구하기

$\dfrac{\sin\theta}{1+\cos\theta}+\dfrac{\sin(\pi+\theta)}{1+\cos(\pi+\theta)}=\dfrac{\sin\theta}{1+\cos\theta}+\dfrac{-\sin\theta}{1-\cos\theta}$

$=\dfrac{\sin\theta(1-\cos\theta)-\sin\theta(1+\cos\theta)}{(1+\cos\theta)(1-\cos\theta)}$

$=\dfrac{-2\sin\theta\cos\theta}{1-\cos^2\theta}$

$=\dfrac{-2\sin\theta\cos\theta}{\sin^2\theta}$

$=-\dfrac{2\cos\theta}{\sin\theta}$

$=4\ (\because\ (\ ⅰ\ ), (\ ⅱ\ ))$

0740

STEP A 삼각함수 사이의 관계를 이용하여 $\sin\theta$ 구하기

$$\frac{\sin\theta}{1+\cos\theta}+\frac{1+\cos\theta}{\sin\theta}=\frac{\sin^2\theta+(1+\cos\theta)^2}{(1+\cos\theta)\sin\theta}=\frac{2}{\sin\theta}$$

$\dfrac{2}{\sin\theta}=4$이므로 $\sin\theta=\dfrac{1}{2}$

STEP B $\cos\theta$ 구하기

$0<\theta<\dfrac{\pi}{2}$에서 $\cos\theta>0$

따라서 $\cos\theta=\sqrt{1-\sin^2\theta}=\dfrac{\sqrt{3}}{2}$

0741

정답 ②

STEP A $ab<0$이면 a와 b의 부호가 서로 다르고
$ab>0$이면 a와 b의 부호가 서로 같음을 이용하기

(i) $\sin\theta\cos\theta<0$일 때, $\sin\theta$와 $\cos\theta$의 값의 부호가 서로 다르므로 θ는 제2사분면 또는 제4사분면의 각이다.

(ii) $\cos\theta\tan\theta>0$일 때, $\cos\theta$와 $\tan\theta$의 값의 부호가 서로 같으므로 θ는 제1사분면 또는 제2사분면의 각이다.

(i), (ii)에서 θ는 제2사분면의 각이다.

STEP B 삼각함수 사이의 관계를 이용하여 식을 간단히 하기

$$\frac{1}{1+\sin\theta}+\frac{1}{1-\sin\theta}=\frac{1-\sin\theta+(1+\sin\theta)}{(1+\sin\theta)(1-\sin\theta)}=\frac{2}{1-\sin^2\theta}=\frac{2}{\cos^2\theta}$$

즉 $\dfrac{2}{\cos^2\theta}=\dfrac{5}{2}$에서 $\cos^2\theta=\dfrac{4}{5}$

STEP C $\cos\theta$의 값 구하기

θ가 제2사분면의 각이므로 $\cos\theta<0$

따라서 $\cos\theta=-\sqrt{\dfrac{4}{5}}=-\dfrac{2\sqrt{5}}{5}$

내/신/연/계/ 출제문항 262

$\sqrt{\sin\theta}\sqrt{\cos\theta}=-\sqrt{\sin\theta\cos\theta}$를 만족하는 θ에 대하여

$$\frac{1}{1+\cos\theta}+\frac{1}{1-\cos\theta}=\frac{9}{2}$$

을 만족할 때, $\sin\theta$의 값은?

① $-\dfrac{2}{3}$ ② $-\dfrac{2}{5}$ ③ $-\dfrac{1}{2}$

④ $\dfrac{1}{2}$ ⑤ $\dfrac{2}{3}$

STEP A 주어진 조건을 만족하는 θ의 범위 구하기

$\sqrt{\sin\theta}\sqrt{\cos\theta}=-\sqrt{\sin\theta\cos\theta}$에서 $\sin\theta<0$, $\cos\theta<0$이므로 θ는 제3사분면의 각이다.

STEP B 삼각함수 사이의 관계를 이용하여 식을 간단히 하기

$$\frac{1}{1+\cos\theta}+\frac{1}{1-\cos\theta}=\frac{1-\cos\theta+(1+\cos\theta)}{(1+\cos\theta)(1-\cos\theta)}=\frac{2}{1-\cos^2\theta}=\frac{2}{\sin^2\theta}$$

즉 $\dfrac{2}{\sin^2\theta}=\dfrac{9}{2}$에서 $\sin^2\theta=\dfrac{4}{9}$

STEP C $\sin\theta$의 값 구하기

θ가 제3사분면의 각이므로 $\sin\theta<0$

따라서 $\sin\theta=-\dfrac{2}{3}$

정답 ①

0742

정답 ①

STEP A 삼각방정식에서 $\sin\theta$의 값 구하기

$5\cos^2\theta+2\sin\theta-2=0$에서 $5(1-\sin^2\theta)+2\sin\theta-2=0$

$5\sin^2\theta-2\sin\theta-3=0$, $(5\sin\theta+3)(\sin\theta-1)=0$

이때 $\pi<\theta<\dfrac{3}{2}\pi$에서 $\sin\theta<0$이므로 $\sin\theta=-\dfrac{3}{5}$

STEP B 제3사분면에서 $\sin\theta$, $\cos\theta$의 값 구하기

또, $\pi<\theta<\dfrac{3}{2}\pi$에서 $\cos\theta<0$이므로 $\cos\theta=-\sqrt{1-\sin^2\theta}=-\dfrac{4}{5}$

따라서 $\sin\theta+\cos\theta=-\dfrac{3}{5}-\dfrac{4}{5}=-\dfrac{7}{5}$

내/신/연/계/ 출제문항 263

θ가 제3사분면의 각이고

$$\tan\theta-\frac{2}{\tan\theta}=1$$

일 때, $\sin\theta+\cos\theta$의 값은?

① $-3\sqrt{5}$ ② $-2\sqrt{5}$ ③ $-\dfrac{3\sqrt{5}}{5}$

④ $-\dfrac{2\sqrt{5}}{5}$ ⑤ $-\dfrac{\sqrt{5}}{5}$

STEP A 삼각방정식에서 $\tan\theta$의 값 구하기

$\tan\theta-\dfrac{2}{\tan\theta}=1$의 양변에 $\tan\theta$를 각각 곱하여 정리하면

$\tan^2\theta-\tan\theta-2=0$

$(\tan\theta+1)(\tan\theta-2)=0$

θ가 제3사분면의 각이므로 $\tan\theta=2$이고 $\sin\theta<0$, $\cos\theta<0$

STEP B 제3사분면에서 $\sin\theta$, $\cos\theta$의 값 구하기

$\sin^2\theta+\cos^2\theta=1$의 양변을 $\sin^2\theta$로 나누면

$1+\dfrac{1}{\tan^2\theta}=\dfrac{1}{\sin^2\theta}$

$\dfrac{1}{\sin^2\theta}=1+\dfrac{1}{\tan^2\theta}=1+\dfrac{1}{2^2}=\dfrac{5}{4}$이므로 $\sin^2\theta=\dfrac{4}{5}$

$\therefore \sin\theta=-\dfrac{2\sqrt{5}}{5}$, $\cos\theta=-\dfrac{\sqrt{5}}{5}$

따라서 $\sin\theta+\cos\theta=-\dfrac{2\sqrt{5}}{5}+\left(-\dfrac{\sqrt{5}}{5}\right)=-\dfrac{3\sqrt{5}}{5}$

정답 ③

0743

정답 ③

STEP A 주어진 조건에서 $\sin\theta$ 구하기

$\dfrac{1+\sin\theta}{1-\sin\theta}=2+\sqrt{3}$에서 $1+\sin\theta=(2+\sqrt{3})(1-\sin\theta)$

$(3+\sqrt{3})\sin\theta=1+\sqrt{3}$

$\therefore \sin\theta=\dfrac{1+\sqrt{3}}{3+\sqrt{3}}=\dfrac{(1+\sqrt{3})(3-\sqrt{3})}{(3+\sqrt{3})(3-\sqrt{3})}=\dfrac{\sqrt{3}}{3}$

STEP B 삼각함수 사이의 관계를 이용하여 $\tan\theta$ 구하기

$\sin^2\theta+\cos^2\theta=1$이므로 $\cos^2\theta=1-\sin^2\theta=1-\dfrac{1}{3}=\dfrac{2}{3}$

이때 $\dfrac{\pi}{2}<\theta<\pi$이면 $\cos\theta<0$이므로 $\cos\theta=-\dfrac{\sqrt{6}}{3}$

따라서 $\tan\theta=\dfrac{\sin\theta}{\cos\theta}=\dfrac{\dfrac{\sqrt{3}}{3}}{-\dfrac{\sqrt{6}}{3}}=-\dfrac{\sqrt{2}}{2}$

$\dfrac{\pi}{2}<\theta<\pi$이고 $\dfrac{1-\tan\theta}{1+\tan\theta}=2+\sqrt{3}$일 때, $\sin\theta$의 값은?

① $\dfrac{1}{4}$ 　　　② $\dfrac{1}{2}$ 　　　③ $\dfrac{\sqrt{2}}{2}$

④ $\dfrac{\sqrt{3}}{4}$ 　　　⑤ $\dfrac{\sqrt{3}}{2}$

STEP A 주어진 조건에서 $\tan\theta$ 구하기

$\dfrac{1-\tan\theta}{1+\tan\theta}=2+\sqrt{3}$에서 $1-\tan\theta=(1+\tan\theta)(2+\sqrt{3})$

$-1-\sqrt{3}=(3+\sqrt{3})\tan\theta$

$\therefore \tan\theta=-\dfrac{1+\sqrt{3}}{3+\sqrt{3}}=-\dfrac{1}{\sqrt{3}}$

STEP B 삼각함수 사이의 관계를 이용하여 $\sin\theta$ 구하기

$\sin^2\theta+\cos^2\theta=1$의 양변을 $\sin^2\theta$로 나누면

$1+\dfrac{1}{\tan^2\theta}=\dfrac{1}{\sin^2\theta}$

$\therefore \dfrac{1}{\sin^2\theta}=1+\dfrac{1}{\left(-\dfrac{1}{\sqrt{3}}\right)^2}=1+3=4 \quad \therefore \sin^2\theta=\dfrac{1}{4}$

따라서 θ는 제 2사분면의 각이므로 $\sin\theta>0 \quad \therefore \sin\theta=\dfrac{1}{2}$ 정답 ②

0744
정답 ③

STEP A 점 P의 좌표를 (x, y)라 두고 주어진 식에 대입하기

점 P의 좌표를 (x, y)라고 하면

$\sin\alpha=x$, $\sin\theta=y$, $\tan\theta=\dfrac{y}{x}$

이므로

$\sin^2\alpha+\sin^2\theta+\tan^2\theta=9$에서

$x^2+y^2+\dfrac{y^2}{x^2}=9 \quad \cdots\cdots ㉠$

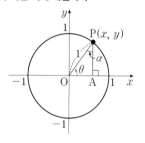

STEP B 선분 $\overline{OA}$의 길이 구하기

이때 점 P는 단위원 위의 점이므로 $x^2+y^2=1$을 ㉠에 대입하면

$1+\dfrac{y^2}{x^2}=9$, $\dfrac{y^2}{x^2}=8$

이때 $x^2+y^2=1$에서 $\dfrac{1-x^2}{x^2}=8$, $9x^2=1$

그런데 $x>0$이므로 $x=\dfrac{1}{3}$

따라서 $\overline{OA}=x=\dfrac{1}{3}$

0745
정답 ⑤

STEP A 삼각함수 사이의 관계를 이용하여 [보기]의 참, 거짓의 진위판단 하기

ㄱ. $\sin\theta-\cos\theta=\dfrac{1}{2}$의 양변을 제곱하면

$\sin^2\theta+\cos^2\theta-2\sin\theta\cos\theta=\dfrac{1}{4}$, $1-2\sin\theta\cos\theta=\dfrac{1}{4}$

$\therefore \sin\theta\cos\theta=\dfrac{3}{8}$ [참]

ㄴ. $\dfrac{\cos\theta}{\sin\theta}+\dfrac{\sin\theta}{\cos\theta}=\dfrac{\cos^2\theta+\sin^2\theta}{\sin\theta\cos\theta}=\dfrac{1}{\sin\theta\cos\theta}=\dfrac{8}{3}$ [참]

ㄷ. $(\sin\theta+\cos\theta)^2=1+2\sin\theta\cos\theta=1+2\cdot\dfrac{3}{8}=\dfrac{7}{4}$

$\therefore \sin\theta+\cos\theta=\dfrac{\sqrt{7}}{2}$ $(\because \sin\theta>0, \cos\theta>0)$ [참]

ㄹ. $\sin\theta-\cos\theta=\dfrac{1}{2} \quad \cdots\cdots ㉠$

$\sin\theta+\cos\theta=\dfrac{\sqrt{7}}{2} \quad \cdots\cdots ㉡$

㉠+㉡에서 $2\sin\theta=\dfrac{1}{2}+\dfrac{\sqrt{7}}{2}$

$\therefore \sin\theta=\dfrac{1+\sqrt{7}}{4}$

㉠-㉡에서 $-2\cos\theta=\dfrac{1}{2}-\dfrac{\sqrt{7}}{2}$

$\therefore \cos\theta=\dfrac{-1+\sqrt{7}}{4}$

$\therefore \tan\theta=\dfrac{\sin\theta}{\cos\theta}=\dfrac{1+\sqrt{7}}{-1+\sqrt{7}}=\dfrac{4+\sqrt{7}}{3}$ [참]

따라서 옳은 것은 ㄱ, ㄴ, ㄷ, ㄹ이다.

0746
정답 ④

STEP A 삼각함수 사이의 관계를 이용하여 식을 간단히 하기

$\sin\theta+\cos\theta=\dfrac{4}{3}$의 양변을 제곱하면

$\sin^2\theta+\cos^2\theta+2\sin\theta\cos\theta=\left(\dfrac{4}{3}\right)^2$

$1+2\sin\theta\cos\theta=\dfrac{16}{9}$

$\therefore \sin\theta\cos\theta=\dfrac{7}{18}$

따라서 $\dfrac{7}{\sin\theta}+\dfrac{7}{\cos\theta}=\dfrac{7(\sin\theta+\cos\theta)}{\sin\theta\cos\theta}=\dfrac{7\cdot\dfrac{4}{3}}{\dfrac{7}{18}}=24$

0747
정답 ④

STEP A 삼각함수 사이의 관계를 이용하여 식을 간단히 하기

$\sin\theta+\cos\theta=\dfrac{\sqrt{6}}{2}$의 양변을 제곱하면

$\sin^2\theta+2\sin\theta\cos\theta+\cos^2\theta=\dfrac{6}{4}=\dfrac{3}{2}$

$\sin^2\theta+\cos^2\theta=1$이므로 $1+2\sin\theta\cos\theta=\dfrac{3}{2}$

$\therefore \sin\theta\cos\theta=\dfrac{1}{4}$

STEP B 주어진 식의 값 구하기

$(1+\sin^2\theta)(1+\cos^2\theta)=1+(\cos^2\theta+\sin^2\theta)+(\sin\theta\cos\theta)^2$
$=1+1+\left(\dfrac{1}{4}\right)^2=\dfrac{33}{16}$

0748
정답 ②

STEP A $\sin\theta+\cos\theta=\dfrac{1}{\sqrt{3}}$에서 $\sin\theta\cos\theta$의 값 구하기

$\sin\theta+\cos\theta=\dfrac{1}{\sqrt{3}}$의 양변을 제곱하면

$\sin^2\theta+\cos^2\theta+2\sin\theta\cos\theta=\dfrac{1}{3}$

$1+2\sin\theta\cos\theta=\dfrac{1}{3}$

$\therefore \sin\theta\cos\theta=-\dfrac{1}{3}$

STEP B 삼각함수 사이의 관계를 이용하여 $\tan\theta+\dfrac{1}{\tan\theta}$의 값 구하기

$\tan\theta+\dfrac{1}{\tan\theta}=\dfrac{\sin\theta}{\cos\theta}+\dfrac{\cos\theta}{\sin\theta}=\dfrac{\sin^2\theta+\cos^2\theta}{\sin\theta\cos\theta}=\dfrac{1}{\sin\theta\cos\theta}=-3$

내/신/연/계/ 출제문항 265

$\sin\theta-\cos\theta=\dfrac{2}{3}$일 때, $\tan\theta+\dfrac{1}{\tan\theta}$의 값은?

① 2　　　　② $\dfrac{12}{5}$　　　　③ $\dfrac{14}{5}$

④ $\dfrac{16}{5}$　　　　⑤ $\dfrac{18}{5}$

STEP A 주어진 식의 양변을 제곱하여 $\sin\theta\cos\theta$의 값 구하기

$\sin\theta-\cos\theta=\dfrac{2}{3}$의 양변을 제곱하면

$\sin^2\theta-2\sin\theta\cos\theta+\cos^2\theta=\dfrac{4}{9}$

$1-2\sin\theta\cos\theta=\dfrac{4}{9}$　∴ $\sin\theta\cos\theta=\dfrac{5}{18}$

STEP B $\tan\theta+\dfrac{1}{\tan\theta}$의 값 구하기

$\tan\theta+\dfrac{1}{\tan\theta}=\dfrac{\sin\theta}{\cos\theta}+\dfrac{\cos\theta}{\sin\theta}=\dfrac{\sin^2\theta+\cos^2\theta}{\sin\theta\cos\theta}=\dfrac{1}{\frac{5}{18}}=\dfrac{18}{5}$

정답 ⑤

0749

정답 ①

STEP A 삼각함수 사이의 관계를 이용하여 $\sin\theta\cos\theta$의 값 구하기

$\tan\theta+\dfrac{1}{\tan\theta}=\dfrac{\sin\theta}{\cos\theta}+\dfrac{\cos\theta}{\sin\theta}=\dfrac{1}{\sin\theta\cos\theta}=\dfrac{8}{3}$

∴ $\sin\theta\cos\theta=\dfrac{3}{8}$

STEP B 곱의 공식을 이용하여 $\sin^3\theta+\cos^3\theta$의 값 구하기

이때 $(\sin\theta+\cos\theta)^2=1+2\sin\theta\cos\theta=1+2\cdot\dfrac{3}{8}=\dfrac{7}{4}$

$\pi<\theta<\dfrac{3}{2}\pi$에서 $\sin\theta+\cos\theta=-\dfrac{\sqrt{7}}{2}$ $(\because\sin\theta<0,\ \cos\theta<0)$

따라서 $\sin^3\theta+\cos^3\theta=(\sin\theta+\cos\theta)^3-3\sin\theta\cos\theta(\sin\theta+\cos\theta)$

$\qquad=\left(-\dfrac{\sqrt{7}}{2}\right)^3-3\cdot\dfrac{3}{8}\cdot\left(-\dfrac{\sqrt{7}}{2}\right)=-\dfrac{5\sqrt{7}}{16}$

내/신/연/계/ 출제문항 266

θ가 제 3사분면의 각이고

$$\tan\theta+\dfrac{1}{\tan\theta}=2$$

일 때, $\sin\theta+\cos\theta$의 값은?

① $-\sqrt{2}$　　　② $-\dfrac{\sqrt{2}}{2}$　　　③ $-\dfrac{1}{2}$

④ $\dfrac{\sqrt{2}}{2}$　　　⑤ $\sqrt{2}$

STEP A $\tan\theta+\dfrac{1}{\tan\theta}=2$에서 $\sin\theta\cos\theta$의 값 구하기

$\tan\theta+\dfrac{1}{\tan\theta}=2$에서 $\dfrac{\sin\theta}{\cos\theta}+\dfrac{\cos\theta}{\sin\theta}=2$

$\dfrac{\sin^2\theta+\cos^2\theta}{\cos\theta\sin\theta}=2,\ \dfrac{1}{\sin\theta\cos\theta}=2$

∴ $\sin\theta\cos\theta=\dfrac{1}{2}$

STEP B 곱셈공식의 변형을 이용하여 $\sin\theta+\cos\theta$의 값 구하기

$(\sin\theta+\cos\theta)^2=\sin^2\theta+2\sin\theta\cos\theta+\cos^2\theta$이므로

$(\sin\theta+\cos\theta)^2=1+2\times\dfrac{1}{2}=2$　……　㉠

이때 θ가 제 3사분면의 각이면 $\sin\theta<0,\ \cos\theta<0$이므로 $\sin\theta+\cos\theta<0$

따라서 ㉠에서 $\sin\theta+\cos\theta=-\sqrt{2}$

정답 ①

0750

정답 ⑤

STEP A $\sin\theta+\cos\theta=-\dfrac{\sqrt{2}}{2}$의 양변을 제곱하여 $\sin\theta\cos\theta$ 구하기

$\sin\theta+\cos\theta=-\dfrac{\sqrt{2}}{2}$의 양변을 제곱하면

$\sin^2\theta+2\sin\theta\cos\theta+\cos^2\theta=\dfrac{1}{2}$

$1+2\sin\theta\cos\theta=\dfrac{1}{2}$　∴ $\sin\theta\cos\theta=-\dfrac{1}{4}$

STEP B 곱의 공식을 이용하여 $\sin^4\theta+\cos^4\theta$의 값 구하기

따라서 $\sin^4\theta+\cos^4\theta=(\sin^2\theta+\cos^2\theta)^2-2\sin^2\theta\cos^2\theta$

$\qquad=1^2-2(\sin\theta\cos\theta)^2$

$\qquad=1-2\cdot\left(-\dfrac{1}{4}\right)^2=\dfrac{7}{8}$

내/신/연/계/ 출제문항 267

θ가 제 4사분면의 각이고

$$\sin\theta+\cos\theta=\dfrac{1}{2}$$

일 때, $\sin^4\theta-\cos^4\theta$의 값은?

① $-\dfrac{\sqrt{7}}{4}$　　　② $-\dfrac{\sqrt{7}}{2}$　　　③ $\dfrac{1}{2}$

④ $\dfrac{\sqrt{3}}{2}$　　　⑤ $\dfrac{\sqrt{7}}{4}$

STEP A $\sin\theta+\cos\theta=\dfrac{1}{2}$의 양변을 제곱하여 $\sin\theta\cos\theta$ 구하기

$\sin\theta+\cos\theta=\dfrac{1}{2}$의 양변을 제곱하면

$1+2\sin\theta\cos\theta=\dfrac{1}{4}$이므로 $\sin\theta\cos\theta=-\dfrac{3}{8}$

STEP B 곱의 공식을 이용하여 $\sin^4\theta-\cos^4\theta$의 값 구하기

$(\sin\theta-\cos\theta)^2=1-2\sin\theta\cos\theta=\dfrac{7}{4}$

이때 $\dfrac{3}{2}\pi<\theta<2\pi$이므로 $\sin\theta<0,\ \cos\theta>0$

즉 $\sin\theta-\cos\theta<0$이므로 $\sin\theta-\cos\theta=-\dfrac{\sqrt{7}}{2}$

따라서 $\sin^4\theta-\cos^4\theta=(\sin^2\theta+\cos^2\theta)(\sin^2\theta-\cos^2\theta)$

$\qquad=1\cdot(\sin\theta+\cos\theta)(\sin\theta-\cos\theta)$

$\qquad=\dfrac{1}{2}\cdot\left(-\dfrac{\sqrt{7}}{2}\right)$

$\qquad=-\dfrac{\sqrt{7}}{4}$

정답 ①

0751

정답 ⑤

STEP A $\sin\theta+\cos\theta=\dfrac{2}{3}$의 양변을 제곱하여 $\sin\theta\cos\theta$ 구하기

$\sin\theta+\cos\theta=\dfrac{2}{3}$의 양변을 제곱하면

$(\sin\theta+\cos\theta)^2=\sin^2\theta+2\sin\theta\cos\theta+\cos^2\theta$

$\dfrac{4}{9}=1+2\sin\theta\cos\theta$

∴ $\sin\theta\cos\theta=-\dfrac{5}{18}$

STEP B 곱의 공식을 이용하여 $\sin^3\theta+\cos^3\theta$의 값 구하기

따라서 $\sin^3\theta+\cos^3\theta=(\sin\theta+\cos\theta)^3-3\sin\theta\cos\theta(\sin\theta+\cos\theta)$

$\qquad=\dfrac{8}{27}-3\cdot\left(-\dfrac{5}{18}\right)\cdot\dfrac{2}{3}=\dfrac{23}{27}$

$\sin\theta-\cos\theta=\dfrac{\sqrt{2}}{2}$ 일 때, $\sin^3\theta-\cos^3\theta$의 값은?

① $\dfrac{1}{8}$ ② $\dfrac{\sqrt{2}}{4}$ ③ $\dfrac{3\sqrt{2}}{8}$

④ $\dfrac{5\sqrt{2}}{8}$ ⑤ $\dfrac{3\sqrt{2}}{4}$

STEP A $\sin\theta-\cos\theta=\dfrac{\sqrt{2}}{2}$의 양변을 제곱하여 $\sin\theta\cos\theta$ 구하기

$\sin\theta-\cos\theta=\dfrac{\sqrt{2}}{2}$의 양변을 제곱하면

$\sin^2\theta-2\sin\theta\cos\theta+\cos^2\theta=\dfrac{1}{2}$, $1-2\sin\theta\cos\theta=\dfrac{1}{2}$

$\therefore\ \sin\theta\cos\theta=\dfrac{1}{4}$

STEP B 곱의 공식을 이용하여 $\sin^3\theta-\cos^3\theta$의 값 구하기

$\sin^3\theta-\cos^3\theta=(\sin\theta-\cos\theta)^3+3\sin\theta\cos\theta(\sin\theta-\cos\theta)$

$\qquad=\left(\dfrac{\sqrt{2}}{2}\right)^3+3\cdot\dfrac{1}{4}\cdot\dfrac{\sqrt{2}}{2}$

$\qquad=\dfrac{2\sqrt{2}}{8}+\dfrac{3\sqrt{2}}{8}$

$\qquad=\dfrac{5\sqrt{2}}{8}$

정답 ④

0752

정답 ②

STEP A 주어진 식의 양변을 제곱하여 $2\sin\theta\cos\theta$의 값 구하기

$\sin\theta-\cos\theta=\dfrac{1}{2}$의 양변을 제곱하면

$\sin^2\theta-2\sin\theta\cos\theta+\cos^2\theta=\dfrac{1}{4}$, $1-2\sin\theta\cos\theta=\dfrac{1}{4}$

$\therefore\ 2\sin\theta\cos\theta=\dfrac{3}{4}$

STEP B 곱셈공식의 변형을 이용하여 $\sin\theta+\cos\theta$의 값 구하기

이때 $(\sin\theta+\cos\theta)^2=1+2\sin\theta\cos\theta=\dfrac{7}{4}$

θ가 제 3사분면의 각이므로 $\sin\theta<0$, $\cos\theta<0$

따라서 $\sin\theta+\cos\theta=-\dfrac{\sqrt{7}}{2}$

각 θ가 제 1사분면의 각이고

$$\sin\theta-\cos\theta=-\dfrac{\sqrt{2}}{2}$$

일 때, $\sin\theta+\cos\theta$의 값은?

① $-\sqrt{6}$ ② $-\dfrac{\sqrt{6}}{2}$ ③ $\dfrac{\sqrt{2}}{2}$

④ $\dfrac{\sqrt{6}}{3}$ ⑤ $\dfrac{\sqrt{6}}{2}$

STEP A 주어진 식의 양변을 제곱하여 $2\sin\theta\cos\theta$의 값 구하기

$\sin\theta-\cos\theta=-\dfrac{\sqrt{2}}{2}$의 양변을 제곱하면

$(\sin\theta-\cos\theta)^2=\sin^2\theta-2\sin\theta\cos\theta+\cos^2\theta$이므로

$\dfrac{1}{2}=1-2\sin\theta\cos\theta$

$\therefore\ 2\sin\theta\cos\theta=\dfrac{1}{2}$

STEP B 곱셈공식의 변형을 이용하여 $\sin\theta+\cos\theta$의 값 구하기

$(\sin\theta+\cos\theta)^2=1+2\sin\theta\cos\theta=\dfrac{3}{2}$

따라서 $0<\theta<\dfrac{\pi}{2}$에서 $\sin\theta+\cos\theta>0$이므로 $\sin\theta+\cos\theta=\dfrac{\sqrt{6}}{2}$

정답 ⑤

0753

정답 ③

STEP A 제 4사분면에서 $\sin\theta-\cos\theta$의 값 구하기

$(\sin\theta-\cos\theta)^2=\sin^2\theta-2\sin\theta\cos\theta+\cos^2\theta$

$\qquad=1-2\cdot\left(-\dfrac{1}{2}\right)$

$\qquad=2$

θ가 제 4사분면의 각이면 $\sin\theta<0$, $\cos\theta>0$이므로

$\sin\theta-\cos\theta<0$이므로 $\sin\theta-\cos\theta=-\sqrt{2}$

STEP B 곱셈공식을 이용하여 주어진 값 구하기

$\sin^3\theta-\cos^3\theta=(\sin\theta-\cos\theta)(\sin^2\theta+\sin\theta\cos\theta+\cos^2\theta)$

$\qquad=-\sqrt{2}\left(1-\dfrac{1}{2}\right)$

$\qquad=-\dfrac{\sqrt{2}}{2}$

$0<\theta<\dfrac{\pi}{2}$에서

$$\sin\theta\cos\theta=\dfrac{1}{4}$$

일 때, $\sin^3\theta+\cos^3\theta$의 값은?

① $\dfrac{3\sqrt{2}}{8}$ ② $\dfrac{3\sqrt{6}}{8}$ ③ $\dfrac{\sqrt{6}}{2}$

④ $\dfrac{3\sqrt{6}}{4}$ ⑤ $\dfrac{3\sqrt{6}}{2}$

STEP A 제 1사분면에서 $\sin\theta+\cos\theta$의 값 구하기

$(\sin\theta+\cos\theta)^2=\sin^2\theta+2\sin\theta\cos\theta+\cos^2\theta$

$\qquad=1+2\sin\theta\cos\theta$

$\qquad=1+2\cdot\dfrac{1}{4}$

$\qquad=\dfrac{3}{2}$

$0<\theta<\dfrac{\pi}{2}$일 때, $\sin\theta>0$, $\cos\theta>0$이므로

$\sin\theta+\cos\theta=\sqrt{\dfrac{3}{2}}=\dfrac{\sqrt{6}}{2}$

STEP B 곱셈공식을 이용하여 주어진 값 구하기

$\sin^3\theta+\cos^3\theta=(\sin\theta+\cos\theta)(\sin^2\theta-\sin\theta\cos\theta+\cos^2\theta)$

$\qquad=\dfrac{\sqrt{6}}{2}\cdot\left(1-\dfrac{1}{4}\right)$

$\qquad=\dfrac{3\sqrt{6}}{8}$

정답 ②

0754

STEP Ⓐ 이차방정식의 근과 계수의 관계를 이용하여 두 근의 합과 곱 구하기

이차방정식 $8x^2+4x+p=0$의 두 근이 $\sin\theta$, $\cos\theta$이므로

근과 계수의 관계에서

$\sin\theta+\cos\theta=-\dfrac{1}{2}$ ...... ㉠

$\sin\theta\cos\theta=\dfrac{p}{8}$ ...... ㉡

STEP Ⓑ $\sin\theta+\cos\theta$, $\sin\theta\cos\theta$의 관계를 이용하여 상수 p의 값 구하기

㉠의 양변을 제곱하여 ㉡을 대입하면

$\sin^2\theta+2\sin\theta\cos\theta+\cos^2\theta=\dfrac{1}{4}$

따라서 $1+2\cdot\dfrac{p}{8}=\dfrac{1}{4}$에서 $p=-3$

0755

정답 ②

STEP Ⓐ 이차방정식의 근과 계수의 관계를 이용하여 두 근의 합과 곱 구하기

이차방정식 $x^2-ax-a^2=0$의 두 근이 $\sin\theta$, $\cos\theta$이므로

근과 계수의 관계에 의하여

$\sin\theta+\cos\theta=a$, $\sin\theta\cos\theta=-a^2$

STEP Ⓑ $\sin\theta+\cos\theta$, $\sin\theta\cos\theta$의 관계를 이용하여 상수 a의 값 구하기

$\sin\theta+\cos\theta=a$의 양변을 제곱하면

$\sin^2\theta+2\sin\theta\cos\theta+\cos^2\theta=a^2$

$1-2a^2=a^2$, $a^2=\dfrac{1}{3}$

$\therefore a=-\dfrac{\sqrt{3}}{3}$ 또는 $a=\dfrac{\sqrt{3}}{3}$

따라서 구하는 양수 a의 값은 $\dfrac{\sqrt{3}}{3}$

내/신/연/계/ 출제문항 271

이차방정식 $x^2-ax+a-1=0$의 두 근이 $\sin\theta$, $\cos\theta$일 때, 상수 a의 값은?

① $\dfrac{1}{2}$ ② $\dfrac{2}{3}$ ③ $\dfrac{3}{4}$

④ 1   ⑤ $\dfrac{3}{2}$

STEP Ⓐ 이차방정식의 근과 계수의 관계를 이용하여 두 근의 합과 곱 구하기

$x^2-ax+a-1=0$의 두 근이 $\sin\theta$, $\cos\theta$이므로

근과 계수의 관계에 의하여

$\sin\theta+\cos\theta=a$ ...... ㉠

$\sin\theta\cos\theta=a-1$ ...... ㉡

STEP Ⓑ $\sin\theta+\cos\theta$, $\sin\theta\cos\theta$의 관계를 이용하여 상수 a의 값 구하기

㉠의 양변을 제곱하면

$\sin^2\theta+2\sin\theta\cos\theta+\cos^2\theta=a^2$

$1+2\sin\theta\cos\theta=a^2$

$\therefore \sin\theta\cos\theta=\dfrac{a^2-1}{2}$

㉡에서 $a-1=\dfrac{a^2-1}{2}$

$a^2-2a+1=0$, $(a-1)^2=0$

따라서 $a=1$

0756

STEP Ⓐ 이차방정식의 근과 계수의 관계를 이용하여 두 근의 합과 곱 구하기

이차방정식 $2x^2+2\sqrt{2}x+1=0$의 두 근이 $\sin\theta$, $\cos\theta$이므로

근과 계수의 관계에서

$\sin\theta+\cos\theta=-\sqrt{2}$, $\sin\theta\cos\theta=\dfrac{1}{2}$

STEP Ⓑ 곱셈공식을 이용하여 주어진 식의 값 구하기

따라서 $\sin^3\theta+\cos^3\theta=(\sin\theta+\cos\theta)^3-3\sin\theta\cos\theta(\sin\theta+\cos\theta)$

$\qquad\qquad =(-\sqrt{2})^3-3\cdot\dfrac{1}{2}(-\sqrt{2})$

$\qquad\qquad =-\dfrac{\sqrt{2}}{2}$

0757

정답 ①

STEP Ⓐ $\sin\theta+\cos\theta=\dfrac{5}{4}$에서 $\sin\theta\cos\theta$의 값 구하기

$\sin\theta+\cos\theta=\dfrac{5}{4}$의 양변을 제곱하면

$\sin^2\theta+\cos^2\theta+2\sin\theta\cos\theta=\dfrac{25}{16}$

$1+2\sin\theta\cos\theta=\dfrac{25}{16}$

$\therefore \sin\theta\cos\theta=\dfrac{9}{32}$

STEP Ⓑ 이차방정식의 근과 계수의 관계를 이용하여 두 근의 합과 곱 구하기

이차방정식 $x^2+ax+b=0$의 두 근이 $\sin\theta$, $\cos\theta$이므로

근과 계수의 관계에 의하여

$\sin\theta+\cos\theta=-a$ ...... ㉠

$\sin\theta\cos\theta=b$ ...... ㉡

㉠, ㉡에서 $a=-\dfrac{5}{4}$, $b=\dfrac{9}{32}$

따라서 $a+b=-\dfrac{5}{4}+\dfrac{9}{32}=-\dfrac{31}{32}$

0758

STEP Ⓐ $2x^2-x+k=0$의 두 근이 $\sin\theta$, $\cos\theta$일 때, k 구하기

이차방정식 $2x^2-x+k=0$의 두 근이 $\sin\theta$, $\cos\theta$이므로

근과 계수의 관계에 의하여

$\sin\theta+\cos\theta=\dfrac{1}{2}$, $\sin\theta\cos\theta=\dfrac{k}{2}$

$\sin\theta+\cos\theta=\dfrac{1}{2}$의 양변을 제곱하면

$1+2\sin\theta\cos\theta=\dfrac{1}{4}$

$\therefore \sin\theta\cos\theta=-\dfrac{3}{8}$, 즉 $\dfrac{k}{2}=-\dfrac{3}{8}$이므로 $k=-\dfrac{3}{4}$

STEP Ⓑ $\tan\theta$, $\dfrac{1}{\tan\theta}$을 두 근으로 하는 이차방정식 작성하기

$\tan\theta+\dfrac{1}{\tan\theta}=\dfrac{\sin\theta}{\cos\theta}+\dfrac{\cos\theta}{\sin\theta}=\dfrac{\sin^2\theta+\cos^2\theta}{\sin\theta\cos\theta}$

$\qquad\qquad\qquad =\dfrac{1}{\sin\theta\cos\theta}$

$\qquad\qquad\qquad =-\dfrac{8}{3}$

이때 $\tan\theta$, $\dfrac{1}{\tan\theta}$을 두 근으로 하는 이차방정식이 $x^2+\dfrac{8}{3}x+1=0$

$\therefore 3x^2+8x+3=0$

따라서 $k=-\dfrac{3}{4}$, $a=3$, $b=8$이므로 $kab=-18$

이차방정식 $2x^2-x+a=0$의 두 근이 $\sin\theta$, $\cos\theta$이고

이차방정식 $x^2+bx+1=0$의 두 근이 $\tan\theta$, $\dfrac{1}{\tan\theta}$일 때,

상수 a, b에 대하여 ab의 값은?

① -2 ② $-\dfrac{3}{4}$ ③ $-\dfrac{3}{8}$

④ 1 ⑤ 2

STEP Ⓐ 이차방정식 $2x^2-x+a=0$의 근과 계수의 관계를 이용하여
두 근의 합과 곱 구하기

이차방정식 $2x^2-x+a=0$의 두 근이 $\sin\theta$, $\cos\theta$이므로
근과 계수의 관계에 의하여

$\sin\theta+\cos\theta=\dfrac{1}{2}$ …… ㉠

$\sin\theta\cos\theta=\dfrac{a}{2}$ …… ㉡

㉠의 양변을 제곱하면

$\sin^2\theta+2\sin\theta\cos\theta+\cos^2\theta=\dfrac{1}{4}$

$1+a=\dfrac{1}{4}$ $\therefore a=-\dfrac{3}{4}$

STEP Ⓑ 이차방정식 $x^2+bx+1=0$의 근과 계수의 관계를 이용하여
두 근의 합 구하기

이차방정식 $x^2+bx+1=0$의 두 근이 $\tan\theta$, $\dfrac{1}{\tan\theta}$이므로
근과 계수의 관계에 의하여

$\tan\theta+\dfrac{1}{\tan\theta}=-b$

$\begin{aligned}\tan\theta+\dfrac{1}{\tan\theta}&=\dfrac{\sin\theta}{\cos\theta}+\dfrac{\cos\theta}{\sin\theta}\\&=\dfrac{\sin^2\theta+\cos^2\theta}{\sin\theta\cos\theta}\\&=\dfrac{1}{\sin\theta\cos\theta}=-b\end{aligned}$ …… ㉢

㉡에서 $\sin\theta\cos\theta=-\dfrac{3}{8}$이므로 ㉢에서 $b=\dfrac{8}{3}$

따라서 $a=-\dfrac{3}{4}$, $b=\dfrac{8}{3}$이므로 $ab=\left(-\dfrac{3}{4}\right)\cdot\dfrac{8}{3}=-2$ 정답 ①

0759

정답 ④

STEP Ⓐ 근과 계수의 관계를 이용하여 $\dfrac{1}{\sin\theta}$, $\dfrac{1}{\cos\theta}$의 관계식 구하기

이차방정식 $x^2-2ax+(a-2)=0$의 두 근이 $\dfrac{1}{\sin\theta}$, $\dfrac{1}{\cos\theta}$이므로
근과 계수의 관계에 의하여

$\dfrac{1}{\sin\theta}+\dfrac{1}{\cos\theta}=2a$, $\dfrac{1}{\sin\theta}\cdot\dfrac{1}{\cos\theta}=a-2$

$\dfrac{1}{\sin\theta}+\dfrac{1}{\cos\theta}=\dfrac{\sin\theta+\cos\theta}{\sin\theta\cos\theta}=2a$ …… ㉠

$\dfrac{1}{\sin\theta}\cdot\dfrac{1}{\cos\theta}=a-2$

$\therefore \sin\theta\cos\theta=\dfrac{1}{a-2}$ …… ㉡

STEP Ⓑ 연립하여 a의 값 구하기

㉠, ㉡에서 $\sin\theta+\cos\theta=\dfrac{2a}{a-2}$ …… ㉢

㉢의 양변을 제곱하면

$1+2\sin\theta\cos\theta=\dfrac{4a^2}{(a-2)^2}$

㉡을 대입하면 $1+\dfrac{2}{a-2}=\dfrac{4a^2}{(a-2)^2}$

$(a-2)^2+2(a-2)=4a^2$, $3a^2+2a=0$

따라서 $a\ne0$이므로 $a=-\dfrac{2}{3}$

S T E P 2   서술형 기출유형

0760

정답 해설참조

1단계   1라디안의 정의를 서술하여라.   ◀ 50%

1라디안은 반지름의 길이가 r인 원에서 호의 길이가 r인 부채꼴의 중심각의
크기이다.
즉 호의 길이가 반지름의 길이와 같은 부채꼴의 중심각의 크기는 원의 반지름
의 길이에 관계없이 일정함을 알 수 있다.
이 일정한 각의 크기를 1라디안이라고 하며, 이것을 단위로 하여 각의 크기를
나타내는 방법을 호도법이라고 한다.

2단계   1라디안 $=\dfrac{180°}{\pi}$임을 증명하여라.   ◀ 50%

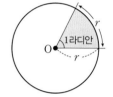

오른쪽 그림과 같이 반지름의 길이가
r인 원 O에서 호의 길이가 r인 부채꼴의
중심각의 크기를 $a°$라 하면 호의 길이는
중심각의 크기에 정비례하므로

$r:2\pi r=a°:360°$ $\therefore a°=\dfrac{180°}{\pi}$

따라서 중심각의 크기 $a°$는 원의 반지름의
길이 r에 관계없이 일정하다.

이 일정한 각의 크기 $\dfrac{180°}{\pi}$를 1라디안이라 한다.

0761

정답 해설참조

1단계 θ의 값의 범위를 일반각으로 나타낸다.   ◀ 20%

θ가 제 4사분면의 각이므로

$360°\times n+270°<\theta<360°\times n+360°$ (n은 정수) …… ㉠

2단계 $\dfrac{\theta}{3}$의 값의 범위를 나타낸다.   ◀ 20%

㉠의 양변을 3으로 나누면

$120°\times n+90°<\dfrac{\theta}{3}<120°\times n+120°$

3단계 $\dfrac{\theta}{3}$를 나타내는 동경이 존재할 수 있는 사분면을 모두 구한다.   ◀ 60%

(i) $n=3k$ (k는 정수)일 때,

$120°\times3k+90°<\dfrac{\theta}{3}<120°\times3k+120°$에서

$360°\times k+90°<\dfrac{\theta}{3}<360°\times k+120°$

즉 $\dfrac{\theta}{3}$를 나타내는 동경은 제 2사분면에 있다.

(ii) $n=3k+1$ (k는 정수)일 때,

$120°\times(3k+1)+90°<\dfrac{\theta}{3}<120°\times(3k+1)+120°$에서

$360°\times k+210°<\dfrac{\theta}{3}<360°\times k+240°$

즉 $\dfrac{\theta}{3}$를 나타내는 동경은 제 3사분면에 있다.

(iii) $n=3k+2$ (k는 정수)일 때,

$120°\times(3k+2)+90°<\dfrac{\theta}{3}<120°\times(3k+2)+120°$에서

$360°\times k+330°<\dfrac{\theta}{3}<360°\times k+360°$

즉 $\dfrac{\theta}{3}$를 나타내는 동경은
제 4사분면에 있다.

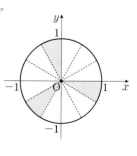

따라서 $\dfrac{\theta}{3}$는 제 2사분면, 제 3사분면,
제 4사분면에 존재할 수 있다.

0762

정답 해설참조

1단계 두 동경이 같은 방향일 때, θ의 값을 구한다. ◀ 40%

두 동경이 같은 방향일 때,

$3\theta - \dfrac{1}{2}\theta = 2n\pi$ (n은 정수)에서 $\theta = \dfrac{4}{5}n\pi$

이때 $0 < \theta < \pi$이므로 $n=1$일 때, $\theta = \dfrac{4}{5}\pi$ …… ㉠

2단계 두 동경이 서로 반대 방향일 때, θ의 값을 구한다. ◀ 40%

두 동경이 서로 반대 방향일 때,

$3\theta - \dfrac{1}{2}\theta = 2n\pi + \pi$ (n은 정수)에서 $\theta = \dfrac{4}{5}n\pi + \dfrac{2}{5}\pi$

이때 $0 < \theta < \pi$이므로 $n=0$일 때, $\theta = \dfrac{2}{5}\pi$ …… ㉡

3단계 모든 θ의 값의 합을 구한다. ◀ 20%

따라서 ㉠, ㉡에서 모든 θ의 값의 합은 $\dfrac{4}{5}\pi + \dfrac{2}{5}\pi = \dfrac{6}{5}\pi$

0763

정답 해설참조

1단계 $\dfrac{\pi}{2} < \theta < \dfrac{5}{6}\pi$인 각 θ에 대하여 두 각 2θ와 10θ를 나타내는 동경이 x축에 대하여 대칭일 때, θ의 값을 구한다. ◀ 60%

두 각 2θ와 10θ를 나타내는 동경이 x축에 대하여 대칭이므로
$2\theta + 10\theta = 2n\pi$ (단, n은 정수)

$12\theta = 2n\pi$ ∴ $\theta = \dfrac{n}{6}\pi$

이때 $\dfrac{\pi}{2} < \theta < \dfrac{5}{6}\pi$이므로 $\dfrac{\pi}{2} < \dfrac{n}{6}\pi < \dfrac{5}{6}\pi$, $3 < n < 5$

이를 만족하는 정수 n은 $n=4$이므로 $\theta = \dfrac{2}{3}\pi$

2단계 반지름의 길이가 9cm이고 중심각의 크기가 θ인 부채꼴의 호의 길이를 구한다. ◀ 20%

부채꼴의 호의 길이는 $l = r\theta = 9 \cdot \dfrac{2}{3}\pi = 6\pi\,(\text{cm})$

3단계 반지름의 길이가 9cm이고 중심각의 크기가 θ인 부채꼴의 넓이를 구한다. ◀ 20%

부채꼴의 넓이는 $\dfrac{1}{2}r^2\theta = \dfrac{1}{2} \cdot 9^2 \cdot \dfrac{2}{3}\pi = 27\pi\,(\text{cm}^2)$

> **참고**
> $\dfrac{1}{2}rl = \dfrac{1}{2} \cdot 9 \cdot 6\pi = 27\pi\,(\text{cm}^2)$

0764

정답 해설참조

1단계 부채꼴의 반지름의 길이를 r, 호의 길이를 l이라 할 때, l를 a와 r에 대한 식으로 나타낸다. ◀ 20%

부채꼴의 반지름의 길이를 r, 호의 길이를 l이라 하면
둘레의 길이가 a이므로 $2r + l = a$

∴ $l = a - 2r$ $\left(\text{단, } 0 < r < \dfrac{1}{2}a\right)$

2단계 넓이 S의 최댓값을 구한다. ◀ 40%

부채꼴의 넓이를 S라 하면
$S = \dfrac{1}{2}rl = \dfrac{1}{2}r(a-2r) = -r^2 + \dfrac{1}{2}ar = -\left(r - \dfrac{1}{4}a\right)^2 + \dfrac{1}{16}a^2$

따라서 $r = \dfrac{1}{4}a$일 때, S의 최댓값은 $\dfrac{1}{16}a^2$

3단계 넓이 S의 값이 최대일 때, 중심각의 크기를 구한다. ◀ 40%

$r = \dfrac{1}{4}a$일 때, $l = a - 2r = a - \dfrac{1}{2}a = \dfrac{1}{2}a$이므로

부채꼴의 중심각의 크기를 θ라 하면 $l = r\theta$에서 $\dfrac{1}{2}a = \dfrac{1}{4}a\theta$

∴ $\theta = 2$
따라서 넓이가 최대인 부채꼴의 중심각의 크기는 2

0765

정답 해설참조

1단계 상수 a의 값과 선분 $\overline{\text{OP}}$의 길이를 구한다. ◀ 40%

각 θ가 제 3사분면의 각이고 $\tan\theta = \dfrac{8}{15}$이므로

점 $P(a, -8)$에서 삼각함수의 정의에 의하여

$\tan\theta = \dfrac{-8}{a} = \dfrac{8}{15}$이므로 $a = -15$

즉 점 $P(-15, -8)$이므로 $\overline{\text{OP}} = \sqrt{(-15)^2 + (-8)^2} = \sqrt{289} = 17$

2단계 $\sin\theta$와 $\cos\theta$의 값을 구한다. ◀ 30%

오른쪽 그림과 같이 점 P는 원점 O를
중심으로 하고 반지름의 길이가 17인
원 위의 점이다.
즉 $r = 17$, $x = -15$, $y = -8$
이므로 삼각함수의 정의에 의하여
$\sin\theta = -\dfrac{8}{17}$, $\cos\theta = -\dfrac{15}{17}$

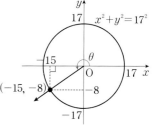

3단계 $\dfrac{34\sin\theta}{17\cos\theta - 1}$의 값을 구한다. ◀ 30%

$\dfrac{34\sin\theta}{17\cos\theta - 1} = \dfrac{34 \cdot \left(-\dfrac{8}{17}\right)}{17 \cdot \left(-\dfrac{15}{17}\right) - 1} = \dfrac{-16}{-16} = 1$

0766

정답 해설참조

1단계 $\cos\theta$의 값을 잘못 구한 것이다. 그 이유를 설명하여라. ◀ 50%

$\sin\theta > 0$이므로 각 θ는 제 1사분면의 각 또는 제 2사분면의 각이므로
제 1사분면의 각인 경우만 생각하여 잘못 구하였다.

2단계 올바른 $\cos\theta$의 값을 구한다. ◀ 50%

즉 바르게 풀면 다음과 같다.
각 θ가 제 1사분면의 각일 때, $\cos\theta > 0$이므로

$\cos\theta = \sqrt{1-\sin^2\theta} = \sqrt{1 - \left(\dfrac{3}{5}\right)^2} = \dfrac{4}{5}$ …… ㉠

각 θ가 제 2사분면의 각일 때, $\cos\theta < 0$이므로

$\cos\theta = -\sqrt{1-\sin^2\theta} = -\sqrt{1 - \left(\dfrac{3}{5}\right)^2} = -\dfrac{4}{5}$ …… ㉡

따라서 ㉠, ㉡에서 $\cos\theta = \dfrac{4}{5}$ 또는 $\cos\theta = -\dfrac{4}{5}$

0767

정답 해설참조

1단계 주어진 좌변을 간단히 한다. ◀ 40%

$\dfrac{1}{\sin\theta + 1} - \dfrac{1}{\sin\theta - 1} = \dfrac{\sin\theta - 1 - (\sin\theta + 1)}{(\sin\theta + 1)(\sin\theta - 1)} = \dfrac{-2}{\sin^2\theta - 1} = \dfrac{2}{\cos^2\theta}$

2단계 $\cos\theta$의 값을 구한다. ◀ 20%

$\dfrac{2}{\cos^2\theta} = \dfrac{9}{2}$이므로 $\cos^2\theta = \dfrac{4}{9}$

즉 $\pi < \theta < \dfrac{3}{2}\pi$에서 $\cos\theta = -\dfrac{2}{3}$

3단계 $\tan\theta$의 값을 구한다. ◀ 40%

$\sin^2\theta + \cos^2\theta = 1$이므로 $\sin^2\theta = 1 - \cos^2\theta = 1 - \left(-\dfrac{2}{3}\right)^2 = \left(\dfrac{\sqrt{5}}{3}\right)^2$

각 θ가 제 3사분면의 각이므로 $\sin\theta < 0$

∴ $\sin\theta = -\dfrac{\sqrt{5}}{3}$

따라서 $\tan\theta = \dfrac{\sin\theta}{\cos\theta} = \left(-\dfrac{\sqrt{5}}{3}\right) \div \left(-\dfrac{2}{3}\right) = \dfrac{\sqrt{5}}{2}$

0768

정답 해설참조

| 1단계 | 이차방정식의 근과 계수의 관계를 이용하여 두 근의 합과 곱을 구한다. | ◀ 30% |

이차방정식 $4x^2-4ax+a^2-2=0$의 두 근이 $\sin\theta$, $\cos\theta$이므로
근과 계수의 관계에 의하여

$\sin\theta+\cos\theta=a$ ······ ㉠

$\sin\theta\cos\theta=\dfrac{a^2-2}{4}$ ······ ㉡

| 2단계 | $\sin\theta+\cos\theta$, $\sin\theta\cos\theta$의 관계를 이용하여 상수 a의 값을 구한다. | ◀ 40% |

㉠의 양변을 제곱하면

$\sin^2\theta+2\sin\theta\cos\theta+\cos^2\theta=a^2$

$1+2\sin\theta\cos\theta=a^2$ ······ ㉢

㉡을 ㉢에 대입하면

$1+2\cdot\dfrac{a^2-2}{4}=a^2$, $a^2=0$ $\therefore a=0$

| 3단계 | $\tan\theta$의 값을 구한다. | ◀ 30% |

즉 $\sin\theta+\cos\theta=0$에서 $\cos\theta=-\sin\theta$이므로 $\tan\theta=\dfrac{\sin\theta}{\cos\theta}=\dfrac{\sin\theta}{-\sin\theta}=-1$

0769

정답 해설참조

| 1단계 | 이차방정식의 근과 계수의 관계를 이용하여 두 근의 합과 곱을 구한다. | ◀ 20% |

$2x^2-ax+1=0$의 두 근이 $\sin\theta$, $\cos\theta$이므로
근과 계수의 관계에 의하여

$\sin\theta+\cos\theta=\dfrac{a}{2}$ ······ ㉠

$\sin\theta\cos\theta=\dfrac{1}{2}$ ······ ㉡

| 2단계 | $\sin\theta+\cos\theta$, $\sin\theta\cos\theta$의 관계를 이용하여 상수 a의 값을 구한다. | ◀ 30% |

㉠의 양변을 제곱하면

$\sin^2\theta+2\sin\theta\cos\theta+\cos^2\theta=\dfrac{a^2}{4}$

$1+2\sin\theta\cos\theta=\dfrac{a^2}{4}$

$\therefore \sin\theta\cos\theta=\dfrac{a^2-4}{8}$

㉡에서 $\dfrac{1}{2}=\dfrac{a^2-4}{8}$ $\therefore a=2\sqrt{2}\,(\because a>0)$

즉 $\sin\theta+\cos\theta=\sqrt{2}$

| 3단계 | 두 근이 주어진 x^2의 계수가 1인 이차방정식을 구하여 b, c의 값을 구한다. | ◀ 40% |

한편 $\dfrac{1}{\sin\theta}$, $\dfrac{1}{\cos\theta}$을 두 근으로 하고 x^2의 계수가 1인 이차방정식은

$x^2-\left(\dfrac{1}{\sin\theta}+\dfrac{1}{\cos\theta}\right)x+\dfrac{1}{\sin\theta}\cdot\dfrac{1}{\cos\theta}=0$

이때

$\dfrac{1}{\sin\theta}+\dfrac{1}{\cos\theta}=\dfrac{\cos\theta+\sin\theta}{\sin\theta\cos\theta}=\dfrac{\sqrt{2}}{\dfrac{1}{2}}=2\sqrt{2}$

$\dfrac{1}{\sin\theta}\cdot\dfrac{1}{\cos\theta}=\dfrac{1}{\sin\theta\cos\theta}=\dfrac{1}{\dfrac{1}{2}}=2$

이므로 구하는 이차방정식은 $x^2-2\sqrt{2}\,x+2=0$

$\therefore b=-2\sqrt{2}$, $c=2$

| 4단계 | abc의 값을 구한다. | ◀ 10% |

따라서 $a=2\sqrt{2}$, $b=-2\sqrt{2}$, $c=2$이므로 $abc=2\sqrt{2}\cdot(-2\sqrt{2})\cdot2=-16$

0770

정답 해설참조

| 1단계 | 중심각 $\angle\mathrm{AOB}$를 구한다. | ◀ 30% |

부채꼴 OAB의 반지름의 길이가 1이고 호 AB의 길이가 θ이므로
$\angle\mathrm{AOB}=\theta$

| 2단계 | 원의 중심을 C, 반지름의 길이를 r, 점 C에서 선분 OA에 내린 수선의 발을 H라 할 때, 삼각형 COH에서 $\overline{\mathrm{CH}}$의 길이를 구한다. | ◀ 30% |

원의 중심을 C, 반지름의 길이를 r, 점 C에서 선분 OA에 내린 수선의
발을 H라 하면

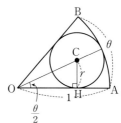

$\angle\mathrm{COH}=\dfrac{\theta}{2}$이므로

$\overline{\mathrm{CH}}=r=\overline{\mathrm{OC}}\sin\dfrac{\theta}{2}$ ······ ㉠

| 3단계 | $\overline{\mathrm{OC}}$의 길이를 구하여 원의 반지름의 길이를 구한다. | ◀ 40% |

이때 $\overline{\mathrm{OC}}+r=1$이므로 $\overline{\mathrm{OC}}=1-r$

㉠에서 $r=(1-r)\sin\dfrac{\theta}{2}$

$r\left(1+\sin\dfrac{\theta}{2}\right)=\sin\dfrac{\theta}{2}$

따라서 $r=\dfrac{\sin\dfrac{\theta}{2}}{1+\sin\dfrac{\theta}{2}}$

0771

STEP ⓐ 주어진 조건을 제곱하여 $\sin\theta\cos\theta$의 값 구하기

$\sin\theta+\cos\theta=\dfrac{\sqrt{2}}{2}$의 양변을 제곱하면

$\sin^2\theta+2\sin\theta\cos\theta+\cos^2\theta=\dfrac{1}{2}$

$1+2\sin\theta\cos\theta=\dfrac{1}{2}$ $(\because \sin^2\theta+\cos^2\theta=1)$

$\therefore \sin\theta\cos\theta=-\dfrac{1}{4}$

STEP ⓑ 곱셈공식을 이용하여 주어진 식의 값 구하기

따라서 $\dfrac{\sin^2\theta}{\cos^2\theta}+\dfrac{\cos^2\theta}{\sin^2\theta}=\dfrac{\sin^4\theta+\cos^4\theta}{\sin^2\theta\cos^2\theta}$

$=\dfrac{(\sin^2\theta+\cos^2\theta)^2-2(\sin\theta\cos\theta)^2}{(\sin\theta\cos\theta)^2}$

$=\dfrac{1^2-2\cdot\left(-\dfrac{1}{4}\right)^2}{\left(-\dfrac{1}{4}\right)^2}=\dfrac{\dfrac{7}{8}}{\dfrac{1}{16}}=14$

0772

STEP ⓐ 계수가 실수이므로 다른 한근 정하기

이차방정식 $x^2-x+a=0$의 한 근이 $\cos\theta+i\sin\theta$이므로
다른 한 근은 $\cos\theta-i\sin\theta$ $(\because a$가 실수)

STEP ⓑ 이차방정식의 근과 계수의 관계를 이용하여 두 근의 합과 곱 구하기

이차방정식 $x^2-x+a=0$의 두 근이 $\cos\theta+i\sin\theta$, $\cos\theta-i\sin\theta$이므로
근과 계수의 관계에 의하여
두 근의 곱은
$a=(\cos\theta+i\sin\theta)(\cos\theta-i\sin\theta)=\cos^2\theta+\sin^2\theta=1$
$\therefore a=1$
두 근의 합은
$(\cos\theta+i\sin\theta)+(\cos\theta-i\sin\theta)=1$에서 $\cos\theta=\dfrac{1}{2}$

즉 $0<\theta<\pi$에서 $\theta=\dfrac{\pi}{3}$

따라서 $a=1$, $\theta=\dfrac{\pi}{3}$

내신연계 출제문항 273

이차방정식 $x^2-2x+k=0$의 한 근이 $\cos\theta+i\sin\theta$일 때, 실수 k의 값과
그때의 θ의 값을 구하여라. (단, $0\le\theta<\pi$, $i=\sqrt{-1}$)

STEP ⓐ 계수가 실수이므로 다른 한근 정하기

이차방정식 $x^2-2x+k=0$의 한 근이 $\cos\theta+i\sin\theta$이므로
다른 한 근은 $\cos\theta-i\sin\theta$

STEP ⓑ 이차방정식의 근과 계수의 관계를 이용하여 두 근의 합과 곱 구하기

이차방정식의 근과 계수의 관계에 의하여
$k=(\cos\theta+i\sin\theta)(\cos\theta-i\sin\theta)=\cos^2\theta+\sin^2\theta=1$
$\therefore k=1$
또, $(\cos\theta+i\sin\theta)+(\cos\theta-i\sin\theta)=2$에서 $\cos\theta=1$
$0\le\theta<\pi$에서 $\theta=0$
따라서 $k=1$이고 $\theta=0$

0773

STEP ⓐ 반지름의 길이가 3인 줄로 묶여 있는 강아지가 자유롭게 돌아다닐
수 있는 영역의 넓이 구하기

강아지가 자유롭게 돌아다닐 수 있는 영역은 그림의 색칠한 부분과 같다.

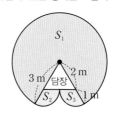

담장이 정삼각형이므로 한 내각의 크기는 $\dfrac{\pi}{3}$이다.

부채꼴 S_1의 중심각의 크기는 $2\pi-\dfrac{\pi}{3}=\dfrac{5}{3}\pi$이고
반지름의 길이는 3m이므로 부채꼴 S_1의 넓이는

$\dfrac{1}{2}\cdot 3^2\cdot\dfrac{5}{3}\pi=\dfrac{15}{2}\pi(\text{m}^2)$

STEP ⓑ 반지름의 길이가 1인 줄로 묶여 있는 강아지가 자유롭게 돌아다닐
수 있는 영역의 넓이 구하기

한편, 두 부채꼴 S_2, S_3은 서로 합동이고
부채꼴 S_2의 중심각의 크기는 $\pi-\dfrac{\pi}{3}=\dfrac{2}{3}\pi$이고
반지름의 길이는 1m이므로
부채꼴 S_2, S_3의 넓이는 각각 $\dfrac{1}{2}\cdot 1^2\cdot\dfrac{2}{3}\pi=\dfrac{\pi}{3}(\text{m}^2)$

STEP ⓒ 전체 영역의 넓이 구하기

따라서 구하는 영역의 넓이는 $\dfrac{15}{2}\pi+2\cdot\dfrac{\pi}{3}=\dfrac{49}{6}\pi(\text{m}^2)$

0774

STEP ⓐ 부채꼴의 넓이를 이용하여 색칠된 부분의 넓이가 4π인 직각이등
변삼각형의 한 변의 길이 구하기

$\angle B=90°$인
직각이등변삼각형 AOB에서
$\overline{OB}=\overline{AB}$이고 $\angle AOB=45°=\dfrac{\pi}{4}$

$\overline{OB}=\overline{OC}=a$라 하면
직각 삼각형 COD에서
$\overline{OD}=\overline{OC}\cos\dfrac{\pi}{4}=a\cos\dfrac{\pi}{4}=\dfrac{\sqrt{2}}{2}a$

구하는 부분의 넓이가 4π이므로
$4\pi=$(부채꼴 OBC의 넓이)$-$(부채꼴 ODE의 넓이)

$=\dfrac{1}{2}\cdot\overline{OB}^2\cdot\dfrac{\pi}{4}-\dfrac{1}{2}\cdot\overline{OD}^2\cdot\dfrac{\pi}{4}$

$=\dfrac{\pi}{8}a^2-\dfrac{\pi}{8}\left(\dfrac{\sqrt{2}}{2}a\right)^2$

$=\dfrac{\pi}{16}a^2$

즉 $4\pi=\dfrac{\pi}{16}a^2$에서 $a^2=64$

STEP ⓑ 직각이등변삼각형의 넓이 구하기

따라서 삼각형 AOB의 넓이는 $\dfrac{1}{2}\cdot\overline{OB}\cdot\overline{AB}=\dfrac{1}{2}\cdot\overline{OB}^2=\dfrac{1}{2}a^2=\dfrac{1}{2}\cdot 64=32$

0775

정답 $\dfrac{1}{2}$

STEP Ⓐ 삼각비를 이용하여 $\overline{OC}$, $\overline{AC}$, $\overline{BD}$의 길이 구하기

$\overline{OA}=\overline{OB}=1$이므로
삼각형 AOC에서
$\overline{OC}=\overline{OA}\cos\theta=\cos\theta$
$\overline{AC}=\overline{OA}\sin\theta=\sin\theta$
삼각형 DOB에서
$\overline{BD}=\overline{OB}\tan\theta=\tan\theta$

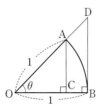

STEP Ⓑ $3\overline{OC}=\overline{AC}\times\overline{BD}$를 만족하는 $\cos\theta$의 값 구하기

$3\overline{OC}=\overline{AC}\times\overline{BD}$이므로

$3\cos\theta=\sin\theta\tan\theta$, $3\cos\theta=\sin\theta\times\dfrac{\sin\theta}{\cos\theta}$

$3\cos^2\theta=\sin^2\theta$, $3\cos^2\theta=1-\cos^2\theta$

$\cos^2\theta=\dfrac{1}{4}$

이때 $0<\theta<\dfrac{\pi}{2}$이면 $\cos\theta>0$이므로 $\cos\theta=\dfrac{1}{2}$, 즉 $\theta=\dfrac{\pi}{3}$

STEP Ⓒ $\sin^2\theta-\cos^2\theta$의 값 구하기

$0<\theta<\dfrac{\pi}{2}$에서 $\cos\theta=\dfrac{1}{2}$이므로 $\sin\theta=\dfrac{\sqrt{3}}{2}$

따라서 $\sin^2\theta-\cos^2\theta=\left(\dfrac{\sqrt{3}}{2}\right)^2-\left(\dfrac{1}{2}\right)^2=\dfrac{1}{2}$

0776

정답 $3\sqrt{3}-\pi$

STEP Ⓐ 분할한 부분의 넓이 구하기

오른쪽 그림과 같이 정육각형을
여섯 개의 정삼각형으로 나누었을 때,
한 정삼각형 안에 속하는 색칠한
부분의 넓이는
전체 색칠한 부분의 넓이의 $\dfrac{1}{6}$이다.

삼각형 OPQ는 한 변의 길이가 2인
정삼각형이므로 넓이는

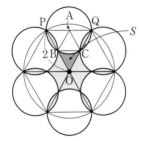

$\dfrac{\sqrt{3}}{4}\cdot2^2=\sqrt{3}$

삼각형 OPQ에 속한 색칠된 부분의
넓이를 S라 하면
$S=\triangle OPQ-(\triangle PBA+\triangle ACQ+$
　　　　부채꼴 ABC의 넓이)

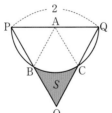

STEP Ⓑ 색칠한 부분의 넓이 구하기

$\triangle PBA$, $\triangle ACQ$는 모두 한 변의 길이가 1인 정삼각형이므로

$\triangle PBA=\triangle ACQ=\dfrac{\sqrt{3}}{4}\times1^2=\dfrac{\sqrt{3}}{4}$

부채꼴 ABC는 반지름의 길이가 1이고 중심각의 크기가 $\dfrac{\pi}{3}$이므로

(부채꼴 ABC의 넓이)$=\dfrac{1}{2}\times1^2\times\dfrac{\pi}{3}=\dfrac{\pi}{6}$

$\therefore S=\sqrt{3}-\left(\dfrac{\sqrt{3}}{4}+\dfrac{\sqrt{3}}{4}+\dfrac{\pi}{6}\right)=\dfrac{\sqrt{3}}{2}-\dfrac{\pi}{6}$

따라서 S가 전체 색칠한 부분의 넓이의 $\dfrac{1}{6}$이므로

(색칠한 부분의 넓이)$=6S=6\times\left(\dfrac{\sqrt{3}}{2}-\dfrac{\pi}{6}\right)=3\sqrt{3}-\pi$

내신연계 출제문항 274

다음 그림과 같이 반지름의 길이가 12인 원에 내접하는 크기가 같은 6개의 원이 서로 외접할 때, 색칠한 부분의 넓이를 구하여라.

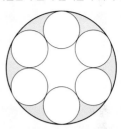

STEP Ⓐ 원에 내접하는 6개의 원의 반지름의 길이를 구하기

다음 그림과 같이 반지름의 길이가 12인 원을 6등분한 후 부채꼴은
중심각의 크기가 $2\pi\times\dfrac{1}{6}=\dfrac{\pi}{3}$이므로

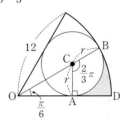

$\angle COA=\dfrac{\pi}{6}$, $\angle OCA=\dfrac{\pi}{3}$

$\therefore \angle ACB=\dfrac{2}{3}\pi$

내접원의 반지름의 길이를 r이라 하면

$\angle COA$에서 $\overline{CA}=r$이므로 $\overline{CO}=2r$, $\overline{OA}=\sqrt{3}\,r$

이때 $\overline{OB}=12$이므로 $\overline{CO}+\overline{CB}=12$

$2r+r=12$ $\therefore r=4$

STEP Ⓑ 색칠한 부분의 넓이 구하기

위의 그림에서 색칠한 부분의 넓이를 S라 하면
$S=$(부채꼴 BOD의 넓이)$-$(부채꼴 BCA의 넓이)$-$($\triangle COA$의 넓이)

$=\dfrac{1}{2}\cdot12^2\cdot\dfrac{\pi}{6}-\dfrac{1}{2}\cdot4^2\cdot\dfrac{2}{3}\pi-\dfrac{1}{2}\cdot4\sqrt{3}\cdot4$

$=12\pi-\dfrac{16}{3}\pi-8\sqrt{3}$

$=\dfrac{20}{3}\pi-8\sqrt{3}$

따라서 구하는 넓이는 $12S$이므로 $12S=12\left(\dfrac{20}{3}\pi-8\sqrt{3}\right)=80\pi-96\sqrt{3}$

정답 $80\pi-96\sqrt{3}$

02 삼각함수의 그래프
STEP1 내신정복기출유형

0777
정답 ⑤

STEP Ⓐ 함수 $y=\sin x$의 그래프의 성질의 진위판단하기

$f(x)=\sin x$의 그래프의 성질
① 정의역은 실수 전체의 집합이고 치역은 $\{y|-1 \le y \le 1\}$이다.
② 모든 실수 x에서 연속이다.
③ 그래프는 원점에 대하여 대칭이다. 즉 $\sin(-x)=-\sin x$
④ 주기가 2π인 주기함수이다. 즉 $\sin(2n\pi+x)=\sin x$ (단, n은 정수)
따라서 옳은 것은 ㄱ, ㄴ, ㄹ이다.

0778
정답 ④

STEP Ⓐ 삼각함수의 그래프의 성질을 이용하여 진위판단하기

ㄱ. $\tan(-x)=-\tan x$이므로 $y=\tan x$의 그래프는 원점에 대하여 대칭이다. [참]

ㄴ. $\sin\left(x-\dfrac{\pi}{2}\right)=-\cos x$이므로 $y=\sin x$의 그래프를 x축의 방향으로 $-\dfrac{\pi}{2}$만큼 평행이동하면 $y=\cos x$의 그래프와 일치한다. [거짓]

ㄷ. 다음 그림과 같이 $0 \le x \le 2\pi$에서 $y=\sin x$와 $y=\cos x$의 그래프는 $x=\alpha_1$, $x=\alpha_2$인 두 점에서 만난다. [참]

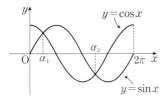

따라서 옳은 것은 ㄱ, ㄷ이다.

내/신/연/계/ 출제문항 275

다음 [보기]의 설명 중 옳은 것을 모두 고르면? (단, n은 정수)

> ㄱ. $y=\sin x$의 그래프는 점 $(n\pi,\ 0)$에 대하여 대칭이다.
> ㄴ. $y=\cos x$의 그래프는 직선 $x=n\pi$에 대하여 대칭이다.
> ㄷ. $y=\tan x$의 그래프는 점 $(n\pi,\ 0)$에 대하여 대칭이다.
> ㄹ. $y=\sin x$의 그래프는 직선 $x=\dfrac{2n-1}{2}\pi$에 대하여 대칭이다.

① ㄱ, ㄹ   ② ㄴ, ㄷ   ③ ㄷ, ㄹ
④ ㄱ, ㄴ, ㄷ   ⑤ ㄱ, ㄴ, ㄷ, ㄹ

STEP Ⓐ 삼각함수의 그래프의 성질을 이용하여 진위판단하기

ㄱ. $y=\sin x$의 그래프는 점 $(n\pi,\ 0)$에 대하여 대칭이다. [참]
ㄴ. $y=\cos x$의 그래프는 직선 $x=n\pi$에 대하여 대칭이다. [참]
ㄷ. $y=\tan x$의 그래프는 점 $(n\pi,\ 0)$에 대하여 대칭이다. [참]
ㄹ. $y=\sin x$의 그래프는 직선 $x=\dfrac{2n-1}{2}\pi$에 대하여 대칭이다. [참]
따라서 옳은 것은 ㄱ, ㄴ, ㄷ, ㄹ이다.
정답 ⑤

0779
정답 ④

STEP Ⓐ 삼각함수의 그래프의 성질을 이용하여 [보기]의 진위판단하기

① 함수 $y=\sin x$와 $y=\cos x$의 치역은 같다. [참]
② 함수 $y=\sin x$, $y=\tan x$의 그래프는 원점에 대하여 대칭이다. [참]
③ 함수 $y=\cos x$의 그래프는 y축에 대하여 대칭이다. [참]
④ 함수 $y=\tan x$의 정의역은 $x \ne n\pi+\dfrac{\pi}{2}$ (n은 정수)인 실수 전체의 집합이다. [거짓]
⑤ 함수 $y=\tan x$의 점근선의 방정식은 $x=n\pi+\dfrac{\pi}{2}$ (n은 정수)이다. [참]
따라서 옳지 않은 것은 ④이다.

0780
정답 ③

STEP Ⓐ 삼각함수의 그래프를 이용하여 대소를 비교하기

$0 \le x \le \dfrac{\pi}{2}$에서
$y=\sin x$, $y=\cos x$, $y=\tan x$의 그래프를 그려 보면 오른쪽 그림과 같다.
따라서 $x=1$일 때, $\dfrac{\pi}{4} < 1 < \dfrac{\pi}{2}$
이므로 $\cos 1 < \sin 1 < \tan 1$

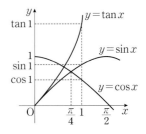

0781
정답 ③

STEP Ⓐ 삼각함수의 그래프를 그려서 대소를 비교하기

$\dfrac{\pi}{5} < 1 < \dfrac{3}{2} < \dfrac{\pi}{2}$이고 $0 < x < \dfrac{\pi}{2}$에서
x의 값이 증가하면 $\sin x$의 값도 증가하므로
$\sin \dfrac{\pi}{5} < \sin 1 < \sin \dfrac{3}{2}$

0782
정답 ④

STEP Ⓐ 삼각함수의 그래프를 이용하여 [보기]의 진위판단하기

ㄱ. 오른쪽 그래프에서
$0 < x < \dfrac{\pi}{4}$일 때, $\sin x < \cos x$ [참]

ㄴ. 오른쪽 그래프에서 두 함수 $y=\cos x$, $y=\tan x$의 교점의 x좌표를 α라고 하면 $\alpha < x < \dfrac{\pi}{4}$일 때, $\cos x < \tan x$ [거짓]

ㄷ. 오른쪽 그림에서 $0 < \theta < \dfrac{\pi}{4}$일 때, $\sin\theta=\overline{PH}$, $\tan\theta=\overline{TA}$이므로 $\tan\theta > \sin\theta$
즉 $0 < x < \dfrac{\pi}{4}$일 때, $\tan x > \sin x$ [참]

따라서 보기 중 옳은 것은 ㄱ, ㄷ이다.

$\dfrac{\pi}{4}<x<\dfrac{\pi}{2}$일 때, 다음 중 옳은 것을 모두 고른 것은?

> ㄱ. $\sin x < \cos x$
> ㄴ. $\cos x < \tan x$
> ㄷ. $\sin x < \tan x$

① ㄱ   ② ㄴ   ③ ㄱ, ㄴ
④ ㄴ, ㄷ   ⑤ ㄱ, ㄴ, ㄷ

STEP Ⓐ 삼각함수의 그래프를 이용하여 [보기]의 진위판단하기

$\dfrac{\pi}{4}<x<\dfrac{\pi}{2}$에서

$y=\sin x$, $y=\cos x$, $y=\tan x$의
그래프를 그려 보면 오른쪽 그림과
같다.
따라서 $\tan x > \sin x > \cos x$이므로
옳은 것은 ㄴ, ㄷ이다.

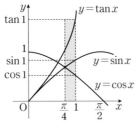

정답 ④

0783

정답 ①

STEP Ⓐ 부채꼴과 삼각형의 넓이를 이용하여 대소를 비교하기

중심각이 1이고 반지름이 1인 부채꼴에 대하여 삼각형 ABD, 부채꼴 ABD,
삼각형 ABC의 넓이를 비교하여 부등식으로 나타낸다. 오른쪽 그림에서
($\triangle$ABD의 넓이) < (부채꼴 ABD의 넓이) < ($\triangle$ABC의 넓이)

$\dfrac{1}{2}\cdot 1^2 \cdot \sin 1 < \dfrac{1}{2}\cdot 1^2 \cdot 1 < \dfrac{1}{2}\cdot 1 \cdot \overline{BC}$

$\dfrac{1}{2}\sin 1 < \dfrac{1}{2} < \dfrac{1}{2}\tan 1$

따라서 $\sin 1 < 1 < \tan 1$

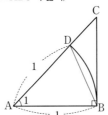

다른풀이 접선의 기울기를 이용하여 풀이하기

원점 $(0, 0)$에서 $y=\sin x$의 접선의
방정식이 $y=x$
또한, $y=\tan x$의 접선의 방정식이
$y=x$
$0 \le x \le \dfrac{\pi}{2}$에서
$y=\sin x$, $y=x$, $y=\tan x$의
그래프를 그려 보면 오른쪽 그림과 같다.
따라서 $\sin 1 < 1 < \tan 1$

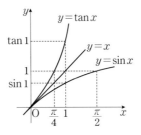

다음 [보기] 중 옳은 것을 있는 대로 고른 것은?

> ㄱ. $\sin 2 < \sin 3 < \sin 4$
> ㄴ. $\cos 3 < \cos 2 < \cos 1$
> ㄷ. $\tan 3 < \tan 2 < \tan 1$

① ㄱ   ② ㄴ   ③ ㄱ, ㄷ
④ ㄴ, ㄷ   ⑤ ㄱ, ㄴ, ㄷ

STEP Ⓐ 삼각함수의 그래프를 그려서 대소를 비교하기

ㄱ. $\dfrac{\pi}{2}<2<3<\pi<4$이므로
오른쪽 그림에서
$\sin 4 < \sin 3 < \sin 2$ [거짓]

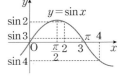

ㄴ. $1<\dfrac{\pi}{2}<2<3<\pi$이므로
오른쪽 그림에서
$\cos 3 < \cos 2 < \cos 1$ [참]

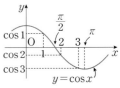

ㄷ. $1<\dfrac{\pi}{2}<2<3<\pi$이므로
오른쪽 그림에서
$\tan 2 < \tan 3 < \tan 1$ [거짓]
따라서 옳은 것은 ㄴ이다.

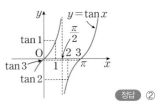

정답 ②

0784

정답 ④

STEP Ⓐ 함수 $f(x)$가 주기가 p인 주기함수이면 $f(x)=f(x+p)$임을
이용하여 p 구하기

함수 $f(x)$의 주기가 p이므로 모든 실수 x에 대하여
$f(x+p)=f(x)$이므로 $x=0$을 대입하면 $f(p)=f(0)$
따라서 $f(p)=f(0)=\sin\dfrac{\pi}{3}\cos\left(-\dfrac{\pi}{3}\right)$

$=\sin\dfrac{\pi}{3}\cos\dfrac{\pi}{3}$

$=\dfrac{\sqrt{3}}{2}\cdot\dfrac{1}{2}=\dfrac{\sqrt{3}}{4}$

0785

정답 ⑤

STEP Ⓐ 함수 $f(x)$가 주기가 p인 주기함수이면 $f(x)=f(x+p)$임을
이용하여 p 구하기

함수 $f(x)$의 주기가 p이므로 모든 실수 x에 대하여 $f(x+p)=f(x)$
$x=0$을 대입하면 $f(p)=f(0)$
따라서 $f(p)=f(0)=\sin 0+\cos 0+3=0+1+3=4$

함수 $f(x)=\cos x+\sin\dfrac{x}{2}+\tan\dfrac{x}{4}$의 주기를 p라 할 때, $f(p)$의 값은?

① 1   ② 2   ③ 3
④ 4   ⑤ 5

STEP Ⓐ 함수 $f(x)$가 주기가 p인 주기함수이면 $f(x)=f(x+p)$임을
이용하여 p 구하기

함수 $f(x)$의 주기가 p이므로 모든 실수 x에 대하여 $f(x+p)=f(x)$
$x=0$을 대입하면 $f(p)=f(0)$
따라서 $f(p)=f(0)=\cos 0+\sin 0+\tan 0=1+0+0=1$

정답 ①

0786

STEP ④ $f(x+p)=f(x)$를 만족시키는 양수 p의 최솟값은 함수 $f(x)$의 주기임을 이용하기

$f(x+p)=f(x)$를 만족시키는 최소의 양수 p가 π이므로 주기가 π이다.
주어진 함수의 주기를 각각 구하면

① $f(x)=\sin 2\pi x$에서 주기는 $\dfrac{2\pi}{2\pi}=1$

② $f(x)=\cos 2x$에서 주기는 $\dfrac{2\pi}{2}=\pi$

③ $f(x)=\sin 4x$에서 주기는 $\dfrac{2\pi}{4}=\dfrac{\pi}{2}$

④ $f(x)=\tan 2x$에서 주기는 $\dfrac{\pi}{2}$

⑤ $f(x)=\cos 2\pi x$에서의 주기는 $\dfrac{2\pi}{2\pi}=1$

따라서 주기가 π인 함수는 ②이다.

0787

STEP ④ 조건 (나)에서 $f(x+3)=f(x)$를 만족하는 $f\left(\dfrac{25}{4}\right)$ 구하기

조건 (나)에서 모든 실수 x에 대하여 $f(x+3)=f(x)$이므로

$f\left(\dfrac{25}{4}\right)=f\left(3+\dfrac{13}{4}\right)=f\left(\dfrac{13}{4}\right)=f\left(3+\dfrac{1}{4}\right)=f\left(\dfrac{1}{4}\right)$

STEP ⑧ 조건 (가)에서 $f\left(\dfrac{25}{4}\right)=f\left(\dfrac{1}{4}\right)$ 구하기

조건 (가)에서 $0\le x<3$일 때, $f(x)=\cos\pi x$이므로

$f\left(\dfrac{25}{4}\right)=f\left(\dfrac{1}{4}\right)=\cos\dfrac{\pi}{4}=\dfrac{\sqrt{2}}{2}$

내/신/연/계 출제문항 279

함수 $f(x)$가 다음 조건을 만족시킬 때, $f(19)$의 값은?

(가) 모든 실수 x에 대하여 $f(x+4)=f(x)$
(나) $0\le x<4$일 때, $f(x)-\sin\dfrac{\pi}{2}x$

① -1 ② $-\dfrac{1}{2}$ ③ $\dfrac{\sqrt{3}}{2}$

④ $\dfrac{1}{2}$ ⑤ 1

STEP ④ 조건 (가)에서 $f(x+4)=f(x)$를 만족하는 $f(15)$ 구하기

모든 실수 x에 대하여 $f(x+4)=f(x)$이므로
조건 (가)에서 $f(19)=f(15)=f(11)=f(7)=f(3)$

STEP ⑧ $f(3)$의 값 구하기

조건 (나)에서 $f(19)=f(3)=\sin\dfrac{3}{2}\pi=-1$

0788

STEP ④ 조건 (나)에서 $f(x+2)=f(x)$를 만족하는 $f\left(100-\dfrac{\pi}{6}\right)$ 구하기

조건 (나)에서 $f(x+2)=f(x)$이 성립하므로

$f\left(100-\dfrac{\pi}{6}\right)=f\left(98-\dfrac{\pi}{6}\right)=\cdots=f\left(2-\dfrac{\pi}{6}\right)$

STEP ⑧ 조건 (가)에서 $f\left(2-\dfrac{\pi}{6}\right)$의 값 구하기

조건 (가)에서 $1\le 2-\dfrac{\pi}{6}\le 2$이므로

$f\left(100-\dfrac{\pi}{6}\right)=f\left(2-\dfrac{\pi}{6}\right)=\sin\left\{2-\left(2-\dfrac{\pi}{6}\right)\right\}=\sin\dfrac{\pi}{6}=\dfrac{1}{2}$

0789

STEP ④ 주기함수를 이해하기

$f\left(x+\dfrac{\pi}{2}\right)=f(x)$이므로 함수 $f(x)$는 주기가 $\dfrac{\pi}{2n}$ (n은 자연수)인 함수이다.

STEP ⑧ [보기]의 진위판단하기

ㄱ. $f(x)=\dfrac{1}{2}\sin 4x$의 주기를 구하면 $\dfrac{2\pi}{4}=\dfrac{\pi}{2}$

$\therefore f\left(x+\dfrac{\pi}{2}\right)=f(x)$ [참]

ㄴ. $f(x)=2\cos\dfrac{x}{4}+1$의 주기를 구하면 $\dfrac{2\pi}{\frac{1}{4}}=8\pi$

이때 $8\pi n=\dfrac{\pi}{2}$를 만족하는 자연수 n이 존재하지 않으므로

$f\left(x+\dfrac{\pi}{2}\right)=f(x)$가 성립하지 않는다. [거짓]

ㄷ. $f(x)=4\tan 2x+3$의 주기를 구하면 $\dfrac{\pi}{2}$이므로 $f\left(x+\dfrac{\pi}{2}\right)=f(x)$을 만족한다. [참]

따라서 옳은 것은 ㄱ, ㄷ이다.

0790

STEP ④ 주기함수를 이해하기

$f(x)=f(x+\pi)$이므로 함수 $f(x)$는 주기가 $\dfrac{\pi}{n}$ (n은 자연수)인 함수이다.
각 함수의 주기를 구해 보면 다음과 같다.

STEP ⑧ [보기]의 진위판단하기

ㄱ. $y=\sin 2x+1$의 주기는 $\dfrac{2\pi}{2}=\pi$

ㄴ. $y=2\cos 6x$의 주기는 $\dfrac{2\pi}{6}=\dfrac{\pi}{3}$

ㄷ. $y=\tan\dfrac{x}{2}$의 주기는 $\dfrac{\pi}{\frac{1}{2}}=2\pi$

ㄹ. $y=3\tan 2x$의 주기는 $\dfrac{\pi}{2}$

따라서 주기가 $\dfrac{\pi}{n}$ (n은 자연수)인 함수는 ㄱ, ㄴ, ㄹ이다.

내/신/연/계 출제문항 280

다음 함수 f 중 모든 실수 x에 대하여 $f(x+2)=f(x)$가 성립하지 않는 것은?

① $f(x)=\sin\left(\dfrac{\pi}{2}x-2\right)$ ② $f(x)=\cos\left(\pi x+\dfrac{3}{2}\right)+1$

③ $f(x)=2\sin\left(2\pi x-\dfrac{\pi}{2}\right)$ ④ $f(x)=2\cos(4\pi x+1)$

⑤ $f(x)=2\tan(8\pi x+\pi)$

STEP ④ 주기함수를 이해하기

$f(x+2)=f(x)$이므로 함수 $f(x)$는 주기가 $\dfrac{2}{n}$ (n은 자연수)인 함수이다.

STEP ⑧ [보기]의 진위판단하기

① $f(x)=\sin\left(\dfrac{\pi}{2}x-2\right)$의 주기를 구하면 $\dfrac{2\pi}{\frac{\pi}{2}}=4$

이때 $4n=2$를 만족하는 자연수 n이 존재하지 않으므로
$f(x+2)=f(x)$가 성립하지 않는다.

② $f(x)=\cos\left(\pi x+\dfrac{3}{2}\right)+1$의 주기를 구하면 $\dfrac{2\pi}{\pi}=2$

$\therefore f(x+2)=f(x)$

③ $f(x)=2\sin\left(2\pi x-\dfrac{\pi}{2}\right)$의 주기를 구하면 $\dfrac{2\pi}{2\pi}=1$

즉 $f(x+1)=f(x)$이므로 $f(x+2\times1)=f(x+2)=f(x)$

④ $f(x)=2\cos(4\pi x+1)$의 주기를 구하면 $\dfrac{2\pi}{4\pi}=\dfrac{1}{2}$

즉 $f\left(x+\dfrac{1}{2}\right)=f(x)$이므로 $f\left(x+4\times\dfrac{1}{2}\right)=f(x+2)=f(x)$

⑤ $f(x)=2\tan(8\pi x+\pi)$주기를 구하면 $\dfrac{\pi}{8\pi}=\dfrac{1}{8}$

즉 $f\left(x+\dfrac{1}{8}\right)=f(x)$이므로 $f\left(x+16\times\dfrac{1}{8}\right)=f(x+2)=f(x)$

따라서 $f(x+2)=f(x)$가 성립하지 않는 것은 ①이다. 정답 ①

0791 정답 ②

STEP Ⓐ 주기함수를 이해하기

$f(x)=f(x+1)$을 만족하는 함수는 주기가 $\dfrac{1}{n}$ (단, n은 자연수)인 함수이다.

STEP Ⓑ [보기]의 진위판단하기

① $f(x)=\sin2\pi\left(x-\dfrac{\pi}{2}\right)$의 주기는 $\dfrac{2\pi}{2\pi}=1$

② $f(x)=2\sin\pi(x-1)+1$의 주기는 $\dfrac{2\pi}{\pi}=2$

③ $f(x)=\cos2\pi(x-1)$의 주기는 $\dfrac{2\pi}{2\pi}=1$

④ $f(x)=2\cos4\pi(x+1)-1$의 주기는 $\dfrac{2\pi}{4\pi}=\dfrac{1}{2}$

⑤ $f(x)=\cos6\pi x$의 주기는 $\dfrac{2\pi}{6\pi}=\dfrac{1}{3}$

따라서 $f(x)=f(x+1)$을 만족하는 함수는 주기가 $\dfrac{1}{n}$ (n는 자연수)인 함수이므로 만족하지 않는 것은 ②이다.

0792 정답 ④

STEP Ⓐ 주기함수를 이해하기

$f(x+\pi)=f(x)$를 만족하는 함수는 주기가 $\dfrac{\pi}{n}$ (n은 자연수)인 함수이다.

STEP Ⓑ [보기]의 진위판단하기

ㄱ. $f(x)=\cos\dfrac{x}{2}$의 주기는 $\dfrac{2\pi}{\frac{1}{2}}=4\pi$이다.

ㄴ. $f(x)=\tan x+1$의 주기는 $\dfrac{\pi}{1}=\pi$이다.

ㄷ. $f(x)=3\sin\pi x$의 주기는 $\dfrac{2\pi}{\pi}=2$이다.

ㄹ. $f(x)=2\tan2x$의 주기는 $\dfrac{\pi}{2}$이다.

ㅁ. $f(x)=3\sin(\pi-4x)$의 주기는 $\dfrac{2\pi}{|-4|}=\dfrac{\pi}{2}$이다.

따라서 $f(x+\pi)=f(x)$를 만족시키는 것은 ㄴ, ㄹ, ㅁ이다.

┌─ KEY POINT ─────────────────────────┐
주기가 π인 함수 $f(x)$는 정의역의 모든 x에 대하여 $f(x+\pi)=f(x)$를 만족시키지만 그 역은 성립하지 않는다.
예를 들면 $f(x)=2\cos4x$에 대하여
$f(x+\pi)=2\cos4(x+\pi)=\sin(4x+4\pi)$
$\qquad\qquad\quad=\sin4x=f(x)$
이지만 함수 $f(x)$의 주기가 $\dfrac{2\pi}{4}=\dfrac{\pi}{2}$이다.
따라서 상수함수가 아닌 함수 $f(x)$가 정의역의 모든 x에 대하여 $f(x+p)=f(x)$(p는 양의 상수)을 만족시키면 함수 $f(x)$의 주기는 p, $\dfrac{p}{2}$, $\dfrac{p}{3}$, $\cdots$ 중 하나이다.
└──────────────────────────────────┘

0793 정답 ③

STEP Ⓐ 평행이동한 식 구하기

함수 $y=2\sin2x$의 그래프를 x축의 방향으로 $\dfrac{\pi}{6}$만큼, y축의 방향으로 -2만큼 평행이동하면 $y+2=2\sin2\left(x-\dfrac{\pi}{6}\right)$

$\therefore y=2\sin\left(2x-\dfrac{\pi}{3}\right)-2$

STEP Ⓑ $a-b+c$의 값 구하기

따라서 $a=2$, $b=-\dfrac{\pi}{3}$, $c=-2$이므로 $a-b+c=2+\dfrac{\pi}{3}-2=\dfrac{\pi}{3}$

0794 정답 ①

STEP Ⓐ 평행이동한 식 구하기

함수 $y=\tan\pi x$의 그래프를 x축의 방향으로 1만큼, y축의 방향으로 $\sqrt{3}$만큼 평행이동한 그래프는 $y=\tan\pi(x-1)+\sqrt{3}$

STEP Ⓑ 점 $\left(\dfrac{3}{4},\ a\right)$를 지남을 이용하여 실수 a의 값 구하기

$y=\tan\pi(x-1)+\sqrt{3}$가 점 $\left(\dfrac{3}{4},\ a\right)$를 지나므로

$a=\tan\pi\left(\dfrac{3}{4}-1\right)+\sqrt{3}=\tan\left(-\dfrac{\pi}{4}\right)+\sqrt{3}$

$\qquad=-\tan\dfrac{\pi}{4}+\sqrt{3}$

$\qquad=-1+\sqrt{3}$

내/신/연/계 출제문항 281

함수 $y=\tan\dfrac{\pi}{2}x$의 그래프를 x축의 방향으로 $\dfrac{1}{2}$만큼 평행이동하면 점 $\left(\dfrac{5}{6},\ a\right)$를 지날 때, a의 값은?

① $\dfrac{\sqrt{3}}{3}$ ② 1 ③ $\sqrt{3}$

④ 2 ⑤ $2\sqrt{3}$

STEP Ⓐ 평행이동한 식 구하기

함수 $y=\tan\dfrac{\pi}{2}x$의 그래프를 x축의 방향으로 $\dfrac{1}{2}$만큼 평행이동하면

$y=\tan\dfrac{\pi}{2}\left(x-\dfrac{1}{2}\right)$

STEP Ⓑ 점 $\left(\dfrac{5}{6},\ a\right)$를 지남을 이용하여 실수 a의 값 구하기

$y=\tan\dfrac{\pi}{2}\left(x-\dfrac{1}{2}\right)$가 점 $\left(\dfrac{5}{6},\ a\right)$를 지나므로

$a=\tan\dfrac{\pi}{2}\left(\dfrac{5}{6}-\dfrac{1}{2}\right)=\tan\dfrac{\pi}{6}=\dfrac{\sqrt{3}}{3}$ 정답 ①

0795 정답 ⑤

STEP Ⓐ 평행이동한 식을 구하기

함수 $y=\cos x$의 그래프를 x축의 방향으로 $\dfrac{\pi}{2}$만큼, y축의 방향으로 $\dfrac{1}{2}$만큼 평행이동하면 $y=\cos\left(x-\dfrac{\pi}{2}\right)+\dfrac{1}{2}$

STEP Ⓑ 삼각함수의 성질을 이용하여 $f(\pi+x)+f(\pi-x)$의 값 구하기

$f(\pi+x)+f(\pi-x)=\cos\left(\dfrac{\pi}{2}+x\right)+\dfrac{1}{2}+\cos\left(\dfrac{\pi}{2}-x\right)+\dfrac{1}{2}$

$\qquad\qquad\qquad\qquad=-\sin x+\sin x+1=1$

0796

정답 ③

STEP A 평행이동한 후 원점에 대하여 대칭한 그래프의 식 구하기

함수 $y=\sin x$의 그래프를 x축의 방향으로 π만큼 평행이동하면
$y=\sin(x-\pi)=-\sin x$의 그래프와 같고 이 함수의 그래프를 원점에 대하여
대칭이동하면 $-y=-\sin(-x)=\sin x$, $y=-\sin x$의 그래프와 같다.
따라서 ③이다.

0797

정답 ④

STEP A 평행이동한 후 x축에 대하여 대칭한 그래프의 식 구하기

$y=\sin x$의 그래프를 x축의 방향으로 $\dfrac{\pi}{2}$만큼 평행이동한 그래프의 식은
$y=\sin\left(x-\dfrac{\pi}{2}\right)=-\sin\left(\dfrac{\pi}{2}-x\right)=-\cos x$
이 함수를 x축에 대하여 대칭이동한 그래프의 식은 $-y=-\cos x$
따라서 $y=\cos x$

내/신/연/계/ 출제문항 282

함수 $y=\cos x$의 그래프를 x축의 방향으로 $\dfrac{\pi}{2}$만큼 평행이동한 후 y축에
대하여 대칭이동하여 얻은 그래프의 식으로 옳은 것은?

① $y=\sin x$ ② $y=\cos x$ ③ $y=-\sin x$

④ $y=-\cos x$ ⑤ $y=2\cos x$

STEP A 평행이동한 후 y축에 대하여 대칭이동한 그래프의 식 구하기

함수 $y=\cos x$의 그래프를 x축의 방향으로 $\dfrac{\pi}{2}$만큼 평행이동하면
$y=\cos\left(x-\dfrac{\pi}{2}\right)=\sin x$
이 함수를 y축에 대하여 대칭이동하면
$y=\sin(-x)=-\sin x$의 그래프와 같다.

정답 ③

0798

정답 ③

STEP A 평행이동과 대칭이동을 이용하여 진위판단하기

① $y=\sin 2x+1$의 그래프는 $y=\sin 2x$의 그래프를 y축의 방향으로 1만큼
평행이동한 것이다. [참]
② $y=\sin(2x-\pi)+2=\sin 2\left(x-\dfrac{\pi}{2}\right)+2$의 그래프는 $y=\sin 2x$의 그래프를
x축의 방향으로 $\dfrac{\pi}{2}$만큼, y축의 방향으로 2만큼 평행이동한 것이다. [참]
③ $y=-2\sin 2x+3$의 그래프는 $y=\sin 2x$의 그래프를 y축의 방향으로
2배 한 후 x축에 대하여 대칭이동하고 y축의 방향으로 3만큼 평행이동한
것이다. [거짓]
④ $y=\sin(2x-6\pi)=\sin 2(x-3\pi)$의 그래프는 $y=\sin 2x$의 그래프를 x축의
방향으로 3π만큼 평행이동한 것이다. [참]
⑤ $y=-\sin(2x+3\pi)+1=-\sin 2\left(x+\dfrac{3}{2}\pi\right)+1$의 그래프는 $y=\sin 2x$의
그래프를 x축에 대하여 대칭이동한 후 x축의 방향으로 $-\dfrac{3}{2}\pi$만큼, y축의
방향으로 1만큼 평행이동한 것이다. [참]
따라서 $y=\sin 2x$의 그래프를 평행이동 또는 대칭이동하여 일치하는 그래프의
식이 아닌 것은 ③이다.

내/신/연/계/ 출제문항 283

다음 중 함수 $y=\cos 2x$의 그래프를 평행이동 또는 대칭이동하여 겹쳐지
지 않는 것은?

① $y=\cos(2x-\pi)+1$ ② $y=-\cos 2x+1$

③ $y=\cos(2x-\pi)$ ④ $y=2\cos 2x-2$

⑤ $y=-\cos(2x+4\pi)+1$

STEP A 평행이동과 대칭이동을 이용하여 진위판단하기

① $y=\cos(2x-\pi)+1=\cos 2\left(x-\dfrac{\pi}{2}\right)+1$의 그래프는
$y=\cos 2x$의 그래프를 x축 방향으로 $\dfrac{\pi}{2}$만큼, y축의 방향으로 1만큼
평행이동한 것과 같다. [참]
② $y=-\cos 2x+1$의 그래프는 $y=\cos 2x$의 그래프를 x축에 대하여
대칭이동한 후 y축의 방향으로 1만큼 평행이동한 것과 같다. [참]
③ $y=\cos(2x-\pi)=\cos 2\left(x-\dfrac{\pi}{2}\right)$의 그래프는 $y=\cos 2x$의 그래프를
x축의 방향으로 $\dfrac{\pi}{2}$만큼 평행이동한 것과 같다. [참]
④ $y=2\cos 2x-2$의 그래프는 $y=\cos 2x$의 그래프를 y축의 방향으로
2배 한 후 y축의 방향으로 -2만큼 평행이동한 것과 같다. [거짓]
⑤ $y=-\cos(2x+4\pi)+1=-\cos 2(x+2\pi)+1$의 그래프는
$y=\cos 2x$의 그래프를 x축에 대하여 대칭이동한 후 x축의 방향으로
-2π만큼, y축의 방향으로 1만큼 평행이동한 것과 같다. [참]
따라서 $y=\cos 2x$의 그래프를 평행이동 또는 대칭이동하여 겹쳐지지 않은 것
은 ④번이다.

정답 ④

0799

정답 ⑤

STEP A $f(x)=a\sin x+1$의 최댓값 $|a|+1$, 최솟값 $-|a|+1$을 이용하여
a 구하기

$-1\le\sin 2x\le 1$이므로 $-2\cdot 1+10\le -2\sin 2x+10\le -2\cdot(-1)+10$
따라서 함수 $f(x)$의 최댓값은 12

0800

정답 ④

STEP A $\sin 3\theta$의 값이 최대가 되도록 하는 상수 m의 값 구하기

$0<m<\sqrt{3}$이고 $m=\tan\theta$이므로 $0<\theta<\dfrac{\pi}{3}$
즉 $0<3\theta<\pi$
따라서 $\sin 3\theta$는 $3\theta=\dfrac{\pi}{2}$일 때, 최댓값 1을 가지므로 $m=\tan\dfrac{\pi}{6}=\dfrac{\sqrt{3}}{3}$

0801

STEP A 그래프에서 최댓값과 최솟값, 주기를 구하여 [보기]의 진위판단하기

ㄱ. $y=\sin 4x$는 주기 $\dfrac{\pi}{2}$, 최댓값 1, 최솟값 -1 [거짓]

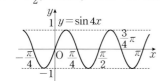

ㄴ. $y=\dfrac{1}{2}\cos x$는 주기 2π, 최댓값 $\dfrac{1}{2}$, 최솟값 $-\dfrac{1}{2}$ [거짓]

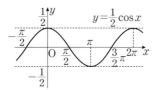

ㄷ. $y=3\sin x-1$는 주기 2π, 최댓값 2, 최솟값 -4 [참]

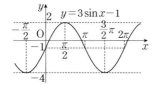

ㄹ. $y=2\cos\left(x+\dfrac{\pi}{4}\right)$는 주기 2π, 최댓값 2, 최솟값 -2 [참]

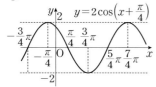

따라서 옳은 것은 ㄷ, ㄹ이다.

0802

STEP A 그래프에서 최댓값과 최솟값, 주기를 구하여 [보기]의 진위판단하기

ㄱ. $y=2\cos\left(x-\dfrac{\pi}{3}\right)$의 그래프는 $y=\cos x$의 그래프를 y축의 방향으로 2배 확대하고 x축의 방향으로 $\dfrac{\pi}{3}$만큼 평행이동한 것이므로 그래프를 그리면 다음과 같다.

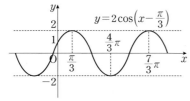

주기는 2π, 최댓값은 2, 최솟값은 -2 [참]

ㄴ. $y=\sin\left(3x-\dfrac{\pi}{2}\right)=\sin 3\left(x-\dfrac{\pi}{6}\right)$이므로 $y=\sin\left(3x-\dfrac{\pi}{2}\right)$의 그래프는 $y=\sin 3x$의 그래프를 x축의 방향으로 $\dfrac{\pi}{6}$만큼 평행이동한 것이므로 그래프를 그리면 다음 그림과 같다.

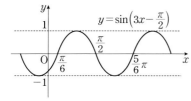

주기는 $\dfrac{2}{3}\pi$, 최댓값은 1, 최솟값은 -1 [참]

ㄷ. $y=2\sin\left(x-\dfrac{\pi}{3}\right)$의 그래프는 $y=2\sin x$의 그래프를 x축의 방향으로 $\dfrac{\pi}{3}$만큼 평행이동한 것이므로 그래프를 그리면 다음 그림과 같다.

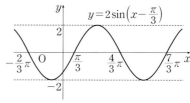

주기는 2π, 최댓값은 2, 최솟값은 -2 [참]

따라서 옳은 것은 ㄱ, ㄴ, ㄷ이다.

0803

STEP A 그래프에서 최댓값과 최솟값, 주기를 구하여 [보기]의 진위판단하기

ㄱ. $y=-\sin x+2$의 그래프는 $y=\sin x$의 그래프를 x축에 대하여 대칭이동한 후 다시 y축의 방향으로 2만큼 평행이동한 것이므로 그래프를 그리면 다음 그림과 같다.

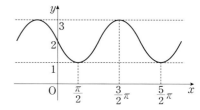

즉 주기는 2π, 최댓값은 3, 최솟값은 1 [참]

ㄴ. $y=3\cos\left(2x-\dfrac{\pi}{3}\right)+3=3\cos 2\left(x-\dfrac{\pi}{6}\right)+3$이므로 $y=3\cos\left(2x-\dfrac{\pi}{3}\right)+3$의 그래프는 $y=\cos 2x$의 그래프를 y축의 방향으로 3배 확대하고 x축, y축의 방향으로 $\dfrac{\pi}{6}$, 3만큼 평행이동한 것이므로 그래프를 그리면 다음 그림과 같다.

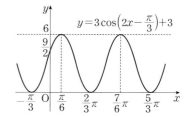

즉 주기는 π, 최댓값은 6, 최솟값은 0 [참]

ㄷ. $y=3\sin(2x-\pi)+2=3\sin 2\left(x-\dfrac{\pi}{2}\right)+2$의 그래프는 $y=3\sin 2x$의 그래프를 x축의 방향으로 $\dfrac{\pi}{2}$만큼, y축의 방향으로 2만큼 평행이동한 것이므로 그래프를 그리면 다음 그림과 같다.

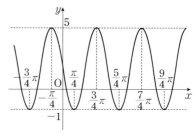

주기 $\dfrac{2\pi}{2}=\pi$, 최댓값 $3+2=5$, 최솟값 $-3+2=-1$ [참]

따라서 옳은 것은 ㄱ, ㄴ, ㄷ이다.

내/신/연/계/ 출제문항 284

다음 함수의 주기와 최댓값, 최솟값을 옳게 나타낸 것은?

> ㄱ. $y=3\sin\dfrac{x}{2}$ ⇨ 주기 4π, 최댓값 3, 최솟값 -3
>
> ㄴ. $y=\sin 3x-1$ ⇨ 주기 $\dfrac{2}{3}\pi$, 최댓값 0, 최솟값 -2
>
> ㄷ. $y=\cos\left(x-\dfrac{\pi}{2}\right)$ ⇨ 주기 2π, 최댓값 1, 최솟값 -1
>
> ㄹ. $y=2\cos x+1$ ⇨ 주기 2π, 최댓값 3, 최솟값 -1

① ㄱ
② ㄴ
③ ㄷ, ㄹ
④ ㄱ, ㄴ
⑤ ㄱ, ㄴ, ㄷ, ㄹ

STEP Ⓐ 그래프에서 최댓값과 최솟값, 주기를 구하여 [보기]의 진위판단하기

ㄱ. 주기 4π, 최댓값 3, 최솟값 -3 [참]

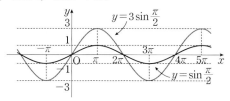

ㄴ. 주기 $\dfrac{2}{3}\pi$, 최댓값 0, 최솟값 -2 [참]

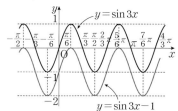

ㄷ. 주기 2π, 최댓값 1, 최솟값 -1 [참]

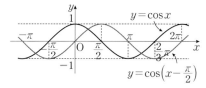

ㄹ. 주기 2π, 최댓값 3, 최솟값 -1 [참]

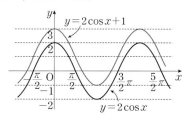

따라서 옳은 것은 ㄱ, ㄴ, ㄷ, ㄹ이다. **정답** ⑤

0804

정답 ④

STEP Ⓐ 그래프에서 최댓값과 최솟값, 주기를 구하여 [보기]의 진위판단하기

ㄱ. 주기 π, 최댓값 1, 최솟값 -3 [참]

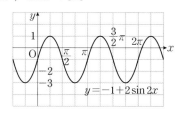

ㄴ. 주기 4π, 최댓값 $\dfrac{1}{2}$, 최솟값 $-\dfrac{1}{2}$ [거짓]

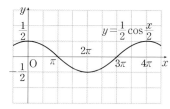

ㄷ. 주기 $\dfrac{\pi}{3}$, 점근선의 방정식은 $3x=n\pi+\dfrac{\pi}{2}$

∴ $x=\dfrac{n}{3}\pi+\dfrac{\pi}{6}$ (n은 정수) [참]

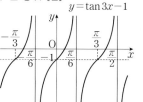

ㄹ. 주기 2π, 점근선의 방정식은 $\dfrac{1}{2}x+\pi=n\pi+\dfrac{\pi}{2}$

∴ $x=(2n-1)\pi$ (n은 정수) [거짓]

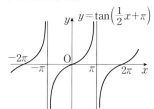

따라서 옳은 것은 ㄱ, ㄷ이다.

0805

정답 ⑤

STEP Ⓐ 삼각함수에서 최댓값과 최솟값, 주기를 이용하여 M, p 구하기

$f(x)=-4\cos\left(2x+\dfrac{\pi}{3}\right)-1=-4\cos 2\left(x+\dfrac{\pi}{6}\right)-1$이므로

최댓값은 $M=|-4|-1=3$, 주기는 $p=\dfrac{2\pi}{2}=\pi$

따라서 $Mp=3\pi$

내/신/연/계/ 출제문항 285

$y=-2\sin\left(2x+\dfrac{\pi}{3}\right)+1$의 최댓값을 M, 주기를 p라 할 때, Mp의 값은?

① 2
② 3
③ π
④ 2π
⑤ 3π

STEP Ⓐ 삼각함수에서 최댓값과 최솟값, 주기를 이용하여 M, p 구하기

$y=-2\sin\left(2x+\dfrac{\pi}{3}\right)+1=-2\sin 2\left(x+\dfrac{\pi}{6}\right)+1$이므로

최댓값은 $M=|-2|+1=3$, 주기는 $p=\dfrac{2\pi}{2}=\pi$

따라서 $Mp=3\pi$ **정답** ⑤

0806

정답 ②

STEP A 원점에 대하여 대칭인 삼각함수 구하기

조건 (가)에서 $f(-x)=-f(x)$이므로 함수 $f(x)$의 그래프는 원점에 대하여 대칭인 함수는 ①, ②, ⑤이다.

STEP B 함수 $f(x)$의 최댓값이 2, 최솟값이 −2인 함수 구하기

조건 (나)에서 함수 $f(x)$의 최댓값은 2, 최솟값은 −2인 함수는 ②이다.
따라서 [보기] 중 두 조건을 만족하는 함수는 ②이다.

0807

정답 ③

STEP A 주어진 함수에서 $f(x+\pi)=f(x)$를 만족하는 함수 구하기

① $f(x)=3\sin 2x$에서 주기는 $\dfrac{2\pi}{2}=\pi$

② $f(x)=2\sin 4x$에서 주기는 $\dfrac{2\pi}{4}=\dfrac{\pi}{2}$

③ $f(x)=3\cos 2x$에서 주기는 $\dfrac{2\pi}{2}=\pi$

④ $f(x)=-3\cos\dfrac{x}{2}$에서 주기는 $\dfrac{2\pi}{\frac{1}{2}}=4\pi$

⑤ $f(x)=3\tan 2x$에서 주기는 $\dfrac{\pi}{2}$

조건 (가)에서 $f(x)=f(x+\pi)$이므로
함수 $f(x)$는 주기가 $\dfrac{\pi}{n}$ (n은 자연수)인 함수이다.
이때 $f(x+\pi)=f(x)$를 만족시키는 함수는 ①, ②, ③, ⑤이다.

STEP B 함수 $f(x)$의 최댓값이 3, 최솟값이 −3인 함수 구하기

이 중에서 $-3 \le f(x) \le 3$을 만족시키는 함수는 ①, ③이다.

STEP C y축에 대하여 대칭인 함수 구하기

또, $f(-x)=f(x)$에서 $y=f(x)$의 그래프는 y축에 대하여 대칭이므로 구하는 함수는 ③이다.

 내/신/연/계/ 출제문항 286

다음 세 조건을 모두 만족하는 함수 $f(x)$는?

> (가) 모든 실수 x에 대하여 $f(x+2)=f(x-2)$
> (나) 함수 $f(x)$의 치역은 $\{f(x)|\ -2 \le f(x) \le 2\}$이다.
> (다) 모든 실수 x에 대하여 $f(-x)=-f(x)$

① $f(x)=\sin 2\pi x$ ② $f(x)=2\sin\left(\dfrac{\pi}{2}x\right)$

③ $f(x)=2\cos\left(\dfrac{\pi}{4}x\right)$ ④ $f(x)=2\cos\left(\dfrac{\pi}{2}x\right)$

⑤ $f(x)=2\tan\left(\dfrac{\pi}{4}x\right)$

STEP A 주어진 함수에서 $f(x+2)=f(x-2)$를 만족하는 함수 구하기

① $f(x)=\sin 2\pi x$에서 주기는 $\dfrac{2\pi}{2\pi}=1$

② $f(x)=2\sin\left(\dfrac{\pi}{2}x\right)$에서 주기는 $\dfrac{2\pi}{\frac{\pi}{2}}=4$

③ $f(x)=2\cos\left(\dfrac{\pi}{4}x\right)$에서 주기는 $\dfrac{2\pi}{\frac{\pi}{4}}=8$

④ $f(x)=2\cos\left(\dfrac{\pi}{2}x\right)$에서 주기는 $\dfrac{2\pi}{\frac{\pi}{2}}=4$

⑤ $f(x)=2\tan\left(\dfrac{\pi}{4}x\right)$에서 주기는 $\dfrac{\pi}{\frac{\pi}{4}}=4$

조건 (가)에서 $f(x+2)=f(x-2)$이므로

함수 $f(x)$는 주기가 $\dfrac{4}{n}$ (n은 자연수)인 함수이다.
이때 $f(x+2)=f(x-2)$를 만족시키는 함수는 ①, ②, ④, ⑤이다.

STEP B 함수 $f(x)$의 최댓값이 2, 최솟값이 −2인 함수 구하기

이 중에서 $-2 \le f(x) \le 2$을 만족시키는 함수는 ②, ④이다.

STEP C 원점에 대하여 대칭인 함수 구하기

또, $f(-x)=-f(x)$에서 $y=f(x)$의 그래프는 원점에 대하여 대칭이므로 구하는 함수는 ②이다.

정답 ②

0808

정답 ③

STEP A $y=3\sin 2x+1$의 그래프의 성질을 이용하여 진위판단하기

① 주기는 $\dfrac{2\pi}{2}=\pi$이다. [참]

② $-3 \le 3\sin 2x \le 3$에서 $-2 \le 3\sin 2x+1 \le 4$이므로
  최댓값은 4, 최솟값은 −2이다. [참]

③ $y=3\sin x$의 주기는 2π이고 $y=3\sin 2x+1$의 주기는 π이므로
  두 그래프는 평행이동하여 일치하지 않는다. [거짓]

④ $\cos 2x=\sin\left(\dfrac{\pi}{2}-2x\right)$이므로 $y=3\cos 2x+1$을 평행이동하면 일치한다.
  [참]

⑤ 그래프를 그리면 다음 그림과 같다.

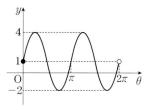

즉 $0 \le x < 2\pi$에서 x축과 4번 만난다. [참]
따라서 옳지 않은 것은 ③이다.

0809

정답 ⑤

STEP A $y=2\sin 2x$의 그래프의 성질을 이용하여 진위판단하기

① 주기는 $\dfrac{2\pi}{2}=\pi$이다. [참]

② 최댓값은 $2+1=3$이다. [참]

③ 최솟값은 $-2+1=-1$이다. [참]

④ $\sin\left(2x-\dfrac{\pi}{2}\right)=-\cos 2x$이므로 $y=-2\cos 2x+1$과 같은 함수이다. [참]

⑤ 그래프는 $y=2\sin 2x$의 그래프를 평행이동한 것이다. [거짓]
따라서 옳지 않은 것은 ⑤이다.

0810

정답 ⑤

STEP A $y=3\cos 3x$의 그래프의 성질을 이용하여 진위판단하기

$y=3\cos\left(3x-\dfrac{\pi}{2}\right)+1=3\cos 3\left(x-\dfrac{\pi}{6}\right)+1$

① 주기는 $\dfrac{2\pi}{3}$이므로 모든 실수 x에 대하여 $f\left(x+\dfrac{2}{3}\pi\right)=f(x)$이다. [참]

② 최댓값은 $3+1=4$이다. [참]

③ 최솟값은 $-3+1=-2$이다. [참]

④ 점 $(0, 1)$을 대입하면 $1=3\cos\left(-\dfrac{\pi}{2}\right)+1=0+1$ [참]

⑤ $y=3\cos 3x$의 그래프를 x축의 방향으로 $\dfrac{\pi}{6}$만큼, y축의 방향으로 1만큼
  평행이동한 것이다. [거짓]
따라서 옳지 않은 것은 ⑤이다.

함수 $y=\cos\left(2x-\dfrac{\pi}{2}\right)+1$의 그래프에 대한 다음 설명 중 옳지 않은 것은?

① 주기는 π이다.

② 최댓값은 2이다.

③ 그래프는 $(0, 1)$을 지난다.

④ 그래프는 $\left(\dfrac{\pi}{4}, 1\right)$에 대하여 대칭이다.

⑤ 그래프는 $y=\cos 2x$의 그래프를 x축의 방향으로 $\dfrac{\pi}{4}$만큼 y축의 방향으로 1만큼 평행이동한 것이다.

STEP Ⓐ $y=\cos 2x$의 그래프의 성질을 이용하여 진위판단하기

$y=\cos\left(2x-\dfrac{\pi}{2}\right)+1=\cos 2\left(x-\dfrac{\pi}{4}\right)+1$이므로

① 주기는 $\dfrac{2\pi}{2}=\pi$이다. [참]

② 최댓값은 $1+1=2$이다. [참]

③ 점 $(0, 1)$을 대입하면 $1=2\cos\left(-\dfrac{\pi}{2}\right)+1=0+1$ [참]

④ 그래프는 $x=\dfrac{\pi}{4}$에 대하여 대칭이다. [거짓]

⑤ 그래프는 $y=\cos 2x$의 그래프를 x축의 방향으로 $\dfrac{\pi}{4}$만큼, y축의 방향으로 1만큼 평행이동한 것이다. [참]

따라서 옳지 않은 것은 ④이다. 정답 ④

0811 정답 ④

STEP Ⓐ $y=\cos 2x$의 그래프의 성질을 이용하여 진위판단하기

$y=-\cos(2x-\pi)+3=-\cos 2\left(x-\dfrac{\pi}{2}\right)+3$이므로

① 주기는 $\dfrac{2\pi}{2}=\pi$이다. [참]

② 최댓값은 $|-1|+3=4$이다. [참]

③ 최솟값은 $-|-1|+3=2$이다. [참]

④ 점 $(0, 4)$를 대입하면 $4=-\cos(-\pi)+3=1+3=4$이므로 점 $(0, 4)$를 지난다. [거짓]

⑤ 함수 $y=-\cos 2x$의 그래프를 x축의 방향으로 $\dfrac{\pi}{2}$만큼, y축의 방향으로 3만큼 평행이동한 것과 같다. [참]

따라서 옳지 않은 것은 ④이다.

0812 정답 ⑤

STEP Ⓐ $y=3\tan 3x$의 그래프의 성질을 이용하여 진위판단하기

① $f(x)$의 주기는 $\dfrac{\pi}{3}$이므로 모든 실수 x에 대하여 $f\left(x+\dfrac{\pi}{3}\right)=f(x)$이다. [거짓]

② 점근선의 방정식은 $3x-\pi=n\pi+\dfrac{\pi}{2}$에서 $x=\dfrac{n}{3}\pi+\dfrac{\pi}{2}$ (n은 정수) [거짓]

③ $y=\tan x$는 최댓값과 최솟값이 없다. [거짓]

④ $y=\tan x$의 그래프를 x축의 방향으로 $\dfrac{1}{3}$배, y축의 방향으로 3배 한 후 x축과 y축의 방향으로 평행이동한 것이다. [거짓]

⑤ $f(x)=3\tan(3x-\pi)+2=3\tan 3\left(x-\dfrac{\pi}{3}\right)+2$이므로 주어진 함수의 그래프는 $y=3\tan 3x$의 그래프를 x축의 방향으로 $\dfrac{\pi}{3}$만큼, y축의 방향으로 2만큼 평행이동한 것이다. [참]

따라서 옳은 것은 ⑤이다.

함수 $f(x)=2\tan\left(2\pi x-\dfrac{\pi}{4}\right)+1$에 대하여 다음 [보기] 중 옳은 것은?

> ㄱ. 모든 실수 x에 대하여 $f\left(x+\dfrac{1}{2}\right)=f(x)$
>
> ㄴ. 점근선의 방정식은 $x=\dfrac{n}{2}+\dfrac{3}{8}$ (n은 정수)이다.
>
> ㄷ. 함수 $f(x)$의 최댓값은 3이다.

① ㄱ ② ㄴ ③ ㄱ, ㄴ

④ ㄴ, ㄷ ⑤ ㄱ, ㄴ, ㄷ

STEP Ⓐ $y=2\tan 2\pi x$의 그래프의 성질을 이용하여 진위판단하기

ㄱ. $f(x)$의 주기는 $\dfrac{\pi}{2\pi}=\dfrac{1}{2}$이므로 모든 실수 x에 대하여 $f\left(x+\dfrac{1}{2}\right)=f(x)$이다.

ㄴ. 점근선의 방정식은 $2\pi x-\dfrac{\pi}{4}=n\pi+\dfrac{\pi}{2}$에서 $x=\dfrac{n}{2}+\dfrac{3}{8}$ (n은 정수)이다. [참]

ㄷ. 최댓값은 없다. [거짓]

따라서 옳은 것은 ㄱ, ㄴ이다. 정답 ③

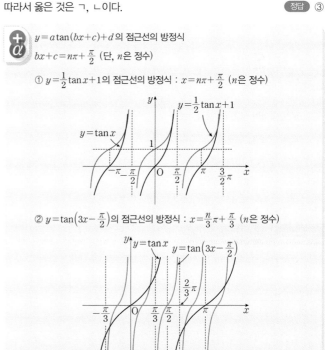

➕ $y=a\tan(bx+c)+d$의 점근선의 방정식
$α$ $bx+c=n\pi+\dfrac{\pi}{2}$ (단, n은 정수)

① $y=\dfrac{1}{2}\tan x+1$의 점근선의 방정식 : $x=n\pi+\dfrac{\pi}{2}$ (n은 정수)

② $y=\tan\left(3x-\dfrac{\pi}{2}\right)$의 점근선의 방정식 : $x=\dfrac{n}{3}\pi+\dfrac{\pi}{3}$ (n은 정수)

0813 정답 ⑤

STEP Ⓐ $y=\tan x$의 점근선이 $x=n\pi\pm\dfrac{\pi}{2}$임을 이용하기

① $2x=n\pi+\dfrac{\pi}{2}$, $x=\dfrac{n}{2}\pi+\dfrac{\pi}{4}$ [참]

② $3x=n\pi+\dfrac{\pi}{2}$, $x=\dfrac{n}{3}\pi+\dfrac{\pi}{6}$ [참]

③ $\dfrac{x}{2}=n\pi+\dfrac{\pi}{2}$, $x=2n\pi+\pi$ [참]

④ $2\left(x-\dfrac{\pi}{2}\right)=n\pi+\dfrac{\pi}{2}$, $x=\dfrac{n}{2}\pi+\dfrac{3}{4}\pi$ [참]

⑤ $4x+\dfrac{\pi}{2}=n\pi+\dfrac{\pi}{2}$, $x=\dfrac{n}{4}\pi$ [거짓]

◀ n이 정수이므로 점근선 $x=\dfrac{n}{4}\pi+\dfrac{\pi}{8}$는 $x=\dfrac{n}{4}\pi$꼴로 나타낼 수 없다.

따라서 옳지 않은 것은 ⑤이다.

0814

STEP Ⓐ $f(x)=a\sin bx+1$의 최댓값을 이용하여 a의 값 구하기

$a>0$이므로 최댓값이 6이므로 $a+1=6$

$\therefore a=5$

STEP Ⓑ **주기를 이용하여 b 구하기**

$b>0$이므로 주기는 $\dfrac{2\pi}{b}=\dfrac{2}{3}\pi$

$\therefore b=3$

따라서 $a=5$, $b=3$이므로 $a+b=8$

> **참고**
> $f(x)=a\sin bx+1$이라 하면
> $$\begin{aligned}f(x)&=a\sin(bx+2\pi)+1\\&=a\sin b\left(x+\dfrac{2\pi}{b}\right)+1\\&=f\left(x+\dfrac{2\pi}{b}\right)\end{aligned}$$
> 이므로 주기는 $\dfrac{2\pi}{b}$이다. 즉 $\dfrac{2\pi}{b}=\dfrac{2}{3}\pi$, $b=3$

0815

STEP Ⓐ $f(x)=a\sin bx+c$의 최대, 최소를 이용하여 a, c의 값 구하기

함수 $f(x)=a\sin bx+c\,(a>0,\ b>0)$에서

최댓값은 $a+c=5$ ······ ㉠

최솟값은 $-a+c=-1$ ······ ㉡

㉠, ㉡을 연립하여 풀면 $a=3$, $c=2$

STEP Ⓑ **주기를 이용하여 b 구하기**

또, 주기는 $\dfrac{2\pi}{b}=\pi$이므로 $b=2$

따라서 $a+b+c=3+2+2=7$

내/신/연/계/ 출제문항 289

함수 $f(x)=a\sin b\pi x+c$의 최댓값이 5, 최솟값이 1, 주기가 $\dfrac{3}{2}$일 때, 상수 a, b, c에 대하여 abc의 값은? (단, $a>0$, $b>0$)

① $\dfrac{8}{3}$ ② 4 ③ 6

④ 8 ⑤ 10

STEP Ⓐ $f(x)=a\sin b\pi x+c$의 최대, 최소를 이용하여 a, c의 값 구하기

$a>0$이므로 최댓값은 $a+c$, 최솟값은 $-a+c$

즉 $a+c=5$, $-a+c=1$

위의 두 식을 연립하여 풀면 $a=2$, $c=3$

STEP Ⓑ **주기를 이용하여 b 구하기**

$b>0$이므로 주기는 $\dfrac{2\pi}{b\pi}=\dfrac{3}{2}$

$\therefore b=\dfrac{4}{3}$

따라서 $abc=2\cdot\dfrac{4}{3}\cdot 3=8$

0816

STEP Ⓐ **최댓값을 이용하여 a 구하기**

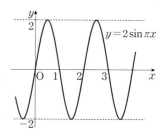

함수 $y=a\sin\dfrac{\pi}{2b}x$의 그래프는 $y=\sin\dfrac{\pi}{2b}x$의 그래프를 y축의 방향으로 a배한 것이고 $a>0$이므로 최댓값은 a이고 최솟값은 $-a$

즉 함수 $y=a\sin\dfrac{\pi}{2b}x$의 최댓값이 2이므로 $a=2$

STEP Ⓑ **주기를 이용하여 b 구하기**

또한, $a\sin\dfrac{\pi}{2b}x=a\sin\left(\dfrac{\pi}{2b}x+2\pi\right)$

$\qquad\qquad\qquad =a\sin\dfrac{\pi}{2b}(x+4b)$

이므로

함수 $y=a\sin\dfrac{\pi}{2b}x$의 주기가 $4b$이다.

즉 $4b=2$

$\therefore b=\dfrac{1}{2}$ ◀ 주기 $\dfrac{2\pi}{\left|\dfrac{\pi}{2b}\right|}=4b=2$

따라서 $a+b=2+\dfrac{1}{2}=\dfrac{5}{2}$

0817

STEP Ⓐ $f(x)=a\cos bx+c$의 최대, 최소를 이용하여 a, c의 값 구하기

함수 $y=a\cos bx+c\,(a>0,\ b>0)$에서

최댓값은 $a+c=5$ ······ ㉠

최솟값은 $-a+c=-3$ ······ ㉡

㉠, ㉡을 연립하여 풀면 $a=4$, $c=1$

STEP Ⓑ **주기를 이용하여 b 구하기**

모든 실수 x에 대하여 $f(x+p)=f(x)$를 만족시키는 최소의 양수 p가 4π이므로 주기가 4π이다.

즉 주기는 $\dfrac{2\pi}{b}=4\pi$이므로 $b=\dfrac{1}{2}$

따라서 $abc=4\cdot\dfrac{1}{2}\cdot 1=2$

내/신/연/계/ 출제문항 290

함수 $f(x)=a\cos bx+c$의 최댓값이 2, $f\left(\dfrac{\pi}{3}\right)=\dfrac{1}{2}$, 모든 실수 x에 대하여 $f(x+p)=f(x)$를 만족시키는 최소의 양수 p가 π일 때, 상수 a, b, c에 대하여 $a+b+c$의 값은? (단, $a>0$)

① 2 ② 4 ③ 6

④ 8 ⑤ 10

STEP Ⓐ $f(x)=a\cos bx+c$의 최댓값과 $f\left(\dfrac{\pi}{3}\right)=\dfrac{1}{2}$을 이용하여 a, c의 관계식 구하기

함수 $f(x)=a\cos bx+c$의 최댓값이 2이므로

$a+c=2$ ······ ㉠

$f\left(\dfrac{\pi}{3}\right)=\dfrac{1}{2}$에서 $a\cos\dfrac{b}{3}\pi+c=\dfrac{1}{2}$ ······ ㉡

STEP **B** **주기를 이용하여 b 구하기**

모든 실수 x에 대하여 $f(x+p)=f(x)$를 만족시키는

최소의 양수 p가 π이므로 주기가 π이다.

즉 주기는 $\dfrac{2\pi}{b}=\pi$ $\therefore b=2$

$b=2$를 ㉡에 대입한 후 ㉠과 연립하면 $a=1$, $b=2$, $c=1$

따라서 $a+b+c=4$ **정답** ②

0818 **정답** ①

STEP **A** **주기를 이용하여 b의 값 구하기**

$b<0$이므로 주기는 $\dfrac{2\pi}{-b}=4\pi$에서 $b=-\dfrac{1}{2}$

STEP **B** **최댓값과 $f\left(\dfrac{2}{3}\pi\right)=3$을 이용하여 a, c의 값 구하기**

함수 $f(x)=a\sin\left(bx+\dfrac{\pi}{2}\right)+c$의 최댓값은 5이므로

$a+c=5$ ...... ㉠

또, $f\left(\dfrac{2}{3}\pi\right)=a\sin\left(-\dfrac{\pi}{3}+\dfrac{\pi}{2}\right)+c$

$\qquad =a\cos\dfrac{\pi}{3}+c$

$\qquad =\dfrac{a}{2}+c=3$ ...... ㉡

㉠, ㉡을 연립하여 풀면 $a=4$, $c=1$

따라서 $abc=4\cdot\left(-\dfrac{1}{2}\right)\cdot 1=-2$

0819 **정답** ①

STEP **A** **주기를 이용하여 b의 값 구하기**

주기가 $\dfrac{\pi}{2}$이므로 $\dfrac{2\pi}{b}=\dfrac{\pi}{2}$, $b=4$

STEP **B** **$f\left(\dfrac{\pi}{2}\right)=1$과 최댓값이 3임을 이용하여 a, c의 값 구하기**

즉 $f(x)=a\cos\left(4x+\dfrac{\pi}{3}\right)+c$

이때 $f\left(\dfrac{\pi}{2}\right)=1$에서

$f\left(\dfrac{\pi}{2}\right)=a\cos\left(2\pi+\dfrac{\pi}{3}\right)+c=\dfrac{1}{2}a+c=1$ ...... ㉠

최댓값이 3이므로 $a+c=3$ ...... ㉡

㉠, ㉡을 연립하여 풀면 $a=4$, $c=-1$

따라서 $b^2-ac=16+4=20$

0820 **정답** ②

STEP **A** **조건 (다)에서 주기를 이용하여 p의 값 구하기**

$f(x)=a\cos\left(\dfrac{3}{2}\pi-px\right)+b$에서

조건 (다)에서 $p>0$이고 주기가 2π이므로

$\dfrac{2\pi}{|-p|}=2\pi$에서 $p=1$

STEP **B** **조건 (가), (나)를 만족하는 a, b의 값 구하기**

조건 (나)에서

$a>0$이므로 최댓값은 $a+b=6$ ...... ㉠

조건 (가)에서

$f\left(\dfrac{\pi}{2}\right)=-2$이므로 $f\left(\dfrac{\pi}{2}\right)=-a+b=-2$ ...... ㉡

㉠, ㉡을 연립하여 풀면 $a=4$, $b=2$

따라서 $a=4$, $b=2$, $p=1$이므로 $a-b+p=4-2+1=3$

함수 $f(x)=a\sin\left(bx-\dfrac{\pi}{2}\right)+c$가 다음 세 조건을 모두 만족한다.

(가) $f(0)=-1$
(나) 함수 $f(x)$의 최댓값이 3
(다) 모든 실수 x에 대하여 $f(x+p)=f(x)$를 만족하는 최소의 양수 p는 π이다.

상수 a, b, c에 대하여 abc의 값은? (단, $a>0$, $b>0$)

① 1 　　　 ② 3 　　　 ③ 4
④ 5 　　　 ⑤ 6

STEP **A** **주기를 이용하여 b의 값 구하기**

조건 (다)에서 함수 $f(x)$의 주기가 π이고 $b>0$이므로

$\dfrac{2\pi}{b}=\pi$에서 $b=2$

STEP **B** **조건 (가), (나)를 만족하는 a, c의 값 구하기**

조건 (나)에서 함수 $f(x)$의 최댓값이 3이고 $a>0$이므로

$a+c=3$ ...... ㉠

$f(x)=a\sin\left(bx-\dfrac{\pi}{2}\right)+c$이므로

조건 (가)에서 $f(0)=a\sin\left(-\dfrac{\pi}{2}\right)+c=-1$에서

$-a+c=-1$ ...... ㉡

㉠, ㉡을 연립하여 풀면 $a=2$, $c=1$

따라서 $abc=2\cdot 2\cdot 1=4$ **정답** ③

0821 **정답** ④

STEP **A** **$f(x)=a\sin bx+c$의 최댓값 $a+c$, 최솟값 $-a+c$를 이용하여 a, c 구하기**

조건 (가)에서 함수 $f(x)=a\sin bx+c$의 최댓값은 8, 최솟값은 2이므로

$a+c=8$ ...... ㉠

$-a+c=2$ ...... ㉡

㉠, ㉡을 연립하여 풀면 $a=3$, $c=5$

STEP **B** **$f(x)=a\sin bx+c$의 주기가 $\dfrac{\pi}{2}$임을 이용하여 b 구하기**

조건 (나)에서 주기가 $\dfrac{\pi}{2}$이므로 $\dfrac{2\pi}{b}=\dfrac{\pi}{2}$

$\therefore b=4$

따라서 $abc=3\cdot 4\cdot 5=60$

함수 $f(x)=a\sin bx+c$ $(a>0, b>0)$의 최댓값은 4, 최솟값은 -2이다.
모든 실수 x에 대하여 $f(x+p)=f(x)$를 만족시키는 양수 p의 최솟값이 π일 때, abc의 값은? (단, a, b, c는 상수이다.)

① 6 　　　 ② 8 　　　 ③ 10
④ 12 　　　 ⑤ 14

STEP **A** **$f(x)=a\sin bx+c$의 최댓값 $a+c$, 최솟값 $-a+c$를 이용하여 a, c 구하기**

$f(x)=a\sin bx+c$의 최댓값은 $a+c$, 최솟값은 $-a+c$이므로

$a+c=4$ ...... ㉠

$-a+c=-2$ ...... ㉡

㉠, ㉡을 연립하여 풀면 $a=3$, $c=1$

STEP **B** $f(x)=a\sin bx+c$**의 주기가** π**임을 이용하여** b **구하기**

모든 실수 x에 대하여 $f(x+p)=f(x)$를 만족시키는 양수 p의 최솟값이

π이므로 주기는 π이고 $\dfrac{2\pi}{b}=\pi$

$\therefore b=2$

따라서 $abc=3\cdot1\cdot2=6$

0822 정답 ①

STEP **A** **최댓값과 최솟값을 이용하여** $a,\ c$**의 값 구하기**

함수 $y=a\sin bx+c\,(a>0,\ b>0)$의 최댓값은 $a+c$, 최솟값은 $-a+c$

이므로 $a+c=6,\ -a+c=2$

위의 두 식을 연립하여 풀면 $a=2,\ c=4$

STEP **B** **주기를 이용하여** b **구하기**

또, $f(x+4\pi)=f(x)$에서 함수 $f(x)$는 x의 값이 4π씩 커질 때마다 같은

함숫값이 반복되므로 $\dfrac{4\pi}{n}=\dfrac{2\pi}{b}$ (n는 자연수)

$\therefore b=\dfrac{1}{2}n$

STEP **C** $\dfrac{ac}{b}$ **의 최댓값 구하기**

이때 $\dfrac{ac}{b}$가 최댓값을 가지려면 b는 최솟값을 가져야 하므로 $b=\dfrac{1}{2}$

따라서 $\dfrac{ac}{b}$의 최댓값은 $\dfrac{2\cdot4}{\dfrac{1}{2}}=16$

0823 정답 ⑤

STEP **A** **조건 (가)에서 주기를 이용하여** b**의 값 구하기**

$f(x)=a\tan(bx+c)+d$

　　$=a\tan b\left(x+\dfrac{c}{b}\right)+d$ ...... ㉠

$b>0$이고 조건 (가)에서 주기가 $\dfrac{\pi}{2}$이므로

$\dfrac{\pi}{b}=\dfrac{\pi}{2}$에서 $b=2$

STEP **B** **조건 (나)에서 평행이동을 이용하여** $b,\ c$**의 값 구하기**

조건 (나)에서 $y=a\tan bx$의 그래프를 x축의 방향으로 $\dfrac{\pi}{4}$만큼,

y축의 방향으로 -1만큼 평행이동하면

$y=a\tan b\left(x-\dfrac{\pi}{4}\right)-1$ ...... ㉡

㉠, ㉡에서 $\dfrac{c}{b}=-\dfrac{\pi}{4},\ d=-1$

이때 $b=2$이므로 $c=-\dfrac{\pi}{2}$

STEP **C** **조건 (다)에서** a**의 값 구하기**

한편 조건 (다)에서 $f\left(\dfrac{\pi}{3}\right)=\sqrt3-1$이므로

$a\tan\left(2\cdot\dfrac{\pi}{3}-\dfrac{\pi}{2}\right)-1=a\tan\dfrac{\pi}{6}-1$

$\dfrac{\sqrt3}{3}a-1=\sqrt3-1$ $\therefore a=3$

따라서 $a=3,\ b=2,\ c=-\dfrac{\pi}{2},\ d=-1$이므로

$abcd=3\cdot2\cdot\left(-\dfrac{\pi}{2}\right)\cdot(-1)=3\pi$

0824 정답 ①

STEP **A** **주기를 이용하여** a**의 값 구하기**

조건 (나)에서 함수 $f(x)=2\tan(ax+b)-3$의 주기가 2π이고

$a>0$이므로 $\dfrac{\pi}{a}=2\pi$ $\therefore a=\dfrac{1}{2}$ ...... ㉠

$\therefore f(x)=2\tan\left(\dfrac{x}{2}+b\right)-3$

STEP **B** **점근선의 방정식을 이용하여** b**의 값 구하기**

함수 $f(x)=2\tan\left(\dfrac{x}{2}+b\right)-3$의 그래프의 점근선의 방정식은

$\dfrac{x}{2}+b=n\pi+\dfrac{\pi}{2}$ (n은 정수)에서 $x=2n\pi+\pi-2b$이므로

$\pi-2b=\dfrac{\pi}{2}(\because\ 0<b<\pi)$ $\therefore b=\dfrac{\pi}{4}$

따라서 $ab=\dfrac{1}{2}\cdot\dfrac{\pi}{4}=\dfrac{\pi}{8}$

내/신/연/계/ 출제문항 293

함수 $f(x)=3\tan(ax+b)-2$가 다음 조건을 모두 만족할 때,

상수 $a,\ b$에 대하여 ab의 값은? (단, $a>0,\ 0<b<\pi$)

> (가) 점근선의 방정식이 $x=3n\pi+\dfrac{\pi}{2}$ (n은 자연수)
>
> (나) 모든 실수 x에 대하여 $f(x+p)=f(x)$를 만족하는
> 　　　최소의 양수 p는 3π이다.

① $\dfrac{\pi}{12}$ 　　　② $\dfrac{\pi}{9}$ 　　　③ $\dfrac{\pi}{6}$

④ $\dfrac{\pi}{3}$ 　　　⑤ π

STEP **A** **주기를 이용하여** a**의 값 구하기**

조건 (나)에서 함수 $f(x)=3\tan(ax+b)-2$의 주기가 3π이고

$a>0$이므로 $\dfrac{\pi}{a}=3\pi$ $\therefore a=\dfrac{1}{3}$ ...... ㉠

$\therefore f(x)=3\tan\left(\dfrac{x}{3}+b\right)-2$

STEP **B** **점근선의 방정식을 이용하여** b**의 값 구하기**

조건 (가)에서 점근선의 방정식은 $\dfrac{x}{3}+b=n\pi+\dfrac{\pi}{2}$ (n은 정수)에서

$x=3n\pi+\dfrac{3}{2}\pi-3b$이므로 $\dfrac{3}{2}\pi-3b=\dfrac{\pi}{2}(\because\ 0<b<\pi)$ $\therefore b=\dfrac{\pi}{3}$

따라서 $ab=\dfrac{1}{3}\cdot\dfrac{\pi}{3}=\dfrac{\pi}{9}$ 정답 ②

0825 정답 ②

STEP **A** **최댓값** 7**, 최솟값** 1**을 이용하여** $a,\ b$ **구하기**

$y=a\cos b\pi(t-4)+c$에서 해수면의 높이가 가장 높아졌을 때가 만조이고

$a>0$이므로 만조 때의 해수면의 높이는

$a+c=7$ ...... ㉠

해수면의 높이가 가장 작아질 때가 간조이고 해수면의 높이는

$-a+c=1$ ...... ㉡

㉠, ㉡을 연립하여 풀면 $a=3,\ c=4$

STEP **B** **주기가** 12**이므로** b**의 값 구하기**

또, 만조 시간은 4시와 16시이었고 간조 시간은 10시와 22시이므로

주기가 12이다.

즉 $\dfrac{2\pi}{b\pi}=12$ $\therefore b=\dfrac{1}{6}$

따라서 $abc=3\cdot\dfrac{1}{6}\cdot4=2$

0826

정답 ①

STEP Ⓐ 삼각함수의 그래프를 이용하여 삼각함수의 미정계수 구하기

$y=\sin 2x$의 주기는 $\dfrac{2\pi}{2}=\pi$

주어진 그래프에서 $y=2\sin ax$의 주기는 $y=\sin 2x$의 주기의 2배이다.

따라서 $\dfrac{2\pi}{a}=2\pi$에서 $a=1$

0827

정답 ③

STEP Ⓐ 주기를 이용하여 b의 값 구하기

주어진 함수의 주기가 $\dfrac{\pi}{3}-\left(-\dfrac{\pi}{3}\right)=\dfrac{2}{3}\pi$이고 $b>0$이므로 $\dfrac{\pi}{b}=\dfrac{2}{3}\pi$

따라서 $b=\dfrac{3}{2}$

0828

정답 ⑤

STEP Ⓐ 점 $(0,1)$을 지남을 이용하여 c의 값 구하기

그래프가 점 $(0,1)$을 지나므로

$c=1$

STEP Ⓑ 최댓값이 3임을 이용하여 a의 값 구하기

최댓값은 $a+c$이므로 $a+c=3$에서 $a=2$

STEP Ⓒ 주기를 이용하여 b의 값 구하기

주어진 그래프에서 함수의 주기가 $\dfrac{15}{8}\pi+\dfrac{5}{8}\pi=\dfrac{5}{2}\pi$

$b>0$이므로 $\dfrac{2\pi}{b}=\dfrac{5}{2}\pi$ $\therefore b=\dfrac{4}{5}$

따라서 $a+b+c=\dfrac{19}{5}$

내신연계 출제문항 294

$y=a\sin bx+c$의 그래프가 오른쪽 그림과 같을 때, 상수 a, b, c에 대하여 abc의 값은? (단, $a>0$, $b>0$)

① 2 ② 4
③ 6 ④ 8
⑤ 10

STEP Ⓐ 최댓값은 5, 최솟값은 -1임을 이용하여 a, c의 값 구하기

$y=a\sin bx+c$에서 최댓값이 5, 최솟값이 -1이므로

$a+c=5$, $-a+c=-1$

위 두 식을 연립하여 풀면 $a=3$, $c=2$

STEP Ⓑ 주기를 이용하여 b의 값 구하기

주어진 그래프에서 함수의 주기가

$2\left(\dfrac{9}{2}\pi-\dfrac{3}{2}\pi\right)=6\pi$

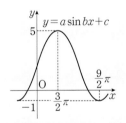

$b>0$이므로 $\dfrac{2\pi}{b}=6\pi$

$\therefore b=\dfrac{1}{3}$

따라서 $abc=3\cdot\dfrac{1}{3}\cdot 2=2$

정답 ①

0829

정답 ⑤

STEP Ⓐ 주기를 이용하여 b의 값 구하기

함수 $f(x)$의 주기가 6π이므로 $\dfrac{2\pi}{b}=6\pi$

$\therefore b=\dfrac{1}{3}$

STEP Ⓑ 최댓값이 6, 최솟값이 2임을 이용하여 a, c의 값 구하기

주어진 그래프에서 함수의 최댓값이 6, 최솟값이 2이므로

$a+c=6$, $-a+c=2$

위 두 식을 연립하여 풀면 $a=2$, $c=4$

STEP Ⓒ $f(\pi)$의 값 구하기

따라서 $f(x)=2\cos\dfrac{1}{3}x+4$이므로 $f(\pi)=2\cos\dfrac{\pi}{3}+4=2\cdot\dfrac{1}{2}+4=5$

내신연계 출제문항 295

함수 $f(x)=a\cos bx+c$의 그래프는 다음 그림과 같고, $f(0)=7$, $f(2\pi)=1$일 때, $f\left(\dfrac{2}{3}\pi\right)$의 값은?
(단, a, b, c는 상수이고, $a>0$, $b>0$이다.)

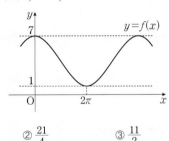

① 5 ② $\dfrac{21}{4}$ ③ $\dfrac{11}{2}$
④ $\dfrac{23}{4}$ ⑤ 6

STEP Ⓐ 최댓값은 7, 최솟값은 1임을 이용하여 a 구하기

함수 $f(x)=a\cos bx+c$의 그래프에서 최댓값은 7, 최솟값은 1이고 $a>0$이므로 $a+c=7$, $-a+c=1$

위 두 식을 연립하여 풀면 $a=3$, $c=4$

STEP Ⓑ 주기를 이용하여 b의 값 구하기

한편 함수 $f(x)$의 주기가 4π이므로 $\dfrac{2\pi}{|b|}=4\pi$

$b>0$이므로 $\dfrac{2\pi}{b}=4\pi$

$\therefore b=\dfrac{1}{2}$

STEP Ⓒ $f\left(\dfrac{2}{3}\pi\right)$의 값 구하기

따라서 $f(x)=3\cos\dfrac{1}{2}x+4$이므로

$f\left(\dfrac{2}{3}\pi\right)=3\cos\dfrac{\pi}{3}+4=3\cdot\dfrac{1}{2}+4=\dfrac{11}{2}$

정답 ③

Ⅱ 삼각함수

0830

STEP Ⓐ **최댓값은 4, 최솟값은 −4임을 이용하여 a 구하기**

$y=a\sin(bx+c)$의 그래프에서 최댓값은 4, 최솟값은 −4이고
$a>0$이므로 $a=4$

STEP Ⓑ **주기를 이용하여 b의 값 구하기**

주기는 $\dfrac{11}{3}\pi-\left(-\dfrac{\pi}{3}\right)=4\pi$이므로 $\dfrac{2\pi}{b}=4\pi$ ∴ $b=\dfrac{1}{2}$

STEP Ⓒ **점 $\left(\dfrac{5}{3}\pi, 4\right)$를 지남을 이용하여 c 구하기**

$y=4\sin\left(\dfrac{1}{2}x+c\right)$의 그래프가 점 $\left(\dfrac{5}{3}\pi, 4\right)$를 지나므로

$4\sin\left(\dfrac{5}{6}\pi+c\right)=4$, $\sin\left(\dfrac{5}{6}\pi+c\right)=1$

이때 $-\pi<c<\pi$에서 $\dfrac{5}{6}\pi+c=\dfrac{\pi}{2}$이므로 $c=-\dfrac{\pi}{3}$

따라서 $a=4$, $b=\dfrac{1}{2}$, $c=-\dfrac{\pi}{3}$이므로 $abc=-\dfrac{2}{3}\pi$

내/신/연/계 출제문항 296

함수 $y=a\sin(bx+c)$의 그래프가
오른쪽 그림과 같을 때, 세 상수
a, b, c에 대하여 abc의 값은?
(단, $a>0$, $b>0$, $0\leq c<\pi$)

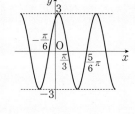

① $\dfrac{\pi}{3}$ ② $\dfrac{2}{3}\pi$

③ π ④ $\dfrac{5}{3}\pi$

⑤ 2π

STEP Ⓐ **최댓값은 3, 최솟값은 −3임을 이용하여 a 구하기**

$y=a\sin(bx+c)$의 그래프에서 최댓값은 3, 최솟값은 −3이고
$a>0$이므로 $a=3$

STEP Ⓑ **주기를 이용하여 b의 값 구하기**

주기는 $\dfrac{5}{6}\pi-\left(-\dfrac{\pi}{6}\right)=\pi$이므로 $\dfrac{2\pi}{b}=\pi$에서 $b=2$

STEP Ⓒ **점 $\left(\dfrac{\pi}{3}, 0\right)$를 지남을 이용하여 c 구하기**

즉 $y=3\sin(2x+c)$이므로 점 $\left(\dfrac{\pi}{3}, 0\right)$을 지나므로

$0=3\sin\left(\dfrac{2}{3}\pi+c\right)$, $\dfrac{2}{3}\pi+c=\pi$ ∴ $c=\dfrac{\pi}{3}$

따라서 $a=3$, $b=2$, $c=\dfrac{\pi}{3}$이므로 $abc=2\pi$

0831

STEP Ⓐ **주어진 식에서 최댓값은 2, 최솟값은 −2임을 이용하여 a 구하기**

최댓값은 2, 최솟값은 −2이므로 $a=2$

STEP Ⓑ **주기를 이용하여 b의 값 구하기**

주기는 $\dfrac{3}{2}\pi-\dfrac{\pi}{2}=\pi$이므로 $\dfrac{2\pi}{b}=\pi$ ∴ $b=2$

STEP Ⓒ **지나는 점을 이용하여 c의 값 구하기**

함수 $y=2\sin(2x-c)$의 그래프가 점 $\left(\dfrac{\pi}{2}, 2\right)$를 지나므로

$2\sin(\pi-c)=2$, $\sin(\pi-c)=1$

∴ $\sin c=1$

이때 $0<c<\pi$이므로 $c=\dfrac{\pi}{2}$

따라서 $abc=2\cdot2\cdot\dfrac{\pi}{2}=2\pi$

내/신/연/계 출제문항 297

함수 $y=a\sin(bx-c)$의 그래프가 다음 그림과 같을 때, 세 상수 a, b, c에 대하여 abc의 값은? (단, $a>0$, $b>0$, $0\leq c<\pi$)

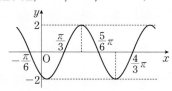

① $\dfrac{2}{3}\pi$ ② $\dfrac{4}{3}\pi$ ③ 2π

④ $\dfrac{8}{3}\pi$ ⑤ $\dfrac{10}{3}\pi$

STEP Ⓐ **최댓값은 2, 최솟값은 −2임을 이용하여 a 구하기**

$y=a\sin(bx-c)$의 그래프에서 최댓값은 2, 최솟값은 −2이고
$a>0$이므로 $a=2$

STEP Ⓑ **주기를 이용하여 b의 값 구하기**

주기는 $\dfrac{5}{6}\pi-\left(-\dfrac{\pi}{6}\right)=\pi$이므로 $\dfrac{2\pi}{b}=\pi$에서 $b=2$

STEP Ⓒ **점 $\left(\dfrac{5}{6}\pi, 0\right)$를 지남을 이용하여 c 구하기**

즉 $y=2\sin(2x-c)$이므로 점 $\left(\dfrac{5}{6}\pi, 0\right)$을 지나므로

$0=2\sin\left(\dfrac{5}{3}\pi-c\right)$, $\dfrac{5}{3}\pi-c=\pi$ ∴ $c=\dfrac{2}{3}\pi$

따라서 $a=2$, $b=2$, $c=\dfrac{2}{3}\pi$이므로 $abc=\dfrac{8}{3}\pi$

참고

점 $\left(\dfrac{\pi}{3}, 0\right)$을 지나면 $0=2\sin\left(\dfrac{2}{3}\pi-c\right)$에서

$\dfrac{2}{3}\pi-c=0$ ∴ $c=\dfrac{2}{3}\pi(\because 0\leq c<\pi)$

참고

주어진 함수의 그래프는 $y=2\sin 2x$의 그래프를 x축의 방향으로

$\dfrac{\pi}{3}$만큼 평행이동한 것이므로

$y=2\sin 2\left(x-\dfrac{\pi}{3}\right)=2\sin\left(2x-\dfrac{2}{3}\pi\right)$

따라서 $a=2$, $b=2$, $c=\dfrac{2}{3}\pi$이므로 $abc=\dfrac{8}{3}\pi$

0832

STEP Ⓐ **최댓값은 3, 최솟값은 −3임을 이용하여 a 구하기**

주어진 그래프에서 최댓값이 3, 최솟값이 −3이므로

$a=3(\because a>0)$

STEP Ⓑ **주기를 이용하여 b의 값 구하기**

주기는 $\dfrac{11}{6}\pi-\dfrac{5}{6}\pi=\pi$이므로 $\dfrac{2\pi}{b}=\pi$

∴ $b=2(\because b>0)$

STEP Ⓒ **지나는 점을 이용하여 c의 값 구하기**

함수 $y=3\cos(2x+c)$의 그래프는 점 $\left(0, \dfrac{3}{2}\right)$을 지나므로

$\dfrac{3}{2}=3\cos c$, $\cos c=\dfrac{1}{2}$

$0<c<\pi$이므로 $c=\dfrac{\pi}{3}$

따라서 $abc=3\cdot2\cdot\dfrac{\pi}{3}=2\pi$

0833

정답 ①

STEP A 최댓값은 3, 최솟값은 −1임을 이용하여 a, c 구하기

주어진 그래프에서 최댓값이 3, 최솟값이 −1이므로

$a+c=3$, $-a+c=-1$

위 두 식을 연립하여 풀면 $a=2$, $c=1$

STEP B 원점을 지남을 이용하여 b의 값 구하기

함수 $y=2\sin(x-b)+1$의 그래프는 점 $(0,\ 0)$을 지나므로

$0=2\sin(-b)+1=-2\sin b+1$

$\therefore \sin b=\dfrac{1}{2}$

$0<b<\dfrac{\pi}{2}$이므로 $b=\dfrac{\pi}{6}$

따라서 $abc=2\cdot\dfrac{\pi}{6}\cdot1=\dfrac{\pi}{3}$

내/신/연/계 출제문항 298

함수 $y=a\cos(bx+c)$의 그래프가 다음 그림과 같을 때, 상수 a, b, c에 대하여 abc의 값은? (단, $a>0$, $b>0$, $-\pi<c<\pi$)

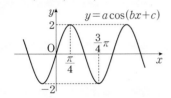

① -2π ② $-\pi$ ③ $-\dfrac{\pi}{2}$

④ π ⑤ 2π

STEP A 그래프에서 최댓값, 최솟값과 주기를 이용하여 a, b의 값 구하기

주어진 함수의 주기가 $2\left(\dfrac{3}{4}\pi-\dfrac{\pi}{4}\right)=\pi$이고 $b>0$이므로 $\dfrac{2\pi}{b}=\pi$

$\therefore b=2$

함수의 최댓값이 2, 최솟값이 −2이고 $a>0$이므로 $a=2$

STEP B 함수 $y=a\cos bx$의 평행이동을 이용하여 c의 값 구하기

함수 $y=2\cos(2x+c)$의 그래프는 점 $\left(\dfrac{\pi}{4},\ 2\right)$를 지나므로

$2=2\cos\left(\dfrac{\pi}{2}+c\right)$

$\therefore c=-\dfrac{\pi}{2}\ (\because -\pi<c<\pi)$

STEP C abc의 값 구하기

따라서 $abc=2\cdot2\cdot\left(-\dfrac{\pi}{2}\right)=-2\pi$

정답 ①

0834

정답 ③

STEP A 최댓값, 최솟값을 이용하여 a, c의 값 구하기

$a>0$, $c>0$, 최댓값이 3, 최솟값이 −1이므로

$a+c=3$, $-a+c=-1$

위의 두 식을 연립하여 풀면 $a=2$, $c=1$

STEP B 주기를 이용하여 b의 값 구하기

주어진 함수의 주기가 4이고 $b>0$이므로

$\dfrac{2\pi}{b\pi}=4$ $\therefore b=\dfrac{1}{2}$

따라서 $a+b+c=2+\dfrac{1}{2}+1=\dfrac{7}{2}$

내/신/연/계 출제문항 299

함수 $y=a\cos b(x-\pi)+c$의 그래프가 다음 그림과 같을 때, 세 상수 a, b, c에 대하여 $a+b+c$의 값은? (단, $a>0$, $b>0$)

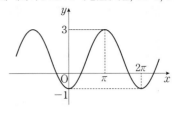

① 3 ② $\dfrac{7}{2}$ ③ 4

④ $\dfrac{9}{2}$ ⑤ 5

STEP A 최댓값, 최솟값을 이용하여 a, c의 값 구하기

$a>0$에서 최댓값이 3, 최솟값이 −1이므로 $a+c=3$, $-a+c=-1$

위의 두 식을 연립하여 풀면 $a=2$, $c=1$

STEP B 주기를 이용하여 b의 값 구하기

주어진 함수의 주기가 2π이고 $b>0$이므로 $\dfrac{2\pi}{b}=2\pi$ $\therefore b=1$

따라서 $a+b+c=2+1+1=4$

정답 ③

0835

정답 ⑤

STEP A 최댓값이 4, 최솟값이 0임을 이용하여 a, c의 값 구하기

함수의 최댓값이 4, 최솟값이 0이므로 $a+c=4$, $-a+c=0$

위의 두 식을 연립하면 $a=2$, $c=2$

STEP B 주기를 이용하여 b의 값 구하기

함수 $f(x)$의 주기가 4π이므로 $\dfrac{2\pi}{b}=4\pi$에서 $b=\dfrac{1}{2}$

STEP C $f\left(\dfrac{2}{3}\pi\right)$의 값 구하기

따라서 $f(x)=2\sin\left(\dfrac{1}{2}x-\dfrac{\pi}{2}\right)+2$이므로

$f\left(\dfrac{2}{3}\pi\right)=2\sin\left(\dfrac{1}{2}\cdot\dfrac{2}{3}\pi-\dfrac{\pi}{2}\right)+2=-2\sin\dfrac{\pi}{6}+2=-2\cdot\dfrac{1}{2}+2=1$

0836

정답 ④

STEP A 주기를 이용하여 b의 값 구하기

조건 (나)에서 $f(x)=a\sin(bx+c)+d$의 주기가 π이고 $b>0$이므로

$\dfrac{2\pi}{b}=\pi$에서 $b=2$

STEP B 최댓값을 이용하여 c의 값 구하기

조건 (다)에서 $f(x)=a\sin(2x+c)+d$가 $x=\dfrac{\pi}{6}$에서 최댓값을 가지므로

$\dfrac{\pi}{3}+c=\dfrac{\pi}{2}$, 즉 $c=\dfrac{\pi}{6}$

STEP C 조건 (가), (나)를 이용하여 a, d의 값 구하기

조건 (가)에서 $f(x)$의 최솟값이 −1이고 $a>0$이므로

$-a+d=-1$ $\cdots\cdots$ ㉠

조건 (라)에서 $f\left(\dfrac{\pi}{2}\right)=\dfrac{1}{2}$이므로 $a\sin\left(\pi+\dfrac{\pi}{6}\right)+d=\dfrac{1}{2}$

즉 $-\dfrac{1}{2}a+d=\dfrac{1}{2}$ $\cdots\cdots$ ㉡

㉠, ㉡을 연립하여 풀면 $a=3$, $d=2$

따라서 $a=3$, $b=2$, $c=\dfrac{\pi}{6}$, $d=2$이므로 $abcd=3\cdot2\cdot\dfrac{\pi}{6}\cdot2=2\pi$

함수 $y=a\sin(bx+c)+d$의 그래프가 그림과 같을 때,
상수 a, b, c, d에 대하여 $abcd$의 값은? (단, $a>0$, $b>0$, $0<c<2\pi$)

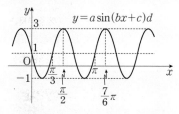

① 3π　　　　② 4π　　　　③ 5π
④ 6π　　　　⑤ 8π

STEP Ⓐ 주기를 이용하여 b의 값 구하기

주어진 함수의 주기가 $\pi-\dfrac{\pi}{3}=\dfrac{2}{3}\pi$이고 $b>0$이므로 $\dfrac{2\pi}{b}=\dfrac{2}{3}\pi$

$\therefore b=3$

STEP Ⓑ 최댓값, 최솟값을 이용하여 a, d의 값 구하기

함수의 최댓값이 3, 최솟값이 -1이고 $a>0$이므로 $a+d=3$, $-a+d=-1$
위의 두 식을 연립하여 풀면 $a=2$, $d=1$

STEP Ⓒ 함수 $y=a\sin bx$의 평행이동을 이용하여 c의 값 구하기

$y=2\sin(3x+c)+1$의 그래프는 점 $\left(\dfrac{\pi}{3}, 1\right)$을 지나므로

$1=2\sin(\pi+c)+1$, $2\sin(\pi+c)=0$

$\therefore c=\pi\,(\because 0<c<2\pi)$

따라서 $abcd=2\cdot3\cdot\pi\cdot1=6\pi$　　　　정답 ④

0837　　　　정답 ④

STEP Ⓐ 최댓값이 4, 최솟값이 0임을 이용하여 a, d의 값 구하기

$y=a\cos b(x+c)+d$에서 최댓값이 4, 최솟값이 0이므로
$a+d=4$, $-a+d=0$
위의 두 식을 연립하면 $a=2$, $d=2$

STEP Ⓑ 주기를 이용하여 b의 값 구하기

주기가 $\dfrac{2}{3}-\left(-\dfrac{1}{3}\right)=1$이므로 $\dfrac{2\pi}{b}=1$에서 $b=2\pi$

STEP Ⓒ 점 $\left(\dfrac{2}{3}, 4\right)$를 지남을 이용하여 c의 값 구하기

$y=2\cos2\pi(x+c)+2$의 그래프가 점 $\left(\dfrac{2}{3}, 4\right)$를 지나므로

$4=2\cos2\pi\left(\dfrac{2}{3}+c\right)+2$, $\cos2\pi\left(\dfrac{2}{3}+c\right)=1$

$0<c<1$이므로 $2\pi\left(\dfrac{2}{3}+c\right)=2\pi$　$\therefore c=\dfrac{1}{3}$

따라서 $a=2$, $b=2\pi$, $c=\dfrac{1}{3}$, $d=2$이므로 $abcd=\dfrac{8}{3}\pi$

0838　　　　정답 ③

STEP Ⓐ 주기를 이용하여 b의 값 구하기

$y=a\tan b(x-c)+d$에서 주기가 $\pi-(-\pi)=2\pi$이고 $b>0$이므로

$\dfrac{\pi}{b}=2\pi$　$\therefore b=\dfrac{1}{2}$

STEP Ⓑ 평행이동을 이용하여 c, d의 값 구하기

이때 그래프에서 점 $(\pi, 2)$에 대하여 대칭이므로 $y=a\tan\dfrac{1}{2}x$의 그래프를
x축으로 π만큼, y축으로 2만큼 평행이동한 그래프이므로 $c=\pi$, $d=2$

STEP Ⓒ 점 $\left(\dfrac{3}{2}\pi, 4\right)$를 지남을 이용하여 a의 값 구하기

$y=a\tan\dfrac{1}{2}(x-\pi)+2$

주어진 그래프가 점 $\left(\dfrac{3}{2}\pi, 4\right)$를 지나므로 $4=a\tan\dfrac{1}{2}\left(\dfrac{3}{2}\pi-\pi\right)+2$

$a\tan\dfrac{\pi}{4}=2$　$\therefore a=2$

따라서 $a=2$, $b=\dfrac{1}{2}$, $c=\pi$, $d=2$이므로 $abcd=2\pi$

함수 $y=\tan(ax+b)+c$의 그래프가 그림과 같을 때,
상수 a, b, c에 대하여 abc의 값은? $\left(\text{단, } a>0, -\dfrac{\pi}{2}<b<0\right)$

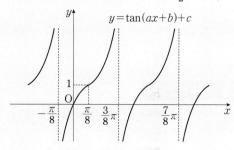

① $-\pi$　　　　② $-\dfrac{\pi}{2}$　　　　③ $\dfrac{\pi}{2}$
④ π　　　　⑤ $\dfrac{3}{2}\pi$

STEP Ⓐ 주기를 이용하여 a의 값 구하기

$y=\tan(ax+b)+c$의 주기가 $\dfrac{7}{8}\pi-\dfrac{3}{8}\pi=\dfrac{\pi}{2}$이고 $a>0$이므로

$\dfrac{\pi}{a}=\dfrac{\pi}{2}$　$\therefore a=2$

STEP Ⓑ 평행이동을 이용하여 b, c의 값 구하기

이때 주어진 그래프는 $y=\tan2x$의 그래프를 x축의 방향으로 $\dfrac{\pi}{8}$만큼,
y축의 방향으로 1만큼 평행이동한 것이므로

$y=\tan2\left(x-\dfrac{\pi}{8}\right)+1=\tan\left(2x-\dfrac{\pi}{4}\right)+1$　$\therefore b=-\dfrac{\pi}{4}$, $c=1$

따라서 $abc=2\cdot\left(-\dfrac{\pi}{4}\right)\cdot1=-\dfrac{\pi}{2}$　　　　정답 ②

0839　　　　정답 ④

STEP Ⓐ 삼각함수의 주기를 이용하여 b의 값을 구하기

$y=a\cos bx$의 그래프와 직선 l이
만나는 점의 x좌표가 각각 1, 5이므로
함수 $y=a\cos bx$의 그래프는 직선
$\dfrac{1+5}{2}=3$에 대하여 대칭이다.

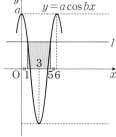

즉 함수 $y=a\cos bx$의 주기는

$3\cdot2=6$이므로 $\dfrac{2\pi}{|b|}=6$　$\therefore b=\pm\dfrac{\pi}{3}$

STEP Ⓑ 직사각형의 넓이를 이용하여 a의 값 구하기

직선 l, $x=1$, $x=5$와 x축으로 둘러싸인 직사각형의 세로의 길이는

$y=a\cos\left(\pm\dfrac{\pi}{3}x\right)$에서 $x=1$일 때, y의 값이므로

$y=a\cos\left(\pm\dfrac{\pi}{3}\right)=a\cos\dfrac{\pi}{3}=\dfrac{a}{2}$

이때 직사각형의 가로의 길이는 $5-1=4$이고 직사각형의 넓이는 20이므로

$4\cdot\dfrac{a}{2}=2a=20$

따라서 $a=10$

내/신/연/계 출제문항 302

다음 그림과 같이 함수 $y=a\sin bx$의 그래프와 x축에 평행한 직선 l의 교점 중 두 점 A, B의 x좌표가 각각 3, 9이다.

직선 l과 x축 및 두 직선 $x=3$, $x=9$로 둘러싸인 도형의 넓이가 $48\sqrt{2}$일 때, 상수 a, b에 대하여 ab의 값은? (단, $b>0$)

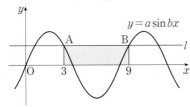

① 2π ② 3π ③ 4π
④ 5π ⑤ 6π

STEP A   **삼각함수의 주기를 이용하여 b의 값을 구하기**

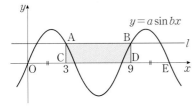

위의 그림에서 C(3, 0), D(9, 0)이라 하면 $\overline{OC}=\overline{DE}$이므로
점 E의 x좌표는 $9+3=12$

$y=a\sin bx$의 주기는 $12\cdot\dfrac{2}{3}=8$이고 $b>0$이므로 $\dfrac{2\pi}{b}=8$

$\therefore b=\dfrac{\pi}{4}$

STEP B   **직사각형의 넓이를 이용하여 a의 값 구하기**

즉 $y=a\sin\dfrac{\pi}{4}x$이므로

$\overline{AC}=a\sin\dfrac{3}{4}\pi=\dfrac{\sqrt{2}}{2}a$ ← $\sin\dfrac{3}{4}\pi=\sin\left(\pi-\dfrac{\pi}{4}\right)=\sin\dfrac{\pi}{4}$

직사각형 ACDB의 넓이가 $48\sqrt{2}$이므로 $6\cdot\dfrac{\sqrt{2}}{2}a=48\sqrt{2}$

$\therefore a=16$

따라서 $ab=16\cdot\dfrac{\pi}{4}=4\pi$ 정답 ③

0840   정답 ④

STEP A   **두 함수 $y=4\sin 3x$, $y=3\cos 2x$의 주기를 이용하여 a, b의 값 구하기**

함수 $y=4\sin 3x$의 그래프의 주기는 $\dfrac{2}{3}\pi$이고 함수 $y=3\cos 2x$의 그래프의 주기는 $\dfrac{2\pi}{2}=\pi$이므로 이 두 함수의 그래프는 다음 그림과 같다.

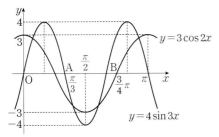

$0<a<\dfrac{\pi}{2}<b<\pi$이므로 $a=\dfrac{\pi}{3}$, $b=\dfrac{3}{4}\pi$

$\therefore A\left(\dfrac{\pi}{3},0\right)$, $B\left(\dfrac{3}{4}\pi,0\right)$

STEP B   **삼각형 ABP의 넓이의 최댓값 구하기**

삼각형 ABP에서 밑변을 선분 AB라 하면

$\overline{AB}=\dfrac{3}{4}\pi-\dfrac{\pi}{3}=\dfrac{5}{12}\pi$

이때 삼각형 ABP의 높이는 점 P의 y좌표이므로 최댓값은 4

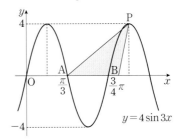

따라서 ABP의 넓이의 최댓값은 $\dfrac{1}{2}\cdot\dfrac{5}{12}\pi\cdot 4=\dfrac{5}{6}\pi$

0841   정답 ③

STEP A   **각 함수의 주기를 구하기**

① $y=|\sin x|$의 주기는 π이다.
② $y=|\cos x|$의 주기는 π이다.
③ $y=\sin|x|=\begin{cases}\sin x & (x\ge 0) \\ -\sin x & (x<0)\end{cases}$는 주기함수가 아니다.
④ $y=\cos|x|=\cos x$의 주기는 2π이다.
⑤ $y=|\tan x|$의 주기는 π이다.
따라서 주기함수가 아닌 것은 ③이다.

내/신/연/계 출제문항 303

다음 함수 중 주기가 나머지 넷과 다른 하나는?

① $y=|\sin x|$ ② $y=|\cos x|$ ③ $y=\tan x$
④ $y=\cos|x|$ ⑤ $y=\sin 2x$

STEP A   **각 함수의 주기를 구하기**

① $y=|\sin x|$의 그래프의 주기는 π
② $y=|\cos x|$의 그래프의 주기는 π
③ $y=\tan x$의 그래프의 주기는 π
④ $y=\cos|x|$의 그래프의 주기는 2π
⑤ $y=\sin 2x$의 그래프의 주기는 $\dfrac{2\pi}{2}=\pi$

따라서 주기가 다른 것은 ④이다.   정답 ④

0842

STEP Ⓐ 절댓값 기호가 있는 삼각함수의 진위판단하기

ㄱ. $y=|\cos 2x|$의 그래프는 다음 그림과 같고 주기는 $\dfrac{\pi}{2}$이다.

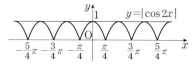

ㄴ. $y=\cos 2|x|$의 그래프는 다음 그림과 같고 주기는 π이다.

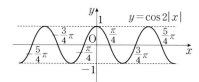

ㄷ. $y=|\tan 2x|$의 그래프는 다음 그림과 같고 주기는 $\dfrac{\pi}{2}$이다.

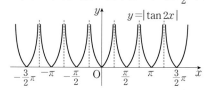

ㄹ. $y=\sin x+|\sin x|$의 그래프는 다음 그림과 같고 주기는 2π이다.

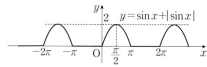

따라서 주기가 같은 함수는 ㄱ, ㄷ이다.

0843

STEP Ⓐ 각 함수의 주기를 구하기

함수 $y=\sin(4x-1)$의 주기를 $a=\dfrac{2\pi}{4}=\dfrac{\pi}{2}$

함수 $y=|\cos(-x)|$의 주기를 $b=\pi$

따라서 $\dfrac{a}{b}=\dfrac{\dfrac{\pi}{2}}{\pi}=\dfrac{1}{2}$

내/신/연/계/ 출제문항 304

함수 $f(x)=2\left|\cos\left(\dfrac{x}{2}+\pi\right)\right|+1$의 주기를 a, 최댓값을 b, 최솟값을 c라 할 때, abc의 값은?

① 2π ② 4π ③ 6π

④ 8π ⑤ 10π

STEP Ⓐ 주기 구하기

함수 $f(x)=2\left|\cos\left(\dfrac{x}{2}+\pi\right)\right|+1$의 주기는 $\dfrac{2\pi}{\dfrac{1}{2}}\cdot\dfrac{1}{2}=2\pi$ $\therefore a=2\pi$

STEP Ⓑ 최댓값과 최솟값을 구하기

또, $0\le\left|\cos\left(\dfrac{x}{2}+\pi\right)\right|\le 1$이므로 $0\le 2\left|\cos\left(\dfrac{x}{2}+\pi\right)\right|\le 2$

$\therefore 1\le 2\left|\cos\left(\dfrac{x}{2}+\pi\right)\right|+1\le 3$

따라서 최댓값은 3, 최솟값은 1이므로 $b=3$, $c=1$ $\therefore abc=2\pi\cdot 3\cdot 1=6\pi$

> **참고**
> 함수 $f(x)=2\left|\cos\left(\dfrac{x}{2}+\pi\right)\right|+1$의 주기는 $y=\left|\cos\dfrac{x}{2}\right|$의 주기와 같다.
> 그런데 $y=\cos\dfrac{x}{2}$의 주기가 $\dfrac{2\pi}{\dfrac{1}{2}}=4\pi$이므로 $y=\left|\cos\dfrac{x}{2}\right|$의 주기는
> $4\pi\cdot\dfrac{1}{2}=2\pi$이다.

0844

STEP Ⓐ 두 함수가 일치하는 것 구하기

ㄱ. $y=\cos|x|=\cos x$, $y=\sin\left(\dfrac{\pi}{2}-x\right)=\cos x$

이므로 두 그래프는 일치한다.

ㄴ. $y=\sin|x|=\begin{cases}\sin x & (x\ge 0)\\ -\sin x & (x<0)\end{cases}$, $y=|\sin x|=\begin{cases}\sin x & (\sin x\ge 0)\\ -\sin x & (\sin x<0)\end{cases}$

이므로 두 그래프는 일치하지 않는다.

ㄷ. $y=|\cos x|=\begin{cases}\cos x & (\cos x\ge 0)\\ -\cos x & (\cos x<0)\end{cases}$

이므로 두 그래프는 일치하지 않는다.

따라서 서로 일치하는 것은 ㄱ뿐이다.

내/신/연/계/ 출제문항 305

다음 [보기] 중 두 함수의 그래프가 일치하는 것만을 있는 대로 고른 것은?

> ㄱ. $y=\sin|x|$, $y=|\sin x|$
> ㄴ. $y=\cos x$, $y=\cos|x|$
> ㄷ. $y=\tan|x|$, $y=|\tan x|$
> ㄹ. $y=|\sin x|$, $y=\left|\cos\left(x+\dfrac{\pi}{2}\right)\right|$

① ㄱ, ㄴ   ② ㄱ, ㄹ   ③ ㄴ, ㄷ
④ ㄴ, ㄹ   ⑤ ㄷ, ㄹ

STEP Ⓐ 절댓값 기호가 있는 삼각함수의 진위판단하기

ㄱ. $y=\sin|x|$와 $y=|\sin x|$의 그래프는 다음 그림과 같다.

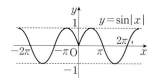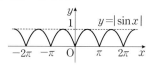

ㄴ. $y=\cos x$와 $y=\cos|x|$의 그래프는 다음 그림과 같다.

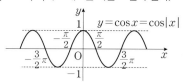

ㄷ. $y=\tan|x|$와 $y=|\tan x|$의 그래프는 다음 그림과 같다.

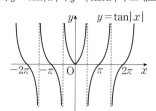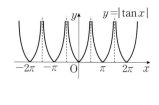

ㄹ. $y=\left|\cos\left(x+\dfrac{\pi}{2}\right)\right|$와 $y=|\sin x|$의 그래프는 다음 그림과 같다.

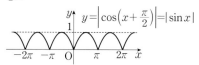

따라서 두 함수의 그래프가 일치하는 것은 ㄴ, ㄹ이다.

0845

정답 ③

STEP A 주기를 이용하여 b의 값 구하기

조건 (가)에서 주어진 함수의 주기가 $\frac{\pi}{3}$이고 $b > 0$이므로 $\frac{2\pi}{b} \cdot \frac{1}{2} = \frac{\pi}{3}$

$\therefore b = 3$ $\therefore f(x) = a|\sin 3x| + c$

STEP B 최댓값과 함숫값을 이용하여 a, c의 값 구하기

조건 (나)에서 함수의 최댓값이 5이고 $a > 0$이므로

$a + c = 5$ ...... ㉠

조건 (다)에서 $f\left(\frac{\pi}{18}\right) = a\left|\sin\frac{\pi}{6}\right| + c = \frac{5}{2}$

$\frac{1}{2}a + c = \frac{5}{2}$ ...... ㉡

㉠, ㉡을 연립하여 풀면 $a = 5$, $c = 0$

STEP C $a + b + c$의 값 구하기

따라서 $a + b + c = 5 + 3 + 0 = 8$

내/신/연/계 출제문항 306

함수 $f(x) = a|\cos bx| + c$가 다음 조건을 모두 만족할 때, 상수 a, b, c에 대하여 abc의 값은? (단, $a > 0$, $b > 0$)

> (가) 모든 실수 x에 대하여 $f(x+p) = f(x)$를 만족하는 최소의 양수 p는 $\frac{\pi}{3}$이다.
>
> (나) 함수 $f(x)$의 최댓값이 5이다.
>
> (다) $f\left(\frac{\pi}{9}\right) = \frac{7}{2}$

① 3   ② 6   ③ 9
④ 12   ⑤ 18

STEP A 주기를 이용하여 b의 값 구하기

조건 (가)에서 함수 $f(x)$의 주기가 $\frac{\pi}{3}$이므로

$f(x) = a|\cos bx| + c$의 주기는 $\frac{\pi}{b} = \frac{\pi}{3}$

$\therefore b = 3$

STEP B 최댓값과 함숫값을 이용하여 a, c의 값 구하기

조건 (나)에서 $f(x) = a|\cos bx| + c$의 최댓값은

$a + c = 5$ ...... ㉠

조건 (다)에서 $f\left(\frac{\pi}{9}\right) = a\left|\cos\frac{\pi}{3}\right| + c = \frac{a}{2} + c = \frac{7}{2}$ ...... ㉡

㉠, ㉡을 연립하여 풀면 $a = 3$, $c = 2$

따라서 $abc = 3 \cdot 3 \cdot 2 = 18$

정답 ⑤

0846

정답 ②

STEP A 삼각함수의 그래프의 대칭성을 이용하여 도형의 넓이 구하기

오른쪽 그림에서 빗금 친 부분의 넓이가 같으므로 두 곡선 $y = \tan x$, $y = \tan x + 1$과 y축 및 직선 $x = \frac{\pi}{4}$로 둘러싸인 부분의 넓이는 네 점 $(0, 0)$, $\left(\frac{\pi}{4}, 0\right)$, $\left(\frac{\pi}{4}, 1\right)$, $(0, 1)$을 꼭짓점으로 하는 직사각형의 넓이와 같다.

따라서 $1 \times \frac{\pi}{4} = \frac{\pi}{4}$

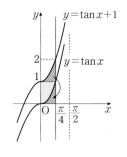

0847

정답 ④

STEP A 삼각함수의 그래프의 대칭성을 이용하여 도형의 넓이 구하기

$y = \tan x$ (단, $0 \leq x \leq \frac{3}{2}\pi$)의 그래프와 x축 및 직선 $y = k$로 둘러싸인 부분의 넓이는 x가 0과 $\frac{\pi}{2}$ 사이일 때의 넓이가 x가 π와 $\frac{3}{2}\pi$ 사이일 때의 넓이와 같으므로, 즉 빗금 친 부분의 넓이가 모두 같으므로 구하는 넓이는 직각사각형의 넓이이다. 즉 $\left(\frac{3}{2}\pi - \frac{\pi}{2}\right) \cdot k = 7\pi$

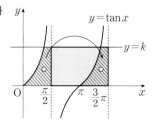

따라서 $k = 7$

내/신/연/계 출제문항 307

다음 그림과 같이 $-\frac{\pi}{2} < x < \frac{3}{2}\pi$에서 함수 $y = \tan x$의 그래프와 두 직선 $y = k$, $y = -k$로 둘러싸인 도형의 넓이가 12π일 때, 상수 k의 값은? (단, $k > 0$)

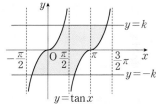

① 3   ② 4   ③ 5
④ 6   ⑤ 7

STEP A 삼각함수의 그래프의 대칭성을 이용하여 도형의 넓이 구하기

다음 그림에서 빗금 친 부분의 넓이가 모두 같으므로

$y = \tan x \left(-\frac{\pi}{2} < x < \frac{3}{2}\pi\right)$의 그래프와 두 직선 $y = k$, $y = -k$로 둘러싸인 도형의 넓이는 가로의 길이가 π, 세로의 길이가 $2k$인 직사각형의 넓이와 같다.

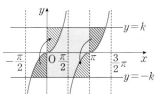

즉 $2k\pi = 12\pi$

따라서 $k = 6$

정답 ④

0848

정답 ⑤

STEP A 삼각함수의 그래프의 대칭성을 이용하여 도형의 넓이 구하기

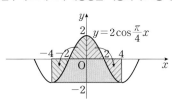

그림에서 빗금친 부분의 넓이가 모두 같으므로 $y = 2\cos\frac{\pi}{4}x$의 그래프와 직선 $y = -2$로 둘러싸인 도형은 점 $(2, 0)$에 대하여 대칭이고 y축에 대하여 대칭이므로 도형의 넓이는 가로의 길이가 8, 세로의 길이가 2인 직사각형의 넓이와 같다.

따라서 구하는 넓이는 $8 \cdot 2 = 16$

0849

STEP A 주어진 함수의 주기를 구하여 점 A의 좌표 구하기

$y = \sin\frac{\pi}{4}x$의 주기는 $\frac{2\pi}{\frac{\pi}{4}} = 8$이므로 $y = \sin\frac{\pi}{4}x$의 그래프와 x축이 만나는

점의 x좌표 중에서 양의 최솟값은 4이다.

또한, $\overline{BC} = 2$이므로 두 점 B, C의 좌표를 각각 $(b, 0)$, $(b+2, 0)$이라 하면

함수 $y = \sin\frac{\pi}{4}x$의 그래프는 직선 $x = 2$에 대하여 대칭이므로

$\frac{b+(b+2)}{2} = 2$ $\therefore b = 1$

이때 B$(1, 0)$, C$(3, 0)$이므로 A$\left(1, \sin\frac{\pi}{4}\right)$ $\therefore$ A$\left(1, \frac{\sqrt{2}}{2}\right)$

STEP B 직사각형 ABCD의 넓이 구하기

따라서 직사각형 ABCD의 넓이는 $2 \cdot \frac{\sqrt{2}}{2} = \sqrt{2}$

다른풀이 점 B, C는 직선 $x = 2$에 대하여 대칭을 이용하여 넓이 구하기

꼭짓점 B와 C는 직선 $x = 2$에 대하여 대칭이므로 x좌표는 각각 1, 3

꼭짓점 A와 D의 y좌표가 $\frac{\sqrt{2}}{2}$이므로 직사각형 ABCD의 넓이는 $\sqrt{2}$

내/신/연/계/ 출제문항 308

다음 그림과 같이 함수 $y = \sin\frac{\pi}{6}x$의 그래프와 x축으로 둘러싸인 도형에

직사각형 ABCD가 내접한다. $\overline{BC} = 4$일 때, 직사각형 ABCD의 넓이는?

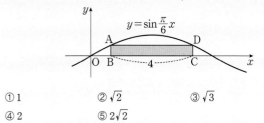

① 1   ② $\sqrt{2}$ ③ $\sqrt{3}$

④ 2   ⑤ $2\sqrt{2}$

STEP A 주어진 함수의 주기를 구하여 점 A의 좌표 구하기

함수 $y = \sin\frac{\pi}{6}x$의 주기는 12이므로 $y = \sin\frac{\pi}{6}x$의 그래프와 x축의 교점의

x좌표 중에서 양의 최솟값은 6이다.

두 점 B, C는 직선 $x = 3$에 대하여 대칭이다.

$\overline{BC} = 4$이므로 B$(1, 0)$, C$(5, 0)$

$x = 1$일 때, $y = \sin\frac{\pi}{6} = \frac{1}{2}$이므로 A$\left(1, \frac{1}{2}\right)$

STEP B 직사각형 ABCD의 넓이 구하기

따라서 직사각형 ABCD의 넓이는 $4 \times \frac{1}{2} = 2$ 정답 ④

0850

STEP A 주어진 함수의 주기를 구하여 점 C의 좌표 구하기

$y = \cos\frac{\pi}{4}x$의 그래프는 주기는 $\frac{2\pi}{\frac{\pi}{4}} = 8$이고 y축에 대하여 대칭이다.

두 점 A, B는 직선 $x = 0$에 대하여 대칭이다.

$\overline{AB} = 2$이므로 A$(-1, 0)$, B$(1, 0)$

$x = 1$일 때, $y = \cos\left(\frac{\pi}{4} \cdot 1\right) = \frac{\sqrt{2}}{2}$이므로 C$\left(1, \frac{\sqrt{2}}{2}\right)$

$\therefore \overline{BC} = \frac{\sqrt{2}}{2}$

STEP B 직사각형 ABCD의 넓이 구하기

따라서 직사각형의 넓이 ABCD $= \overline{AB} \cdot \overline{BC} = 2 \cdot \frac{\sqrt{2}}{2} = \sqrt{2}$

0851

STEP A 주어진 함수의 주기를 구하여 점 A의 좌표 구하기

함수 $y = 2\sin\frac{\pi}{12}x$의 주기는 $\frac{2\pi}{\frac{\pi}{12}} = 24$이고

두 점 B, C는 직선 $x = 6$에 대하여 대칭이다.

$\overline{BC} = 6$이므로 B$(3, 0)$, C$(9, 0)$

$x = 3$일 때, $y = 2\sin\left(\frac{\pi}{12} \cdot 3\right) = 2 \cdot \sin\frac{\pi}{4} = 2 \cdot \frac{\sqrt{2}}{2} = \sqrt{2}$이므로

A$(3, \sqrt{2})$

STEP B 직사각형 ABCD의 넓이 구하기

따라서 직사각형 ABCD의 넓이는 $6 \cdot \sqrt{2} = 6\sqrt{2}$

0852

STEP A 삼각함수의 성질을 이용하여 값 구하기

ㄱ. $\sin\left(\frac{\pi}{2} - \theta\right) = \cos\theta$, $\cos(\pi - \theta) = -\cos\theta$이므로

   $\therefore \sin\left(\frac{\pi}{2} - \theta\right) \neq \cos(\pi - \theta)$ [거짓]

ㄴ. $\cos\left(\frac{\pi}{2} + \theta\right) = -\sin\theta$, $\sin(\pi + \theta) = -\sin\theta$이므로

   $\therefore \cos\left(\frac{\pi}{2} + \theta\right) = \sin(\pi + \theta)$ [참]

ㄷ. $\tan\left(\frac{\pi}{2} - \theta\right) = \frac{1}{\tan\theta}$, $\tan(\pi + \theta) = \tan\theta$이므로

   $\therefore \tan\left(\frac{\pi}{2} - \theta\right) = \frac{1}{\tan(\pi + \theta)}$ [참]

따라서 옳은 것은 ㄴ, ㄷ이다.

내/신/연/계/ 출제문항 309

임의의 실수 θ에 대하여 [보기]에서 옳은 것만을 있는 대로 고른 것은?

> ㄱ. $\sin\left(\frac{\pi}{2} + \theta\right) = \cos(2\pi - \theta)$
>
> ㄴ. $\cos\left(\frac{\pi}{2} + \theta\right) = \sin(3\pi - \theta)$
>
> ㄷ. $\tan\left(\frac{\pi}{2} + \theta\right) = \frac{1}{\tan(\pi - \theta)}$

① ㄱ   ② ㄴ   ③ ㄱ, ㄷ

④ ㄴ, ㄷ   ⑤ ㄱ, ㄴ, ㄷ

STEP A 삼각함수의 성질을 이용하여 값 구하기

ㄱ. $\sin\left(\frac{\pi}{2} + \theta\right) = \cos\theta$, $\cos(2\pi - \theta) = \cos\theta$이므로

   $\therefore \sin\left(\frac{\pi}{2} + \theta\right) = \cos(2\pi - \theta)$ [참]

ㄴ. $\cos\left(\frac{\pi}{2} + \theta\right) = -\sin\theta$, $\sin(3\pi - \theta) = \sin\theta$이므로

   $\therefore \cos\left(\frac{\pi}{2} + \theta\right) \neq \sin(3\pi - \theta)$ [거짓]

ㄷ. $\tan\left(\frac{\pi}{2} + \theta\right) = -\frac{1}{\tan\theta}$, $\tan(\pi - \theta) = -\tan\theta$이므로

   $\therefore \tan\left(\frac{\pi}{2} + \theta\right) = \frac{1}{\tan(\pi - \theta)}$ [참]

따라서 옳은 것은 ㄱ, ㄷ이다.   정답 ③

0853

STEP A 삼각함수의 성질을 이용하여 식을 간단히 하기

조건 (가)에서 $\sin\left(\frac{\pi}{2}+\theta\right)+\cos(\pi-\theta)-\tan\theta\tan\left(\frac{\pi}{2}+\theta\right)$

$$=\cos\theta-\cos\theta-\tan\theta\cdot\left(-\frac{1}{\tan\theta}\right)=1$$

조건 (나)에서 $\sin\left(\frac{\pi}{2}+\theta\right)-\sin(\pi-\theta)+\cos(\pi+\theta)+\cos\left(\frac{\pi}{2}-\theta\right)$

$$=\cos\theta-\sin\theta-\cos\theta+\sin\theta=0$$

따라서 $a=1$, $b=0$이므로 $a+b=1$

0854

STEP A 일반각에 대한 삼각함수의 성질을 이용하기

$\sin^2\left(\frac{\pi}{2}+\theta\right)+4\cos^2(\pi+\theta)+2\sin^2(2\pi-\theta)+3\cos^2\left(\frac{3}{2}\pi-\theta\right)$

$=\cos^2\theta+4(-\cos\theta)^2+2\sin^2\theta+3(-\sin\theta)^2$

$=5\sin^2\theta+5\cos^2\theta=5(\sin^2\theta+\cos^2\theta)=5$

내/신/연/계/ 출제문항 310

$\sin^2(-\theta)+\sin^2\left(\frac{\pi}{2}+\theta\right)+\sin^2\left(\frac{\pi}{2}-\theta\right)+\sin^2(\pi-\theta)$의 값은?

① -2 ② -1 ③ 0

④ 1 ⑤ 2

STEP A 일반각에 대한 삼각함수의 성질을 이용하기

$\sin^2(-\theta)+\sin^2\left(\frac{\pi}{2}+\theta\right)+\sin^2\left(\frac{\pi}{2}-\theta\right)+\sin^2(\pi-\theta)$

$=\sin^2\theta+(\cos\theta)^2+(\cos\theta)^2+(\sin\theta)^2$

$=2\sin^2\theta+2\cos^2\theta$

$=2(\sin^2\theta+\cos^2\theta)$

$=2$

정답 ⑤

0855

STEP A 삼각함수의 성질을 이용하여 식을 간단히 하기

조건 (가)에서 $\sin^2\theta+\sin^2\left(\frac{\pi}{2}+\theta\right)+\sin^2(\pi+\theta)+\sin^2\left(\frac{3}{2}\pi+\theta\right)$

$$=\sin^2\theta+\cos^2\theta+\sin^2\theta+\cos^2\theta=1+1=2$$

조건 (나)에서 $\cos^2\theta+\cos^2\left(\frac{\pi}{2}-\theta\right)+\cos^2(\pi+\theta)+\cos^2\left(\frac{3}{2}\pi+\theta\right)$

$$=\cos^2\theta+\sin^2\theta+\cos^2\theta+\sin^2\theta=2$$

따라서 $a=2$, $b=2$이므로 $a+b=4$

0856

STEP A 삼각함수의 성질을 이용하여 식을 간단히 하기

$\cos\left(\frac{3}{2}\pi+\theta\right)=\cos\left(\pi+\frac{\pi}{2}+\theta\right)=-\cos\left(\frac{\pi}{2}+\theta\right)$

$$=-(-\sin\theta)=\sin\theta$$

$\therefore \dfrac{\sin\left(\frac{\pi}{2}-\theta\right)}{1+\sin(\pi+\theta)}\times\dfrac{\cos(\pi-\theta)}{1+\cos\left(\frac{3}{2}\pi+\theta\right)}=\dfrac{\cos\theta}{1-\sin\theta}\times\dfrac{-\cos\theta}{1+\sin\theta}$

$$=\dfrac{-\cos^2\theta}{1-\sin^2\theta}=\dfrac{-\cos^2\theta}{\cos^2\theta}=-1$$

0857

STEP A 삼각함수의 성질을 이용하여 식을 간단히 하기

$\dfrac{2\sin\left(\frac{\pi}{2}-\theta\right)}{\sin\left(\frac{\pi}{2}+\theta\right)\cos^2\theta}+\dfrac{2\tan^2(\pi-\theta)\sin(\pi+\theta)}{\cos\left(\frac{3}{2}\pi+\theta\right)}$

$=\dfrac{2\cos\theta}{\cos\theta\cos^2\theta}+\dfrac{2\tan^2\theta(-\sin\theta)}{\sin\theta}$

$=\dfrac{2}{\cos^2\theta}-2\tan^2\theta$

$=2\left(\dfrac{1}{\cos^2\theta}-\dfrac{\sin^2\theta}{\cos^2\theta}\right)$

$=2\cdot\dfrac{1-\sin^2\theta}{\cos^2\theta}$

$=2\cdot\dfrac{\cos^2\theta}{\cos^2\theta}$

$=2$

내/신/연/계/ 출제문항 311

다음 조건을 만족하는 a, b에 대하여 $a+b$의 값은?

> (가) $\dfrac{\sin\left(\frac{3}{2}\pi-\theta\right)}{\sin\left(\frac{\pi}{2}+\theta\right)\cos^2\theta}-\dfrac{\sin(\pi+\theta)\tan^2(\pi-\theta)}{\cos\left(\frac{3}{2}\pi+\theta\right)}=a$
>
> (나) $\dfrac{\sin(-\theta)}{\cos\left(\frac{\pi}{2}+\theta\right)}-\dfrac{\cos(3\pi-\theta)\tan(\pi+\theta)}{\sin(2\pi+\theta)}=b$

① -1 ② 0 ③ 1

④ $\sqrt{3}$ ⑤ 2

STEP A 삼각함수의 성질을 이용하여 조건 (가) 구하기

조건 (가)에서 $\dfrac{\sin\left(\frac{3}{2}\pi-\theta\right)}{\sin\left(\frac{\pi}{2}+\theta\right)\cos^2\theta}-\dfrac{\sin(\pi+\theta)\tan^2(\pi-\theta)}{\cos\left(\frac{3}{2}\pi+\theta\right)}$

$=\dfrac{-\cos\theta}{\cos\theta\cos^2\theta}-\dfrac{-\sin\theta(-\tan\theta)^2}{\sin\theta}$

$=-\dfrac{1}{\cos^2\theta}+\tan^2\theta$

$=-\dfrac{1}{\cos^2\theta}+\dfrac{\sin^2\theta}{\cos^2\theta}$

$=-\dfrac{1-\sin^2\theta}{\cos^2\theta}$

$=-\dfrac{\cos^2\theta}{\cos^2\theta}$

$=-1$

$\therefore a=-1$

STEP B 삼각함수의 성질을 이용하여 조건 (나) 구하기

조건 (나)에서 $\dfrac{\sin(-\theta)}{\cos\left(\frac{\pi}{2}+\theta\right)}-\dfrac{\cos(3\pi-\theta)\tan(\pi+\theta)}{\sin(2\pi+\theta)}$

$=\dfrac{-\sin\theta}{-\sin\theta}-\dfrac{-\cos\theta\tan\theta}{\sin\theta}$

$=1+\dfrac{\cos\theta}{\sin\theta}\times\dfrac{\sin\theta}{\cos\theta}$

$=1+1=2$

$\therefore b=2$

따라서 $a+b=-1+2=1$

 정답 ③

0858

정답 ②

STEP A 직선의 기울기를 이용하여 $\tan\theta$ 구하기

직선 $x-3y+3=0$의 기울기가 $\dfrac{1}{3}$이고 이 직선 위에 x축의 양의 방향과

이루는 각의 크기가 θ이므로 $\tan\theta=\dfrac{1}{3}$

STEP B 일반각에 대한 삼각함수의 성질을 이용하여 주어진 값 구하기

따라서 $\cos(\pi+\theta)+\sin\left(\dfrac{\pi}{2}-\theta\right)+\tan(-\theta)=-\cos\theta+\cos\theta-\tan\theta$

$$=-\tan\theta=-\dfrac{1}{3}$$

0859

정답 ④

STEP A 직선의 기울기를 이용하여 $\tan\theta$ 구하기

직선 $x+2y-3=0$의 기울기가 $-\dfrac{1}{2}$이고 이 직선 위에 x축의 양의 방향과

이루는 각의 크기가 θ이므로 $\tan\theta=-\dfrac{1}{2}$

STEP B 일반각에 대한 삼각함수의 성질을 이용하여 주어진 값 구하기

$$\dfrac{\cos\left(\dfrac{3}{2}\pi+\theta\right)}{1+\sin\left(\dfrac{\pi}{2}+\theta\right)}+\dfrac{\cos\left(\dfrac{\pi}{2}+\theta\right)}{1+\cos(\pi+\theta)}=\dfrac{\sin\theta}{1+\cos\theta}+\dfrac{-\sin\theta}{1-\cos\theta}$$

$$=\dfrac{\sin\theta(1-\cos\theta)-\sin\theta(1+\cos\theta)}{(1+\cos\theta)(1-\cos\theta)}$$

$$=\dfrac{-2\sin\theta\cos\theta}{1-\cos^2\theta}$$

$$=\dfrac{-2\sin\theta\cos\theta}{\sin^2\theta}$$

$$=-\dfrac{2}{\tan\theta}=(-2)\cdot(-2)=4$$

내/신/연/계 출제문항 312

직선 $y=ax+2$가 x축의 양의 방향과 이루는 각의 크기를 θ라 할 때,

$$\dfrac{1-\cos(\pi-\theta)}{\sin\theta}+\dfrac{1+\sin\left(\dfrac{3}{2}\pi+\theta\right)}{\sin(\pi+\theta)}=4$$

를 만족시키는 상수 a의 값은? (단, $a\neq0$)

① $\dfrac{1}{2}$　　② $\dfrac{2}{3}$　　③ 1

④ $\dfrac{4}{3}$　　⑤ $\dfrac{5}{3}$

STEP A 직선의 기울기를 이용하여 $\tan\theta$ 구하기

직선 $y=ax+2$가 x축의 양의 방향과 이루는 각의 크기가 θ이므로

$\tan\theta=a$

STEP B 일반각에 대한 삼각함수의 성질을 이용하여 주어진 a값 구하기

$$\dfrac{1-\cos(\pi-\theta)}{\sin\theta}+\dfrac{1+\sin\left(\dfrac{3}{2}\pi+\theta\right)}{\sin(\pi+\theta)}$$

$$=\dfrac{1-(-\cos\theta)}{\sin\theta}+\dfrac{1+\sin\left\{\pi+\left(\dfrac{\pi}{2}+\theta\right)\right\}}{-\sin\theta}$$

$$=\dfrac{1+\cos\theta}{\sin\theta}-\dfrac{1-\sin\left(\dfrac{\pi}{2}+\theta\right)}{\sin\theta}$$

$$=\dfrac{1+\cos\theta}{\sin\theta}-\dfrac{1-\cos\theta}{\sin\theta}$$

$$=\dfrac{2\cos\theta}{\sin\theta}=\dfrac{2}{\tan\theta}=4$$

따라서 $a=\tan\theta=\dfrac{1}{2}$

정답 ①

0860

정답 ③

STEP A 두 점 A, C의 좌표를 θ로 표현한 후 $-\cos\theta$와 같은 값을 구하기

점 A의 좌표를 (a,b)라 하면 $\overline{OA}=1$이므로

$$\sin\theta=\dfrac{b}{\overline{OA}}=b,\ \cos\theta=\dfrac{a}{\overline{OA}}=a$$

$\therefore$ A$(\cos\theta,\sin\theta)$

점 C는 점 A를 원점에 대하여 대칭이동한 것이므로 점 C의 좌표는

$(-\cos\theta,-\sin\theta)$

따라서 $\cos(\pi-\theta)=-\cos\theta$의 값은 점 C의 x좌표와 같다.

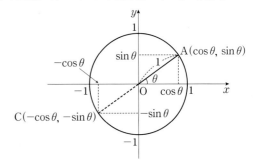

내/신/연/계 출제문항 313

오른쪽 그림과 같이 정사각형 ABCD가 중심이 원점이고 반지름의 길이가 3인 원에 내접해 있다.

x축과 선분 OA가 이루는 각을 θ라 할 때, 점 D의 x좌표는?

(단, 점 A는 제1사분면의 점이다.)

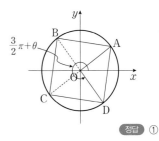

① $3\sin\theta$　　② $3\cos\theta$

③ $3\tan\theta$　　④ $\dfrac{3}{\sin\theta}$

⑤ $\dfrac{3}{\cos\theta}$

STEP A 삼각함수의 성질을 이용하여 점 D의 좌표 x좌표 구하기

$\overline{OD}=3$이고 동경 OD가 나타내는

각의 크기가 $\dfrac{3}{2}\pi+\theta$이므로

점 D의 x좌표는

$$3\cos\left(\dfrac{3}{2}\pi+\theta\right)=3\sin\theta$$

정답 ①

0861

정답 ③

STEP A 삼각함수의 성질을 이용하여 값 구하기

$$\sin\dfrac{7}{6}\pi=\sin\left(\pi+\dfrac{\pi}{6}\right)=-\sin\dfrac{\pi}{6}=-\dfrac{1}{2}$$

$$\cos\dfrac{5}{3}\pi=\cos\left(2\pi-\dfrac{\pi}{3}\right)=\cos\dfrac{\pi}{3}=\dfrac{1}{2}$$

이므로 $\sin\dfrac{7}{6}\pi+\cos\dfrac{5}{3}\pi=-\dfrac{1}{2}+\dfrac{1}{2}=0$

0862

정답 ①

STEP Ⓐ 삼각함수의 성질을 이용하여 값 구하기

$\sin\left(-\dfrac{\pi}{6}\right)+\cos\dfrac{7}{3}\pi-\tan\dfrac{5}{4}\pi$

$=\sin\left(-\dfrac{\pi}{6}\right)+\cos\left(2\pi+\dfrac{\pi}{3}\right)-\tan\left(\pi+\dfrac{\pi}{4}\right)$

$=-\sin\dfrac{\pi}{6}+\cos\dfrac{\pi}{3}-\tan\dfrac{\pi}{4}$

$=-\dfrac{1}{2}+\dfrac{1}{2}-1$

$=-1$

0863

정답 ③

STEP Ⓐ 일반각에 대한 삼각함수의 성질을 이용하기

$\sin\dfrac{2}{3}\pi=\sin\left(\pi-\dfrac{\pi}{3}\right)=\sin\dfrac{\pi}{3}=\dfrac{\sqrt{3}}{2}$

$\tan\dfrac{5}{4}\pi=\tan\left(\pi+\dfrac{\pi}{4}\right)=\tan\dfrac{\pi}{4}=1$

$\cos\dfrac{11}{6}\pi=\cos\left(2\pi-\dfrac{\pi}{6}\right)=\cos\dfrac{\pi}{6}=\dfrac{\sqrt{3}}{2}$

$\tan\dfrac{3}{4}\pi=\tan\left(\pi-\dfrac{\pi}{4}\right)=-\tan\dfrac{\pi}{4}=-1$

따라서 $\dfrac{\sin\dfrac{2}{3}\pi}{\tan\dfrac{5}{4}\pi}+\dfrac{\cos\dfrac{11}{6}\pi}{\tan\dfrac{3}{4}\pi}=\dfrac{\dfrac{\sqrt{3}}{2}}{1}+\dfrac{\dfrac{\sqrt{3}}{2}}{-1}=0$

 내/신/연/계/ 출제문항 314

$\sin\dfrac{7}{6}\pi+\cos\left(-\dfrac{2}{3}\pi\right)+\cos\dfrac{23}{6}\pi-\tan\dfrac{7}{4}\pi$ 의 값은?

① $-\dfrac{\sqrt{3}}{2}$　② -1　③ $\dfrac{1}{2}$

④ $\dfrac{\sqrt{3}}{2}$　⑤ 1

STEP Ⓐ 일반각에 대한 삼각함수의 성질을 이용하기

$\sin\dfrac{7}{6}\pi+\cos\left(-\dfrac{2}{3}\pi\right)+\cos\dfrac{23}{6}\pi-\tan\dfrac{7}{4}\pi$

$=\sin\left(\pi+\dfrac{\pi}{6}\right)+\cos\left(\pi-\dfrac{\pi}{3}\right)+\cos\left(2\pi\cdot2-\dfrac{\pi}{6}\right)-\tan\left(2\pi-\dfrac{\pi}{4}\right)$

$=-\sin\dfrac{\pi}{6}+\left(-\cos\dfrac{\pi}{3}\right)+\cos\dfrac{\pi}{6}-\left(-\tan\dfrac{\pi}{4}\right)$

$=-\dfrac{1}{2}+\left(-\dfrac{1}{2}\right)+\dfrac{\sqrt{3}}{2}-(-1)$

$=\dfrac{\sqrt{3}}{2}$

정답 ④

0864

정답 ④

STEP Ⓐ 삼각함수의 성질을 이용하여 값 구하기

$\sin120°-\cos210°+\tan240°$

$=\sin(180°-60°)-\cos(180°+30°)+\tan(180°+60°)$

$=\sin60°+\cos30°+\tan60°$

$=\dfrac{\sqrt{3}}{2}+\dfrac{\sqrt{3}}{2}+\sqrt{3}$

$=2\sqrt{3}$

0865

정답 ①

STEP Ⓐ $90°n\pm\theta$ (n은 정수)꼴의 삼각함수 계산하기

조건 (가)에서

$\sin150°=\sin(180°-30°)=\sin30°=\dfrac{1}{2}$

$\cos480°=\cos(360°+120°)=\cos120°=-\dfrac{1}{2}$

◀ $\cos480°=\cos(90°\cdot5+30°)=-\sin30°$

$\sin240°=\sin(180°+60°)=-\sin60°=-\dfrac{\sqrt{3}}{2}$

$\cos150°=\cos(180°-30°)=-\cos30°=-\dfrac{\sqrt{3}}{2}$

$\therefore$ (주어진 식)$=\dfrac{1}{2}\cdot\left(-\dfrac{1}{2}\right)-\left(-\dfrac{\sqrt{3}}{2}\right)\left(-\dfrac{\sqrt{3}}{2}\right)=-\dfrac{1}{4}-\dfrac{3}{4}=-1$

STEP Ⓑ $\dfrac{\pi}{2}n\pm\theta$ (n은 정수)꼴의 삼각함수 계산하기

조건 (나)에서

$\sin\dfrac{2}{3}\pi=\sin\left(\pi-\dfrac{\pi}{3}\right)=\sin\dfrac{\pi}{3}=\dfrac{\sqrt{3}}{2}$

$\tan\dfrac{5}{6}\pi=\tan\left(\pi-\dfrac{\pi}{6}\right)=-\tan\dfrac{\pi}{6}=-\dfrac{\sqrt{3}}{3}$

$\cos\left(-\dfrac{13}{3}\pi\right)=\cos\dfrac{13}{3}\pi=\cos\left(4\pi+\dfrac{\pi}{3}\right)=\cos\dfrac{\pi}{3}=\dfrac{1}{2}$

$\tan\dfrac{7}{4}\pi=\tan\left(2\pi-\dfrac{\pi}{4}\right)=-\tan\dfrac{\pi}{4}=-1$

$\therefore$ (주어진 식)$=\dfrac{\sqrt{3}}{2}\cdot\left(-\dfrac{\sqrt{3}}{3}\right)+\dfrac{1}{2}\cdot(-1)=-\dfrac{1}{2}-\dfrac{1}{2}=-1$

따라서 $a=-1$, $b=-1$이므로 $a+b=-2$

 내/신/연/계/ 출제문항 315

다음 조건을 만족하는 a, b에 대하여 $a+b$의 값은?

(가) $2\cos\dfrac{5}{3}\pi-\sqrt{3}\tan\dfrac{7}{3}\pi+\sin\dfrac{5}{2}\pi=a$

(나) $\sin840°\tan(-540°)+\cos480°\tan495°=b$

① -1　② $-\dfrac{1}{2}$　③ 1

④ $\dfrac{\sqrt{3}}{2}$　⑤ $\sqrt{3}$

STEP Ⓐ $\dfrac{\pi}{2}n\pm\theta$ (n은 정수)꼴의 삼각함수 계산하기

조건 (가)에서

$2\cos\dfrac{5}{3}\pi=2\cos\left(2\pi-\dfrac{\pi}{3}\right)=2\cos\dfrac{\pi}{3}=2\cdot\dfrac{1}{2}=1$

$\sqrt{3}\tan\dfrac{7}{3}\pi=\sqrt{3}\tan\left(2\pi+\dfrac{\pi}{3}\right)=\sqrt{3}\tan\dfrac{\pi}{3}=\sqrt{3}\cdot\sqrt{3}=3$

$\sin\dfrac{5}{2}\pi=\sin\left(2\pi+\dfrac{\pi}{2}\right)=\sin\dfrac{\pi}{2}=1$

$\therefore$ (주어진 식)$=2\cdot\dfrac{1}{2}-\sqrt{3}\cdot\sqrt{3}+1=-1$

STEP Ⓑ $90°n\pm\theta$ (n은 정수)꼴의 삼각함수 계산하기

조건 (나)에서

$\sin840°=\sin(360°\times2+120°)=\sin120°=\dfrac{\sqrt{3}}{2}$

$\tan(-540°)=\tan(180°\times(-3))=0$

$\cos480°=\cos(360°\times1+120°)=\cos120°=-\dfrac{1}{2}$

◀ $\cos480°=\cos(90°\cdot5+30°)=-\sin30°$

$\tan495°=\tan(180°\times3-45°)=-\tan45°=-1$

$\therefore$ (주어진 식)$=\dfrac{\sqrt{3}}{2}\cdot0+\left(-\dfrac{1}{2}\right)\cdot(-1)=\dfrac{1}{2}$

따라서 $a=-1$, $b=\dfrac{1}{2}$이므로 $a+b=-\dfrac{1}{2}$

정답 ②

0866

정답 ②

STEP Ⓐ 일반각에 대한 삼각함수의 성질을 이용하여 대소 관계 구하기

$b=\cos 40°=\cos(90°-50°)=\sin 50°$

$c=\sin 135°=\sin(180°-45°)=\sin 45°$

그런데 $0°<\theta_1<\theta_2<90°$이면 $\sin\theta_1<\sin\theta_2$이므로

$\sin 40°<\sin 45°<\sin 50°$

따라서 $\sin 40°<\sin 135°<\cos 40°$이므로 $a<c<b$

내/신/연/계/ 출제문항 316

$a=\cos 100°$, $b=\sin 150°$, $c=\sin 200°$의 대소 관계로 옳은 것은?

① $a<b<c$　　② $b<a<c$　　③ $b<c<a$

④ $c<a<b$　　⑤ $c<b<a$

STEP Ⓐ 삼각함수의 성질을 이용하여 대소관계 구하기

$a=\cos 100°=\cos(90°+10°)=-\sin 10°$

$b=\sin 150°=\sin(180°-30°)=\sin 30°$

$c=\sin 200°=\sin(180°+20°)=-\sin 20°$에서

$a<0$, $b>0$, $c<0$

$\sin 10°<\sin 20°$에서 $-\sin 10°>-\sin 20°$, 즉 $a>c$

따라서 $c<a<b$

정답 ④

0867

정답 ①

STEP Ⓐ 주어진 각을 $90°\times n\pm\theta$ (n은 정수)꼴로 변형하기

$\sin 250°=\sin(90°\times 3-20°)=-\cos 20°=-0.9397$

$\cos 100°=\cos(90°\times 1+10°)=-\sin 10°=-0.1736$

$\tan 190°=\tan(90°\times 2+10°)=\tan 10°=0.1763$

$\therefore \sin 250°+\cos 100°+\tan 190°=-0.9397-0.1736+0.1763=-0.9370$

0868

정답 ⑤

STEP Ⓐ 일반각에 대한 삼각함수의 성질을 이용하여 주어진 값 구하기

$f(x)=a\sin 3\pi x+b\cos 2\pi x$에 대하여

$f\left(\dfrac{11}{6}\right)=a\sin\dfrac{11}{2}\pi+b\cos\dfrac{11}{3}\pi=\dfrac{1}{2}$에서

$\sin\dfrac{11}{2}\pi=\sin\left(6\pi-\dfrac{\pi}{2}\right)=\sin\left(-\dfrac{\pi}{2}\right)=-\sin\dfrac{\pi}{2}=-1$

$\cos\dfrac{11}{3}\pi=\cos\left(4\pi-\dfrac{\pi}{3}\right)=\cos\left(-\dfrac{\pi}{3}\right)=\cos\dfrac{\pi}{3}=\dfrac{1}{2}$

이므로 $-a+\dfrac{1}{2}b=\dfrac{1}{2}$

$\therefore -2a+b=1$ 　　　　 …… ㉠

$f\left(\dfrac{7}{4}\right)=a\sin\dfrac{21}{4}\pi+b\cos\dfrac{7}{2}\pi=-\sqrt{2}$에서

$\sin\dfrac{21}{4}\pi=\sin\left(4\pi+\dfrac{5}{4}\pi\right)=\sin\dfrac{5}{4}\pi=\sin\left(\pi+\dfrac{\pi}{4}\right)=-\sin\dfrac{\pi}{4}=-\dfrac{\sqrt{2}}{2}$

$\cos\dfrac{7}{2}\pi=\cos\left(4\pi-\dfrac{\pi}{2}\right)=\cos\left(-\dfrac{\pi}{2}\right)=\cos\dfrac{\pi}{2}=0$이므로

$-\dfrac{\sqrt{2}}{2}a=-\sqrt{2}$ 　 $\therefore a=2$

㉠에서 $b=2a+1=5$

따라서 $ab=2\cdot 5=10$

0869

정답 ②

STEP Ⓐ $\sin^2\theta+\sin^2\left(\dfrac{\pi}{2}-\theta\right)=1$임을 이용하여 구하기

$\sin 50°=\sin(90°-40°)=\cos 40°$

$\sin 70°=\sin(90°-20°)=\cos 20°$

따라서 $\sin^2 20°+\sin^2 40°+\sin^2 50°+\sin^2 70°$

$\quad=\sin^2 20°+\sin^2 40°+\cos^2 40°+\cos^2 20°$

$\quad=(\sin^2 20°+\cos^2 20°)+(\sin^2 40°+\cos^2 40°)$

$\quad=1+1=2$

0870

정답 ④

STEP Ⓐ $\sin^2\theta+\sin^2\left(\dfrac{\pi}{2}-\theta\right)=1$임을 이용하여 구하기

$\sin\left(\dfrac{\pi}{2}-\theta\right)=\cos\theta$이므로

$\sin^2\theta+\sin^2\left(\dfrac{\pi}{2}-\theta\right)=\sin^2\theta+\cos^2\theta=1$

따라서 구하는 값은

$\sin^2\dfrac{1}{36}\pi+\sin^2\dfrac{2}{36}\pi+\sin^2\dfrac{3}{36}\pi+\sin^2\dfrac{4}{36}\pi\cdots+\sin^2\dfrac{17}{36}\pi+\sin^2\dfrac{18}{36}\pi$

$=\left(\sin^2\dfrac{1}{36}\pi+\sin^2\dfrac{17}{36}\pi\right)+\left(\sin^2\dfrac{2}{36}\pi+\sin^2\dfrac{16}{36}\pi\right)+\cdots$

$\qquad\qquad +\left(\sin^2\dfrac{8}{36}\pi+\sin^2\dfrac{10}{36}\pi\right)+\sin^2\dfrac{9}{36}\pi+\sin^2\dfrac{18}{36}\pi$

$=\underbrace{1+1+\cdots+1}_{8개}+\sin^2\dfrac{\pi}{4}+\sin^2\dfrac{\pi}{2}$

$=8+\dfrac{1}{2}+1=\dfrac{19}{2}$

내/신/연/계/ 출제문항 317

$\sin^2\dfrac{\pi}{18}+\sin^2\dfrac{2}{18}\pi+\sin^2\dfrac{3}{18}\pi+\cdots+\sin^2\dfrac{7}{18}\pi+\sin^2\dfrac{8}{18}\pi$의 값은?

① 4　　　　　② $\dfrac{9}{2}$　　　　　③ 5

④ $\dfrac{11}{2}$　　　　　⑤ 8

STEP Ⓐ $\sin^2\theta+\sin^2\left(\dfrac{\pi}{2}-\theta\right)=1$임을 이용하여 구하기

$\sin\left(\dfrac{\pi}{2}-\theta\right)=\cos\theta$이므로

$\sin^2\theta+\sin^2\left(\dfrac{\pi}{2}-\theta\right)=\sin^2\theta+\cos^2\theta=1$

따라서 구하는 값은

$\sin^2\dfrac{\pi}{18}+\sin^2\dfrac{2}{18}\pi+\sin^2\dfrac{3}{18}\pi+\cdots+\sin^2\dfrac{7}{18}\pi+\sin^2\dfrac{8}{18}\pi$

$=\left(\sin^2\dfrac{\pi}{18}+\sin^2\dfrac{8}{18}\pi\right)+\left(\sin^2\dfrac{2}{18}\pi+\sin^2\dfrac{7}{18}\pi\right)$

$\qquad +\left(\sin^2\dfrac{3}{18}\pi+\sin^2\dfrac{6}{18}\pi\right)+\left(\sin^2\dfrac{4}{18}\pi+\sin^2\dfrac{5}{18}\pi\right)$

$=1+1+1+1=4$

정답 ①

0871

STEP Ⓐ $\cos^2\theta+\cos^2\left(\dfrac{\pi}{2}-\theta\right)=1$임을 이용하여 구하기

$\cos\left(\dfrac{\pi}{2}-\theta\right)=\sin\theta$이므로 $\cos^2\left(\dfrac{\pi}{2}-\theta\right)+\cos^2\theta=\sin^2\theta+\cos^2\theta=1$

따라서 구하는 값은

$\cos^2\dfrac{1}{36}\pi+\cos^2\dfrac{2}{36}\pi+\cos^2\dfrac{3}{36}\pi+\cdots+\cos^2\dfrac{17}{36}\pi+\cos^2\dfrac{18}{36}\pi$

$=\left(\cos^2\dfrac{1}{36}\pi+\cos^2\dfrac{17}{36}\pi\right)+\left(\cos^2\dfrac{2}{36}\pi+\cos^2\dfrac{16}{36}\pi\right)+\cdots$
$\qquad\qquad+\left(\cos^2\dfrac{8}{36}\pi+\cos^2\dfrac{10}{36}\pi\right)+\cos^2\dfrac{9}{36}\pi+\cos^2\dfrac{18}{36}\pi$

$=\underbrace{1+1+\cdots+1}_{8개}+\cos^2\dfrac{\pi}{4}+\cos^2\dfrac{\pi}{2}$

$=8+\dfrac{1}{2}+0=\dfrac{17}{2}$

0872

정답 ②

STEP Ⓐ $\sin^2\theta+\sin^2\left(\dfrac{\pi}{2}-\theta\right)=1$임을 이용하여 구하기

$\sin\left(\dfrac{\pi}{2}-\theta\right)=\cos\theta$이므로 $\sin^2\theta+\sin^2\left(\dfrac{\pi}{2}-\theta\right)=\sin^2\theta+\cos^2\theta=1$

따라서 구하는 값은

$=\sin^2\dfrac{\pi}{50}+\sin^2\dfrac{2}{50}\pi+\sin^2\dfrac{3}{50}\pi+\cdots+\sin^2\dfrac{24}{50}\pi$

$=\sin^2\left(\dfrac{\pi}{2}-\dfrac{24}{50}\pi\right)+\sin^2\left(\dfrac{\pi}{2}-\dfrac{23}{50}\pi\right)+\cdots+\sin^2\left(\dfrac{\pi}{2}-\dfrac{13}{50}\pi\right)$
$\qquad\qquad+\sin^2\dfrac{13}{50}\pi+\cdots+\sin^2\dfrac{23}{50}\pi+\sin^2\dfrac{24}{50}\pi$

$=\cos^2\dfrac{24}{50}\pi+\cos^2\dfrac{23}{50}\pi+\cdots+\cos^2\dfrac{13}{50}\pi+\sin^2\dfrac{13}{50}\pi+\cdots$
$\qquad\qquad+\sin^2\dfrac{23}{50}\pi+\sin^2\dfrac{24}{50}\pi$

$=\left(\sin^2\dfrac{13}{50}\pi+\cos^2\dfrac{13}{50}\pi\right)+\cdots+\left(\sin^2\dfrac{23}{50}\pi+\cos^2\dfrac{23}{50}\pi\right)$
$\qquad\qquad+\left(\sin^2\dfrac{24}{50}\pi+\cos^2\dfrac{24}{50}\pi\right)$

$=1\cdot12=12$

0873

정답 ③

STEP Ⓐ $\alpha+\beta=360°$일 때, $\sin(360°-\theta)=-\sin\theta$임을 이용하여 값 구하기

$\sin359°=\sin(360°-1°)=-\sin1°$
$\sin358°=\sin(360°-2°)=-\sin2°$
$\qquad\qquad\vdots$
$\sin181°=\sin(360°-179°)=-\sin179°$

STEP Ⓑ 주어진 값 구하기

$\sin1°+\sin2°+\cdots+\sin359°+\sin360°$
$=\sin1°+\sin2°+\cdots+\sin179°+\sin180°-\sin179°-\cdots$
$\qquad\qquad\qquad\qquad\qquad-\sin2°-\sin1°+\sin360°$
$=\sin180°+\sin360°=0$

> 참고 $\sin1°+\sin2°+\sin3°+\cdots+\sin359°=0$

0874

정답 ④

STEP Ⓐ $\alpha+\beta=90°$일 때, $\tan\alpha\cdot\tan\beta=1$임을 이용하여 값 구하기

$\tan(90°-\theta)=\tan\left(\dfrac{\pi}{2}-\theta\right)=\dfrac{1}{\tan\theta}$이므로

$\tan5°\times\tan10°\times\tan15°\times\cdots\times\tan80°\times\tan85°$
$=(\tan5°\times\tan85°)\times(\tan10°\times\tan80°)\times\cdots$
$\qquad\qquad\times(\tan40°\times\tan50°)\times\tan45°$
$=\underbrace{1\times1\times\cdots\times1}_{8개}\times1$
$=1$

0875

정답 ③

STEP Ⓐ $\alpha+\beta=90°$일 때, $\tan\alpha\cdot\tan\beta=1$임을 이용하기

$\tan(90°-\theta)=\dfrac{1}{\tan\theta}$이므로

$\tan\theta\times\tan(90°-\theta)=\tan\theta\times\dfrac{1}{\tan\theta}=1$

즉 $\tan1°\times\tan89°=1$, $\tan2°\times\tan88°=1$, $\cdots$, $\tan44°\times\tan46°=1$

STEP Ⓑ 로그의 성질을 이용하여 값 구하기

$\log_2\tan1°+\log_2\tan2°+\log_2\tan3°+\cdots+\log_2\tan89°$
$=\log_2(\tan1°\times\tan2°\times\tan3°\times\cdots\times\tan89°)$
$=\log_2(\tan1°\times\tan89°)(\tan2°\times\tan88°)\cdots(\tan44°\times\tan46°)\times\tan45°$
$=\log_2(1\times1\times1\times\cdots\times1)$
$=\log_21=0$

0876

정답 ④

STEP Ⓐ

ㄱ. $1+\tan^2\alpha=1+\dfrac{\sin^2\alpha}{\cos^2\alpha}=\dfrac{\cos^2\alpha+\sin^2\alpha}{\cos^2\alpha}=\dfrac{1}{\cos^2\alpha}$ [거짓]

ㄴ. $\dfrac{\pi}{2}<\alpha<\pi$이면 $\sin\alpha>0$, $\cos\alpha<0$이므로 $\sin\alpha\cos\alpha<0$ [참]

ㄷ. $\alpha+\beta=\dfrac{\pi}{2}$에서 $\beta=\dfrac{\pi}{2}-\alpha$

$\tan\beta=\tan\left(\dfrac{\pi}{2}-\alpha\right)$이므로

$\tan\alpha\cdot\tan\beta=\tan\alpha\cdot\dfrac{1}{\tan\alpha}=1$ [참]

따라서 옳은 것은 ㄴ, ㄷ이다.

0877

정답 ④

STEP Ⓐ $\sin^2\theta+\sin^2(90°-\theta)=1$임을 이용하여 값 구하기

조건 (가)에서
$\sin(90°-\theta)=\cos\theta$이므로
$\sin^2\theta+\sin^2(90°-\theta)=\sin^2\theta+\cos^2\theta=1$
$\sin^21°+\sin^22°+\sin^23°+\cdots+\sin^289°+\sin^290°$
$=(\sin^21°+\sin^289°)+(\sin^22°+\sin^288°)+(\sin^244°+\sin^246°)$
$\qquad\qquad\qquad+\sin^245°+\sin^290°$
$=\underbrace{1+1+1+\cdots+1}_{44개}+\dfrac{1}{2}+1$
$=44+\dfrac{1}{2}+1$
$=\dfrac{91}{2}$
$\therefore a=\dfrac{91}{2}$

조건 (나)에서

$\cos(90°-\theta)=\sin\theta$이므로

$\cos^2\theta+\cos^2(90°-\theta)=\cos^2\theta+\sin^2\theta=1$

$\cos^2 1°+\cos^2 89°=\cos^2 1°+\sin^2 1°=1$

$\cos^2 2°+\cos^2 88°=\cos^2 2°+\sin^2 2°=1$

$\vdots$

$\cos^2 44°+\cos^2 46°=\cos^2 44°+\sin^2 44°=1$

$\cos^2 45°=\dfrac{1}{2}$이므로

$\cos^2 1°+\cos^2 2°+\cos^2 3°+\cdots+\cos^2 89°=44+\dfrac{1}{2}=\dfrac{89}{2}$

$\therefore b=\dfrac{89}{2}$

STEP Ⓒ $\tan\theta\times\tan(90°-\theta)=1$임을 이용하여 값 구하기

조건 (다)에서

$\tan(90°-\theta)=\dfrac{1}{\tan\theta}$이므로

$\tan\theta\times\tan(90°-\theta)=\tan\theta\times\dfrac{1}{\tan\theta}=1$

즉 $\tan 1°\times\tan 89°=1$, $\tan 2°\times\tan 88°=1$, $\cdots$

$\tan 44°\times\tan 46°=1$, $\tan 45°=1$이므로

$\tan 1°\times\tan 2°\times\cdots\times\tan 88°\times\tan 89°$

$=(\tan 1°\times\tan 89°)(\tan 2°\times\tan 88°)\cdots(\tan 44°\tan 46°)\tan 45°$

$=\left(\dfrac{1}{\tan 89°}\times\tan 89°\right)\left(\dfrac{1}{\tan 88°}\times\tan 88°\right)\cdots\left(\dfrac{1}{\tan 46°}\times\tan 46°\right)\tan 45°$

$=\tan 45°=1$

$\therefore c=1$

따라서 $a+b+c=\dfrac{91}{2}+\dfrac{89}{2}+1=91$

내/신/연/계 출제문항 **318**

삼각함수의 성질을 이용하여 다음 조건을 만족하는 a, b에 대하여
$a+b$의 값은?

> (가) $\sin^2 1°+\sin^2 3°+\sin^2 5°+\cdots+\sin^2 87°+\sin^2 89°=a$
> (나) $\cos^2 1°+\cos^2 3°+\cos^2 5°+\cdots+\cos^2 87°+\cos^2 89°=b$

① 44   ② 45   ③ 89
④ 90   ⑤ 91

STEP Ⓐ $\sin^2\theta+\sin^2(90°-\theta)=1$임을 이용하여 값 구하기

조건 (가)에서

$\sin^2 1°=\cos^2 89°$, $\sin^2 3°=\cos^2 87°$, $\cdots$이므로

$\sin^2 1°+\sin^2 3°+\sin^2 5°+\cdots+\sin^2 87°+\sin^2 89°$

$=(\sin^2 1°+\sin^2 89°)+(\sin^2 3°+\sin^2 87°)+\cdots+\sin^2 45°$

$=1+1+\cdots+1+\dfrac{1}{2}=22\times 1+\dfrac{1}{2}=\dfrac{45}{2}$

$\therefore a=\dfrac{45}{2}$

STEP Ⓑ $\cos^2\theta+\cos^2(90°-\theta)=1$임을 이용하여 값 구하기

조건 (나)에서

$\cos^2 1°=\sin^2 89°$, $\cos^2 3°=\sin^2 87°$, $\cdots$이므로

$\cos^2 1°+\cos^2 3°+\cos^2 5°+\cdots+\cos^2 87°+\cos^2 89°$

$=(\cos^2 1°+\cos^2 89°)+(\cos^2 3°+\cos^2 87°)+\cdots+\cos^2 45°$

$=1+1+1+\cdots+\cos^2 45°=22\times 1+\dfrac{1}{2}=\dfrac{45}{2}$

$\therefore b=\dfrac{45}{2}$

따라서 $a+b=45$

정답 ②

218

0878

정답 ①

STEP Ⓐ $\cos(\pi+\theta)=-\cos\theta$, $\cos(2\pi+\theta)=\cos\theta$임을 이용하여 항을 나열하기

$f(1)=\cos\dfrac{2}{3}\pi=\cos\left(\pi-\dfrac{\pi}{3}\right)=-\cos\dfrac{\pi}{3}=-\dfrac{1}{2}$

$f(2)=\cos\dfrac{4}{3}\pi=\cos\left(\pi+\dfrac{\pi}{3}\right)=-\cos\dfrac{\pi}{3}=-\dfrac{1}{2}$

$f(3)=\cos 2\pi=1$

$f(4)=\cos\dfrac{8}{3}\pi=\cos\left(2\pi+\dfrac{2}{3}\pi\right)=\cos\dfrac{2}{3}\pi=-\dfrac{1}{2}=f(1)$

$f(5)=\cos\dfrac{10}{3}\pi=\cos\left(2\pi+\dfrac{4}{3}\pi\right)=\cos\dfrac{4}{3}\pi=-\dfrac{1}{2}=f(2)$

$f(6)=\cos 4\pi=1=f(3)$

$\vdots$

$\therefore f(n+3)=f(n)$ ◀ $f(n)$은 $f(1)$, $f(2)$, $f(3)$의 값이 반복된다.

STEP Ⓑ $f(n+3)=f(n)$임을 이용하여 주어진 값 구하기

$f(1)+f(2)+f(3)+\cdots+f(50)$

$=16\{f(1)+f(2)+f(3)\}+f(1)+f(2)$

$=16\left(-\dfrac{1}{2}-\dfrac{1}{2}+1\right)+\left(-\dfrac{1}{2}\right)+\left(-\dfrac{1}{2}\right)$

$=-1$

내/신/연/계 출제문항 **319**

자연수 전체의 집합에서 정의된 함수 $f(n)=\sin\dfrac{n}{3}\pi$에 대하여

$f(1)+f(2)+f(3)+\cdots+f(100)$의 값은?

① -2 ② $-\sqrt{3}$ ③ 0
④ $\dfrac{1}{2}$ ⑤ $\dfrac{\sqrt{3}}{2}$

STEP Ⓐ $\sin(\pi-\theta)=\sin\theta$, $\sin(2\pi-\theta)=-\sin\theta$임을 이용하여 항을 나열하기

$f(1)=\sin\dfrac{\pi}{3}=\dfrac{\sqrt{3}}{2}$

$f(2)=\sin\dfrac{2}{3}\pi=\sin\left(\pi-\dfrac{\pi}{3}\right)=\sin\dfrac{\pi}{3}=\dfrac{\sqrt{3}}{2}$

$f(3)=\sin\pi=0$

$f(4)=\sin\dfrac{4}{3}\pi=\sin\left(\pi+\dfrac{\pi}{3}\right)=-\sin\dfrac{\pi}{3}=-\dfrac{\sqrt{3}}{2}$

$f(5)=\sin\dfrac{5}{3}\pi=\sin\left(2\pi-\dfrac{\pi}{3}\right)=-\sin\dfrac{\pi}{3}=-\dfrac{\sqrt{3}}{2}$

$f(6)=\sin 2\pi=0$

$\vdots$

$\therefore f(n+6)=f(n)$

STEP Ⓑ $f(n+6)=f(n)$임을 이용하여 주어진 값 구하기

이때 $\sin(2kn+\theta)=\sin\theta$ (k는 정수)이므로 $f(n)$은
$f(1)$, $f(2)$, $f(3)$, $f(4)$, $f(5)$, $f(6)$의 값이 반복된다.

따라서 $100=6\times 16+4$이므로

$f(1)+f(2)+f(3)+\cdots+f(100)$

$=16\left\{\dfrac{\sqrt{3}}{2}+\dfrac{\sqrt{3}}{2}+0+\left(-\dfrac{\sqrt{3}}{2}\right)+\left(-\dfrac{\sqrt{3}}{2}\right)+0\right\}+\dfrac{\sqrt{3}}{2}+\dfrac{\sqrt{3}}{2}+0+\left(-\dfrac{\sqrt{3}}{2}\right)$

$=\dfrac{\sqrt{3}}{2}$

정답 ⑤

0879

정답 ②

STEP Ⓐ $\alpha+\beta=\dfrac{\pi}{2}$**이면 어떤** $\sin\beta=\sin\left(\dfrac{\pi}{2}-\alpha\right)=\cos\alpha$**의 관계가 성립 함을 이용하여 주어진 식을 정리하기**

$\theta=\dfrac{\pi}{20}$에서 $10\theta=\dfrac{\pi}{2}$이므로

$\cos9\theta=\cos(10\theta-\theta)=\cos\left(\dfrac{\pi}{2}-\theta\right)=\sin\theta$

$\cos8\theta=\sin2\theta,\ \cos7\theta=\sin3\theta,\ \cos6\theta=\sin4\theta$

$\cos5\theta=\cos5\cdot\dfrac{\pi}{20}=\cos\dfrac{\pi}{4}=\dfrac{\sqrt{2}}{2}$

$\sin5\theta=\sin5\cdot\dfrac{\pi}{20}=\sin\dfrac{\pi}{4}=\dfrac{\sqrt{2}}{2}$

$\sin6\theta=\sin(10\theta-4\theta)=\sin\left(\dfrac{\pi}{2}-4\theta\right)=\cos4\theta$

$\sin7\theta=\cos3\theta,\ \sin8\theta=\cos2\theta,\ \sin9\theta=\cos\theta$

STEP Ⓑ $\sin^2\theta+\cos^2\theta=1$**임을 이용하여 값 구하기**

$\therefore$ (주어진 식)$=\sin^2\theta+\sin^22\theta+\sin^23\theta+\sin^24\theta+\dfrac{\sqrt{2}}{2}\cdot\dfrac{\sqrt{2}}{2}$
$\qquad\qquad\qquad+\cos^24\theta+\cos^23\theta+\cos^22\theta+\cos^2\theta$
$\quad=(\sin^2\theta+\cos^2\theta)+(\sin^22\theta+\cos^22\theta)$
$\qquad\qquad+(\sin^23\theta+\cos^23\theta)+(\sin^24\theta+\cos^24\theta)+\dfrac{1}{2}$
$\quad=1\cdot4+\dfrac{1}{2}=\dfrac{9}{2}$

내/신/연/계 출제문항 320

$\theta=\dfrac{\pi}{8}$일 때, $\sin\theta\cos3\theta+\sin2\theta\cos2\theta+\sin3\theta\cos\theta$의 값은?

① $-\dfrac{3}{2}$ ② $-\sqrt{3}$ ③ 0

④ $\dfrac{\sqrt{3}}{2}$ ⑤ $\dfrac{3}{2}$

STEP Ⓐ $\alpha+\beta=\dfrac{\pi}{2}$**이면 어떤** $\sin\beta=\sin\left(\dfrac{\pi}{2}-\alpha\right)=\cos\alpha$**의 관계가 성립 함을 이용하여 주어진 식 정리하기**

$\theta=\dfrac{\pi}{8}$에서 $4\theta=\dfrac{\pi}{2}$이므로

$\sin\theta=\cos3\theta,\ \sin2\theta=\cos2\theta,\ \sin3\theta=\cos\theta$

STEP Ⓑ $\sin^2\theta+\cos^2\theta=1$**임을 이용하여 값 구하기**

$\sin\theta\cos3\theta+\sin2\theta\cos2\theta+\sin3\theta\cos\theta$
$=\sin\theta\sin\theta+\sin2\theta\cos2\theta+\cos\theta\cos\theta$
$=\sin^2\theta+\sin\dfrac{\pi}{4}\cos\dfrac{\pi}{4}+\cos^2\theta$
$=1+\dfrac{\sqrt{2}}{2}\cdot\dfrac{\sqrt{2}}{2}$
$=1+\dfrac{1}{2}=\dfrac{3}{2}$

정답 ⑤

0880

정답 ①

STEP Ⓐ $\alpha+\beta=\pi$**이면** $\cos\alpha+\cos\beta=0$**임을 이해하기**

$\cos(\pi-x)=-\cos x$이므로 $\cos x+\cos(\pi-x)=0$

STEP Ⓑ 주어진 값 구하기

$\cos\dfrac{\pi}{19}+\cos\dfrac{2}{19}\pi+\cos\dfrac{3}{19}\pi+\cdots+\cos\dfrac{18}{19}\pi+\cos\dfrac{19}{19}\pi$
$=\left(\cos\dfrac{\pi}{19}+\cos\dfrac{18}{19}\pi\right)+\left(\cos\dfrac{2}{19}\pi+\cos\dfrac{17}{19}\pi\right)+\cdots$
$\qquad\qquad+\left(\cos\dfrac{9}{19}\pi+\cos\dfrac{10}{19}\pi\right)+\cos\pi$
$=0+0+\cdots+0+(-1)=-1$

0881

정답 ③

STEP Ⓐ $\sin\theta+\sin2\theta+\sin3\theta+\cdots+\sin10\theta$ **구하기**

조건 (가)에서 θ는 원의 중심각 2π를 10등분한 각이다.
$10\theta=2\pi$이므로 $5\theta=\pi$
임의의 각 x에 대하여
$\sin(5\theta+x)=\sin(\pi+x)=-\sin x$
$\sin\theta+\sin2\theta+\sin3\theta+\cdots+\sin10\theta$
$=(\sin\theta+\sin6\theta)+(\sin2\theta+\sin7\theta)+\cdots+(\sin5\theta+\sin10\theta)$
$=(\sin\theta-\sin\theta)+(\sin2\theta-\sin2\theta)+\cdots+(\sin5\theta-\sin5\theta)$
$=0$

다른풀이 **점** P_1과 P_6, **점** P_2와 P_7, **점** P_3과 P_8, **점** P_4와 P_9, **점** P_5와 P_{10}**이 각각 원점에 대하여 대칭임을 이용하기**

주어진 그림에서 점 P_1과 P_6, 점 P_2와 P_7, 점 P_3과 P_8, 점 P_4와 P_9, 점 P_5와 P_{10}이 각각 원점에 대하여 대칭임을 이용한다.
즉
점 $P_1(\cos10\theta,\ \sin10\theta)$이고 $P_6(\cos5\theta,\ \sin5\theta)$이므로 $\sin10\theta=-\sin5\theta$
점 $P_2(\cos\theta,\ \sin\theta)$이고 $P_7(\cos6\theta,\ \sin6\theta)$이므로 $\sin\theta=-\sin6\theta$
점 $P_3(\cos2\theta,\ \sin2\theta)$이고 $P_8(\cos7\theta,\ \sin7\theta)$이므로 $\sin2\theta=-\sin7\theta$
점 $P_4(\cos3\theta,\ \sin3\theta)$이고 $P_9(\cos8\theta,\ \sin8\theta)$이므로 $\sin3\theta=-\sin8\theta$
점 $P_5(\cos4\theta,\ \sin4\theta)$이고 $P_{10}(\cos9\theta,\ \sin9\theta)$이므로 $\sin4\theta=-\sin9\theta$
$\therefore\ \sin\theta+\sin2\theta+\sin3\theta+\cdots+\sin10\theta=0$

STEP Ⓑ $\cos\theta+\cos2\theta+\cos3\theta+\cdots+\cos10\theta$ **구하기**

조건 (나)에서 $5\theta=\pi$이므로 임의의 각 x에 대하여
$\cos(5\theta+x)=\cos(\pi+x)=-\cos x$
$\cos\theta+\cos2\theta+\cdots+\cos10\theta$
$=(\cos\theta+\cos6\theta)+(\cos2\theta+\cos7\theta)+\cdots+(\cos5\theta+\cos10\theta)$
$=(\cos\theta-\cos\theta)+(\cos2\theta-\cos2\theta)+\cdots+(\cos5\theta-\cos5\theta)$
$=0$
따라서 $a=0$, $b=0$이므로 $a+b=0$

다른풀이 **점** P_1과 P_6, **점** P_2와 P_5, **점** P_3과 P_4, **점** P_7과 P_{10}, **점** P_8과 P_9가 각각 y**축에 대하여 대칭임을 이용하기**

주어진 그림에서 점 P_1과 P_6, 점 P_2와 P_5, 점 P_3과 P_4, 점 P_7과 P_{10}, 점 P_8과 P_9가 각각 y축에 대하여 대칭이므로 이 점들의 x좌표는 절댓값이 같고 부호가 서로 반대이다.
즉
점 $P_1(\cos10\theta,\ \sin10\theta)$이고 $P_6(\cos5\theta,\ \sin5\theta)$이므로 $\cos10\theta+\cos5\theta=0$
점 $P_2(\cos\theta,\ \sin\theta)$이고 $P_5(\cos4\theta,\ \sin4\theta)$이므로 $\cos\theta+\cos4\theta=0$
점 $P_3(\cos2\theta,\ \sin2\theta)$이고 $P_4(\cos3\theta,\ \sin3\theta)$이므로 $\cos2\theta+\cos3\theta=0$
점 $P_7(\cos6\theta,\ \sin6\theta)$이고 $P_{10}(\cos9\theta,\ \sin9\theta)$이므로 $\cos6\theta+\cos9\theta=0$
점 $P_8(\cos7\theta,\ \sin7\theta)$이고 $P_9(\cos8\theta,\ \sin8\theta)$이므로 $\cos7\theta+\cos8\theta=0$
$\therefore\ \cos\theta+\cos2\theta+\cdots+\cos10\theta=0$
따라서 $a=0$, $b=0$이므로 $a+b=0$

다음 그림과 같이 중심이 원점 O이고 반지름의 길이가 1인 단위원의 둘레를 일정한 간격으로 10등분한 원 위의 점을 차례로 $P_1(1, 0)$부터 P_2, P_3, $\cdots$, P_{10}이라 하고 $\angle P_n OP_{n+1} = \theta$ $(n=1, 2, 3, \cdots, 9)$이라 할 때, 다음 조건을 만족하는 a, b에 대하여 $a+b$의 값은?

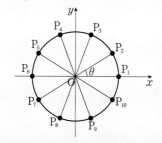

> (가) $\sin\theta + \sin 3\theta + \sin 5\theta + \sin 7\theta + \sin 9\theta = a$
> (나) $\cos 2\theta - \cos 4\theta + \cos 6\theta - \cos 8\theta + \cos 10\theta = b$

① 0   ② 1   ③ 2
④ 3   ⑤ 4

STEP Ⓐ $\sin\theta + \sin 3\theta + \sin 5\theta + \sin 7\theta + \sin 9\theta$ **구하기**

삼각함수의 정의에 의하여 점 P_2의 x좌표는 $\cos\theta$, y좌표는 $\sin\theta$이고 $10\theta = 2\pi$이므로 $5\theta = \pi$

조건 (가)에서 주어진 그림에서 점 P_2와 P_{10}, 점 P_4와 P_8은 각각 x축에 대하여 대칭이므로 이 점들의 y좌표는 절댓값이 같고 부호가 서로 반대이다.

즉 점 $P_2(\cos\theta, \sin\theta)$이고 $P_{10}(\cos 9\theta, \sin 9\theta)$이므로 $\sin\theta + \sin 9\theta = 0$

점 $P_4(\cos 3\theta, \sin 3\theta)$이고 $P_8(\cos 7\theta, \sin 7\theta)$이므로 $\sin 3\theta + \sin 7\theta = 0$

$\sin\theta + \sin 3\theta + \sin 5\theta + \sin 7\theta + \sin 9\theta$
$= (\sin\theta + \sin 9\theta) + (\sin 3\theta + \sin 7\theta) + \sin 5\theta$
$= \sin 5\theta$
$= \sin\pi$
$= 0$
$\therefore a = 0$

STEP Ⓑ $\cos 2\theta - \cos 4\theta + \cos 6\theta - \cos 8\theta + \cos 10\theta$ **구하기**

조건 (나)에서 주어진 그림에서 점 P_3과 P_9, 점 P_5와 P_7은 각각 x축에 대하여 대칭이므로 이 점들의 x좌표는 서로 같다.

즉 점 $P_3(\cos 2\theta, \sin 2\theta)$이고 $P_9(\cos 8\theta, \sin 8\theta)$이므로 $\cos 2\theta = \cos 8\theta$

점 $P_5(\cos 4\theta, \sin 4\theta)$이고 $P_7(\cos 6\theta, \sin 6\theta)$이므로 $\cos 4\theta = \cos 6\theta$

$\cos 2\theta - \cos 4\theta + \cos 6\theta - \cos 8\theta + \cos 10\theta$
$= (\cos 2\theta - \cos 8\theta) + (-\cos 4\theta + \cos 6\theta) + \cos 10\theta$
$= \cos 10\theta$
$= \cos 2\pi$
$= 1$
$\therefore b = 1$

따라서 $a = 0$, $b = 1$이므로 $a+b = 1$

정답 ②

0882

정답 ③

STEP Ⓐ $\sin\theta + \sin 2\theta + \sin 3\theta + \cdots + \sin 12\theta$ **구하기**

조건 (가)에서 θ는 원의 중심각 2π를 12등분한 각이다.

$12\theta = 2\pi$이므로 $6\theta = \pi$

임의의 각 x에 대하여 $\sin(6\theta + x) = \sin(\pi + x) = -\sin x$

$\therefore \sin\theta + \sin 2\theta + \sin 3\theta + \cdots + \sin 12\theta$
$= (\sin\theta + \sin 7\theta) + (\sin 2\theta + \sin 8\theta) + \cdots + (\sin 6\theta + \sin 12\theta)$
$= (\sin\theta - \sin\theta) + (\sin 2\theta - \sin 2\theta) + \cdots + (\sin 6\theta - \sin 6\theta)$
$= 0$

STEP Ⓑ $\cos\theta + \cos 2\theta + \cos 3\theta + \cdots + \cos 12\theta$ **구하기**

조건 (나)에서 $6\theta = \pi$이므로 임의의 각 x에 대하여 $\cos(6\theta + x) = \cos(\pi + x) = -\cos x$

$\therefore \cos\theta + \cos 2\theta + \cdots + \cos 12\theta$
$= (\cos\theta + \cos 7\theta) + (\cos 2\theta + \cos 8\theta) + \cdots + (\cos 6\theta + \cos 12\theta)$
$= (\cos\theta - \cos\theta) + (\cos 2\theta - \cos 2\theta) + \cdots + (\cos 6\theta - \cos 6\theta)$
$= 0$

따라서 $a = 0$, $b = 0$이므로 $a+b = 0$

0883

정답 ②

STEP Ⓐ 삼각함수의 정의를 이용하여 각 선분의 길이 구하기

$\overline{P_1 Q_1} = \overline{OP_1}\sin\theta = \sin\theta$
$\overline{P_2 Q_2} = \overline{OP_2}\sin 2\theta = \sin 2\theta$
$\vdots$
$\overline{P_9 Q_9} = \overline{OP_9}\sin 9\theta = \sin 9\theta$

STEP Ⓑ $\sin\left(\dfrac{\pi}{2} - \theta\right) = \cos\theta$**임을 이용하여 식을 정리하기**

$10\theta = \dfrac{\pi}{2}$에서 $6\theta = 10\theta - 4\theta = \dfrac{\pi}{2} - 4\theta$이므로

$\sin 6\theta = \sin\left(\dfrac{\pi}{2} - 4\theta\right) = \cos 4\theta$이고 같은 방법으로

$\sin 7\theta = \sin\left(\dfrac{\pi}{2} - 3\theta\right) = \cos 3\theta$

$\sin 8\theta = \sin\left(\dfrac{\pi}{2} - 2\theta\right) = \cos 2\theta$

$\sin 9\theta = \sin\left(\dfrac{\pi}{2} - \theta\right) = \cos\theta$

STEP Ⓒ $\sin^2\theta + \cos^2\theta = 1$**을 이용하여 값 구하기**

따라서 $\overline{P_1 Q_1}^2 + \overline{P_2 Q_2}^2 + \overline{P_3 Q_3}^2 + \cdots + \overline{P_9 Q_9}^2$

$\sin^2\theta + \sin^2 2\theta + \sin^2 3\theta + \cdots + \sin^2 9\theta$
$= \sin^2\theta + \sin^2 2\theta + \sin^2 3\theta + \sin^2 4\theta + \sin^2 5\theta + \cos^2 4\theta + \cos^2 3\theta$
$\qquad\qquad\qquad\qquad\qquad\qquad\qquad + \cos^2 2\theta + \cos^2\theta$
$= (\sin^2\theta + \cos^2\theta) + (\sin^2 2\theta + \cos^2 2\theta) + (\sin^2 3\theta + \cos^2 3\theta)$
$\qquad\qquad\qquad\qquad\qquad + (\sin^2 4\theta + \cos^2 4\theta) + \sin^2 5\theta$
$= 1 + 1 + 1 + 1 + \sin^2\dfrac{\pi}{4}$
$= 4 + \dfrac{1}{2} = \dfrac{9}{2}$

오른쪽 그림과 같이 중심이 O, 반지름의 길이가 1인 사분원의 호 PQ를 9등분하는 점을 차례로 P_1, P_2, $\cdots$, P_8이라고 하자. 점 P_1, P_2, $\cdots$, P_8에서 선분 OP에 내린 수선의 발을 각각 Q_1, Q_2, $\cdots$, Q_8이라 할 때, $\overline{OQ_1}^2 + \overline{OQ_2}^2 + \overline{OQ_3}^2 + \cdots + \overline{OQ_8}^2$의 값은?

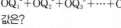

① 0   ② 1
③ 2   ④ 3
⑤ 4

STEP Ⓐ 삼각함수의 정의를 이용하여 각 선분의 길이 구하기

$\overline{OQ_1} = \overline{OP_1}\cos 10° = \cos 10°$
$\overline{OQ_2} = \overline{OP_2}\cos 20° = \cos 20°$
$\vdots$
$\overline{OQ_8} = \overline{OP_8}\cos 80° = \cos 80°$

STEP Ⓑ $\sin\left(\dfrac{\pi}{2}-\theta\right)=\cos\theta$ 임을 이용하여 식을 정리하기

이때 $\overline{OQ_8}=\cos 80°=\cos(90°-10°)=\sin 10°$
같은 방법으로
$\overline{OQ_7}=\sin 20°,\ \overline{OQ_6}=\sin 30°,\ \overline{OQ_5}=\sin 40°$ 이므로
$\overline{OQ_1}^2+\overline{OQ_2}^2+\overline{OQ_3}^2+\cdots+\overline{OQ_8}^2$
$=\cos^2 10°+\cos^2 20°+\cos^2 30°+\cos^2 40°$
$\qquad\qquad +\sin^2 40°+\sin^2 30°+\sin^2 20°+\sin^2 10°$
$=1+1+1+1=4$　　　　　　　　　　　　정답 ⑤

0884 정답 ⑤

STEP Ⓐ $\angle P_n OA=\dfrac{n}{10}\pi$ 이고 $\overline{P_n Q_n}=\overline{OP_n}\sin\dfrac{n}{10}\pi$ 임을 이용하기

점 P_n이 호 AB를 5등분하는 점이므로 $\angle P_n OA=\dfrac{\pi}{2}\cdot\dfrac{n}{5}=\dfrac{n}{10}\pi$
이때 $\overline{OP_n}=1$이므로 $\overline{P_n Q_n}=\overline{OP_n}\sin\dfrac{n}{10}\pi=\sin\dfrac{n}{10}\pi$

STEP Ⓑ $\overline{P_1 Q_1}^2+\overline{P_2 Q_2}^2+\overline{P_3 Q_3}^2+\overline{P_4 Q_4}^2$ 구하기

따라서 $\overline{P_1 Q_1}^2+\overline{P_2 Q_2}^2+\overline{P_3 Q_3}^2+\overline{P_4 Q_4}^2$
$=\sin^2\dfrac{\pi}{10}+\sin^2\dfrac{2}{10}\pi+\sin^2\dfrac{3}{10}\pi+\sin^2\dfrac{4}{10}\pi$
$=\sin^2\dfrac{\pi}{10}+\sin^2\dfrac{2}{10}\pi+\sin^2\left(\dfrac{\pi}{2}-\dfrac{2}{10}\pi\right)+\sin^2\left(\dfrac{\pi}{2}-\dfrac{\pi}{10}\right)$
$=\sin^2\dfrac{\pi}{10}+\sin^2\dfrac{2}{10}\pi+\cos^2\dfrac{2}{10}\pi+\cos^2\dfrac{\pi}{10}$
$=\left(\sin^2\dfrac{\pi}{10}+\cos^2\dfrac{\pi}{10}\right)+\left(\sin^2\dfrac{2}{10}\pi+\cos^2\dfrac{2}{10}\pi\right)$
$=1+1=2$

0885 정답 ⑤

STEP Ⓐ **삼각함수의 정의를 이용하여 각 선분의 길이 구하기**

선분 OA를 6등분 한 점의 한 선분의 길이를 θ라 하면
$6\theta=\dfrac{\pi}{2}$
$\overline{P_1 Q_1}=\sqrt{2}\cos\theta$
$\overline{P_2 Q_2}=\sqrt{2}\cos 2\theta$
$\overline{P_3 Q_3}=\sqrt{2}\cos 3\theta$
$\overline{P_4 Q_4}=\sqrt{2}\cos 4\theta$
$\overline{P_5 Q_5}=\sqrt{2}\cos 5\theta$

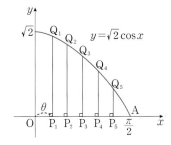

STEP Ⓑ $6\theta=\dfrac{\pi}{2}$ 임을 이용하여 식을 정리하기

$\overline{P_1 Q_1}^2+\overline{P_2 Q_2}^2+\overline{P_3 Q_3}^2+\overline{P_4 Q_4}^2+\overline{P_5 Q_5}^2$
$=2\cos^2\theta+2\cos^2 2\theta+2\cos^2 3\theta+2\cos^2 4\theta+2\cos^2 5\theta$
← $6\theta=\dfrac{\pi}{2}$ 이므로 $\cos 4\theta=\sin 2\theta,\ \cos 5\theta=\sin\theta$
$=2\cos^2\theta+2\cos^2 2\theta+2\cos^2 3\theta+2\sin^2 2\theta+2\sin^2\theta$
$=2(\sin^2\theta+\cos^2\theta)+2(\sin^2 2\theta+\cos^2 2\theta)+2\cos^2 3\theta$
$=2+2+2\cos^2\dfrac{\pi}{4}$
$=2+2+1=5$

0886 정답 ⑤

STEP Ⓐ $\sin^2\theta+\sin^2 2\theta+\sin^2 3\theta+\cdots+\sin^2 9\theta$ 구하기

ㄱ. $10\theta=\dfrac{\pi}{2}$ 이므로 $6\theta=10\theta-4\theta=\dfrac{\pi}{2}-4\theta$ 에서
$\sin 6\theta=\sin\left(\dfrac{\pi}{2}-4\theta\right)=\cos 4\theta$
같은 방법으로
$\sin 7\theta=\sin\left(\dfrac{\pi}{2}-3\theta\right)=\cos 3\theta$
$\sin 8\theta=\sin\left(\dfrac{\pi}{2}-2\theta\right)=\cos 2\theta$
$\sin 9\theta=\sin\left(\dfrac{\pi}{2}-\theta\right)=\cos\theta$
$\therefore\ \sin^2\theta+\sin^2 2\theta+\sin^2 3\theta+\cdots+\sin^2 9\theta$
$=\sin^2\theta+\sin^2 2\theta+\sin^2 3\theta+\sin^2 4\theta+\sin^2 5\theta+\cos^2 4\theta+\cos^2 3\theta$
$\qquad\qquad\qquad +\cos^2 2\theta+\cos^2\theta$
$=(\sin^2\theta+\cos^2\theta)+(\sin^2 2\theta+\cos^2 2\theta)+(\sin^2 3\theta+\cos^2 3\theta)$
$\qquad\qquad\qquad +(\sin^2 4\theta+\cos^2 4\theta)+\sin^2 5\theta$
$=1+1+1+1+\sin^2\dfrac{\pi}{4}=\dfrac{9}{2}$ [참]

STEP Ⓑ $\cos^2\theta+\cos^2 2\theta+\cos^2 3\theta+\cdots+\cos^2 9\theta$ 구하기

ㄴ. $10\theta=\dfrac{\pi}{2}$ 이므로 ㄱ과 같은 방법으로
$\cos 6\theta=\sin 4\theta,\ \cos 7\theta=\sin 3\theta,\ \cos 8\theta=\sin 2\theta,\ \cos 9\theta=\sin\theta$
$\therefore\ \cos^2\theta+\cos^2 2\theta+\cos^2 3\theta+\cdots+\cos^2 9\theta$
$=\cos^2\theta+\cos^2 2\theta+\cos^2 3\theta+\cos^2 4\theta+\cos^2 5\theta+\sin^2 4\theta+\sin^2 3\theta$
$\qquad\qquad\qquad +\sin^2 2\theta+\sin^2\theta$
$=(\sin^2\theta+\cos^2\theta)+(\sin^2 2\theta+\cos^2 2\theta)+(\sin^2 3\theta+\cos^2 3\theta)$
$\qquad\qquad\qquad +(\sin^2 4\theta+\cos^2 4\theta)+\cos^2 5\theta$
$=1+1+1+1+\cos^2\dfrac{\pi}{4}=\dfrac{9}{2}$ [참]

STEP Ⓒ 점 $P_i(x_i,\ y_i)$에서 $\dfrac{y_n}{x_n}=\tan n\theta$ 이고 $\alpha+\beta=\dfrac{\pi}{2}$ 를 만족하므로 $\tan\alpha\tan\beta=1$ 임을 이용하여 구하기

ㄷ. $\angle POP_1=\theta$ 라고 할 때, $10\theta=\dfrac{\pi}{2}$ 이므로
$\tan\theta\cdot\tan 9\theta=1,\ \tan 2\theta\cdot\tan 8\theta=1,\ \tan 3\theta\cdot\tan 7\theta=1,$
$\tan 4\theta\cdot\tan 6\theta=1,\ \tan 5\theta=\tan\dfrac{\pi}{4}=1$
$\therefore\ \dfrac{y_1 y_2 y_3\cdots y_9}{x_1 x_2 x_3\cdots x_9}$
$=\tan\theta\cdot\tan 2\theta\cdot\tan 3\theta\cdot\tan 4\theta\cdots\tan 9\theta$
$=(\tan\theta\tan 9\theta)(\tan 2\theta\tan 8\theta)(\tan 3\theta\tan 7\theta)(\tan 4\theta\tan 6\theta)\tan 5\theta$
$=1\cdot 1\cdot 1\cdot\tan\dfrac{\pi}{4}=1$ [참]
따라서 옳은 것은 ㄱ, ㄴ, ㄷ이다.

0887 정답 ②

STEP Ⓐ $A+B+C=\pi$ 을 이용하여 삼각함수의 성질의 진위판단하기

$A+B+C=\pi$ 에서 $\dfrac{B+C}{2}=\dfrac{\pi-A}{2}=\dfrac{\pi}{2}-\dfrac{A}{2}$ 이므로
ㄱ. $\sin\left(\dfrac{B+C}{2}\right)=\sin\left(\dfrac{\pi}{2}-\dfrac{A}{2}\right)=\cos\dfrac{A}{2}$ [거짓]
ㄴ. $A+B+C=\pi$ 에서 $B+C=\pi-A$ 이므로
$\sin(B+C)=\sin(\pi-A)=\sin A$ [참]
ㄷ. $\tan(B+C)=\tan(\pi-A)=-\tan A$ [거짓]
따라서 옳은 것은 ㄴ이다.

0888

STEP A $A+B+C=\pi$을 이용하여 삼각함수의 값 구하기

$A+B+C=\pi$이므로 $\sin\dfrac{2\pi-A}{2}=\sin\left(\pi-\dfrac{A}{2}\right)=\sin\dfrac{A}{2}$

$\cos\dfrac{B+C}{2}=\cos\dfrac{\pi-A}{2}=\cos\left(\dfrac{\pi}{2}-\dfrac{A}{2}\right)=\sin\dfrac{A}{2}$

$\cos\left(-\dfrac{A}{2}\right)=\cos\dfrac{A}{2}$

$\sin\dfrac{B+C}{2}=\sin\left(\dfrac{\pi}{2}-\dfrac{A}{2}\right)=\cos\dfrac{A}{2}$

STEP B $\sin^2\theta+\cos^2\theta=1$임을 이용하여 구하기

따라서 구하는 식은

$\sin\dfrac{A}{2}\cdot\sin\dfrac{A}{2}+\cos\dfrac{A}{2}\cdot\cos\dfrac{A}{2}=\sin^2\dfrac{A}{2}+\cos^2\dfrac{A}{2}=1$

내/신/연/계/ 출제문항 323

삼각형 ABC에서 $\sin\dfrac{A}{2}=\dfrac{4}{5}$일 때, $\sin\dfrac{B+C}{2}$의 값은?

① $\dfrac{2}{5}$ ② $\dfrac{3}{5}$ ③ $\dfrac{4}{5}$

④ $\dfrac{3}{4}$ ⑤ $\dfrac{1}{2}$

STEP A $\dfrac{A+B+C}{2}=\dfrac{\pi}{2}$임을 이용하여 $\sin\dfrac{B+C}{2}$의 값 구하기

$\sin\left(\dfrac{B+C}{2}\right)=\sin\left(\dfrac{\pi-A}{2}\right)=\sin\left(\dfrac{\pi}{2}-\dfrac{A}{2}\right)=\cos\dfrac{A}{2}$

$\sin^2\dfrac{A}{2}+\cos^2\dfrac{A}{2}=1$이므로 $\left(\dfrac{4}{5}\right)^2+\cos^2\dfrac{A}{2}=1$

$\cos^2\dfrac{A}{2}=\dfrac{9}{25}$

따라서 $\cos\dfrac{A}{2}>0$이므로 $\cos\dfrac{A}{2}=\sin\left(\dfrac{B+C}{2}\right)=\dfrac{3}{5}$

0889

STEP A $A+B+C=\pi$을 이용하여 삼각함수의 성질의 진위판단하기

$A+B+C=\pi$이므로 $B+C=\pi-A$

ㄱ. $\sin\left(\dfrac{B+C}{2}\right)=\sin\left(\dfrac{\pi-A}{2}\right)=\cos\dfrac{A}{2}$이므로

$\cos\dfrac{A}{2}-\sin\left(\dfrac{B+C}{2}\right)=0$ [참]

ㄴ. $\tan(B+C)=\tan(\pi-A)=-\tan A$이므로

$\tan A+\tan(B+C)=0$ [참]

ㄷ. $\dfrac{B+C}{2}=\dfrac{\pi-A}{2}=\dfrac{\pi}{2}-\dfrac{A}{2}$이므로

$\sin\left(\dfrac{2\pi-A}{2}\right)\cos\left(\dfrac{B+C}{2}\right)+\sin\left(\dfrac{\pi+A}{2}\right)\sin\left(\dfrac{B+C}{2}\right)$

$=\sin\left(\pi-\dfrac{A}{2}\right)\cos\left(\dfrac{\pi}{2}-\dfrac{A}{2}\right)+\sin\left(\dfrac{\pi}{2}+\dfrac{A}{2}\right)\sin\left(\dfrac{\pi}{2}-\dfrac{A}{2}\right)$

$=\sin\dfrac{A}{2}\sin\dfrac{A}{2}+\cos\dfrac{A}{2}\cos\dfrac{A}{2}$

$=\sin^2\dfrac{A}{2}+\cos^2\dfrac{A}{2}=1$ [참]

ㄹ. $\cos(A+B)=\cos(\pi-C)=-\cos C$이므로

$-\cos C>0$에서 $\cos C<0$

$\therefore \dfrac{\pi}{2}<C<\pi$

즉 삼각형 ABC는 둔각삼각형이다. [참]

따라서 옳은 것은 ㄱ, ㄴ, ㄷ, ㄹ이다.

내/신/연/계/ 출제문항 324

삼각형 ABC의 세 내각의 크기를 각각 A, B, C라 할 때,
다음 [보기] 중 옳은 것을 있는 대로 고른 것은?

> ㄱ. $\cos\dfrac{A}{2}=\sin\dfrac{B+C}{2}$
>
> ㄴ. $\tan(B+C)=-\dfrac{1}{\tan A}$
>
> ㄷ. $\cos(B+C)>0$이면 삼각형 ABC는 둔각삼각형이다.

① ㄱ ② ㄴ ③ ㄱ, ㄷ
④ ㄴ, ㄷ ⑤ ㄱ, ㄴ, ㄷ

STEP A $A+B+C=\pi$을 이용하여 삼각함수의 성질의 진위판단하기

ㄱ. $A+B+C=\pi$에서 $\dfrac{B+C}{2}=\dfrac{\pi-A}{2}$이므로

$\sin\dfrac{B+C}{2}=\sin\dfrac{\pi-A}{2}=\sin\left(\dfrac{\pi}{2}-\dfrac{A}{2}\right)=\cos\dfrac{A}{2}$ [참]

ㄴ. $A+B+C=\pi$에서 $B+C=\pi-A$이므로

$\tan(B+C)=\tan(\pi-A)=-\tan A$ [거짓]

ㄷ. $A+B+C=\pi$에서 $B+C=\pi-A$

$\cos(B+C)=\cos(\pi-A)=-\cos A$이므로

$-\cos A>0$에서 $\cos A<0$

$\therefore \dfrac{\pi}{2}<A<\pi$

즉 삼각형 ABC는 둔각삼각형이다. [참]

따라서 옳은 것은 ㄱ, ㄷ이다.

0890

STEP A 원에 내접하는 사각형의 성질을 이용하여 삼각함수의 성질의 진위 판단하기

사각형 ABCD가 원에 내접하므로 $A+C=180°$, $B+D=180°$

ㄱ. $\cos A=\cos(180°-C)=-\cos C$ [참]

ㄴ. $\sin(A+B)=\sin\{360°-(C+D)\}=-\sin(C+D)$ [참]

ㄷ. $\tan(A+C)=\tan(B+D)=\tan 180°=0$ [참]

따라서 옳은 것은 ㄱ, ㄴ, ㄷ이다.

> **참고** 원에 내접하는 사각형에서 한 쌍의 대각의 크기의 합은 180°

0891

STEP A 원에 내접하는 사각형에서 한 쌍의 대각의 크기의 합은 π임을 이용하여 각 A, B, C, D의 관계식 구하기

사각형 ABCD가 원에 내접하므로
$A+C=\pi$, $B+D=\pi$, $C=\pi-A$, $D=\pi-B$

STEP B $A+C=\pi$, $B+D=\pi$의 관계식을 이용하여 참, 거짓을 판별하기

ㄱ. $\sin A+\sin B+\sin C+\sin D=\sin A+\sin B+\sin(\pi-A)+\sin(\pi-B)$
$\qquad\qquad\qquad\qquad =2(\sin A+\sin B)$

이때 $0<A<\pi$, $0<B<\pi$이므로 $2(\sin A+\sin B)>0$ [거짓]

ㄴ. $\cos A+\cos B+\cos C+\cos D=\cos A+\cos B+\cos(\pi-A)+\cos(\pi-B)$
$\qquad\qquad\qquad\qquad =\cos A+\cos B-\cos A-\cos B=0$ [참]

ㄷ. $\tan A+\tan B+\tan C+\tan D=\tan A+\tan B+\tan(\pi-A)+\tan(\pi-B)$
$\qquad\qquad\qquad\qquad =\tan A+\tan B-\tan A-\tan B=0$ [참]

따라서 옳은 것은 ㄴ, ㄷ이다.

0892

정답 ⑤

STEP Ⓐ $\sin A = \sin B$인 관계가 성립하는 A와 B의 관계식 구하기

$0 < A < \pi$, $0 < B < \pi$이고 $A \neq B$일 때, $\sin A = \sin B$이므로 $B = \pi - A$

STEP Ⓑ A와 B 사이의 관계식을 이용하여 참, 거짓을 판별하기

ㄱ. $B = \pi - A$에서 $A + B = \pi$이므로 $\sin \dfrac{A+B}{2} = \sin \dfrac{\pi}{2} = 1$ [참]

ㄴ. $\sin \dfrac{A}{2} - \cos \dfrac{B}{2} = \sin \dfrac{A}{2} - \cos \left(\dfrac{\pi}{2} - \dfrac{A}{2} \right) = \sin \dfrac{A}{2} - \sin \dfrac{A}{2} = 0$ [참]

ㄷ. $\tan A + \tan B = \tan A + \tan(\pi - A) = \tan A - \tan A = 0$ [참]

따라서 옳은 것은 ㄱ, ㄴ, ㄷ이다.

내/신/연/계/ 출제문항 325

$\pi < \alpha < 2\pi$, $\pi < \beta < 2\pi$인 서로 다른 두 각 α, β에 대하여 $\sin\alpha = \cos\beta$가 성립할 때, 다음 [보기] 중 항상 옳은 것을 모두 고른 것은?

ㄱ. $\sin(\alpha + \beta) = 1$
ㄴ. $\cos^2 \alpha + \cos^2 \beta = 1$
ㄷ. $\tan \alpha + \tan \beta = 1$

① ㄱ   ② ㄴ   ③ ㄱ, ㄷ
④ ㄴ, ㄷ   ⑤ ㄱ, ㄴ, ㄷ

STEP Ⓐ $\sin\alpha = \cos\beta$인 관계가 성립하는 α, β의 관계식 구하기

$\pi < \alpha < 2\pi$, $\pi < \beta < 2\pi$일 때, $0 < \theta < \dfrac{\pi}{2}$이라 하면 $\sin\alpha = \cos\beta$이므로

$\alpha = \pi + \theta$, $\beta = \dfrac{3}{2}\pi - \theta$ 또는 $\alpha = 2\pi - \theta$, $\beta = \dfrac{3}{2}\pi - \theta$이라 할 수 있다.

STEP Ⓑ α, β 사이의 관계식을 이용하여 참, 거짓을 판별하기

ㄱ. $\alpha = 2\pi - \theta$, $\beta = \dfrac{3}{2}\pi - \theta$라 하면 $\sin(\alpha + \beta) = \sin \left(\dfrac{7}{2}\pi - 2\theta \right)$

$0 < \theta < \dfrac{\pi}{2}$에서 $\sin \left(\dfrac{7}{2}\pi - 2\theta \right) \neq 1$ [거짓]

ㄴ. $\sin\alpha = \cos\beta$이므로 $\cos^2 \alpha + \cos^2 \beta = \cos^2 \alpha + \sin^2 \alpha = 1$ [참]

ㄷ. 반례 $\alpha = 2\pi - \theta$, $\beta = \dfrac{3}{2}\pi - \theta$에서 $\theta = \dfrac{\pi}{6}$라 하면

$\tan\alpha = \tan \left(2\pi - \dfrac{\pi}{6} \right) = -\tan \dfrac{\pi}{6} = -\dfrac{1}{\sqrt{3}}$

$\tan\beta = \tan \left(\dfrac{3}{2}\pi - \dfrac{\pi}{6} \right) = \dfrac{1}{\tan \dfrac{\pi}{6}} = \dfrac{1}{\dfrac{1}{\sqrt{3}}} = \sqrt{3}$

$\tan\alpha + \tan\beta = \dfrac{2\sqrt{3}}{3}$ [거짓]

따라서 옳은 것은 ㄴ이다.

정답 ②

0893

정답 ④

STEP Ⓐ 삼각함수의 성질을 이용하여 주어진 값 구하기

$\overline{OP} = \sqrt{3^2 + (-4)^2} = 5$이므로

$\sin\theta = -\dfrac{4}{5}$, $\cos\theta = \dfrac{3}{5}$, $\tan\theta = -\dfrac{4}{3}$

$\sin \left(\dfrac{3}{2}\pi + \theta \right) \cos(\pi - \theta) \tan(\pi + \theta) \cos(-\theta)$

$= -\cos\theta(-\cos\theta)\tan\theta\cos\theta$

$= \cos^3 \theta \tan\theta$

$= \cos^3 \theta \times \dfrac{\sin\theta}{\cos\theta}$

$= \cos^2 \theta \sin\theta$

$= \left(\dfrac{3}{5} \right)^2 \cdot \left(-\dfrac{4}{5} \right)$

$= -\dfrac{36}{125}$

0894

정답 ①

STEP Ⓐ 삼각함수의 성질을 이용하여 주어진 값 구하기

선분 AB는 반원의 지름이므로

$\angle \text{ADB} = \dfrac{\pi}{2}$

삼각형 ABD에서 $\alpha + \beta = \dfrac{\pi}{2}$

$\therefore \beta = \dfrac{\pi}{2} - \alpha$

$\therefore \sin(\beta - \alpha) = \sin \left(\dfrac{\pi}{2} - 2\alpha \right)$
$\qquad\qquad = \cos 2\alpha$

이때 삼각형 ABC에서 $\angle \text{ACB} = \dfrac{\pi}{2}$이므로 $\cos 2\alpha = \dfrac{\overline{AC}}{\overline{AB}} = \dfrac{\overline{AC}}{1} = \overline{AC}$

0895

정답 ②

STEP Ⓐ 삼각함수의 성질을 이용하여 주어진 값 구하기

$\angle \text{ACB} = \dfrac{\pi}{2}$이므로 $\alpha + \beta = \dfrac{\pi}{2}$

이때 $\cos\alpha = \dfrac{1}{3}$이므로 $\dfrac{\overline{AC}}{\overline{AB}} = \dfrac{1}{3}$ $\therefore \overline{AB} = 3$

피타고라스의 정리에 의하여 $\overline{BC} = \sqrt{3^2 - 1^2} = 2\sqrt{2}$

따라서 $\sin(\alpha + 2\beta) = \sin(\alpha + \beta + \beta) = \sin \left(\dfrac{\pi}{2} + \beta \right) = \cos\beta = \dfrac{\overline{BC}}{\overline{AB}} = \dfrac{2\sqrt{2}}{3}$

내/신/연/계/ 출제문항 326

오른쪽 그림과 같이 선분 AB를 지름으로 하는 반원 위에 한 점 P가 있다.
$\angle \text{PAB} = \alpha$, $\angle \text{PBA} = \beta$, $\overline{AP} = 4$,
$\overline{BP} = 3$일 때, $\cos(2\alpha + \beta)$의 값은?

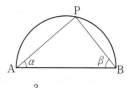

① $-\dfrac{2}{3}$ ② $-\dfrac{3}{5}$ ③ $-\dfrac{3}{4}$
④ $\dfrac{4}{5}$ ⑤ $\dfrac{3}{5}$

STEP Ⓐ 삼각형 ABC의 세 내각의 크기의 합은 π임을 이용하기

$\angle \text{APB} = \dfrac{\pi}{2}$이므로 $\alpha + \beta = \dfrac{\pi}{2}$

피타고라스의 정리에 의하여 $\overline{AB} = \sqrt{4^2 + 3^2} = 5$

이때 직각삼각형 APB에서 $\sin\alpha = \dfrac{3}{5}$

따라서 $\cos(2\alpha + \beta) = \cos(\alpha + \alpha + \beta) = \cos \left(\dfrac{\pi}{2} + \alpha \right) = -\sin\alpha = -\dfrac{3}{5}$

정답 ②

0896

정답 ②

STEP Ⓐ 삼각형 ABC의 세 내각의 크기의 합은 π이므로 $C = \dfrac{\pi}{2}$이면

$\qquad A + B = \dfrac{\pi}{2}$임을 이용하기

선분 AB가 원 O의 지름이므로 $\angle \text{ACB} = \dfrac{\pi}{2}$

$\therefore \overline{AB} = \sqrt{3^2 + 4^2} = 5$

또, $\alpha + \beta = \dfrac{\pi}{2}$이므로 $2\alpha + \beta = 2\alpha + \left(\dfrac{\pi}{2} - \alpha \right) = \dfrac{\pi}{2} + \alpha$

따라서 $\sin(2\alpha + \beta) = \sin \left(\dfrac{\pi}{2} + \alpha \right) = \cos\alpha = \dfrac{\overline{AC}}{\overline{AB}} = \dfrac{3}{5}$

오른쪽 그림과 같이 $\angle C = 90°$인 직각삼각형 ABC에서 $\overline{AB} = 5$, $\overline{AC} = 3$이고 $\angle A = \alpha$, $\angle B = \beta$ 일 때, $\sin(3\alpha + 2\beta)$의 값은?

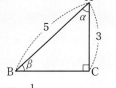

① $-\dfrac{4}{5}$ ② $-\dfrac{3}{5}$ ③ $-\dfrac{1}{3}$

④ $\dfrac{4}{5}$ ⑤ $\dfrac{1}{3}$

STEP A 삼각함수의 성질을 이용하여 주어진 값 구하기

직각삼각형 ABC에서 $\overline{BC} = \sqrt{5^2 - 3^2} = 4$

이때 $\alpha + \beta = \dfrac{\pi}{2}$이고 $3\alpha + 2\beta = 2(\alpha + \beta) + \alpha = \pi + \alpha$

따라서 $\sin(3\alpha + 2\beta) = \sin(\pi + \alpha) = -\sin\alpha = -\dfrac{\overline{BC}}{\overline{AB}} = -\dfrac{4}{5}$ 정답 ①

0897

정답 ③

STEP A 주어진 도형에서 $\tan\theta$의 값 구하기

그림과 같이 $\overline{BQ} = \overline{RC} = a$, $\overline{PQ} = \overline{QR} = \overline{SR} = b$라 하면

$\angle PBQ = \dfrac{\pi}{3}$이므로 $\tan(\angle PBQ) = \dfrac{b}{a} = \sqrt{3}$에서 $b = \sqrt{3}\,a$

$\tan\theta = \dfrac{b}{a+b} = \dfrac{\sqrt{3}\,a}{a + \sqrt{3}\,a} = \dfrac{\sqrt{3}}{1 + \sqrt{3}} = \dfrac{\sqrt{3}(\sqrt{3}-1)}{2} = \dfrac{3 - \sqrt{3}}{2}$

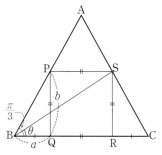

STEP B 삼각함수의 성질을 이용하여 식을 변형하여 식의 값 구하기

따라서 $\dfrac{\sin(2\pi - \theta)}{\cos(\pi + \theta)} - \dfrac{\cos\left(\dfrac{\pi}{2} - \theta\right)}{\sin\left(\dfrac{\pi}{2} - \theta\right)} = \dfrac{\sin(-\theta)}{-\cos\theta} - \dfrac{-\sin\theta}{\cos\theta}$

$= \dfrac{-\sin\theta}{-\cos\theta} + \dfrac{\sin\theta}{\cos\theta}$

$= \tan\theta + \tan\theta$

$= 2\tan\theta$

$= 2 \cdot \dfrac{3 - \sqrt{3}}{2} = 3 - \sqrt{3}$

0898

정답 ⑤

STEP A 삼각함수의 성질을 이용하여 식을 정리하기

$\cos(\pi + x) = -\cos x$, $\sin\left(x - \dfrac{\pi}{2}\right) = -\cos x$이므로

$y = 3\cos(\pi + x) + \sin\left(x - \dfrac{\pi}{2}\right) + 1$

$= -3\cos x - \cos x + 1$

$= -4\cos x + 1$

STEP B 최댓값 M과 최솟값 m에 대하여 $M + m$의 값 구하기

$-1 \le \cos x \le 1$이므로 $-3 \le -4\cos x + 1 \le 5$

$y = -4\cos x + 1$이므로 최댓값은 5, 최솟값은 -3

따라서 $M + m = 5 + (-3) = 2$

0899

정답 ⑤

STEP A 삼각함수의 성질을 이용하여 식을 정리하기

$\sin\left(x + \dfrac{\pi}{2}\right) = \cos x$이므로

$y = \sin\left(x + \dfrac{\pi}{2}\right) - 3\cos x + 1$

$= \cos x - 3\cos x + 1$

$= -2\cos x + 1$

STEP B 최댓값과 최솟값의 값 구하기

$-1 \le \cos x \le 1$이므로 $-1 \le -2\cos x + 1 \le 3$

따라서 최댓값은 3, 최솟값은 -1이므로 최댓값과 최솟값의 합은 2

0900

정답 ④

STEP A $-1 \le \sin x \le 1$임을 이용하여 $\left|\sin x - \dfrac{1}{2}\right| + \dfrac{1}{2}$의 값의 범위 구하기

$-1 \le \sin x \le 1$이므로

$-\dfrac{3}{2} \le \sin x - \dfrac{1}{2} \le \dfrac{1}{2}$, $0 \le \left|\sin x - \dfrac{1}{2}\right| \le \dfrac{3}{2}$

$\dfrac{1}{2} \le \left|\sin x - \dfrac{1}{2}\right| + \dfrac{1}{2} \le 2$

따라서 $M = 2$, $m = \dfrac{1}{2}$이므로 $M + m = \dfrac{5}{2}$

다른풀이 절댓값 함수의 그래프를 이용하여 풀이하기

$\sin x = t$라 하면 $y = \left|t - \dfrac{1}{2}\right| + \dfrac{1}{2}$

이때 $-1 \le \sin x \le 1$이므로
$-1 \le t \le 1$
$t = -1$일 때, 최댓값은 2,
$t = \dfrac{1}{2}$일 때, 최솟값은 $\dfrac{1}{2}$이므로
$M = 2$, $m = \dfrac{1}{2}$
따라서 $M + m = \dfrac{5}{2}$

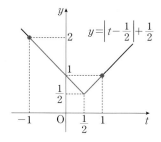

0901

정답 ①

STEP A $-1 \le \cos x \le 1$임을 이용하여 $a|\cos x - 1| + b$의 값의 범위 구하기

$-1 \le \cos x \le 1$이므로

$-2 \le \cos x - 1 \le 0$, $0 \le |\cos x - 1| \le 2$

$\therefore b \le a|\cos x - 1| + b \le 2a + b \, (\because a > 0)$

이때 최댓값은 $2a + b$, 최솟값은 b이므로 $2a + b = 5$, $b = -1$

$\therefore a = 3$, $b = -1$

따라서 $a + b = 2$

다른풀이 절댓값 함수의 그래프를 이용하여 풀이하기

$y = a|\cos x - 1| + b$에서

$\cos x = t$로 놓으면 $-1 \le t \le 1$

$y = a|t - 1| + b \, (a > 0)$에서

$t = -1$일 때, 최댓값은 $2a + b$

$t = 1$일 때, 최솟값은 b이므로

$2a + b = 5$, $b = -1$

$\therefore a = 3$, $b = -1$

따라서 $a + b = 2$

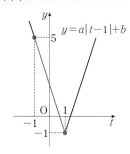

함수 $y=a|2\cos x+1|+b$의 최솟값이 -2, 최댓값이 7일 때, 상수 a, b에 대하여 $a+b$의 값은? (단, $a>0$)

① -1 ② 0 ③ 1
④ 2 ⑤ 3

STEP Ⓐ $-1\le\cos x\le1$임을 이용하여 $y=a|2\cos x+1|+b$의 범위 구하기

$\cos x=t$라 하면 $y=a|2t+1|+b$
이때 $-1\le\cos x\le1$이므로 $-1\le t\le1$
$a>0$이므로
$t=-\dfrac{1}{2}$일 때, 최솟값 b
$t=1$일 때, 최댓값은 $3a+b$
$\therefore b=-2$, $3a+b=7$
위의 두 식을 연립하여 풀면 $a=3$, $b=-2$
따라서 $a+b=1$

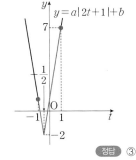

정답 ③

0902

정답 ④

STEP Ⓐ $-1\le\sin x\le1$임을 이용하여 $y=a|\sin x+2|+3$의 범위 구하기

$-1\le\sin x\le1$에서 $1\le\sin x+2\le3$이므로 $1\le|\sin x+2|\le3$
$a\le a|\sin x+2|\le3a\,(\because a>0)$
$\therefore a+3\le a|\sin x+2|+3\le3a+3$
이때 최댓값이 9이므로 $3a+3=9$ $\therefore a=2$

STEP Ⓑ $f\left(\dfrac{\pi}{6}\right)$의 값 구하기

따라서 $f(x)=2|\sin x+2|+3$이므로 $f\left(\dfrac{\pi}{6}\right)=2\left|\sin\dfrac{\pi}{6}+2\right|+3=2\cdot\dfrac{5}{2}+3=8$

0903

정답 ③

STEP Ⓐ $-\dfrac{\pi}{4}\le x\le\dfrac{\pi}{4}$에서 $y=-|\tan x-1|+k$의 범위 구하기

$\tan x=t$라 하면 $y=-|t-1|+k$
이때 $-\dfrac{\pi}{4}\le x\le\dfrac{\pi}{4}$이므로
$-1\le t\le1$
$t=1$일 때, 최댓값은 k,
$t=-1$일 때, 최솟값은 $-2+k$이고
최댓값과 최솟값의 합이 6이므로
$k+(-2+k)=6$
따라서 $k=4$

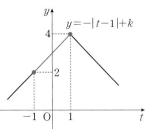

0904

정답 ⑤

STEP Ⓐ $\sin^2x+\cos^2x=1$임을 이용하여 주어진 식을 한 종류의 삼각함수로 통일한 후 삼각함수를 t로 치환하기

$y=-4\cos^2x+4\sin x+3$
$\quad=-4(1-\sin^2x)+4\sin x+3$
$\quad=4\sin^2x+4\sin x-1$
$\sin x=t$로 놓으면 $-1\le t\le1$이고
$y=4t^2+4t-1=4\left(t+\dfrac{1}{2}\right)^2-2$

STEP Ⓑ 최댓값 M과 최솟값 m에 대하여 $M+m$의 값 구하기

오른쪽 그림에서
$t=1$일 때, 최댓값은 7
$\therefore M=7$
$t=-\dfrac{1}{2}$일 때, 최솟값은 -2
$\therefore m=-2$
따라서 $M+m=5$

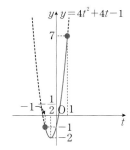

0905

정답 ①

STEP Ⓐ $\sin^2x+\cos^2x=1$임을 이용하여 주어진 식을 한 종류의 삼각함수로 통일한 후 삼각함수를 t로 치환하기

$y=\cos^2x-\sin x+1=(1-\sin^2x)-\sin x+1$
$\qquad\qquad\qquad\quad=-\sin^2x-\sin x+2$
$\sin x=t$로 놓으면 $-1\le t\le1$
$y=-t^2-t+2=-\left(t+\dfrac{1}{2}\right)^2+\dfrac{9}{4}$

STEP Ⓑ 최댓값 M과 최솟값 m에 대하여 $M+m$의 값 구하기

오른쪽 그림에서
$t=-\dfrac{1}{2}$일 때, 최댓값은 $M=\dfrac{9}{4}$
$t=1$일 때, 최솟값은 $m=0$
따라서 $M+m=\dfrac{9}{4}$

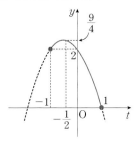

$0\le x\le\pi$에서 함수 $f(x)=2\sin^2x-\cos x-1$이 최댓값과 최솟값의 합은?

① -1 ② $-\dfrac{7}{8}$ ③ $-\dfrac{3}{4}$
④ $-\dfrac{5}{8}$ ⑤ $-\dfrac{1}{2}$

STEP Ⓐ $\sin^2x+\cos^2x=1$임을 이용하여 주어진 식을 한 종류의 삼각함수로 통일하기

$f(x)=2\sin^2x-\cos x-1$ ← $\sin^2x=1-\cos^2x$
$\quad=2(1-\cos^2x)-\cos x-1$
$\quad=-2\cos^2x-\cos x+1$
$\cos x=t$로 놓으면 $0\le x\le\pi$에서 $-1\le t\le1$
$f(t)=-2t^2-t+1=-2\left(t+\dfrac{1}{4}\right)^2+\dfrac{9}{8}$

STEP Ⓑ 최댓값과 최솟값의 합 구하기

오른쪽 그림에서
$t=-\dfrac{1}{4}$일 때, 최댓값은 $\dfrac{9}{8}$
$t=1$일 때, 최솟값은 -2
따라서 최댓값과 최솟값의 합은
$\dfrac{9}{8}+(-2)=-\dfrac{7}{8}$

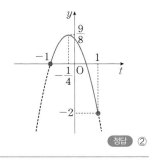

정답 ②

0906

정답 ③

STEP ⓐ $\sin^2 x + \cos^2 x = 1$임을 이용하여 주어진 식을 한 종류의 삼각함수로 통일한 후 삼각함수를 t로 치환하기

$y = \sin^2 x - 2\cos x + 1$
$\quad = 1 - \cos^2 x - 2\cos x + 1$
$\quad = -\cos^2 x - 2\cos x + 2$

STEP ⓑ 최댓값 구하기

$\cos x = t$로 놓으면 $-1 \le t \le 1$이고
$y = -t^2 - 2t + 2 = -(t+1)^2 + 3$
오른쪽 그림에서 $t = \cos x = -1$일 때,
최댓값 3을 가진다.
$0 \le x < 2\pi$이므로
$\cos x = -1$에서 $x = \pi$
따라서 $a = \pi$, $b = 3$이므로 $ab = 3\pi$

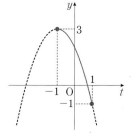

0907

정답 ③

STEP ⓐ 주어진 식을 한 종류의 삼각함수로 통일하기

$f(x) = \sin^2 x + \sin\left(x + \dfrac{\pi}{2}\right) + 1$
$\quad = 1 - \cos^2 x + \cos x + 1$ ← $\sin^2 x = 1 - \cos^2 x$, $\sin\left(x + \dfrac{\pi}{2}\right) = \cos x$
$\quad = -\cos^2 x + \cos x + 2$

STEP ⓑ $\cos x = t$로 치환하여 최댓값과 최솟값 구하기

$\cos x = t\,(-1 \le t \le 1)$로 놓으면
$f(t) = -t^2 + t + 2$
$\quad = -\left(t - \dfrac{1}{2}\right)^2 + \dfrac{9}{4}$
오른쪽 그림에서 $t = \dfrac{1}{2}$일 때,
최댓값 $\dfrac{9}{4}$를 갖는다.
따라서 $M = \dfrac{9}{4}$이므로 $4M = 9$

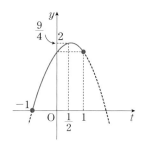

0908

정답 ①

STEP ⓐ 주어진 식을 한 종류의 삼각함수로 통일하기

$\sin\left(\dfrac{\pi}{2} + x\right) = \cos x$, $\cos(\pi + x) = -\cos x$이므로 주어진 함수는

$y = \sin\left(x + \dfrac{\pi}{2}\right) - \cos^2(x + \pi)$
$\quad = \cos x - (-\cos x)^2$
$\quad = -\cos^2 x + \cos x$
이때 $\cos x = t$리 히면 $-1 \le t \le 1$이고
$y = -t^2 + t = -\left(t - \dfrac{1}{2}\right)^2 + \dfrac{1}{4}$

STEP ⓑ 최댓값 M과 최솟값 m에 대하여 $M + m$의 값 구하기

오른쪽 그림에서
$t = \dfrac{1}{2}$일 때, 최댓값 $\dfrac{1}{4}$
$t = -1$일 때, 최솟값 -2
따라서 $M + m = \dfrac{1}{4} + (-2) = -\dfrac{7}{4}$

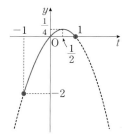

$0 \le x \le \dfrac{\pi}{2}$에서 함수

$$y = 3\sin^2\left(x + \dfrac{\pi}{2}\right) - 4\cos^2 x + 6\sin(x + \pi) + 5$$

의 최댓값을 M, 최솟값을 m이라 할 때, $M - m$의 값은?

① 2   ② 3   ③ 4
④ 5   ⑤ 6

STEP ⓐ 주어진 식을 한 종류의 삼각함수로 통일하기

$y = 3\sin^2\left(x + \dfrac{\pi}{2}\right) - 4\cos^2 x + 6\sin(x + \pi) + 5$
$\quad = 3\cos^2 x - 4\cos^2 x - 6\sin x + 5$
$\quad = -\cos^2 x - 6\sin x + 5$
$\quad = -(1 - \sin^2 x) - 6\sin x + 5$
$\quad = \sin^2 x - 6\sin x + 4$
$\sin x = t$라 하면 $0 \le x \le \dfrac{\pi}{2}$에서 $0 \le t \le 1$
$y = t^2 - 6t + 4 = (t - 3)^2 - 5$

STEP ⓑ 최댓값 M과 최솟값 m의 값 구하기

오른쪽 그림에서
$t = 0$일 때, 최댓값은 4,
$t = 1$일 때, 최솟값은 -1이므로
$M = 4$, $m = -1$
따라서 $M - m = 5$

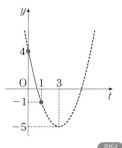

정답 ④

0909

정답 ②

STEP ⓐ 주어진 식을 한 종류의 삼각함수로 통일하기

$y = -3\cos^2 x + 12\cos\left(\dfrac{\pi}{2} - x\right) + 16 - k$
$\quad = -3(1 - \sin^2 x) + 12\sin x + 16 - k$
$\quad = 3\sin^2 x + 12\sin x + 13 - k$
$\sin x = t$로 놓으면 $0 \le x < 2\pi$에서 $-1 \le t \le 1$
$y = 3t^2 + 12t + 13 - k = 3(t + 2)^2 + 1 - k$

STEP ⓑ 최솟값이 1임을 이용하여 k의 값과 최댓값 구하기

오른쪽 그림에서
$t = -1$일 때, 최솟값 $4 - k = 1$이므로
$k = 3$
따라서 $t = 1$일 때, 최댓값 $28 - k = 25$
를 갖는다.

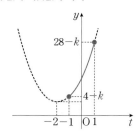

내/신/연/계/ 출제문항 331

$0 \le x \le \pi$에서 함수

$$y = \cos^2\left(x + \frac{\pi}{2}\right) - 4\cos(\pi - x) + a$$

의 최댓값이 3일 때, 이 함수의 최솟값은? (단, a는 상수)

① -6 ② -5 ③ -3
④ -2 ⑤ -1

STEP Ⓐ 주어진 식을 한 종류의 삼각함수로 통일하기

$y = \cos^2\left(x + \frac{\pi}{2}\right) - 4\cos(\pi - x) + a$

$= \sin^2 x + 4\cos x + a$

$= 1 - \cos^2 x + 4\cos x + a$

$= -\cos^2 x + 4\cos x + a + 1$

$\cos x = t$로 놓으면 $0 \le x \le \pi$에서 $-1 \le t \le 1$

$y = -t^2 + 4t + a + 1 = -(t-2)^2 + a + 5$

STEP Ⓑ 최댓값이 3임을 이용하여 a의 값과 최솟값 구하기

오른쪽 그림에서
$t = 1$일 때, 최댓값은 $a + 4$이므로
$a + 4 = 3$ ∴ $a = -1$
따라서 최솟값은 $t = -1$일 때,
$-4 + a = -5$

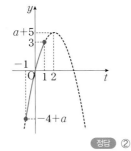

정답 ②

0910

정답 ⑤

STEP Ⓐ 주어진 식을 $\cos x$에 대한 식으로 정리하기

$x + y = 2\pi$에서 $y = 2\pi - x$

$9\sin^2(\pi + x) + 9\cos y = 9\sin^2(\pi + x) + 9\cos(2\pi - x)$

$\qquad = 9\sin^2 x + 9\cos x$

$\qquad = 9(1 - \cos^2 x) + 9\cos x$

$\qquad = -9\cos^2 x + 9\cos x + 9$

$\cos x = t$로 놓으면 $-1 \le t \le 1$

$y = -9t^2 + 9t + 9 = -9\left(t - \frac{1}{2}\right)^2 + \frac{45}{4}$

STEP Ⓑ $\cos x = t$로 치환하고 주어진 식의 최댓값 구하기

오른쪽 그림에서
$t = \frac{1}{2}$일 때, 최댓값 $\frac{45}{4}$를 갖는다.

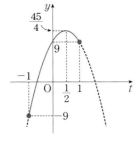

0911

정답 ③

STEP Ⓐ 주어진 식을 한 종류의 삼각함수로 통일하기

$y = 2\tan x - 3 + \frac{1}{\cos^2 x}$

$= 2\tan x - 3 + \frac{\cos^2 x + \sin^2 x}{\cos^2 x}$

$= \frac{\sin^2 x}{\cos^2 x} + 2\tan x - 3 + 1$

$= \tan^2 x + 2\tan x - 2$

$\tan x = t$로 놓으면 $0 \le x \le \frac{\pi}{4}$이므로 $0 \le t \le 1$

$y = t^2 + 2t - 2 = (t+1)^2 - 3$

STEP Ⓑ 최댓값 M과 최솟값 m에 대하여 $M + m$의 값 구하기

오른쪽 그림에서
$t = 1$일 때, 최댓값 1
$t = 0$일 때, 최솟값 -2를 갖는다.
따라서 $M + m = 1 + (-2) = -1$

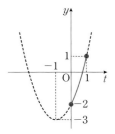

내/신/연/계/ 출제문항 332

$-\frac{\pi}{4} \le x \le \frac{\pi}{4}$에서 함수 $y = \frac{1}{\cos^2 x} + 2\tan x + 2$이 $x = a$일 때,

최솟값이 b일 때, ab의 값은?

① $-\frac{3}{4}\pi$ ② $-\frac{\pi}{2}$ ③ $-\frac{\pi}{4}$
④ $\frac{\pi}{2}$ ⑤ $\frac{3}{4}\pi$

STEP Ⓐ 주어진 식을 한 종류의 삼각함수로 통일하기

$y = \frac{1}{\cos^2 x} + 2\tan x + 2$

$= \frac{\sin^2 x + \cos^2 x}{\cos^2 x} + 2\tan x + 2$

$= \frac{\sin^2 x}{\cos^2 x} + 1 + 2\tan x + 2$

$= \tan^2 x + 2\tan x + 3$

$\tan x = t$로 놓으면

$-\frac{\pi}{4} \le x \le \frac{\pi}{4}$에서 $-1 \le \tan x \le 1$이므로 $-1 \le t \le 1$

$y = t^2 + 2t + 3 = (t+1)^2 + 2$

STEP Ⓑ 최솟값 구하기

따라서 $t = -1$, 즉 $x = -\frac{\pi}{4}$일 때,
최솟값은 2이므로 $a = -\frac{\pi}{4}$, $b = 2$
∴ $ab = -\frac{\pi}{2}$

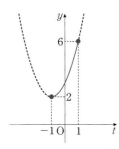

정답 ②

0912

STEP A $\sin^2 x + \cos^2 x = 1$임을 이용하여 주어진 식을 한 종류의 삼각함수로 통일한 후 삼각함수를 t로 치환하기

$y = a\cos^2 x + a\sin x + b$

$= a(1 - \sin^2 x) + a\sin x + b$

$= -a\sin^2 x + a\sin x + a + b$

$\sin x = t$로 놓으면 $-1 \le t \le 1$

$y = -at^2 + at + a + b = -a\left(t - \dfrac{1}{2}\right)^2 + \dfrac{5}{4}a + b$

STEP B 최댓값과 최솟값을 구하여 a, b의 값 구하기

오른쪽 그림에서

$t = \dfrac{1}{2}$일 때, 최댓값은 $\dfrac{5}{4}a + b$

$\therefore \dfrac{5}{4}a + b = 10$ ...... ㉠

$t = -1$일 때, 최솟값은 $-a + b$

$\therefore -a + b = 1$ ...... ㉡

㉠, ㉡을 연립하여 풀면 $a = 4$, $b = 5$

따라서 $a + b = 9$

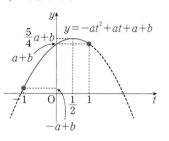

내/신/연/계 출제문항 333

함수 $y = a\cos^2 x + a\sin x + b$의 최댓값이 10이고 최솟값이 1일 때, 실수 a, b의 곱 ab의 값은 p 또는 q이다. $p + q$의 값은?

① -4 ② -2 ③ 2

④ 4 ⑤ 6

STEP A $\sin^2 x + \cos^2 x = 1$임을 이용하여 주어진 식을 한 종류의 삼각함수로 통일한 후 삼각함수를 t로 치환하기

$y = a\cos^2 x + a\sin x + b$에서 $\cos^2 x = 1 - \sin^2 x$이므로

$y = a(1 - \sin^2 x) + a\sin x + b$

$= -a\sin^2 x + a\sin x + a + b$

$\sin x = t\,(-1 \le t \le 1)$로 놓으면

$f(t) = -at^2 + at + a + b = -a\left(t - \dfrac{1}{2}\right)^2 + \dfrac{5}{4}a + b$

STEP B a의 범위를 나누어서 주어진 조건을 만족하는 p, q 구하기

$a > 0$, $a < 0$인 경우로 나누면 다음과 같다.

(i) $a > 0$인 경우

$y = f(t)$의 그래프는 오른쪽 그림과 같으므로 $t = \dfrac{1}{2}$에서 최댓값, $t = -1$에서 최솟값을 갖는다.

$f\left(\dfrac{1}{2}\right) = \dfrac{5}{4}a + b = 10$,

$f(-1) = -a + b = 1$

두 식을 연립하여 풀면 $a = 4$, $b = 5$

(ii) $a < 0$인 경우

$y = f(t)$의 그래프는 오른쪽 그림과 같으므로 $t = \dfrac{1}{2}$에서 최솟값, $t = -1$에서 최댓값을 갖는다.

$f\left(\dfrac{1}{2}\right) = \dfrac{5}{4}a + b = 1$,

$f(-1) = -a + b = 10$

두 식을 연립하여 풀면 $a = -4$, $b = 6$

(i), (ii)에서 만족하는 ab의 값은 20 또는 -24이므로 $p + q = -4$

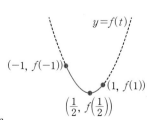

0913

STEP A $\sin x = t$로 놓고 $y = \dfrac{1}{t-2} + 2$의 최댓값과 최솟값 구하기

$\sin x = t$로 놓으면

$-1 \le \sin x \le 1$이므로 $-1 \le t \le 1$

$y = \dfrac{1}{t-2} + 2$

오른쪽 그림에서

$t = -1$일 때, 최댓값은 $\dfrac{5}{3}$,

$t = 1$일 때, 최솟값은 1이므로

$M = \dfrac{5}{3}$, $m = 1$

따라서 $M + m = \dfrac{8}{3}$

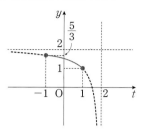

0914

STEP A $\cos x = t$로 놓고 $y = \dfrac{t-5}{t+3}$의 최댓값과 최솟값 구하기

$\cos x = t$로 놓으면 $-1 \le \cos x \le 1$이므로 $-1 \le t \le 1$

$y = \dfrac{t-5}{t+3} = \dfrac{(t+3)-8}{t+3} = -\dfrac{8}{t+3} + 1$

다음 그림에서

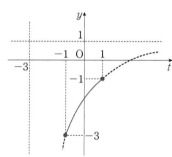

$t = 1$일 때, 최댓값은 $M = -1$

$t = -1$일 때, 최솟값은 $m = -3$이므로 $M + m = -1 + (-3) = -4$

내/신/연/계 출제문항 334

함수 $y = \dfrac{-\sin x + 4}{\sin x + 2}$의 최댓값을 M, 최솟값을 m이라 할 때, $M + m$의 값은?

① 3 ② 4 ③ 5

④ 6 ⑤ 7

STEP A $\sin x = t$로 놓고 $y = \dfrac{-t+4}{t+2}$의 최댓값과 최솟값을 구하기

$\sin x = t$로 놓으면 $-1 \le t \le 1$이고

$y = \dfrac{-t+4}{t+2} = \dfrac{-(t+2)+6}{t+2}$

$= \dfrac{6}{t+2} - 1$

오른쪽 그림에서

$t = -1$일 때, 최댓값은 5 $\therefore M = 5$

$t = 1$일 때, 최솟값은 1 $\therefore m = 1$

따라서 $M + m = 5 + 1 = 6$

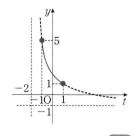

0915

정답 ③

STEP Ⓐ $\cos x = t$로 놓고 최댓값을 이용하여 a의 값 구하기

$\cos x = t$로 놓으면

$\dfrac{\pi}{3} \le x \le \dfrac{\pi}{2}$에서 $0 \le t \le \dfrac{1}{2}$

$y = \dfrac{-t+a}{t-1} = \dfrac{-(t-1)+a-1}{t-1}$

$\qquad = \dfrac{a-1}{t-1} - 1$

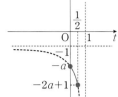

이때 $a > 1$이므로 $a-1 > 0$
오른쪽 그림에서
$t = 0$일 때, 최댓값은 $-a$이므로
$-a = -2$ $\therefore a = 2$

STEP Ⓑ 최솟값 구하기

따라서 $t = \dfrac{1}{2}$일 때, 최솟값은 $-2a+1$이므로 $-2 \cdot 2 + 1 = -3$

내/신/연/계 출제문항 **335**

$0 \le x \le \dfrac{\pi}{4}$에서 함수 $y = -\dfrac{\tan x + a}{\tan x - 2}$의 최댓값이 2일 때, 상수 a의 값은?
(단, $a > -2$)

① -1 ② 0 ③ 1
④ 2 ⑤ 3

STEP Ⓐ $\tan x = t$로 놓고 최댓값을 이용하여 a의 값 구하기

$\tan x = t$로 놓으면

$y = -\dfrac{t+a}{t-2} = -\dfrac{2+a}{t-2} - 1$

이때, $0 \le x \le \dfrac{\pi}{4}$에서

$0 \le \tan x \le 1$이므로 $0 \le t \le 1$
$a > -2$이므로 $a + 2 > 0$
따라서 $t = 1$일 때,
최댓값은 $a + 1$이므로 $a + 1 = 2$
$\therefore a = 1$

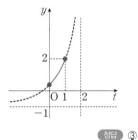

정답 ③

0916

정답 ④

STEP Ⓐ $\dfrac{\cos x + \sin x}{3\cos x - \sin x}$의 분모, 분자를 $\cos x$로 나누기

$0 \le x \le \dfrac{\pi}{4}$에서 $\cos x \ne 0$이므로 분모, 분자를 $\cos x$로 나누면

$y = \dfrac{\cos x + \sin x}{3\cos x - \sin x} = \dfrac{1 + \tan x}{3 - \tan x}$

STEP Ⓑ $\tan x = t$로 놓고 $y = \dfrac{1+t}{3-t}$의 최댓값과 최솟값 구하기

$\tan x = t$로 놓으면

$0 \le x \le \dfrac{\pi}{4}$에서 $0 \le t \le 1$

$y = \dfrac{1+t}{3-t} = \dfrac{(t-3)+4}{-(t-3)} = -\dfrac{4}{t-3} - 1$

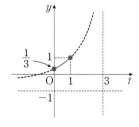

오른쪽 그림에서
$t = 1$일 때, 최댓값은 1 $\therefore M = 1$
$t = 0$일 때, 최솟값은 $\dfrac{1}{3}$ $\therefore m = \dfrac{1}{3}$

따라서 $M + m = \dfrac{4}{3}$

0917

정답 ②

STEP Ⓐ 삼각함수의 그래프의 대칭성을 이용하기

$0 \le x \le 2\pi$일 때, 두 함수 $y = \sin x$, $y = \dfrac{\sqrt{2}}{2}$의 그래프의 교점의 x좌표이다.

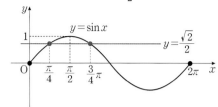

따라서 구하는 방정식의 해는 $x = \dfrac{\pi}{4}$ 또는 $x = \dfrac{3}{4}\pi$이므로 합은 $\dfrac{\pi}{4} + \dfrac{3}{4}\pi = \pi$

0918

정답 ③

STEP Ⓐ 삼각함수의 그래프의 대칭성을 이용하기

주어진 식을 정리하면 $\cos x = \dfrac{1}{2}$이므로 함수 $y = \cos x (0 \le x < 2\pi)$의

그래프와 직선 $y = \dfrac{1}{2}$의 교점의 x좌표가 구하는 해이다.

$\therefore x = \dfrac{\pi}{3}$ 또는 $x = \dfrac{5}{3}\pi$

따라서 모든 근의 합은 $\dfrac{\pi}{3} + \dfrac{5}{3}\pi = 2\pi$

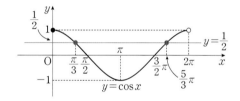

0919

정답 ①

STEP Ⓐ 방정식 $\sin(ax+b) = k$에서 $ax+b = t$로 놓고 삼각방정식의 근 구하기

$2\sin 2x = \sqrt{3}$에서 $\sin 2x = \dfrac{\sqrt{3}}{2}$

$2x = t$로 놓으면 $0 \le x < 2\pi$에서 $0 \le t < 4\pi$

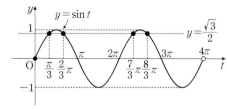

위의 그림과 같이 $0 \le t < 4\pi$에서 함수 $y = \sin t$의 그래프와 직선

$y = \dfrac{\sqrt{3}}{2}$의 교점의 t좌표가 $\dfrac{\pi}{3}$, $\dfrac{2}{3}\pi$, $\dfrac{7}{3}\pi$, $\dfrac{8}{3}\pi$이므로

$2x = \dfrac{\pi}{3}$ 또는 $2x = \dfrac{2}{3}\pi$ 또는 $2x = \dfrac{7}{3}\pi$ 또는 $2x = \dfrac{8}{3}\pi$

$\therefore x = \dfrac{\pi}{6}$ 또는 $x = \dfrac{\pi}{3}$ 또는 $x = \dfrac{7}{6}\pi$ 또는 $x = \dfrac{4}{3}\pi$

STEP Ⓑ 모든 근의 합을 구하여 $\cos \theta$의 값 구하기

따라서 $\theta = \dfrac{\pi}{6} + \dfrac{\pi}{3} + \dfrac{7}{6}\pi + \dfrac{4}{3}\pi = \dfrac{18}{6}\pi = 3\pi$이므로

$\cos \theta = \cos 3\pi = \cos(2\pi + \pi) = \cos \pi = -1$

$0 \le x \le \pi$일 때, 방정식
$$1 + \sqrt{2}\sin 2x = 0$$
의 모든 해의 합은?

① π ② $\dfrac{5}{4}\pi$ ③ $\dfrac{3}{2}\pi$

④ $\dfrac{7}{4}\pi$ ⑤ 2π

STEP Ⓐ $2x=t$로 놓고 t의 값 구하기

$1+\sqrt{2}\sin 2x=0$에서 $\sin 2x = -\dfrac{1}{\sqrt{2}}$

$2x=t$로 놓으면 $0 \le x \le \pi$이므로 $0 \le t \le 2\pi$

즉 $\sin t = -\dfrac{\sqrt{2}}{2}$ ($0 \le t \le 2\pi$)을 만족시키는 해는

두 함수 $y=\sin t$, $y=-\dfrac{\sqrt{2}}{2}$의 그래프의 교점의 t좌표와 같다.

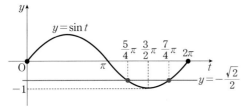

즉 구하는 방정식의 해는 이므로 $t = \dfrac{5}{4}\pi$ 또는 $t = \dfrac{7}{4}\pi$

STEP Ⓑ 주어진 범위에서 x의 값을 구하여 모든 해의 합 구하기

$2x = \dfrac{5}{4}\pi$ 또는 $2x = \dfrac{7}{4}\pi$

$\therefore x = \dfrac{5}{8}\pi$ 또는 $x = \dfrac{7}{8}\pi$

따라서 모든 해의 합은 $\dfrac{5}{8}\pi + \dfrac{7}{8}\pi = \dfrac{3}{2}\pi$ 정답 ③

0920   정답 ②

STEP Ⓐ $3x=t$로 놓고 t의 값 구하기

$\sin 3x = \dfrac{1}{2}$에서 $3x=t$라고 하면

$0 \le x \le 2\pi$이므로 $0 \le t \le 6\pi$

즉 $\sin t = \dfrac{1}{2}$ ($0 \le t \le 6\pi$)을 만족하는 t의 값은

$t = \dfrac{\pi}{6}$ 또는 $t = \dfrac{5}{6}\pi$ 또는 $t = \dfrac{13}{6}\pi$ 또는 $t = \dfrac{17}{6}\pi$ 또는 $t = \dfrac{25}{6}\pi$ 또는 $t = \dfrac{29}{6}\pi$

STEP Ⓑ 주어진 범위에서 네 번째 x의 값 구하기

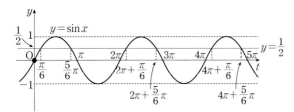

$3x=t$이므로

$x = \dfrac{\pi}{18}$ 또는 $x = \dfrac{5}{18}\pi$ 또는 $x = \dfrac{13}{18}\pi$ 또는 $x = \dfrac{17}{18}\pi$ 또는 $x = \dfrac{25}{18}\pi$ 또는 $x = \dfrac{29}{18}\pi$

따라서 네 번째 수는 $x = \dfrac{17}{18}\pi$

방정식 $\sin x = \dfrac{1}{2}$을 만족하는 양수 x를 작은 것부터 크기순으로 나열할 때, 6번째 수는?

① $\dfrac{13}{6}\pi$ ② $\dfrac{17}{6}\pi$ ③ $\dfrac{19}{6}\pi$

④ $\dfrac{25}{6}\pi$ ⑤ $\dfrac{29}{6}\pi$

STEP Ⓐ $y=\sin x$의 그래프와 직선 $y=\dfrac{1}{2}$의 교점의 x좌표 구하기

삼각함수 $y=\sin x$의 그래프와 직선 $y=\dfrac{1}{2}$은 아래 그림과 같다.

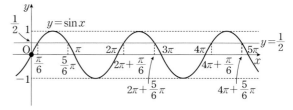

즉 $\sin x = \dfrac{1}{2}$을 만족하는 양수 x를 작은 것부터 크기순으로 나열하면

$\dfrac{\pi}{6}$, $\dfrac{5}{6}\pi$, $2\pi+\dfrac{\pi}{6}$, $2\pi+\dfrac{5}{6}\pi$, $4\pi+\dfrac{\pi}{6}$, $4\pi+\dfrac{5}{6}\pi$, $\cdots$

따라서 6번째 수는 $4\pi + \dfrac{5}{6}\pi = \dfrac{29}{6}\pi$ 정답 ⑤

0921   정답 ⑤

STEP Ⓐ $y=\sin\theta$의 그래프와 직선 $y=\dfrac{\sqrt{3}}{2}$의 교점의 θ좌표 구하기

조건 (가)에서 $y=\sin\theta$의 그래프와 직선 $y=\dfrac{\sqrt{3}}{2}$의 교점의 θ의 값이 구하는 방정식의 해이다.

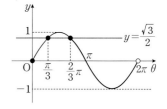

$\therefore \theta = \dfrac{\pi}{3}$ 또는 $\theta = \dfrac{2}{3}\pi$

즉 모든 해의 합은 $\dfrac{\pi}{3} + \dfrac{2}{3}\pi = \pi$

STEP Ⓑ $y=\cos\theta$의 그래프와 직선 $y=-\dfrac{\sqrt{3}}{2}$의 교점의 θ좌표 구하기

조건 (나)에서 $y=\cos\theta$의 그래프와 직선 $y=-\dfrac{\sqrt{3}}{2}$의 교점의 θ의 값이 구하는 방정식의 해이다.

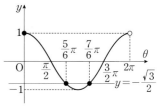

$\therefore \theta = \dfrac{5}{6}\pi$ 또는 $\theta = \dfrac{7}{6}\pi$

즉 모든 해의 합은 $\dfrac{5}{6}\pi + \dfrac{7}{6}\pi = 2\pi$

STEP Ⓒ $y=\tan\theta$의 그래프와 직선 $y=1$의 교점의 θ좌표 구하기

조건 (다)에서 $y=\tan\theta$의 그래프와 직선 $y=1$의 교점의 θ의 값이 구하는 방정식의 해이다.

$\therefore \theta = \dfrac{\pi}{4}$ 또는 $\theta = \dfrac{5}{4}\pi$

즉 모든 해의 합은 $\dfrac{\pi}{4} + \dfrac{5}{4}\pi = \dfrac{3}{2}\pi$

따라서 $a+b+c = \pi + 2\pi + \dfrac{3}{2}\pi = \dfrac{9}{2}\pi$

다음 조건을 만족하는 실수 a, b, c에 대하여 $a+b+c$의 값은?
(단, $0 \leq \theta < 2\pi$)

> (가) $\sin x = -\dfrac{\sqrt{3}}{2}$의 모든 해의 합을 a
>
> (나) $2\cos x + 1 = 0$의 모든 해의 합을 b
>
> (다) $\tan x = \sqrt{3}$의 모든 해의 합을 c

① $\dfrac{13}{3}\pi$ ② $\dfrac{17}{3}\pi$ ③ 6π

④ $\dfrac{20}{3}\pi$ ⑤ $\dfrac{25}{3}\pi$

STEP Ⓐ **각각의 삼각방정식의 해 구하기**

조건 (가)에서 $x = \dfrac{4}{3}\pi$ 또는 $x = \dfrac{5}{3}\pi$, 즉 모든 해의 합은 $\dfrac{4}{3}\pi + \dfrac{5}{3}\pi = 3\pi$

조건 (나)에서 $x = \dfrac{2}{3}\pi$ 또는 $x = \dfrac{4}{3}\pi$, 즉 모든 해의 합은 $\dfrac{2}{3}\pi + \dfrac{4}{3}\pi = 2\pi$

조건 (다)에서 $x = \dfrac{\pi}{3}$ 또는 $x = \dfrac{4}{3}\pi$, 즉 모든 해의 합은 $\dfrac{\pi}{3} + \dfrac{4}{3}\pi = \dfrac{5}{3}\pi$

따라서 $a+b+c = 3\pi + 2\pi + \dfrac{5}{3}\pi = \dfrac{20}{3}\pi$ 정답 ④

0922   정답 ②

STEP Ⓐ **방정식 $\sin(ax+b) = k$에서 $ax+b = t$로 놓고 삼각방정식 풀기**

$2\sin\left(4x - \dfrac{\pi}{3}\right) = 1$에서 $4x - \dfrac{\pi}{3} = t$로 놓으면

$2\sin t = 1$, $\sin t = \dfrac{1}{2}$

$0 \leq x < \dfrac{\pi}{2}$에서 t의 값의 범위를 구하면 $-\dfrac{\pi}{3} \leq t < \dfrac{5}{3}\pi$

$\sin t = \dfrac{1}{2}$을 만족시키는 t의 값은 $t = \dfrac{\pi}{6}$ 또는 $t = \dfrac{5}{6}\pi$

STEP Ⓑ **모든 근의 합 구하기**

즉 $4x - \dfrac{\pi}{3} = \dfrac{\pi}{6}$ 또는 $4x - \dfrac{\pi}{3} = \dfrac{5}{6}\pi$이므로

$x = \dfrac{\pi}{8}$ 또는 $x = \dfrac{7}{24}\pi$

따라서 모든 근의 합은 $\dfrac{\pi}{8} + \dfrac{7}{24}\pi = \dfrac{5}{12}\pi$

0923   정답 ④

STEP Ⓐ **방정식 $\cos(ax+b) = k$에서 $ax+b = t$로 놓고 삼각방정식 풀기**

$x - \dfrac{\pi}{6} = t$로 놓으면 $0 \leq x < 2\pi$에서 $-\dfrac{\pi}{6} \leq t < \dfrac{11}{6}\pi$이고

주어진 방정식은 $\cos t = \dfrac{\sqrt{2}}{2}$

즉 $y = \cos t$의 그래프와 직선 $y = \dfrac{\sqrt{2}}{2}$의 교점의 t의 좌표는

$t = \dfrac{\pi}{4}$ 또는 $t = \dfrac{7}{4}\pi$

STEP Ⓑ **모든 근의 합 구하기**

$x - \dfrac{\pi}{6} = \dfrac{\pi}{4}$ 또는 $x - \dfrac{\pi}{6} = \dfrac{7}{4}\pi$이므로

$x = \dfrac{\pi}{4} + \dfrac{\pi}{6} = \dfrac{5}{12}\pi$ 또는 $x = \dfrac{7}{4}\pi + \dfrac{\pi}{6} = \dfrac{23}{12}\pi$

따라서 모든 근의 합은 $\dfrac{5}{12}\pi + \dfrac{23}{12}\pi = \dfrac{7}{3}\pi$

$2\pi \leq x < 4\pi$일 때, 방정식

$$4\sin\left(\dfrac{1}{2}x + \dfrac{\pi}{3}\right) = -2\sqrt{3}$$

의 두 근을 α, β라 할 때, $\cos(\alpha+\beta)$의 값은?

① -1 ② $-\dfrac{1}{2}$ ③ $-\dfrac{\sqrt{2}}{2}$

④ $\dfrac{1}{2}$ ⑤ 1

STEP Ⓐ **방정식 $\sin(ax+b) = k$에서 $ax+b = t$로 놓고 삼각방정식의 근 구하기**

$\dfrac{1}{2}x + \dfrac{\pi}{3} = t$로 놓으면 $2\pi \leq x < 4\pi$에서 $\dfrac{4}{3}\pi \leq t < \dfrac{7}{3}\pi$이고

주어진 방정식은 $\sin t = -\dfrac{\sqrt{3}}{2}$

$\therefore t = \dfrac{4}{3}\pi$ 또는 $t = \dfrac{5}{3}\pi$

즉 $\dfrac{1}{2}x + \dfrac{\pi}{3} = \dfrac{4}{3}\pi$ 또는 $\dfrac{1}{2}x + \dfrac{\pi}{3} = \dfrac{5}{3}\pi$이므로

$x = 2\pi$ 또는 $x = \dfrac{8}{3}\pi$

STEP Ⓑ **$\cos(\alpha+\beta)$의 값 구하기**

따라서 $\cos(\alpha+\beta) = \cos\left(2\pi + \dfrac{8}{3}\pi\right)$

$= \cos\dfrac{8}{3}\pi$

$= \cos\left(2\pi + \dfrac{2}{3}\pi\right)$

$= \cos\dfrac{2}{3}\pi = -\dfrac{1}{2}$ 정답 ②

0924   정답 ④

STEP Ⓐ **$|x| = a$이면 $x = \pm a$임을 이용하여 구하기**

$|\sin 2x| = \dfrac{1}{2}$에서 $\sin 2x = \dfrac{1}{2}$ 또는 $\sin 2x = -\dfrac{1}{2}$

STEP Ⓑ **$2x = t$로 치환하여 두 그래프의 교점의 개수 구하기**

$0 \leq x < 2\pi$에서 $0 \leq 2x < 4\pi$이므로 $2x = t$로 놓으면

$\sin t = \dfrac{1}{2}$ 또는 $\sin t = -\dfrac{1}{2}$에서 $y = \sin t$와 $y = \dfrac{1}{2}$의 교점의 t의 값을 구하면 다음과 같다.

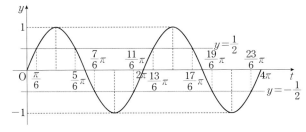

(i) $\sin t = \dfrac{1}{2}$

$t = \dfrac{\pi}{6}$ 또는 $\dfrac{5}{6}\pi$ 또는 $\dfrac{13}{6}\pi$ 또는 $\dfrac{17}{6}\pi$

$\therefore x = \dfrac{\pi}{12}$ 또는 $\dfrac{5}{12}\pi$ 또는 $\dfrac{13}{12}\pi$ 또는 $\dfrac{17}{12}\pi$

(ii) $\sin t = -\dfrac{1}{2}$

$t = \dfrac{7}{6}\pi$ 또는 $\dfrac{11}{6}\pi$ 또는 $\dfrac{19}{6}\pi$ 또는 $\dfrac{23}{6}\pi$

$\therefore x = \dfrac{7}{12}\pi$ 또는 $\dfrac{11}{12}\pi$ 또는 $\dfrac{19}{12}\pi$ 또는 $\dfrac{23}{12}\pi$

따라서 실근의 개수는 8

다른풀이 $y=|\sin 2x|$의 그래프와 $y=\frac{1}{2}$의 교점의 개수 구하기

$0 \le x < 2\pi$에서 $|\sin 2x|=\frac{1}{2}$의 실근의 개수는

$y=|\sin 2x|$와 $y=\frac{1}{2}$의 교점의 개수이다.

이때 $y=|\sin 2x|$의 그래프는 주기가 $\frac{2\pi}{2}=\pi$인 $y=\sin 2x$의

x축 아래 부분을 접어 올린 그래프이므로 다음과 같다.

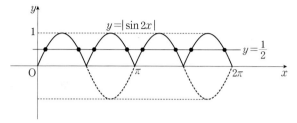

따라서 교점의 개수는 8개이므로 실근의 개수는 8

내/신/연/계/ 출제문항 340

$0 \le x < 2\pi$일 때, 방정식

$$\sin x + |\sin x| = 1$$

의 모든 근의 합은?

① $\frac{2}{3}\pi$ ② π ③ $\frac{3}{2}\pi$

④ 2π ⑤ 3π

STEP A 범위를 나누어 방정식의 해 구하기

(i) $0 \le x < \pi$일 때, $|\sin x|=\sin x$

주어진 방정식에서 $2\sin x=1$, $\sin x=\frac{1}{2}$

$x=\frac{\pi}{6}$ 또는 $x=\frac{5}{6}\pi$

(ii) $\pi \le x < 2\pi$일 때, $|\sin x|=-\sin x$

주어진 방정식 $\sin x-\sin x=1$이므로 해가 없다.

STEP B 모든 근의 합 구하기

(i), (ii)에서 주어진 방정식의 해는 $x=\frac{\pi}{6}$ 또는 $x=\frac{5}{6}\pi$

따라서 근의 합은 $\frac{\pi}{6}+\frac{5}{6}\pi=\pi$ 정답 ②

0925   정답 ③

STEP A $|\sin x|=\frac{\sqrt{3}}{2}$의 해 구하기

$0 \le x < 2\pi$에서 방정식 $|\sin x|=\frac{\sqrt{3}}{2}$의 해는

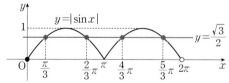

$x=\frac{\pi}{3}$ 또는 $x=\frac{2}{3}\pi$ 또는 $x=\frac{4}{3}\pi$ 또는 $x=\frac{5}{3}\pi$ …… ㉠

STEP B $x+\frac{\pi}{3}=t$로 치환하여 x의 값 구하기

방정식 $2\cos\left(x+\frac{\pi}{3}\right)=1$의 해는 $x+\frac{\pi}{3}=t$로 놓으면

$0 \le x < 2\pi$에서 $\frac{\pi}{3} \le t < \frac{7}{3}\pi$이고

주어진 방정식은 $\cos t=\frac{1}{2}$

$\therefore t=\frac{\pi}{3}$ 또는 $t=\frac{5}{3}\pi$

즉 $x+\frac{\pi}{3}=\frac{\pi}{3}$ 또는 $x+\frac{\pi}{3}=\frac{5}{3}\pi$

$x=0$ 또는 $x=\frac{4}{3}\pi$ …… ㉡

따라서 ㉠, ㉡에서 연립방정식의 해는 $x=\frac{4}{3}\pi$

0926   정답 ②

STEP A $\pi\cos x=t$로 놓고 $\sin t$의 값 구하기

$\pi\cos x=t$로 놓으면 $0 \le x < 2\pi$에서

$-1 \le \cos x \le 1$, $-\pi \le \pi\cos x \le \pi$

$\therefore -\pi \le t \le \pi$

이때 주어진 방정식은 $\sin t=1$이므로 $t=\frac{\pi}{2}$

STEP B $\beta-\alpha$의 값 구하기

즉 $\pi\cos x=\frac{\pi}{2}$이므로 $\cos x=\frac{1}{2}$

$\therefore x=\frac{\pi}{3}$ 또는 $x=\frac{5}{3}\pi$ ($\because 0 \le x < 2\pi$)

따라서 $\beta-\alpha=\frac{5}{3}\pi-\frac{\pi}{3}=\frac{4}{3}\pi$

0927   정답 ④

STEP A $\sin^2 x+\cos^2 x=1$임을 이용하여 $\sin x$에 대한 식으로 정리하기

$2\sin^2 x+5\cos x+1=0$에서 $2(1-\cos^2 x)+5\cos x+1=0$

$2\cos^2 x-5\cos x-3=0$, $(2\cos x+1)(\cos x-3)=0$

$\therefore \cos x=-\frac{1}{2}$ ($\because -1 \le \cos x \le 1$)

STEP B 방정식의 모든 실근을 구하기

따라서 $x=\frac{2}{3}\pi$, $x=\frac{4}{3}\pi$이므로 합은 $\frac{2}{3}\pi+\frac{4}{3}\pi=2\pi$

0928   정답 ①

STEP A 삼각방정식을 한 종류의 삼각함수로 정리하기

$2\cos^2 x+3\sin x=3$에서 $2(1-\sin^2 x)+3\sin x=3$

$2\sin^2 x-3\sin x+1=0$, $(2\sin x-1)(\sin x-1)=0$

$\sin x=\frac{1}{2}$ 또는 $\sin x=1$

STEP B 그래프를 이용하여 방정식의 해 구하기

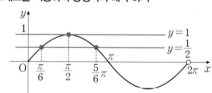

$0 \le x < 2\pi$이므로

$\sin x=\frac{1}{2}$에서 $x=\frac{\pi}{6}$ 또는 $x=\frac{5}{6}\pi$

$\sin x=1$에서 $x=\frac{\pi}{2}$

따라서 모든 실근의 합이 $\frac{\pi}{6}+\frac{5}{6}\pi+\frac{\pi}{2}=\frac{3}{2}\pi$이므로 $p+q=2+3=5$

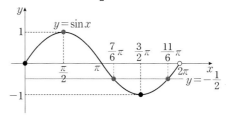
$0 \le x < 2\pi$일 때, 방정식

$$2\cos^2 x + \sin x - 1 = 0$$

을 만족하는 x의 값의 합은?

① π ② $\dfrac{3}{2}\pi$ ③ $\dfrac{11}{6}\pi$

④ 3π ⑤ $\dfrac{7}{2}\pi$

STEP Ⓐ $\sin^2 x + \cos^2 x = 1$임을 이용하여 $\sin x$에 대한 식으로 정리하기

$2\cos^2 x + \sin x - 1 = 0$에서 $2(1 - \sin^2 x) + \sin x - 1 = 0$

$2\sin^2 x - \sin x - 1 = 0$, $(2\sin x + 1)(\sin x - 1) = 0$

$\therefore \sin x = -\dfrac{1}{2}$ 또는 $\sin x = 1$

STEP Ⓑ 방정식의 모든 실근을 구하기

이때 $0 \le x \le 2\pi$에서

(i) $\sin x = -\dfrac{1}{2}$일 때, $x = \dfrac{7}{6}\pi$ 또는 $x = \dfrac{11}{6}\pi$

(ii) $\sin x = 1$일 때, $x = \dfrac{\pi}{2}$

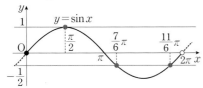

(i), (ii)에서 모든 근의 합은 $\dfrac{\pi}{2} + \dfrac{7}{6}\pi + \dfrac{11}{6}\pi = \dfrac{7}{2}\pi$ 정답 ⑤

0929

정답 ②

STEP Ⓐ 삼각방정식을 한 종류의 삼각함수로 정리하기

$\cos^2 x - \sin x = 1$에서 $(1 - \sin^2 x) - \sin x = 1$

$\sin^2 x + \sin x = 0$, $\sin x(\sin x + 1) = 0$

$\sin x = 0$ 또는 $\sin x = -1$

STEP Ⓑ 그래프를 이용하여 방정식의 해 구하기

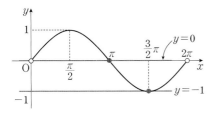

$0 < x < 2\pi$이므로

$\sin x = 0$에서 $x = \pi$

$\sin x = -1$에서 $x = \dfrac{3}{2}\pi$

따라서 모든 실근의 합이 $\pi + \dfrac{3}{2}\pi = \dfrac{5}{2}\pi$이므로 $p + q = 2 + 5 = 7$

$0 \le x < 2\pi$일 때, 방정식

$$\cos^2 x = \sin^2 x - \sin x$$

의 모든 해의 합은?

① 2π ② $\dfrac{5}{2}\pi$ ③ 3π

④ $\dfrac{7}{2}\pi$ ⑤ 4π

STEP Ⓐ 삼각함수의 성질을 이용하여 $\sin x$로 통일하기

$\cos^2 x = \sin^2 x - \sin x$에서 $1 - \sin^2 x = \sin^2 x - \sin x$

$2\sin^2 x - \sin x - 1 = 0$

$(2\sin x + 1)(\sin x - 1) = 0$

$\therefore \sin x = -\dfrac{1}{2}$ 또는 $\sin x = 1$

STEP Ⓑ 삼각방정식의 해 구하기 (대칭성 이용)

$0 \le x < 2\pi$에서 $\sin x = -\dfrac{1}{2}$을 만족하는 x의 값은

$x = \dfrac{7}{6}\pi$ 또는 $x = \dfrac{11}{6}\pi$ ◀ 대칭성을 이용하면 $\dfrac{\alpha + \beta}{2} = \dfrac{3}{2}\pi$에서 두 근의 합은 $\alpha + \beta = 3\pi$

$\sin x = 1$을 만족하는 x의 값은 $x = \dfrac{\pi}{2}$

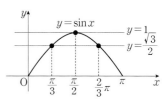

따라서 모든 해의 합은 $\dfrac{7}{6}\pi + \dfrac{11}{6}\pi + \dfrac{\pi}{2} = \dfrac{7}{2}\pi$ 정답 ④

0930

정답 ④

STEP Ⓐ 한 종류의 삼각함수로 나타내어 인수분해하여 $\sin x$의 값 구하기

$\cos^2 x = 1 - \sin^2 x$이므로

$2(1 - \sin^2 x) + (2 + \sqrt{3})\sin x - (2 + \sqrt{3}) = 0$

$2\sin^2 x - (2 + \sqrt{3})\sin x + \sqrt{3} = 0$

$(2\sin x - \sqrt{3})(\sin x - 1) = 0$

$\therefore \sin x = \dfrac{\sqrt{3}}{2}$ 또는 $\sin x = 1$

STEP Ⓑ 삼각함수의 방정식을 만족하는 x의 값 구하기

오른쪽 그림에서 $0 < x \le \pi$에서

$x = \dfrac{\pi}{3}$ 또는 $x = \dfrac{2}{3}\pi$ 또는 $x = \dfrac{\pi}{2}$

따라서 모든 해의 합은 $\dfrac{3}{2}\pi$

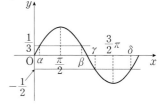

0931

정답 ④

STEP Ⓐ 주어진 식을 $\sin x$에 대한 식으로 정리하기

$6\cos^2 x - \sin x - 5 = 0$에서 $6(1 - \sin^2 x) - \sin x - 5 = 0$

$6\sin^2 x + \sin x - 1 = 0$에서 $(3\sin x - 1)(2\sin x + 1) = 0$

$\therefore \sin x = \dfrac{1}{3}$ 또는 $\sin x = -\dfrac{1}{2}$

STEP Ⓑ 그래프에서 대칭성을 이용한 삼각방정식 구하기

이때 $0 \le x < 2\pi$에서

$\sin x = \dfrac{1}{3}$인 두 근을 α, β라 하면

$\dfrac{\alpha + \beta}{2} = \dfrac{\pi}{2}$이므로 합은 $\alpha + \beta = \pi$

$\sin x = -\dfrac{1}{2}$의 두 근을 γ, δ라 하면

$\dfrac{\gamma + \delta}{2} = \dfrac{3}{2}\pi$이므로 합은 $\gamma + \delta = 3\pi$

따라서 구하는 합은 $\pi + 3\pi = 4\pi$

0932

정답 ①

STEP A 주어진 식을 $\sin x$에 대한 식으로 정리하기

$2\cos x = 3\tan x$에서 $2\cos x = \dfrac{3\sin x}{\cos x}$, $2\cos^2 x = 3\sin x$

$2(1-\sin^2 x) = 3\sin x$

$2\sin^2 x + 3\sin x - 2 = 0$, $(2\sin x - 1)(\sin x + 2) = 0$

$0 \le x < 2\pi$, $x \ne \dfrac{\pi}{2}$, $x \ne \dfrac{3}{2}\pi$인 범위에서 $-1 < \sin x < 1$이므로

$\sin x = \dfrac{1}{2}$

STEP B $\tan(\beta - \alpha)$의 값 구하기

이때 $0 \le x < 2\pi$, $x \ne \dfrac{\pi}{2}$, $x \ne \dfrac{3}{2}\pi$인 범위에서 함수 $y = \sin x$의 그래프와

직선 $y = \dfrac{1}{2}$이 만나는 점의 x좌표는 $x = \dfrac{\pi}{6}$와 $x = \dfrac{5}{6}\pi$

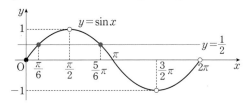

따라서 $\alpha = \dfrac{\pi}{6}$, $\beta = \dfrac{5}{6}\pi$이므로

$\tan(\beta - \alpha) = \tan\left(\dfrac{5}{6}\pi - \dfrac{\pi}{6}\right) = \tan\dfrac{2}{3}\pi = \tan\left(\pi - \dfrac{\pi}{3}\right) = -\tan\dfrac{\pi}{3} = -\sqrt{3}$

0933

정답 ④

STEP A $\cos\left(\dfrac{\pi}{2} - \theta\right) = \sin\theta$를 이용하여 방정식 정리하기

$\sin x \cos\left(\dfrac{\pi}{2} - x\right) = \dfrac{1}{3}$에서 $\cos\left(\dfrac{\pi}{2} - x\right) = \sin x$이므로 $\sin^2 x = \dfrac{1}{3}$

$\therefore \sin x = \dfrac{\sqrt{3}}{3}$ 또는 $\sin x = -\dfrac{\sqrt{3}}{3}$

STEP B 삼각함수의 대칭성을 이용하여 모든 해의 합 구하기

$\sin\theta = \sin(\pi - \theta)$이므로

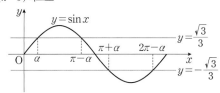

구하는 해는 $x = \alpha$, $\pi - \alpha$, $\pi + \alpha$, $2\pi - \alpha$

따라서 모든 해의 합은 4π

내/신/연/계/ 출제문항 343

$0 < x \le 2\pi$일 때, 방정식 $2\cos^2\left(\dfrac{3}{2}\pi - x\right) = -\sin(x + \pi)$의 모든 근의 합은?

① 0　　　　　② π　　　　　③ 2π

④ 3π　　　　⑤ 4π

STEP A 방정식을 한 종류의 삼각함수로 정리하기

$\cos\left(\dfrac{3}{2}\pi - x\right) = -\sin x$, $\sin(x + \pi) = -\sin x$이므로

$2\cos^2\left(\dfrac{3}{2}\pi - x\right) = -\sin(x + \pi)$에서 $2\sin^2 x = \sin x$

$2\sin^2 x - \sin x = 0$, $\sin x (2\sin x - 1) = 0$

$\therefore \sin x = 0$ 또는 $\sin x = \dfrac{1}{2}$

STEP B $0 < x \le 2\pi$에서 방정식의 근 구하기

이때 $0 < x \le 2\pi$에서

(i) $\sin x = 0$일 때 $x = \pi$ 또는 $x = 2\pi$

(ii) $\sin x = \dfrac{1}{2}$일 때, $x = \dfrac{\pi}{6}$ 또는 $x = \dfrac{5}{6}\pi$

따라서 모든 근의 합은 $\pi + 2\pi + \dfrac{\pi}{6} + \dfrac{5}{6}\pi = 4\pi$

정답 ⑤

0934

정답 ⑤

STEP A 방정식을 한 종류의 삼각함수로 정리하기

$2\sin^2 A + 5\cos A + 1 = 0$에서 $\sin^2 A = 1 - \cos^2 A$이므로

$2(1 - \cos^2 A) + 5\cos A + 1 = 0$

$2\cos^2 A - 5\cos A - 3 = 0$

$(2\cos A + 1)(\cos A - 3) = 0$

$\cos A = -\dfrac{1}{2}$ 또는 $\cos A = 3$

각 A는 삼각형 ABC의 한 내각의 크기이므로 $0 < A < \pi$

$-1 < \cos A < 1$이므로 $\cos A = -\dfrac{1}{2}$

$\therefore A = \dfrac{2}{3}\pi$

STEP B $A + B + C = \pi$을 이용하여 주어진 값 구하기

이때 $A + B + C = \pi$이므로 $B + C = \pi - A = \pi - \dfrac{2}{3}\pi = \dfrac{\pi}{3}$

따라서 $\cos\left(\dfrac{B+C}{2}\right) = \cos\dfrac{\pi}{6} = \dfrac{\sqrt{3}}{2}$

내/신/연/계/ 출제문항 344

삼각형 ABC에서

$$2\sin^2 A - \sin A \cos A + \cos^2 A = 1$$

이 성립할 때, $\tan(B + C)$의 값은?

① $-\sqrt{3}$　　　　② -1　　　　③ 0

④ 1　　　　　　⑤ $\sqrt{3}$

STEP A $\sin^2 A + \cos^2 A = 1$을 이용하여 $\sin A$에 대한 식으로 정리하기

$2\sin^2 A - \sin A \cos A + \cos^2 A = 1$에서

$2\sin^2 A - \sin A \cos A + (1 - \sin^2 A) = 1$

$\sin^2 A - \sin A \cos A = 0$

$\sin A (\sin A - \cos A) = 0$

이때 $0 < A < \pi$에서 $\sin A \ne 0$이므로 $\sin A = \cos A$

$\therefore A = \dfrac{\pi}{4}$

STEP B $\tan(B + C)$의 값 구하기

$A + B + C = \pi$이므로 $B + C = \pi - A$

따라서 $\tan(B + C) = \tan(\pi - A) = -\tan A = -\tan\dfrac{\pi}{4} = -1$

정답 ②

0935

정답 ②

STEP Ⓐ 방정식을 한 종류의 삼각함수로 정리하기

$3\sin^2\dfrac{A}{2}-5\cos\dfrac{A}{2}=1$에서 $3\left(1-\cos^2\dfrac{A}{2}\right)-5\cos\dfrac{A}{2}=1$

$3\cos^2\dfrac{A}{2}+5\cos\dfrac{A}{2}-2=0$

$\left(\cos\dfrac{A}{2}+2\right)\left(3\cos\dfrac{A}{2}-1\right)=0$

이때 $0<A<\pi$에서 $0<\cos\dfrac{A}{2}<1$이므로 $\cos\dfrac{A}{2}=\dfrac{1}{3}$

STEP Ⓑ $A+B+C=\pi$을 이용하여 주어진 값 구하기

따라서 $\cos\dfrac{A}{2}=\dfrac{1}{3}$이고 $A+B+C=\pi$이므로

$\sin\left(\dfrac{B+C}{2}\right)=\sin\left(\dfrac{\pi}{2}-\dfrac{A}{2}\right)=\cos\dfrac{A}{2}=\dfrac{1}{3}$

0936

정답 ④

STEP Ⓐ 삼각함수의 그래프의 대칭성을 이용하여 a와 b, c와 d 사이의 관계식 세우기

$y=\sin x$의 그래프에서

$\dfrac{a+b}{2}=\dfrac{\pi}{2}$이므로 $a+b=\pi$

$\dfrac{c+d}{2}=\dfrac{5}{2}\pi$이므로 $c+d=5\pi$

따라서 $a+b+c+d=\pi+5\pi=6\pi$

0937

정답 ④

STEP Ⓐ 삼각함수의 그래프의 대칭성을 이용하여 삼각방정식 구하기

$y=\cos x$의 그래프와 직선 $y=\dfrac{1}{3}$의 교점의 x좌표는 $x=\pi$에 대하여

대칭이므로 방정식 $\cos x=\dfrac{1}{3}$의 두 근은 $\pi-\alpha$, $\pi+\alpha$로 놓을 수 있다.

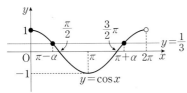

따라서 모든 x의 값의 합은 $(\pi-\alpha)+(\pi+\alpha)=2\pi$

> **참고**
> $y=\cos x$의 그래프와 직선 $y=\dfrac{1}{3}$의 교점의 x좌표가 α, β라 하면
> 두 값의 평균은 π이므로 $\dfrac{\alpha+\beta}{2}=\pi$에서 $\alpha+\beta=2\pi$

0938

정답 ③

STEP Ⓐ $y=\sin x$의 그래프와 직선 $y=k$의 교점의 x좌표의 합 구하기

$y=\sin x$의 그래프와 직선 $y=k$의 교점과 $y=\cos x$의 그래프와 직선 $y=k$의 교점을 구한다.

(ⅰ) $y=\sin x$의 그래프와 직선 $y=k$의 교점

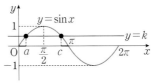

$\therefore c=\pi-a$ ← $\dfrac{a+c}{2}=\dfrac{\pi}{2}$

STEP Ⓑ $y=\cos x$의 그래프와 직선 $y=k$의 교점의 x좌표의 합 구하기

(ⅱ) $y=\cos x$의 그래프와 직선 $y=k$의 교점

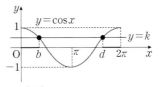

$\therefore d=2\pi-b$ ← $\dfrac{b+d}{2}=\pi$

(ⅰ), (ⅱ)에서 $a+b+c+d=a+b+(\pi-a)+(2\pi-b)=3\pi$

내/신/연/계 출제문항 345

$0\le x\le 2\pi$일 때, 두 함수 $y=\sin(2\pi+x)$와 $y=\cos x$의 그래프가

직선 $y=-\dfrac{2}{3}$와 만나는 점의 x좌표를 작은 것부터 차례로 α, β, γ, δ라고

할 때, $\cos\dfrac{\alpha+\beta+\gamma+\delta}{3}$의 값은?

① $-\dfrac{1}{2}$ ② $-\dfrac{\sqrt{3}}{2}$ ③ $\dfrac{1}{2}$

④ $\dfrac{\sqrt{3}}{2}$ ⑤ 1

STEP Ⓐ 삼각함수의 그래프의 대칭성을 이용하여 삼각방정식 구하기

$y=\sin(2\pi+x)=\sin x$의 그래프와 직선 $y=-\dfrac{2}{3}$의 교점, $y=\cos x$의

그래프와 직선 $y=-\dfrac{2}{3}$의 교점을 살펴본다.

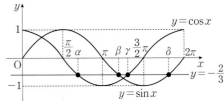

(ⅰ) $y=\sin x$의 그래프와 직선 $y=-\dfrac{2}{3}$의 교점의 x좌표가 β, δ이고

두 값의 평균은 $\dfrac{3}{2}\pi$이므로 $\dfrac{\beta+\delta}{2}=\dfrac{3}{2}\pi$에서 $\beta+\delta=3\pi$

(ⅱ) $y=\cos x$의 그래프와 직선 $y=-\dfrac{2}{3}$의 교점의 x좌표가 α, γ이고

두 값의 평균은 π이므로 $\dfrac{\alpha+\gamma}{2}=\pi$에서 $\alpha+\gamma=2\pi$

STEP Ⓑ 삼각함수의 성질을 이용하여 주어진 값 구하기

따라서 $\cos\dfrac{\alpha+\beta+\gamma+\delta}{3}=\cos\dfrac{5}{3}\pi=\cos\left(2\pi-\dfrac{\pi}{3}\right)=\cos\dfrac{\pi}{3}=\dfrac{1}{2}$

정답 ③

0939

정답 ④

STEP A 삼각함수의 그래프의 대칭성을 이용하여 삼각방정식 구하기

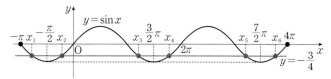

$y=\sin x \, (-\pi < x < 4\pi)$의 그래프와 직선 $y=-\dfrac{3}{4}$의 두 교점의 x좌표가

다음 그림에서 x_1, x_2, x_3, x_4, x_5, x_6라 하면

x_1, x_2은 $x=-\dfrac{\pi}{2}$에 대하여 대칭이므로 $\dfrac{x_1+x_2}{2}=-\dfrac{\pi}{2}$

$\therefore x_1+x_2=-\pi$

x_3, x_4은 $x=\dfrac{3}{2}\pi$에 대하여 대칭이므로 $\dfrac{x_3+x_4}{2}=\dfrac{3}{2}\pi$

$\therefore x_3+x_4=3\pi$

x_5, x_6은 $x=\dfrac{7}{2}\pi$에 대하여 대칭이므로 $\dfrac{x_5+x_6}{2}=\dfrac{7}{2}\pi$

$\therefore x_5+x_6=7\pi$

따라서 모든 실근의 합은 $-\pi+3\pi+7\pi=9\pi$

0940

정답 ②

STEP A $y=\sin x$의 그래프와 직선 $y=k$의 교점의 x좌표의 합 구하기

함수 $y=\sin x$의 그래프와 직선 $y=-\dfrac{1}{3}$의 두 교점 $\left(\alpha, -\dfrac{1}{3}\right)$, $\left(\beta, -\dfrac{1}{3}\right)$은

직선 $x=\dfrac{3}{2}\pi$에 대하여 대칭이므로 $\dfrac{\alpha+\beta}{2}=\dfrac{3}{2}\pi$

$\therefore \alpha+\beta=3\pi$

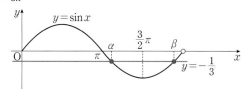

따라서 $\sin\left(\alpha+\beta+\dfrac{\pi}{3}\right)=\sin\left(3\pi+\dfrac{\pi}{3}\right)=-\sin\dfrac{\pi}{3}=-\dfrac{\sqrt{3}}{2}$

내 신 연 계 출제문항 346

$0 \le x < \dfrac{5}{2}\pi$일 때, 방정식

$$3\sin x = 2$$

를 만족시키는 x의 값을 작은 것부터 차례대로 α, β, γ라고 할 때,

$\cos\left(\alpha+\dfrac{\beta+\gamma}{2}\right)$의 값은?

① $\dfrac{1}{3}$　　　　② $\dfrac{1}{2}$　　　　③ $\dfrac{2}{3}$

④ $\dfrac{4}{5}$　　　　⑤ $\dfrac{5}{6}$

STEP A 삼각함수의 그래프의 대칭성을 이용하여 삼각방정식 구하기

$3\sin x = 2$에서 $\sin x = \dfrac{2}{3}$이므로 이 방정식의 해는 함수

$y=\sin x \left(0 \le x < \dfrac{5}{2}\pi\right)$의 그래프와 직선 $y=\dfrac{2}{3}$의 교점의 x좌표와 같다.

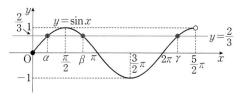

위의 그림에서 두 점 $\left(\beta, \dfrac{2}{3}\right)$, $\left(\gamma, \dfrac{2}{3}\right)$는 직선 $x=\dfrac{3}{2}\pi$에 대하여 대칭이므로

$\dfrac{\beta+\gamma}{2}=\dfrac{3}{2}\pi$

따라서 $\cos\left(\alpha+\dfrac{\beta+\gamma}{2}\right)=\cos\left(\alpha+\dfrac{3}{2}\pi\right)=\sin\alpha=\dfrac{2}{3}$

정답 ③

0941

정답 ③

STEP A $y=\sin x$의 그래프와 직선 $y=k$의 교점의 x좌표의 합 구하기

$0 \le x \le \dfrac{5}{2}\pi$일 때, 방정식 $3\sin x=1$의 해는 함수 $y=\sin x$의 그래프와

직선 $y=\dfrac{1}{3}$의 교점의 x좌표와 같다.

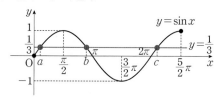

이때 위 그림에서 $\sin a = \sin(\pi-a)$이므로 $b=\pi-a$

또, $\sin a = \sin(2\pi+a)$이므로 $c=2\pi+a$

STEP B $\cos\left(a+\dfrac{b-c}{2}\right)$의 값 구하기

따라서 $\cos\left(a+\dfrac{b-c}{2}\right)=\cos\left(a+\dfrac{\pi-a-(2\pi+a)}{2}\right)=\cos\left(-\dfrac{\pi}{2}\right)=0$

0942

정답 ②

STEP A 삼각함수의 그래프의 대칭성을 이용하여 삼각방정식 구하기

$y=\sin\dfrac{\pi}{4}x$의 주기는 $\dfrac{2\pi}{\dfrac{\pi}{4}}=8$

$y=\sin\dfrac{\pi}{4}x$의 그래프와 직선 $y=\dfrac{1}{2}$의 교점의 x좌표가 a, b, c, d, e, f

a, b은 $x=-6$에 대하여 대칭이므로 $\dfrac{a+b}{2}=-6$

$\therefore a+b=-12$　◀ $-8 \le x \le 0$

c, d은 $x=2$에 대하여 대칭이므로 $\dfrac{c+d}{2}=2$

$\therefore c+d=4$　◀ $0 \le x \le 8$

e, f은 $x=10$에 대하여 대칭이므로 $\dfrac{e+f}{2}=10$

$\therefore e+f=20$　◀ $8 \le x \le 12$

따라서 $a+b+c+d+e+f=-12+4+20=12$

0943

정답 ⑤

STEP A 삼각함수의 그래프의 대칭성을 이용하여 삼각방정식 구하기

$0 \le x < 2\pi$일 때, 함수 $y=\cos 2x$의 주기는 $\dfrac{2\pi}{2}=\pi$이고

직선 $y=\dfrac{1}{3}$의 교점의 x좌표는 다음 그림과 같다.

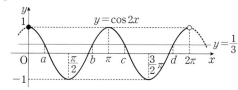

$a<b<c<d$라고 하면 $b=\pi-a$, $c=\pi+a$, $d=2\pi-a$

따라서 $a+b+c+d=4\pi$

$0 \le x \le 2\pi$일 때, 방정식 $\sin 2x = \dfrac{1}{3}$의 모든 해의 합은?

① $\dfrac{3}{2}\pi$　　　　② 2π　　　　③ $\dfrac{5}{2}\pi$

④ 3π　　　　⑤ $\dfrac{7}{2}\pi$

STEP Ⓐ 삼각함수의 그래프의 대칭성을 이용하여 삼각방정식 구하기

$0 \le x \le 2\pi$일 때, 방정식 $\sin 2x = \dfrac{1}{3}$을 만족시키는 해는

두 함수 $y = \sin 2x$, $y = \dfrac{1}{3}$의 그래프의 교점의 x좌표와 같다.

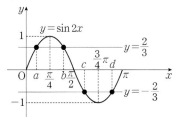

STEP Ⓑ 모든 근의 합 구하기

네 교점의 x좌표 α, β, γ, δ에 대하여 $\dfrac{\alpha+\beta}{2}=\dfrac{\pi}{4}$이고 $\dfrac{\gamma+\delta}{2}=\dfrac{5}{4}\pi$

따라서 모든 해의 합은 $\alpha+\beta+\gamma+\delta=\dfrac{\pi}{2}+\dfrac{5}{2}\pi=3\pi$ 정답 ④

0944 정답 ④

STEP Ⓐ 삼각함수의 그래프의 대칭성을 이용하여 삼각방정식 구하기

$|\sin 2x| = \dfrac{2}{3}$에서 $\sin 2x = \dfrac{2}{3}$ 또는 $\sin 2x = -\dfrac{2}{3}$이고

$y = \sin 2x$의 주기가 π이므로

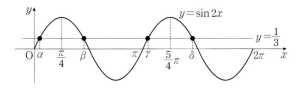

(ⅰ) $y = \sin 2x$의 그래프와 직선 $y = \dfrac{2}{3}$의 교점의 x좌표를 a, b라 하면

두 값의 평균은 $\dfrac{\pi}{4}$이므로 $\dfrac{a+b}{2}=\dfrac{\pi}{4}$에서 $a+b=\dfrac{\pi}{2}$

(ⅱ) $y = \sin 2x$의 그래프와 직선 $y = -\dfrac{2}{3}$의 교점의 x좌표를 c, d라 하면

두 값의 평균은 $\dfrac{3}{4}\pi$이므로 $\dfrac{c+d}{2}=\dfrac{3}{4}\pi$에서 $c+d=\dfrac{3}{2}\pi$

STEP Ⓑ 모든 근의 합 구하기

따라서 모든 근의 합은 $\dfrac{\pi}{2}+\dfrac{3}{2}\pi=2\pi$

0945 정답 ①

STEP Ⓐ 삼각함수의 그래프의 대칭성을 이용하여 삼각방정식 구하기

$y = \sin 2x$의 주기는 $\dfrac{2\pi}{2}=\pi$이므로

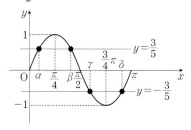

(ⅰ) $y = \sin 2x$의 그래프와 직선 $y = \dfrac{3}{5}$의 교점의 x좌표를 α, β라 하면

두 값의 평균은 $\dfrac{\pi}{4}$이므로 $\dfrac{\alpha+\beta}{2}=\dfrac{\pi}{4}$에서 $\alpha+\beta=\dfrac{\pi}{2}$

(ⅱ) $y = \sin 2x$의 그래프와 직선 $y = -\dfrac{3}{5}$의 교점의 x좌표를 $\gamma+\delta$라 하면

두 값의 평균은 $\dfrac{3}{4}\pi$이므로 $\dfrac{\gamma+\delta}{2}=\dfrac{3}{4}\pi$에서 $\gamma+\delta=\dfrac{3}{2}\pi$

STEP Ⓑ $\alpha+\beta+\gamma+\delta$의 값 구하기

따라서 $\alpha+\beta+\gamma+\delta=\dfrac{\pi}{2}+\dfrac{3}{2}\pi=2\pi$

0946 정답 ③

STEP Ⓐ 삼각함수의 그래프의 점대칭을 이용하기

함수 $y = \sin 2x$의 주기는 $\dfrac{2\pi}{2}=\pi$

두 점 $A(\alpha,\ \sin 2\alpha)$, $D(\delta,\ \sin 2\delta)$는 점 $\left(\dfrac{\pi}{2},\ 0\right)$에 대하여 대칭이므로

$\dfrac{\alpha+\delta}{2}=\dfrac{\pi}{2}$　$\therefore \alpha+\delta=\pi$

두 점 $B(\beta,\ \sin 2\beta)$, $C(\gamma,\ \sin 2\gamma)$는 점 $\left(\dfrac{\pi}{2},\ 0\right)$에 대하여 대칭이므로

$\dfrac{\beta+\gamma}{2}=\dfrac{\pi}{2}$　$\therefore \beta+\gamma=\pi$

따라서 $\dfrac{\alpha+\delta}{\beta+\gamma}=\dfrac{\pi}{\pi}=1$

다른풀이 삼각함수의 그래프의 대칭성을 이용하여 풀이하기

α, β은 $x=\dfrac{\pi}{4}$에 대하여 대칭이므로 $\dfrac{\alpha+\beta}{2}=\dfrac{\pi}{4}$

$\therefore \alpha+\beta=\dfrac{\pi}{2}$　　　……㉠

β, γ은 $x=\dfrac{\pi}{2}$에 대하여 대칭이므로 $\dfrac{\beta+\gamma}{2}=\dfrac{\pi}{2}$

$\therefore \beta+\gamma=\pi$　　　……㉡

γ, δ은 $x=\dfrac{3}{4}\pi$에 대하여 대칭이므로 $\dfrac{\gamma+\delta}{2}=\dfrac{3}{4}\pi$

$\therefore \gamma+\delta=\dfrac{3}{2}\pi$　　　……㉢

㉠+㉡+㉢에서

$\alpha+2(\beta+\gamma)+\delta=3\pi$　　　……㉣

㉡을 ㉣에 대입하면 $\alpha+\delta=\pi$

따라서 $\dfrac{\alpha+\delta}{\beta+\gamma}=\dfrac{\pi}{\pi}=1$

$0 \leq x \leq \frac{\pi}{2}$에서 함수 $y=\sin 2x$의 그래프와 직선 $y=k$가 만나는 두 점의 x좌표를 각각 a, $b(a<b)$라 하고 함수 $y=\sin 4x$의 그래프와 직선 $y=-k$가 만나는 두 점의 x좌표를 각각 c, $d(c<d)$라 하자. $\sin(a+b+c+d)$의 값은? (단, $0<k<1$)

① -1　　　　② $-\frac{\sqrt{3}}{2}$　　　　③ $-\frac{\sqrt{2}}{2}$

④ $-\frac{1}{2}$　　　　⑤ 0

STEP Ⓐ 삼각함수의 그래프의 대칭성을 이용하여 $a+b$의 값 구하기

$0 \leq x \leq \frac{\pi}{2}$에서 함수 $y=\sin 2x$의 그래프와 직선 $y=k$가 만나는 두 점을 A, B의 x좌표를 각각 a, $b(a<b)$라 하자.

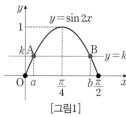

[그림1]

[그림1]과 같이 두 점 A, B는 직선 $x=\frac{\pi}{4}$에 대하여 서로 대칭이므로

$\frac{a+b}{2}=\frac{\pi}{4}$에서 $a+b=\frac{\pi}{2}$

STEP Ⓑ 삼각함수의 그래프의 대칭성을 이용하여 $c+d$의 값 구하기

$0 \leq x \leq \frac{\pi}{2}$에서 함수 $y=\sin 4x$의 그래프와 직선 $y=-k$가 만나는 두 점을 C, D라 하고 두 점 C, D의 x좌표를 각각 c, $d(c<d)$라 하자.

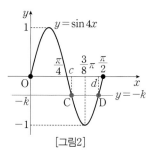

[그림2]

[그림2]와 같이 두 점 C, D는 직선 $x=\frac{3}{8}\pi$에 대하여 서로 대칭이므로 $\frac{c+d}{2}=\frac{3}{8}\pi$에서 $c+d=\frac{3}{4}\pi$

STEP Ⓒ $\sin(a+b+c+d)$의 값 구하기

따라서 $a+b+c+d=\frac{\pi}{2}+\frac{3}{4}\pi=\frac{5}{4}\pi$이므로

$$\sin(a+b+c+d)=\sin\frac{5}{4}\pi=\sin\left(\pi+\frac{\pi}{4}\right)$$
$$=-\sin\frac{\pi}{4}$$
$$=-\frac{\sqrt{2}}{2}$$

정답 ③

0947

정답 ①

STEP Ⓐ 삼각함수의 그래프의 대칭성을 이용하여 삼각방정식 구하기

$y=\sin \pi x$의 주기는 $\frac{2\pi}{\pi}=2$이므로

α, β는 직선 $x=\frac{1}{2}$에 대하여 대칭이므로 $\frac{\alpha+\beta}{2}=\frac{1}{2}$

$\therefore \alpha+\beta=1$ …… ㉠

또, 함수 $f(x)$의 주기는 2이므로 $\gamma-\alpha=2$

$\therefore \gamma=\alpha+2$ …… ㉡

㉠, ㉡에 의해 $\alpha+\beta+\gamma=1+\alpha+2=3+\alpha$

STEP Ⓑ $f(\alpha+\beta+\gamma)$의 값 구하기

따라서 $f(\alpha+\beta+\gamma)=f(3+\alpha)=f(2+1+\alpha)$
$$=f(1+\alpha) \ (\because \ f(x)$$의 주기는 $2)$
$$=-f(\alpha)$$
$$=-\frac{2}{3}$$

다음 그림과 같이 삼각함수 $f(x)=\sin kx \left(0 \leq x \leq \frac{5\pi}{2k}\right)$의 그래프와 직선 $y=\frac{3}{4}$이 만나는 점의 x좌표를 작은 것부터 차례로 α, β, γ라 할 때, $f(\alpha+\beta+\gamma)$의 값은?

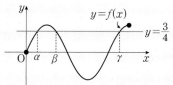

① $-\frac{3}{4}$　　　　② $-\frac{1}{4}$　　　　③ $\frac{1}{4}$

④ $\frac{3}{4}$　　　　⑤ 1

STEP Ⓐ 삼각함수의 그래프의 대칭성을 이용하여 $\alpha+\beta+\gamma$의 값 구하기

함수 $f(x)=\sin kx$의 주기는 $\frac{2\pi}{k}$

즉 함수 $y=f(x)$의 그래프는 다음 그림과 같다.

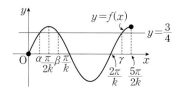

이때 두 점 $(\alpha, 0)$, $(\beta, 0)$은 직선 $x=\frac{\pi}{2k}$에 대하여 대칭이므로

$\frac{\alpha+\beta}{2}=\frac{\pi}{2k}$　$\therefore \alpha+\beta=\frac{\pi}{k}$

STEP Ⓑ $f(\alpha+\beta+\gamma)$의 값 구하기

따라서 $f(\alpha+\beta+\gamma)=f\left(\frac{\pi}{k}+\gamma\right)=\sin k\left(\frac{\pi}{k}+\gamma\right)$
$$=\sin(\pi+k\gamma)$$
$$=-\sin k\gamma$$
$$=-f(\gamma)$$
$$=-\frac{3}{4}$$

정답 ①

0948

STEP Ⓐ 함수 $y=\sin\pi x$의 주기를 구하고 삼각함수의 대칭성을 이용하여 α, β, γ의 관계식 구하기

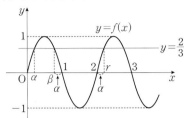

함수 $f(x)=\sin\pi x(x\geq 0)$의 주기는 $\dfrac{2\pi}{\pi}=2$이므로

α, β는 $x=\dfrac{1}{2}$에 대하여 대칭이므로 $\dfrac{\alpha+\beta}{2}=\dfrac{1}{2}$ $\therefore \alpha+\beta=1$

함수 $f(x)$의 주기가 2이므로 $\gamma=2+\alpha$

STEP Ⓑ $f(\alpha+\beta+\gamma+1)$, $f\left(\alpha+\beta+\dfrac{1}{2}\right)$의 값 구하기

$\alpha+\beta+\gamma+1=1+(2+\alpha)+1=4+\alpha$

$\alpha+\beta+\dfrac{1}{2}=1+\dfrac{1}{2}=\dfrac{3}{2}$이므로

$f(\alpha+\beta+\gamma+1)=f(4+\alpha)=f(\alpha)=\dfrac{2}{3}$ ($\because f(x)$의 주기가 2)

$f\left(\alpha+\beta+\dfrac{1}{2}\right)=f\left(\dfrac{3}{2}\right)=\sin\dfrac{3}{2}\pi=-1$

따라서 $f(\alpha+\beta+\gamma+1)+f\left(\alpha+\beta+\dfrac{1}{2}\right)=\dfrac{2}{3}+(-1)=-\dfrac{1}{3}$

내/신/연/계 출제문항 350

그림과 같이 함수 $f(x)=\sin\pi x(0\leq x\leq 2)$의 그래프가 직선 $y=\dfrac{2}{3}$와

두 점 A, B에서 만나고 직선 $y=-\dfrac{2}{3}$와 두 점 C, D에서 만난다.

네 점 A, B, C, D의 x좌표를 각각 α, β, γ, δ라 할 때,

$f(\alpha+\beta+\gamma-1)+f\left(\alpha+\delta-\dfrac{1}{2}\right)$의 값은?

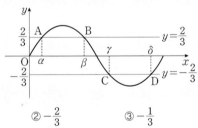

① $-\dfrac{5}{3}$ ② $-\dfrac{2}{3}$ ③ $-\dfrac{1}{3}$

④ $\dfrac{2}{3}$ ⑤ $\dfrac{5}{3}$

STEP Ⓐ 함수 $f(x)=\sin\pi x$의 주기를 구하고 삼각함수의 대칭성을 이용하여 α, β, γ, δ의 관계 구하기

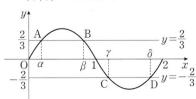

$f(x)=\sin\pi x$의 주기는 $\dfrac{2\pi}{\pi}=2$이므로

α, β는 $x=\dfrac{1}{2}$에 대하여 대칭이므로 $\dfrac{\alpha+\beta}{2}=\dfrac{1}{2}$

$\dfrac{\alpha+\beta}{2}=\dfrac{1}{2}$ $\therefore \alpha+\beta=1$

함수 $f(x)$의 주기가 2이므로 $\gamma=1+\alpha$이고 $\delta=2-\alpha$이므로 $\alpha+\delta=2$

STEP Ⓑ $f(\alpha+\beta+\gamma-1)$, $f\left(\alpha+\delta-\dfrac{1}{2}\right)$의 값 구하기

따라서 $f(\alpha+\beta+\gamma-1)+f\left(\alpha+\delta-\dfrac{1}{2}\right)=f(1+\gamma-1)+f\left(2-\dfrac{1}{2}\right)$

$=f(\gamma)+f\left(\dfrac{3}{2}\right)$

$=-\dfrac{2}{3}-1$

$=-\dfrac{5}{3}$

0949

STEP Ⓐ 함수 $f(x)=\sin\dfrac{\pi}{2}x$의 주기를 구하고 삼각함수의 대칭성을 이용하여 α, β, γ, δ의 관계 구하기

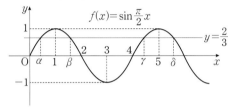

$f(x)=\sin\dfrac{\pi}{2}x$의 주기는 $\dfrac{2\pi}{\dfrac{\pi}{2}}=4$이므로 $\dfrac{\beta+\gamma}{2}=3$

$\therefore \beta+\gamma=6$

또한, $\dfrac{\alpha+\delta}{2}=3$ $\therefore \alpha+\delta=6$

STEP Ⓑ $f(\alpha+\beta+\gamma)$, $f(\alpha+\delta-3)$의 값 구하기

따라서 $f(\alpha+\beta+\gamma)+f(\alpha+\delta-3)=f(6+\alpha)+f(6-3)$

$=f(2+\alpha)+f(3)$ ($\because$ 주기가 4)

$=-\dfrac{2}{3}-1$

$=-\dfrac{5}{3}$

0950

STEP Ⓐ 삼각함수의 그래프의 대칭성을 이용하여 $\beta+\gamma$의 값 구하기

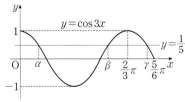

함수 $f(x)=\cos 3x$의 주기는 $\dfrac{2}{3}\pi$이므로

β, γ는 직선 $y=\dfrac{2}{3}\pi$에 대하여 대칭이므로 $\dfrac{\beta+\gamma}{2}=\dfrac{2}{3}\pi$

$\therefore \beta+\gamma=\dfrac{4}{3}\pi$

STEP Ⓑ $f(\beta+\gamma-\alpha)$의 값 구하기

따라서 $f(\beta+\gamma-\alpha)=f\left(\dfrac{4}{3}\pi-\alpha\right)=\cos\left(3\cdot\dfrac{4}{3}\pi-3\alpha\right)$

$=\cos(4\pi-3\alpha)$

$=\cos 3\alpha$

$=\dfrac{1}{5}$

0951

정답 ①

STEP A 함수 $f(x)=\tan x$의 주기를 구하고 삼각함수의 대칭성을 이용하여 α, β, γ, δ의 관계 구하기

$0 \leq x \leq 2\pi$에서 함수 $f(x)=\tan x$의 그래프와 직선 $y=2$의 두 교점의 x좌표가 각각 α, β이므로 $\beta=\pi+\alpha$

또, 직선 $y=\dfrac{1}{2}$의 두 교점의 x좌표가 각각 γ, δ이므로 $\delta=\pi+\gamma$

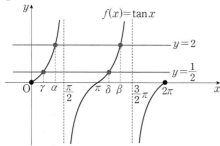

이때 $\tan\alpha=2$, $\tan\gamma=\dfrac{1}{2}$이므로

$\tan\alpha=\dfrac{1}{\tan\gamma}=\tan\left(\dfrac{\pi}{2}-\gamma\right)$에서 $\alpha=\dfrac{\pi}{2}-\gamma$

$\therefore \alpha+\gamma=\dfrac{\pi}{2}$ ...... ㉠

$\therefore \beta+\delta=(\pi+\alpha)+(\pi+\gamma)=2\pi+(\alpha+\gamma)=2\pi+\dfrac{\pi}{2}=\dfrac{5}{2}\pi$ ...... ㉡

STEP B $\cos(\alpha+\beta+\gamma+\delta)$의 값 구하기

따라서 ㉠, ㉡에서 $\alpha+\beta+\gamma+\delta=3\pi$이므로

$\cos(\alpha+\beta+\gamma+\delta)=\cos 3\pi=-1$

0952

정답 ④

STEP A 두 함수 $y=f(x)$, $y=g(x)$의 그래프를 그린 후 서로 다른 교점의 개수 구하기

방정식 $\sin\pi x=\dfrac{1}{4}x$의 실근의 개수는 $y=\sin\pi x$의 그래프와 직선 $y=\dfrac{1}{4}x$의 교점의 개수이다.

$y=\sin\pi x$는 주기가 $\dfrac{2\pi}{\pi}=2$인 그래프이고 직선 $y=\dfrac{1}{4}x$는 $x=\pm4$에서 $y=\pm1$이므로 다음 그래프가 된다.

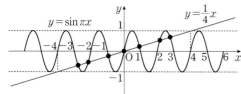

따라서 구하는 서로 다른 실근의 개수는 7개이다.

0953

정답 ②

STEP A 두 함수 $y=f(x)$, $y=g(x)$의 그래프를 그린 후 서로 다른 교점의 개수 구하기

함수 $y=\sin\pi x$의 그래프와 직선 $y=\dfrac{3}{10}x$의 다음 그림과 같다.

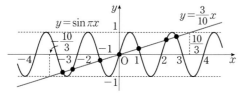

따라서 구하는 교점의 개수는 7개이다.

0954

정답 ③

STEP A 두 함수 $y=f(x)$, $y=g(x)$의 그래프를 그린 후 서로 다른 교점의 개수 구하기

방정식 $\cos x=\dfrac{1}{8}x$의 실근은 함수 $y=\cos x$의 그래프와 직선 $y=\dfrac{1}{8}x$의 교점의 x좌표와 같다.

다음 그림에서 두 그래프의 교점의 개수가 5이므로 $\cos x=\dfrac{1}{8}x$의 서로 다른 실근의 개수는 5개이다.

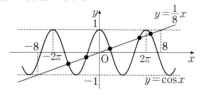

내/신/연/계/ 출제문항 351

방정식 $\cos\dfrac{\pi}{2}x=\dfrac{1}{9}x$의 실근의 개수를 구하면?

① 5   ② 6   ③ 7
④ 8   ⑤ 9

STEP A 두 함수 $y=f(x)$, $y=g(x)$의 그래프를 그린 후 서로 다른 교점의 개수 구하기

방정식 $\cos\dfrac{\pi}{2}x=\dfrac{1}{9}x$의 실근의 개수는 $y=\cos\dfrac{\pi}{2}x$의 그래프와 직선 $y=\dfrac{1}{9}x$의 교점의 개수이다.

$y=\cos\dfrac{\pi}{2}x$는 주기가 $\dfrac{2\pi}{\dfrac{\pi}{2}}=4$인 그래프이고 직선 $y=\dfrac{1}{9}x$는 $x=\pm9$에서 $y=\pm1$이므로 다음 그래프가 된다.

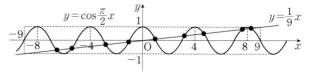

따라서 실근의 개수는 9개이다.

정답 ⑤

0955

정답 ⑤

STEP A 두 함수 $y=f(x)$, $y=g(x)$의 그래프를 그린 후 서로 다른 교점의 개수 구하기

방정식 $\sin x=\dfrac{x}{3\pi}$의 실근은 다음 그림과 같이 함수 $y=\sin x$의 그래프와 직선 $y=\dfrac{x}{3\pi}$의 교점은 7개이므로 방정식 $\sin x=\dfrac{x}{3\pi}$의 서로 다른 실근의 개수는 7개이다.

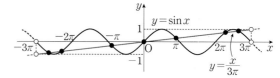

0956

STEP A 두 함수 $y=f(x)$, $y=g(x)$의 그래프를 그린 후 서로 다른 교점의 개수 구하기

$0 \le x < 2\pi$에서 $y=\sin 2x$, $y=\cos 4x$의 그래프는 다음과 같다.

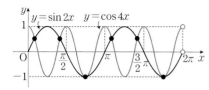

따라서 방정식 $\sin 2x = \cos 4x$의 서로 다른 실근의 개수는 6개이다.

내/신/연/계/ 출제문항 352

$0 < x < \pi$일 때, 방정식
$$\cos 2x = \sin 4x$$
의 서로 다른 실근의 개수는?

① 1   ② 2   ③ 3

④ 4   ⑤ 5

STEP A 두 함수 $y=f(x)$, $y=g(x)$의 그래프를 그린 후 서로 다른 교점의 개수 구하기

방정식 $\cos 2x = \sin 4x$의 실근은 두 함수 $y=\cos 2x$, $y=\sin 4x$의 그래프의 교점의 x좌표와 같다.
오른쪽 그림에서 두 그래프의 교점의 개수가 4이므로 $\cos 2x = \sin 4x$의 서로 다른 실근의 개수는 4개이다.

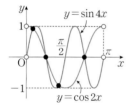

정답 ④

0957

정답 ④

STEP A 두 함수 $y=\frac{1}{3}\log_2 x$, $y=\cos 3\pi x$의 그래프 그리기

방정식 $\frac{1}{3}\log_2 x = \cos 3\pi x$를 만족하는 실수 x의 개수는 $y=\frac{1}{3}\log_2 x$의 그래프와 $y=\cos 3\pi x$의 그래프의 교점의 개수와 같다.

이때 $\frac{1}{3}\log_2 x = 1$에서 $x=8$, $\frac{1}{3}\log_2 x = -1$에서 $x=\frac{1}{8}$이고
함수 $y=\cos 3\pi x$의 주기는 $\frac{2\pi}{3\pi} = \frac{2}{3}$

두 함수 $y=\frac{1}{3}\log_2 x$와 $y=\cos 3\pi x$의 그래프를 그리면 다음과 같다.

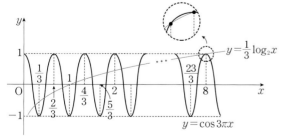

STEP B 실근의 개수 구하기

이때 열린 구간 $\left(\frac{2n-2}{3}, \frac{2n}{3}\right)$ $(n=1, 2, 3, \cdots, 12)$에서 두 그래프는 각각 두 개의 교점이 생기고 점 $(8, 1)$에서 만나므로 교점의 개수는
$$12 \cdot 2 + 1 = 25$$
따라서 구하는 실근의 x의 개수는 25개이다.

내/신/연/계/ 출제문항 353

방정식 $\frac{1}{4}\log_2 x = \sin(4\pi x)$를 만족하는 실수 x의 개수는?

① 32   ② 48   ③ 52

④ 63   ⑤ 68

STEP A 두 함수 $y=\frac{1}{4}\log_2 x$, $y=\sin(4\pi x)$의 그래프 그리기

방정식 $\frac{1}{4}\log_2 x = \sin(4\pi x)$를 만족하는 실수 x는
두 곡선 $y=\frac{1}{4}\log_2 x$, $y=\sin(4\pi x)$의 교점의 x좌표이다.

이때 $f(x)=\frac{1}{4}\log_2 x$, $g(x)=\sin(4\pi x)$하면

$f(16)=1$이고 $g(x)$의 주기는 $\frac{2\pi}{4\pi} = \frac{1}{2}$이므로

두 함수 $y=f(x)$와 $y=g(x)$의 그래프를 그리면 다음과 같다.

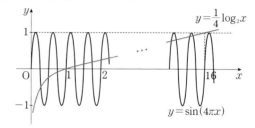

STEP B 실근의 개수 구하기

이때 열린구간 $\left(\frac{n-1}{2}, \frac{n}{2}\right)$ $(n=1, 4, 5, \cdots, 31, 32)$에서 두 그래프는 각각
두 개의 교점이 생기고 열린구간 $\left(\frac{1}{2}, \frac{3}{2}\right)$에서 세 개의 교점이 생긴다.
따라서 구하는 실근 x의 개수는 $2 \times 30 + 3 = 63$

정답 ④

0958

정답 ③

STEP A 두 함수의 최댓값, 최솟값, 주기를 구하기

$x > 0$에서 함수 $y=\sin\frac{\pi}{3}x$는 최댓값과 최솟값이 각각 1, -1이고
주기가 $\frac{2\pi}{\frac{\pi}{3}} = 6$인 주기함수이다.

또한, $x > 0$에서 함수 $y=\sin\frac{2}{3}\pi x$는 최댓값과 최솟값이 각각 1, -1이고
주기가 $\frac{2\pi}{\frac{2\pi}{3}} = 3$인 주기함수이다.

STEP B 두 그래프가 만나는 서로 다른 점의 개수 구하기

$x > 0$에서 두 함수 $y=\sin\frac{\pi}{3}x$, $y=\sin\frac{2\pi}{3}x$의 그래프는 그림과 같다.

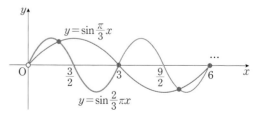

이때 $0 < x \le 6$에서 두 함수 $y=\sin\frac{\pi}{3}x$, $y=\sin\frac{2\pi}{3}x$의 그래프가
만나는 서로 다른 점의 개수가 4이다.
따라서 $0 < x \le 48$에서 두 함수 $y=\sin\frac{\pi}{3}x$, $y=\sin\frac{2\pi}{3}x$의 그래프가
만나는 서로 다른 점의 개수는 $4 \times \frac{48}{6} = 32$

x에 대한 방정식 $\sin x = \dfrac{1}{n\pi}x \,(n=1, 2, 3, \cdots)$의 실근의 개수를 a_n이라

할 때, $\displaystyle\sum_{n=1}^{10} a_n$의 값은?

① 50　　　　② 55　　　　③ 90

④ 100　　　⑤ 110

STEP Ⓐ $\sin x = \dfrac{1}{n\pi}x$의 실근의 개수는 $y=\sin x$의 그래프와 직선

$\qquad y=\dfrac{1}{n\pi}x$의 교점의 개수임을 이용하여 그래프 그리기

방정식 $\sin x = \dfrac{1}{n\pi}x$의 실근의 개수는 $y=\sin x$의 그래프와

직선 $y=\dfrac{1}{n\pi}x$의 교점의 개수이므로 그래프를 그리면 다음과 같다.

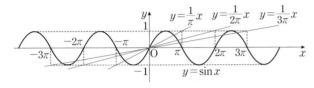

STEP Ⓑ a_n의 규칙을 이용하여 $\displaystyle\sum_{n=1}^{10} a_n$의 값 구하기

$n=1$일 때, $y=\sin x$와 직선 $y=\dfrac{1}{\pi}x$의 교점의 개수 $a_1=3$

$n=2$일 때, $y=\sin x$와 직선 $y=\dfrac{1}{2\pi}x$의 교점의 개수 $a_2=3$

$n=3$일 때, $y=\sin x$와 직선 $y=\dfrac{1}{3\pi}x$의 교점의 개수 $a_3=7$

$n=4$일 때, $y=\sin x$와 직선 $y=\dfrac{1}{4\pi}x$의 교점의 개수 $a_4=7$

$n=5$일 때, $y=\sin x$와 직선 $y=\dfrac{1}{5\pi}x$의 교점의 개수 $a_5=11$

$n=6$일 때, $y=\sin x$와 직선 $y=\dfrac{1}{6\pi}x$의 교점의 개수 $a_6=11$

$n=7$일 때, $y=\sin x$와 직선 $y=\dfrac{1}{7\pi}x$의 교점의 개수 $a_7=15$

$n=8$일 때, $y=\sin x$와 직선 $y=\dfrac{1}{8\pi}x$의 교점의 개수 $a_8=15$

$n=9$일 때, $y=\sin x$와 직선 $y=\dfrac{1}{9\pi}x$의 교점의 개수 $a_9=19$

$n=10$일 때, $y=\sin x$와 직선 $y=\dfrac{1}{10\pi}x$의 교점의 개수 $a_{10}=19$

따라서 $\displaystyle\sum_{n=1}^{10} a_n = 2(3+7+11+15+19) = 110$

정답 ⑤

0959

정답 ④

STEP Ⓐ 함수 $y=f(x)$의 그래프와 직선 $y=a$가 만나도록 하는 a의 값의 범위 구하기

방정식 $3\cos x + 2 = a$ 실근을 갖기 위해서는 함수 $y=3\cos x+2$의 그래프와 직선 $y=a$가 교점을 가져야 한다.

이때 $-1 \le \cos x \le 1$이므로 $-3 \le 3\cos x \le 3$

$\therefore -1 \le 3\cos x+2 \le 5$

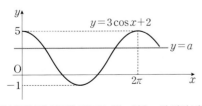

따라서 주어진 방정식이 실근을 갖도록 하는 실수 a의 값의 범위는

$-1 \le a \le 5$

0960

정답 ④

STEP Ⓐ 함수 $y=f(x)$의 그래프와 직선 $y=a$가 만나도록 하는 a의 값의 범위 구하기

$\cos\left(x+\dfrac{3}{2}\pi\right) = \sin x$이므로 주어진 방정식은 $\sin x = -\sin x -1 + a$

$\therefore 2\sin x + 1 = a$

따라서 주어진 방정식이 하나의 실근을 가지려면 함수 $y=2\sin x+1$의 그래프와 직선 $y=a$가 한 점에서 만나야 한다.

STEP Ⓑ 하나의 실근을 갖도록 하는 a의 값 구하기

다음 그림에서 $0 \le x < 2\pi$일 때, $y=2\sin x$의 그래프와 직선 $y=a$의 교점이 1개이려면 $a=3$ 또는 $a=-1$

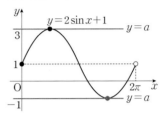

따라서 모든 실수 a의 값의 합은 $3+(-1)=2$

0961

정답 ②

STEP Ⓐ 주어진 방정식을 $f(x)=k$꼴로 변형하기

방정식 $2\sin^2 x - \cos x = k$가 실근을 가지려면 함수 $y=2\sin^2 x - \cos x$의 그래프와 직선 $y=k$의 교점이 존재해야 한다.

STEP Ⓑ 함수 $y=f(x)$의 그래프와 직선 $y=k$가 만나도록 하는 k의 값의 범위 구하기

$y = 2\sin^2 x - \cos x$

$\quad = 2(1-\cos^2 x) - \cos x$

$\quad = -2\cos^2 x - \cos x + 2$

$\cos x = t$로 놓으면 $-1 \le t \le 1$

$y = -2t^2 - t + 2$

$\quad = -2\left(t+\dfrac{1}{4}\right)^2 + \dfrac{17}{8}$

이때 $-1 \le t \le 1$일 때,

함수 $y=-2t^2-t+2$의

$t=1$에서 최솟값은 -1,

$t=-\dfrac{1}{4}$에서 최댓값은 $\dfrac{17}{8}$이므로

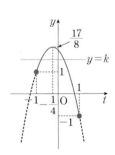

오른쪽 그림에서 주어진 방정식이

실근을 가지려면 $-1 \le k \le \dfrac{17}{8}$

따라서 정수 k의 개수는 $-1, 0, 1, 2$의 4개이다.

0962

STEP A 주어진 방정식을 $f(x)=k$꼴로 변형하기

$2\cos^2 x-4\sin x+1-a=0$에서

$2(1-\sin^2 x)-4\sin x+1=a$, $-2\sin^2 x-4\sin x+3=a$가 실근을 가지려면

$y=-2\sin^2 x-4\sin x+3$의 그래프와 직선 $y=a$가 교점을 가져야 한다.

STEP B 함수 $y=f(x)$의 그래프와 직선 $y=k$가 만나도록 하는 k의 값의 범위 구하기

이때 $\sin x=t$라 하면 $-1\le t\le 1$이고
$y=-2t^2-4t+3=-2(t+1)^2+5$
$t=-1$일 때, 최댓값 5를 가지고
$t=1$일 때, 최솟값 -3을 가지므로
$-3\le a\le 5$
따라서 정수 a의 최댓값은 5,
최솟값은 -3이므로 합은
$5+(-3)=2$이다.

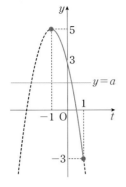

내/신/연/계/ 출제문항 355

방정식 $2\sin^2 x+2\cos x=k$가 실근을 갖도록 하는 k의 최댓값과 최솟값을 각각 M, m이라 할 때, Mm의 값은?

① -5 ② $-\dfrac{5}{2}$ ③ -2

④ 2 ⑤ 5

STEP A 주어진 방정식을 $f(x)=k$꼴로 변형하기

$2\sin^2 x+2\cos x=k$에서

$2(1-\cos^2 x)+2\cos x=k$, $-2\cos^2 x+2\cos x+2=k$가 실근을 가지려면

$y=-2\cos^2 x+2\cos x+2$의 그래프와 직선 $y=k$가 교점을 가져야 한다.

STEP B 함수 $y=f(x)$의 그래프와 직선 $y=k$가 만나도록 하는 k의 값의 범위 구하기

이때 $\cos x=t$라 하면 $-1\le t\le 1$이고
$y=-2t^2+2t+2=-2\left(t-\dfrac{1}{2}\right)^2+\dfrac{5}{2}$
오른쪽 그림에서
$t=-1$일 때, 최솟값 -2를 갖고,
$t=\dfrac{1}{2}$일 때, 최댓값 $\dfrac{5}{2}$를 갖는다.
즉 실근을 가지려면 $-2\le k\le \dfrac{5}{2}$
따라서 k의 최댓값 $M=\dfrac{5}{2}$, 최솟값이
$m=-2$이므로 $Mm=\dfrac{5}{2}\cdot(-2)=-5$

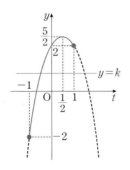

0963

STEP A 방정식의 실근의 개수는 두 그래프의 교점의 개수와 같다.

$\sin^2\left(\dfrac{\pi}{2}+x\right)-2\sin(x+\pi)+k=0$에서

$\cos^2 x+2\sin x+k=0$이므로 실근을 가지려면 $-\cos^2 x-2\sin x=k$에서

$y=-\cos^2 x-2\sin x$의 그래프와 직선 $y=k$가 교점을 가져야 한다.

STEP B 함수 $y=f(x)$의 그래프와 직선 $y=k$가 만나도록 하는 k의 값의 범위 구하기

$y=-\cos^2 x-2\sin x$
$\quad=-(1-\sin^2 x)-2\sin x$
$\quad=\sin^2 x-2\sin x-1$
이때 $\sin x=t$라 하면 $-1\le t\le 1$이고
$y=t^2-2t-1=(t-1)^2-2$
오른쪽 그림에서 $y=k$와 만나기 위해서는
$-2\le k\le 2$
따라서 정수 k는 -2, -1, 0, 1, 2이므로
5개이다.

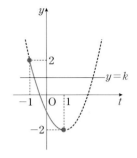

내/신/연/계/ 출제문항 356

방정식 $\sin^2\left(\dfrac{\pi}{2}+x\right)-\sin(x+\pi)-k=0$이 실근을 갖도록 하는 실수 k의 최댓값과 최솟값을 각각 M, m이라 할 때, $M+m$의 값은?

① $-\dfrac{1}{4}$ ② $-\dfrac{1}{2}$ ③ $\dfrac{1}{4}$

④ $\dfrac{1}{2}$ ⑤ $\dfrac{9}{4}$

STEP A 주어진 방정식을 $f(x)=k$꼴로 변형하기

$\sin^2\left(\dfrac{\pi}{2}+x\right)-\sin(x+\pi)-k=0$에서

$\cos^2 x=1-\sin^2 x$, $\sin(x+\pi)=-\sin x$, $\sin\left(\dfrac{\pi}{2}+x\right)=\cos x$이므로

$\cos^2 x+\sin x=k$
방정식 $\cos^2 x+\sin x=k$가 실근을 가지려면
$y=\cos^2 x+\sin x$의 그래프와 직선 $y=k$가 교점을 가져야 한다.

STEP B 함수 $y=f(x)$의 그래프와 직선 $y=k$가 만나도록 하는 k의 값의 범위 구하기

$y=\cos^2 x+\sin x$
$\quad=1-\sin^2 x+\sin x$
$\quad=-\sin^2 x+\sin x+1$
이때 $\sin x=t$로 놓으면 $-1\le t\le 1$이고
$y=-t^2+t+1=-\left(t-\dfrac{1}{2}\right)^2+\dfrac{5}{4}$
오른쪽 그림에서 주어진 방정식이 실근을
가지려면 $-1\le k\le\dfrac{5}{4}$
따라서 $M=\dfrac{5}{4}$, $m=-1$이므로 $M+m=\dfrac{1}{4}$

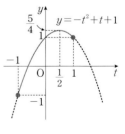

0964

 $0 \le x < 2\pi$ 에서
① $\sin x = a(-1 < a < 1)$는 서로 다른 두 실근을 가진다.
② $\sin x = \pm 1$일 때, 한 개의 실근을 가진다.

STEP A 방정식의 실근의 개수는 두 그래프의 교점의 개수와 같다.

방정식 $2\cos^2 x + \sin x - 2 = k$의 서로 다른 두 실근을 가지려면
$y = 2\cos^2 x + \sin x - 2 = 2(1 - \sin^2 x) + \sin x - 2 = -2\sin^2 x + \sin x$와
$y = k$가 교점을 1개 가져야 한다.

$\sin x = t$로 놓으면 $y = -2t^2 + t$가 $-1 < t < 1$에서 $y = k$와 한 점에서
만나야 한다. ($\because \sin x = 1$, $\sin x = -1$은 각각 1개의 실근이 존재)

STEP B $y = -2\sin^2 x + \sin x$ **그래프 그리기**

$y = -2t^2 + t = -2\left(t - \dfrac{1}{4}\right)^2 + \dfrac{1}{8}$ 과 $y = k$가 x좌표가 -1 또는 1이 아닌 한 점
에서 만나야 한다.

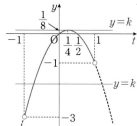

따라서 그림에서 $y = k$와 한 점에서 만나기 위해서는
$-3 < k < -1$ 또는 $k = \dfrac{1}{8}$

참고
① $-1 < k < \dfrac{1}{8}$일 때, 방정식 $2\cos^2 x + \sin x - 2 = k$는 서로 다른 네 실근을
가진다.
② $k = -1$일 때, 방정식 $2\cos^2 x + \sin x - 2 = k$는 서로 다른 세 실근을
가진다.

0965

정답 ②

STEP A 방정식의 실근의 개수는 두 그래프의 교점의 개수와 같다.

방정식 $2\cos^2 x + \sin x - 2 = k$의 서로 다른 네 실근을 가지려면
$y = 2\cos^2 x + \sin x - 2 = 2(1 - \sin^2 x) + \sin x - 2 = -2\sin^2 x + \sin x$와
$y = k$가 교점을 2개 가져야 한다.

$\sin x = t$로 놓으면 $y = -2t^2 + t$가 $-1 < t < 1$에서 $y = k$와 서로 다른
두 점에서 만나야 한다. ($\because \sin x = 1$, $\sin x = -1$은 각각 1개의 실근이 존재)

STEP B $y = -2\sin^2 x + \sin x$ **그래프 그리기**

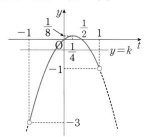

$f(t) = -2t^2 + t = -2\left(t - \dfrac{1}{4}\right)^2 + \dfrac{1}{8}(-1 < t < 1)$

STEP C k**의 값의 범위 구하기**

따라서 그림에서 $y = k$와 x좌표가 -1 또는 1이 아닌 서로 다른 두 점에서
만나기 위해서는 $-1 < k < \dfrac{1}{8}$

내/신/연/계/ 출제문항 357

$0 \le x < 2\pi$에서 방정식
$$\cos^2 x + \sin x - a = 0$$
가 서로 다른 4개의 근을 가질 때, a의 범위는?

① $1 < a < \dfrac{5}{4}$ ② $1 \le a < 2\pi$ ③ $a \le \dfrac{5}{4}$

④ $a < \dfrac{5}{4}$ ⑤ $a < 1$

STEP A 방정식의 실근의 개수는 두 그래프의 교점의 개수와 같다.

방정식 $\cos^2 x + \sin x - a = 0$이 서로 다른 네 실근을 가지려면
$\cos^2 x + \sin x = a$에서 $y = \cos^2 x + \sin x$와 $y = a$의 교점이 4개이어야 한다.

STEP B 서로 다른 네 개의 실근을 갖도록 하는 정수 a의 범위 구하기

$y = \cos^2 x + \sin x$
$= (1 - \sin^2 x) + \sin x$
$= -\sin^2 x + \sin x + 1$

$\sin x = t$로 놓으면 $y = -t^2 + t + 1$이 $-1 < t < 1$에서 $y = a$와 서로 다른
두 점에서 만나야 한다.

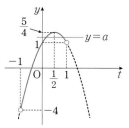

$y = -t^2 + t + 1 = -\left(t - \dfrac{1}{2}\right)^2 + \dfrac{5}{4}$

따라서 그림에서 $y = a$와 서로 다른 두 점에서 만나기 위해서는 $1 < a < \dfrac{5}{4}$

정답 ①

0966

정답 ②

STEP A 함수 $y = \sin x$의 그래프가 직선 $y = -\dfrac{1}{2}$ 아래쪽에 있는 x의 값의 범위 구하기

$2\sin x + 1 < 0$에서 $\sin x < -\dfrac{1}{2}$

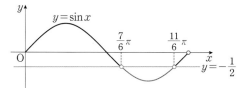

위의 그림에서 $\sin x = -\dfrac{1}{2}$을 만족하는 x의 값은 $x = \dfrac{7}{6}\pi$ 또는 $x = \dfrac{11}{6}\pi$

이므로 주어진 부등식을 만족하는 x의 값의 범위는 $\dfrac{7}{6}\pi < x < \dfrac{11}{6}\pi$

$\therefore a = \dfrac{7}{6}\pi$, $\beta = \dfrac{11}{6}\pi$

STEP B $\cos(\beta - a)$**의 값 구하기**

따라서 $\cos(\beta - a) = \cos\left(\dfrac{11}{6}\pi - \dfrac{7}{6}\pi\right) = \cos\dfrac{2}{3}\pi = -\dfrac{1}{2}$

0967

정답 ⑤

STEP Ⓐ 주어진 삼각부등식의 해 구하기

$3\cos x \leq -1$에서 $\cos x \leq -\dfrac{1}{3}$

$0 \leq x < 2\pi$에서 $y = \cos x$의 그래프는 다음과 같다.

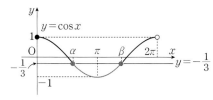

주어진 부등식의 해는 $y = \cos x \,(0 \leq x \leq 2\pi)$의 그래프가 직선 $y = -\dfrac{1}{3}$과
만나는 부분 또는 직선보다 아래쪽에 있는 부분의 x의 값의 범위이다.

이때 두 점 $\left(\alpha, -\dfrac{1}{3}\right)$, $\left(\beta, -\dfrac{1}{3}\right)$이 직선 $x = \pi$에 대하여 대칭이므로

$\dfrac{\alpha+\beta}{2} = \pi$, $\alpha+\beta = 2\pi$

따라서 $\sin\dfrac{\alpha+\beta}{3} = \sin\dfrac{2}{3}\pi = \sin\left(\pi - \dfrac{\pi}{3}\right) = \sin\dfrac{\pi}{3} = \dfrac{\sqrt{3}}{2}$

내/신/연/계/ 출제문항 358

$0 \leq x < 2\pi$에서 부등식 $\sin x \leq -\dfrac{1}{3}$을 만족하는 x의 값의 범위가

$\alpha \leq x \leq \beta$일 때, $\sin\dfrac{\alpha+\beta}{4}$의 값은?

① $-\dfrac{\sqrt{3}}{2}$ ② $-\dfrac{\sqrt{2}}{2}$ ③ $\dfrac{1}{2}$

④ $\dfrac{\sqrt{2}}{2}$ ⑤ $\dfrac{\sqrt{3}}{2}$

STEP Ⓐ 주어진 삼각부등식의 해 구하기

부등식 $\sin x \leq -\dfrac{1}{3}$의 해는 $y = \sin x$의 그래프가 직선 $y = -\dfrac{1}{3}$보다
아래쪽에 있는 부분의 x의 값의 범위이다.

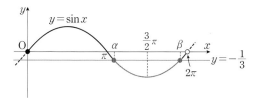

위의 그림에서 두 점 $(\alpha, 0)$, $(\beta, 0)$을 잇는 선분의 중점의 좌표가

$\left(\dfrac{3}{2}\pi, 0\right)$이므로 $\dfrac{\alpha+\beta}{2} = \dfrac{3}{2}\pi$

$\therefore \alpha+\beta = 3\pi$

따라서 $\sin\dfrac{\alpha+\beta}{4} = \sin\dfrac{3}{4}\pi = \sin\left(\pi - \dfrac{\pi}{4}\right) = \sin\dfrac{\pi}{4} = \dfrac{\sqrt{2}}{2}$ 정답 ④

0968

정답 ③

STEP Ⓐ 삼각함수를 포함한 부등식의 해 구하기

부등식 $\sin x > \dfrac{\sqrt{2}}{2}$의 해는 함수 $y = \sin x$의 그래프가 직선 $y = \dfrac{\sqrt{2}}{2}$보다

위쪽에 있는 x의 값의 범위이므로 $\dfrac{\pi}{4} < x < \dfrac{3}{4}\pi$ $\cdots\cdots$ ㉠

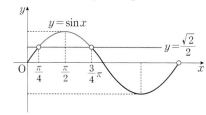

부등식 $\cos x < \dfrac{1}{2}$의 해는 함수 $y = \cos x$의 그래프가 직선 $y = \dfrac{1}{2}$보다

아래쪽에 있는 x의 값의 범위이므로 $\dfrac{\pi}{3} < x < \dfrac{5}{3}\pi$ $\cdots\cdots$ ㉡

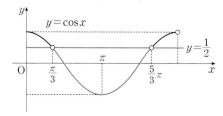

따라서 ㉠, ㉡의 공통범위를 구하면 $\dfrac{\pi}{3} < x < \dfrac{3}{4}\pi$이므로

$\beta - \alpha = \dfrac{3}{4}\pi - \dfrac{\pi}{3} = \dfrac{5}{12}\pi$

0969

정답 ⑤

STEP Ⓐ 삼각함수를 포함한 부등식의 해 구하기

$2\sin\left(2x - \dfrac{\pi}{3}\right) + \sqrt{3} < 0$에서 $\sin\left(2x - \dfrac{\pi}{3}\right) < -\dfrac{\sqrt{3}}{2}$

$2x - \dfrac{\pi}{3} = t$라 하면 $0 < x < \pi$에서 $-\dfrac{\pi}{3} < t < \dfrac{5}{3}\pi$이고

주어진 부등식은 $\sin t < -\dfrac{\sqrt{3}}{2}$

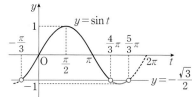

위의 그림에서 부등식 $\sin t < -\dfrac{\sqrt{3}}{2}$의 해는 $\dfrac{4}{3}\pi < t < \dfrac{5}{3}\pi$이므로

$\dfrac{4}{3}\pi < 2x - \dfrac{\pi}{3} < \dfrac{5}{3}\pi$ $\therefore \dfrac{5}{6}\pi < x < \pi$

STEP Ⓑ $\cos(\beta-\alpha)$의 값 구하기

$\alpha = \dfrac{5}{6}\pi$, $\beta = \pi$이므로 $\beta - \alpha = \dfrac{\pi}{6}$

따라서 $\cos(\beta-\alpha) = \cos\dfrac{\pi}{6} = \dfrac{\sqrt{3}}{2}$

0970

STEP Ⓐ $y = \cos t$**의 그래프가 직선** $y = -\dfrac{1}{2}$**과 만나거나 그 아래쪽에 있는** t**의 값의 범위 구하기**

$x - \dfrac{\pi}{6} = t$로 놓으면 $0 \le x < 2\pi$에서 $-\dfrac{\pi}{6} \le t < \dfrac{11}{6}\pi$이고

주어진 부등식은 $\cos t \le -\dfrac{1}{2}$

오른쪽 그림에서 $\cos t \le -\dfrac{1}{2}$의 해는

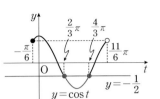

$\dfrac{2}{3}\pi \le t \le \dfrac{4}{3}\pi$이므로

$\dfrac{2}{3}\pi \le x - \dfrac{\pi}{6} \le \dfrac{4}{3}\pi$

$\therefore \dfrac{5}{6}\pi \le x \le \dfrac{3}{2}\pi$

즉 $\alpha = \dfrac{5}{6}\pi$, $\beta = \dfrac{3}{2}\pi$이므로 $\alpha + \beta = \dfrac{7}{3}\pi$

STEP Ⓑ $\cos(\alpha+\beta)$**의 값 구하기**

따라서 $\cos(\alpha+\beta) = \cos\dfrac{7}{3}\pi = \cos\left(2\pi + \dfrac{\pi}{3}\right) = \cos\dfrac{\pi}{3} = \dfrac{1}{2}$

내/신/연/계/ 출제문항 359

$0 \le x < 2\pi$에서 부등식 $\cos\left(\dfrac{x}{2} + \dfrac{\pi}{6}\right) \ge \dfrac{1}{2}$의 해가 $a \le x \le b$일 때, $\cos(a+b)$의 값은?

① $-\dfrac{\sqrt{3}}{2}$ ② $-\dfrac{1}{2}$ ③ $\dfrac{1}{2}$

④ $\dfrac{\sqrt{3}}{2}$ ⑤ 1

STEP Ⓐ $y = \cos t$**의 그래프가 직선** $y = \dfrac{1}{2}$**과 만나거나 그 위쪽에 있는** t**의 값의 범위 구하기**

$\dfrac{x}{2} + \dfrac{\pi}{6} = t$로 놓으면 $0 \le x < 2\pi$에서 $\dfrac{\pi}{6} \le t < \dfrac{7}{6}\pi$

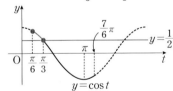

위의 그림에서 $\cos t \ge \dfrac{1}{2}$의 해는 $\dfrac{\pi}{6} \le t \le \dfrac{\pi}{3}$이므로 $\dfrac{\pi}{6} \le \dfrac{x}{2} + \dfrac{\pi}{6} \le \dfrac{\pi}{3}$

$\therefore 0 \le x \le \dfrac{\pi}{3}$

STEP Ⓑ $\cos(a+b)$**의 값 구하기**

$a = 0$, $b = \dfrac{\pi}{3}$이므로 $a + b = \dfrac{\pi}{3}$

따라서 $\cos(a+b) = \cos\dfrac{\pi}{3} = \dfrac{1}{2}$

0971

STEP Ⓐ $\sin x > \cos x$**을 만족하는** x**의 범위 구하기**

$\sin x - \cos x > 0$에서 $\sin x > \cos x$
오른쪽 그림에서 부등식
$\sin x > \cos x$의 해는 $\dfrac{\pi}{4} < x < \dfrac{5}{4}\pi$

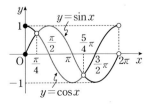

따라서 $\alpha = \dfrac{\pi}{4}$, $\beta = \dfrac{5}{4}\pi$이므로

$\alpha + \beta = \dfrac{3}{2}\pi$

내/신/연/계/ 출제문항 360

$-\pi \le x \le \pi$일 때, 다음 중 부등식 $\cos x \ge \sin x$의 해가 아닌 것은?

① $-\pi$ ② $-\dfrac{3}{4}\pi$ ③ $-\dfrac{\pi}{2}$

④ $-\dfrac{\pi}{4}$ ⑤ $\dfrac{\pi}{4}$

STEP Ⓐ $\cos x \ge \sin x$**을 만족하는** x**의 범위 구하기**

$\cos x \ge \sin x$의 해는 $y = \cos x$의 그래프가 $y = \sin x$의 그래프와 만나거나 그 위쪽에 있는 부분의 x의 값의 범위와 같으므로 오른쪽 그림에서 $-\dfrac{3}{4}\pi \le x \le \dfrac{\pi}{4}$

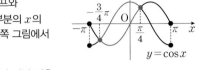

따라서 주어진 부등식의 해가 아닌 것은 $-\pi$이다.

0972

STEP Ⓐ $|x| \le a$**이면** $-a \le x \le a$**임을 이용하여 식을 정리하기**

$3|\tan x| \le \sqrt{3}$에서 $-\sqrt{3} \le 3\tan x \le \sqrt{3}$

$\therefore -\dfrac{\sqrt{3}}{3} \le \tan x \le \dfrac{\sqrt{3}}{3}$

STEP Ⓑ **부등식의 해를 구하기**

오른쪽 그림에서 부등식 $-\dfrac{\sqrt{3}}{3} \le \tan x \le \dfrac{\sqrt{3}}{3}$의 해는

$0 \le x \le \dfrac{\pi}{6}$ 또는 $\dfrac{5}{6}\pi \le x < \pi$

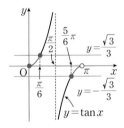

0973

STEP Ⓐ $A+B+C=\pi$**을 이용하여 각을 통일하기**

$A+B+C = \pi$이므로
$\tan(B+C) = \tan(\pi - A) = -\tan A$
$\tan A - \tan(B+C) + 2 \le 0$에서 $2\tan A + 2 \le 0$

$\therefore \tan A \le -1$

STEP Ⓑ **부등식** $\tan A \le -1$**의 해를 구하기**

오른쪽 그림에서 부등식 $\tan A \le -1$의 해는 $\dfrac{\pi}{2} < A \le \dfrac{3}{4}\pi$

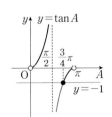

0974

정답 ③

STEP Ⓐ **지수부등식과 삼각부등식을 포함된 부등식의 해 구하기**

(i) $2^x-8<0$이고 $\cos x-\dfrac{1}{2}>0$인 경우

$0<x<3$이고 $0<x<\dfrac{\pi}{3}$이므로

$0<x<\dfrac{\pi}{3}$

(ii) $2^x-8>0$이고 $\cos x-\dfrac{1}{2}<0$인 경우

$x>3$이고 $\dfrac{\pi}{3}<x<\pi$이므로

$3<x<\pi$

따라서 $0<x<\dfrac{\pi}{3}$ 또는 $3<x<\pi$이므로

$(b-a)+(d-c)=\left(\dfrac{\pi}{3}-0\right)+(\pi-3)=\dfrac{4\pi}{3}-3$

0975

정답 ①

STEP Ⓐ $\sin^2 x+\cos^2 x=1$임을 이용하여 한 종류의 삼각함수에 대한 **부등식으로 고치기**

$2\sin^2 x+\cos x-1\leq 0$에서

$2(1-\cos^2 x)+\cos x-1\leq 0$

$2\cos^2 x-\cos x-1\geq 0$

$(2\cos x+1)(\cos x-1)\geq 0$

$\therefore \cos x\leq -\dfrac{1}{2}$ 또는 $\cos x\geq 1$

STEP Ⓑ **x의 값의 범위 구하기**

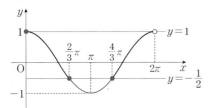

그림에서 부등식의 해는 $x=0$ 또는 $\dfrac{2}{3}\pi\leq x\leq\dfrac{4}{3}\pi$

0976

정답 ③

STEP Ⓐ $\sin^2 x+\cos^2 x=1$임을 이용하여 한 종류의 삼각함수에 대한 **부등식으로 고치기**

$2\sin^2 x-\cos x-1>0$에서

$2(1-\cos^2 x)-\cos x-1>0$

$2\cos^2 x+\cos x-1<0$

$(\cos x+1)(2\cos x-1)<0$

$\therefore -1<\cos x<\dfrac{1}{2}$

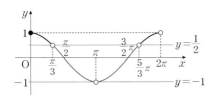

STEP Ⓑ **x의 값의 범위 구하기**

따라서 구하는 부등식의 해는 $\dfrac{\pi}{3}<x<\pi$ 또는 $\pi<x<\dfrac{5}{3}\pi$

0977

정답 ③

STEP Ⓐ $\sin^2 x+\cos^2 x=1$임을 이용하여 한 종류의 삼각함수에 대한 **부등식으로 고치기**

$2\cos^2 x-3\sin x\leq 0$에서

$2(1-\sin^2 x)-3\sin x\leq 0$

$2\sin^2 x+3\sin x-2\geq 0$

$(2\sin x-1)(\sin x+2)\geq 0$

이때 $\sin x+2>0$이므로 $2\sin x-1\geq 0$

$\therefore \sin x\geq\dfrac{1}{2}$

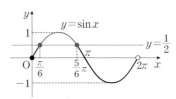

STEP Ⓑ **x의 값의 범위 구하기**

부등식 $\sin x\geq\dfrac{1}{2}$의 해는 $\dfrac{\pi}{6}\leq x\leq\dfrac{5}{6}\pi$

따라서 $\alpha=\dfrac{\pi}{6}$, $\beta=\dfrac{5}{6}\pi$이므로 $\beta-\alpha=\dfrac{2}{3}\pi$

$\therefore \cos(\beta-\alpha)=\cos\dfrac{2}{3}\pi=-\dfrac{1}{2}$

0978

정답 ⑤

STEP Ⓐ $\sin^2 x+\cos^2 x=1$임을 이용하여 한 종류의 삼각함수에 대한 **부등식으로 고치기**

$\cos^2 x-\sin^2 x+5\cos x+3\geq 0$에서

$2\cos^2 x+5\cos x+2\geq 0$

$(2\cos x+1)(\cos x+2)\geq 0$

이때 $\cos x+2\geq 0$이므로 $2\cos x+1\geq 0$

$\therefore \cos x\geq -\dfrac{1}{2}$

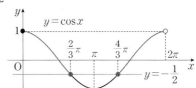

STEP Ⓑ **x의 값의 범위를 구하여 $\cos(a+b)$의 값 구하기**

따라서 $0\leq x<2\pi$이므로 해가 $0\leq x\leq\dfrac{2}{3}\pi$ 또는 $\dfrac{4}{3}\pi\leq x<2\pi$이므로

$a=\dfrac{2}{3}\pi$, $b=\dfrac{4}{3}\pi$

$\therefore \cos(a+b)=\cos\left(\dfrac{2}{3}\pi+\dfrac{4}{3}\pi\right)=\cos 2\pi=1$

$-\pi < x < \pi$에서 부등식
$$2\cos^2 x + 3\sin x \geq 3$$
의 해가 $a \leq x \leq b$일 때, $\sin(b-a)$의 값은?

① -1　　　　② $-\dfrac{\sqrt{3}}{2}$　　　　③ $-\dfrac{1}{2}$

④ $\dfrac{1}{2}$　　　　⑤ $\dfrac{\sqrt{3}}{2}$

STEP Ⓐ $\sin^2 x + \cos^2 x = 1$임을 이용하여 $\sin x$에 대한 부등식으로 정리하기

$2\cos^2 x + 3\sin x \geq 3$에서 $2(1-\sin^2 x) + 3\sin x \geq 3$

$2\sin^2 x - 3\sin x + 1 \leq 0$, $(2\sin x - 1)(\sin x - 1) \leq 0$

$\therefore \dfrac{1}{2} \leq \sin x \leq 1$

STEP Ⓑ $\sin(b-a)$의 값 구하기

오른쪽 그림에서
$\dfrac{1}{2} \leq \sin x \leq 1$의 해는

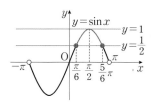

$\dfrac{\pi}{6} \leq x \leq \dfrac{5}{6}\pi$

따라서 $a = \dfrac{\pi}{6}$, $b = \dfrac{5}{6}\pi$이므로

$\sin(b-a) = \sin\left(\dfrac{5}{6}\pi - \dfrac{\pi}{6}\right)$

$= \sin\dfrac{2}{3}\pi = \dfrac{\sqrt{3}}{2}$　　　　정답 ⑤

0979　　　　정답 ⑤

STEP Ⓐ $\tan x$의 범위 구하기

$\sqrt{3}\tan^2 x \leq 2\tan x + \sqrt{3}$에서 $\sqrt{3}\tan^2 x - 2\tan x - \sqrt{3} \leq 0$

$(\sqrt{3}\tan x + 1)(\tan x - \sqrt{3}) \leq 0$

$\therefore -\dfrac{1}{\sqrt{3}} \leq \tan x \leq \sqrt{3}$

STEP Ⓑ $\sin(\beta-\alpha)$의 값 구하기

오른쪽 그림에서
구하는 해는 $-\dfrac{\pi}{6} \leq x \leq \dfrac{\pi}{3}$이므로

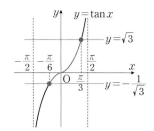

$\beta - \alpha = \dfrac{\pi}{2}$

따라서 $\sin(\beta - \alpha) = \sin\dfrac{\pi}{2} = 1$

$-\dfrac{\pi}{2} < x < \dfrac{\pi}{2}$일 때, 부등식
$$\tan^2 x + (\sqrt{3}+1)\tan x + \sqrt{3} > 0$$
을 만족시키는 x의 값의 범위가 $a < x < b$ 또는 $c < x < d$일 때, $a+b+c+d$의 값은?

① $-\dfrac{7}{12}\pi$　　　　② $-\dfrac{7}{6}\pi$　　　　③ $-\dfrac{\pi}{4}$

④ $\dfrac{7}{12}\pi$　　　　⑤ $\dfrac{3}{2}\pi$

STEP Ⓐ $\tan x$의 범위 구하기

$\tan^2 x + (\sqrt{3}+1)\tan x + \sqrt{3} > 0$에서

$(\tan x + 1)(\tan x + \sqrt{3}) > 0$

$\therefore \tan x < -\sqrt{3}$ 또는 $\tan x > -1$

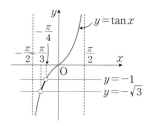

STEP Ⓑ $a+b+c+d$의 값 구하기

따라서 구하는 해가 $-\dfrac{\pi}{2} < x < -\dfrac{\pi}{3}$ 또는 $-\dfrac{\pi}{4} < x < \dfrac{\pi}{2}$ 이므로

$a = -\dfrac{\pi}{2}$, $b = -\dfrac{\pi}{3}$, $c = -\dfrac{\pi}{4}$, $d = \dfrac{\pi}{2}$

$\therefore a+b+c+d = -\dfrac{7}{12}\pi$　　　　정답 ①

0980　　　　정답 ④

STEP Ⓐ 로그의 진수조건 구하기

$\log_2 \cos x + \log_4 \dfrac{2}{3} < \log_4 \sin x$에서

진수조건은 $\cos x > 0$, $\sin x > 0$이므로

$0 < x < \dfrac{\pi}{2}$　　　　$\cdots\cdots$ ㉠

$\log_4 \dfrac{2}{3}\cos^2 x < \log_4 \sin x$에서 $\dfrac{2}{3}\cos^2 x < \sin x$

STEP Ⓑ $\sin x$의 부등식 구하기

$\dfrac{2}{3}\cos^2 x - \sin x < 0$, $(2\sin x - 1)(\sin x + 2) > 0$에서

$\sin x + 2 > 0$이므로 $\sin x > \dfrac{1}{2}$

다음 그림에서 $\sin x > \dfrac{1}{2}$의 해는

$\dfrac{\pi}{6} < x < \dfrac{5}{6}\pi$　　　　$\cdots\cdots$ ㉡

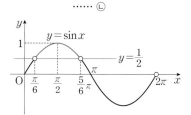

따라서 ㉠, ㉡에서 $\dfrac{\pi}{6} < x < \dfrac{\pi}{2}$이므로 $\alpha + \beta = \dfrac{2}{3}\pi$

0981　　　　정답 ①

STEP Ⓐ 이차방정식이 서로 다른 두 실근을 가질 조건 구하기

$x^2 + 2x\cos\theta + 1 - \sin\theta = 0$의 판별식을 D라고 하면 $D > 0$이어야 한다.

$\dfrac{D}{4} = \cos^2\theta - 1 + \sin\theta > 0$

$1 - \sin^2\theta - 1 + \sin\theta > 0$에서 $\sin\theta(\sin\theta - 1) < 0$

$\therefore 0 < \sin\theta < 1$

STEP Ⓑ θ의 값의 범위 구하기

따라서 $0 < \sin\theta < 1$이므로
구하는 θ의 값의 범위는
$0 < \theta < \dfrac{\pi}{2}$ 또는 $\dfrac{\pi}{2} < \theta < \pi$

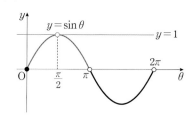

0982

정답 ④

STEP A 이차방정식이 실근을 가질 조건 구하기

이차방정식 $6x^2+(4\sin\theta)x-\cos\theta=0$의 판별식을 D라 하면
$D\geq0$이어야 한다.

$\dfrac{D}{4}=(2\sin\theta)^2-6(-\cos\theta)\geq0$

$4\sin^2\theta+6\cos\theta\geq0$, $4(1-\cos^2\theta)+6\cos\theta\geq0$

$2\cos^2\theta-3\cos\theta-2\leq0$

$(2\cos\theta+1)(\cos\theta-2)\leq0$

$\cos\theta-2<0$이므로 $2\cos\theta+1\geq0$

$\cos\theta\geq-\dfrac{1}{2}$ $\qquad\cdots\cdots$ ㉠

STEP B $y=\cos\theta$의 그래프가 직선 $y=-\dfrac{1}{2}$과 만나거나 위쪽에 있는
$\qquad\quad$ θ의 값의 범위 구하기

$0\leq\theta<2\pi$에서 함수 $y=\cos\theta$의 그래프는 다음 그림과 같다.

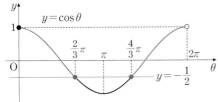

따라서 $0\leq\theta<2\pi$에서 부등식 ㉠의 해는 $0\leq\theta\leq\dfrac{2}{3}\pi$ 또는 $\dfrac{4}{3}\pi\leq\theta<2\pi$

이므로 $\beta-\alpha=\dfrac{4}{3}\pi-\dfrac{2}{3}\pi=\dfrac{2}{3}\pi$

내/신/연/계 출제문항 363

$0<\theta<2\pi$일 때, x에 대한 이차방정식
$$x^2+2x\sin\theta+\cos\theta+1=0$$
이 실근을 갖도록 하는 θ의 값의 범위가 $a\leq\theta\leq b$일 때,
$b-a$의 값은?

① $\dfrac{\pi}{3}$ $\qquad$ ② $\dfrac{\pi}{2}$ $\qquad$ ③ $\dfrac{2}{3}\pi$

④ $\dfrac{5}{6}\pi$ $\qquad$ ⑤ π

STEP A 이차방정식이 실근을 가질 조건 구하기

이차방정식 $x^2+2x\sin\theta+\cos\theta+1=0$이 실근을 가지므로
판별식을 D라 하면 $D\geq0$이어야 한다.

$\dfrac{D}{4}=\sin^2\theta-\cos\theta-1\geq0$

$(1-\cos^2\theta)-\cos\theta-1\geq0$, $\cos^2\theta+\cos\theta\leq0$

$\cos\theta(\cos\theta+1)\leq0$

$\therefore -1\leq\cos\theta\leq0$

STEP B θ의 값의 범위 구하기

다음 그림에서 $-1\leq\cos\theta\leq0$의 해는 $\dfrac{\pi}{2}\leq\theta\leq\dfrac{3}{2}\pi$

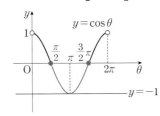

따라서 $a=\dfrac{\pi}{2}$, $b=\dfrac{3}{2}\pi$이므로 $b-a=\pi$

정답 ⑤

0983

정답 ⑤

STEP A 이차방정식이 중근을 가질 조건 구하기

$x^2+2x\cos\theta-\sin\theta-1=0$의 판별식을 D라고 하면
중근을 가지므로 $D=0$이어야 한다.

$\dfrac{D}{4}=\cos^2\theta+\sin\theta+1=0$

$1-\sin^2\theta+\sin\theta+1=0$

$\therefore \sin^2\theta-\sin\theta-2=0$

$(\sin\theta+1)(\sin\theta-2)=0$

STEP B x의 범위를 구하기

이때 $0\leq\theta<2\pi$에서 $-1\leq\sin\theta\leq1$이므로 $\sin x=-1$
따라서 $x=\dfrac{3}{2}\pi$

0984

정답 ⑤

STEP A 이차방정식이 중근을 가질 조건 구하기

이차방정식 $x^2+\sqrt{2}x-\cos\theta=0$이 중근을 가지므로 판별식을 D라 하면
$D=0$이어야 한다.

$D=2+4\cos\theta=0$

$\therefore \cos\theta=-\dfrac{1}{2}$

STEP B $\sin\dfrac{\alpha+\beta}{3}$의 값 구하기

이때 $0\leq\theta\leq2\pi$에서 $\theta=\dfrac{2}{3}\pi$ 또는 $\theta=\dfrac{4}{3}\pi$

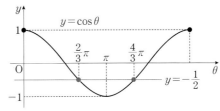

따라서 $\alpha+\beta=\dfrac{2}{3}\pi+\dfrac{4}{3}\pi=2\pi$이므로

$\sin\dfrac{\alpha+\beta}{3}=\sin\dfrac{2}{3}\pi=\dfrac{\sqrt{3}}{2}$ $\quad\leftarrow$ $\dfrac{\alpha+\beta}{2}=\pi$에서 $\alpha+\beta=2\pi$

---

x에 대한 이차방정식
$$x^2-2\sqrt{3}\sin\theta x+1=0$$
이 중근을 갖도록 하는 서로 다른 θ의 값을 α, β라고 할 때, $\cos(\alpha+\beta)$의 값은? (단, $0<\theta<\pi$)

① -1 ② $-\dfrac{\sqrt{3}}{2}$ ③ $-\dfrac{1}{2}$

④ $\dfrac{1}{2}$ ⑤ $\dfrac{\sqrt{3}}{2}$

STEP Ⓐ 이차방정식이 중근을 가질 조건 구하기

이차방정식 $x^2-2\sqrt{3}\sin\theta x+1=0$이 중근을 가지므로 판별식을 D라 하면 $D=0$이어야 한다.

$D=(2\sqrt{3}\sin\theta)^2-4=0$

$\therefore \sin^2\theta=\dfrac{1}{3}$

STEP Ⓑ $\cos(\alpha+\beta)$의 값 구하기

이때 $0<\theta<\pi$에서 $\sin\theta>0$이므로 $\sin\theta=\dfrac{1}{\sqrt{3}}$

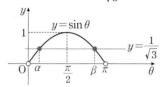

이때 $\sin\theta=\sin(\pi-\theta)$이므로

$\alpha+\beta=\theta+(\pi-\theta)=\pi$ ← $\dfrac{\alpha+\beta}{2}=\dfrac{\pi}{2}$에서 $\alpha+\beta=\pi$

따라서 $\cos(\alpha+\beta)=\cos\pi=-1$ 정답 ①

0985

정답 ④

STEP Ⓐ 이차방정식이 실근을 갖지 않을 조건 구하기

주어진 이차방정식 $6x^2+(4\cos\theta)x+\sin\theta=0$의 판별식을 D라 하면 실근을 갖지 않아야 하므로 $D<0$이어야 한다.

$\dfrac{D}{4}=4\cos^2\theta-6\sin\theta<0$

$4(1-\sin^2\theta)-6\sin\theta<0$이므로 $2\sin^2\theta+3\sin\theta-2>0$

$(2\sin\theta-1)(\sin\theta+2)>0$

STEP Ⓑ $y=\sin\theta$의 그래프가 직선 $y=\dfrac{1}{2}$ 위쪽에 있는 θ의 값의 범위 구하기

$\sin\theta+2>0$이므로 $2\sin\theta-1>0$

$\sin\theta>\dfrac{1}{2}$ …… ㉠

$0\le\theta<2\pi$에서 함수 $y=\sin\theta$의 그래프는 그림과 같다.

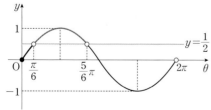

즉 $0\le\theta<2\pi$에서 부등식 ㉠의 해는 $\dfrac{\pi}{6}<\theta<\dfrac{5}{6}\pi$

따라서 $\alpha=\dfrac{\pi}{6}$, $\beta=\dfrac{5}{6}\pi$이므로 $3\alpha+\beta=\dfrac{\pi}{2}+\dfrac{5}{6}\pi=\dfrac{4}{3}\pi$

$0\le\theta<2\pi$에 대하여 x에 대한 이차방정식
$$4x^2+4\sqrt{2}x\cos\theta+\cos\theta=0$$
의 실근이 존재하지 않을 때, θ의 값의 범위는 $a<\theta<\dfrac{\pi}{2}$ 또는 $\dfrac{3}{2}\pi<\theta<b$이다. $b-a$의 값은?

① $\dfrac{\pi}{3}$ ② $\dfrac{2}{3}\pi$ ③ $\dfrac{5}{6}\pi$

④ $\dfrac{4}{3}\pi$ ⑤ $\dfrac{5}{3}\pi$

STEP Ⓐ 이차방정식이 실근을 갖지 않을 조건 구하기

이차방정식 $4x^2+4\sqrt{2}x\cos\theta+\cos\theta=0$의 판별식을 D라 하면 실근을 갖지 않아야 하므로 $D<0$이어야 한다.

$\dfrac{D}{4}=8\cos^2\theta-4\cos\theta<0$

$4\cos\theta(2\cos\theta-1)<0$

$\therefore 0<\cos\theta<\dfrac{1}{2}$ …… ㉠

STEP Ⓑ $y=\cos\theta$의 그래프가 두 직선 $y=0$, $y=\dfrac{1}{2}$ 사이에 있는 θ의 값의 범위 구하기

$0\le\theta<2\pi$에서 함수 $y=\cos\theta$의 그래프는 그림과 같다.

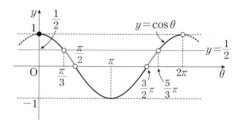

즉 $0\le\theta<2\pi$에서 부등식 ㉠의 해는 $\dfrac{\pi}{3}<\theta<\dfrac{\pi}{2}$ 또는 $\dfrac{3}{2}\pi<\theta<\dfrac{5}{3}\pi$

따라서 $a=\dfrac{\pi}{3}$, $b=\dfrac{5}{3}\pi$이므로 $b-a=\dfrac{5}{3}\pi-\dfrac{\pi}{3}=\dfrac{4}{3}\pi$ 정답 ④

0986

정답 ⑤

STEP Ⓐ 이차방정식이 중근을 가질 조건 구하기

$f(x)=x^2-2x\cos\theta+\sin^2\theta$ 그래프가 x축에 접하면 이차방정식 $x^2-2x\cos\theta+\sin^2\theta=0$이 중근을 가지므로 판별식을 D라고 하면 $D=0$이어야 한다.

STEP Ⓑ θ의 값 구하기

$\dfrac{D}{4}=\cos^2\theta-\sin^2\theta=0$

$(\cos\theta-\sin\theta)(\cos\theta+\sin\theta)=0$

$\therefore \cos\theta=\sin\theta$ 또는 $\cos\theta=-\sin\theta$

즉 $\tan\theta=1$ 또는 $\tan\theta=-1$

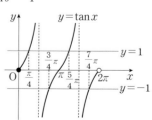

따라서 $\theta=\dfrac{\pi}{4}$ 또는 $\theta=\dfrac{3}{4}\pi$ 또는 $\theta=\dfrac{5}{4}\pi$ 또는 $\theta=\dfrac{7}{4}\pi$이므로 합은 4π

0987

STEP A 곡선과 포물선이 만나지 않을 조건 구하기

직선 $y=2x+2$와 포물선 $y=x^2+(2\cos\theta)x+3\sin^2\theta$가 만나지 않으려면

$2x+2=x^2+(2\cos\theta)x+3\sin^2\theta$에서

x에 대한 이차방정식 $x^2-2(1-\cos\theta)x+3\sin^2\theta-2=0$의 실근이 존재하지 않아야 한다.

이 이차방정식의 판별식을 D라 하면 $D<0$이어야 한다.

$$\frac{D}{4}=(1-\cos\theta)^2-(-2+3\sin^2\theta)$$
$$=1-2\cos\theta+\cos^2\theta+2-3(1-\cos^2\theta)$$
$$=4\cos^2\theta-2\cos\theta$$
$$=2\cos\theta(2\cos\theta-1)<0$$

$\therefore 0<\cos\theta<\dfrac{1}{2}$ ...... ㉠

STEP B $y=\cos\theta$**의 그래프가 두 직선** $y=0$, $y=\dfrac{1}{2}$ **사이에 있는** θ**의 값의 범위 구하기**

$0\le\theta\le\pi$에서 함수 $y=\cos\theta$의 그래프는 그림과 같다.

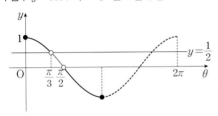

즉 $0\le\theta\le\pi$에서 부등식 ㉠의 해는 $\dfrac{\pi}{3}<\theta<\dfrac{\pi}{2}$

따라서 $\alpha=\dfrac{\pi}{3}$, $\beta=\dfrac{\pi}{2}$이므로 $\alpha+\beta=\dfrac{\pi}{3}+\dfrac{\pi}{2}=\dfrac{5}{6}\pi$

0988

STEP A 두 근 사이에 1이 있기 위한 조건 구하기

$f(x)=2x^2-4x\cos^2\theta-1$이라 하면

두 실근 중 한 근은 1보다 크고

다른 한 근은 1보다 작으므로

$f(1)=2-4\cos^2\theta-1<0$

즉 $(2\cos\theta+1)(2\cos\theta-1)>0$

$\therefore \cos\theta<-\dfrac{1}{2}$ 또는 $\cos\theta>\dfrac{1}{2}$

STEP B θ**의 범위 구하기**

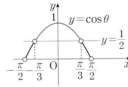

따라서 $-\dfrac{\pi}{2}<\theta<\dfrac{\pi}{2}$에서 만족하는 θ의 범위는 $\cos\theta>\dfrac{1}{2}$이므로

$-\dfrac{\pi}{3}<\theta<\dfrac{\pi}{3}$

0989

STEP A 두 근 사이에 1이 있기 위한 조건 구하기

$f(x)=2x^2-\sqrt{2}x\cos2\theta-1$이라 하면

방정식 $f(x)=0$의 두 근 사이에 1이

있어야 하므로 함수 $y=f(x)$의 그래프는

오른쪽 그림과 같아야 한다.

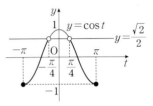

즉 $f(1)<0$이어야 하므로

$2-\sqrt{2}\cos2\theta-1<0$에서 $\sqrt{2}\cos2\theta>1$

$\therefore \cos2\theta>\dfrac{\sqrt{2}}{2}$

STEP B $2\theta=t$**로 놓고** θ**의 범위 구하기**

이때 $2\theta=t$로 놓으면 $-\dfrac{\pi}{2}\le\theta\le\dfrac{\pi}{2}$에서 $-\pi\le t\le\pi$이고

주어진 부등식은 $\cos t>\dfrac{\sqrt{2}}{2}$

다음 그림에서 $\cos t>\dfrac{\sqrt{2}}{2}$의 해는 $-\dfrac{\pi}{4}<t<\dfrac{\pi}{4}$

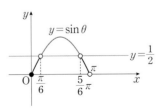

즉 $-\dfrac{\pi}{4}<2\theta<\dfrac{\pi}{4}$이므로 $-\dfrac{\pi}{8}<\theta<\dfrac{\pi}{8}$

따라서 θ의 값이 될 수 있는 것은 $\dfrac{\pi}{10}$

0990

STEP A $ax^2+bx+c>0$**이 모든 실수** x**에 대하여 항상 성립하려면**
$a>0$, $b^2-4ac<0$**이어야 함을 이용하기**

$x^2-4x+2\sin\theta+3>0$이 모든 실수 x에 대하여 항상 성립하므로

$x^2-4x+2\sin\theta+3=0$의 판별식을 D라 하면 $D<0$이어야 한다.

$\dfrac{D}{4}=4-2\sin\theta-3<0$

$\therefore \sin\theta>\dfrac{1}{2}$

STEP B $\cos(\alpha+\beta)$**의 값 구하기**

다음 그림에서 $\sin\theta>\dfrac{1}{2}$의 해는 $\dfrac{\pi}{6}<\theta<\dfrac{5}{6}\pi$

따라서 $\cos(\alpha+\beta)=\cos\left(\dfrac{\pi}{6}+\dfrac{5}{6}\pi\right)=\cos\pi=-1$

0991

정답 ②

STEP Ⓐ $ax^2+bx+c \geq 0$이 모든 실수 x에 대하여 항상 성립하려면
$a > 0$, $b^2-4ac \leq 0$이어야 함을 이용하기

$x^2-4x\cos\theta+1 \geq 0$이 모든 실수 x에 대하여 항상 성립하므로
$x^2-4x\cos\theta+1=0$의 판별식을 D라 하면 $D \leq 0$이어야 한다.

$\dfrac{D}{4}=4(\cos\theta)^2-1 \leq 0$

$\therefore -\dfrac{1}{2} \leq \cos\theta \leq \dfrac{1}{2}$

STEP Ⓑ **삼각함수를 포함한 부등식의 해 구하기**

다음 그림에서 $-\dfrac{1}{2} \leq \cos\theta \leq \dfrac{1}{2}$의 해는 $\dfrac{\pi}{3} \leq \theta \leq \dfrac{2}{3}\pi$이므로

$\alpha+\beta=\dfrac{\pi}{3}+\dfrac{2}{3}\pi=\pi$

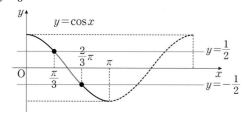

내신연계 출제문항 366

$-\dfrac{\pi}{2} \leq \theta \leq \dfrac{\pi}{2}$에서 모든 실수 x에서 부등식
$$x^2+2x\sin\theta+\dfrac{1}{4} \geq 0$$
이 성립할 때, $\cos\theta$의 최솟값은?

① $\dfrac{1}{4}$ 　　② $\dfrac{\sqrt{2}}{4}$ 　　③ $\dfrac{\sqrt{3}}{4}$

④ $\dfrac{\sqrt{2}}{2}$ 　　⑤ $\dfrac{\sqrt{3}}{2}$

STEP Ⓐ $ax^2+bx+c \geq 0$이 모든 실수 x에 대하여 항상 성립하려면
$a > 0$, $b^2-4ac \leq 0$이어야 함을 이용하기

$x^2+2x\sin\theta+\dfrac{1}{4} \geq 0$이 모든 실수 x에 대하여 항상 성립하므로
$x^2+2x\sin\theta+\dfrac{1}{4}=0$의 판별식을 D라 하면 $D \leq 0$이어야 한다.

$\dfrac{D}{4}=(\sin\theta)^2-\dfrac{1}{4} \leq 0$ $\therefore -\dfrac{1}{2} \leq \sin\theta \leq \dfrac{1}{2}$

STEP Ⓑ **부등식의 해 구하기**

다음 그림에서 $-\dfrac{1}{2} \leq \sin\theta \leq \dfrac{1}{2}$의 해는 $-\dfrac{\pi}{6} \leq \theta \leq \dfrac{\pi}{6}$

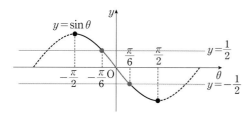

STEP Ⓒ **$\cos\theta$의 최솟값 구하기**

따라서 $-\dfrac{\pi}{6} \leq \theta \leq \dfrac{\pi}{6}$에서 $\cos\theta$의 최솟값은 $\cos\dfrac{\pi}{6}=\cos\left(-\dfrac{\pi}{6}\right)=\dfrac{\sqrt{3}}{2}$

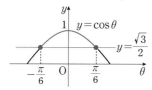

정답 ⑤

0992

정답 ①

STEP Ⓐ $ax^2+bx+c > 0$이 모든 실수 x에 대하여 항상 성립하려면
$a > 0$, $b^2-4ac < 0$이어야 함을 이용하기

$3x^2-2\sqrt{2}x\cos\theta+\sin\theta > 0$이 모든 실수 x에 대하여 항상 성립하므로
이차방정식 $3x^2-2\sqrt{2}x\cos\theta+\sin\theta=0$의 판별식을 D라 하면
$D < 0$이어야 한다.

$\dfrac{D}{4}=2\cos^2\theta-3\sin\theta < 0$, $2(1-\sin^2\theta)-3\sin\theta < 0$

$2\sin^2\theta+3\sin\theta-2 > 0$, $(2\sin\theta-1)(\sin\theta+2) > 0$

이때 $\sin\theta+2 > 0$이므로 $2\sin\theta-1 > 0$

$\therefore \sin\theta > \dfrac{1}{2}$

STEP Ⓑ **θ의 범위 구하기**

따라서 오른쪽 그림에서
$\sin\theta > \dfrac{1}{2}$의 해는 $\dfrac{\pi}{6} < \theta < \dfrac{5}{6}\pi$

이므로 $\alpha+\beta=\dfrac{5}{6}\pi+\dfrac{\pi}{6}=\pi$

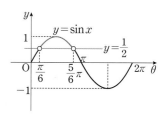

내신연계 출제문항 367

$0 \leq \theta \leq 2\pi$에서 모든 실수 x에 대하여 부등식
$$x^2-4x\cos\theta+2\cos\theta > 0$$
이 항상 성립할 때, θ의 값의 범위가 $\alpha < \theta < \beta$ 또는 $\gamma < \theta < \delta$일 때,
$\alpha+\beta+\gamma+\delta$의 값은?

① 2π 　　② 3π 　　③ 4π

④ $\dfrac{8}{3}\pi$ 　　⑤ 6π

STEP Ⓐ $ax^2+bx+c > 0$이 모든 실수 x에 대하여 항상 성립하려면
$a > 0$, $b^2-4ac < 0$이어야 함을 이용하기

$x^2-4x\cos\theta+2\cos\theta > 0$이 모든 실수 x에 대하여 항상 성립하므로
이차방정식 $x^2-4x\cos\theta+2\cos\theta=0$의 판별식을 D라 하면
$D < 0$이어야 한다.

$\dfrac{D}{4}=(-2\cos\theta)^2-2\cos\theta < 0$

$2\cos\theta(2\cos\theta-1) < 0$

$\therefore 0 < \cos\theta < \dfrac{1}{2}$

STEP Ⓑ **θ의 범위 구하기**

다음 그림에서 $0 < \cos\theta < \dfrac{1}{2}$의 해는 $\dfrac{\pi}{3} < \theta < \dfrac{\pi}{2}$ 또는 $\dfrac{3}{2}\pi < \theta < \dfrac{5}{3}\pi$

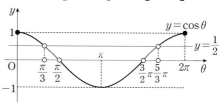

따라서 $\alpha+\beta+\gamma+\delta=\dfrac{\pi}{3}+\dfrac{\pi}{2}+\dfrac{3}{2}\pi+\dfrac{5}{3}\pi=4\pi$

정답 ③

0993

정답 ⑤

STEP A $ax^2+bx+c>0$이 모든 실수 x에 대하여 항상 성립하려면 $a>0$, $b^2-4ac<0$이어야 함을 이용하기

부등식 $x^2-2x\tan\theta+3>0$이 모든 실수 x에 대하여 항상 성립하므로 이차방정식 $x^2-2x\tan\theta+3=0$의 판별식을 D라 하면 $D<0$이어야 한다.

$\dfrac{D}{4}=\tan^2\theta-3<0$, $(\tan\theta-\sqrt{3})(\tan\theta+\sqrt{3})<0$

$\therefore -\sqrt{3}<\tan\theta<\sqrt{3}$

STEP B θ의 범위 구하기

다음 그림에서 $-\sqrt{3}<\tan\theta<\sqrt{3}$의 해는

$0\le\theta<\dfrac{\pi}{3}$ 또는 $\dfrac{2}{3}\pi<\theta<\dfrac{4}{3}\pi$ 또는 $\dfrac{5}{3}\pi<\theta<2\pi$

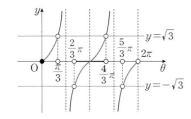

따라서 $a+b+c+d+e+f=0+\dfrac{\pi}{3}+\dfrac{2}{3}\pi+\dfrac{4}{3}\pi+\dfrac{5}{3}\pi+2\pi=6\pi$

0994

정답 ③

STEP A $\cos x=t$로 치환하여 이차식을 완전제곱식으로 나타내기

$\cos x=t$로 놓으면 $-1\le t\le 1$이고
주어진 부등식은 $t^2-6t+p-2\ge 0$
$f(t)=t^2-6t+p-2$로 놓으면
$f(t)=(t-3)^2+p-11$

STEP B $-1\le t\le 1$에서 $f(t)\ge 0$을 만족하는 p의 범위 구하기

이때 $f(t)$는 $-1\le t\le 1$에서
$t=1$일 때, 최솟값 $p-7$을 가지므로
$p-7\ge 0$, 즉 $p\ge 7$
따라서 구하는 실수 p의 최솟값은
7이다.

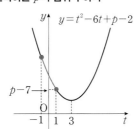

내/신/연/계 출제문항 **368**

부등식

$$\cos^2\theta-6\cos\theta\ge -3k+1$$

이 모든 실수 θ에 대하여 항상 성립하도록 하는 실수 k의 범위는?

① $k\ge -2$　　② $k\ge -1$　　③ $k\ge 2$
④ $k\le 1$　　　⑤ $k\le 2$

STEP A $\cos\theta=t$로 놓으면 $-1\le t\le 1$이고 그래프 그리기

$\cos^2\theta-6\cos\theta\ge -3k+1$에서 $\cos^2\theta-6\cos\theta+3k-1\ge 0$
$\cos\theta=t$로 놓으면 $-1\le t\le 1$이고 주어진 부등식은
$t^2-6t+3k-1\ge 0$
$f(t)=t^2-6t+3k-1=(t-3)^2+3k-10$

STEP B $t=1$에서 최소이므로 $f(1)\ge 0$이어야 한다.

$f(t)$는 $t=1$일 때, 최솟값을
가지므로 $f(1)\ge 0$이어야 한다.
$1-6+3k-1\ge 0$
$\therefore k\ge 2$

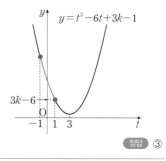

정답 ③

0995

정답 ③

STEP A $\sin\theta=t$로 치환하여 이차식을 완전제곱식으로 나타내기

$\cos^2\theta-4\sin\theta\le 3k$에서 $(1-\sin^2\theta)-4\sin\theta-3k\le 0$
$\sin^2\theta+4\sin\theta+3k-1\ge 0$
$\sin\theta=t$로 놓으면
$-1\le t\le 1$이고 부등식은 $t^2+4t+3k-1\ge 0$이 항상 성립한다.
$f(t)=t^2+4t+3k-1$로 놓으면 $f(t)=(t+2)^2+3k-5$

STEP B $-1\le t\le 1$에서 $f(t)\ge 0$을 만족하는 k의 범위 구하기

$-1\le t\le 1$일 때, $f(t)$는 $t=-1$에서
최솟값을 가지므로 $f(-1)\ge 0$이어야
한다. 즉 $3k-4\ge 0$
$\therefore k\ge\dfrac{4}{3}$

따라서 k의 최솟값은 $\dfrac{4}{3}$

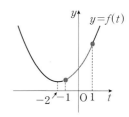

내/신/연/계 출제문항 **369**

모든 실수 θ에 대하여 부등식

$$\cos^2\theta+3\sin\theta+a-6\le 0$$

가 항상 성립할 때, 실수 a의 최댓값은?

① 1　　　　② 2　　　　③ $\dfrac{5}{2}$
④ 3　　　　⑤ $\dfrac{7}{2}$

STEP A $\sin^2\theta+\cos^2\theta=1$을 이용하여 식을 정리하기

$\cos^2\theta+3\sin\theta+a-6\le 0$에서
$(1-\sin^2\theta)+3\sin\theta+a-6\le 0$
$\sin^2\theta-3\sin\theta-a+5\ge 0$

STEP B $\sin\theta=t$로 치환하여 실수 a의 범위 구하기

이때 $\sin\theta=t$로 놓으면 $-1\le t\le 1$이고
주어진 부등식은 $t^2-3t-a+5\ge 0$
$f(t)=t^2-3t-a+5$로 놓으면
$f(t)=t^2-3t-a+5$
$f(t)=t^2-3t-a+5$
　$=\left(t-\dfrac{3}{2}\right)^2-a+\dfrac{11}{4}$
$-1\le t\le 1$에서 함수 $f(t)$는
$t=1$일 때, 최솟값을 가지므로
$f(1)=1-3-a+5\ge 0$이어야 한다.
따라서 $a\le 3$이므로 a의 최댓값은
3이다.

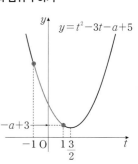

정답 ④

0996

정답 해설참조

| 1단계 | 진수 조건을 만족하는 θ의 값의 범위를 구한다. | ◀ 30% |

로그의 진수조건에 의하여 $\sin\theta > 0$, $\cos\theta > 0$이어야 하므로

$$0 < \theta < \frac{\pi}{2}$$

| 2단계 | 로그의 성질을 이용하여 주어진 식을 간단히 한다. | ◀ 40% |

$\log\sin\theta - \log\cos\theta = 0$에서

$\log\dfrac{\sin\theta}{\cos\theta} = 0$에서 $\dfrac{\sin\theta}{\cos\theta} = 1$이므로 $\sin\theta = \cos\theta$

| 3단계 | θ의 값을 구한다. | ◀ 30% |

즉 $0 < \theta < \dfrac{\pi}{2}$에서 $\tan\theta = 1$이므로 $\theta = \dfrac{\pi}{4}$

0997

정답 해설참조

| 1단계 | x축에 대하여 대칭이동한 그래프의 식을 구한다. | ◀ 40% |

$y = -\cos\pi x + 3$의 그래프를 x축에 대하여 대칭이동한 그래프의 식은

$-y = -\cos\pi x + 3$, 즉 $y = \cos\pi x - 3$

| 2단계 | y축의 방향으로 -5만큼 평행이동한 그래프의 식을 구한다. | ◀ 40% |

이것을 y축의 방향으로 -5만큼 평행이동한 그래프의 식은

$y + 5 = \cos\pi x - 3$

$\therefore y = \cos\pi x - 8$

| 3단계 | $a - b$의 값을 구한다. | ◀ 20% |

따라서 $a = 1$, $b = -8$이므로 $a - b = 9$

0998

정답 해설참조

| 1단계 | 조건 (가)를 이용하여 상수 b의 값을 구한다. | ◀ 40% |

함수 $f(x)$의 주기가 $\dfrac{2}{3}\pi$이고 $b > 0$이므로

$\dfrac{2\pi}{b} = \dfrac{2}{3}\pi$ $\therefore b = 3$

$\therefore f(x) = a\cos 3x + c$

| 2단계 | 조건 (나), (다)를 이용하여 a, c의 값을 구한다. | ◀ 40% |

함수의 최댓값이 3이고 $a < 0$이므로

$-a + c = 3$ $\qquad \cdots\cdots$ ㉠

$f\left(\dfrac{2}{3}\pi\right) = -1$에서 $a\cos 2\pi + c = -1$이므로

$a + c = -1$ $\qquad \cdots\cdots$ ㉡

㉠, ㉡을 연립하여 풀면 $a = -2$, $c = 1$

| 3단계 | abc의 값을 구한다. | ◀ 20% |

따라서 $abc = -2 \cdot 3 \cdot 1 = -6$

0999

정답 해설참조

| 1단계 | 함수 $y = a\cos(bx + c)$의 최댓값과 최솟값을 이용하여 a의 값을 구한다. | ◀ 30% |

주어진 함수 $y = a\cos(bx + c)$의 최댓값과 최솟값이 각각 $\dfrac{1}{2}$, $-\dfrac{1}{2}$이고

$a > 0$이므로 $a = \dfrac{1}{2}$

| 2단계 | 함수 $y = \sin 2x$의 주기를 이용하여 b의 값을 구한다. | ◀ 30% |

함수 $y = \sin 2x$의 주기는 π이므로

함수 $y = a\cos(bx + c)$의 주기는 $\dfrac{\pi}{2}$이다.

즉 $\dfrac{2\pi}{b} = \dfrac{\pi}{2}$에서 $b = 4 \, (\because b > 0)$

| 3단계 | 함수 $y = a\cos bx$을 평행이동하여 c의 값을 구한다. | ◀ 30% |

$y = \dfrac{1}{2}\cos(4x + c) = \dfrac{1}{2}\cos 4\left(x + \dfrac{c}{4}\right)$의 그래프는

$y = \dfrac{1}{2}\cos 4x$의 그래프를 x축의 방향으로 $-\dfrac{c}{4}$만큼 평행이동한 것이다.

이때 $0 < c < \pi$에서 $-\dfrac{\pi}{4} < -\dfrac{c}{4} < 0$이므로 $-\dfrac{c}{4} = -\dfrac{\pi}{8}$

$\therefore c = \dfrac{\pi}{2}$

| 4단계 | abc의 값을 구한다. | ◀ 10% |

따라서 $a = \dfrac{1}{2}$, $b = 4$, $c = \dfrac{\pi}{2}$이므로 $abc = \dfrac{1}{2} \cdot 4 \cdot \dfrac{\pi}{2} = \pi$

1000

정답 해설참조

| 1단계 | 그림에서 최댓값, 최솟값을 이용하여 상수 a, d의 값을 구한다. | ◀ 30% |

$y = a\cos b(x - c) + d$의 최댓값은 3, 최솟값은 -1에서

최댓값이 $a + d$, 최솟값이 $-a + d$이므로

$a + d = 3$, $-a + d = -1$

위의 두 식을 연립하여 풀면 $a = 2$, $d = 1$

| 2단계 | 주기를 이용하여 상수 b의 값을 구한다. | ◀ 30% |

주기가 $\dfrac{15}{8}\pi - \left(-\dfrac{5}{8}\pi\right) = \dfrac{5}{2}\pi$이고 $b > 0$이므로

$\dfrac{2\pi}{b} = \dfrac{5}{2}\pi$ $\therefore b = \dfrac{4}{5}$

| 3단계 | 점 $(0, 1)$을 지남을 이용하여 $0 < c < \pi$을 만족하는 상수 c의 값을 구한다. | ◀ 30% |

$y = 2\cos\dfrac{4}{5}(x - c) + 1$의 그래프가 점 $(0, 1)$을 지나므로

$2\cos\left(-\dfrac{4}{5}c\right) + 1 = 1$

$\cos\left(-\dfrac{4}{5}c\right) = 0$, $\cos\dfrac{4}{5}c = 0$

즉 $\dfrac{4}{5}c = \dfrac{\pi}{2}$ 또는 $\dfrac{4}{5}c = \dfrac{3}{2}\pi$이므로 $c = \dfrac{5}{8}\pi$ 또는 $c = \dfrac{15}{8}\pi$

$0 < c < \pi$이므로 $c = \dfrac{5}{8}\pi$

| 4단계 | $abcd$의 값을 구한다. | ◀ 10% |

따라서 $a = 2$, $b = \dfrac{4}{5}$, $c = \dfrac{5}{8}\pi$, $d = 1$이므로 $abcd = 2 \cdot \dfrac{4}{5} \cdot \dfrac{5}{8}\pi \cdot 1 = \pi$

1001

정답 해설참조

| 1단계 | 함수 $f(x)$의 주기를 구한다. | ◀ 20% |

$f(x)=-3\cos\dfrac{\pi}{2}(x-1)+1$이므로 주기는 $\dfrac{2\pi}{\dfrac{\pi}{2}}=4$

| 2단계 | 함수 $f(x)$의 최댓값과 최솟값을 구한다. | ◀ 30% |

$f(x)=-3\cos\dfrac{\pi}{2}(x-1)+1$에서

최댓값은 $|-3|+1=4$, 최솟값은 $-|-3|+1=-2$

| 3단계 | $0 \le x \le 6$에서 함수 $y=3\cos\dfrac{\pi}{2}x$의 그래프를 대칭이동과 평행이동을 이용하여 $f(x)=-3\cos\left(\dfrac{\pi}{2}x-\dfrac{\pi}{2}\right)+1$의 그래프를 그린다. | ◀ 50% |

$f(x)=-3\cos\left(\dfrac{\pi}{2}x-\dfrac{\pi}{2}\right)+1=-3\cos\dfrac{\pi}{2}(x-1)+1$의 그래프는

함수 $y=3\cos\dfrac{\pi}{2}x$의 그래프를 x축에 대하여 대칭이동한 그래프

$y=-3\cos\dfrac{\pi}{2}x$을 x축 방향으로 1만큼, y축 방향으로 1만큼 평행이동 하므로

그래프는 다음과 같다.

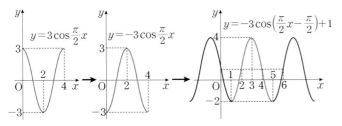

1002

정답 해설참조

| 1단계 | 주어진 식을 $\sin x$로 통일할 수 있다. | ◀ 40% |

$\cos\left(\dfrac{3}{2}\pi-x\right)=-\sin x$, $\sin(\pi+x)=-\sin x$이므로

$y=\cos^2\left(\dfrac{3}{2}\pi-x\right)+2\cos^2 x+2\sin(\pi+x)$

$\quad=\sin^2 x+2\cos^2 x-2\sin x$

$\quad=\sin^2 x+2(1-\sin^2 x)-2\sin x$

$\quad=-\sin^2 x-2\sin x+2$

| 2단계 | $\sin x=t$로 놓고 함수식을 변형할 수 있다. | ◀ 20% |

$\sin x=t$로 놓으면 $-1 \le t \le 1$이고

$y=-t^2-2t+2=-(t+1)^2+3$

| 3단계 | $M+m$의 값을 구한다. | ◀ 40% |

오른쪽 그림에서

$t=-1$일 때, 최댓값은 3

$\therefore M=3$

$t=1$일 때, 최솟값은 -1

$\therefore m=-1$

따라서 $M+m=2$

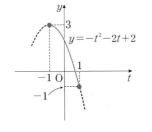

1003

정답 해설참조

| 1단계 | 함수 $y=\sin x$의 그래프와 $y=k$와의 교점의 x좌표 b, d에 대하여 $b+d$의 값을 구한다. | ◀ 30% |

$y=\sin x$의 그래프에서 b, d는 직선 $x=\dfrac{3}{2}\pi$에 대하여 대칭이므로

$\dfrac{b+d}{2}=\dfrac{3}{2}\pi$이므로 $b+d=3\pi$

| 2단계 | 함수 $y=\cos x$의 그래프와 $y=k$와의 교점의 x좌표 a, c에 대하여 $a+c$의 값을 구한다. | ◀ 30% |

$y=\cos x$의 그래프에서 a, c는 직선 $x=\pi$에 대하여 대칭이므로

$\dfrac{a+c}{2}=\pi$에서 $a+c=2\pi$

| 3단계 | $\cos(b-a+d-c)$의 값을 구한다. | ◀ 40% |

따라서 $\cos(b-a+d-c)=\cos\{(b+d)-(a+c)\}$

$\qquad\qquad\qquad\qquad\quad =\cos(3\pi-2\pi)$

$\qquad\qquad\qquad\qquad\quad =\cos\pi=-1$

1004

정답 해설참조

| 1단계 | 혈압의 양을 y, 시간을 x라고 할 때, 함수의 그래프를 $y=a\cos(bx+c)+d$로 나타낸다. | ◀ 60% |

$y=a\cos(bx+c)+d$에서 $b>0$이고

혈압의 주기 $\dfrac{2\pi}{b}=28$이므로 $b=\dfrac{1}{14}\pi$

혈압의 최댓값이 120, 최솟값은 40이므로

$a+d=120$, $-a+d=40$의 두 식을 연립하여 풀면

$a=40$, $d=80$

$\therefore y=40\cos\left(\dfrac{1}{14}\pi x+c\right)+80$

이때 $x=4$일 때, $y=40$이므로 대입하면

$40=40\cos\left(\dfrac{1}{14}\pi\cdot 4+c\right)+80$

$\cos\left(\dfrac{1}{14}\pi\cdot 4+c\right)=-1$

이때 $|abc|$가 최소이므로 $\dfrac{2}{7}\pi+c=\pi$에서 $c=\dfrac{5}{7}\pi$

$y=40\cos\left(\dfrac{1}{14}\pi x+\dfrac{5}{7}\pi\right)+80$

| 2단계 | 11초 일 때의 혈압의 양을 구한다. | ◀ 40% |

따라서 $x=11$를 대입하면 $y=40\cos\left(\dfrac{11}{14}\pi+\dfrac{5}{7}\pi\right)+80$

$\qquad\qquad\qquad\qquad\qquad =40\cos\dfrac{3}{2}\pi+80=80$

1005

정답 해설참조

1단계 $2\sin x-1=0$의 두 근의 합 a을 구한다. ◀ 30%

$2\sin x-1=0$에서 $\sin x=\dfrac{1}{2}$이므로

$x=\dfrac{\pi}{6}$ 또는 $x=\dfrac{5}{6}\pi\,(\because 0<x<2\pi)$

$\therefore a=\dfrac{\pi}{6}+\dfrac{5}{6}\pi=\pi$

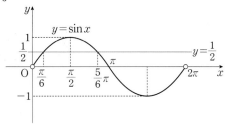

2단계 $2\sin x+1=0$의 두 근의 합 b을 구한다. ◀ 30%

$2\sin x+1=0$에서 $\sin x=-\dfrac{1}{2}$이므로

$x=\dfrac{7}{6}\pi$ 또는 $x=\dfrac{11}{6}\pi\,(\because 0<x<2\pi)$

$\therefore b=\dfrac{7}{6}\pi+\dfrac{11}{6}\pi=3\pi$

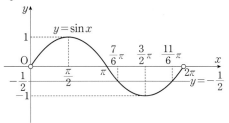

3단계 $2\sin x+\sqrt{3}=0$의 두 근의 합 c을 구한다. ◀ 30%

$2\sin x+\sqrt{3}=0$에서 $\sin x=-\dfrac{\sqrt{3}}{2}$이므로

$x=\dfrac{4}{3}\pi$ 또는 $x=\dfrac{5}{3}\pi\,(\because 0<x<2\pi)$

$\therefore c=\dfrac{4}{3}\pi+\dfrac{5}{3}\pi=3\pi$

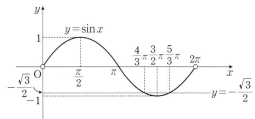

4단계 $a+b+c$의 값을 구한다. ◀ 10%

따라서 $a+b+c=\pi+3\pi+3\pi=7\pi$

1006

정답 해설참조

1단계 방정식 $\sin x=\cos x$의 모든 근을 구한다. ◀ 20%

$0\le x<2\pi$에서 방정식 $\sin x=\cos x$의 해는

두 곡선 $y=\sin x$, $y=\cos x$의 교점의 x좌표이므로

$x=\dfrac{\pi}{4}$ 또는 $x=\dfrac{5}{4}\pi$

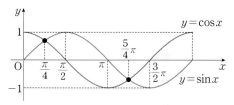

2단계 부등식 $\sin x>\cos x$의 해를 구한다. ◀ 20%

$0\le x<2\pi$에서 부등식 $\sin x>\cos x$의 해는

$y=\sin x$의 그래프가 $y=\cos x$의 그래프보다 위쪽에 있는 x의 값의

범위이므로 $\dfrac{\pi}{4}<x<\dfrac{5}{4}\pi$

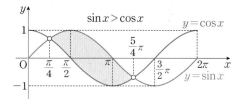

3단계 부등식 $\sin x<\cos x$의 해를 구한다. ◀ 20%

$0\le x<2\pi$에서 부등식 $\sin x<\cos x$의 해는

$y=\sin x$의 그래프가 $y=\cos x$의 그래프보다 아래쪽에 있는 x의 값의

범위이므로 $0\le x<\dfrac{\pi}{4}$ 또는 $\dfrac{5}{4}\pi<x<2\pi$

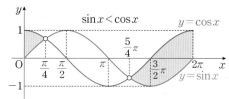

4단계 부등식 $\sin x+\cos x\ge 0$의 해를 구한다. ◀ 40%

$0\le x<2\pi$에서 부등식 $\sin x+\cos x\ge 0$의 해는

$y=\sin x$의 그래프가 $y=-\cos x$의 그래프보다 위쪽에 있거나 만나는 x의

값의 범위이므로 $0\le x\le\dfrac{3}{4}\pi$ 또는 $\dfrac{7}{4}\pi\le x<2\pi$

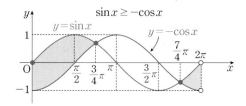

1007

정답 해설참조

| 1단계 | $(g \circ f)(x)$의 최댓값과 최솟값을 구한다. | ◀ 30% |

$(g \circ f)(x) = g(f(x)) = g(ax+b) = 5\sin(ax+b)$

$-1 \leq \sin(ax+b) \leq 1$에서 $-5 \leq 5\sin(ax+b) \leq 5$

$\therefore -5 \leq (g \circ f)(x) \leq 5$

즉 $(g \circ f)(x)$의 최댓값은 5, 최솟값은 -5

| 2단계 | $(f \circ g)(x)$의 최댓값과 최솟값을 구한다. | ◀ 30% |

$(f \circ g)(x) = f(g(x)) = f(5\sin x) = 5a\sin x + b$

이때 $a > 0$이므로 $-1 \leq \sin x \leq 1$에서

$-5a+b \leq 5a\sin x + b \leq 5a+b$

$\therefore -5a+b \leq (f \circ g)(x) \leq 5a+b$

즉 $(f \circ g)(x)$의 최댓값은 $5a+b$, 최솟값은 $-5a+b$

| 3단계 | [1단계], [2단계]의 최댓값과 최솟값이 각각 같을 때, 상수 a, b에 대하여 $a+b$의 값을 구한다. | ◀ 40% |

$(g \circ f)(x)$와 $(f \circ g)(x)$의 최댓값과 최솟값이 각각 같으므로

$5a+b=5$, $-5a+b=-5$

두 식을 연립하여 풀면 $a=1$, $b=0$

따라서 $a+b=1+0=1$

1008

정답 해설참조

| 1단계 | $\sin^2\theta + \cos^2\theta = 1$임을 이용하여 이차함수 $y = x^2 - 2x\cos\theta - \sin^2\theta$의 꼭짓점의 좌표를 구한다. | ◀ 40% |

$y = x^2 - 2x\cos\theta - \sin^2\theta$

$= (x-\cos\theta)^2 - \cos^2\theta - \sin^2\theta$

$= (x-\cos\theta)^2 - 1 \ (\because \sin^2\theta + \cos^2\theta = 1)$

즉 주어진 곡선의 꼭짓점의 좌표는 $(\cos\theta, -1)$

| 2단계 | 꼭짓점이 직선 $y=2x$ 위에 있을 때, θ의 값을 구한다. | ◀ 40% |

꼭짓점 $(\cos\theta, -1)$이 직선 $y=2x$ 위에 있으므로 $-1 = 2\cos\theta$

$\therefore \cos\theta = -\dfrac{1}{2}$

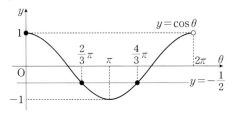

즉 $0 \leq \theta < 2\pi$에서 $\theta = \dfrac{2}{3}\pi$ 또는 $\theta = \dfrac{4}{3}\pi$

| 3단계 | 모든 θ의 값의 합을 α라 할 때, $\cos\alpha$의 값을 구한다. | ◀ 20% |

따라서 모든 θ의 값의 합이 $\dfrac{2}{3}\pi + \dfrac{4}{3}\pi = 2\pi$이므로 $\cos\alpha = \cos 2\pi = 1$

1009

정답 해설참조

| 1단계 | 한 종류의 삼각함수에 대한 부등식으로 변형할 수 있다. | ◀ 40% |

$2\cos^2\left(x-\dfrac{\pi}{3}\right) + \sin\left(x-\dfrac{\pi}{3}\right) - 1 \geq 0$에서

$2\left\{1 - \sin^2\left(x-\dfrac{\pi}{3}\right)\right\} + \sin\left(x-\dfrac{\pi}{3}\right) - 1 \geq 0$

$2\sin^2\left(x-\dfrac{\pi}{3}\right) - \sin\left(x-\dfrac{\pi}{3}\right) - 1 \leq 0$

| 2단계 | x의 값의 범위를 구한다. | ◀ 50% |

이때 $x-\dfrac{\pi}{3}=t$로 놓으면 $0 \leq x < 2\pi$에서 $-\dfrac{\pi}{3} \leq t < \dfrac{5}{3}\pi$이고

주어진 부등식은

$2\sin^2 t - \sin t - 1 \leq 0$, $(2\sin t + 1)(\sin t - 1) \leq 0$

$\therefore -\dfrac{1}{2} \leq \sin t \leq 1$

다음 그림에서 $-\dfrac{1}{2} \leq \sin t \leq 1$의 해는 $-\dfrac{\pi}{6} \leq t \leq \dfrac{7}{6}\pi$

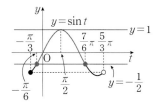

즉 $-\dfrac{\pi}{6} \leq x - \dfrac{\pi}{3} \leq \dfrac{7}{6}\pi$이므로 $\dfrac{\pi}{6} \leq x \leq \dfrac{3}{2}\pi$

| 3단계 | $a+b$의 값을 구한다. | ◀ 10% |

따라서 $a = \dfrac{\pi}{6}$, $b = \dfrac{3}{2}\pi$이므로 $a+b = \dfrac{\pi}{6} + \dfrac{3}{2}\pi = \dfrac{5}{3}\pi$

1010

정답 해설참조

| 1단계 | 판별식을 이용하여 θ에 대한 방정식을 세운다. | ◀ 30% |

주어진 이차함수의 그래프가 x축에 접하면 이차방정식

$x^2 + 2x\cos\theta + \sin^2\theta + \cos\theta = 0$이 중근을 가지므로 이 이차방정식의 판별식을 D라 하면 $D=0$이어야 한다.

$\dfrac{D}{4} = \cos^2\theta - (\sin^2\theta + \cos\theta) = 0$

$\cos^2\theta - (1 - \cos^2\theta + \cos\theta) = 0$

$2\cos^2\theta - \cos\theta - 1 = 0$

$(2\cos\theta + 1)(\cos\theta - 1) = 0$

| 2단계 | $0 < \theta < 2\pi$에서 삼각함수의 방정식을 만족하는 θ의 값을 구한다. | ◀ 50% |

이때 $0 < \theta < 2\pi$에서

$-1 \leq \cos\theta < 1$이므로 $\cos\theta = -\dfrac{1}{2}$

오른쪽 그림과 같이 $0 < \theta < 2\pi$에서 함수 $y=\cos\theta$의 그래프와

직선 $y = -\dfrac{1}{2}$의 교점의 θ좌표가

$\dfrac{2}{3}\pi$, $\dfrac{4}{3}\pi$이므로

$\theta = \dfrac{2}{3}\pi$ 또는 $\theta = \dfrac{4}{3}\pi$

| 3단계 | $\beta - \alpha$의 값을 구한다. | ◀ 20% |

따라서 $\alpha = \dfrac{2}{3}\pi$, $\beta = \dfrac{4}{3}\pi$이므로 $\beta - \alpha = \dfrac{2}{3}\pi$

1011

| 1단계 | $y=|\cos x|$의 그래프를 그린다. | ◀ 60% |

$2|\cos x| \geq \sqrt{3}$에서 $|\cos x| \geq \dfrac{\sqrt{3}}{2}$

$y=|\cos x|$의 그래프는 다음과 같다.

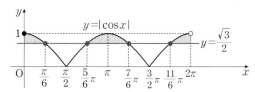

| 2단계 | 부등식 $2|\cos x| \geq \sqrt{3}$을 만족시키는 x의 값의 범위를 모두 구한다. | ◀ 40% |

따라서 부등식 $2|\cos x| \geq \sqrt{3}$을 만족시키는 x의 값의 범위는

$0 \leq x \leq \dfrac{\pi}{6}$, $\dfrac{5}{6}\pi \leq x \leq \dfrac{7}{6}\pi$, $\dfrac{11}{6}\pi \leq x < 2\pi$

1012

| 1단계 | 점 P의 좌표를 θ로 나타낸다. | ◀ 30% |

원 $x^2+y^2=1$ 위의 점 P에 대하여 동경 OP가 나타내는 각의 크기가 θ이므로
점 $P(\cos\theta, \sin\theta)$

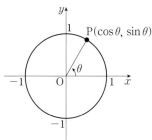

| 2단계 | 부등식 $4\cos^2\theta-1 \leq 0$을 만족시키는 θ의 범위를 구한다. | ◀ 40% |

부등식 $4\cos^2\theta-1 \leq 0$에서 $(2\cos\theta-1)(2\cos\theta+1) \leq 0$

$-\dfrac{1}{2} \leq \cos\theta \leq \dfrac{1}{2}$

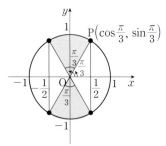

이때 단위원과의 교점이 P이므로 동경 OP의 각의 크기는

$\dfrac{\pi}{3}$, $\dfrac{2}{3}\pi$, $\dfrac{4}{3}\pi$, $\dfrac{5}{3}\pi$이므로 구하는 범위는

$\dfrac{\pi}{3} \leq \theta \leq \dfrac{2}{3}\pi$, $\dfrac{4}{3}\pi \leq \theta \leq \dfrac{5}{3}\pi$

| 3단계 | 점 P가 나타내는 곡선의 길이를 구한다. | ◀ 30% |

따라서 점 P가 나타내는 곡선의 길이 (호의 길이)는

$2r\theta = 2 \cdot 1 \cdot \dfrac{\pi}{3} = \dfrac{2}{3}\pi$

1013

| 1단계 | x에 대한 방정식 $x^2+2\cos\theta x+\dfrac{1}{4}=0$이 중근을 가지기 위한 θ의 값을 모두 구한다. | ◀ 30% |

이차방정식 $x^2+2\cos\theta x+\dfrac{1}{4}=0$의 판별식을 D라 하면
중근을 가지므로 $D=0$이어야 한다.

$\dfrac{D}{4}=\cos^2\theta-\dfrac{1}{4}=0$

$\therefore \cos\theta=\dfrac{1}{2}$ 또는 $\cos\theta=-\dfrac{1}{2}$

따라서 $0 \leq \theta < 2\pi$이므로

$\theta=\dfrac{\pi}{3}$ 또는 $\theta=\dfrac{5}{3}\pi$ 또는 $\theta=\dfrac{2}{3}\pi$ 또는 $\theta=\dfrac{4}{3}\pi$

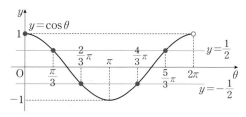

| 2단계 | x에 대한 방정식 $x^2+2\cos\theta x-\cos\theta=0$이 실근을 가지기 위한 θ의 범위를 구한다. | ◀ 30% |

이차방정식 $x^2+2\cos\theta x-\cos\theta=0$의 판별식을 D라 하면
실근을 가지므로 $D \geq 0$이어야 한다.

$\dfrac{D}{4}=\cos^2\theta+\cos\theta \geq 0$

$\therefore \cos\theta \leq -1$ 또는 $\cos\theta \geq 0$

따라서 $0 \leq \theta \leq \dfrac{\pi}{2}$ 또는 $\dfrac{3}{2}\pi \leq \theta < 2\pi$ 또는 $\theta=\pi$

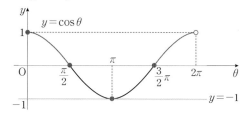

| 3단계 | x에 대한 방정식 $x^2+2\cos\theta x-\dfrac{1}{2}\cos\theta=0$이 서로 다른 양의 실근을 가지기 위한 θ의 범위를 구한다. | ◀ 40% |

이차방정식 $x^2+2\cos\theta x-\dfrac{1}{2}\cos\theta=0$이 서로 다른 두 양의 실근을 가지므로
다음 조건을 만족해야 한다.

(ⅰ) 두 근의 합 $-2\cos\theta > 0$ $\therefore \cos\theta < 0$

(ⅱ) 두 근의 곱 $-\dfrac{1}{2}\cos\theta > 0$ $\therefore \cos\theta < 0$

(ⅲ) 서로 다른 두 실근을 가지므로 판별식을 D라 하면

$\dfrac{D}{4}=\cos^2\theta+\dfrac{1}{2}\cos\theta > 0$, $\cos\theta\left(\cos\theta+\dfrac{1}{2}\right) > 0$

(ⅰ), (ⅱ)에서 $\cos\theta < 0$이므로 $\cos\theta+\dfrac{1}{2} < 0$

$\therefore \cos\theta < -\dfrac{1}{2}$

따라서 $\dfrac{2}{3}\pi < \theta < \dfrac{4}{3}\pi$

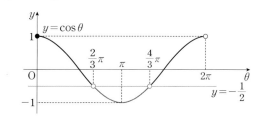

1014

정답 해설참조

1단계 이차방정식의 부호가 서로 다른 두 근을 가질 조건을 구한다. ◀ 30%

이차방정식 $x^2+x+1-4\sin^2\theta=0$이 부호가 서로 다른 두 근을 가지므로
두 근의 곱은 0보다 작다.
이차방정식의 근과 계수의 관계에 의하여
$1-4\sin^2\theta<0$에서 $4\sin^2\theta-1>0$

2단계 삼각함수를 포함한 부등식의 해를 구한다. ◀ 40%

$(2\sin\theta-1)(2\sin\theta+1)>0$

$\therefore \sin\theta<-\dfrac{1}{2}$ 또는 $\sin\theta>\dfrac{1}{2}$

다음 그림에서 $\sin\theta<-\dfrac{1}{2}$ 또는 $\sin\theta>\dfrac{1}{2}$의 해는

$\dfrac{\pi}{6}<\theta<\dfrac{5}{6}\pi$ 또는 $\dfrac{7}{6}\pi<\theta<\dfrac{11}{6}\pi$

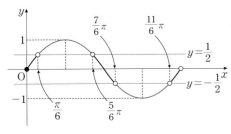

3단계 $\cos\{(c+d)-(a+b)\}$ (단, $a<b<c<d$)의 값을 구한다. ◀ 30%

따라서 $(c+d)-(a+b)=\dfrac{7}{6}\pi+\dfrac{11}{6}\pi-\left(\dfrac{\pi}{6}+\dfrac{5}{6}\pi\right)=3\pi-\pi=2\pi$이므로
$\cos\{(c+d)-(a+b)\}=\cos2\pi=1$

1015

정답 해설참조

1단계 $\sin^2\theta+\cos^2\theta=1$을 이용하여 식을 정리한다. ◀ 30%

$\cos^2x+3\sin x-a<0$에서
$(1-\sin^2x)+3\sin x-a<0$
$\sin^2x-3\sin x+a-1>0$

2단계 $\sin x=t$로 치환하여 주어진 함수의 식을 t로 정리한다. ◀ 30%

$\sin x=t$로 놓으면 $-1\le\sin x\le1$에서 $-1\le t\le1$이고
주어진 부등식은 $t^2-3t+a-1>0$
$f(t)=t^2-3t+a-1$이라 하면
$f(t)=\left(t-\dfrac{3}{2}\right)^2+a-\dfrac{13}{4}$

3단계 $-1\le t\le1$에서 실수 a의 범위를 구한다. ◀ 40%

$-1\le t\le1$일 때, $f(t)>0$이어야
하므로 $f(1)>0$이어야 한다.
즉 $1-3+a-1>0$이므로 $a>3$

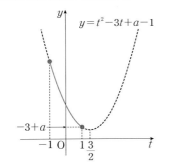

1016

정답 9개

STEP Ⓐ 함수 $y=a\sin bx$에서 최댓값과 최솟값은 각각 $|a|$, $-|a|$이고
주기는 $\dfrac{2\pi}{|b|}$임을 이용하기

곡선 $y=4\sin\left(\dfrac{\pi}{2}x\right)$의 최댓값은 4, 최솟값은 -4이고
주기는 $\dfrac{2\pi}{\frac{\pi}{2}}=4$이고 $0\le x\le2$에서 그래프는 다음과 같다.

STEP Ⓑ y좌표가 정수인 점의 개수 구하기

$y=0$일 때, 정수인 점의 개수 2
$y=1$일 때, 정수인 점의 개수 2
$y=2$일 때, 정수인 점의 개수 2
$y=3$일 때, 정수인 점의 개수 2
$y=4$일 때, 정수인 점의 개수 1
이므로 y좌표가 정수인 점의
개수는 9개이다.

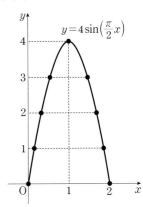

1017

정답 110

STEP Ⓐ $y=\cos nx$의 그래프와 직선 $y=\dfrac{1}{2}$의 교점의 개수를 이용하여
$f(n)$ 구하기

(ⅰ) $n=1$일 때, $\cos x=\dfrac{1}{2}$의 실근의 개수는 다음 그래프에서 구하면
$f(1)=2$이다.

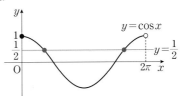

(ⅱ) $n=2$일 때, $\cos 2x=\dfrac{1}{2}$의 실근의 개수는 다음 그래프에서 구하면
$f(2)=4$이다.

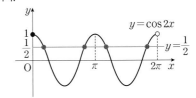

(ⅲ) $n=3$일 때, $\cos 3x=\dfrac{1}{2}$의 실근의 개수는 다음 그래프에서 구하면
$f(3)=6$이다.

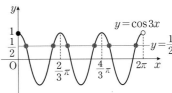

이와 같이 계속하면 $f(n)=2n$

$f(1)+f(2)+f(3)+\cdots+f(10)=2+4+6+\cdots+20$
$$=2(1+2+3+\cdots+10)$$
$$=2\cdot55=110$$

내신연계 출제문항 370

$0\le x<2\pi$일 때, 자연수 n에 대하여 방정식 $4\cos\dfrac{x}{n}+1=0$의 근의 개수를 $f(n)$이라 할 때,
$$f(1)+f(2)+f(3)+\cdots+f(10)$$
의 값을 구하여라.

STEP ⓐ $y=\cos\dfrac{x}{n}$ **의 그래프와 직선 $y=-\dfrac{1}{4}$의 교점의 개수를 이용하여**

　　　 $f(n)$ **구하기**

$4\cos\dfrac{x}{n}+1=0$에서 $\cos\dfrac{x}{n}=-\dfrac{1}{4}$

(ⅰ) $n=1$이면 $\cos x=-\dfrac{1}{4}$이므로
　　　 $f(1)=2$

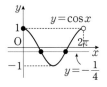

(ⅱ) $n=2$이면 $\cos\dfrac{x}{2}=-\dfrac{1}{4}$이므로
　　　 $f(2)=1$

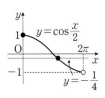

(ⅲ) $n=3$이면 $\cos\dfrac{x}{3}=-\dfrac{1}{4}$이므로
　　　 $f(4)=1$

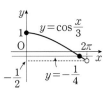

(ⅳ) $n\ge4$이면 $y=\cos\dfrac{x}{n}$의 주기는
　　　 8π 이상이므로 오른쪽 그림과 같이
　　　 $0\le x<2\pi$에서 $y=\cos\dfrac{x}{n}$의
　　　 그래프와 직선 $y=-\dfrac{1}{4}$은 만나지
　　　 않는다.
　　　 $f(n)=0$

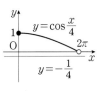

STEP ⓑ $f(1)+f(2)+f(3)+\cdots+f(10)$ **의 값 구하기**

따라서 $f(1)+f(2)+f(3)+\cdots+f(10)=2+1+1+0+\cdots+0=4$

 정답 4

1018

정답 30

STEP ⓐ $y=\left|\cos x+\dfrac{1}{4}\right|$ **의 그래프 그리기**

$y=\cos x+\dfrac{1}{4}$의 그래프는 $y=\cos x$의 그래프를 y축의 방향으로 $\dfrac{1}{4}$만큼 평행이동한 그래프이므로 주기는 2π, 치역은 $\left\{y\,\middle|\,-\dfrac{3}{4}\le y\le\dfrac{5}{4}\right\}$이다.

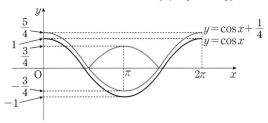

$y=\left|\cos x+\dfrac{1}{4}\right|$의 그래프는 $y=\cos x+\dfrac{1}{4}$의 그래프에서 $y<0$인 부분을 x축에 대하여 대칭이동시켜 얻은 그래프이다.
$y=\left|\cos x+\dfrac{1}{4}\right|$의 그래프는 그림과 같다.

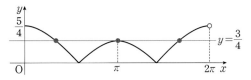

STEP ⓑ $y=\left|\cos x+\dfrac{1}{4}\right|$ **의 그래프와 직선 $y=k$가 서로 다른 세 점에서**

　　　 만나는 k 구하기

$y=\left|\cos x+\dfrac{1}{4}\right|$의 그래프와 직선 $y=k$가 서로 다른 세 점에서 만나는 k의 값은 $\dfrac{3}{4}$이다.

따라서 $\alpha=\dfrac{3}{4}$이고 $40\alpha=30$

1019

정답 40

STEP ⓐ $0\le x\le\dfrac{\pi}{6}$ **에서 $g(x)$의 범위 구하기**

$0\le x\le\dfrac{\pi}{6}$에서 $\dfrac{\pi}{6}\le x+\dfrac{\pi}{6}\le\dfrac{\pi}{3}$이므로

$\tan\dfrac{\pi}{6}\le\tan\left(x+\dfrac{\pi}{6}\right)\le\tan\dfrac{\pi}{3}$

$\dfrac{1}{\sqrt{3}}\le\tan\left(x+\dfrac{\pi}{6}\right)\le\sqrt{3}$

$\therefore\ \dfrac{1}{\sqrt{3}}\le g(x)\le\sqrt{3}$

STEP ⓑ $(f\circ g)(x)$ **의 최댓값과 최솟값 구하기**

$g(x)=t$로 놓으면 $3^{-\frac{1}{2}}\le t\le3^{\frac{1}{2}}$

$(f\circ g)(x)=f(g(x))=f(t)=\log_3 t+2$

$\log_3 3^{-\frac{1}{2}}+2\le\log_3 t+2\le\log_3 3^{\frac{1}{2}}+2$

$-\dfrac{1}{2}+2\le\log_3 t+2\le\dfrac{1}{2}+2$

$\therefore\ \dfrac{3}{2}\le(f\circ g)(x)\le\dfrac{5}{2}$

따라서 $M=\dfrac{5}{2}$, $m=\dfrac{3}{2}$이므로 $10(M+m)=10\left(\dfrac{5}{2}+\dfrac{3}{2}\right)=40$

1020

STEP Ⓐ $y=4\sin\frac{1}{4}(x-\pi)$와 직선 $y=2$가 만나는 두 점 A, B 구하기

곡선 $y=4\sin\frac{1}{4}(x-\pi)$와 직선 $y=2$가 만나는 점을 구하면

$4\sin\frac{1}{4}(x-\pi)=2$에서 $\sin\frac{1}{4}(x-\pi)=\frac{1}{2}$

또한, $0\le x\le 10\pi$에서 $-\frac{\pi}{4}\le\frac{x-\pi}{4}\le\frac{9}{4}\pi$이므로

$\frac{x-\pi}{4}=\frac{\pi}{6}$ 또는 $\frac{5}{6}\pi$ 또는 $\frac{13}{6}\pi$

$\therefore x=\frac{5}{3}\pi$ 또는 $x=\frac{13}{3}\pi$ 또는 $x=\frac{29}{3}\pi$

이때 만나는 점은 $\left(\frac{5}{3}\pi,\,2\right)$, $\left(\frac{13}{3}\pi,\,2\right)$, $\left(\frac{29}{3}\pi,\,2\right)$

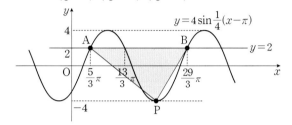

STEP Ⓑ 삼각형 PAB의 넓이의 최댓값 구하기

함수 $y=4\sin\frac{1}{4}(x-\pi)$의 치역이 $\{y\,|\,-4\le y\le 4\}$

점 P와 직선 $y=2$ 사이의 거리를 h라 하면 삼각형 PAB의 넓이는

$S=\frac{1}{2}\cdot\overline{\mathrm{AB}}\cdot h$에서 $\overline{\mathrm{AB}}$의 최댓값은 8π이고 $0<h\le 6$

따라서 S의 최댓값은 $\frac{1}{2}\cdot 8\pi\cdot 6=24\pi$

1021

STEP Ⓐ $y=f(x)$와 $y=-\frac{a}{2}$의 두 교점의 x좌표 구하기

$a\sin\frac{x+\pi}{3}=-\frac{a}{2}$에서 $\sin\frac{x+\pi}{3}=-\frac{1}{2}$이므로

$\frac{x+\pi}{3}=\frac{7}{6}\pi$ 또는 $\frac{x+\pi}{3}=\frac{11}{6}\pi\left(\because\frac{\pi}{3}\le\frac{x+\pi}{3}\le\frac{7}{3}\pi\right)$

$\therefore x=\frac{5}{2}\pi$ 또는 $x=\frac{9}{2}\pi$, 즉 $\overline{\mathrm{AB}}=\frac{9}{2}\pi-\frac{5}{2}\pi=2\pi$

STEP Ⓑ 삼각형 PAB의 넓이의 최댓값이 6π임을 이용하여 a의 값 구하기

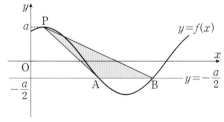

삼각형 PAB의 넓이가 최대이려면 삼각형 PAB의 높이가 최대이어야 하므로 점 P의 y좌표가 a일 때, 최대이다.

삼각형 PAB의 높이가 최대일 때, 그 높이는 $\frac{3}{2}a$

삼각형 PAB의 넓이의 최댓값이 6π이므로 $\frac{1}{2}\times 2\pi\times\frac{3}{2}a=6\pi$

따라서 $a=4$

1022

STEP Ⓐ $x-\frac{\pi}{4}=\theta$로 치환하여 정리하기

$x-\frac{\pi}{4}=\theta$로 치환하여 정리하면

$x=\frac{\pi}{4}+\theta$이므로

$g(\theta)=\cos^2\left(\theta-\frac{\pi}{2}\right)-\cos\theta+k$

$\quad=\sin^2\theta-\cos\theta+k$

$\quad=1-\cos^2\theta-\cos\theta+k$

$\quad=-\cos^2\theta-\cos\theta+k+1$

STEP Ⓑ 최댓값이 3, 최솟값이 m임을 이용하여 k, m의 값 구하기

$g(\theta)=-\left(\cos\theta+\frac{1}{2}\right)^2+k+\frac{5}{4}$

$-1\le\cos\theta\le 1$에서

$\cos\theta=-\frac{1}{2}$일 때, 최댓값은 $k+\frac{5}{4}$

즉 $k+\frac{5}{4}=3$이므로 $k=\frac{7}{4}$

$\cos\theta=1$일 때, 최솟값은 $k-1$

즉 $m=k-1=\frac{7}{4}-1=\frac{3}{4}$

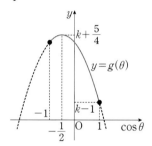

따라서 $k+m=\frac{7}{4}+\frac{3}{4}=\frac{5}{2}$

다른풀이 $\cos\left(\frac{\pi}{2}+\theta\right)=-\sin\theta$임을 이용하여 풀이하기

STEP Ⓐ $x-\frac{3}{4}\pi=t$로 치환하여 정리하기

$x-\frac{3}{4}\pi=t$로 치환하여 정리하면 $x=\frac{3}{4}\pi+t$이므로

$f(t)=\cos^2 t-\cos\left(\frac{3}{4}\pi+t-\frac{\pi}{4}\right)+k$

$\quad=\cos^2 t-\cos\left(t+\frac{\pi}{2}\right)+k$

$\quad=\cos^2 t+\sin t+k$ ← $\cos^2 t=1-\sin^2 t$

$\quad=-\sin^2 t+\sin t+k+1$

$\quad=-\left(\sin t-\frac{1}{2}\right)+\frac{5}{4}+k$

$-1\le\sin\theta\le 1$에서

$\sin t=\frac{1}{2}$일 때, 최댓값은 $k+\frac{5}{4}=3$ $\therefore k=\frac{7}{4}$

$\sin t=-1$일 때, 최솟값은 $m=\frac{3}{4}$

따라서 $k+m=\frac{7}{4}+\frac{3}{4}=\frac{5}{2}$

1023

정답 $\dfrac{1}{2}$

STEP A $x-\dfrac{\pi}{4}=\theta$로 치환하여 정리하기

$x-\dfrac{\pi}{4}=\theta$로 치환하면 $x+\dfrac{\pi}{4}=\dfrac{\pi}{2}+\theta$이므로

$y=\sin^2\left(x+\dfrac{\pi}{4}\right)+\sin\left(x-\dfrac{\pi}{4}\right)+k$

$\quad=\sin^2\left(\dfrac{\pi}{2}+\theta\right)+\sin\theta+k$

$\quad=\cos^2+\sin\theta+k$

$\quad=1-\sin^2\theta+\sin\theta+k$

$\quad=-\sin^2\theta+\sin\theta+k+1$

STEP B 최댓값이 2, 최솟값이 m임을 이용하여 k, m의 값 구하기

$\sin\theta=t(-1\le t\le 1)$로 치환하면

$y=-t^2+t+k+1=-\left(t-\dfrac{1}{2}\right)^2+k+\dfrac{5}{4}$이므로

$t=\dfrac{1}{2}$에서 최댓값 $k+\dfrac{5}{4}$를 갖는다.

즉 $k+\dfrac{5}{4}=2$이므로 $k=\dfrac{3}{4}$

함수 $y=-\left(t-\dfrac{1}{2}\right)^2+2$는

$t=-1$에서 최솟값을 가지므로

최솟값 m은 $m=-\left(-1-\dfrac{1}{2}\right)^2+2=-\dfrac{1}{4}$

따라서 $k+m=\dfrac{3}{4}+\left(-\dfrac{1}{4}\right)=\dfrac{1}{2}$

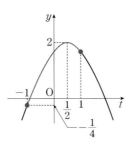

1024

정답 $\dfrac{1}{2}$

STEP A $\theta-\dfrac{\pi}{3}=x$로 치환하여 $\sin x$의 범위 구하기

$\sqrt{2}\sin^2\left(\theta-\dfrac{\pi}{3}\right)+(1+\sqrt{2})\cos\left(\theta+\dfrac{\pi}{6}\right)+1\le 0$에서

$\theta-\dfrac{\pi}{3}=x$로 놓으면 $0\le\theta\le 2\pi$에서 $-\dfrac{\pi}{3}\le x\le\dfrac{5}{3}\pi$

$\sqrt{2}\sin^2 x+(1+\sqrt{2})\cos\left(x+\dfrac{\pi}{2}\right)+1\le 0$ ← $\theta=x+\dfrac{\pi}{3}$

$\sqrt{2}\sin^2 x-(1+\sqrt{2})\sin x+1\le 0$

$(\sin x-1)(\sqrt{2}\sin x-1)\le 0$

이때 $\sin x-1\le 0$이므로 $\sqrt{2}\sin x-1\ge 0$

$\therefore \sin x\ge\dfrac{\sqrt{2}}{2}$

STEP B θ의 범위 구하기

$-\dfrac{\pi}{3}\le x\le\dfrac{5}{3}\pi$에서 $\sin x\ge\dfrac{\sqrt{2}}{2}$이므로 이 부등식의 해는 함수 $y=\sin x$의

그래프가 직선 $y=\dfrac{\sqrt{2}}{2}$보다 위쪽에 있거나 만나는 부분의 x의 값의 범위와

같으므로 $\dfrac{\pi}{4}\le x\le\dfrac{3}{4}\pi$

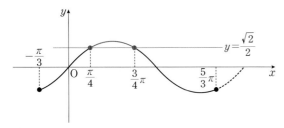

STEP C $\cos(\alpha+\beta)$의 값 구하기

따라서 주어진 부등식의 해는 $\dfrac{7}{12}\pi\le\theta\le\dfrac{13}{12}\pi$ ← $\theta=x+\dfrac{\pi}{3}$

이므로 $\alpha=\dfrac{7}{12}\pi$, $\beta=\dfrac{13}{12}\pi$

$\cos(\alpha+\beta)=\cos\left(\dfrac{7}{12}\pi+\dfrac{13}{12}\pi\right)=\cos\dfrac{5}{3}\pi=\cos\left(2\pi-\dfrac{\pi}{3}\right)=\cos\dfrac{\pi}{3}=\dfrac{1}{2}$

1025

정답 11

STEP A 삼각함수의 성질을 이용하여 식을 정리하기

$\alpha+\beta+\gamma=\pi$이므로 $\alpha+\beta=\pi-\gamma$

$9\sin^2(\pi+\alpha+\beta)+9\cos\gamma=9\{\sin^2(2\pi-\gamma)+\cos\gamma\}$

$\qquad=9(\sin^2\gamma+\cos\gamma)$

$\qquad=9(-\cos^2\gamma+\cos\gamma+1)(\because \sin^2\gamma+\cos^2\gamma=1)$

$\qquad=-9\cos^2\gamma+9\cos\gamma+9$

STEP B $\cos\gamma=t$로 치환하고 산술평균과 기하평균을 이용하여 t의 범위 구하기

$f(\cos\gamma)=-9\cos^2\gamma+9\cos\gamma+9$라 하자.

$\cos\gamma=t$라 하면 $f(t)=-9t^2+9t+9$

$\cos\gamma=t$이므로 $-1\le t\le 1$ ····· ㉠

이때 $a^2+b^2=3ab\cos\gamma$에서

$\cos\gamma=t=\dfrac{a^2+b^2}{3ab}=\dfrac{a}{3b}+\dfrac{b}{3a}$

a, b는 양수이므로 산술평균과 기하평균의 관계에 의하여

$t=\dfrac{a}{3b}+\dfrac{b}{3a}\ge 2\sqrt{\dfrac{a}{3b}\cdot\dfrac{b}{3a}}=\dfrac{2}{3}$ ····· ㉡

(단, 등호는 $a=b$일 때 성립)

㉠, ㉡에서 만족하는 t의 값의 범위는 $\dfrac{2}{3}\le t\le 1$

> **참고**
> $\dfrac{a}{3b}=\dfrac{b}{3a}$에서 $3a^2=3b^2$, $a^2=b^2$
> $\therefore a=b(\because a>0, b>0)$

STEP C $\dfrac{2}{3}\le t\le 1$에서 $f(t)$의 최댓값 구하기

$f(t)=-9t^2+9t+9$

$\quad=-9\left(t-\dfrac{1}{2}\right)^2+\dfrac{45}{4}$

$\dfrac{2}{3}\le t\le 1$에서 $f(t)$는 $t=\dfrac{2}{3}$일 때,

최댓값을 갖는다.

따라서 구하는 최댓값은

$f\left(\dfrac{2}{3}\right)=-9\left(\dfrac{2}{3}-\dfrac{1}{2}\right)^2+\dfrac{45}{4}=11$

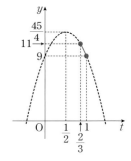

1026

STEP A $\sin^2 x + \cos^2 x = 1$임을 이용하여 주어진 식을 한 종류의
삼각함수로 통일한 후 삼각함수를 t로 치환하기

$f(x) = \sin^2 x + 2a\cos x - 2$
$\quad = 2(1 - \cos^2 x) + 2a\cos x - 2$
$\quad = -2\cos^2 x + 2a\cos x$

$\cos x = t$로 놓으면 $0 \le x \le \pi$에서 $-1 \le t \le 1$

$h(t) = -2t^2 + 2at = -2\left(t - \dfrac{a}{2}\right)^2 + \dfrac{a^2}{2}$이라 하면

$-1 \le t \le 1$에서 함수 $h(t)$의 최댓값 $g(a)$는 a의 값의 범위에 따라
다음과 같다.

STEP B a의 값의 범위에 따라 최댓값 구하기

(i) $\dfrac{a}{2} \le -1$, 즉 $a \le -2$일 때,

함수 $h(t)$는 $t = -1$일 때,
최대이므로

$g(a) = h(-1) = 2a - 2$

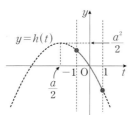

$g(a) = a + 4$에서 $-2a - 2 = a + 4$

$3a = -6$

$\therefore a = -2$

즉 $a \le -2$이므로 $a = -2$는
조건을 만족시킨다.

(ii) $-1 < \dfrac{a}{2} \le 1$, 즉 $-2 < a \le 2$일 때,

함수 $h(t)$는 $t = \dfrac{a}{2}$일 때,
최대이므로

$g(a) = h\left(\dfrac{a}{2}\right) = \dfrac{a^2}{2}$

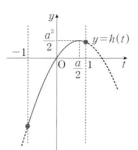

$g(a) = a + 4$에서 $\dfrac{a^2}{2} = a + 4$

$a^2 - 2a - 8 = 0$

$\therefore a = -2$ 또는 $a = 4$

즉 $-2 < a \le 2$이므로
조건을 만족시키는 a는 없다.

(iii) $\dfrac{a}{2} > 1$, 즉 $a > 2$일 때,

함수 $h(t)$는 $t = 1$일 때,
최대이므로

$g(a) = h(1) = 2a - 2$

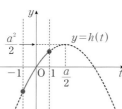

$g(a) = a + 4$에서 $2a - 2 = a + 4$

$\therefore a = 6$

즉 $a > 2$이므로 $a = 6$은
조건을 만족시킨다.

STEP C 모든 실수 a의 값의 합 구하기

(i)~(iii)에서 구하는 모든 실수 a의 값의 합은 $-2 + 6 = 4$

1027

STEP A $v = 30$일 때, $f(\theta) \ge 45\sqrt{3}$을 만족하는 식을 작성하기

$v = 30$일 때 $f(\theta) = \dfrac{30^2}{10}\sin 2\theta = 90\sin 2\theta$

$f(\theta) \ge 45\sqrt{3}$에서 $90\sin 2\theta \ge 45\sqrt{3}$

$\therefore \sin 2\theta \ge \dfrac{\sqrt{3}}{2}$

STEP B θ의 범위 구하기

이 부등식의 해는 함수 $y = \sin 2\theta$의 그래프가 직선 $y = \dfrac{\sqrt{3}}{2}$보다 위쪽에

있거나 만나는 부분의 θ의 값의 범위와 같으므로 $\dfrac{\pi}{6} \le \theta \le \dfrac{\pi}{3}$

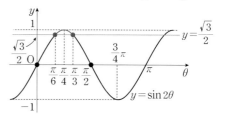

STEP C $\sin(\alpha + \beta)$의 값 구하기

따라서 $\alpha = \dfrac{\pi}{6}$, $\beta = \dfrac{\pi}{3}$이므로 $\sin(\alpha + \beta) = \sin\left(\dfrac{\pi}{6} + \dfrac{\pi}{3}\right) = \sin\dfrac{\pi}{2} = 1$

1028

STEP A 이차방정식이 서로 다른 두 양의 실근을 가질 조건 구하기

이차방정식 $x^2 - 4x\cos\theta - 6\sin\theta = 0$의 두 근이 서로 다른 두 양의 실근을
가지므로 판별식을 D라 하면

$\dfrac{D}{4} = 4\cos^2\theta + 6\sin\theta > 0$, $4(1 - \sin^2\theta) + 6\sin\theta > 0$

$-4\sin^2\theta + 6\sin\theta + 4 > 0$

$2\sin^2\theta - 3\sin\theta - 2 < 0$, $(2\sin\theta + 1)(\sin\theta - 2) < 0$

이때 $\sin\theta - 2 < 0$이므로 $2\sin\theta + 1 > 0$

$\therefore \sin\theta > -\dfrac{1}{2}$ $\qquad\qquad$ ······ ㉠

또한, 두 양의 실근을 α, β라 하면 이차방정식의 근과 계수의 관계에 의하여

$\alpha + \beta = 4\cos\theta > 0$에서 $\cos\theta > 0$ $\qquad$ ······ ㉡

$\alpha\beta = -\sin\theta > 0$에서 $\sin\theta < 0$ $\qquad$ ······ ㉢

STEP B θ의 범위 구하기

㉡, ㉢에 의하여 θ는 제 4사분면의 각이므로 $\dfrac{3}{2}\pi < \theta < 2\pi$이고

㉠을 만족하는 θ의 범위는 $\dfrac{11}{6}\pi < \theta < 2\pi$

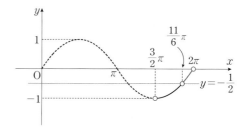

STEP C $\sin\alpha + \cos\beta$의 값 구하기

따라서 $\alpha = \dfrac{11}{6}\pi$, $\beta = 2\pi$이므로

$\sin\alpha = \sin\dfrac{11}{6}\pi = \sin\left(2\pi - \dfrac{\pi}{6}\right) = -\sin\dfrac{\pi}{6} = -\dfrac{1}{2}$

$\cos 2\pi = 1$

$\therefore \sin\alpha + \cos\beta = -\dfrac{1}{2} + 1 = \dfrac{1}{2}$

1029

정답 2

STEP A $\tan^2 x = t$로 치환하여 식을 정리하기

$\tan^4 x + 1 \geq a\tan^2 x$에서 $\tan^2 x = t$라 하면

$t^2 + 1 \geq at$ $\therefore t^2 - at + 1 \geq 0$ ...... ㉠

이때 $-\dfrac{\pi}{2} < x < \dfrac{\pi}{2}$에서 $\tan^2 x \geq 0$이므로 $t \geq 0$

㉠에서 $f(t) = t^2 - at + 1$이라 하면

$$f(t) = t^2 - at + 1 = \left(t - \frac{a}{2}\right)^2 + 1 - \frac{a^2}{4}$$

STEP B 모든 실수 x에 대하여 주어진 부등식이 성립하기 위한 a의 범위 구하기

모든 실수 x에 대하여 주어진 부등식이 성립하려면 $t \geq 0$에서 부등식 ㉠이 항상 성립해야 한다.

(i) $\dfrac{a}{2} \geq 0$일 때,

$f(t)$는 $t = \dfrac{a}{2}$일 때, 최솟값이 $1 - \dfrac{a^2}{4}$이므로 $1 - \dfrac{a^2}{4} \geq 0$, $a^2 - 4 \leq 0$

$(a+2)(a-2) \leq 0$ $\therefore -2 \leq a \leq 2$

즉 $a \geq 0$에서 $0 \leq a \leq 2$

(ii) $\dfrac{a}{2} < 0$일 때,

$t^2 + 1 > 1$, $t \geq 0$이므로 $a < 0$이면 $t^2 + 1 \geq at$는 항상 성립한다.

즉 $a < 0$에서 성립

(i), (ii)에 의해 $a \leq 2$이므로 a의 최댓값은 2

1030

정답 133

STEP A 두 점 P, Q의 좌표 구하기

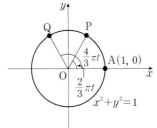

두 점 P, Q가 매 초 $\dfrac{2}{3}\pi$, $\dfrac{4}{3}\pi$의 속력으로 각각 움직이므로

두 점의 $t\,(t > 0)$초 후의 좌표는 각각

$P\left(\cos\dfrac{2}{3}\pi t, \sin\dfrac{2}{3}\pi t\right)$, $Q\left(\cos\dfrac{4}{3}\pi t, \sin\dfrac{4}{3}\pi t\right)$

즉 두 점 P, Q의 t초 후의 y좌표를 각각 $f(t)$, $g(t)$라 하면

$f(t) = \sin\dfrac{2}{3}\pi t$, $g(t) = \sin\dfrac{4}{3}\pi t$

STEP B 출발 후 100초가 될 때까지 $f(t) = g(t)$를 만족하는 t의 개수 구하기

두 함수 $y = f(t)$, $y = g(t)$의 주기가 각각 3, $\dfrac{3}{2}$이므로 그래프를 나타내면 다음 그림과 같다.

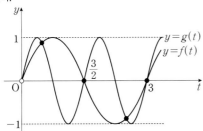

출발 후 1초가 될 때까지 $f(t)$, $g(t)$의 값이 1회 같아지고 3초가 될 때까지 4회 같아지므로 출발 후 99초가 될 때까지 $4 \cdot 33 = 132$(번)만난다.

또, 이후 1초 동안 두 함수 $y = f(t)$, $y = g(t)$의 그래프는 1번 만나므로 출발 후 100초가 될 때까지 두 점 P, Q의 y좌표가 같아지는 횟수는 $132 + 1 = 133$번이다.

1031

정답 7

STEP A 각 조건을 만족하는 실근의 개수 구하기

조건 (가)에서 $\dfrac{2}{3}\pi < \theta < \dfrac{4}{3}\pi$에서 $2\cos\theta + 1 < 0$이고 n이 짝수이므로 근이 존재하지 않는다. $\therefore a = 0$

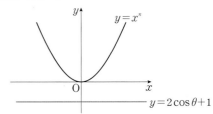

조건 (나)에서 $\dfrac{3}{2}\pi < \theta < 2\pi$에서 $2\cos\theta + 1 > 0$이고 n이 짝수이므로 서로 다른 두 실근이 존재한다. $\therefore b = 2$

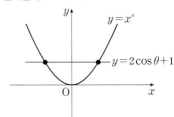

조건 (다)에서 n이 홀수이므로 $2\cos\theta + 1$의 부호에 상관없이 항상 한 개의 실근이 존재한다. $\therefore c = 1$

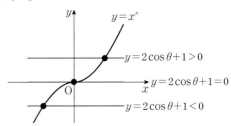

따라서 $a + 2b + 3c = 0 + 4 + 3 = 7$

1032

정답 $\sin x < x < \tan x$

STEP A ($\triangle$ABD의 넓이) $<$ (부채꼴 ABD의 넓이) $<$ ($\triangle$ABC의 넓이)

삼각형 ABD, 부채꼴 ABD, 삼각형 ABC의 넓이를 이용하여 부등식으로 나타낸다.

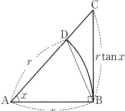

위의 그림에서

($\triangle$ABD의 넓이) $<$ (부채꼴 ABD의 넓이) $<$ ($\triangle$ABC의 넓이)

$\dfrac{1}{2} \times r^2 \times \sin x < \dfrac{1}{2} \times r^2 \times x < \dfrac{1}{2} \times r \times \overline{BC}$

STEP B $\dfrac{1}{2}r^2\sin x < \dfrac{1}{2}r^2 x < \dfrac{1}{2}r^2\tan x$ 유도하기

$\dfrac{1}{2}r^2\sin x < \dfrac{1}{2}r^2 x < \dfrac{1}{2}r \times (r\tan x)$

따라서 $\sin x < x < \tan x$

03 사인법칙과 코사인법칙

1033

정답 ④

STEP Ⓐ 사인법칙을 이용하여 b의 값 구하기

$A+B+C=180°$에서
$B=45°$, $C=75°$이므로
$A=180°-(B+C)=60°$
삼각형 ABC에서 사인법칙에 의하여

$$\frac{120}{\sin 60°}=\frac{b}{\sin 45°}$$

$\therefore b=40\sqrt{6}$

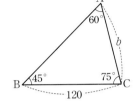

다른풀이 외접원의 반지름의 길이를 이용하여 풀이하기

외접원의 반지름의 길이를 R이라 하면

$$\frac{120}{\sin 60°}=2R$$에서 $R=40\sqrt{3}$

$$\frac{b}{\sin 45°}=2R=80\sqrt{3}$$에서 $b=80\sqrt{3}\sin 45°=40\sqrt{6}$

1034

정답 ①

STEP Ⓐ 사인법칙을 이용하여 b의 값 구하기

$\angle ABC=45°$이므로
$A=180°-(45°+75°)=60°$
삼각형 ABC에서 사인법칙에 의하여

$$\frac{6}{\sin 60°}=\frac{b}{\sin 45°}$$

$$b=\frac{6}{\sin 60°}\cdot \sin 45°=2\sqrt{6}$$

$\therefore b=2\sqrt{6}$

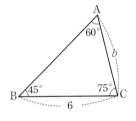

다른풀이 외접원의 반지름의 길이를 이용하여 풀이하기

$A=180°-(45°+75°)=60°$이고 외접원의 반지름의 길이를 R이라 하면

$$\frac{6}{\sin 60°}=2R$$에서 $R=2\sqrt{3}$

$$\frac{b}{\sin 45°}=2R=4\sqrt{3}$$에서 $b=4\sqrt{3}\sin 45°=2\sqrt{6}$

1035

정답 ④

STEP Ⓐ 사인법칙을 이용하여 c의 값 구하기

$A+B+C=180°$에서
$B=105°$, $C=30°$이므로
$A=180°-(B+C)=45°$
삼각형 ABC에서 사인법칙에 의하여

$$\frac{3\sqrt{2}}{\sin 45°}=\frac{c}{\sin 30°}$$

$\therefore c=3$

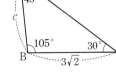

다른풀이 외접원의 반지름의 길이를 이용하여 풀이하기

$A=180°-(105°+30°)=45°$이고 외접원의 반지름의 길이를 R이라 하면

$$\frac{3\sqrt{2}}{\sin 45°}=2R$$에서 $R=3$

$$\frac{c}{\sin 30°}=2R=6$$에서 $c=6\sin 30°=6\cdot\frac{1}{2}=3$

오른쪽 그림과 같이
$A=45°$, $B=60°$, $a=2\sqrt{2}$인
삼각형 ABC에서 b의 값은?

① $2\sqrt{2}$ ② $2\sqrt{3}$
③ $3\sqrt{2}$ ④ $4\sqrt{3}$
⑤ $5\sqrt{3}$

STEP Ⓐ 사인법칙을 이용하여 b의 값 구하기

사인법칙에 의하여

$$\frac{2\sqrt{2}}{\sin 45°}=\frac{b}{\sin 60°}$$에서 $4=\frac{b}{\frac{\sqrt{3}}{2}}$

$\therefore b=2\sqrt{3}$

다른풀이 외접원의 반지름의 길이를 이용하여 풀이하기

외접원의 반지름의 길이를 R이라 하면

$$\frac{2\sqrt{2}}{\sin 45°}=2R$$에서 $R=2$

$$\frac{b}{\sin 60°}=2R=4$$에서 $b=4\sin 60°=2\sqrt{3}$

정답 ②

1036

정답 ④

STEP Ⓐ 사인법칙을 이용하여 선분 AD의 길이 구하기

원주각의 성질에 의하여 $\angle BCA=\angle BDA=30°$
따라서 삼각형 ABD에서 사인법칙에 의하여

$$\frac{\overline{AD}}{\sin 45°}=\frac{\overline{AB}}{\sin 30°}$$이므로 $\frac{\overline{AD}}{\frac{\sqrt{2}}{2}}=\frac{16\sqrt{2}}{\frac{1}{2}}$

$\therefore \overline{AD}=32$

 원의 내접하는 두 삼각형에서 사인법칙
외접원의 반지름의 길이가 R이므로

$$\frac{a}{\sin A}=\frac{b}{\sin B}=\frac{c}{\sin C}=\frac{d}{\sin D}=\frac{e}{\sin E}=\frac{f}{\sin F}=2R$$이 성립한다.

오른쪽 그림과 같이 한 원에 내접하는
두 삼각형 ABC, DEF에서
$\overline{BC}=12$, $A=120°$, $D=150°$
일 때, 선분 EF의 길이는?

① $2\sqrt{2}$ ② $2\sqrt{3}$
③ $3\sqrt{2}$ ④ $4\sqrt{3}$
⑤ $5\sqrt{3}$

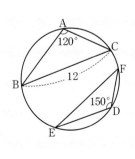

STEP Ⓐ 사인법칙을 이용하여 선분 EF의 길이 구하기

한 원에 내접하는 두 삼각형 ABC, DEF에서
사인법칙에 의하여 외접원의 반지름의 길이가 R이므로

$$\frac{a}{\sin A}=\frac{b}{\sin B}=\frac{c}{\sin C}=\frac{d}{\sin D}=\frac{e}{\sin E}=\frac{f}{\sin F}=2R$$이 성립한다.

이때 $\frac{12}{\sin 120°}=\frac{\overline{EF}}{\sin 150°}$이므로 $\frac{12}{\frac{\sqrt{3}}{2}}=\frac{\overline{EF}}{\frac{1}{2}}$ ◀ $\sin 120°=\frac{\sqrt{3}}{2}$, $\sin 150°=\frac{1}{2}$

$\therefore \overline{EF}=4\sqrt{3}$

정답 ④

1037

정답 ③

STEP A 피타고라스 정리를 이용하여 $\overline{BC}$의 값 구하기

꼭짓점 A에서 변 BC에 내린 수선의 발을
D라 하면 $\triangle ABD$는 직각이등변삼각형
이므로 $\overline{BD}=\overline{AD}=1$
피타고라스 정리에 의하여

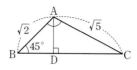

$\overline{CD}=\sqrt{5-1}=2$ ∴ $\overline{BC}=1+2=3$

STEP B 사인법칙을 이용하여 $\sin A$의 값 구하기

$\triangle ABC$에서 사인법칙에 의하여

$$\frac{\sqrt{5}}{\sin 45°}=\frac{3}{\sin A}$$

따라서 $\sin A=\frac{3}{\sqrt{5}}\cdot\sin 45°=\frac{3\sqrt{5}}{5}\cdot\frac{\sqrt{2}}{2}=\frac{3\sqrt{10}}{10}$

1038

정답 ③

STEP A 사인법칙을 이용하여 $\overline{BM}$, $\overline{MC}$의 값 구하기

$\angle BMA=\theta$라고 하면
삼각형 ABM에서 사인법칙에 의하여

$\frac{\overline{BM}}{\sin\alpha}=\frac{8}{\sin\theta}$ ∴ $\overline{BM}=8\times\frac{\sin\alpha}{\sin\theta}$

또, 삼각형 AMC에서 사인법칙에 의하여

$\frac{\overline{MC}}{\sin\beta}=\frac{6}{\sin(\pi-\theta)}$ ∴ $\overline{MC}=6\times\frac{\sin\beta}{\sin\theta}$

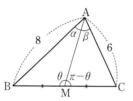

STEP B $\overline{BM}=\overline{MC}$을 이용하여 $\frac{\sin\alpha}{\sin\beta}$ 값 구하기

$\overline{BM}=\overline{MC}$이므로 $8\times\frac{\sin\alpha}{\sin\theta}=6\times\frac{\sin\beta}{\sin\theta}$

따라서 $\frac{\sin\alpha}{\sin\beta}=\frac{3}{4}$

내/신/연/계/ 출제문항 373

오른쪽 그림과 같은 삼각형 ABC에서
$\overline{BD}:\overline{DC}$는?

① 3:2 ② 2:1
③ 3:1 ④ $3\sqrt{2}:2\sqrt{3}$
⑤ $3\sqrt{3}:2\sqrt{2}$

STEP A 사인법칙을 이용하여 $\overline{BD}$의 값 구하기

$\angle ADB=\theta$라 하면 $\angle ADC=180°-\theta$
삼각형 ABD에서 사인법칙에 의하여

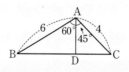

$\frac{\overline{BD}}{\sin 60°}=\frac{6}{\sin\theta}$이므로

$\overline{BD}=\frac{6}{\sin\theta}\cdot\sin 60°=\frac{6}{\sin\theta}\cdot\frac{\sqrt{3}}{2}=\frac{3\sqrt{3}}{\sin\theta}$

STEP B 사인법칙을 이용하여 $\overline{DC}$의 값 구하기

삼각형 ADC에서 사인법칙에 의하여

$\frac{\overline{DC}}{\sin 45°}=\frac{4}{\sin(180°-\theta)}$이므로 $\overline{DC}=\frac{4}{\sin\theta}\cdot\sin 45°=\frac{4}{\sin\theta}\cdot\frac{\sqrt{2}}{2}=\frac{2\sqrt{2}}{\sin\theta}$

STEP C $\overline{BD}:\overline{DC}$의 값 구하기

따라서 $\overline{BD}:\overline{DC}=\frac{3\sqrt{3}}{\sin\theta}:\frac{2\sqrt{2}}{\sin\theta}=3\sqrt{3}:2\sqrt{2}$

정답 ⑤

1039

정답 ③

STEP A 사인법칙을 이용하여 외접원의 반지름의 길이 구하기

삼각형 ABC의 외접원의 반지름의 길이를 R이라 하면
사인법칙에 의하여

$$\frac{6}{\sin 30°}=2R$$

∴ $R=6$

내/신/연/계/ 출제문항 374

오른쪽 그림과 같이 삼각형 ABC에서
$A=60°$, $\overline{BC}=6$일 때, 삼각형 ABC
의 외접원의 반지름의 길이는?

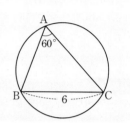

① $2\sqrt{2}$ ② $3\sqrt{2}$
③ $2\sqrt{3}$ ④ $4\sqrt{3}$
⑤ 6

STEP A 사인법칙을 이용하여 외접원의 반지름의 길이 구하기

삼각형 ABC의 외접원의 반지름의 길이를 R이라 하면
사인법칙에 의하여

$$\frac{6}{\sin 60°}=2R$$

∴ $R=2\sqrt{3}$

정답 ③

1040

정답 ④

STEP A $\frac{a}{\sin A}=2R$임을 이용하여 외접원의 반지름 구하기

외접원의 반지름을 R이라 하면
$A=150°$, $a=7$이므로

$\frac{7}{\sin 150°}=2R$ ◀ $\sin 150°=\sin(90°+60°)=\cos 60°=\frac{1}{2}$

$14=2R$ ∴ $R=7$

STEP B 외접원의 넓이 구하기

따라서 이 삼각형에 외접하는 원의 넓이는 $\pi R^2=\pi\cdot 7^2=49\pi$

1041

정답 ③

STEP A 사인법칙에서 $\sin A=\frac{a}{2R}$임을 이용하여 $\overline{BC}$의 길이 구하기

삼각형 ABC의 외접원의 반지름의 길이를 R라 하면
사인법칙에 의하여

$\frac{\overline{BC}}{\sin 30°}=2R$이므로 $\overline{BC}=2R\cdot\sin 30°$

따라서 $\overline{BC}=2\cdot 6\cdot\frac{1}{2}=6$

1042

정답 ②

STEP A 사인법칙에서 $\sin A=\frac{a}{2R}$임을 이용하여 $\overline{BC}$의 길이 구하기

삼각형 ABC의 외접원의 반지름의 길이가 5이므로
삼각형 ABC의 세 변 중에서 가장 긴 변의 길이는
사인법칙에 의하여

$\frac{\overline{BC}}{\sin 120°}=2R=10$이므로 $\overline{BC}=10\sin 120°=10\cdot\frac{\sqrt{3}}{2}=5\sqrt{3}$

1043

STEP A **사인법칙을 이용하여 c의 값과 외접원의 반지름 구하기**

사인법칙을 이용하면

$\dfrac{4}{\sin 30°}=2R$에서 $R=4$

$\dfrac{c}{\sin 45°}=2R$에서 $c=8\sin 45°=4\sqrt{2}$

따라서 $cR=4\sqrt{2}\cdot 4=16\sqrt{2}$

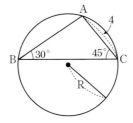

내/신/연/계 출제문항 375

삼각형 ABC에서
$$A=60°, \ B=45°, \ b=6\sqrt{2}$$
일 때, 외접원의 반지름의 길이 R과 a에 대하여 aR의 값은?

① $3\sqrt{3}$ ② $6\sqrt{3}$ ③ $12\sqrt{3}$
④ $18\sqrt{3}$ ⑤ $36\sqrt{3}$

STEP A **사인법칙을 이용하여 a의 값과 외접원의 반지름 구하기**

사인법칙을 이용하면

$\dfrac{6\sqrt{2}}{\sin 45°}=2R$

$\therefore R=\dfrac{6\sqrt{2}}{2\sin 45°}=6$

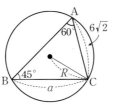

또, $\dfrac{a}{\sin A}=2R$에서 $\dfrac{a}{\sin 60°}=2\cdot 6$

따라서 $a=2\cdot 6\cdot \sin 60°=6\sqrt{3}$이므로 $aR=6\sqrt{3}\cdot 6=36\sqrt{3}$

1044

STEP A **사인법칙을 이용하여 a의 값과 외접원의 반지름 구하기**

$A+B+C=180°$에서

$A=45°, \ B=75°$이므로

$C=180°-(A+B)=60°$

삼각형 ABC에서 사인법칙에 의하여

$\dfrac{a}{\sin 45°}=\dfrac{3}{\sin 60°}=2R$

$\therefore a=\sqrt{6}, \ R=\sqrt{3}$

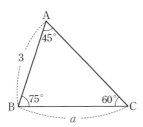

내/신/연/계 출제문항 376

삼각형 ABC에서
$$A=75°, \ B=45°, \ b=4$$
일 때, c의 값과 이 삼각형의 외접원의 반지름의 길이를 R이라 할 때, cR의 값은?

① $2\sqrt{3}$ ② $4\sqrt{3}$ ③ $6\sqrt{3}$
④ $8\sqrt{3}$ ⑤ $10\sqrt{3}$

STEP A **사인법칙을 이용하여 c의 값과 외접원의 반지름 R 구하기**

$A+B+C=180°$에서

$A=75°, \ B=45°$이므로

$C=180°-(A+B)=60°$

삼각형 ABC에서 사인법칙에 의하여

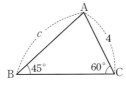

$\dfrac{4}{\sin 45°}=\dfrac{c}{\sin 60°}=2R$

$\therefore c=2\sqrt{6}, \ R=2\sqrt{2}$

따라서 $cR=2\sqrt{6}\cdot 2\sqrt{2}=8\sqrt{3}$

다른풀이 **삼각비를 이용하여 c의 값 풀이하기**

점 A에서 선분 BC에 내린 수선의
발을 H라 하면
직각삼각형 AHC에서
$\overline{AH}=4\sin 60°=2\sqrt{3}$
직각삼각형 AHB에서

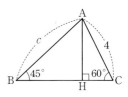

$\dfrac{c}{\sin 90°}=\dfrac{2\sqrt{3}}{\sin 45°}$

$\therefore c=2\sqrt{6}$

1045

STEP A **삼각형 ABC의 외접원의 반지름의 길이를 R라 할 때,**
$$\sin A=\dfrac{a}{2R}, \ \sin B=\dfrac{b}{2R} \text{임을 이용하기}$$

사인법칙에 의하여 $\dfrac{a}{\sin A}=\dfrac{b}{\sin B}=2R$이므로

$\dfrac{a}{\sin 60°}=2\cdot 4$에서 $a=4\sqrt{3}$

또한, $\sin B=\dfrac{b}{2R}=\dfrac{4\sqrt{2}}{2\cdot 4}$에서 $\sin B=\dfrac{\sqrt{2}}{2}$이므로 $B=45°$

← $B=135°$이면 $A=60°$이므로 삼각형의 내각의 합이 $180°$임에 모순이다.

STEP B **$A+B+C=180°$임을 이용하여 C의 크기 구하기**

따라서 $A+B+C=180°$이므로 $A=60°, \ B=45°$에서

$C=180°-(A+B)=75°$

1046

STEP A **삼각형의 내각의 합이 $180°$임을 이용하여 각 C 구하기**

$A+B+C=180°$에서

$A=105°, \ B=30°$이므로

$C=180°-(A+B)=45°$

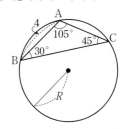

STEP B **사인법칙에서 $\dfrac{\overline{AB}}{\sin C}=2R$임을 이용하여 R의 길이 구하기**

삼각형 ABC의 외접원의 반지름의 길이를 R이라 하면 사인법칙에 의하여

$\dfrac{\overline{AB}}{\sin 45°}=2R$이므로 $\dfrac{4}{\sin 45°}=2R$

$\therefore R=2\sqrt{2}$

따라서 외접원의 넓이는 $\pi R^2=\pi\cdot(2\sqrt{2})^2=8\pi$

내/신/연/계 출제문항 377

삼각형 ABC에서
$$c=12, \ A=45°, \ B=105°$$
일 때, 삼각형 ABC의 외접원의 넓이는?

① 36π ② 42π ③ 64π
④ 100π ⑤ 144π

STEP ⓐ **삼각형의 내각의 합이 180°임을 이용하여 각 C 구하기**

$A+B+C=180°$에서 $A=45°$, $B=105°$이므로

$C=180°-(45°+105°)=30°$

STEP ⓑ **사인법칙에서 $\dfrac{c}{\sin C}=2R$임을 이용하여 R의 길이 구하기**

삼각형 ABC의 외접원의 반지름의 길이를 R이라 하면
사인법칙에 의해

$\dfrac{12}{\sin 30°}=2R$ ∴ $R=6\cdot 2=12$

따라서 삼각형 ABC의 외접원의 넓이는 $\pi\cdot 12^2=144\pi$ 〈정답〉 ⑤

1047 〈정답〉 ①

STEP ⓐ **△ABC의 외접원의 반지름의 길이를 R라 할 때,**
$$\sin A=\frac{a}{2R},\ \sin B=\frac{b}{2R},\ \sin C=\frac{c}{2R}\text{임을 이용하기}$$

삼각형 ABC의 외접원의 반지름의 길이를 R이라 하면
사인법칙에 의하여

$\sin A+\sin B+\sin C=\dfrac{a}{2R}+\dfrac{b}{2R}+\dfrac{c}{2R}$

$\qquad\qquad\qquad\qquad\qquad =\dfrac{a+b+c}{2R}=\dfrac{20}{10}=2$

내|신|연|계 출제문항 **378**

반지름의 길이가 4인 원에 내접하는 세변의 길이가 a, b, c인 삼각형 ABC
에 대하여 $a+b+c=12$일 때,
$$\sin A+\sin B+\sin C$$
의 값은?

① $\dfrac{1}{3}$　　　② $\dfrac{2}{3}$　　　③ $\dfrac{3}{2}$

④ $\dfrac{4}{3}$　　　⑤ $\dfrac{8}{3}$

STEP ⓐ **사인법칙을 이용하여 $\sin A$, $\sin B$, $\sin C$의 값 구하기**

삼각형 ABC의 외접원의 반지름의 길이가 4이므로 사인법칙에 의하여

$\sin A=\dfrac{a}{2R}=\dfrac{a}{8}$, $\sin B=\dfrac{b}{2R}=\dfrac{b}{8}$, $\sin C=\dfrac{c}{2R}=\dfrac{c}{8}$

STEP ⓑ **$\sin A+\sin B+\sin C$의 값 구하기**

따라서 $\sin A+\sin B+\sin C=\dfrac{a}{8}+\dfrac{b}{8}+\dfrac{c}{8}=\dfrac{1}{8}(a+b+c)$

$\qquad\qquad\qquad\qquad\qquad\qquad =\dfrac{1}{8}\cdot 12=\dfrac{3}{2}$ 〈정답〉 ③

1048 〈정답〉 ②

STEP ⓐ **삼각형 ABC의 외접원의 반지름의 길이를 R라 할 때,**
$$\sin A=\frac{a}{2R},\ \sin B=\frac{b}{2R},\ \sin C=\frac{c}{2R}\text{임을 이용하기}$$

세변의 길이가 a, b, c인 삼각형 ABC의 외접원의 반지름의 길이를 R이라
하면 사인법칙에 의하여

$\sin A+\sin B+\sin C=\dfrac{a}{2R}+\dfrac{b}{2R}+\dfrac{c}{2R}$

$\qquad\qquad\qquad\qquad\qquad =\dfrac{a+b+c}{2R}=\dfrac{6}{5}$

이때 $R=5$이므로 $a+b+c=\dfrac{6}{5}\cdot 2\cdot 5=12$

따라서 삼각형 ABC의 둘레의 길이는 12

1049 〈정답〉 ①

STEP ⓐ **$A+B+C=180°$임을 이용하여 $\sin A$의 값 구하기**

$A+B+C=\pi$이므로 $B+C=\pi-A$

$\sin(B+C)=\sin(\pi-A)=\sin A$이므로

$4\sin^2 A=1$, $\sin^2 A=\dfrac{1}{4}$

그런데 $0<A<\pi$이므로 $\sin A=\dfrac{1}{2}$

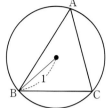

STEP ⓑ **$\dfrac{\overline{BC}}{\sin A}=2R$임을 이용하여 $\overline{BC}$의 길이 구하기**

따라서 사인법칙에서 $\dfrac{\overline{BC}}{\sin A}=2R$이므로 $\overline{BC}=2R\sin A=2\cdot 1\cdot\dfrac{1}{2}=1$

내|신|연|계 출제문항 **379**

반지름의 길이가 $\sqrt{10}$인 원에 내접하는 삼각형 ABC에서
$$10\sin(A+B)\sin C=9$$
가 성립할 때, c의 값은?

① $\sqrt{3}$　　　② 3　　　③ $2\sqrt{3}$

④ $2\sqrt{6}$　　　⑤ 6

STEP ⓐ **$A+B+C=180°$임을 이용하여 $\sin C$의 값 구하기**

$A+B+C=\pi$이므로 $A+B=\pi-C$

이때 $\sin(A+B)=\sin(\pi-C)=\sin C$
이므로

$10\sin(A+B)\sin C=10\sin^2 C=9$

∴ $\sin^2 C=\dfrac{9}{10}$

이때 $0°<C<180°$에서 $\sin C>0$

이므로 $\sin C=\dfrac{3}{\sqrt{10}}$

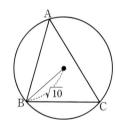

STEP ⓑ **$\dfrac{c}{\sin C}=2R$임을 이용하여 c의 값 구하기**

따라서 삼각형 ABC의 외접원의 반지름의 길이가 $\sqrt{10}$이므로
사인법칙에 의하여

$\dfrac{c}{\sin C}=2R$에서 $c=2R\sin C=2\cdot\sqrt{10}\cdot\dfrac{3}{\sqrt{10}}=6$ 〈정답〉 ⑤

1050 〈정답〉 ④

STEP ⓐ **$A+B+C=180°$임을 이용하여 $\sin A$의 값 구하기**

$A+B+C=\pi$이므로 $B+C=\pi-A$

이때 $\cos(B+C)=\cos(\pi-A)=-\cos A$이므로

$4\cos(B+C)\cos A=-4\cos^2 A=-1$

∴ $\cos^2 A=\dfrac{1}{4}$

이때 $0°<A<180°$에서 $\cos A=-\dfrac{1}{2}$ 또는 $\cos A=\dfrac{1}{2}$

∴ $A=60°$ 또는 $A=120°$, 즉 $\sin A=\dfrac{\sqrt{3}}{2}$

STEP ⓑ **$\dfrac{a}{\sin A}=2R$임을 이용하여 a의 값 구하기**

따라서 삼각형 ABC의 외접원의 반지름의 길이가 5이므로 사인법칙에 의하여

$\dfrac{a}{\sin A}=2R$에서 $a=2R\sin A=2\cdot 5\cdot\dfrac{\sqrt{3}}{2}=5\sqrt{3}$

1051

STEP Ⓐ $A+B+C=180°$임을 이용하여 $\sin C$의 값 구하기

$A+B+C=180°$이므로
$A+B=180°-C$
이때
$\sin(A+B)=\sin(180°-C)=\sin C$
이므로
$4\sin(A+B)\sin C=4\sin^2 C=1$
$\therefore \sin^2 C=\dfrac{1}{4}$
이때 $0°<C<180°$에서 $\sin C>0$
이므로 $\sin C=\dfrac{1}{2}$
$\therefore C=30°$ 또는 $C=150°$
그런데 $C=150°$이면 $A+C>180°$이므로 $C=30°$

STEP Ⓑ $\dfrac{b}{\sin B}=2R$임을 이용하여 b의 값 구하기

이때 $A+B+C=180°$이므로
$B=180°-(A+C)=180°-(105°+30°)=45°$
따라서 삼각형 ABC의 외접원의 반지름의 길이가 6이므로 사인법칙에 의하여
$\dfrac{b}{\sin B}=2R$에서 $b=2R\sin 45°=2\cdot 6\cdot\dfrac{\sqrt{2}}{2}=6\sqrt{2}$

1052

정답 ⑤

STEP Ⓐ 삼각형 ABC의 세 각 A, B, C의 크기 구하기

$A:B:C=3:2:1$에서
$A=3k$, $B=2k$, $C=k$ (단, $k>0$)라 하면
$A+B+C=180°$이므로 $3k+2k+k=180°$
$\therefore k=30°$
$\therefore A=90°$, $B=60°$, $C=30°$

STEP Ⓑ $\sin A:\sin B:\sin C=a:b:c$의 값 구하기

즉 삼각형 ABC의 세 변 a, b, c의 길이의 비는 세 변의 대각에 대한 사인값의 비와 같으므로
$a:b:c=\sin 90°:\sin 60°:\sin 30°=1:\dfrac{\sqrt{3}}{2}:\dfrac{1}{2}=2:\sqrt{3}:1$

다른풀이 삼각형의 내각의 합이 $180°$임을 이용하여 풀이하기

$A=\dfrac{3}{3+2+1}\times 180°=\dfrac{3}{6}\times 180°=90°$
$B=\dfrac{2}{3+2+1}\times 180°=\dfrac{2}{6}\times 180°=60°$
$C=\dfrac{1}{3+2+1}\times 180°=\dfrac{1}{6}\times 180°=30°$
즉 삼각형 ABC의 세 변 a, b, c의 길이의 비는 세 변의 대각에 대한 사인값의 비와 같으므로
$a:b:c=\sin 90°:\sin 60°:\sin 30°$
$=1:\dfrac{\sqrt{3}}{2}:\dfrac{1}{2}=2:\sqrt{3}:1$

1053

정답 ③

STEP Ⓐ 삼각형 ABC의 세 각 A, B, C의 크기 구하기

$A:B:C=3:4:5$에서 $A=3k$, $B=4k$, $C=5k$ (단, $k>0$)라 하면
$A+B+C=180°$이므로 $3k+4k+5k=180°$
$\therefore k=15°$
$\therefore A=45°$, $B=60°$, $C=75°$

STEP Ⓑ 사인법칙을 이용하여 b의 값 구하기

삼각형 ABC에서 사인법칙에 의하여
$\dfrac{a}{\sin 45°}=\dfrac{b}{\sin 60°}$에서 $\dfrac{2}{\sin 45°}=\dfrac{b}{\sin 60°}$
$\therefore b=\sin 60°\cdot\dfrac{2}{\sin 45°}=\dfrac{\sqrt{3}}{2}\cdot 2\sqrt{2}=\sqrt{6}$

내/신/연/계/ 출제문항 380

삼각형 ABC에서 세 내각의 크기의 비가
$$A:B:C=1:1:4$$
이다. $c=2\sqrt{3}$일 때, a의 값은?

① 1 　　② 2 　　③ $2\sqrt{2}$
④ 3 　　⑤ $3\sqrt{2}$

STEP Ⓐ 삼각형 ABC의 세 각 A, B, C의 크기 구하기

$A:B:C=1:1:4$에서 $A=k$, $B=k$, $C=4k$ (단, $k>0$)라 하면
$A+B+C=180°$이므로 $k+k+4k=180°$
$\therefore k=30°$
$\therefore A=30°$, $B=30°$, $C=120°$

STEP Ⓑ 사인법칙을 이용하여 a의 값 구하기

삼각형 ABC에서 사인법칙에 의하여
$\dfrac{a}{\sin 30°}=\dfrac{c}{\sin 120°}$에서 $\dfrac{a}{\sin 30°}=\dfrac{2\sqrt{3}}{\sin 120°}$
$a=\sin 30°\cdot\dfrac{2\sqrt{3}}{\sin 120°}=\dfrac{1}{2}\cdot 4=2$

정답 ②

참고 삼각형 ABC의 세 변 a, b, c의 길이의 비는 세 변의 대각에 대한 사인값의 비와 같으므로
$a:b:c=\sin 30°:\sin 30°:\sin 120°=\dfrac{1}{2}:\dfrac{1}{2}:\dfrac{\sqrt{3}}{2}=1:1:\sqrt{3}$

1054

정답 ③

STEP Ⓐ $\sin A:\sin B:\sin C$는 △ABC의 세 변의 길이의 비 $a:b:c$와 같음을 이용하기

$\dfrac{a+b}{5}=\dfrac{b+c}{6}=\dfrac{c+a}{7}=k$ $(k>0)$라 하면
$a+b=5k$, $b+c=6k$, $c+a=7k$ 　　……㉠
세 식을 모두 변끼리 더하면
$2a+2b+2c=18k$
$\therefore a+b+c=9k$ 　　……㉡
㉡에서 ㉠의 각 식을 빼면
$a=3k$, $b=2k$, $c=4k$
따라서 $\sin A:\sin B:\sin C=a:b:c=3:2:4$

1055

정답 ③

STEP A 연립하여 a, b를 c에 관한 식으로 정리하기

$a+b-2c=0$ ...... ㉠
$a-3b+c=0$ ...... ㉡

㉠$-$㉡을 하면 $4b-3c=0$ ∴ $b=\dfrac{3}{4}c$

㉠$\times 3+$㉡을 하면 $4a-5c=0$ ∴ $a=\dfrac{5}{4}c$

STEP B $\sin A : \sin B : \sin C$는 $\triangle ABC$의 세 변의 길이의 비 $a:b:c$와 같음을 이용하기

따라서 $a:b:c=\dfrac{5}{4}c:\dfrac{3}{4}c:c=5:3:4$이므로

$\sin A : \sin B : \sin C = a:b:c = 5:3:4$

내/신/연/계 출제문항 **381**

삼각형 ABC의 세 변의 길이 a, b, c에 대하여

$$a-2b+c=0,\ -2a+b+3c=0$$

인 관계가 성립할 때, $\dfrac{\sin A \sin B}{\sin^2 C}$의 값은?

① $\dfrac{3}{7}$ ② $\dfrac{15}{7}$ ③ $\dfrac{35}{9}$

④ $\dfrac{21}{2}$ ⑤ 7

STEP A 연립방정식을 만족하는 a, b, c의 값 구하기

$a-2b+c=0$ ...... ㉠
$-2a+b+3c=0$ ...... ㉡

㉠$+2\times$㉡을 하면

$-3a+7c=0$ ∴ $a=\dfrac{7}{3}c$ ...... ㉢

㉢을 ㉠에 대입하면

$\dfrac{7}{3}c-2b+c=0$ ∴ $b=\dfrac{5}{3}c$

STEP B $a:b:c=\sin A:\sin B:\sin C$임을 이용하여 구하기

사인법칙에 의하여

$\sin A : \sin B : \sin C = a:b:c = \dfrac{7}{3}c:\dfrac{5}{3}c:c = 7:5:3$

따라서 양수 k에 대하여 $\sin A=7k$, $\sin B=5k$, $\sin C=3k$로 놓으면

$\dfrac{\sin A \sin B}{\sin^2 C} = \dfrac{7k\cdot 5k}{(3k)^2} = \dfrac{35k^2}{9k^2} = \dfrac{35}{9}$

정답 ③

1056

정답 ④

STEP A 사인법칙을 이용하여 각의 식을 변의 식으로 나타내기

삼각형 ABC의 외접원의 반지름의 길이를 R이라 하면 사인법칙에 의하여

$\dfrac{a}{\sin A}=\dfrac{b}{\sin B}=\dfrac{c}{\sin C}=2R$에서

$\sin A=\dfrac{a}{2R}$, $\sin B=\dfrac{b}{2R}$, $\sin C=\dfrac{c}{2R}$이므로

$\dfrac{a^2}{4R^2}=\dfrac{b^2}{4R^2}+\dfrac{c^2}{4R^2}$, 즉 $a^2=b^2+c^2$

STEP B 삼각형의 모양 결정하기

따라서 삼각형 ABC는 $A=90°$인 직각삼각형이다.

1057

정답 ①

STEP A 사인법칙을 이용하여 각의 식을 변의 식으로 나타내기

삼각형 ABC의 외접원의 반지름의 길이를 R이라 하면 사인법칙에 의하여

$\sin A=\dfrac{a}{2R}$, $\sin B=\dfrac{b}{2R}$

STEP B 삼각형의 모양 결정하기

이 식을 $a\sin A=b\sin B$에 대입하면 $\dfrac{a^2}{2R}=\dfrac{b^2}{2R}$

그런데 a, b, c는 변의 길이로서 양수이므로 $a=b$

따라서 삼각형 ABC는 $a=b$인 이등변삼각형이다.

1058

정답 ②

STEP A 사인법칙을 이용하여 각의 식을 변의 식으로 나타내기

삼각형 ABC의 외접원의 반지름의 길이를 R이라 하면 사인법칙에 의하여

$\sin A=\dfrac{a}{2R}$, $\sin C=\dfrac{c}{2R}$

STEP B 삼각형의 모양 결정하기

이것을 $a\sin^2 A=c\sin^2 C$에 대입하면

$a^3-c^3=0$, $(a-c)(a^2+ac+c^2)=0$

이때 $a^2+ac+c^2>0$이므로 $a=c$

따라서 삼각형 ABC는 $a=c$인 이등변삼각형이다.

1059

정답 ⑤

STEP A 사인법칙을 이용하여 각의 식을 변의 식으로 나타내기

삼각형 ABC에서 외접원의 반지름의 길이를 R이라 하면 사인법칙에서

$\sin A=\dfrac{a}{2R}$, $\sin B=\dfrac{b}{2R}$, $\sin C=\dfrac{c}{2R}$이므로

$a\cdot\dfrac{a}{2R}+b\cdot\dfrac{b}{2R}=c\cdot\dfrac{c}{2R}$, 즉 $a^2+b^2=c^2$

STEP B 삼각형의 모양 결정하기

따라서 삼각형 ABC는 $C=90°$인 직각삼각형이다.

내/신/연/계 출제문항 **382**

삼각형 ABC에서

$$a\sin A-b\sin B=c\sin C$$

가 성립할 때, 삼각형 ABC는 어떤 삼각형인가?

① 정삼각형 ② $a=c$인 이등변삼각형
③ $b=c$인 이등변삼각형 ④ $A=90°$인 직각삼각형
⑤ $C=90°$인 직각삼각형

STEP A 사인법칙에 의하여 변의 길이의 식으로 바꾸기

삼각형 ABC의 외접원의 반지름의 길이를 R이라 할 때, 사인법칙에 의하여

$\sin A=\dfrac{a}{2R}$, $\sin B=\dfrac{b}{2R}$, $\sin C=\dfrac{c}{2R}$ ...... ㉠

STEP B 삼각형의 모양 결정하기

㉠을 주어진 등식에 대입하여 정리하면

$a\cdot\dfrac{a}{2R}-b\cdot\dfrac{b}{2R}=c\cdot\dfrac{c}{2R}$

$a^2-b^2=c^2$

∴ $a^2=b^2+c^2$

따라서 삼각형 ABC는 $A=90°$인 직각삼각형이다.

정답 ④

1060

STEP Ⓐ $\sin^2\theta+\cos^2\theta=1$**임을 이용하여 식을 정리하기**

$\cos^2 A=1-\sin^2 A$, $\cos^2 B=1-\sin^2 B$이므로

$\cos^2 A+\cos^2 B+\sin^2 C=2$에서

$(1-\sin^2 A)+(1-\sin^2 B)+\sin^2 C=2$

$\therefore \sin^2 C=\sin^2 A+\sin^2 B$ ……… ㉠

STEP Ⓑ 사인법칙을 이용하여 각의 식을 변의 식으로 나타내기

$\triangle ABC$의 외접원의 반지름의 길이를 R이라 하면 사인법칙에 의하여

$\sin A=\dfrac{a}{2R}$, $\sin B=\dfrac{b}{2R}$, $\sin C=\dfrac{c}{2R}$

이를 ㉠에 대입하면

$\left(\dfrac{c}{2R}\right)^2=\left(\dfrac{a}{2R}\right)^2+\left(\dfrac{b}{2R}\right)^2$ $\therefore c^2=a^2+b^2$

따라서 삼각형 ABC는 $C=90°$인 직각삼각형이다.

내/신/연/계/ 출제문항 383

삼각형 ABC에서
$$\cos^2 A-\cos^2 B-\cos^2 C+1=0$$
가 성립할 때, 삼각형 ABC는 어떤 삼각형인가?

① $a=b$인 이등변삼각형　　　② $b=c$인 이등변삼각형
③ $c=a$인 이등변삼각형　　　④ $A=90°$인 직각삼각형
⑤ $C=90°$인 직각삼각형

STEP Ⓐ $\sin^2\theta+\cos^2\theta=1$**임을 이용하여 구하기**

$\cos^2 A=1-\sin^2 A$, $\cos^2 B=1-\sin^2 B$, $\cos^2 C=1-\sin^2 C$

이므로 주어진 식에 대입하면

$(1-\sin^2 A)-(1-\sin^2 B)-(1-\sin^2 C)+1=0$

이 식을 정리하면 $\sin^2 A=\sin^2 B+\sin^2 C$ ……… ㉠

STEP Ⓑ 사인법칙을 이용하여 각의 식을 변의 식으로 나타내기

삼각형 ABC의 외접원의 반지름의 길이를 R이라 할 때, 사인법칙에 의하여

$\sin A=\dfrac{a}{2R}$, $\sin B=\dfrac{b}{2R}$, $\sin C=\dfrac{c}{2R}$

이것을 ㉠에 대입하면

$\left(\dfrac{a}{2R}\right)^2=\left(\dfrac{b}{2R}\right)^2+\left(\dfrac{c}{2R}\right)^2$ $\therefore a^2=b^2+c^2$

따라서 삼각형 ABC는 $A=90°$인 직각삼각형이다.

1061

STEP Ⓐ 이차방정식이 중근을 가질 조건 구하기

이차방정식 $(\cos A-\cos B)x^2-2x\sin C+(\cos A+\cos B)=0$이
중근을 가지므로 판별식을 D라 하면 $D=0$이어야 한다.

$\dfrac{D}{4}=\sin^2 C-(\cos A-\cos B)(\cos A+\cos B)=0$

즉 $\sin^2 C-\cos^2 A+\cos^2 B=0$

이때 $\cos^2 A=1-\sin^2 A$, $\cos^2 B=1-\sin^2 B$

$\therefore \sin^2 C+\sin^2 A-\sin^2 B=0$

STEP Ⓑ 사인법칙을 이용하여 a, b, c에 대한 관계식을 구해 삼각형의 모양을 판별하기

삼각형 ABC의 외접원의 반지름의 길이를 R이라 할 때, 사인법칙에 의하여

$\sin A=\dfrac{a}{2R}$, $\sin B=\dfrac{b}{2R}$, $\sin C=\dfrac{c}{2R}$

$\left(\dfrac{c}{2R}\right)^2+\left(\dfrac{a}{2R}\right)^2-\left(\dfrac{b}{2R}\right)^2=0$ $\therefore b^2=a^2+c^2$

따라서 삼각형 ABC는 $B=90°$인 직각삼각형이다.

1062

STEP Ⓐ 사인법칙에 의하여 변의 길이의 식으로 바꾸기

$\sin(A+C)=\sin(180°-B)=\sin B$이므로 $\sin^2 A+\sin^2 B=2\sin A\sin B$

삼각형 ABC의 외접원의 반지름의 길이를 R이라 할 때, 사인법칙에 의하여

$\sin A=\dfrac{a}{2R}$, $\sin B=\dfrac{b}{2R}$, $\sin C=\dfrac{c}{2R}$ ……… ㉠

STEP Ⓑ 삼각형의 모양 결정하기

㉠을 주어진 등식에 대입하여 정리하면

$\left(\dfrac{a}{2R}\right)^2+\left(\dfrac{b}{2R}\right)^2=2\times\dfrac{a}{2R}\times\dfrac{b}{2R}$

$a^2-2ab+b^2=0$, $(a-b)^2=0$ $\therefore a=b$

따라서 삼각형 ABC는 $a=b$인 이등변삼각형이다.

내/신/연/계/ 출제문항 384

삼각형 ABC에서
$$a\sin A+b\sin B=c\sin(A+B)$$
이 성립할 때, 이 삼각형은 어떤 삼각형인가?

① $a=b$인 이등변삼각형　　　② $b=c$인 이등변삼각형
③ $c=a$인 이등변삼각형　　　④ $A=90°$인 직각삼각형
⑤ $C=90°$인 직각삼각형

STEP Ⓐ $A+B+C=\pi$**임을 이용하여 구하기**

$A+B+C=\pi$이므로 $A+B=\pi-C$

$a\sin A+b\sin B=c\sin(A+B)$

$\qquad\qquad\qquad\quad =c\sin(\pi-C)$

$\qquad\qquad\qquad\quad =c\sin C$ ……… ㉠

STEP Ⓑ 사인법칙을 이용하여 각의 식을 변의 식으로 나타내기

삼각형 ABC의 외접원의 반지름의 길이를 R이라 하면 사인법칙에 의하여

$\sin A=\dfrac{a}{2R}$, $\sin B=\dfrac{b}{2R}$, $\sin C=\dfrac{c}{2R}$

이것을 ㉠에 대입하면

$a\left(\dfrac{a}{2R}\right)+b\left(\dfrac{b}{2R}\right)=c\left(\dfrac{c}{2R}\right)$ $\therefore a^2+b^2=c^2$

따라서 삼각형 ABC는 $C=90°$인 직각삼각형이다.

1063

STEP Ⓐ 사인법칙을 이용하여 각의 식을 변의 식으로 나타내기

삼각형 ABC의 외접원의 반지름의 길이를 R이라 하면 사인법칙에 의하여

$\sin A=\dfrac{a}{2R}$, $\sin B=\dfrac{b}{2R}$, $\sin C=\dfrac{c}{2R}$

STEP Ⓑ 삼각형의 모양 결정하기

이것을 $(b-c)\sin A=b\sin B-c\sin C$에 대입하면

$(b-c)\cdot\dfrac{a}{2R}=b\cdot\dfrac{b}{2R}-c\cdot\dfrac{c}{2R}$

$(b-c)a=b^2-c^2$, $(b-c)a=(b-c)(b+c)$

$\therefore (b-c)\{a-(b+c)\}=0$

이때 삼각형의 두 변의 길이의 합은 나머지 한 변의 길이보다 크므로

$a-(b+c)\neq 0$ $\therefore b=c$

따라서 삼각형 ABC는 $b=c$인 이등변삼각형이다.

1064

STEP Ⓐ 삼각형 ABC가 이등변삼각형임을 확인하기

등대의 꼭대기 C지점에서 지면에
내린 수선의 발을 H라 하면
등대의 높이를 $\overline{CH}=x$라 하면
△ABC에서 ∠ABC$=120°$이므로
∠BCA$=30°$
즉 △ABC는 이등변삼각형이므로
$\overline{AB}=\overline{CB}=50\sqrt{3}$

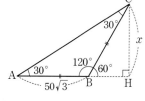

STEP Ⓑ 사인법칙을 이용하여 등대의 높이 구하기

△BHC에서 사인법칙을 이용하면

$$\frac{x}{\sin 60°}=\frac{50\sqrt{3}}{\sin 90°}=50\sqrt{3}$$

따라서 등대의 높이는 $x=50\sqrt{3}\times\sin 60°=50\sqrt{3}\times\frac{\sqrt{3}}{2}=75$

> **참고**
> 삼각형 CBH에서 $\overline{CH}=\overline{BC}\sin 60°=50\sqrt{3}\cdot\frac{\sqrt{3}}{2}=75$

내/신/연/계 출제문항 385

오른쪽 그림과 같은 삼각형 ABC에서
∠ABC$=30°$, ∠ADC$=45°$, $\overline{BD}=100$
일 때, $\overline{AC}$의 길이는?

① $10(\sqrt{3}+1)$　　② $50(\sqrt{2}+1)$
③ $30(\sqrt{3}-1)$　　④ $50(\sqrt{3}+1)$
⑤ $60(\sqrt{2}+1)$

STEP Ⓐ 사인법칙을 이용하여 각의 식을 변의 식으로 나타내기

△ADC에서 $\overline{CD}=\overline{CA}=a$라 하면
△ABC에서 $A=60°$이므로
사인법칙에 의하여

$$\frac{100+a}{\sin 60°}=\frac{a}{\sin 30°}$$

$(100+a)\sin 30°=a\sin 60°$

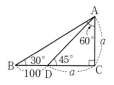

$\frac{1}{2}(100+a)=\frac{\sqrt{3}}{2}a$, $(\sqrt{3}-1)a=100$

$\therefore a=\frac{100}{\sqrt{3}-1}=50(\sqrt{3}+1)$

1065

STEP Ⓐ 사인법칙을 이용하여 $\overline{BQ}$의 길이 구하기

삼각형 ABQ에서
∠AQB$=180°-(75°+60°)=45°$이므로 사인법칙에 의하여

$$\frac{\overline{BQ}}{\sin 60°}=\frac{20}{\sin 45°}$$

$\overline{BQ}\sin 45°=20\sin 60°$

$\therefore \overline{BQ}=20\cdot\frac{\sqrt{3}}{2}\cdot\frac{2}{\sqrt{2}}=10\sqrt{6}(\text{m})$

STEP Ⓑ 이등변삼각형 PBQ에서 $\overline{PQ}$의 길이 구하기

따라서 이등변삼각형 PBQ에서 $\overline{PQ}=\overline{BQ}$이므로 $\overline{PQ}=10\sqrt{6}$ m

---

1066

STEP Ⓐ 사인법칙을 이용하여 $\overline{AQ}$의 길이 구하기

∠AQB$=180°-(75°+45°)=60°$이므로

삼각형 ABQ에서 사인법칙을 적용하면 $\frac{\overline{AQ}}{\sin 45°}=\frac{25}{\sin 60°}$

$\therefore \overline{AQ}=\sin 45°\cdot\frac{25}{\sin 60°}=\frac{\sqrt{2}}{2}\cdot\frac{25}{\frac{\sqrt{3}}{2}}=\frac{25\sqrt{6}}{3}$

STEP Ⓑ 직각삼각형 PQA에서 $\overline{PQ}$의 길이 구하기

또, ∠PQA$=90°$이므로

$\overline{PQ}=\overline{AQ}\tan 30°=\frac{25\sqrt{6}}{3}\cdot\frac{1}{\sqrt{3}}=\frac{25\sqrt{2}}{3}$

내/신/연/계 출제문항 386

타워의 높이를 구하기 위하여 오른쪽
그림과 같이 340m 떨어진 두 지점
A, B에서 측량하였더니
∠QAB$=60°$, ∠QBA$=75°$
∠PBQ$=30°$이었다.
타워의 높이 PQ의 길이는?
(단위는 m)

① $120\sqrt{3}$　　② $140\sqrt{2}$　　③ $150\sqrt{2}$
④ $160\sqrt{3}$　　⑤ $170\sqrt{2}$

STEP Ⓐ 사인법칙을 이용하여 $\overline{BQ}$의 길이 구하기

∠AQB$=180°-(75°+60°)=45°$이므로

삼각형 ABQ에서 사인법칙을 적용하면 $\frac{\overline{BQ}}{\sin 60°}=\frac{340}{\sin 45°}$

$\therefore \overline{BQ}=\sin 60°\cdot\frac{340}{\sin 45°}=\frac{\sqrt{3}}{2}\cdot 340\cdot\sqrt{2}=170\sqrt{6}$

STEP Ⓑ 직각삼각형 PQB에서 $\overline{PQ}$의 길이 구하기

또, ∠PQB$=90°$이므로

$\overline{PQ}=\overline{BQ}\tan 30°=170\sqrt{6}\cdot\frac{1}{\sqrt{3}}=170\sqrt{2}(\text{m})$

1067

STEP Ⓐ 사인법칙을 이용하여 $\overline{AC}$의 길이 구하기

삼각형 ABC에서 $A+B+C=180°$
이므로 $A=180°-(B+C)=75°$

$\frac{80}{\sin 75°}=\frac{\overline{AC}}{\sin 45°}$이므로

$\overline{AC}=\frac{80\times\sin 45°}{\sin 75°}=\frac{160\cdot\sqrt{2}}{\sqrt{2}+\sqrt{6}}=80(\sqrt{3}-1)$　　……㉠

STEP Ⓑ 직각삼각형 AHC에서 $\overline{AH}$의 길이 구하기

삼각형 AHC에서 $\frac{\overline{AC}}{\sin 90°}=\frac{\overline{AH}}{\sin 60°}$이므로

$\overline{AH}=\overline{AC}\times\sin 60°$　　……㉡

㉠을 ㉡에 대입하면

$\overline{AH}=80(\sqrt{3}-1)\cdot\frac{\sqrt{3}}{2}=120-40\sqrt{3}$

따라서 $a=120$, $b=-40$이므로 $a+b=80$

1068

정답 ⑤

STEP A 두 변의 길이와 그 끼인각의 크기를 알고 나머지 한 변의 길이 구하기

코사인법칙에 의하여
$a^2 = b^2 + c^2 - 2bc \cos A$
$= 16 + 9 - 2 \cdot 4 \cdot 3 \cdot \frac{1}{2} = 13$

이때 $a > 0$이므로 $a = \sqrt{13}$

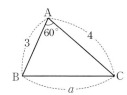

내/신/연/계 출제문항 387

삼각형 ABC에서
$\overline{AB} = 7$, $\overline{AC} = 8$, $\angle A = \frac{2}{3}\pi$

일 때, $\overline{BC}$의 값은?

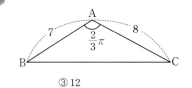

① 10 ② 11 ③ 12
④ 13 ⑤ 15

STEP A 두 변의 길이와 그 끼인각의 크기를 알고 나머지 한 변의 길이 구하기

코사인법칙에 의하여
$\overline{BC}^2 = 8^2 + 7^2 - 2 \cdot 8 \cdot 7 \cos \frac{2}{3}\pi$
$= 64 - 49 - 112 \cdot \left(-\frac{1}{2}\right)$
$= 169$

따라서 $\overline{BC} = 13$

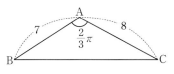

정답 ④

1069

정답 ②

STEP A 두 변의 길이와 그 끼인각의 크기를 알고 나머지 한 변의 길이 구하기

코사인법칙에 의하여
$c^2 = a^2 + b^2 - 2ab \cos C$
$= 8 + 9 - 2 \cdot 2\sqrt{2} \cdot 3 \cdot \frac{1}{\sqrt{2}} = 5$

이때 $c > 0$이므로 $c = \sqrt{5}$

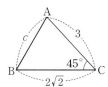

1070

정답 ③

STEP A 세 변의 길이가 주어졌으므로 코사인법칙의 각의 크기 구하기

코사인법칙에 의하여 A의 크기를 구하면
$\cos A = \frac{b^2 + c^2 - a^2}{2bc} = \frac{3^2 + 8^2 - 7^2}{2 \cdot 3 \cdot 8} = \frac{1}{2}$

따라서 $0° < A < 180°$이므로 $A = 60°$

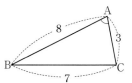

1071

정답 ④

STEP A 세 변의 길이가 주어졌으므로 코사인법칙의 각의 크기 구하기

코사인법칙에 의하여
C의 크기를 구하면
$\cos C = \frac{a^2 + b^2 - c^2}{2ab}$
$= \frac{3^2 + 5^2 - 7^2}{2 \cdot 3 \cdot 5} = -\frac{15}{30} = -\frac{1}{2}$

따라서 $0° < C < 180°$이므로 $C = 120°$

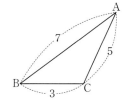

1072

정답 ③

STEP A A가 60m 이동하였을 때 B의 위치 구하기

점 A가 초속 5m의 속력으로 60m 이동 하였으므로 걸린 시간은 12초이다.
이때 점 B가 초속 3m의 속력으로 이동하므로 12초 후의 위치는
$3 \cdot 12 = 36$m 이동한다. 즉 $\overline{OA} = 60$m, $\overline{OB} = 36$m

STEP B 두 변의 길이와 그 끼인각의 크기를 알고 나머지 한 변의 길이 구하기

코사인법칙에 의하여
$\overline{AB}^2 = 60^2 + 36^2 - 2 \cdot 60 \cdot 36 \cdot \cos 120°$
$= 3600 + 1296 + 2160$
$= 7056 = 84^2$

이때 $\overline{AB} > 0$이므로 $\overline{AB} = 84$(m)
따라서 두 점 A, B 사이의 거리는 84m

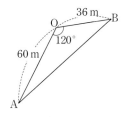

내/신/연/계 출제문항 388

오른쪽 그림과 같이 지점 O에서 혜교와 보검이가 60°의 각을 이루며 동시에 출발하여 혜교는 매초 1.5m의 속력으로, 보검이는 매초 2m의 속력으로 각각 전방을 향해 걸어가고 있다. 출발한지 10초 후의 두 사람 사이의 거리는? (단위는 m)

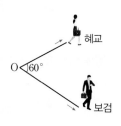

① $3\sqrt{13}$ ② $4\sqrt{13}$ ③ $5\sqrt{13}$
④ $6\sqrt{14}$ ⑤ $7\sqrt{14}$

STEP A 10초 후의 혜교와 보검이의 위치 구하기

10초 후의 혜교와 보검이의 위치를 각각 A, B라고 하면
$\overline{OA} = 1.5 \cdot 10 = 15$(m), $\overline{OB} = 2 \cdot 10 = 20$(m)

STEP B 두 변의 길이와 그 끼인각의 크기를 알고 나머지 한 변의 길이 구하기

코사인법칙에 의하여
$\overline{AB}^2 = 15^2 + 20^2 - 2 \cdot 15 \cdot 20 \cdot \cos 60°$
$= 325$

이때 $\overline{AB} > 0$이므로 $\overline{AB} = 5\sqrt{13}$(m)
따라서 구하는 거리는 $5\sqrt{13}$ m

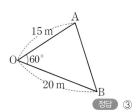

정답 ③

1073

정답 ③

STEP A 부채꼴의 중심각의 크기 구하기

오른쪽 그림의 부채꼴 BOP에서
$\overline{OB} = 2$, $\overset{\frown}{BP} = 2\theta$이므로
$2\theta = 2 \cdot \angle BOP$
$\therefore \angle BOP = \theta$, $\angle AOP = \pi - \theta$

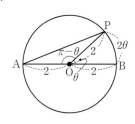

STEP B 두 변과 끼인각을 이용하여 $\overline{AP}$ 구하기

삼각형 AOP에서 코사인법칙에 의하여
$\overline{AP}^2 = 2^2 + 2^2 - 2 \cdot 2 \cdot 2 \cos(\pi - \theta)$
$= 8 + 8 \cos \theta$

$\therefore \overline{AP} = \sqrt{8 + 8\cos\theta} = 2\sqrt{2(1+\cos\theta)}$ ($\because \overline{AP} > 0$)

참고 반지름의 길이가 r, 중심각의 크기가 θ인 부채꼴의 호의 길이 l은
⇒ $l=r\theta$

1074

정답 ②

STEP A 삼각형 ABD에서 코사인법칙을 이용하여 $\cos B$의 값 구하기

삼각형 ABD에서 세 변의 길이가 주어질 때, 코사인법칙에 의하여

$$\cos B=\frac{7^2+6^2-5^2}{2\cdot7\cdot6}=\frac{5}{7}$$

STEP B 삼각형 ABC에서 코사인법칙을 이용하여 $\overline{AC}$의 길이를 구하기

삼각형 ABC에서 코사인법칙에 의하여

$$\overline{AC}^2=7^2+9^2-2\cdot7\cdot9\cdot\cos B=130-126\cdot\frac{5}{7}=40$$

따라서 $\overline{AC}=2\sqrt{10}\ (\because\overline{AC}>0)$

1075

정답 ②

STEP A 삼각형 ABC에서 코사인법칙을 이용하여 $\cos B$의 값 구하기

삼각형 ABC에서 $\cos B=\dfrac{3^2+6^2-5^2}{2\cdot3\cdot6}=\dfrac{5}{9}$

STEP B 삼각형 ABD에서 코사인법칙을 이용하여 $\overline{AD}$의 길이 구하기

삼각형 ABD에서 코사인법칙에 의하여

$$\overline{AD}^2=3^2+4^2-2\cdot3\cdot4\cdot\cos B$$
$$=\frac{35}{3}$$

이때 $\overline{AD}>0$이므로 $\overline{AD}=\dfrac{\sqrt{105}}{3}$

내/신/연/계 출제문항 389

오른쪽 삼각형 ABC에서
$\overline{AB}=12$, $\overline{AC}=15$이고,
변 BC 위의 한 점 D에 대하여
$\overline{BD}=8$, $\overline{DC}=10$일 때,
$\overline{AD}$의 길이는?

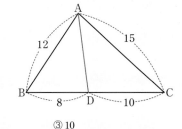

① 6   ② 8   ③ 10
④ $10\sqrt{2}$ ⑤ 12

STEP A 삼각형 ABC에서 코사인법칙을 이용하여 $\cos B$의 값 구하기

△ABC에서 코사인법칙에 의해

$$\cos B=\frac{12^2+18^2-15^2}{2\cdot12\cdot18}=\frac{9}{16}$$

STEP B 삼각형 ABD에서 코사인법칙을 이용하여 $\overline{AD}$의 길이 구하기

$\overline{AD}$길이를 x라 하면 △ABD에서 코사인법칙에 의해

$$x^2=12^2+8^2-2\cdot12\cdot8\cdot\cos B$$
$$=144+64-192\cdot\frac{9}{16}$$
$$=100$$

$\therefore x=10\ (\because x>0)$

따라서 $\overline{AD}=10$

정답 ③

1076

정답 ④

STEP A 피타고라스 정리를 이용하여 각 선분의 길이 구하기

정사각형 ABCD의 두 변 BC, CD의
중점이 각각 E, F이므로 $\overline{AF}=\overline{AE}=\sqrt{5}$, $\overline{EF}=\sqrt{2}$

STEP B 코사인법칙을 이용하여 $\cos\theta$ 구하기

삼각형 AEF에서 코사인법칙에 의하여

$$\cos\theta=\frac{(\sqrt{5})^2+(\sqrt{5})^2-(\sqrt{2})^2}{2\cdot\sqrt{5}\cdot\sqrt{5}}$$
$$=\frac{8}{10}=\frac{4}{5}$$

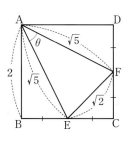

이때 $\cos\theta>0$이므로 $0<\theta<\dfrac{\pi}{2}$

$$\sin\theta=\sqrt{1-\cos^2\theta}=\sqrt{1-\left(\frac{4}{5}\right)^2}=\frac{3}{5}$$

따라서 $10(\sin\theta+\cos\theta)=10\left(\dfrac{4}{5}+\dfrac{3}{5}\right)=14$

내/신/연/계 출제문항 390

오른쪽 그림과 같이 한 변의 길이가 6인
정사각형 ABCD에서 선분 DC의 중점을
F, 선분 BC를 $1:2$로 내분하는 점을
E라 하고 $\angle EAF=\theta$일 때,
$\sin\theta+\cos\theta$의 값은?

① $\dfrac{\sqrt{2}}{2}$ ② $\sqrt{2}$

③ $\dfrac{\sqrt{3}}{2}$ ④ $\sqrt{3}$

⑤ $\dfrac{\sqrt{5}}{2}$

STEP A 피타고라스 정리를 이용하여 각 선분의 길이 구하기

정사각형 ABCD의 선분 DC의 중점을 F,
선분 BC를 $1:2$로 내분하는 점이 E
이므로
$\overline{AE}=2\sqrt{10}$, $\overline{AF}=3\sqrt{5}$, $\overline{EF}=5$

STEP B 코사인법칙을 이용하여 $\cos\theta$ 구하기

삼각형 AEF에서 코사인법칙에 의하여

$$\cos\theta=\frac{(2\sqrt{10})^2+(3\sqrt{5})^2-5^2}{2\cdot2\sqrt{10}\cdot3\sqrt{5}}=\frac{40+45-25}{60\sqrt{2}}=\frac{1}{\sqrt{2}}=\frac{\sqrt{2}}{2}$$

이때 $\cos\theta>0$이므로 $0<\theta<\dfrac{\pi}{2}$

$$\sin\theta=\sqrt{1-\cos^2\theta}=\sqrt{1-\left(\frac{\sqrt{2}}{2}\right)^2}=\frac{\sqrt{2}}{2}$$

따라서 $\sin\theta+\cos\theta=\dfrac{\sqrt{2}}{2}+\dfrac{\sqrt{2}}{2}=\sqrt{2}$

정답 ②

1077

정답 ②

STEP Ⓐ 삼각형 ABP에서 코사인 법칙을 이용하여 $\overline{AP}$의 값 구하기

오른쪽 그림과 같이 정삼각형의
한 변의 길이를 $3a$라고 하면
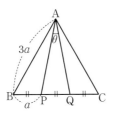
$\overline{AB} = 3a$
$\overline{BP} = \overline{PQ} = a$
삼각형 ABP에서
$\overline{AP}^2 = (3a)^2 + a^2 - 2 \cdot 3a \cdot a \cdot \cos 60° = 7a^2$
$\overline{AP} = \sqrt{7}a$

STEP Ⓑ 삼각형 APQ에서 코사인 법칙을 이용하여 $\cos\theta$의 값 구하기

따라서 $\overline{AP} = \overline{AQ} = \sqrt{7}a$이므로 삼각형 APQ에서
$$\cos\theta = \frac{(\sqrt{7}a)^2 + (\sqrt{7}a)^2 - a^2}{2 \cdot \sqrt{7}a \cdot \sqrt{7}a} = \frac{13}{14}$$

1078

정답 ①

STEP Ⓐ 정육각형의 한 내각이 $120°$임을 이용하여 $\overline{MD}$의 길이 구하기

삼각형 CDM에서 $C = 120°$, $\overline{MC} = 3$, $\overline{CD} = 6$이므로
코사인법칙에 의하여
$\overline{MD}^2 = 3^2 + 6^2 - 2 \cdot 3 \cdot 6 \cdot \cos 120° = 63$
$\therefore \overline{MD} = 3\sqrt{7}$

STEP Ⓑ 코사인법칙을 이용하기

따라서 세 변의 길이 $\overline{MC} = 3$, $\overline{CD} = 6$, $\overline{MD} = 3\sqrt{7}$이므로
$$\cos\theta = \frac{3^2 + (3\sqrt{7})^2 - 6^2}{2 \cdot 3 \cdot 3\sqrt{7}} = \frac{2\sqrt{7}}{7}$$

1079

정답 ②

STEP Ⓐ 직선 $x = t$와 직선 $y = 3x$, $y = x$가 만나는 점의 좌표 구하기

오른쪽 그림과 같이 x축에 수직인 직선
$x = t$를 그리고 직선 $y = 3x$와의 교점을
P$(t, 3t)$, 직선 $y = x$와의 교점을
Q(t, t)라 하면
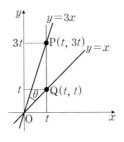
$\overline{OP} = \sqrt{t^2 + (3t)^2} = \sqrt{10}\,t$
$\overline{OQ} = \sqrt{t^2 + t^2} = \sqrt{2}\,t$
$\overline{PQ} = 2t$

STEP Ⓑ 코사인법칙을 이용하기

따라서 삼각형 OPQ에서 코사인법칙에 의하여
$$\cos\theta = \frac{10t^2 + 2t^2 - 4t^2}{2 \cdot \sqrt{10}\,t \cdot \sqrt{2}\,t} = \frac{2}{\sqrt{5}} = \frac{2\sqrt{5}}{5}$$

1080

정답 ④

STEP Ⓐ 직각삼각형의 피타고라스 정리를 이용하여 $\overline{BP}$의 길이 구하기

$\angle BPA = 90°$이므로 직각삼각형 BPA에서
$\overline{BP} = \sqrt{\overline{AB}^2 - \overline{AP}^2} = 2$

STEP Ⓑ 코사인법칙을 이용하기

오른쪽 그림과 같이 선분 OP를 그으면
$\angle POB = 2\theta$이고 삼각형 POB에서
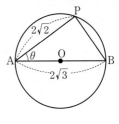
$\overline{OB} = \overline{OP} = \sqrt{5}$, $\overline{BP} = 2$이므로
$$\cos 2\theta = \frac{(\sqrt{5})^2 + (\sqrt{5})^2 - 2^2}{2 \cdot \sqrt{5} \cdot \sqrt{5}}$$
$$= \frac{3}{5}$$

> **참고**
> 한 원에서 한 호에 대한 원주각의 크기는
> 그 호에 대한 중심각의 크기의 $\frac{1}{2}$이다.
> 즉 $\angle APB = \frac{1}{2}\angle AOB$

내/신/연/계/ 출제문항 391

오른쪽 그림과 같이 길이가 $2\sqrt{3}$인
선분 AB를 지름으로 하는 원 O 위의
한 점을 P라 하자. $\overline{AP} = 2\sqrt{2}$이고,
$\angle PAB = \theta$일 때, $\cos 2\theta$의 값은?
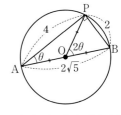

① $\dfrac{1}{3}$ ② $\dfrac{1}{2}$

③ $\dfrac{2}{5}$ ④ $\dfrac{3}{5}$

⑤ $\dfrac{3}{4}$

STEP Ⓐ 직각삼각형의 피타고라스 정리를 이용하여 $\overline{BP}$의 값 구하기

선분 AB가 원 O의 지름이므로
$\angle APB = 90°$
$\therefore \overline{BP} = \sqrt{(2\sqrt{3})^2 - (2\sqrt{2})^2} = \sqrt{4} = 2$
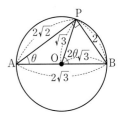

STEP Ⓑ 코사인법칙을 이용하기

$\angle PAB = \theta$이므로 $\angle POB = 2\theta$
따라서 삼각형 POB에서 $\overline{OB} = \overline{OP} = \sqrt{3}$이므로 코사인법칙에 의하여
$$\cos 2\theta = \frac{(\sqrt{3})^2 + (\sqrt{3})^2 - 2^2}{2 \cdot \sqrt{3} \cdot \sqrt{3}} = \frac{1}{3}$$

정답 ①

1081

정답 ⑤

STEP Ⓐ 원에 내접하는 사각형의 성질을 이용하기

사각형 ABCD가 원에 내접하므로 $B = 180° - 120° = 60°$

STEP Ⓑ 코사인법칙을 이용하여 $\overline{AC}$의 길이 구하기

$\triangle ABC$에서 코사인법칙에 의해
$\overline{AC}^2 = 6^2 + 3^2 - 2 \times 6 \times 3 \times \cos 60° = 27$
따라서 $\overline{AC} = \sqrt{27} = 3\sqrt{3}$ ($\because \overline{AC} > 0$)

오른쪽 그림과 같이 원에 내접하는
사각형 ABCD에서
$\overline{AB}=6$, $\overline{BC}=3$, $\overline{CD}=5$, $\overline{AD}=1$
이고 $\angle BAD=\theta$, $\cos\theta=\dfrac{n}{m}$ 일 때,
$m+n$의 값은?
(단, m, n은 서로소인 자연수이다.)

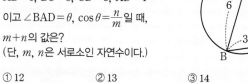

① 12　　　② 13　　　③ 14
④ 15　　　⑤ 16

STEP Ⓐ **삼각형 ABD에서 코사인법칙을 이용하기**

오른쪽 그림의 △ABD에서
$\overline{BD}=x$라 하면
코사인법칙에 의하여
$x^2=6^2+1^2-2\cdot6\cdot1\cdot\cos\theta$
$\quad=37-12\cos\theta$

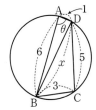

STEP Ⓑ **삼각형 BCD에서 코사인법칙을 이용하기**

사각형 ABCD가 원에 내접하므로
$\angle BCD=180°-\theta$
△BCD에서 코사인법칙에 의하여
$x^2=3^2+5^2-2\cdot3\cdot5\cdot\cos(180°-\theta)=34+30\cos\theta$
즉 $37-12\cos\theta=34+30\cos\theta$이므로 $\cos\theta=\dfrac{1}{14}$

STEP Ⓒ **$m+n$의 값 구하기**

따라서 $m=14$, $n=1$이므로 $m+n=15$

정답 ④

1082

정답 ⑤

STEP Ⓐ **각의 이등분선의 성질을 이용하여 $\overline{BD}$, $\overline{DC}$의 값 구하기**

$\overline{AD}$가 각 A를 이등분하고
$\overline{AB}:\overline{AC}=4:6=2:3$이므로
$\overline{BD}:\overline{DC}=2:3$
이때 $\angle BAD=\angle CAD=\theta$
$\overline{BD}=2k$, $\overline{CD}=3k$ $(k>0)$라 하고
두 삼각형 ABD, ADC에서
코사인법칙을 이용한다.

STEP Ⓑ **코사인법칙의 각의 크기를 이용하여 $\overline{BC}$의 길이 구하기**

$\cos\theta=\dfrac{4^2+3^2-(2k)^2}{2\cdot4\cdot3}=\dfrac{6^2+3^2-(3k)^2}{2\cdot6\cdot3}$

$3(25-4k^2)=2(45-9k^2)$　∴ $k^2=\dfrac{5}{2}$

그런데 $k>0$이므로 $k=\dfrac{\sqrt{10}}{2}$

따라서 $\overline{BC}=5k=\dfrac{5\sqrt{10}}{2}$

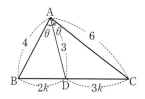

참고　**각의 이등분선의 성질**
오른쪽 그림과 같은 △ABC에서
$\overline{AD}$가 $\angle A$의 이등분선일 때,
$\overline{AB}:\overline{AC}=\overline{BD}:\overline{CD}$

1083

정답 ②

STEP Ⓐ **각의 이등분선의 성질을 이용하여 $\overline{BD}$, $\overline{DC}$의 값 구하기**

$\angle BAD=\angle CAD=60°$이고
$\overline{AB}:\overline{AC}=4:6=2:3$이므로 $\overline{BD}=2k$, $\overline{CD}=3k$ $(k\neq0$인 상수)

STEP Ⓑ **코사인법칙의 각의 크기를 이용하여 $\overline{AD}$의 길이 구하기**

삼각형 ABD에서 코사인법칙에 의하여
$(2k)^2=4^2+\overline{AD}^2-2\cdot4\cdot\overline{AD}\cdot\cos60°$
$4k^2=16+\overline{AD}^2-4\overline{AD}$ ……… ㉠
삼각형 ADC에서 코사인법칙에 의하여
$(3k)^2=6^2+\overline{AD}^2-2\cdot6\cdot\overline{AD}\cdot\cos60°$
$9k^2=36+\overline{AD}^2-6\overline{AD}$ ……… ㉡
㉠, ㉡에서 $k^2=4+\dfrac{1}{4}\overline{AD}^2-\overline{AD}=4+\dfrac{1}{9}\overline{AD}^2-\dfrac{2}{3}\overline{AD}$

$5\overline{AD}^2-12\overline{AD}=0$

따라서 $\overline{AD}=\dfrac{12}{5}$ $(\because \overline{AD}>0)$

1084

정답 ③

STEP Ⓐ **사인법칙에 의하여 $\overline{AC}$의 길이 구하기**

삼각형 ABC에서 사인법칙을 이용하면
$\dfrac{\overline{AC}}{\sin45°}=\dfrac{\sqrt{3}}{\sin60°}$, $\overline{AC}=\dfrac{\sqrt{3}}{\sin60°}\cdot\sin45°=\sqrt{2}$

∴ $\overline{AC}=\overline{CD}=\sqrt{2}$

STEP Ⓑ **코사인법칙을 이용하여 $\overline{AD}$의 길이 구하기**

삼각형 ACD는 $\overline{AC}=\overline{CD}=\sqrt{2}$, $\angle ACD=120°$인 이등변삼각형
$\overline{AD}^2=(\sqrt{2})^2+(\sqrt{2})^2-2\cdot\sqrt{2}\cdot\sqrt{2}\cdot\cos120°=2+2+2=6$
따라서 $\overline{AD}=\sqrt{6}$ $(\because \overline{AD}>0)$

다른풀이　**사인법칙을 이용하여 풀이하기**

이등변삼각형 ACD에서
$\angle ACD=120°$이므로 $A=D=30°$
즉 삼각형 ABC에서 $\overline{AD}=x$이라
하면 사인법칙에 의하여

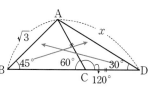

$\dfrac{x}{\sin45°}=\dfrac{\sqrt{3}}{\sin30°}$이므로

$x=\dfrac{\sqrt{3}}{\sin30°}\cdot\sin45°=\dfrac{\sqrt{3}}{\dfrac{1}{2}}\cdot\dfrac{\sqrt{2}}{2}=\sqrt{6}$

따라서 $\overline{AD}=\sqrt{6}$

1085

정답 ③

STEP Ⓐ **조건을 이용하여 a^2의 값 구하기**

$a^2-bc=(b-c)^2$에서 $a^2-bc=b^2-2bc+c^2$
∴ $a^2=b^2+c^2-bc$

STEP Ⓑ **코사인법칙을 이용하여 A의 크기 구하기**

코사인법칙에 의하여
$\cos A=\dfrac{b^2+c^2-a^2}{2bc}=\dfrac{b^2+c^2-(b^2+c^2-bc)}{2bc}=\dfrac{1}{2}$
따라서 $A=60°$ $(\because 0°<A<180°)$

1086

STEP A 세 변의 길이가 주어진 경우 $\cos C$의 값 구하기

$(a+b+c)(a+b-c)=3ab$에서 $(a+b)^2-c^2=3ab$

$\therefore a^2+b^2-c^2=ab$

코사인법칙에 의해

$\cos C=\dfrac{a^2+b^2-c^2}{2ab}=\dfrac{ab}{2ab}=\dfrac{1}{2}$

따라서 $0°<C<180°$이므로 $C=60°$

내/신/연/계/ 출제문항 393

삼각형 ABC의 세 변의 길이 a, b, c에 대하여

$$(a-b)^2=c^2-3ab$$

가 성립할 때, $\tan C$의 값은?

① $-\sqrt{3}$ ② $-\dfrac{1}{\sqrt{3}}$ ③ $\dfrac{1}{\sqrt{3}}$

④ 1   ⑤ $\sqrt{3}$

STEP A 코사인법칙을 이용하여 C의 크기 구하기

$(a-b)^2=c^2-3ab$에서 $a^2-2ab+b^2=c^2-3ab$

$c^2=a^2+b^2+ab$

코사인법칙에 의하여

$\cos C=\dfrac{a^2+b^2-c^2}{2ab}=\dfrac{a^2+b^2-(a^2+b^2+ab)}{2ab}$

$=-\dfrac{ab}{2ab}=-\dfrac{1}{2}$

이때 $\cos C=-\dfrac{1}{2}$이므로 $C=120°$ ($\because 0°<C<180°$)

STEP B 삼각함수의 성질에 의하여 $\tan C$의 값 구하기

따라서 $\tan C=\tan 120°=\tan(90°+30°)=-\dfrac{1}{\tan 30°}=-\sqrt{3}$ 정답 ①

1087

STEP A 사인법칙에 의하여 각 변의 길이 구하기

삼각함수 ABC의 세변의 길이를 a, b, c라 하면

사인법칙에 의하여

$\sin A:\sin B:\sin C=a:b:c$이므로

$a:b:c=4:5:6$

$a=4k$, $b=5k$, $c=6k$ $(k>0)$라 하자.

STEP B 세 변의 길이가 주어질 때, 코사인법칙의 각의 크기를 이용하기

따라서 코사인법칙의 각의 크기에 의하여

$\cos A=\dfrac{(5k)^2+(6k)^2-(4k)^2}{2\cdot 5k\cdot 6k}=\dfrac{3}{4}$

1088

STEP A 사인법칙에 의하여 각 변의 길이 구하기

삼각함수 ABC의 세변의 길이를 a, b, c라 하면

사인법칙에 의하여

$\sin A:\sin B:\sin C=a:b:c=3:5:7$

$a=3k$, $b=5k$, $c=7k$ $(k>0)$이라 하자.

STEP B 세 변의 길이가 주어질 때, 코사인법칙의 각의 크기를 이용하기

코사인법칙의 각의 크기에 의하여

$\cos C=\dfrac{a^2+b^2-c^2}{2ab}=\dfrac{(3k)^2+(5k)^2-(7k)^2}{2\cdot 3k\cdot 5k}=\dfrac{-15k^2}{30k^2}=-\dfrac{1}{2}$

즉 $0<C<\pi$이므로 $C=\dfrac{2}{3}\pi$

따라서 $\tan C=\tan\dfrac{2}{3}\pi=\tan\left(\dfrac{\pi}{2}+\dfrac{\pi}{6}\right)=-\dfrac{1}{\tan\dfrac{\pi}{6}}=-\sqrt{3}$

1089

STEP A 사인비가 변의 비임을 이용하여 삼각형의 변의 길이 구하기

삼각함수 ABC의 세변의 길이를 a, b, c라 하면

$\dfrac{\sin A}{3}=\dfrac{\sin B}{5}=\dfrac{\sin C}{7}$에서

$a:b:c=\sin A:\sin B:\sin C=3:5:7$

STEP B 코사인법칙을 이용하여 값 구하기

$a=3k$, $b=5k$, $c=7k$ $(k>0)$라 하면 코사인법칙에 의하여

$\cos C=\dfrac{(3k)^2+(5k)^2-(7k)^2}{2\cdot 3k\cdot 5k}=-\dfrac{1}{2}$

이때 $0°<C<180°$이므로 $C=120°$

따라서 $\sin(A+B)=\sin(180°-C)=\sin 60°=\dfrac{\sqrt{3}}{2}$

1090

STEP A 사인비가 변의 비임을 이용하여 삼각형의 변의 길이 구하기

$6\sin A=2\sqrt{3}\sin B=3\sin C$의 각 변을 $6\sqrt{3}$로 나누면

$\dfrac{\sin A}{\sqrt{3}}=\dfrac{\sin B}{3}=\dfrac{\sin C}{2\sqrt{3}}$

$\therefore \sin A:\sin B:\sin C=\sqrt{3}:3:2\sqrt{3}$

이때 사인법칙에 의하여

$a:b:c=\sin A:\sin B:\sin C=\sqrt{3}:3:2\sqrt{3}$

양수 k에 대하여 $a=\sqrt{3}k$, $b=3k$, $c=2\sqrt{3}k$로 놓을 수 있다.

STEP B 세 변의 길이가 주어질 때, 코사인법칙의 각의 크기를 이용하기

$\cos A=\dfrac{b^2+c^2-a^2}{2bc}=\dfrac{(3k)^2+(2\sqrt{3}k)^2-(\sqrt{3}k)^2}{2\cdot 3k\cdot 2\sqrt{3}k}=\dfrac{\sqrt{3}}{2}$

따라서 $0°<A<180°$이므로 $A=30°$

삼각형 ABC에서
$$6\sin A = 4\sin B = 3\sin C$$
일 때, $\sin\left(\dfrac{A+B-C}{2}\right)$의 값은?

① $-\dfrac{1}{2}$ ② $-\dfrac{1}{3}$ ③ $-\dfrac{1}{4}$

④ $\dfrac{1}{4}$ ⑤ $\dfrac{1}{2}$

STEP Ⓐ $A+B+C=180°$임을 이용하여 삼각함수를 정리하기

삼각형 ABC에서 $A+B+C=180°$이므로 $A+B=180°-C$
즉 $\sin\left(\dfrac{A+B-C}{2}\right)=\sin\left(\dfrac{180°-2C}{2}\right)=\sin(90°-C)=\cos C$

STEP Ⓑ 사인비가 변의 비임을 이용하여 삼각형의 변의 길이 구하기

$6\sin A = 4\sin B = 3\sin C$의 각 변을 12로 나누면
$$\dfrac{\sin A}{2}=\dfrac{\sin B}{3}=\dfrac{\sin C}{4}$$
이때 $a:b:c=\sin A:\sin B:\sin C=2:3:4$이므로
$a=2k,\ b=3k,\ c=4k\ (k>0)$로 놓을 수 있다.

STEP Ⓒ 코사인법칙을 이용하여 값 구하기

따라서 $\cos C=\dfrac{a^2+b^2-c^2}{2ab}=\dfrac{(2k)^2+(3k)^2-(4k)^2}{2\cdot 2k\cdot 3k}$
$$=\dfrac{-3k^2}{12k^2}=-\dfrac{1}{4}$$

 정답 ③

1091

 정답 ④

STEP Ⓐ 두 변의 길이와 그 끼인각의 크기가 주어질 때, 코사인법칙 이용하기

코사인법칙에 의하여
$\overline{BC}^2=8^2+6^2-2\cdot 8\cdot 6\cdot\cos 120°$
$\quad\quad = 64+36-2\cdot 8\cdot 6\cdot\left(-\dfrac{1}{2}\right)$
$\quad\quad = 64+36+48=148$
$\therefore \overline{BC}=2\sqrt{37}\ (\because \overline{BC}>0)$

STEP Ⓑ $\dfrac{\overline{BC}}{\sin A}=2R$임을 이용하여 외접원의 반지름 구하기

$\triangle$ABC의 외접원의 반지름의 길이를 R이라 하면 사인법칙에 의하여
$\dfrac{\overline{BC}}{\sin A}=2R$에서 $\dfrac{2\sqrt{37}}{\sin 120°}=2R$
따라서 $R=\dfrac{2\sqrt{111}}{3}$

1092

 정답 ④

STEP Ⓐ 두 변의 길이와 그 끼인각의 크기가 주어질 때, 코사인법칙 이용하기

코사인법칙에 의하여
$c^2=3^2+5^2-2\cdot 3\cdot 5\cdot\cos 120°=49$
$\therefore c=7$

STEP Ⓑ $\dfrac{c}{\sin C}=2R$임을 이용하여 외접원의 반지름 구하기

삼각형 ABC에서 외접원의 반지름의 길이를 R이라 하면
사인법칙에 의하여
$\dfrac{7}{\sin 120°}=2R$에서 $R=\dfrac{7}{2\sin 120°}=\dfrac{7\sqrt{3}}{3}$

1093

 정답 ②

STEP Ⓐ 코사인법칙을 이용하여 $\overline{BC}$의 길이 구하기

삼각형 ABC에서 코사인법칙에 의하여
$\overline{BC}^2=8^2+5^2-2\cdot 8\cdot 5\cos 60°$
$\quad\quad = 64+25-40=49$
$\therefore \overline{BC}=7\ (\because \overline{BC}>0)$

STEP Ⓑ 사인법칙에 의하여 원의 반지름의 길이 구하기

원 O의 반지름의 길이를 R이라 하면 사인법칙에 의하여
$\dfrac{7}{\sin 60°}=2R$ $\therefore R=\dfrac{7\sqrt{3}}{3}$

STEP Ⓒ 원의 넓이 구하기

따라서 구하는 원의 넓이는 $\pi\left(\dfrac{7\sqrt{3}}{3}\right)^2=\dfrac{49}{3}\pi$

오른쪽 그림과 같이 원 O 위의
세 점 A, B, C에 대하여
$\overline{AB}=8,\ \overline{AC}=12,\ A=60°$
일 때, 이 원의 넓이는?

① $\dfrac{55}{3}\pi$ ② $\dfrac{101}{3}\pi$

③ $\dfrac{111}{2}\pi$ ④ $\dfrac{112}{3}\pi$

⑤ $\dfrac{115}{3}\pi$

STEP Ⓐ 코사인법칙을 이용하여 $\overline{BC}$의 길이 구하기

$\overline{BC}=x$라 하면 삼각형 ABC에서 코사인법칙에 의하여
$x^2=8^2+12^2-2\cdot 8\cdot 12\cdot\cos 60°=112$
그런데 $x>0$이므로 $x=4\sqrt{7}$

STEP Ⓑ 사인법칙에 의하여 원의 반지름의 길이 구하기

원 O의 반지름의 길이를 R이라 하면 사인법칙에 의하여
$\dfrac{4\sqrt{7}}{\sin 60°}=2R$ $\therefore R=\dfrac{4\sqrt{21}}{3}$

STEP Ⓒ 원의 넓이 구하기

따라서 구하는 원의 넓이는 $\pi\left(\dfrac{4\sqrt{21}}{3}\right)^2=\dfrac{112}{3}\pi$

 정답 ④

1094

정답 ③

STEP A 코사인법칙을 이용하여 구하기

$\overline{BC}=a$라고 하면 코사인법칙에 의하여

$a^2=5^2+6^2-2\cdot5\cdot6\cos A$

$\quad=5^2+6^2-2\cdot5\cdot6\cdot\dfrac{3}{5}=25$

$\therefore a=5\ (\because a>0)$

STEP B $\dfrac{a}{\sin A}=2R$임을 이용하여 R 구하기

$\cos A=\dfrac{3}{5}$이므로 $\sin A=\sqrt{1-\cos^2 A}=\dfrac{4}{5}\ (\because 0<A<\pi)$

사인법칙에 의하여 $\dfrac{a}{\sin A}=2R$이므로 $R=\dfrac{a}{2\sin A}=\dfrac{5}{2\cdot\dfrac{4}{5}}=\dfrac{25}{8}$

따라서 $8R=8\cdot\dfrac{25}{8}=25$

내/신/연/계 출제문항 **396**

반지름의 길이가 R인 원에 내접하는 삼각형 ABC에서

$$b=3,\ c=4,\ \cos A=\dfrac{2}{3}$$

일 때, $10R$의 값은?

① $3\sqrt{3}$ ② $3\sqrt{5}$ ③ $9\sqrt{3}$

④ $9\sqrt{5}$ ⑤ $10\sqrt{5}$

STEP A 코사인법칙을 이용하여 구하기

삼각형 ABC에서

$a^2=b^2+c^2-2bc\cos A$

$\quad=3^2+4^2-2\cdot3\cdot4\cdot\dfrac{2}{3}=9$

$\therefore a=3$

STEP B $\dfrac{a}{\sin A}=2R$임을 이용하여 R 구하기

$\cos A=\dfrac{2}{3}$이므로 $\sin A=\sqrt{1-\cos^2 A}=\dfrac{\sqrt5}{3}\ (\because 0<A<\pi)$

사인법칙에 의하여 $\dfrac{a}{\sin A}=2R$이므로 $R=\dfrac{a}{2\sin A}=\dfrac{3}{2\cdot\dfrac{\sqrt5}{3}}=\dfrac{9\sqrt5}{10}$

따라서 $10R=9\sqrt5$

정답 ④

1095

정답 ②

STEP A 세 변의 길이가 주어질 때, 코사인법칙의 각의 크기를 이용하기

코사인법칙의 각의 크기에 의하여

$\cos A=\dfrac{b^2+c^2-a^2}{2bc}=\dfrac{5^2+7^2-3^2}{2\cdot5\cdot7}=\dfrac{13}{14}$

STEP B $\dfrac{a}{\sin A}=2R$임을 이용하여 외접원의 반지름 구하기

$\cos A=\dfrac{13}{14}$이므로

$\sin A=\sqrt{1-\cos^2 A}=\sqrt{1-\left(\dfrac{13}{14}\right)^2}=\dfrac{3\sqrt3}{14}\ (\because 0<A<\pi)$

따라서 사인법칙에 의하여 $\dfrac{a}{\sin A}=2R$이므로 외접원의 반지름의 길이는

$R=\dfrac{a}{2\sin A}=\dfrac{3}{2\cdot\dfrac{3\sqrt3}{14}}=\dfrac{7\sqrt3}{3}$

내/신/연/계 출제문항 **397**

오른쪽 그림과 같이 원에 내접하는 삼각형 ABC에 대하여 세변의 길이가 각각

$$6,\ 10,\ 14$$

일 때, 이 원의 반지름의 길이는?

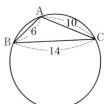

① $\sqrt{37}$ ② $\dfrac{13\sqrt3}{3}$ ③ $\dfrac{14\sqrt3}{3}$

④ $5\sqrt3$ ⑤ $\dfrac{15\sqrt3}{2}$

STEP A 세 변의 길이가 주어질 때, 코사인법칙의 각의 크기를 이용하기

코사인법칙의 각의 크기에 의하여

$\cos A=\dfrac{b^2+c^2-a^2}{2bc}$

$\quad=\dfrac{10^2+6^2-14^2}{2\cdot10\cdot6}=-\dfrac{1}{2}$

$\therefore A=120°\ (\because 0°<A<180°)$

STEP B $\dfrac{a}{\sin A}=2R$임을 이용하여 외접원의 반지름 구하기

따라서 구하는 반지름의 길이 R는 사인법칙에 의하여

$\dfrac{a}{\sin A}=2R$에서 $R=\dfrac{14}{2\sin 120°}=\dfrac{14\sqrt3}{3}$ $\leftarrow \sin 120°=\sin(90°+30°)=\cos 30°=\dfrac{\sqrt3}{2}$

정답 ③

1096

정답 ③

STEP A 세 변의 길이가 주어질 때, 코사인법칙의 각의 크기를 이용하기

삼각형 ABC에서 코사인법칙의 각의 크기에 의하여

$\cos A=\dfrac{6^2+10^2-14^2}{2\cdot6\cdot10}=-\dfrac{1}{2}$

$\therefore \sin A=\sqrt{1-\cos^2 A}=\sqrt{1-\left(-\dfrac{1}{2}\right)^2}=\dfrac{\sqrt3}{2}\ (\because 0°<A<180°)$

STEP B 사인법칙을 이용하여 외접원의 반지름의 길이 구하기

삼각형 ABC의 외접원의 반지름의 길이를 R이라 하면 사인법칙에 의하여

$\dfrac{14}{\sin A}=2R$ $\therefore R=\dfrac{7}{\dfrac{\sqrt3}{2}}=\dfrac{14\sqrt3}{3}$

따라서 연못의 넓이는 $\pi\left(\dfrac{14\sqrt3}{3}\right)^2=\dfrac{196}{3}\pi(\text{m}^2)$

1097

정답 ④

STEP A 코사인법칙을 이용하기

$\overline{BC}^2=3^2+6^2-2\cdot3\cdot6\cdot\cos 60°=27$

$\overline{BC}>0$이므로 $\overline{BC}=3\sqrt3$

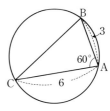

STEP B 사인법칙을 이용하여 외접원의 반지름의 길이 구하기

유물의 안쪽 원의 반지름의 길이를 R이라 하면

사인법칙에 의하여 $\dfrac{\overline{BC}}{\sin A}=2R$

따라서 $\dfrac{3\sqrt3}{\sin 60°}=2R$이므로 $R=3$

오른쪽 그림과 같이 원 모양의 그릇이
깨져 있는데 원래 그릇의 반지름의 길이를
구하기 위해 그릇 테두리에 세 점을 잡아
삼각형을 그렸다. 이 삼각형의 세 변의
길이가 5cm, 6cm, 9cm일 때, 원래 그릇의
반지름의 길이는?

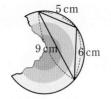

① $\dfrac{9\sqrt{2}}{8}$ cm   ② $\dfrac{27\sqrt{2}}{8}$ cm   ③ $\dfrac{9\sqrt{3}}{2}$ cm

④ $\dfrac{16\sqrt{2}}{3}$ cm   ⑤ $\dfrac{27\sqrt{2}}{2}$ cm

STEP ⓐ **코사인법칙을 이용하기**

오른쪽 그림과 같이 삼각형의 세 꼭짓점을
A, B, C라 하면 코사인법칙에 의해

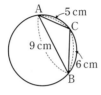

$\cos C = \dfrac{5^2 + 6^2 - 9^2}{2 \cdot 5 \cdot 6} = -\dfrac{1}{3}$

STEP ⓑ **사인법칙을 이용하여 외접원의 반지름의 길이 구하기**

$\sin C = \sqrt{1 - \cos^2 C} \ (\because 0° < C < 180°)$

$= \sqrt{1 - \left(-\dfrac{1}{3}\right)^2} = \dfrac{2\sqrt{2}}{3}$

그릇의 반지름의 길이를 Rcm라 하면 사인법칙에 의해

$\dfrac{c}{\sin C} = 2R$이므로 $R = \dfrac{9}{2} \cdot \dfrac{3}{2\sqrt{2}} = \dfrac{27\sqrt{2}}{8}$

따라서 그릇의 반지름의 길이는 $\dfrac{27\sqrt{2}}{8}$ cm   정답 ②

1098

정답 ④

STEP ⓐ **코사인법칙의 각의 크기를 이용하기**

코사인 법칙에 의하여

$\cos A = \dfrac{5^2 + 7^2 - 3^2}{2 \cdot 5 \cdot 7} = \dfrac{13}{14}$이므로

$\sin A = \sqrt{1 - \cos^2 A} = \sqrt{1 - \left(\dfrac{13}{14}\right)^2} = \dfrac{3\sqrt{3}}{14} \ (\because 0° < A < 180°)$

STEP ⓑ **사인법칙을 이용하여 외접원의 반지름의 길이 구하기**

외접원의 반지름의 길이를 R이라 하면 사인법칙에 의하여

$\dfrac{a}{\sin A} = 2R$

$\therefore R = \dfrac{a}{2\sin A} = \dfrac{3}{2 \cdot \dfrac{3\sqrt{3}}{14}} = \dfrac{7\sqrt{3}}{3}$ (cm)

따라서 원의 넓이는 $\pi R^2 = \left(\dfrac{7\sqrt{3}}{3}\right)^2 = \dfrac{49}{3}\pi$ (cm²)

1099

정답 ③

STEP ⓐ **세 변의 길이를 비교하여 가장 긴 변의 대각이 최대각 임을
이해하여 코사인 법칙 이용하기**

가장 긴 변의 길이가 $a = 13$이므로 삼각형 ABC에서 A가 최대인 각이다.

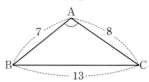

$\cos A = \dfrac{b^2 + c^2 - a^2}{2bc} = \dfrac{8^2 + 7^2 - 13^2}{2 \cdot 8 \cdot 7} = -\dfrac{1}{2}$

따라서 $A = 120°$

⊕α **최대인 각**

① 오른쪽 그림과 같이 삼각형의
한 변의 길이와 이 변의 한 끝각의
크기 C가 일정할 때,
다른 한 끝 각의 크기 B가 커지면
그 대변의 길이도 길어진다.

② 오른쪽 그림과 같이 삼각형의
두 변의 길이 b, c가 일정할 때,
두 변의 끼인각의 크기 A가 커지면
그 대변의 길이도 길어진다.

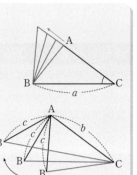

1100

정답 ①

STEP ⓐ **삼각형의 최소인 각은 가장 짧은 변의 대각임을 이용하기**

가장 짧은 변과 마주보는 각이 최소인 각이다

즉 가장 짧은 변의 길이가 $\sqrt{2}$이므로 B가 최소인 각이다.

STEP ⓑ **세 변의 길이가 주어질 때, 코사인법칙의 각의 크기를 이용하기**

코사인법칙의 각의 크기에 의하여

$\cos B = \dfrac{c^2 + a^2 - b^2}{2ca} = \dfrac{(\sqrt{3}+1)^2 + 2^2 - (\sqrt{2})^2}{2 \cdot (\sqrt{3}+1) \cdot 2}$

$= \dfrac{2\sqrt{3}(\sqrt{3}+1)}{4(\sqrt{3}+1)} = \dfrac{\sqrt{3}}{2}$

따라서 $0° < B < 180°$이므로 $B = 30°$

1101

정답 ③

STEP ⓐ **사인비가 변의 비임을 이용하여 각 변의 길이 구하기**

$\dfrac{\sin A}{3} = \dfrac{\sin B}{5} = \dfrac{\sin C}{7}$에서 $\sin A : \sin B : \sin C = 3 : 5 : 7$이므로

$a : b : c = 3 : 5 : 7$

$a = 3k$, $b = 5k$, $c = 7k$ $(k > 0)$로 놓을 수 있다.

STEP ⓑ **세 변의 길이가 주어질 때, 코사인법칙의 각의 크기를 이용하기**

이때 길이가 가장 긴 변과 마주보는 각이 최대인 각이므로
C가 최대인 각이다.

코사인법칙에 의하여 $\cos C = \dfrac{(3k)^2 + (5k)^2 - (7k)^2}{2 \cdot 3k \cdot 5k} = -\dfrac{1}{2}$

$\therefore C = 120°$ $(\because 0° < C < 180°)$

따라서 삼각형 ABC의 최대각의 크기는 $120°$

1102

STEP Ⓐ 사인비가 변의 비임을 이용하여 삼각형의 변의 길이 구하기

$\sqrt{3}\sin A = \sqrt{2}\sin B = (3+\sqrt{3})\sin C = k \ (k \neq 0)$로 놓으면

$\sin A = \dfrac{1}{\sqrt{3}}k$, $\sin B = \dfrac{1}{\sqrt{2}}k$, $\sin C = \dfrac{1}{3+\sqrt{3}}k$

이때 $a:b:c = \sin A : \sin B : \sin C$이므로

$$a:b:c = \dfrac{1}{\sqrt{3}}k : \dfrac{1}{\sqrt{2}}k : \dfrac{1}{3+\sqrt{3}}k$$

$$= \dfrac{2\sqrt{3}}{6} : \dfrac{3\sqrt{2}}{6} : \dfrac{3-\sqrt{3}}{6}$$

$$= 2\sqrt{3} : 3\sqrt{2} : (3-\sqrt{3})$$

$a = 2\sqrt{3}l$, $b = 3\sqrt{2}l$, $c = (3-\sqrt{3})l \ (l>0)$로 놓을 수 있다.

STEP Ⓑ 세 변의 길이가 주어질 때, 코사인법칙의 각의 크기를 이용하기

가장 긴 변의 대각이 최대 각이므로 최대각의 크기를 θ라 하면
코사인법칙에 의하여

$$\cos\theta = \dfrac{(2\sqrt{3}l)^2 + (3-\sqrt{3})^2 l^2 - (3\sqrt{2}l)^2}{2 \cdot 2\sqrt{3}l \cdot (3-\sqrt{3})l}$$

$$= \dfrac{12l^2 + (12-6\sqrt{3})l^2 - 18l^2}{(12\sqrt{3}-12)l^2}$$

$$= \dfrac{6(1-\sqrt{3})}{12(\sqrt{3}-1)} = -\dfrac{1}{2}$$

$\therefore \theta = 120° \ (\because 0° < \theta < 180°)$

따라서 최대각의 크기는 $120°$

내/신/연/계/ 출제문항 399

삼각형 ABC에서
$$35\sin A = 15\sin B = 21\sin C$$
이고 최소인 각의 크기를 θ라 할 때, $\cos\theta$의 값은?

① $\dfrac{10}{11}$ ② $\dfrac{11}{12}$ ③ $\dfrac{12}{13}$

④ $\dfrac{13}{14}$ ⑤ $\dfrac{14}{15}$

STEP Ⓐ 사인비가 변의 비임을 이용하여 각 변의 길이 구하기

$35\sin A = 15\sin B = 21\sin C$의 양변을 105로 나누면

$$\dfrac{\sin A}{3} = \dfrac{\sin B}{7} = \dfrac{\sin C}{5}$$

사인법칙에 의하여
$\sin A : \sin B : \sin C = a : b : c = 3 : 7 : 5$

세 변의 길이를 비례상수 $k \ (k>0)$를 이용하여 나타내면
$a = 3k$, $b = 7k$, $c = 5k \ (k>0)$

이때 길이가 가장 작은 변이 마주보는 각이 최소인 각이므로 최소인 각은
A이다.

STEP Ⓑ 세 변의 길이가 주어질 때, 코사인법칙의 각의 크기를 이용하기

따라서 코사인법칙의 각의 크기에 의하여

$$\cos\theta = \cos A = \dfrac{b^2 + c^2 - a^2}{2bc} = \dfrac{(7k)^2 + (5k)^2 - (3k)^2}{2 \cdot 7k \cdot 5k} = \dfrac{13}{14}$$

 정답 ④

1103

STEP Ⓐ 삼각형 ABC에서 $A+B+C = \pi$임을 이용하여 정리하기

$\sin(A+B) = \sin(\pi-C) = \sin C$
$\sin(B+C) = \sin(\pi-A) = \sin A$
$\sin(C+A) = \sin(\pi-B) = \sin B$

STEP Ⓑ 사인비가 변의 비임을 이용하기

$\sin(A+B) : \sin(B+C) : \sin(C+A)$
$= \sin C : \sin A : \sin B$
$= c : a : b$
$= 7 : 5 : 6$

STEP Ⓒ 세 변의 길이가 주어질 때, 코사인법칙의 각의 크기를 이용하기

세 변의 길이를 비례상수 $k \ (k>0)$를 이용하여 나타내면
$a = 5k$, $b = 6k$, $c = 7k$

이때 길이가 가장 작은 변이 마주보는 각이 최소인 각이므로
A가 최소인 각이다.

$$\cos\theta = \cos A = \dfrac{b^2 + c^2 - a^2}{2bc} = \dfrac{(6k)^2 + (7k)^2 - (5k)^2}{2 \cdot 6k \cdot 7k} = \dfrac{60k^2}{84k^2} = \dfrac{5}{7}$$

1104

STEP Ⓐ 코사인법칙을 이용하여 $\cos C$의 값 구하기

코사인법칙에 의하여

$$\cos C = \dfrac{4^2 + x^2 - 2^2}{2 \cdot 4 \cdot x} = \dfrac{x^2 + 12}{8x} = \dfrac{x}{8} + \dfrac{3}{2x}$$

STEP Ⓑ 산술평균과 기하평균을 이용하여 x 구하기

이때 $0° < C < 180°$에서 $\cos C$는 감소하므로 $\cos C$의 값이 최소일 때,
C의 크기는 최대이다.

$x > 0$이므로 $\dfrac{x}{8} > 0$, $\dfrac{3}{2x} > 0$

산술평균과 기하평균의 관계에 의하여

$$\cos C = \dfrac{x}{8} + \dfrac{3}{2x} \geq 2\sqrt{\dfrac{x}{8} \cdot \dfrac{3}{2x}} = \dfrac{\sqrt{3}}{2}$$

이때 등호는 $\dfrac{x}{8} = \dfrac{3}{2x}$일 때 성립하므로 $x^2 = 12$

$\therefore x = 2\sqrt{3} \ (\because x > 0)$

따라서 C의 크기가 최대일 때, x의 값은 $2\sqrt{3}$

> **참고** 산술평균과 기하평균의 관계
> $a > 0$, $b > 0$일 때, $\dfrac{a+b}{2} \geq \sqrt{ab}$ (단, 등호는 $a=b$일 때 성립)

1105

STEP Ⓐ 사인법칙과 코사인법칙의 각의 크기를 이용하기

삼각형 ABC의 외접원의 반지름의 길이를 R이라 할 때, 사인법칙에 의하여

$\sin A = \dfrac{a}{2R}$, $\sin C = \dfrac{c}{2R}$ ······ ㉠

또, 코사인법칙의 각의 크기에 의하여 $\cos B = \dfrac{c^2 + a^2 - b^2}{2ca}$ ······ ㉡

STEP Ⓑ 삼각형의 모양 결정하기

㉠, ㉡을 $\sin A = 2\cos B \sin C$에 대입하면

$$\dfrac{a}{2R} = 2 \cdot \dfrac{a^2 + c^2 - b^2}{2ac} \cdot \dfrac{c}{2R}$$

$a^2 = a^2 + c^2 - b^2$

$\therefore b^2 = c^2$에서 $b = c \ (\because b > 0, c > 0)$

따라서 삼각형 ABC는 $b = c$인 이등변삼각형이다.

1106

정답 ②

STEP A 사인법칙과 코사인법칙의 각의 크기를 이용하기

삼각형 ABC의 외접원의 반지름의 길이를 R이라 하면

사인법칙에 의하여 $\sin A = \dfrac{a}{2R}$, $\sin B = \dfrac{b}{2R}$ ...... ㉠

코사인법칙의 각의 크기에 의하여 $\cos C = \dfrac{a^2+b^2-c^2}{2ab}$ ...... ㉡

STEP B 삼각형의 모양 결정하기

㉠, ㉡을 $\sin B = 2\sin A\cos C$에 대입하면

$\dfrac{b}{2R} = 2 \cdot \dfrac{a}{2R} \cdot \dfrac{a^2+b^2-c^2}{2ab}$

$b^2 = a^2+b^2-c^2$, $a^2 = c^2$

그런데 a, b, c는 변의 길이로서 양수이므로 $a=c$

따라서 삼각형 ABC는 $a=c$인 이등변삼각형이다.

1107

정답 ②

STEP A 사인법칙과 코사인법칙의 각의 크기를 이용하여 구하기

삼각형 ABC의 외접원의 반지름의 길이를 R이라 하면 사인법칙에 의하여

$\sin A = \dfrac{a}{2R}$, $\sin B = \dfrac{b}{2R}$, $\sin C = \dfrac{c}{2R}$ ...... ㉠

코사인법칙의 각의 크기에서 $\cos B = \dfrac{c^2+a^2-b^2}{2ca}$ ...... ㉡

STEP B 삼각형의 모양 결정하기

㉠, ㉡을 $2\sin A\cos B = \sin A - \sin B + \sin C$에 대입하면

$2 \cdot \dfrac{a}{2R} \cdot \dfrac{c^2+a^2-b^2}{2ca} = \dfrac{a}{2R} - \dfrac{b}{2R} + \dfrac{c}{2R}$

$a^2 - b^2 = ac - bc$, $(a-b)(a+b-c) = 0$

이때 삼각형의 결정조건에 의하여 $a+b-c>0$이므로 $a-b=0$

따라서 삼각형 ABC는 $a=b$인 이등변삼각형이다.

내/신/연/계 출제문항 400

삼각형 ABC에서

$$\sin A = 2\sin\left(\dfrac{A+B-C}{2}\right)\sin B$$

을 만족하는 삼각형 ABC는 어떤 삼각형인가?

① $b=c$인 이등변삼각형   ② $a=c$인 직각이등변삼각형

③ $A=90°$인 직각삼각형   ④ $B=90°$인 직각삼각형

⑤ $C=90°$인 직각삼각형

STEP A $A+B+C=\pi$임을 이용하여 식을 정리하기

삼각형 ABC에서 $A+B+C=\pi$이므로 $A+B=\pi-C$

$\sin\left(\dfrac{A+B-C}{2}\right) = \sin\dfrac{\pi-2C}{2} = \sin\left(\dfrac{\pi}{2}-C\right) = \cos C$

이것을 주어진 식에 대입하면

$\sin A = 2\cos C\sin B$ ...... ㉠

STEP B 사인법칙, 코사인법칙의 각의 크기를 이용하기

삼각형 ABC의 외접원의 반지름의 길이를 R이라 할 때,

사인법칙에 의하여 $\sin A = \dfrac{a}{2R}$, $\sin B = \dfrac{b}{2R}$

코사인법칙의 각의 크기에 의하여 $\cos C = \dfrac{a^2+b^2-c^2}{2ab}$

㉠에 대입하면 $\dfrac{a}{2R} = 2 \cdot \dfrac{a^2+b^2-c^2}{2ab} \cdot \dfrac{b}{2R}$

$a^2 = a^2+b^2-c^2$ $\therefore b^2 = c^2$에서 $b=c$ ($\because b>0$, $c>0$)

따라서 삼각형 ABC는 $b=c$인 이등변삼각형이다. 정답 ①

1108

정답 ③

STEP A 코사인법칙의 각의 크기를 이용하기

코사인법칙의 각의 크기에 의하여

$\cos A = \dfrac{b^2+c^2-a^2}{2bc}$, $\cos B = \dfrac{c^2+a^2-b^2}{2ca}$ ...... ㉠

STEP B 삼각형의 모양 결정하기

㉠을 주어진 등식에 대입하여 정리하면

$a \cdot \dfrac{c^2+a^2-b^2}{2ca} - b \cdot \dfrac{b^2+c^2-a^2}{2bc} = c$

$(c^2+a^2-b^2) - (b^2+c^2-a^2) = 2c^2$ $\therefore a^2 = b^2+c^2$

따라서 삼각형 ABC는 $A=90°$인 직각삼각형이다.

1109

정답 ⑤

STEP A 코사인법칙의 각의 크기를 이용하기

코사인법칙의 각의 크기에 의하여

$\cos A = \dfrac{b^2+c^2-a^2}{2bc}$, $\cos B = \dfrac{c^2+a^2-b^2}{2ca}$ ...... ㉠

㉠을 주어진 등식에 대입하여 정리하면

$a \cdot \dfrac{b^2+c^2-a^2}{2bc} = b \cdot \dfrac{c^2+a^2-b^2}{2ca}$

STEP B 인수분해하여 삼각형의 모양 결정하기

양변에 $2abc$를 곱하면

$a^2(b^2+c^2-a^2) = b^2(c^2+a^2-b^2)$, $a^2c^2 - b^2c^2 - a^4 + b^4 = 0$

$c^2(a^2-b^2) - (a^2-b^2)(a^2+b^2) = 0$

$(a^2-b^2)\{c^2-(a^2+b^2)\} = 0$

이때 $a \neq b$이므로 $c^2 = a^2+b^2$

따라서 삼각형 ABC는 $C=90°$인 직각삼각형이다.

내/신/연/계 출제문항 401

삼각형 ABC에서

$$\dfrac{b}{\cos C} = \dfrac{c}{\cos B}$$

가 성립할 때, 삼각형 ABC는 어떤 삼각형인가?

① $a=b$인 이등변삼각형 또는 $C=90°$인 직각삼각형

② $b=c$인 이등변삼각형 또는 $A=90°$인 직각삼각형

③ 정삼각형

④ $B=90°$인 직각삼각형

⑤ $C=90°$인 직각삼각형

STEP A 코사인법칙의 각의 크기를 이용하기

$\dfrac{b}{\cos C} = \dfrac{c}{\cos B}$에서 $b\cos B = c\cos C$이므로

코사인법칙의 각의 크기에 의하여

$\cos B = \dfrac{c^2+a^2-b^2}{2ca}$, $\cos C = \dfrac{a^2+b^2-c^2}{2ab}$ ...... ㉠

STEP B 삼각형의 모양 결정하기

㉠을 등식 $b\cos B = c\cos C$에 대입하여 정리하면

$b \cdot \dfrac{c^2+a^2-b^2}{2ca} = c \cdot \dfrac{a^2+b^2-c^2}{2ab}$이므로

$b^2(c^2+a^2-b^2) = c^2(a^2+b^2-c^2)$, $b^2c^2 + b^2a^2 - b^4 = c^2a^2 + c^2b^2 - c^4$

$(b^2-c^2)a^2 - (b^4-c^4) = 0$, $(b^2-c^2)a^2 - (b^2-c^2)(b^2+c^2) = 0$

$(b^2-c^2)\{a^2-(b^2+c^2)\} = 0$

$\therefore b^2 = c^2$ 또는 $a^2 = b^2+c^2$

따라서 $b>0$, $c>0$이므로 $b=c$ 또는 $A=90°$인 직각삼각형이다. 정답 ②

1110

정답 ①

STEP A 삼각함수의 관계를 이용하여 식 정리하기

$\tan A \sin^2 B = \tan B \sin^2 A$에서 $\dfrac{\sin A}{\cos A} \cdot \sin^2 B = \dfrac{\sin B}{\cos B} \cdot \sin^2 A$

$\dfrac{\sin B}{\cos A} = \dfrac{\sin A}{\cos B}$ $(\because \sin A \neq 0, \sin B \neq 0)$

$\therefore \sin A \cos A = \sin B \cos B$

STEP B 사인법칙과 코사인법칙의 각의 크기를 이용하여 구하기

삼각형 ABC의 외접원의 반지름의 길이를 R라 하면

사인법칙에 의하여 $\sin A = \dfrac{a}{2R}$, $\sin B = \dfrac{b}{2R}$ ······ ㉠

코사인법칙의 각의 크기에 의하여

$\cos A = \dfrac{b^2+c^2-a^2}{2bc}$, $\cos B = \dfrac{c^2+a^2-b^2}{2ca}$ ······ ㉡

STEP C 삼각형의 모양 결정하기

㉠, ㉡을 $\sin A \cos A = \sin B \cos B$에 대입하면

$\dfrac{a}{2R} \cdot \dfrac{b^2+c^2-a^2}{2bc} = \dfrac{b}{2R} \cdot \dfrac{c^2+a^2-b^2}{2ca}$이므로

$a^2(b^2+c^2-a^2) = b^2(c^2+a^2-b^2)$

$a^2b^2+a^2c^2-a^4 = b^2c^2+a^2b^2-b^4$

$(a^2-b^2)c^2-(a^2+b^2)(a^2-b^2)=0$

$(a^2-b^2)(c^2-a^2-b^2)=0$

$(a+b)(a-b)(c^2-a^2-b^2)=0$

이때 $a+b \neq 0$이므로 $a=b$ 또는 $c^2=a^2+b^2$

따라서 삼각형 ABC는 $a=b$인 이등변삼각형 또는 $C=90°$인 직각삼각형이다.

1111

정답 ⑤

STEP A 삼각형의 삼각비를 이용하여 $\overline{AC}$, $\overline{BC}$의 길이 구하기

다음 그림에서

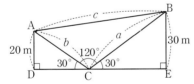

$\overline{BC}=a$, $\overline{AC}=b$, $\overline{AB}=c$라 하면

직각삼각형 ADC에서 $\sin 30° = \dfrac{20}{b}$

$\therefore b=40$

직각삼각형 BEC에서 $\sin 30° = \dfrac{30}{a}$

$\therefore a=60$

STEP B 두 변의 길이와 그 끼인각의 크기가 주어질 때, 코사인법칙 이용하기

삼각형 ACB에서 $\angle ACB = 180° - (30°+30°) = 120°$

$a=60$, $b=40$이므로 코사인법칙에 의하여

$c^2 = 60^2 + 40^2 - 2 \cdot 60 \cdot 40 \cdot \cos 120° = 7600$

그런데 $c>0$이므로 $c = \sqrt{7600} = 20\sqrt{19}$

따라서 $\overline{AB} = 20\sqrt{19}$(m)

1112

정답 ④

STEP A 삼각형의 삼각비를 이용하여 $\overline{AC}$, $\overline{BC}$의 길이 구하기

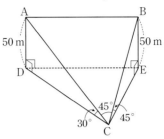

직각삼각형 ADC에서 $\sin 30° = \dfrac{50}{\overline{AC}}$ $\therefore \overline{AC} = 100$

직각삼각형 BEC에서 $\sin 45° = \dfrac{50}{\overline{BC}}$ $\therefore \overline{BC} = 50\sqrt{2}$

STEP B 두 변의 길이와 그 끼인각의 크기가 주어질 때, 코사인법칙 이용하기

삼각형 ACB에서 $\overline{AC} = 100$, $\overline{BC} = 50\sqrt{2}$, $\angle ACB = 45°$이므로

$\overline{AB}^2 = 100^2 + (50\sqrt{2})^2 - 2 \cdot 100 \cdot 50\sqrt{2} \cdot \cos 45° = 5000$

$\overline{AB} = 50\sqrt{2}$

따라서 두 지점 A, B 사이의 거리는 $50\sqrt{2}$ m

1113

정답 ④

STEP A 삼각형 DGI의 세 변의 길이 구하기

직각삼각형 DCG에서 $\overline{DG} = \sqrt{8^2+6^2} = 10$

점 I는 변 BC를 $1:2$로 내분하는 점이므로 $\overline{CI} = \dfrac{2}{3} \cdot 12 = 8$

직각삼각형 CDI에서 $\overline{DI} = \sqrt{8^2+8^2} = 8\sqrt{2}$

직각삼각형 ICG에서 $\overline{IG} = \sqrt{8^2+6^2} = 10$

STEP B 코사인 법칙을 이용하여 $\cos \theta$의 값 구하기

따라서 삼각형 IGD에서 $\cos\theta = \dfrac{10^2+10^2-(8\sqrt{2})^2}{2 \cdot 10 \cdot 10} = \dfrac{9}{25}$

1114

정답 ④

STEP A 전개도에서 부채꼴의 중심각의 크기 구하기

원뿔의 밑면인 원의 둘레의 길이와 옆면인 부채꼴의 호의 길이가 같으므로

부채꼴의 중심각의 크기를 θ라 하면 $2\pi \times 4 = 12\theta$, $\theta = \dfrac{2}{3}\pi$

STEP B 코사인법칙을 이용하여 최단거리 구하기

감은 실의 길이의 최솟값은 다음 그림에서 $\overline{PQ}$의 길이와 같다.

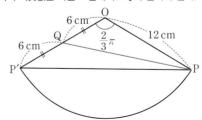

$\overline{PQ} = x$cm라 하면 $\triangle OPQ$에서 코사인법칙에 의하여

$x^2 = 6^2 + 12^2 - 2 \cdot 6 \cdot 12 \cdot \cos \dfrac{2}{3}\pi = 252$

그런데 $x>0$이므로 $x = 6\sqrt{7}$

따라서 감은 실의 길이의 최솟값은 $6\sqrt{7}$cm

1115

정답 ②

STEP A **전개도에서 부채꼴의 중심각의 크기 구하기**

원뿔의 밑면인 원의 반지름이 길이가 4이고 둘레의 길이와 옆면인 부채꼴의
호의 길이가 같으므로 부채꼴의 중심각의 크기를 θ라 하면

$2\pi \times 4 = 12\theta$, $\theta = \dfrac{2}{3}\pi$

STEP B **코사인법칙을 이용하여 최단거리 구하기**

감은 실의 길이의 최솟값은 다음 그림에서 $\overline{PQ}$의 길이와 같다.

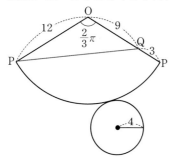

$\overline{PQ} = x$cm라 하면 $\triangle OPQ$에서 코사인법칙에 의하여

$x^2 = 12^2 + 9^2 - 2 \cdot 12 \cdot 9 \cdot \cos\dfrac{2}{3}\pi = 333$

그런데 $x > 0$이므로 $x = 3\sqrt{37}$

따라서 감은 실의 길이의 최솟값은 $3\sqrt{37}\,$cm

1116

정답 ②

STEP A **전개도에서 부채꼴의 중심각의 크기 구하기**

주어진 원뿔의 전개도는 다음 그림과 같으므로 구하는 최단 거리는
선분 AP의 길이이다.

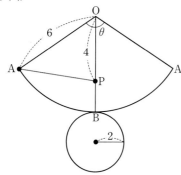

이때 원뿔의 전개도에서 부채꼴의 중심각의 크기를 θ라고 하면
부채꼴의 호의 길이와 밑면의 둘레의 길이가 같으므로

$6\theta = 4\pi$, $\theta = \dfrac{2}{3}\pi$

STEP B **코사인법칙을 이용하여 최단거리 구하기**

$\angle POA = \dfrac{\theta}{2} = \dfrac{\pi}{3}$이므로 삼각형 POA에서 코사인법칙으로부터

$\overline{AP}^2 = 6^2 + 4^2 - 2 \cdot 6 \cdot 4 \cdot \cos\dfrac{\pi}{3} = 28$

$\therefore \overline{AP} = 2\sqrt{7}$

따라서 최단 거리는 $2\sqrt{7}$

오른쪽 그림은 밑면의 반지름의 길이가 2이고 모선의
길이가 6인 원뿔이다. 점 P가 $\overline{OB}$의 중점일 때, 원뿔
의 표면을 따라 두 점 A, P를 잇는 최단 거리는?
(단, 두 점 A, B는 원뿔의 밑면인 원의 지름의
양 끝점이다.)

① $2\sqrt{3}$ ② $3\sqrt{2}$

③ $3\sqrt{3}$ ④ $3\sqrt{6}$

⑤ $6\sqrt{3}$

STEP A **전개도에서 부채꼴의 중심각의 크기 구하기**

주어진 원뿔의 전개도를 그리면 오른쪽
그림과 같다.

$\overset{\frown}{AA'}$의 길이는 원뿔의 밑면인 원의
둘레의 길이와 같으므로

$\overset{\frown}{AA'} = 2\pi \times 2 = 4\pi$

이때 두 점 A, B는 밑면인 원의 지름의
양 끝점이므로

$\overset{\frown}{AB} = \dfrac{1}{2}\overset{\frown}{AA'} = \dfrac{1}{2} \times 4\pi = 2\pi$

부채꼴 OAB의 중심각의 크기를 θ라 하면

$\overset{\frown}{AB} = 6\theta$이므로 $2\pi = 6\theta$

$\therefore \theta = \dfrac{\pi}{3}$

STEP B **코사인법칙을 이용하여 최단거리 구하기**

따라서 $\triangle OAP$에서 코사인법칙에 의해

$\overline{AP}^2 = 6^2 + 3^2 - 2 \cdot 6 \cdot 3 \cdot \cos\dfrac{\pi}{3}$

$\qquad = 36 + 9 - 18 = 27$

따라서 $\overline{AP} = 3\sqrt{3}$ ($\because \overline{AP} > 0$)

정답 ③

1117

정답 ②

STEP A **점 B에서 점 D에 이르는 최단거리는 직선거리이므로
대칭이동을 이용하기**

그림과 같이 $\overline{AB}$를 $\overline{AC}$에 대하여 대칭이동한 것을 $\overline{AB'}$, $\overline{AC}$를 $\overline{AB'}$에
대하여 대칭이동한 것을 $\overline{AC'}$, $\overline{AB'}$을 $\overline{AC'}$에 대하여 대칭이동한 것을
$\overline{AB''}$이라고 하자.

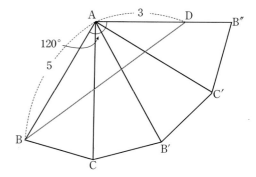

점 B를 출발하여 점 D에 이르는 최단 거리는 $\overline{BD}$의 길이와 같다.

STEP B **코사인법칙을 이용하여 최단거리 구하기**

$\triangle ABD$에서 코사인법칙에 의하여

$\overline{BD}^2 = 5^2 + 3^2 - 2 \cdot 5 \cdot 3 \cdot \cos 120° = 49$

따라서 $\overline{BD} = 7$ ($\because \overline{BD} > 0$)

오른쪽 그림은 밑면이 정삼각형이고
$\overline{OA}=\overline{OB}=\overline{OC}=10$,
$\angle AOB=\angle BOC=\angle COA=40°$
인 정삼각뿔이다. 점 A를 출발하여
두 점 P, Q를 거쳐 $\overline{OA}$의 중점 R에
이르는 최단거리는?

① $2\sqrt{6}$ ② $2\sqrt{7}$
③ $3\sqrt{7}$ ④ $4\sqrt{7}$
⑤ $5\sqrt{7}$

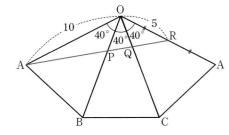

STEP A 정삼각뿔을 전개하기

정삼각뿔의 전개도를 그려 보면 다음과 같다.
$\angle AOR=120°$

STEP B 코사인법칙을 이용하여 최단거리 구하기

이때 최단거리는 $\overline{AR}$이므로 코사인법칙에 의하여
$\overline{AR}^2=\overline{OA}^2+\overline{OR}^2-2\overline{OA}\cdot\overline{OR}\cdot\cos120°$
$\qquad =10^2+5^2-2\cdot10\cdot5\cdot\left(-\dfrac{1}{2}\right)=175$
$\therefore \overline{AR}=5\sqrt{7}\ (\because \overline{AR}>0)$
따라서 구하는 최단거리는 $5\sqrt{7}$

정답 ⑤

1118

정답 ③

STEP A 사각뿔을 전개하여 최단거리를 그리기

$\overline{OQ}=4$, $\overline{OS}=2$이고 $\angle AOQ=\angle QOS=60°$

한편 A → P → Q → S로 가는 최단거리는 다음 그림에서 $\overline{AQ}+\overline{QS}$

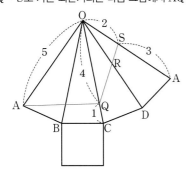

STEP B 코사인법칙을 이용하여 최단거리 구하기

$\overline{AQ}^2=5^2+4^2-2\cdot5\cdot4\cdot\cos60°=21$
$\therefore \overline{AQ}=\sqrt{21}\ (\because \overline{AQ}>0)$
또, $\overline{QS}^2=4^2+2^2-2\cdot4\cdot2\cdot\cos60°=12$
$\therefore \overline{QS}=2\sqrt{3}\ (\because \overline{QS}>0)$
최단 거리는 $2\sqrt{3}+\sqrt{21}$이므로 $a=2$, $b=21$
따라서 $a+b=2+21=23$

1119

정답 ③

STEP Ⓐ **두 변의 길이와 그 끼인각의 크기가 주어진 경우 넓이 구하기**

삼각형 ABC의 넓이를 S라 하면

$S = \dfrac{1}{2} bc \sin A = \dfrac{1}{2} \cdot 10 \cdot 8 \cdot \sin 60°$

$\qquad = \dfrac{1}{2} \cdot 10 \cdot 8 \cdot \dfrac{\sqrt{3}}{2}$

$\qquad = 20\sqrt{3}$

1120

정답 ⑤

STEP Ⓐ **두 변의 길이와 그 끼인각의 크기가 주어진 경우 넓이 구하기**

삼각형 ABC의 넓이를 S라 하면

$S = \dfrac{1}{2} ac \sin B = \dfrac{1}{2} \cdot 4 \cdot 3\sqrt{3} \cdot \sin 120°$

$\qquad = \dfrac{1}{2} \cdot 4 \cdot 3\sqrt{3} \cdot \dfrac{\sqrt{3}}{2}$

$\qquad = 9$

1121

정답 ③

STEP Ⓐ **두 변의 길이와 그 끼인각의 크기가 주어진 경우 넓이 구하기**

$\cos C = \dfrac{1}{3}$에서 $\sin C = \sqrt{1 - \cos^2 C} = \sqrt{1 - \dfrac{1}{9}} = \dfrac{2\sqrt{2}}{3}$

삼각형 ABC의 넓이를 S라 하면

$S = \dfrac{1}{2} ab \sin C = \dfrac{1}{2} \cdot 8 \cdot 3 \cdot \sin C$

$\qquad = \dfrac{1}{2} \cdot 8 \cdot 3 \cdot \dfrac{2\sqrt{2}}{3}$

$\qquad = 8\sqrt{2}$

1122

정답 ④

STEP Ⓐ $A+B+C = 180°$**임을 이용하여** $\sin A$**의 값 구하기**

$A+B+C = \pi$이므로 $B+C = \pi - A$

이때 $\sin(B+C) = \sin(\pi - A) = \sin A$이므로 $\sin A = \dfrac{1}{4}$

STEP Ⓑ **두 변의 길이와 그 끼인각의 크기가 주어진 경우 넓이 구하기**

따라서 삼각형 ABC의 넓이를 S라 하면

$S = \dfrac{1}{2} \cdot \overline{AB} \cdot \overline{AC} \cdot \sin A$

$\qquad = \dfrac{1}{2} \cdot 6 \cdot 4 \cdot \dfrac{1}{4} = 3$

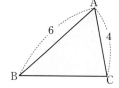

삼각형 ABC에서

$$b = 5, \ c = 6, \ \sin(B+C) = \dfrac{1}{3}$$

일 때, 삼각형 ABC의 넓이는?

① $2\sqrt{2}$　　　② $3\sqrt{2}$　　　③ 5

④ $5\sqrt{2}$　　　⑤ $5\sqrt{3}$

STEP Ⓐ $A+B+C = 180°$**임을 이용하여** $\sin A$**의 값 구하기**

$A+B+C = \pi$이므로 $B+C = \pi - A$

이때 $\sin(B+C) = \sin(\pi - A) = \sin A$이므로

$\sin A = \dfrac{1}{3}$

STEP Ⓑ **두 변의 길이와 그 끼인각의 크기가 주어진 경우 넓이 구하기**

삼각형 ABC의 넓이를 S라 하면

$S = \dfrac{1}{2} \cdot b \cdot c \cdot \sin A$

$\qquad = \dfrac{1}{2} \cdot 5 \cdot 6 \cdot \dfrac{1}{3} = 5$

정답 ③

1123

정답 ③

STEP Ⓐ **삼각형 ABC의 넓이를 이용하여 두 변의 길이의 곱 구하기**

주어진 삼각형 ABC의 넓이를 S라 하면

$S = \dfrac{1}{2} \cdot 3 \cdot 4 \cdot \sin A = 6 \sin A$

선분 DE가 삼각형 ABC의 넓이를 이등분하므로

삼각형 ADE의 넓이는 $\dfrac{1}{2} S$이다.

즉 $\dfrac{1}{2} \cdot \overline{AD} \cdot \overline{AE} \cdot \sin A = \dfrac{1}{2} \cdot 6 \cdot \sin A$이므로 $\overline{AD} \cdot \overline{AE} = 6$

1124

정답 ②

STEP Ⓐ **부채꼴의 넓이에서 이등변삼각형의 넓이 빼기**

반지름의 길이가 4이고 중심각의 크기가 $\dfrac{3}{4}\pi$인 부채꼴의 넓이는

$\dfrac{1}{2} \cdot 4^2 \cdot \dfrac{3}{4}\pi = 6\pi$

한 변의 길이가 4이고 그 끼인각이 $\dfrac{3}{4}\pi$인 이등변삼각형의 넓이는

$\dfrac{1}{2} \cdot 4 \cdot 4 \cdot \sin \dfrac{3}{4}\pi = 4\sqrt{2}$

따라서 색칠한 부분의 넓이는 $6\pi - 4\sqrt{2}$

1125

정답 ①

STEP Ⓐ **두 변의 길이와 그 끼인각의 크기가 주어진 경우 넓이 구하기**

삼각형 ABC의 넓이가 $20\sqrt{3}$이므로

$\dfrac{1}{2} \cdot 8 \cdot 10 \cdot \sin A = 20\sqrt{3}$

$\therefore \sin A = \dfrac{\sqrt{3}}{2}$

이때 $\cos A = \sqrt{1 - \sin^2 A}$이므로

$\cos A = \sqrt{1 - \left(\dfrac{\sqrt{3}}{2}\right)^2} = \dfrac{1}{2} \ (\because \cos A > 0)$

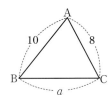

STEP B 코사인법칙을 이용하여 a의 값 구하기

따라서 코사인법칙에 의하여

$a^2 = b^2 + c^2 - 2 \cdot b \cdot c \cdot \cos A = 8^2 + 10^2 - 2 \cdot 8 \cdot 10 \cdot \dfrac{1}{2} = 84$

$\therefore a = 2\sqrt{21}$

내/신/연/계 출제문항 405

삼각형 ABC에서 $b=2$, $A=135°$이고 삼각형 ABC의 넓이가 1일 때, a의 값은?

① $2\sqrt{2}$ ② 3 ③ $\sqrt{10}$

④ $2\sqrt{6}$ ⑤ $\sqrt{26}$

STEP A 삼각형 ABC의 넓이가 1일 때, c의 값 구하기

삼각형 ABC의 넓이를 S라 하면

$S = \dfrac{1}{2} \cdot 2 \cdot c \cdot \sin 135°$

$\quad = \dfrac{1}{2} \cdot 2 \cdot c \cdot \dfrac{\sqrt{2}}{2} = 1$

$\therefore c = \sqrt{2}$

STEP B 코사인법칙을 이용하여 a 구하기

코사인법칙에 의하여

$a^2 = b^2 + c^2 - 2bc \cos 135°$

$\quad = 2^2 + (\sqrt{2})^2 - 2 \cdot 2 \cdot \sqrt{2} \cdot \left(-\dfrac{\sqrt{2}}{2}\right)$

$\quad = 10$

따라서 $a > 0$이므로 $a = \sqrt{10}$ 정답 ③

1126   정답 ①

STEP A 사인법칙을 이용하여 각 C의 크기 구하기

사인법칙에 의하여 $\dfrac{2\sqrt{3}}{\sin 120°} = \dfrac{2}{\sin C}$ 에서 $\sin C = \dfrac{1}{2}$

$\therefore C = 30°$

STEP B 두 변의 길이와 그 끼인각의 크기가 주어진 경우 넓이 구하기

$A + B + C = 180°$에서 $A = 180° - (120° + 30°) = 30°$

따라서 삼각형 ABC의 넓이는 $\dfrac{1}{2} \cdot 2\sqrt{3} \cdot 2 \cdot \sin 30° = \sqrt{3}$

다른풀이 코사인법칙을 이용하여 풀이하기

STEP A 코사인법칙을 이용하여 $\overline{BC}$의 길이 구하기

$\overline{BC} = x$라 하면 코사인법칙에 의하여

$(2\sqrt{3})^2 = 2^2 + x^2 - 2 \cdot 2 \cdot x \cdot \cos 120°$

$x^2 + 2x - 8 = 0$, $(x+4)(x-2) = 0$

$\therefore x = 2 \ (\because x > 0)$

STEP B 두 변의 길이와 그 끼인각의 크기가 주어진 경우 넓이 구하기

따라서 삼각형 ABC의 넓이는 $\dfrac{1}{2} \cdot 2 \cdot 2 \cdot \sin 120° = \sqrt{3}$

내/신/연/계 출제문항 406

오른쪽 삼각형 ABC에서 $A = 120°$이고 $\overline{AB} = 8$, $\overline{BC} = 13$ 일 때, 삼각형 ABC의 넓이는?

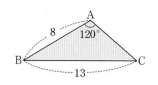

① $10\sqrt{3}$ ② $12\sqrt{3}$

③ $14\sqrt{3}$ ④ $16\sqrt{3}$

⑤ $18\sqrt{3}$

STEP A 코사인법칙을 이용하여 $\overline{AC}$의 길이 구하기

$\overline{AC} = x$라 하면 코사인법칙에 의하여

$13^2 = 8^2 + x^2 - 2 \cdot 8 \cdot x \cdot \cos 120°$

$x^2 + 8x - 105 = 0$, $(x+15)(x-7) = 0$

$\therefore x = 7 \ (\because x > 0)$

STEP B 두 변의 길이와 그 끼인각의 크기가 주어진 경우 넓이 구하기

따라서 삼각형 ABC의 넓이는 $\dfrac{1}{2} \cdot 8 \cdot 7 \cdot \sin 120° = 14\sqrt{3}$ 정답 ③

1127   정답 ④

STEP A 코사인법칙을 이용하여 $\overline{BC}$의 길이 구하기

$\overline{BC} = x$라 하면 코사인법칙에 의하여

$(2\sqrt{13})^2 = 6^2 + x^2 - 2 \cdot 6 \cdot x \cdot \cos 60°$

$x^2 - 6x - 16 = 0$, $(x+2)(x-8) = 0$

$\therefore x = 8 \ (\because x > 0)$

STEP B 두 변의 길이와 그 끼인각의 크기가 주어진 경우 넓이 구하기

따라서 삼각형 ABC의 넓이는 $\dfrac{1}{2} \cdot 6 \cdot 8 \cdot \sin 60° = 12\sqrt{3}$

1128   정답 ②

STEP A 코사인법칙을 이용하여 bc값 구하기

코사인법칙에 의하여

$7^2 = b^2 + c^2 - 2bc \cos 120°$

즉 $49 = b^2 + c^2 + bc$ …… ㉠

$b^2 + c^2 = (b+c)^2 - 2bc$이므로

$b^2 + c^2 = 8^2 - 2bc = 64 - 2bc$ …… ㉡

㉡을 ㉠에 대입하면

$49 = 64 - 2bc + bc = 64 - bc$

$\therefore bc = 15$

STEP B 두 변의 길이와 그 끼인각의 크기가 주어진 경우 넓이 구하기

따라서 △ABC의 넓이는

$\dfrac{1}{2}bc \sin A = \dfrac{1}{2}bc \cdot \sin 120° = \dfrac{1}{2} \cdot 15 \cdot \dfrac{\sqrt{3}}{2} = \dfrac{15\sqrt{3}}{4}$

다른풀이 $b+c=8$에서 $c=8-b$를 이용하여 풀이하기

코사인법칙에 의하여

$7^2 = b^2 + (8-b)^2 - 2 \cdot b \cdot (8-b) \cdot \cos 120°$

$b^2 - 8b + 15 = 0$, $(b-3)(b-5) = 0$

$\therefore b = 3$ 또는 $b = 5$

따라서 $b=3$, $c=5$ 또는 $b=5$, $c=3$이므로

삼각형 ABC의 넓이는 $\dfrac{1}{2} \cdot 3 \cdot 5 \cdot \sin 120° = \dfrac{15\sqrt{3}}{4}$

삼각형 ABC에서
$A=120°$, $\overline{BC}=3\sqrt{7}$이고, $b+c=9$
일 때, 삼각형 ABC의 넓이는?

① $\dfrac{3\sqrt{3}}{2}$　　② $\dfrac{5\sqrt{3}}{2}$

③ $\dfrac{7\sqrt{3}}{2}$　　④ $\dfrac{9\sqrt{3}}{2}$

⑤ $\dfrac{11\sqrt{3}}{2}$

STEP A 코사인법칙을 이용하여 bc값 구하기

코사인법칙에 의하여
$(3\sqrt{7})^2=b^2+c^2-2bc\cos120°$
$63=b^2+c^2+bc$, $63=(b+c)^2-bc$
이때 $b+c=9$이므로 $63=9^2-bc$
$\therefore bc=18$

STEP B 두 변의 길이와 그 끼인각의 크기가 주어진 경우 넓이 구하기

따라서 삼각형 ABC의 넓이는
$\dfrac{1}{2}bc\sin120°=\dfrac{1}{2}\cdot18\cdot\dfrac{\sqrt{3}}{2}=\dfrac{9\sqrt{3}}{2}$

정답 ④

1129
정답 ④

STEP A 삼각비의 성질을 이용하여 변 BC의 길이를 구하기

삼각형 ABC의 꼭짓점 A에서
변 BC에 내린 수선의 발을 H라 하면
$\overline{BC}=\overline{BH}+\overline{CH}$
$=2\cos60°+\sqrt{6}\cos45°$
$=1+\sqrt{3}$

STEP B 두 변의 길이와 그 끼인각의 크기가 주어진 경우 넓이 구하기

따라서 삼각형 ABC의 넓이를 S라 하면
$S=\dfrac{1}{2}\cdot\overline{AB}\cdot\overline{BC}\cdot\sin60°=\dfrac{1}{2}\cdot2\cdot(1+\sqrt{3})\cdot\dfrac{\sqrt{3}}{2}=\dfrac{3+\sqrt{3}}{2}$

참고

$\overline{AH}=2\sin60°=2\cdot\dfrac{\sqrt{3}}{2}=\sqrt{3}$이므로

삼각형 ABC의 넓이는 $\dfrac{1}{2}\cdot\overline{BC}\cdot\overline{AH}=\dfrac{1}{2}\cdot(1+\sqrt{3})\cdot\sqrt{3}$

$=\dfrac{3+\sqrt{3}}{2}$

1130

STEP A 사인법칙을 이용하여 a, b의 값 구하기

사인법칙에 따라
$b=2R\sin B=2\cdot4\cdot\sin60°=4\sqrt{3}$
$c=2R\sin C=2\cdot4\cdot\sin45°=4\sqrt{2}$

STEP B 삼각비의 성질을 이용하여 변 BC의 길이를 구하기

한편 꼭짓점 A에서 변 BC에 내린 수선의
발을 H라 하면

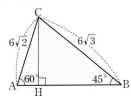

$\overline{BH}=4\sqrt{2}\cdot\cos60°=4\sqrt{2}\cdot\dfrac{1}{2}=2\sqrt{2}$

$\overline{CH}=4\sqrt{3}\cdot\cos45°=4\sqrt{3}\cdot\dfrac{\sqrt{2}}{2}=2\sqrt{6}$

이므로 $a=\overline{BH}+\overline{CH}=2\sqrt{2}+2\sqrt{6}$

STEP C 삼각형 ABC의 넓이 구하기

따라서 삼각형 ABC의 넓이는
$\dfrac{1}{2}ca\sin B=\dfrac{1}{2}\cdot4\sqrt{2}\cdot(2\sqrt{2}+2\sqrt{6})\cdot\sin60°$
$=4(3+\sqrt{3})$

반지름의 길이가 6인 원에 내접하는
삼각형 ABC에서
$$A=60°, \ B=45°$$
일 때, 삼각형 ABC의 넓이는?

① $\sqrt{2}+3\sqrt{3}$　　② $3\sqrt{2}+3\sqrt{3}$
③ $9(\sqrt{3}+3)$　　④ $12(\sqrt{3}+3)$
⑤ $15(\sqrt{3}+3)$

STEP A 사인법칙을 이용하여 a, b의 값 구하기

사인법칙에 따라
$a=2R\sin60°=2\cdot6\cdot\dfrac{\sqrt{3}}{2}=6\sqrt{3}$

$b=2R\sin45°=2\cdot6\cdot\dfrac{\sqrt{2}}{2}=6\sqrt{2}$

STEP B 삼각비의 성질을 이용하여 변 BC의 길이를 구하기

꼭짓점 C에서 선분 AB에 내린 수선의 발을 H라고 하면
$\overline{AB}=\overline{AH}+\overline{BH}$
$=6\sqrt{2}\cos60°+6\sqrt{3}\cos45°$
$=3\sqrt{2}+3\sqrt{6}$

STEP C 삼각형 ABC의 넓이 구하기

따라서 삼각형 ABC의 넓이는
$\dfrac{1}{2}bc\sin A=\dfrac{1}{2}\cdot6\sqrt{2}\cdot(3\sqrt{2}+3\sqrt{6})\cdot\sin60°$
$=9(\sqrt{3}+3)$

정답 ③

1131

STEP A 직각삼각형 ABC에서 $\sin\theta$의 값 구하기

직각삼각형 ABC에서 $\overline{AB}=\sqrt{5^2-3^2}=4$이므로
$\angle ACB=\theta$라 하면 $\sin\theta=\dfrac{4}{5}$

STEP B 두 변의 길이와 그 끼인각의 크기가 주어진 경우 넓이 구하기

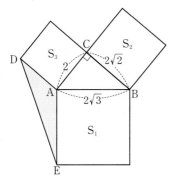

따라서 $\overline{DC}=3$, $\overline{CE}=5$, $\angle DCE=\pi-\theta$이므로 삼각형 CDE의 넓이 S는

$$S=\frac{1}{2}\cdot\overline{CD}\cdot\overline{CE}\cdot\sin(\pi-\theta)=\frac{1}{2}\cdot3\cdot5\cdot\sin\theta$$
$$=\frac{1}{2}\cdot3\cdot5\cdot\frac{4}{5}=6$$

내/신/연/계 출제문항 409

세 사각형 S_1, S_2, S_3는 한 변의 길이가 각각 $2\sqrt{3}$, $2\sqrt{2}$, 2인 정사각형이다. 세 정사각형에 의해 둘러싸인 삼각형이 그림과 같이 직각삼각형 ABC일 때, 색칠한 삼각형 ADE의 넓이는?

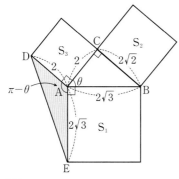

① $2\sqrt{2}$　　　② 3　　　③ $3\sqrt{2}$
④ $3\sqrt{2}$　　　⑤ 4

STEP A 직각삼각형 ABC에서 $\sin\theta$의 값 구하기

직각삼각형 ABC에서 $\angle CAB=\theta$라 하면

$$\sin\theta=\frac{2\sqrt{2}}{2\sqrt{3}}=\frac{\sqrt{2}}{\sqrt{3}}$$

STEP B 두 변의 길이와 그 끼인각의 크기가 주어진 경우 넓이 구하기

따라서 $\overline{DA}=2$, $\overline{AE}=2\sqrt{3}$, $\angle DAE=\pi-\theta$이므로 삼각형 ADE의 넓이 S는

$$S=\frac{1}{2}\cdot\overline{AD}\cdot\overline{AE}\cdot\sin(\pi-\theta)=\frac{1}{2}\cdot2\cdot2\sqrt{3}\cdot\sin\theta$$
$$=\frac{1}{2}\cdot2\cdot2\sqrt{3}\cdot\frac{\sqrt{2}}{\sqrt{3}}=2\sqrt{2}$$　정답 ①

1132　　정답 ③

STEP A 삼각형 ABC에서 코사인법칙을 이용하여 $\cos\theta$의 값 구하기

$\angle ABC=\theta$라고 하면 삼각형 ABC에서 코사인법칙에 의하여

$$\cos\theta=\frac{6^2+8^2-4^2}{2\cdot6\cdot8}=\frac{7}{8}$$

STEP B 두 변의 길이와 그 끼인각의 크기가 주어진 경우 넓이 구하기

따라서 삼각형 ABE의 넓이는

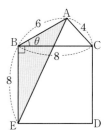

$$\frac{1}{2}\cdot6\cdot8\cdot\sin\left(\frac{\pi}{2}+\theta\right)=24\cdot\cos\theta$$
$$=24\cdot\frac{7}{8}=21$$

1133　　정답 ②

STEP A 두 변의 길이와 그 끼인각의 크기를 알 때, 삼각형의 넓이 구하기

$\overline{AD}=x$라 하면 $\triangle ABC=\triangle ABD+\triangle ADC$이므로

$$\frac{1}{2}\cdot60\cdot20\cdot\sin120°=\frac{1}{2}\cdot60\cdot x\cdot\sin60°+\frac{1}{2}\cdot20\cdot x\cdot\sin60°$$
$$300\sqrt{3}=15\sqrt{3}x+5\sqrt{3}x,\ 20\sqrt{3}x=300\sqrt{3}$$
따라서 $x=15$

다른풀이 각의 이등분선의 성질을 이용하여 풀이하기

$$\overline{AB}:\overline{AC}=\overline{BD}:\overline{CD}=60:20=3:1$$

즉 $\overline{BD}:\overline{CD}=3:1$이므로 $\overline{BD}=\frac{3}{4}\overline{BC}$

$$\therefore\triangle ABD=\frac{3}{4}\triangle ABC=\frac{3}{4}\cdot\left(\frac{1}{2}\cdot60\cdot20\cdot\sin120°\right)=225\sqrt{3}$$

$\overline{AD}=x$라 하면 $\triangle ABD=\frac{1}{2}\cdot60\cdot x\cdot\sin60°=225\sqrt{3}$에서

$$15\sqrt{3}x=225\sqrt{3}$$
따라서 $x=15$

내/신/연/계 출제문항 410

그림과 같은 삼각형 ABC에서
$$\overline{AB}=9,\ \overline{AC}=6,\ \angle BAC=120°$$
이다. $\angle A$의 이등분선이 변 BC와 만나는 점을 D라 할 때, $\overline{AD}$의 길이는?

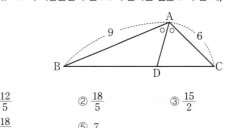

① $\frac{12}{5}$　　　② $\frac{18}{5}$　　　③ $\frac{15}{2}$
④ $\frac{18}{5}$　　　⑤ 7

STEP A 두 변의 길이와 그 끼인각의 크기를 알 때, 삼각형의 넓이 구하기

$\overline{AD}=x$라 하면 $\triangle ABC=\triangle ABD+\triangle ADC$이므로

$$\frac{1}{2}\cdot9\cdot6\cdot\sin120°=\frac{1}{2}\cdot9\cdot x\cdot\sin60°+\frac{1}{2}\cdot6\cdot x\cdot\sin60°$$
$$27\cdot\frac{\sqrt{3}}{2}=\frac{9\sqrt{3}x}{4}+\frac{6\sqrt{3}x}{4}$$
$$54=15x$$
따라서 $x=\frac{18}{5}$

$\overline{AB}:\overline{AC}=\overline{BD}:\overline{CD}=9:6$

즉 $\overline{BD}:\overline{CD}=3:2$이므로 $\overline{BD}=\dfrac{3}{5}\overline{BC}$

$\therefore \triangle ABD=\dfrac{3}{5}\triangle ABC=\dfrac{3}{5}\cdot\left(\dfrac{1}{2}\cdot9\cdot6\cdot\sin120°\right)=\dfrac{81\sqrt{3}}{10}$

$\overline{AD}=x$라 하면

$\triangle ABD=\dfrac{1}{2}\cdot9\cdot x\cdot\sin60°=\dfrac{9\sqrt{3}x}{4}$에서 $\dfrac{9\sqrt{3}x}{4}=\dfrac{81\sqrt{3}}{10}$

따라서 $x=\dfrac{18}{5}$

정답 ②

1134

정답 ③

STEP ⒜ 두 변의 길이와 그 끼인각의 크기를 알 때, 삼각형의 넓이 구하기

$\overline{AD}=x$라 하면 $\triangle ABC=\triangle ABD+\triangle ADC$이므로

$\dfrac{1}{2}\cdot3\cdot4\cdot\sin60°=\dfrac{1}{2}\cdot3\cdot x\cdot\sin30°+\dfrac{1}{2}\cdot4\cdot x\cdot\sin30°$

$3\cdot\sqrt{3}=\dfrac{3}{4}x+x$

따라서 $x=\dfrac{12\sqrt{3}}{7}$

다른풀이 각의 이등분선의 성질을 이용하여 풀이하기

$\overline{AB}:\overline{AC}=\overline{BD}:\overline{CD}=3:4$

즉 $\overline{BD}:\overline{CD}=3:4$이므로 $\overline{BD}=\dfrac{3}{7}\overline{BC}$

$\therefore \triangle ABD=\dfrac{3}{7}\triangle ABC=\dfrac{3}{7}\cdot\left(\dfrac{1}{2}\cdot3\cdot4\cdot\sin60°\right)=\dfrac{9\sqrt{3}}{7}$

$\overline{AD}=x$라 하면

$\triangle ABD=\dfrac{1}{2}\cdot3\cdot x\cdot\sin30°=\dfrac{3x}{4}$에서 $\dfrac{3x}{4}=\dfrac{9\sqrt{3}}{7}$

따라서 $x=\dfrac{12\sqrt{3}}{7}$

1135

정답 ④

STEP ⒜ 변화된 변의 길이 구하기

원래의 삼각형 ABC의 넓이를 S, 새로운 삼각형 AB′C′의 넓이를 S'이라 하고 세변의 길이를 a, b, c라 하면

변 AB의 길이를 20% 늘리므로 $c+0.2c=1.2c$

변 AC의 길이를 10% 줄이므로 $b-0.1b=0.9b$

STEP ⒝ 두 변의 길이와 그 끼인각의 크기가 주어진 경우 넓이 구하기

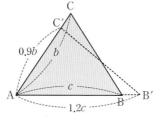

삼각형 ABC의 넓이 S는 $S=\dfrac{1}{2}bc\sin A$

삼각형 AB′C′의 넓이 S'는 $S'=\dfrac{1}{2}\cdot1.2c\cdot0.9b\cdot\sin A$

$=\left(\dfrac{1}{2}bc\sin A\right)\times1.08=1.08S$

따라서 삼각형 AB′C′의 넓이는 8% 증가한다.

오른쪽 그림과 같이 삼각형 ABC의
변 AB의 길이를 10% 늘리고, 변 AC
의 길이를 10%줄여서 새로운 삼각형
AB′C′을 만들 때, 삼각형 ABC의
넓이에 대한 삼각형 AB′C′의 넓이의
변화로 옳은 것은?

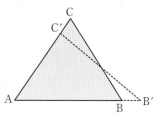

① 1% 감소한다.　② 1% 증가한다.
③ 11% 감소한다.　④ 11% 증가한다.
⑤ 변화가 없다.

STEP ⒜ 변화된 변의 길이 구하기

원래의 삼각형 ABC의 넓이를 S, 새로운 삼각형 AB′C′의 넓이를 S'이라 하고 세변의 길이를 a, b, c라 하면

변 AB의 길이를 10% 늘리므로 $c+0.1c=1.1c$

변 AC의 길이를 10% 줄이므로 $b-0.1b=0.9b$

STEP ⒝ 두 변의 길이와 그 끼인각의 크기가 주어진 경우 넓이 구하기

삼각형 ABC의 넓이 S는

$S=\dfrac{1}{2}bc\sin A$

삼각형 AB′C′의 넓이 S'는

$S'=\dfrac{1}{2}\cdot1.1c\cdot0.9b\cdot\sin A$

$=\left(\dfrac{1}{2}bc\sin A\right)\times0.99=0.99S$

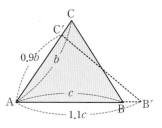

따라서 삼각형 AB′C′의 넓이는
1% 감소한다.

정답 ①

1136

정답 ④

STEP ⒜ 두 변의 길이와 그 끼인각의 크기가 주어질 때, 넓이 구하기

삼각형 ABC의 각 변의 길이와 각을 각각 a, b, c, A, B, C라 하면

$S=\dfrac{1}{2}ab\sin C=\dfrac{1}{2}bc\sin A=\dfrac{1}{2}ca\sin B=32$

STEP ⒝ 늘어난 부분의 넓이 구하기

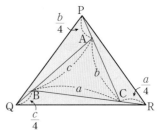

늘어난 부분의 넓이는

$\dfrac{1}{2}\cdot\dfrac{a}{4}\cdot\left(b+\dfrac{b}{4}\right)\cdot\sin C+\dfrac{1}{2}\cdot\dfrac{b}{4}\cdot\left(c+\dfrac{c}{4}\right)\cdot\sin A$

$+\dfrac{1}{2}\cdot\dfrac{c}{4}\cdot\left(a+\dfrac{a}{4}\right)\cdot\sin B$

$=\dfrac{5}{16}\left\{\dfrac{1}{2}ab\sin C+\dfrac{1}{2}bc\sin A+\dfrac{1}{2}ca\sin B\right\}$

$=\dfrac{5}{16}\cdot(32+32+32)=30$

STEP ⒞ 삼각형 PQR의 넓이 구하기

따라서 삼각형 PQR의 넓이는 $32+30=62$

1137

STEP Ⓐ 호의 길이는 중심각의 크기에 비례함을 이용하여 각을 구하기

호의 길이는 중심각의 크기에 비례하므로

$\overset{\frown}{AB} : \overset{\frown}{BC} : \overset{\frown}{CA} = 3 : 4 : 5$에서

$\angle AOB : \angle BOC : \angle COA = 3 : 4 : 5$

$\angle AOB = 360° \times \dfrac{3}{12} = 90°$

$\angle BOC = 360° \times \dfrac{4}{12} = 120°$

$\angle COA = 360° \times \dfrac{5}{12} = 150°$

STEP Ⓑ 두 변의 길이와 그 끼인각의 크기가 주어질 때, 넓이 구하기

따라서 삼각형 ABC의 넓이를 S라고 하면

$S = \triangle AOB + \triangle BOC + \triangle COA$

$= \dfrac{1}{2} \cdot 10 \cdot 10 \cdot \sin 90° + \dfrac{1}{2} \cdot 10 \cdot 10 \cdot \sin 120° + \dfrac{1}{2} \cdot 10 \cdot 10 \cdot \sin 150°$

$= 50 + 25\sqrt{3} + 25$

$= 25(3 + \sqrt{3})$

내/신/연/계 출제문항 412

오른쪽 그림과 같이 반지름의 길이가 4인 원 위의 세 점 A, B, C가

$\overset{\frown}{AB} : \overset{\frown}{BC} : \overset{\frown}{CA} = 3 : 4 : 5$

를 만족시킬 때, 삼각형 ABC의 넓이는?

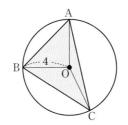

① $2(3 + \sqrt{3})$ ② $4(1 + \sqrt{3})$

③ $4(3 + \sqrt{3})$ ④ $8(1 + \sqrt{3})$

⑤ $12(3 + \sqrt{3})$

STEP Ⓐ 호의 길이는 중심각의 크기에 비례함을 이용하여 각을 구하기

호의 길이는 중심각의 크기에 비례하므로

$\overset{\frown}{AB} : \overset{\frown}{BC} : \overset{\frown}{CA} = 3 : 4 : 5$에서

$\angle AOB : \angle BOC : \angle COA = 3 : 4 : 5$

$\angle AOB = 360° \times \dfrac{3}{12} = 90°$

$\angle BOC = 360° \times \dfrac{4}{12} = 120°$

$\angle COA = 360° \times \dfrac{5}{12} = 150°$

STEP Ⓑ 두 변의 길이와 그 끼인각의 크기가 주어질 때, 넓이 구하기

따라서 삼각형 ABC의 넓이를 S라고 하면

$S = \triangle AOB + \triangle BOC + \triangle COA$

$= \dfrac{1}{2} \cdot 4 \cdot 4 \cdot \sin 90° + \dfrac{1}{2} \cdot 4 \cdot 4 \cdot \sin 120° + \dfrac{1}{2} \cdot 4 \cdot 4 \cdot \sin 150°$

$= 4(3 + \sqrt{3})$

정답 ③

1138

STEP Ⓐ 호의 길이는 중심각의 크기에 비례함을 이용하여 각을 구하기

호의 길이는 중심각의 크기에 비례하므로

$\overset{\frown}{AB} : \overset{\frown}{BC} : \overset{\frown}{CD} : \overset{\frown}{DA} = 4 : 2 : 3 : 3$에서

$\angle AOB = 360° \times \dfrac{4}{12} = 120°$, $\angle BOC = 360° \times \dfrac{2}{12} = 60°$

$\angle COD = 360° \times \dfrac{3}{12} = 90°$, $\angle DOA = 360° \times \dfrac{3}{12} = 90°$

STEP Ⓑ 두 변의 길이와 그 끼인각의 크기가 주어질 때, 넓이 구하기

따라서 사각형 ABCD의 넓이를 S라고 하면

$S = \triangle AOB + \triangle BOC + \triangle COD + \triangle DOA$

$= \dfrac{1}{2} \cdot 4 \cdot 4 \cdot \sin 120° + \dfrac{1}{2} \cdot 4 \cdot 4 \sin 60° + \dfrac{1}{2} \cdot 4 \cdot 4 \cdot \sin 90° + \dfrac{1}{2} \cdot 4 \cdot 4 \sin 90°$

$= 4\sqrt{3} + 4\sqrt{3} + 8 + 8 = 8(\sqrt{3} + 2)$

1139

STEP Ⓐ 코사인법칙을 이용하여 $\cos A$의 값 구하기

코사인법칙에 의하여

$\cos A = \dfrac{b^2 + c^2 - a^2}{2bc} = \dfrac{6^2 + 5^2 - 7^2}{2 \cdot 6 \cdot 5} = \dfrac{1}{5}$

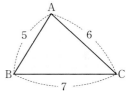

STEP Ⓑ $\sin^2 A + \cos^2 A = 1$임을 이용하여 $\sin A$의 값 구하기

이때 $\sin^2 A + \cos^2 A = 1$이고 $\sin A > 0$이므로

$\sin A = \sqrt{1 - \cos^2 A} = \sqrt{1 - \left(\dfrac{1}{5}\right)^2} = \dfrac{2\sqrt{6}}{5}$

STEP Ⓒ 두 변의 길이와 그 끼인각의 크기가 주어질 때, 넓이 구하기

따라서 구하는 삼각형의 넓이 S는

$S = \dfrac{1}{2} bc \sin A = \dfrac{1}{2} \cdot 6 \cdot 5 \cdot \dfrac{2\sqrt{6}}{5} = 6\sqrt{6}$

다른풀이 헤론의 넓이 공식을 이용하여 풀이하기

세 변의 길이 7, 6, 5가 주어진 경우 헤론의 넓이 공식이

$s = \dfrac{7 + 6 + 5}{2} = 9$이므로 삼각형 ABC의 넓이는

$\sqrt{9(9-7)(9-6)(9-5)} = 6\sqrt{6}$

1140

STEP Ⓐ $\sin A$의 값 구하기

오른쪽 그림의 삼각형 ABC에서

$\cos A = \dfrac{b^2 + c^2 - a^2}{2bc}$

$= \dfrac{7^2 + 5^2 - 9^2}{2 \cdot 7 \cdot 5} = -\dfrac{1}{10}$

그러므로

$\sin^2 A = 1 - \cos^2 A = 1 - \left(-\dfrac{1}{10}\right)^2 = \dfrac{99}{100}$

그런데 $\sin A > 0$이므로 $\sin A = \dfrac{3\sqrt{11}}{10}$

STEP Ⓑ 두 변의 길이와 그 끼인각의 크기가 주어질 때, 넓이 구하기

따라서 구하는 삼각형의 넓이 S는

$S = \dfrac{1}{2} bc \sin A = \dfrac{1}{2} \cdot 7 \cdot 5 \cdot \dfrac{3\sqrt{11}}{10} = \dfrac{21\sqrt{11}}{4}$

1141

정답 ③

STEP A 코사인법칙의 각의 크기를 이용하여 $\sin B$ 구하기

$c:a:b=1:\sqrt{2}:2$이므로

$a=\sqrt{2}k$, $b=2k$, $c=k$ $(k>0)$로 놓으면

코사인법칙의 각의 크기에 의하여

$\cos B=\dfrac{k^2+(\sqrt{2}k)^2-(2k)^2}{2\cdot k\cdot \sqrt{2}k}=-\dfrac{1}{2\sqrt{2}}=-\dfrac{\sqrt{2}}{4}$

$\therefore \sin B=\sqrt{1-\cos^2 B}=\sqrt{1-\left(-\dfrac{\sqrt{2}}{4}\right)^2}=\dfrac{\sqrt{14}}{4}$

STEP B 사인법칙을 이용하여 세변의 길이 구하기

한편 사인법칙에서 $\dfrac{b}{\sin B}=2R$이므로 $\dfrac{2k}{\frac{\sqrt{14}}{4}}=2\cdot 4$

$\therefore k=\sqrt{14}$ $(\because k>0)$

STEP C 두 변의 길이와 그 끼인각의 크기가 주어질 때, 넓이 구하기

따라서 삼각형 ABC의 넓이를 S라 하면

$S=\dfrac{1}{2}ac\sin B=\dfrac{1}{2}\cdot k\cdot \sqrt{2}k\cdot \sin B=\dfrac{\sqrt{2}}{2}\cdot 14\cdot \dfrac{\sqrt{14}}{4}=\dfrac{7\sqrt{7}}{2}$

1142

정답 ①

STEP A 세 변의 길이 a, b, c와 외접원의 반지름의 길이 R을 알 때, 넓이 구하기

삼각형 ABC에서 외접원의 반지름의 길이가 5이므로

$\dfrac{c}{\sin C}=2R=10$ $\therefore \sin C=\dfrac{c}{10}$

삼각형 ABC의 넓이가 6이므로 $\dfrac{1}{2}ab\sin C=6$, $\dfrac{1}{2}ab\cdot \dfrac{c}{10}=6$

따라서 $abc=120$

> **참고** 세 변의 길이 a, b, c와 외접원의 반지름의 길이가 5이고
> 삼각형 ABC의 넓이가 20이므로 $S=\dfrac{abc}{4R}$에서
> $6=\dfrac{abc}{4\cdot 5}$이므로 $abc=120$

내/신/연/계/ 출제문항 413

반지름의 길이가 4인 원에 내접하고 넓이가 20인 삼각형 ABC에서 abc의 값은?

① 120 ② 160 ③ 240
④ 320 ⑤ 360

STEP A 세 변의 길이 a, b, c와 외접원의 반지름의 길이 R를 알 때, 넓이 구하기

삼각형 ABC에서 외접원의 반지름의 길이가 4이므로

$\dfrac{c}{\sin C}=2R=8$ $\therefore \sin C=\dfrac{c}{8}$

삼각형 ABC의 넓이가 20이므로 $\dfrac{1}{2}ab\sin C=20$, $\dfrac{1}{2}ab\cdot \dfrac{c}{8}=20$

따라서 $abc=320$

정답 ④

> **참고** 세 변의 길이 a, b, c와 외접원의 반지름의 길이가 4이고
> 삼각형 ABC의 넓이가 20이므로 $S=\dfrac{abc}{4R}$에서
> $20=\dfrac{abc}{4\cdot 4}$이므로 $abc=320$

1143

정답 ⑤

STEP A 외접원의 반지름 R이 주어질 때, 넓이
$$S=\dfrac{abc}{4R}=2R^2\sin A\sin B\sin C \text{ 이용하여 구하기}$$

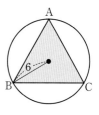

삼각형 ABC가 정삼각형이고
외접원의 반지름의 길이가 6이므로
삼각형 ABC의 넓이를 S라 하면

$S=\dfrac{abc}{4R}=2R^2\sin A\sin B\sin C$

$=2\cdot 6^2\cdot \sin 60^\circ\cdot \sin 60^\circ\cdot \sin 60^\circ$

$=2\cdot 6^2\cdot \dfrac{\sqrt{3}}{2}\cdot \dfrac{\sqrt{3}}{2}\cdot \dfrac{\sqrt{3}}{2}$

$=27\sqrt{3}$

> **다른풀이** 사인법칙을 이용하여 정삼각형의 한 변의 길이 구하기

정삼각형 ABC의 한 변의 길이를 x라고 하면
사인법칙에 의하여

$\dfrac{x}{\sin 60^\circ}=2\cdot 6$

$\therefore x=6\sqrt{3}$

따라서 $S=\dfrac{\sqrt{3}}{4}\cdot (6\sqrt{3})^2=27\sqrt{3}$ ◀ 한 변의 길이가 a인 정삼각형의 넓이 $S=\dfrac{\sqrt{3}}{4}a^2$

1144

정답 ①

STEP A 외접원의 반지름 R을 이용하여 a, b의 값 구하기

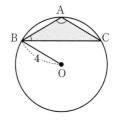

사인법칙에 의하여 외접원의 반지름
$R=4$이므로

$\dfrac{a}{\sin 120^\circ}=\dfrac{b}{\sin 30^\circ}=2R=8$이므로

$a=8\sin 120^\circ=4\sqrt{3}$

$b=8\sin 30^\circ=4$

이때 $C=180^\circ-(120^\circ+30^\circ)=30^\circ$

STEP B 두 변의 길이와 그 끼인각의 크기가 주어질 때, 삼각형의 넓이 구하기

따라서 $\triangle$ABC의 넓이는 $\dfrac{1}{2}ab\sin C=\dfrac{1}{2}\cdot 4\sqrt{3}\cdot 4\cdot \sin 30^\circ=4\sqrt{3}$

> **다른풀이** $S=\dfrac{abc}{4R}=2R^2\sin A\sin B\sin C$을 이용하여 풀이하기

삼각형 ABC에서 $C=180^\circ-(120^\circ+30^\circ)=30^\circ$이므로 $B=C=30^\circ$
삼각형 ABC의 외접원의 반지름의 길이가 4이므로
삼각형 ABC의 넓이를 S라 하면

$S=\dfrac{abc}{4R}=2R^2\sin A\sin B\sin C=2\cdot 4^2\cdot \sin 30^\circ\sin 30^\circ\sin 120^\circ=4\sqrt{3}$

내/신/연/계/ 출제문항 414

오른쪽 그림과 같이 반지름의 길이가 6인
원 O에 내접하는 삼각형 ABC에서
$\overline{AC}=\overline{BC}$이고 $A=30^\circ$일 때,
삼각형 ABC의 넓이는?

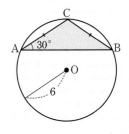

① $6\sqrt{3}$ ② $9\sqrt{3}$
③ $12\sqrt{3}$ ④ $14\sqrt{3}$
⑤ $15\sqrt{3}$

STEP Ⓐ **외접원의 반지름 R을 이용하여 a, b의 값 구하기**

삼각형 ABC에서 $\overline{AC} = \overline{BC}$이므로
$B = A = 30°$
$\therefore C = 180° - (30° + 30°) = 120°$
사인법칙에 의하여 외접원의 반지름의
길이가 6이므로

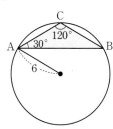

$\dfrac{a}{\sin 30°} = \dfrac{b}{\sin 30°} = 12$이므로
$a = 12 \sin 30° = 6$
$b = 12 \sin 30° = 6$

STEP Ⓑ **두 변의 길이와 그 끼인각의 크기가 주어질 때, 삼각형의 넓이 구하기**

따라서 △ABC의 넓이는
$\dfrac{1}{2} ab \sin C = \dfrac{1}{2} \cdot 6 \cdot 6 \cdot \sin 120° = 9\sqrt{3}$

다른풀이 $S = \dfrac{abc}{4R} = 2R^2 \sin A \sin B \sin C$을 이용하여 풀이하기

삼각형 ABC에서 $\overline{AC} = \overline{BC}$이므로 $B = A = 30°$
$\therefore C = 180° - (30° + 30°) = 120°$
삼각형 ABC의 외접원의 반지름의 길이가 6이므로
삼각형 ABC의 넓이를 S라 하면
$S = \dfrac{abc}{4R} = 2R^2 \sin A \sin B \sin C = 2 \cdot 6^2 \cdot \sin 30° \sin 30° \sin 120° = 9\sqrt{3}$

정답 ②

1145
정답 ③

STEP Ⓐ **두 변의 길이와 그 끼인각의 크기가 주어질 때, 삼각형의 넓이 구하기**

삼각형 ABC의 넓이를 S라 하면
$S = \dfrac{1}{2} \cdot 8 \cdot 7 \cdot \sin 120° = 14\sqrt{3}$

STEP Ⓑ **삼각형 ABC의 내접원의 반지름의 길이 구하기**

삼각형 ABC의 내접원의 반지름의 길이를 r라 하면
삼각형 ABC의 넓이 S는
$\dfrac{1}{2} r(8 + 13 + 7) = 14\sqrt{3}$이므로 $14r = 14\sqrt{3}$

따라서 $r = \sqrt{3}$

1146
정답 ②

STEP Ⓐ **두 변의 길이와 그 끼인각의 크기가 주어질 때, 코사인법칙 이용 하기**

코사인법칙에 의하여
$a^2 = 10^2 + 6^2 - 2 \cdot 10 \cdot 6 \cdot \cos 120° = 196$
$a > 0$이므로 $a = 14$

STEP Ⓑ **삼각형 ABC의 내접원의 반지름의 길이 구하기**

한편 삼각형 ABC의 넓이를 S라 하면 1
$S = \dfrac{1}{2} \cdot 10 \cdot 6 \cdot \sin 120° = 15\sqrt{3}$
삼각형 ABC의 내접원의
길이를 r라 할 때,
삼각형 ABC의 넓이 S는
$\dfrac{1}{2} r(14 + 10 + 6) = 15\sqrt{3}$

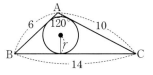

따라서 $r = \sqrt{3}$

삼각형 ABC에서
$$A = 60°, \quad b = 5, \quad c = 8$$
일 때, 삼각형 ABC의 내접원의 반지름의 길이는?

① $\sqrt{2}$ 　　② $\sqrt{3}$ 　　③ 2
④ $\sqrt{5}$ 　　⑤ $\sqrt{6}$

STEP Ⓐ **두 변의 길이와 그 끼인각의 크기가 주어질 때, 코사인법칙 이용 하기**

코사인법칙에 의하여
$a^2 = 5^2 + 8^2 - 2 \cdot 5 \cdot 8 \cdot \cos 60° = 49$
$\therefore a = 7 \ (\because a > 0)$

STEP Ⓑ **삼각형 ABC의 내접원의 반지름의 길이 구하기**

한편 삼각형 ABC의 넓이를 S라 하면
$S = \dfrac{1}{2} \cdot 5 \cdot 8 \cdot \sin 60° = 10\sqrt{3}$ …… ㉠
삼각형 ABC의 내접원의
길이를 r이라 하면
삼각형 ABC의 넓이 S는

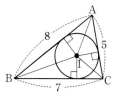

$\dfrac{1}{2} r(7 + 5 + 8) = 10\sqrt{3}$
$10\sqrt{3} = 10r$
따라서 $r = \sqrt{3}$

정답 ②

1147
정답 ①

STEP Ⓐ **코사인법칙을 이용하여 $\cos A$의 값 구하기**

삼각형 ABC에서 $a = 7$, $b = 5$, $c = 4$이므로
코사인법칙에 의하여 $\cos A = \dfrac{5^2 + 4^2 - 7^2}{2 \cdot 5 \cdot 4} = -\dfrac{1}{5}$
$0° < A < 180°$이므로
$\sin A = \sqrt{1 - \cos^2 A} = \sqrt{1 - \left(-\dfrac{1}{5}\right)^2} = \dfrac{2\sqrt{6}}{5}$

STEP Ⓑ **삼각형 ABC의 내접원의 반지름의 길이 구하기**

내접원의 반지름의 길이를 r이라 하면
삼각형 ABC의 넓이는

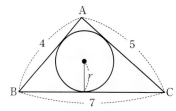

$\dfrac{1}{2} r(a + b + c) = \dfrac{1}{2} bc \sin A$에서 $\dfrac{1}{2} r(7 + 5 + 4) = \dfrac{1}{2} \cdot 5 \cdot 4 \cdot \dfrac{2\sqrt{6}}{5}$
따라서 $r = \dfrac{\sqrt{6}}{2}$

참고 헤론의 넓이 공식을 이용하여 삼각형 ABC의 넓이 구하기
세 변의 길이 7, 5, 4가 주어진 경우 헤론의 넓이 공식
$s = \dfrac{7 + 5 + 4}{2} = 8$이므로 삼각형 ABC의 넓이는
$\sqrt{8(8-7)(8-5)(8-4)} = 4\sqrt{6}$

오른쪽 그림과 같이 세 변의 길이가
$$a=6,\ b=7,\ c=5$$
인 삼각형 ABC의 내접원의 반지름의
길이는?

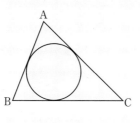

① $\dfrac{\sqrt{6}}{2}$ ② $\dfrac{\sqrt{6}}{3}$

③ $\dfrac{2\sqrt{6}}{3}$ ④ $\dfrac{3\sqrt{5}}{2}$

⑤ $3\sqrt{2}$

STEP A 코사인법칙을 이용하여 $\cos B$의 값 구하기

삼각형 ABC에서 $a=6$, $b=7$, $c=5$
이므로 코사인법칙에 의하여

$$\cos B=\dfrac{5^2+6^2-7^2}{2\cdot5\cdot6}=\dfrac{1}{5}$$

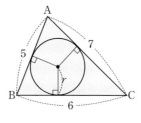

$0°<B<180°$이므로

$$\sin B=\sqrt{1-\cos^2 B}=\sqrt{1-\left(\dfrac{1}{5}\right)^2}$$
$$=\dfrac{2\sqrt{6}}{5}$$

STEP B 삼각형 ABC의 내접원의 반지름의 길이 구하기

내접원의 반지름의 길이를 r이라 하면 삼각형 ABC의 넓이는

$\dfrac{1}{2}r(a+b+c)=\dfrac{1}{2}ac\sin B$에서 $\dfrac{1}{2}r(6+7+5)=\dfrac{1}{2}\cdot5\cdot6\cdot\dfrac{2\sqrt{6}}{5}$

따라서 $9r=6\sqrt{6}$이므로 $r=\dfrac{2\sqrt{6}}{3}$ [정답] ③

 헤론의 넓이 공식을 이용하여 삼각형 ABC의 넓이 구하기
세 변의 길이 6, 7, 5가 주어진 경우 헤론의 넓이 공식
$$s=\dfrac{6+7+5}{2}=9$$이므로 삼각형 ABC의 넓이는
$$\sqrt{9(9-6)(9-7)(9-5)}=6\sqrt{6}$$

1148   [정답] ①

STEP A 코사인법칙을 이용하여 $\cos B$의 값 구하기

삼각형 ABC에서 $a=6$, $b=8$, $c=4$이므로

코사인법칙에 의하여 $\cos B=\dfrac{4^2+6^2-8^2}{2\cdot4\cdot6}=-\dfrac{1}{4}$이므로

$$\sin B=\sqrt{1-\left(-\dfrac{1}{4}\right)^2}=\dfrac{\sqrt{15}}{4}$$

STEP B 삼각형 ABC의 내접원의 반지름의 길이 구하기

이때 삼각형 ABC의 넓이는

$\dfrac{1}{2}ac\sin B=\dfrac{1}{2}\cdot4\cdot6\cdot\dfrac{\sqrt{15}}{4}=3\sqrt{15}$

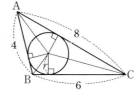

한편 내접원의 반지름의 길이를 r이라 하면 삼각형 ABC의 넓이는

$\dfrac{1}{2}\cdot(6+8+4)r=3\sqrt{15}$

$9r=3\sqrt{15}$, 즉 $r=\dfrac{\sqrt{15}}{3}$

따라서 삼각형 ABC의 내접원의 반지름의 길이는 $\dfrac{\sqrt{15}}{3}$

 헤론의 넓이 공식을 이용하여 삼각형 ABC의 넓이 구하기
세 변의 길이 6, 8, 4가 주어진 경우 헤론의 넓이 공식
$$s=\dfrac{6+8+4}{2}=9$$이므로 삼각형 ABC의 넓이는
$$\sqrt{9(9-6)(9-8)(9-4)}=3\sqrt{15}$$

1149   [정답] ②

STEP A 사인법칙을 이용하여 세 변의 길이의 합 구하기

삼각형 ABC의 외접원의 반지름의 길이가 6이므로 사인법칙에 의하여

$$\sin A+\sin B+\sin C=\dfrac{a}{2R}+\dfrac{b}{2R}+\dfrac{c}{2R}=\dfrac{a+b+c}{2R}=\dfrac{a+b+c}{12}=2$$

$\therefore a+b+c=24$

STEP B 삼각형 ABC의 내접원의 반지름의 길이 구하기

삼각형 ABC의 내접원의 반지름의 길이를 r이라 하면

$$S=\dfrac{1}{2}r(a+b+c)=\dfrac{1}{2}\cdot r\cdot24=24$$

따라서 $r=2$

삼각형 ABC가 반지름의 길이가 8인 원에 내접한다.
$$\sin A+\sin B+\sin C=\dfrac{5}{2}$$
를 만족시키는 이 삼각형에서 내접원의 반지름의 길이가 3일 때,
삼각형 ABC의 넓이는?

① 40 ② 50 ③ 60

④ 70 ⑤ 80

STEP A 사인법칙을 이용하여 세 변의 길이의 합 구하기

삼각형 ABC의 외접원의 반지름의 길이를 R이라 하면 사인법칙에 의하여

$\sin A=\dfrac{a}{2R}$, $\sin B=\dfrac{b}{2R}$, $\sin C=\dfrac{c}{2R}$ 이므로

$$\sin A+\sin B+\sin C=\dfrac{a}{2R}+\dfrac{b}{2R}+\dfrac{c}{2R}=\dfrac{a+b+c}{2R}$$

이때 $R=8$이고 $\sin A+\sin B+\sin C=\dfrac{5}{2}$이므로

$$\dfrac{5}{2}=\dfrac{a+b+c}{16}$$

$\therefore a+b+c=40$

STEP B 삼각형 ABC의 넓이 구하기

따라서 삼각형 ABC에서 내접원의 반지름의 길이를 r이라 하면 $r=3$이므로
삼각형 ABC의 넓이 S는

$$S=\dfrac{1}{2}r(a+b+c)=\dfrac{1}{2}\cdot3\cdot40=60$$ [정답] ③

1150   [정답] ④

STEP A 넓이가 $9\sqrt{3}$임을 이용하여 ab의 값 구하기

삼각형 ABC의 넓이가 $9\sqrt{3}$이므로

$$\dfrac{1}{2}ab\sin60°=9\sqrt{3}$$

$\therefore ab=36$

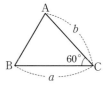

STEP B 산술평균과 기하평균의 관계를 이용하여 $a+b$의 최솟값 구하기

$a>0$, $b>0$이므로 산술평균과 기하평균의 관계에 의하여

$a+b\geq2\sqrt{ab}$ (단, 등호는 $a=b$일 때 성립)

이므로 $a+b\geq2\sqrt{36}=12$

따라서 $a+b$의 최솟값은 12

1151

정답 ②

STEP A 삼각형 OAB의 넓이를 이용하여 두 변의 길이의 곱 구하기

$\overline{OA}=a$, $\overline{OB}=b$라 하면 삼각형 OAB의 넓이가 $4\sqrt{3}$이므로

$\dfrac{1}{2}ab\sin 120°=4\sqrt{3}$

$\dfrac{\sqrt{3}}{4}ab=4\sqrt{3}$

$\therefore ab=16$

STEP B 코사인법칙을 이용하여 선분 AB의 길이의 최솟값 구하기

$\overline{AB}^2=a^2+b^2-2ab\cos 120°$

$\qquad =a^2+b^2+ab$

$\qquad =a^2+b^2+16$

이때 산술평균과 기하평균의 관계에 의하여

$a^2+b^2\geq 2\sqrt{a^2b^2}=2ab=32$ (단, 등호는 $a=b$일 때 성립)

이므로

$\overline{AB}^2=a^2+b^2+16\geq 32+16=48$

$\overline{AB}\geq\sqrt{48}=4\sqrt{3}$

따라서 선분 AB의 길이의 최솟값은 $4\sqrt{3}$

1152

정답 ④

STEP A 삼각형 ABC의 넓이를 이용하여 두 변의 길이의 곱 구하기

삼각형 ABC의 넓이는 $\dfrac{1}{2}\cdot 4\cdot 3\cdot\sin 60°=3\sqrt{3}$

선분 PQ가 삼각형 ABC의 넓이를 이등분하므로

$\triangle APQ=\dfrac{1}{2}\triangle ABC$

$\overline{AP}=x$, $\overline{AQ}=y$라 하면

$\dfrac{1}{2}\cdot x\cdot y\cdot\sin 60°=\dfrac{1}{2}\cdot 3\sqrt{3}$

$\therefore xy=6$

STEP B 코사인법칙과 산술평균과 기하평균의 관계를 이용하기

삼각형 APQ에서 코사인법칙에 의하여

$\overline{PQ}^2=x^2+y^2-2\cdot x\cdot y\cdot\cos 60°$

$\qquad =x^2+y^2-xy$

$\qquad =x^2+y^2-6$

$\qquad \geq 2\sqrt{x^2y^2}-6=2xy-6=2\cdot 6-6=6$

따라서 $\overline{PQ}^2\geq 12-6=6$이므로 $\overline{PQ}$의 길이의 최솟값은 $\sqrt{6}$

다른풀이 $xy=6$을 이용하여 산술평균과 기하평균의 관계에서 풀이하기

$\overline{PQ}^2=x^2+y^2-2\cdot x\cdot y\cdot\cos 60°$

$\qquad =x^2+y^2-xy$

$\qquad =x^2+\dfrac{36}{x^2}-6\,(0<x<4)$ ← $xy=6$

이때 산술평균과 기하평균의 관계에 의하여

$x^2+\dfrac{36}{x^2}\geq 2\sqrt{x^2\cdot\dfrac{36}{x^2}}=12$ (단, 등호는 $x^2=\dfrac{36}{x^2}$일 때 성립)

$\therefore \overline{PQ}^2\geq 12-6=6$

$\therefore \overline{PQ}\geq\sqrt{6}$

따라서 $\overline{PQ}$의 길이의 최솟값은 $\sqrt{6}$

$\overline{AB}=8$, $\overline{AC}=3$, $A=60°$인 $\triangle ABC$의 변 AB, AC 위에 각각 점 P, Q를 잡아 $\overline{AP}=x$, $\overline{AQ}=y$라 한다. 삼각형 APQ의 넓이가 삼각형 ABC의 넓이의 $\dfrac{1}{6}$이 되도록 할 때, 선분 PQ의 길이의 최솟값은?

① $\sqrt{3}$ ② 2 ③ $\sqrt{5}$

④ $\sqrt{6}$ ⑤ $2\sqrt{2}$

STEP A 삼각형 ABC의 넓이를 이용하여 두 변의 길이의 곱 구하기

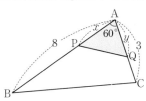

삼각형 APQ의 넓이가 삼각형 ABC의 넓이의 $\dfrac{1}{6}$이므로

$\triangle APQ=\dfrac{1}{6}\triangle ABC$

$\dfrac{1}{2}xy\sin 60°=\dfrac{1}{6}\times\dfrac{1}{2}\times 8\times 3\sin 60°$

$\therefore xy=4$

STEP B 코사인법칙과 산술평균과 기하평균의 관계를 이용하기

선분 PQ의 길이를 l이라 하면 코사인법칙으로부터

$l^2=x^2+y^2-2xy\cos 60°$

$\quad =x^2+y^2-4$ ← $xy=4$

$\quad \geq 2\sqrt{x^2y^2}-4=2xy-4=4$ ← 산술평균과 기하평균의 관계

따라서 l^2의 최솟값이 4이므로 l의 최솟값은 2

정답 ②

참고 $l^2=x^2+y^2-2xy\cos 60°=x^2+y^2-xy=(x-y)^2+xy=(x-y)^2+4$

따라서 $x=y$일 때 l^2은 최소이고 최솟값은 4이므로 l의 최솟값은 2

1153

정답 ③

STEP A 코사인법칙을 이용하여 대각선 AC의 길이 구하기

사각형 ABCD에서 대각선 AC를 그어서 $\triangle ABC$와 $\triangle ACD$로 나눈다.
삼각형 ABC에서 코사인법칙에 의하여

$\overline{AC}^2=8^2+3^2-2\cdot 8\cdot 3\cdot\cos 60°$

$\qquad =64+9-48\cdot\dfrac{1}{2}=49$

$\therefore \overline{AC}=7\,(\because \overline{AC}>0)$

STEP B 코사인법칙의 각의 크기를 이용하여 $\angle ADC$ 구하기

$\angle ADC=\theta$라 하면 $\triangle ACD$에서 코사인법칙의 각의 크기에 의하여

$\cos\theta=\dfrac{3^2+5^2-7^2}{2\cdot 3\cdot 5}=-\dfrac{15}{30}=-\dfrac{1}{2}$

$\therefore \theta=120°\,(\because 0°<\theta<180°)$

STEP C 사각형 ABCD의 넓이 구하기

사각형 ABCD의 넓이를 S, 두 삼각형 ABC, ACD의 넓이를 각각 S_1, S_2라 하면 두 변의 길이와 그 끼인각의 크기가 주어지므로

$S_1=\dfrac{1}{2}\cdot 3\cdot 8\cdot\sin 60°$

$\quad =\dfrac{1}{2}\cdot 3\cdot 8\cdot\dfrac{\sqrt{3}}{2}$

$\quad =6\sqrt{3}$

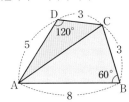

$$S_2 = \frac{1}{2} \cdot 5 \cdot 3 \cdot \sin 120°$$
$$= \frac{1}{2} \cdot 5 \cdot 3 \cdot \frac{\sqrt{3}}{2}$$
$$= \frac{15\sqrt{3}}{4}$$

따라서 사각형 ABCD의 넓이 S는 $S = S_1 + S_2 = 6\sqrt{3} + \frac{15\sqrt{3}}{4} = \frac{39\sqrt{3}}{4}$

다른풀이 세 변의 길이가 주어질 때, 헤론의 공식을 이용하여 풀이하기

삼각형 ACD의 넓이는 헤론의 공식으로부터

$s = \frac{1}{2}(5+3+7) = \frac{15}{2}$ 이므로

$\triangle ACD = \sqrt{\frac{15}{2}\left(\frac{15}{2}-5\right)\left(\frac{15}{2}-3\right)\left(\frac{15}{2}-7\right)} = \frac{15\sqrt{3}}{4}$

따라서 사각형 ABCD의 넓이 S는 두 삼각형 ABC, ACD의 넓이를

각각 S_1, S_2라 하면 $S = S_1 + S_2 = 6\sqrt{3} + \frac{15\sqrt{3}}{4} = \frac{39\sqrt{3}}{4}$

1154

정답 ④

STEP Ⓐ **코사인법칙을 이용하여 대각선 AC의 길이 구하기**

사각형 ABCD에서 대각선 AC를 그어서 △ABC와 △ACD로 나눈다.
삼각형 ABC에서 코사인법칙에 의하여
$$\overline{AC}^2 = 7^2 + 8^2 - 2 \cdot 7 \cdot 8 \cdot \cos 120°$$
$$= 7^2 + 8^2 - 2 \cdot 7 \cdot 8 \cdot \left(-\frac{1}{2}\right) = 169$$
$$\therefore \overline{AC} = 13$$

STEP Ⓑ **코사인법칙의 각의 크기를 이용하여 ∠ADC 구하기**

$\angle ADC = \theta$라 하면 삼각형 ACD에서 코사인법칙의 각의 크기에 의하여
$$\cos\theta = \frac{10^2 + 9^2 - 13^2}{2 \cdot 10 \cdot 9} = \frac{1}{15}$$
$$\sin\theta = \sqrt{1 - \cos^2\theta} = \sqrt{1 - \left(\frac{1}{15}\right)^2} = \frac{4\sqrt{14}}{15}$$

STEP Ⓒ **사각형 ABCD의 넓이 구하기**

사각형 ABCD의 넓이를 S, 두 삼각형 ABC, ACD의 넓이를
각각 S_1, S_2라 하면
두 변의 길이와 그 끼인각의 크기가 주어지므로
$$S_1 = \frac{1}{2} \cdot 7 \cdot 8 \cdot \sin 120°$$
$$= \frac{1}{2} \cdot 7 \cdot 8 \cdot \frac{\sqrt{3}}{2}$$
$$= 14\sqrt{3}$$
$$S_2 = \frac{1}{2} \cdot 10 \cdot 9 \cdot \sin\theta$$
$$= \frac{1}{2} \cdot 10 \cdot 9 \cdot \frac{4\sqrt{14}}{15}$$
$$= 12\sqrt{14}$$

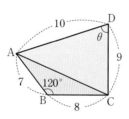

사각형 ABCD의 넓이 S는 $S = S_1 + S_2 = 14\sqrt{3} + 12\sqrt{14}$
따라서 $a = 14$, $b = 12$이므로 $a + b = 26$

다른풀이 세 변의 길이가 주어질 때, 헤론의 공식을 이용하여 풀이하기

삼각형 ACD의 넓이 S는 헤론의 공식으로부터

$s = \frac{1}{2}(9+10+13) = 16$이므로

$S = \sqrt{16(16-9)(16-10)(16-13)} = 12\sqrt{14}$

따라서 사각형 ABCD의 넓이는 △ABC + △ACD = $14\sqrt{3} + 12\sqrt{14}$

오른쪽 그림과 같이
$\overline{AB} = 5$, $\overline{AD} = \overline{DC} = 3$, $\overline{BC} = 8$이고
$\angle BAD = 120°$
인 사각형 ABCD의 넓이는?

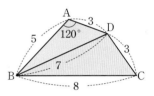

① $\frac{19\sqrt{3}}{2}$ ② $\frac{29\sqrt{3}}{4}$

③ $\frac{29\sqrt{3}}{2}$ ④ $\frac{39\sqrt{3}}{4}$

⑤ $10\sqrt{3}$

STEP Ⓐ **코사인법칙을 이용하여 $\overline{BD}$의 길이 구하기**

삼각형 ABD에서 코사인법칙에 의하여
$$\overline{BD}^2 = 5^2 + 3^2 - 2 \cdot 5 \cdot 3 \cdot \cos 120° = 25 + 9 - 30 \cdot \left(-\frac{1}{2}\right) = 49$$
$$\therefore \overline{BD} = 7 \;\; (\because \overline{BD} > 0)$$

STEP Ⓑ **삼각형 ABD의 넓이 구하기**

사각형 ABCD를 △ABD와
△BCD로 나눈다.
사각형 ABCD의 넓이를 S,
두 삼각형 ABD, BCD의 넓이를
각각 S_1, S_2라 하면
두 변의 길이와 그 끼인각의
크기가 주어지므로

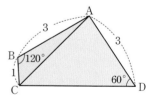

삼각형 ABD의 넓이는 $S_1 = \frac{1}{2} \cdot 5 \cdot 3 \cdot \sin 120° = \frac{15\sqrt{3}}{4}$

STEP Ⓒ **헤론의 공식을 이용하여 △BCD의 넓이 구하기**

삼각형 BCD의 넓이는 헤론의 공식으로부터

$s = \frac{1}{2}(7+3+8) = 9$이므로 삼각형 BCD의 넓이는

$S_2 = \sqrt{9(9-7)(9-3)(9-8)} = 6\sqrt{3}$

따라서 사각형 ABCD의 넓이 S는

$S = S_1 + S_2 = \frac{15\sqrt{3}}{4} + 6\sqrt{3} = \frac{39\sqrt{3}}{4}$

정답 ④

1155

정답 ②

STEP Ⓐ **삼각형 ABC의 넓이 구하기**

선분 AC를 그으면 사각형 ABCD는
삼각형 ABC와 삼각형 ACD로 나눌 수
있다.
사각형 ABCD의 넓이를 S,
두 삼각형 ABC, ACD의 넓이를 각각
S_1, S_2라 하면 두 변의 길이와 그 끼인각의
크기가 주어지므로 삼각형 ABC의 넓이

$S_1 = \frac{1}{2} \cdot 1 \cdot 3 \cdot \sin 120° = \frac{3\sqrt{3}}{4}$ ⋯⋯ ㉠

STEP Ⓑ **코사인법칙을 이용하여 $\overline{AC}$, $\overline{CD}$의 길이 구하기**

삼각형 ABC에서 코사인 법칙에 의하여
$$\overline{AC}^2 = 3^2 + 1^2 - 2 \cdot 3 \cdot 1 \cdot \cos 120° = 13$$

$\overline{CD} = x$라 하면 삼각형 ACD에서 코사인법칙에 의하여
$$\overline{AC}^2 = 3^2 + x^2 - 2 \cdot 3 \cdot x \cdot \cos 60°$$
$$13 = 9 + x^2 - 3x$$
$$x^2 - 3x - 4 = 0, \; (x-4)(x+1) = 0$$

즉 $x > 0$이므로 $x = 4$

삼각형 ACD의 넓이는

$S_2 = \dfrac{1}{2} \cdot 3 \cdot 4 \cdot \sin 60° = 3\sqrt{3}$ ...... ㉢

STEP C 사각형 ABCD의 넓이 구하기

따라서 ㉠, ㉢에서 사각형 ABCD의 넓이 S는

$S = S_1 + S_2 = \dfrac{3\sqrt{3}}{4} + 3\sqrt{3} = \dfrac{15\sqrt{3}}{4}$

1156

정답 ②

STEP A 원에 내접하는 사각형의 성질 이용하기

사각형 ABCD가 원에 내접하므로 $B + D = 180°$
$\therefore B = 180° - 120° = 60°$

STEP B 두 변의 길이와 그 끼인각의 크기가 주어질 때, 넓이 구하기

사각형 ABCD의 넓이를 S, 두 삼각형 ABC, ACD의 넓이를
각각 S_1, S_2라 하면 두 변의 길이와 그 끼인각의 크기가 주어지므로

$S_1 = \dfrac{1}{2} \cdot 5 \cdot 3 \cdot \sin 60°$

$= \dfrac{1}{2} \cdot 5 \cdot 3 \cdot \dfrac{\sqrt{3}}{2}$

$= \dfrac{15\sqrt{3}}{4}$

$S_2 = \dfrac{1}{2} \cdot 2 \cdot 3 \cdot \sin 120°$

$= \dfrac{1}{2} \cdot 2 \cdot 3 \cdot \dfrac{\sqrt{3}}{2}$

$= \dfrac{3\sqrt{3}}{2}$

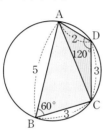

STEP C 사각형 ABCD의 넓이 구하기

따라서 사각형 ABCD의 넓이 S는 $S = S_1 + S_2 = \dfrac{15\sqrt{3}}{4} + \dfrac{3\sqrt{3}}{2} = \dfrac{21\sqrt{3}}{4}$

1157

정답 ③

STEP A 원에 내접하는 사각형의 성질 이용하기

선분 BD를 그으면 사각형 ABCD는 삼각형 ABD와 삼각형 BCD로 나눌 수
있다.
$\angle BAD = 180° - \angle BCD = 135°$

STEP B 두 변의 길이와 그 끼인각의 크기가 주어질 때, 넓이 구하기

사각형 ABCD의 넓이를 S, 두 삼각형 ABD, BCD의 넓이를
각각 S_1, S_2라 하면 두 변의 길이와 그 끼인각의 크기가 주어지므로

$S_1 = \dfrac{1}{2} \cdot \sqrt{2} \cdot 1 \cdot \sin 135°$

$= \dfrac{1}{2} \cdot \sqrt{2} \cdot 1 \cdot \dfrac{1}{\sqrt{2}}$

$= \dfrac{1}{2}$

$S_2 = \dfrac{1}{2} \cdot 2\sqrt{2} \cdot 3 \cdot \sin 45°$

$= \dfrac{1}{2} \cdot 2\sqrt{2} \cdot 3 \cdot \dfrac{1}{\sqrt{2}}$

$= 3$

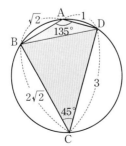

STEP C 사각형 ABCD의 넓이 구하기

따라서 사각형 ABCD의 넓이 S는 $S = S_1 + S_2 = \dfrac{1}{2} + 3 = \dfrac{7}{2}$

다음 그림과 같이 원에 내접하는 사각형 ABCD에서 $\overline{AB} = 4$, $\overline{BC} = 1$,
$\overline{AD} = 4$, $\angle ADC = 60°$일 때, 사각형 ABCD의 넓이는?

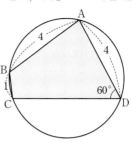

① $2\sqrt{3}$ ② $4\sqrt{3}$ ③ $6\sqrt{3}$
④ $8\sqrt{3}$ ⑤ $10\sqrt{3}$

STEP A 코사인법칙을 이용하여 $\overline{AC}$의 길이 구하기

다음 그림에서 사각형 ABCD의 넓이는 두 삼각형 ABC와 ADC의
넓이의 합과 같다.

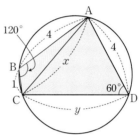

$\overline{AC} = x$, $\overline{CD} = y$라 하면 사각형 ABCD는 원에 내접하므로
$\angle ADC = 60°$에서 $\angle ABC = 180° - 60° = 120°$
삼각형 ABC에서 코사인법칙에 의하여
$x^2 = 4^2 + 1^2 - 2 \cdot 4 \cdot 1 \cdot \cos 120° = 21$
$\therefore x = \sqrt{21}$ ($\because x > 0$)

STEP B 코사인법칙을 이용하여 $\overline{CD}$의 길이 구하기

삼각형 ADC에서 코사인법칙에 의하여
$(\sqrt{21})^2 = y^2 + 4^2 - 2 \cdot y \cdot 4 \cdot \cos 60°$, $y^2 - 4y - 5 = 0$
$(y - 5)(y + 1) = 0$
$\therefore y = 5$ ($\because y > 0$)

STEP C 사각형 ABCD의 넓이 구하기

사각형 ABCD의 넓이를 S, 두 삼각형 ABC, ADC의 넓이를
각각 S_1, S_2라 하면 두 변의 길이와 그 끼인각의 크기가 주어지므로

$S = S_1 + S_2 = \dfrac{1}{2} \cdot 4 \cdot 1 \cdot \sin 120° + \dfrac{1}{2} \cdot 4 \cdot 5 \cdot \sin 60°$

$= \sqrt{3} + 5\sqrt{3} = 6\sqrt{3}$

정답 ③

1158

정답 ②

STEP A 삼각형 ACD의 넓이를 이용하여 $\angle ADC$ 구하기

삼각형 ACD의 넓이가 $4\sqrt{2}$이므로 $\angle ADC = \theta$라 하면

$\dfrac{1}{2} \cdot 3 \cdot 4 \cdot \sin\theta = 4\sqrt{2}$

$\sin\theta = \dfrac{2\sqrt{2}}{3}$

$\sin^2\theta + \cos^2\theta = 1$에서 $\cos^2\theta = 1 - \sin^2\theta = 1 - \left(\dfrac{2\sqrt{2}}{3}\right)^2 = \dfrac{1}{9}$

그런데 θ는 예각이므로 $\cos\theta = \dfrac{1}{3}$ ...... ㉠

$\overline{AC}=x$라 하면 삼각형 ACD에서 코사인법칙에 의하여

$x^2=3^2+4^2-2\cdot3\cdot4\cos\theta$

$\qquad=25-2\cdot3\cdot4\cdot\dfrac{1}{3}=17$

그런데 $x>0$이므로 $x=\sqrt{17}$

STEP C **코사인법칙의 각의 크기를 이용하여 $\overline{BC}$의 길이 구하기**

원에 내접하는 사각형에서 마주 보는 두 각의 크기의 합은 π이므로

삼각형 ABC에서 $B=\pi-\theta$

이때 $\overline{BC}=y$라 하면 코사인법칙의

각의 크기에 의하여

$\cos(\pi-\theta)=\dfrac{2^2+y^2-(\sqrt{17})^2}{2\cdot2\cdot y}$

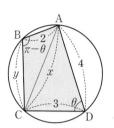

이고 $\cos(\pi-\theta)=-\cos\theta$이므로

㉠에서

$\dfrac{y^2-13}{4y}=-\dfrac{1}{3}$, $3y^2+4y-39=0$

$(3y+13)(y-3)=0$

따라서 $\overline{BC}>0$이므로 $\overline{BC}=y=3$

1159

정답 ③

STEP A **코사인법칙을 이용하여 $\cos A$의 값 구하기**

오른쪽 그림에서 사각형 ABCD의 넓이는
두 삼각형 ABD와 BCD의 넓이의 합과
같다.

사각형 ABCD는 원에 내접하므로

$\angle BAD+\angle BCD=180°$

오른쪽 그림과 같이 $\overline{BD}$를 그으면

삼각형 ABD에서 코사인법칙에 의하여

$\overline{BD}^2=1^2+4^2-2\cdot1\cdot4\cdot\cos A$

$\qquad=17-8\cos A$ ...... ㉠

삼각형 BCD에서 코사인법칙에 의해

$\overline{BD}^2=2^2+3^2-2\cdot2\cdot3\cdot\cos C$

$\qquad=13-12\cos C$

$\qquad=13-12\cos(180°-A)$

$\qquad=13+12\cos A$ ...... ㉡

㉠, ㉡에서 $17-8\cos A=13+12\cos A$

즉 $\cos A=\dfrac{1}{5}$

STEP B **삼각함수 사이의 관계에 의하여 $\sin A$의 값 구하기**

$\sin A>0$이므로 $\sin A=\sqrt{1-\cos^2 A}=\sqrt{1-\left(\dfrac{1}{5}\right)^2}=\dfrac{2\sqrt{6}}{5}$

STEP C **사각형 ABCD의 넓이 구하기**

사각형 ABCD의 넓이를 S, 두 삼각형 ABD, BCD의 넓이를
각각 S_1, S_2라 하면 두 변의 길이와 그 끼인각의 크기가 주어지므로

$S=S_1+S_2$

$\quad=\dfrac{1}{2}\cdot1\cdot4\cdot\sin A+\dfrac{1}{2}\cdot2\cdot3\cdot\sin(180°-A)$

$\quad=2\sin A+3\sin A$

$\quad=5\sin A$

$\quad=5\cdot\dfrac{2\sqrt{6}}{5}$

$\quad=2\sqrt{6}$

내/신/연/계 출제문항 421

다음 그림과 같이 원에 내접하는 사각형 ABCD에서

$\overline{AB}=2$, $\overline{BC}=2$, $\overline{CD}=4$, $\overline{DA}=6$

일 때, 사각형 ABCD의 넓이는?

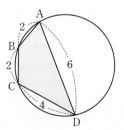

① $5\sqrt{2}$ ② $5\sqrt{3}$ ③ $6\sqrt{3}$

④ $6\sqrt{5}$ ⑤ $8\sqrt{3}$

STEP A **코사인법칙을 이용하여 $\cos B$의 값 구하기**

다음 그림에서 사각형 ABCD의 넓이는 두 삼각형 ABC와 ACD의 넓이의
합과 같다.

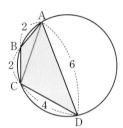

사각형 ABCD는 원에 내접하므로 $\angle ABC+\angle ADC=180°$

위의 그림과 같이 $\overline{AC}$를 그으면 삼각형 ABC에서 코사인법칙에 의해

$\overline{AC}^2=2^2+2^2-2\cdot2\cdot2\cdot\cos B$

$\qquad=8-8\cos B$ ...... ㉠

삼각형 ACD에서 코사인법칙에 의해

$\overline{AC}^2=4^2+6^2-2\cdot4\cdot6\cdot\cos D$

$\qquad=52-48\cos(\pi-B)$

$\qquad=52+48\cos B$ ...... ㉡

㉠, ㉡에서 $8-8\cos B=52+48\cos B$

즉 $\cos B=-\dfrac{11}{14}$

STEP B **삼각함수 사이의 관계에 의하여 $\sin B$의 값 구하기**

$\sin B>0$이므로 $\sin B=\sqrt{1-\cos^2 B}=\sqrt{1-\left(-\dfrac{11}{14}\right)^2}=\dfrac{5\sqrt{3}}{14}$

STEP C **사각형 ABCD의 넓이 구하기**

사각형 ABCD의 넓이를 S, 두 삼각형 ABC, ADC의 넓이를
각각 S_1, S_2라 하면 두 변의 길이와 그 끼인각의 크기가 주어지므로

$S=S_1+S_2$

$\quad=\dfrac{1}{2}\cdot2\cdot2\cdot\sin B+\dfrac{1}{2}\cdot4\cdot6\cdot\sin(\pi-B)$

$\quad=2\sin B+12\sin B$

$\quad=14\sin B$

$\quad=14\cdot\dfrac{5\sqrt{3}}{14}$

$\quad=5\sqrt{3}$

 정답 ②

1160

정답 ②

STEP A 코사인법칙을 이용하여 각 A의 크기 구하기

사각형 ABCD는 원에 내접하므로
$\angle BAD + \angle BCD = 180°$
삼각형 ABD에서 코사인법칙에 의하여
$\overline{BD}^2 = 5^2 + 3^2 - 2 \cdot 5 \cdot 3 \cdot \cos A$
$= 34 - 30\cos A$ ...... ㉠
삼각형 BCD에서
$\overline{BD}^2 = 3^2 + 2^2 - 2 \cdot 3 \cdot 2 \cdot \cos(180° - A)$
$= 13 + 12\cos A$ ...... ㉡
㉠, ㉡에서 $34 - 30\cos A = 13 + 12\cos A$
즉 $\cos A = \dfrac{1}{2}$
이때 $0° < A < 180°$이므로 $A = 60°$

STEP B $\overline{BD}$의 길이 구하기

㉠에서 $\overline{BD}^2 = 34 - 30 \cdot \dfrac{1}{2} = 19$이고 $\overline{BD} > 0$이므로
$\overline{BD} = \sqrt{19}$

STEP C 사인법칙을 이용하여 외접원의 반지름의 길이 구하기

외접원의 반지름의 길이를 R이라 하면 삼각형 ABD에서
사인법칙에 의하여
$\dfrac{\sqrt{19}}{\sin 60°} = 2R$, $R = \dfrac{\sqrt{19}}{2\sin 60°} = \dfrac{\sqrt{19}}{\sqrt{3}}$

따라서 구하는 원의 넓이는 $\pi \cdot \left(\dfrac{\sqrt{19}}{\sqrt{3}}\right)^2 = \dfrac{19}{3}\pi$

1161

정답 ③

STEP A 이웃하는 두 변의 길이가 a, b이고 그 끼인각의 크기가 θ인
평행사변형 ABCD의 넓이 구하기

평행사변형 ABCD의 넓이를 S라
하면
$S = 8 \cdot 10 \cdot \sin 150°$
$= 8 \cdot 10 \cdot \dfrac{1}{2} = 40$

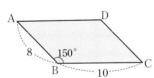

1162

정답 ⑤

STEP A 평행사변형의 성질을 이용하여 각 B 구하기

평행사변형의 성질에 의하여 이웃하는 두 각의 크기의 합은 $180°$이므로
$B + C = 180°$
$\therefore B = 180° - C = 180° - 135° = 45°$

STEP B 이웃하는 두 변의 길이와 그 끼인각의 크기가 θ인 평행사변형
ABCD의 넓이 구하기

따라서 평행사변형 ABCD의 넓이를 S라 하면
$S = \overline{AB} \cdot \overline{BC} \cdot \sin B = 6 \cdot 8 \cdot \sin 45° = 24\sqrt{2}$

1163

정답 ②

STEP A 평행사변형 ABCD의 넓이 $S = ab\sin\theta$ 구하기

평행사변형 ABCD의 넓이가 $10\sqrt{3}$이므로 $4 \cdot 5 \cdot \sin\theta = 10\sqrt{3}$
$\therefore \sin\theta = \dfrac{\sqrt{3}}{2}$
$0° < \theta < 90°$이므로 $\theta = 60°$

STEP B 코사인법칙을 이용하여 $\overline{BD}$의 길이 구하기

△ABD에서 코사인법칙에 의하여
$\overline{BD}^2 = 4^2 + 5^2 - 2 \cdot 4 \cdot 5 \cdot \cos 60°$
$= 16 + 25 - 20 = 21$
따라서 $\overline{BD} = \sqrt{21}$ ($\because \overline{BD} > 0$)

내/신/연/계/ 출제문항 422

오른쪽 그림과 같은 평행사변형
ABCD의 넓이가 16일 때,
대각선 AC의 길이는?

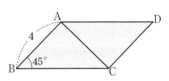

① 3   ② 4
③ 5   ④ 6
⑤ 8

STEP A 평행사변형 ABCD의 넓이를 이용하여 $\overline{BC}$의 길이 구하기

$\overline{BC} = x$라 하면 평행사변형 ABCD의 넓이가 16이므로
$\overline{AB} \cdot \overline{BC} \cdot \sin 45° = 4 \cdot x \cdot \dfrac{\sqrt{2}}{2} = 16$ $\therefore x = 4\sqrt{2}$

STEP B 코사인법칙을 이용하여 $\overline{AC}$의 길이 구하기

삼각형 ABC에서 코사인법칙에 의해
$\overline{AC}^2 = 4^2 + (4\sqrt{2})^2 - 2 \cdot 4 \cdot 4\sqrt{2} \cdot \cos 45° = 16$
따라서 $\overline{AC} = 4$ ($\because \overline{AC} > 0$)

정답 ②

1164

정답 ⑤

STEP A 두 대각선의 길이와 두 대각선이 이루는 각의 크기가 주어진 사각
형의 넓이 구하기

사각형 ABCD의 네 꼭짓점에서
두 대각선과 평행한 직선을 그어 만든
사각형 EFGH는 평행사변형이다.
따라서 사각형 ABCD의 넓이는
$\dfrac{1}{2} \cdot 10 \cdot 12 \cdot \sin 135° = 30\sqrt{2}$

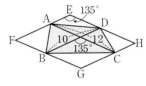

1165

정답 ③

STEP A 두 대각선의 길이와 두 대각선이 이루는 각의 크기가 θ인 사각형
ABCD의 넓이를 이용하여 ab의 값 구하기

사각형 ABCD의 넓이가 $\sqrt{3}$이므로
$\dfrac{1}{2}ab\sin 120° = 2\sqrt{3}$에서 $\dfrac{1}{2}ab \cdot \dfrac{\sqrt{3}}{2} = \sqrt{3}$
$\therefore ab = 4$

STEP B 곱셈공식의 변형을 이용하여 $a^2 + b^2$의 값 구하기

이때 $a + b = 5$이므로 곱셈공식의 변형에서
$a^2 + b^2 = (a+b)^2 - 2ab = 5^2 - 2 \cdot 4 = 17$

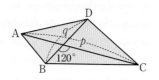

오른쪽 그림과 같이 두 대각선의 길이가 p, q이고 두 대각선이 이루는 각의 크기가 $120°$인 사각형 ABCD가 있다. 이 사각형의 넓이가 $2\sqrt{3}$이고 $p+q=6$일 때, p^2+q^2의 값은?

① 10　　　② 15　　　③ 20
④ 25　　　⑤ 30

STEP A 두 대각선의 길이와 두 대각선이 이루는 각이 주어진 사각형 ABCD의 넓이를 이용하여 pq의 값 구하기

사각형 ABCD의 넓이를 S라 하면

$S=\dfrac{1}{2}pq\sin 120°$

사각형 ABCD의 넓이가 $2\sqrt{3}$이므로

$\dfrac{1}{2}pq\sin 120°=2\sqrt{3}$에서 $\dfrac{1}{2}pq\cdot\dfrac{\sqrt{3}}{2}=2\sqrt{3}$　　∴ $pq=8$

STEP B 곱셈공식을 이용하여 p^2+q^2의 값 구하기

이때 $p+q=6$이므로 $p^2+q^2=(p+q)^2-2pq=6^2-2\cdot 8=20$　　정답 ③

1166

정답 ③

STEP A $\sin^2\theta+\cos^2\theta=1$임을 이용하여 $\sin\theta$의 값 구하기

$\sin^2\theta+\cos^2\theta=1$이므로

$\sin^2\theta=1-\cos^2\theta=1-\dfrac{16}{25}=\dfrac{9}{25}$

∴ $\sin\theta=\dfrac{3}{5}$ ($\because 0°<\theta<180°$)

STEP B 두 대각선의 길이와 두 대각선이 이루는 각의 크기가 θ인 사각형 ABCD의 넓이 구하기

따라서 사각형 ABCD의 넓이가 S이므로 $S=\dfrac{1}{2}\cdot 6\cdot 5\cdot\dfrac{3}{5}=9$

두 대각선의 길이가 각각 4, 9이고 두 대각선이 이루는 각의 크기가 θ인 사각형 ABCD에서 $\cos\theta=\dfrac{1}{3}$일 때, 사각형 ABCD의 넓이는?

① $4\sqrt{2}$　　　② $6\sqrt{2}$　　　③ $8\sqrt{2}$
④ $10\sqrt{2}$　　　⑤ $12\sqrt{2}$

STEP A $\sin^2\theta+\cos^2\theta=1$임을 이용하여 $\sin\theta$의 값 구하기

$\sin^2\theta+\cos^2\theta=1$이므로

$\sin^2\theta=1-\cos^2\theta=1-\dfrac{1}{9}=\dfrac{8}{9}$

∴ $\sin\theta=\dfrac{2\sqrt{2}}{3}$ ($\because 0°<\theta<180°$)

STEP B 두 대각선의 길이와 두 대각선이 이루는 각의 크기가 θ인 사각형 ABCD의 넓이 구하기

따라서 사각형 ABCD의 넓이가 S이므로

$S=\dfrac{1}{2}\cdot 4\cdot 9\cdot\dfrac{2\sqrt{2}}{3}=12\sqrt{2}$　　정답 ⑤

STEP 2　　　　　　　　**서술형 기출유형**

1167

정답 해설참조

1단계 $\overline{BD}$, $\overline{DC}$를 구한다.　　◀ 20%

$\overline{BC}$를 점 D가 $1:2$로 내분하였으므로
$\overline{BD}=4$, $\overline{CD}=8$

2단계 코사인 법칙을 이용하여 $\overline{AD}$를 구한다.　　◀ 40%

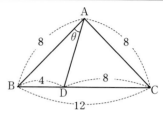

$\overline{AD}=x$라 하면 코사인법칙에 의하여

$\cos C=\dfrac{8^2+12^2-8^2}{2\cdot 8\cdot 12}=\dfrac{8^2+8^2-x^2}{2\cdot 8\cdot 8}$

∴ $x=4\sqrt{2}$

3단계 코사인 법칙을 이용하여 $\cos\theta$의 값을 구한다.　　◀ 40%

따라서 삼각형 ABD에서 코사인법칙에 의하여

$\cos\theta=\dfrac{8^2+(4\sqrt{2})^2-4^2}{2\cdot 8\cdot 4\sqrt{2}}=\dfrac{5\sqrt{2}}{8}$

1168

정답 해설참조

1단계 $\overline{CD}=x$m라 할 때, 사인법칙을 이용하여 $\overline{AC}$, $\overline{BC}$를 각각 x에 대한 식으로 나타낸다.　　◀ 40%

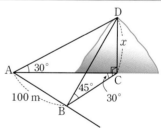

직각삼각형 ACD에서
$\angle DAC=30°$에서 $\angle ADC=60°$이므로

사인법칙에 의하여 $\dfrac{x}{\sin 30°}=\dfrac{\overline{AC}}{\sin 60°}$　　∴ $\overline{AC}=\sqrt{3}x$(m)

직각삼각형 BCD에서
$\angle DBC=45°$에서 $\angle BDC=45°$이므로

사인법칙에 의하여 $\dfrac{x}{\sin 45°}=\dfrac{\overline{BC}}{\sin 45°}$　　∴ $\overline{BC}=x$(m)

2단계 삼각형 ABC에서 코사인법칙을 이용하여 x에 대한 방정식을 세운다.　　◀ 40%

삼각형 ABC에서 코사인 법칙에 의하여

$\overline{AB}^2=\overline{AC}^2+\overline{BC}^2-2\cdot\overline{AC}\cdot\overline{BC}\cos 30°$

$100^2=(\sqrt{3}x)^2+x^2-2\cdot\sqrt{3}x\cdot x\cdot\dfrac{\sqrt{3}}{2}$

$x^2=10000$

3단계 지면에서부터 산꼭대기까지의 높이 $\overline{CD}$를 구한다.　　◀ 20%

따라서 $x=100$이므로 지면에서부터 산꼭대기까지의 높이 $\overline{CD}=100$(m)

1169
정답 해설참조

1단계 사인법칙에 의하여 사인비가 변의 비임을 이용하여 각 변의 길이를 구한다. ◀ 30%

사인법칙에 의하여

$$\sin A : \sin B : \sin C = \frac{a}{2R} : \frac{b}{2R} : \frac{c}{2R} = a : b : c$$

이므로 $a : b : c = 3 : 5 : 7$

삼각형 ABC의 세 변의 길이를 각각

$a = 3k,\ b = 5k,\ c = 7k\ (k > 0)$라고 하면

2단계 가장 큰 내각의 크기를 코사인 법칙에 의하여 구한다. ◀ 60%

C의 크기가 가장 크므로 코사인법칙에 의하여

$$\cos C = \frac{(3k)^2 + (5k)^2 - (7k)^2}{2 \cdot 3k \cdot 5k} = \frac{-15k^2}{30k^2} = -\frac{1}{2}$$

3단계 가장 큰 내각의 크기를 구한다. ◀ 10%

이때 $0° < C < 180°$이므로 $C = 120°$

따라서 가장 큰 내각의 크기는 $120°$

1170
정답 해설참조

1단계 직각삼각형 ACD에서 $\overline{AD}$의 길이를 구한다. ◀ 30%

직각삼각형 ACD에서 $\cos 30° = \dfrac{\sqrt{3}}{\overline{AD}}$이므로

$$\overline{AD} = \frac{\sqrt{3}}{\cos 30°} = 2$$

2단계 삼각형 BCD에서 $\overline{BD}$의 길이를 구한다. ◀ 30%

삼각형 BCD에서 $B = 180° - (45° + 75°) = 60°$이므로

$$\frac{\sqrt{3}}{\sin 60°} = \frac{\overline{BD}}{\sin 45°}$$

$$\therefore \overline{BD} = \frac{\sqrt{3} \sin 45°}{\sin 60°} = \sqrt{2}$$

3단계 삼각형 ADB에서 $\overline{AB}$의 길이를 구한다. ◀ 40%

삼각형 ADB에서 $D = 45°$이므로 코사인법칙에 의하여

$$\overline{AB}^2 = 2^2 + (\sqrt{2})^2 - 2 \cdot 2 \cdot \sqrt{2} \cdot \cos 45° = 2$$

따라서 $\overline{AB} = \sqrt{2}$

1171
정답 해설참조

1단계 코사인법칙을 이용하여 $b,\ c$의 관계식을 세운다. ◀ 30%

코사인법칙에 따라

$$13^2 = b^2 + c^2 - 2bc \cos 120°$$

$$169 = b^2 + c^2 + bc \qquad \cdots\cdots ㉠$$

2단계 $b + c = 15$를 이용하여 $b,\ c$의 값을 구한다. ◀ 40%

$b + c = 15$에서 $c = 15 - b$이므로 이것을 ㉠에 대입하면

$$169 = b^2 + (15 - b)^2 + b(15 - b)$$

$$b^2 - 15b + 56 = 0,\ (b - 7)(b - 8) = 0$$

즉 $b = 7,\ c = 8$ 또는 $b = 8,\ c = 7$

3단계 삼각형 ABC의 넓이를 구한다. ◀ 30%

따라서 삼각형 ABC의 넓이는 $\dfrac{1}{2} \cdot 7 \cdot 8 \cdot \sin 120° = 14\sqrt{3}$

1172
정답 해설참조

1단계 삼각형 ABC의 넓이를 구한다. ◀ 30%

삼각형 ABC의 넓이를 S라 하면

$$S = \frac{1}{2} \cdot 4 \cdot 12 \cdot \sin 60°$$

$$= \frac{1}{2} \cdot 4 \cdot 12 \cdot \frac{\sqrt{3}}{2}$$

$$= 12\sqrt{3}$$

2단계 삼각형 ABC의 넓이를 이용하여 선분 AD의 길이를 구한다. ◀ 40%

$\triangle ABC = \triangle ABD + \triangle ADC$이므로

$$12\sqrt{3} = \frac{1}{2} \cdot 12 \cdot \overline{AD} \cdot \sin 30° + \frac{1}{2} \cdot \overline{AD} \cdot 4 \cdot \sin 30°$$

$$= \frac{1}{2} \cdot 12 \cdot \overline{AD} \cdot \frac{1}{2} + \frac{1}{2} \cdot \overline{AD} \cdot 4 \cdot \frac{1}{2}$$

$$= 4\overline{AD}$$

$$\therefore \overline{AD} = 3\sqrt{3}$$

3단계 코사인법칙을 이용하여 선분 BD의 길이를 구한다. ◀ 30%

삼각형 ABD에서

$$\overline{BD}^2 = 12^2 + (3\sqrt{3})^2 - 2 \cdot 12 \cdot 3\sqrt{3} \cdot \cos 30°$$

$$= 144 + 27 - 108 = 63$$

따라서 $\overline{BD} = 3\sqrt{7}$

1173
정답 해설참조

1단계 코사인 법칙을 이용하여 $\cos A$를 구한다. ◀ 40%

코사인법칙에서 $\cos A = \dfrac{b^2 + c^2 - a^2}{2bc}$이므로

$$\cos A = \frac{8^2 + 9^2 - 7^2}{2 \cdot 8 \cdot 9} = \frac{2}{3}$$

2단계 $\sin A$를 구한다. ◀ 20%

$\sin A > 0$이므로

$$\sin A = \sqrt{1 - \cos^2 A} = \sqrt{1 - \left(\frac{2}{3}\right)^2} = \frac{\sqrt{5}}{3}$$

3단계 삼각형 ABC의 넓이를 구한다. ◀ 40%

따라서 삼각형 ABC의 넓이를 S라고 하면

$$S = \frac{1}{2} bc \sin A = \frac{1}{2} \cdot 8 \cdot 9 \cdot \frac{\sqrt{5}}{3} = 12\sqrt{5}$$

> **참고** 헤론의 공식
>
> $a = 7,\ b = 8,\ c = 9$에서 $S = \dfrac{1}{2}(7 + 8 + 9) = 12$
>
> 삼각형의 넓이 $S = \sqrt{12 \cdot (12 - 7)(12 - 8)(12 - 9)}$
>
> $\qquad = 12\sqrt{5}$

1174

정답 해설참조

1단계 코사인법칙을 이용하여 $\overline{BC}$의 길이를 구한다. ◀ 40%

오른쪽 그림의 삼각형 ABC에서
코사인법칙에 의하여

$\overline{BC}^2 = 8^2 + 10^2 - 2 \cdot 8 \cdot 10 \cdot \cos 60°$

$\qquad = 164 - 160 \cdot \dfrac{1}{2} = 84$

$\therefore \overline{BC} = 2\sqrt{21}$

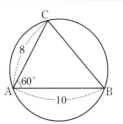

2단계 사인법칙을 이용하여 삼각형 ABC의 외접원의 반지름의 길이를 구한다. ◀ 40%

삼각형 ABC의 외접원의 반지름의 길이를 R이라 하면
사인법칙에 의하여

$\dfrac{2\sqrt{21}}{\sin 60°} = 2R \quad \therefore R = \dfrac{2\sqrt{21}}{2 \cdot \frac{\sqrt{3}}{2}} = 2\sqrt{7}$

3단계 원의 넓이를 구한다. ◀ 20%

따라서 원의 넓이는 $\pi(2\sqrt{7})^2 = 28\pi$

1175

정답 해설참조

1단계 삼각함수 사이의 관계를 이용하여 (가)의 값을 구한다. ◀ 30%

$S = \dfrac{1}{2}bc\sin A$

$\quad = \dfrac{1}{2}bc \times \boxed{\sqrt{1 - \cos^2 A}}$

$\quad = \dfrac{1}{2}bc\sqrt{(1 + \cos A)(1 - \cos A)}$

2단계 코사인법칙을 이용하여 (나)의 값을 구한다. ◀ 30%

$S = \dfrac{1}{2}bc\sqrt{\left(1 + \boxed{\dfrac{b^2 + c^2 - a^2}{2bc}}\right)\left(1 - \boxed{\dfrac{b^2 + c^2 - a^2}{2bc}}\right)}$

$\quad = \dfrac{1}{2}bc\sqrt{\dfrac{\{2bc + (b^2 + c^2 - a^2)\}\{2bc - (b^2 + c^2 - a^2)\}}{(2bc)^2}}$

$\quad = \dfrac{bc}{4bc}\sqrt{\{(b+c)^2 - a^2\}\{a^2 - (b-c)^2\}}$

3단계 $s = \dfrac{a+b+c}{2}$로 치환하여 (다)의 값을 구한다. ◀ 40%

$S = \dfrac{1}{4}\sqrt{(a+b+c)(-a+b+c)(a-b+c)(a+b-c)}$

$s = \dfrac{a+b+c}{2}$로 놓으면 $a+b+c = 2s$이고

$-a+b+c = a+b+c-2a = 2s-2a$

$a-b+c = a+b+c-2b = 2s-2b$

$a+b-c = a+b+c-2c = 2s-2c$

이므로

$S = \dfrac{1}{4}\sqrt{\boxed{2s} \cdot (\boxed{2s} - 2a) \cdot (\boxed{2s} - 2b) \cdot (\boxed{2s} - 2c)}$

$\quad = \sqrt{s(s-a)(s-b)(s-c)}$

1176

정답 해설참조

1단계 코사인법칙을 이용하여 $\sin A$를 구한다. ◀ 30%

코사인법칙의 각의 크기를 이용하면

$\cos A = \dfrac{b^2 + c^2 - a^2}{2bc} = \dfrac{7^2 + 9^2 - 5^2}{2 \cdot 7 \cdot 9} = \dfrac{5}{6}$

$\sin A > 0$이므로

$\sin A = \sqrt{1 - \cos^2 A} = \sqrt{1 - \left(\dfrac{5}{6}\right)^2} = \sqrt{\dfrac{11}{36}} = \dfrac{\sqrt{11}}{6}$

2단계 삼각형 ABC의 넓이 S를 구한다. ◀ 20%

[방법1] 삼각형 ABC의 넓이 $S = \dfrac{1}{2}bc\sin A$이므로

$\qquad S = \dfrac{1}{2} \cdot 7 \cdot 9 \cdot \dfrac{\sqrt{11}}{6} = \dfrac{21\sqrt{11}}{4}$

[방법2] 세 변의 길이가 주어진 경우 (헤론의 공식)
세 변의 길이가 a, b, c인 삼각형의 넓이 S는

$\qquad S = \sqrt{s(s-a)(s-b)(s-c)}$ (단, $s = \dfrac{a+b+c}{2}$)

$\quad a = 5$, $b = 7$, $c = 9$에서 $s = \dfrac{1}{2}(5 + 7 + 9) = \dfrac{21}{2}$

따라서 삼각형 ABC의 넓이

$\quad S = \sqrt{\dfrac{21}{2}\left(\dfrac{21}{2} - 5\right)\left(\dfrac{21}{2} - 7\right)\left(\dfrac{21}{2} - 9\right)} = \dfrac{21\sqrt{11}}{4}$

3단계 삼각형 ABC의 외접원의 반지름의 길이를 구한다. ◀ 30%

외접원의 반지름의 길이를 R이라 할 때, 삼각형의 넓이

$S = \dfrac{abc}{4R}$, $S = \dfrac{21\sqrt{11}}{4}$이고 $a = 5$, $b = 7$, $c = 9$이므로

$\dfrac{21\sqrt{11}}{4} = \dfrac{5 \cdot 7 \cdot 9}{4R}$에서 $R = \dfrac{15\sqrt{11}}{11}$

> **참고** $\dfrac{a}{\sin A} = 2R$에서 $\dfrac{5}{\frac{\sqrt{11}}{6}} = 2R \quad \therefore R = \dfrac{15\sqrt{11}}{11}$

4단계 삼각형 ABC의 내접원의 반지름의 길이를 구한다. ◀ 20%

내접원의 반지름의 길이를 r이라 할 때,

삼각형의 넓이 $S = \dfrac{1}{2}r(a+b+c)$이므로 $S = \dfrac{21\sqrt{11}}{4}$

따라서 $a = 5$, $b = 7$, $c = 9$이므로 $\dfrac{21\sqrt{11}}{4} = \dfrac{1}{2}r(5+7+9)$에서 $r = \dfrac{\sqrt{11}}{2}$

1177

정답 해설참조

1단계 삼각형이 결정되기 위한 x의 값의 범위를 구한다. ◀ 40%

삼각형의 두 변의 길이의 합은 나머지 한 변의 길이보다 크므로

$4 + (x+1) > 5 - x \quad \therefore x > 0$ ······ ㉠

$4 + (5-x) > x + 1 \quad \therefore x < 4$ ······ ㉡

$x + 1 + (5-x) > 4$ 항상 성립 ······ ㉢

㉠, ㉡, ㉢에서 $0 < x < 4$

2단계 헤론의 공식을 이용하여 ABC의 넓이를 S라 할 때, S를 x에 대한 식으로 나타낸다. ◀ 40%

세 변의 길이가 4, $x+1$, $5-x$이므로 헤론의 공식을 이용하면

$s = \dfrac{4 + (x+1) + (5-x)}{2} = 5$이므로

삼각형 ABC의 넓이 S는

$S = \sqrt{5(5-4)\{5-(x+1)\}\{5-(5-x)\}}$

$\quad = \sqrt{-5x^2 + 20x} = \sqrt{-5(x-2)^2 + 20}$

3단계 S의 최댓값을 구한다. ◀ 20%

따라서 $0 < x < 4$에서 S는 $x = 2$일 때, 최댓값은 $\sqrt{20} = 2\sqrt{5}$

1178

정답 해설참조

1단계 평행사변형 ABCD의 넓이를 구한다. ◀ 30%

평행사변형 ABCD의 넓이는
$2 \cdot 4 \cdot \sin 60° = 4\sqrt{3}$

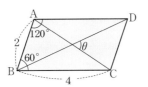

2단계 코사인법칙을 이용하여 두 대각선 AC, BD의 길이를 구한다. ◀ 40%

삼각형 ABC에서 코사인법칙에 의하여
$\overline{AC}^2 = 2^2 + 4^2 - 2 \cdot 2 \cdot 4 \cdot \cos 60° = 12$
$\therefore \overline{AC} = 2\sqrt{3} \ (\because \overline{AC} > 0)$
$A = 180° - B = 180° - 60° = 120°$이므로
삼각형 ABD에서 코사인법칙에 의하여
$\overline{BD}^2 = 2^2 + 4^2 - 2 \cdot 2 \cdot 4 \cdot \cos 120° = 28$
$\therefore \overline{BD} = 2\sqrt{7} \ (\because \overline{BD} > 0)$

3단계 두 대각선의 길이와 두 대각선이 이루는 각이 주어진 사각형의 넓이를 이용하여 $\sin \theta$의 값을 구한다. ◀ 30%

따라서 평행사변형 ABCD의 넓이는
$\frac{1}{2} \cdot 2\sqrt{3} \cdot 2\sqrt{7} \cdot \sin \theta = 4\sqrt{3}$이므로 $\sin \theta = \frac{2\sqrt{7}}{7}$

1179

정답 해설참조

1단계 코사인법칙을 이용하여 두 점 A, C를 이은 선분 AC의 길이를 구한다. ◀ 40%

삼각형 ACD에서
$\overline{AC}^2 = \overline{AD}^2 + \overline{DC}^2 - 2\overline{AD} \cdot \overline{DC} \cos D$
$= (\sqrt{6} - \sqrt{2})^2 + (2\sqrt{2})^2 - 2(\sqrt{6} - \sqrt{2}) \cdot 2\sqrt{2} \cos 120°$
$= 8 - 4\sqrt{3} + 8 + 4\sqrt{3} - 4 = 12$
$\therefore \overline{AC} = \sqrt{12} = 2\sqrt{3}$

2단계 사인법칙을 이용하여 $\angle CAD$의 크기를 구한다. ◀ 30%

삼각형 ACD에서 $\frac{\overline{AC}}{\sin 120°} = \frac{\overline{CD}}{\sin(\angle CAD)}$이므로

$\frac{2\sqrt{3}}{\sin 120°} = \frac{2\sqrt{2}}{\sin(\angle CAD)}$

$\sin(\angle CAD) = \frac{\sqrt{2}}{2}$ $\therefore \angle CAD = 45°$

3단계 사각형 ABCD의 넓이를 구한다. ◀ 30%

사각형 ABCD의 넓이를 S, 두 삼각형 ACD, ABC의 넓이를 각각 S_1, S_2라 하면 두 변의 길이와 그 끼인각의 크기가 주어지므로

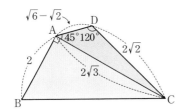

$S = S_1 + S_2$
$= \frac{1}{2} \cdot 2 \cdot 2\sqrt{3} + \frac{1}{2} \cdot (\sqrt{6} - \sqrt{2}) \cdot 2\sqrt{2} \cdot \sin 120°$
$= 2\sqrt{3} + (\sqrt{6} - \sqrt{2}) \cdot \frac{\sqrt{6}}{2} = 3 + \sqrt{3}$

1180

정답 해설참조

1단계 코사인법칙을 이용하여 $\overline{AB} \cdot \overline{AD}$의 값을 구한다. ◀ 30%

$\overline{AB} = a$, $\overline{BC} = b$, $\overline{CD} = c$, $\overline{AD} = d$라 하면
$\overline{AB} + \overline{AD} = a + d = 14$
$\overline{BC} + \overline{CD} = b + c = 9$
삼각형 ABD에서 코사인법칙에 의하여
$8^2 = a^2 + d^2 - 2ad \cos 60°$
$8^2 = a^2 + d^2 - ad$
$64 = (a + d)^2 - 3ad$
$64 = 14^2 - 3ad$
$\therefore ad = 44$
따라서 $\overline{AB} \cdot \overline{AD} = 44$

2단계 삼각형 ABD의 넓이를 구한다. ◀ 10%

삼각형 ABD의 넓이는

$\frac{1}{2} ad \sin 60° = \frac{1}{2} \cdot 44 \cdot \frac{\sqrt{3}}{2} = 11\sqrt{3}$

3단계 삼각형 BDC에서 코사인법칙을 이용하여 $\overline{BC} \cdot \overline{CD}$의 값을 구한다. ◀ 30%

사각형 ABCD가 원에 내접하므로
$A + C = 180°$
$\therefore C = 180° - 60° = 120°$
삼각형 BDC에서 코사인법칙에 의하여
$8^2 = b^2 + c^2 - 2bc \cos 120°$
$64 = b^2 + c^2 + bc$
$64 = (b + c)^2 - bc$
$64 = 9^2 - bc$
$\therefore bc = 17$
따라서 $\overline{BC} \cdot \overline{CD} = 17$

4단계 삼각형 BCD의 넓이를 구한다. ◀ 10%

삼각형 BCD의 넓이는

$\frac{1}{2} bc \sin 120° = \frac{1}{2} \cdot 17 \cdot \frac{\sqrt{3}}{2} = \frac{17\sqrt{3}}{4}$

5단계 사각형 ABCD의 넓이를 구한다. ◀ 20%

따라서 구하는 사각형 ABCD의 넓이는
(삼각형 ABD의 넓이) + (삼각형 BCD의 넓이)
$= 11\sqrt{3} + \frac{17\sqrt{3}}{4} = \frac{61\sqrt{3}}{4}$

1181

정답 $9\sqrt{3}$ 또는 $18\sqrt{3}$

STEP A 외접원의 반지름 R을 이용하여 A, b의 값 구하기

삼각형 ABC에서 외접원의 반지름의 길이가 6이므로

$$\frac{a}{\sin A}=2R=12 \quad \therefore \sin A=\frac{6\sqrt{3}}{12}=\frac{\sqrt{3}}{2}$$

즉 $A=60°$ 또는 $A=120°$ $(\because 0°<A<180°)$

또한, $\dfrac{b}{\sin B}=2R=12$에서 $b=12\sin 30°=6$

STEP B 두 변의 길이와 그 끼인각의 크기가 주어질 때, 코사인법칙 이용하기

(ⅰ) $A=60°$일 때, $A+B+C=180°$에서

$C=180°-(A+B)=180°-(60°+30°)=90°$

$\triangle ABC$의 넓이는 $\dfrac{1}{2}ab\sin C=\dfrac{1}{2}\cdot 6\sqrt{3}\cdot 6\cdot \sin 90°=18\sqrt{3}$

(ⅱ) $A=120°$일 때, $A+B+C=180°$에서

$C=180°-(A+B)=180°-(120°+30°)=30°$

$\triangle ABC$의 넓이는 $\dfrac{1}{2}ab\sin C=\dfrac{1}{2}\cdot 6\sqrt{3}\cdot 6\cdot \sin 30°=9\sqrt{3}$

(ⅰ), (ⅱ)에서 삼각형 ABC의 넓이는 $9\sqrt{3}$ 또는 $18\sqrt{3}$

1182

정답 23

STEP A 반원에 대한 원주각의 크기는 $90°$임을 이해하기

$\overline{AQ}\perp\overline{PQ}$, $\overline{AR}\perp\overline{PR}$이므로

네 점 A, Q, P, R는 한 원 위에 있고

반원에 대한 원주각의 크기는 $90°$이므로

선분 AP는 삼각형 AQR의 외접원의

지름이다.

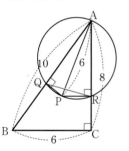

STEP B 사인법칙을 이용하여 $\overline{QR}$의 길이 구하기

삼각형 AQR에서 사인법칙에 의하여 $\dfrac{\overline{QR}}{\sin A}=\overline{AP}=6$

이때 삼각형 ABC는 직각삼각형이므로 $\sin A=\dfrac{6}{10}=\dfrac{3}{5}$

$\therefore \overline{QR}=\overline{AP}\sin A=6\cdot\dfrac{3}{5}=\dfrac{18}{5}$ ◀ $\dfrac{\overline{QR}}{\sin A}=2R=\overline{AP}$

따라서 $p=18$, $q=5$이므로 $p+q=23$

1183

정답 10

STEP A 두 변의 길이와 그 끼인각의 크기가 주어질 때, 삼각형의 넓이 구하기

$\overline{AD}=\overline{EC}=x$라 하면 $\overline{AE}=20-x$이므로 삼각형 ADE의 넓이를 S라 하면

$S=\dfrac{1}{2}x(20-x)\cdot\sin\dfrac{\pi}{3}=\dfrac{\sqrt{3}}{4}(-x^2+20x)$

$\qquad =-\dfrac{\sqrt{3}}{4}(x-10)^2+25\sqrt{3}$

STEP B 삼각형 ADE의 넓이가 최대가 될 때, 선분 AD의 길이 구하기

$x=10$일 때 삼각형 ADE의 넓이가 최대가 된다.

따라서 $\overline{AD}=10$

1184

정답 $\sqrt{3}+2\sqrt{2}$

STEP A 사인법칙에 의하여 $\sin B$, $\sin C$의 값 구하기

삼각형 ABC의 외접원의 반지름의 길이가 3이므로
사인법칙에 의하여

$$\frac{3}{\sin B}=\frac{2}{\sin C}=2R=6$$

$\therefore \sin B=\dfrac{1}{2}$, $\sin C=\dfrac{1}{3}$ ······ ㉠

STEP B 삼각비의 성질을 이용하여 $\overline{BC}$의 길이 구하기

이때 점 A에서 선분 BC에 내린
수선의 발을 M이라 하면

$\overline{BM}=\overline{AB}\cos B=2\cos B$

$\overline{CM}=\overline{AC}\cos C=3\cos C$

㉠에 의하여

$\cos B=\sqrt{1-\left(\dfrac{1}{2}\right)^2}=\dfrac{\sqrt{3}}{2}$,

$\cos C=\sqrt{1-\left(\dfrac{1}{3}\right)^2}=\dfrac{2\sqrt{2}}{3}$

($\because \angle$A가 둔각이므로 $\angle$B, $\angle$C는 모두 예각이다.)

$\therefore \overline{BC}=2\cos B+3\cos C$

$\qquad =2\cdot\dfrac{\sqrt{3}}{2}+3\cdot\dfrac{2\sqrt{2}}{3}$

$\qquad =\sqrt{3}+2\sqrt{2}$

1185

정답 15

STEP A 삼각형 ACD에서 코사인법칙에 의하여 $\overline{AD}$의 길이 구하기

삼각형 ACD에서 코사인법칙에 의하여

$\overline{AD}^2=3^2+4^2-2\cdot 3\cdot 4\cdot\cos\dfrac{\pi}{3}$

$\qquad =25-24\cdot\dfrac{1}{2}=13$

$\therefore \overline{AD}=\sqrt{13}$ $(\because \overline{AD}>0)$

STEP B 삼각형 ADE에서 코사인법칙에 의하여 $\cos\theta$ 구하기

그림과 같이 $\angle$AED$=\theta$로 놓으면 삼각형 ADE에서 코사인법칙에 의하여

$\cos\theta=\dfrac{6^2+5^2-\sqrt{13}^2}{2\cdot 6\cdot 5}=\dfrac{4}{5}$

$\therefore \sin\theta=\sqrt{1-\cos^2\theta}=\sqrt{1-\left(\dfrac{4}{5}\right)^2}=\dfrac{3}{5}$

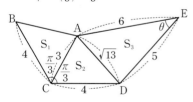

STEP C 도형 ABCDE의 넓이 구하기

삼각형 ABC, 삼각형 ACD, 삼각형 ADE의 넓이를 각각 S_1, S_2, S_3라 하면

(도형 ABCDE의 넓이)$=S_1+S_2+S_3$

$\dfrac{1}{2}\cdot 3\cdot 4\cdot\sin\dfrac{\pi}{3}+\dfrac{1}{2}\cdot 3\cdot 4\cdot\sin\dfrac{\pi}{3}+\dfrac{1}{2}\cdot 6\cdot 5\cdot\sin\theta$

$=6\cdot\dfrac{\sqrt{3}}{2}+6\cdot\dfrac{\sqrt{3}}{2}+15\cdot\dfrac{3}{5}$

$=6\sqrt{3}+9$

따라서 $p+q=6+9=15$

1186

STEP A 삼각비의 성질을 이용하여 $\overline{DC}$의 길이 구하기

$\angle CAD = \angle ACD$이므로 삼각형 ADC는
이등변삼각형이다.
점 D에서 선분 AC에 내린 수선의 발을
M이라 하면
$\overline{AM} = \overline{CM} = 120$ ...... ㉠
직각삼각형 CMD에서 $\overline{CD} = x$라 하면
$\overline{CM} = x \times \cos 30° = \dfrac{\sqrt{3}}{2}x$ ...... ㉡

㉠, ㉡에서 $\dfrac{\sqrt{3}}{2}x = 120$이므로 $x = 80\sqrt{3}$

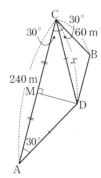

STEP B 삼각형 BCD에서 코사인법칙을 이용하여 $\overline{BD}$의 길이 구하기

따라서 삼각형 BCD에서 코사인법칙에 의하여
$\overline{BD}^2 = x^2 + 60^2 - 2 \cdot x \cdot 60 \cdot \cos 30°$
$\quad = 19200 + 3600 - 2 \cdot 80\sqrt{3} \cdot 60 \cdot \dfrac{\sqrt{3}}{2}$
$\quad = 8400$
$\therefore \overline{BD} = 20\sqrt{21}\,(\text{m})$

1187

STEP A 삼각형 ABC에서 코사인법칙을 이용하여 $\cos\theta$ 구하기

삼각형 ABC에서 $\angle ACB = \theta$라 하면
코사인법칙에 의하여 $\cos\theta = \dfrac{3^2 + 4^2 - 4^2}{2 \cdot 3 \cdot 4} = \dfrac{3}{8}$

STEP B 삼각형 ACD에서 코사인법칙 이용하여 $\overline{AD}^2$ 구하기

삼각형 ACD에서 코사인법칙에 의하여
$\overline{AD}^2 = 3^2 + 3^2 - 2 \cdot 3 \cdot 3 \cdot \cos(\pi - \theta)$
$\quad = 18 - 18(-\cos\theta)$
$\quad = 18 - 18 \cdot \left(-\dfrac{3}{8}\right) = \dfrac{99}{4}$
따라서 $p + q = 4 + 99 = 103$

다른풀이 삼각비의 성질을 이용하여 풀이하기

삼각형 ABC는 이등변삼각형이므로
점 B에서 변 AC에 내린 수선의 발을 M이라 하면 $\overline{AM} = \overline{CM} = \dfrac{3}{2}$

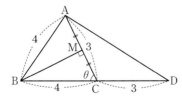

직각삼각형 BMC에서 $\angle ACB = \theta$라 하면
$\cos\theta = \dfrac{\overline{CM}}{\overline{BC}} = \dfrac{\frac{3}{2}}{4} = \dfrac{3}{8}$
삼각형 ACD에서 코사인법칙에 의하여
$\overline{AD}^2 = 3^2 + 3^2 - 2 \cdot 3 \cdot 3 \cdot \cos(\pi - \theta)$
$\quad = 18 - 18(-\cos\theta)$
$\quad = 18 - 18 \cdot \left(-\dfrac{3}{8}\right) = \dfrac{99}{4}$
따라서 $p + q = 4 + 99 = 103$

1188

STEP A 삼각형 ABD에서 코사인법칙을 이용하여 $\overline{BD}$의 길이 구하기

원에 내접하는 사각형의 마주보는
두 각의 합은 π이다.
즉 사각형 ABCD에서
$\angle BCD = \theta\ (0 < \theta < \pi)$라 하면
$\angle BAD = \pi - \theta$
선분 BD의 길이를 x라 하면
삼각형 ABD에서 코사인법칙에 의하여
$x^2 = 2^2 + 10^2 - 2 \cdot 2 \cdot 10 \cdot \cos(\pi - \theta)$
$\quad = 104 - 40 \times (-\cos\theta)$
$\quad = 104 + 40 \times \dfrac{3}{5} = 128$
$\therefore x = \sqrt{128} = 8\sqrt{2}$

STEP B 삼각형 BCD에서 외접원의 반지름의 길이 구하기

$\sin\theta = \sqrt{1 - \left(\dfrac{3}{5}\right)^2} = \dfrac{4}{5}$이므로 삼각형 BCD의 외접원의 반지름의 길이를
R이라 하면 사인법칙에 의하여
$2R = \dfrac{x}{\sin\theta} = \dfrac{8\sqrt{2}}{\frac{4}{5}} = 10\sqrt{2}$
$\therefore R = 5\sqrt{2}$

STEP C 원의 넓이 구하기

따라서 구하는 원의 넓이는 $R^2\pi = (5\sqrt{2})^2\pi = 50\pi$ $\therefore a = 50$

1189

STEP A 세 변의 길이가 주어진 삼각형 ABC의 넓이 구하기

삼각형 ABC에서 코사인법칙에 의하여
$\cos A = \dfrac{6^2 + 5^2 - 4^2}{2 \cdot 6 \cdot 5} = \dfrac{3}{4}$이므로
$0° < A < 180°$
$\sin A = \sqrt{1 - \cos^2 A} = \sqrt{1 - \left(\dfrac{3}{4}\right)^2} = \dfrac{\sqrt{7}}{4}$ ...... ㉠
즉 삼각형 ABC의 넓이는 $\dfrac{1}{2} \cdot 6 \cdot 5 \cdot \sin A = \dfrac{15\sqrt{7}}{4}$

STEP B 삼각형 ABC의 넓이가 삼각형 ABP, BCP, CAP의 넓이의 합과 같음을 이용하여 $\overline{PF}$의 길이 구하기

(삼각형 ABC의 넓이)
$=$ (삼각형 ABP의 넓이) $+$ (삼각형 BCP의 넓이) $+$ (삼각형 CAP의 넓이)
이므로 $\overline{PF} = x$라 하면
$\dfrac{15\sqrt{7}}{4} = \dfrac{1}{2} \cdot 6 \cdot x + \dfrac{1}{2} \cdot 4 \cdot \sqrt{7} + \dfrac{1}{2} \cdot 5 \cdot \dfrac{\sqrt{7}}{2}$
$\quad = 3x + 2\sqrt{7} + \dfrac{5\sqrt{7}}{4}$
$\therefore x = \dfrac{\sqrt{7}}{6}$

STEP C 삼각형 EFP의 넓이 구하기

삼각형 EFP의 넓이는
$\dfrac{1}{2} \cdot \overline{PF} \cdot \overline{PE} \cdot \sin(\angle EPF) = \dfrac{1}{2} \cdot \dfrac{\sqrt{7}}{6} \cdot \dfrac{\sqrt{7}}{2} \cdot \sin(\pi - A)$
$\quad = \dfrac{7}{24} \cdot \sin A$
$\quad = \dfrac{7\sqrt{7}}{96}\ (\because ㉠)$

따라서 $p + q = 96 + 7 = 103$

1190

STEP A 원에 내접하는 삼각형 ABC의 성질을 이용하여 참, 거짓의 진위 판단하기

ㄱ. $a=5$이면 $5^2=3^2+4^2$이므로 삼각형 ABC는 직각삼각형이다.
즉 길이가 5인 변 BC는 외접원의 지름이다.
$$\therefore R=\frac{5}{2} \text{ [참]}$$

ㄴ. 사인법칙에 의하여 $2R=\dfrac{a}{\sin A}$이므로 $R=4$이면
$a=8\sin A$이다. [참]

ㄷ. 코사인법칙에 의하여 $\cos A=\dfrac{3^2+4^2-a^2}{2\cdot3\cdot4}=\dfrac{25-a^2}{24}$이므로
$1<a\le\sqrt{13}$, 즉 $1<a^2\le13$이면 $\dfrac{1}{2}\le\cos A<1$

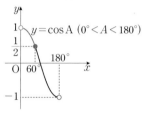

$\cos0°=1$, $\cos60°=\dfrac{1}{2}$이므로 $(\because 0°<A<180°)$

$0°<A\le60°$
즉 A의 최댓값은 $60°$이다. [참]
따라서 옳은 것은 ㄱ, ㄴ, ㄷ이다.

1191

STEP A $\angle BGF=\theta$일 때, $\angle BFE$의 값 구하기

ㄱ. $\angle BGF=\theta$이므로
$\angle BFG=60°-\theta$
$\therefore \angle BFE=\angle BFG+\angle GFE$
$=(60°-\theta)+30°$
$=90°-\theta$ [참]

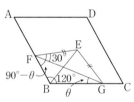

STEP B 사인법칙을 이용하여 $\overline{BF}$의 길이 구하기

ㄴ. 이등변삼각형 EFG에서 $\overline{EF}=\overline{EG}=2$이므로
$$\overline{FG}=2\overline{EF}\cos30°=2\cdot2\cdot\frac{\sqrt3}{2}=2\sqrt3$$

삼각형 BGF에서 사인법칙에 의하여 $\dfrac{\overline{FG}}{\sin120°}=\dfrac{\overline{BF}}{\sin\theta}$

$$\therefore \overline{BF}=\frac{\overline{FG}}{\sin120°}\cdot\sin\theta=\frac{2\sqrt3}{\frac{\sqrt3}{2}}\cdot\sin\theta=4\sin\theta \text{ [참]}$$

STEP C 코사인 법칙을 이용하여 선분 BE의 길이 구하기

ㄷ. 삼각형 EFB에서 코사인법칙에 의하여
$$\overline{BE}^2=\overline{BF}^2+\overline{EF}^2-2\overline{BF}\cdot\overline{EF}\cdot\cos(90°-\theta)$$
$$=(4\sin\theta)^2+2^2-2\cdot4\sin\theta\cdot2\cdot\sin\theta$$
$$=16\sin^2\theta+4-16\sin^2\theta=4$$
즉 $\overline{BE}=2\ (\because \overline{BE}>0)$로 항상 일정하다. [참]
따라서 옳은 것은 ㄱ, ㄴ, ㄷ이다.

1192

STEP A 삼각형 APB에서 코사인법칙을 이용하여 식 정리하기

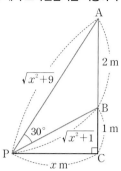

$\overline{PC}=x$m라고 하면
직각삼각형 PCA에서 $\overline{PA}=\sqrt{x^2+9}$
직각삼각형 PCB에서 $\overline{PB}=\sqrt{x^2+1}$
삼각형 APB에서 코사인법칙에 의하여
$$2^2=\left(\sqrt{x^2+9}\right)^2+\left(\sqrt{x^2+1}\right)^2-2\cdot\sqrt{x^2+9}\cdot\sqrt{x^2+1}\cdot\cos30°$$

STEP B $\overline{PC}$의 길이 구하기
$$2x^2+6=\sqrt{3(x^2+9)(x^2+1)}$$
이 식의 양변을 제곱하여 정리하면
$$x^4-6x^2+9=0,\ (x^2-3)^2=0$$
$$\therefore x^2=3$$
$x>0$이므로 $x=\sqrt3$
따라서 $\overline{PC}$의 길이는 $\sqrt3$ m

1193

STEP A 대칭이동을 이용하여 $\overline{BP}+\overline{BQ}$이 최소가 되는 점 B의 위치 정하기

오른쪽 그림과 같이 점 P를 직선 AB에
대하여 대칭이동한 점을 P′이라 하면
$\overline{BP}=\overline{BP'}$이다.
따라서 점 B에서 두 점 P, Q에 이르는
거리의 합은

$\overline{BP}+\overline{BQ}=\overline{BP'}+\overline{BQ}\ge\overline{P'Q}$
이므로 거리의 합의 최솟값은 선분 P′Q의
길이이다.

STEP B 코사인법칙을 이용하여 거리의 합의 최솟값 구하기

삼각형 AP′Q에서 $\overline{AP'}=30$, $\overline{AQ}=20$, $\angle P'AQ=60°$이므로
코사인법칙에 의하여
$$\overline{P'Q}^2=30^2+20^2-2\cdot30\cdot20\cos60°=700$$
따라서 거리의 합의 최솟값은 $10\sqrt7$ km

1194

STEP Ⓐ 점 P의 대칭점을 구하여 둘레의 길이가 최소가 되는 점 P_1, P_2의 위치 정하기

부채꼴의 호 AB를 연장한 원주 위에 점 P의 선분 OA, OB에 대한 대칭점을 각각 P_1, P_2라고 하면

$\overline{PQ} = \overline{P_1 Q}$, $\overline{PR} = \overline{P_2 R}$ 이므로

$\overline{PQ} + \overline{QR} + \overline{RP} = \overline{P_1 Q} + \overline{QR} + \overline{RP_2} \geq \overline{P_1 P_2}$

STEP Ⓑ 코사인법칙을 이용하여 거리의 합의 최솟값 구하기

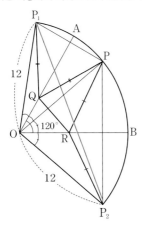

따라서 삼각형 PQR의 둘레의 길이의 최솟값은 $\overline{P_1 P_2}$이고
삼각형 $OP_1 P_2$에서 코사인법칙에 의하여

$\overline{P_1 P_2}^2 = 12^2 + 12^2 - 2 \cdot 12 \cdot 12 \cos 120°$

$\qquad = 144 + 144 + 144 = 3 \times 144$

즉 $\overline{P_1 P_2} = \sqrt{3 \cdot 144} = 12\sqrt{3}$

1195

STEP Ⓐ 보조선 QA를 그어 직각삼각형에서 선분의 길이 구하기

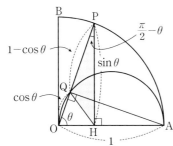

선분 QA를 그으면 직각삼각형 OQA에서 $\overline{OQ} = \cos\theta$

또, $\overline{PQ} = \overline{OP} - \overline{OQ} = 1 - \overline{OQ} = 1 - \cos\theta$

직각삼각형 PHO에서 $\overline{PH} = \sin\theta$

STEP Ⓑ 두 변의 길이와 그 끼인각의 크기가 주어질 때, 넓이 구하기

$\angle POH = \theta$ 이므로 $\angle OPH = \dfrac{\pi}{2} - \theta$

삼각형 PQH의 넓이 $S(\theta)$는

$S(\theta) = \dfrac{1}{2} \cdot (1 - \cos\theta) \cdot \sin\theta \cdot \sin\left(\dfrac{\pi}{2} - \theta\right)$ ◀ $S = \dfrac{1}{2}bc\sin A$

$\qquad = \dfrac{1}{2}(1 - \cos\theta)\sin\theta \cos\theta$ …… ㉠ ◀ $\sin\left(\dfrac{\pi}{2} - \theta\right) = \cos\theta$

STEP Ⓒ $\cos\theta = \dfrac{1}{3}$ 일 때, $S(\theta)$의 값 구하기

따라서 $\cos\theta = \dfrac{1}{3}$ 에서 $\sin\theta = \sqrt{1 - \cos^2\theta} = \sqrt{1 - \left(\dfrac{1}{3}\right)^2} = \dfrac{2\sqrt{2}}{3}$ 이므로

㉠에 대입하면 $S(\theta) = \dfrac{1}{2}\left(1 - \dfrac{1}{3}\right) \cdot \dfrac{2\sqrt{2}}{3} \cdot \dfrac{1}{3} = \dfrac{2\sqrt{2}}{27}$

01 STEP1 내신정복기출유형 등차수열

1196 정답 ④

STEP A 등차수열의 일반항을 통해 각 항과 공차 구하기

①, ② $a_n=pn+q=(p+q)+(n-1)p$이므로
첫째항이 $p+q$이고 공차가 p인 등차수열이다. [참]
③ $a_2=2p+q$, $a_3=3p+q$이므로 $a_2=a_3$이면 $p=0$이다. [참]

STEP B 일반항의 특징 이용하기

④ $p<0$이면 $a_{n+1}<a_n$이다. [거짓]
⑤ $2a_1-a_2=2(p+q)-(2p+q)=q$ [참]
따라서 옳지 않은 것은 ④이다.

1197 정답 ⑤

STEP A 등차수열 $\{a_n\}$의 일반항을 이용하여 구하기

등차수열 $\{a_n\}$의 첫째항이 5, 공차는 2이므로
$a_n=5+(n-1)\cdot 2=2n+3$
이때 $a_n=2n+3=41$에서 $n=19$
따라서 41은 제 19항이다.

1198 정답 ①

STEP A 등차수열 $\{a_n\}$의 공차를 구하여 일반항 a_n 구하기

등차수열 $\{a_n\}$의 첫째항이 $a_1=4$, 공차를 d라 하면
$a_n=4+(n-1)d$
$a_{10}-a_7=(4+9d)-(4+6d)=3d$이므로 $3d=6$
$\therefore d=2$
따라서 $a_4=4+3d=4+6=10$

내/신/연/계 출제문항 425

첫째항이 2인 등차수열 $\{a_n\}$에 대하여
$$2(a_2+a_3)=a_9$$
일 때, 수열 $\{a_n\}$의 공차는?

① 3 　　② 4 　　③ 5
④ 6 　　⑤ 7

STEP A 등차수열 $\{a_n\}$의 일반항 a_n 구하기

등차수열 $\{a_n\}$의 첫째항이 $a_1=2$, 공차를 d라 하면
$a_n=2+(n-1)d$

STEP B 각 항을 주어진 식에 대입하기

$a_2=2+d$, $a_3=2+2d$, $a_9=2+8d$이므로
$2(a_2+a_3)=a_9$에 대입하면 $2(2+d+2+2d)=2+8d$
$8+6d=2+8d$
따라서 $d=3$ 정답 ①

1199 정답 ②

STEP A 등차수열 $\{a_n\}$의 일반항을 이용하여 공차 구하기

등차수열 $\{a_n\}$의 첫째항이 a이고 공차를 d라 하면
$a_n=a+(n-1)d$이므로
$a_7-a_3=(a+6d)-(a+2d)=4d=16$
$\therefore d=4$

STEP B 각 항을 주어진 식에 대입하기

$a_1-a_2+a_3-a_4+\cdots+a_9-a_{10}$
$=(a_1-a_2)+(a_3-a_4)+\cdots+(a_9-a_{10})$
$=-d+(-d)+(-d)+(-d)+(-d)$
$=-5d$
$=-20$

1200 정답 ①

STEP A 등차수열 $\{a_n\}$의 첫째항과 공차를 구하여 일반항 a_n 구하기

등차수열 $\{a_n\}$의 첫째항과 공차가 같으므로 첫째항과 공차를 모두 a라 하면
$a_n=a+(n-1)a=an$
이때 $a_2+a_4=24$에서 $2a+4a=24$
$\therefore a=4$
따라서 $a_n=4n$이므로 $a_5=4\cdot 5=20$

내/신/연/계 출제문항 426

첫째항이 a이고 공차가 $a+1$인 등차수열 $\{a_n\}$이
$$a_2-a_3+a_4-a_5+a_6=15$$
를 만족시킬 때, a_7의 값은?

① 25 　　② 26 　　③ 27
④ 28 　　⑤ 29

STEP A 등차수열 $\{a_n\}$의 일반항을 이용하여 구하기

등차수열 $\{a_n\}$의 첫째항이 a, 공차가 $a+1$이므로
$a_n=a+(n-1)(a+1)$
$a_2-a_3+a_4-a_5+a_6$
$=(a+a+1)-(a+2a+2)+(a+3a+3)-(a+4a+4)+(a+5a+5)$
$=4a+3$
이때 $4a+3=15$이므로 $a=3$
따라서 $a_7=a+6(a+1)=7a+6=7\cdot 3+6=27$

다른풀이 $a_4-a_3=a_6-a_5=d$(공차)임을 이용하여 풀이하기

등차수열 $\{a_n\}$의 첫째항이 a, 공차가 $a+1$이므로
공차는 $a+1=a_4-a_3=a_6-a_5$을 이용하면
$a_2-a_3+a_4-a_5+a_6=a_2+(-a_3+a_4)+(-a_5+a_6)$
$\qquad\qquad\qquad =a+(a+1)+(a+1)+(a+1)$
$\qquad\qquad\qquad =a+3(a+1)$
$\qquad\qquad\qquad =4a+3$
$\qquad\qquad\qquad =15$
이때 $4a+3=15$이므로 $a=3$
따라서 $a_7=a+6(a+1)=7a+6=7\cdot 3+6=27$ 정답 ③

1201

정답 ④

STEP Ⓐ **등차수열 $\{b_n\}$의 일반항을 이용하여 첫째항을 구하기**

등차수열 $\{b_n\}$의 첫째항이 b, 공차가 3이므로

$b_n=b+(n-1)\cdot 3=3n-3+b$

$b_n-a_n=2n$에서 $a_n=b_n-2n$이므로 $a_n=(3n-3+b)-2n=n-3+b$

$a_{10}=11$에서 $a_{10}=10-3+b=7+b=11$ $\therefore b=4$

STEP Ⓑ b_5 **구하기**

따라서 $b_n=3n+1$이므로 $b_5=3\cdot 5+1=16$

1202

정답 ④

STEP Ⓐ **등차수열 $\{a_n\}$의 일반항을 이용하여 첫째항을 구하기**

등차수열 $\{a_n\}$의 첫째항이 a이고 공차가 -2이므로

$a_2=a-2$, $a_3=a-4$, $a_4=a-6$이므로

$(a_2+a_4)^2=16a_3$에 대입하면 $(a-2+a-6)^2=16(a-4)$

$(2a-8)^2=16(a-4)$

$a^2-12a+32=0$, $(a-4)(a-8)=0$

$\therefore a=4$ 또는 $a=8$

STEP Ⓑ $a_3\ne 0$**을 만족하는 a 구하기**

$a=4$일 때, $a_3=4+2\cdot(-2)=0$이고

$a=8$일 때, $a_3=8+2\cdot(-2)=4$

$a_3\ne 0$이므로 $a_3=4$

따라서 a의 값은 8

다른풀이 등차중항을 이용하여 풀이하기

등차중항의 성질에 의하여 $a_2+a_4=2a_3$이므로

$(a_2+a_4)^2=16a_3$에 대입하면 $4a_3{}^2=16a_3$

$a_3{}^2-4a_3=0$, $a_3(a_3-4)=0$

$a_3\ne 0$이므로 $a_3=4$

$a_n=a+(n-1)(-2)$이므로 $a_3=a+2\times(-2)=4$

따라서 a의 값은 8

1203

정답 ①

STEP Ⓐ **등차수열 $\{a_n\}$의 첫째항과 공차를 구하여 일반항 a_n 구하기**

등차수열 $\{a_n\}$의 첫째항을 a, 공차를 d라 하면 $a_n=a+(n-1)d$

$a_3=a+2d=3$ ⋯⋯ ㉠

$a_7=a+6d=19$ ⋯⋯ ㉡

㉠, ㉡을 연립하여 풀면 $a=-5$, $d=4$

따라서 $a_{20}=-5+(20-1)\cdot 4=71$

1204

정답 ④

STEP Ⓐ **등차수열 $\{a_n\}$의 첫째항과 공차를 구하여 일반항 a_n 구하기**

등차수열 $\{a_n\}$의 첫째항을 a, 공차를 d라 하면 $a_n=a+(n-1)d$

$a_5=5$에서 $a_5=a+4d=5$ ⋯⋯ ㉠

$a_{15}=25$에서 $a_{15}=a+14d=25$ ⋯⋯ ㉡

㉠, ㉡을 연립하여 풀면 $a=-3$, $d=2$

STEP Ⓑ a_{20} **구하기**

따라서 $a_{20}=a+19d=-3+19\cdot 2=35$

1205

정답 ⑤

STEP Ⓐ **등차수열 $\{a_n\}$의 첫째항과 공차를 구하여 일반항 a_n 구하기**

등차수열 $\{a_n\}$의 첫째항을 a, 공차를 d라 하면 $a_n=a+(n-1)d$

$a_3=5$에서 $a+2d=5$ ⋯⋯ ㉠

$a_6-a_4=4$에서 $(a+5d)-(a+3d)=2d=4$ $\therefore d=2$

㉠에 $d=2$를 대입하면 $a=1$

STEP Ⓑ a_{10} **구하기**

따라서 $a_{10}=a+9d=1+18=19$

내/신/연/계 출제문항 427

등차수열 $\{a_n\}$에 대하여

$$a_3=8,\ a_6-a_4=12$$

일 때, a_6의 값은?

① 25   ② 26   ③ 27

④ 28   ⑤ 29

STEP Ⓐ **등차수열 $\{a_n\}$의 첫째항과 공차를 구하여 일반항 a_n 구하기**

등차수열 $\{a_n\}$의 첫째항을 a, 공차를 d라 하면 $a_n=a+(n-1)d$

$a_3=8$에서 $a+2d=8$ ⋯⋯ ㉠

$a_6-a_4=12$에서 $(a+5d)-(a+3d)=2d=12$ $\therefore d=6$

㉠에 $d=6$을 대입하면 $a=-4$

STEP Ⓑ a_{10} **구하기**

따라서 $a_6=-4+(6-1)\cdot 6=26$ 정답 ②

1206

정답 ②

STEP Ⓐ **등차수열 $\{a_n\}$의 첫째항과 공차를 구하여 일반항 a_n구하기**

등차수열 $\{a_n\}$의 첫째항을 a, 공차를 d라 하면

$a_3=10$에서 $a+2d=10$ ⋯⋯ ㉠

$a_2+a_5=24$에서 $(a+d)+(a+4d)=2a+5d=24$ ⋯⋯ ㉡

㉠, ㉡을 연립하여 풀면 $a=2$, $d=4$

STEP Ⓑ a_6 **구하기**

따라서 $a_6=a+5d=2+5\cdot 4=22$

내/신/연/계 출제문항 428

등차수열 $\{a_n\}$에 대하여

$$a_3=6,\ a_4+a_6=20$$

일 때, a_7의 값을 구하여라.

① 8   ② 10   ③ 12

④ 14   ⑤ 16

STEP Ⓐ **등차수열 $\{a_n\}$의 첫째항과 공차를 구하여 일반항 a_n 구하기**

등차수열 $\{a_n\}$의 첫째항을 a, 공차를 d라 하면 $a_n=a+(n-1)d$

$a_3=6$에서 $a_3=a+2d=6$ ⋯⋯ ㉠

$a_4+a_6=20$에서 $a+3d+a+5d=2a+8d=20$ ⋯⋯ ㉡

㉠, ㉡을 연립하여 풀면 $a=2$, $d=2$

STEP Ⓑ a_7 **구하기**

따라서 $a_7=a+6d=2+6\cdot 2=14$ 정답 14

1207

정답 ②

STEP A 등차수열 $\{a_n\}$의 첫째항과 공차를 구하여 일반항 a_n 구하기

등차수열 $\{a_n\}$의 첫째항을 a, 공차를 d라 하면 $a_n=a+(n-1)d$

$a_3=11$에서 $a_3=a+2d=11$ …… ㉠

$a_6=a+5d=11+3d$ ← $a_6=a_3+3d$

$a_{10}=a+9d=11+7d$ ← $a_{10}=a_3+7d$

$\therefore (11+3d):(11+7d)=5:8$

$55+35d=88+24d$에서 $11d=33$ $\therefore d=3$

㉠에 대입하면 $a=11-2\cdot3=5$

STEP B a_{20}의 값 구하기

따라서 $a_{20}=5+19\cdot3=62$

1208

정답 ②

STEP A 등차수열 $\{a_n\}$의 첫째항을 구하여 일반항 a_n 구하기

수열 $\{a_n\}$은 공차가 2인 등차수열이므로 $a_n=a_1+2(n-1)$

STEP B 각 항을 주어진 식에 대입하기

$a_3a_5=a_2a_8$이므로 $(a_1+4)(a_1+8)=(a_1+2)(a_1+14)$

$a_1^2+12a_1+32=a_1^2+16a_1+28$

$4a_1=4$ $\therefore a_1=1$

따라서 $a_n=1+2(n-1)=2n-1$이므로 $a_7=13$

1209

정답 ②

STEP A 등차수열 $\{a_n\}$의 일반항을 이용하여 첫째항과 공차 구하기

등차수열 $\{a_n\}$의 첫째항을 a, 공차를 d라 하면 $a_n=a+(n-1)d$

$a_3+a_5=26$에서 $(a+2d)+(a+4d)=26$

$\therefore a+3d=13$ …… ㉠

$a_4-a_7=-12$에서 $(a+3d)-(a+6d)=-12$

$\therefore 3d=12$ …… ㉡

㉠, ㉡을 연립하여 풀면 $a=1$, $d=4$

STEP B 97은 몇 항인지 구하기

$a_n=1+(n-1)\cdot4=4n-3$

따라서 $4n-3=97$에서 $n=25$

내/신/연/계 출제문항 **429**

등차수열 $\{a_n\}$에서 $a_{10}=-2$, $a_{25}=-32$일 때, -100은 몇째 항인가?

① 제 29항 ② 제 32항 ③ 제 42항

④ 제 54항 ⑤ 제 59항

STEP A 등차수열 $\{a_n\}$의 일반항을 이용하여 첫째항과 공차 구하기

등차수열 $\{a_n\}$의 첫째항을 a, 공차를 d라 하면 $a_n=a+(n-1)d$

$a_{10}=-2$에서 $a_{10}=a+9d=-2$ …… ㉠

$a_{25}=-32$에서 $a_{25}=a+24d=-32$ …… ㉡

㉠, ㉡을 연립하여 풀면 $a=16$, $d=-2$

STEP B -100은 몇 항인지 구하기

$a_n=16+(n-1)\cdot(-2)=-2n+18$

따라서 $-2n+18=-100$에서 $n=59$

정답 ⑤

1210

정답 ②

STEP A 등차수열 $\{a_n\}$의 일반항을 이용하여 첫째항과 공차 구하기

등차수열 $\{a_n\}$의 첫째항을 a, 공차를 d라 하면 $a_n=a+(n-1)d$

$a_2+a_4=(a+d)+(a+3d)=2a+4d=54$ …… ㉠

$a_{12}+a_{14}=(a+11d)+(a+13d)=2a+24d=254$ …… ㉡

㉠, ㉡을 연립하여 풀면 $a=7$, $d=10$

STEP B a_{14}의 값 구하기

따라서 $a_{14}=a+13d=7+13\cdot10=137$

다른풀이 등차중항을 이용하여 a_{14} 구하기

$a_3=\dfrac{a_2+a_4}{2}=27$, $a_{13}=\dfrac{a_{12}+a_{14}}{2}=127$

공차를 d라 하면 $a_{13}=a_3+(11-1)d$에서 $d=10$

따라서 $a_{14}=a_{13}+d=137$

1211

정답 ③

STEP A 등차수열 $\{a_n\}$의 일반항을 이용하여 첫째항과 공차 구하기

등차수열 $\{a_n\}$의 첫째항을 a, 공차를 d라 하면 $a_n=a+(n-1)d$

$a_8=a_2+12$에서 $a+7d=a+d+12$

$\therefore d=2$

$a_1+a_2+a_3=15$에서 $a+(a+d)+(a+2d)=15$

$\therefore a+d=5$ $\therefore a=3$

STEP B a_{10} 구하기

따라서 $a_{10}=a+9d=3+9\cdot2=21$

다른풀이 등차중항을 이용하여 풀이하기

a_1, a_2, a_3이 순서대로 등차수열을 이루므로 $2a_2=a_1+a_3$

$a_1+a_2+a_3=15$에서 $a_1+a_2+a_3=2a_2+a_2=3a_2=15$

$\therefore a_2=5$

이때 $a_8=a_2+12=5+12=17$이므로 등차수열 $\{a_n\}$의 공차를 d라 하면

$a_8=a_2+6d=17$에서 $5+6d=17$

$\therefore d=2$

따라서 $a_{10}=a_2+(9-1)d=5+8\cdot2=21$

내/신/연/계 출제문항 **430**

등차수열 $\{a_n\}$에 대하여

$$a_{10}=a_1+18, \quad a_1+a_4+a_7=0$$

일 때, a_{20}의 값은?

① 12 ② 24 ③ 28

④ 32 ⑤ 36

STEP A 등차수열 $\{a_n\}$의 첫째항과 공차를 구하기

등차수열 $\{a_n\}$의 첫째항을 a, 공차를 d라 하면 $a_n=a+(n-1)d$

$a_{10}=a_1+18$에서 $a_{10}-a_1=(a+9d)-a=9d=18$

$\therefore d=2$

$a_1+a_4+a_7=0$에서 $a_1+a_4+a_7=a+(a+3d)+(a+6d)=3a+9d$

즉 $3a+18=0$

$\therefore a=-6$

STEP B a_{20} 구하기

따라서 $a_{20}=a+19d=-6+19\cdot2=32$

정답 ④

1212

STEP A 등차수열 $\{a_n\}$의 첫째항과 공차를 구하기

등차수열 $\{a_n\}$의 첫째항을 a, 공차를 d라 하면 $a_n=a+(n-1)d$

등차중항의 성질을 이용하면

$a_1+a_3=2a_2=10$ $\therefore a_2=5$

또한, $a_6+a_8=2a_7=40$ $\therefore a_7=20$

$a_2=5$에서 $a+d=5$ ...... ㉠

$a_7=20$에서 $a+6d=20$ ...... ㉡

㉠, ㉡을 연립하여 풀면 $a=2$, $d=3$

STEP B $a_{10}+a_{12}+a_{14}+a_{16}$의 값 구하기

따라서 $a_n=2+3(n-1)=3n-1$이므로

$a_{10}+a_{12}+a_{14}+a_{16}=29+35+41+47=152$

다른풀이 등차중항을 이용하여 풀이하기

등차중항의 성질에 의하여 $a_{10}+a_{16}=2a_{13}$, $a_{12}+a_{14}=2a_{13}$

$\therefore a_{10}+a_{12}+a_{14}+a_{16}=4a_{13}$
$=4(a+12d)$
$=4(2+36)$
$=152$

내/신/연/계 출제문항 431

등차수열 $\{a_n\}$이

$$a_1+a_2+a_3=21, \quad a_7+a_8+a_9=75$$

를 만족시킬 때, $a_{10}+a_{11}+a_{12}$의 값은?

① 90 　　② 102 　　③ 112
④ 124 　　⑤ 141

STEP A 등차수열 $\{a_n\}$의 일반항을 이용하여 첫째항과 공차 구하기

등차수열 $\{a_n\}$의 첫째항을 a, 공차를 d라 하면 $a_n=a+(n-1)d$

$a_1+a_2+a_3=21$에서 $a+(a+d)+(a+2d)=3a+3d=21$

$\therefore a+d=7$ ...... ㉠

$a_7+a_8+a_9=75$에서 $(a+6d)+(a+7d)+(a+8d)=3a+21d=75$

$\therefore a+7d=25$ ...... ㉡

㉠, ㉡을 연립하여 풀면 $a=4$, $d=3$

STEP B $a_{10}+a_{11}+a_{12}$의 값 구하기

따라서 $a_{10}+a_{11}+a_{12}=3a+30d=102$

1213

STEP A 조건 (가)를 만족하는 a, d의 관계식 구하기

등차수열 $\{a_n\}$의 첫째항을 a, 공차를 $d\,(d>0)$라 하면

조건 (가)에서

$a_6+a_8=(a+5d)+(a+7d)=2a+12d=0$

$a=-6d$ ...... ㉠

STEP B 조건 (나)를 이용하여 공차를 구한 후 a_2 구하기

조건 (나)에서

$|a_6|=|a_7|+3$이므로 $|a+5d|=|a+6d|+3$

㉠을 대입하면 $|-6d+5d|=|-6d+6d|+3$

$|-d|=3$

그런데 $d>0$이므로 $d=3$

따라서 $a_2=a+d=-6d+d=-5d=-15$

다른풀이 등차중항을 이용하여 풀이하기

조건 (가)에서

a_6, a_7, a_8은 이 순서대로 등차수열을 이루므로

$a_7=\dfrac{a_6+a_8}{2}=\dfrac{0}{2}=0$ $\therefore a_7=0$

조건 (나)에서

$|a_6|=|a_7|+3=3$이므로 $|a_6|=3$

공차를 $d\,(d>0)$라 하면 $a_6=a_7-d$이므로 $a_6=-d$

즉 $|a_6|=d=3$ ...... ㉠

또한, $a_7=a+6d=0$이므로 $a=-6d$

㉠에서 $a=-18$

따라서 $a_2=a+d=-18+3=-15$

1214

STEP A 등차수열 $\{a_n\}$의 일반항을 이용하여 공차 구하기

등차수열 $\{a_n\}$의 첫째항이 -15, 공차를 d라 하면 $a_n=-15+(n-1)d$

이때 $a_3>0$이면 $a_3=a_4$이므로 공차가 0이 되어서

$a_3=a_4=-15$이므로 모순이다.

즉 $a_3<0$이므로 $a_3=-a_4$, 즉 $a_3+a_4=0$

$a_3+a_4=(-15+2d)+(-15+3d)=0$

$5d-30=0$

$\therefore d=6$

STEP B a_7의 값 구하기

따라서 $a_n=-15+(n-1)\cdot6=6n-21$이므로 $a_7=6\cdot7-21=21$

1215

STEP A 등차수열 $\{a_n\}$의 일반항을 이용하여 첫째항 구하기

등차수열 $\{a_n\}$의 첫째항을 a라 하면 공차가 6이므로

$a_n=a+(n-1)\cdot6$ ← 공차가 6이므로 $a_3=a_2+6\neq a_2$이므로 a_2-3과 a_3-3이 절댓값은 같고 부호가 반대이어야 한다.

$\therefore a_2=a+6$, $a_3=a+12$

$|a_2-3|=|a_3-3|$에서 $|a+3|=|a+9|$

이때 $a+9>a+3$이므로 $a+3=-(a+9)$

$2a=-12$

$\therefore a=-6$

STEP B a_5의 값 구하기

따라서 $a_5=a+4\cdot6=-6+24=18$

다른풀이 등차수열의 성질을 이용하여 풀이하기

등차수열 $\{a_n\}$의 공차가 6이므로

$|a_2-3|=|a_3-3|$에서 $|a_2-3|=|(a_2+6)-3|$

$|a_2-3|=|a_2+3|$

$\therefore a_2=0$

따라서 a_2의 값을 첫째항으로 하면 $a_n=a_2+(n-2)\cdot6\,(n\geq2)$이므로

$a_5=0+(5-2)\cdot6=18$

내신연계 출제문항 432

공차가 2인 등차수열 $\{a_n\}$이

$$|a_3-1|=|a_6-3|$$

을 만족시킨다. 이때 $a_n > 92$를 만족시키는 자연수 n의 최솟값은?

① 45　　　　② 50　　　　③ 55
④ 60　　　　⑤ 65

STEP A 등차수열 $\{a_n\}$의 일반항을 이용하여 첫째항 구하기

등차수열 $\{a_n\}$의 첫째항을 a라 하면 공차가 2이므로

$a_n = a+(n-1)\cdot 2$

$\therefore a_3 = a+4, \ a_6 = a+10$

$|a_3-1|=|a_6-3|$에서 $|a+3|=|a+7|$

이때 $a+7 > a+3$이므로 $a+3 = -(a+7)$

$\therefore a = -5$

STEP B $a_n > 92$를 만족시키는 자연수 n의 최솟값 구하기

$\therefore a_n = 2n-7$

이때 $a_n = 2n-7 > 92$에서 $2n > 99$

$\therefore n > \dfrac{99}{2} = 49.5$

따라서 구하는 자연수 n의 최솟값은 50　　　정답 ②

1216

정답 ④

STEP A 등차수열 $\{a_n\}$의 일반항을 이용하여 첫째항과 공차 구하기

등차수열 $\{a_n\}$의 첫째항을 a, 공차를 d라 하면 $a_n=a+(n-1)d$

조건 (가)에서 $a_3 = a+2d = 20$ …… ㉠

조건 (나)에서 $a_5 = -a_{11}$이므로

$a_5 + a_{11} = 0$

즉 $(a+4d)+(a+10d)=0$

$2a+14d=0$ …… ㉡

㉠, ㉡을 연립하여 풀면 $a=28, \ d=-4$

STEP B a_{10} 구하기

따라서 $a_n = 28-4(n-1) = -4n+32$이므로 $a_{10} = -40+32 = -8$

내신연계 출제문항 433

등차수열 $\{a_n\}$에 대하여 첫째항이 3이고 제 2항과 제 6항의 절댓값이 같고 부호가 서로 다른 등차수열의 a_{10}은?

① -8　　　② -6　　　③ -4
④ -2　　　⑤ 6

STEP A $a_2 + a_6 = 0$을 이용하여 공차 구하기

등차수열 $\{a_n\}$의 첫째항 3, 공차를 d라 하면 $a_n=a+(n-1)d$

제 2항과 제 6항의 절댓값이 같고 부호가 서로 다르므로

$a_2 = -a_6$

$a_2 + a_6 = 0$

즉 $a_2 + a_6 = 3+d+3+5d = 6+6d = 0$

$\therefore d = -1$

STEP B a_{10}의 값 구하기

따라서 $a_n = 3+(n-1)(-1) = -n+4$이므로 $a_{10} = -10+4 = -6$　　　정답 ②

1217

정답 ③

STEP A 등차수열 $\{a_n\}$의 일반항 $a_n = a+(n-1)d$를 이용하여 구하기

첫째항이 100, 공차가 -3인 등차수열 $\{a_n\}$의 일반항은

$a_n = 100+(n-1)(-3) = -3n+103$

이때 일반항 a_n이 0보다 작아야 하므로 $a_n = -3n+103 < 0$

$\therefore n > \dfrac{103}{3} = 34.3\cdots$

따라서 제 35항에서 처음으로 음수가 된다.

1218

정답 ①

STEP A 등차수열 $\{a_n\}$의 일반항을 이용하여 첫째항과 공차 구하기

등차수열 $\{a_n\}$의 첫째항을 a, 공차를 d라고 하면 $a_n=a+(n-1)d$

$a_5 = a+4d = 10$ …… ㉠

$a_{15} = a+14d = -30$ …… ㉡

㉠, ㉡을 연립하여 풀면 $a=26, \ d=-4$

수열 $\{a_n\}$의 일반항은

$a_n = 26+(n-1)\cdot(-4) = -4n+30$

STEP B 처음으로 음수가 되는 항 구하기

$a_n < 0$에서 $-4n+30 < 0$이므로 $n > \dfrac{30}{4} = 7.5$

따라서 처음으로 음수가 되는 항은 제 8항이다.

1219

정답 ④

STEP A 등차수열 $\{a_n\}$의 일반항을 이용하여 첫째항과 공차 구하기

등차수열 $\{a_n\}$의 첫째항을 a, 공차를 d라고 하면 $a_n=a+(n-1)d$

$a_1 - a_4 = a-(a+3d) = 9, \ -3d = 9$

$\therefore d = -3$ …… ㉠

$a_3 + a_4 = (a+2d)+(a+3d) = 99$

$2a+5d = 99$ …… ㉡

㉠, ㉡을 연립하여 풀면 $a=57, \ d=-3$

수열 $\{a_n\}$의 일반항은

$a_n = 57+(n-1)\cdot(-3) = -3n+60$

STEP B 처음으로 음수가 되는 항 구하기

처음으로 음수가 되는 항은 $a_n < 0$을 만족시키는 최초의 항이므로

$-3n+60 < 0$에서 $3n > 60$

$\therefore n > 20$

따라서 처음으로 음수가 되는 항은 제 21항이므로 $k=21$

$\therefore a_k = -3\cdot 21+60 = -3$

등차수열 $\{a_n\}$에 대하여

$$a_3+a_5=27,\ a_4+a_8=25$$

일 때, 처음으로 음수가 되는 항은 제 몇 항인지 구하면?

① 30   ② 31   ③ 32

④ 33   ⑤ 34

STEP A 등차수열 $\{a_n\}$의 일반항을 이용하여 첫째항과 공차 구하기

등차수열 $\{a_n\}$의 첫째항을 a, 공차를 d라고 하면 $a_n=a+(n-1)d$

$a_3+a_5=(a+2d)+(a+4d)=27$

$\therefore\ 2a+6d=27$ …… ㉠

$a_4+a_8=(a+3d)+(a+7d)=25$

$\therefore\ 2a+10d=25$ …… ㉡

㉠, ㉡을 연립하여 풀면 $a=15$, $d=-\dfrac{1}{2}$

수열 $\{a_n\}$의 일반항은

$a_n=15+(n-1)\cdot\left(-\dfrac{1}{2}\right)=-\dfrac{1}{2}n+\dfrac{31}{2}$

STEP B 처음으로 음수가 되는 항 구하기

$a_n<0$에서 $-\dfrac{1}{2}n+\dfrac{31}{2}<0$이므로 $\dfrac{n}{2}>\dfrac{31}{2}$

$\therefore\ n>31$

따라서 수열 $\{a_n\}$이 처음으로 음수가 되는 항은 제 32항이다. 정답 ③

1220

 정답 ⑤

STEP A 등차수열 $\{a_n\}$의 일반항을 이용하여 첫째항과 공차 구하기

등차수열 $\{a_n\}$의 첫째항을 a, 공차를 d라고 하면 $a_n=a+(n-1)d$

$a_1+a_2+a_3=a+(a+d)+(a+2d)=-24$

$\therefore\ a+d=-8$ …… ㉠

$a_4+a_5+a_6=(a+3d)+(a+4d)+(a+5d)=48$

$\therefore\ a+4d=16$ …… ㉡

㉠, ㉡을 연립하여 풀면 $a=-16$, $d=8$

수열 $\{a_n\}$의 일반항은

$a_n=-16+(n-1)\cdot8=8n-24$

STEP B 처음으로 100보다 크게 되는 항 구하기

$a_n>100$에서 $8n-24>100$이므로 $8n>124$

$\therefore\ n>15.5$

따라서 처음으로 100보다 커지는 항은 16번째 항이다.

1221

정답 ④

STEP A 등차수열 $\{a_n\}$의 일반항을 이용하여 공차 구하기

등차수열 $\{a_n\}$의 첫째항을 a, 공차를 d라고 하면 $a_n=a+(n-1)d$

$a_7=16$에서 $a+6d=16$ …… ㉠

$a_3:a_9=2:5$에서 $5a_3=2a_9$

$5(a+2d)=2(a+8d)$

$\therefore\ a-2d=0$ …… ㉡

㉠, ㉡을 연립하여 풀면 $a=4$, $d=2$

등차수열 $\{a_n\}$의 일반항은

$a_n=4+(n-1)\cdot2=2n+2$

STEP B $a_n>100$을 만족시키는 자연수 n의 최솟값 구하기

$a_n=2n+2>100$이므로 $n>49$

따라서 처음으로 100보다 크게 되는 항의 최솟값은 50

등차수열 $\{a_n\}$에 대하여

$$a_3+a_5=36,\ a_2a_4=180$$

일 때, $a_n<100$을 만족시키는 자연수 n의 최댓값은?

① 22   ② 24   ③ 26

④ 28   ⑤ 30

STEP A 등차수열 $\{a_n\}$의 일반항을 이용하여 첫째항과 공차 구하기

등차수열 $\{a_n\}$의 첫째항을 a, 공차를 d라 하면 $a_n=a+(n-1)d$

$a_3+a_5=36$에서 $(a+2d)+(a+4d)=2a+6d=36$

$a+3d=18$ …… ㉠

$a_2a_4=180$에서 $(a+d)(a+3d)=180$, $(a+d)\cdot18=180$

$a+d=10$ …… ㉡

㉠, ㉡을 연립하여 풀면 $a=6$, $d=4$

수열 $\{a_n\}$의 일반항은

$a_n=6+(n-1)\cdot4=4n+2$

STEP B $a_n<100$을 만족시키는 자연수 n의 최댓값 구하기

$a_n=4n+2<100$이므로 $n<\dfrac{49}{2}=24.5$

따라서 구하는 자연수 n의 최댓값은 24 정답 ②

1222

정답 ②

STEP A 집합 $A\cap B$의 원소 구하기

$A=\{2,\ 5,\ 8,\ 11,\ 14,\ 17,\ 20,\ 23,\ \cdots\}$, $B=\{3,\ 8,\ 13,\ 18,\ 23,\ 28,\ \cdots\}$이므로

$A\cap B=\{8,\ 23,\ 38,\ \cdots\}$

STEP B 수열 $\{a_n\}$이 처음으로 100보다 커지는 항 구하기

수열 $\{a_n\}$은 첫째항이 8, 공차가 15인 등차수열이므로

$a_n=8+(n-1)\cdot15=15n-7$

$a_n>100$에서 $15n-7>100$이므로 $n>\dfrac{107}{15}=7.13\cdots$

따라서 수열 $\{a_n\}$이 처음으로 100보다 커지는 항은 제 8항이다.

두 집합 A, B를

$$A=\{x\,|\,x=2n-1,\ n은\ 49\ 자연수\}$$
$$B=\{y\,|\,y=3n,\ n은\ 51\ 자연수\}$$

로 정의하면 집합 $A\cap B$의 원소를 작은 수부터 차례대로 나열한 수열을 $\{a_n\}$이라 할 때, a_n이 처음으로 100보다 커지는 항은?

① 14   ② 16   ③ 18

④ 20   ⑤ 22

STEP A 집합 $A\cap B$의 원소 구하기

$A=\{1,\ 3,\ 5,\ 7,\ 9,\ 11,\ 13,\ \cdots\}$, $B=\{3,\ 6,\ 9,\ 12,\ 15,\ 18,\ \cdots\}$이므로

$A\cap B=\{3,\ 9,\ 15,\ 21,\ 27,\ \cdots\}$

STEP B 수열 $\{a_n\}$이 처음으로 100보다 커지는 항 구하기

수열 $\{a_n\}$은 첫째항이 3, 공차가 6인 등차수열이므로

$a_n=3+(n-1)\cdot6=6n-3$

$a_n>100$에서 $6n-3>100$이므로 $n>\dfrac{103}{6}=17.16\cdots$

따라서 수열 $\{a_n\}$이 처음으로 100보다 커지는 항은 제 18항이다. 정답 ③

1223

정답 ③

STEP Ⓐ 두 수 a, b 사이에 n개의 수를 넣어서 등차수열을 만들면 a는 첫째항이고 b는 제 $(n+2)$항임을 이용하여 구하기

주어진 등차수열의 공차를 d라고 하면
첫째항이 73, 제 33항이 169이므로
$73+(33-1)d=169$, $32d=96$
$\therefore d=3$

1224

정답 ③

STEP Ⓐ 두 수 a, b 사이에 n개의 수를 넣어서 등차수열을 만들면 a는 첫째항이고 b는 제 $(n+2)$항임을 이용하여 구하기

첫째항이 7, 공차가 2인 등차수열에서 47은 제 $(n+2)$번째 항이므로
$7+(n+2-1)\cdot2=47$, $2n+9=47$
$\therefore n=19$

내/신/연/계/ 출제문항 437

두 수 -7과 12 사이에 n개의 수를 넣어서 만든 수열
$$-7, a_1, a_2, a_3, \cdots, a_n, 12$$
가 공차가 $\dfrac{1}{2}$인 등차수열을 이룰 때, n의 값은?

① 29   ② 31   ③ 33
④ 35   ⑤ 37

STEP Ⓐ 두 수 a, b 사이에 n개의 수를 넣어서 등차수열을 만들면 a는 첫째항이고 b는 제 $(n+2)$항임을 이용하여 구하기

-7과 12 사이에 n개의 수를 넣어 공차가 $\dfrac{1}{2}$인 등차수열을 만든다고 하면

첫째항이 -7이고 공차가 $\dfrac{1}{2}$인 등차수열에서 12는 제 $(n+2)$번째 항이므로

$12=-7+(n+2-1)\cdot\dfrac{1}{2}$, $\dfrac{1}{2}(n+1)=19$

따라서 $n=37$

정답 ⑤

1225

정답 ⑤

STEP Ⓐ 등차수열 $\{a_n\}$의 공차 구하기

11, a, b, c, 35가 이 순서대로 등차수열이므로
첫째항이 11, 공차를 d라 하면
제 5항이 35이므로 $35=11+(5-1)d$
$\therefore d=6$

STEP Ⓑ $a+b+c$의 값 구하기

따라서 $a=11+6=17$, $b=11+2\cdot6=23$, $c=11+3\cdot6=29$이므로
$a+b+c=17+23+29=69$

내/신/연/계/ 출제문항 438

-13과 22 사이에 4개의 수를 넣어 6개의 수 전체가 -13이 첫째항인 등차수열을 이루도록 할 때, 이 4개의 수의 합은?

① 15   ② 18   ③ 21
④ 24   ⑤ 27

STEP Ⓐ 등차수열 $\{a_n\}$의 공차 구하기

등차수열의 공차를 d라고 하면
-13, $-13+d$, $-13+2d$, $-13+3d$, $-13+4d$, 22가
이 순서로 등차수열을 이루므로 $-13+5d=22$
$\therefore d=7$

STEP Ⓑ 4개의 합 구하기

따라서 4개의 합은
$(-13+d)+(-13+2d)+(-13+3d)+(-13+4d)$
$=-52+10d=-52+10\cdot7=18$

정답 ②

1226

정답 ③

STEP Ⓐ 등차수열 $\{a_n\}$의 공차 구하기

-3, a_1, a_2, a_3, $\cdots$, a_{21}, 63이 이 순서대로 등차수열이므로
첫째항이 -3, 공차를 d라 하면 제 23항이 63이므로
$63=-3+(23-1)d$
즉 $66=22d$이므로 $d=3$

STEP Ⓑ $a_1+a_{10}+a_{12}+a_{21}$의 값 구하기

$a_1+a_{10}+a_{12}+a_{21}=(-3+3)+(-3+10\cdot3)+(-3+12\cdot3)+(-3+21\cdot3)$
$=4\cdot(-3)+44\cdot3$
$=120$

다른풀이 등차중항을 이용하여 풀이하기

-3, a_1, a_2, a_3, $\cdots$, a_{21}, 63의 23개의 수를
이 순서대로 b_1, b_2, b_3, $\cdots$, b_{23}이라 하자.
23 이하의 자연수 n에 대하여 수열 $\{b_n\}$은 등차수열이므로
등차중항의 성질에 의하여
$b_1+b_{23}=b_2+b_{22}=\cdots=b_{11}+b_{13}=2b_{12}$
$b_1+b_{23}=-3+63=60$이므로
$a_1+a_{21}=b_2+b_{22}$
$a_{10}+a_{12}=b_{11}+b_{13}=60$
따라서 $a_1+a_{10}+a_{12}+a_{21}=(a_1+a_{21})+(a_{10}+a_{12})$
$=60+60$
$=120$

1227

정답 ③

STEP Ⓐ 등차중항의 성질 이용하기

다섯 개의 수 a, 3, b, 11, c가 이 순서대로 등차수열이다.

b는 3과 11의 등차중항이므로 $b=\dfrac{3+11}{2}=7$

STEP Ⓑ 등차수열의 항 사이의 관계를 이용하여 공차 구하기

공차는 $7-3=4$
$\therefore a=3-4=-1$, $c=11+4=15$
따라서 $a=-1$, $b=7$, $c=15$이므로 $a+b+c=21$

1228

정답 ③

STEP Ⓐ **등차수열 $\{a_n\}$의 일반항을 이용하여 a_2, a_4, a_8항 구하기**

공차가 4인 등차수열 $\{a_n\}$의 첫째항이 a라 하면 $a_n=a+(n-1)\cdot4$

$a_2=a+4$

$a_4=a+3\cdot4=a+12$

$a_8=a+7\cdot4=a+28$

STEP Ⓑ **등비중항의 성질 이용하여 첫째항 구하기**

$a+4,\ a+12,\ a+28$이 이 순서대로 등비수열을 이루므로

$(a+12)^2=(a+4)(a+28)$

$a^2+24a+144=a^2+32a+112$

$-8a=-32$

$\therefore a=4$

STEP Ⓒ **a_{16}의 값 구하기**

따라서 $a_{16}=4+15\cdot4=64$

내/신/연/계/ 출제문항 439

등차수열 $\{a_n\}$에 대하여 세 수
$$a_1,\ a_1+a_2,\ a_2+a_3$$
이 이 순서대로 등차수열을 이룰 때, $\dfrac{a_3}{a_2}$의 값은? (단, $a_1\neq0$)

① $\dfrac{1}{2}$　　　② 1　　　③ $\dfrac{3}{2}$

④ 2　　　⑤ $\dfrac{5}{2}$

STEP Ⓐ **등차중항의 성질을 이용하여 주어진 식 정리하기**

$a_1,\ a_1+a_2,\ a_2+a_3$이 순서대로 등차수열을 이루므로

$2(a_1+a_2)=a_1+(a_2+a_3)$

$\therefore a_1+a_2=a_3$　　　…… ㉠

STEP Ⓑ **등차수열의 일반항을 이용하여 구하기**

등차수열 $\{a_n\}$에서 $a_1=a$, 공차를 d라 하면 $a_n=a+(n-1)d$

㉠에서 $a+(a+d)=a+2d$이므로 $a=d$

따라서 $\dfrac{a_3}{a_2}=\dfrac{a+2d}{a+d}=\dfrac{3d}{2d}=\dfrac{3}{2}$

정답 ③

1229

정답 ③

STEP Ⓐ **근과 계수의 관계를 이용하여 두 실근 $\alpha,\ \beta$ 구하기**

이차방정식 $3x^2-6x+1=0$의 근과 계수의 관계에 의하여

$\alpha+\beta=2,\ \alpha\beta=\dfrac{1}{3}$

STEP Ⓑ **등차중항의 성질 이용하기**

세 실수 $\alpha^3,\ p,\ \beta^3$이 순서대로 등차수열을 이루므로

$2p=\alpha^3+\beta^3=(\alpha+\beta)^3-3\alpha\beta(\alpha+\beta)$

$\qquad\ =2^3-3\cdot\dfrac{1}{3}\cdot2$

$\qquad\ =6$

따라서 구하는 실수 p의 값은 3

내/신/연/계/ 출제문항 440

이차방정식 $3x^2-6x+1=0$의 두 실근을 $\alpha,\ \beta$라고 할 때,
$$\frac{1}{\alpha^3},\ \frac{1}{p},\ \frac{1}{\beta^3}$$
이 이 순서대로 등차수열을 이루도록 하는 실수 p의 값은?

① $\dfrac{1}{3}$　　　② $\dfrac{1}{9}$　　　③ $\dfrac{1}{27}$

④ $\dfrac{1}{81}$　　　⑤ $\dfrac{1}{243}$

STEP Ⓐ **근과 계수의 관계를 이용하여 두 실근 $\alpha,\ \beta$ 구하기**

이차방정식 $3x^2-6x+1=0$의 두 근이 $\alpha,\ \beta$이므로

근과 계수의 관계에 의하여 $\alpha+\beta=2,\ \alpha\beta=\dfrac{1}{3}$

STEP Ⓑ **등차중항의 성질 이용하기**

세 실수 $\dfrac{1}{\alpha^3},\ \dfrac{1}{p},\ \dfrac{1}{\beta^3}$이 이 순서대로 등차수열이므로

$\dfrac{2}{p}=\dfrac{1}{\alpha^3}+\dfrac{1}{\beta^3}=\dfrac{\alpha^3+\beta^3}{(\alpha\beta)^3}=\dfrac{(\alpha+\beta)^3-3\alpha\beta(\alpha+\beta)}{(\alpha\beta)^3}=\dfrac{2^3-3\cdot\frac{1}{3}\cdot2}{\left(\frac{1}{3}\right)^3}=6\cdot27$

따라서 $p=\dfrac{1}{81}$

정답 ④

1230

정답 ③

STEP Ⓐ **근과 계수의 관계를 이용하여 두 실근 $\alpha,\ \beta$ 구하기**

이차방정식 $x^2-kx+72=0$의 두 근이 $\alpha,\ \beta$이므로

근과 계수의 관계에 의하여

$\alpha+\beta=k,\ \alpha\beta=72$　　　…… ㉠

STEP Ⓑ **등차중항의 성질 이용하여 k 구하기**

이때 $\alpha,\ \beta,\ \alpha+\beta$가 순서대로 등차수열이므로

$2\beta=\alpha+(\alpha+\beta)$

$\therefore \beta=2\alpha$　　　…… ㉡

㉡을 ㉠에 대입하면 $\alpha+2\alpha=k,\ 2\alpha^2=72$

즉 $3\alpha=k,\ \alpha=6\ (\because k>0)$

따라서 $k=18$

1231

정답 ⑤

STEP Ⓐ **나머지 정리를 이용하여 함수 $f(x)$와 $a,\ b$의 관계 구하기**

$f(x)$를 $x+1,\ x-1,\ x-2$로 나눈 나머지는 각각

$f(-1)=1-a+b,\ f(1)=1+a+b,\ f(2)=4+2a+b$

STEP Ⓑ **등차중항의 성질 이용하여 a의 값 구하기**

$f(-1),\ f(1),\ f(2)$가 이 순서대로 등차수열을 이루므로

$2f(1)=f(-1)+f(2),\ 2+2a+2b=5+a+2b$

$\therefore a=3$

STEP Ⓒ **$f(x)$는 $x+2$로 나누어떨어짐을 이용하여 b 구하기**

한편 $f(x)$는 $x+2$로 나누어떨어지므로

$f(-2)=4-2a+b=4-6+b=0$

$\therefore b=2$

따라서 $a+b=3+2=5$

1232

정답 ④

STEP A 등차중항을 이용하여 로그의 방정식에서 t의 값 구하기

세 실수 $f(3)$, $f(3^t+3)$, $f(12)$가 이 순서대로 등차수열이므로
$\log 3$, $\log(3^t+3)$, $\log 12$는 이 순서대로 등차수열을 이룬다.

$$\log(3^t+3)=\frac{\log 12+\log 3}{2}=\frac{\log 36}{2}=\log 6$$

이때 $3^t+3=6$이므로 $3^t=3$
따라서 $t=1$

1233

정답 ③

STEP A 등차중항과 조건 (가)를 이용하여 b 구하기

세 실수 a, b, c가 이 순서대로 등차수열을 이루므로
$2b=a+c$
조건 (가)에서
$$\frac{2^a \cdot 2^c}{2^b}=2^{a+c-b}=2^{2b-b}=2^b=32$$
$\therefore b=5$ ⋯⋯ ㉠

STEP B 조건 (나)를 이용하여 ca를 구한 후 abc 구하기

조건 (나)에서
$a+c+ca=2b+ca=10+ca=26$
$\therefore ca=16$ ⋯⋯ ㉡
따라서 ㉠, ㉡에서 $abc=ac \cdot b=16 \cdot 5=80$

다른풀이 공차를 이용하여 풀이하기

세 실수 a, b, c가 이 순서대로 등차수열을 이루므로 공차를 d라 하면
$a=b-d$, $c=b+d$
조건 (가)에서 $\frac{2^a \cdot 2^c}{2^b}=2^{a+c-b}=2^{(b-d)+(b+d)-b}=2^b=32$
$\therefore b=5$
조건 (나)에서 $a+c+ca=(5-d)+(5+d)+(5+d)(5-d)=35-d^2=26$
$\therefore d=\pm 3$
따라서 $a=2$, $b=5$, $c=8$ 또는 $a=8$, $b=5$, $c=2$이므로 $abc=80$

참고
$d^2=9$이므로 $abc=(b-d)b(b+d)=b(b^2-d^2)=5(25-9)=80$

내/신/연/계 출제문항 **441**

0이 아닌 세 실수 a, b, c가 이 순서대로 등비수열을 이루고 다음 조건을 만족시킬 때, $a+b+c$의 값은?

> (가) $ab=c$
> (나) $a+3b+c=-3$

① -21　　　② -18　　　③ -15
④ -12　　　⑤ -9

STEP A 조건을 만족하는 등비수열의 성질과 조건을 만족하는 a, b, c의 값 구하기

a, b, c가 이 순서대로 등비수열이므로 공비가 r이라 하면
$b=ar$, $c=ar^2$ (단, a와 r은 0이 아닌 실수)
조건 (가)에서
$ab=c$에서 $a \cdot ar=ar^2$
$\therefore a=r$ ⋯⋯ ㉠
조건 (나)에서
$a+3b+c=-3$에서
$a+3ar+ar^2=-3$ ⋯⋯ ㉡

㉠을 ㉡에 대입하면
$a^3+3a^2+a+3=0$, $(a+3)(a^2+1)=0$
$\therefore a=-3$ ($\because a$가 실수)
따라서 $a+b+c=-3+(-3)^2+(-3)^3=-21$

정답 ①

1234

정답 ①

STEP A 직각삼각형의 세 변의 길이를 a, b, 2라 하고 피타고라스 정리와 등차중항을 이용하여 식 세우기

직각삼각형의 세 변의 길이를 짧은 것부터
차례로 a, b, 2라고 하면 피타고라스 정리에
의하여 $a^2+b^2=2^2$ ⋯⋯ ㉠
또 a, b, 2가 이 순서로 등차수열을
이루므로
$2b=a+2$에서 $a=2b-2$ ⋯⋯ ㉡

STEP B 연립하여 a, b 구하기

㉡을 ㉠에 대입하면 $(2b-2)^2+b^2=4$
$5b^2-8b=0$, $b(5b-8)=0$
이때 b는 길이이므로 $b>0$, 즉 $b=\frac{8}{5}$
$b=\frac{8}{5}$을 ㉡에 대입하면 $a=\frac{6}{5}$

STEP C 직각삼각형의 넓이 구하기

따라서 구하는 넓이는 $\frac{1}{2}ab=\frac{24}{25}$

내/신/연/계 출제문항 **442**

직각삼각형의 세 변의 길이가 등차수열을 이루고 빗변의 길이가 20일 때, 이 직각삼각형의 넓이를 구하는 과정을 다음 단계로 서술하여라.

[1단계] 직각삼각형의 세 변의 길이를 a, b, $20(0<a<b<20)$이라 하면 피타고라스정리와 등차중항을 이용하여 a, b의 관계식을 구한다.
[2단계] [1단계]를 연립하여 풀어 a, b의 값을 구한다.
[3단계] 직각삼각형의 넓이를 구한다.

| 1단계 | 직각삼각형의 세 변의 길이를 a, b, 20이라 하면 피타고라스 정의와 등차중항을 이용하여 a, b의 관계식을 구한다. | ◀ 50% |

직각삼각형의 세 변의 길이를 a, b, $20(0<a<b<20)$이라 하면
피타고라스 정리에 의하여
$a^2+b^2=20^2$ ⋯⋯ ㉠
또 a, b, 20가 순서대로 등차수열을 이루므로
$b=\frac{a+20}{2}$
$a=2b-20$ ⋯⋯ ㉡

| 2단계 | [1단계]를 연립하여 풀어 a, b의 값을 구한다. | ◀ 30% |

㉡을 ㉠에 대입하면 $(2b-20)^2+b^2=400$
$5b^2-80b=0$, $5b(b-16)=0$
그런데 $b>0$이므로 $b=16$
$b=16$을 ㉡에 대입하면 $a=12$

| 3단계 | 직각삼각형의 넓이를 구한다. | ◀ 20% |

따라서 구하는 넓이는 $\frac{1}{2} \times 12 \times 16=96$

정답 해설참조

1235

STEP A 등차수열의 일반항을 이용하여 가로줄과 세로줄의 공차를 구하여 a, b의 값 구하기

가로 첫 번째 줄은 첫째항이 1, 공차가 1인 등차수열이다.

세로 첫 번째 줄의 등차수열 $\{a_n\}$에서 첫째항이 1, 공차를 d_1이라 하면

$a_5 = 1 + 4d_1 = -7$ $\therefore d_1 = -2$

세로 6번째 줄의 등차수열 $\{b_n\}$에서

첫째항이 6, 공차를 d_2이라 하면

$b_6 = 6 + 5d_2 = 21$ $\therefore d_2 = 3$

즉 오른쪽 그림과 같이 수를 정할 수 있다.

1	2	3	4	5	6
-1					9
-3		a			12
-5			b		15
-7					18
-9					21

가로 세 번째 줄의 등차수열 $\{c_n\}$에서

첫째항이 -3, 공차를 d_3라 하면

여섯 번째 항이 12인 등차수열이므로

$c_6 = -3 + 5d_3 = 12$ $\therefore d_3 = 3$

즉 $a = -3 + 2 \cdot 3 = 3$

또한 가로 네 번째 줄은 등차수열 $\{e_n\}$에서

첫째항이 -5, 공차를 d_4라 하면 여섯 번째 항이 15인 등차수열이므로

$e_6 = -5 + 5d_4 = 15$ $\therefore d_4 = 4$

즉 $b = -5 + 3 \cdot 4 = 7$

따라서 $a + b = 3 + 7 = 10$

1236

STEP A 등차중항의 성질을 이용하여 $a-c$, $b-e$의 값 구하기

가로 두 번째 줄 c, d, 31이 등차수열을 이루므로 $2d = c + 31$ $\cdots\cdots$ ㉠

세로 두 번째 줄 a, d, 23이 등차수열을 이루므로 $2d = a + 23$ $\cdots\cdots$ ㉡

㉡-㉠을 하면 $a - c = 8$

가로 세 번째 줄 e, 23, f이 등차수열을 이루므로 $2 \cdot 23 = e + f$ $\cdots\cdots$ ㉢

세로 세 번째 줄 b, 31, f이 등차수열을 이루므로 $2 \cdot 31 = b + f$ $\cdots\cdots$ ㉣

㉣-㉢에서 $16 = b - e$

따라서 $(a-c) + (b-e) = 8 + 16 = 24$

내/신/연/계 출제문항 443

오른쪽 그림에서 가로줄과 세로줄에 있는 세 수가 각각 순서대로 등차수열을 이룰 때, $a-d$의 값은?

a	b	10
5	e	c
f	0	d

① 6   ② 8
③ 10   ④ 12
⑤ 14

STEP A 등차중항의 성질을 이용하여 $a-c$, $b-e$의 값 구하기

가로 첫 번째 줄 a, b, 10이 등차수열을 이루므로 $2b = a + 10$ $\cdots\cdots$ ㉠

세로 첫 번째 줄 10, c, d가 등차수열을 이루므로 $2c = 10 + d$ $\cdots\cdots$ ㉡

㉠-㉡을 하면 $2b - 2c = a - d$

세로 두 번째 줄 b, e, 0이 등차수열을 이루므로 $2e = b + 0$ $\cdots\cdots$ ㉢

가로 두 번째 줄 5, e, c가 등차수열을 이루므로 $2e = 5 + c$ $\cdots\cdots$ ㉣

㉢-㉣에서 $b - c = 5$

따라서 $a - d = 2b - 2c = 2(b-c) = 2 \cdot 5 = 10$

1237

STEP A 제 3행의 공차를 d라 하여 공차 d 구하기

제 3행의 공차를 d라 하면 제 3행은 8, $8+d$, $8+2d$, $8+3d$이므로

제 2열의 공차가 $\dfrac{3+d}{2}$ ← $8+d-5=2$ (공차)

제 3열의 공차가 $15-2d$ ← $23=(4d-7)+2$ (공차)

이때 오른쪽 표에서 제 2행의 세 수는

$\dfrac{13+d}{2}$, $4d-7$, 17

이 순서대로 등차수열을 이루므로

$\dfrac{13+d}{2} + 17 = 2(4d-7)$

	5		
	$\dfrac{13+d}{2}$	$4d-7$	17
8	$8+d$	$8+2d$	$8+3d$
	23		

즉 $13 + d + 34 = 4(4d-7)$

$\therefore d = 5$

STEP B 빈칸의 수를 모두 채우고 $a+b+c$의 값 구하기

따라서 빈칸의 수를 모두 채우면 다음과 같으므로 $a = 13$, $b = 13$, $c = 11$

이므로 $a + b + c = 13 + 13 + 11 = 37$

	제 1열	제 2열	제 3열	제 4열
제 1행	2	5	8	11
제 2행	5	9	13	17
제 3행	8	13	18	23
제 4행	11	17	23	29

1238

STEP A 등차수열을 이루는 세 수를 정하여 주어진 식에 대입하기

세 수를 각각 $a-d$, a, $a+d$로 놓으면

세 수의 합이 12이므로 $a-d+a+a+d = 3a = 12$

$\therefore a = 4$

세수의 제곱의 합이 56이므로 $(a-d)^2 + a^2 + (a+d)^2 = 3a^2 + 2d^2 = 56$

$2d^2 = 8$

$\therefore d^2 = 4$

따라서 세수의 곱은 $(a-d)a(a+d) = a(a^2 - d^2) = 4(16-4) = 48$

1239

STEP A 등차수열을 이루는 네 수를 정하여 주어진 조건에 대입하여 네 수 구하기

네 수를 $a-3d$, $a-d$, $a+d$, $a+3d$로 놓으면

네 수의 합이 16이므로

$(a-3d) + (a-d) + (a+d) + (a+3d) = 16$

$4a = 16$ $\therefore a = 4$

또, 가운데 두 수의 곱은 가장 작은 수와 가장 큰 수의 곱보다 32가 크므로

$(a-d)(a+d) = (a-3d)(a+3d) + 32$

$a^2 - d^2 = a^2 - 9d^2 + 32$, $8d^2 = 32$, $d^2 = 4$

$\therefore d = \pm 2$

따라서 네 수는 -2, 2, 6, 10이므로 구하는 네 수의 곱은

$(-2) \cdot 2 \cdot 6 \cdot 10 = -240$

참고 ① $a=4$, $d=2$일 때, 네 수는 -2, 2, 6, 10
② $a=4$, $d=-2$일 때, 네 수는 10, 6, 2, -2

1240
정답 ②

STEP A **각자의 배당몫을 $a-2d$, $a-d$, a, $a+d$, $a+2d$로 놓고 합을 이용하여 a 구하기**

다섯 사람에게 배당하는 빵의 개수는 등차수열을 이루므로
순서대로 $a-2d$, $a-d$, a, $a+d$, $a+2d$라고 하면
$(a-2d)+(a-d)+a+(a+d)+(a+2d)=120$
$5a=120$ ∴ $a=24$

STEP B **조건을 이용하여 d의 값을 구하고 가장 많이 배당받은 사람의 몫 구하기**

가장 적게 배당 받는 사람과 그 다음으로 적게 배당 받는 사람의 몫의 합이
나머지 세 사람 몫의 합의 $\frac{1}{7}$이므로

$(a-2d)+(a-d)=\frac{1}{7}\{a+(a+d)+(a+2d)\}$

$2a-3d=\frac{1}{7}(3a+3d)$

이때 $a=24$를 대입하면 $2\cdot 24-3d=\frac{1}{7}(3\cdot 24+3d)$

$24d=264$ ∴ $d=11$
따라서 가장 많이 배당받는 사람의 몫은 $a+2d=24+2\cdot 11=46$

내/신/연/계 출제문항 **444**

모든 모서리의 길이의 합이 48, 부피가 48인 직육면체의 가로의 길이, 세로의 길이, 높이가 이 순서대로 등차수열을 이룰 때, 이 직육면체의 겉넓이는?

① 72   ② 88   ③ 94
④ 96   ⑤ 98

STEP A **직육면체의 세 변의 길이를 각각 $a-d$, a, $a+d$로 놓고 조건을 이용하여 세 변의 길이 구하기**

가로의 길이, 세로의 길이, 높이를 각각
$a-d$, a, $a+d$라 하면
모든 모서리의 길이의 합이 48이므로
$4\{(a-d)+a+(a+d)\}=48$, $12a=48$
∴ $a=4$ …… ㉠
또, 부피가 48이므로
$(a-d)\cdot a\cdot (a+d)=48$
$a(a^2-d^2)=48$ …… ㉡
㉠을 ㉡에 대입하면 $4(16-d^2)=48$
$d^2=4$ ∴ $d=\pm 2$

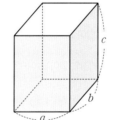

STEP B **직육면체의 겉넓이 구하기**

따라서 가로의 길이, 세로의 길이, 높이는 각각 2, 4, 6 또는 6, 4, 2이므로
구하는 겉넓이는 $2(2\cdot 4+4\cdot 6+6\cdot 2)=88$
정답 ②

1241
정답 ②

STEP A **삼차방정식의 근과 계수의 관계를 이용하여 a, d의 관계 구하기**

삼차방정식 $x^3-6x^2-4x-k=0$의 세 실근을 $a-d$, a, $a+d$로 놓으면
삼차방정식의 근과 계수의 관계에 의하여
$(a-d)+a+(a+d)=6$ …… ㉠
$(a-d)a+a(a+d)+(a-d)(a+d)=-4$ …… ㉡
$(a-d)a(a+d)=k$ …… ㉢

STEP B **주어진 식에 대입하여 a, d값을 구하기**

㉠에서 $3a=6$ ∴ $a=2$
$a=2$를 ㉡에 대입하면

$(2-d)\cdot 2+2\cdot(2+d)+(2-d)(2+d)=-4$
$d^2=16$ ∴ $d=\pm 4$
따라서 세 실근은 -2, 2, 6이므로 이것을 ㉢에 대입하면
$k=(-2)\cdot 2\cdot 6=-24$

다른풀이 한 근을 구하여 삼차방정식에 대입하여 풀이하기

삼차방정식 $x^3-6x^2-4x-k=0$의 세 실근을 $a-d$, a, $a+d$로 놓으면
삼차방정식의 근과 계수의 관계에 의하여
$(a-d)+a+(a+d)=6$
$3a=6$ ∴ $a=2$
따라서 주어진 방정식의 한 근이 2이므로 $x=2$를 방정식에 대입하면
$2^3-6\cdot 2^2-4\cdot 2-k=0$ ∴ $k=-24$

내/신/연/계 출제문항 **445**

삼차방정식
$$x^3-6x^2-mx+42=0$$
의 서로 다른 세 실근이 작은 수부터 그 순서대로 등차수열을 이룰 때, 상수 m의 값은?

① 11   ② 12   ③ 13
④ 14   ⑤ 15

STEP A **삼차방정식의 근과 계수의 관계를 이용하여 a, d의 관계 구하기**

삼차방정식 $x^3-6x^2-mx+42=0$의 세 실근을 각각 $a-d$, a, $a+d$라고
하면 삼차방정식의 근과 계수 관계에 의하여
$(a-d)+a+(a+d)=6$ …… ㉠
$(a-d)a+a(a+d)+(a+d)(a-d)=-m$ …… ㉡
$(a-d)a(a+d)=a(a^2-d^2)=-42$ …… ㉢

STEP B **주어진 식에 대입하여 a, d, m값을 구하기**

㉠에서 $3a=6$ ∴ $a=2$
㉢에서 $2(4-d^2)=-42$ ∴ $d^2=25$
㉡에서 $3a^2-d^2=-m$이므로 $3\cdot 4-25=-13$
따라서 $-m=-13$이므로 $m=13$

다른풀이 한 근을 구하여 삼차방정식에 대입하여 풀이하기

삼차방정식 $x^3-6x^2-mx+42=0$의 세 실근을 $a-d$, a, $a+d$로 놓으면
삼차방정식의 근과 계수의 관계에 의하여
$(a-d)+a+(a+d)=6$
$3a=6$ ∴ $a=2$
따라서 주어진 방정식의 한 근이 2이므로 $x=2$를 방정식에 대입하면
$2^3-6\cdot 2^2-2m+42=0$
∴ $m=13$
정답 ③

1242
정답 ①

STEP A **등차수열 $\{a_n\}$의 합을 이용하여 n의 값 구하기**

첫째항이 -6, 공차가 2인 등차수열이고
첫째항부터 제 n항까지의 합이 30이므로
$\dfrac{n\{2\cdot(-6)+(n-1)\cdot 2\}}{2}=30$

$n^2-7n-30=0$, $(n-10)(n+3)=0$
따라서 $n=10$ (∵ $n>0$)

1243

STEP A 등차수열 $\{a_n\}$의 일반항을 이용하여 첫째항과 공차 구하기

등차수열 $\{a_n\}$의 첫째항을 a, 공차를 d라 하면 $a_n=a+(n-1)d$

$a_2=a+d=5$ ······ ㉠

$a_{10}=a+9d=21$ ······ ㉡

㉠, ㉡을 연립하여 풀면 $a=3$, $d=2$

STEP B 등차수열의 합 $S_n=\dfrac{n\{2a+(n-1)d\}}{2}$ 이용하기

따라서 첫째항부터 10항까지의 합은 $S_{10}=\dfrac{10(2\cdot3+9\cdot2)}{2}=120$

1244

STEP A 등차수열 $\{a_n\}$의 일반항을 이용하여 공차 구하기

등차수열 $\{a_n\}$의 첫째항은 2, 공차를 d라 하면 $a_n=2+(n-1)d$

$a_2+a_6+a_{10}=(2+d)+(2+5d)+(2+9d)=6+15d$

즉 $6+15d=36$ ∴ $d=2$

STEP B 등차수열의 합 $S_n=\dfrac{n\{2a+(n-1)d\}}{2}$ 이용하기

따라서 첫째항부터 20항까지의 합은 $S_{20}=\dfrac{20(2\cdot2+19\cdot2)}{2}=420$

내/신/연/계/ 출제문항 446

등차수열 $\{a_n\}$에 대하여

$$a_1=2,\ a_{100}-a_{98}=6$$

일 때, $a_1+a_2+a_3+\cdots+a_{10}$의 값은?

① 115   ② 125   ③ 135

④ 150   ⑤ 155

STEP A 등차수열 $\{a_n\}$의 일반항을 이용하여 공차 구하기

등차수열 $\{a_n\}$의 공차를 d라 하면 $a_{100}-a_{98}=2d=6$에서 $d=3$

STEP B 등차수열의 합 $S_n=\dfrac{n\{2a+(n-1)d\}}{2}$ 이용하기

즉 수열 $\{a_n\}$은 첫째항이 2, 공차가 3인 등차수열이다.

따라서 $a_1+a_2+a_3+\cdots+a_{10}=\dfrac{10(4+9\cdot3)}{2}=155$

1245

STEP A 등차수열의 합공식을 이용하기 첫째항과 공차 구하기

등차수열 $\{a_n\}$의 첫째항이 a, 공차를 d라 하면

첫째항부터 제 5항까지의 합이 100

$S_5=\dfrac{5(2a+4d)}{2}=100$ ∴ $a+2d=20$ ······ ㉠

첫째항부터 제 9항까지의 합이 72

$S_9=\dfrac{9(2a+8d)}{2}=72$ ∴ $a+4d=8$ ······ ㉡

㉠, ㉡에서 연립하여 풀면 $d=-6$, $a=32$

STEP B 등차수열 $\{a_n\}$의 일반항을 이용하여 음수항 구하기

$a_n=32+(n-1)(-6)=-6n+38$

$a_n=-6n+38<0$, $n>\dfrac{19}{3}=6.33$

따라서 처음으로 음수가 되는 항은 7

1246

STEP A 등차수열 $\{a_n\}$의 일반항을 이용하여 첫째항과 공차 구하기

등차수열 $\{a_n\}$의 첫째항을 a, 공차를 d라 하면 $a_n=a+(n-1)d$

$a_{14}-a_8=24$에서 $(a+13d)-(a+7d)=6d=24$

∴ $d=4$

$a_8+a_2=10$에서 $(a+7d)+(a+d)=2a+8d=10$

$d=4$이므로 $a=-11$

STEP B 첫째항부터 제 15항까지의 합 구하기

따라서 첫째항부터 제 15항까지의 합은 $S_{15}=\dfrac{15\{2\cdot(-11)+14\cdot4\}}{2}=255$

다른풀이 등차수열의 합 공식을 이용하여 풀이하기

$a_{14}-a_8=24$, $a_8+a_2=10$에서

$(a_{14}-a_8)+(a_8+a_2)=24+10=34$

즉 $a_{14}+a_2=34$

첫째항부터 제 15항까지의 합은

$\dfrac{15(a_1+a_{15})}{2}=\dfrac{15(a_2+a_{14})}{2}=\dfrac{15\cdot34}{2}=15\cdot17=255$

내/신/연/계/ 출제문항 447

등차수열 $\{a_n\}$에서

$$a_4+a_{10}=42,\ a_6+a_{14}=60$$

일 때, $a_1+a_2+\cdots+a_n=165$를 만족하는 n의 값은?

① 8   ② 9   ③ 10

④ 11   ⑤ 12

STEP A 등차수열 $\{a_n\}$의 일반항을 이용하여 첫째항과 공차 구하기

등차수열 $\{a_n\}$의 첫째항이 -13, 공차를 d라 하면 $a_n=a+(n-1)d$

$a_4+a_{10}=42$에서 $a+3d+(a+9d)=2a+12d=42$

∴ $a+6d=21$ ······ ㉠

$a_6+a_{14}=60$에서 $a+5d+a+13d=2a+18d=60$

∴ $a+9d=30$ ······ ㉡

㉠, ㉡을 연립하여 풀면 $a=3$, $d=3$

STEP B $a_1+a_2+\cdots+a_n=165$를 만족하는 n의 값 구하기

$a_1+a_2+\cdots+a_n=\dfrac{n\{2\cdot3+(n-1)\cdot3\}}{2}=165$에서

$n^2+n-110=0$, $(n-10)(n+11)=0$

따라서 n이 자연수이므로 $n=10$

1247

STEP A 등차수열 $\{a_n\}$의 일반항과 합을 이용하여 첫째항과 공차 구하기

등차수열 $\{a_n\}$의 첫째항을 a, 공차를 d라 하면 $a_n=a+(n-1)d$

$a_{10}-a_1=(a+9d)-a=9d=27$

∴ $d=3$

$S_{10}=a_{10}$에서 $\dfrac{10(2a+9d)}{2}=a+9d$

$9a+36d=0$

∴ $a+4d=0$

$d=3$이므로 $a=-12$

STEP B 등차수열의 첫째항부터 제 10항까지의 합 구하기

따라서 첫째항부터 제 10항까지의 합 $S_{10}=\dfrac{10\{2\cdot(-12)+9\cdot3\}}{2}=15$

등차수열 $\{a_n\}$에 대하여 첫째항부터 제 n항까지의 합을 S_n이라 하자.

$$S_5 = a_1,\ S_{10} = 40$$

일 때, a_{10}의 값은?

① 10 ② 13 ③ 16
④ 19 ⑤ 22

 STEP Ⓐ 등차수열 $\{a_n\}$의 합을 이용하여 첫째항과 공차 구하기

등차수열 $\{a_n\}$의 첫째항을 a, 공차를 d라 하면

$S_5 = \dfrac{5(2a+4d)}{2} = 5(a+2d) = a$

$4a + 10d = 0$ ∴ $2a + 5d = 0$ ······ ㉠

$S_{10} = \dfrac{10(2a+9d)}{2} = 5(2a+9d) = 40$

∴ $2a + 9d = 8$ ······ ㉡

㉠, ㉡을 연립하여 풀면 $a = -5$, $d = 2$

STEP Ⓑ a_{10} 구하기

따라서 $a_{10} = a + 9d = -5 + 18 = 13$

정답 ②

1248

정답 ③

STEP Ⓐ 등차수열 $\{a_n\}$의 일반항을 이용하여 첫째항과 공차 구하기

등차수열 $\{a_n\}$의 첫째항을 a, 공차를 d라 하면 $a_n = a + (n-1)d$

$a_3 + a_6 + a_9 = 21$에서

$(a+2d) + (a+5d) + (a+8d) = 3a + 15d = 21$

∴ $a + 5d = 7$ ······ ㉠

$a_4 + a_5 + a_6 + \cdots + a_{14} = 176$에서

$(a+3d) + (a+4d) + \cdots + (a+13d) = \dfrac{11\{(a+3d)+(a+13d)\}}{2} = 11a + 88d$

즉 $11a + 88d = 176$이므로 $a + 8d = 16$ ······ ㉡

㉠, ㉡을 연립하여 풀면 $a = -8$, $d = 3$

STEP Ⓑ $a_k = 40$을 만족하는 k 구하기

$a_n = -8 + (n-1)\cdot 3 = 3n - 11$

따라서 $a_k = 3k - 11 = 40$이므로 $k = 17$

등차수열 $\{a_n\}$에 대하여

$$a_2 + a_5 + a_8 = 24$$
$$a_1 + a_2 + \cdots + a_{10} = 110$$

일 때, $a_k = 92$를 만족시키는 k의 값은?

① 17 ② 19 ③ 21
④ 23 ⑤ 25

STEP Ⓐ 조건을 이용하여 a, d의 값 구하기

등차수열 $\{a_n\}$의 첫째항이 a, 공차를 d라고 하면

$a_2 + a_5 + a_8 = 3a + 12d = 24$ ∴ $a + 4d = 8$ ······ ㉠

$a_1 + a_2 + \cdots + a_{10} = 110$에서 $\dfrac{10(2a+9d)}{2} = 10a + 45d = 110$

∴ $2a + 9d = 22$ ······ ㉡

㉠, ㉡을 연립하면 $a = -16$, $d = 6$

STEP Ⓑ 일반항을 구하여 k의 값 구하기

따라서 $a_n = 6n - 22$이므로 $a_k = 6k - 22 = 92$ ∴ $k = 19$

정답 ②

1249

정답 ④

STEP Ⓐ 조건을 만족하는 a_n과 S_n을 구하기

등차수열 $\{a_n\}$의 첫째항과 공차를 $a (a \ne 0)$라 하면

$a_n = a + (n-1)a = na$

$S_n = \dfrac{n(a+na)}{2} = \dfrac{n(n+1)}{2}a$

 STEP Ⓑ $S_n = ka_n$을 이용하여 k 구하기

$S_n = ka_n$이므로 $\dfrac{n(n+1)}{2}a = kna$

∴ $k = \dfrac{n+1}{2}$ ($\because a \ne 0$, $n \ne 0$)

STEP Ⓒ k가 두 자리 자연수임을 이용하여 n의 최댓값 구하기

k가 두 자리 자연수이므로 $10 \le k \le 99$에서

$10 \le \dfrac{n+1}{2} \le 99$, $20 \le n+1 \le 198$

∴ $19 \le n \le 197$

이때 $k = \dfrac{n+1}{2}$이 자연수이므로 n은 홀수이다.

따라서 n의 최댓값은 197

1250

정답 ②

STEP Ⓐ 등차수열 $\{a_n\}$의 일반항을 이용하여 첫째항과 공차 구하기

등차수열 $\{a_n\}$의 첫째항을 a, 공차를 $d (d > 0)$라 하면 $a_n = a + (n-1)d$

$a_9 + a_{15} = 0$에서 $(a+8d) + (a+14d) = 0$

즉 $a + 11d = 0$ ······ ㉠

또, $|a_9| + |a_{15}| = 48$에서 $|a+8d| + |a+14d| = 48$

㉠에서 $a + 8d = -3d$, $a + 14d = 3d$이므로

$|-3d| + |3d| = 48$

이때 $d > 0$이므로 $6d = 48$

∴ $d = 8$

㉠에 대입하면 $a = -88$

STEP Ⓑ $S_n > 200$을 만족하는 자연수 n의 최솟값 구하기

$S_n = \dfrac{n\{2\cdot(-88) + (n-1)\cdot 8\}}{2} = 4n^2 - 92n$

즉 $4n(n-23) > 200$에서 $n(n-23) > 50$

$n^2 - 23n - 50 > 0$

$(n+2)(n-25) > 0$

n은 자연수이므로 $n - 25 > 0$, $n > 25$

따라서 구하는 자연수 n의 최솟값은 26

다음 조건을 만족하는 등차수열 $\{a_n\}$에 대하여 첫째항부터 제 n항까지의 합을 S_n이라 할 때, $S_n=-240$을 만족하는 n의 값은?

> (가) $a_2=22$
> (나) $|a_5|=|a_{10}|$, $a_5 \times a_{10} < 0$

① 15 ② 20 ③ 25
④ 30 ⑤ 35

STEP Ⓐ 등차수열 $\{a_n\}$의 일반항을 이용하여 첫째항과 공차 구하기

등차수열 $\{a_n\}$의 첫째항을 a, 공차를 d라 하면 $a_n=a+(n-1)d$

조건 (가)에서 $a+d=22$ ……… ㉠

조건 (나)에서 a_5, a_{10}이 절댓값이 같고 부호가 서로 다르므로

$a_5+a_{10}=0$을 만족한다.

즉 $a+4d+a+9d=0$

$2a+13d=0$ ……… ㉡

㉠, ㉡을 연립하여 풀면 $a=26$, $d=-4$

STEP Ⓑ $S_n=240$을 만족하는 n의 값 구하기

$S_n=\dfrac{n\{2\cdot26+(n-1)\cdot(-4)\}}{2}=-2n^2+28n$

즉 $-2n^2+28n=-240$에서 $n^2-14n-120=0$

$(n-20)(n+6)=0$

따라서 n이 자연수이므로 $n=20$ 〔정답〕 ②

1251 〔정답〕 ②

STEP Ⓐ $a_1+a_2+a_{n-1}+a_n$의 값 구하기

주어진 조건에서 $a_1+a_2=12$ ……… ㉠

$a_{n-1}+a_n=38$ ……… ㉡

$\dfrac{n(a_1+a_n)}{2}=150$ ……… ㉢

㉠, ㉡을 같은 변끼리 더하면 $a_1+a_2+a_{n-1}+a_n=50$

$(a_1+a_n)+(a_2+a_{n-1})=50$

STEP Ⓑ 등차수열의 성질을 이용하여 a_1+a_n 구하기

이때 등차수열의 성질에서 $a_1+a_n=a_2+a_{n-1}$이므로

$2(a_1+a_n)=50$

$\therefore a_1+a_n=25$

STEP Ⓒ n의 값 구하기

㉢에서 $\dfrac{n\times25}{2}=150$

따라서 $n=12$

---

n개의 항으로 이루어진 등차수열 a_1, a_2, a_3, $\cdots$, a_n이 다음 조건을 만족한다.

> (가) 처음 4개 항의 합은 26이다.
> (나) 마지막 4개 항의 합은 134이다.
> (다) $a_1+a_2+a_3+\cdots+a_n=260$

이때 n의 값은?

① 11 ② 12 ③ 13
④ 14 ⑤ 15

STEP Ⓐ 등차수열 $\{a_n\}$의 합 공식을 이용하여 a_1+a_n의 값 구하기

수열 $\{a_n\}$이 등차수열이므로

$a_1+a_n=a_2+a_{n-1}=a_3+a_{n-2}=a_4+a_{n-3}$이 성립하므로

조건 (가)와 (나)에서 처음 4개의 항과 마지막 4개의 항을 더하면

즉 $a_1+a_2+a_3+a_4=26$, $a_{n-3}+a_{n-2}+a_{n-1}+a_n=134$이므로

$a_1+a_2+a_3+a_4+a_{n-3}+a_{n-2}+a_{n-1}+a_n$

$=(a_1+a_n)+(a_2+a_{n-1})+(a_3+a_{n-2})+(a_4+a_{n-3})$

$=4(a_1+a_n)$

$=26+134=160$

$\therefore a_1+a_n=40$

STEP Ⓑ 조건 (다)를 이용하여 n의 값을 구하기

조건 (다)에 의하여

$a_1+a_2+\cdots+a_n=\dfrac{n(a_1+a_n)}{2}=\dfrac{40n}{2}=20n=260$

따라서 $n=13$

〔다른풀이〕 등차수열의 일반항을 이용하여 풀이하기

등차수열 $\{a_n\}$의 첫째항을 a, 공차를 d라 하면 $a_n=a+(n-1)d$

조건 (가)에서

$a_1+a_2+a_3+a_4=a+(a+d)+(a+2d)+(a+3d)$
$\qquad\qquad\qquad=4a+6d=26$ ……… ㉠

조건 (나)에서

$a_n+a_{n-1}+a_{n-2}+a_{n-3}$

$=\{a+(n-1)d\}+\{a+(n-2)d\}+\{a+(n-3)d\}+\{a+(n-4)d\}$

$=4a+(4n-10)d$

$4a+(4n-10)d=134$ ……… ㉡

$a_1+\cdots+a_n=\dfrac{n\{2a+(n-1)d\}}{2}=260$

$n\{2a+(n-1)d\}=520$ ……… ㉢

㉠+㉡을 하면 $8a+(4n-4)d=160$

$2a+(n-1)d=40$ ……… ㉣

㉣을 ㉢에 대입하면 $40n=520$

따라서 $n=13$ 〔정답〕 ③

1252 〔정답〕 ⑤

STEP Ⓐ 등차수열 $\{a_n+b_n\}$의 합 공식을 이용하여 구하기

$a_1+b_1=6$, 항수가 100인 등차수열의 합이 1000이므로

$S_{100}+T_{100}=\dfrac{100\{(a_1+b_1)+(a_{100}+b_{100})\}}{2}$

$\qquad\qquad=50\{6+(a_{100}+b_{100})\}$

$\qquad\qquad=1000$

따라서 $6+a_{100}+b_{100}=20$이므로 $a_{100}+b_{100}=14$

〔다른풀이〕 등차수열 $\{a_n+b_n\}$의 합 공식을 이용하여 풀이하기

$S_{100}+T_{100}=\dfrac{100(a_1+a_{100})}{2}+\dfrac{100(b_1+b_{100})}{2}$

$\qquad\qquad=50(a_1+a_{100})+50(b_1+b_{100})$

$\qquad\qquad=50\{(a_1+b_1)+(a_{100}+b_{100})\}$

$\qquad\qquad=50\{6+(a_{100}+b_{100})\}$

$\qquad\qquad=1000$

이므로 $6+a_{100}+b_{100}=20$이므로 $a_{100}+b_{100}=14$

1253

STEP Ⓐ **등차수열 $\{a_n\}$의 첫째항과 끝항을 이용하여 합 구하기**

$a_n+b_n=c_n$이라 하면 $c_1=20$이고 $\sum_{k=1}^{10} c_k=425$

두 수열 $\{a_n\}$, $\{b_n\}$이 등차수열이면 수열 $\{c_n\}$도 등차수열이므로
수열 $\{c_n\}$의 공차를 d라 하면

$$\sum_{k=1}^{10} c_k=\frac{10(2\cdot20+9d)}{2}=5(40+9d)=425$$

$40+9d=85$이므로 $d=5$

STEP Ⓑ **a_5+b_5의 값 구하기**

따라서 $a_5+b_5=c_5=20+4\cdot5=40$

> **참고** 두 등차수열 $\{a_n\}$, $\{b_n\}$의 공차를 각각 d, d'라 하면
> 수열 $\{a_n+b_n\}$은 공차가 $d+d'$인 등차수열이다.

내신연계 출제문항 452

두 등차수열 $\{a_n\}$, $\{b_n\}$에 대하여

$$a_1+b_1=45, \quad \sum_{k=1}^{10} a_k+\sum_{k=1}^{10} b_k=500$$

일 때, $a_{10}+b_{10}$의 값은?

① 45   ② 50   ③ 55
④ 60   ⑤ 65

STEP Ⓐ **등차수열 $\{a_n\}$의 첫째항과 끝항을 이용하여 합 구하기**

수열 $\{a_n\}$, $\{b_n\}$이 등차수열이므로 $\sum_{k=1}^{10} a_k$, $\sum_{k=1}^{10} b_k$는 각각 제1항부터
제10항까지의 등차수열의 합이다.

$$\sum_{k=1}^{10} a_k+\sum_{k=1}^{10} b_k=\frac{10(a_1+a_{10})}{2}+\frac{10(b_1+b_{10})}{2}$$
$$=5(a_1+a_{10})+5(b_1+b_{10})$$
$$=5\{(a_1+b_1)+(a_{10}+b_{10})\}$$
$$=5\{45+(a_{10}+b_{10})\} \quad \leftarrow a_1+b_1=45$$

따라서 $5\{45+(a_{10}+b_{10})\}=500$이므로 $a_{10}+b_{10}=55$

> **다른풀이** 등차수열의 일반항과 $\sum$의 성질을 이용하여 $a_{10}+b_{10}$ 풀이하기

두 등차수열 $\{a_n\}$, $\{b_n\}$의 공차를 각각 d_1, d_2라 하면

$a_n=a_1+(n-1)d_1$, $b_n=b_1+(n-1)d_2$

$$\sum_{k=1}^{10} a_k+\sum_{k=1}^{10} b_k=\sum_{k=1}^{10}(a_1-d_1+kd_1)+\sum_{k=1}^{10}(b_1-d_2+kd_2)$$
$$=10a_1-10d_1+d_1\cdot\frac{10\cdot11}{2}+10b_1-10d_2+d_2\cdot\frac{10\cdot11}{2}$$
$$=10a_1+10b_1+45d_1+45d_2$$
$$=10(a_1+b_1)+45(d_1+d_2)$$
$$=10\cdot45+45(d_1+d_2)$$

이때 $10\cdot45+45(d_1+d_2)=500$이므로 $9(d_1+d_2)=10$
따라서 $a_{10}+b_{10}=a_1+9d_1+b_1+9d_2$
$$=a_1+b_1+9(d_1+d_2)$$
$$=45+10=55$$

1254

STEP Ⓐ **등차수열 $\{a_n+b_n\}$의 합 공식을 이용하여 구하기**

두 등차수열 $\{a_n\}$, $\{b_n\}$의 공차가 각각 d, d'이므로

$a_1+b_1=12$, $d+d'=5$

$$(a_1+a_2+a_3+\cdots+a_{20})+(b_1+b_2+b_3+\cdots+b_{20})$$
$$=(a_1+b_1)+(a_2+b_2)+\cdots+(a_{20}+b_{20})$$
$$=\frac{20\{2(a_1+b_1)+(20-1)(d+d')\}}{2}$$
$$=\frac{20\{2\cdot12+19\cdot5\}}{2}$$
$$=1190$$

> **다른풀이** 등차수열의 합 공식을 이용하여 풀이하기

$$(a_1+a_2+a_3+\cdots+a_{20})+(b_1+b_2+b_3+\cdots+b_{20})$$
$$=\frac{20(2a_1+19d)}{2}+\frac{20(2b_1+19d')}{2}$$
$$=\frac{20\{2(a_1+b_1)+19(d+d')\}}{2}$$
$$=\frac{20(2\cdot12+19\cdot5)}{2}$$
$$=1190$$

내신연계 출제문항 453

두 등차수열 $\{a_n\}$, $\{b_n\}$에 대하여

$a_1+b_1=10$이고 두 등차수열의 공차의 합이 10

일 때, $(a_1+a_2+a_3+\cdots+a_9)+(b_1+b_2+b_3+\cdots+b_9)$의 값은?

① 420   ② 430   ③ 440
④ 450   ⑤ 460

STEP Ⓐ **등차수열 $\{a_n+b_n\}$의 합 공식을 이용하여 구하기**

두 등차수열 $\{a_n\}$, $\{b_n\}$의 공차가 각각 d_1, d_2라 하면

$a_1+b_1=10$, $d_1+d_2=10$

$$(a_1+a_2+a_3+\cdots+a_9)+(b_1+b_2+b_3+\cdots+b_9)$$
$$=(a_1+b_1)+(a_2+b_2)+\cdots+(a_9+b_9)$$
$$=\frac{9\{2(a_1+b_1)+(9-1)(d_1+d_2)\}}{2}$$
$$=\frac{9\{2\cdot10+8\cdot10\}}{2}$$
$$=450$$

> **다른풀이** 등차수열의 합 공식을 이용하여 풀이하기

$$(a_1+a_2+a_3+\cdots+a_9)+(b_1+b_2+b_3+\cdots+b_9)$$
$$=\frac{9(2a_1+8d_1)}{2}+\frac{9(2b_1+8d_2)}{2}$$
$$=\frac{9\{2(a_1+b_1)+8(d_1+d_2)\}}{2}$$
$$=\frac{9\{2\cdot10+8\cdot10\}}{2}$$
$$=450$$

1255

정답 ④

STEP Ⓐ 등차수열의 합 공식을 이용하여 식 작성하기

$(a_1+a_2+a_3+\cdots+a_7)+(b_1+b_2+b_3+\cdots+b_7)$

$=\dfrac{7(a_1+a_7)}{2}+\dfrac{7(b_1+b_7)}{2}$ ...... ㉠

STEP Ⓑ 등차중항을 이용하기

a_4는 a_1과 a_7의 등차중항이므로

$2a_4=a_1+a_7$ ...... ㉡

b_4는 b_1과 b_7의 등차중항이므로

$2b_4=b_1+b_7$ ...... ㉢

STEP Ⓒ 주어진 값 구하기

따라서 ㉡, ㉢을 ㉠에 대입하면

$\dfrac{7\cdot 2a_4}{2}+\dfrac{7\cdot 2b_4}{2}=7(a_4+b_4)=7\cdot 20=140$

다른풀이 등차수열 $\{a_n+b_n\}$의 합 공식을 이용하여 풀이하기

두 수열 $\{a_n\}$, $\{b_n\}$이 등차수열이므로 수열 $\{a_n+b_n\}$도 등차수열이다.

등차수열 $\{a_n+b_n\}$의 공차를 d라 하면

$a_4+b_4=(a_1+b_1)+3d$이므로

$20=5+3d$에서 $d=5$

즉 수열 $\{a_n+b_n\}$은 첫째항이 5, 공차가 5인 등차수열이다.

따라서 $(a_1+a_2+a_3+\cdots+a_7)+(b_1+b_2+b_3+\cdots+b_7)$

$=(a_1+b_1)+(a_2+b_2)+\cdots+(a_7+b_7)$

$=\dfrac{7(2\cdot 5+6\cdot 5)}{2}$

$=140$

1256

정답 ②

STEP Ⓐ 두 수 a, b 사이에 n개의 수를 넣어서 만든 등차수열의 합은 $\dfrac{(n+2)(a+b)}{2}$임을 이용하기

$1, a_1, a_2, \cdots, a_n, 12$에서 주어진 등차수열은

첫째항이 1, 끝항이 12, 항수는 $n+2$이고 합이 78이므로

$\dfrac{(n+2)(1+12)}{2}=78$

$n+2=12$

$\therefore n=10$

STEP Ⓑ 등차수열 $\{a_n\}$의 일반항을 이용하여 공차 d 구하기

등차수열 $\{a_n\}$의 첫째항을 1, 공차를 d라 하면

12는 12번째 항이므로 $12=1+(12-1)d$

$\therefore d=1$

따라서 $n=10$, $d=1$

1과 39 사이에 n개의 수를 넣어 만든 등차수열

$$1, a_1, a_2, \cdots, a_n, 39$$

의 합이 400일 때, n의 값과 공차 d를 구하면?

① $n=16$, $d=3$ ② $n=18$, $d=2$ ③ $n=18$, $d=4$

④ $n=20$, $d=4$ ⑤ $n=25$, $d=3$

STEP Ⓐ 두 수 a, b 사이에 n개의 수를 넣어서 만든 등차수열의 합은 $\dfrac{(n+2)(a+b)}{2}$임을 이용하기

$1, a_1, a_2, \cdots, a_n, 39$에서 주어진 등차수열은

첫째항이 1, 끝항이 39, 항의 개수가 $n+2$이고 합이 400이므로

$\dfrac{(n+2)(1+39)}{2}=400$

$n+2=20$

$\therefore n=18$

STEP Ⓑ 등차수열 $\{a_n\}$의 일반항을 이용하여 공차 d 구하기

이때 39는 제 20항이므로 $1+(20-1)d=39$

$\therefore d=2$

따라서 $n=18$, $d=2$ 정답 ②

1257

정답 ③

STEP Ⓐ 두 수 a, b 사이에 n개의 수를 넣어서 만든 등차수열의 합은 $\dfrac{(n+2)(a+b)}{2}$임을 이용하기

$-3, a_1, a_2, a_3, \cdots, a_n, 11$에서 주어진 등차수열은

첫째항이 -3, 끝항이 11, 항수는 $n+2$이고 합이 32이므로

$\dfrac{(n+2)(-3+11)}{2}=32$

$n+2=8$

$\therefore n=6$

STEP Ⓑ 등차수열의 공차 d를 구하여 a_5의 값 구하기

등차수열의 첫째항을 -3, 공차를 d라고 하면

11은 8번째 항이므로 $11=-3+(8-1)d$

$\therefore d=2$

따라서 $a_5=-3+(6-1)\cdot 2=7$

1258

정답 ③

STEP Ⓐ 두 수 a, b 사이에 n개의 수를 넣어서 만든 등차수열의 합은 $\dfrac{(n+2)(a+b)}{2}$임을 이용하기

$6, a_1, a_2, a_3, \cdots, a_n, 86$에서 주어진 등차수열은

첫째항이 6, 끝항이 86, 항수는 $n+2$이고 합이 966이므로

$\dfrac{(n+2)(6+86)}{2}=966$

$n+2=21$

$\therefore n=19$

STEP Ⓑ 등차수열의 공차 d를 구하여 a_6의 값 구하기

등차수열 $\{b_n\}$의 첫째항을 6, 공차를 d라고 하면

86은 21번째 항이므로 $6+(21-1)d=86$

$\therefore d=4$

따라서 $a_6=6+(7-1)\cdot 4=6+24=30$

두 수 2와 20 사이에 n개의 수를 넣어 만든 등차수열
$$2, a_1, a_2, \cdots, a_n, 20$$
의 모든 항의 합이 165일 때 a_7의 값은?

① 8   ② 9   ③ 10
④ 11   ⑤ 12

STEP Ⓐ **두 수 a, b 사이에 n개의 수를 넣어서 만든 등차수열의 합은**
$$\frac{(n+2)(a+b)}{2} \text{임을 이용하기}$$

$2, a_1, a_2, \cdots, a_n, 20$에서 주어진 등차수열은 첫째항이 2, 끝항이 20
항수는 $n+2$이고 합이 165이므로
$$\frac{(n+2)(2+20)}{2}=11(n+2)=165$$
$n+2=15$ $\therefore n=13$

STEP Ⓑ **등차수열의 공차 d를 구하여 a_7의 값 구하기**

등차수열의 첫째항을 2, 공차를 d라고 하면 20은 15번째 항이므로
$2+(15-1)d=20$ $\therefore d=\dfrac{9}{7}$

따라서 $a_7=2+(8-1)\cdot\dfrac{9}{7}=11$ 정답 ④

1259   정답 ⑤

STEP Ⓐ **등차수열을 이용하여 공차 구하기**

$3, a_1, a_2, a_3, \cdots, a_{10}, 47$에서 주어진 등차수열은
첫째항이 3, 12번째항이 47이므로 공차를 d라고 하면
$47=3+11d$ $\therefore d=4$
이때 $a_1=3+4=7$, $a_{10}=3+10\cdot4=43$

STEP Ⓑ **등차수열의 합 $S_n=\dfrac{n\{2a+(n-1)d\}}{2}$ 이용하기**

따라서 $a_1+a_2+\cdots+a_{10}=\dfrac{10(7+43)}{2}=250$

다른풀이 등차수열의 전체의 합에서 양 끝항을 빼기

전체 항의 개수가 12이므로 $3+a_1+a_2+\cdots+a_{10}+47=\dfrac{12(3+47)}{2}=300$
따라서 $a_1+a_2+a_3+\cdots+a_{10}=300-(3+47)=250$

1260   정답 ①

STEP Ⓐ **등차수열의 일반항을 이용하여 n의 값 구하기**

$2, a_1, a_2, a_3, \cdots, a_n, 59$에서 주어진 등차수열의 첫째항이 2, 공차가 3,
끝항이 59, 항수는 $n+2$이므로 59는 $n+2$번째 항이므로
$59=2+(n+2-1)\cdot3$ $\therefore n=18$

STEP Ⓑ **$a_1+a_2+\cdots+a_{18}$ 구하기**

즉 $2, a_1, a_2, a_3, \cdots, a_{18}, 59$
이때 $a_1=2+3=5$, $a_{18}=2+18\cdot3=56$
따라서 $a_1+a_2+\cdots+a_{18}=\dfrac{18(5+56)}{2}=549$

다른풀이 등차수열의 전체의 합에서 양 끝항을 빼기

전체 항의 개수가 20이므로
$2+a_1+a_2+\cdots+a_{18}+59=\dfrac{20(2+59)}{2}=610$
따라서 $a_1+a_2+a_3+\cdots+a_{18}=610-(2+59)=549$

24와 -44 사이에 n개의 수를 넣어 만든 등차수열
$$24, a_1, a_2, \cdots, a_n, -44$$
에 대하여 $a_1+a_2+a_3+\cdots+a_n=-120$일 때, n의 값은?

① 8   ② 10   ③ 12
④ 14   ⑤ 16

STEP Ⓐ **두 수 a, b 사이에 n개의 수를 넣어서 만든 등차수열의 합은**
$$\frac{(n+2)(a+b)}{2} \text{임을 이용하기}$$

$24, a_1, a_2, \cdots, a_n, -44$에서
첫째항이 24, 끝항이 -44, 항수가 $n+2$인 등차수열의 합은
$$\frac{(n+2)\{24+(-44)\}}{2}=-10(n+2) \quad \cdots\cdots \text{㉠}$$
한편
$$24+(a_1+a_2+a_3+\cdots+a_n)+(-44)=24-120-44$$
$$=-140 \cdots\cdots \text{㉡}$$

㉠, ㉡에서 $-10(n+2)=-140$
따라서 $n+2=14$이므로 $n=12$ 정답 ③

1261   정답 ②

STEP Ⓐ **두 수 a, b 사이에 n개의 수를 넣어서 만든 등차수열의 합은**
$$\frac{(n+2)(a+b)}{2} \text{임을 이용하기}$$

$4, a_1, a_2, a_3, \cdots, a_n, 70$에서 주어진 등차수열은
첫째항이 4, 끝항이 70, 항수는 $n+2$이고 합이 851이므로
$$\frac{(n+2)\cdot(4+70)}{2}=851 \text{에서} \ n+2=23$$
$\therefore n=21$
즉 첫째항이 4, 제 23항이 70이므로 공차를 d라고 하면
$4+22d=70$
$\therefore d=3$

STEP Ⓑ **첫째항부터 제 8항까지의 합 구하기**

따라서 주어진 수열은 첫째항이 4, 공차가 3인 등차수열이므로
첫째항부터 제 8항까지의 합은 $\dfrac{8(2\cdot4+7\cdot3)}{2}=116$

1262   정답 ①

STEP Ⓐ **주어진 등차수열의 합을 이용하여 첫째항과 공차 구하기**

등차수열 $\{a_n\}$의 첫째항을 a, 공차를 d라 하면
$$S_5=\frac{5(2a+4d)}{2}=130$$
$$\therefore a+2d=26 \quad \cdots\cdots \text{㉠}$$
$$S_{10}=\frac{10(2a+9d)}{2}=435$$
$$\therefore 2a+9d=87 \quad \cdots\cdots \text{㉡}$$
㉡$-2\times$㉠에서 $d=7$
㉠에서 $a=12$
따라서 $a+d=12+7=19$

1263

정답 ①

STEP A 주어진 등차수열의 합을 이용하여 첫째항과 공차 구하기

등차수열 $\{a_n\}$의 첫째항을 a, 공차를 d라 하면

$S_4=\dfrac{4(2a+3d)}{2}=112$ ∴ $2a+3d=56$ ······ ㉠

$S_8=\dfrac{8(2a+7d)}{2}=96$ ∴ $2a+7d=24$ ······ ㉡

㉠, ㉡을 연립하여 풀면 $a=40$, $d=-8$

STEP B a_3의 값 구하기

따라서 $a_3=40+2\cdot(-8)=24$

1264

정답 ②

STEP A 주어진 등차수열의 합을 이용하여 첫째항과 공차 구하기

등차수열 $\{a_n\}$의 첫째항을 $a_1=a$, 공차를 d라고 하면

$S_5=a$에서 $S_5=\dfrac{10(a+2d)}{2}=5(a+2d)=a$

$4a+10d=0$ ∴ $2a+5d=0$ ······ ㉠

$S_{10}=40$에서 $S_{10}=\dfrac{10(2a+9d)}{2}=5(2a+9d)=40$

∴ $2a+9d=8$ ······ ㉡

㉠, ㉡을 연립하여 풀면 $a=-5$, $d=2$

STEP B a_{10}의 값 구하기

따라서 $a_{10}=a+9d=-5+18=13$

내/신/연/계 출제문항 **457**

등차수열 $\{a_n\}$의 첫째항부터 제 n항까지의 합을 S_n이라 하면
$$S_5=40,\ S_{10}=155$$
일 때, a_{10}의 값은?

① 27   ② 29   ③ 31
④ 33   ⑤ 35

STEP A 주어진 등차수열의 합을 이용하여 첫째항과 공차 구하기

등차수열 $\{a_n\}$의 첫째항을 a, 공차를 d라 하면

$S_5=40$에서 $S_5=\dfrac{5(2a+4d)}{2}=40$ ∴ $a+2d=8$ ······ ㉠

$S_{10}=155$에서 $S_{10}=\dfrac{10(2a+9d)}{2}=155$ ∴ $2a+9d=31$ ······ ㉡

㉠, ㉡을 연립하여 풀면 $a=2$, $d=3$

STEP B a_{10}의 값 구하기

따라서 $a_{10}=2+9\cdot3=29$

정답 ②

1265

정답 ②

STEP A 주어진 등차수열의 합을 이용하여 첫째항과 공차 구하기

등차수열 $\{a_n\}$의 첫째항을 a, 공차를 d라 하면

$S_{10}=\dfrac{10(2a+9d)}{2}=200$ ∴ $2a+9d=40$ ······ ㉠

$S_{20}=\dfrac{20(2a+19d)}{2}=500$ ∴ $2a+19d=50$ ······ ㉡

㉠, ㉡을 연립하여 풀면 $a=\dfrac{31}{2}$, $d=1$

STEP B S_{30}의 값 구하기

따라서 $S_{30}=\dfrac{30\left(2\cdot\dfrac{31}{2}+29\cdot1\right)}{2}=900$

다른풀이 같은 개수만큼 묶어 합한 수열도 등차수열임을 이용하여 풀이하기

등차수열 $\{a_n\}$에서 차례로 10개의
수를 각각 묶어 그 합을 구하면
이 합은 등차수열을 이룬다.
$A=a_1+a_2+\cdots+a_{10}$,
$B=a_{11}+a_{12}+\cdots+a_{20}$,
$C=a_{21}+a_{22}+\cdots+a_{30}$

이라 하면 A, B, C는 이 순서대로 등차수열을 이룬다.

$A=S_{10}=200$, $S_{20}=500$이므로 $B=500-200=300$

∴ $C=400$

따라서 $S_{30}=A+B+C=200+300+400=900$

내/신/연/계 출제문항 **458**

등차수열 $\{a_n\}$에 대하여 첫째항부터 제 10항까지의 합이 70, 첫째항부터 제 20항까지의 합이 240일 때, 첫째항부터 제 30항까지의 합은?

① 320   ② 410   ③ 510
④ 580   ⑤ 610

STEP A 주어진 등차수열의 합을 이용하여 첫째항과 공차 구하기

첫째항을 a, 공차를 d, 첫째항부터 제 n항까지의 합을 S_n이라고 하자.

$S_{10}=70$에서 $\dfrac{10(2a+9d)}{2}=70$

∴ $2a+9d=14$ ······ ㉠

$S_{20}=240$에서 $\dfrac{20(2a+19d)}{2}=240$

∴ $2a+19d=24$ ······ ㉡

㉠, ㉡을 연립하여 풀면 $a=\dfrac{5}{2}$, $d=1$

STEP B S_{30}의 값 구하기

따라서 첫째항부터 제 30항까지의 합은

$S_{30}=\dfrac{30\left(2\cdot\dfrac{5}{2}+29\cdot1\right)}{2}=510$

다른풀이 같은 개수 만큼 묶어 합한 수열도 등차수열임을 이용하여 풀이하기

등차수열 $\{a_n\}$에서 차례로 10개의
수를 각각 묶어 그 합을 구하면
이 합은 등차수열을 이룬다.
$A=a_1+a_2+\cdots+a_{10}$,
$B=a_{11}+a_{12}+\cdots+a_{20}$,
$C=a_{21}+a_{22}+\cdots+a_{30}$

이라 하면 A, B, C는 이 순서대로 등차수열을 이룬다.

$A=S_{10}=70$, $S_{20}=240$이므로 $B=240-70=170$

∴ $C=270$

따라서 $S_{30}=A+B+C=70+170+270=510$

정답 ③

1266

STEP Ⓐ 조건을 만족하는 첫째항, 공차를 구하기

등차수열 $\{a_n\}$의 첫째항을 a, 공차를 d라 하면

$S_2 = \dfrac{2(2a+d)}{2} = -8$ ∴ $2a+d = -8$ ······ ㉠

$S_6 = \dfrac{6(2a+5d)}{2} = 0$ ∴ $2a+5d = 0$ ······ ㉡

㉠, ㉡을 연립하여 풀면 $a = -5$, $d = 2$

STEP Ⓑ $a_7 + a_8 + a_9 + \cdots + a_{15}$의 값 구하기

이때 첫째항이 -5, 공차가 2인 등차수열의 첫째항부터 제 15항까지의 합은

$S_{15} = \dfrac{15\{2 \cdot (-5) + (15-1) \cdot 2\}}{2} = 135$

따라서 $a_7 + a_8 + a_9 + \cdots + a_{15} = S_{15} - S_6 = 135 - 0 = 135$

1267

STEP Ⓐ 주어진 등차수열의 합을 이용하여 첫째항과 공차 구하기

첫째항을 a, 공차를 d라 하고 첫째항부터 제 n항까지의 합을 S_n이라고 하자.

$S_{10} = 120$이므로 $S_{10} = \dfrac{10(2a+9d)}{2} = 120$

∴ $2a+9d = 24$ ······ ㉠

$S_{20} = 440$이므로 $S_{20} = \dfrac{20(2a+19d)}{2} = 440$

∴ $2a+19d = 44$ ······ ㉡

㉠, ㉡을 연립하여 풀면 $a = 3$, $d = 2$

STEP Ⓑ 제 11항부터 제 30항까지의 합 구하기

따라서 $a_{11} + a_{12} + \cdots + a_{30} = S_{30} - S_{10}$

$= \dfrac{30\{2 \cdot 3 + (30-1) \cdot 2\}}{2} - 120$

$= 960 - 120$

$= 840$

내신연계 출제문항 459

등차수열 $\{a_n\}$의 첫째항부터 제 5항까지의 합이 50이고 제 6항부터 제 10항까지의 합이 125일 때, 제 11항부터 제 15항까지의 합은?

① 180 ② 200 ③ 220

④ 240 ⑤ 260

STEP Ⓐ 주어진 등차수열의 합을 이용하여 첫째항과 공차 구하기

첫째항을 a, 공차를 d라 하고 첫째항부터 제 n항까지의 합을 S_n이라고 하자.

$S_5 = 50$에서 $S_5 = \dfrac{5(2a+4d)}{2} = 50$

∴ $2a+4d = 20$ ······ ㉠

$S_{10} - S_5 = 125$에서 $S_{10} - S_5 = \dfrac{10(2a+19d)}{2} - 50 = 125$

∴ $2a+19d = 35$ ······ ㉡

㉠, ㉡을 연립하여 풀면 $a = 4$, $d = 3$

STEP Ⓑ 제 11항부터 제 15항까지의 합 구하기

따라서 $a_{11} + a_{12} + \cdots + a_{15} = S_{15} - S_{10}$

$= \dfrac{15\{2 \cdot 4 + (15-1) \cdot 3\}}{2} - (50+125)$

$= 375 - 175$

$= 200$

1268

STEP Ⓐ 주어진 등차수열의 합을 이용하여 첫째항과 공차 구하기

첫째항을 a, 공차를 d라 하고 첫째항부터 제 n항까지의 합을 S_n이라고 하자.

$S_{10} = 130$이므로 $\dfrac{10(2a+9d)}{2} = 130$

∴ $2a+9d = 26$ ······ ㉠

또, $S_{20} - S_{10} = 430$이므로 $S_{20} = 560$

$\dfrac{20(2a+19d)}{2} = 560$

∴ $2a+19d = 56$ ······ ㉡

㉠, ㉡을 연립하여 풀면 $a = -\dfrac{1}{2}$, $d = 3$

STEP Ⓑ S_{30}의 값 구하기

따라서 첫째항부터 제 30항까지의 합은

$S_{30} = \dfrac{30\left\{2 \cdot \left(-\dfrac{1}{2}\right) + 29 \cdot 3\right\}}{2} = 1290$

내신연계 출제문항 460

첫째항부터 제 15항까지의 합이 195, 제 16항부터 제 30항까지의 합이 645인 등차수열 $\{a_n\}$의 첫째항부터 제 50항까지의 합은?

① 1200 ② 2400 ③ 3600

④ 4800 ⑤ 6000

STEP Ⓐ 주어진 등차수열의 합을 이용하여 첫째항과 공차 구하기

첫째항을 a, 공차를 d, 첫째항부터 제 n항까지의 합을 S_n이라고 하면

$S_{15} = \dfrac{15(2a+14d)}{2} = 195$

∴ $a+7d = 13$ ······ ㉠

$S_{30} = S_{15} + (a_{16} + a_{17} + \cdots + a_{30}) = 840$이므로

$S_{30} = \dfrac{30(2a+29d)}{2} = 840$

∴ $2a+29d = 56$ ······ ㉡

㉠, ㉡을 연립하여 풀면 $a = -1$, $d = 2$

STEP Ⓑ S_{50}의 값 구하기

따라서 첫째항부터 제 50항까지의 합은

$S_{50} = \dfrac{50\{2 \cdot (-1) + 49 \cdot 2\}}{2} = 2400$

1269

STEP Ⓐ 주어진 조건을 만족하는 자연수를 나열하여 일반항 구하기

100 이하의 자연수 중에서 3으로 나누었을 때, 나머지가 1인 수를 차례대로 나열하면 1, 4, 7, 10, $\cdots$, 97, 100

이는 첫째항이 1, 공차가 3인 등차수열이므로 일반항을 a_n이라 하면

$a_n = 1 + (n-1) \cdot 3 = 3n - 2$

이때 100이 제 n항이라 하면 $3n - 2 = 100$

∴ $n = 34$

STEP Ⓑ 첫째항과 끝항이 주어졌을 때, 등차수열의 합 구하기

따라서 구하는 값은 첫째항이 1, 제 34항이 100인 등차수열의 첫째항부터

제 34항까지의 합이므로 $S_{34} = \dfrac{34(1+100)}{2} = 1717$

100 이하의 자연수 중에서 3으로 나누었을 때 나머지가 2인 수의 합은?

① 1265 ② 1350 ③ 1450
④ 1550 ⑤ 1650

STEP A 주어진 조건을 만족하는 자연수를 나열하여 일반항 구하기

100 이하의 자연수 중에서 3으로 나누었을 때, 나머지가 2인 자연수를
적은 것부터 순서대로 나열하면
2, 5, 8, 11, ···, 98
이는 첫째항이 2, 공차가 3인 등차수열이므로 일반항을 a_n이라 하면
$a_n = 2+(n-1)\cdot3 = 3n-1$
이때 $3n-1=98$에서 $n=33$이므로 98은 제 33항이다.

STEP B 첫째항과 끝항이 주어졌을 때, 등차수열의 합 구하기

따라서 구하는 합은 수열 $\{a_n\}$의 첫째항부터 제 33항까지의 합 S_{33}이므로
$$S_{33} = \frac{33(2+98)}{2} = 1650$$

 정답 ⑤

1270

정답 ③

STEP A 주어진 조건을 만족하는 자연수를 나열하여 일반항 구하기

두 자리의 자연수 중에서 8로 나누었을 때, 나머지가 3인 수를 차례대로
나열하면 11, 19, 27, 35, ···, 99
이는 첫째항이 11 공차가 8인 등차수열이므로 일반항을 a_n이라 하면
$a_n = 11+(n-1)\cdot8 = 8n+3$
이때 99가 제 n항이라 하면 $8n+3=99$
$\therefore n=12$

STEP B 첫째항과 끝항이 주어졌을 때, 등차수열의 합 구하기

따라서 구하는 값은 첫째항이 11, 제 12항이 99인 등차수열의 첫째항부터

제 12항까지의 합이므로 $S_{12} = \frac{12(11+99)}{2} = 660$

1271

정답 ③

STEP A 100 이하의 2의 배수, 3의 배수, 6의 배수의 합 구하기

100 이하의 자연수 중 2의 배수는 2, 4, 6, ···, 100이므로 2의 배수의 합은
첫째항이 2, 끝항이 100, 항의 개수가 50인 등차수열의 합이므로
$$\frac{50(2+100)}{2} = 2550$$
또, 3의 배수는 3, 6, 9, ···, 99이므로 3의 배수의 합은
첫째항이 3, 끝항이 99, 항의 개수가 33인 등차수열의 합이므로
$$\frac{33(3+99)}{2} = 1683$$
이때 2의 배수이고 3의 배수인 수, 즉 6의 배수는 6, 12, 18, ···, 96이므로
6의 배수의 합은 첫째항이 6, 끝항이 96, 항의 개수가 16인 등차수열의 합이다.
즉 $\frac{16(6+96)}{2} = 816$

STEP B $n(A \cup B) = n(A)+n(B)-n(A \cap B)$을 이용하여 구하기

따라서 2 또는 3의 배수의 합은 $2550+1683-816 = 3417$

두 자리의 자연수 중에서 3의 배수 또는 5의 배수인 수의 합은?

① 1950 ② 2109 ③ 2295
④ 2390 ⑤ 2490

STEP A 100 이하의 3의 배수, 5의 배수, 15의 배수의 합 구하기

두 자리의 자연수 중에서 3의 배수의 합은
$$12+15+18+\cdots+99 = \frac{30(12+99)}{2} = 1665$$
두 자리의 자연수 중에서 5의 배수의 합은
$$10+15+20+\cdots+95 = \frac{18(10+95)}{2} = 945$$
두 자리의 자연수 중에서 15의 배수의 합은
$$15+30+45+\cdots+90 = \frac{6(15+90)}{2} = 315$$

STEP B $n(A \cup B) = n(A)+n(B)-n(A \cap B)$을 이용하여 구하기

따라서 구하는 합은 $1665+945-315 = 2295$

 정답 ③

1272

정답 ③

STEP A 100과 서로소인 수 이해하기

$100 = 2^2 \times 5^2$이므로 100과 서로소인 수는 2의 배수도 아니고 5의 배수도
아닌 수이다.

STEP B 홀수 중 5의 배수를 제외한 수의 합 구하기

따라서 홀수 중 5의 배수를 제외한 수이므로 이 수의 합은
$(1+3+5+\cdots+99)-(5+15+25+\cdots+95)$
$$=\frac{50(1+99)}{2} - \frac{10(5+95)}{2}$$
$$=2500-500 = 2000$$

다른풀이 $100 = 2^2 \times 5^2$이므로 100과 서로소인 수는 2의 배수도 아니고 5의 배수도
아닌 수이다.

(100 이하의 모든 자연수의 합)
−(100 이하의 2의 배수의 합)
−(100 이하의 5의 배수의 합)
+(100 이하의 10의 배수의 합)
$$=\frac{100(1+100)}{2} - \frac{50(2+100)}{2} - \frac{20(5+100)}{2} + \frac{10(10+100)}{2}$$
$$=5050-2550-1050+550$$
$$=2000$$

다른풀이 $100 = 2^2 \times 5^2$이므로 100과 서로소인 수는 2의 배수도 아니고 5의 배수도
아닌 수이다.

따라서 홀수 중 5의 배수를 제외한 수이므로 이를 나열하면
1, 3, 7, 9, 11, 13, 17, 19, ···, 91, 93, 97, 99이 수의 합
$(1+3+7+9)+(11+13+17+19)+\cdots+(91+93+97+99)$는
첫째항이 $1+3+7+9 = 20$이고 공차가 40인 등차수열의 첫째항부터
제 10항까지의 합과 같으므로 $\frac{10(2\cdot20+9\cdot40)}{2} = 2000$

1273

STEP A 등차수열 $\{a_n\}$의 일반항을 구하여 음수가 되는 항 구하기

등차수열 $\{a_n\}$의 첫째항이 -35, 공차가 2이므로

$a_n = -35 + (n-1) \cdot 2 = 2n - 37$

$a_n < 0$에서 $2n - 37 < 0$ $\therefore n < \dfrac{37}{2} = 18.5$

이때 첫째항부터 제18항까지가 음수이므로 구하는 최솟값은

$S_{18} = \dfrac{18\{2 \cdot (-35) + (18-1) \cdot 2\}}{2} = -324$

따라서 18번째 항까지의 합이 최소이고 그 합의 최솟값은 -324

다른풀이 n항까지의 합을 구하여 풀이하기

$S_n = \dfrac{n\{2 \cdot (-35) + (n-1) \cdot 2\}}{2} = n^2 - 36n = (n-18)^2 - 324$

따라서 18번째 항까지의 합이 최소이고 그 합의 최솟값은 -324

1274

STEP A 등차수열 $\{a_n\}$의 일반항을 구하여 양수가 되는 항 구하기

등차수열 $\{a_n\}$의 첫째항이 25, 공차가 -3이므로

$a_n = 25 + (n-1) \cdot (-3) = -3n + 28$

공차가 $-3 < 0$이므로 S_n의 값이 최대가 되게 하는 n의 값은
$a_n \geq 0$을 만족시키는 n의 최댓값과 같다.

$-3n + 28 \geq 0$에서 $n \leq \dfrac{28}{3} = 9.33\cdots$

즉 수열 $\{a_n\}$은 제9항까지 양수이므로 첫째항부터 제9항까지의 합이 최대이다.

따라서 최댓값은 $S_9 = \dfrac{9\{2 \cdot 25 + 8 \cdot (-3)\}}{2} = 117$

내/신/연/계 출제문항 463

첫째항이 25, 공차가 -3인 등차수열 $\{a_n\}$의 첫째항부터 제n항까지의 합을 S_n이라 할 때, S_n의 값이 최대가 되게 하는 자연수 n의 값은?

① 7　　　　　② 8　　　　　③ 9
④ 10　　　　　⑤ 11

STEP A 등차수열 $\{a_n\}$의 일반항을 구하여 양수가 되는 항 구하기

등차수열 $\{a_n\}$의 첫째항이 25, 공차가 -3이므로

$a_n = 25 + (n-1) \cdot (-3) = -3n + 28$

공차가 $-3 < 0$이므로 S_n의 값이 최대가 되게 하는 n의 값은
$a_n \geq 0$을 만족시키는 n의 최댓값과 같다.

등차수열 $\{a_n\}$의 일반항은 $a_n = -3n + 28$

$a_n \geq 0$에서 $-3n + 28 \geq 0$ $\therefore n \leq \dfrac{28}{3} = 9.33\cdots$

즉 수열 $\{a_n\}$은 제9항까지 양수이므로 $n = 9$

1275

STEP A 등차수열 $\{a_n\}$의 일반항을 이용하여 첫째항과 공차 구하기

등차수열 $\{a_n\}$의 첫째항을 a, 공차를 d라 하면

$a_3 = a + 2d = 26$ ······ ㉠
$a_9 = a + 8d = 8$ ······ ㉡

㉡$-$㉠하면 $6d = -18$ $\therefore d = -3$

㉠에 대입하면 $a = 32$

$\therefore a_n = 32 - 3(n-1) = -3n + 35$

STEP B 주어진 조건을 이용하여 n의 범위 구하기

수열 $\{a_n\}$의 첫째항부터 제n항까지의 합이 최대가 되도록 하는 자연수 n은

$a_n = -3n + 35 > 0$을 만족시켜야 하므로 $n < \dfrac{35}{3}$

따라서 구하는 자연수 n의 값은 11

다른풀이 S_n의 이차식을 이용하여 최솟값 구하기

등차수열 $\{a_n\}$의 첫째항을 a, 공차를 d라 하면 $d = -3$, $a = 32$이므로

$S_n = \dfrac{n\{64 + (n-1)(-3)\}}{2} = -\dfrac{3}{2}n^2 + \dfrac{67}{2}n = -\dfrac{3}{2}\left(n - \dfrac{67}{6}\right)^2 + \dfrac{67^2}{24}$

따라서 $\dfrac{67}{6}$에 가장 가까운 자연수는 11이므로 $n = 11$일 때, S_n은 최댓값을 갖는다.

1276

STEP A 등차수열 $\{a_n\}$의 첫째항과 공차 구하기

등차수열 $\{a_n\}$의 첫째항을 a, 공차를 d라고 하면

$a_3 = a + 2d = 44$ ······ ㉠
$a_{10} = a + 9d = 23$ ······ ㉡

㉠, ㉡을 연립하여 풀면 $a = 50$, $d = -3$

$\therefore a_n = 50 + (n-1) \cdot (-3)$

STEP B 양수인 항 구하기

수열 $\{a_n\}$의 첫째항이 양수이고 공차가 음수이므로 S_n의 최댓값은 양수인 모든 항을 더 한 값과 같다.

이때 $a_n > 0$에서 $-3n + 53 > 0$, $3n < 53$ $\therefore n < \dfrac{53}{3} = 17.\cdots$

STEP C S_n의 최댓값 구하기

즉 제18항부터 음수인 항이 나오므로 S_n은 $n = 17$일 때, 최댓값 S_{17}을 가진다.

따라서 최댓값을 구하면 $S_{17} = \dfrac{17\{2 \cdot 50 + (17-1) \cdot (-3)\}}{2} = 442$

내/신/연/계 출제문항 464

제10항이 15이고 제15항이 -20인 등차수열 $\{a_n\}$에 대하여 첫째항부터 제n항까지의 합 S_n의 최댓값은?

① 456　　　　　② 462　　　　　③ 468
④ 474　　　　　⑤ 480

STEP A 등차수열 $\{a_n\}$의 첫째항과 공차 구하기

등차수열 $\{a_n\}$의 첫째항을 a, 공차를 d라고 하면

$a_{10} = a + 9d = 15$ ······ ㉠
$a_{15} = a + 14d = -20$ ······ ㉡

㉠, ㉡을 연립하여 풀면 $a = 78$, $d = -7$

$\therefore a_n = 78 + (n-1) \cdot (-7) = -7n + 85$

STEP B 양수인 항 구하기

수열 $\{a_n\}$의 첫째항이 양수이고 공차가 음수이므로 S_n의 최댓값은 양수인 모든 항을 더 한 값과 같다.

이때 $a_n > 0$에서 $-7n + 85 > 0$, $7n < 85$ $\therefore n < \dfrac{85}{7} = 12.\cdots$

STEP C S_n의 최댓값 구하기

즉 제13항부터 음수인 항이 나오므로 S_n은 $n = 12$일 때, 최댓값 S_{12}을 가지므로 $S_{12} = \dfrac{12\{2 \cdot 78 + (12-1) \cdot (-7)\}}{2} = 474$

1277

정답 ③

STEP A 등차수열 $\{a_n\}$의 첫째항과 공차 구하기

등차수열 $\{a_n\}$의 첫째항을 a, 공차를 d라고 하면

$a_7 = a + 6d = -20$ ...... ㉠

$a_{10} = a + 9d = 7$ ...... ㉡

㉠, ㉡을 연립하여 풀면 $a = -74$, $d = 9$

$\therefore a_n = -74 + (n-1) \cdot 9 = 9n - 83$

STEP B 음수인 항 구하기

수열 $\{a_n\}$의 첫째항이 음수이고 공차가 양수이므로

S_n의 최솟값은 음수인 모든 항을 더 한 값과 같다.

이때 $a_n < 0$에서 $9n - 83 < 0$

$\therefore n < \dfrac{83}{9} = 9.2\cdots$

STEP C 등차수열의 합 $S_n = \dfrac{n\{2a + (n-1)d\}}{2}$ 이용하기

즉 제 10항부터 양수인 항이 나오므로 S_n은 $n = 9$일 때,

최솟값 S_9을 가지므로

$S_9 = \dfrac{9\{2 \cdot (-74) + (9-1) \cdot 9\}}{2} = -342$

1278

정답 ⑤

STEP A 등차수열의 합을 이용하여 공차 구하기

등차수열 $\{a_n\}$의 첫째항을 9, 공차를 d라고 하면

$S_4 = \dfrac{4(2 \cdot 9 + 3d)}{2} = 6d + 36$

$S_6 = \dfrac{6(2 \cdot 9 + 5d)}{2} = 15d + 54$

$S_4 = S_6$이므로 $6d + 36 = 15d + 54$에서 $9d = -18$

$\therefore d = -2$

STEP B 주어진 조건을 만족하는 n의 값 구하기

$S_n = \dfrac{n\{2 \cdot 9 + (n-1) \cdot (-2)\}}{2}$

$\quad = -n^2 + 10n$

$\quad = -(n-5)^2 + 25$

따라서 S_n은 $n = 5$일 때, 최대이다.

다른풀이 $S_4 = S_6$이면 $a_5 + a_6 = 0$임을 이용하여 n 구하기

$S_6 = S_4 + a_5 + a_6 = S_4$이므로 $a_5 + a_6 = 0$

이때 $\{a_n\}$은 등차수열이므로 $a_5 > 0$, $a_6 < 0$

따라서 S_n은 $n = 5$일 때, 최대이다.

1279

정답 ③

STEP A 등차수열의 합을 이용하여 공차 구하기

등차수열의 $\{a_n\}$의 첫째항을 17, 공차를 d라고 하면

$S_7 = \dfrac{7(2 \cdot 17 + 6d)}{2} = 21d + 119$

$S_{11} = \dfrac{11(2 \cdot 17 + 10d)}{2} = 55d + 187$

$S_7 = S_{11}$이므로

$21d + 119 = 55d + 187$에서 $34d = -68$

$\therefore d = -2$

STEP B S_n의 최댓값 구하기

$a_n = 17 + (n-1) \cdot (-2) = -2n + 19$

이때 제 n항에서 처음으로 음수가 된다고 하면

$a_n = -2n + 19 < 0$ $\therefore n > \dfrac{19}{2} = 9.5$

즉 첫째항부터 제 9항까지 양수이고 제 10항부터 음수이므로

첫째항부터 제 9항까지의 합이 최대이다.

따라서 최댓값은 $S_9 = \dfrac{9\{2 \cdot 17 + (9-1) \cdot (-2)\}}{2} = 81$

다른풀이 완전제곱식을 유도하여 풀이하기

STEP B S_n의 최댓값 구하기

따라서 수열 $\{a_n\}$은 첫째항이 17, 공차가 -2인 등차수열이므로

$S_n = \dfrac{n\{2 \cdot 17 + (n-1) \cdot (-2)\}}{2}$

$\quad = -n^2 + 18n$

$\quad = -(n-9)^2 + 81$

따라서 $n = 9$일 때, 최댓값은 81

내/신/연/계/ 출제문항 465

첫째항이 30인 등차수열 $\{a_n\}$의 첫째항부터 제 n항까지의 합을 S_n이라

할 때, $S_5 = S_{11}$이다. 이때 S_n의 최댓값은?

① 64 　　　　② 128 　　　　③ 256

④ 512 　　　　⑤ 826

STEP A 등차수열의 합을 이용하여 공차 구하기

등차수열 $\{a_n\}$의 공차를 d라 하면 $S_5 = S_{11}$에서

$S_5 = \dfrac{5\{2 \cdot 30 + (5-1)d\}}{2} = 150 + 10d$

$S_{11} = \dfrac{11\{2 \cdot 30 + (11-1)d\}}{2} = 330 + 55d$

$S_5 = S_{11}$이므로 $45d = -180$

$\therefore d = -4$

STEP B S_n의 최댓값 구하기

$a_n = 30 + (n-1) \cdot (-4) = -4n + 34$

이때 제 n항에서 처음으로 음수가 된다고 하면

$a_n = -4n + 34 < 0$

$\therefore n > \dfrac{17}{2} = 8.5$

즉 첫째항부터 제 8항까지 양수이고 제 9항부터 음수이므로

첫째항부터 제 8항까지의 합이 최대이다.

따라서 최댓값은 $S_8 = \dfrac{8\{2 \cdot 30 + (8-1) \cdot (-4)\}}{2} = 128$

다른풀이 완전제곱식을 유도하여 풀이하기

STEP B S_n의 최댓값 구하기

따라서 수열 $\{a_n\}$은 첫째항이 30, 공차가 -4인 등차수열이므로

$S_n = \dfrac{n\{2 \cdot 30 + (n-1) \cdot (-4)\}}{2}$

$\quad = -2n^2 + 32n$

$\quad = -2(n-8)^2 + 128$

따라서 $n = 8$일 때, S_n의 최댓값은 128

정답 ②

1280

STEP Ⓐ 등차수열의 첫째항과 공차 구하기

등차수열 $\{a_n\}$의 첫째항을 a, 공차를 d라고 하면

$a_4 a_5 = a_6 a_7$에서 $(a+3d)(a+4d) = (a+5d)(a+6d)$

$2ad + 9d^2 = 0$, $d(2a+9d) = 0$

이때 $d \neq 0$이므로 $2a+9d = 0$ ...... ㉠

$a_{11} = -121$에서 $a+10d = -121$ ...... ㉡

㉠, ㉡을 연립하여 풀면 $a = 99$, $d = -22$

STEP Ⓑ 주어진 조건을 이용하여 n의 범위 구하기

$\therefore a_n = 99 + (n-1) \cdot (-22) = -22n + 121$

$-22n + 121 < 0$에서 $n > 5.5$

즉 제 6항부터 음수이므로 첫째항부터 제 5항까지의 합이 최대이다.

STEP Ⓒ S_n의 최댓값 구하기

따라서 등차수열 $\{a_n\}$의 첫째항은 99이고 제 5항은 $-22 \cdot 5 + 121 = 11$이므로

구하는 최댓값은 $S_5 = \dfrac{5(99+11)}{2} = 275$

1281

STEP Ⓐ 등차수열의 합을 이용하여 첫째항과 공차 구하기

등차수열 $\{a_n\}$의 첫째항을 a, 공차를 d라 하면

$S_{10} = \dfrac{10(2a+9d)}{2} = 110$

$\therefore 2a+9d = 22$ ...... ㉠

$S_{20} = \dfrac{20(2a+19d)}{2} = -180$

$\therefore 2a+19d = -18$ ...... ㉡

㉠, ㉡을 연립하여 풀면 $a = 29$, $d = -4$

$a_n = 29 + (n-1) \cdot (-4) = -4n + 33$

STEP Ⓑ 주어진 조건을 만족하는 n의 값 구하기

수열 $\{a_n\}$의 첫째항이 양수이고 공차가 음수이므로

S_n의 최댓값은 양수인 모든 항을 더 한 값과 같다.

이때 $a_n > 0$에서 $-4n + 33 > 0$ $\therefore n < \dfrac{33}{4} = 8.25$

STEP Ⓒ S_n의 최댓값 구하기

첫째항부터 제 8항까지가 양수이므로 구하는 최댓값은

$S_8 = \dfrac{8\{2 \cdot 29 + (8-1) \cdot (-4)\}}{2} = 120$

따라서 8번째 항까지의 합이 최대이고 그 합의 최댓값은 120이므로 합은

$8 + 120 = 128$

내신 연계 출제문항 466

제 5항이 4이고 첫째항부터 제 6항까지의 합이 -30인 등차수열 $\{a_n\}$에 대하여 첫째항부터 제 n항까지의 합 S_n의 최솟값과 그때의 n의 값의 합은?

① -44 ② -40 ③ -36
④ -32 ⑤ -28

STEP Ⓐ 등차수열의 첫째항과 공차 구하기

등차수열 $\{a_n\}$의 첫째항을 a, 공차를 d라 하면

$a_5 = a + 4d = 4$ ...... ㉠

$S_6 = \dfrac{6(2a+5d)}{2} = -30$ $\therefore 2a+5d = -10$ ...... ㉡

㉠, ㉡을 연립하여 풀면 $a = -20$, $d = 6$

STEP Ⓑ 처음으로 양수가 나오는 항 구하기

$a_n = -20 + (n-1) \cdot 6 = 6n - 26$이므로

제 n항에서 처음으로 양수가 나온다고 하면

$a_n = 6n - 26 > 0$에서 $n > \dfrac{26}{6} = 4.333$

즉 등차수열 $\{a_n\}$은 제 5항부터 양수이다.

STEP Ⓒ S_n의 최솟값과 그때의 n의 값을 구하여 합을 구하기

즉 등차수열 $\{a_n\}$은 제 4항까지 음수이므로

첫째항부터 제 4항까지의 합이 최소이다.

$n = 4$일 때, 구하는 최솟값은

$S_4 = \dfrac{4\{2 \cdot (-20) + (4-1) \cdot 6\}}{2} = -44$

따라서 최솟값과 그때의 n의 값의 합은 $-44 + 4 = -40$

> **참고**
> $S_n = \dfrac{n\{2 \cdot (-20) + (n-1) \cdot 6\}}{2} = 3n^2 - 23n$
> $S_4 = 3 \cdot 4^2 - 23 \cdot 4 = -44$

1282

STEP Ⓐ 주어진 조건에서 첫째항과 공차 구하기

등차수열 $\{a_n\}$의 첫째항을 a, 공차를 d라 하면 $a_n = a + (n-1)d$

$a_6 = a + 5d = 10$ ...... ㉠

$a_{20} - a_{15} = (a+19d) - (a+14d) = 5d = -30$

$\therefore d = -6$

㉠에서 $a = 40$

STEP Ⓑ [보기]의 진위판단하기

ㄱ. $S_{10} = \dfrac{10\{2 \cdot 40 + 9 \cdot (-6)\}}{2} = 130$ [참]

ㄴ. $a_n = 40 + (n-1) \cdot (-6) = -6n + 46$

이때 $-6n + 46 > 0$, $n < \dfrac{46}{6} = 7.66$이므로 제 7항까지 양수이므로

첫째항부터 제 7항까지의 합이 최대이다.

$S_7 = \dfrac{7\{2 \cdot 40 + 6 \cdot (-6)\}}{2} = 154$ [참]

ㄷ. $S_m = \dfrac{m\{2 \cdot 40 + (m-1) \cdot (-6)\}}{2} = -3m^2 + 43m$

$S_m < 0$에서 $-3m^2 + 43m < 0$

$m > 0$에서 $m > \dfrac{43}{3} = 14.333$

즉 m의 최솟값은 15이다. [거짓]

따라서 옳은 것은 ㄱ, ㄴ이다.

1283

STEP Ⓐ 등차수열 $\{a_n\}$의 일반항을 이용하여 공차 구하기

등차수열 $\{a_n\}$의 첫째항이 50, 공차를 d라 하면 $a_n = a + (n-1)d$

$a_{10} = 23$에서 $a_{10} = 50 + (10-1)d = 23$

$\therefore d = -3$

$a_n = 50 + (n-1) \cdot (-3) = -3n + 53$

STEP Ⓑ 양수항 과 음수항을 구별하는 항 구하기

이때 $a_n < 0$에서 $-3n + 53 < 0$

$\therefore n > \dfrac{53}{3} = 17. \cdots$

즉 수열 $\{a_n\}$은 첫째항부터 제 17항까지는 양수이고

제 18항부터 음수인 항이 나온다.

STEP C $|a_1|+|a_2|+|a_3|+\cdots+|a_{30}|$의 값 구하기

수열 $\{a_n\}$의 첫째항부터 제 17항까지의 합은

$\dfrac{17\{2\cdot50+16\cdot(-3)\}}{2}=442$

$a_{18}=50+17\cdot(-3)=-1$이므로 제 18 항부터 제 30항까지의 합은

$\dfrac{13\{2\cdot(-1)+12\cdot(-3)\}}{2}=247$

$\therefore |a_1|+|a_2|+|a_3|+\cdots+|a_{30}|$

$=(a_1+a_2+\cdots+a_{17})-(a_{18}+a_{19}+\cdots+a_{30})$

$=442-(-247)=689$

참고
$|a_1|+|a_2|+|a_3|+\cdots+|a_{30}|$
$=(a_1+a_2+\cdots+a_{17})-(a_{18}+a_{19}+\cdots+a_{30})$
$=(50+47+\cdots+2)-(-1-4-\cdots-37)$
$=(50+47+\cdots+2)+(1+4+\cdots+37)$
$=\dfrac{17(50+2)}{2}+\dfrac{13(1+37)}{2}=689$

1284
 정답 ①

STEP A 등차수열 $\{a_n\}$의 일반항 구하기

수열 $\{a_n\}$는 첫째항이 -43이고

$a_{n+1}-a_n=3$에서 공차가 3인 등차수열이므로

$a_n=-43+(n-1)\cdot3=3n-46$

STEP B 양수항이 몇 번째부터 나오는지 구하기

제 n항에서 처음으로 양수가 나온다고 하면

이때 $a_n>0$에서 $3n-46>0$ $\therefore n>\dfrac{46}{3}=15.33\cdots$

즉 첫째항부터 제 15항까지는 음수이고 제 16항부터 30항까지는 양수이다.

$a_{15}=3\cdot15-46=-1,\ a_{16}=3\cdot16-46=2,\ a_{30}=3\cdot30-46=44$

STEP C $|a_1|+|a_2|+|a_3|+\cdots+|a_{30}|$의 값 구하기

$|a_1|+|a_2|+|a_3|+\cdots+|a_{30}|$

$=-(a_1+a_2+\cdots+a_{15})+(a_{16}+a_{17}+\cdots+a_{30})$

$=-\dfrac{15\{-43+(-1)\}}{2}+\dfrac{15(2+44)}{2}$

$=-(-330)+345=675$

참고
$|a_1|+|a_2|+|a_3|+\cdots+|a_{30}|$
$=-(a_1+a_2+\cdots+a_{15})+(a_{16}+a_{17}+\cdots+a_{30})$
$=-S_{15}+(S_{30}-S_{15})$
$=S_{30}-2\times S_{15}$
$=\dfrac{30(-86+29\cdot3)}{2}-2\cdot\dfrac{15(-86+14\cdot3)}{2}$
$=15+660=675$

내신연계 출제문항 467

등차수열 $\{a_n\}$에 대하여

$a_1=15,\ a_{n+1}-a_n=-3\ (n=1,\ 2,\ 3,\ \cdots)$

을 만족할 때, $|a_1|+|a_2|+|a_3|+\cdots+|a_{30}|$의 값은?

① 802 　② 850 　③ 900
④ 945 　⑤ 995

STEP A 등차수열 $\{a_n\}$의 일반항 구하기

수열 $\{a_n\}$는 첫째항이 15이고

$a_{n+1}-a_n=-3$에서 공차가 -3인 등차수열이므로

$a_n=15+(n-1)\cdot(-3)=-3n+18$

STEP B 음수항이 몇 번째부터 나오는지 구하기

이때 $a_n=-3n+18=0$에서 $n=6$

$n\leq6$일 때, $a_n\geq0$이고 $n>6$일 때, $a_n<0$

이때 $a_6=-3\cdot6+18=0,\ a_7=-3\cdot7+18=-3,\ a_{30}=-3\cdot30+18=-72$

STEP C $|a_1|+|a_2|+|a_3|+\cdots+|a_{30}|$의 값 구하기

$|a_1|+|a_2|+\cdots+|a_{30}|=(a_1+a_2\cdots+a_6)-(a_7+a_8+\cdots a_{30})$

$=\dfrac{6(15+0)}{2}-\dfrac{24(-3-72)}{2}$

$=45+900=945$　정답 ④

참고
$|a_1|+|a_2|+|a_3|+\cdots+|a_{29}|+|a_{30}|$
$=|15|+|12|+\cdots+|0|+|-3|+|-6|+\cdots+|-72|$
$=45+900=945$

1285
정답 ③

STEP A 등차수열 $\{a_n\}$의 일반항을 이용하여 첫째항과 공차 구하기

등차수열 $\{a_n\}$의 첫째항을 a, 공차를 d라고 하면 $a_n=a+(n-1)d$

$a_6=40$에서 $a+5d=40$ 　……㉠

$a_{14}=8$에서 $a+13d=8$ 　……㉡

㉠, ㉡을 연립하여 풀면 $a=60,\ d=-4$

STEP B $|a_1+a_2+\cdots+a_n|$이 최소가 되는 자연수 n의 값 구하기

등차수열 $\{a_n\}$의 첫째항부터 제 n항까지의 합은

$a_1+a_2+\cdots+a_n=\dfrac{n\{2\cdot60+(n-1)\cdot(-4)\}}{2}$

$=-2n^2+62n$

이므로 $|a_1+a_2+\cdots+a_n|=|-2n^2+62n|$

따라서 $f(n)=|-2n^2+62n|$라 하면

$-2n(n-31)=0$의 값이 0일 때,

$|-2n(n-31)|$이 최소이므로 자연수 $n=31$

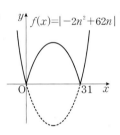

내신연계 출제문항 468

등차수열 $\{a_n\}$에서 $a_3=40,\ a_8=30$일 때, $|a_2+a_4+\cdots+a_{2n}|$이

최소가 되는 자연수 n의 값은?

① 18 　② 20 　③ 22
④ 24 　⑤ 26

STEP A 등차수열 $\{a_n\}$의 일반항을 이용하여 첫째항과 공차 구하기

수열 $\{a_n\}$에서 첫째항을 a, 공차를 d라 하면 $a_n=a+(n-1)d$

$a_3=40$에서 $a+2d=40$ 　……㉠

$a_8=30$에서 $a+7d=30$ 　……㉡

㉠, ㉡을 연립하여 풀면 $a=44,\ d=-2$

즉 $a_n=44+(n-1)\cdot(-2)=-2n+46$이므로 $a_{2n}=-4n+46$

STEP B $|a_2+a_4+\cdots+a_{2n}|$이 최소가 되는 자연수 n의 값 구하기

$a_2+a_4+\cdots+a_{2n}=\dfrac{n(a_2+a_{2n})}{2}$

$=\dfrac{n\{42+(-4n+46)\}}{2}$

$=-2n^2+44n$

$|a_2+a_4+\cdots+a_{2n}|=|-2n^2+44n|$

따라서 $f(n)=|-2n^2+44n|$라 하면

$-2n(n-22)=0$일 때, $|-2n(n-22)|$이

최소이므로 자연수 $n=22$　정답 ③

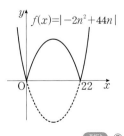

1286

정답 ④

STEP **A** **주어진 조건에서 첫째항과 공차 구하기**

수열 $\{a_n\}$에서 첫째항을 a, 공차를 d라 하면 $a_n=a+(n-1)d$

$a_{12}-a_7=(a+11d)-(a+6d)=5d=15$

$\therefore d=3$ ...... ㉠

$a_8=-44$에서 $a_8=a+7d=-44$ ...... ㉡

㉠을 ㉡에 대입하면 $a=-44-21=-65$

즉 일반항은 $a_n=-65+(n-1)\cdot 3=3n-68$

STEP **B** **양수인 항을 구하여 최솟값 구하기**

$a_n>0$에서 $3n-68>0$ $\therefore n>\dfrac{68}{3}=22.\cdots$

제 23항부터 양수이고 제 22항까지는 음수이므로

$a_{22}=3\cdot 22-68=-2$, $a_{23}=3\cdot 23-68=1$

이때 $|a_k|$은 $k=23$일 때, $|a_{23}|=1$로 최솟값을 갖는다.

따라서 $k+a_k=23+1=24$

1287

정답 ⑤

STEP **A** **14개의 선분이 같은 간격이므로 등차수열을 이룬다.**

x좌표가 n인 점에서 선분의 길이를 a_n이라 하면

선분의 길이는 두 직선의 y의 값의 차이므로

$a_n=a(n-1)-n=an-a-n=(a-1)n-a$

이때 수열 $\{a_n\}$은 n에 관한 일차식이므로 14개의 선분의 길이는 등차수열을 이룬다.

즉 수열 $\{a_n\}$은 y축에 평행한 14개의 선분을 같은 간격으로 그었으므로 x의 값들은 등차수열을 이루고 주어진 14개의 선분의 길이도 등차수열을 이룬다.

STEP **B** **등차수열의 제 14항까지의 합 구하기**

14개의 선분의 길이가 등차수열을 이루므로 가장 짧은 것부터 가장 긴 것까지 선분의 길이가 등차수열 $\{a_n\}$이므로

$a_1=3$, a_2, a_3, $\cdots$, $a_{14}=42$

따라서 구하는 선분의 길이의 합은 $\dfrac{14(3+42)}{2}=315$

> 일차함수 $f(x)=ax+b$에서 x의 값들이 등차수열을 이루면 $f(x)$의 값들도 등차수열을 이룬다.

1288

정답 ④

STEP **A** **수열 $\{a_n\}$는 등차수열임을 이해하기**

오른쪽 그림에서 색칠한 직각삼각형은 빗변의 길이와 한 예각의 크기가 각각 같으므로 모두 합동이다.

즉 $a_2-a_1=a_3-a_2$

$\vdots$

$=a_{10}-a_9$

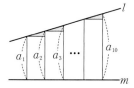

수열 a_1, a_2, a_3, $\cdots$, a_{10}의 길이는

이 순서대로 첫째항이 4인 등차수열을 이루므로 공차를 d라 하면

$a_7=4+6d=6$ $\therefore d=\dfrac{1}{3}$

STEP **B** **등차수열의 합 공식을 이용하여 구하기**

따라서 $a_1+a_2+a_3+\cdots+a_{10}=\dfrac{10\left\{2\cdot 4+(10-1)\cdot\dfrac{1}{3}\right\}}{2}=55$

$\overline{AD}=6$, $\overline{BC}=12$인 사다리꼴 ABCD에서 선분 AB를 10등분 하는 점을 P_1, P_2, $\cdots$, P_9, 선분 DC를 10등분하는 점을 Q_1, Q_2, $\cdots$, Q_9라고 할 때, $\overline{P_1Q_1}+\overline{P_2Q_2}+\cdots+\overline{P_9Q_9}$의 값은?

① 37   ② 65
③ 81   ④ 92
⑤ 98

STEP **A** **수열 $\{a_n\}$는 등차수열임을 이해하기**

두 직선 AB, CD 사이의 9개의 선분들은 간격이 일정하므로

$\overline{P_kQ_k}=a_k$ $(k=1, 2, \cdots, 9)$라고 하면 수열 $\{a_k\}$는 등차수열을 이룬다.

STEP **B** **등차수열의 합 공식을 이용하여 구하기**

이때 $a_1=6+d$라고 하면 $a_9=12-d$이므로

$\overline{P_1Q_1}+\overline{P_2Q_2}+\cdots+\overline{P_9Q_9}=\dfrac{9(a_1+a_9)}{2}=\dfrac{9(6+d+12-d)}{2}=81$ 정답 ③

1289

정답 ①

STEP **A** **직선 $x=n$ $(n=1, 2, \cdots, 10)$이 두 곡선 $y=x^2+b$, $y=x^2-ax+b$와 만나서 생긴 선분의 길이 구하기**

직선 $x=n(n=1, 2, \cdots, 10)$이

두 곡선 $y=x^2+b$, $y=x^2-ax+b$와 만나서 생긴 선분의 길이는

$(n^2+b)-(n^2-an+b)=an$

STEP **B** **선분 길이의 합 구하기**

즉 직선 $x=1$, $x=2$, $\cdots$, $x=10$과 두 직선의 교점을 이은 10개의 선분의 길이는 첫째항이 a, 공차가 a인 등차수열을 이룬다.

따라서 구하는 선분의 길이의 합은

$a+2a+3a+\cdots+10a=a(1+2+3+\cdots+10)=a\cdot\dfrac{10(1+10)}{2}=110$

$\therefore a=2$

1290

정답 ④

STEP **A** **수열 $\{l_n\}$는 등차수열임을 이해하기**

선분 10개를 각각 연장한 직선이 x축과 만나는 점의 x좌표를 왼쪽부터 차례로 x_1, x_2, $\cdots$, x_{10}이라고 하면

$l_n=(x_n{}^2+ax_n+b)-x_n{}^2=ax_n+b$ $(n=1, 2, \cdots, 10)$

수열 x_1, x_2, $\cdots$, x_{10}이 등차수열이므로

$x_{n+1}-x_n=d$ $(d$는 상수, $n=1, 2, \cdots, 9)$라고 하면

$l_{n+1}-l_n=a(x_{n+1}-x_n)=ad$ $(n=1, 2, \cdots, 9)$

STEP **B** **등차수열의 합 공식을 이용하여 구하기**

따라서 수열 $l_1=3$, l_2, $\cdots$, $l_{10}=15$은 등차수열이므로

$l_1+l_2+l_3+\cdots+l_{10}=\dfrac{10(3+15)}{2}=90$

두 이차함수 $y=x^2+4x+5$,
$y=x^2+x+1$의 그래프가
그림과 같을 때, 두 이차함수가 직선
$x=1$, $x=2$, $\cdots$, $x=14$와 만나서
생기는 14개의 선분의 길이의 합은?

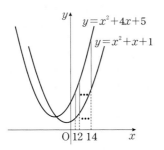

① 121   ② 261
③ 360   ④ 371
⑤ 431

STEP A 두 곡선과 만나서 생긴 선분의 길이 구하기

직선 $x=n(n=1, 2, \cdots, 14)$이
두 곡선 $f(x)=x^2+4x+5$, $g(x)=x^2+x+1$과 만나서 생긴 선분의 길이는
$(n^2+4n+5)-(n^2+n+1)=3n+4$

STEP B 선분 길이의 합 구하기

즉 직선 $x=1$, $x=2$, $\cdots$, $x=14$와 두 직선의 교점을 이은 14개의
선분의 길이는 첫째항이 7, 공차가 3인 등차수열을 이룬다.
따라서 첫째항은 7, 끝항은 46, 항수는 14이므로 선분의 길이의 합은

$\dfrac{14(7+46)}{2}=371$ 정답 ④

참고 $\displaystyle\sum_{k=1}^{14}(3k+4)=3\cdot\dfrac{14(1+14)}{2}+56=371$

1291   정답 ③

STEP A 등차수열 $\{a_n\}$과 직선의 방정식의 관계를 이해하기

점 $(n, 0)$을 지나고 x축에 수직인 직선이 일차함수의 그래프와 만나는 점의
y좌표를 a_n이라 하면 a_n을 n에 관한 일차식으로 나타낼 수 있으므로
수열 $\{a_n\}$은 등차수열이다.

STEP B 등차수열$\{a_n\}$의 첫째항과 공차를 구하기

등차수열 $\{a_n\}$의 첫째항을 a_1, 공차를 d라 하면 $a_n=a+(n-1)d$
$a_4=\dfrac{7}{2}$에서 $a_1+3d=\dfrac{7}{2}$ $\cdots\cdots$ ㉠
$a_7=5$에서 $a_1+6d=5$ $\cdots\cdots$ ㉡
㉠, ㉡을 연립하여 풀면 $a_1=2$, $d=\dfrac{1}{2}$

등차수열의 일반항은 $a_n=2+(n-1)\cdot\dfrac{1}{2}=\dfrac{1}{2}n+\dfrac{3}{2}$

STEP C 등차수열의 첫째항부터 제 25항까지의 합 구하기

$\displaystyle\sum_{k=1}^{25} a_k$의 값은 첫째항이 2이고 공차가 $\dfrac{1}{2}$인 등차수열의 첫째항부터
제 25항까지의 합과 같으므로

$\displaystyle\sum_{k=1}^{25} a_k=\dfrac{25\left\{2\cdot 2+(25-1)\cdot\dfrac{1}{2}\right\}}{2}=\dfrac{25\cdot 16}{2}=200$

다른풀이   첫째항 끝항이 주어진 등차수열의 합을 이용하여 풀이하기

점 $(n, 0)$을 지나고 x축에 수직인 직선이 일차함수의 그래프와 만나는
점의 y좌표를 a_n이라 하면 a_n을 n에 관한 일차식으로 나타낼 수 있으므로
수열 $\{a_n\}$은 등차수열이다.
$a_4=\dfrac{7}{2}$이고 $a_7=5$이므로 등차수열 $\{a_n\}$의 공차를 d라 하면
$3d=a_7-a_4=5-\dfrac{7}{2}=\dfrac{3}{2}$ $\therefore d=\dfrac{1}{2}$
$a_{13}=a_7+6d=5+3=8$이므로

$\displaystyle\sum_{k=1}^{25} a_k=(a_1+a_{25})+(a_2+a_{24})+\cdots+(a_{12}+a_{14})+a_{13}$
$=2a_{13}+2a_{13}+\cdots+2a_{13}+a_{13}$
$=12\cdot 2a_{13}+a_{13}$
$=25a_{13}=25\cdot 8=200$

다른풀이   직선의 방정식을 구하여 풀이하기

STEP A 두 점을 지나는 직선의 방정식 구하여 등차수열$\{a_n\}$의 일반항
구하기

$a_4=\dfrac{7}{2}$이고 $a_7=5$이므로 직선 l은 두 점 $\left(4, \dfrac{7}{2}\right)$, $(7, 5)$를 지난다.

직선 l의 기울기는 $\dfrac{5-\dfrac{7}{2}}{7-4}=\dfrac{\dfrac{3}{2}}{3}=\dfrac{1}{2}$이므로

직선 l의 방정식은 $y=\dfrac{1}{2}(x-4)+\dfrac{7}{2}=\dfrac{1}{2}x+\dfrac{3}{2}$

STEP B 시그마의 성질을 이용하여 구하기

점 $(n, 0)$을 지나고 x축에 수직인 직선이 직선 l과 만나는 점의 y좌표가
a_n이므로 $a_n=\dfrac{1}{2}n+\dfrac{3}{2}$

$\displaystyle\sum_{k=1}^{25} a_k=\sum_{k=1}^{25}\left(\dfrac{1}{2}k+\dfrac{3}{2}\right)=\dfrac{1}{2}\cdot\dfrac{25\cdot 26}{2}+\dfrac{3}{2}\cdot 25=\dfrac{25\cdot 13+3\cdot 25}{2}$
$=\dfrac{25\cdot 16}{2}$
$=25\cdot 8$
$=200$

1292   정답 ⑤

STEP A 등차수열의 합을 이용하여 구하기

첫 번째 줄이 24석이고 그 다음 줄부터 3석씩 늘어나 20번째 줄까지 배치되므
로 첫째항이 $a=24$, 공차가 $d=3$, 항의 수가 20인 등차수열의 합과 같으므로

$S_{20}=\dfrac{20\{2\cdot 24+(20-1)\cdot 3\}}{2}=1050$

1293   정답 ②

STEP A 주어진 조건을 수열로 나타내기

이 사실을 알게 된 날을 첫째 날이라 하고 n번째 날의 깨어 있는 시간을
a_n이라 하면 수열 $\{a_n\}$은 첫째항이 10, 공차가 $-\dfrac{1}{4}$인 등차수열을 이루므로

$a_n=10-\dfrac{1}{4}(n-1)=-\dfrac{1}{4}n+\dfrac{41}{4}$

수면 시간이 24시간이 되는 날 생을 마치므로 깨어 있는 시간이 0시간이다.
$-\dfrac{1}{4}n+\dfrac{41}{4}=0$ $\therefore n=41$

STEP B 생을 마칠 때까지 깨어있는 시간의 합 구하기

드 므와브르는 이 사실을 알게 된 날부터 41일째가 되는 날 생을 마친다.

따라서 깨어있는 시간의 합은 $\dfrac{41(10+0)}{2}=205$(시간)

다른풀이   (깨어있는 시간)=(전체 시간)-(자는 시간)임을 이용하여 풀이하기

STEP A 주어진 조건을 수열로 나타내기

이 사실을 알게 된 날을 첫째 날이라 하고 n번째 날의 수면 시간을
a_n이라 하면 수열 $\{a_n\}$은 첫째항이 14, 공차가 $\dfrac{1}{4}$인 등차수열을 이루므로

$a_n=14+(n-1)\cdot\dfrac{1}{4}=\dfrac{1}{4}n+\dfrac{55}{4}$

수면 시간이 24시간이 되는 날 생을 마치므로
$\dfrac{1}{4}n+\dfrac{55}{4}=24$에서 $\dfrac{1}{4}n=\dfrac{41}{4}$ $\therefore n=41$

드 므와브르는 이 사실을 알게 된 날부터 41일째가 되는 날 생을 마친다.
이때 드 므와브르가 생을 마치는 날까지 자는 시간의 총 합을 구해 보면
$$\frac{41(14+24)}{2}=41\cdot19=779$$
드 므와브르가 생을 마칠 때까지 전체 시간은 $24\cdot41=984$시간이므로
깨어있는 시간의 합은 $984-779=205$(시간)

1294

정답 ⑤

STEP **A** 첫째 날에 15문제를 푸는 경우 문제 수의 합을 계산하기

민규가 매일 푸는 문제 수는 공차가 d인 등차수열이므로
첫째 날에 15문제를 푸는 경우
둘째 날에 푸는 문제의 수는 $15+d$
$\vdots$
아홉째 날에 푸는 문제의 수는 $15+8d$
아홉째 날까지 푼 전체 문제의 수는 $x-24$이므로
$$x-24=15+(15+d)+(15+2d)+\cdots+(15+8d)$$
$$=\frac{9(30+8d)}{2}$$
$$\therefore\ x=159+36d\qquad\cdots\cdots\ \bigcirc$$

STEP **B** 첫째 날에 30문제를 푸는 경우 문제수의 합을 계산하기

첫째 날에 30문제를 푸는 경우
둘째 날에 푸는 문제 수는 $30+d$
$\vdots$
일곱째 날에 푸는 문제 수는 $30+6d$
일곱째 날까지 푼 전체 문제 수는 $x-39$이므로
$$x-39=30+(30+d)+(30+2d)+\cdots+(30+6d)$$
$$=\frac{7(60+6d)}{2}$$
$$\therefore\ x=249+21d\qquad\cdots\cdots\ \bigcirc$$

STEP **C** x를 구하기

$\bigcirc$, $\bigcirc$에서 $159+36d=249+21d$, $15d=90$
$$\therefore\ d=6$$
따라서 마플시너지 책의 문제 수는 $\bigcirc$에서 $x=249+21\times6=375$

내 신 연 계 출제문항 **471**

제 1권부터 제 6권까지 여섯 권의 연속물로 된 책이 있다.
각 권은 2년 간격으로 발행되었으며, 여섯 권의 발행 연도의 합은 12042년
이다. 이때 제 5권의 발행 연도는?

① 2010 ② 2011 ③ 2012
④ 2013 ⑤ 2014

STEP **A** 제 1권의 발행 연도를 a년이라 하고 연도가 등차수열임을
이용하여 a 구하기

제 1권의 발행 연도를 a년이라 하면 각 권의 발행 연도는 첫째항이 a,
공차가 2인 등차수열이다.
이때 이 수열의 첫째항부터 제 n항까지의 합 S_n은
$$S_n=\frac{n\{2a+(n-1)d\}}{2}$$이므로 여섯 권의 발행 연도의 합 S_6은
$$S_6=\frac{6\{2a+(6-1)\cdot2\}}{2}=12042$$
$6a=12012\quad\therefore\ a=2002$

STEP **B** 제 5권의 발행 연도 구하기

따라서 제 5권의 발행 연도는 $2002+(5-1)\cdot2=2010$(년) 정답 ①

1295

정답 ③

STEP **A** 수열의 합과 일반항 사이의 관계에 의하여 a_n 구하기

(i) $n=1$일 때, $a_1=S_1=3\cdot1^2-2\cdot1=1$
(ii) $n\ge2$일 때, $a_n=S_n-S_{n-1}$
$$=(3n^2-2n)-\{3(n-1)^2-2(n-1)\}$$
$$=6n-5\qquad\cdots\cdots\ \bigcirc$$
이때 $a_1=1$은 $\bigcirc$에 $n=1$을 대입한 것과 같으므로
(i), (ii)에서 $a_n=6n-5$

STEP **B** a_1+a_{10}의 값 구하기

따라서 $a_1+a_{10}=1+55=56$

다른풀이 $a_1=S_1$이고 $a_n=S_n-S_{n-1}$ $(n\ge2)$임을 이용하여 풀이하기

$S_n=3n^2-2n$에서
$a_1=S_1=3\cdot1^2-2\cdot1=1$
$a_{10}=S_{10}-S_9$
$$=(3\cdot10^2-2\cdot10)-(3\cdot9^2-2\cdot9)$$
$$=55$$
따라서 $a_1+a_{10}=1+55=56$

1296

정답 ①

STEP **A** 수열의 합과 일반항 사이의 관계에 의하여 a_n 구하기

(i) $n=1$일 때, $a_1=S_1=1^2+1-1=1$
(ii) $n\ge2$일 때, $a_n=S_n-S_{n-1}$
$$=(n^2+n-1)-\{(n-1)^2+(n-1)-1\}$$
$$=2n\qquad\cdots\cdots\ \bigcirc$$
이때 $a_1=1$은 $\bigcirc$에 $n=1$을 대입한 것과 같지 않으므로
수열 $\{a_n\}$은 $a_n=\begin{cases}1 & (n=1)\\2n & (n\ge2)\end{cases}$

STEP **B** a_1+a_7의 값 구하기

따라서 $a_1+a_7=1+(2\cdot7)=15$

내 신 연 계 출제문항 **472**

수열 $\{a_n\}$의 첫째항부터 제 n항까지의 합을 S_n이라고 하자.
$$S_n=2n^2-n+1$$
일 때, $a_1+a_3+a_5$의 값은?

① 27 ② 28 ③ 29
④ 30 ⑤ 31

STEP **A** 수열의 합과 일반항 사이의 관계에 의하여 a_n 구하기

(i) $n=1$일 때, $a_1=S_1=2\cdot1^2-1+1=2$
(ii) $n\ge2$일 때, $a_n=S_n-S_{n-1}$
$$=(2n^2-n+1)-\{2(n-1)^2-(n-1)+1\}$$
$$=4n-3\qquad\cdots\cdots\ \bigcirc$$
이때 $a_1=2$는 $\bigcirc$에 $n=1$을 대입한 것과 같지 않으므로
수열 $\{a_n\}$은 $a_n=\begin{cases}2 & (n=1)\\4n-3 & (n\ge2)\end{cases}$

STEP **B** $a_1+a_3+a_5$의 값 구하기

따라서 $a_1+a_3+a_5=2+9+17=28$ 정답 ②

1297

정답 ①

STEP Ⓐ **수열의 합과 일반항 사이의 관계에 의하여 a_n 구하기**

$S_n = n^2 - 10n$에서

(i) $n=1$일 때, $a_1 = S_1 = 1^2 - 10 \cdot 1 = -9$

(ii) $n \geq 2$일 때, $a_n = S_n - S_{n-1}$
$$= (n^2 - 10n) - \{(n-1)^2 - 10(n-1)\}$$
$$= 2n - 11 \quad \cdots\cdots \, \bigcirc$$

이때 $a_1 = -9$는 $\bigcirc$에 $n=1$을 대입한 것과 같으므로

(i), (ii)에서 $a_n = 2n - 11$

STEP Ⓑ **$a_n < 0$을 만족하는 자연수 n의 개수 구하기**

$a_n < 0$에서 $2n - 11 < 0$

$\therefore n < \dfrac{11}{2} = 5.5$

따라서 자연수 n은 1, 2, 3, 4, 5이므로 5개이다.

1298

정답 ④

STEP Ⓐ **등차수열 $\{a_n\}$의 일반항을 구하기**

$S_n = 4n^2 - kn$이라 하면

$n=1$일 때, $a_1 = S_1 = 4 - k$

$n \geq 2$일 때, $a_n = S_n - S_{n-1}$
$$= (4n^2 - kn) - \{4(n-1)^2 - k(n-1)\}$$
$$= 8n - k - 4 \quad \cdots\cdots \, \bigcirc$$

이때 $a_1 = 4 - k$는 $\bigcirc$에 $n=1$을 대입한 것과 같으므로 $a_n = 8n - k - 4$

STEP Ⓑ **등차수열 $\{b_n\}$의 일반항을 구하기**

$T_n = 3n^2 + 7n$이라 하면

$n=1$일 때, $b_1 = T_1 = 10$

$n \geq 2$일 때, $b_n = T_n - T_{n-1}$
$$= (3n^2 + 7n) - \{3(n-1)^2 + 7(n-1)\}$$
$$= 6n + 4 \quad \cdots\cdots \, \bigcirc$$

이때 $b_1 = 10$은 $\bigcirc$에 $n=1$을 대입한 것과 같으므로 $b_n = 6n + 4$

STEP Ⓒ **$a_8 = b_8$을 만족하는 상수 k 구하기**

따라서 $a_8 = b_8$이므로 $60 - k = 52$에서 $k = 8$

다른풀이 $a_8 = S_8 - S_7$, $b_8 = T_8 - T_7$을 이용하여 풀이하기

$S_n = a_1 + a_2 + a_3 + \cdots + a_n = kn^2 + n$이라 하면

$a_8 = S_8 - S_7 = (4 \cdot 8^2 - k \cdot 8) - (4 \cdot 7^2 - k \cdot 7) = 60 - k$

또는 $T_n = b_1 + b_2 + b_3 + \cdots + b_n = 3n^2 + 7n$이라 하면

$b_8 = T_8 - T_7 = (3 \cdot 8^2 + 7 \cdot 8) - (3 \cdot 7^2 + 7 \cdot 7) = 52$

따라서 $a_8 = b_8$이므로 $60 - k = 52$에서 $k = 8$

내신연계 출제문항 473

두 수열 $\{a_n\}$, $\{b_n\}$의 첫째항부터 제 n항까지의 합이 각각
$$n^2 + kn, \ 2n^2 + n$$
이다. $a_{10} = b_{10}$일 때, 상수 k의 값은?

① 16　　　　② 18　　　　③ 20
④ 22　　　　⑤ 24

STEP Ⓐ **$a_{10} = S_{10} - S_9$, $b_{10} = T_{10} - T_9$을 이용하여 구하기**

$S_n = a_1 + a_2 + a_3 + \cdots + a_n = n^2 + kn$이라 하면

$a_{10} = S_{10} - S_9 = (10^2 + k \cdot 10) - (9^2 + k \cdot 9)$
$$= 19 + k$$

또는 $T_n = b_1 + b_2 + b_3 + \cdots + b_n = 2n^2 + n$이라 하면

$b_{10} = T_{10} - T_9 = (2 \cdot 10^2 + 10) - (2 \cdot 9^2 + 9)$
$$= 39$$

STEP Ⓑ **$a_{10} = b_{10}$을 만족하는 상수 k 구하기**

따라서 $a_{10} = b_{10}$이므로 $19 + k = 39$에서 $k = 20$

정답 ③

1299

정답 ④

STEP Ⓐ **나머지 정리를 이용하여 S_n 구하기**

S_n이 다항식 $2x^2 + x + 1$을 $x - n$으로 나눈 나머지이므로

나머지 정리에 의해 $S_n = 2n^2 + n + 1$

STEP Ⓑ **수열의 합과 일반항 사이의 관계에 의하여 a_n 구하기**

(i) $n=1$일 때, $a_1 = S_1 = 2 \cdot 1^2 + 1 + 1 = 4$

(ii) $n \geq 2$일 때, $a_n = S_n - S_{n-1}$
$$= 2n^2 + n + 1 - \{2(n-1)^2 + (n-1) + 1\}$$
$$= 4n - 1 \quad \cdots\cdots \, \bigcirc$$

이때 $a_1 = 4$는 $\bigcirc$에 $n=1$을 대입한 것과 같지 않으므로

(i), (ii)에서 수열 $\{a_n\}$은 $a_n = \begin{cases} 4 & (n=1) \\ 4n-1 & (n \geq 2) \end{cases}$

STEP Ⓒ **$a_1 + a_5$의 값 구하기**

따라서 $a_1 + a_5 = 4 + 19 = 23$

내신연계 출제문항 474

수열 $\{a_n\}$의 첫째항부터 제 n항까지의 합 S_n이 다항식
$2x^2 + (n+1)x - 3n$을 $x - n$으로 나눈 나머지라 할 때,
$a_k = 55$를 만족시키는 자연수 k의 값은?

① 9　　　　　② 10　　　　　③ 11
④ 12　　　　　⑤ 13

STEP Ⓐ **나머지 정리를 이용하여 S_n 구하기**

S_n이 다항식 $2x^2 + (n+1)x - 3n$을 $x - n$으로 나눈 나머지이므로
나머지 정리에 의해
$$S_n = 2n^2 + (n+1)n - 3n = 3n^2 - 2n$$

STEP Ⓑ **수열의 합과 일반항 사이의 관계에 의하여 a_n 구하기**

(i) $n=1$일 때, $a_1 = S_1 = 3 \cdot 1^2 - 2 \cdot 1 = 1$

(ii) $n \geq 2$일 때, $a_n = S_n - S_{n-1}$
$$= 3n^2 - 2n - \{3(n-1)^2 - 2(n-1)\}$$
$$= 6n - 5 \quad \cdots\cdots \, \bigcirc$$

이때 $a_1 = 1$은 $\bigcirc$에 $n=1$을 대입한 것과 같으므로

(i), (ii)에서 $a_n = 6n - 5$

STEP Ⓒ **$a_k = 55$를 만족하는 자연수 k 구하기**

$a_k = 6k - 5 = 55$에서 $6k = 60$

따라서 $k = 10$

정답 ②

1300
정답 ④

STEP Ⓐ **수열의 합과 일반항 사이의 관계에 의하여 a_n 구하기**

(i) $n=1$일 때, $a_1=S_1=p+3$

(ii) $n\geq2$일 때, $a_n=S_n-S_{n-1}$

$$=(pn^2+3n)-\{p(n-1)^2+3(n-1)\}$$
$$=2pn+3-p \qquad \cdots\cdots \ \text{㉠}$$

이때 $a_1=p+3$은 ㉠에 $n=1$을 대입한 것과 같으므로

(i), (ii)에서 $a_n=2pn+3-p \ (n\geq1)$

STEP Ⓑ **공차가 4임을 이용하여 p 구하기**

공차가 4이므로 $2p=4$ $\therefore \ p=2$

따라서 $a_n=4n+1$이므로 $a_{10}=40+1=41$

다른풀이 $a_{10}-a_9=d$임을 이용하여 풀이하기

$a_{10}=S_{10}-S_9=(100p+30)-(81p+27)=19p+3$

$a_9=S_9-S_8=(81p+27)-(64p+24)=17p+3$

공차가 4이므로 $a_{10}-a_9=(19p+3)-(17p+3)=2p=4$

$\therefore \ p=2$

따라서 $a_{10}=19p+3=19\cdot2+3=41$

1301
정답 ②

STEP Ⓐ **수열의 합과 일반항 사이의 관계에 의하여 a_n 구하기**

(i) $n=1$일 때, $a_1=S_1=p+q$

(ii) $n\geq2$일 때, $a_n=S_n-S_{n-1}$

$$=(pn^2+qn)-\{p(n-1)^2+q(n-1)\}$$
$$=pn^2+qn-(pn^2-2pn+p+qn-q)$$
$$=2pn-(p-q) \qquad \cdots\cdots \ \text{㉠}$$

이때 $a_1=2$는 ㉠에 $n=1$을 대입한 것과 같으므로

(i), (ii)에서 $a_n=2pn-(p-q) \ (n\geq1)$

STEP Ⓑ **$a_8-a_4=16$, $a_3+a_5=30$을 만족하는 상수 p, q 구하기**

$a_8-a_4=\{16p-(p-q)\}-\{8p-(p-q)\}=8p=16$

$\therefore \ p=2$

$a_n=4n-(2-q)$

$a_3+a_5=\{12-(2-q)\}+\{20-(2-q)\}=28+2q=30$

$\therefore \ q=1$

따라서 $pq=2\times1=2$

다른풀이 등차수열의 합을 이용하여 풀이하기

$S_n=pn^2+qn$의 꼴일 때, a_n은 등차수열이다.

a_n의 공차를 d라 하면

$a_8-a_4=4d=16$에서 $d=4$

$a_3+a_5=2a_1+6d=2a_1+24=30$에서 $a_1=3$

즉 $S_n=\dfrac{n\{2\cdot3+(n-1)\cdot4\}}{2}=2n^2+n$이므로 $p=2$, $q=1$

따라서 $pq=2\cdot1=2$

내신연계 출제문항 475

수열 $\{a_n\}$의 첫째항부터 제 n항까지의 합을 S_n이라 할 때, $S_n=n^2+pn+q$이다. $a_1=5$, $a_8=17$일 때, S_6의 값은? (단, p, q는 상수이다.)

① 20 ② 30 ③ 40

④ 50 ⑤ 60

STEP Ⓐ **수열의 합과 일반항 사이의 관계에 의하여 a_n 구하기**

(i) $n=1$일 때, $a_1=S_1=1+p+q=5$

$\therefore \ p+q=4 \qquad \cdots\cdots \ \text{㉠}$

(ii) $n\geq2$일 때, $a_8=S_8-S_7$

$$=(8^2+8p+q)-(7^2+7p+q)$$
$$=15+p$$

이때 $15+p=17$이므로 $p=2$

㉠에서 $q=2$

STEP Ⓑ **S_6의 값 구하기**

따라서 $S_n=n^2+2n+2$이므로 $S_6=6^2+2\cdot6+2=50$
정답 ④

1302
정답 ③

STEP Ⓐ **수열의 합과 일반항 사이의 관계에 의하여 a_n 구하기**

(i) $n=1$일 때, $a_1=S_1=1^2+3\cdot1=4$

(ii) $n\geq2$일 때, $a_n=S_n-S_{n-1}$

$$=(n^2+3n)-\{(n-1)^2+3(n-1)\}$$
$$=2n+2 \qquad \cdots\cdots \ \text{㉠}$$

이때 $a_1=4$는 ㉠에 $n=1$을 대입한 것과 같으므로

(i), (ii)에서 $a_n=2n+2 \ (n\geq1)$

STEP Ⓑ **주어진 조건을 만족시키는 n의 값 구하기**

$a_1+a_3+a_5+\cdots+a_{2n-1}$은 첫째항이 $a_1=4$, 끝항이 $a_{2n-1}=4n$, 항의 수가 n인 등차수열의 합이고 그 값이 220이므로

$a_1+a_3+a_5+\cdots+a_{2n-1}=4+8+12+16+\cdots+4n$

$$=\dfrac{n(4+4n)}{2}=n(2n+2)$$

$2n(n+1)=220$이므로 $n(n+1)=110$ $\leftarrow 10\cdot(10+1)=110$

따라서 $n=10$

내신연계 출제문항 476

수열 $\{a_n\}$의 첫째항부터 제 n항까지의 합 S_n이

$$S_n=n^2+3n$$

에 대하여 $a_2+a_4+a_6+\cdots+a_{2n}=448$일 때, n의 값은?

① 8 ② 10 ③ 12

④ 14 ⑤ 16

STEP Ⓐ **수열의 합과 일반항 사이의 관계에 의하여 a_n 구하기**

(i) $n=1$일 때, $a_1=S_1=1^2+3\cdot1=4$

(ii) $n\geq2$일 때, $a_n=S_n-S_{n-1}$

$$=(n^2+n)-\{(n-1)^2+3(n-1)\}$$
$$=2n+2 \qquad \cdots\cdots \ \text{㉠}$$

이때 $a_1=4$는 ㉠에 $n=1$을 대입한 것과 같으므로

(i), (ii)에서 $a_n=2n+2 (n\geq1)$

STEP Ⓑ **주어진 조건을 만족시키는 n의 값 구하기**

$a_2+a_4+a_6+\cdots+a_{2n}$은 첫째항이 $a_2=6$, 끝항이 $a_{2n}=4n+2$, 항의 수가 n인 등차수열의 합이고 그 값이 448이므로

$a_2+a_4+a_6+\cdots+a_{2n}=6+10+14+\cdots+(4n+2)$

$$=\dfrac{n\{6+(4n+2)\}}{2}$$
$$=2n^2+4n$$

$2n^2+4n=448$이므로 $n^2+2n-224=0$, $(n+16)(n-14)=0$

따라서 $n=14$ ($\because n$은 자연수)
정답 ④

1303

STEP A 수열의 합과 일반항 사이의 관계에 의하여 a_n 구하기

(i) $n=1$일 때, $a_1=S_1=1^2+4\cdot1+2=7$

(ii) $n\geq2$일 때, $a_n=S_n-S_{n-1}$

$$=n^2+4n+2-\{(n-1)^2+4(n-1)+2\}$$
$$=2n+3 \quad\cdots\cdots\text{㉠}$$

이때 $a_1=7$은 ㉠에 $n=1$을 대입한 것과 같지 않으므로

(i), (ii)에서 수열 $\{a_n\}$은 $a_n=\begin{cases}7 & (n=1)\\2n+3 & (n\geq2)\end{cases}$

STEP B $\sum_{k=1}^{3}a_{2k-1}$의 값 구하기

따라서 $\sum_{k=1}^{3}a_{2k-1}=a_1+a_3+a_5=7+9+13=29$

수열 $\{a_n\}$에 대하여

$$a_1+a_2+\cdots+a_n=3n^2+2n+1(n=1, 2, 3, \cdots)$$

이 성립할 때, $a_1+a_4+a_7+\cdots+a_{31}$의 값은?

① 1026 ② 1036 ③ 1046
④ 1056 ⑤ 1066

STEP A 수열의 합과 일반항 사이의 관계에 의하여 a_n 구하기

$S_n=a_1+a_2+\cdots+a_n=3n^2+2n+1(n=1, 2, 3, \cdots)$이므로

(i) $n=1$일 때, $a_1=S_1=3+2+1=6$

(ii) $n\geq2$일 때, $a_n=S_n-S_{n-1}$

$$=(3n^2+2n+1)-\{3(n-1)^2+2(n-1)+1\}$$
$$=6n-1 \quad\cdots\cdots\text{㉠}$$

이때 $a_1=6$은 ㉠에 $n=1$을 대입한 것과 같지 않으므로

(i), (ii)에서 수열 $\{a_n\}$은 $a_n=\begin{cases}6 & (n=1)\\6n-1 & (n\geq2)\end{cases}$

STEP B $a_1+a_4+a_7+\cdots+a_{31}$의 값 구하기

따라서 $a_1+a_4+a_7+\cdots+a_{31}=6+(23+41+59+\cdots+185)$

$$=6+\frac{10(23+185)}{2}$$
$$=1046$$

1304

STEP A 수열의 합과 일반항 사이의 관계에 의하여 a_n 구하기

(i) $n=1$일 때, $a_1=S_1=-1^2+24=23$

(ii) $n\geq2$일 때, $a_n=S_n-S_{n-1}$

$$=(-n^2+24n)-\{-(n-1)^2+24(n-1)\}$$
$$=-2n+25 \quad\cdots\cdots\text{㉠}$$

이때 $a_1=23$은 ㉠에 $n=1$을 대입한 것과 같으므로

(i), (ii)에서 $a_n=-2n+25$

STEP B 양수항과 음수항을 구하여 절댓값의 합 구하기

제 n항에서 처음으로 양수가 나온다고 하면

$a_n=-2n+25>0$에서 $2n<25$

$\therefore n<\dfrac{25}{2}=12.5$

즉 수열 $\{a_n\}$은 제 12항까지 양수이므로

$n\leq12$일 때, $a_n>0$이고 $n\geq13$일 때, $a_n<0$이므로

$$\sum_{k=1}^{40}|a_k|=\sum_{k=1}^{12}a_k-\sum_{k=13}^{40}a_k$$

$$=\sum_{k=1}^{12}a_k-\left(\sum_{k=1}^{40}a_k-\sum_{k=1}^{12}a_k\right)$$

$$=2\sum_{k=1}^{12}a_k-\sum_{k=1}^{40}a_k$$

$$=2S_{12}-S_{40}$$

$$=2(-12^2+24\cdot12)-(-40^2+24\cdot40)$$

$$=2\cdot144-40\cdot(-16)$$

$$=928$$

수열 $\{a_n\}$에 대하여

$$a_1+a_2+\cdots+a_n=-n^2+20n(n=1, 2, 3, \cdots)$$

이 성립할 때, $|a_1|+|a_2|+|a_3|+\cdots+|a_{20}|$의 값은?

① 185 ② 190 ③ 195
④ 200 ⑤ 205

STEP A 수열의 합과 일반항 사이의 관계에 의하여 a_n 구하기

$S_n=a_1+a_2+\cdots+a_n=-n^2+20n(n=1, 2, 3, \cdots)$이므로

(i) $n=1$일 때, $a_1=S_1=-1^2+20=19$

(ii) $n\geq2$일 때, $a_n=S_n-S_{n-1}$

$$=(-n^2+20n)-\{-(n-1)^2+20(n-1)\}$$
$$=-2n+21 \quad\cdots\cdots\text{㉠}$$

이때 $a_1=19$는 ㉠에 $n=1$을 대입한 것과 같으므로

(i), (ii)에서 $a_n=-2n+21$

STEP B 양수항과 음수항을 구하여 절댓값의 합 구하기

제 n항에서 처음으로 양수가 나온다고 하면

$a_n=-2n+21>0$에서 $2n<21$

$\therefore n<\dfrac{21}{2}=10.5$

즉 수열 $\{a_n\}$은 제 10항까지 양수이므로

$n\leq10$일 때, $a_n>0$이고 $n\geq11$일 때, $a_n<0$이므로

$$|a_1|+|a_2|+|a_3|+\cdots+|a_{20}|=\sum_{k=1}^{20}|a_k|$$

$$=\sum_{k=1}^{10}a_k-\sum_{k=11}^{20}a_k$$

$$=\sum_{k=1}^{10}a_k-\left(\sum_{k=1}^{20}a_k-\sum_{k=1}^{10}a_k\right)$$

$$=2\sum_{k=1}^{10}a_k-\sum_{k=1}^{20}a_k$$

$$=2S_{10}-S_{20}$$

$$=2(-100+200)-(-400+400)$$

$$=200$$

1305

STEP Ⓐ $a_n = S_n - S_{n-1}$을 이용하여 일반항 구하기

(i) $n=1$일 때, $a_1 = S_1 = -2 \cdot 1^2 + 16 \cdot 1 + 7 = 21$

(ii) $n \geq 2$일 때, $a_n = S_n - S_{n-1}$
$$= (-2n^2 + 16n + 7) - \{-2(n-1)^2 + 16(n-1) + 7\}$$
$$= -4n + 18 \quad \cdots\cdots \text{㉠}$$

이때 $a_1 = 21$은 ㉠에 $n=1$을 대입한 것과 같지 않으므로

(i), (ii)에서 수열 $\{a_n\}$은 $a_n = \begin{cases} 21 & (n=1) \\ -4n+18 & (n \geq 2) \end{cases}$

STEP Ⓑ [보기]의 참, 거짓의 진위판단하기

ㄱ. $a_1 = S_1 = 21$이고 $a_2 = -4 \cdot 2 + 18 = 10$이므로
$a_2 - a_1 = 10 - 21 = -11 \neq -4$ [거짓]

ㄴ. 제 n항에서 처음으로 음수가 나온다고 하면
$$-4n + 18 < 0에서 \ 4n > 18 \quad \therefore n > \frac{18}{4} = 4.5$$
즉 수열 $\{a_n\}$은 처음으로 음수가 되는 항은 제 5항이다. [참]

ㄷ. ㄴ에서 제 5항부터 음수이므로 첫째항부터 제 4항까지의 합이 최대이므로
최댓값은 $S_4 = -2 \cdot 4^2 + 16 \cdot 4 + 7 = 39$이다. [참]

따라서 옳은 것은 ㄴ, ㄷ이다.

> **참고**
> S_n이 n에 대한 이차식이므로 $S_n = -2n^2 + 16n + 7 = -2(n-4)^2 + 39$
> S_n은 $n=4$일 때, 최댓값은 39이다.

내신연계 출제문항 479

수열 $\{a_n\}$의 첫째항부터 제 n항까지의 합 S_n이
$$S_n = 3n^2 - 32n$$
일 때, [보기]에서 옳은 것만을 있는 대로 고른 것은?

> ㄱ. 수열 $\{a_n\}$은 등차수열이다.
>
> ㄴ. S_n이 최소가 되는 n의 값은 5이다.
>
> ㄷ. $\displaystyle\sum_{n=1}^{10} |a_n|$의 값은 140이다.

① ㄱ   ② ㄷ   ③ ㄱ, ㄴ
④ ㄴ, ㄷ   ⑤ ㄱ, ㄴ, ㄷ

STEP Ⓐ $a_n = S_n - S_{n-1}$을 이용하여 일반항 구하기

(i) $n=1$일 때, $a_1 = S_1 = 3 \cdot 1^2 - 32 \cdot 1 = -29$

(ii) $n \geq 2$일 때, $a_n = S_n - S_{n-1}$
$$= (3n^2 - 32n) - \{3(n-1)^2 - 32(n-1)\}$$
$$= 6n - 35 \quad \cdots\cdots \text{㉠}$$

이때 $a_1 = -29$는 ㉠에 $n=1$을 대입한 것과 같으므로

(i), (ii)에서 수열의 일반항은 $a_n = 6n - 35$

STEP Ⓑ [보기]의 참, 거짓의 진위판단하기

ㄱ. 수열 $\{a_n\}$은 제 1항부터 등차수열이다. [참]

ㄴ. 제 n항에서 처음으로 양수가 나온다고 하면
$$6n - 35 > 0에서 \ 6n > 35 \quad \therefore n > \frac{35}{6} = 5.83$$
즉 수열 $\{a_n\}$은 제 6항부터 양수이므로 첫째항부터 제 5항까지의 합이
최소이다. [참]

ㄷ. $n \leq 5$일 때, $a_n < 0$이고 $n \geq 6$일 때, $a_n > 0$이므로
$$\sum_{n=1}^{10} |a_n| = -\sum_{n=1}^{5} a_n + \sum_{n=6}^{10} a_n = 150$$
$$= -S_5 + (S_{10} - S_5) = S_{10} - 2S_5$$
$$= (3 \cdot 10^2 - 32 \cdot 10) - 2(3 \cdot 5^2 - 32 \cdot 5)$$
$$= -20 - 2(-85) = 150 \ [거짓]$$

따라서 옳은 것은 ㄱ, ㄴ이다.

02 등비수열

1306

STEP A 등비수열 $\{a_n\}$의 일반항을 이용하여 첫째항을 구하기

등비수열 $\{a_n\}$의 첫째항을 a라 하면 공비가 2이므로 $a_n = a \cdot 2^{n-1}$

$a_3 + a_4 = 36$에서 $a \cdot 2^2 + a \cdot 2^3 = 4a + 8a = 12a$

$12a = 36$ $\therefore a = 3$

STEP B a_6의 값 구하기

따라서 $a = 3$이므로 $a_6 = 3 \cdot 2^5 = 96$

1307

STEP A 등비수열 $\{a_n\}$의 일반항을 이용하여 첫째항과 공비 구하기

등비수열 $\{a_n\}$의 첫째항을 a, 공비를 r이라 하면 $a_n = ar^{n-1}$

$a_2 = ar = 3$ ...... ㉠

$a_6 = ar^5 = 12$ ...... ㉡

㉡÷㉠하면 $r^4 = 4$

STEP B a_{10}의 값 구하기

따라서 $a_{10} = ar^9 = ar \cdot (r^4)^2 = 3 \cdot 16 = 48$

다른풀이 등비중항을 이용하여 풀이하기

a_2, a_6, a_{10}이 순서대로 등비수열을 이루므로 $(a_6)^2 = a_2 \cdot a_{10}$

따라서 $12^2 = 3 \cdot a_{10}$ $\therefore a_{10} = 48$

1308

STEP A 등비수열 $\{a_n\}$의 일반항을 이용하여 첫째항과 공비 구하기

등비수열 $\{a_n\}$의 첫째항을 a, 공비를 r이라 하면

$a_3 = ar^2 = 3$ ...... ㉠

$a_8 = ar^7 = 96$ ...... ㉡

㉡÷㉠에서 $r^5 = 32$ $\therefore r = 2$

㉠에서 $a = \dfrac{3}{4}$이므로 일반항은 $a_n = \dfrac{3}{4} \cdot 2^{n-1}$

STEP B 주어진 조건을 만족하는 n의 값 구하기

이때 $a_n = \dfrac{3}{4} \cdot 2^{n-1} = 192$이므로 $2^{n-1} = 2^8$

따라서 $n - 1 = 8$이므로 $n = 9$

내신연계 출제문항 480

모든 항이 실수인 등비수열 $\{a_n\}$에 대하여

$$a_2 = 6, \ a_5 = 48$$

일 때, $a_n = 384$을 만족하는 n의 값은?

① 7 　　② 8 　　③ 9
④ 10 　　⑤ 11

STEP A 등비수열 $\{a_n\}$의 일반항을 이용하여 첫째항과 공비 구하기

등비수열 $\{a_n\}$의 첫째항을 a, 공비를 r이라 하면 $a_n = ar^{n-1}$이므로

$a_2 = ar = 6$ ...... ㉠

$a_5 = ar^4 = 48$ ...... ㉡

㉡÷㉠에서 $r^3 = 8$ $\therefore r = 2$

㉠에서 $a = 3$이므로 일반항은 $a_n = 3 \cdot 2^{n-1}$

STEP B 주어진 조건을 만족하는 n의 값 구하기

이때 $a_n = 3 \cdot 2^{n-1} = 384$이므로 $2^{n-1} = 128$

따라서 $n - 1 = 7$이므로 $n = 8$　　정답 ②

1309

STEP A 등비수열 $\{a_n\}$의 첫째항을 a, 공비를 r이라 하고 일반항 구하기

등비수열 $\{a_n\}$의 첫째항을 a, 공비를 r이라 하면 $a_n = ar^{n-1}$

$a_3 = 4a_1$에서 $a_1 r^2 = 4a_1$이므로 $r^2 = 4 (\because a_1 \neq 0)$

$a_7 = (a_6)^2$에서 $a_1 r^6 = (a_1 r^5)^2 = a_1^2 r^{10}$ $\therefore a_1 r^4 = 1$

따라서 $r^2 = 4$이므로 $a_1 \times 4^2 = 16a_1 = 1$ $\therefore a_1 = \dfrac{1}{16}$

내신연계 출제문항 481

모든 항이 양수인 등비수열 $\{a_n\}$에 대하여

$$a_2 = 5, \ a_{10} = 80$$

일 때, $\dfrac{a_5}{a_1}$의 값은?

① $\sqrt{2}$ 　　② 2 　　③ $2\sqrt{2}$
④ 4 　　⑤ $4\sqrt{2}$

STEP A 등비수열 $\{a_n\}$의 일반항을 이용하여 공비 r에 대하여 r^4 구하기

등비수열 $\{a_n\}$의 첫째항을 a_1, 공비를 r이라 하면 $a_n = a_1 r^{n-1}$

$a_2 = a_1 r = 5$ ...... ㉠

$a_{10} = a_1 r^9 = 80$ ...... ㉡

㉡÷㉠하면 $r^8 = 16$ $\therefore r^4 = 4$

따라서 $\dfrac{a_5}{a_1} = \dfrac{a_1 r^4}{a_1} = r^4 = 4$　　정답 ④

1310

STEP A 등비수열 $\{a_n\}$의 일반항을 이용하여 첫째항과 공비 구하기

등비수열 $\{a_n\}$의 첫째항이 a, 공비가 r이므로

$a_3 = ar^2 = 28$ ...... ㉠

$a_2 : a_5 = 8 : 1$에서 $a_2 = 8a_5$, $ar = 8ar^4$

$\therefore r^3 = \dfrac{1}{8}$ ...... ㉡

따라서 ㉠÷㉡에서 $\dfrac{ar^2}{r^3} = \dfrac{a}{r} = 28 \cdot 8 = 224$

내신연계 출제문항 482

모든 항이 양수인 등비수열 $\{a_n\}$에 대하여

$$(a_1 + a_2) : (a_2 + a_3) = 1 : 2$$

일 때, $\dfrac{a_{10}}{a_5}$의 값을 구하면?

① 31 　　② 32 　　③ 33
④ 34 　　⑤ 35

STEP A 등비수열 $\{a_n\}$의 일반항을 이용하여 첫째항과 공비 구하기

등비수열 $\{a_n\}$의 첫째항을 a, 공비를 r이라 하면

$(a_1 + a_2) : (a_2 + a_3) = 1 : 2$, $a(1+r) : ar(1+r) = 1 : 2$ $\therefore r = 2$

따라서 $\dfrac{a_{10}}{a_5} = \dfrac{ar^9}{ar^4} = r^5 = 32$　　정답 ②

1311

정답 ⑤

STEP Ⓐ **두 수열 $\{a_n\}$, $\{b_n\}$의 일반항 구하기**

등비수열 $\{a_n\}$의 첫째항이 a, 공비가 r이라 하면 $a_n = a \cdot r^{n-1}$

등비수열 $\{b_n\}$의 첫째항이 b, 공비가 r이라 하면 $b_n = b \cdot r^{n-1}$

STEP Ⓑ **[보기]의 진위판단하기**

ㄱ. $a_n + b_n = ar^{n-1} + br^{n-1} = (a+b)r^{n-1}$이므로 수열 $\{a_n + b_n\}$은 첫째항이 $a+b$, 공비가 r인 등비수열이다. [참]

ㄴ. $a_n b_n = ar^{n-1} \cdot br^{n-1} = ab \cdot r^{2(n-1)}$이므로 수열 $\{a_n b_n\}$은 첫째항이 ab, 공비가 r^2인 등비수열이다. [거짓]

ㄷ. $a_{2n} b_n = (a \cdot r^{2n-1})(b \cdot r^{n-1}) = ab \cdot r^{3n-2}$이므로 수열 $\{a_{2n} b_n\}$은 첫째항이 abr, 공비가 r^3인 등비수열이다. [참]

따라서 옳은 것은 ㄱ, ㄷ이다.

내신연계 출제문항 483

두 수열 $\{a_n\}$, $\{b_n\}$이 공비가 각각 3, 5인 등비수열일 때, [보기]의 수열 중 등비수열인 것을 있는 대로 고른 것은? (단, $a_n \ne 0$, $b_n \ne 0$)

ㄱ. $\left\{\dfrac{1}{4} b_n\right\}$ ㄴ. $\{a_n + b_n\}$ ㄷ. $\{a_n b_n\}$

① ㄱ   ② ㄴ   ③ ㄱ, ㄷ
④ ㄴ, ㄷ   ⑤ ㄱ, ㄴ, ㄷ

STEP Ⓐ **두 수열 $\{a_n\}$, $\{b_n\}$의 일반항 구하기**

등비수열 $\{a_n\}$의 첫째항이 a, 공비가 3이라 하면 $a_n = a \cdot 3^{n-1}$

등비수열 $\{b_n\}$의 첫째항이 b, 공비가 5라 하면 $b_n = b \cdot 5^{n-1}$

STEP Ⓑ **[보기]의 진위판단하기**

ㄱ. $\dfrac{1}{4} b_n = \dfrac{b}{4} \cdot 5^{n-1}$이므로 수열 $\left\{\dfrac{1}{4} b_n\right\}$은 첫째항이 $\dfrac{b}{4}$, 공비가 5인 등비수열이다. [참]

ㄴ. $a_n + b_n = a \cdot 3^{n-1} + b \cdot 5^{n-1}$이므로 수열 $\{a_n + b_n\}$은 등비수열이 아니다. [거짓]

ㄷ. $a_n b_n = (a \cdot 3^{n-1})(b \cdot 5^{n-1}) = ab \cdot (15)^{n-1}$이므로 수열 $\{a_n b_n\}$은 첫째항이 ab, 공비가 15인 등비수열이다. [참]

따라서 옳은 것은 ㄱ, ㄷ이다.

정답 ③

1312

정답 ①

STEP Ⓐ **등비수열 $\{a_n\}$의 일반항을 이용하여 첫째항과 공비 구하기**

등비수열 $\{a_n\}$의 첫째항을 a, 공비를 r이라 하면

$a_2 + a_4 = 2$에서

$ar + ar^3 = ar(1 + r^2) = 2$ …… ㉠

$a_6 + a_8 = 162$에서

$ar^5 + ar^7 = ar^5(1 + r^2) = 162$ …… ㉡

㉡÷㉠에서 $r^4 = 81$

$\therefore r = 3$ $(\because r > 0)$

㉠에서 $3a(1 + 9) = 2$

$\therefore a = \dfrac{1}{15}$

STEP Ⓑ **a_3의 값 구하기**

따라서 $a_3 = ar^2 = \dfrac{1}{15} \cdot 3^2 = \dfrac{3}{5}$

1313

정답 ②

STEP Ⓐ **등비수열 $\{a_n\}$의 일반항을 이용하여 첫째항과 공비 구하기**

등비수열 $\{a_n\}$의 첫째항을 a, 공비를 r이라 하면

$\dfrac{a_5}{a_2} = 2$에서 $\dfrac{ar^4}{ar} = r^3 = 2$

$a_4 + a_7 = 12$에서 $a_4 + a_7 = ar^3(1 + r^3) = 12$이므로 $a = 2$

STEP Ⓑ **a_{13}의 값 구하기**

따라서 $a_{13} = ar^{12} = 32$

내신연계 출제문항 484

모든 항이 양수인 등비수열 $\{a_n\}$이

$$\dfrac{a_5}{a_2} = 8, \quad a_3 + a_4 = 12$$

를 만족시킬 때, a_8의 값은

① 32   ② 64   ③ 128
④ 256   ⑤ 512

STEP Ⓐ **등비수열 $\{a_n\}$의 일반항을 이용하여 첫째항과 공비 구하기**

등비수열 $\{a_n\}$의 첫째항을 a, 공비를 r이라 하면 $a_n = ar^{n-1}$

$\dfrac{a_5}{a_2} = \dfrac{ar^4}{ar} = r^3 = 8$

$\therefore r = 2$

이때 $a_3 + a_4 = ar^2 + ar^3 = a(4 + 8) = 12$이므로 $a_1 = 1$

STEP Ⓑ **a_8의 값 구하기**

따라서 $a_8 = ar^7 = 2^7 = 128$

정답 ③

1314

정답 ②

STEP Ⓐ **등비수열 $\{a_n\}$의 일반항을 이용하여 첫째항과 공비 구하기**

등비수열 $\{a_n\}$의 첫째항을 a, 공비를 r이라 하면 $a_n = ar^{n-1}$

$a_1 a_3 = \dfrac{1}{36}$에서 $a^2 r^2 = \dfrac{1}{6^2}$

$\therefore ar = \dfrac{1}{6}$ $(\because ar > 0)$ …… ㉠

$a_5 = \dfrac{4}{81}$에서 $ar^4 = \dfrac{4}{81}$ …… ㉡

㉡÷㉠에서 $r^3 = \dfrac{8}{27}$

$\therefore r = \dfrac{2}{3}$

㉠에 대입하면 $a = \dfrac{1}{4}$

STEP Ⓑ **a_4의 값 구하기**

따라서 $a_4 = ar^3 = \dfrac{1}{4} \cdot \dfrac{8}{27} = \dfrac{2}{27}$

1315

정답 ①

STEP Ⓐ 등비수열 $\{a_n\}$의 일반항을 이용하여 공비의 범위 구하기

등비수열 $\{a_n\}$의 첫째항을 a, 공비를 r이라 하면

$a_2+a_3=ar+ar^2=a(r+r^2)=-12$ ...... ㉠

이때 첫째항이 양수이므로 $r+r^2=r(1+r)<0$에서 $-1<r<0$

STEP Ⓑ $a_1=4a_3$을 이용하여 첫째항과 공비 구하여 a_5 구하기

$a_1=4a_3$에서 $a=4a_3=4ar^2$

$r^2=\dfrac{1}{4}$ ∴ $r=-\dfrac{1}{2}$ ($\because -1<r<0$)

㉠에 $r=-\dfrac{1}{2}$을 대입하면 $a=48$

따라서 $a_5=ar^4=48\cdot\dfrac{1}{16}=3$

1316

정답 ⑤

STEP Ⓐ 등비수열 $\{a_n\}$의 일반항을 이용하여 첫째항과 공비 구하기

등비수열 $\{a_n\}$의 첫째항을 $a>0$, 공비를 $r>0$이라 하면 $a_n=ar^{n-1}$

$a_2a_4=2a_5$에서 $ar\cdot ar^3=2ar^4$ ∴ $a=2$

$a_5=a_4+12a_3$에서 $ar^4=ar^3+12ar^2$

$r^2=r+12$, $r^2-r-12=0$, $(r+3)(r-4)=0$

∴ $r=4$ ($\because r>0$)

STEP Ⓑ $\log_2 a_{10}$의 값 구하기

따라서 $a_{10}=ar^9=2\cdot4^9=2^{19}$이므로 $\log_2 a_{10}=\log_2 2^{19}=19\log_2 2=19$

내/신/연/계/ 출제문항 **485**

모든 항이 양수인 등비수열 $\{a_n\}$에 대하여

$$a_1a_5=9,\ a_2a_6=36$$

일 때, $8(a_1a_2+a_3a_4)$의 값은?

① 153 ② 157 ③ 161
④ 165 ⑤ 169

STEP Ⓐ 등비수열 $\{a_n\}$의 일반항을 이용하여 공비 구하기

등비수열 $\{a_n\}$의 첫째항을 a, 공비를 r이라 하면 $a_n=ar^{n-1}$

$a_1a_5=a\cdot a_1r^4=a^2r^4=9$ ...... ㉠

$a_2a_6=ar\cdot ar^5=a^2r^6=36$ ...... ㉡

㉡÷㉠에서 $r^2=4$

∴ $r=2$ ($\because r>0$)

STEP Ⓑ $8(a_1a_2+a_3a_4)$의 값 구하기

㉠에서 $a^2=\dfrac{9}{r^4}=\dfrac{9}{16}$

따라서 $8(a_1a_2+a_3a_4)=8a^2(r+r^2\cdot r^3)$

$\qquad\qquad\qquad =8\cdot\dfrac{9}{16}\cdot(2+2^2\cdot2^3)$

$\qquad\qquad\qquad =\dfrac{9}{2}\cdot34=153$

다른풀이 ▶ 등비중항을 이용하여 풀이하기

등비수열 $\{a_n\}$의 첫째항을 a, 공비를 r이라 하면

세 수 a_1, a_3, a_5는 이 순서대로 공비가 r^2인 등비수열을 이루므로

$a_3{}^2=a_1a_5=9$이므로 $a_3=3$ ($\because a_3>0$)

세 수 a_2, a_4, a_6은 이 순서대로 공비가 r^2인 등비수열을 이루므로

$a_4{}^2=a_2a_6=36$이므로 $a_4=6$ ($\because a_4>0$)

이때 $r=\dfrac{a_4}{a_3}=\dfrac{6}{3}=2$

$a_3=a\cdot2^2=3$에서 $a=\dfrac{3}{4}$

따라서 등비수열 $\{a_n\}$의 첫째항은 $\dfrac{3}{4}$, 공비는 2이므로

$8(a_1a_2+a_3a_4)=8a_1{}^2(r+r^2\cdot r^3)$

$\qquad\qquad\qquad =8\cdot\dfrac{9}{16}\cdot(2+2^2\cdot2^3)$

$\qquad\qquad\qquad =\dfrac{9}{2}\cdot34=153$

정답 ①

1317

정답 ③

STEP Ⓐ 등비수열의 일반항을 이용하여 r^3 구하기

등비수열 $\{a_n\}$의 첫째항을 a, 공비를 r이라 하면 $a_n=ar^{n-1}$

$a_1+a_2+a_3=7$에서

$a+ar+ar^2=a(1+r+r^2)=7$ ...... ㉠

$a_4+a_5+a_6=56$에서

$ar^3+ar^4+ar^5=ar^3(1+r+r^2)=56$ ...... ㉡

㉡÷㉠을 하면 $r^3=8$

STEP Ⓑ $\dfrac{a_4+a_6}{a_1+a_3}$의 값 구하기

따라서 $\dfrac{a_4+a_6}{a_1+a_3}=\dfrac{ar^3+ar^5}{a+ar^2}=\dfrac{ar^3(1+r^2)}{a(1+r^2)}=r^3=8$

내/신/연/계/ 출제문항 **486**

등비수열 $\{a_n\}$에 대하여

$$a_1+a_2+a_3=2,\ a_4+a_5+a_6=16$$

이 성립할 때, $a_1+a_3+a_5$의 값은?

① 4 ② 6 ③ 8
④ 16 ⑤ 32

STEP Ⓐ 등비수열의 일반항을 이용하여 첫째항과 공비 구하기

등비수열 $\{a_n\}$의 첫째항을 a, 공비를 r이라 하면 $a_n=ar^{n-1}$

$a_1+a_2+a_3=2$에서

$a+ar+ar^2=a(1+r+r^2)=2$ ...... ㉠

$a_4+a_5+a_6=16$에서

$ar^3+ar^4+ar^5=ar^3(1+r+r^2)=16$ ...... ㉡

㉡÷㉠을 하면 $r^3=8$

∴ $r=2$

$r=2$를 ㉠에 대입하면 $a(1+2+4)=2$

∴ $a=\dfrac{2}{7}$

STEP Ⓑ $a_1+a_3+a_5$의 값 구하기

따라서 $a_1+a_3+a_5=a+ar^2+ar^4$

$\qquad\qquad\qquad =a(1+r^2+r^4)$

$\qquad\qquad\qquad =\dfrac{2}{7}(1+4+16)=6$

정답 ②

1318

STEP A 등비수열 $\{a_n\}$의 일반항을 이용하여 공비 구하기

등비수열 $\{a_n\}$의 공비를 r이라 하면

$\dfrac{a_3}{a_2} - \dfrac{a_6}{a_4} = r - r^2 = \dfrac{1}{4}$

$4r^2 - 4r + 1 = 0$, $(2r-1)^2 = 0$

$\therefore r = \dfrac{1}{2}$

STEP B a_5의 값 구하기

이때 등비수열의 일반항은 $a_n = 3 \cdot \left(\dfrac{1}{2}\right)^{n-1}$이므로 $a_5 = 3 \cdot \left(\dfrac{1}{2}\right)^4 = \dfrac{3}{16}$

따라서 $p = 16$, $q = 3$이므로 $p+q = 19$

내신연계 출제문항 487

모든 항이 양수인 등비수열 $\{a_n\}$에 대하여

$$a_1 = 2, \quad \dfrac{3a_3}{a_2} + \dfrac{a_5}{a_3} = 10$$

일 때, a_{10}의 값은?

① 192   ② 256   ③ 256
④ 512   ⑤ 1024

STEP A 주어진 조건을 만족하는 등비수열 $\{a_n\}$의 공비 구하기

등비수열 $\{a_n\}$의 공비를 r라 하면

$\dfrac{a_3}{a_2} = r$, $\dfrac{a_5}{a_3} = r^2$이므로

$\dfrac{3a_3}{a_2} + \dfrac{a_5}{a_3} = 10$에서 $3r + r^2 = 10$, $r^2 + 3r - 10 = 0$

$(r+5)(r-2) = 0$

수열 $\{a_n\}$의 모든 항이 양수이면 $r > 0$이므로 $r = 2$

STEP B a_{10}의 값 구하기

등비수열 $\{a_n\}$의 일반항은 $a_{10} = a_1 r^9 = 2 \cdot 2^9 = 2^{10} = 1024$

1319

STEP A 등비수열 $\{a_n\}$의 일반항을 이용하여 첫째항과 공비 구하기

등비수열 $\{a_n\}$의 첫째항을 a, 공비를 r이라 하면 $a_n = ar^{n-1}$
모든 항이 양수이므로 $a > 0$, $r > 0$

$\dfrac{a_1 a_2}{a_3} = \dfrac{a^2 r}{ar^2} = \dfrac{a}{r} = 2$

$\therefore a = 2r$ ······ ㉠

$\dfrac{2a_2}{a_1} + \dfrac{a_4}{a_2} = \dfrac{2ar}{a} + \dfrac{ar^3}{ar} = 2r + r^2 = 8$

$r^2 + 2r - 8 = 0$, $(r-2)(r+4) = 0$

$\therefore r = 2$ $(\because r > 0)$ ······ ㉡

㉡을 ㉠에 대입하면 $a = 4$

STEP B a_3의 값 구하기

따라서 $a = 4$, $r = 2$이므로 $a_3 = 4 \cdot 2^2 = 16$

1320

STEP A 등비수열 $\{a_n\}$의 일반항을 이용하여 r^2의 값 구하기

등비수열 $\{a_n\}$의 첫째항을 a, 공비를 r이라 하면 $a_n = ar^{n-1}$

$a_1 + a_2 = a + ar = -64$ ······ ㉠

$a_1 + a_2 + a_3 + a_4 = a + ar + ar^2 + ar^3$

$\qquad\qquad\qquad = a + ar + r^2(a+ar)$

$\qquad\qquad\qquad = (a+ar)(1+r^2) = -80$ ······ ㉡

㉠을 ㉡에 대입하면 $-64(1+r^2) = -80$

$1 + r^2 = \dfrac{5}{4}$ $\therefore r^2 = \dfrac{1}{4}$

STEP B a_5항 구하기

$a_3 + a_4 + a_5 = -24$이므로

$a_1 + a_2 + a_3 + a_4 + a_5 = -64 - 24 = -88$ ······ ㉢

㉢-㉡이면 $a_5 = -88 - (-80) = -8$

STEP C 첫째항과 공비를 구하여 a_2의 값 구하기

즉 $a_5 = ar^4 = -8$이므로 $a\left(\dfrac{1}{4}\right)^2 = -8$

$\therefore a = -128$

㉠에서 $a(1+r) = -64$이므로 $-128(1+r) = -64$

$\therefore r = -\dfrac{1}{2}$

따라서 $a_2 = ar = -128 \cdot \left(-\dfrac{1}{2}\right) = 64$

내신연계 출제문항 488

등비수열 $\{a_n\}$에 대하여

$$a_1 + a_2 = 16, \quad a_1 + a_2 + a_3 + a_4 = 160, \quad a_3 + a_4 + a_5 = 468$$

일 때, a_1의 값은?

① 2   ② 3   ③ 4
④ 5   ⑤ 6

STEP A 등비수열 $\{a_n\}$의 일반항을 이용하여 r^2의 값 구하기

등비수열 $\{a_n\}$의 첫째항을 a, 공비를 r이라 하면

$a_1 + a_2 = a + ar = 16$ ······ ㉠

$a_1 + a_2 + a_3 + a_4 = a + ar + ar^2 + ar^3$

$\qquad\qquad\qquad = a + ar + r^2(a+ar)$

$\qquad\qquad\qquad = (a+ar)(1+r^2) = 160$ ······ ㉡

㉠을 ㉡에 대입하면 $16(1+r^2) = 160$

$1 + r^2 = 10$ $\therefore r^2 = 9$

STEP B a_1의 값 구하기

$a_3 + a_4 + a_5 = 468$이므로

$a_1 + a_2 + a_3 + a_4 + a_5 = 16 + 468 = 484$ ······ ㉢

㉢-㉡이면 $a_5 = 484 - 160 = 324$

즉 $a_5 = a_1 r^4 = 324$이므로 $81 a_1 = 324$

따라서 $a_1 = 4$

1321

정답 ④

STEP A 등비수열 $\{a_n\}$의 일반항을 이용하여 첫째항, 공비 구하기

등비수열 $\{a_n\}$의 첫째항을 a, 공비를 r이라 하면

$a_4 = ar^3 = 5$ ...... ㉠

$a_7 = ar^6 = 40$ ...... ㉡

㉡÷㉠을 하면 $r^3 = 8$ ∴ $r = 2$ (∵ r은 실수)

$r = 2$를 ㉠에 대입하면 $a = \dfrac{5}{8}$

∴ $a_n = \dfrac{5}{8} \cdot 2^{n-1} = 5 \cdot 2^{n-4}$

STEP B 처음으로 1000 이상이 되는 항 구하기

$5 \cdot 2^{n-4} > 1000$에서 $2^{n-4} > 200$

$2^7 = 128$, $2^8 = 256$이므로 $n - 4 \geq 8$ ∴ $n \geq 12$

따라서 처음으로 1000 이상이 되는 항은 제 12항이다.

1322

정답 ③

STEP A 등비수열 $\{a_n\}$의 일반항을 이용하여 첫째항과 공차 구하기

등비수열 $\{a_n\}$의 첫째항을 a, 공비를 r이라 하면

$a_2 + a_4 = ar + ar^3 = 10$에서 $ar(1 + r^2) = 10$ ...... ㉠

$a_3 + a_5 = ar^2 + ar^4 = 20$에서 $ar^2(1 + r^2) = 20$ ...... ㉡

㉡÷㉠에서 $r = 2$

$r = 2$를 ㉠에 대입하면 $10a = 10$ ∴ $a = 1$

STEP B 조건을 만족하는 n의 최소값 구하기

즉 $a_n = 1 \cdot 2^{n-1} = 2^{n-1}$이므로 $2^{n-1} > 1000$

이때 $2^9 = 512$, $2^{10} = 1024$이므로 $n - 1 \geq 10$

∴ $n \geq 11$

따라서 처음으로 1000보다 커지는 항은 제 11항이다.

등비수열 $5, 1, \dfrac{1}{5}, \dfrac{1}{25}, \cdots$에서 처음으로 $\dfrac{1}{1000000}$ 보다 작게 되는 항은 제 몇 항인가? ($\log 2$는 0.3010으로 계산한다.)

① 제 9항 ② 제 10항 ③ 제 11항
④ 제 12항 ⑤ 제 13항

STEP A 등비수열 $\{a_n\}$의 일반항을 이용하여 r^4의 값 구하기

주어진 등비수열의 첫째항은 5, 공비는 $\dfrac{1}{5}$이므로 일반항 a_n은

$a_n = 5 \cdot \left(\dfrac{1}{5}\right)^{n-1} = 5^{-n+2}$

STEP B 양변에 상용로그를 취하여 n의 최솟값 구하기

$a_n < \dfrac{1}{1000000}$인 n을 구하면

$a_n = 5^{-n+2} < 10^{-6}$에서 $\log 5^{-n+2} < \log 10^{-6}$

$(-n+2)\log 5 < -6$

$-n+2 < -\dfrac{6}{\log 5}$에서 $n > \dfrac{6}{\log 5} + 2$

$n > \dfrac{6}{0.6990} + 2 = 10.58\cdots$ ◀ $\log 5 = \log \dfrac{10}{2} = 1 - \log 2 = 1 - 3010 = 0.6990$

이때 n은 자연수이므로 n의 최솟값은 11이다.

따라서 처음으로 $\dfrac{1}{1000000}$ 보다 작게 되는 항은 제 11항이다.

정답 ③

1323

정답 ②

STEP A 등비수열 $\{a_n\}$의 일반항을 이용하여 첫째항과 공비 구하기

모든 항이 양수인 등비수열 $\{a_n\}$의 첫째항을 a, 공비를 r이라 하면

$a_2 = 3a_1^2$에서 $ar = 3a^2$

∴ $r = 3a$ ...... ㉠

$a_6 = 9a_4$에서 $ar^5 = 9ar^3$, $r^2 = 9$

∴ $r = 3$ (∵ $r > 0$)

㉠에 $r = 3$을 대입하면 $a = 1$

$a_n = 1 \cdot 3^{n-1}$

STEP B 조건을 만족하는 n의 최댓값 구하기

$3^{n-1} < 1000$에서 $3^6 = 729$, $3^7 = 2187$이므로 $n - 1 \leq 6$

∴ $n \leq 7$

따라서 자연수 n의 최댓값은 7

1324

정답 ①

STEP A 등비수열의 일반항을 이용하여 $a_n \geq 1$을 만족시키는 항들을 모두 곱하면 $f(n)$의 값이 최대가 됨을 이해하기

등비수열 $\{a_n\}$의 일반항은 $a_n = 2000\left(\dfrac{1}{2}\right)^{n-1}$

T_n의 값이 최대가 되므로 $a_n \geq 1$을 만족시키는 항들을 모두 곱하면 된다.

STEP B 자연수 n의 값 구하기

$n \geq 2$일 때, $a_n = 2000\left(\dfrac{1}{2}\right)^{n-1} > 1$, $\left(\dfrac{1}{2}\right)^{n-1} > \dfrac{1}{2000}$

$n = 11$일 때, $\left(\dfrac{1}{2}\right)^{10} = \dfrac{1}{1024} > \dfrac{1}{2000}$이고

$n = 12$일 때, $\left(\dfrac{1}{2}\right)^{11} = \dfrac{1}{2048} < \dfrac{1}{2000}$이므로

T_n은 $n = 11$일 때, $T_{11} = a_1 a_2 a_3 \cdots a_{11}$을 최댓값으로 갖는다.

$2000\left(\dfrac{1}{2}\right)^{10} > 1$, $2000\left(\dfrac{1}{2}\right)^{11} < 1$

따라서 n의 값은 11

첫째항이 1000, 공비가 $\dfrac{1}{2}$인 등비수열 $\{a_n\}$에서

$$f(n) = a_1 a_2 a_3 \cdots a_n$$

이라 하자. $f(n)$의 값이 최대가 될 때, 자연수 n의 값은?

① 9 ② 10 ③ 11
④ 12 ⑤ 13

STEP A 등비수열의 일반항을 이용하여 $a_n \geq 1$을 만족시키는 항들을 모두 곱하면 $f(n)$의 값이 최대가 됨을 이해하기

수열 $\{a_n\}$의 일반항은 $a_n = 1000 \times \left(\dfrac{1}{2}\right)^{n-1}$이고

$f(n)$의 값이 최대가 되므로 $a_n \geq 1$을 만족시키는 항들을 모두 곱하면 된다.

STEP B 자연수 n의 값 구하기

$a_n = 1000 \times \left(\dfrac{1}{2}\right)^{n-1} \geq 1$

$2^{n-1} \leq 1000$

이때 $2^9 = 512$, $2^{10} = 1024$이므로

위의 부등식을 만족시키는 n의 최댓값은 10

정답 ②

1325

정답 ④

STEP Ⓐ **등비수열의 일반항을 이용하여 공비 구하기**

주어진 등비수열의 공비를 $r\,(r>0)$라 하면 첫째항이 2이고
제 5항이 162이므로 $2r^4=162$, $r^4=81$
$\therefore r=3\,(\because r>0)$
따라서 $c-a=2\cdot3^3-2\cdot3=54-6=48$

1326

정답 ②

STEP Ⓐ **두 수 a, b 사이에 n개의 수를 넣어서 등비수열을 만들면 a는 첫째항이고 b는 제 $(n+2)$항임을 이용하기**

주어진 등비수열의 공비를 $r\,(r>0)$이라 하면
첫째항이 2이고 제 10항이 32이므로 $32=2\cdot r^9$
$\therefore r^9=16$
이때 a_3은 제 4항이므로 $a_3=2\cdot r^3=2\cdot2^{\frac{4}{3}}=2^{\frac{7}{3}}$ ← $r^3=(2^4)^{\frac{1}{3}}=2^{\frac{4}{3}}$

STEP Ⓑ **$3\log_2 a_3$의 값 구하기**

따라서 $3\log_2 a_3=3\log_2 2^{\frac{7}{3}}=3\cdot\dfrac{7}{3}\log_2 2=7$

1327

정답 ⑤

STEP Ⓐ **두 수 a, b 사이에 n개의 수를 넣어서 등비수열을 만들면 a는 첫째항이고 b는 제 $(n+2)$항임을 이용하기**

주어진 등비수열의 공비를 $r\,(r>0)$라 하면
첫째항이 9이고 제 12항이 90이므로 $9r^{11}=90$ $\therefore r^{11}=10$
이때 a_1, a_{10}은 각각 제 2항, 제 11항이므로 $a_1=9r$, $a_{10}=9r^{10}$
따라서 $a_1 a_{10}=9r\cdot9r^{10}=81r^{11}=81\cdot10=810$

내/신/연/계 출제문항 491

두 수 3과 30 사이에 10개의 수 a_1, a_2, a_3, $\cdots$, a_{10}을 넣어
3, a_1, a_2, a_3, $\cdots$, a_{10}, 30
가 이 순서대로 등비수열을 이루도록 할 때, $a_1 a_{10}$의 값은?

① 20   ② 30   ③ 60
④ 90   ⑤ 120

STEP Ⓐ **두 수 a, b 사이에 n개의 수를 넣어서 등비수열을 만들면 a는 첫째항이고 b는 제 $(n+2)$항임을 이용하기**

주어진 등비수열의 공비를 $r\,(r>0)$라 하면
첫째항이 3이고 제 12항이 30이므로 $3r^{11}=30$ $\therefore r^{11}=10$
이때 a_1, a_{10}은 각각 제 2항, 제 11항이므로 $a_1=3r$, $a_{10}=3r^{10}$
따라서 $a_1 a_{10}=3r\cdot3r^{10}=9r^{11}=9\cdot10=90$

정답 ④

1328

정답 ⑤

STEP Ⓐ **등비중항을 이용하여 양수 a의 값 구하기**

세 수 $a+10$, a, 5가 이 순서대로 등비수열을 이루므로
등비중항의 성질에 의하여 $a^2=5(a+10)$
$a^2-5a-50=0$, $(a-10)(a+5)=0$
따라서 $a>0$이므로 $a=10$

1329

정답 ⑤

STEP Ⓐ **등비수열 $\{a_n\}$의 일반항을 이용하여 a_3, a_7 구하기**

등비수열 $\{a_n\}$의 첫째항이 a, 공비가 $\dfrac{1}{2}$이므로
$a_n=a\left(\dfrac{1}{2}\right)^{n-1}$, $a_3=a\left(\dfrac{1}{2}\right)^2$, $a_7=a\left(\dfrac{1}{2}\right)^6$

STEP Ⓑ **등비중항을 이용하여 a 구하기**

세 수 a_3, 2, a_7이 이 순서대로 등비수열을 이루므로
$2^2=a_3\cdot a_7=a\left(\dfrac{1}{2}\right)^2\cdot a\left(\dfrac{1}{2}\right)^6=\dfrac{a^2}{2^8}$, $a^2=2^{10}$
따라서 $a=2^5=32\,(\because a>0)$

내/신/연/계 출제문항 492

공차가 -2인 등차수열 $\{a_n\}$에 대하여 세 항
$$a_1,\ a_4,\ a_8$$
이 이 순서대로 등비수열을 이룰 때, 첫째항 a_1의 값은?

① -18 ② -14 ③ -10
④ -6 ⑤ -2

STEP Ⓐ **등차수열 $\{a_n\}$의 일반항을 이용하여 a_1, a_4, a_8 구하기**

등차수열 $\{a_n\}$의 공차가 -2, 첫째항을 a_1라고 하면 $a_n=a_1+(n-1)(-2)$
a_1, $a_4=a_1-6$, $a_8=a_1-14$

STEP Ⓑ **등비중항을 이용하여 a_1의 값 구하기**

세 항 a_1, a_4, a_8이 이 순서대로 등비수열을 이루므로 $a_4{}^2=a_1\cdot a_8$
$(a_1-6)^2=a_1(a_1-14)$, $a_1{}^2-12a_1+36=a_1{}^2-14a_1$
따라서 $a_1=-18$

정답 ①

1330

정답 ②

STEP Ⓐ **등비중항을 이용하여 θ의 값 구하기**

세 수 $\sin\theta$, $2\cos\theta$, $\dfrac{3}{\sin\theta}$이 이 순서대로 등비수열을 이루므로
$$(2\cos\theta)^2=\sin\theta\cdot\dfrac{3}{\sin\theta}$$
$4\cos^2\theta=3$, $\cos^2\theta=\dfrac{3}{4}$
그런데 $0°<\theta<90°$이므로 $0<\cos\theta<1$
따라서 $\cos\theta=\dfrac{\sqrt{3}}{2}$이므로 $\theta=30°$

1331

정답 ④

STEP Ⓐ **나머지 정리를 이용하여 각 항 나타내기**

나머지 정리에서 $f(x)$를 $x-\alpha$로 나눈 나머지는 $f(\alpha)$이므로
$f(x)$를 x, $x-1$, $x-2$로 나누었을 때의 나머지가 각각
$f(0)=2$, $f(1)=1+a+2=3+a$, $f(2)=4+2a+2=2a+6$

STEP Ⓑ **등비중항을 이용하여 a의 값 구하기**

이때 2, $a+3$, $2a+6$이 순서로 등비수열을 이루므로
$(a+3)^2=2(2a+6)$, $(a+3)(a-1)=0$
$\therefore a=-3$ 또는 $a=1$
따라서 모든 a의 값의 합은 $-3+1=-2$

x에 대한 다항식 $f(x)=x^2-ax+2a$를 $x-1$, $x-2$, $x-3$으로 나눈
나머지가 이 순서대로 등비수열을 이룰 때 모든 실수 a값의 합은?

① 7 　　　　　② 8 　　　　　③ 9
④ 10 　　　　　⑤ 11

STEP A **나머지 정리를 이용하여 다항식과 a, b의 관계 구하기**

$f(x)=x^2-ax+2a$를 $x-1$, $x-2$, $x-3$으로 나눈 나머지는 각각
$f(1)=1-a+2a=1+a$, $f(2)=4-2a+2a=4$, $f(3)=9-3a+2a=9-a$

STEP B **등비중항의 성질을 이용하여 a의 합 구하기**

세 수 $1+a$, 4, $9-a$가 이 순서대로 등비수열을 이루므로
$4^2=(1+a)(9-a)$
$a^2-8a+7=0$, $(a-1)(a-7)=0$
$\therefore a=1$ 또는 $a=7$
따라서 a의 합은 $1+7=8$

 정답 ②

1332

 정답 ③

STEP A **등비중항을 이용하여 x, y의 관계식 구하기**

세 수 x, 2, y가 이 순서대로 등비수열을 이루므로
$2^2=xy$ 　　　　　……… ㉠
세 수 x, y, 16이 이 순서대로 등비수열을 이루므로
$y^2=16x$ 　　　　　……… ㉡

STEP B **$x+y$의 값 구하기**

㉠에서 $x=\dfrac{4}{y}$이므로 이것을 ㉡에 대입하면 $y^2=16\cdot\dfrac{4}{y}$, $y^3=64$
$\therefore y=4$
$y=4$를 ㉠에 대입하면 $x=1$
따라서 $x+y=1+4=5$

1333

정답 ④

STEP A **등비중항의 성질 이용하기**

세 수 3, $\log_3 x$, 27이 이 순서대로 등비수열을 이루므로
$(\log_3 x)^2=3\cdot27=81$
이때 $\log_3 x>0$이므로 $\log_3 x=9$ $\therefore x=3^9$
또한, $\log_3 x$, 27, $\log_3 y$가 이 순서대로 등비수열을 이루므로
$27^2=\log_3 x\cdot\log_3 y$
이때 $\log_3 x=9$이므로 $\log_3 y=81$ $\therefore y=3^{81}$

STEP B **$\log_3\dfrac{y}{x}$의 값 구하기**

따라서 $\log_3\dfrac{y}{x}=\log_3\dfrac{3^{81}}{3^9}=\log_3 3^{72}=72$

다른풀이 등비수열의 공비를 구하여 풀이하기

공비를 r이라 하면
$a_1=3$, $a_3=ar^2=27$이므로 $3r^2=27$, $r^2=9$
$\therefore r=3$ ($\because r>0$)
즉 첫째항이 3, 공비가 3인 등비수열이므로
$\log_3 x=3\cdot3=9$ $\therefore x=3^9$
$\log_3 y=3\cdot3^3=81$ $\therefore y=3^{81}$
따라서 $\log_3\dfrac{y}{x}=\log_3\dfrac{3^{81}}{3^9}=\log_3 3^{72}=72$

1334

 정답 ④

STEP A **이차방정식의 근과 계수의 관계를 이용하여 α, β의 관계 구하기**

이차방정식 $x^2-kx+125=0$의 두 근이 α, β이므로
근과 계수의 관계에 의하여
$\alpha+\beta=k$, $\alpha\beta=125$

STEP B **등비중항을 이용하여 양수 k 구하기**

세 수 α, $\beta-\alpha$, β가 이 순서로 등비수열을 이루므로
$(\beta-\alpha)^2=\alpha\beta$, $\alpha^2-2\alpha\beta+\beta^2=\alpha\beta$,
$(\alpha+\beta)^2-4\alpha\beta=\alpha\beta$, $(\alpha+\beta)^2=5\alpha\beta$
$k^2=5\cdot125=625$
따라서 $k>0$이므로 $k=25$

이차방정식 $x^2-2kx+k-1=0$의 서로 다른 두 실근을 α, β라 할 때,
세 수 α, 3, β는 이 순서대로 등비수열을 이룬다. $\alpha^2+\beta^2$의 값은?

① 92 　　　　　② 198 　　　　　③ 282
④ 382 　　　　　⑤ 482

STEP A **이차방정식의 근과 계수의 관계를 이용하여 α, β의 관계 구하기**

이차방정식 $x^2-2kx+k-1=0$의 두 실근이 α, β이므로
근과 계수의 관계에 의하여
$\alpha+\beta=2k$, $\alpha\beta=k-1$ 　　　　　……… ㉠

STEP B **등비중항을 이용하여 k 구하기**

한편 세 수 α, 3, β가 이 순서로 등비수열을 이루므로
$\alpha\beta=9$ 　　　　　……… ㉡
㉠, ㉡에서 $k-1=9$이므로 $k=10$
$\alpha+\beta=2k=2\cdot10=20$
따라서 $\alpha^2+\beta^2=(\alpha+\beta)^2-2\alpha\beta=20^2-2\cdot9=382$

 정답 ④

1335

정답 ①

STEP A **등비중항을 이용하여 a의 값 구하기**

함수 $f(x)=\dfrac{p}{x}$에서 $f(a)=\dfrac{p}{a}$, $f(\sqrt3)=\dfrac{p}{\sqrt3}$, $f(a+2)=\dfrac{p}{a+2}$이므로

세 수 $f(a)$, $f(\sqrt3)$, $f(a+2)$가 이 순서대로 등비수열을 이루므로
$\{f(\sqrt3)\}^2=f(a)\cdot f(a+2)$
$\left(\dfrac{p}{\sqrt3}\right)^2=\dfrac{p}{a}\cdot\dfrac{p}{a+2}$
$a^2+2a-3=0$, $(a-1)(a+3)=0$
따라서 $a>0$이므로 $a=1$

유리함수 $f(x)=\dfrac{k}{x}$와 $a<b<12$인 두 자연수 a, b에 대하여

$$f(a),\ f(b),\ f(12)$$

가 이 순서대로 등비수열을 이룬다. $f(a)=3$일 때, $a+b+k$의 값은?
(단, k는 상수이다.)

① 10   ② 12   ③ 14
④ 16   ⑤ 18

STEP Ⓐ 등비중항을 이용하여 a, b의 관계식 구하기

함수 $f(x)=\dfrac{k}{x}$에서 $f(a)=\dfrac{k}{a}$, $f(b)=\dfrac{k}{b}$, $f(12)=\dfrac{k}{12}$이므로

$f(a)$, $f(b)$, $f(12)$가 이 순서대로 등비수열을 이루므로

$\left(\dfrac{k}{b}\right)^2=\dfrac{k}{a}\cdot\dfrac{k}{12}$이므로 $b^2=12a$

STEP Ⓑ $a<b<12$를 만족하는 두 자연수 a, b의 값 구하기

a는 12보다 작은 자연수이고 $12a$는 제곱수이므로 $a=3$

$b^2=12\times3=36$에서 $b=6$

또, $f(a)=\dfrac{k}{a}=3$에서 $k=9$

따라서 $a+b+k=3+6+9=18$

다른풀이 등비중항을 이용하여 풀이하기

$\dfrac{k}{a}, \dfrac{k}{b}, \dfrac{k}{12}$가 이 순서대로 등비수열을 이루면

a, b, 12도 이 순서대로 등비수열을 이루므로 $b^2=12a$

a는 12보다 작은 자연수이고 $12a$는 제곱수이므로 $a=3$

$b^2=12\times3=36$에서 $b=6$

또, $f(a)=\dfrac{k}{a}=3$에서 $k=9$

따라서 $a+b+k=3+6+9=18$ 정답 ⑤

1336   정답 ④

STEP Ⓐ $\overline{OA}$, $\overline{AB}$, $\overline{AC}$의 길이 구하기

세 점 A, B, C의 좌표는 $A(k, 0)$, $B(k, 3\sqrt{k})$, $C(k, k+4)$이므로

$\overline{OA}=k$, $\overline{AB}=3\sqrt{k}$, $\overline{AC}=k+4$

STEP Ⓑ 등비중항을 이용하여 k 구하기

세 수 k, $3\sqrt{k}$, $k+4$가 이 순서대로 등비수열을 이루므로

$k(k+4)=(3\sqrt{k})^2$

즉 $k^2+4k=9k$, $k(k-5)=0$

따라서 $k>0$이므로 $k=5$

1337   정답 ④

STEP Ⓐ 등비수열의 일반항을 이용하여 관계식 구하기

등비수열 $\{a_n\}$의 첫째항을 a, 공비를 r이라 하면

$a_3\times a_9=ar^2\times ar^8=a^2r^{10}=9$

$\therefore ar^5=3$

STEP Ⓑ $a_1\times a_2\times a_3\times\cdots\times a_{10}\times a_{11}$의 값 구하기

따라서 $a_1\times a_2\times a_3\times\cdots\times a_{10}\times a_{11}=a\cdot ar\cdot ar^2\cdot ar^3\cdots ar^{10}$

$=a^{11}r^{1+2+3+4+\cdots+10}$

$=a^{11}r^{55}=(ar^5)^{11}$

$=3^{11}$

다른풀이 등비중항을 이용하여 곱 구하기

등비수열 $\{a_n\}$의 등비중항을 이용하면

$a_6{}^2=a_5\times a_7=a_4\times a_8=a_3\times a_9=a_2\times a_{10}=a_1\times a_{11}=9$

모든 항이 양수이므로 $a_6=3$

따라서 $a_1\times a_2\times a_3\times\cdots\times a_{10}\times a_{11}=(3^2)^5\times3=3^{11}$

등비수열 $\{a_n\}$의 모든 항이 양수이고

$$a_2\times a_8=16$$

일 때, 첫째항부터 제 9항까지의 곱 $a_1\times a_2\times a_3\times\cdots\times a_8\times a_9$의 값은?

① 2^4 ② 2^6 ③ 2^8
④ 2^{12} ⑤ 2^{18}

STEP Ⓐ 등비수열의 일반항을 이용하여 관계식 구하기

등비수열 $\{a_n\}$의 첫째항을 a, 공비를 r이라 하면

$a_2\times a_8=ar\times ar^7=a^2r^8=16$ $\therefore ar^4=4$

STEP Ⓑ $a_1\times a_2\times a_3\times\cdots\times a_9$의 값 구하기

따라서 $a_1\times a_2\times a_3\times\cdots\times a_8\times a_9=a\cdot ar\cdot ar^2\cdot ar^3\cdots ar^8$

$=a^9r^{1+2+3+4+\cdots+8}$

$=a^9r^{36}=(ar^4)^9$

$=4^9=2^{18}$

다른풀이 등비중항을 이용하여 곱 구하기

등비수열 $\{a_n\}$의 등비중항을 이용하면

$a_5{}^2=a_1\times a_9=a_2\times a_8=a_3\times a_7=a_4\times a_6=16$

모든 항이 양수이므로 $a_5=4$

따라서 $a_1\times a_2\times a_3\times\cdots\times a_8\times a_9=(4^2)^4\times4=2^{16+2}=2^{18}$ 정답 ⑤

참고 두 직선을 공통접선으로 하고 서로 외접하는 원들에서 가운데 원의 반지름의 길이는 양 끝 원의 반지름의 길이의 등비중항이다.

핵심 그림에서 세 원 O_1, O_2, O_3의 반지름의 길이를 각각

x, y, z라 하면 $\triangle O_1O_2P\backsim\triangle O_2O_3Q$이므로

$\dfrac{\overline{PO_2}}{\overline{O_1O_2}}=\dfrac{\overline{QO_3}}{\overline{O_2O_3}}$ $\therefore \dfrac{y-x}{x+y}=\dfrac{z-y}{y+z}$

$(y-x)(y+z)=(z-y)(x+y)$ $\therefore y^2=xz$

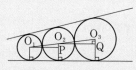

즉 x, y, z는 등비수열을 이루므로 주어진 조건을 만족하는 원의 반지름의 길이는 등비수열을 이룬다.

1338   정답 ④

STEP Ⓐ 반지름의 길이 사이의 관계식이 등비수열임을 이용하여 원의 반지름 구하기

두 직선을 공통접선으로 하고 서로 외접하는 다섯 개의 원의 반지름의 길이는 등비수열을 이룬다.

가장 큰 원의 반지름의 길이가 18, 가장 작은 원의 반지름의 길이가 8이므로

첫째항, 끝항이 각각 $a_1=8$, $a_5=18$

이때 공비를 r이라 하면 $18=8\cdot r^{5-1}$ $\therefore r^4=\dfrac{9}{4}$

$r>0$이므로 $r^2=\dfrac{3}{2}$

따라서 가운데 원의 반지름의 길이는 $8\cdot r^{3-1}=8\cdot\dfrac{3}{2}=12$

다른풀이 등비중항을 이용하여 곱 구하기

5개의 원의 반지름의 길이는 모두 등비수열을 이루므로
세 번째에 있는 원의 반지름의 길이 r은 8과 18의 등비중항이다.

$r^2 = 8 \cdot 18 = 144$

따라서 $r = 12$

내신연계 출제문항 497

그림과 같이 두 직선 l, m에 동시에 접하는 원 C_1이 있다.
원 C_1의 중심을 지나고 직선 l, m에 동시에 접하면서 C_1보다 큰 원을 C_2라
하자. 원 C_2의 중심을 지나고 직선 l, m에 동시에 접하면서 C_2보다 큰 원을
C_3라 하자. 이와 같은 방법으로 원 C_k의 중심을 지나고 직선 l, m에 동시에
접하면서 C_k보다 큰 원을 C_{k+1}이라 하자. ($k = 1, 2, 3, \cdots$)
원 C_1의 넓이가 1, 원 C_5의 넓이가 4일 때, 원 C_{19}의 넓이는?

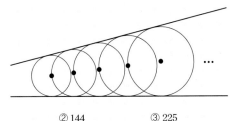

① 121   ② 144   ③ 225
④ 316   ⑤ 512

STEP A 연속하는 두 원 C_k, C_{k+1}의 중심을 이어 직각삼각형을 만들고 반지름의 길이 사이의 관계식 구하기

원 C_k의 반지름을 r_k, 넓이를 S_k라 하면
원 C_{k+1}의 반지름을 r_{k+1}, 넓이는 S_{k+1}이 된다.

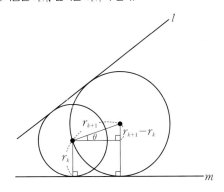

$\sin \theta = \dfrac{r_{k+1} - r_k}{r_{k+1}} = p$ (단, p는 상수) ($\because \theta$는 일정)

이므로 $r_{k+1} - r_k = pr_{k+1}$, $r_{k+1} = \dfrac{1}{1-p} r_k$

즉 수열 $\{r_k\}$가 등비수열이므로 그 넓이인 수열 $\{S_k\}$도 등비수열이다.

STEP B $\{S_k\}$가 등비수열임을 이용하여 원 C_{19}의 넓이 S_{19} 구하기

등비수열 $\{S_k\}$의 공비를 r이라 하면
$S_k = S_1 \cdot r^{k-1}$
$S_1 = 1$, $S_5 = S_1 \cdot r^4 = r^4 = 4$이므로 $r^2 = 2$ ($\because r^2 > 0$)
따라서 $S_{19} = S_1 \cdot r^{18} = r^{18} = (r^2)^9 = 2^9 = 512$

 정답 ⑤

1339

정답 ①

STEP A 등차중항과 등비중항의 성질을 이용하여 a, b의 관계식 구하기

세 수 5, x, 17은 이 순서대로 등차수열을 이루므로
$2x = 5 + 17$ $\therefore x = 11$ …… ㉠
세 수 3, y, 12는 이 순서대로 공비가 양수인 등비수열을 이루므로
$y^2 = 3 \cdot 12 = 36$ $\therefore y = 6$ …… ㉡

STEP B $x + y$의 값 구하기

따라서 ㉠, ㉡에서 $x + y = 17$

1340

정답 ②

STEP A 등차중항과 등비중항의 성질을 이용하여 a, b의 관계식 구하기

두 허수 a, b에 대하여
세 수 a, 1, b는 이 순서대로 등차수열을 이루므로 $2 \cdot 1 = a + b$
세 수 a, 2, b는 이 순서대로 등비수열을 이루므로 $2^2 = ab$

STEP B $a^3 + b^3$의 값 구하기

따라서 $a^3 + b^3 = (a+b)^3 - 3ab(a+b) = 2^3 - 3 \cdot 4 \cdot 2 = -16$

내신연계 출제문항 498

세 수 a, 5, b가 이 순서대로 등차수열을 이루고, 세 수 a, 4, b가
이 순서대로 등비수열을 이룰 때, $a^2 + b^2$의 값은?

① 56   ② 60   ③ 64
④ 68   ⑤ 72

STEP A 등차중항과 등비중항의 성질을 이용하여 a, b의 관계식 구하기

두 실수 a, b에 대하여
세 수 a, 5, b는 이 순서대로 등차수열을 이루므로 $2 \cdot 5 = a + b$
$\therefore a + b = 10$
세 수 a, 4, b는 이 순서대로 등비수열을 이루므로 $4^2 = ab$
$\therefore ab = 16$

STEP B $a^2 + b^2$의 값 구하기

따라서 $a^2 + b^2 = (a+b)^2 - 2ab = 10^2 - 2 \cdot 16 = 68$

 정답 ④

1341

정답 ③

STEP A 등차중항과 등비중항의 성질을 이용하여 a, b의 관계식 구하기

세 수 4, a, b이 이 순서대로 등차수열을 이루므로
$2a = 4 + b$ …… ㉠
세 수 a, b, 4가 이 순서로 등비수열을 이루므로
$b^2 = 4a$ …… ㉡

STEP B $a + b$의 값 구하기

㉠을 ㉡에 대입하면
$b^2 = 2(4 + b)$, $b^2 - 2b - 8 = 0$
$(b-4)(b+2) = 0$
$\therefore b = 4$ 또는 $b = -2$
이때 $b = 4$이면 $a = 4$이므로 서로 다른 세 수의 조건에 모순이다.
$b = -2$이므로 ㉠에서 $a = 1$
따라서 $a + b = 1 + (-2) = -1$

1342

정답 ③

STEP Ⓐ **등차중항과 등비중항의 성질을 이용하여 a, b의 관계식 구하기**

조건 (가)에서 세 수 a, b, 24가 이 순서대로 등차수열을 이루므로
$2b = a + 24$ ······ ㉠
조건 (나)에서 세 수 4, a, b가 이 순서대로 등비수열을 이루므로
$a^2 = 4b$ ······ ㉡

STEP Ⓑ **양수 a, b의 값 구하기**

㉠을 ㉡에 대입하면 $a^2 = 2a + 48$, $a^2 - 2a - 48 = 0$
$(a+6)(a-8) = 0$
그런데 $a > 0$이므로 $a = 8$
$a = 8$을 ㉠에 대입하면 $2b = 32$, $b = 16$
따라서 $a + b = 8 + 16 = 24$

내신연계 출제문항 499

네 수 2, a, b, 12에 대하여 다음을 만족시킬 때, $a + b$의 값은? (단, $a > 0$)

> (가) 세 수 2, a, b가 이 순서대로 등비수열을 이룬다.
> (나) 세 수 a, b, 12가 이 순서대로 등차수열을 이룬다.

① 10   ② 12   ③ 14
④ 16   ⑤ 18

STEP Ⓐ **등비중항과 등차중항의 성질을 이용하여 a, b의 관계식 구하기**

조건 (가)에서 세 수 2, a, b가 이 순서대로 등비수열을 이루므로
$a^2 = 2b$ ······ ㉠
조건 (나)에서 세 수 a, b, 12가 이 순서대로 등차수열을 이루므로
$2b = a + 12$ ······ ㉡

STEP Ⓑ **양수 a, b의 값 구하기**

㉠, ㉡에서 $a^2 = a + 12$이므로 $a^2 - a - 12 = 0$, $(a-4)(a+3) = 0$
이때 $a > 0$이므로 $a = 4$
$a = 4$를 ㉡에 대입하면 $b = 8$
따라서 $a + b = 4 + 8 = 12$

정답 ②

1343

정답 ③

STEP Ⓐ **등차중항과 등비중항의 성질을 이용하여 a, b의 관계식 구하기**

세 수 a, $a+b$, $2a-b$가 이 순서대로 등차수열을 이루므로
$2(a+b) = a + (2a-b)$
$\therefore a = 3b$ ······ ㉠
세 수 1, $a-1$, $3b+1$이 이 순서대로 등비수열을 이루므로
$(a-1)^2 = 3b + 1$ ······ ㉡

STEP Ⓑ **$a^2 + b^2$의 값 구하기**

㉠을 ㉡에 대입하면 $(a-1)^2 = a + 1$
$a^2 - 3a = 0$, $a(a-3) = 0$
$\therefore a = 0$ 또는 $a = 3$
(ⅰ) $a = 0$일 때, $b = 0$이므로 주어진 조건을 만족하지 않는다.
(ⅱ) $a = 3$일 때, $b = 1$이므로 주어진 조건을 만족한다.
(ⅰ), (ⅱ)에서 $a = 3$, $b = 1$이므로 $a^2 + b^2 = 3^2 + 1^2 = 10$

내신연계 출제문항 500

a, 10, 17, b는 이 순서대로 등차수열을 이루고 a, x, y, b는 이 순서대로 등비수열을 이루고 있다. xy의 값은?

① 32   ② 42   ③ 52
④ 62   ⑤ 72

STEP Ⓐ **등차중항의 성질을 이용하여 a, b의 값 구하기**

a, 10, 17, b가 등차수열을 이루므로
a, 10, 17에서 $2 \cdot 10 = a + 17$
$\therefore a = 3$
10, 17, b에서 $2 \cdot 17 = 10 + b$
$\therefore b = 24$

STEP Ⓑ **등비중항의 정의를 이용하여 x, y의 값 구하기**

이때 3, x, y, 24가 등비수열을 이루므로 공비를 r이라 하면
$24 = 3 \cdot r^3$, $r^3 = 8$
$\therefore r = 2$
따라서 $x = 6$, $y = 12$이므로 $xy = 72$

다른풀이 등차수열과 등비수열의 성질을 이용하여 풀이하기

a, 10, 17, b가 등차수열을 이루므로 공차는 $17 - 10 = 7$
$10 - a = 7$ $\therefore a = 3$
$b - 17 = 7$ $\therefore b = 24$
따라서 a, x, y, b가 등비수열을 이루므로 $xy = ab = 3 \cdot 24 = 72$

정답 ⑤

1344

정답 ②

STEP Ⓐ **등차중항을 이용하여 k의 값 구하기**

등차수열 $\{a_n\}$의 첫째항을 a이라 하고
공차가 6이므로 $a_n = a + (n-1) \cdot 6$
$a_2 = a + 6$, $a_k = a + (k-1) \cdot 6 = a + 6k - 6$, $a_8 = a + 7 \cdot 6 = a + 42$
즉 세 항 a_2, a_k, a_8이 이 순서대로 등차수열을 이루므로
$2(a + 6k - 6) = (a+6) + (a+42)$
$12k - 12 = 48$
$\therefore k = 5$

STEP Ⓑ **등비중항을 이용하여 a_1의 값 구하기**

$a_1 = a$, $a_2 = a + 6$, $a_5 = a + 4 \cdot 6$
세 항 a_1, a_2, a_5가 이 순서대로 등비수열을 이루므로
$(a+6)^2 = a(a+24)$
$a^2 + 12a + 36 = a^2 + 24a$, $12a = 36$
$\therefore a = 3$
따라서 $k + a = 5 + 3 = 8$

등차수열 $\{a_n\}$의 공차가 0이 아닐 때, 세 수

$$a_2,\ a_4,\ a_7$$

이 이 순서대로 등비수열을 이룬다. $\dfrac{a_5}{a_3}$의 값은?

① $\dfrac{2}{5}$ ② $\dfrac{3}{5}$ ③ $\dfrac{4}{5}$

④ $\dfrac{6}{5}$ ⑤ $\dfrac{7}{5}$

STEP 등비중항을 이용하여 첫째항과 공차의 관계식 구하기

등차수열 $\{a_n\}$의 첫째항을 a, 공차를 d라 하면 $a_n=a+(n-1)d$
$a_2=a+d,\ a_4=a+3d,\ a_7=a+6d$
세 수 $a_2,\ a_4,\ a_7$이 이 순서대로 등비수열을 이루므로
$(a+3d)^2=(a+d)(a+6d)$
$a^2+6ad+9d^2=a^2+7ad+6d^2$, 즉 $ad=3d^2$에서 $d\neq0$이므로 $a=3d$

STEP $\dfrac{a_5}{a_3}$의 값 구하기

수열 $\{a_n\}$이 등차수열이므로 $a_3=a+2d,\ a_5=a+4d$
$\dfrac{a_5}{a_3}=\dfrac{a+4d}{a+2d}=\dfrac{3d+4d}{3d+2d}=\dfrac{7}{5}$

정답 ⑤

1345
정답 ③

STEP 등비중항과 등차중항의 성질을 이용하여 a, b의 관계식 구하기

0이 아닌 서로 다른 세 수 a, b, c가 이 순서대로 등차수열을 이루므로
$2b=a+c$ ······ ㉠
0이 아닌 세 수 p, q, r가 이 순서대로 등비수열을 이루므로
$q^2=pr$ ······ ㉡

STEP B 판별식을 이용하여 실근의 개수 구하기

이차방정식 $ax^2+2bx+c=0$의 판별식을 D_1이라 하면
$D_1=(2b)^2-4ac=(a+c)^2-4ac=(a-c)^2>0$ (㉠에 의해)
즉 이차방정식 $ax^2+2bx+c=0$은 서로 다른 두 실근을 가지므로 $m=2$
이차방정식 $px^2+qx+r=0$의 판별식을 D_2라 하면
$D_2=q^2-4pr=pr-4pr=-3pr$ (㉡에 의해)
p와 r는 양수이므로 $D_2<0$
즉 이차방정식 $px^2+qx+r=0$은 실근을 갖지 않으므로 $n=0$
따라서 $m+n=2+0=2$

1346
정답 ④

STEP 등비수열을 이루는 세 수를 a, ar, ar^2으로 놓고 조건을 만족하는 공비 r 구하기

세 수를 a, ar, ar^2으로 놓으면
$a+ar+ar^2=7$ $\therefore a(1+r+r^2)=7$ ······ ㉠
$a\cdot ar\cdot ar^2=-27,\ (ar)^3=-27$ $\therefore ar=-3$ ······ ㉡
㉡에서 $a=-\dfrac{3}{r}$을 ㉠에 대입하면
$-\dfrac{3}{r}(1+r+r^2)=7,\ 3r^2+10r+3=0$
$(3r+1)(r+3)=0$ $\therefore r=-\dfrac{1}{3}$ 또는 $r=-3$

STEP B 세 수를 구하여 가장 큰 수 구하기

이때 $r=-\dfrac{1}{3}$일 때 $a=9$, $r=-3$일 때 $a=1$이므로 세 수는 $1,\ -3,\ 9$
따라서 가장 큰 수는 9

등비수열을 이루는 세 실수의 합이 26이고 곱이 216일 때, 세 수 중 가장 큰 수는?

① 15 ② 16 ③ 17
④ 18 ⑤ 19

STEP 등비수열을 이루는 세 수를 a, ar, ar^2으로 놓고 조건을 만족하는 공비 r 구하기

세 수를 a, ar, ar^2으로 놓으면
$a+ar+ar^2=26$ $\therefore a(1+r+r^2)=26$ ······ ㉠
$a\cdot ar\cdot ar^2=216,\ (ar)^3=216$ $\therefore ar=6$ ······ ㉡
㉡에서 $a=\dfrac{6}{r}$을 ㉠에 대입하면
$\dfrac{6}{r}(1+r+r^2)=26,\ 3r^2-10r+3=0$
$(3r-1)(r-3)=0$ $\therefore r=\dfrac{1}{3}$ 또는 $r=3$

STEP 세 수를 구하여 가장 큰 수 구하기

이때 $r=\dfrac{1}{3}$일 때 $a=18$, $r=3$일 때 $a=2$이므로 세 수는 $2,\ 6,\ 18$
따라서 가장 큰 수는 18

정답 ④

1347
정답 ②

STEP A 삼차방정식의 근과 계수의 관계를 통해 a, r의 관계식 구하기

세 근을 a, ar, ar^2이라 하면 삼차방정식의 근과 계수의 관계에 의하여
$a+ar+ar^2=7$에서 $a(1+r+r^2)=7$ ······ ㉠
$(a\cdot ar)+(ar\cdot ar^2)+(ar^2\cdot a)=k$에서
$a^2r(1+r+r^2)=k$ ······ ㉡
$a\cdot ar\cdot ar^2=8$에서 $(ar)^3=8$ $\therefore ar=2$ ······ ㉢
㉠, ㉢을 ㉡에 대입하면 $a(1+r+r^2)\cdot ar=7\cdot2=14$
따라서 $k=14$

삼차방정식

$$x^3-kx^2-54x+216=0$$

의 세 근이 등비수열을 이룰 때, 상수 k의 값을 구하면?

① 3 ② 4 ③ 5
④ 6 ⑤ 9

STEP A 삼차방정식의 근과 계수의 관계를 통해 a, r의 관계식 구하기

삼차방정식 $x^3-kx^2-54x+216=0$의 세 근이 등비수열을 이루므로
세 근을 a, ar, ar^2으로 놓으면 삼차방정식의 근과 계수 관계로부터
$a+ar+ar^2=k$에서
$a(1+r+r^2)=k$ ······ ㉠
$a(ar)+(ar)(ar^2)+(ar^2)a=-54$에서
$a^2r(1+r+r^2)=-54$ ······ ㉡
$a(ar)(ar^2)=(ar)^3=-216$에서
$(ar)^3=-216$ ······ ㉢
㉢에서 $ar=-6$
그 값을 ㉡에 대입하면 $-6(a+ar+ar^2)=-54$
$\therefore a+ar+ar^2=9$
따라서 ㉠에서 $k=9$

정답 ⑤

1348

정답 ②

STEP A 두 곡선의 교점의 x좌표는 방정식의 실근과 같음을 이용하여 삼차방정식을 유도하기

곡선 $y=x^3-6x^2-24x$와 직선 $y=k$의 교점의 x좌표는

방정식 $x^3-6x^2-24x=k$

즉 $x^3-6x^2-24x-k=0$의 세 실근이고 세 실근은 등비수열이다.

STEP B 삼차방정식의 근과 계수의 관계를 이용하여 구하기

이 방정식의 세 실근을 a, ar, ar^2으로 놓으면

삼차방정식의 근과 계수의 관계에 의하여

$a+ar+ar^2=6$ ······ ㉠

$a\cdot ar+ar\cdot ar^2+ar^2\cdot a=-24$ ······ ㉡

$a\cdot ar\cdot ar^2=k$ ······ ㉢

㉡에서 $ar(a+ar+ar^2)=-24$

㉠을 이 식에 대입하면 $ar=-4$

따라서 ㉢에서 $(ar)^3=k$이므로 $k=-64$

1349

정답 ③

STEP A 두 곡선의 교점의 x좌표는 방정식의 실근과 같음을 이용하여 삼차 방정식을 유도하기

주어진 두 곡선의 교점의 x좌표는 방정식 $3x^3+4x^2-7x=-3x^2+k$

즉 $3x^3+7x^2-7x-k=0$의 세 실근이고 세 실근은 등비수열이다.

STEP B 삼차방정식의 근과 계수의 관계를 이용하여 구하기

이 방정식의 세 실근을 a, ar, ar^2으로 놓으면

삼차방정식의 근과 계수의 관계에 의하여

$a+ar+ar^2=-\dfrac{7}{3}$ ······ ㉠

$a\cdot ar+ar\cdot ar^2+ar^2\cdot a=-\dfrac{7}{3}$ ······ ㉡

$a\cdot ar\cdot ar^2=\dfrac{k}{3}$ ······ ㉢

㉡에서 $ar(a+ar+ar^2)=-\dfrac{7}{3}$

㉠을 이 식에 대입하면 $ar=1$

따라서 ㉢에서 $(ar)^3=\dfrac{k}{3}$이므로 $1^3=\dfrac{k}{3}$ $\therefore k=3$

> **참고**
> $k=3$일 때, 삼차방정식 $3x^3+7x^2-7x-3=0$
> 즉 $(x-1)(3x+1)(x+3)=0$이므로 $x=-3$ 또는 $x=1$ 또는 $x=-\dfrac{1}{3}$
> 이므로 주어진 두 곡선이 만나는 서로 다른 세 점의 x좌표는 -3, 1, $-\dfrac{1}{3}$

내신연계 출제문항 504

두 곡선
$$y=x^3+4x^2-3x-12, \quad y=x^2+3x+k$$
가 서로 다른 세 점에서 만나고 교점의 x좌표가 등비수열을 이룰 때, 실수 k의 값은?

① -6　　　　② -4　　　　③ -2

④ 2　　　　⑤ 4

STEP A 두 곡선의 교점의 x좌표는 방정식의 실근과 같음을 이용하여 삼차 방정식을 유도하기

주어진 두 곡선의 교점의 x좌표는 방정식 $x^3+4x^2-3x-12=x^2+3x+k$

즉 $x^3+3x^2-6x-12-k=0$의 세 실근이고 세 실근은 등비수열이다.

STEP B 삼차방정식의 근과 계수의 관계를 이용하여 구하기

이 방정식의 세 실근을 a, ar, ar^2으로 놓으면

삼차방정식의 근과 계수의 관계에 의하여

$a+ar+ar^2=-3$ ······ ㉠

$a\cdot ar+ar\cdot ar^2+ar^2\cdot a=-6$ ······ ㉡

$a\cdot ar\cdot ar^2=12+k$ ······ ㉢

㉡에서 $ar(a+ar+ar^2)=-6$

㉠을 이 식에 대입하면 $ar=2$

따라서 ㉢에서 $(ar)^3=12+k$이므로 $8=12+k$ $\therefore k=-4$ 정답 ②

1350

정답 ③

STEP A 등비수열의 합 공식 이용하기

등비수열 $\{a_n\}$의 첫째항이 a, 공비가 2에서

첫째항부터 제 6항까지의 합이 21이므로 $S_6=\dfrac{a(2^6-1)}{2-1}=63a=21$

따라서 $a=\dfrac{21}{63}=\dfrac{1}{3}$

1351

정답 ②

STEP A 나머지 정리를 이용하여 $f(2)$ 나타내기

$f(x)=-x^9+x^8-\cdots+x^2-x+1$이라 하면 나머지정리에 의하여

$f(x)$를 $x-2$로 나누었을 때의 나머지는 $f(2)$이다.

STEP B 등비수열의 합 공식을 이용하기

$f(2)=-2^9+2^8-\cdots+2^2-2+1$

$=1-2+2^2-2^3+\cdots-2^9$

$=\dfrac{1-(-2)^{10}}{1-(-2)}=-341$

1352

정답 ①

STEP A 등비수열 $\{a_n\}$의 일반항을 이용하여 공비 구하기

등비수열 $\{a_n\}$의 첫째항이 2, 공비가 $r(r>0)$이라 하면

$a_n=2\cdot r^{n-1}$

$a_2\cdot a_4=64$에서 $2r\cdot 2r^3=4r^4=64$

즉 $r^4=16$ $\therefore r=2\ (\because r>0)$

STEP B 등비수열의 합 공식을 이용하여 S_5의 값 구하기

따라서 첫째항부터 제 5항까지의 합은 $S_5=\dfrac{2(2^5-1)}{2-1}=62$

1353

정답 ②

STEP A 등비수열 $\{6a_n-a_{n+1}\}$의 첫째항과 공비 구하기

첫째항이 1, 공비가 2인 등비수열 $\{a_n\}$의 일반항은 $a_n=2^{n-1}$

$6a_n-a_{n+1}=6\cdot 2^{n-1}-2^n=2^{n+1}$

STEP B 등비수열의 합 공식을 이용하여 S_8의 값 구하기

따라서 수열 $\{6a_n-a_{n+1}\}$은 첫째항이 4, 공비가 2인 등비수열이므로

첫째항부터 제 8항까지의 합은 $\dfrac{4\cdot(2^8-1)}{2-1}=4\cdot(256-1)=1020$

1354 정답 ④

STEP Ⓐ 등비수열 $\{a_n\}$의 일반항을 이용하여 첫째항과 공비 구하기

등비수열 $\{a_n\}$의 첫째항을 a, 공비를 r이라 하면 $a_n=ar^{n-1}$

$a_3=1$에서 $a_3=ar^2=1$ ...... ㉠

$a_6=-\dfrac{1}{27}$에서 $a_6=ar^5=-\dfrac{1}{27}$ ...... ㉡

㉡÷㉠을 하면 $r^3=-\dfrac{1}{27}$ 이므로 $r=-\dfrac{1}{3}$

㉠에 $r=-\dfrac{1}{3}$을 대입하면 $a=9$

STEP Ⓑ 등비수열의 합 공식을 이용하여 S_{10}의 값 구하기

따라서 $S_{10}=\dfrac{9\left\{1-\left(-\dfrac{1}{3}\right)^{10}\right\}}{1-\left(-\dfrac{1}{3}\right)}=\dfrac{27}{4}\left\{1-\left(\dfrac{1}{3}\right)^{10}\right\}$

내신연계 출제문항 505

공비가 실수인 등비수열 $\{a_n\}$에 대하여
$$a_1+a_4=3,\ a_4+a_7=24$$
일 때, 첫째항부터 제 6항까지의 합은?

① 21 ② 23 ③ 25
④ 27 ⑤ 32

STEP Ⓐ 등비수열 $\{a_n\}$의 일반항을 이용하여 첫째항과 공비 구하기

등비수열 $\{a_n\}$의 첫째항을 a, 공비를 r이라 하면 $a_n=a\cdot r^{n-1}$

$a_1+a_4=3$에서 $a+ar^3=a(1+r^3)=3$ ...... ㉠

$a_4+a_7=24$에서 $ar^3+ar^6=ar^3(1+r^3)=24$ ...... ㉡

㉡÷㉠을 하면 $r^3=8$이므로 $r=2$

㉠에 $r=2$를 대입하면 $9a=3$이므로 $a=\dfrac{1}{3}$

STEP Ⓑ n의 값 구하기

따라서 등비수열 $\{a_n\}$의 첫째항부터 제 6항까지의 합은

$\dfrac{\dfrac{1}{3}(2^6-1)}{2-1}=\dfrac{1}{3}\cdot 63=21$ 정답 ①

1355 정답 ①

STEP Ⓐ 등비수열 $\{a_n\}$의 일반항을 이용하여 첫째항 구하기

등비수열 $\{a_n\}$의 첫째항을 a, 공비가 2이므로 $a_n=a\cdot 2^{n-1}$

$a_n=a\cdot 2^{n-1}=400$ $\therefore a\cdot 2^n=800$ ...... ㉠

$S_n=\dfrac{a(2^n-1)}{2-1}=a\cdot 2^n-a=750$ ...... ㉡

㉠을 ㉡에 대입하면 $800-a=750$ $\therefore a=50$

STEP Ⓑ n의 값 구하기

$a=50$을 ㉠에 대입하면 $2^n=16$
따라서 $n=4$

내신연계 출제문항 506

제 3항이 12, 제 6항이 96인 등비수열 $\{a_n\}$의 첫째항부터 제 n항까지의 합이 1533일 때, n의 값은?

① 7 ② 9 ③ 11
④ 13 ⑤ 15

STEP Ⓐ 등비수열 $\{a_n\}$의 일반항을 이용하여 첫째항과 공비 구하기

등비수열 $\{a_n\}$의 첫째항을 a, 공비를 r이라 하면 $a_n=a\cdot 2^{n-1}$

$a_3=12$에서 $ar^2=12$ ...... ㉠

$a_6=96$에서 $ar^5=96$ ...... ㉡

㉡÷㉠을 하면 $r^3=8$이므로 $r=2$

㉠에 $r=2$를 대입하면 $4a=12$이므로 $a=3$

STEP Ⓑ n의 값 구하기

등비수열 $\{a_n\}$의 첫째항부터 제 n항까지의 합이 1533이므로

$\dfrac{3(2^n-1)}{2-1}=1533,\ 2^n-1=511$

따라서 $2^n=512$이므로 $n=9$ 정답 ②

1356 정답 ①

STEP Ⓐ 등비수열 $\{a_n\}$의 일반항을 이용하여 첫째항과 공비 구하기

등비수열 $\{a_n\}$의 첫째항을 a, 공비를 r이라 하면

$a_3=ar^2=6$ ...... ㉠

$a_7=ar^6=24$ ...... ㉡

㉡÷㉠에서 $r^4=4$ $\therefore r^2=2$

㉠에 $r^2=2$를 대입하면 $a=3$

STEP Ⓑ $a_1^2+a_2^2+\cdots+a_{19}^2+a_{20}^2$ 구하기

$a_1^2+a_2^2+\cdots+a_{19}^2+a_{20}^2=a^2+(ar)^2+(ar^2)^2+(ar^3)^2+\cdots+(ar^{19})^2$

$\qquad =\dfrac{a^2\{(r^2)^{20}-1\}}{r^2-1}$

$\qquad =\dfrac{9(2^{20}-1)}{2-1}$

$\qquad =9(2^{20}-1)$

1357 정답 ④

STEP Ⓐ 등비수열 $\{a_n\}$의 합의 공식을 이용하여 S_2, S_4 구하기

등비수열 $\{a_n\}$의 첫째항을 a, 공비를 r이라 하면

$S_2=a_1+a_2=a(1+r)$

$S_4=\dfrac{a(r^4-1)}{r-1}=\dfrac{a(r-1)(r+1)(r^2+1)}{r-1}=a(r+1)(r^2+1)$

이므로

$\dfrac{S_4}{S_2}=\dfrac{a(r+1)(r^2+1)}{a(r+1)}=r^2+1=9$

$\therefore r^2=8$

STEP Ⓑ $\dfrac{a_4}{a_2}$의 값 구하기

따라서 $\dfrac{a_4}{a_2}=\dfrac{ar^3}{ar}=r^2=8$

다른풀이 인수분해하여 공비 r 구하기

$\dfrac{S_4}{S_2}=9$에서 $\dfrac{a+ar+ar^2+ar^3}{a+ar}=9$, $\dfrac{1+r+r^2+r^3}{1+r}=9$

$\dfrac{1+r+r^2(1+r)}{1+r}=\dfrac{(1+r)(1+r^2)}{1+r}=1+r^2=9$

$\therefore r^2=8$

따라서 $\dfrac{a_4}{a_2}=\dfrac{ar^3}{ar}=r^2=8$

내/신/연/계 출제문항 507

등비수열 $\{a_n\}$의 첫째항부터 제 n항까지의 합 S_n에 대하여

$$\frac{S_8}{S_4}=6$$

일 때, $\dfrac{a_6}{a_2}$의 값은?

① 3   ② 4   ③ 5
④ 6   ⑤ 8

STEP A 등비수열 $\{a_n\}$의 합의 공식을 이용하여 S_2, S_4 구하기

등비수열 $\{a_n\}$의 첫째항을 a, 공비를 r이라 하면

$$S_4=\frac{a(r^4-1)}{r-1} \qquad \cdots\cdots \text{㉠}$$

$$S_8=\frac{a(r^8-1)}{r-1}=\frac{a(r^4-1)(r^4+1)}{r-1} \qquad \cdots\cdots \text{㉡}$$

㉠, ㉡에서 $\dfrac{S_8}{S_4}=r^4+1=6$이므로 $r^4=5$

STEP B $\dfrac{a_6}{a_2}$의 값 구하기

따라서 $\dfrac{a_6}{a_2}=\dfrac{ar^5}{ar}=r^4=5$

정답 ③

1358

정답 ⑤

STEP A 등비수열 $\{a_n\}$의 합의 공식을 이용하여 S_3, S_6 구하기

등비수열 $\{a_n\}$의 첫째항을 1, 공비를 r이라 하면

$$S_3=a_1+a_2+a_3=1+r+r^2 \qquad \cdots\cdots \text{㉠}$$

$$S_6=\frac{r^6-1}{r-1}=\frac{(r^3+1)(r-1)(r^2+r+1)}{r-1}=(r^3+1)(r^2+r+1)$$

$$\frac{S_6}{S_3}=\frac{(r^3+1)(r^2+r+1)}{(r^2+r+1)}=r^3+1=126$$

즉 $r^3=125$이므로 $r=5$

STEP B 등비수열의 합 공식을 이용하여 S_4 구하기

> **참고**
>
> 등비수열 $\{a_n\}$의 첫째항을 a, 공비를 r이라 하면
>
> $$S_3=\frac{a(r^3-1)}{r-1} \qquad \cdots\cdots \text{㉠}$$
>
> $$S_6=\frac{a(r^6-1)}{r-1}=\frac{a(r^3-1)(r^3+1)}{r-1} \qquad \cdots\cdots \text{㉡}$$
>
> ㉠, ㉡에서 $\dfrac{S_6}{S_3}=r^3+1=126$이므로 $r^3=125$

따라서 $S_4=\dfrac{1(r^4-1)}{r-1}=\dfrac{5^4-1}{5-1}=\dfrac{624}{4}=156$

1359

정답 ④

STEP A 등비수열 $\{a_n\}$의 첫째항부터 제 12항까지의 합 S_{12} 구하기

등비수열 $\{a_n\}$의 첫째항이 $a=2$, 공비가 r이라 하면

$$a_{12}=2r^{11}=40 \quad \therefore \ r^{11}=20$$

첫째항부터 제 12항까지의 합 $S_{12}=\dfrac{2(r^{12}-1)}{r-1} \qquad \cdots\cdots \text{㉠}$

STEP B 등비수열 $\left\{\dfrac{1}{a_n}\right\}$의 첫째항부터 제 12항까지의 합 T_{12} 구하기

등비수열 $\left\{\dfrac{1}{a_n}\right\}$의 첫째항이 $\dfrac{1}{a}=\dfrac{1}{2}$, 공비를 $\dfrac{1}{r}$이라 하면

$$\frac{1}{a_{12}}=\frac{1}{2}\cdot\frac{1}{r^{11}}=\frac{1}{40} \quad \therefore \ \frac{1}{r^{11}}=\frac{1}{20}$$

첫째항부터 제 12항까지의 합 $T_{12}=\dfrac{\dfrac{1}{2}\left(1-\dfrac{1}{r^{12}}\right)}{1-\dfrac{1}{r}}=\dfrac{1}{2r^{11}}\cdot\dfrac{r^{12}-1}{r-1} \qquad \cdots\cdots \text{㉡}$

따라서 ㉠÷㉡은 $\dfrac{S_{12}}{T_{12}}=4r^{11}=4\cdot20=80$

내/신/연/계 출제문항 508

두 수 3과 40 사이에 10개의 수를 넣어 만든 등비수열

$$3,\ a_1,\ a_2,\ \cdots,\ a_{10},\ 40$$

이 있다. 등식

$$3+a_1+a_2+\cdots+a_{10}+40=k\left(\frac{1}{3}+\frac{1}{a_1}+\frac{1}{a_2}+\cdots+\frac{1}{a_{10}}+\frac{1}{40}\right)$$

을 만족시키는 상수 k의 값은?

① 40   ② 80   ③ 120
④ 160   ⑤ 200

STEP A $3+a_1+a_2+\cdots+a_{10}+40$의 값 구하기

등비수열 $3,\ a_1,\ a_2,\ \cdots,\ a_{10},\ 40$의 일반항을 b_n, 공비를 r라 하면

$b_1=3$이고 $b_n=3r^{n-1}$

$$3+a_1+a_2+\cdots+a_{10}+40=\frac{3(r^{12}-1)}{r-1}$$

STEP B $k\left(\dfrac{1}{3}+\dfrac{1}{a_1}+\dfrac{1}{a_2}+\cdots+\dfrac{1}{a_{10}}+\dfrac{1}{40}\right)$의 합 구하기

수열 $\left\{\dfrac{1}{b_n}\right\}$은 첫째항이 $\dfrac{1}{3}$, 공비가 $\dfrac{1}{r}$인 등비수열이다.

$$\frac{1}{3}+\frac{1}{a_1}+\frac{1}{a_2}+\cdots+\frac{1}{a_{10}}+\frac{1}{40}=\frac{\dfrac{1}{3}\left\{1-\left(\dfrac{1}{r}\right)^{12}\right\}}{1-\dfrac{1}{r}}=\frac{r(r^{12}-1)}{3r^{12}(r-1)}$$

STEP C 조건을 만족하는 k의 값 구하기

$$3+a_1+a_2+\cdots+a_{10}+40=k\left(\frac{1}{3}+\frac{1}{a_1}+\frac{1}{a_2}+\cdots+\frac{1}{a_{10}}+\frac{1}{40}\right)$$

$$\frac{3(r^{12}-1)}{r-1}=\frac{kr(r^{12}-1)}{3r^{12}(r-1)} \quad \therefore \ k=9r^{11}$$

따라서 $b_{12}=3r^{11}=40$이므로 $k=9r^{11}=3\cdot3r^{11}=3\cdot40=120$

정답 ③

1360

정답 ②

STEP A 등비수열의 일반항을 이용하여 첫째항과 r^4의 값 구하기

등비수열 $\{a_n\}$의 첫째항을 a, 공비를 r이라 하면 $a_n=ar^{n-1}$

$a_1a_2=a_{10}$에서 $a\cdot ar=ar^9$

$a>0,\ r>0$이므로 $a=r^8 \qquad \cdots\cdots \text{㉠}$

$a_1+a_9=20$에서 $a+ar^8=20 \qquad \cdots\cdots \text{㉡}$

㉠, ㉡에서 $a+a^2=20$, $a^2+a-20=0$

$(a+5)(a-4)=0$이므로 $a=4 \ (\because a>0)$

㉠에 $a=4$를 대입하면 $r^8=4 \quad \therefore \ r^4=2$

STEP B $(a_1+a_3+a_5+a_7+a_9)(a_1-a_3+a_5-a_7+a_9)$ 구하기

이때 $r^{20}=(r^8)^2r^4=4^2\cdot2=32$이므로

$$(a_1+a_3+a_5+a_7+a_9)(a_1-a_3+a_5-a_7+a_9)$$

$$=\frac{a\{1-(r^2)^5\}}{1-r^2}\cdot\frac{a\{1-(-r^2)^5\}}{1-(-r^2)}$$

$$=\frac{a(1-r^{10})}{1-r^2}\cdot\frac{a(1+r^{10})}{1+r^2}$$

$$=\frac{a^2(1-r^{20})}{1-r^4}=\frac{4^2(1-32)}{1-2}$$

$$=16\cdot31=496$$

1361

정답 ④

STEP A 등비수열 $\{a_n\}$의 합을 구하기

첫째항부터 제 n항까지의 합을 S_n이라고 하면

$$S_n = \frac{\frac{1}{3}(2^n-1)}{2-1} = \frac{1}{3}(2^n-1)$$

STEP B 주어진 공식을 만족하는 n의 최솟값 구하기

$\frac{1}{3}(2^n-1) > 1000$에서 $2^n-1 > 3000$ $\therefore 2^n > 3001$

이때 $2^{11}=2048$, $2^{12}=4096$이므로 n의 최솟값은 12

따라서 구하는 n의 값은 12

1362

정답 ①

STEP A 등비수열 $\{a_n\}$의 일반항을 이용하여 첫째항과 공비 구하기

등비수열 $\{a_n\}$의 첫째항이 a, 공비를 r이라 하면

$a_2 = ar = 4$ ...... ㉠

$a_5 = ar^4 = 32$ ...... ㉡

㉡÷㉠을 하면 $r^3 = 8$ $\therefore r = 2$ ($\because r$은 실수)

$r = 2$를 ㉠에 대입하면 $2a = 4$ $\therefore a = 2$

STEP B 등비수열의 합 나타내기

첫째항부터 제 n항까지의 합을 S_n이라 하면

$$S_n = \frac{2(2^n-1)}{2-1} = 2(2^n-1)$$

STEP C 주어진 공식을 만족하는 n의 최솟값 구하기

$S_n > 240$에서 $2(2^n-1) > 240$, $2^n-1 > 120$ $\therefore 2^n > 121$

이때 $2^6 = 64$, $2^7 = 128$이므로 $n \geq 7$

따라서 첫째항부터 제 7항까지의 합이 처음으로 240보다 커진다.

내/신/연/계/ 출제문항 509

등비수열 $\{a_n\}$에 대하여

$$a_2 = 6, \quad a_5 = 162$$

일 때, $\sum_{k=1}^{n} a_k \geq 1000$을 만족시키는 n의 최솟값은?

① 6   ② 7   ③ 8

④ 9   ⑤ 10

STEP A 등비수열 $\{a_n\}$의 일반항을 이용하여 첫째항과 공비 구하기

등비수열 $\{a_n\}$의 첫째항이 a, 공비를 r이라 하면

$a_2 = ar = 6$ ...... ㉠

$a_5 = ar^4 = 162$ ...... ㉡

㉡÷㉠을 하면 $r^3 = 27$ $\therefore r = 3$ ($\because r$은 실수)

$r = 3$를 ㉠에 대입하면 $3a = 6$ $\therefore a = 2$

STEP B 등비수열의 합 나타내기

첫째항부터 제 n항까지의 합을 S_n이라 하면

$$\sum_{k=1}^{n} a_k = S_n = \frac{2(3^n-1)}{3-1} = 3^n-1$$

$\sum_{k=1}^{n} a_k \geq 1000$에서 $3^n-1 \geq 1000$ $\therefore 3^n \geq 1001$

STEP C 주어진 공식을 만족하는 n의 최솟값 구하기

이때 $3^6 = 729$, $3^7 = 2187$이므로 $n \geq 7$

따라서 첫째항부터 제 7항까지의 합이 처음으로 1000보다 커진다. 정답 ②

1363

정답 ③

STEP A 등비수열의 합을 구하기

첫째항이 1, 공비가 $\frac{1}{2}$이고 첫째항부터 제 n항까지의 합이 S_n이라 하면

$$S_n = \frac{1 \cdot \left\{1 - \left(\frac{1}{2}\right)^n\right\}}{1 - \frac{1}{2}} = 2 - \frac{1}{2^{n-1}}$$

STEP B 주어진 공식을 만족하는 n의 최솟값 구하기

$|S_n - 2| < 0.01$에서 $\left|\left(2 - \frac{1}{2^{n-1}}\right) - 2\right| < 0.01$, $\frac{1}{2^{n-1}} < 0.01$

$\therefore 2^{n-1} > 100$

한편 $2^6 = 64$, $2^7 = 128$이므로 $n-1 \geq 7$, $n \geq 8$

따라서 자연수 n의 최솟값은 8

내/신/연/계/ 출제문항 510

등비수열 $\frac{1}{3}, \frac{1}{9}, \frac{1}{27}, \cdots$의 첫째항부터 제 n항까지의 합을 S_n이라고 할 때,

$\left|S_n - \frac{1}{2}\right| < 0.001$을 만족시키는 자연수 n의 최솟값은?

① 5   ② 6   ③ 7

④ 8   ⑤ 9

STEP A 등비수열의 합을 구하기

첫째항이 $\frac{1}{3}$, 공비가 $\frac{1}{3}$이고 첫째항부터 제 n항까지의 합을 S_n이라 하면

$$S_n = \frac{\frac{1}{3} \cdot \left\{1 - \left(\frac{1}{3}\right)^n\right\}}{1 - \frac{1}{3}} = \frac{1}{2} - \frac{1}{2} \cdot \left(\frac{1}{3}\right)^n$$

STEP B 주어진 공식을 만족하는 n의 최솟값 구하기

$\left|S_n - \frac{1}{2}\right| < 0.001$에서 $\left|\frac{1}{2} - \frac{1}{2} \cdot \left(\frac{1}{3}\right)^n - \frac{1}{2}\right| < 0.001$

$\therefore 3^n > 500$

한편 $3^5 = 243$, $3^6 = 729$이므로 $n \geq 6$

따라서 자연수 n의 최솟값은 6 정답 ②

1364

정답 ①

STEP A 등비수열 $\{a_n\}$의 일반항에서 첫째항과 공차 구하기

등비수열 $\{a_n\}$의 일반항이 $a_n = 2 \cdot \left(\frac{1}{5}\right)^{n-1}$이므로

첫째항이 2, 공비가 $\frac{1}{5}$이다.

STEP B 등비수열의 합 나타내기

첫째항부터 제 n항까지의 합을 S_n이라 하면

$$S_n = \frac{2\left\{1 - \left(\frac{1}{5}\right)^n\right\}}{1 - \frac{1}{5}} = \frac{5}{2}\left\{1 - \left(\frac{1}{5}\right)^n\right\}$$

STEP C 주어진 공식을 만족하는 n의 최솟값 구하기

$$S_n = \frac{2\left\{1 - \left(\frac{1}{5}\right)^n\right\}}{1 - \frac{1}{5}} = \frac{5}{2}\left\{1 - \left(\frac{1}{5}\right)^n\right\} > \frac{999}{400}$$이므로

$\left\{1 - \left(\frac{1}{5}\right)^n\right\} > \frac{999}{1000}$, $\frac{1}{1000} > \left(\frac{1}{5}\right)^n$

$\therefore 1000 < 5^n$

이때 $5^4 = 625$, $5^5 = 3125$이므로 $n \geq 5$

따라서 자연수 n의 최솟값은 5

1365

정답 ③

STEP A 등비수열의 합을 이용하여 S_3, S_6을 나타내기

등비수열 $\{a_n\}$의 첫째항을 a, 공비를 $r(r \neq 1)$라 하고
첫째항부터 제 n항까지의 합을 S_n이라 하면

$$S_3 = \frac{a(r^3-1)}{r-1} = 26 \qquad \cdots\cdots ㉠$$

$$S_6 = \frac{a(r^6-1)}{r-1} = \frac{a(r^3-1)(r^3+1)}{r-1} = 728 \qquad \cdots\cdots ㉡$$

STEP B 등비수열 $\{a_n\}$의 일반항을 구하여 a_5의 값 구하기

㉠을 ㉡에 대입하면 $26(r^3+1) = 728$, $r^3+1 = 28$

$\therefore r^3 = 27$

그런데 r는 실수이므로 $r = 3$

$r = 3$을 ㉠에 대입하면 $13a = 26$

$\therefore a = 2$

따라서 $a_5 = 2 \cdot 3^4 = 162$

1366

정답 ④

STEP A 등비수열의 합을 이용하여 S_n, S_{2n}을 나타내기

등비수열 $\{a_n\}$의 첫째항을 a, 공비를 r이라고 하면

$$S_n = \frac{a(r^n-1)}{r-1} = 28 \qquad \cdots\cdots ㉠$$

$$S_{2n} = \frac{a(r^{2n}-1)}{r-1} = \frac{a(r^n-1)(r^n+1)}{r-1} = 84 \qquad \cdots\cdots ㉡$$

㉡÷㉠을 하면 $r^n+1 = 3$

$\therefore r^n = 2$

STEP B S_{4n}의 값 구하기

따라서 $S_{4n} = \frac{a(r^{4n}-1)}{r-1} = \frac{a(r^{2n}-1)(r^{2n}+1)}{r-1}$

$\qquad\qquad = 84 \cdot (2^2+1) = 420$

내/신/연/계 출제문항 511

등비수열 $\{a_n\}$의 첫째항부터 제 n항까지의 합 S_n에 대하여

$$S_n = 15, \ S_{2n} = 45$$

일 때, S_{3n}의 값은?

① 60 　　　② 90 　　　③ 105
④ 120 　　　⑤ 360

STEP A 등비수열의 합을 이용하여 S_n, S_{2n}을 나타내기

등비수열 $\{a_n\}$의 첫째항을 a, 공비를 r이라고 하면

$$S_n = \frac{a(r^n-1)}{r-1} = 15 \qquad \cdots\cdots ㉠$$

$$S_{2n} = \frac{a(r^{2n}-1)}{r-1} = \frac{a(r^n-1)(r^n+1)}{r-1} = 45 \qquad \cdots\cdots ㉡$$

㉡÷㉠을 하면 $r^n+1 = 3$

$\therefore r^n = 2$

STEP B S_{3n}의 값 구하기

따라서 $S_{3n} = \frac{a(r^{3n}-1)}{r-1} = \frac{a(r^n-1)(r^{2n}+r^n+1)}{r-1}$

$\qquad\qquad = 15 \cdot (2^2+2+1) = 105$

정답 ③

1367

정답 ④

STEP A 등비수열의 합 나타내기

등비수열 $\{a_n\}$의 첫째항을 a, 공비를 r이라 하고
첫째항부터 제 n항까지의 합을 S_n이라 하면

$$S_5 = \frac{a(1-r^5)}{1-r} = 2 \qquad \cdots\cdots ㉠$$

$$S_{10} = \frac{a(1-r^{10})}{1-r} = \frac{a(1-r^5)(1+r^5)}{1-r} = 14 \qquad \cdots\cdots ㉡$$

㉠을 ㉡에 대입하면 $r^5 = 6$

STEP B S_{15}의 값 구하기

따라서 첫째항부터 제 15항까지의 합 S_{15}는

$$S_{15} = \frac{a(1-r^{15})}{1-r} = \frac{a(1-r^5)}{1-r} \cdot \{1+r^5+(r^5)^2\}$$

$$= 2 \cdot (1+6+36) = 86$$

다른풀이 S_5, $S_{10}-S_5$, $S_{15}-S_{10}$은 공비가 r^5인 등비수열 이용하기

등비수열 $\{a_n\}$의 첫째항을 a, 공비를 r이라 하면

$S_5 = a+ar+\cdots+ar^4 = a(1+r+\cdots+r^4)$

$S_{10}-S_5 = ar^5+ar^6+\cdots+ar^9 = ar^5(1+r+\cdots+r^4)$

$S_{15}-S_{10} = ar^{10}+ar^{11}+\cdots+ar^{14} = ar^{10}(1+r+\cdots+r^4)$

이므로
S_5, $S_{10}-S_5$, $S_{15}-S_{10}$은
공비가 r^5인 등비수열을 이룬다.
이때

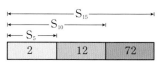

$S_5 = 2$, $S_{10}-S_5 = 14-2 = 12$

이므로 $S_{15}-S_{10} = 12 \cdot 6 = 72$

따라서 $S_{15} = 2+12+72 = 86$

1368

정답 ④

STEP A 등비수열의 합을 이용하여 S_4, S_6를 나타내기

등비수열 $\{a_n\}$의 첫째항을 a, 공비를 r이라 하자.

$r = 1$이면 $S_4 = 4a = 18$, $S_6 = 6a = 42$가 되어 모순이다.

즉 $r \neq 1$이므로

$$S_4 = \frac{a(r^4-1)}{r-1} \qquad \cdots\cdots ㉠$$

$$S_6 = \frac{a(r^6-1)}{r-1} \qquad \cdots\cdots ㉡$$

STEP B r^2의 값 구하기

㉡÷㉠을 하면

$$\frac{S_6}{S_4} = \frac{r^6-1}{r^4-1} = \frac{(r^2-1)(r^4+r^2+1)}{(r^2-1)(r^2+1)} = \frac{r^4+r^2+1}{r^2+1} = \frac{42}{18} = \frac{7}{3}$$

즉 $7(r^2+1) = 3(r^4+r^2+1)$에서

$3r^4-4r^2-4 = 0$, $(3r^2+2)(r^2-2) = 0$

$\therefore r^2 = 2$

STEP C $\frac{a_{36}}{a_{20}}$의 값 구하기

따라서 $\frac{a_{36}}{a_{20}} = \frac{ar^{35}}{ar^{19}} = r^{16} = (r^2)^8 = 2^8 = 256$

등비수열 $\{a_n\}$의 첫째항부터 제 n항까지의 합을 S_n이라 하자.
$$S_4=7, \quad S_8=70$$
일 때, $\dfrac{a_{30}}{a_{22}}$의 값은?

① 27   ② 27   ③ 36
④ 56   ⑤ 81

STEP A 등비수열의 합을 이용하여 S_4, S_8를 나타내기

등비수열 $\{a_n\}$의 첫째항을 a, 공비를 $r(r \neq 1)$이라 하고
첫째항부터 제 n항까지의 합을 S_n이라 하면

$$S_4 = \frac{a(r^4-1)}{r-1}=7 \qquad \cdots\cdots \text{㉠}$$

$$S_8 = \frac{a(r^8-1)}{r-1}=\frac{a(r^4-1)(r^4+1)}{r-1}=70 \qquad \cdots\cdots \text{㉡}$$

STEP B r^4의 값 구하기

㉠을 ㉡에 대입하면 $7(r^4+1)=70$
$1+r^4=10$ ∴ $r^4=9$

STEP C $\dfrac{a_{30}}{a_{22}}$의 값 나타내기

따라서 $\dfrac{a_{30}}{a_{22}}=\dfrac{ar^{29}}{ar^{21}}=r^8=(r^4)^2=9^2=81$ **정답** ⑤

1369 **정답** ②

STEP A 등비수열의 합 나타내기

등비수열 $\{a_n\}$의 첫째항을 a, 공비를 r이라 하고
첫째항부터 제 n항까지의 합을 S_n이라 하면

$$S_4 = \frac{a(r^4-1)}{r-1}=2 \qquad \cdots\cdots \text{㉠}$$

$$S_8 = \frac{a(r^8-1)}{r-1}=\frac{a(r^4-1)(r^4+1)}{r-1}=8 \qquad \cdots\cdots \text{㉡}$$

㉡÷㉠을 하면 $1+r^4=4$ ∴ $r^4=3$

STEP B S_{12}의 값 구하기

따라서 $S_{12}=\dfrac{a(r^{12}-1)}{r-1}=\dfrac{a(r^4-1)}{r-1}(r^8+r^4+1)$
$$=2\cdot(3^2+3+1)=26$$

1370 **정답** ③

STEP A 등비수열의 합을 이용하여 S_3, S_6를 나타내기

등비수열 $\{a_n\}$의 첫째항을 a, 공비를 r이라 하고
첫째항부터 제 n항까지의 합을 S_n이라 하면

$$S_3 = \frac{a(r^3-1)}{r-1}=2 \qquad \cdots\cdots \text{㉠}$$

$$S_6 = \frac{a(r^6-1)}{r-1}=\frac{a(r^3-1)(r^3+1)}{r-1}=10 \qquad \cdots\cdots \text{㉡}$$

㉡÷㉠을 하면 $r^3+1=5$ ∴ $r^3=4$

㉠에 대입하면 $S_3=\dfrac{a(4-1)}{r-1}=2$ ∴ $\dfrac{a}{r-1}=\dfrac{2}{3}$

STEP B 제 4항부터 제 9항까지의 합 구하기

따라서 제 4항부터 제 9항까지의 합은

$$S_9-S_3=\frac{a(r^9-1)}{r-1}-2=\frac{2}{3}(4^3-1)-2=40$$

모든 항이 양수인 등비수열에 대하여 첫째항부터 제 4항까지의 합이 45,
첫째항부터 제 8항까지의 합이 765일 때, 이 수열의 제 5항부터 제 10항까지의 합은?

① 1023   ② 2036   ③ 2536
④ 3024   ⑤ 3069

STEP A 등비수열의 합을 이용하여 S_4, S_8를 나타내기

등비수열 $\{a_n\}$의 첫째항을 a, 공비를 $r(r \neq 1)$이라 하고
첫째항부터 제 n항까지의 합을 S_n이라 하면

$$S_4 = \frac{a(r^4-1)}{r-1}=45 \qquad \cdots\cdots \text{㉠}$$

$$S_8 = \frac{a(r^8-1)}{r-1}=\frac{a(r^4-1)(r^4+1)}{r-1}=765 \qquad \cdots\cdots \text{㉡}$$

STEP B 첫째항과 공비 구하기

㉠을 ㉡에 대입하면 $45(r^4+1)=765$, $1+r^4=17$, $r^4=16$
그런데 모든 항이 양수이므로 $r=2$

㉠에 $r=2$를 대입하면 $\dfrac{a(16-1)}{2-1}=45$ ∴ $a=3$

STEP C 제 5항부터 제 10항까지의 합 구하기

따라서 제 5항부터 제 10항까지의 합은

$$S_{10}-S_4=\frac{a(r^{10}-1)}{r-1}-45=\frac{3(2^{10}-1)}{2-1}-45=3024$$ **정답** ④

1371 **정답** ②

STEP A $a_1+a_2+a_3+\cdots+a_{10}$의 각 항을 등비수열의 일반항으로 나타내기

등비수열 $\{a_n\}$의 첫째항을 a, 공비를 r이라 하면 $a_n=ar^{n-1}$
$$a_1+a_2+a_3+\cdots+a_{10}=a+ar+ar^2+\cdots+ar^9$$
$$=a(1+r+r^2+\cdots+r^9)$$
$$=8 \qquad \cdots\cdots \text{㉠}$$

STEP B $a_{11}+a_{12}+a_{13}+\cdots+a_{20}$의 각 항을 등비수열의 일반항으로 나타내기

$$a_{11}+a_{12}+a_{13}+\cdots+a_{20}=ar^{10}+ar^{11}+\cdots+ar^{19}$$
$$=ar^{10}(1+r+r^2+\cdots+r^9)$$
$$=24 \qquad \cdots\cdots \text{㉡}$$

㉡÷㉠을 하면 $r^{10}=3$

STEP C 제 21항부터 제 30항까지의 합 구하기

$$a_{21}+a_{22}+a_{23}+\cdots+a_{30}=ar^{20}+ar^{21}+\cdots+ar^{29}$$
$$=ar^{10}(1+r+r^2+\cdots+r^9)\cdot r^{10}$$
$$=24\cdot3$$
$$=72$$

다른풀이 $S_n=a+ar+ar^2+\cdots+ar^{n-1}$임을 이용하여 구하기

첫째항을 a, 공비를 $r(r \neq 1)$, 첫째항부터 제 n항까지의 합을 S_n이라 하면

$$S_{10}=8\text{에서 } S_{10}=\frac{a(r^{10}-1)}{r-1}=8 \qquad \cdots\cdots \text{㉠}$$

$$S_{20}=S_{10}+(a_{11}+a_{12}+a_{13}+\cdots+a_{20})=8+24=32$$

$$S_{20}=\frac{a(r^{20}-1)}{r-1}=\frac{a(r^{10}-1)(r^{10}+1)}{r-1}=32 \qquad \cdots\cdots \text{㉡}$$

㉡÷㉠을 하면 $r^{10}+1=4$ ∴ $r^{10}=3$

$$S_{30}=\frac{a(r^{30}-1)}{r-1}=\frac{a(r^{10}-1)}{r-1}\{(r^{10})^2+r^{10}+1\}=104$$

따라서 $a_{21}+a_{22}+a_{23}+\cdots+a_{30}=S_{30}-S_{20}=104-32=72$

등비수열 $\{a_n\}$에서
$$a_1+a_2+a_3+a_4+\cdots+a_{10}=6$$
$$a_{11}+a_{12}+a_{13}+a_{14}+\cdots+a_{20}=30$$
일 때, $a_{21}+a_{22}+a_{23}+a_{24}+\cdots+a_{30}$의 값은?

① 150   ② 165   ③ 180
④ 186   ⑤ 204

STEP Ⓐ $a_1+a_2+a_3+\cdots+a_{10}$의 각 항을 등비수열의 일반항으로 나타내기

등비수열 $\{a_n\}$의 첫째항을 a, 공비를 r이라고 하면
$$a_1+a_2+a_3+\cdots+a_{10}=a+ar+ar^2+\cdots+ar^9$$
$$=a(1+r+r^2+\cdots+r^9)=6 \quad \cdots\cdots \text{㉠}$$

STEP Ⓑ $a_{11}+a_{12}+a_{13}+\cdots+a_{20}$의 각 항을 등비수열의 일반항으로 나타내기

$$a_{11}+a_{12}+a_{13}+\cdots+a_{20}=ar^{10}+ar^{11}+\cdots+ar^{19}$$
$$=ar^{10}(1+r+r^2+\cdots+r^9)=30 \cdots\cdots \text{㉡}$$
따라서 ㉡÷㉠을 하면 $r^{10}=5$

STEP Ⓒ $a_{21}+a_{22}+a_{23}+\cdots+a_{30}$의 합 구하기

$$a_{21}+a_{22}+a_{23}+\cdots+a_{30}=ar^{20}+ar^{21}+\cdots+ar^{29}$$
$$=ar^{10}(1+r+r^2+\cdots+r^9)\times r^{10}$$
$$=30\times 5=150$$
정답 ①

1372 정답 ③

STEP Ⓐ   두 조건을 만족하는 등비수열에서 r^{10}의 값 구하기

첫째항을 a, 공비를 $r(r\neq 1)$, 첫째항부터 제 n항까지의 합을 S_n이라 하면

$S_{10}=5$에서 $S_{10}=\dfrac{a(r^{10}-1)}{r-1}=5$ $\cdots\cdots\text{㉠}$

$S_{20}=S_{10}+(a_{11}+a_{12}+a_{13}+\cdots+a_{20})=5+30=35$

$S_{20}=\dfrac{a(r^{20}-1)}{r-1}=\dfrac{a(r^{10}-1)(r^{10}+1)}{r-1}=35$ $\cdots\cdots\text{㉡}$

㉡÷㉠을 하면 $r^{10}+1=7$ $\therefore$ $r^{10}=6$

STEP Ⓑ $a_1+a_2+a_3+\cdots+a_{30}$의 값 구하기

$$S_{30}=a_1+a_2+a_3+\cdots+a_{30}=\frac{a(r^{30}-1)}{r-1}$$
$$=\frac{a(r^{10}-1)\{(r^{10})^2+r^{10}+1\}}{r-1}$$
$$=5(36+6+1)=215$$

1373 정답 ④

STEP Ⓐ   홀수 번째 항들과 짝수 번째 항들의 각각의 수열은 공비가 모두 r^2임을 이용하기

공비를 r, 항의 개수를 $2n$이라 하면

홀수 번째 항들의 합이 182이므로 $\dfrac{2(r^{2n}-1)}{r^2-1}=182$ $\cdots\cdots\text{㉠}$

짝수 번째 항들이 합이 546이므로 $\dfrac{2r(r^{2n}-1)}{r^2-1}=546$ $\cdots\cdots\text{㉡}$

㉡÷㉠을 하면 $r=3$

STEP Ⓑ   공비 r과 항의 수 n을 구하기

$r=3$을 ㉠에 대입하면 $3^{2n}=729=3^6$ $\therefore$ $2n=6$
따라서 수열의 항의 개수는 6

첫째항이 1이고 항의 개수가 짝수인 등비수열이 있다. 이 수열의 홀수 번째 항들의 합은 341이고 짝수 번째 항들의 합은 682일 때, 공비와 항의 개수의 합은?

① 10   ② 12   ③ 14
④ 16   ⑤ 18

STEP Ⓐ   홀수 번째 항들과 짝수 번째 항들의 각각의 수열은 공비가 모두 r^2임을 이용하기

홀수 번째 항들과 짝수 번째 항들의 각각의 수열은 공비가 모두 r^2임을 이용한다. 공비를 r, 항의 개수를 $2n$이라고 하자.

홀수 번째 항들의 합이 341이므로 $\dfrac{1(r^{2n}-1)}{r^2-1}=341$ $\cdots\cdots\text{㉠}$

짝수 번째 항들이 합이 682이므로 $\dfrac{r(r^{2n}-1)}{r^2-1}=682$ $\cdots\cdots\text{㉡}$

㉡을 ㉠으로 나누면 $r=2$

STEP Ⓑ   공비 r과 항의 수 n을 구하기

$r=2$를 ㉠에 대입하면 $2^{2n}=1024$ $\therefore$ $2n=10$
수열의 항의 개수는 10개이다.
따라서 $r+2n=2+10=12$
정답 ②

1374 정답 ②

STEP Ⓐ   등비수열 $\{a_n\}$의 일반항을 이용하여 식 세우기

등비수열 $\{a_n\}$의 첫째항을 a, 공비를 r이라 하면 $a_n=ar^{n-1}$

첫째항부터 제 5항까지의 합이 $\dfrac{31}{2}$이므로
$$a_1+a_2+a_3+a_4+a_5=a+ar+ar^2+ar^3+ar^4=a(1+r+r^2+r^3+r^4)=\frac{31}{2}$$

첫째항부터 제 5항까지의 곱이 32이므로
$$a_1a_2a_3a_4a_5=a\times ar\times ar^2\times ar^3\times ar^4=a^5r^{10}=32 \quad \therefore ar^2=2$$

STEP Ⓑ   주어진 식에 위의 조건을 대입하여 구하기

따라서 $\dfrac{1}{a_1}+\dfrac{1}{a_2}+\dfrac{1}{a_3}+\dfrac{1}{a_4}+\dfrac{1}{a_5}=\dfrac{1}{a}+\dfrac{1}{ar}+\dfrac{1}{ar^2}+\dfrac{1}{ar^3}+\dfrac{1}{ar^4}$

$$=\frac{1}{ar^4}(1+r+r^2+r^3+r^4)$$
$$=\frac{1}{(ar^2)^2}\cdot a(1+r+r^2+r^3+r^4)$$
$$=\frac{1}{4}\cdot\frac{31}{2}=\frac{31}{8}$$

다른풀이   등비수열의 합을 이용하여 풀이하기

등비수열 $\{a_n\}$의 공비를 r이라 하면 첫째항부터 제 5항까지의 합은
$$\frac{a(r^5-1)}{r-1}=\frac{31}{2} \quad \cdots\cdots\text{㉠}$$

첫째항부터 제 5항까지의 곱은
$$a_1a_2a_3a_4a_5=a\times ar\times ar^2\times ar^3\times ar^4=(ar^2)^5=32$$
$$\therefore ar^2=2 \quad\quad \cdots\cdots\text{㉡}$$

$\dfrac{1}{a_1}+\dfrac{1}{a_2}+\dfrac{1}{a_3}+\dfrac{1}{a_4}+\dfrac{1}{a_5}$은 첫째항이 $\dfrac{1}{a}$이고 공비가 $\dfrac{1}{r}$인 등비수열의 첫째항부터 제 5항까지의 합이므로

$$\frac{1}{a_1}+\frac{1}{a_2}+\frac{1}{a_3}+\frac{1}{a_4}+\frac{1}{a_5}=\frac{\frac{1}{a}\left\{1-\left(\frac{1}{r}\right)^5\right\}}{1-\frac{1}{r}}$$
$$=\frac{r}{a}\cdot\frac{1}{r^5}\cdot\frac{r^5-1}{r-1}$$
$$=\frac{1}{(ar^2)^2}\cdot\frac{a(r^5-1)}{r-1} \quad \leftarrow \text{㉠, ㉡}$$
$$=\frac{1}{4}\cdot\frac{31}{2}=\frac{31}{8}$$

등비수열 $\{a_n\}$에 대하여 다음 조건을 만족시킬 때,

> (가) $a_1+a_2+a_3+\cdots+a_6=-63$
> (나) $a_1\times a_2\times a_3\times\cdots\times a_6=-288^3$

$\dfrac{1}{a_1}+\dfrac{1}{a_2}+\dfrac{1}{a_3}+\cdots+\dfrac{1}{a_6}$의 값이 $\dfrac{p}{q}$일 때, $p+q$의 값은?
(단, p, q 서로소인 정수)

① 37   ② 38   ③ 39
④ 40   ⑤ 41

STEP ⓐ 등비수열 $\{a_n\}$의 일반항을 이용하여 식 세우기

등비수열 $\{a_n\}$의 첫째항을 a, 공비를 r라고 하면

$a_1+a_2+a_3+\cdots+a_6=\dfrac{a(1-r^6)}{1-r}=-63$

$\begin{aligned} a_1\times a_2\times a_3\times\cdots\times a_6&=a\times ar\times ar^2\times ar^3\times ar^4\times ar^5\\ &=a^6r^{15}\\ &=(a^2r^5)^3\\ &=(-288)^3 \end{aligned}$

즉 $a^2r^5=-288$

STEP ⓑ 주어진 식에 위의 조건을 대입하여 구하기

이때 수열 $\left\{\dfrac{1}{a_n}\right\}$은 첫째항이 $\dfrac{1}{a}$, 공비가 $\dfrac{1}{r}$인 등비수열이므로

$\begin{aligned} \dfrac{1}{a_1}+\dfrac{1}{a_2}+\dfrac{1}{a_3}+\cdots+\dfrac{1}{a_6}&=\dfrac{\dfrac{1}{a}\left(\dfrac{1}{r^6}-1\right)}{\dfrac{1}{r}-1}\\ &=\dfrac{1-r^6}{ar^5(1-r)}\\ &=\dfrac{a(1-r^6)}{1-r}\cdot\dfrac{1}{a^2r^5}\\ &=(-63)\cdot\left(-\dfrac{1}{288}\right)=\dfrac{7}{32} \end{aligned}$

따라서 $p=7$, $q=32$이므로 $p+q=39$ 정답 ③

1375 정답 ①

STEP ⓐ 등비수열 $\{a_n\}$의 일반항을 이용하여 식 세우기

등비수열 $\{a_n\}$의 첫째항을 a, 공비를 r이라 하면

등비수열 $\left\{\dfrac{1}{a_n}\right\}$의 첫째항을 $\dfrac{1}{a}$, 공비를 $\dfrac{1}{r}$이라 할 수 있다.

STEP ⓑ 등비수열의 합을 구하여 주어진 값 구하기

$a_1+a_2+a_3+\cdots+a_{10}=\dfrac{a(r^{10}-1)}{r-1}=256$

$\begin{aligned} \dfrac{1}{a_1}+\dfrac{1}{a_2}+\dfrac{1}{a_3}+\cdots+\dfrac{1}{a_{10}}&=\dfrac{\dfrac{1}{a}\left(1-\dfrac{1}{r^{10}}\right)}{1-\dfrac{1}{r}}\\ &=\dfrac{1}{ar^9}\cdot\dfrac{r^{10}-1}{r-1}=4 \end{aligned}$

ⓛ÷㉠에서 $\dfrac{1}{a^2r^9}\cdot256=4$

$\therefore a^2r^9=64$

따라서 $a_1a_{10}=a\cdot ar^9=a^2r^9=64$

모든 항이 양수인 등비수열 $\{a_n\}$이

$$\sum_{k=1}^{12}a_k=100,\ \sum_{k=1}^{12}\dfrac{1}{a_k}=10$$

을 만족시킬 때, $\displaystyle\sum_{k=1}^{12}\log a_k$의 값은?

① 3   ② 4   ③ 6
④ 8   ⑤ 10

STEP ⓐ 등비수열 $\{a_n\}$의 일반항을 이용하여 식 세우기

등비수열 $\{a_n\}$의 첫째항을 a, 공비를 r이라 하면

등비수열 $\left\{\dfrac{1}{a_n}\right\}$의 첫째항을 $\dfrac{1}{a}$, 공비를 $\dfrac{1}{r}$이라 할 수 있다.

STEP ⓑ 등비수열의 합을 구하여 주어진 값 구하기

$\displaystyle\sum_{k=1}^{12}a_k=\sum_{k=1}^{12}ar^{k-1}=\dfrac{a(r^{12}-1)}{r-1}=100$ …… ㉠

$\begin{aligned} \displaystyle\sum_{k=1}^{12}\dfrac{1}{a_k}=\sum_{k=1}^{12}\dfrac{1}{a}\left(\dfrac{1}{r}\right)^{k-1}&=\dfrac{\dfrac{1}{a}\left(1-\dfrac{1}{r^{12}}\right)}{1-\dfrac{1}{r}}\\ &=\dfrac{1}{ar^{11}}\cdot\dfrac{r^{12}-1}{r-1}=10 \end{aligned}$ …… ㉡

ⓛ÷㉠에서 $\dfrac{1}{a^2r^{11}}\cdot100=10$

$\therefore a^2r^{11}=10$

STEP ⓒ $\displaystyle\sum_{k=1}^{12}\log a_k=\log a_1+\log a_2+\cdots+\log a_{12}$의 값 구하기

따라서 $\displaystyle\sum_{k=1}^{12}\log a_k=\log a_1+\log a_2+\cdots+\log a_{12}$

$\begin{aligned} &=\log(a\times ar\times ar^2\times\cdots\times ar^{11})\\ &=\log a^{12}r^{66}\\ &=\log(a^2r^{11})^6\\ &=\log 10^6\\ &=6 \end{aligned}$ 정답 ③

1376 정답 ③

STEP ⓐ 등비수열 $\{a_n\}$의 일반항을 이용하여 식 세우기

등비수열 $\{a_n\}$의 첫째항을 $a_1(a>0)$, 공비를 $r(r>1)$이라 하면

$a_3a_5=a_1$이므로 $a_1r^2\cdot a_1r^4=a_1$

$\therefore a_1r^6=1$ …… ㉠

$\displaystyle\sum_{k=1}^{n}\dfrac{1}{a_k}=\sum_{k=1}^{n}\dfrac{1}{a_1r^{k-1}}=\sum_{k=1}^{n}\dfrac{1}{a_1}\left(\dfrac{1}{r}\right)^{k-1}=\dfrac{\dfrac{1}{a_1}\left(1-\dfrac{1}{r^n}\right)}{1-\dfrac{1}{r}}=\dfrac{r^n-1}{a_1r^{n-1}(r-1)}$

$\displaystyle\sum_{k=1}^{n}a_k=\sum_{k=1}^{n}a_1r^{k-1}=\dfrac{a_1(r^n-1)}{r-1}$

STEP ⓑ $\displaystyle\sum_{k=1}^{n}\dfrac{1}{a_k}=\sum_{k=1}^{n}a_k$임을 이용하여 n의 값 구하기

$\displaystyle\sum_{k=1}^{n}\dfrac{1}{a_k}=\sum_{k=1}^{n}a_k$이므로 $\dfrac{r^n-1}{a_1r^{n-1}(r-1)}=\dfrac{a_1(r^n-1)}{r-1}$

$\dfrac{1}{a_1r^{n-1}}=a_1\ (\because r>1)$

$\therefore r^{n-1}=\dfrac{1}{a_1^2}$ …… ㉡

㉠, ㉡에서 $r^{n-1}=r^{12}$이므로 $n-1=12$

따라서 $n=13$

1377

STEP A 삼각형의 닮음비를 이용하여 등비수열의 첫째항과 공비 구하기

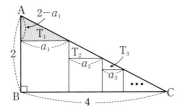

그림의 색칠한 삼각형 T_1과 삼각형 ABC는 닮음이므로

$(2-a_1):a_1=2:4$에서 $8-4a_1=2a_1$

$\therefore a_1=\dfrac{4}{3}$

삼각형 T_2와 삼각형 ABC는 닮음이므로

$(a_1-a_2):a_2=2:4$에서 $4a_1-4a_2=2a_2$

$\therefore a_2=\dfrac{2}{3}a_1=\dfrac{2}{3}\cdot\dfrac{4}{3}$

같은 방법으로 $(a_2-a_3):a_3=2:4$에서 $4a_2-4a_3=2a_3$

$\therefore a_3=\dfrac{2}{3}a_2=\left(\dfrac{2}{3}\right)^2\cdot\dfrac{4}{3}$

STEP B a_8 구하기

따라서 수열 $\{a_n\}$은 첫째항이 $\dfrac{4}{3}$, 공비가 $\dfrac{2}{3}$인 등비수열이므로 $a_n=\dfrac{4}{3}\cdot\left(\dfrac{2}{3}\right)^{n-1}$

$\therefore a_8=\dfrac{4}{3}\cdot\left(\dfrac{2}{3}\right)^7=2\cdot\left(\dfrac{2}{3}\right)^8$

내/신/연/계/ 출제문항 518

다음 그림과 같이 $\overline{AB}=1$, $\overline{BC}=2$이고 $\angle B=90°$인 직각삼각형에 S_1, S_2, S_3, …이 내접하도록 계속하여 그릴 때, 정사각형 S_7의 넓이는?

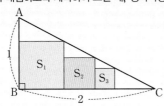

① $2\left(\dfrac{2}{3}\right)^7$ ② $\left(\dfrac{2}{3}\right)^{12}$ ③ $\left(\dfrac{2}{3}\right)^{13}$

④ $\left(\dfrac{2}{3}\right)^{14}$ ⑤ $\left(\dfrac{2}{3}\right)^{15}$

STEP A 직각삼각형에서 닮음의 성질을 이용하기

직각삼각형 ABC에 내접하는 정사각형의 한 변의 길이를 차례로 a_1, a_2, a_3, …이라 하면 다음 그림에서 삼각형 T_1과 삼각형 ABC는 닮음이므로

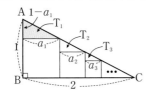

$(1-a_1):a_1=\overline{AB}:\overline{BC}=1:2$

$a_1=2-2a_1$ $\therefore a_1=\dfrac{2}{3}$

삼각형 T_2와 삼각형 ABC는 닮음이므로

$(a_1-a_2):a_2=1:2$에서 $a_2=2a_1-2a_2$

$\therefore a_2=\dfrac{2}{3}a_1=\left(\dfrac{2}{3}\right)^2$

$\vdots$

삼각형 T_{n+1}과 삼각형 ABC는 닮음이므로

$(a_{n+1}-a_n):a_n=1:2$에서 $a_{n+1}=\dfrac{2}{3}a_n$

STEP B 정사각형의 넓이 S_7 구하기

즉 수열 $\{a_n\}$은 첫째항이 $\dfrac{2}{3}$이고 공비가 $\dfrac{2}{3}$인 등비수열이므로

$a_n=\dfrac{2}{3}\cdot\left(\dfrac{2}{3}\right)^{n-1}=\left(\dfrac{2}{3}\right)^n$

따라서 정사각형 S_n의 넓이는 $\left(\dfrac{2}{3}\right)^{2n}$이므로 $S_7=\left(\dfrac{2}{3}\right)^{14}$

1378

STEP A 각 시행 후 남은 선분의 길이의 합이 등비수열을 이룸을 나타내기

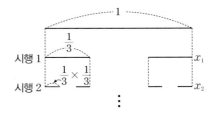

n번째 시행 후 남은 선분의 길이의 합을 x_n이라 하면

$x_1=\dfrac{1}{3}\times 2=\dfrac{2}{3}$

$x_2=\dfrac{1}{3}\times\dfrac{1}{3}\times 4=\left(\dfrac{2}{3}\right)^2$

$x_3=\dfrac{1}{3}\times\dfrac{1}{3}\times\dfrac{1}{3}\times 8=\left(\dfrac{2}{3}\right)^3$

$\vdots$

따라서 20번째 시행 후 남은 선분의 길이의 합은 $x_{20}=\left(\dfrac{2}{3}\right)^{20}$

1379

STEP A 각 시행 후 잘라 낸 종이의 넓이의 합은 등비수열을 이룸을 이용하기

한 변의 길이가 2인 정삼각형의 넓이는 $\dfrac{\sqrt{3}}{4}\cdot 2^2=\sqrt{3}$

첫 번째 잘라 낸 종이의 넓이는 원래 삼각형의 넓이의 $\dfrac{1}{4}$이므로

$\dfrac{1}{4}\cdot\sqrt{3}=\dfrac{\sqrt{3}}{4}$

두 번째 잘라 낸 종이의 넓이는 $\dfrac{1}{4}\cdot\dfrac{\sqrt{3}}{4}\cdot 3=\dfrac{\sqrt{3}}{4}\cdot\dfrac{3}{4}$

세 번째 잘라 낸 종이의 넓이는 $\dfrac{1}{4}\cdot\dfrac{3}{4}\cdot\dfrac{\sqrt{3}}{4}\cdot 3=\dfrac{\sqrt{3}}{4}\cdot\left(\dfrac{3}{4}\right)^2$

STEP B 같은 시행을 10회 반복하였을 때, 잘라 낸 종이의 넓이의 합 구하기

따라서 이와 같은 시행을 10회 반복했을 때, 잘라 낸 종이의 넓이의 합은

$$\dfrac{\sqrt{3}}{4}+\dfrac{\sqrt{3}}{4}\left(\dfrac{3}{4}\right)+\dfrac{\sqrt{3}}{4}\left(\dfrac{3}{4}\right)^2+\cdots+\dfrac{\sqrt{3}}{4}\cdot\left(\dfrac{3}{4}\right)^9=\dfrac{\dfrac{\sqrt{3}}{4}\left\{1-\left(\dfrac{3}{4}\right)^{10}\right\}}{1-\dfrac{3}{4}}$$

$$=\sqrt{3}\left\{1-\left(\dfrac{3}{4}\right)^{10}\right\}$$

내/신/연/계 출제문항 519

오른쪽 그림과 같이 한 변의 길이가 2인 정삼각형 모양의 종이가 있다.
이때 각 변의 중점을 이어서 만든 정삼각형 $A_1B_1C_1$ 모양을 오려 내고 남은 종이의 넓이를 S_1이라고 하자. 또, 다시 나머지 세 개의 정삼각형 모양의 종이에서도 같은 방법으로 각각의 한 가운데 정삼각형 모양을 오려 내고 남은 종이의 넓이를 S_2라고 하자. 이와 같은 과정을 n회 반복한 후 남은 종이의 넓이를 S_n이라고 할 때, S_{12}의 값은?

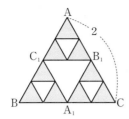

① $\left(\dfrac{3}{4}\right)^{12}$ ② $\sqrt{3}\left(\dfrac{1}{2}\right)^{12}$ ③ $2\left(\dfrac{2}{3}\right)^{12}$

④ $\sqrt{3}\left(\dfrac{2}{3}\right)^{12}$ ⑤ $\sqrt{3}\left(\dfrac{3}{4}\right)^{12}$

STEP Ⓐ 각 시행 후 잘라 낸 종이의 넓이의 합은 등비수열을 이룸을 이용하기

한 변의 길이가 2인 정삼각형의 넓이는 $\dfrac{\sqrt{3}}{4}\cdot 2^2=\sqrt{3}$

첫 번째 잘라 낸 종이의 넓이는 원래 삼각형의 넓이의 $\dfrac{1}{4}$이므로

$\dfrac{1}{4}\cdot\sqrt{3}=\dfrac{\sqrt{3}}{4}$

즉 n번째 오려 내는 삼각형의 개수는 3^{n-1}이고 삼각형의 넓이는 $\dfrac{\sqrt{3}}{4^n}$이므로

n번째 오려 내는 삼각형의 넓이의 합은 $\dfrac{\sqrt{3}}{4}\cdot\left(\dfrac{3}{4}\right)^{n-1}$

STEP Ⓑ 첫 번째부터 12번째까지 오려낸 삼각형의 넓이의 합 구하기

첫 번째부터 12번째까지 오려 낸 삼각형의 넓이의 합은

$\dfrac{\sqrt{3}}{4}+\dfrac{\sqrt{3}}{4}\cdot\dfrac{3}{4}+\dfrac{\sqrt{3}}{4}\cdot\left(\dfrac{3}{4}\right)^2+\cdots+\dfrac{\sqrt{3}}{4}\cdot\left(\dfrac{3}{4}\right)^{11}=\dfrac{\dfrac{\sqrt{3}}{4}\left\{1-\left(\dfrac{3}{4}\right)^{12}\right\}}{1-\dfrac{3}{4}}$

$=\sqrt{3}\left\{1-\left(\dfrac{3}{4}\right)^{12}\right\}$

STEP Ⓒ 12번 오려 내고 남은 종이의 넓이 S_{12} 구하기

따라서 12번 오려 내고 남은 종이의 넓이 S_{12}는

$\sqrt{3}-\sqrt{3}\left\{1-\left(\dfrac{3}{4}\right)^{12}\right\}=\sqrt{3}\left(\dfrac{3}{4}\right)^{12}$ 정답 ⑤

1380
정답 ②

STEP Ⓐ 각 시행 후 남은 선분의 길이의 합이 등비수열을 이룸을 나타내기

처음 정사각형의 넓이는 9이고 매 시행마다 이전 시행에서 남은 부분의 넓이는 $\dfrac{1}{9}$씩 감소한다.

즉 매 시행마다 이전 시행에서 남은 부분의 넓이의 $\dfrac{8}{9}$씩 남게 된다.

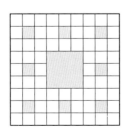

STEP Ⓑ 12회 반복한 후 남아 있는 부분의 넓이 구하기

따라서 첫째항이 9, 공비가 $\dfrac{8}{9}$이므로 12회 반복한 후 남아 있는 부분의 넓이는

$9\times\left(\dfrac{8}{9}\right)^{12}=\dfrac{8^{12}}{9^{11}}$

내/신/연/계 출제문항 520

한 변의 길이가 3인 정사각형 모양의 종이가 있다. 오른쪽 그림과 같이 첫 번째 시행에서 정사각형을 9등분한 후 중앙의 정사각형을 색칠하고 두 번째 시행에서 첫 번째 시행 후 남은 8개의 정사각형을 각각 9등분 한 후 중앙의 정사각형을 색칠한다.
이와 같은 시행을 9회 반복했을 때, 색칠한 부분의 넓이의 합이 $a\left\{1-\left(\dfrac{8}{9}\right)^b\right\}$일 때, 자연수 a, b에 대하여 $a+b$의 값은?

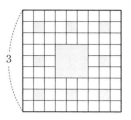

① 12 ② 15 ③ 18
④ 19 ⑤ 20

STEP Ⓐ 각 시행 후 색칠한 넓이가 등비수열을 이룸을 이용하기

첫 번째 시행에서 색칠한 부분의 넓이는
원래 정사각형의 넓이의 $\dfrac{1}{9}$이므로 $9\times\dfrac{1}{9}=1$

두 번째 시행에서 색칠한 부분의 넓이는 $1\times\dfrac{1}{9}\times 8=\dfrac{8}{9}$

세 번째 시행에서 색칠한 부분의 넓이는 $\dfrac{1}{9}\times\dfrac{1}{9}\times 8^2=\left(\dfrac{8}{9}\right)^2$

네 번째 시행에서 색칠한 부분의 넓이는 $\dfrac{1}{9^2}\times\dfrac{1}{9}\times 8^3=\left(\dfrac{8}{9}\right)^3$

STEP Ⓑ 같은 시행을 9회 반복하였을 때, 색칠한 부분의 넓이의 합 구하기

시행을 9회 반복했을 때 색칠한 부분의 넓이의 합은

$1+\dfrac{8}{9}+\left(\dfrac{8}{9}\right)^2+\cdots+\left(\dfrac{8}{9}\right)^8=\dfrac{1-\left(\dfrac{8}{9}\right)^9}{1-\dfrac{8}{9}}=9\left\{1-\left(\dfrac{8}{9}\right)^9\right\}$

따라서 $a=9$, $b=9$이므로 $a+b=18$ 정답 ③

1381
정답 ①

STEP Ⓐ 각 시행 후 버린 조각의 넓이의 합을 등비수열을 이용하여 구하기

1회 시행 시 버린 조각의 넓이는 $\dfrac{1}{4}\cdot 2\cdot 2=1$

2회 시행 시 버린 조각의 넓이는 $1\cdot\dfrac{3}{4}$

3회 시행 시 버린 조각의 넓이는 $1\cdot\left(\dfrac{3}{4}\right)^2$

$\vdots$

n회 시행 시 버린 조각의 넓이는 $1\cdot\left(\dfrac{3}{4}\right)^{n-1}$

STEP Ⓑ 같은 시행을 10회 반복하였을 때, 버린 조각의 넓이의 합 구하기

따라서 10회 시행하였을 때, 버린 조각의 넓이의 합은

$1+\dfrac{3}{4}+\left(\dfrac{3}{4}\right)^2+\cdots+\left(\dfrac{3}{4}\right)^9=\dfrac{1\left\{1-\left(\dfrac{3}{4}\right)^{10}\right\}}{1-\dfrac{3}{4}}=4\left\{1-\left(\dfrac{3}{4}\right)^{10}\right\}$

1382

정답 ④

STEP Ⓐ S_n이 주어졌을 때, n의 범위를 나눠 a_n의 값 구하기

(i) $n=1$일 때, $a_1=S_1=2^2-2=2$

(ii) $n \geq 2$일 때, $a_n=S_n-S_{n-1}$
$$=(2^{n+1}-2)-(2^n-2)$$
$$=2^n \qquad \cdots\cdots ㉠$$

이때 $a_1=2$는 ㉠에 $n=1$을 대입한 것과 같으므로

(i), (ii)에서 $a_n=2^n$

STEP Ⓑ $\dfrac{a_9}{a_2}$의 값 구하기

따라서 $\dfrac{a_9}{a_2}=\dfrac{2^9}{2^2}=2^7=128$

1383

정답 ①

STEP Ⓐ S_n이 주어졌을 때, n의 범위를 나눠 a_n의 값 구하기

$S_n=3^{n-1}+k$에서

$n=1$일 때, $a_1=S_1=1+k \qquad \cdots\cdots ㉠$

$n \geq 2$일 때, $a_n=S_n-S_{n-1}$
$$=3^{n-1}+k-(3^{n-2}+k)$$
$$=2 \cdot 3^{n-2} \qquad \cdots\cdots ㉡$$

STEP Ⓑ 주어진 조건을 이용하여 k의 값 구하기

이때 수열 $\{a_n\}$이 첫째항부터 등비수열을 이루려면

㉡에 $n=1$을 대입한 것과 ㉠이 같아야 하므로 $1+k=2 \cdot \dfrac{1}{3}$

따라서 $k=-\dfrac{1}{3}$

다른풀이 등비중항을 이용하여 풀이하기

STEP Ⓐ $a_1=S_1$, $a_n=S_n-S_{n-1}$ $(n \geq 2)$임을 이용하여 a_1, a_2, a_3의 값 구하기

$S_n=3^{n-1}+k$이므로 $a_1=S_1=1+k$

$S_2=3+k$이므로 $a_2=S_2-S_1=(3+k)-(1+k)=2$

$S_3=9+k$이므로 $a_3=S_3-S_2=(9+k)-(3+k)=6$

STEP Ⓑ 등비중항을 이용하여 상수 k의 값 구하기

이때 세 수 a_1, a_2, a_3이 이 순서대로 등비수열을 이루므로

$a_2{}^2=a_1 \times a_3$을 만족한다.

따라서 $2^2=(1+k) \cdot 6$, $1+k=\dfrac{2}{3}$이므로 $k=-\dfrac{1}{3}$

다른풀이 $S_n=pr^n+q$에서 $p+q=0$이면 수열 $\{a_n\}$은 첫째항부터 등비수열임을 이용하여 풀이하기

공비가 r $(r \neq 1)$인 등비수열 $\{a_n\}$의 첫째항부터 제 n항까지의 합 S_n은

$S_n=Ar^n-A$의 꼴이므로 $S_n=3^{n-1}+k=\dfrac{1}{3} \cdot 3^n+k$에서 $k=-\dfrac{1}{3}$

1384

정답 ③

STEP Ⓐ S_n이 주어졌을 때, n의 범위를 나눠 a_n의 값 구하기

$\log_2\{S_n+k\}=n+1$에서 $S_n+k=2^{n+1}$

$\therefore S_n=2^{n+1}-k$

$n=1$일 때, $a_1=S_1=4-k \qquad \cdots\cdots ㉠$

$n \geq 2$일 때, $a_n=S_n-S_{n-1}$
$$=2^{n+1}+k-(2^n+k)$$
$$=2^n(2-1)=2^n \qquad \cdots\cdots ㉡$$

STEP Ⓑ 주어진 조건을 이용하여 k의 값 구하기

이때 수열 $\{a_n\}$이 첫째항부터 등비수열을 이루려면

㉡에 $n=1$을 대입한 것과 ㉠이 같아야 하므로 $2=4-k$

$\therefore k=2$

따라서 $a_1=4-2=2$, $k=2$이므로 $a_1+k=2+2=4$

내신연계 출제문항 521

수열 $\{a_n\}$의 첫째항부터 제 n항까지의 합을 S_n이라 할 때,
$$\log_3\{S_n-k\}=n+2$$
이다. 수열 $\{a_n\}$이 첫째항부터 등비수열을 이룰 때, a_1+k의 값은?

① -12 　　　　② -9 　　　　③ -6

④ 9 　　　　⑤ 12

STEP Ⓐ S_n이 주어졌을 때, n의 범위를 나눠 a_n의 값 구하기

$\log_3\{S_n-k\}=n+2$에서 $S_n-k=3^{n+2}$

$\therefore S_n=3^{n+2}+k$

$n=1$일 때, $a_1=S_1=27+k \qquad \cdots\cdots ㉠$

$n \geq 2$일 때, $a_n=S_n-S_{n-1}$
$$=3^{n+2}+k-(3^{n+1}+k)$$
$$=3^{n+1}(3-1)=2 \cdot 3^{n+1} \qquad \cdots\cdots ㉡$$

STEP Ⓑ 주어진 조건을 이용하여 k의 값 구하기

이때 수열 $\{a_n\}$이 첫째항부터 등비수열을 이루려면

㉡에 $n=1$을 대입한 것과 ㉠이 같아야 하므로

$18=27+k$ $\therefore k=-9$

따라서 $a_1=27-9=18$, $k=-9$이므로 $a_1+k=18+(-9)=9$ 정답 ④

1385

정답 ⑤

STEP Ⓐ 등비수열의 합 구하기

첫째항이 7이고 공비가 2인 등비수열 $\{a_n\}$의 첫째항부터 제 n항까지의 합 S_n은
$$S_n=\dfrac{7(2^n-1)}{2-1}=7 \cdot 2^n-7$$

STEP Ⓑ 등비수열이 되기 위한 조건을 이용하여 k의 값 구하기

이때 $S_n+k=7 \cdot 2^n-7+k$가 등비수열의 일반항이 되려면

$-7+k=0$ ◀ 수열 $\{S_n+k\}$의 기호는 일반항 표시이다.

따라서 $k=7$

1386

정답 ①

STEP Ⓐ S_n이 주어졌을 때, n의 범위를 나눠 a_n의 값 구하기

$S_n=3 \cdot 5^{n+1}+k$에서

$n=1$일 때, $a_1=S_1=75+k \qquad \cdots\cdots ㉠$

$n \geq 2$일 때, $a_n=S_n-S_{n-1}$
$$=3 \cdot 5^{n+1}+k-(3 \cdot 5^n+k)$$
$$=12 \cdot 5^n \qquad \cdots\cdots ㉡$$

STEP Ⓑ 주어진 조건을 이용하여 k의 값 구하기

이때 수열 $\{a_n\}$이 첫째항부터 등비수열을 이루려면

㉡에 $n=1$을 대입한 것과 ㉠이 같아야 하므로

$75+k=12 \cdot 5$

따라서 $k=-15$

다른풀이 등비중항을 이용하여 풀이하기

STEP A $a_1=S_1$, $a_n=S_n-S_{n-1}$ $(n \geq 2)$**임을 이용하여** a_1, a_2, a_3**의 값 구하기**

$S_n=3 \cdot 5^{n+1}+k$이므로 $a_1=S_1=75+k$

$S_2=375+k$이므로 $a_2=S_2-S_1=(375+k)-(75+k)=300$

$S_3=1875+k$이므로 $a_3=S_3-S_2=(1875+k)-(375+k)=1500$

STEP B **등비중항을 이용하여 상수** k**의 값 구하기**

이때 세 수 a_1, a_2, a_3이 이 순서대로 등비수열을 이루므로

$a_2^2=a_1 \times a_3$을 만족한다.

따라서 $300^2=(75+k) \cdot 1500$, $75+k=60$이므로 $k=-15$

다른풀이 $S_n=pr^n+q$에서 $p+q=0$이면 수열 $\{a_n\}$은 첫째항부터 등비수열임을 이용하여 풀이하기

공비가 $r(r \neq 1)$인 등비수열 $\{a_n\}$의 첫째항부터 제 n항까지의 합 S_n은

$S_n=Ar^n-A$의 꼴이므로

$S_n=3 \cdot 5^{n+1}+k=15 \cdot 5^n+k$에서 $k=-15$

1387

정답 ①

STEP A S_n**이 주어졌을 때,** n**의 범위를 나눠** a_n**의 값 구하기**

$S_n=3 \cdot 2^{2n+1}+k$에서

$n=1$일 때, $a_1=S_1=24+k$ $\qquad$ …… ㉠

$n \geq 2$일 때, $a_n=S_n-S_{n-1}=\dfrac{9}{2} \cdot 4^n$ $\qquad$ …… ㉡

STEP B **주어진 조건을 이용하여** k**의 값 구하기**

이때 수열 $\{a_n\}$이 첫째항부터 등비수열을 이루려면

㉡에 $n=1$을 대입한 것과 ㉠이 같아야 하므로 $18=24+k$

따라서 $k=-6$

다른풀이 등비중항을 이용하여 풀이하기

STEP A $a_1=S_1$, $a_n=S_n-S_{n-1}$ $(n \geq 2)$**임을 이용하여** a_1, a_2, a_3**의 값 구하기**

$S_n=3 \cdot 2^{2n+1}+k$이므로 $a_1=S_1=24+k$

$S_2=96+k$이므로 $a_2=S_2-S_1=(96+k)-(24+k)=72$

$S_3=384+k$이므로 $a_3=S_3-S_2=(384+k)-(96+k)=288$

STEP B **등비중항을 이용하여 상수** k**의 값 구하기**

이때 세 수 a_1, a_2, a_3이 이 순서대로 등비수열을 이루므로

$a_2^2=a_1 \times a_3$을 만족한다.

따라서 $72^2=(24+k) \cdot 288$, $24+k=18$이므로 $k=-6$

다른풀이 $S_n=pr^n+q$에서 $p+q=0$이면 수열 $\{a_n\}$은 첫째항부터 등비수열임을 이용하여 풀이하기

공비가 $r(r \neq 1)$인 등비수열 $\{a_n\}$의 첫째항부터 제 n항까지의 합 S_n은

$S_n=Ar^n-A$의 꼴이므로

$S_n=3 \cdot 2^{2n+1}+k=3 \cdot 2 \cdot 4^n+k=6 \cdot 4^n+k$에서 $k=-6$

내 / 신 연 / 계 / 출제문항 522

첫째항부터 제 n항까지의 합 S_n이

$$S_n=3 \cdot 2^{2n-1}+k$$

인 수열 $\{a_n\}$이 등비수열이 되기 위한 상수 k의 값은?

① -12 $\qquad$ ② -6 $\qquad$ ③ -3

④ $-\dfrac{3}{2}$ $\qquad$ ⑤ -2

STEP A $a_n=S_n-S_{n-1}$**을 이용하여 구하기**

$S_n=3 \cdot 2^{2n-1}+k$에서

$n=1$일 때, $a_1=S_1=6+k$ $\qquad$ …… ㉠

$n \geq 2$일 때, $a_n=S_n-S_{n-1}$

$\qquad =3 \cdot 2^{2n-1}+k-(3 \cdot 2^{2n-3}+k)$

$\qquad =3 \cdot 2^{2n-3}(4-1)=9 \cdot 2^{2n-3}$ $\qquad$ …… ㉡

STEP B **주어진 조건을 이용하여** k**의 값 구하기**

이때 수열 $\{a_n\}$이 첫째항부터 등비수열을 이루려면

㉡에 $n=1$을 대입한 것과 ㉠이 같아야 하므로 $\dfrac{9}{2}=6+k$

따라서 $k=-\dfrac{3}{2}$ $\qquad$ 정답 ④

1388

정답 ④

STEP A $a_1=S_1$, $a_n=S_n-S_{n-1}$ $(n \geq 2)$**임을 이용하여 구하기**

$S_n=pr^n+q$에서

$n=1$일 때, $a_1=S_1=pr+q$ $\qquad$ …… ㉠

$n \geq 2$일 때, $a_n=S_n-S_{n-1}$

$\qquad =(pr^n+q)-(pr^{n-1}+q)$

$\qquad =(r-1)pr^{n-1}$ $\qquad$ …… ㉡

이때 수열 $\{a_n\}$이 첫째항부터 등비수열을 이루려면

㉡에 $n=1$을 대입한 것과 ㉠이 같아야 하므로 $0=p+q$

STEP B **산술평균과 기하평균을 이용하여 최솟값 구하기**

따라서 산술평균과 기하평균의 관계에 의하여

$10^p+10^{q+2} \geq 2\sqrt{10^{p+q+2}}=2\sqrt{10^2}=20$

(단, 등호는 $10^p=10^{q+2}$일 때 성립)

다른풀이 등비수열의 합의 특징을 이용하여 구하기

등비수열 $\{a_n\}$의 첫째항부터 n항까지의 합이 $S_n=pr^n+q$이므로

$p+q=0$

따라서 $10^p+10^{q+2} \geq 2\sqrt{10^{p+q+2}}=20$ (단, 등호는 $10^p=10^{q+2}$일 때 성립)

> **+α** 첫째항이 a_1이고 공비가 r인 등비수열의 합은
> $S_n=\dfrac{a_1}{r-1}r^n-\dfrac{a_1}{r-1}=Ar^n+B(r \neq 1)$이므로 $A+B=0$

1389

정답 ①

STEP A S_n**이 주어졌을 때,** n**의 범위를 나눠** a_n**의 값 구하기**

$S_n=(2^n-1)(4^n+2^n+1)=(2^n)^3-1=8^n-1$

(ⅰ) $n=1$일 때, $a_1=S_1=7$

(ⅱ) $n \geq 2$일 때, $a_n=S_n-S_{n-1}$

$\qquad =(8^n-1)-(8^{n-1}-1)$

$\qquad =7 \cdot 8^{n-1}$ $\qquad$ …… ㉠

이때 ㉠에 $n=1$을 대입하면 $a_1=7 \cdot 8^0=7$이므로

(ⅰ), (ⅱ)에서 $a_n=7 \cdot 8^{n-1}$ $(n \geq 1)$

STEP B **주어진 조건을 만족하는 자연수** n**의 최솟값 구하기**

$a_n>3500$에서 $8^{n-1}>500$

즉 $2^{3n-3}>500$에서 $2^8=256$, $2^9=512$이므로 $3n-3=9$

$\therefore n=4$

따라서 구하는 자연수 n의 최솟값은 4

1390

STEP A [보기]의 진위판단하기

ㄱ. $S_n+1=3^{2n}$에서 $S_n=9^n-1$

(i) $n=1$일 때, $a_1=S_1=9-1=8$

(ii) $n\geq2$일 때, $a_n=S_n-S_{n-1}$

$$=9^n-1-(9^{n-1}-1)$$

$$=8\cdot9^{n-1} \quad\cdots\cdots\text{㉠}$$

이때 $a_1=8$은 ㉠에 $n=1$을 대입한 것과 같으므로

(i), (ii)에서 $a_n=8\cdot9^{n-1} \ (n\geq1)$ [참]

ㄴ. $a_1+a_3+a_5+a_7=8+8\cdot9^2+8\cdot9^4+8\cdot9^6$

$$=8(1+9^2+9^4+9^6)$$

$$=8\cdot\frac{1\cdot\{(9^2)^4-1\}}{9^2-1}$$

$$=\frac{3^{16}-1}{10}$$ [참]

ㄷ. 수열 $\{a_{2n}\}$은 $a_2, a_4, a_6, \cdots$의 공비는 $\dfrac{a_4}{a_2}=\dfrac{8\cdot9^3}{8\cdot9}=9^2=81$ [거짓]

따라서 옳은 것은 ㄱ, ㄴ이다.

내신연계 출제문항 523

첫째항부터 제 n항까지의 합 S_n이

$$S_n=3^{n+1}-3$$

인 수열 $\{a_n\}$에 대하여 $a_1+a_3+a_5+\cdots+a_{99}$의 값을 구하면?

① $\dfrac{1}{4}(9^{50}-1)$ 　② $\dfrac{3}{4}(9^{49}-1)$ 　③ $\dfrac{3}{5}(9^{50}-1)$

④ $\dfrac{3}{4}(9^{51}-1)$ 　⑤ $\dfrac{3}{4}(9^{50}-1)$

STEP A S_n이 주어졌을 때, n의 범위를 나눠 a_n의 값 구하기

(i) $n=1$일 때, $a_1=S_1=3^2-3=6$

(ii) $n\geq2$일 때, $a_n=S_n-S_{n-1}$

$$=(3^{n+1}-3)-(3^n-3)$$

$$=2\times3^n \quad\cdots\cdots\text{㉠}$$

이때 $a_1=6$은 ㉠에 $n=1$을 대입한 것과 같으므로

(i), (ii)에서 $a_n=2\times3^n \ (n\geq1)$

즉 구하는 값은 첫째항이 6, 공비가 9인 등비수열의 첫째항부터 제 50항까지의 합이다.

STEP B $a_1+a_3+a_5+\cdots+a_{99}$의 값 구하기

따라서 $a_1+a_3+a_5+\cdots+a_{99}=\dfrac{6(9^{50}-1)}{9-1}=\dfrac{3}{4}(9^{50}-1)$

정답 ⑤

1391

정답 ③

STEP A [보기]의 진위판단하기

ㄱ. $n\geq2$일 때, $a_n=S_n-S_{n-1}$

$$=(n^2+4n)-\{(n-1)^2+4(n-1)\}$$

$$=2n+3$$

$n=1$일 때, $a_1=S_1=1^2+4\cdot1=5$

이것은 $a_n=2n+3$에 $n=1$을 대입한 것과 같으므로

모든 자연수 n에 대하여 $a_n=2n+3=5+2(n-1)$

즉 수열 $\{a_n\}$은 첫째항이 5이고 공차가 2인 등차수열이다. [참]

ㄴ. $n\geq2$일 때, $a_n=S_n-S_{n-1}$

$$=(n^2+4n+2)-\{(n-1)^2+4(n-1)+2\}$$

$$=2n+3$$

$n=1$일 때, $a_1=S_1=1^2+4\cdot1+2=7$

이것은 $a_n=2n+3$에 $n=1$을 대입한 것과 같지 않으므로

일반항은 $a_n=\begin{cases}7 & (n=1)\\2n+3 & (n\geq2)\end{cases}$

즉 수열 $\{a_n\}$은 둘째항부터 공차가 2인 등차수열이다. [거짓]

ㄷ. $n\geq2$일 때, $a_n=S_n-S_{n-1}=(5^n-1)-(5^{n-1}-1)=4\cdot5^{n-1}$

$n=1$일 때, $a_1=S_1=5^1-1=4$

이것은 $a_n=4\cdot5^{n-1}$에 $n=1$을 대입한 것과 같으므로

모든 자연수 n에 대하여 $a_n=4\cdot5^{n-1}$

즉 수열 $\{a_n\}$은 첫째항이 4이고 공비가 5인 등비수열이다. [참]

따라서 옳은 것은 ㄱ, ㄷ이다.

1392

정답 ②

STEP A 수열의 합과 일반항 사이의 관계에 의하여 a_n 구하기

$S_n=n^2+2^n$에서

(i) $n=1$일 때, $a_1=S_1=1^2+2^1=3$

(ii) $n\geq2$일 때, $a_n=S_n-S_{n-1}$

$$=(n^2+2^n)-\{(n-1)^2+2^{n-1}\}$$

$$=2n-1+2^{n-1} \ (n\geq2) \quad\cdots\cdots\text{㉠}$$

이때 $a_1=3$은 ㉠에 $n=1$을 대입한 것과 같지 않으므로

(i), (ii)에서 수열 $\{a_n\}$은 $a_n=\begin{cases}3 & (n=1)\\2n-1+2^{n-1} & (n\geq2)\end{cases}$

STEP B a_1+a_6의 값 구하기

따라서 $a_1+a_5=3+(10-1+2^4)=28$

1393

정답 ②

STEP A 수열의 합과 일반항 사이의 관계를 이용하여 첫째항과 공차의 관계식 구하기

$S_{10}=S_{12}$에서 $S_{12}-S_{10}=0$

$S_{12}-S_{10}=a_{12}+a_{11}$이므로 $a_{12}+a_{11}=0$

등차수열 $\{a_n\}$의 첫째항을 a, 공차를 d라 하면 $a_n=a+(n-1)d$

$a_{12}+a_{11}=(a+11d)+(a+10d)=0$

$2a=-21d$

STEP B $S_n=0$을 만족시키는 자연수 n의 값 구하기

$$S_n=\frac{n\{2a+(n-1)d\}}{2}=\frac{n\{-21d+(n-1)d\}}{2} \quad\Leftarrow 2a=-21d$$

$$=\frac{nd(n-22)}{2}$$

$S_n=0$에서 $\dfrac{nd(n-22)}{2}=0$

따라서 $a_1=a\neq0$이므로 $d\neq0$, 또한 $n\neq0$이므로 $n=22$

1394

정답 ①

STEP A $S_8-S_6=a_8+a_7$임을 이용하여 공차 구하기

등차수열 $\{a_n\}$의 첫째항이 6, 공차가 d이므로 $a_n=6+(n-1)d$

$a_8-a_6=(6+7d)-(6+5d)=2d$

$S_8-S_6=a_8+a_7=(6+7d)+(6+6d)=12+13d$

이때 $\dfrac{a_8-a_6}{S_8-S_6}=\dfrac{2d}{12+13d}=2$이므로 $d=12+13d$, $-12d=12$

따라서 $d=-1$

1396

정답 ①

STEP Ⓐ **수열의 합과 일반항 사이의 관계를 이용하기**

등비수열 $\{a_n\}$의 첫째항부터 제 n항까지의 합이 S_n이므로

$S_n-S_{n-1}=a_n(n\ge 2)$이 성립한다.

$S_4-S_3=2$이므로 $a_4=2$

$S_6-S_5=50$이므로 $a_6=50$

STEP Ⓑ **등비수열 $\{a_n\}$의 일반항을 구하여 a_5 구하기**

등비수열 $\{a_n\}$의 첫째항을 a, 공비를 r이라 하면 $a_n=ar^{n-1}$

$a_4=2$에서 $a_4=ar^3=2$　　　　$\cdots\cdots$ ㉠

$a_6=50$에서 $a_6=ar^5=50$　　　$\cdots\cdots$ ㉡

㉡÷㉠하면 $r^2=25$ $\therefore r=5(\because r>0)$

따라서 $a_5=ar^4=ar^3\cdot r=2\cdot 5=10$

> **참고**
> 등비중항을 이용하면 $a_4=2$, $a_6=50$이므로
> $\{a_5\}^2=a_4\cdot a_6=2\cdot 50=100$에서 $a_5=10$

등비수열 $\{a_n\}$의 첫째항부터 제 n항까지의 합을 S_n이라 하자.

$$S_7-S_6=54,\ S_9-S_8=162$$

일 때, a_5의 값은?

① 6　　　　② $6\sqrt{3}$　　　　③ 18

④ $18\sqrt{3}$　　　⑤ 54

STEP Ⓐ **수열의 합과 일반항 사이의 관계를 이용하기**

등비수열 $\{a_n\}$의 첫째항부터 제 n항까지의 합이 S_n이므로

$S_7-S_6=54$이므로 $a_7=54$

$S_9-S_8=162$이므로 $a_9=162$

STEP Ⓑ **등비수열 $\{a_n\}$의 일반항을 구하여 a_5 구하기**

등비수열 $\{a_n\}$의 첫째항을 a, 공비를 r이라 하면 $a_n=ar^{n-1}$

$a_7=54$에서 $a_7=ar^6=54$　　　$\cdots\cdots$ ㉠

$a_9=162$에서 $a_9=ar^8=162$　　$\cdots\cdots$ ㉡

㉡÷㉠하면 $r^2=3$

㉠에서 $a\cdot (3)^3=54$, $a=\dfrac{54}{27}=2$

따라서 $a_5=ar^4=2\cdot (3)^2=18$

정답 ③

1397

정답 ③

STEP Ⓐ **등비수열 $\{a_n\}$의 합을 이용하여 공비 구하기**

등비수열 $\{a_n\}$의 첫째항을 a, 공비를 $r(r>0)$이라 하면

$S_6-S_3=a_4+a_5+a_6=6$이므로

$$\dfrac{ar^3(r^3-1)}{r-1}=6 \qquad\qquad \cdots\cdots\ ㉠$$

$S_{12}-S_6=a_7+a_8+a_9+a_{10}+a_{11}+a_{12}=72$이므로

$$\dfrac{ar^6(r^6-1)}{r-1}=\dfrac{ar^6(r^3-1)(r^3+1)}{r-1}=72 \qquad \cdots\cdots\ ㉡$$

㉡÷㉠에서 $r^3(r^3+1)=12=3\times 4$

$\therefore r^3=3\ (\because r>0)$

STEP Ⓑ **$a_{10}+a_{11}+a_{12}$의 값 구하기**

따라서 $a_{10}+a_{11}+a_{12}=\dfrac{ar^9(r^3-1)}{r-1}=(r^3)^2\cdot\dfrac{ar^3(r^3-1)}{r-1}=3^2\cdot 6=54$

등차수열 $\{a_n\}$의 첫째항부터 제 n항까지의 합을 S_n이라 하자.

$$a_2=7,\ S_7-S_5=50$$

일 때, a_{11}의 값은?

① 40　　　　② 41　　　　③ 42

④ 43　　　　⑤ 44

STEP Ⓐ **수열의 합과 일반항 사이의 관계를 이용하기**

등차수열 $\{a_n\}$의 첫째항을 a, 공차를 d라 하면 $a_n=a_1+(n-1)d$

$a_2=a+d=7$　　　　　　　　　　$\cdots\cdots$ ㉠

$S_7-S_5=a_7+a_6=(a+6d)+(a+5d)=2a+11d=50$　$\cdots\cdots$ ㉡

두 식 ㉠, ㉡을 연립하여 풀면 $a=3,\ d=4$

STEP Ⓑ **등차수열 $\{a_n\}$의 일반항을 이용하여 a_{11} 구하기**

따라서 $a_{11}=a+10d=3+10\cdot 4=43$

정답 ④

1395

정답 ③

STEP Ⓐ **$S_6-S_4=a_6+a_5$임을 이용하여 공비 구하기**

등비수열 $\{a_n\}$의 첫째항부터 제 n항까지의 합 S_n이므로

$S_n-S_{n-1}=a_n(n\ge 2)$이 성립한다.

$\dfrac{S_6-S_4}{3}=\dfrac{a_6-a_4}{2}$에서 $2(S_6-S_4)=3(a_6-a_4)$

$2(a_6+a_5)=3(a_6-a_4)$

STEP Ⓑ **등비수열 $\{a_n\}$의 일반항을 이용하여 공비 구하기**

첫째항이 1이고 공비가 r인 등비수열의 일반항은 $a_n=1\cdot r^{n-1}$

$2(r^5+r^4)=3(r^5-r^3)$

$2r^4(r+1)=3r^3(r+1)(r-1)$

$r>0$이므로 $2r=3(r-1)$

따라서 $r=3$

모든 항이 양수인 등비수열 $\{a_n\}$의 첫째항부터 제 n항까지의 합 S_n에 대하여

$$\dfrac{S_4}{S_2}=\dfrac{5a_4}{a_2}$$

일 때, $\dfrac{a_1}{a_4}$의 값은?

① 4　　　　② 8　　　　③ 16

④ 32　　　　⑤ 64

STEP Ⓐ **등비수열 $\{a_n\}$의 합의 공식을 이용하여 S_2, S_4 구하기**

등비수열 $\{a_n\}$의 첫째항을 a, 공비를 r이라 하면

$$\dfrac{S_4}{S_2}=\dfrac{a+ar+ar^2+ar^3}{a+ar}=\dfrac{a(1+r)+ar^2(1+r)}{a(1+r)}=1+r^2$$

$$\dfrac{5a_4}{a_2}=\dfrac{5ar^3}{ar}=5r^2$$

이때 $\dfrac{S_4}{S_2}=\dfrac{5a_4}{a_2}$에서 $1+r^2=5r^2$, $r^2=\dfrac{1}{4}$

이때 $r>0$이므로 $r=\dfrac{1}{2}$

STEP Ⓑ **$\dfrac{a_1}{a_4}$의 값 구하기**

따라서 $\dfrac{a_1}{a_4}=\dfrac{a}{ar^3}=\dfrac{1}{r^3}=\left(\dfrac{1}{r}\right)^3=2^3=8$

정답 ②

1398

STEP Ⓐ 수열의 합과 일반항 사이의 관계에 의하여 등비수열의 항 표시하기

등비수열 $\{a_n\}$의 공비를 r이라 하면 일반항은 $a_n = 7 \cdot r^{n-1}$

$S_9 - S_5 = a_6 + a_7 + a_8 + a_9$
$\qquad = 7r^5 + 7r^6 + 7r^7 + 7r^8$
$\qquad = 7r^5(1 + r + r^2 + r^3)$

$S_6 - S_2 = a_3 + a_4 + a_5 + a_6$
$\qquad = 7r^2 + 7r^3 + 7r^4 + 7r^5$
$\qquad = 7r^2(1 + r + r^2 + r^3)$

이때 $\dfrac{S_9 - S_5}{S_6 - S_2} = \dfrac{7r^5(1 + r + r^2 + r^3)}{7r^2(1 + r + r^2 + r^3)} = r^3$이므로 $r^3 = 3$

STEP Ⓑ a_7의 값 구하기

따라서 $a_7 = 7r^6 = 7 \cdot (r^3)^2 = 7 \cdot 3^2 = 63$

내신연계 출제문항 527

첫째항이 3이고 모든 항이 양수인 등비수열 $\{a_n\}$의 첫째항부터

제 n항까지의 합을 S_n이라 하자. $\dfrac{S_7 - S_4}{S_3} = 64$일 때, a_3의 값은?

① 12 　　　　② 15 　　　　③ 18

④ 21 　　　　⑤ 24

STEP Ⓐ 수열의 합과 일반항 사이의 관계에 의하여 등비수열의 항 표시하기

등비수열 $\{a_n\}$의 공비를 r이라 하면 일반항은 $a_n = 3 \cdot r^{n-1}$

$\dfrac{S_7 - S_4}{S_3} = \dfrac{a_5 + a_6 + a_7}{a_1 + a_2 + a_3}$

$\qquad = \dfrac{(3 + 3r + 3r^2)r^4}{3 + 3r + 3r^2} = r^4$

즉 $r^4 = 64$이므로 $r^2 = 8$

STEP Ⓑ a_3의 값 구하기

따라서 $a_3 = 3r^2 = 3 \cdot 8 = 24$

1399

STEP Ⓐ 공비가 $r \neq 1$임을 이해하기

등비수열 $\{a_n\}$의 공비를 r이라 하자.

$r = 1$이면 모든 자연수 n에 대하여 $a_n = 2$이므로

조건 (나)에서

$S_{12} - S_{10} = a_{11} + a_{12} = 4 > 0$이 되어 조건을 만족하지 않으므로 $r \neq 1$이다.

STEP Ⓑ 등비수열의 합을 이용하여 조건을 만족하는 공비 구하기

이때 $S_n = \dfrac{2(r^n - 1)}{r - 1}$이므로

조건 (가)에서

$\dfrac{2(r^{12} - 1)}{r - 1} - \dfrac{2(r^2 - 1)}{r - 1} = 4 \cdot \dfrac{2(r^{10} - 1)}{r - 1}$

$r^2(r^{10} - 1) = 4(r^{10} - 1)$

$r \neq 1$에서 $r^{10} - 1 \neq 0$이므로 $r^2 = 4$

$\therefore r = 2$ 또는 $r = -2$

$a_{11} + a_{12} = 2r^{10} + 2r^{11} = 2r^{10}(1 + r)$이고

조건 (나)에서

$S_{12} - S_{10} = a_{11} + a_{12} = 2r^{10}(1 + r) < 0$

즉 $r < -1$

따라서 $r = -2$이므로 $a_4 = 2 \cdot (-2)^3 = -16$

다른풀이 조건 (나)에서 공비의 범위를 구하여 풀이하기

등비수열 $\{a_n\}$의 공비를 r이라 할 때,

조건 (나)에서 $S_{12} - S_{10} < 0$

$S_{12} - S_{10} = a_{11} + a_{12} = 2r^{10} + 2r^{11} = 2r^{10}(1 + r) < 0$

$\therefore r < -1$

조건 (가)에서 $S_{12} - S_2 = 4S_{10}$이므로

$(a_1 + a_2 + a_3 + \cdots + a_{12}) - (a_1 + a_2) = 4(a_1 + a_2 + a_3 + \cdots + a_{10})$이므로

$(a_3 + a_4 + a_5 + \cdots + a_{12}) = 4(a_1 + a_2 + a_3 + \cdots + a_{10})$

$r^2(a_1 + a_2 + a_3 + \cdots + a_{10}) = 4(a_1 + a_2 + a_3 + \cdots + a_{10})$

$a_1 + a_2 + a_3 + \cdots + a_{10} = \dfrac{2(r^{10} - 1)}{r - 1} \neq 0$이므로

$r^2 = 4$

$r < -1$이므로 $r = -2$

따라서 $a_4 = 2 \cdot (-2)^3 = -16$

1400

STEP Ⓐ 등차수열 $\{a_n\}$의 일반항을 이용하여 공차 구하기

등차수열 $\{a_n\}$의 첫째항을 12, 공차를 d라고 하면

$a_4 = a_1 + 3d = 12 + 3d = 96$, $3d = 84$

$\therefore d = 28$

즉 $a_n = 12 + (n - 1) \cdot 28 = 28n - 16$

STEP Ⓑ 등비수열 $\{b_n\}$의 일반항을 이용하여 공비 구하기

등비수열 $\{b_n\}$의 첫째항을 12, 공비를 r라고 하면

$b_4 = b_1 \cdot r^3 = 12 \cdot r^3 = 96$, $r^3 = 8$

$\therefore r = 2$

즉 $b_{10} = 12 \cdot 2^9 = 6144$

STEP Ⓒ $a_n = b_{10}$을 만족하는 n의 값 구하기

$a_n = b_{10}$에서 $28n - 16 = 6144$이므로 $28n = 6160$

따라서 $n = 220$

1401

STEP Ⓐ 등차수열과 등비수열의 일반항을 이용하여 공차와 공비 구하기

등차수열 $\{a_n\}$의 공차를 d, 등비수열 $\{b_n\}$의 공비를 r이라 하면

$a_n = 2 + (n - 1)d$, $b_n = 2r^{n-1}$이므로

$a_2 = b_2$에서 $2 + d = 2r$ 　　　 …… ㉠

$a_4 = b_4$에서 $2 + 3d = 2r^3$ 　　　 …… ㉡

㉠과 ㉡을 연립하면 $r^3 - 3r + 2 = 0$

$(r - 1)^2(r + 2) = 0$

$\therefore r = -2$ $(\because r \neq 1)$, $d = -6$

따라서 $a_5 + b_5 = (2 + 4d) + 2r^4 = -22 + 32 = 10$

내신연계 출제문항 528

첫째항이 3, 공차가 6인 등차수열 $\{a_n\}$과 공비가 양수인 등비수열 $\{b_n\}$이

$$a_3 = 5b_3,\ a_5 = b_5$$

를 만족시킬 때, b_6의 값은?

① 27 　　　　② 36 　　　　③ 81

④ 96 　　　　⑤ 108

STEP Ⓐ 등비수열 $\{b_n\}$의 첫째항을 a, 공비를 r이라 하고 주어진 조건을 이용하여 a, r의 값 구하기

첫째항이 3, 공차가 6인 등차수열의 일반항 a_n은
$$a_n=3+(n-1)\cdot 6=6n-3$$
등비수열의 첫째항을 a, 공비를 r이라 하면 일반항 $b_n=ar^{n-1}$
$a_3=5b_3$에서 $6\cdot 3-3=5ar^2$ $\therefore ar^2=3$ …… ㉠
$a_5=5b_5$에서 $6\cdot 5-3=ar^4$ $\therefore ar^4=27$ …… ㉡
㉡÷㉠을 하면 $r^2=9$ $\therefore r=3 (\because r>0)$
㉠에 $r=3$을 대입하면 $9a=3$이므로 $a=\dfrac{1}{3}$

STEP ⓑ b_6의 값 구하기

따라서 등비수열 $\{b_n\}$이 첫째항은 $\dfrac{1}{3}$, 공비는 3이므로 $b_n=\dfrac{1}{3}\cdot 3^{n-1}$
$\therefore b_6=\dfrac{1}{3}\cdot 3^5=3^4=81$

1402

STEP ⓐ 조건을 만족하는 합과 곱을 구하기

수열 $\{a_n\}$은 등차수열이므로 등차수열의 성질에 의하여
$$a_1+a_8=a_4+a_5=8$$
수열 $\{b_n\}$은 등비수열이므로 등비수열의 성질에 의하여
$$b_2b_7=b_4b_5=12$$
이때 $a_4=b_4$, $a_5=b_5$이므로 $a_4+a_5=8$, $a_4a_5=12$

STEP ⓑ 근과 계수와의 관계에 의해 a_4, a_5 구하기

a_4, a_5가 이차방정식의 두 근이라 하면 이차방정식의 근과 계수와의 관계에 의해 이차방정식 $x^2-8x+12=0$의 두 근이다.
즉 $(x-6)(x-2)=0$
수열 $\{b_n\}$의 공비가 1보다 작은 등비수열이므로
$$a_4=6, a_5=2 (\because a_4=b_4, a_5=b_5, b_4>b_5)$$
등차수열 $\{a_n\}$은 공차는 $a_5-a_4=-4$이므로 $a_4=a_1+(4-1)\times(-4)=6$
따라서 $a_1=18$

주의 주어진 조건을 다음과 같이 나타내어 연립하면 복잡하게 된다.
$a_1+a_8=a+(a+7d)=2a+7d=8$
$b_2b_7=br\cdot br^6=b^2r^7=12$
$a_4=b_4$에서 $a+3d=br^3$
$a_5=b_5$에서 $a+4d=br^4$

$+\alpha$ $a_4+a_5=b_4+b_5=8$, $b_4b_5=12$를 연립하면
$b_4b_5=b_4(8-b_4)=12$에서 $(b_4)^2-8b_4+12=0$, $(b_4-2)(b_4-6)=0$
$\therefore b_4=2$ 또는 $b_4=6$
수열 $\{b_n\}$은 공비가 1보다 작은 등비수열이므로 $a_4=b_4=6$, $a_5=b_5=2$
따라서 수열 $\{a_n\}$의 공차는 $a_5-a_4=-4$이므로 $a_4=a_1+3\cdot(-4)=6$
$\therefore a_1=18$

1403

STEP ⓐ 공차가 3인 등차수열 $\{a_{2n-1}\}$의 일반항 구하기

조건 (가)에서 수열 $\{a_{2n-1}\}$은 $a_1=1$이고 공차가 3인 등차수열이므로
$$a_{2n-1}=1+(n-1)\cdot 3=3n-2$$

STEP ⓑ 공비가 2인 등비수열 $\{S_{2n-1}\}$의 일반항 구하기

조건 (나)에서 수열 $\{S_{2n-1}\}$은 $S_1=a_1=1$이고 공비가 2인 등비수열이므로
$$S_{2n-1}=2^{n-1}$$
이때 $S_{14}=S_{15}-a_{15}$이므로 $a_{14}=S_{14}-S_{13}=(S_{15}-a_{15})-S_{13}$
따라서 $a_{14}=S_{15}-S_{13}-a_{15}=(2^7-2^6)-22=42$

내/신/연/계 출제문항 529

수열 $\{a_n\}$에 대하여 첫째항부터 제 n항까지의 합을 S_n이라 하자.
수열 $\{S_{2n-1}\}$은 공차가 -3인 등차수열이고 수열 $\{S_{2n}\}$은 공차가 2인 등차수열이다. $a_2=1$일 때, a_8의 값은?

① 14   ② 16   ③ 18
④ 20   ⑤ 22

STEP ⓐ 등차수열 $\{S_{2n-1}\}$, $\{S_{2n}\}$의 일반항 구하기

수열 $\{S_{2n-1}\}$이 공차가 -3인 등차수열이므로
$$\begin{aligned}S_{2n-1}&=S_1+(n-1)\cdot(-3)\\&=-3n+3+S_1\end{aligned}$$
$\therefore S_7=-3\cdot 4+3+S_1=-9+S_1$
또, 수열 $\{S_{2n}\}$이 공차가 2인 등차수열이므로
$$S_{2n}=S_2+(n-1)\times 2=2n-2+S_2$$
$\therefore S_8=2\cdot 4-2+S_2=6+S_2$

STEP ⓑ 합과 일반항의 관계에서 a_8 구하기

$\begin{aligned}a_8&=S_8-S_7\\&=(6+S_2)-(-9+S_1)\\&=15+S_2-S_1\end{aligned}$
따라서 $S_2-S_1=a_2=1$이므로 $a_8=15+1=16$

1404 정답 ③

STEP ⓐ $h(2)$, $h(3)$, $h(4)$가 이 순서대로 등차수열을 이룰 조건 구하기

함수 $g(x)=2x^2-3x+1=(x-1)(2x-1)$이므로
두 함수 $y=f(x)$, $y=g(x)$의 그래프의 교점의 좌표는 $(1, 0)$
조건 (가)에서 $h(2)$, $h(3)$, $h(4)$가 이 순서대로 등차수열을 이루려면
좌표평면 위의 세 점 $(2, h(2))$, $(3, h(3))$, $(4, h(4))$는
직선 $y=f(x)$ 위의 점이다.
$$h(2)=f(2)=k, h(3)=f(3)=2k, h(4)=f(4)=3k$$

STEP ⓑ $h(3)$, $h(4)$, $h(5)$가 이 순서대로 등비수열을 이룰 때, 공비를 구하여 상수 k 구하기

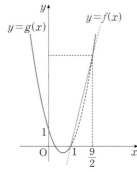

조건 (나)에서 $h(3)$, $h(4)$, $h(5)$가 이 순서대로 등비수열을 이룰 때,
$h(3)=2k$, $h(4)=3k$에서 이 등비수열의 공비는 $\dfrac{3}{2}$이므로
$$h(5)=\dfrac{9}{2}k$$
이때 $f(5)=4k$이고 $k\neq 0$이므로 $f(5)$는 $h(5)$의 값이 될 수 없다.
따라서 $h(5)=g(5)$에서 $\dfrac{9}{2}k=36$이므로 $k=8$

참고 $k=0$이면 $f(x)=0$이 되어 조건을 만족시키지 않는다.

1405

정답 ②

STEP Ⓐ **두 수열 $\{a_n\}$, $\{b_n\}$의 일반항 구하기**

수열 $\{a_n\}$은 첫째항이 6이고 공차가 p인 등차수열이므로

$a_n=6+(n-1)p=pn-p+6$

수열 $\{b_n\}$은 첫째항이 6이고 공비가 p인 등비수열이므로

$b_n=6p^{n-1}$

STEP Ⓑ **$a_m=b_n$을 만족하게 하는 p의 값 구하기**

이때 수열 $\{b_n\}$의 모든 항이 수열 $\{a_n\}$의 항이 되려면 $a_m=b_n$을 만족하는

1보다 큰 서로 다른 두 자연수 n, m이 존재해야 한다.

즉 $a_m=b_n$에서 $6+p(m-1)=6p^{n-1}$, $p(m-1)=6p^{n-1}-6$

$m-1=\dfrac{6p^{n-1}-6}{p}=6p^{n-2}-\dfrac{6}{p}$

$\dfrac{6}{p}=6p^{n-2}-m+1$

p^{n-2} $(n\geq2)$과 m은 모두 자연수이므로 $\dfrac{6}{p}$도 자연수이다.

즉 p는 1이 아닌 6의 약수이므로 $p=2$ 또는 $p=3$ 또는 $p=6$

따라서 구하는 모든 자연수 p의 합은 $2+3+6=11$

1406

정답 ④

STEP Ⓐ **등비수열의 합을 이용하여 4년 후의 원리합계 구하기**

월이율 1%, 한 달마다 복리로 매월 초 10만 원씩 적립할 때, 4년 후

즉 48개월 후의 원리합계는

$10^5(1+0.01)+10^5(1+0.01)^2+\cdots+10^5(1+0.01)^{48}$

$=\dfrac{10^5(1+0.01)\{(1+0.01)^{48}-1\}}{(1+0.01)-1}=\dfrac{10^5\cdot1.01\cdot0.6}{0.01}=606$(만 원)

따라서 4년 후의 원리합계는 606(만 원)

내신연계 출제문항 530

연이율 2%이고 1년마다의 복리로 10년 동안 매년 초에 100만 원씩

적립할 때, 10년 말까지 적립된 금액의 원리합계는?

(단, $1.02^{10}=1.22$로 계산한다.)

① 1122(만 원)　　② 1220(만 원)　　③ 1320(만 원)

④ 1360(만 원)　　⑤ 1460(만 원)

STEP Ⓐ **등비수열의 합을 이용하여 10년 후의 원리합계 구하기**

매년 적립금의 10년 말의 원리합계는 다음 표와 같다.

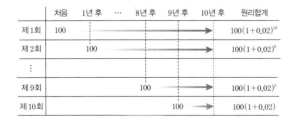

	처음	1년 후	⋯	8년 후	9년 후	10년 후	원리합계
제1회	100						$100(1+0.02)^{10}$
제2회		100					$100(1+0.02)^9$
⋮							
제9회				100			$100(1+0.02)^2$
제10회					100		$100(1+0.02)$

따라서 구하는 적립금의 원리합계

$100(1+0.02)+100(1+0.02)^2+\cdots+100(1+0.02)^9+100(1+0.02)^{10}$

$=\dfrac{100(1+0.02)\{(1+0.02)^{10}-1\}}{(1+0.02)-1}$

$=\dfrac{100\times1.02(1.22-1)}{0.02}=1122$(만 원)

정답 ①

1407

정답 ③

STEP Ⓐ **등비수열의 합을 이용하여 10년 후의 원리합계 구하기**

연이율 2%, 1년마다 복리로 매년 초 30만 원씩 10년 동안 적립할 때,

10년 말까지 원리합계

$30(1+0.02)+30(1+0.02)^2+\cdots+30(1+0.02)^{10}$(만 원)

$=\dfrac{30(1+0.02)\{(1+0.02)^{10}-1\}}{(1+0.02)-1}$(만 원)

$=\dfrac{30(1.02)\{(1.02)^{10}-1\}}{0.02}$(만 원)

$=\dfrac{30(1.02)(1.2-1)}{0.02}$(만 원)

$=306$(만 원)

1408

정답 ②

STEP Ⓐ **등비수열의 합을 이용하여 10년 후의 원리합계 구하기**

연이율 3%, 매년마다 복리로 매년 말 15만 원씩 적립할 때,

10년 말의 원리합계는

$15+15(1+0.03)+15(1+0.03)^2+\cdots+15(1+0.03)^9$(만 원)

$=\dfrac{15\{(1+0.03)^{10}-1\}}{(1+0.03)-1}$(만 원)

$=\dfrac{15(1.4-1)}{1.03-1}$(만 원)

$=200$(만 원)

1409

정답 ①

STEP Ⓐ **등비수열의 합을 이용하여 매년 초 적금하였을 때 10년 후 원리합계 구하기**

10년 후 민호가 찾게 될 원리합계는

$S=\dfrac{100(1+0.1)\{(1+0.1)^{10}-1\}}{(1+0.1)-1}$

$=\dfrac{100\cdot1.1\cdot1.6}{0.1}=1760$(만 원)

STEP Ⓑ **등비수열의 합을 이용하여 매년 말 적금하였을 때 10년 후 원리합계 구하기**

10년 후 진우가 찾게 될 원리합계는

$T=\dfrac{100\{(1+0.1)^{10}-1\}}{(1+0.1)-1}=\dfrac{100\cdot1.6}{0.1}=1600$(만 원)

따라서 민호가 찾게 될 금액은 진우가 찾게 될 금액보다

$1760-1600=160$만 원만큼 많다.

1410

정답 ②

STEP Ⓐ **매년 초 적립금은 a라 하였을 때 등비수열 합을 이용하여 원리합계 식 세우기**

매년 초에 적립해야 하는 금액을 a원이라 하면

$a(1+0.025)+a(1+0.025)^2+a(1+0.025)^3+\cdots+a(1+0.025)^8$

$=\dfrac{a(1+0.025)\{(1+0.025)^8-1\}}{(1+0.025)-1}$

$=\dfrac{1.025a(1.22-1)}{0.025}$

$=41a\cdot0.22$

$=4510000$

$\therefore a=500000$

따라서 매년 초에 50만 원씩 적립해야 한다.

내/신/연/계/ 출제문항 531

매년 초에 일정한 금액을 적립하여 12년 후의 원리합계가 840만 원이 되도록 하려고 한다. 연이율 5%의 복리로 적립한다면 매년 초에 얼마씩 적립해야 하는가? (단, $1.05^{12}=1.8$로 계산한다.)

① 400000원   ② 450000원   ③ 500000원
④ 550000원   ⑤ 600000원

STEP Ⓐ **매년 초 적립금은 a라 하였을 때 등비수열 합을 이용하여 원리합계 식 세우기**

매년 초에 적립해야 하는 금액을 a원이라고 하면

$a(1+0.05)+a(1+0.05)^2+a(1+0.05)^3+\cdots+a(1+0.05)^{12}$

$=\dfrac{a(1+0.05)\{(1+0.05)^{12}-1\}}{(1+0.05)-1}$

$=\dfrac{1.05a(1.8-1)}{0.05}$

$=21a\cdot0.8$

$=8400000$

$\therefore a=500000$

따라서 매년 초에 50만 원씩 적립해야 한다.

정답 ③

1411

정답 ④

STEP Ⓐ **매년 적립하는 금액을 복리로 계산하기**

2020년 1월 1일 적립금 100만 원을 2029년 12월 31일까지의
원리합계는 100×1.03^{10}
2021년 1월 1일 적립금 100×1.03만 원을 2029년 12월 31일까지의
원리합계는 $100\times1.03\times1.03^9$
2022년 1월 1일 적립금 100×1.03^2만 원을 2029년 12월 31일까지의
원리합계는 $100\times1.03^2\times1.03^8$
       ⋮
2029년 1월 1일 적립금 100×1.03^9만 원을 2029년 12월 31일까지의
원리합계는 $100\times1.03^9\times1.03$

STEP Ⓑ **적립된 금액의 원리합계 구하기**

$100\times1.03^{10}+100\times1.03\times1.03^9+100\times1.03^2\times1.03^8$
$\qquad\qquad\qquad\qquad +\cdots+100\times1.03^9\times1.03$
$=10\times100\times1.03^{10}=10\times100\times1.34=1340$

따라서 구하는 적립금의 원리합계는 1340만 원이다.

내/신/연/계/ 출제문항 532

경석이는 매년 초에 연이율이 4%이고, 1년마다 복리인 상품에 10년 동안 저금하려고 한다. 첫해에 200만 원을 저금하고 그 다음 해부터는 전년도보다 4%많은 금액을 저금한다고 할 때, 10년 말까지 저금한 금액의 원리합계는? (단 $1.04^{10}=1.48$로 계산한다.)

① 1480(만 원)   ② 2160(만 원)   ③ 2480(만 원)
④ 2960(만 원)   ⑤ 3148(만 원)

STEP Ⓐ **매년 적립하는 금액을 복리로 계산하기**

첫째해 1월 1일 적립금 200만 원을 10년 말까지의 원리합계는
200×1.04^{10}
둘째해 1월 1일 적립금 100×1.04만 원을 10년 말까지의 원리합계는
$200\times1.04\times1.04^9$
셋째해 1월 1일 적립금 100×1.04^2만 원을 10년 말까지의 원리합계는
$200\times1.04^2\times1.04^8$
       ⋮
열번째해 1월 1일 적립금 100×1.04^9만 원을 10년 말까지의 원리합계는
$100\times1.04^9\times1.04$

STEP Ⓑ **적립된 금액의 원리합계 구하기**

$200\times1.04^{10}+(200\times1.04)\times1.04^9+\cdots+(200\times1.04^9)\times1.04$
$=200\times1.04^{10}\times10$
$=200\times1.48\times10$
$=2960$

따라서 2960만 원이다. 정답 ④

1412

정답 ③

STEP Ⓐ **매월 말에 a만 원씩 적립할 때 24개월 후의 원리합계 구하기**

1000만원의 n개월 후의 원리합계는 $1000(1+0.01)^n$임을 이용한다.
이달 말부터 a만 원씩 갚는다면 이자를 포함하여 갚을 금액의 총액은

$a+a\times(1+0.01)+a\times(1+0.01)^2+\cdots+a\times(1+0.01)^{23}$

$=\dfrac{a\{(1+0.01)^{24}-1\}}{(1+0.01)-1}$

$=\dfrac{0.27a}{0.01}=27a$(만 원)   ⋯⋯ ㉠

STEP Ⓑ **1000만 원의 24개월 후의 원리합계 구하기**

1000만 원의 24개월 후의 원리합계는
$1000(1+0.01)^{24}=1000\times1.27$
$\qquad\qquad\qquad\quad=1270$(만 원)   ⋯⋯ ㉡
㉠과 ㉡이 같아야 하므로 $27a=1270$
$\therefore a=47$(만 원)
따라서 매달 47만 원씩 갚아야 한다.

1413

정답 ②

STEP Ⓐ 매월 말에 a만 원씩 적립할 때 24개월 후의 원리합계 구하기

60만 원의 n개월 후의 원리합계는 $60(1.02)^n$만 원임을 이용한다.
이달 말부터 a만 원씩 갚는다면 이자를 포함하여 갚을 금액의 총액은
$a+a(1+0.02)+a(1+0.02)^2+\cdots+a(1+0.02)^{23}$

$=\dfrac{a\{(1+0.02)^{24}-1\}}{(1+0.02)-1}$

$=\dfrac{0.48a}{0.02}=24a$(만 원) ······ ㉠

STEP Ⓑ 60만 원의 24개월 후의 원리합계 구하기

60만 원의 24개월 후의 원리합계는
$60\times(1+0.02)^{24}=60\times1.48=88.8$(만 원) ······ ㉡
㉠과 ㉡이 같아야 하므로 $24a=88.8$
$\therefore a=3.7$(만 원)
따라서 매달 37000원씩 갚아야 한다.

내·신·연·계 출제문항 533

예지는 올해 초에 100만 원짜리 핸드폰을 할부로 구입하고 올해 말부터 매년 말에 일정한 금액으로 8회에 걸쳐 모두 갚으려고 한다. 매년 갚아야 하는 금액은? (단, $1.06^8=1.6$, 연이율 6%, 1년 마다 복리로 계산한다.)

① 12(만 원) ② 13(만 원) ③ 14(만 원)
④ 15(만 원) ⑤ 16(만 원)

STEP Ⓐ 매월 말에 a만 원씩 적립할 때 8개월 후의 원리합계 구하기

이달 말부터 a만 원씩 갚는다면 이자를 포함하여 갚을 금액의 총액은
$a+a(1+0.06)+\cdots+a(1+0.06)^7$

$=\dfrac{a\{(1+0.06)^8-1\}}{(1+0.06)-1}$

$=\dfrac{0.6a}{0.06}=10a$(만 원) ······ ㉠

STEP Ⓑ 100만 원의 8년 후의 원리합계 구하기

100만 원의 8회의 원리합계는
$100\times(1+0.06)^8=100\times1.6=160$(만 원) ······ ㉡
따라서 ㉠과 ㉡이 같아야 하므로 $160=10a$
$\therefore a=16$(만 원)

 정답 ⑤

1414

정답 ③

STEP Ⓐ a만 원의 20개월 후의 원리합계 구하기

구입 시에 일시불로 지불할 금액을 a만 원이라 하면
a만 원의 20개월 후의 원리합계는
$a(1+0.02)^{20}=1.5a$(만 원)

STEP Ⓑ 매월 말에 9만 원씩 적립할 때 20개월 후의 원리합계 구하기

매월 말에 9만 원씩 갚는 금액의 20개월 후의 원리합계는
$9+9(1+0.02)+\cdots\cdots+9(1+0.02)^{19}$(만 원)

$=\dfrac{9\{(1+0.02)^{20}-1\}}{(1+0.02)-1}$(만 원)

$=\dfrac{9(1.5-1)}{0.02}$(만 원)

$=225$(만 원)
$1.5a=225$에서 $a=150$
따라서 150만 원을 지불해야 한다.

1415

정답 ④

STEP Ⓐ 매년 말에 800만 원씩 10년 동안 적립한 원리합계 구하기

매년 말에 800만 원씩 10년 동안 적립한 원리합계와 올해 초 한 번에 받을 연금의 10년 후의 원리합계가 같음을 이용한다.
매년 말에 800만 원씩 10년 동안 연이율 5%의 복리로 적립한 원리합계는
$800+800\times1.05+800\times1.05^2+\cdots+800\times1.05^9$

$=\dfrac{800(1.05^{10}-1)}{1.05-1}=\dfrac{100\times0.6}{0.05}=9600$(만 원) ······ ㉠

STEP Ⓑ 올해 초 한 번에 받을 연금의 10년 후의 원리합계 구하기

올해 초에 한 번에 받는 연금을 a원이라 하면
a만원의 10년 후의 원리합계는 $a\times1.05^{10}=1.6a$(만 원) ······ ㉡
㉠과 ㉡이 같아야 하므로 $9600=1.6a$
$\therefore a=6000$(만 원)
따라서 올해 초에 한꺼번에 받은 금액은 6000(만 원)이다.

내·신·연·계 출제문항 534

올해부터 매년 초에 480만 원씩 10년 간 지급되는 연금이 있다. 연이율이 5%이고 1년마다 복리로 계산할 때, 이 연금을 올해 초에 한꺼번에 받는다면 받아야 할 금액은? (단, $1.05^{10}=1.6$으로 계산한다.)

① 3620(만 원) ② 3780(만 원) ③ 3900(만 원)
④ 4020(만 원) ⑤ 4140(만 원)

STEP Ⓐ 매년 초에 480만 원씩 10년 동안 적립한 원리합계 구하기

매년 초에 480만 원씩 10년 동안 적립한 원리합계와 올해 초 한 번에 받을 연금의 10년 후의 원리합계가 같음을 이용한다.
매년 초에 480만 원씩 10년 동안 연이율 5%의 복리로 적립한 원리합계는
$480(1.05)+480(1.05)^2+480(1.05)^3+\cdots+480(1.05)^{10}$

$=\dfrac{480(1.05)(1.05^{10}-1)}{1.05-1}$

$=\dfrac{480(1.05)\times0.6}{0.05}$

$=6048$(만 원) ······ ㉠

STEP Ⓑ 올해 초 한 번에 받을 연금의 10년 후의 원리합계 구하기

올해 초에 한 번에 받는 연금을 a만 원이라 하면
a만 원의 10년 후의 원리합계는
$a\times1.05^{10}=1.6a$(만 원) ······ ㉡
㉠과 ㉡이 같아야 하므로 $1.6a=6048$

$\therefore a=\dfrac{6048}{1.6}=3780$(만 원)

따라서 올해 초에 한꺼번에 받을 금액은 3780(만 원)이다.   정답 ②

1416

정답 ③

STEP Ⓐ 매년 말에 갚을 금액을 복리로 계산하기

2020년 말에 갚을 액수를 a만 원 이라 하면 10년 후의 원리합계는 $a\times1.06^9$
2021년 말에 갚을 액수를 $a\times1.06$ 이라 하면 9년 후의 원리합계는 $a\times1.06^9$
$\vdots$

같은 방법으로 2029년 말에 갚을 액수는 $a\times1.06^9$
또한, 2020년 초에 빌린 1억 원의 10년 말의 원리합계가 $10^8(1.06)^{10}$

STEP Ⓑ 갚을 액수의 총합 구하기

갚을 액수의 총합은 $10\times a\times1.06^9=1\times10^8(1.06)^{10}$
따라서 $a=10^7\times1.06=1060$(만 원)

STEP 2 · 서술형 기출유형

1417

정답 해설참조

1단계 등차수열 $\{a_n\}$의 일반항을 구한다. ◀ 30%

등차수열 $\{a_n\}$의 첫째항을 a, 공차를 d라 하면 $a_n=a+(n-1)d$

$a_2=a+d=38$ ...... ㉠

$a_4=a+3d=32$ ...... ㉡

㉠, ㉡을 연립하여 풀면 $a=41$, $d=-3$

$a_n=41+(n-1)(-3)=-3n+44$

2단계 $a_n>0$이 되는 n의 최댓값을 구한다. ◀ 30%

$a_n>0$에서 $-3n+44>0$

$\therefore n<\dfrac{44}{3}=14,\cdots$

즉 n의 최댓값은 14이다.

3단계 $|a_n|$의 값이 최소가 되는 n의 값을 구한다. ◀ 40%

$a_{14}=-42+44=2$

따라서 $a_{15}=-1$이므로 $|a_n|$의 값이 최소가 되는 n의 값은 15

1418

정답 해설참조

1단계 n의 값을 구한다. ◀ 30%

첫째항이 1, 끝항이 39, 항수가 $n+2$인 등차수열의 합이 400이므로 등차수열의 합에 의하여

$\dfrac{(n+2)(1+39)}{2}=400$, $n+2=20$

$\therefore n=18$

2단계 공차를 구한다. ◀ 30%

이 수열의 공차를 d라 하면 39는 제 20항이므로

$39=1+(20-1)d$

$\therefore d=2$

3단계 $a_{10}+a_{11}+a_{12}$의 값을 구한다. ◀ 40%

수열 a_{10}, a_{11}, a_{12}의 등차중항에 의하여

$a_{11}=\dfrac{a_{10}+a_{12}}{2}$, $a_{10}+a_{12}=2a_{11}$

$\therefore a_{10}+a_{11}+a_{12}=3a_{11}$

따라서 $a_{11}=3+(11-1)\cdot 2=23$이므로 $a_{10}+a_{11}+a_{12}=3a_{11}=3\cdot 23=69$

1419

정답 해설참조

1단계 제 3항과 제 5항은 절댓값이 같고 부호가 반대일 조건을 만족하는 공차를 구한다. ◀ 50%

제 3항과 제 5항이 절댓값이 같고 부호가 반대이므로

$a_3+a_5=0$

등차수열 $\{a_n\}$의 공차를 d라 하면

$(9+2d)+(9+4d)=0$

$18+6d=0$

$\therefore d=-3$

2단계 수열 $\{a_n\}$의 첫째항부터 제 10항까지의 합을 구한다. ◀ 50%

따라서 수열 $\{a_n\}$은 첫째항이 9, 공차가 -3인 등차수열이므로

첫째항부터 제 10항까지의 합은 $\dfrac{10\{2\cdot 9+(10-1)\cdot(-3)\}}{2}=-45$

1420

정답 해설참조

1단계 등비수열 $\{a_n\}$의 첫째항과 공비를 구한다. ◀ 40%

첫째항을 a, 공비를 r라고 하면

$a_2=ar=2$ ...... ㉠

$a_7=ar^6=64$ ...... ㉡

㉡÷㉠ $r^5=32$ $\therefore r=2$

㉠에 $r=2$를 대입하면 $a=1$

2단계 첫째항부터 제 n항까지의 합 S_n을 구한다. ◀ 30%

첫째항부터 제 n항까지의 합 S_n은

$S_n=\dfrac{2^n-1}{2-1}=2^n-1$

3단계 $S_n>1000$을 만족하는 n의 최솟값을 구한다. ◀ 30%

$S_n=2^n-1>1000$, $2^n>1001$

$2^9=512$, $2^{10}=1024$이므로 $n\geq 10$

따라서 n의 최솟값은 10

1421

정답 해설참조

1단계 등차수열 $\{a_n\}$의 일반항을 구한다. ◀ 30%

$S_n=kn^2+n$라 하면

$n=1$일 때, $a_1=S_1=k+1$

$n\geq 2$일 때, $a_n=S_n-S_{n-1}$

$\qquad\qquad =(kn^2+n)-\{k(n-1)^2+(n-1)\}$

$\qquad\qquad =2kn+1-k$ ...... ㉠

이때 $a_1=k+1$은 ㉠에 $n=1$을 대입한 것과 같으므로

$a_n=2kn+1-k$

2단계 등차수열 $\{b_n\}$의 일반항을 구한다. ◀ 30%

$T_n=n^2+kn$이라 하면

$n=1$일 때, $b_1=T_1=1+k$

$n\geq 2$일 때, $b_n=T_n-T_{n-1}$

$\qquad\qquad =(n^2+kn)-\{(n-1)^2+k(n-1)\}$

$\qquad\qquad =2n+k-1$ ...... ㉠

이때 $b_1=1+k$는 ㉠에 $n=1$을 대입한 것과 같으므로

$b_n=2n+k-1$

3단계 $a_3=b_5$을 만족하는 상수 k를 구한다. ◀ 40%

따라서 $a_3=b_5$이므로 $5k+1=k+9$에서 $k=2$

다른풀이 $a_3=S_3-S_2$, $b_5=T_5-T_4$을 이용하여 풀이하기

$S_n=kn^2+n$, $T_n=n^2+kn$이라 하면

$a_3=S_3-S_2=(9k+3)-(4k+2)=5k+1$

$b_5=T_5-T_4=(25+5k)-(16+4k)=k+9$

따라서 $a_3=b_5$이므로 $5k+1=k+9$에서 $k=2$

1422

정답 해설참조

| 1단계 | 수열 $\{a_n\}$의 일반항을 구한다. | ◀ 30% |

$S_n=n^2-10n$에서

$n=1$일 때, $a_1=S_1=1^2-10\cdot1=-9$

$n\geq2$일 때, $a_n=S_n-S_{n-1}$

$\qquad\qquad\qquad =(n^2-10n)-\{(n-1)^2-10(n-1)\}$

$\qquad\qquad\qquad =2n-11$ $\qquad$ ...... ㉠

이때 $a_1=1$은 ㉠에 $n=1$을 대입한 것과 같으므로 일반항은

$a_n=2n-11$

| 2단계 | 수열 $\{a_n\}$의 양수인 항과 음수인 항을 구별한다. | ◀ 30% |

제 n항에서 처음으로 $a_n>0$이 나온다고 하면

$a_n=2n-11>0$에서 $n>\dfrac{11}{2}=5.5$

즉 수열 $\{a_n\}$은 첫째항부터 제 5항까지는 음수이고

제 6항부터 양수인 항이 나온다.

| 3단계 | 등차수열의 합을 이용하여 $|a_1|+|a_2|+|a_3|+|a_4|+\cdots+|a_{10}|$의 값을 구한다. | ◀ 40% |

이때 $a_1=-9$, $a_5=-1$, $a_6=1$, $a_{10}=9$이므로

$|a_1|+|a_2|+|a_3|+\cdots+|a_{10}|$

$=-(a_1+a_2\cdots+a_5)+(a_6+a_7+a_8+a_9+a_{10})$

$=\dfrac{5(9+1)}{2}+\dfrac{5(1+9)}{2}$

$=25+25=50$

1423

정답 해설참조

| 1단계 | a_1을 구한다. | ◀ 20% |

$n=1$일 때, $a_1=S_1=1^2-2\cdot1+5=4$

| 2단계 | 수열 $\{a_n\}$의 일반항을 구한다. | ◀ 40% |

$n\geq2$일 때, $a_n=S_n-S_{n-1}$

$\qquad\qquad\qquad =(n^2-2n+5)-\{(n-1)^2-2(n-1)+5\}$

$\qquad\qquad\qquad =2n-3$ $\qquad$ ...... ㉠

$n=1$을 ㉠에 대입하면 $a_1=2-3=-1$이므로

$a_1=4$, $a_n=2n-3$ $(n\geq2)$

| 3단계 | $a_2+a_4+a_6+\cdots+a_{98}+a_{100}$의 값을 구한다. | ◀ 40% |

$a_2+a_4+a_6+\cdots+a_{98}+a_{100}=1+5+9+\cdots+193+197$

$\qquad\qquad\qquad\qquad\qquad\qquad =\dfrac{50(1+197)}{2}$

$\qquad\qquad\qquad\qquad\qquad\qquad =4950$

> **참고**
>
> $a_2+a_4+a_6+\cdots+a_{98}+a_{100}=\displaystyle\sum_{k=1}^{50}a_{2k}=\sum_{k=1}^{50}(4k-3)$
>
> $\qquad\qquad\qquad\qquad\qquad\qquad =4\cdot\dfrac{50(50+1)}{2}-3\cdot50$
>
> $\qquad\qquad\qquad\qquad\qquad\qquad =4950$

1424

정답 해설참조

| 1단계 | p, q을 구한다. | ◀ 40% |

$n=1$일 때, $a_1=S_1=1^2+p+q=3$

$\therefore p+q=2$ $\qquad$ ...... ㉠

$n\geq2$일 때, $a_n=S_n-S_{n-1}$

$\qquad\qquad\qquad =n^2+pn+q-\{(n-1)^2+p(n-1)+q\}$

$\qquad\qquad\qquad =2n+p-1$ $\qquad$ ...... ㉡

$a_8=16+p-1=15+p=17$

$\therefore p=2$

㉠에서 $q=0$

따라서 $p=2$, $q=0$

| 2단계 | 일반항 a_n을 구한다. | ◀ 20% |

$a_1=3$이 ㉡에 $n=1$을 대입한 것과 같으므로

수열 $\{a_n\}$의 일반항은 $a_n=2n+1$

| 3단계 | $\displaystyle\sum_{k=1}^{10}a_k$의 값을 구한다. | ◀ 40% |

$\displaystyle\sum_{k=1}^{10}a_k=\sum_{k=1}^{10}(2k+1)$

$\qquad\quad =2\displaystyle\sum_{k=1}^{10}k+10$

$\qquad\quad =2\cdot\dfrac{10\cdot11}{2}+10$

$\qquad\quad =120$

1425

정답 해설참조

| 1단계 | 등차수열 -15, a_1, a_2, a_3, $\cdots$, a_n, 27의 합이 132임을 이용하여 n의 값을 구한다. | ◀ 40% |

등차수열 -15, a_1, a_2, a_3, $\cdots$, a_n, 27의 공차를 d라 하면

이 수열의 첫째항은 -15, 제 $(n+2)$항이 27이므로 그 합은

$\dfrac{(n+2)(-15+27)}{2}=132$, $n+2=22$

$\therefore n=20$

| 2단계 | 공차 d를 구한다. | ◀ 20% |

이때 27은 제 22항이므로 $-15+21d=27$

$\therefore d=2$

| 3단계 | $a_1+a_2+a_3+\cdots+a_k$의 값이 최소가 되도록 하는 자연수 k의 값을 구한다. | ◀ 40% |

등차수열의 공차가 양수이므로 $a_1+a_2+a_3+\cdots+a_k$의 값이 최소가 되려면

양수가 아닌 항을 모두 더해야 한다.

이때 $a_1=-15+2=-13$이므로 $a_k=-13+(k-1)\cdot2=2k-15$

$a_k\leq0$에서 $2k-15\leq0$

$\therefore k\leq\dfrac{15}{2}=7.5$

따라서 구하는 자연수 k의 값은 7

1426

정답 해설참조

| 1단계 | 등차수열의 첫째항과 공차를 구한다. | ◀ 40% |

등차수열 $\{a_n\}$의 첫째항을 a, 공차를 d라 하면

$a_{10}=a+9d=4$ ······ ㉠

$a_{20}=a+19d=-36$ ······ ㉡

㉠, ㉡을 연립하여 풀면 $a=40$, $d=-4$

| 2단계 | 일반항 a_n과 첫째항부터 제 n항까지의 합 S_n을 구한다. | ◀ 30% |

등차수열 $\{a_n\}$의 일반항과 n항까지의 합은 다음과 같다.

$a_n=40+(n-1)\cdot(-4)=-4n+44$

$S_n=\dfrac{n\{2\cdot40+(n-1)\cdot(-4)\}}{2}=-2n^2+42n$

| 3단계 | S_n의 최댓값과 그때의 n의 값을 구한다. | ◀ 30% |

제 n항이 음수가 된다고 하면

$a_n=-4n+44<0$에서 $n>\dfrac{44}{4}=11$

즉 등차수열 $\{a_n\}$은 제 12항부터 음수이므로 첫째항부터 제 11항까지의 합이 최대이다.

따라서 $n=11$일 때, 최댓값은 $S_{11}=-2\cdot11^2+42\cdot11=220$

$a_{11}=0$이므로 $n=10$일 때

$S_{10}=-2\times10^2+42\times10=220$

따라서 $S_{10}=S_{11}$이므로 $n=10$일 때도 가능하다.

1427

정답 해설참조

| 1단계 | 등차수열의 첫째항과 공차를 구한다. | ◀ 40% |

등차수열 $\{a_n\}$의 첫째항을 a, 공차를 d라 하면

$S_5=\dfrac{5(2a+4d)}{2}=185$

$\therefore a+2d=37$ ······ ㉠

$S_{10}=\dfrac{10(2a+9d)}{2}=220$

$\therefore 2a+9d=44$ ······ ㉡

㉠, ㉡을 연립하여 풀면 $a=49$, $d=-6$

| 2단계 | 처음으로 음수가 나오는 항은 제 몇 항인지 구한다. | ◀ 30% |

$a_n=49+(n-1)(-6)=-6n+55$

제 n항에서 처음으로 음수가 나온다고 하면

$a_n=-6n+55<0$에서 $n>\dfrac{55}{6}=9.1666$

즉 등차수열 $\{a_n\}$은 제 10항부터 음수이므로 $n=10$

| 3단계 | S_n이 최대가 되도록 하는 n의 값을 구한다. | ◀ 30% |

즉 등차수열 $\{a_n\}$은 제 9항까지 양수이므로 첫째항부터 제 9항까지의 합이 최대이다.

따라서 $n=9$일 때, 구하는 최댓값은 $S_9=\dfrac{9\{2\cdot49+(9-1)\cdot(-6)\}}{2}=225$

참고

첫째항부터 제 n항까지의 합 S_n은

$S_n=\dfrac{n\{2\cdot49+(n-1)\cdot(-6)\}}{2}=-3n^2+52n$

1428

추가문제임 정답 해설참조

| 1단계 | 세 내각의 크기 A, B, C가 이 순서대로 등차수열임을 이용하여 각 B를 구한다. | ◀ 30% |

세 내각의 크기 A, B, C가 이 순서대로 등차수열을 이루므로

$2B=A+C$

이때 $A+B+C=\pi$

즉 $A+C=\pi-B$이므로 $3B=\pi$

$\therefore B=\dfrac{\pi}{3}$

| 2단계 | 세 수 a, b, $a+c$가 이 순서대로 등비수열임을 이용하여 a, b, c의 관계식을 구한다. | ◀ 20% |

세 수 a, b, $a+c$가 이 순서대로 등비수열을 이루므로

$b^2=a(a+c)$

$\therefore a^2-b^2=-ac$ ······ ㉠

| 3단계 | 코사인법칙을 이용하여 $\cos B$를 구하여 a, b의 관계식을 구한다. | ◀ 20% |

코사인법칙에 의해

$\cos B=\dfrac{a^2+c^2-b^2}{2ac}=\dfrac{1}{2}$ ⬅ $B=\dfrac{\pi}{3}$

$\therefore a^2+c^2-b^2=ac$ ······ ㉡

| 4단계 | [2단계], [3단계]에서 코사인법칙을 이용하여 $\cos A$를 구한다. | ◀ 30% |

㉠-㉡을 하면 $-c^2=-2ac$

$c^2-2ac=0$, $c(2a-c)=0$

$\therefore c=2a$ ($\because c>0$)

$c=2a$를 ㉠에 대입하면 $b^2=3a^2$

$\therefore b=\sqrt{3}\,a$ ($\because b>0$)

$\cos A=\dfrac{b^2+c^2-a^2}{2bc}=\dfrac{3a^2+4a^2-a^2}{2\cdot\sqrt{3}\,a\cdot2a}=\dfrac{\sqrt{3}}{2}$

1429

정답 해설참조

| 1단계 | 공비를 r이라 하면 $r=1$을 제외한 이유를 서술한다. | ◀ 20% |

등비수열 $\{a_n\}$의 첫째항을 a, 공비를 r이라 하면

만약 $r=1$이면 $S_{15}=15a$, $S_5=5a$가 되어

$\dfrac{S_{15}}{S_5}=\dfrac{15a}{5a}=3$이므로 만족시키지 않는다.

| 2단계 | S_5, S_{15}을 각각 구한다. | ◀ 30% |

즉 $r\neq1$이므로

$S_5=\dfrac{a(r^5-1)}{r-1}$

$S_{15}=\dfrac{a(r^{15}-1)}{r-1}=\dfrac{a(r^5-1)(r^{10}+r^5+1)}{r-1}$

$\qquad=(r^{10}+r^5+1)\times S_5$

| 3단계 | r^5의 값을 구한다. | ◀ 30% |

$\dfrac{S_{15}}{S_5}=r^{10}+r^5+1=13$에서 $r^{10}+r^5-12=0$

이때 $r^5=t$로 놓으면

$t^2+t-12=0$, $(t+4)(t-3)=0$

그러므로 $t=-4$ 또는 $t=3$

그런데 $t>0$이므로 $t=3$, 즉 $r^5=3$

| 4단계 | $\dfrac{a_{15}}{a_5}$의 값을 구한다. | ◀ 20% |

따라서 $\dfrac{a_{15}}{a_5}=\dfrac{ar^{14}}{ar^4}=r^{10}=(r^5)^2=3^2=9$

1430

정답 해설참조

| 1단계 | 등비수열 $\{a_n\}$의 공비를 r, 첫째항부터 제 n항까지의 합을 S_n 이라 할 때, S_5, S_{10}을 구한다. | ◀ 30% |

등비수열 $\{a_n\}$의 첫째항을 a, 공비를 r이라 하면

$S_5 = \dfrac{a(r^5-1)}{r-1} = 4$ ...... ㉠

$S_{10} = \dfrac{a(r^{10}-1)}{r-1} = \dfrac{a(r^5-1)(r^5+1)}{r-1} = -20$ ...... ㉡

| 2단계 | r^5의 값을 구한다. | ◀ 30% |

㉠을 ㉡에 대입하면 $4(r^5+1) = -20$

$r^5+1 = -5$

$\therefore r^5 = -6$

| 3단계 | 첫째항부터 제 15항까지의 합을 구한다. | ◀ 40% |

따라서 $S_{15} = \dfrac{a(r^{15}-1)}{r-1} = \dfrac{a(r^5-1)(r^{10}+r^5+1)}{r-1}$ 이므로

㉠과 $r^5 = -6$임을 이용하면 $S_{15} = 4 \cdot \{(-6)^2 + (-6) + 1\} = 124$

1431

정답 해설참조

| 1단계 | a_1을 구한다. | ◀ 20% |

$a_1 = S_1 = 1 - \dfrac{3}{4} = \dfrac{1}{4}$ ...... ㉠

| 2단계 | $n \geq 2$일 때, a_n을 구한다. | ◀ 40% |

$a_n = S_n - S_{n-1}$

$= 1 - \left(\dfrac{3}{4}\right)^n - \left\{1 - \left(\dfrac{3}{4}\right)^{n-1}\right\}$

$= -\left(\dfrac{3}{4}\right)^n + \left(\dfrac{3}{4}\right)^{n-1}$

$= \dfrac{1}{4} \times \left(\dfrac{3}{4}\right)^{n-1}$ ...... ㉡

| 3단계 | 수열 $\{a_n\}$의 일반항을 구하고 공비를 구한다. | ◀ 40% |

㉡에 $n=1$을 대입하면 ㉠에서 얻은 값과 같으므로

일반항은 $a_n = \dfrac{1}{4} \times \left(\dfrac{3}{4}\right)^{n-1}$

또한, 모든 자연수 n에 대하여 $\dfrac{a_{n+1}}{a_n} = \dfrac{\dfrac{1}{4} \times \left(\dfrac{3}{4}\right)^n}{\dfrac{1}{4} \times \left(\dfrac{3}{4}\right)^{n-1}} = \dfrac{3}{4}$으로 일정하므로

공비는 $\dfrac{3}{4}$이다.

1432

정답 해설참조

| 1단계 | 첫째항 a_1을 r에 관한 식으로 나타낸다. | ◀ 30% |

$a_n = a_1 r^{n-1}$이므로 $a_2 = a_1 r = 1$

$\therefore a_1 = \dfrac{1}{r}$

| 2단계 | 등비수열 $\{a_n\}$의 일반항을 구한다. | ◀ 30% |

등비수열 $\{a_n\}$의 일반항은 $a_n = \dfrac{1}{r} \cdot r^{n-1} = r^{n-2}$

| 3단계 | $\log_r \omega$의 값을 구한다. | ◀ 40% |

$w = a_1 a_2 a_3 \cdots a_{10}$

$= r^{-1} \times r^0 \times r^1 \times r^2 \times \cdots \times r^8$

$= r^{-1+0+1+2+\cdots+8}$

$= r^{\frac{10(-1+8)}{2}}$

$= r^{35}$

따라서 $\log_r \omega = \log_r r^{35} = 35$

1433

정답 해설참조

| 1단계 | 공비를 r이라 하면 $r=1$을 제외한 이유를 서술한다. | ◀ 20% |

등비수열 $\{a_n\}$의 첫째항을 a, 공비를 r,

첫째항부터 제 n항까지의 합을 S_n이라고 하자.

만약 $r=1$이면

$S_3 = 3a$, $S_6 = 6a$에서 $S_6 = 2S_3$이 되어 주어진 조건을 만족시키지 않는다.

◀ $S_4 = 14$, $S_6 = 126$

| 2단계 | 첫째항부터 제 n항까지의 합을 S_n이라 할 때, S_3, S_6의 값을 구한다. | ◀ 30% |

즉 $r \neq 1$이므로

$S_3 = \dfrac{a(r^3-1)}{r-1} = 14$ ...... ㉠

$S_6 = \dfrac{a(r^6-1)}{r-1} = 126$에서 $\dfrac{a(r^3-1)(r^3+1)}{r-1} = 126$ ...... ㉡

| 3단계 | 첫째항과 공비를 구한다. | ◀ 30% |

㉠을 ㉡에 대입하면 $14(r^3+1) = 126$, $r^3 = 8$

그런데 r은 실수이므로 $r=2$ ...... ㉢

㉢을 ㉠에 대입하면 $a=2$

| 4단계 | 제 4항부터 제 10항까지의 합을 구한다. | ◀ 20% |

따라서 제 4항부터 제 10항까지의 합은

$S_{10} - S_3 = \dfrac{a(r^{10}-1)}{r-1} - 14 = 2(2^{10}-1) - 14 = 2046 - 14 = 2032$

1434

정답 해설참조

| 1단계 | 삼각형 $A_1B_1C_1$의 넓이 S_1을 구한다. | ◀ 20% |

삼각형 $A_1B_1C_1$은 한 변의 길이가 6인 정삼각형이므로

삼각형 $A_1B_1C_1$의 넓이 S_1은 $S_1 = \dfrac{\sqrt{3}}{4} \times 6^2 = 9\sqrt{3}$

| 2단계 | 삼각형 $A_nB_nC_n$의 한 변의 길이를 a_n이라 할 때, S_n과 S_{n+1}을 구하여 수열 $\{S_n\}$의 공비를 구한다. | ◀ 50% |

세 변 A_nB_n, B_nC_n, C_nA_n의 길이가 같으므로

삼각형 $A_nB_nC_n$은 정삼각형이고 한 변의 길이를

a_n이라고 하면

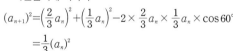

$S_n = \dfrac{\sqrt{3}}{4}(a_n)^2$

코사인법칙에 의하여

$(a_{n+1})^2 = \left(\dfrac{2}{3}a_n\right)^2 + \left(\dfrac{1}{3}a_n\right)^2 - 2 \times \dfrac{2}{3}a_n \times \dfrac{1}{3}a_n \times \cos 60°$

$= \dfrac{1}{3}(a_n)^2$

$a_n > 0$이므로 $a_{n+1} = \dfrac{\sqrt{3}}{3}a_n$

한 변의 길이가 a_{n+1}인 정삼각형 $A_{n+1}B_{n+1}C_{n+1}$의 넓이 S_{n+1}은

$S_{n+1} = \dfrac{\sqrt{3}}{4}\left(\dfrac{\sqrt{3}}{3}a_n\right)^2 = \dfrac{\sqrt{3}}{12}(a_n)^2$

이때 $S_n : S_{n+1} = 1 : \dfrac{1}{3}$이므로 수열 $\{S_n\}$은

첫째항이 $9\sqrt{3}$, 공비가 $\dfrac{1}{3}$인 등비수열이다.

| 3단계 | $S_1 + S_2 + S_3 + \cdots + S_{10}$의 값을 구한다. | ◀ 30% |

첫째항부터 제 10항까지의 합은

$S_1 + S_2 + S_3 + \cdots + S_{10} = \dfrac{9\sqrt{3}\left\{1 - \left(\dfrac{1}{3}\right)^{10}\right\}}{1 - \dfrac{1}{3}} = \dfrac{27\sqrt{3}}{2}\left\{1 - \left(\dfrac{1}{3}\right)^{10}\right\}$

1435
 정답 25

STEP Ⓐ **등차수열 $\{a_n\}$의 공차 구하기**

$a_1+a_3+a_5+\cdots+a_{2n-1}=4n^2-3n$ 　　　…… ㉠

㉠에 $n=1$을 대입하면

$a_1=4-3=1$

㉠에 $n=2$를 대입하면

$a_1+a_3=16-6=10$

즉 $a_3=10-1=9$

등차수열 $\{a_n\}$의 공차를 d라 하면

$a_3=a_1+2d$에서 $9=1+2d$이므로 $d=4$

즉 수열 $\{a_n\}$은 첫째항이 1, 공차가 4인 등차수열이다.

STEP Ⓑ **주어진 값 구하기**

따라서 $a_1-a_2+a_3-a_4+\cdots+a_{11}-a_{12}+a_{13}$

$\quad=a_1+(a_3-a_2)+(a_5-a_4)+\cdots+(a_{13}-a_{12})$

$\quad=1+4+4+4+4+4$

$\quad=1+6\times4=25$

1436
정답 ⑤

STEP Ⓐ **[보기]의 참, 거짓의 진위판단하기**

$a_n=\dfrac{1}{2}n+3$, $b_n=-2n+2$에서

$2a_n+3b_n=n+6-6n+6=-5n+12$이므로

ㄱ. 수열 $\{2a_n+3b_n\}$의 첫째항은 $2a_1+3b_1=-5+12=7$ [참]

ㄴ. 수열 $\{2a_n+3b_n\}$은 공차가 -5인 등차수열이다. [참]

ㄷ. 수열 $\{2a_n+3b_n\}$의 제 1항부터 20항까지의 합은

$\dfrac{20\{2\cdot7+(20-1)\cdot(-5)\}}{2}=-810$ [참]

따라서 옳은 것은 ㄱ, ㄴ, ㄷ이다.

1437
정답 ⑤

STEP Ⓐ **[보기]의 참, 거짓의 진위판단하기**

ㄱ. 수열 $\{a_n\}$의 일반항이 $a_n=\left(\dfrac{1}{2}\right)^{n-1}$이므로

첫째항이 1, 공비가 $\dfrac{1}{2}$인 등비수열의 제 n항까지의 합은

$S_n=\dfrac{1-\left(\dfrac{1}{2}\right)^n}{1-\dfrac{1}{2}}=2\left\{1-\left(\dfrac{1}{2}\right)^n\right\}$

즉 $a_n+S_n=\left(\dfrac{1}{2}\right)^{n-1}+2\left\{1-\left(\dfrac{1}{2}\right)^n\right\}=2$ [참]

ㄴ. $\log_2 a_n=\log_2 2^{1-n}=1-n$이므로

수열 $\{\log_2 a_n\}$은 첫째항이 0, 공차가 -1인 등차수열이다. [참]

ㄷ. $a_{n+1}-a_n=\left(\dfrac{1}{2}\right)^n-\left(\dfrac{1}{2}\right)^{n-1}=-\left(\dfrac{1}{2}\right)^n$이므로

수열 $\{a_{n+1}-a_n\}$은 첫째항이 $-\dfrac{1}{2}$, 공비가 $\dfrac{1}{2}$인 등비수열이다. [참]

따라서 옳은 것은 ㄱ, ㄴ, ㄷ이다.

1438
정답 17

STEP Ⓐ **(가), (나), (다)의 빈칸 구하기**

$S_{2n-1}=a_1+a_2+a_3+\cdots+a_{2n-2}+a_{2n-1}$

여기서 a_1과 a_{2n-1}의 등차중항은

$\dfrac{a_1+a_{2n-1}}{2}=\dfrac{a_1+\{a_1+(\boxed{2n-2})\times d\}}{2}=a_1+(n-1)d=\boxed{a_n}$

같은 방법으로

a_2와 a_{2n-2}의 등차중항은 $\boxed{a_n}$,

a_3과 a_{2n-3}의 등차중항은 $\boxed{a_n}$,

$\qquad\qquad\vdots$

a_{n-1}과 a_{n+1}의 등차중항은 $\boxed{a_n}$이므로

$S_{2n-1}=2\times\boxed{a_n}\times(n-1)+a_n=(\boxed{2n-1})a_n$

STEP Ⓑ **$f(5)+g(5)$의 값 구하기**

즉 (가), (다)에 들어갈 식은 $f(n)=2n-2$, $g(n)=2n-1$

따라서 $f(5)+g(5)=8+9=17$

1439
정답 $\dfrac{1}{5}$

STEP Ⓐ **등차수열 $\{a_n\}$의 공차를 d라 하면 $a_{n+1}-a_n=d$임을 이용하기**

등차수열 $\{a_n\}$의 공차를 d라 하면

$a_2-a_1=a_4-a_3=\cdots=a_{2k}-a_{2k-1}=d$

STEP Ⓑ **지수법칙을 이용하여 $b_{2k-1}\times b_{2k}$를 구하기**

$b_{2k-1}=\left(\dfrac{1}{2}\right)^{a_1+a_3+\cdots+a_{2k-1}}=2^{-(a_1+a_3+\cdots+a_{2k-1})}$

$b_{2k}=2^{a_2+a_4+\cdots+a_{2k}}$

$b_{2k-1}\times b_{2k}=2^{(a_2-a_1)+(a_4-a_3)+(a_6-a_5)+\cdots+(a_{2k}-a_{2k-1})}$

$\therefore b_{2k-1}\times b_{2k}=2^{kd}$

STEP Ⓒ **$b_1\times b_2\times b_3\times\cdots\times b_{10}=8$을 이용하여 공차 구하기**

$k=1$일 때, $b_1\times b_2=2^d$

$k=2$일 때, $b_3\times b_4=2^{2d}$

$\qquad\qquad\vdots$

$k=5$일 때, $b_9\times b_{10}=2^{5d}$

이므로 위의 식을 모두 곱하면

$b_1\times b_2\times b_3\times\cdots\times b_{10}=2^{d+2d+3d+4d+5d}=2^{15d}$

즉 $2^{15d}=8=2^3$

따라서 $15d=3$이므로 $d=\dfrac{1}{5}$

모든 자연수 n에 대하여 두 수열 $\{a_n\}$, $\{b_n\}$이

$$b_{2n}=3^{a_1+a_3+\cdots+a_{2n-1}}, \quad b_{2n-1}=3^{a_2+a_4+\cdots+a_{2n}}$$

을 만족시킨다. 수열 $\{a_n\}$은 등차수열이고 $b_5 b_7 = 3^5 b_6 b_8$일 때,

수열 $\{a_n\}$의 공차를 $\dfrac{p}{q}$라 할 때, $p+q$의 값을 구하여라.

(단, p, q는 서로소인 자연수)

STEP Ⓐ 등차수열 $\{a_n\}$의 공차를 d라 하면 $a_{n+1}-a_n=d$임을 이용하기

등차수열 $\{a_n\}$의 첫째항을 a, 공차를 d라 하면 $a_n=a+(n-1)d$

이때 $b_{2n}=3^{a_1+a_3+\cdots+a_{2n-1}}$, $b_{2n-1}=3^{a_2+a_4+\cdots+a_{2n}}$이므로

$b_5=3^{a_2+a_4+a_6}=3^{a+d+a+3d+a+5d}=3^{3a+9d}$

$b_7=3^{a_2+a_4+a_6+a_8}=3^{a+d+a+3d+a+5d+a+7d}=3^{4a+16d}$

$b_6=3^{a_1+a_3+a_5}=3^{a+a+2d+a+4d}=3^{3a+6d}$

$b_8=3^{a_1+a_3+a_5+a_7}=3^{a+a+2d+a+4d+a+6d}=3^{4a+12d}$

STEP Ⓑ $b_5 b_7 = 3^5 b_6 b_8$을 이용하여 공차 구하기

$b_5 b_7 = 3^5 b_6 b_8$에 대입하면

$3^{3a+9d}\cdot 3^{4a+16d}=3^5\cdot 3^{3a+6d}\cdot 3^{4a+12d}$

$3^{7a+25d}=3^5\cdot 3^{7a+18d}=3^{5+7a+18d}$

이때 $7a+25d=5+7a+18d$이므로

$d=\dfrac{5}{7}$

따라서 $p=5$, $q=7$이므로 $p+q=12$ 정답 **12**

1440

정답 **26**

STEP Ⓐ 등차수열의 일반항을 이용하여 a_1+a_m의 값 구하기

등차수열 $\{a_n\}$의 공차를 d라 하면

조건 (가)에서

$a_1+(a_1+d)+(a_1+2d)=159$이므로

$a_1+d=53$ …… ㉠

조건 (나)에서

$(a_m-2d)+(a_m-d)+a_m=96$이므로

$a_m-d=32$ …… ㉡

㉠, ㉡에서 $a_1+a_m=85$

STEP Ⓑ 등차수열의 합 공식을 이용하여 m의 값 구하기

$a_1+a_2+a_3+\cdots+a_m=\dfrac{m}{2}(a_1+a_m)=\dfrac{m}{2}\cdot 85=425$이고 $m=10$

STEP Ⓒ a_{11}의 값 구하기

이때 ㉡에서

$a_{10}-d=a_1+9d-d=a_1+8d=32$ …… ㉢

㉠, ㉢을 연립하여 풀면 $a_1=56$, $d=-3$이므로

$a_n=-3n+59$

따라서 $a_{11}=-33+59=26$

다른풀이 등차수열의 합의 성질을 이용하여 풀이하기

STEP Ⓐ 등차중항을 이용하여 a_2, a_{m-1}의 값 구하기

조건 (가)에서 $a_1+a_2+a_3=159$이므로

← a_1, a_2, a_3이 등차수열이므로 $2a_2=a_1+a_3$

$3a_2=159$

$\therefore a_2=53$ …… ㉠

조건 (나)에서 $a_{m-2}+a_{m-1}+a_m=96$이므로

← a_{m-2}, a_{m-1}, a_m이 등차수열 이므로 $2a_{m-1}=a_{m-2}+a_m$

$3a_{m-1}=96$

$\therefore a_{m-1}=32$ …… ㉡

STEP Ⓑ 등차수열의 합 공식을 이용하여 m의 값 구하기

등차수열의 합의 성질에 의하여

$$\sum_{k=1}^{m} a_k=\frac{m}{2}(a_1+a_m)=\frac{m}{2}(a_2+a_{m-1})=\frac{m}{2}(a_3+a_{m-2})=\cdots$$

이므로

$$\sum_{k=1}^{m} a_k=\frac{m}{2}(a_2+a_{m-1})=\frac{m}{2}\times(53+32)=425$$ ← ㉠, ㉡

$\therefore m=10$

STEP Ⓒ a_{11}의 값 구하기

㉠, ㉡에서 $a_2=53$, $a_9=32$이므로 등차수열 $\{a_n\}$의 공차를 d라 하면

$a_2=a_1+d=53$, $a_9=a_1+8d=32$를 연립하여 풀면

$d=-3$, $a=56$

$a_n=-3n+59$

따라서 $a_{11}=-33+59=26$

1441

정답 **26**

STEP Ⓐ 조건 (가)에서 $a_k>0$을 만족하는 k의 값 구하기

등차수열 $\{a_n\}$의 첫째항을 a, 공차를 d라 하자.

$a_{k+1}=S_{k+1}-S_k$이고

조건 (가)에 의하여 $S_k>S_{k+1}$을 만족시키는 가장 작은 자연수 k는

$a_{k+1}<0$을 만족시키는 가장 작은 자연수이다. ← $S_{k+1}-S_k=a_{k+1}<0$

그러므로 $n\le k$인 모든 자연수 n에 대하여 $a_n\ge 0$이고 $d<0$

조건 (나)의 $a_8=-\dfrac{5}{4}a_5$에 의하여 $a_5>0$, $a_8<0$이고

$a_5 a_6 a_7<0$에 의하여 $a_6>0$, $a_7<0$

$\therefore k=6$

STEP Ⓑ 조건 (나)를 만족하는 등차수열의 첫째항과 공차 구하기

$S_6=\dfrac{6(2a+5d)}{2}=102$이므로

$2a+5d=34$ …… ㉠

$a_8=-\dfrac{5}{4}a_5$에서 $a+7d=-\dfrac{5}{4}(a+4d)$이므로

$3a+16d=0$ …… ㉡

㉠, ㉡을 연립하여 풀면 $a=32$, $d=-6$

따라서 $a_2=a+d=32+(-6)=26$

1442

정답 **12개**

STEP Ⓐ 등차수열의 합 공식을 이용하여 d, k, m에 대한 방정식 구하기

등차수열 $\{a_n\}$은 첫째항이 30이고 공차가 $-d$이므로

$a_n=30-(n-1)d$

$a_m+a_{m+1}+a_{m+2}+\cdots+a_{m+k}$는

첫째항이 a_m, 공차가 $-d$, 항의 수가 $k+1$인 등차수열의 합이므로

$$\frac{(k+1)\{30+(m-1)(-d)+30+(m+k-1)(-d)\}}{2}$$

$$=\frac{(k+1)\{60-(2m+k-2)d\}}{2}=0$$

$k+1>0$이므로 $(2m+k-2)d=60$

d가 자연수이므로 위의 식을 d로 나누면

$\dfrac{60}{d}=2m+k-2$

STEP Ⓑ 방정식에서 m, k가 자연수일 때, 자연수 d의 개수 구하기

이를 만족하는 자연수 m, k가 존재하기 위해서는 d가 60의 약수이어야 한다.

$60=2^2\times 3\times 5$이므로 60의 양의 약수의 개수는 $3\times 2\times 2=12$

따라서 자연수 d의 개수는 12개이다.

다른풀이 등차수열의 연속된 $(k+1)$개의 항의 합이 0이기 위한 조건

등차수열의 연속된 $(k+1)$개의 항의 합이 0이기 위한 수열의 조건은 다음과 같다.

(i) $k+1$이 홀수일 때,

$\cdots$, $2d$, d, 0, $-d$, $-2d$, $\cdots$

즉 첫째항 30 또한 ad꼴이어야 하므로

d는 30의 양의 약수가 되어야 한다.

$d=1$, 2, 3, 5, 6, 10, 15, 30

(ii) $k+1$이 짝수일 때,

$\cdots$, $\dfrac{d}{2}$, $-\dfrac{d}{2}$, $\cdots$

이때 $30-(n-1)d=\dfrac{d}{2}$에서 $n=\dfrac{1}{2}+\dfrac{30}{d}$

n은 자연수이므로 $d=4$, 12, 20, 60

(i), (ii)에서 구하는 d의 개수는 12

1443

정답 729

STEP Ⓐ 등비수열 $\{a_n\}$의 일반항 a_n을 구하여 주어진 조건에 대입하기

등비수열 $\{a_n\}$의 첫째항을 a, 공비를 r이라 하면

$a_n=ar^{n-1}$

조건 (가)에서

$b_1+b_3+b_5+\cdots+b_{15}+b_{17}$

$=\log_3 a+\log_3 ar^2+\log_3 ar^4+\cdots+\log_3 ar^{14}+\log_3 ar^{16}$

$=\log_3 a\cdot ar^2\cdot ar^4\cdot\cdots\cdot ar^{16}$

$=\log_3 a^9 r^{2+4+\cdots+16}$

$=\log_3 a^9 r^{72}$

$=\log_3 (ar^8)^9$

$=9\log_3 ar^8$

$=36$

$\therefore ar^8=3^4$ $\qquad$ $\cdots\cdots$ ㉠

조건 (나)에서

$b_2+b_4+b_6+\cdots+b_{16}+b_{18}$

$=\log_3 ar+\log_3 ar^3+\log_3 ar^5+\cdots+\log_3 ar^{15}+\log_3 ar^{17}$

$=\log_3 ar\cdot ar^3\cdot\cdots\cdot ar^{17}$

$=\log_3 a^9 r^{1+3+\cdots+17}$

$=\log_3 a^9 r^{81}$

$=\log_3 (ar^9)^9$

$=9\log_3 ar^9$

$=45$

$\therefore ar^9=3^5$ $\qquad$ $\cdots\cdots$ ㉡

STEP Ⓑ 조건을 만족하는 관계식을 연립하여 a, r 구하기

㉠, ㉡을 연립하여 풀면

$r=3$, $a=\dfrac{1}{81}$이므로 $a_n=\dfrac{1}{81}\cdot 3^{n-1}=3^{n-5}$

따라서 $a_{11}=3^{11-5}=3^6=729$

1444

STEP Ⓐ 수열의 합과 일반항 사이의 관계를 이용하여 참, 거짓을 판별하기

ㄱ. $a_n=n$이면 $S_n=\sum\limits_{k=1}^{n}k=\dfrac{n(n+1)}{2}$이므로

$S_n T_n=n^2(n^2-1)$에서 $\dfrac{n(n+1)}{2}T_n=n^2(n^2-1)$

$\therefore T_n=2\cdot\dfrac{n^2(n^2-1)}{n(n+1)}=2n(n-1)$

이때 $b_n=T_n-T_{n-1}$

$\qquad=2n(n-1)-2(n-1)(n-2)$

$\qquad=4n-4\ (n\geq 2)$

즉 $T_1=0=b_1$이므로 $b_n=4n-4(n\geq 1)$ [참]

ㄴ. $S_n=\dfrac{n\{2a_1+(n-1)d_1\}}{2}$, $T_n=\dfrac{n\{2b_1+(n-1)d_2\}}{2}$이므로

$S_n T_n=n^2(n^2-1)$에서

$\dfrac{n\{2a_1+(n-1)d_1\}}{2}\cdot\dfrac{n\{2b_1+(n-1)d_2\}}{2}=n^2(n^2-1)$

$n\{2a_1+(n-1)d_1\}\cdot n\{2b_1+(n-1)d_2\}=4n^2(n^2-1)$

양변의 n^4의 계수를 비교하면

$d_1 d_2 n^4=4n^4$ $\therefore d_1 d_2=4$ [참]

STEP Ⓑ $S_1 T_1=0$에서 $a_1\neq 0$이면 $b_1=0$임을 이용하여 거짓임을 판별하기

ㄷ. $S_n T_n=n^2(n^2-1)$에서 $S_1 T_1=0$이므로

$a_1\neq 0$이면 $b_1=0$

등차수열 $\{b_n\}$은 첫째항이 0이고 공차가 d_2이므로

n항까지의 합 $T_n=0+d_2+2d_2+\cdots+(n-1)d_2$

$\qquad\qquad=\dfrac{n(n-1)d_2}{2}$

이때 $S_n T_n=S_n\cdot\dfrac{n(n-1)d_2}{2}$

$\qquad\qquad=n^2(n^2-1)$

$\therefore S_n=\dfrac{2n(n+1)}{d_2}$

즉 $a_n=S_n-S_{n-1}=\dfrac{2n(n+1)}{d_2}-\dfrac{2(n-1)n}{d_2}=\dfrac{4n}{d_2}$ [거짓]

반례 $a_n=2n$, $b_n=2n-2$일 때,

$S_n T_n=\left\{2\cdot n\dfrac{(n+1)}{2}\right\}\left\{2\cdot\dfrac{n(n+1)}{2}-2n\right\}$

$\qquad=n(n+1)\cdot n(n-1)$

$\qquad=n^2(n^2-1)$

즉 $a_1=2\neq 0$이지만 $a_n=n$은 아니다. [거짓]

따라서 옳은 것은 ㄱ, ㄴ이다.

1445

STEP A $y=|x^2-9|$의 그래프가 y축에 대하여 대칭임을 이용하여 $a_2=-a_3$임을 보이기

함수 $y=|x^2-9|$의 그래프는 y축에 대하여 대칭이므로 $a_2=-a_3$
이 등차수열의 공차는 $a_3-a_2=a_3-(-a_3)=2a_3$이므로
$a_4=a_3+2a_3=3a_3$ $\qquad$ …… ㉠

STEP B 함수 위의 두 점 $(a_3,\ k)$, $(a_4,\ k)$를 이용하여 k 구하기

이때 점 $(a_3,\ k)$는 곡선 $y=-x^2+9$ 위의 점이므로
$k=-a_3^2+9\ (\because a_3<3)$
$a_3^2=9-k$ $\qquad$ …… ㉡
또, 점 $(a_4,\ k)$는 곡선 $y=x^2-9$ 위의 점이므로
$k=a_4^2-9=9a_3^2-9\ (\because ㉠)$
$a_3^2=\dfrac{k+9}{9}$ $\qquad$ …… ㉢

㉡, ㉢에서 $\dfrac{k+9}{9}=9-k$, $10k=72$

따라서 $k=\dfrac{36}{5}$

다른풀이 직접 $y=|x^2-9|$와 직선 $y=k$의 교점을 구하여 풀이하기

STEP A 함수 $y=|x^2-9|$와 직선 $y=k$의 교점의 x좌표 a_1, a_2, a_3, a_4 구하기

$y=|x^2-9|=\begin{cases} x^2-9 & (|x|>3) \\ -x^2+9 & (|x|\le 3) \end{cases}$이므로

a_1, a_4는 곡선 $y=x^2-9$와 직선 $y=k$의 교점의 x좌표이므로
$k=x^2-9$, $x^2=k+9$에서
$a_4=\sqrt{k+9}$, $a_1=-\sqrt{k+9}\ (\because a_4>a_1)$
또, a_2, a_3은 곡선 $y=-x^2+9$와 직선 $y=k$의 교점의 x좌표이므로
$k=-x^2+9$, $x^2=-k+9$에서
$a_3=\sqrt{-k+9}$, $a_2=-\sqrt{-k+9}\ (\because a_3>a_2)$

STEP B a_1, a_2, a_3, a_4가 이 순서대로 등차수열임을 이용하여 k의 값 구하기

이때 a_1, a_2, a_3, a_4가 이 순서대로 등차수열을 이루므로
$a_4-a_3=a_3-a_2$
즉 $a_4=2a_3-a_2$이므로
$\sqrt{k+9}=2\sqrt{-k+9}+\sqrt{-k+9}=3\sqrt{-k+9}$
양변을 제곱하면 $k+9=-9k+81$, $10k=72$
따라서 $k=\dfrac{36}{5}$

1446

STEP A 1월초에 예금한 1000만 원의 12월 말에 원리합계 구하기

$1000\times 1.005^{12}=1000\times 1.0617=1061.7$(만 원) $\qquad$ …… ㉠

STEP B 매월 말에 50만 원을 같은 이율로 적금을 넣을 때 원리합계 구하기

매월 말에 50만 원을 넣으면 12월 말엔 다음과 같은 금액이 된다.
1월 말 50만 원 → 50×1.005^{11}(만 원)
2월 말 50만 원 → 50×1.005^{10}(만 원)
$\vdots$
12월 말 50만 원 → 50(만 원)

모두 합하면 $\dfrac{50(1.005^{12}-1)}{1.005-1}=617$(만 원) $\qquad$ …… ㉡

STEP C 매월 말에 찾은 50만 원에 대해서는 이자를 받지 못했으니 ㉠−㉡을 하면 통장에 남아 있는 금액이 된다.

㉠−㉡을 하면 $1061.7-617=444.7$(만 원)
따라서 12월 말에 통장에 남아 있는 금액은 444만 7000원이다.

다른풀이 직접 계산하기

n월 말에 통장에 남아있는 잔액을 a_n이라 하면
$a_1=1000\times 1.005-50$
$a_2=a_1\times 1.005-50=1000\times 1.005^2-50(1.005+1)$
$a_3=a_2\times 1.005-50=1000\times 1.005^3-50(1.005^2+1.005+1)$
$\vdots$
$a_{12}=a_{11}\times 1.005-50=1000\times 1.005^{12}-50(1.005^{11}+\cdots+1.005+1)=444.7$

1447

STEP A S_1, S_2, S_3이 이 순서대로 등차수열을 이루면 $\overline{AQ}$, $\overline{QP}$, $\overline{PB}$도 이 순서대로 등차수열을 이룸을 이용하기

제 1사분면에서의 직선과 원의 접점을 R이라 하면
$\overline{OR}=\sqrt{2}$, $\overline{OP}=2$이므로 $\angle OPR=45°$
삼각형 OPR과 삼각형 OAR은 합동이므로 점 A의 좌표는 $(0,\ 2)$

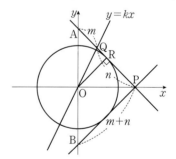

$\overline{PA}=\overline{PB}$이고 S_1, S_2, S_3이 이 순서대로 등차수열을 이루고
$\overline{AQ}$, $\overline{QP}$, $\overline{PB}$도 이 순서대로 등차수열을 이루므로 $2\overline{QP}=\overline{AQ}+\overline{PB}$

STEP B 내분점 공식을 이용하여 점 Q의 좌표를 구하여 k의 값 구하기

$\overline{AQ}=m$, $\overline{QP}=n$이라 하면
$\overline{PB}=m+n$이고 $2n=2m+n$이므로 $m:n=1:2$
점 Q는 점 $A(0,\ 2)$와 점 $P(2,\ 0)$을 $1:2$로 내분하는 점이므로
점 $Q\left(\dfrac{2}{3},\ \dfrac{4}{3}\right)$이고 점 Q는 직선 $y=kx$ 위에 있으므로 $k=2$
따라서 $100k=200$

1448

정답 $\sqrt{2}$

STEP A 직각삼각형에서 닮음의 성질을 이용하여 공비 구하기

세 선분 AO, OC, EA의 길이가 이 순서대로 등차수열을 이루므로
$\overline{\text{AO}}=a-d$, $\overline{\text{OC}}=a$, $\overline{\text{EA}}=a+d$라 하면 $(a>d)$

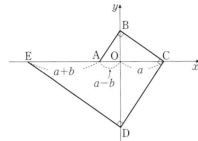

직각삼각형 ABC에서 $\triangle$ABO ∞ $\triangle$BCO (AA닮음)
$\overline{\text{AO}}:\overline{\text{BO}}=\overline{\text{BO}}:\overline{\text{CO}}$이므로 $(a-d):\overline{\text{BO}}=\overline{\text{BO}}:a$
$\overline{\text{BO}}^2=a(a-d)$ $\therefore$ $\overline{\text{BO}}=\sqrt{a(a-d)}$ $\cdots\cdots$ ㉠
마찬가지 방법으로 직각삼각형 CDE에서 $\triangle$CDO ∞ $\triangle$DEO (AA닮음)
$\overline{\text{CO}}:\overline{\text{DO}}=\overline{\text{DO}}:\overline{\text{EO}}$이므로 $a:\overline{\text{DO}}=\overline{\text{DO}}:2a$
$\overline{\text{DO}}^2=2a^2$ $\therefore$ $\overline{\text{DO}}=\sqrt{2}a$ $\cdots\cdots$ ㉡
직각삼각형 BCD에서 $\triangle$BCO ∞ $\triangle$CDO (AA닮음)
$\overline{\text{BO}}:\overline{\text{CO}}=\overline{\text{CO}}:\overline{\text{DO}}$이므로 $\overline{\text{CO}}^2=\overline{\text{BO}}\times\overline{\text{DO}}$
㉠, ㉡을 대입하면 $a^2=\sqrt{a(a-d)}\times\sqrt{2}a$
즉 $a^4=2a^3(a-d)$, $a=2a-2d$
$\therefore$ $a=2d$ ($\because$ $a\neq0$)

STEP B 직선 AB의 기울기 구하기

따라서 직선 AB의 기울기는 $\dfrac{\overline{\text{BO}}}{\overline{\text{AO}}}=\dfrac{\sqrt{a(a-d)}}{a-d}=\dfrac{\sqrt{2d\cdot d}}{2d-d}=\sqrt{2}$

다른풀이 직선의 방정식을 구하여 x, y축과 교점을 구하여 풀이하기

STEP A 두 직선이 수직임을 이용하여 각 직선의 방정식 구하기

점 A의 좌표를 $(-a,0)$, 직선 AB의 기울기를 $m(m>0)$이라 하면
직선 AB의 방정식은 $y=m(x+a)=mx+ma$이므로 점 B$(0, am)$
이때 직선 AB와 직선 BC가 수직이므로
직선 BC의 기울기는 $-\dfrac{1}{m}$이므로 직선 BC의 방정식은 $y=-\dfrac{1}{m}x+am$
$\therefore$ C$(am^2, 0)$
이때 직선 BC와 직선 CD가 수직이므로
직선 CD의 기울기가 m이므로 직선 CD의 방정식은 $y=mx-am^3$
$\therefore$ D$(0, -am^3)$
직선 DE의 기울기는 $-\dfrac{1}{m}$이므로 직선 DE의 방정식은 $y=-\dfrac{1}{m}x-am^3$
$\therefore$ E$(-am^4, 0)$

STEP B 등차중항을 이용하여 직선 AB의 기울기 구하기

선분 $\overline{\text{AO}}$, $\overline{\text{OC}}$, $\overline{\text{EA}}$의 길이가 등차수열을 이루므로
a, am^2, am^4-a에서 등차중항을 이용하면
$2am^2=a+(am^4-a)$
$2=m^2$ ($\because$ $a\neq0$) $\therefore$ $m=\sqrt{2}$ ($\because$ $m>0$)
따라서 직선 AB의 기울기는 $\sqrt{2}$

다른풀이 등비수열과 등차중항을 이용하여 풀이하기

STEP A 직각삼각형에서 닮음의 성질을 이용하여 공비 구하기

$\triangle$AOB ∞ $\triangle$BOC ∞ $\triangle$COD ∞ $\triangle$DOE이므로 $\overline{\text{OA}}$, $\overline{\text{OB}}$, $\overline{\text{OC}}$, $\overline{\text{OD}}$, $\overline{\text{OE}}$는
이 순서대로 등비수열을 이룬다.
따라서 $\overline{\text{OA}}$, $\overline{\text{OC}}$, $\overline{\text{OE}}$도 등비수열을 이루므로 $\overline{\text{OA}}=a$, $\overline{\text{OC}}=ar$, $\overline{\text{OE}}=ar^2$
이라 하자.

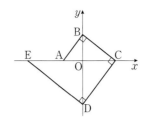

선분 $\overline{\text{AO}}$, $\overline{\text{OC}}$, $\overline{\text{EA}}=\overline{\text{OE}}-\overline{\text{OA}}$의 길이가 등차수열을 이루므로
$2\overline{\text{OC}}=\overline{\text{AO}}+\overline{\text{OE}}-\overline{\text{OA}}=\overline{\text{OE}}$
$2ar=ar^2$ $\therefore$ $r=2$

STEP B 직선 AB의 기울기 구하기

따라서 직선 AB의 기울기는 $\dfrac{\overline{\text{OB}}}{\overline{\text{OA}}}=\sqrt{r}=\sqrt{2}$

1449

정답 150

STEP A C에서 변 AB에 내린 수선의 발을 H라 하고 구간 나누기

꼭짓점 C에서 변 AB에 내린 수선의 발을 H라 하자.
$\overline{\text{AB}}=\sqrt{20^2+15^2}=\sqrt{625}=25$
삼각형 ABC의 넓이는 $\dfrac{1}{2}\cdot\overline{\text{AC}}\cdot\overline{\text{BC}}=\dfrac{1}{2}\cdot\overline{\text{AB}}\cdot\overline{\text{CH}}$
$\overline{\text{CH}}=\dfrac{\overline{\text{AC}}\cdot\overline{\text{BC}}}{\overline{\text{AB}}}=\dfrac{15\cdot20}{25}=12$
$\overline{\text{AH}}=\sqrt{15^2-12^2}=9$이고 P_9, Q_9가 각각 H, C와 일치하므로
$\overline{P_9Q_9}=\overline{\text{CH}}=12$

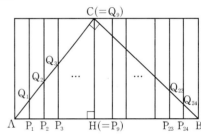

STEP B $\tan A$, $\tan B$를 이용하여 $\overline{P_1Q_1}$, $\overline{P_2Q_2}$, $\cdots$, $\overline{P_{24}Q_{24}}$의 길이 구하기

삼각형 AHC에서
$\overline{P_1Q_1}+\overline{P_2Q_2}+\overline{P_3Q_3}+\cdots+\overline{P_9Q_9}=(1+2+3+\cdots+9)\tan A$
$\qquad\qquad=\dfrac{4}{3}\times\dfrac{9\times10}{2}=60$
또, 삼각형 BHC에서
$\overline{P_{10}Q_{10}}+\overline{P_{11}Q_{11}}+\cdots+\overline{P_{24}Q_{24}}=(15+14+13+\cdots+2+1)\tan B$
$\qquad\qquad=\dfrac{3}{4}\times\dfrac{15\times16}{2}=90$
따라서 $\overline{P_1Q_1}+\overline{P_2Q_2}+\overline{P_3Q_3}+\cdots+\overline{P_{24}Q_{24}}=60+90=150$

다른풀이 $\triangle$ACH와 $\triangle$CAA′이 합동이고 $\triangle$BCH와 $\triangle$CBB′도 합동임을 이용하여 풀이하기

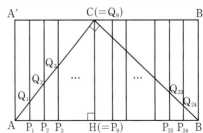

$\triangle$ACH와 $\triangle$CAA′이 합동이고 $\triangle$BCH와 $\triangle$CBB′도 합동이므로
$(\overline{P_1Q_1}+\cdots+\overline{P_8Q_8})+\overline{P_9Q_9}+(\overline{P_{10}Q_{10}}+\cdots+\overline{P_{24}Q_{24}})$
$=\dfrac{1}{2}\times12\times8+12+\dfrac{1}{2}\times12\times15=150$

1450

STEP Ⓐ $\overline{A_nA_{n+1}}$의 길이 구하기

$y=a_nx$에서 a_n은 원점에서 점 B_n을 잇는 기울기이므로

$a_n=\dfrac{\overline{A_nB_n}}{\overline{OA_n}}$이다.

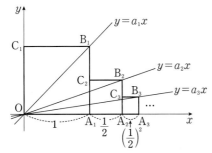

정사각형 $A_{n-1}A_nB_nC_n$의 한 변의 길이가 $\left(\dfrac{1}{2}\right)^{n-1}$이므로

$\overline{A_nB_n}=\overline{A_{n-1}A_n}=\dfrac{1}{2^{n-1}}$

이때 $\overline{OA_1}=1$, $\overline{A_1A_2}=\dfrac{1}{2}$, $\overline{A_2A_3}=\left(\dfrac{1}{2}\right)^2$, $\cdots$, $\overline{A_nA_{n+1}}=\left(\dfrac{1}{2}\right)^n$이므로

$\overline{OA_n}=1+\dfrac{1}{2}+\dfrac{1}{2^2}+\cdots+\dfrac{1}{2^{n-1}}=\dfrac{1-\dfrac{1}{2^n}}{1-\dfrac{1}{2}}=2-\left(\dfrac{1}{2}\right)^{n-1}$

STEP Ⓑ 기울기 a_n 구하기

직선 $y=a_nx$의 기울기는

$a_n=\dfrac{\overline{A_nB_n}}{\overline{OA_n}}=\dfrac{\left(\dfrac{1}{2}\right)^{n-1}}{2-\left(\dfrac{1}{2}\right)^{n-1}}=\dfrac{1}{2^n-1}$

따라서 $a_{10}=\dfrac{1}{2^{10}-1}$이므로 $a=10$, $b=1$ $\therefore a+b=11$

1451

STEP Ⓐ S_1, S_2, $\cdots$, S_n 구하기

첫 번째 시행에서 [그림1]과 같이 중점을 이어서 만든 직각삼각형의 넓이는
가로 세로의 길이가 8인 직각이등변삼각형의 넓이 $S_1=\dfrac{1}{2}\cdot8\cdot8=32$

두 번째 시행에서 [그림2]와 같이 중점을 이어서 만든 직각삼각형의 넓이는
가로 세로의 길이가 4인 직각이등변삼각형 3개의 넓이

$S_2=3\cdot\dfrac{1}{2}\cdot4\cdot4=24$

세 번째 시행에서 [그림3]과 같이 중점을 이어서 만든 직각삼각형의 넓이는
가로 세로의 길이가 2인 직각이등변삼각형 9개의 넓이

$S_3=9\cdot\dfrac{1}{2}\cdot2\cdot2=18$

$\vdots$

즉 수열 $\{S_n\}$은 첫째항이 32이고 공비가 $\dfrac{3}{4}$인 등비수열이므로

$S_n=32\cdot\left(\dfrac{3}{4}\right)^{n-1}$

STEP Ⓑ $\displaystyle\sum_{k=1}^{6}S_k$ 구하기

$\displaystyle\sum_{k=1}^{6}S_k=\sum_{k=1}^{6}32\cdot\left(\dfrac{3}{4}\right)^{n-1}=32\cdot\dfrac{1-\left(\dfrac{3}{4}\right)^6}{1-\dfrac{3}{4}}=2^7-2^7\left(\dfrac{3}{4}\right)^6=2^7-2\left(\dfrac{3}{2}\right)^6$

따라서 $a=2^7=128$, $b=2$이므로 $a+b=130$

1452

STEP Ⓐ 주어진 그림에서 정사각형의 넓이 구하기

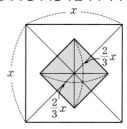

위의 그림과 같이 한 변의 길이가 x인 정사각형의 무게중심을 연결하여 만든
새로운 정사각형의 넓이는

$\left(\dfrac{2}{3}x\times\dfrac{2}{3}x\right)\times\dfrac{1}{2}=\dfrac{2}{9}x^2=\dfrac{2}{9}\times$(한 변의 길이가 x인 정사각형의 넓이)

STEP Ⓑ 수열 $\{a_n\}$의 첫째 항부터 제 10항까지의 합 구하기

즉 수열 $\{a_n\}$은 첫째항이 $\dfrac{2}{9}\times(9\times9)=18$

공비가 $\dfrac{2}{9}$인 등비수열이므로 수열 $\{a_n\}$의 첫째항부터 제 10항까지의 합은

$\dfrac{18\left\{1-\left(\dfrac{2}{9}\right)^{10}\right\}}{1-\dfrac{2}{9}}=\dfrac{162}{7}\left\{1-\left(\dfrac{2}{9}\right)^{10}\right\}$

따라서 $a+b=162+7=169$

03 수열의 합

STEP1 내신정복기출유형

1453
정답 ③

STEP **A** [보기]의 진위판단하기

① $\displaystyle\sum_{k=1}^{n} a_{2k} = a_2 + a_4 + a_6 + \cdots + a_{2n}$ 이고

$\displaystyle\sum_{k=1}^{2n} a_k = a_1 + a_2 + a_3 + \cdots + a_{2n}$ 이므로

$\displaystyle\sum_{k=1}^{n} a_{2k} \neq \sum_{k=1}^{2n} a_k$ [거짓]

② $\displaystyle\sum_{k=1}^{n} a_k b_k = a_1 b_1 + a_2 b_2 + a_3 b_3 + \cdots + a_n b_n$ 이고

$\left(\displaystyle\sum_{k=1}^{n} a_k\right) \times \left(\displaystyle\sum_{k=1}^{n} b_k\right) = (a_1 + a_2 + a_3 + \cdots + a_n)(b_1 + b_2 + b_3 + \cdots + b_n)$ 이므로

$\displaystyle\sum_{k=1}^{n} a_k b_k \neq \left(\displaystyle\sum_{k=1}^{n} a_k\right) \times \left(\displaystyle\sum_{k=1}^{n} b_k\right)$ [거짓]

③ $\displaystyle\sum_{k=2}^{n} c = c + c + c + \cdots + c = c(n-1)$ [참]

④ $\displaystyle\sum_{k=1}^{n} (2k-3)^2 = \sum_{k=1}^{n} (4k^2 - 12k + 9)$

$= 4\displaystyle\sum_{k=1}^{n} k^2 - 12\sum_{k=1}^{n} k + 9n$ [거짓]

⑤ $\displaystyle\sum_{k=1}^{n} a_k + \sum_{k=1}^{2n} b_k = (a_1 + a_2 + \cdots + a_n) + (b_1 + b_2 + \cdots + b_{2n})$ 이고

$\displaystyle\sum_{k=1}^{n} (a_k + b_k) + b_{2n} = (a_1 + a_2 + \cdots + a_n) + (b_1 + b_2 + \cdots + b_n) + b_{2n}$ 이므로

$\displaystyle\sum_{k=1}^{n} a_k + \sum_{k=1}^{2n} b_k \neq \sum_{k=1}^{n} (a_k + b_k) + b_{2n}$ [거짓]

따라서 옳은 것은 ③이다.

내신연계 출제문항 536

합의 기호 $\displaystyle\sum$ 의 성질에 대하여 다음 중 항상 옳은 것은?

① $\displaystyle\sum_{k=1}^{n} a_k^2 = \left(\sum_{k=1}^{n} a_k\right)^2$ ② $\displaystyle\sum_{k=1}^{n} \frac{a_k}{b_k} = \frac{\sum_{k=1}^{n} a_k}{\sum_{k=1}^{n} b_k}$

③ $\displaystyle\sum_{k=1}^{n} c = c$ (단, c는 상수)   ④ $\displaystyle\sum_{k=1}^{n} \frac{1}{k} = \frac{1}{\sum_{k=1}^{n} k}$

⑤ $\displaystyle\sum_{k=1}^{n} \left(\sum_{l=1}^{k} l\right) = \frac{n(n+1)(2n+1)}{6}$

STEP **A** [보기]의 진위판단하기

① $\displaystyle\sum_{k=1}^{n} a_k^2 = \sum_{k=1}^{n} a_k \cdot a_k \neq \sum_{k=1}^{n} a_k \cdot \sum_{k=1}^{n} a_k = \left(\sum_{k=1}^{n} a_k\right)^2$ [거짓]

② $\displaystyle\sum_{k=1}^{n} \frac{a_k}{b_k} \neq \frac{\sum_{k=1}^{n} a_k}{\sum_{k=1}^{n} b_k}$ [거짓]

③ $\displaystyle\sum_{k=1}^{n} c = cn$ (단, c는 상수) [거짓]

④ $\displaystyle\sum_{k=1}^{n} \frac{1}{k} = 1 + \frac{1}{2} + \frac{1}{3} + \cdots + \frac{1}{n} \neq \frac{1}{\sum_{k=1}^{n} k} = \frac{2}{n(n+1)}$ [거짓]

⑤ $\displaystyle\sum_{k=1}^{n} \left(\sum_{l=1}^{k} l\right) = \sum_{k=1}^{n} (k \cdot k) = \sum_{k=1}^{n} k^2 = \frac{n(n+1)(2n+1)}{6}$ [참]

따라서 옳은 것은 ⑤이다.
정답 ⑤

1454
정답 ⑤

STEP **A** $\displaystyle\sum$ 의 성질 이용하여 값 구하기

$\displaystyle\sum_{k=1}^{10} a_k = 50$, $\displaystyle\sum_{k=1}^{10} b_k = 30$ 이므로

$\displaystyle\sum_{k=1}^{10} (3a_k - 2b_k + 5) = 3\sum_{k=1}^{10} a_k - 2\sum_{k=1}^{10} b_k + \sum_{k=1}^{10} 5$

$= 3 \cdot 50 - 2 \cdot 30 + 50 = 140$

내신연계 출제문항 537

두 수열 $\{a_n\}$, $\{b_n\}$에 대하여

$$\sum_{i=1}^{10} a_i = 60, \quad \sum_{j=1}^{10} b_j = 40$$

일 때, $\displaystyle\sum_{k=1}^{10} (3a_k + b_k - 3)$의 값은?

① 157   ② 163   ③ 190
④ 217   ⑤ 223

STEP **A** $\displaystyle\sum$ 의 성질 이용하여 값 구하기

$\displaystyle\sum_{i=1}^{10} a_i = \sum_{k=1}^{10} a_k = 60$, $\displaystyle\sum_{j=1}^{10} b_j = \sum_{k=1}^{10} b_k = 40$ 이므로

$\displaystyle\sum_{k=1}^{10} (3a_k + b_k - 3) = 3\sum_{k=1}^{10} a_k + \sum_{k=1}^{10} b_k - 3 \cdot 10$

$= 3 \cdot 60 + 40 - 30 = 190$
정답 ③

1455
정답 ③

STEP **A** $\displaystyle\sum$ 의 성질 이용하여 값 구하기

$\displaystyle\sum_{k=1}^{10} (a_k + 1)(a_k - 2) = \sum_{k=1}^{10} (a_k^2 - a_k - 2)$

$= \displaystyle\sum_{k=1}^{10} a_k^2 - \sum_{k=1}^{10} a_k - \sum_{k=1}^{10} 2$

$= 25 - 15 - 2 \cdot 10 = -10$

1456
정답 ⑤

STEP **A** $\displaystyle\sum$ 의 성질 이용하여 값 구하기

$\displaystyle\sum_{n=1}^{10} (2a_n - 3)^2 = \sum_{n=1}^{10} (4a_n^2 - 12a_n + 9) = 4\sum_{n=1}^{10} a_n^2 - 12\sum_{n=1}^{10} a_n + \sum_{n=1}^{10} 9$

$= 4 \cdot 20 - 12 \cdot 10 + 90 = 50$

내신연계 출제문항 538

수열 $\{a_n\}$에 대하여

$$\sum_{k=1}^{5} a_k = 12, \quad \sum_{k=1}^{5} a_k^2 = 40$$

일 때, $\displaystyle\sum_{k=1}^{5} (a_k + 2)^2$의 값은?

① 88   ② 98   ③ 108
④ 118   ⑤ 128

STEP **A** 시그마의 기본 성질을 이용하여 구하기

$\displaystyle\sum_{k=1}^{5} (a_k + 2)^2 = \sum_{k=1}^{5} (a_k^2 + 4a_k + 4) = \sum_{k=1}^{5} a_k^2 + 4\sum_{k=1}^{5} a_k + \sum_{k=1}^{5} 4$

$= 40 + 4 \cdot 12 + 5 \cdot 4 = 108$
정답 ③

1457

정답 ②

STEP Ⓐ $\sum$의 성질 이용하여 값 구하기

$\sum\limits_{k=1}^{10}(2a_k-1)^2=34$에서

$\sum\limits_{k=1}^{10}(4a_k{}^2-4a_n+1)=4\sum\limits_{k=1}^{10}a_k{}^2-4\sum\limits_{k=1}^{10}a_n+10=34$이므로

$4\cdot10-4\sum\limits_{k=1}^{10}a_n+10=34$

따라서 $\sum\limits_{k=1}^{10}a_k=4$

1458

정답 ③

STEP Ⓐ 시그마의 성질을 이용하기

$\sum\limits_{k=1}^{10}(a_k-2)=6$에서 $\sum\limits_{k=1}^{10}a_k-\sum\limits_{k=1}^{10}2=6$이므로

$\sum\limits_{k=1}^{10}a_k-2\cdot10=6$ $\therefore \sum\limits_{k=1}^{10}a_k=26$ ······ ㉠

$\sum\limits_{k=1}^{10}(2a_k-b_k)=10$에서 $2\sum\limits_{k=1}^{10}a_k-\sum\limits_{k=1}^{10}b_k=10$이므로

㉠에서 $2\cdot26-\sum\limits_{k=1}^{10}b_k=10$ $\therefore \sum\limits_{k=1}^{10}b_k=42$

STEP Ⓑ $\sum\limits_{k=1}^{10}(a_k+b_k)$의 값 구하기

따라서 $\sum\limits_{k=1}^{10}(a_k+b_k)=\sum\limits_{k=1}^{10}a_k+\sum\limits_{k=1}^{10}b_k=26+42=68$

내/신/연/계/ 출제문항 539

두 수열 $\{a_n\}$, $\{b_n\}$에 대하여

$$\sum\limits_{k=1}^{10}(a_k+b_k)=35, \sum\limits_{k=1}^{10}(a_k-b_k)=15$$

일 때, $\sum\limits_{k=1}^{10}(2a_k-3b_k)$의 값은?

① 20   ② 25   ③ 30
④ 35   ⑤ 40

STEP Ⓐ 시그마의 성질을 이용하여 $\sum\limits_{k=1}^{10}a_k$, $\sum\limits_{k=1}^{10}b_k$의 값 구하기

$\sum\limits_{k=1}^{10}(a_k+b_k)=\sum\limits_{k=1}^{10}a_k+\sum\limits_{k=1}^{10}b_k=35$ ······ ㉠

$\sum\limits_{k=1}^{10}(a_k-b_k)=\sum\limits_{k=1}^{10}a_k-\sum\limits_{k=1}^{10}b_k=15$ ······ ㉡

㉠+㉡을 하면

$2\sum\limits_{k=1}^{10}a_k=35+15=50$ $\therefore \sum\limits_{k=1}^{10}a_k=25$

㉠-㉡을 하면

$2\sum\limits_{k=1}^{10}b_k=35-15=20$ $\therefore \sum\limits_{k=1}^{10}b_k=10$

STEP Ⓑ $\sum\limits_{k=1}^{10}(2a_k-3b_k)$의 값 구하기

$\sum\limits_{k=1}^{10}(2a_k-3b_k)=2\sum\limits_{k=1}^{10}a_k-3\sum\limits_{k=1}^{10}b_k=2\cdot25-3\cdot10=50-30=20$

정답 ①

1459

정답 ⑤

STEP Ⓐ 시그마의 기본 성질을 이용하여 구하기

$\sum\limits_{k=1}^{m}a_k=-1$, $\sum\limits_{k=1}^{m}a_k{}^2=3$이므로

$\sum\limits_{k=1}^{m}(a_k+3)^2=\sum\limits_{k=1}^{m}(a_k{}^2+6a_k+9)$

$\qquad=\sum\limits_{k=1}^{m}a_k{}^2+6\sum\limits_{k=1}^{m}a_k+\sum\limits_{k=1}^{m}9$

$\qquad=3-6+9m=9m-3$

STEP Ⓑ m의 값 구하기

따라서 $9m-3=60$이므로 $m=7$

내/신/연/계/ 출제문항 540

두 수열 $\{a_n\}$에 대하여 $\sum\limits_{k=1}^{12}(a_k+1)=22$일 때,

$$\sum\limits_{k=1}^{12}(5a_k+p)=146$$

을 만족시키는 상수 p의 값은?

① 4   ② 6   ③ 8
④ 10   ⑤ 12

STEP Ⓐ $\sum\limits_{k=1}^{12}(a_k+1)=22$를 만족하는 $\sum\limits_{k=1}^{12}a_k$의 값 구하기

$\sum\limits_{k=1}^{12}(a_k+1)=22$에서 $\sum\limits_{k=1}^{12}(a_k+1)=\sum\limits_{k=1}^{12}a_k+\sum\limits_{k=1}^{12}1=\sum\limits_{k=1}^{12}a_k+12$이므로

$\sum\limits_{k=1}^{12}a_k+12=22$ $\therefore \sum\limits_{k=1}^{12}a_k=10$

STEP Ⓑ $\sum\limits_{k=1}^{12}(5a_k+p)=146$을 만족하는 상수 p의 값 구하기

$\sum\limits_{k=1}^{12}(5a_k+p)=5\sum\limits_{k=1}^{12}a_k+\sum\limits_{k=1}^{12}p$

$\qquad=5\cdot10+12p$

$\qquad=50+12p$

이므로 $50+12p=146$, $12p=96$

따라서 $p=8$ 정답 ③

1460

정답 ③

STEP Ⓐ 시그마의 성질을 이용하여 $\sum\limits_{k=1}^{10}a_k$, $\sum\limits_{k=1}^{10}a_k{}^2$의 값 구하기

$\sum\limits_{k=1}^{10}(a_k+2)=\sum\limits_{k=1}^{10}a_k+\sum\limits_{k=1}^{10}2=\sum\limits_{k=1}^{10}a_k+2\cdot10=30,$

$\therefore \sum\limits_{k=1}^{10}a_k=10$ ······ ㉠

$\sum\limits_{k=1}^{10}(a_k+1)(a_k-1)=\sum\limits_{k=1}^{10}(a_k{}^2-1)=\sum\limits_{k=1}^{10}a_k{}^2-\sum\limits_{k=1}^{10}1$

$\qquad\qquad=\sum\limits_{k=1}^{10}a_k{}^2-1\cdot10=40$

$\therefore \sum\limits_{k=1}^{10}a_k{}^2=50$ ······ ㉡

STEP Ⓑ $\sum\limits_{k=1}^{10}(2a_k+1)^2$의 값 구하기

$\sum\limits_{k=1}^{10}(2a_k+1)^2=\sum\limits_{k=1}^{10}(4a_k{}^2+4a_k+1)$

$\qquad=4\sum\limits_{k=1}^{10}a_k{}^2+4\sum\limits_{k=1}^{10}a_k+\sum\limits_{k=1}^{10}1$

$\qquad=4\cdot50+4\cdot10+1\cdot10=250$

내/신/연/계 출제문항 541

수열 $\{a_n\}$에 대하여

$$\sum_{n=1}^{10}(3a_n+2)=50,\quad \sum_{n=1}^{10}(a_n-1)(a_n^2+a_n+1)=140$$

일 때, $\sum_{n=1}^{10}a_n(a_n^2-5)$의 값은?

① 100　　　　② 110　　　　③ 120
④ 130　　　　⑤ 140

STEP A $\sum$의 성질 이용하여 값 구하기

$$\sum_{n=1}^{10}(3a_n+2)=\sum_{n=1}^{10}3a_n+\sum_{n=1}^{10}2$$
$$=3\sum_{n=1}^{10}a_n+2\cdot 10=50$$

$$\therefore \sum_{n=1}^{10}a_n=10$$

$$\sum_{n=1}^{10}(a_n-1)(a_n^2+a_n+1)=\sum_{n=1}^{10}(a_n^3-1)$$
$$=\sum_{n=1}^{10}a_n^3-\sum_{n=1}^{10}1$$
$$=\sum_{n=1}^{10}a_n^3-1\cdot 10=140$$

$$\therefore \sum_{n=1}^{10}a_n^3=150$$

STEP B $\sum_{n=1}^{10}a_n(a_n^2-5)$의 값 구하기

따라서 $\sum_{n=1}^{10}a_n(a_n^2-5)=\sum_{n=1}^{10}a_n^3-5\sum_{n=1}^{10}a_n=150-5\cdot 10=100$　　정답 ①

1461
정답 ②

STEP A $\sum_{k=1}^{10}(a_k+1)^2=28$에서 시그마의 성질을 이용하기

$\sum_{k=1}^{10}(a_k+1)^2=28$에서 $\sum_{k=1}^{10}\{(a_k)^2+2a_k+1\}=28$

$$\sum_{k=1}^{10}(a_k)^2+2\sum_{k=1}^{10}a_k+\sum_{k=1}^{10}1=28$$

$$\sum_{k=1}^{10}(a_k)^2+2\sum_{k=1}^{10}a_k=18 \qquad \cdots\cdots ㉠$$

STEP B $\sum_{k=1}^{10}a_k(a_k+1)=16$에서 시그마의 성질을 이용하기

또, $\sum_{k=1}^{10}a_k(a_k+1)=16$에서 $\sum_{k=1}^{10}\{(a_k)^2+a_k\}=16$

$$\sum_{k=1}^{10}(a_k)^2+\sum_{k=1}^{10}a_k=16$$

이 식의 양변에 2를 곱하면

$$2\sum_{k=1}^{10}(a_k)^2+2\sum_{k=1}^{10}a_k=32 \qquad \cdots\cdots ㉡$$

따라서 ㉡에서 ㉠을 변끼리 빼면 $\sum_{k=1}^{10}(a_k)^2=14$

내/신/연/계 출제문항 542

수열 $\{a_n\}$에 대하여 $\sum_{k=1}^{5}(a_k+2)^2=20$, $\sum_{k=1}^{5}a_k(a_k+5)=50$일 때,

$\sum_{k=1}^{5}a_k$의 값은?

① 20　　　　② 30　　　　③ 40
④ 50　　　　⑤ 60

STEP A $\sum_{k=1}^{5}(a_k+2)^2=20$에서 시그마의 성질을 이용하기

$\sum_{k=1}^{5}(a_k+2)^2=20$에서 $\sum_{k=1}^{5}(a_k^2+4a_k+4)=20$

$$\sum_{k=1}^{5}a_k^2+4\sum_{k=1}^{5}a_k+20=20$$

$$\sum_{k=1}^{5}a_k^2+4\sum_{k=1}^{5}a_k=0 \qquad \cdots\cdots ㉠$$

STEP B $\sum_{k=1}^{5}\{a_k(a_k+5)\}=50$에서 시그마의 성질을 이용하기

$\sum_{k=1}^{5}\{a_k(a_k+5)\}=50$에서 $\sum_{k=1}^{5}(a_k^2+5a_k)=50$

$$\sum_{k=1}^{5}a_k^2+5\sum_{k=1}^{5}a_k=50 \qquad \cdots\cdots ㉡$$

따라서 ㉡−㉠을 하면 $\sum_{k=1}^{5}a_k=50$　　정답 ④

1462
정답 ①

STEP A 시그마의 기본 성질을 이용하여 구하기

$a_n+b_n=10$이므로

$$\sum_{k=1}^{10}(a_k+2b_k)=\sum_{k=1}^{10}\{(a_k+b_k)+b_k\}$$
$$=\sum_{k=1}^{10}(10+b_k)$$
$$=\sum_{k=1}^{10}10+\sum_{k=1}^{10}b_k$$
$$=100+\sum_{k=1}^{10}b_k$$

이때 $\sum_{k=1}^{10}(a_k+2b_k)=160$이므로 $100+\sum_{k=1}^{10}b_k=160$

따라서 $\sum_{k=1}^{10}b_k=60$

1463
정답 ④

STEP A 시그마의 성질을 이용하여 [보기]의 진위판단하기

ㄱ. $\sum_{k=1}^{20}(3a_k+1)=3\sum_{k=1}^{20}a_k+\sum_{k=1}^{20}1=3\cdot 3+20=29$ [거짓]

ㄴ. $\sum_{k=1}^{20}(a_k+1)^2=\sum_{k=1}^{20}(a_k^2+2a_k+1)$
$$=\sum_{k=1}^{20}a_k^2+2\sum_{k=1}^{20}a_k+\sum_{k=1}^{20}1$$
$$=5+2\cdot 3+20=31$$ [참]

ㄷ. $\sum_{k=1}^{20}(a_k+1)(a_k-1)=\sum_{k=1}^{20}(a_k^2-1)$
$$=\sum_{k=1}^{20}a_k^2-\sum_{k=1}^{20}1$$
$$=5-20=-15$$ [거짓]

ㄹ. $\sum_{k=1}^{10}(a_{2k-1}+a_{2k})=(a_1+a_2)+(a_3+a_4)+\cdots+(a_{19}+a_{20})$
$$=\sum_{k=1}^{20}a_k=3$$ [참]

따라서 옳은 것은 ㄴ, ㄹ이다.

1464

정답 ②

STEP Ⓐ 주어진 식을 나열하여 진위판단하기

① 상수의 성질에서 $5+5+5+5+5=\sum_{k=1}^{5}5$ [참]

② 일반항이 $a_n=1\cdot2^{n-1}$이고 항의 수가 $n+1$이므로

$$1+2+2^2+\cdots+2^n=\sum_{k=1}^{n+1}2^{k-1}\ \text{[거짓]}$$

③ $1+3+5+\cdots+15=\sum_{k=1}^{8}(2k-1)$ [참]

④ $-1+2-3+\cdots+20=\sum_{j=1}^{20}(-1)^j j$ [참]

⑤ $9+3+1+\cdots+\left(\dfrac{1}{3}\right)^{n-3}=\sum_{k=1}^{n}\left(\dfrac{1}{3}\right)^{k-3}$ [참]

따라서 옳지 않은 것은 ②이다.

1465

정답 ③

STEP Ⓐ 주어진 식을 나열하여 진위판단하기

① $3+3^2+3^3+\cdots+3^9=\sum_{n=2}^{10}3^{n-1}$ [참]

② 일반항이 $a_n=1+(n-1)\cdot4=4n-3$이고 항의 수가 8이므로

$$1+5+9+\cdots+29=\sum_{k=1}^{8}(4k-3)\ \text{[참]}$$

③ $5^3+7^3+9^3+\cdots+17^3=\sum_{k=2}^{8}(2k+1)^3$ [거짓]

④ $1+3+5+\cdots+(2k-1)=\dfrac{k\{2+(k-1)\cdot2\}}{2}=k^2$

즉 $\sum_{k=1}^{n}\{1+3+5+\cdots+(2k-1)\}=\sum_{k=1}^{n}k^2=\sum_{k=2}^{n+1}(k-1)^2$ [참]

⑤ 일반항이 $a_n=\dfrac{1}{n(n+2)}$이고 항의 수가 20이므로

$$\dfrac{1}{1\cdot3}+\dfrac{1}{2\cdot4}+\dfrac{1}{3\cdot5}+\cdots+\dfrac{1}{20\cdot22}=\sum_{k=1}^{20}\dfrac{1}{k(k+2)}\ \text{[참]}$$

따라서 옳지 않은 것은 ③이다.

내신연계 출제문항 543

다음 수열의 합을 기호 $\sum$를 사용하여 나타낸 식 중 옳지 않은 것은?

① $1+3+5+7+\cdots+19=\sum_{k=1}^{10}(2k-1)$

② $2+4+6+8+\cdots+30=\sum_{k=1}^{15}2k$

③ $4+8+16+32+\cdots+1024=\sum_{k=1}^{10}2^k$

④ $1\cdot2^2+2\cdot2^3+3\cdot2^4+\cdots+10\cdot2^{11}=\sum_{k=1}^{10}(k\cdot2^{k+1})$

⑤ $1\cdot3+2\cdot5+3\cdot7+\cdots+13\cdot27=\sum_{k=1}^{13}k(2k+1)$

STEP Ⓐ 주어진 식을 나열하여 진위판단하기

① $1+3+5+7+\cdots+19=\sum_{k=1}^{10}(2k-1)$ [참]

② $2+4+6+8+\cdots+30=\sum_{k=1}^{15}2k$ [참]

③ $4+8+16+32+\cdots+1024=\sum_{k=1}^{10}2^{k+1}$ [거짓]

④ $1\cdot2^2+2\cdot2^3+3\cdot2^4+\cdots+10\cdot2^{11}=\sum_{k=1}^{10}(k\cdot2^{k+1})$ [참]

⑤ $1\cdot3+2\cdot5+3\cdot7+\cdots+13\cdot27=\sum_{k=1}^{13}k(2k+1)$ [참]

따라서 옳지 않은 것은 ③이다.

정답 ③

1466

정답 ④

STEP Ⓐ 시그마의 성질을 이용하여 [보기]의 진위판단하기

ㄱ. $\sum_{k=1}^{n}k^2=1^2+2^2+3^2+\cdots+n^2$

$\sum_{k=0}^{n}k^2=0^2+1^2+2^2+3^2+\cdots+n^2$

$\therefore \sum_{k=1}^{n}k^2=\sum_{k=0}^{n}k^2$ [참]

ㄴ. $\sum_{k=1}^{n}3^k=3^1+3^2+3^3+\cdots+3^n$

$\sum_{k=0}^{n}3^k=3^0+3^1+3^2+3^3+\cdots+3^n$

$\therefore \sum_{k=1}^{n}3^k\neq\sum_{k=0}^{n}3^k$ [거짓]

ㄷ. $\sum_{i=1}^{l}a_i+\sum_{m=l+1}^{n}a_m=(a_1+a_2+\cdots+a_l)+(a_{l+1}+a_{l+2}+\cdots+a_n)=\sum_{k=1}^{n}a_k$ [참]

ㄹ. $\sum_{k=1}^{n}(a_{2k-1}+a_{2k})=(a_1+a_2)+(a_3+a_4)+\cdots+(a_{2n-1}+a_{2n})=\sum_{k=1}^{2n}a_k$ [참]

따라서 옳은 것은 ㄱ, ㄷ, ㄹ이다.

1467

정답 ④

STEP Ⓐ 주어진 식을 합의 꼴로 나타내어 주어진 조건을 만족하는 값 구하기

$\sum_{k=1}^{50}k(a_k-a_{k+1})$

$=(a_1-a_2)+2(a_2-a_3)+3(a_3-a_4)+\cdots+50(a_{50}-a_{51})$

$=a_1+a_2+a_3+\cdots+a_{50}-50a_{51}$

$=\sum_{k=1}^{50}a_k-50a_{51}$

$=100-50\cdot\dfrac{1}{10}$

$=100-5=95$

내신연계 출제문항 544

수열 $\{a_n\}$에 대하여

$$\sum_{k=1}^{99}a_k=16,\ a_{100}=\dfrac{1}{11}$$

일 때, $\sum_{k=1}^{99}k(a_k-a_{k+1})$의 값은?

① 5 　　② 7 　　③ 9
④ 10 　　⑤ 11

STEP Ⓐ 주어진 식을 합의 꼴로 나타내어 주어진 조건을 만족하는 값 구하기

$\sum_{k=1}^{99}k(a_k-a_{k+1})$

$=(a_1-a_2)+2(a_2-a_3)+3(a_3-a_4)+\cdots+99(a_{99}-a_{100})$

$=a_1+a_2+a_3+\cdots+a_{99}-99a_{100}$

$=\sum_{k=1}^{99}a_k-99a_{100}$

$=16-99\cdot\dfrac{1}{11}$

$=16-9=7$

정답 ②

1468

정답 ①

STEP Ⓐ **주어진 식을 나열하여 시그마 정리하기**

$\sum_{k=1}^{10} ka_k = a_1 + 2a_2 + 3a_3 + 4a_4 + \cdots + 10a_{10} = 80$ …… ㉠

$\sum_{k=1}^{10} ka_{k+1} = \quad a_2 + 2a_3 + 3a_4 + \cdots + 9a_{10} + 10a_{11} = 10$ …… ㉡

㉠−㉡에서 $a_1 + a_2 + a_3 + \cdots + a_{10} - 10a_{11} = 70$

$\sum_{k=1}^{10} a_k - 10a_{11} = 70$ ∴ $\sum_{k=1}^{10} a_k = 70 + 10a_{11}$

따라서 $a_{11} = \dfrac{1}{10}$이므로 $\sum_{k=1}^{10} a_k = 70 + 10 \cdot \dfrac{1}{10} = 71$

1469

정답 ①

STEP Ⓐ **시그마의 정의를 이용하여 구하기**

$\sum_{k=1}^{7} a_k = \sum_{k=1}^{6} (a_k + 1)$에서

$\sum_{k=1}^{7} a_k = a_1 + a_2 + a_3 + \cdots + a_7$

$\sum_{k=1}^{6} (a_k + 1) = (a_1 + 1) + (a_2 + 1) + (a_3 + 1) + \cdots + (a_6 + 1)$

$\qquad\qquad = (a_1 + a_2 + a_3 + \cdots + a_6) + 6$

이므로

$a_1 + a_2 + a_3 + \cdots + a_7 = (a_1 + a_2 + a_3 + \cdots + a_6) + 6$

따라서 $a_7 = 6$

> **참고**
>
> $\sum_{k=1}^{7} a_k = \sum_{k=1}^{6} (a_k + 1)$에서
>
> $\sum_{k=1}^{7} a_k = \sum_{k=1}^{6} a_k + 6$이므로 $\sum_{k=1}^{7} a_k - \sum_{k=1}^{6} a_k = 6$
>
> 따라서 $a_7 = 6$

내/신/연/계 출제문항 545

등비수열 $\{a_n\}$이 $a_1 = 1$이고

$$\sum_{k=1}^{6} a_k - \sum_{k=1}^{5} (a_k + 1) = 27$$

을 만족시킬 때, $\sum_{k=1}^{10} a_k$의 값은?

① 257   ② 511   ③ 627

④ 1023   ⑤ 2045

STEP Ⓐ **시그마의 정의를 이용하여 구하기**

$\sum_{k=1}^{6} a_k - \sum_{k=1}^{5} (a_k + 1) = 27$에서

$a_1 + a_2 + \cdots + a_6 - \{(a_1 + 1) + (a_2 + 1) + (a_3 + 1) + \cdots + (a_5 + 1)\} = 27$

이므로 $a_6 - 5 = 27$

∴ $a_6 = 32$

STEP Ⓑ **등비수열 $\{a_n\}$의 공비 구하기**

등비수열 $\{a_n\}$의 첫째항이 $a_1 = 1$이고 공비를 r이라 하면 $a_n = 1 \cdot r^{n-1}$

$a_6 = r^5 = 32$이므로 $r = 2$

STEP Ⓒ **$\sum_{k=1}^{10} a_k$의 값을 구하기**

따라서 $a_1 = 1$, $r = 2$이므로

$$\sum_{k=1}^{10} 2^{k-1} = \frac{1 \cdot (2^{10} - 1)}{2 - 1} = 1023$$

정답 ④

1470

정답 ④

STEP Ⓐ **주어진 식을 나열하여 시그마 정리하기**

$\sum_{k=1}^{n} (a_{k+1} - a_k) = 2n + 1$에서

$\sum_{k=1}^{n} (a_{k+1} - a_k) = (a_2 - a_1) + (a_3 - a_2) + \cdots + (a_{n+1} - a_n)$

$\qquad\qquad = a_{n+1} - a_1 = 2n + 1$

∴ $a_{n+1} = a_1 + 2n + 1$

따라서 $n = 9$를 대입하면 $a_1 = 15$이므로 $a_{10} = 15 + 2 \times 9 + 1 = 34$

내/신/연/계 출제문항 546

수열 $\{a_n\}$은 $a_1 = 5$이고

$$\sum_{k=1}^{n} (a_{k+1} - a_k) = n^2 + 1 \, (n \geq 1)$$

을 만족시킬 때, a_{10}은?

① 81   ② 83   ③ 85

④ 87   ⑤ 89

STEP Ⓐ **주어진 식을 나열하여 시그마 정리하기**

$\sum_{k=1}^{n} (a_{k+1} - a_k) = (a_2 - a_1) + (a_3 - a_2) + \cdots + (a_{n+1} - a_n)$

$\qquad\qquad = a_{n+1} - a_1 = a_{n+1} - 5 = n^2 + 1$

이므로 $a_{n+1} = n^2 + 6$

따라서 $n = 9$를 대입하면 $a_{10} = 9^2 + 6 = 87$

정답 ④

1471

정답 ②

STEP Ⓐ **주어진 식을 나열하여 시그마 정리하기**

$\sum_{k=1}^{20} (a_{2k} + a_{2k+1}) = (a_2 + a_3) + (a_4 + a_5) + (a_6 + a_7) + \cdots + (a_{40} + a_{41})$

$\qquad\qquad = (a_1 + a_2 + a_3 + \cdots + a_{41}) - a_1 = \sum_{k=1}^{41} a_k - a_1$

STEP Ⓑ **$\sum_{k=1}^{41} a_k$의 값 구하기**

따라서 $\sum_{k=1}^{41} a_k - a_1 = 25$이므로 $\sum_{k=1}^{41} a_k = 25 + a_1 = 25 + 2 = 27$

내/신/연/계 출제문항 547

수열 $\{a_n\}$에서

$$a_1 = 3, \quad \sum_{k=1}^{17} (a_{2k} + a_{2k+1}) = 48$$

일 때, $\sum_{k=1}^{35} a_k$의 값은?

① 47   ② 49   ③ 51

④ 53   ⑤ 55

STEP Ⓐ **주어진 식을 나열하여 시그마 정리하기**

$\sum_{k=1}^{17} (a_{2k} + a_{2k+1}) = (a_2 + a_3) + (a_4 + a_5) + (a_6 + a_7) + \cdots + (a_{34} + a_{35})$

$\qquad\qquad = (a_1 + a_2 + a_3 + \cdots + a_{35}) - a_1 = \sum_{k=1}^{35} a_k - a_1$

STEP Ⓑ **$\sum_{k=1}^{35} a_k$의 값 구하기**

따라서 $\sum_{k=1}^{35} a_k - a_1 = 48$이므로 $\sum_{k=1}^{35} a_k = 48 + a_1 = 48 + 3 = 51$

정답 ③

1472

정답 ④

STEP Ⓐ 주어진 식을 나열하여 시그마 정리하기

$$\sum_{k=1}^{n}(a_{2k-1}+a_{2k})=(a_1+a_2)+(a_3+a_4)+\cdots+(a_{19}+a_{20})$$

$$=\sum_{k=1}^{20}a_k=50$$

STEP Ⓑ $\sum_{k=1}^{20}(2a_k-1)$의 값 구하기

따라서 $\sum_{k=1}^{20}(2a_k-1)=2\sum_{k=1}^{20}a_k-20=2\cdot50-20=80$

내/신/연/계/ 출제문항 548

수열 $\{a_n\}$에서

$$\sum_{k=1}^{15}(a_{2k-1}+a_{2k})=40$$

일 때, $\sum_{k=1}^{30}(3a_k-2)$의 값은?

① 50   ② 60   ③ 70
④ 80   ⑤ 90

STEP Ⓐ 주어진 식을 나열하여 시그마 정리하기

$$\sum_{k=1}^{15}(a_{2k-1}+a_{2k})=(a_1+a_2)+(a_3+a_4)+(a_5+a_6)+\cdots+(a_{29}+a_{30})$$

$$=\sum_{k=1}^{30}a_k=40$$

STEP Ⓑ $\sum_{k=1}^{30}(3a_k-2)$의 값 구하기

따라서 $\sum_{k=1}^{30}(3a_k-2)=3\sum_{k=1}^{30}a_k-\sum_{k=1}^{30}2$

$$=3\cdot40-2\cdot30$$

$$=120-60=60$$

정답 ②

1473

정답 ④

STEP Ⓐ 주어진 식을 나열하여 시그마 정리하기

$$\sum_{k=1}^{n}(a_{3k-2}+a_{3k-1}+a_{3k})$$

$$=(a_1+a_2+a_3)+(a_4+a_5+a_6)+\cdots+(a_{3n-2}+a_{3n-1}+a_{3n})$$

$$=\sum_{k=1}^{3n}a_k$$

$$\therefore \sum_{k=1}^{3n}a_k=n(n+2)$$

STEP Ⓑ 시그마의 성질을 이용하여 $\sum_{k=1}^{30}(a_{2k-1}+a_{2k})$의 값 구하기

따라서 $\sum_{k=1}^{30}(a_{2k-1}+a_{2k})=(a_1+a_2)+(a_3+a_4)+(a_5+a_6)+\cdots+(a_{59}+a_{60})$

$$=a_1+a_2+a_3+\cdots+a_{60}$$

$$=\sum_{k=1}^{60}a_k=20(20+2)=440$$

1474

정답 ②

STEP Ⓐ 주어진 식을 나열하여 시그마 정리하기

$$\sum_{k=1}^{n}(a_{2k-1}+a_{2k})=(a_1+a_2)+(a_3+a_4)+(a_5+a_6)+\cdots+(a_{2n-1}+a_{2n})$$

$$=a_1+a_2+a_3+\cdots+a_{2n}=\sum_{k=1}^{2n}a_k$$

STEP Ⓑ $\sum_{k=1}^{10}(a_k+2)$의 값 구하기

즉 $\sum_{k=1}^{2n}a_k=4n^2$이므로 양변에 $n=5$를 대입하면

$$\sum_{k=1}^{10}a_k=4\cdot5^2=100$$

따라서 $\sum_{k=1}^{10}(a_k+2)=\sum_{k=1}^{10}a_k+20=100+20=120$

1475

정답 ④

STEP Ⓐ 주어진 식을 나열하여 시그마 정리하기

$$\sum_{k=1}^{n}(a_{2k-1}+a_{2k})=(a_1+a_2)+(a_3+a_4)+(a_5+a_6)+\cdots+(a_{2n-1}+a_{2n})$$

$$=a_1+a_2+a_3+\cdots+a_{2n}=\sum_{k=1}^{2n}a_k$$

STEP Ⓑ $\sum_{k=1}^{10}a_k$을 이용하여 값 구하기

즉 $\sum_{k=1}^{2n}a_k=2n^2-n$이므로 $\sum_{k=1}^{10}a_k=2\cdot5^2-5=45$

1476

정답 ⑤

STEP Ⓐ 주어진 식을 나열하여 시그마 정리하기

$$\sum_{k=1}^{n}(a_{2k-1}+a_{2k})=(a_1+a_2)+(a_3+a_4)+(a_5+a_6)+\cdots+(a_{2n-1}+a_{2n})$$

$$=a_1+a_2+a_3+\cdots+a_{2n}=\sum_{k=1}^{2n}a_k$$

STEP Ⓑ $\sum_{k=11}^{30}a_k=\sum_{k=1}^{30}a_k-\sum_{k=1}^{10}a_k$을 이용하여 값 구하기

즉 $\sum_{k=1}^{2n}a_k=2n^2$이므로 $\sum_{k=1}^{30}a_k=2\cdot15^2=450$, $\sum_{k=1}^{10}a_k=2\cdot5^2=50$

따라서 $\sum_{k=11}^{30}a_k=\sum_{k=1}^{30}a_k-\sum_{k=1}^{10}a_k=450-50=400$

내/신/연/계/ 출제문항 549

수열 $\{a_n\}$이 2 이상의 모든 자연수 n에 대하여

$$\sum_{k=1}^{n}a_{2k-1}+\sum_{k=1}^{n-1}a_{2k}=(2n-1)^2$$

을 만족시킬 때, $\sum_{k=4}^{9}a_k$의 값은?

① 63   ② 66   ③ 69
④ 72   ⑤ 75

STEP Ⓐ 주어진 식을 나열하여 시그마 정리하기

$$\sum_{k=1}^{n}a_{2k-1}+\sum_{k=1}^{n-1}a_{2k}=(a_1+a_3+\cdots+a_{2n-1})+(a_2+a_4+\cdots+a_{2n-2})$$

$$=a_1+a_2+a_3+\cdots+a_{2n-2}+a_{2n-1}=\sum_{k=1}^{2n-1}a_k$$

이므로 $\sum_{k=1}^{2n-1}a_k=(2n-1)^2$

STEP Ⓑ $\sum_{k=4}^{9}a_k=\sum_{k=1}^{9}a_k-\sum_{k=1}^{3}a_k$의 값 구하기

따라서 $\sum_{k=4}^{9}a_k=\sum_{k=1}^{9}a_k-\sum_{k=1}^{3}a_k=9^2-3^2=81-9=72$

정답 ④

1477

정답 ②

STEP A 합성함수의 정의를 이해하여 $f(2k)$ 구하기

$f(x)=\dfrac{1}{2}x+2$이므로 $f(2k)=\dfrac{1}{2}(2k)+2=k+2$

STEP B 거듭제곱의 합과 $\sum$ 의 성질을 이용하여 수열의 합 구하기

따라서 $\displaystyle\sum_{k=1}^{15}f(2k)=\sum_{k=1}^{15}(k+2)$

$\displaystyle=\sum_{k=1}^{15}k+\sum_{k=1}^{15}2$

$\displaystyle=\frac{15\cdot16}{2}+2\cdot15$

$=120+30=150$

다른풀이 등차수열의 합을 이용하여 풀이하기

$\displaystyle\sum_{k=1}^{15}f(2k)=f(2)+f(4)+f(6)+\cdots+f(30)$

$=3+4+5+\cdots+17$

$\displaystyle=\frac{15\cdot(3+17)}{2}=150$

1478

정답 ③

STEP A 자연수의 거듭제곱의 합공식을 이용하여 값 구하기

$\displaystyle\sum_{k=1}^{10}k(k+1)=\sum_{k=1}^{10}k^2+\sum_{k=1}^{10}k=\frac{10\cdot11\cdot21}{6}+\frac{10\cdot11}{2}$

$=385+55=440$

다른풀이 $\displaystyle\sum_{k=1}^{n}k(k+1)=\frac{n(n+1)(n+2)}{3}$ 이용하여 구하기

$\displaystyle\sum_{k=1}^{n}k(k+1)=\frac{n(n+1)(n+2)}{3}$이므로

$\displaystyle\sum_{k=1}^{10}k(k+1)=\frac{10\cdot11\cdot12}{3}=440$

1479

정답 ④

STEP A 시그마의 성질과 자연수의 거듭제곱의 합 공식을 이용하여 값 구하기

$\displaystyle\sum_{k=1}^{5}\frac{k^3}{k+1}+\sum_{k=1}^{5}\frac{1}{k+1}=\sum_{k=1}^{5}\left(\frac{k^3}{k+1}+\frac{1}{k+1}\right)$

$\displaystyle=\sum_{k=1}^{5}\frac{k^3+1}{k+1}$

$\displaystyle=\sum_{k=1}^{5}\frac{(k+1)(k^2-k+1)}{k+1}$

$\displaystyle=\sum_{k=1}^{5}(k^2-k+1)$

$\displaystyle=\frac{5\cdot6\cdot11}{6}-\frac{5\cdot6}{2}+5=45$

$\displaystyle\sum_{k=1}^{10}\frac{k^3}{k+1}+\sum_{k=1}^{10}\frac{1}{k+1}=\sum_{k=1}^{10}\frac{k^3+1}{k+1}$

$\displaystyle=\sum_{k=1}^{10}(k^2-k+1)$

$\displaystyle=\sum_{k=1}^{10}k^2-\sum_{k=1}^{10}k+\sum_{k=1}^{10}1$

$\displaystyle=\frac{10\cdot11\cdot21}{6}-\frac{10\cdot11}{2}+10$

$=385-55+10=340$

1480

정답 ①

STEP A 시그마의 성질과 자연수의 거듭제곱의 합 공식을 이용하여 값 구하기

$\displaystyle\sum_{k=1}^{10}(2k^2+k+2)-\sum_{k=1}^{10}(2k^2+1)=\sum_{k=1}^{10}\{(2k^2+k+2)-(2k^2+1)\}$

$\displaystyle=\sum_{k=1}^{10}(k+1)=\frac{10\cdot11}{2}+10=65$

내/신/연/계 출제문항 550

$\displaystyle\sum_{k=1}^{10}(k-2)(k+9)-\sum_{k=1}^{10}(k-3)(k+6)$의 값은?

① 200   ② 220   ③ 260
④ 440   ⑤ 460

STEP A 시그마의 성질과 자연수의 거듭제곱의 합 공식을 이용하여 값 구하기

$\displaystyle\sum_{k=1}^{10}(k-2)(k+9)-\sum_{k=1}^{10}(k-3)(k+6)=\sum_{k=1}^{10}(k^2+7k-18)-\sum_{k=1}^{10}(k^2+3k-18)$

$\displaystyle=\sum_{k=1}^{10}\{(k^2+7k-18)-(k^2+3k-18)\}$

$\displaystyle=\sum_{k=1}^{10}4k$

$\displaystyle=4\cdot\frac{10\cdot11}{2}=220$ 정답 ②

1481

정답 ③

STEP A 시그마의 성질을 이용하여 식 정리하기

$\displaystyle\sum_{k=1}^{n}(k^2-1)-\sum_{k=1}^{n-1}(k^2+3)=(n^2-1)+\sum_{k=1}^{n-1}(k^2-1)-\sum_{k=1}^{n-1}(k^2+3)$

$\displaystyle=(n^2-1)+\sum_{k=1}^{n-1}\{(k^2-1)-(k^2+3)\}$

$\displaystyle=(n^2-1)+\sum_{k=1}^{n-1}(-4)=(n^2-1)-4(n-1)$

STEP B 자연수 n의 값 구하기

이때 $(n^2-1)-4(n-1)=48$이므로 $n^2-4n-45=0$, $(n+5)(n-9)=0$
따라서 n은 자연수이므로 $n=9$

내/신/연/계 출제문항 551

$\displaystyle\sum_{k=1}^{n}(k^2+3)-\sum_{k=1}^{n}(k-2)^2=105$일 때, n의 값은?

① 5   ② 6   ③ 7
④ 8   ⑤ 9

STEP A 시그마의 성질과 자연수의 거듭제곱의 합 공식을 이용하여 나타내기

$\displaystyle\sum_{k=1}^{n}(k^2+3)-\sum_{k=1}^{n}(k-2)^2=\sum_{k=1}^{n}\{(k^2+3)-(k^2-4k+4)\}$

$\displaystyle=\sum_{k=1}^{n}(4k-1)$

$\displaystyle=4\cdot\frac{n(n+1)}{2}-n=2n^2+n$

STEP B 자연수 n의 값 구하기

즉 $2n^2+n=105$에서 $2n^2+n-105=0$, $(2n+15)(n-7)=0$
따라서 $n=7$ 정답 ③

1482

정답 ②

STEP Ⓐ 시그마의 성질과 자연수의 거듭제곱의 합 공식을 이용하여 나타내기

$$\sum_{k=1}^{n}(k^2+1)-\sum_{k=1}^{n-1}(k^2-1)=(n^2+1)+\sum_{k=1}^{n-1}(k^2+1)-\sum_{k=1}^{n-1}(k^2-1)$$

$$=(n^2+1)+\sum_{k=1}^{n-1}\{(k^2+1)-(k^2-1)\}$$

$$=(n^2+1)+\sum_{k=1}^{n-1}2$$

$$=n^2+1+2(n-1)$$

$$=n^2+2n-1$$

STEP Ⓑ 자연수 n의 값 구하기

이때 $n^2+2n-1=9n+7$이므로 $n^2-7n-8=0$

$(n+1)(n-8)=0$

$\therefore n=-1$ 또는 $n=8$

따라서 n은 자연수이므로 $n=8$

1483

정답 ③

STEP Ⓐ 시그마의 성질과 자연수의 거듭제곱의 합 공식을 이용하여 값 구하기

$$\sum_{m=1}^{12}(m+1)^2-2\sum_{j=1}^{12}(j+3)+\sum_{k=1}^{12}5$$

$$=\sum_{m=1}^{12}m^2+2\sum_{m=1}^{12}m+\sum_{m=1}^{12}1-2\sum_{j=1}^{12}j-2\sum_{j=1}^{12}3+5\cdot12$$

$$=\sum_{m=1}^{12}m^2+\sum_{m=1}^{12}1-2\sum_{j=1}^{12}3+5\cdot12 \quad\Leftarrow 2\sum_{m=1}^{12}m-2\sum_{j=1}^{12}j=0$$

$$=\frac{12\cdot13\cdot25}{6}+1\cdot12-2\cdot3\cdot12+60$$

$$=650$$

1484

정답 ③

STEP Ⓐ 시그마의 성질을 이용하여 항을 줄이기

$$\sum_{k=1}^{8}f(k+1)-\sum_{k=3}^{8}f(k)$$

$$=\sum_{k=1}^{8}f(k+1)-\sum_{k=1}^{8}f(k)+f(1)+f(2)$$

$$=\sum_{k=1}^{8}\{f(k+1)-f(k)\}+f(1)+f(2)$$

$$=\sum_{k=1}^{8}\{(k+1)^2+(k+1)+1-(k^2+k+1)\}+f(1)+f(2)$$

$$=\sum_{k=1}^{8}\{2k+2\}+f(1)+f(2)$$

STEP Ⓑ 자연수의 거듭제곱의 합공식을 이용하여 값 구하기

따라서 $\sum_{k=1}^{8}\{2k+2\}+f(1)+f(2)=2\cdot\dfrac{8\cdot9}{2}+2\cdot8+3+7=98$

1485

정답 ①

STEP Ⓐ 시그마의 성질을 이용하여 항을 줄이기

$$a=\sum_{k=1}^{30}(2k+1)^2-4\sum_{k=1}^{30}k(k+1)$$

$$=\sum_{k=1}^{30}\{4k^2+4k+1-(4k^2+4k)\}$$

$$=\sum_{k=1}^{30}1=30$$

STEP Ⓑ 자연수의 거듭제곱의 합 공식을 이용하여 값 구하기

$$b=\sum_{k=1}^{10}k(k+3)-\sum_{k=1}^{10}(k^2+2)$$

$$=\sum_{k=1}^{10}\{(k^2+3k)-(k^2+2)\}$$

$$=3\sum_{k=1}^{10}k-\sum_{k=1}^{10}2$$

$$=3\cdot\frac{10\cdot11}{2}-2\cdot10$$

$$=165-20=145$$

STEP Ⓒ $a+b$의 값 구하기

따라서 $a+b=30+145=175$

1486

정답 ②

STEP Ⓐ 곱셈공식을 이용하여 식 정리하기

$100^2-99^2+98^2-97^2+\cdots+2^2-1^2$

$=(100+99)(100-99)+(98+97)(98-97)+\cdots+(2+1)(2-1)$

$=100+99+98+97+\cdots+2+1$

$=\sum_{k=1}^{100}k$

STEP Ⓑ 자연수의 거듭제곱의 합공식을 이용하여 값 구하기

따라서 $\sum_{k=1}^{100}k=\dfrac{100(100+1)}{2}=5050$

내신연계 출제문항 552

$\displaystyle\sum_{k=1}^{20}(-1)^k(k+1)^2$의 값은?

① 180   ② 200   ③ 210
④ 230   ⑤ 250

STEP Ⓐ 곱셈공식을 이용하여 식 정리하기

$$\sum_{k=1}^{20}(-1)^k(k+1)^2$$

$$=-2^2+3^2-4^2+5^2-\cdots-20^2+21^2$$

$$=(3-2)(3+2)+(5-4)(5+4)+\cdots+(21-20)(21+20)$$

$$=2+3+4+5+\cdots+20+21$$

$$=\frac{20(2+21)}{2}=230$$

정답 ④

1487

정답 ②

STEP Ⓐ 인수분해공식을 이용하여 식 정리하기

$10^3-9^3+8^3-7^3+\cdots+2^3-1^3$

$=(10^3-9^3)+(8^3-7^3)+\cdots+(2^3-1^3)$

$=(10-9)(10^2+10\cdot9+9^2)+(8-7)(8^2+8\cdot7+7^2)+\cdots$

$$+(2-1)(2^2+2\cdot1+1^2)$$

$=1^2+2^2+3^2+4^2+\cdots+9^2+10^2+(1\cdot2+3\cdot4+\cdots+7\cdot8+9\cdot10)$

$=\sum_{k=1}^{10}k^2+\sum_{k=1}^{5}(2k-1)2k$

STEP Ⓑ 자연수의 거듭제곱의 합공식을 이용하여 값 구하기

$$\sum_{k=1}^{10}k^2+\sum_{k=1}^{5}(2k-1)2k=\sum_{k=1}^{10}k^2+4\sum_{k=1}^{5}k^2-2\sum_{k=1}^{5}k$$

$$=\frac{10\cdot11\cdot21}{6}+4\cdot\frac{5\cdot6\cdot11}{6}-2\cdot\frac{5\cdot6}{2}$$

$$=385+220-30=575$$

1488
 정답 ⑤

STEP Ⓐ 수열 $\{a_n\}$의 규칙 확인하기

$\sum\limits_{k=1}^{60} a_k$은 1부터 90까지 합에서 3의 배수인 3, 6, 9, $\cdots$, 90의 합을 빼면 된다.

$$\therefore \sum_{k=1}^{60} a_k = \sum_{k=1}^{90} k - \sum_{k=1}^{30} 3k = \frac{90 \cdot 91}{2} - 3 \cdot \frac{30 \cdot 31}{2}$$
$$= 4095 - 1395 = 2700$$

1489
정답 ④

STEP Ⓐ 자연수의 거듭제곱의 합 공식을 이용하여 식 정리하기

$$f(x) = \sum_{k=1}^{5}(x-2k)^2$$
$$= \sum_{k=1}^{5}(x^2 - 4xk + 4k^2)$$
$$= \sum_{k=1}^{5} x^2 - 4x \sum_{k=1}^{5} k + 4\sum_{k=1}^{5} k^2$$
$$= 5x^2 - 4 \cdot \frac{5 \cdot 6}{2} x + 4 \cdot \frac{5 \cdot 6 \cdot 11}{6}$$
$$= 5x^2 - 60x + 220$$
$$= 5(x-6)^2 + 40$$

STEP Ⓑ $f(x)$가 최소가 되는 x값과 최솟값의 합 구하기

$\therefore f(x) = 5(x-6)^2 + 40$

따라서 $x=6$일 때, $f(x)$는 최솟값 40이므로 $6+40=46$

내/신/연/계 출제문항 553

이차함수
$$f(x) = \sum_{k=1}^{11}(x-k)^2$$

이 최소가 되도록 하는 x의 값은?

① 4　　　　② 5　　　　③ 6
④ 7　　　　⑤ 8

STEP Ⓐ 자연수의 거듭제곱의 합 공식을 이용하여 식 정리하기

$$f(x) = \sum_{k=1}^{11}(x-k)^2$$
$$= \sum_{k=1}^{11}(x^2 - 2kx + k^2)$$
$$= \sum_{k=1}^{11} x^2 - 2x \sum_{k=1}^{11} k + \sum_{k=1}^{11} k^2$$
$$= 11x^2 - 2x \cdot \frac{11 \cdot 12}{2} + \frac{11 \cdot 12 \cdot 23}{6}$$
$$= 11x^2 - 132x + 506$$
$$= 11(x-6)^2 + 110$$

STEP Ⓑ $f(x)$의 최솟값 구하기

$\therefore f(x) = 11(x-6)^2 + 110$

따라서 $x=6$일 때, $f(x)$는 최솟값 110 　　　정답 ③

1490
 정답 ④

STEP Ⓐ $\sum$ 성질을 이용하여 x에 관한 이차식 유도하기

$$\sum_{k=1}^{10}(x^2 - 2a_k x) = 10x^2 - 2x\sum_{k=1}^{10} a_k = 10x^2 - 2x\sum_{k=1}^{10} \frac{1}{k(k+1)}$$
$$= 10x^2 - \frac{20}{11} x$$
$$= 10\left(x - \frac{1}{11}\right)^2 - \frac{10}{121}$$

STEP Ⓑ 최소가 되는 x 구하기

따라서 $x = \frac{1}{11}$일 때, 최솟값을 가진다.

> **참고**
> $$\sum_{k=1}^{10} \frac{1}{k(k+1)} = \sum_{k=1}^{10}\left(\frac{1}{k} - \frac{1}{k+1}\right)$$
> $$= \left(1 - \frac{1}{2}\right) + \left(\frac{1}{2} - \frac{1}{3}\right) + \left(\frac{1}{3} - \frac{1}{4}\right) + \cdots + \left(\frac{1}{10} - \frac{1}{10+1}\right)$$
> $$= 1 - \frac{1}{11} = \frac{10}{11}$$

1491
정답 ④

STEP Ⓐ 자연수의 거듭제곱의 합 공식을 이용하여 옳지 않은 것 구하기

① $\sum\limits_{k=1}^{15}(2k+1)^2 - 4\sum\limits_{k=1}^{15} k(k+1) = \sum\limits_{k=1}^{15}\{(2k+1)^2 - 4k(k+1)\}$
$$= \sum_{k=1}^{15} 1 = 1 \cdot 15 = 15 \ [참]$$

② $\sum\limits_{k=1}^{20}(k+1)^2 - \sum\limits_{k=1}^{20} k(k+1) = \sum\limits_{k=1}^{20}\{k^2 + 2k + 1 - (k^2 + k)\}$
$$= \sum_{k=1}^{20}(k+1)$$
$$= \sum_{k=1}^{20} k + \sum_{k=1}^{20} 1$$
$$= \frac{20 \cdot 21}{2} + 20 = 230 \ [참]$$

③ $\sum\limits_{k=1}^{10} \frac{k^3}{k+2} + \sum\limits_{k=1}^{10} \frac{8}{k+2} = \sum\limits_{k=1}^{10} \frac{k^3 + 8}{k+2}$
$$= \sum_{k=1}^{10}(k^2 - 2k + 4)$$
$$= \sum_{k=1}^{10} k^2 - 2\sum_{k=1}^{10} k + \sum_{k=1}^{10} 4$$
$$= \frac{10 \cdot 11 \cdot 21}{6} - 2 \cdot \frac{10 \cdot 11}{2} + 4 \cdot 10 = 315 \ [참]$$

④ $\sum\limits_{k=1}^{9}(1-k^2) + \sum\limits_{k=2}^{9}(1+k^2) = \sum\limits_{k=1}^{9}(1-k^2) + \left\{\sum\limits_{k=1}^{9}(1+k^2) - (1+1^2)\right\}$
$$= \sum_{k=1}^{9} 2 - 2 = 18 - 2 = 16 \ [거짓]$$

⑤ $\sum\limits_{k=1}^{10} 3 \times 2^{k-1} - \sum\limits_{k=1}^{5} 3 \times 2^{k-1} = \sum\limits_{k=6}^{10} 3 \times 2^{k-1}$
$$= \frac{3 \times 2^5 (2^5 - 1)}{2 - 1} = 2976 \ [참]$$

따라서 옳지 않은 것은 ④이다.

1492
정답 ②

STEP Ⓐ 시그마의 성질과 자연수의 거듭제곱의 합공식을 이용하여 값 구하기

$$\sum_{k=1}^{5}(2^k + 5k - 1) = \sum_{k=1}^{5} 2^k + 5\sum_{k=1}^{5} k - \sum_{k=1}^{5} 1$$
$$= \frac{2(2^5 - 1)}{2 - 1} + 5 \cdot \frac{5 \cdot 6}{2} - 5$$
$$= 132$$

1493

정답 ②

STEP A 시그마의 성질과 자연수의 거듭제곱의 합공식을 이용하여 값 구하기

$\displaystyle\sum_{k=1}^{n}3^{k-1}=121$에서

$$\sum_{k=1}^{n}3^{k-1}=1+3+3^2+\cdots+3^{n-1}=\frac{1\cdot(3^n-1)}{3-1}=\frac{3^n-1}{2}$$

$\dfrac{3^n-1}{2}=121$에서 $3^n=243$

따라서 $n=5$

1494

정답 ③

STEP A 등비수열 $\{a_n\}$의 일반항 구하기

2^{n-1}의 모든 양의 약수가 $1,\ 2,\ 2^2,\ \cdots,\ 2^{n-1}$이므로 약수의 합은

$$a_n=1+2+\cdots+2^{n-1}=\frac{1\cdot(2^n-1)}{2-1}=2^n-1$$

STEP B $\displaystyle\sum_{n=1}^{8}a_n$ 구하기

따라서 $\displaystyle\sum_{n=1}^{8}a_n=\sum_{n=1}^{8}(2^n-1)=\sum_{n=1}^{8}2^n-\sum_{n=1}^{8}1=\frac{2(2^8-1)}{2-1}-8=2^9-2-8=502$

1495

정답 ⑤

STEP A 나머지 정리를 이용하여 나머지 구하기

다항식 $(x+3)^n$을 $x+1$로 나눈 나머지가 R_n이므로

$x=-1$을 대입하면 나머지 정리에 의하여 $R_n=2^n$

STEP B 등비수열의 합을 이용하여 구하기

따라서 $\displaystyle\sum_{n=1}^{5}R_n=\sum_{n=1}^{5}2^n=\frac{2(2^5-1)}{2-1}=62$

내/신/연/계/ 출제문항 554

다항식 $3x^{2n}-2x^n$을 $2x-1$로 나눈 나머지를 a_n이라 할 때,

$$\sum_{k=1}^{n}a_n=p\left(\frac{1}{4}\right)^n+q\left(\frac{1}{2}\right)^n+r$$

을 만족하는 정수 $p,\ q,\ r$에 대하여 $p+q+r$의 값은?

① -1 ② 0 ③ 1

④ 2 ⑤ 3

STEP A 나머지 정리를 이용하여 나머지 구하기

다항식 $3x^{2n}-2x^n$을 $2x-1$로 나눈 나머지는 a_n이므로

$x=\dfrac{1}{2}$을 대입하면 나머지 정리에 의하여 $a_n=3\left(\dfrac{1}{4}\right)^n-2\left(\dfrac{1}{2}\right)^n$

STEP B 등비수열의 합을 이용하여 구하기

$$\begin{aligned}\sum_{k=1}^{n}a_n&=\sum_{k=1}^{n}\left\{3\left(\frac{1}{4}\right)^n-2\left(\frac{1}{2}\right)^n\right\}\\&=3\sum_{k=1}^{n}\left(\frac{1}{4}\right)^n-2\sum_{k=1}^{n}\left(\frac{1}{2}\right)^n\\&=3\cdot\frac{\frac{1}{4}\left\{1-\left(\frac{1}{4}\right)^n\right\}}{1-\frac{1}{4}}-2\cdot\frac{\frac{1}{2}\left\{1-\left(\frac{1}{2}\right)^n\right\}}{1-\frac{1}{2}}\\&=1-\left(\frac{1}{4}\right)^n-2+2\left(\frac{1}{2}\right)^n\\&=-\left(\frac{1}{4}\right)^n+2\left(\frac{1}{2}\right)^n-1\end{aligned}$$

따라서 $p=-1,\ q=2,\ r=-1$이므로 $p+q+r=0$

정답 ②

1496

정답 ③

STEP A 자연수의 거듭제곱의 합 공식을 이용하기

$$\begin{aligned}\sum_{k=1}^{10}(2k+a)&=2\sum_{k=1}^{10}k+\sum_{k=1}^{10}a\\&=2\cdot\frac{10\cdot11}{2}+10a\\&=10a+110\end{aligned}$$

STEP B a의 값 구하기

이때 $10a+110=300$에서 $10a=190$

따라서 $a=19$

1497

정답 ②

STEP A 자연수의 거듭제곱의 합 공식을 이용하기

$$\sum_{k=1}^{6}(k+a)=\sum_{k=1}^{6}k+\sum_{k=1}^{6}a=\frac{6\cdot7}{2}+6a=21+6a$$

STEP B a의 값 구하기

이때 $21+6a=45$에서 $6a=24$

따라서 $a=4$

내/신/연/계/ 출제문항 555

$\displaystyle\sum_{k=1}^{5}(k-p)^2=15$일 때, 상수 p의 값들의 합은?

① 3 ② 4 ③ 5

④ 6 ⑤ 8

STEP A 자연수의 거듭제곱의 합 공식을 이용하기

$$\begin{aligned}\sum_{k=1}^{5}(k-p)^2&=\sum_{k=1}^{5}(k^2-2pk+p^2)\\&=\sum_{k=1}^{5}k^2-2p\sum_{k=1}^{5}k+\sum_{k=1}^{5}p^2\\&=\frac{5\cdot6\cdot11}{6}-2p\cdot\frac{5\cdot6}{2}+5p^2\\&=5p^2-30p+55\end{aligned}$$

STEP B a의 값 구하기

이때 $5p^2-30p+55=15$이므로 $5p^2-30p+40=0$

$p^2-6p+8=0,\ (p-2)(p-4)=0$

$\therefore\ p=2$ 또는 $p=4$

따라서 p의 합은 $2+4=6$

정답 ④

1498

정답 ①

STEP A 자연수의 거듭제곱의 합 공식을 이용하기

$$\begin{aligned}\sum_{k=1}^{10}(k-1)(k-p)&=\sum_{k=1}^{10}(k^2-(p+1)k+p)\\&=\sum_{k=1}^{10}k^2-(p+1)\sum_{k=1}^{10}k+\sum_{k=1}^{10}p\\&=\frac{10\cdot11\cdot21}{6}-(p+1)\frac{10\cdot11}{2}+10p\\&=385-55(p+1)+10p\end{aligned}$$

STEP B p의 값 구하기

따라서 $-45p+330=60$이므로 $p=6$

$\sum\limits_{k=1}^{10}(k+2)(k+p)=45$를 만족시키는 상수 p의 값은?

① -9 ② -7 ③ -6
④ -4 ⑤ -3

STEP Ⓐ **자연수의 거듭제곱의 합 공식을 이용하기**

$$\sum_{k=1}^{10}(k+2)(k+p)=\sum_{k=1}^{10}\{k^2+(2+p)k+2p\}$$
$$=\sum_{k=1}^{10}k^2+(2+p)\sum_{k=1}^{10}k+\sum_{k=1}^{10}2p$$
$$=\frac{10\cdot11\cdot21}{6}+(2+p)\cdot\frac{10\cdot11}{2}+2p\cdot10$$
$$=495+75p$$

STEP Ⓑ **p의 값 구하기**

따라서 $495+75p=45$이므로 $75p=-450$
$\therefore p=-6$ 정답 ③

1499   정답 ③

STEP Ⓐ **자연수의 거듭제곱의 합 공식을 이용하기**

$$\sum_{k=1}^{n}k(k+1)=\sum_{k=1}^{n}(k^2+k)$$
$$=\frac{n(n+1)(2n+1)}{6}+\frac{n(n+1)}{2}$$
$$=\frac{n(n+1)(n+2)}{3}$$

STEP Ⓑ **자연수 n의 값 구하기**

$\frac{n(n+1)(n+2)}{3}=70$에서 $n(n+1)(n+2)=210=5\cdot6\cdot7$
따라서 $n=5$

$1\cdot2+2\cdot3+3\cdot4+\cdots+n(n+1)=330$을 만족시키는 자연수 n의 값은?

① 5   ② 6   ③ 8
④ 9   ⑤ 10

STEP Ⓐ **자연수의 거듭제곱의 합 공식을 이용하기**

$1\cdot2+2\cdot3+3\cdot4+\cdots+n(n+1)$
$$=\sum_{k=1}^{n}k(k+1)$$
$$=\sum_{k=1}^{n}(k^2+k)$$
$$=\frac{n(n+1)(2n+1)}{6}+\frac{n(n+1)}{2}$$
$$=\frac{n(n+1)(n+2)}{3}$$

STEP Ⓑ **자연수 n의 값 구하기**

이므로
$\frac{n(n+1)(n+2)}{3}=330$에서 $n(n+1)(n+2)=990=9\cdot10\cdot11$
따라서 $n=9$ 정답 ④

1500   정답 ②

STEP Ⓐ **$\sum\limits_{k=11}^{15}a_k$의 값 나타내기**

$a_n=n(n+1)$이므로

$$\sum_{k=11}^{15}a_k=\sum_{k=1}^{15}a_k-\sum_{k=1}^{10}a_k$$

STEP Ⓑ **자연수의 거듭제곱의 합 공식을 이용하기**

$$\sum_{k=1}^{15}a_k-\sum_{k=1}^{10}a_k=\sum_{k=1}^{15}k(k+1)-\sum_{k=1}^{10}k(k+1)$$
$$=\frac{15\cdot16\cdot17}{3}-\frac{10\cdot11\cdot12}{3}$$
$$=1360-440=920$$

1501   정답 ④

STEP Ⓐ **시그마의 성질과 자연수의 거듭제곱의 합 공식을 이용하기**

$a_n=2n-3$에서 $a_{k+1}=2(k+1)-3=2k-1$

$$\sum_{k=2}^{m}a_{k+1}=\sum_{k=2}^{m}(2k-1)$$
$$=\sum_{k=1}^{m}(2k-1)-(2\cdot1-1)$$
$$=2\cdot\frac{m(m+1)}{2}-m-1$$
$$=m^2-1$$

따라서 $m^2-1=48$이므로 $m=7$ ($\because m$은 자연수)

1502   정답 ④

STEP Ⓐ **등차수열 $\{a_n\}$의 일반항 구하기**

첫째항이 -10이고 공차가 3인 등차수열 $\{a_n\}$에 대하여
$a_n=-10+(n-1)\cdot3=3n-13$이므로

STEP Ⓑ **자연수의 거듭제곱의 합 공식을 이용하기**

$$\sum_{k=5}^{10}a_k=\sum_{k=1}^{10}a_k-\sum_{k=1}^{4}a_k=\sum_{k=1}^{10}(3k-13)-\sum_{k=1}^{4}(3k-13)$$
$$=3\cdot\frac{10\cdot11}{2}-13\cdot10-\left(3\cdot\frac{4\cdot5}{2}-13\cdot4\right)$$
$$=35-(-22)=57$$

1503   정답 ③

STEP Ⓐ **등차수열 $\{a_n\}$의 합을 이용하여 공차 구하기**

등차수열 $\{a_n\}$의 첫째항이 2, 공차을 d라 하면 $a_n=2+(n-1)d$

이때 $\sum\limits_{n=1}^{10}a_n=S_{10}=200$이므로 $S_{10}=\frac{10(2\cdot2+9\cdot d)}{2}=200$, $9d=36$
$\therefore d=4$

STEP Ⓑ **a_{11}의 값 구하기**

따라서 $a_{11}=2+(11-1)\cdot4=42$

1504

정답 ④

STEP A 등차수열 $\{a_n\}$의 공차 구하기

등차수열 $\{a_n\}$의 첫째항이 2, 공차를 d라 하면

$a_4 - a_2 = 4$에서 $(a+3d)-(a+d)=2d=4$

$\therefore d=2$

$\therefore a_n = 2+(n-1)2 = 2n$

STEP B 첫째항과 끝항을 이용하여 합 구하기

따라서 $\displaystyle\sum_{k=11}^{20} a_k = \dfrac{10(a_{11}+a_{20})}{2} = \dfrac{10(22+40)}{2} = 310$

다른풀이 $\displaystyle\sum_{k=11}^{20} a_k = \sum_{k=1}^{20} a_k - \sum_{k=1}^{10} a_k$를 이용하여 $\sum$ 성질로 풀이하기

$\displaystyle\sum_{k=11}^{20} a_k = \sum_{k=1}^{20} a_k - \sum_{k=1}^{10} a_k = \sum_{k=1}^{20} 2k - \sum_{k=1}^{10} 2k$

$\qquad = 2 \cdot \dfrac{20 \cdot 21}{2} - 2 \cdot \dfrac{10 \cdot 11}{2}$

$\qquad = 310$

내/신/연/계/ 출제문항 558

등차수열 $\{a_n\}$에 대하여

$$a_1 + a_{10} = 22$$

일 때, $\displaystyle\sum_{k=2}^{9} a_k$의 값은?

① 86   ② 88   ③ 90

④ 92   ⑤ 94

STEP A 등차수열 $\{a_n\}$의 첫째항과 끝항을 이용하여 합 구하기

등차수열 $\{a_n\}$의 첫째항을 a, 공차를 d라고 하면 $a_n = a+(n-1)d$

이때 $a_1 + a_{10} = a + (a+9d) = 2a+9d = 22$이므로

$\displaystyle\sum_{k=2}^{9} a_k = a_2 + a_3 + \cdots + a_9 = (a+d)+(a+2d)+\cdots+(a+8d)$

$\qquad\qquad = 8a + 36d = 4(2a+9d)$

$\qquad\qquad = 4 \cdot 22 = 88$

다른풀이 등차수열의 합을 이용하여 풀이하기

등차수열 $\{a_n\}$의 첫째항을 a, 공차를 d라고 하면 $a_n = a+(n-1)d$

$\displaystyle\sum_{k=2}^{9} a_k = a_2 + a_3 + \cdots + a_9 = \dfrac{8(a_2 + a_9)}{2}$

$\qquad\qquad = \dfrac{8(a+d+a+8d)}{2}$

$\qquad\qquad = 4(2a+9d)$

$\qquad\qquad = 4 \cdot 22 = 88$

정답 ②

1505

정답 ②

STEP A 첫째항과 끝항이 주어진 등차수열의 합 구하기

이차방정식 $x^2 - 14x + 24 = 0$의 두 근이 a_3, a_8이므로

이차방정식의 근과 계수의 관계에 의해 $a_3 + a_8 = 14$

따라서 수열 $\{a_n\}$이 등차수열이므로

$\displaystyle\sum_{n=3}^{8} a_n = \dfrac{6(a_3 + a_8)}{2} = \dfrac{6 \cdot 14}{2} = 42$

다른풀이 등차수열의 특징을 이용하여 풀이하기

$a_3 + a_8 = 14$이므로 $a_4 + a_7 = 14$, $a_5 + a_6 = 14$

따라서 $\displaystyle\sum_{n=3}^{8} a_n = a_3 + \cdots + a_8 = 3 \cdot 14 = 42$

다른풀이 인수분해를 이용하여 풀이하기

이차방정식 $x^2 - 14x + 24 = 0$의 두 근이 a_3, a_8이므로

$(x-2)(x-12) = 0$

$\therefore x=2$ 또는 $x=12$

공차가 양수이므로 $a_3 = 2$, $a_8 = 12$

등차수열 $\{a_n\}$의 첫째항 a, 공차를 $d(d>0)$라 하면

$a_8 - a_3 = 5d = 10$

$\therefore d = 2$

따라서 $\displaystyle\sum_{n=3}^{8} a_n = a_3 + \cdots + a_8 = 2+4+6+\cdots+12 = \dfrac{6(2+12)}{2} = 42$

일반항 구하기

이차방정식 $x^2 - 14x + 24 = 0$의 두 근이 a_3, a_8이므로

이차방정식의 근과 계수의 관계에 의해

$a_3 + a_8 = 14$, $a_3 a_8 = 24$

등차수열 $\{a_n\}$의 첫째항 a, 공차를 $d(d>0)$라 하면

$a_3 + a_8 = (a+2d)+(a+7d) = 14$에서

$2a+9d = 14$

$a = 7 - \dfrac{9}{2}d$ $\qquad\qquad$ ······ ㉠

또, $a_3 a_8 = (a+2d)(a+7d) = 24$ $\qquad$ ······ ㉡

㉠을 ㉡에 대입하여 정리하면

$\left(7 - \dfrac{5}{2}d\right)\left(7 + \dfrac{5}{2}d\right) = 24$

$49 - \dfrac{25}{4}d^2 = 24$

$d^2 = 4$

이때 $d > 0$이므로 $d = 2$

$d = 2$를 ㉠에 대입하면 $a = -2$

등차수열 $\{a_n\}$은 첫째항이 -2이고 공차가 2인 수열이므로

일반항 a_n은 $a_n = 2n-4$

내/신/연/계/ 출제문항 559

등차수열 $\{a_n\}$에 대하여

$$a_1 = k-1, \quad a_2 = \dfrac{4}{3}k, \quad a_3 = 3k-3$$

일 때, $\displaystyle\sum_{n=1}^{10} a_n$의 값은? (단, k는 상수이다.)

① 90   ② 100   ③ 110

④ 120   ⑤ 130

STEP A 등차중항을 이용하여 k값 구하기

세 수 $a_1 = k-1$, $a_2 = \dfrac{4}{3}k$, $a_3 = 3k-3$이 등차수열이므로

$2 \cdot \dfrac{4}{3}k = (k-1)+(3k-3)$, $\dfrac{8}{3}k = 4k-4$

$\therefore k = 3$

등차수열 $\{a_n\}$은 첫째항이 $a_1 = 3-1 = 2$이고 공차가 $a_2 - a_1 = 4-2 = 2$

STEP B 등차수열의 첫째항부터 10항까지의 합 구하기

따라서 $\displaystyle\sum_{n=1}^{10} a_n$은 등차수열의 첫째항부터 10항까지의 합이므로

$\displaystyle\sum_{n=1}^{10} a_n = \dfrac{10(2 \cdot 2 + 9 \cdot 2)}{2} = 110$

다른풀이 Σ의 성질을 이용하여 풀이하기

등차수열 $\{a_n\}$은 첫째항이 2이고 공차가 2이므로

$a_n = 2 + (n-1) \cdot 2 = 2n$

따라서 $\displaystyle\sum_{n=1}^{10} a_n = \sum_{n=1}^{10} 2n = 2 \cdot \dfrac{10 \cdot 11}{2} = 110$

정답 ③

1506

정답 ④

STEP A 등차수열 $\{a_n\}$의 첫째항과 공차를 이용하여 일반항 구하기

등차수열 $\{a_n\}$의 첫째항을 a라 하면 공차가 2이므로

$a_4 = a + 3 \cdot 2 = 9$ ∴ $a = 3$

즉 $a_n = 3 + (n-1) \cdot 2 = 2n + 1 (n \geq 1)$

STEP B b_{10}의 값 구하기

$b_{10} = \sum_{k=1}^{10} k a_k$

$= \sum_{k=1}^{10} k(2k+1)$

$= 2\sum_{k=1}^{10} k^2 + \sum_{k=1}^{10} k$

$= 2 \cdot \dfrac{10 \cdot 11 \cdot 21}{6} + \dfrac{10 \cdot 11}{2}$

$= 2 \cdot 385 + 55 = 825$

1507

정답 ④

STEP A 등차수열 $\{a_n\}$의 일반항 구하기

등차수열 $\{a_n\}$의 첫째항을 a, 공차를 d라 하면

$a_3 = a + 2d = 3$ ⋯⋯ ㉠

$a_{10} = a + 9d = 24$ ⋯⋯ ㉡

㉡$-$㉠에서 $d = 3$

㉠에 대입하면 $a = -3$

∴ $a_n = -3 + (n-1) \cdot 3 = 3n - 6$

STEP B 시그마의 성질을 이용하여 수열의 합 구하기

따라서 $\sum_{k=1}^{50} a_{2k} - \sum_{k=1}^{50} a_{2k-1} = \sum_{k=1}^{50}(6k-6) - \sum_{k=1}^{50}(6k-9)$

$= \sum_{k=1}^{50}\{(6k-6)-(6k-9)\}$

$= \sum_{k=1}^{50} 3 = 3 \cdot 50 = 150$

내/신/연/계/ 출제문항 560

등차수열 $\{a_n\}$에 대하여

$a_4 = 6$, $a_{12} = 38$

일 때, $\sum_{k=1}^{100} a_{2k} - \sum_{k=1}^{100} a_{2k-1}$의 값은?

① 120 　　② 180 　　③ 210

④ 320 　　⑤ 400

STEP A 등차수열 $\{a_n\}$의 일반항 구하기

등차수열 $\{a_n\}$의 첫째항을 a, 공차를 d라 하면

$a_4 = 6$, $a_{12} = 38$이므로

$a_4 = a + 3d = 6$ ⋯⋯ ㉠

$a_{12} = a + 11d = 38$ ⋯⋯ ㉡

㉠, ㉡을 연립하여 풀면 $a = -6$, $d = 4$

STEP B 시그마의 성질을 이용하여 수열의 합 구하기

공차를 d라 하면

$\sum_{k=1}^{100} a_{2k} - \sum_{k=1}^{100} a_{2k-1} = \sum_{k=1}^{100}(a_{2k} - a_{2k-1})$

$= (a_2 - a_1) + (a_4 - a_3) + \cdots + (a_{200} - a_{199})$

$= 100d$

따라서 구하는 값은 $100d = 100 \times 4 = 400$

정답 ⑤

1508

정답 ③

STEP A 시그마의 성질을 이용하여 a_5 구하기

$\sum_{k=1}^{n} a_{2k-1} = 4n^2 - 2n$

$n = 3$일 때, $\sum_{k=1}^{3} a_{2k-1} = a_1 + a_3 + a_5 = 4 \cdot 3^2 - 2 \cdot 3 = 30$ ⋯⋯ ㉠

$n = 2$일 때, $\sum_{k=1}^{2} a_{2k-1} = a_1 + a_3 = 4 \cdot 2^2 - 2 \cdot 2 = 12$ ⋯⋯ ㉡

㉠에서 ㉡을 같은 변끼리 빼면 $a_5 = 30 - 12 = 18$

STEP B 등차중항을 이용하여 $a_4 + a_6$의 값 구하기

따라서 a_4, a_5, a_6이 등차수열이므로 등차중항의 성질에 의하여

$a_4 + a_6 = 2a_5 = 2 \cdot 18 = 36$

내/신/연/계/ 출제문항 561

등차수열 $\{a_n\}$이

$$\sum_{k=1}^{n} a_{2k-1} = 3n^2 + n$$

을 만족시킬 때, a_8의 값은?

① 16 　　② 19 　　③ 22

④ 25 　　⑤ 28

STEP A 시그마의 성질을 이용하여 a_5 구하기

$\sum_{k=1}^{n} a_{2k-1} = 3n^2 + n$이므로

$n = 1$일 때, $a_1 = 3 + 1 = 4$ ⋯⋯ ㉠

$n = 2$일 때, $\sum_{k=1}^{2} a_{2k-1} = a_1 + a_3 = 3 \cdot 2^2 + 2 = 14$ ⋯⋯ ㉡

㉠, ㉡에서 $a_3 = 14 - a_1 = 14 - 4 = 10$

등차수열 $\{a_n\}$의 공차를 d라 하면 $a_3 = a_1 + 2d$이므로

$10 = 4 + 2d$에서 $d = 3$

따라서 $a_8 = a_1 + 7d = 4 + 7 \cdot 3 = 25$

다른풀이 등차수열의 특징을 이용하여 풀이하기

STEP A 주어진 식을 나열하여 $\sum_{k=1}^{n} a_{2k-1}$을 n에 이차식으로 정리하기

a_{2k-1}에 대한 합이 주어졌기 때문에 a_n에 대한 합이 주어졌을 때,

정의되는 $a_n = \sum_{k=1}^{n} a_k - \sum_{k=1}^{n-1} a_k$를 이용하여 일반항을 구할 수 없다.

이때 $k = 1$부터 차례대로 대입하면

$\sum_{k=1}^{n} a_{2k-1} = a_1 + a_3 + a_5 + \cdots + a_{2n-1}$

$= a_1 + (a_1 + 2d) + (a_1 + 4d) + \cdots + \{a_1 + (2n-2)d\}$

$= na_1 + 2\{1 + 2 + \cdots + (n-1)d\}$

$= na_1 + 2 \cdot \dfrac{n(n-1)}{2}d$

$= na_1 + (n^2 - n)d$

$= dn^2 + (a_1 - d)n$

이때 $\sum_{k=1}^{n} a_{2k-1} = dn^2 + (a_1 - d)n = 3n^2 + n$

STEP B 등차수열 $\{a_n\}$의 첫째항과 공차를 구한 후 a_8의 값 구하기

$d = 3$이고 $a_1 - d = 1$에서 $a_1 = 4$

따라서 $a_8 = a_1 + 7d = 4 + 7 \cdot 3 = 25$

정답 ④

1509

STEP Ⓐ 등차수열 $\{a_n\}$의 일반항을 이용하여 a, d의 관계식 구하기

등차수열 $\{a_n\}$의 첫째항을 a, 공차를 d라 하면 $a_n=a+(n-1)d$

$a_5+a_{13}=3a_9$에서 $a+4d+a+12d=2(a+8d)$

$\therefore a+8d=0$ ...... ㉠

STEP Ⓑ 등차수열의 합을 이용하여 a, d의 관계식 구하기

또, $\displaystyle\sum_{k=1}^{18} a_k=\dfrac{18(a_1+a_{18})}{2}=9(2a+17d)$이므로

$9(2a+17d)=\dfrac{9}{2}$에서 $2a+17d=\dfrac{1}{2}$ ...... ㉡

㉠, ㉡을 연립하여 풀면 $a=-4$, $d=\dfrac{1}{2}$

따라서 $a_{13}=a+12d=-4+12\cdot\dfrac{1}{2}=2$

> **참고**
>
> 등차수열 $\{a_n\}$에서 a_5, a_9, a_{13}의 등차중항
>
> $\dfrac{a_5+a_{13}}{2}=a_9$이므로 $a_5+a_{13}=2a_9$에서 $a_9=0$
>
> 즉 $a+8d=0$ ...... ㉠

1510

STEP Ⓐ 등비수열 $\{a_n\}$의 일반항을 이용하여 a, r 구하기

등비수열 $\{a_n\}$의 첫째항을 a, 공비를 r라 하면 $a_n=ar^{n-1}$

$a_3=4(a_2-a_1)$에서 $ar^2=4(ar-a)$

$r^2=4r-4(\because a\neq 0)$

$(r-2)^2=0$

$\therefore r=2$ ...... ㉠

이때 $\displaystyle\sum_{k=1}^{6} a_k=15$이므로 $\displaystyle\sum_{k=1}^{6} a_k=\dfrac{a(1-r^6)}{1-r}=15$

㉠에서 $\dfrac{a(1-2^6)}{1-2}=15$

$\therefore a=\dfrac{15}{63}=\dfrac{5}{21}$

STEP Ⓑ $a_1+a_3+a_5$의 값 구하기

따라서 $a_1+a_3+a_5=a+ar^2+ar^4=a(1+r^2+r^4)$

$\qquad\qquad =\dfrac{5}{21}(1+2^2+2^4)$

$\qquad\qquad =5$

> **내 신 연 계 출제문항 562**
>
> 모든 항이 양수인 등비수열 $\{a_n\}$이 다음 조건을 만족시킬 때, a_3의 값은?
>
> (가) $a_1\times a_2=2a_3$
>
> (나) $\displaystyle\sum_{k=1}^{20} a_k=\dfrac{a_{21}-a_1}{3}$
>
> ① 110   ② 116   ③ 118
> ④ 120   ⑤ 128

STEP Ⓐ 등비수열 $\{a_n\}$의 일반항을 이용하여 첫째항과 공비의 관계 구하기

등비수열 $\{a_n\}$의 공비를 r이라 하면

조건 (가)에서

$a_1\times a_2=a_1^2r$, $2a_3=2a_1r^2$이므로 $a_1^2r=2a_1r^2$

수열 $\{a_n\}$의 모든 항이 양수이므로

$a_1=2r$ ...... ㉠

STEP Ⓑ 조건 (나)를 만족하는 공비 r 구하기

조건 (나)에서 $r=1$이면

$\displaystyle\sum_{k=1}^{20} a_k=20a_1$, $\dfrac{a_{21}-a_1}{3}=0$이므로 $a_1=0$ ◀ $r=1$일 때, $a_{21}=a_1$

$a_1>0$이므로 $r\neq 1$

$\displaystyle\sum_{k=1}^{20} a_k=\dfrac{a_1(r^{20}-1)}{r-1}$, $\dfrac{a_{21}-a_1}{3}=\dfrac{a_1(r^{20}-1)}{3}$에서

$\dfrac{1}{r-1}=\dfrac{1}{3}$이므로 $r=4$

㉠에서 $a_1=8$

따라서 $a_3=8\cdot 4^2=128$

1511

STEP Ⓐ 등비수열 $\{a_n\}$의 일반항 구하기

등비수열 $\{a_n\}$에서 첫째항을 a, 공비를 r이라 하면

$a_2=ar=4$ ...... ㉠

$a_5=ar^4=\dfrac{1}{2}$ ...... ㉡

㉡÷㉠에서 $r^3=\dfrac{1}{8}$ $\therefore r=\dfrac{1}{2}$

㉠에서 $a=8$

즉 $a_n=8\cdot\left(\dfrac{1}{2}\right)^{n-1}=2^{-n+4}$

STEP Ⓑ 시그마의 성질을 이용하여 수열의 합을 구하기

따라서 $\displaystyle\sum_{k=1}^{10} k\log_2 a_k=\sum_{k=1}^{10} k\log_2 2^{-k+4}$

$\qquad\qquad =\displaystyle\sum_{k=1}^{10} k(-k+4)$

$\qquad\qquad =-\displaystyle\sum_{k=1}^{10} k^2+4\sum_{k=1}^{10} k$

$\qquad\qquad =-\dfrac{10\cdot 11\cdot 21}{6}+4\cdot\dfrac{10\cdot 11}{2}$

$\qquad\qquad =-385+220=-165$

1512

STEP Ⓐ 등차수열의 합과 시그마의 성질을 이용하여 첫째항과 공차 구하기

등차수열 $\{a_n\}$의 첫째항을 a, 공차를 d라고 하면

$\displaystyle\sum_{k=1}^{5} a_{5k-1}=a_4+a_9+a_{14}+a_{19}+a_{24}$

$\qquad =(a+3d)+(a+8d)+(a+13d)+(a+18d)+(a+23d)$

$\qquad =5a+65d=75$

$\therefore a+13d=15$ ...... ㉠

$\displaystyle\sum_{k=1}^{5} a_{5k-2}=a_3+a_8+a_{13}+a_{18}+a_{23}$

$\qquad =(a+2d)+(a+7d)+(a+12d)+(a+17d)+(a+22d)$

$\qquad =5a+60d=65$

$\therefore a+12d=13$ ...... ㉡

㉠, ㉡을 연립하여 풀면 $a=-11$, $d=2$

$\therefore a_n=-11+(n-1)\cdot 2=2n-13$

STEP Ⓑ $\displaystyle\sum_{k=1}^{10} a_{2k}$ 구하기

따라서 $\displaystyle\sum_{k=1}^{10} a_{2k}=\sum_{k=1}^{10}(4k-13)=4\cdot\dfrac{10\cdot 11}{2}-13\cdot 10=90$

등차수열 $\{a_n\}$이

$$\sum_{k=1}^{15} a_k = 165, \quad \sum_{k=1}^{21} (-1)^k a_k = -20$$

을 만족시킬 때, a_{21}의 값은?

① 45   ② 50   ③ 55
④ 60   ⑤ 65

STEP A 등차수열의 합과 시그마의 성질을 이용하여 첫째항과 공차 구하기

등차수열 $\{a_n\}$의 첫째항을 a, 공차를 d라고 하면

$$\sum_{k=1}^{15} a_k = \frac{15(2a_1 + 14d)}{2} = 165$$

이므로 $a_1 + 7d = 11$ …… ㉠

$$\sum_{k=1}^{21} (-1)^k a_k = -a_1 + a_2 - a_3 + a_4 - \cdots - a_{19} + a_{20} - a_{21}$$
$$= (a_2 - a_1) + (a_4 - a_3) + \cdots + (a_{20} - a_{19}) - a_{21}$$
$$= d + d + d + \cdots + d - a_{21}$$
$$= 10d - a_{21}$$
$$= 10d - (a_1 + 20d)$$
$$= -a_1 - 10d$$

이때 $-a_1 - 10d = -20$이므로 $a_1 + 10d = 20$ …… ㉡

㉠, ㉡을 연립하여 풀면 $a_1 = -10$, $d = 3$

STEP B a_{21} 구하기

따라서 $a_{21} = a_1 + 20d = -10 + 60 = 50$ 정답 ②

1513 정답 ③

STEP A 등비수열의 합 공식을 이용하여 첫째항 a, 공비 r 구하기

등비수열 $\{a_n\}$에서 첫째항을 a, 공비를 r이라 하면

$$\sum_{k=1}^{3} a_{3k-1} = a_2 + a_5 + a_8 = ar(1 + r^3 + r^6) = 16 \quad \cdots ㉠$$

$$\sum_{k=1}^{3} a_{3k-2} = a_1 + a_4 + a_7 = a(1 + r^3 + r^6) = 8 \quad \cdots ㉡$$

㉠÷㉡에서 $r = 2$

㉠에서 $a = \dfrac{8}{73}$

$$\therefore a_n = \frac{8}{73} \cdot 2^{n-1}$$

STEP B $\sum_{k=2}^{10} a_k$ 구하기

따라서 $\sum_{k=2}^{10} a_k = \sum_{k=2}^{10} \dfrac{8}{73} \cdot 2^{k-1} = \dfrac{8}{73} \cdot \dfrac{2(2^9 - 1)}{2 - 1} = \dfrac{8}{73}(2^{10} - 2) = 112$

첫째항이 1인 등비수열 $\{a_n\}$에 대하여

$$\sum_{k=1}^{m} a_{2k-1} = 341, \quad \sum_{k=1}^{m} a_{2k} = 682$$

를 만족시키는 자연수 m의 값은?

① 4   ② 5   ③ 6
④ 7   ⑤ 8

STEP A 등비수열의 합 공식을 이용하여 공비 r 구하기

등비수열 $\{a_n\}$에서 첫째항을 1, 공비를 r이라 하면

일반항 a_n은 $a_n = r^{n-1}$

$$\sum_{k=1}^{m} a_{2k-1} = a_1 + a_3 + a_5 + \cdots + a_{2m-1}$$
$$= 1 + r^2 + r^4 + \cdots + r^{2m-2}$$
$$= \frac{1 \times \{(r^2)^m - 1\}}{r^2 - 1}$$

$$\therefore \frac{r^{2m} - 1}{r^2 - 1} = 341 \quad \cdots\cdots ㉠$$

$$\sum_{k=1}^{m} a_{2k} = a_2 + a_4 + a_6 + \cdots + a_{2m}$$
$$= r + r^3 + r^5 + \cdots + r^{2m-1}$$
$$= \frac{r\{(r^2)^m - 1\}}{r^2 - 1}$$

$$\therefore \frac{r(r^{2m} - 1)}{r^2 - 1} = 682 \quad \cdots\cdots ㉡$$

㉡÷㉠을 하면 $r = 2$

STEP B 자연수 m의 값 구하기

$r = 2$를 ㉠에 대입하면

$$\frac{2^{2m} - 1}{2^2 - 1} = 341, \quad 4^m = 1024$$

따라서 $1024 = 4^5$이므로 $m = 5$ 정답 ②

1514 정답 ①

STEP A 등비수열 $\{a_n\}$의 일반항 구하기

등비수열 $\{a_n\}$은 첫째항이 2, 공비가 $-\dfrac{1}{2}$이므로

$$a_n = 2\left(-\frac{1}{2}\right)^{n-1}$$

STEP B A_n 구하기

점 P_n의 좌표를 (n, a_n), 점 Q_n의 좌표를 $(n, 0)$이므로 $Q_{n+1}(n+1, 0)$
좌표평면에 나타내면 다음 그림과 같다.

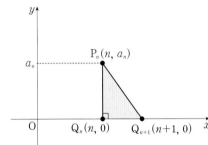

이때 삼각형 $P_n Q_n Q_{n+1}$은 직각삼각형이므로

$$A_n = \frac{1}{2} \cdot \overline{Q_n Q_{n+1}} \cdot \overline{P_n Q_n}$$
$$= \frac{1}{2} \cdot 1 \cdot |a_n|$$
$$= \frac{1}{2} \cdot \left| 2\left(-\frac{1}{2}\right)^{n-1} \right|$$
$$= \left| \left(-\frac{1}{2}\right)^{n-1} \right|$$
$$= \left(\frac{1}{2}\right)^{n-1} \ (\because n \text{은 자연수})$$

STEP C $\sum_{n=1}^{20} A_n$의 값 구하기

따라서 $\sum_{n=1}^{20} A_n = \sum_{n=1}^{20} \left(\frac{1}{2}\right)^{n-1} = \dfrac{1 - \left(\frac{1}{2}\right)^{20}}{1 - \frac{1}{2}} = 2 - \left(\frac{1}{2}\right)^{19}$

1515

정답 ⑤

STEP A 이차방정식의 근과 계수의 관계를 이용하여 a_n을 구하기

이차방정식 $nx^2-(2n^2-n)x-5=0$의 두 근의 합 a_n은

근과 계수의 관계에 의해 $a_n=\dfrac{2n^2-n}{n}=2n-1$

STEP B $\displaystyle\sum_{k=1}^{10}a_k$의 값 구하기

따라서 $\displaystyle\sum_{k=1}^{10}a_k=\sum_{k=1}^{10}(2k-1)$

$\displaystyle=\sum_{k=1}^{10}2k-\sum_{k=1}^{10}1$

$\displaystyle=2\sum_{k=1}^{10}k-10$

$=2\cdot\dfrac{10\cdot11}{2}-10$

$=100$

1516

정답 ②

STEP A 이차방정식의 근과 계수의 관계를 이용하여 $\alpha+\beta$, $\alpha\beta$의 값을 구하기

이차방정식 $x^2-2x-1=0$에서 두 근이 α, β이므로

근과 계수의 관계에서 $\alpha+\beta=2$, $\alpha\beta=-1$

STEP B $\displaystyle\sum_{k=1}^{10}(k-\alpha)(k-\beta)$의 값 구하기

따라서 $\displaystyle\sum_{k=1}^{10}(k-\alpha)(k-\beta)=\sum_{k=1}^{10}\{k^2-(\alpha+\beta)k+\alpha\beta\}$

$\displaystyle=\sum_{k=1}^{10}k^2-(\alpha+\beta)\sum_{k=1}^{10}k+\alpha\beta\sum_{k=1}^{10}(-1)$

$=\dfrac{10\cdot11\cdot21}{6}-2\cdot\dfrac{10\cdot11}{2}+(-1)\cdot10$

$=385-110-10$

$=265$

내/신/연/계/ 출제문항 565

이차방정식 $x^2-4x-3=0$의 두 근을 α, β라 할 때,

$\displaystyle\sum_{k=1}^{10}(k-\alpha)(k-\beta)$의 값은?

① 115 　　② 125 　　③ 135
④ 145 　　⑤ 155

STEP A 이차방정식의 근과 계수의 관계 이용하기

이차방정식 $x^2-4x-3=0$의 두 근이 α, β이므로

근과 계수의 관계에 따라 $\alpha+\beta=4$, $\alpha\beta=-3$

STEP B $\displaystyle\sum$ 의 성질 이용하기

$\displaystyle\sum_{k=1}^{10}(k-\alpha)(k-\beta)=\sum_{k=1}^{10}\{k^2-(\alpha+\beta)k+\alpha\beta\}$

$\displaystyle=\sum_{k=1}^{10}k^2-4\sum_{k=1}^{10}k+\sum_{k=1}^{10}(-3)$

STEP C 자연수의 거듭제곱의 합 구하기

$\displaystyle\sum_{k=1}^{10}k^2-4\sum_{k=1}^{10}k-\sum_{k=1}^{10}3=\dfrac{10\cdot11\cdot21}{6}-4\cdot\dfrac{10\cdot11}{2}-3\cdot10$

$=385-220-30$

$=135$

정답 ③

1517

정답 ③

STEP A 이차방정식의 근과 계수의 관계를 이용하여 a_n, b_n의 관계식 구하기

이차방정식의 두 근이 a_n, b_n이므로 근과 계수의 관계에 의하여

$a_n+b_n=2n+1$, $a_nb_n=n(n+1)$

STEP B $\displaystyle\sum_{n=1}^{10}\{1-(a_n+b_n)+a_nb_n\}$의 값 구하기

$\displaystyle\sum_{n=1}^{10}\{1-(a_n+b_n)+a_nb_n\}=\sum_{n=1}^{10}\{1-(2n+1)+n(n+1)\}$

$\displaystyle=\sum_{n=1}^{10}(n^2-n)$

$=\dfrac{10\cdot11\cdot21}{6}-\dfrac{10\cdot11}{2}$

$=330$

따라서 $\displaystyle\sum_{n=1}^{10}(1-a_n)(1-b_n)=330$

내/신/연/계/ 출제문항 566

자연수 n에 대하여 x에 대한 이차방정식
$$x^2-(n^2-1)x+n+1=0$$
의 두 근을 α_n, β_n이라 할 때, $\displaystyle\sum_{k=1}^{7}\left(\dfrac{1}{\alpha_k}+\dfrac{1}{\beta_k}\right)$의 값은?

① 6 　　② 10 　　③ 15
④ 21 　　⑤ 28

STEP A 이차방정식의 근과 계수의 관계를 이용하여 a_n, b_n의 관계식 구하기

이차방정식 $x^2-(n^2-1)x+n+1=0$의 두 근이 α_n, β_n이므로

근과 계수의 관계에 의하여 $\alpha_n+\beta_n=n^2-1$, $\alpha_n\beta_n=n+1$

STEP B $\displaystyle\sum_{k=1}^{7}\left(\dfrac{1}{\alpha_k}+\dfrac{1}{\beta_k}\right)$의 값 구하기

$\displaystyle\sum_{k=1}^{7}\left(\dfrac{1}{\alpha_k}+\dfrac{1}{\beta_k}\right)=\sum_{k=1}^{7}\dfrac{\alpha_k+\beta_k}{\alpha_k\beta_k}=\sum_{k=1}^{7}\dfrac{k^2-1}{k+1}=\sum_{k=1}^{7}(k-1)$

$=\dfrac{7\cdot8}{2}-7$

$=28-7=21$

정답 ④

1518

정답 ③

STEP A 이차방정식의 근과 계수의 관계를 이용하여 a_n, b_n의 관계식 구하기

이차방정식 $x^2-nx-n+1=0$의 두 근이 α_n, β_n이므로

근과 계수의 관계에 의하여 $\alpha_n+\beta_n=n$, $\alpha_n\beta_n=-n+1$

STEP B $\displaystyle\sum_{n=1}^{8}(\alpha_n^2+\beta_n^2)$의 값 구하기

이때 $\alpha_n^2+\beta_n^2=(\alpha_n+\beta_n)^2-2\alpha_n\beta_n=n^2+2n-2$

따라서 $\displaystyle\sum_{n=1}^{8}(\alpha_n^2+\beta_n^2)=\sum_{n=1}^{8}(n^2+2n-2)$

$=\dfrac{8\cdot9\cdot17}{6}+2\cdot\dfrac{8\cdot9}{2}-2\cdot8$

$=204+72-16=260$

x에 대한 이차방정식

$$x^2-nx+2n+1=0 \ (n은 \ 자연수)$$

의 두 근을 a_n, b_n이라고 할 때, $\sum\limits_{k=1}^{10}(a_k^2+1)(b_k^2+1)$의 값은?

① 1910   ② 1915   ③ 1920
④ 1925   ⑤ 1930

STEP A 이차방정식의 근과 계수의 관계에 의하여 $(a_n^2+1)(b_n^2+1)$ 구하기

이차방정식 $x^2-nx+2n+1=0$의 두 근이 a_n, b_n이므로
근과 계수의 관계에 의하여 $a_n+b_n=n$, $a_nb_n=2n+1$

$$\begin{aligned}(a_n^2+1)(b_n^2+1)&=a_n^2b_n^2+a_n^2+b_n^2+1\\&=(a_nb_n)^2+(a_n+b_n)^2-2a_nb_n+1\\&=(2n+1)^2+n^2-2(2n+1)+1\\&=5n^2\end{aligned}$$

STEP B $\sum\limits_{k=1}^{10}(a_k^2+1)(b_k^2+1)$의 값 구하기

따라서 $\sum\limits_{k=1}^{10}(a_k^2+1)(b_k^2+1)=\sum\limits_{k=1}^{10}5k^2=5\cdot\dfrac{10\cdot11\cdot21}{6}=1925$ 정답 ④

1519   정답 ③

STEP A 이차방정식의 근과 계수의 관계를 이용하여 a_n, b_n의 관계식 구하기

이차방정식의 $x^2+2x-k^2=0$의 두 근이 α_k, β_k이므로
근과 계수의 관계에 의하여 $\alpha_k+\beta_k=-2$, $\alpha_k\beta_k=-k^2$

STEP B $\sum\limits_{k=1}^{5}(\alpha_k-\beta_k)^2$의 값 구하기

이때 $(\alpha_k-\beta_k)^2=(\alpha_k+\beta_k)^2-4\alpha_k\beta_k=(-2)^2+4k^2=4k^2+4$이므로

$$\begin{aligned}\sum\limits_{k=1}^{5}(\alpha_k-\beta_k)^2&=\sum\limits_{k=1}^{5}(4k^2+4)=4\sum\limits_{k=1}^{5}k^2+\sum\limits_{k=1}^{5}4=4\cdot\dfrac{5\cdot6\cdot11}{6}+4\cdot5\\&=220+20=240\end{aligned}$$

1520   정답 ③

STEP A 이차방정식의 근과 계수의 관계와 등차중항을 이용하여 식 정리 하기

이차방정식 $x^2-(a_n+a_{n+2})x-a_{n+1}=0$의 서로 다른 두 실근이 α_n, β_n이므로
근과 계수의 관계에 의하여 $\alpha_n+\beta_n=a_n+a_{n+2}$, $\alpha_n\beta_n=-a_{n+1}$
이때 수열 $\{a_n\}$이 등차수열이므로 $a_n+a_{n+2}=2a_{n+1}$

$$\begin{aligned}\sum\limits_{n=1}^{10}(\alpha_n+1)(\beta_n+1)&=\sum\limits_{n=1}^{10}(\alpha_n\beta_n+\alpha_n+\beta_n+1)\\&=\sum\limits_{n=1}^{10}(-a_{n+1}+2a_{n+1}+1)\\&=\sum\limits_{n=1}^{10}(a_{n+1}+1)=180\end{aligned}$$

STEP B 조건에서 등차수열의 합을 이용하여 a_{11} 구하기

$\therefore a_2+a_3+a_4+\cdots+a_{11}+10=180$ …… ㉠
㉠의 양변에 a_1을 더하면
$a_1+a_2+a_3+a_4+\cdots+a_{11}+10=a_1+180$
즉 $a_1+a_2+a_3+a_4+\cdots+a_{11}=6+170$

$$\dfrac{11(a_1+a_{11})}{2}=\dfrac{11(6+a_{11})}{2}=6+170$$

따라서 $11(6+a_{11})=352$이므로 $a_{11}=26$

1521   정답 ③

STEP A 주어진 수열을 일반항으로 나타내기

$3=\dfrac{1}{3}(10-1)$, $33=\dfrac{1}{3}(100-1)$, $333=\dfrac{1}{3}(1000-1)$, …이므로
제 n항은 $333\cdots3=\dfrac{1}{3}(10^n-1)$

STEP B $3+33+333+3333+33333$의 값 구하기

33333은 제 5항이므로 첫째항부터 제 5항까지의 합은
$3+33+333+3333+33333$

$$\begin{aligned}&=\dfrac{1}{3}(10-1)+\dfrac{1}{3}(10^2-1)+\dfrac{1}{3}(10^3-1)+\dfrac{1}{3}(10^4-1)+\dfrac{1}{3}(10^5-1)\\&=\dfrac{1}{3}(10+10^2+10^3+10^4+10^5)-\dfrac{5}{3}\\&=\dfrac{1}{3}\cdot\dfrac{10(10^5-1)}{10-1}-\dfrac{5}{3}=\dfrac{10^6-55}{27}\end{aligned}$$

따라서 $a=1$, $b=55$이므로 $a+b=56$

1522   정답 ③

STEP A 주어진 수열을 일반항으로 나타내기

$9=10-1$, $99=10^2-1$, $999=10^3-1$, …에서 주어진 수열의 일반항은
$a_n=10^n-1$이므로

STEP B $9+99+999+\cdots+999\cdots9$의 값 구하기

$9+99+999+\cdots+999\cdots9$

$$\begin{aligned}&=(10-1)+(10^2-1)+(10^3-1)+\cdots+(10^{10}-1)\\&=\sum\limits_{k=1}^{10}(10^k-1)=\sum\limits_{k=1}^{10}10^k-\sum\limits_{k=1}^{10}1\\&=\dfrac{10(10^{10}-1)}{10-1}-10\cdot1=\dfrac{10^{11}-100}{9}\\&=\dfrac{10^{11}-10^2}{9}\end{aligned}$$

따라서 $a=2$, $b=9$이므로 $a+b=11$

다음 수열의 첫째항부터 제 20항까지의 합

$$1+11+111+1111+\cdots+111\cdots1=\dfrac{a\cdot10^{20}-b}{81}$$

일 때, 자연수 a, b에 대하여 $a+b$의 값은?

① 200   ② 700   ③ 760
④ 800   ⑤ 860

STEP A 주어진 수열을 $\sum$ 로 나타내기

$1+11+111+1111+\cdots+111\cdots1$

$$\begin{aligned}&=\dfrac{1}{9}\{9+99+999+\cdots+999\cdots9\}\\&=\dfrac{1}{9}\{(10-1)+(10^2-1)+(10^3-1)+\cdots+(10^{20}-1)\}\\&=\dfrac{1}{9}\sum\limits_{k=1}^{20}(10^k-1)\\&=\dfrac{1}{9}\left(\sum\limits_{k=1}^{20}10^k-\sum\limits_{k=1}^{20}1\right)\end{aligned}$$

STEP B 자연수의 거듭제곱의 합 공식 이용하기

$$\dfrac{1}{9}\left(\sum\limits_{k=1}^{20}10^k-\sum\limits_{k=1}^{20}1\right)=\dfrac{1}{9}\left\{\dfrac{10(10^{20}-1)}{10-1}-1\cdot20\right\}=\dfrac{10\cdot10^{20}-190}{81}$$

따라서 $a=10$, $b=190$이므로 $a+b=200$ 정답 ①

1523

정답 ⑤

STEP Ⓐ **주어진 수열을 일반항으로 나타내기**

$a_1=1$, $a_2=10^1$, $a_4=10^1+10^3$, $a_6=10^1+10^3+10^5$, $\cdots$이므로

$a_{20}=10^1+10^3+10^5+\cdots+10^{19}$

$$=\frac{10\{(10^2)^{10}-1\}}{10^2-1}=\frac{1}{99}(10^{21}-10)$$

따라서 ⑤이다.

1524

정답 ②

STEP Ⓐ **주어진 수열의 일반항 a_k를 k에 대한 식으로 나타내기**

주어진 수열의 k항을 a_k라 하면 $a_k=k(k+4)$

주어진 식은 수열 $\{a_n\}$의 첫째항부터 제 10항까지의 합이다.

STEP Ⓑ $\sum\limits_{k=1}^{10} a_k$**의 값 구하기**

따라서 $\sum\limits_{k=1}^{10}a_k=\sum\limits_{k=1}^{10}k(k+4)=\sum\limits_{k=1}^{10}(k^2+4k)$

$$=\sum_{k=1}^{10}k^2+4\sum_{k=1}^{10}k$$

$$=\frac{10\cdot11\cdot21}{6}+4\cdot\frac{10\cdot11}{2}$$

$$=385+220=605$$

1525

정답 ①

STEP Ⓐ **주어진 수열의 일반항 a_k를 k에 대한 식으로 나타내기**

주어진 수열의 k항을 a_k라 하면 $a_k=(k+1)(2k+4)$

주어진 식은 수열 $\{a_n\}$의 첫째항부터 제 9항까지의 합이다.

STEP Ⓑ $\sum\limits_{k=1}^{9} a_k$**의 값 구하기**

따라서 $\sum\limits_{k=1}^{9}a_k=\sum\limits_{k=1}^{9}(k+1)(2k+4)=\sum\limits_{k=1}^{9}(2k^2+6k+4)$

$$=2\sum_{k=1}^{9}k^2+6\sum_{k=1}^{9}k+4\cdot9$$

$$=2\cdot\frac{9\cdot10\cdot19}{6}+6\cdot\frac{9\cdot10}{2}+36$$

$$=570+270+36=876$$

내신연계 출제문항 569

수열의 합

$$1^2\cdot1+2^2\cdot4+3^2\cdot7+\cdots+10^2\cdot28$$

의 값은?

① 7305 　　② 8010 　　③ 8105

④ 8305 　　⑤ 8454

STEP Ⓐ **주어진 수열의 일반항 a_k를 k에 대한 식으로 나타내기**

주어진 수열의 k항을 a_k라 하면 $a_k=k^2(3k-2)$

STEP Ⓑ $\sum\limits_{k=1}^{10} a_k$**의 값 구하기**

따라서 주어진 식은 수열 $\{a_n\}$의 첫째항부터 제 10항까지의 합이므로

$1^2\cdot1+2^2\cdot4+3^2\cdot7+\cdots+10^2\cdot28$

$$=\sum_{k=1}^{10}k^2(3k-2)=\sum_{k=1}^{10}(3k^3-2k^2)$$

$$=3\cdot\left(\frac{10\cdot11}{2}\right)^2-2\cdot\frac{10\cdot11\cdot21}{6}$$

$$=9075-770=8305$$

정답 ④

1526

정답 ③

STEP Ⓐ **주어진 수열의 일반항 a_k를 k에 대한 식으로 나타내기**

주어진 수열의 k항을 a_k라 하면 $a_k=k^3-(4k-1)$

STEP Ⓑ $\sum\limits_{k=1}^{10} a_k$**의 값 구하기**

따라서 주어진 식은 수열 $\{a_n\}$의 첫째항부터 제 10항까지의 합이므로

$$\sum_{k=1}^{10}a_k=\sum_{k=1}^{10}(k^3-4k+1)=\sum_{k=1}^{10}k^3-4\sum_{k=1}^{10}k+10$$

$$=\left(\frac{10\cdot11}{2}\right)^2-4\cdot\frac{10\cdot11}{2}+10$$

$$=3025-220+10=2815$$

1527

정답 ①

STEP Ⓐ **주어진 수열의 일반항 a_k를 k에 대한 식으로 나타내기**

주어진 수열의 제 k항을 a_k라 하면 $a_k=k\{n-(k-1)\}=k(n+1-k)$

STEP Ⓑ **시그마 공식을 이용하여 주어진 식 구하기**

따라서 수열 $\{a_n\}$의 첫째항부터 제 n항까지의 합이므로

$$\sum_{k=1}^{n}a_k=\sum_{k=1}^{n}k(n+1-k)=\sum_{k=1}^{n}(n+1)k-k^2=(n+1)\sum_{k=1}^{n}k-\sum_{k=1}^{n}k^2$$

$$=(n+1)\frac{n(n+1)}{2}-\frac{n(n+1)(2n+1)}{6}$$

$$=\frac{n(n+1)(n+2)}{6}$$

내신연계 출제문항 570

등식

$$2\cdot n+4\cdot(n-1)+6\cdot(n-2)+\cdots+2n\cdot1=\frac{n(n+a)(n+b)}{3}$$

가 성립할 때, 상수 a, b에 대하여 $a+b$의 값을 구하는 과정을 다음 단계로 서술하여라.

[1단계] 주어진 등식의 제 k항을 a_k라 할 때, a_k을 구한다.
[2단계] 첫째항부터 제 n항까지의 합을 구한다.
[3단계] $a+b$의 값을 구한다.

| 1단계 | 주어진 등식의 제 k항을 a_k라 할 때, a_k을 구한다. ◀ 30% |

주어진 수열의 k항을 a_k라 하면

$a_k=2k\{n-(k-1)\}=2k(n+1-k)$

| 2단계 | 첫째항부터 제 n항까지의 합을 구한다. ◀ 50% |

$2\cdot n+4\cdot(n-1)+6\cdot(n-2)+\cdots+2n\cdot1$

$$=\sum_{k=1}^{n}a_k$$

$$=\sum_{k=1}^{n}2k(n+1-k)$$

$$=\sum_{k=1}^{n}2(n+1)k-2k^2$$

$$=2(n+1)\sum_{k=1}^{n}k-2\sum_{k=1}^{n}k^2$$

$$=2(n+1)\frac{n(n+1)}{2}-2\cdot\frac{n(n+1)(2n+1)}{6}$$

$$=\frac{n(n+1)(n+2)}{3}$$

| 3단계 | $a+b$의 값을 구한다. ◀ 20% |

따라서 $a=1$, $b=2$ 또는 $a=2$, $b=1$이므로 $a+b=3$

1528
정답 ③

STEP A n행의 합을 구하기

주어진 수열의 일반항을 a_n이라고 하면

$$a_n=3+5+7+\cdots+(2n+1)=\sum_{k=1}^{n}(2k+1)=n^2+2n$$

STEP B 제 1행부터 제 10행까지의 합을 구하기

$$S_{10}=\sum_{k=1}^{10}(k^2+2k)=\sum_{k=1}^{10}k^2+2\sum_{k=1}^{10}k$$
$$=\frac{10\cdot11\cdot21}{6}+2\cdot\frac{10\cdot11}{2}$$
$$=385+110$$
$$=495$$

1529
정답 ②

STEP A 자연수의 거듭제곱의 합 공식을 이용하여 값 구하기

$$\sum_{k=1}^{10}(1+2+3+\cdots+k)=\sum_{k=1}^{10}\frac{k(k+1)}{2}$$
$$=\frac{1}{2}\left(\sum_{k=1}^{10}k^2+\sum_{k=1}^{10}k\right)$$
$$=\frac{1}{2}\left(\frac{10\cdot11\cdot21}{6}+\frac{10\cdot11}{2}\right)$$
$$=220$$

내/신/연/계/ 출제문항 571

$\displaystyle\sum_{k=1}^{10}\frac{1^2+2^2+3^2+\cdots+k^2}{2k+1}$의 값이 $\dfrac{p}{q}$일 때, 서로소인 두 자연수 p, q에 대하여 $p+q$의 값은?

① 117 　　　② 220 　　　③ 223
④ 226 　　　⑤ 229

STEP A 자연수의 거듭제곱의 합 공식을 이용하여 값 구하기

$$\sum_{k=1}^{10}\frac{1^2+2^2+3^2+\cdots+k^2}{2k+1}=\sum_{k=1}^{10}\frac{\frac{k(k+1)(2k+1)}{6}}{2k+1}$$
$$=\sum_{k=1}^{10}\frac{k(k+1)}{6}$$
$$=\frac{1}{6}\left(\sum_{k=1}^{10}k^2+\sum_{k=1}^{10}k\right)$$
$$=\frac{1}{6}\left(\frac{10\cdot11\cdot21}{6}+\frac{10\cdot11}{2}\right)$$
$$=\frac{220}{3}$$

따라서 $p=220$, $q=3$이므로 $p+q=223$
정답 ③

1530
정답 ⑤

STEP A n행의 합을 구하기

주어진 수열의 제 n항을 a_n이라 하면

$$a_n=1+2+4+\cdots+2^{n-1}=\frac{2^n-1}{2-1}=2^n-1$$

STEP B 제 1행부터 제 20행까지의 합을 구하기

따라서 주어진 수열의 첫째항부터 제 20항까지의 합은

$$\sum_{k=1}^{20}a_k=\sum_{k=1}^{20}(2^k-1)=\sum_{k=1}^{20}2^k-\sum_{k=1}^{20}1=\frac{2(2^{20}-1)}{2-1}-20=2^{21}-22$$

내/신/연/계/ 출제문항 572

다음 수열의 첫째항부터 제 20항까지의 합이 $p+\left(\dfrac{1}{2}\right)^q$일 때, $p+q$의 값은? (단, p, q는 자연수이다.)

$$1,\ 1+\frac{1}{2},\ 1+\frac{1}{2}+\frac{1}{4},\ 1+\frac{1}{2}+\frac{1}{4}+\frac{1}{8},$$

① 55 　　　② 56 　　　③ 57
④ 58 　　　⑤ 59

STEP A n행의 합을 구하기

주어진 수열의 제 n항을 a_n이라 하면

$$a_n=1+\frac{1}{2}+\frac{1}{4}+\frac{1}{8}+\cdots+\left(\frac{1}{2}\right)^{n-1}=\frac{1-\left(\frac{1}{2}\right)^n}{1-\frac{1}{2}}=2\cdot\left\{1-\left(\frac{1}{2}\right)^n\right\}$$

STEP B 제 1행부터 제 20행까지의 합을 구하기

따라서 주어진 수열의 첫째항부터 제 20항까지의 합은

$$\sum_{k=1}^{20}2\cdot\left\{1-\left(\frac{1}{2}\right)^k\right\}=\sum_{k=1}^{20}2-\sum_{k=1}^{20}\left(\frac{1}{2}\right)^{k-1}=2\cdot20-\frac{1-\left(\frac{1}{2}\right)^{20}}{1-\frac{1}{2}}$$
$$=40-2\cdot\left\{1-\left(\frac{1}{2}\right)^{20}\right\}$$
$$=38+\left(\frac{1}{2}\right)^{19}$$

따라서 $p+q=38+19=57$
정답 ③

1531
정답 ②

STEP A n번째 줄에 나열된 수들의 합 a_n 구하기

n행의 수들의 합을 a_n이라하면
$$a_1=1$$
$$a_2=2+2\cdot2=2(1+2)$$
$$a_3=3+2\cdot3+3\cdot3=3(1+2+3)$$
$$\vdots$$

이므로

$$a_n=n(1+2+3+\cdots+n)=n\sum_{k=1}^{n}k=n\cdot\frac{n(n+1)}{2}=\frac{1}{2}(n^3+n^2)$$

STEP B 첫 번째 줄에서 10번째 줄까지 나열된 모든 수의 합 구하기

따라서 나열된 55개의 수를 모두 더한 것은 첫 번째 줄에서 10번째 줄까지 나열된 모든 수의 합과 같으므로

$$\sum_{k=1}^{10}a_k=\sum_{k=1}^{10}\frac{1}{2}(k^3+k^2)=\frac{1}{2}\left(\sum_{k=1}^{10}k^3+\sum_{k=1}^{10}k^2\right)$$
$$=\frac{1}{2}\left\{\left(\frac{10\cdot11}{2}\right)^2+\frac{10\cdot11\cdot21}{6}\right\}$$
$$=1705$$

다른풀이 각 줄을 군으로 묶어서 풀이하기

STEP A 제 n군의 항의 합 a_n 구하기

각 줄을 군으로 묶으면
$(1),\ (2,\ 4),\ (3,\ 6,\ 9),\ (4,\ 8,\ 12,\ 16),\ \cdots$
즉 제 n군은 첫째항이 n, 공차가 n이고 항수가 n인 등차수열이다.
제 n군의 항의 합을 a_n이라 하면

$$a_n=n+2n+3n+\cdots+n\cdot n=n(1+2+3+\cdots+n)$$
$$=n\sum_{k=1}^{n}k$$
$$=n\cdot\frac{n(n+1)}{2}=\frac{n^3+n^2}{2}$$

따라서 첫 번째 줄부터 10번째 줄까지 나열된 수의 합은
제1군부터 제10군 까지의 수의 합이므로

$$\sum_{k=1}^{10} a_k = \sum_{k=1}^{10} \frac{1}{2}(k^3+k^2) = \frac{1}{2}\left(\sum_{k=1}^{10} k^3 + \sum_{k=1}^{10} k^2\right)$$
$$= \frac{1}{2}\left\{\left(\frac{10 \cdot 11}{2}\right)^2 + \frac{10 \cdot 11 \cdot 21}{6}\right\}$$
$$= 1705$$

> **참고** 다음은 [제 n행]에 n의 배수를 n개 나열한 것이다.
>
> 다음은 [제 n행]에 n의 배수를 n개 나열한 것이다.
> [제1행] 1
> [제2행] 2 4
> [제3행] 3 6 9
> [제4행] 4 8 12 16
> ⋮
>
> 위의 [제1행]부터 [제10행]까지 나열된 수의 총합을 구하는 문제와 같다.

내/신/연/계 출제문항 573

다음 수열의 첫째항부터 제8항까지의 합은?

> 1, 2+4, 3+6+9, 4+8+12+16, ⋯

① 710 ② 720 ③ 730
④ 740 ⑤ 750

STEP **A** n번째 줄의 수들의 합 a_n 구하기

n번째 줄의 수들의 합을 a_n이라 하면
$a_1 = 1$
$a_2 = 2+2 \cdot 2 = 2(1+2)$
$a_3 = 3+2 \cdot 3+3 \cdot 3 = 3(1+2+3)$
⋮
이므로

$$a_n = n(1+2+3+\cdots+n) = n \cdot \frac{n(n+1)}{2} = \frac{1}{2}(n^3+n^2)$$

STEP **B** 수열의 첫째항부터 제8항까지의 합 구하기

따라서 주어진 수열의 첫째항부터 제8항까지의 합은

$$\sum_{k=1}^{8} a_k = \sum_{k=1}^{8} \frac{1}{2}(k^3+k^2) = \frac{1}{2}\left\{\left(\frac{8 \cdot 9}{2}\right)^2 + \frac{8 \cdot 9 \cdot 17}{6}\right\}$$
$$= \frac{1}{2}(1296+204) = 750$$

정답 ⑤

1532

정답 ④

STEP **A** 같은 수끼리 묶어서 제1항부터 제10항까지의 합을 구하기

같은 수끼리 묶어서 생각하면
$$1+(3+3+3)+(5+5+5+5+5)+\cdots+(19+19+\cdots+19)$$
$$= 1+(3 \times 3)+(5 \times 5)+\cdots+(19 \times 19)$$
$$= 1^2+3^2+5^2+\cdots+19^2$$
$$= \sum_{k=1}^{10} (2k-1)^2$$
$$= \sum_{k=1}^{10} (4k^2-4k+1)$$
$$= 4 \cdot \frac{10 \cdot 11 \cdot 21}{6} - 4 \cdot \frac{10 \cdot 11}{2} + 10$$
$$= 1330$$

1533

정답 ③

STEP **A** n번째 줄의 수들의 합 a_n 구하기

n번째 줄의 수들의 합을 a_n이라 하면
$a_1 = 1 \cdot 2$
$a_2 = 1 \cdot 3 + 2 \cdot 3 = (1+2) \cdot 3$
$a_3 = 1 \cdot 4 + 2 \cdot 4 + 3 \cdot 4 = (1+2+3) \cdot 4$
⋮
이므로

$$a_n = (1+2+3+\cdots+n) \cdot (n+1) = (n+1)\sum_{k=1}^{n} k$$
$$= (n+1) \cdot \frac{n(n+1)}{2}$$
$$= \frac{1}{2}(n^3+2n^2+n)$$

STEP **B** 첫 번째 줄에서 10번째 줄까지 나열된 모든 수의 합 구하기

나열된 55개의 수를 모두 더한 것은 첫 번째 줄에서 10번째 줄까지
나열된 모든 수의 합과 같으므로

$$\sum_{k=1}^{10} a_k = \sum_{k=1}^{10} \frac{1}{2}(k^3+2k^2+k)$$
$$= \frac{1}{2}\left(\sum_{k=1}^{10} k^3 + 2\sum_{k=1}^{10} k^2 + \sum_{k=1}^{10} k\right)$$
$$= \frac{1}{2}\left\{\left(\frac{10 \cdot 11}{2}\right)^2 + 2 \cdot \frac{10 \cdot 11 \cdot 21}{6} + \frac{10 \cdot 11}{2}\right\}$$
$$= \frac{1}{2}(3025+770+55)$$
$$= 1925$$

1534

정답 ④

STEP **A** n행의 합을 구하기

n행에 나열된 수는 n개이고 n행의 오른쪽 맨 끝에 있는 수는
1행부터 n행까지 나열된 수의 총 개수와 일치하므로
($n-1$행의 오른쪽 맨 끝에 있는 수)

$$= 1+2+\cdots+n-1 = \sum_{k=1}^{n-1} k = \frac{(n-1)n}{2}$$

n행의 수들의 합을 a_n이라 하면
$a_1 = 1$
$a_2 = 2+3 = (1+1)+(1+2)$
$a_3 = 4+5+6 = (3+1)+(3+2)+(3+3)$
⋮
이므로

$$a_n = \left\{\frac{(n-1)n}{2}+1\right\} + \left\{\frac{(n-1)n}{2}+2\right\} + \cdots + \left\{\frac{(n-1)n}{2}+n\right\}$$
$$= n \cdot \frac{(n-1)n}{2} + (1+2+3+\cdots+n)$$
$$= n \cdot \frac{(n-1)n}{2} + \frac{n(n+1)}{2}$$
$$= \frac{n^3+n}{2}$$

STEP **B** 제1행부터 제10행까지의 합을 구하기

나열된 55개의 수를 모두 더한 것은 1행부터 10행까지의 합과 같으므로

$$\sum_{k=1}^{10} a_k = \sum_{k=1}^{10} \frac{1}{2}(k^3+k)$$
$$= \frac{1}{2}\left(\sum_{k=1}^{10} k^3 + \sum_{k=1}^{10} k\right)$$
$$= \frac{1}{2}\left\{\left(\frac{10 \cdot 11}{2}\right)^2 + \frac{10 \cdot 11}{2}\right\}$$
$$= \frac{1}{2}(3025+55) = 1540$$

내/신/연/계/ 출제문항 574

자연수를 1부터 차례대로 다음과 같이 규칙적으로 나열할 때,
10행에 나열되는 수들의 합을 구하여라.

1행	1				
2행	2	3			
3행	4	5	6		
4행	7	8	9	10	
5행	11	12	13	14	15
⋮	⋮	⋮	⋮	⋮	

① 500 ② 505 ③ 510
④ 515 ⑤ 520

STEP A n행의 오른쪽 맨 끝에 있는 수 구하기

n행에 나열된 수는 n개이고 n행의 오른쪽 맨 끝에 있는 수는
1행부터 n행까지 나열된 수의 총 개수와 일치하므로

$$(n\text{행의 오른쪽 맨 끝에 있는 수}) = 1+2+\cdots+n$$
$$= \sum_{k=1}^{n} k$$
$$= \frac{n(n+1)}{2}$$

STEP B 10행에 나열되는 수들의 합 구하기

9행, 10행의 오른쪽 맨 끝에 있는 수는 각각
$$\frac{9\cdot10}{2}=45, \quad \frac{10\cdot11}{2}=55$$
따라서 10행에 나열되는 수들의 합은
$$46+47+48+\cdots+55 = \frac{10(46+55)}{2} = 505$$

정답 ②

1535

정답 ⑤

STEP A 세로줄의 합을 더하여 n번째 줄의 합 구하기

첫 번째 세로줄이 합은 1×10,
두 번째 세로줄의 합은 2×9,
세 번째 세로줄의 합은 3×8,
$\cdots$,
열 번째 세로줄의 합은 10×1이므로
n번째 세로줄의 합은 $n(11-n)$ (단, n은 10 이하의 자연수)

STEP B 표의 모든 수의 합 구하기

따라서 표의 모든 수의 합은
$$\sum_{k=1}^{10} k(11-k) = 11\sum_{k=1}^{10} k - \sum_{k=1}^{10} k^2$$
$$= 11\cdot\frac{10\cdot11}{2} - \frac{10\cdot11\cdot21}{6}$$
$$= 605 - 385 = 220$$

다른풀이 가로줄의 합을 더하여 표의 모든 수의 합을 풀이하기

첫 번째 가로줄의 합은 1,
두 번째 가로줄의 합은 $1+2$,
세 번째 가로줄의 합은 $1+2+3$,
$\cdots$,
열 번째 가로줄의 합은 $1+2+3+\cdots+10$이므로
n번째 가로줄의 합은 $1+2+3+\cdots+\frac{n(n+1)}{2}$ (단, n은 10 이하의 자연수)
따라서 표의 모든 수의 합은
$$\sum_{k=1}^{10} \frac{k(k+1)}{2} = \frac{1}{2}\left(\sum_{k=1}^{10} k^2 + \sum_{k=1}^{10} k\right)$$
$$= \frac{1}{2}(385+55) = 220$$

다른풀이 대각선의 합을 더하여 표의 모든 수의 합을 풀이하기

첫 번째 대각선의 합은 1,
두 번째 대각선의 합은 $1+2$,
세 번째 다각선의 합은 $1+2+3$,
$\cdots$,
열 번째 대각선의 합은 $1+2+3+\cdots+10$이므로

n번째 대각선의 합은 $1+2+3+\cdots+n = \frac{n(n+1)}{2}$

따라서 표의 모든 수의 합은

$$\sum_{k=1}^{10} \frac{k(k+1)}{2} = \frac{1}{2}\left(\sum_{k=1}^{10} k^2 + \sum_{k=1}^{10} k\right) = \frac{1}{2}(385+55) = 220$$

참고 다음 수열의 합 $1\cdot10+2\cdot9+3\cdot8+\cdots+9\cdot2+10\cdot1$의 값을 구하는 문제와 같다.

1536

정답 ④

STEP A n번째 줄의 색칠한 부분의 수 a_n 구하기

위에서 k번째 줄에 나열된 마지막 수는 k^2이고 가장 아랫줄의
마지막 수가 100이므로 가장 아랫줄은 10번째 줄이다.
n번째 줄의 첫 번째 수는 $(n-1)$번째 줄의 마지막 수보다 1이 크므로
n번째 줄의 색칠한 부분의 수를 a_n이라 하면
$(n-1)^2+1$, n^2의 등차중항이므로
$$a_n = \frac{(n-1)^2+1+n^2}{2} = n^2-n+1$$

STEP B 색칠한 부분에 적힌 수들의 합 구하기

따라서 $\sum_{k=1}^{10} a_k = \sum_{k=1}^{10} (k^2-k+1)$
$$= \frac{10\cdot11\cdot21}{6} - \frac{10\cdot11}{2} + 10$$
$$= 385 - 55 + 10 = 340$$

1537

정답 ③

STEP A $\sum$ 기호가 여러개 있는 식의 계산은 괄호 안부터 차례로 계산하기

$$\sum_{n=1}^{10}\left\{\sum_{i=1}^{n}(i+2)\right\} = \sum_{n=1}^{10}\left\{\frac{n(n+1)}{2}+2n\right\}$$
$$= \frac{1}{2}\sum_{n=1}^{10}(n^2+5n)$$
$$= \frac{1}{2}\left(\sum_{n=1}^{10}n^2 + \sum_{n=1}^{10}5n\right)$$
$$= \frac{1}{2}\left(\frac{10\cdot11\cdot21}{6} + 5\cdot\frac{10\cdot11}{2}\right)$$
$$= 330$$

1538

정답 ⑤

STEP A $\sum$ 기호가 여러 개 있는 식의 계산은 괄호 안부터 차례로 계산하기

$$\sum_{i=1}^{10}\left\{\sum_{j=1}^{10}(i+j)\right\} = \sum_{i=1}^{10}\left(\sum_{j=1}^{10}i + \sum_{j=1}^{10}j\right)$$
$$= \sum_{i=1}^{10}\left(10i + \frac{10\cdot11}{2}\right)$$
$$= \sum_{i=1}^{10}(10i+55)$$
$$= 10\sum_{i=1}^{10}i + \sum_{i=1}^{10}55$$
$$= 10\cdot\frac{10\cdot11}{2} + 10\cdot55$$
$$= 1100$$

$\displaystyle\sum_{i=1}^{20}\left\{\sum_{j=1}^{10}(i+j-1)\right\}$의 값은?

① 1000   ② 1500   ③ 2000
④ 2500   ⑤ 3000

STEP Ⓐ $\sum$ 기호가 여러 개 있는 식의 계산은 괄호 안부터 차례로 계산하기

$$\sum_{i=1}^{20}\left\{\sum_{j=1}^{10}(i+j-1)\right\}=\sum_{i=1}^{20}\left\{\sum_{j=1}^{10}i+\sum_{j=1}^{10}j-10\right\}$$
$$=\sum_{i=1}^{20}\left(10i+\frac{10\cdot11}{2}-10\right)$$
$$=10\sum_{i=1}^{20}i+\sum_{i=1}^{20}45$$
$$=10\cdot\frac{20\cdot21}{2}+20\cdot45$$
$$=2100+900$$
$$=3000$$

정답 ⑤

1539

정답 ②

STEP Ⓐ $\sum$ 기호가 여러개 있는 식의 계산은 괄호 안부터 차례로 계산하기

$$\sum_{m=1}^{n}\left\{\sum_{k=1}^{m}(k+m)\right\}=\sum_{m=1}^{n}\left\{\sum_{k=1}^{m}k+m^2\right\}$$
$$=\sum_{m=1}^{n}\left\{\frac{m(m+1)}{2}+m^2\right\}$$
$$=\sum_{m=1}^{n}\frac{3m^2+m}{2}$$
$$=\frac{3}{2}\cdot\frac{n(n+1)(2n+1)}{6}+\frac{1}{2}\cdot\frac{n(n+1)}{2}$$
$$=\frac{n(n+1)^2}{2}$$

STEP Ⓑ 조건을 만족하는 n의 값 구하기

$\displaystyle\sum_{m=1}^{n}\left\{\sum_{k=1}^{m}(k+m)\right\}=90$이므로 $\dfrac{n(n+1)^2}{2}=90$

$n(n+1)^2=180=5\cdot6^2$

따라서 $n=5$

1540

정답 ①

STEP Ⓐ $\displaystyle\sum_{m=1}^{n}\left(\sum_{k=1}^{m}k\right)$를 n에 관한 식으로 나타내기

$\displaystyle\sum_{k=1}^{m}k=\frac{m(m+1)}{2}=\frac{1}{2}m^2+\frac{1}{2}m$이므로

$$\sum_{m=1}^{n}\left(\frac{1}{2}m^2+\frac{1}{2}m\right)=\frac{1}{2}\left(\sum_{m=1}^{n}m^2+\sum_{m=1}^{n}m\right)$$
$$=\frac{1}{2}\left\{\frac{n(n+1)(2n+1)}{6}+\frac{n(n+1)}{2}\right\}$$
$$=\frac{n(n+1)(n+2)}{6}$$

STEP Ⓑ $\displaystyle\sum_{m=1}^{n}\left(\sum_{k=1}^{m}k\right)=20$을 이용하여 n의 값 구하기

$\displaystyle\sum_{m=1}^{n}\left(\sum_{k=1}^{m}k\right)=20$이므로 $\dfrac{n(n+1)(n+2)}{6}=20$

따라서 $n(n+1)(n+2)=120=4\cdot5\cdot6$이므로 $n=4$

$\displaystyle\sum_{m=1}^{n}\left\{\sum_{k=1}^{m}\left(\sum_{l=1}^{k}12\right)\right\}=420$을 만족하는 자연수 n의 값은?

① 5   ② 6   ③ 7
④ 8   ⑤ 9

STEP Ⓐ $\displaystyle\sum_{m=1}^{n}\left\{\sum_{k=1}^{m}\left(\sum_{l=1}^{k}12\right)\right\}$를 n에 관한 식으로 나타내기

$$\sum_{m=1}^{n}\left\{\sum_{k=1}^{m}\left(\sum_{l=1}^{k}12\right)\right\}=\sum_{m=1}^{n}\left\{\sum_{k=1}^{m}12k\right\}$$
$$=\sum_{m=1}^{n}\left\{12\cdot\frac{m(m+1)}{2}\right\}$$
$$=\sum_{m=1}^{n}(6m^2+6m)$$
$$=6\cdot\frac{n(n+1)(2n+1)}{6}+6\cdot\frac{n(n+1)}{2}$$
$$=2n^3+6n^2+4n$$

STEP Ⓑ $\displaystyle\sum_{m=1}^{n}\left\{\sum_{k=1}^{m}\left(\sum_{l=1}^{k}12\right)\right\}=420$을 이용하여 n의 값 구하기

$2n^3+6n^2+4n=420$에서

$n^3+3n^2+2n-210=0, (n-5)(n^2+8n+42)=0$

따라서 자연수 n은 $n=5$

정답 ①

1541

정답 ⑤

STEP Ⓐ 이차방정식의 근과 계수의 관계를 이용하기

이차방정식 $x^2-12x+27=0$의 두 근이 m, n이므로
근과 계수의 관계에 의하여 $m+n=12$, $mn=27$

STEP Ⓑ $\sum$ 기호가 여러개 있는 식의 계산은 괄호 안부터 차례로 계산하기

$$\sum_{j=1}^{n}\left(\sum_{i=1}^{m}ij\right)=\sum_{j=1}^{n}\left(j\sum_{i=1}^{m}i\right)$$
$$=\sum_{j=1}^{n}\left\{j\cdot\frac{m(m+1)}{2}\right\}$$
$$=\frac{m(m+1)}{2}\sum_{j=1}^{n}j$$
$$=\frac{m(m+1)}{2}\cdot\frac{n(n+1)}{2}$$
$$=\frac{mn(mn+m+n+1)}{4}$$

따라서 $m+n=12$, $mn=27$이므로 $\dfrac{27(27+12+1)}{4}=270$

내/신/연/계/ 출제문항 577

이차방정식 $x^2-13x+20=0$의 두 근을 m, n이라 할 때,

$\displaystyle\sum_{i=1}^{m}\left\{\sum_{j=1}^{n}(i+j)\right\}$의 값은?

① 100 　　　　② 150 　　　　③ 200
④ 250 　　　　⑤ 300

STEP Ⓐ 이차방정식의 근과 계수의 관계를 이용하기

이차방정식 $x^2-13x+20=0$의 두 근이 m, n이므로
근과 계수의 관계에 의하여 $m+n=13$, $mn=20$

STEP Ⓑ $\sum$ 기호가 여러개 있는 식의 계산은 괄호 안부터 차례로 계산하기

$\displaystyle\sum_{i=1}^{m}\left\{\sum_{j=1}^{n}(i+j)\right\}=\sum_{i=1}^{m}\left\{\sum_{j=1}^{n}i+\sum_{j=1}^{n}j\right\}$

$\displaystyle\qquad=\sum_{i=1}^{m}\left\{i\cdot n+\frac{n(n+1)}{2}\right\}$

$\displaystyle\qquad=n\sum_{i=1}^{m}i+\sum_{i=1}^{m}\frac{n(n+1)}{2}$

$\displaystyle\qquad=n\cdot\frac{m(m+1)}{2}+\frac{n(n+1)}{2}\cdot m$

$\displaystyle\qquad=\frac{1}{2}mn(m+n+2)$

따라서 $m+n=13$, $mn=20$이므로 $\dfrac{1}{2}\cdot20\cdot(13+2)=150$ 　　정답 ②

1542
　　정답 ⑤

STEP Ⓐ 등차수열 $\{a_n\}$의 일반항 구하기

등차수열 $\{a_n\}$의 첫째항이 2, 공차가 2이므로 $a_n=2+(n-1)\cdot2=2n$

$\displaystyle\sum_{k=n+1}^{2n}a_k=\sum_{k=1}^{2n}2k-\sum_{k=1}^{n}2k$

$\displaystyle\qquad=2\cdot\frac{2n(2n+1)}{2}-2\cdot\frac{n(n+1)}{2}$

$\displaystyle\qquad=4n^2+2n-n^2-n$

$\displaystyle\qquad=3n^2+n$

따라서 $\displaystyle\sum_{n=1}^{10}\left(\sum_{k=n+1}^{2n}a_k\right)=\sum_{n=1}^{10}(3n^2+n)=3\cdot\frac{10\cdot11\cdot21}{6}+\frac{10\cdot11}{2}$

$\displaystyle\qquad\qquad\qquad\qquad\qquad=1155+55=1210$

1543
　　정답 ③

STEP Ⓐ 주어진 수열의 합 구하기

$\displaystyle\sum_{k=1}^{10}k^2+\sum_{k=2}^{10}k^2+\sum_{k=3}^{10}k^2+\cdots+\sum_{k=10}^{10}k^2$

$=(1^2+2^2+3^2+\cdots+10^2)+(2^2+3^2+4^2+\cdots+10^2)+\cdots$
$\qquad\qquad\qquad\qquad+(3^2+4^2+5^2+\cdots+10^2)+\cdots+10^2$

STEP Ⓑ $\displaystyle\sum_{k=1}^{10}k^3$의 값 구하기

1^2은 1번, 2^2은 2번, 3^2은 3번, $\cdots$, 10^2은 10번 더해진다.

$\displaystyle\sum_{k=1}^{10}k^2+\sum_{k=2}^{10}k^2+\sum_{k=3}^{10}k^2+\cdots+\sum_{k=10}^{10}k^2$

$=1\cdot1^2+2\cdot2^2+3\cdot3^2+\cdots+10\cdot10^2$

$=1^3+2^3+3^3+\cdots+10^3$

$\displaystyle=\sum_{k=1}^{10}k^3$

$\displaystyle=\left(\frac{10\cdot11}{2}\right)^2$

$=55^2=3025$

참고

$\displaystyle\sum_{k=1}^{10}k^2$, $\sum_{k=2}^{10}k^2$, $\sum_{k=3}^{10}k^2$, $\cdots$, $\sum_{k=10}^{10}k^2$을 각각 구하여 모두 더하면

$\displaystyle\sum_{k=1}^{10}k^2=1^2+2^2+3^2+4^2+\cdots+10^2$

$\displaystyle\sum_{k=2}^{10}k^2=\qquad2^2+3^2+4^2+\cdots+10^2$

$\displaystyle\sum_{k=3}^{10}k^2=\qquad\qquad3^2+4^2+\cdots+10^2$

$\qquad\qquad\vdots$

$+\left|\begin{array}{l}\displaystyle\sum_{k=10}^{10}k^2=\qquad\qquad\qquad\quad10^2\end{array}\right.$

$=1^2+2\cdot2^2+3\cdot3^2+\cdots+10\cdot10^2$

$\displaystyle=\sum_{k=1}^{10}k^3$

내/신/연/계/ 출제문항 578

등식

$\displaystyle\sum_{k=1}^{m}k^2+\sum_{k=2}^{m}k^2+\sum_{k=3}^{m}k^2+\cdots+\sum_{k=m}^{m}k^2=225$

을 만족하는 자연수 m의 값은?

① 4 　　　　② 5 　　　　③ 6
④ 7 　　　　⑤ 8

STEP Ⓐ 주어진 수열의 합 구하기

$\displaystyle\sum_{k=1}^{m}k^2+\sum_{k=2}^{m}k^2+\sum_{k=3}^{m}k^2+\cdots+\sum_{k=m}^{m}k^2$

$=(1^2+2^2+\cdots+m^2)+(2^2+3^2+\cdots+m^2)+(3^2+\cdots+m^2)+\cdots+m^2$

$=1\cdot1^2+2\cdot2^2+3\cdot3^2+\cdots+m\cdot m^2$ ← m^2을 m번 더하면 그 합은 $m^2\times m=m^3$

$=1^3+2^3+3^3+\cdots+m^3$

$\displaystyle=\sum_{k=1}^{m}k^3$

$\displaystyle=\left\{\frac{m(m+1)}{2}\right\}^2$

STEP Ⓑ $\left\{\dfrac{m(m+1)}{2}\right\}^2=225$의 값 구하기

$\left\{\dfrac{m(m+1)}{2}\right\}^2=225$에서 $\dfrac{m(m+1)}{2}=15$

$m(m+1)=30=5\times6$

따라서 $m=5$ 　　정답 ②

1544
　　정답 ②

STEP Ⓐ 수열 $\{a_n\}$의 일반항 구하기

수열 $\{a_n\}$이 첫째항이 1, 공비가 3인 등비수열이므로

$a_n=1\cdot3^{n-1}$

STEP Ⓑ 로그의 성질을 이용하여 주어진 식의 값 구하기

따라서 $\displaystyle\sum_{k=1}^{20}\log_3 a_k=\sum_{k=1}^{20}\log_3 3^{k-1}=\sum_{k=1}^{20}(k-1)$

$\displaystyle\qquad\qquad=\frac{20\cdot21}{2}-20=190$

1545

정답 ②

STEP A 축차대입한 후 로그의 성질을 이용하여 계산하기

$$\sum_{k=1}^{n}\log_3\left(1+\frac{1}{k}\right)=\sum_{k=1}^{n}\log_3\left(\frac{k+1}{k}\right)$$

$$=\log_3\frac{2}{1}+\log_3\frac{3}{2}+\log_3\frac{4}{3}+\cdots\log_3\frac{n+1}{n}$$

$$=\log_3\left(\frac{2}{1}\cdot\frac{3}{2}\cdot\frac{4}{3}\cdot\cdots\cdot\frac{n+1}{n}\right)$$

$$=\log_3(n+1)$$

이때 $\log_3(n+1)=4$이므로 $n+1=3^4$

따라서 구하는 자연수 n의 값은 80

다른풀이 일반항을 두 로그의 차로 나타내고 $k=1,\ 2,\ 3,\ \cdots$대입하여 풀이하기

$$\sum_{k=1}^{n}\log_3\left(\frac{k+1}{k}\right)$$

$$=\sum_{k=1}^{n}\{\log_3(k+1)-\log_3 k\}$$

$$=(\log_3 2-\log_3 1)+(\log_3 3-\log_3 2)+\cdots+\{\log_3(n+1)-\log_3 n\}$$

$$=\log_3(n+1)=4$$

따라서 구하는 자연수 n의 값은 80

내신연계 출제문항 579

$\sum_{k=1}^{n}\log_2\left(1+\frac{1}{k}\right)=7$일 때, 자연수 n의 값은?

① 36   ② 56   ③ 78
④ 117   ⑤ 127

STEP A 축차대입한 후 로그의 성질을 이용하여 계산하기

$$\sum_{k=1}^{n}\log_2\left(1+\frac{1}{k}\right)=\sum_{k=1}^{n}\log_2\frac{k+1}{k}$$

$$=\log_2\frac{2}{1}+\log_2\frac{3}{2}+\log_2\frac{4}{3}+\cdots+\log_2\frac{n+1}{n}$$

$$=\log_2\left(\frac{2}{1}\times\frac{3}{2}\times\frac{4}{3}\times\cdots\times\frac{n+1}{n}\right)$$

$$=\log_2(n+1)$$

따라서 $\log_2(n+1)=7$이므로 $n+1=2^7$ $\therefore\ n=127$

정답 ⑤

1546

정답 ④

STEP A 축차대입한 후 로그의 성질을 이용하여 계산하기

$$\sum_{n=1}^{35}\log_{10}\left(\frac{n}{n+1}\right)=\log_{10}\frac{1}{2}+\log_{10}\frac{2}{3}+\log_{10}\frac{3}{4}+\cdots+\log_{10}\frac{35}{36}$$

$$=\log_{10}\left(\frac{1}{2}\cdot\frac{2}{3}\cdot\frac{3}{4}\cdot\cdots\cdot\frac{35}{36}\right)$$

$$=\log_{10}\frac{1}{36}$$

$$=-\log_{10}(2^2\times 3^2)$$

$$=-(2\log_{10}2+2\log_{10}3)$$

$$=-2a-2b$$

1547

정답 ②

STEP A 두 점을 지나는 직선의 기울기 $g(n)$ 구하기

$P_n(n,\ \log_3 n)$, $P_{n+1}(n+1,\ \log_3(n+1))$이므로

직선 P_nP_{n+1}의 기울기를

$$g(n)=\frac{\log_3(n+1)-\log_3 n}{n+1-n}=\log_3\frac{n+1}{n}$$

STEP B $\sum_{k=1}^{80}g(k)$의 값 구하기

따라서 $\sum_{k=1}^{80}g(k)=\log_3\frac{2}{1}+\log_3\frac{3}{2}+\cdots+\log_3\frac{81}{80}$

$$=\log_3\left(\frac{2}{1}\cdot\frac{3}{2}\cdot\cdots\cdot\frac{81}{80}\right)$$

$$=\log_3 81=4$$

1548

정답 ③

STEP A $a_{2n-1}a_{2n}$의 값 구하기

$a_{2n-1}=2^n$, $a_{2n}=5^n$에서 $a_{2n-1}a_{2n}=2^n\cdot 5^n=10^n$

STEP B 축차대입한 후 로그의 성질을 이용하여 계산하기

$$\sum_{k=1}^{10}\log a_k=\log a_1+\log a_2+\cdots+\log a_{10}$$

$$=(\log a_1+\log a_2)+(\log a_3+\log a_4)+\cdots+(\log a_9+\log a_{10})$$

$$=\log a_1 a_2+\log a_3 a_4+\cdots+\log a_9 a_{10}$$

$$=\log 10+\log 10^2+\cdots+\log 10^5$$

$$=1+2+3+4+5=15$$

다른풀이 $\sum_{k=1}^{10}\log a_k=\sum_{k=1}^{5}(\log a_{2k-1}+\log a_{2k})$을 이용하여 풀이하기

$a_{2n-1}=2^n$, $a_{2n}=5^n$이므로

$$\sum_{k=1}^{10}\log a_k=\sum_{k=1}^{5}(\log a_{2k-1}+\log a_{2k})$$

$$=\sum_{k=1}^{5}\log a_{2k-1}+\sum_{k=1}^{5}\log a_{2k}$$

$$=\sum_{k=1}^{5}\log 2^k+\sum_{k=1}^{5}\log 5^k$$

$$=\sum_{k=1}^{5}k\log 2+\sum_{k=1}^{5}k\log 5$$

$$=\log 2\sum_{k=1}^{5}k+\log 5\sum_{k=1}^{5}k$$

$$=(\log 2+\log 5)\sum_{k=1}^{5}k$$

$$=\log 10\sum_{k=1}^{5}k$$

$$=1\cdot\frac{5\cdot 6}{2}=15$$

내신연계 출제문항 580

$\sum_{k=1}^{30}\log_5\{\log_{k+1}(k+2)\}$의 값은?

① 1   ② 2   ③ 3
④ 4   ⑤ 5

STEP A 축차대입한 후 로그의 성질을 이용하여 계산하기

$$\sum_{k=1}^{30}\log_5\{\log_{k+1}(k+2)\}$$

$$=\log_5(\log_2 3)+\log_5(\log_3 4)+\log_5(\log_4 5)+\cdots+\log_5(\log_{31}32)$$

$$=\log_5(\log_2 3\times\log_3 4\times\log_4 5\times\cdots\times\log_{31}32)$$

$$=\log_5\left(\frac{\log 3}{\log 2}\times\frac{\log 4}{\log 3}\times\frac{\log 5}{\log 4}\times\cdots\times\frac{\log 32}{\log 31}\right)$$

$$=\log_5\left(\frac{\log 32}{\log 2}\right)$$

$$=\log_5(\log_2 32)$$

$$=\log_5(\log_2 2^5)$$

$$=\log_5 5=1$$

정답 ①

1549

정답 ④

STEP Ⓐ $a_n = S_n - S_{n-1}$임을 이용하여 수열의 일반항 a_n 구하기

$S_n = \sum_{k=1}^{n} a_k = \log_3 n(n+1) - 2$이라 하면

$a_n = S_n - S_{n-1}$

$= \log_3 n(n+1) - 2 - \{\log_3 (n-1)n - 2\}$

$= \log_3 \dfrac{n(n+1)}{n(n-1)}$

$= \log_3 \dfrac{n+1}{n-1}$ (단, $n \geq 2$)

STEP Ⓑ 로그의 성질을 이용하여 $\sum_{k=1}^{40} a_{2k}$의 값 구하기

따라서 $\sum_{k=1}^{40} a_{2k} = a_2 + a_4 + a_6 + \cdots + a_{80}$

$= \log_3 \dfrac{3}{1} + \log_3 \dfrac{5}{3} + \log_3 \dfrac{7}{5} + \cdots + \log_3 \dfrac{81}{79}$

$= \log_3 \left(\dfrac{3}{1} \cdot \dfrac{5}{3} \cdot \dfrac{7}{5} \cdot \cdots \cdot \dfrac{81}{79} \right)$

$= \log_3 81$

$= \log_3 3^4 = 4$

내/신/연/계 출제문항 581

수열 $\{a_n\}$에 대하여

$$\sum_{k=1}^{n} a_k = \log_2 (n^2 + n)$$

일 때, $\sum_{n=1}^{15} a_{2n+1}$의 값은?

① 2　　　　② 3　　　　③ 4

④ 5　　　　⑤ 6

STEP Ⓐ $\sum_{k=1}^{n} a_k - \sum_{k=1}^{n-1} a_k$를 이용하여 a_n 구하기

$\sum_{k=1}^{n} a_k = \log_2 (n^2 + n)$이므로

$a_n = \sum_{k=1}^{n} a_k - \sum_{k=1}^{n-1} a_k$

$= \log_2 (n^2 + n) - \log_2 (n^2 - n)$

$= \log_2 \dfrac{n(n+1)}{n(n-1)}$

$= \log_2 \dfrac{n+1}{n-1}$ (단, $n \geq 2$)

STEP Ⓑ 로그의 성질을 이용하여 $\sum_{n=1}^{15} a_{2n+1}$의 값 구하기

이때 $a_{2n+1} = \log_2 \dfrac{(2n+1)+1}{(2n+1)-1} = \log_2 \dfrac{n+1}{n}$ (단, $n \geq 1$)

이므로

$\sum_{n=1}^{15} a_{2n+1} = \sum_{n=1}^{15} \log_2 \left(\dfrac{n+1}{n} \right)$

$= \log_2 2 + \log_2 \dfrac{3}{2} + \log_2 \dfrac{4}{3} + \cdots + \log_2 \dfrac{16}{15}$

$= \log_2 \left(2 \cdot \dfrac{3}{2} \cdot \dfrac{4}{3} \cdot \cdots \cdot \dfrac{16}{15} \right)$

$= \log_2 16 = 4$

정답 ③

1550

정답 ⑤

STEP Ⓐ 로그의 성질을 이용하여 b_n의 값 구하기

수열 $\{a_n\}$의 일반항 $a_n = 3r^{n-1} (r > 1)$

$b_n = (\log_{a_1} a_2) \times (\log_{a_2} a_3) \times (\log_{a_3} a_4) \times \cdots \times (\log_{a_n} a_{n+1})$

$= \dfrac{\log a_2}{\log a_1} \times \dfrac{\log a_3}{\log a_2} \times \dfrac{\log a_4}{\log a_3} \times \cdots \times \dfrac{\log a_{n+1}}{\log a_n}$

$= \log_{a_1} a_{n+1} = \log_3 (3r^n)$

$= \log_3 3 + \log_3 r^n = 1 + n \log_3 r$

STEP Ⓑ 시그마의 성질을 이용하여 구하기

$\sum_{k=1}^{10} b_k = \sum_{k=1}^{10} (1 + k \log_3 r) = 1 \cdot 10 + \log_3 r \cdot \dfrac{10 \cdot 11}{2}$

$= 10 + 55 \log_3 r = 120$

따라서 $\log_3 r = 2$이므로 $r = 3^2 = 9$

1551

정답 ⑤

STEP Ⓐ 조건을 만족하는 a_n의 값 구하기

원 $(x-n)^2 + (y - 4n^2 - 2n)^2 = 3n$의 중심이 $(n, 4n^2 + 2n)$이므로
직선이 원의 넓이를 이등분하려면 원의 중심을 지나야 한다.
즉 직선 $y = 2x + a_n$이 중심 $(n, 4n^2 + 2n)$을 지나므로 대입하면

$4n^2 + 2n = 2n + a_n$　∴ $a_n = 4n^2$

STEP Ⓑ $\sum_{k=1}^{5} k a_k$의 값 구하기

따라서 $\sum_{k=1}^{5} k a_k = \sum_{k=1}^{5} 4k^3 = 4 \left(\dfrac{5 \cdot 6}{2} \right)^2 = 4 \cdot 225 = 900$

1552

정답 ①

STEP Ⓐ 점 P가 나타내는 도형의 넓이 a_n 구하기

$\angle APB = 90°$이므로 점 P는 선분 AB를 지름으로 하는 원 위의 점이다.

이때 이 원의 지름의 길이는 n이므로 $a_n = \pi \cdot \left(\dfrac{n}{2} \right)^2 = \dfrac{n^2}{4} \pi$

STEP Ⓑ $\sum_{n=1}^{8} a_n$의 값 구하기

따라서 $\sum_{n=1}^{8} a_n = \sum_{n=1}^{8} \dfrac{n^2}{4} \pi = \dfrac{\pi}{4} \sum_{n=1}^{8} n^2 = \dfrac{\pi}{4} \cdot \dfrac{8 \cdot 9 \cdot 17}{6} = 51\pi$

1553

정답 ②

STEP Ⓐ 점과 직선 사이의 거리 a_n 구하기

원점 O에서 직선 $x - \sqrt{3} y + 8n = 0$에
내린 수선의 발을 H라 하자.
점과 직선 사이의 거리에 의하여

$\overline{OH} = \dfrac{|8n|}{\sqrt{1^2 + (-\sqrt{3})^2}} = 4n (\because n > 0)$

이고 $x^2 + y^2 = (5n)^2$에서 $\overline{OA_n} = 5n$
직각삼각형 OHA_n에서 피타고라스
정의에 의해

$\overline{HA_n} = 3n$이므로 $\overline{A_n B_n} = 6n$

STEP Ⓑ $\sum_{n=1}^{10} \overline{A_n B_n}$의 값 구하기

따라서 $\sum_{n=1}^{10} \overline{A_n B_n} = \sum_{n=1}^{10} 6n = 6 \cdot \dfrac{10 \cdot 11}{2} = 330$

1554

정답 ④

STEP Ⓐ **삼각형의 넓이 a_n 구하기**

점 $\left(n, \dfrac{3}{n}\right)$과 두 점 $(n-1, 0)$, $(n+1, 0)$을 세 꼭짓점으로 하는 삼각형의
넓이가 a_n이므로

$$a_n = \frac{1}{2} \cdot \{(n+1)-(n-1)\} \cdot \frac{3}{n}$$
$$= \frac{1}{2} \cdot 2 \cdot \frac{3}{n} = \frac{3}{n}$$

STEP Ⓑ $\displaystyle\sum_{n=1}^{10} \dfrac{9}{a_n a_{n+1}}$ **의 값 구하기**

따라서 $\displaystyle\sum_{n=1}^{10} \frac{9}{a_n a_{n+1}} = \sum_{n=1}^{10} \frac{9}{\dfrac{3}{n} \cdot \dfrac{3}{n+1}}$

$$= \sum_{n=1}^{10} (n^2+n)$$
$$= \frac{10 \cdot 11 \cdot 21}{6} + \frac{10 \cdot 11}{2}$$
$$= 385 + 55 = 440$$

내/신/연/계 출제문항 582

자연수 n과 함수 $f(x) = \dfrac{11}{x}$ $(x > 0)$에 대하여
네 직선 $x=n$, $x=n+1$, $y=f(n)$, $y=f(n+1)$로 둘러싸인 직사각형의
넓이를 S_n이라 할 때, $\displaystyle\sum_{n=1}^{10} S_n$의 값은?

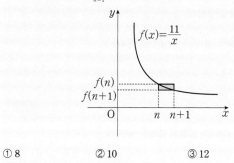

① 8 　　　② 10 　　　③ 12
④ 14 　　　⑤ 16

STEP Ⓐ **직사각형의 넓이 S_n 구하기**

네 직선 $x=n$, $x=n+1$, $y=f(n)$, $y=f(n+1)$로
둘러싸인 직사각형의 넓이 S_n은

$$S_n = \{(n+1)-n\} \cdot \{f(n)-f(n+1)\}$$
$$= 1 \cdot \left(\frac{11}{n} - \frac{11}{n+1}\right)$$
$$= 11\left(\frac{1}{n} - \frac{1}{n+1}\right)$$

STEP Ⓑ $\displaystyle\sum_{n=1}^{10} S_n$ **의 값 구하기**

따라서 $\displaystyle\sum_{n=1}^{10} S_n = 11 \sum_{n=1}^{10} \left(\frac{1}{n} - \frac{1}{n+1}\right)$

$$= 11\left\{\left(\frac{1}{1}-\frac{1}{2}\right)+\left(\frac{1}{2}-\frac{1}{3}\right)+\left(\frac{1}{3}-\frac{1}{4}\right)+\cdots+\left(\frac{1}{10}-\frac{1}{11}\right)\right\}$$
$$= 11\left(1-\frac{1}{11}\right) = 10$$

정답 ②

1555

정답 ③

STEP Ⓐ **수직인 직선이 x축, y축과 만나는 삼각형의 넓이 구하기**

곡선 $y=x^2$과 직선 $y=\sqrt{n}\,x$의 제1사분면에서 교점의 x좌표는
$x^2 = \sqrt{n}\,x$, $x(x-\sqrt{n})=0$
$\therefore x = \sqrt{n}$

이때 점 $\mathrm{P}_n(\sqrt{n}, n)$을 지나고 직선 $y=\sqrt{n}\,x$와 수직인 직선의 방정식은

$$y = -\frac{1}{\sqrt{n}}(x-\sqrt{n})+n$$

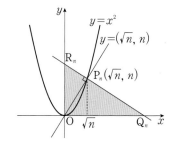

x절편과 y절편을 구하면 $\mathrm{Q}_n((n+1)\sqrt{n}, 0)$, $\mathrm{R}_n(0, n+1)$

삼각형 $\mathrm{OQ}_n\mathrm{R}_n$의 넓이를 S_n이므로 $S_n = \dfrac{1}{2} \cdot (n+1)\sqrt{n} \cdot (n+1)$

STEP Ⓑ $\displaystyle\sum_{n=1}^{5} \dfrac{2S_n}{\sqrt{n}}$ **의 값 구하기**

$\displaystyle\sum_{n=1}^{5} \frac{2S_n}{\sqrt{n}} = \sum_{n=1}^{5} \left\{\frac{2}{\sqrt{n}} \cdot \frac{(n+1)^2 \sqrt{n}}{2}\right\}$

$$= \sum_{n=1}^{5} (n+1)^2$$
$$= \sum_{n=1}^{5} (n^2+2n+1)$$
$$= \frac{5 \cdot 6 \cdot 11}{6} + 2 \cdot \frac{5 \cdot 6}{2} + 5$$
$$= 90$$

1556

정답 ⑤

STEP Ⓐ **점과 직선 사이의 거리 a_n 구하기**

점 (n, n)과 직선 $y = -\dfrac{3}{4}x+5$, 즉 $3x+4y-20=0$ 사이의 거리 a_n은

$$a_n = \frac{|3n+4n-20|}{\sqrt{3^2+4^2}} = \frac{|7n-20|}{5}$$ 이므로

$n \le 2$일 때, $a_n = \dfrac{20-7n}{5}$ 이고

$n > 2$일 때, $a_n = \dfrac{7n-20}{5}$

STEP Ⓑ $\displaystyle\sum_{k=1}^{10} 5a_k$ **의 값 구하기**

$\displaystyle\sum_{k=1}^{10} 5a_k = \sum_{k=1}^{2} 5a_k + \sum_{k=3}^{10} 5a_k$

$$= \sum_{k=1}^{2} (20-7k) + \sum_{k=3}^{10} (7k-20)$$
$$= \sum_{k=1}^{2} (20-7k) + \sum_{k=1}^{10} (7k-20) - \sum_{k=1}^{2} (7k-20)$$
$$= 2\sum_{k=1}^{2} (20-7k) + \sum_{k=1}^{10} (7k-20)$$
$$= 2(13+6) + 7\sum_{k=1}^{10} k - 200$$
$$= 38 + 7 \cdot \frac{10 \cdot 11}{2} - 200$$
$$= 38 + 385 - 200$$
$$= 223$$

내/신/연/계 출제문항 583

그림과 같이 함수 $y=2x^2$의 그래프와 직선 $x=n$이 만나는 점을 A_n, 함수 $y=2x+4$의 그래프와 직선 $x=n$이 만나는 점을 B_n이라고 하자. 이때 $\sum\limits_{n=1}^{10}\overline{A_nB_n}$의 값은? (단, n은 자연수이다.)

① 528　　② 560　　③ 615
④ 628　　⑤ 660

STEP A $\overline{A_nB_n}$의 길이 구하기

함수 $y=2x^2$의 그래프와 직선 $x=n$이 만나는 점은 $A_n(n,\ 2n^2)$
함수 $y=2x+4$의 그래프와 직선 $x=n$이 만나는 점은 $B_n(n,\ 2n+4)$
이므로 $\overline{A_nB_n}=|2n^2-2n-4|$

STEP B $\sum\limits_{n=1}^{10}\overline{A_nB_n}$의 값 구하기

이때 $n=1$일 때, $2n+4>2n^2$이므로 $\overline{A_nB_n}=2n+4-2n^2$
$n=2$일 때, $2n+4=2n^2$이므로 $\overline{A_nB_n}=0$
$n\geq3$일 때, $2n+4<2n^2$이므로 $\overline{A_nB_n}=2n^2-2n-4$

$\sum\limits_{n=1}^{10}\overline{A_nB_n}=\overline{A_1B_1}+\overline{A_2B_2}+\sum\limits_{n=3}^{10}\overline{A_nB_n}$

$=4+0+\sum\limits_{n=3}^{10}(2n^2-2n-4)$

$=4+\sum\limits_{n=1}^{10}(2n^2-2n-4)-\sum\limits_{n=1}^{2}(2n^2-2n-4)$

$=4+2\cdot\dfrac{10\cdot11\cdot21}{6}-2\cdot\dfrac{10\cdot11}{2}-4\cdot10-\{(2-2-4)+(8-4-4)\}$

$=4+770-110-40+4=628$

정답 ④

1557　정답 ②

STEP A 부분분수로의 변형을 이용하여 주어진 식을 정리한 후 n의 값 구하기

$\sum\limits_{k=1}^{n}\dfrac{1}{k(k+1)}=\dfrac{1}{1\cdot2}+\dfrac{1}{2\cdot3}+\dfrac{1}{3\cdot4}+\cdots+\dfrac{1}{n(n+1)}$

$=\left(1-\dfrac{1}{2}\right)+\left(\dfrac{1}{2}-\dfrac{1}{3}\right)+\left(\dfrac{1}{3}-\dfrac{1}{4}\right)+\cdots+\left(\dfrac{1}{n}-\dfrac{1}{n+1}\right)$

$=1-\dfrac{1}{n+1}$

$=\dfrac{n}{n+1}$

따라서 $\dfrac{n}{n+1}=\dfrac{99}{100}$에서 $n=99$

1558　정답 ②

STEP A 일반항을 구하여 부분분수로 변형한 후 합 구하기

$\dfrac{1}{2\cdot4}+\dfrac{1}{4\cdot6}+\dfrac{1}{6\cdot8}+\cdots+\dfrac{1}{2n(2n+2)}$

$=\dfrac{1}{4}\sum\limits_{k=1}^{n}\dfrac{1}{k(k+1)}$

$=\dfrac{1}{4}\sum\limits_{k=1}^{n}\left(\dfrac{1}{k}-\dfrac{1}{k+1}\right)$

$=\dfrac{1}{4}\left\{\left(1-\dfrac{1}{2}\right)+\left(\dfrac{1}{2}-\dfrac{1}{3}\right)+\left(\dfrac{1}{3}-\dfrac{1}{4}\right)+\cdots+\left(\dfrac{1}{n}-\dfrac{1}{n+1}\right)\right\}$

$=\dfrac{1}{4}\left(1-\dfrac{1}{n+1}\right)$

$=\dfrac{n}{4(n+1)}$

1559　정답 ②

STEP A 일반항을 이용하여 항의 개수 구하기

주어진 수열의 제 k항을 a_k라 하면

$a_k=\dfrac{1}{(2k+1)^2-1}=\dfrac{1}{4k^2+4k}=\dfrac{1}{4k(k+1)}=\dfrac{1}{4}\left(\dfrac{1}{k}-\dfrac{1}{k+1}\right)$

이므로 $2k+1=17$ ∴ $k=8$

STEP B 부분분수로 변형한 후 수열의 합 구하기

즉 주어진 수열의 첫째항부터 제 8항까지의 합은

$\sum\limits_{k=1}^{8}a_k=\sum\limits_{k=1}^{8}\dfrac{1}{4}\left(\dfrac{1}{k}-\dfrac{1}{k+1}\right)$

$=\dfrac{1}{4}\left\{\left(1-\dfrac{1}{2}\right)+\left(\dfrac{1}{2}-\dfrac{1}{3}\right)+\cdots+\left(\dfrac{1}{8}-\dfrac{1}{9}\right)\right\}$

$=\dfrac{1}{4}\left(1-\dfrac{1}{9}\right)=\dfrac{2}{9}$

따라서 $p=2$, $q=9$이므로 $p+q=11$

내/신/연/계 출제문항 584

$\dfrac{1}{3^2-1}+\dfrac{1}{5^2-1}+\dfrac{1}{7^2-1}+\cdots+\dfrac{1}{49^2-1}$의 값은?

① $\dfrac{4}{25}$　　② $\dfrac{6}{25}$　　③ $\dfrac{7}{25}$

④ $\dfrac{8}{25}$　　⑤ $\dfrac{12}{25}$

STEP A 일반항을 이용하여 항의 개수 구하기

주어진 수열의 제 k항을 a_k라 하면

$a_k=\dfrac{1}{(2k+1)^2-1}=\dfrac{1}{4k^2+4k}=\dfrac{1}{4k(k+1)}=\dfrac{1}{4}\left(\dfrac{1}{k}-\dfrac{1}{k+1}\right)$

이므로 $2k+1=49$ ∴ $k=24$

STEP B 부분분수로 변형한 후 수열의 합 구하기

즉 주어진 수열의 첫째항부터 제 24항까지의 합은

$\sum\limits_{k=1}^{24}a_k=\sum\limits_{k=1}^{24}\dfrac{1}{4}\left(\dfrac{1}{k}-\dfrac{1}{k+1}\right)$

$=\dfrac{1}{4}\left\{\left(1-\dfrac{1}{2}\right)+\left(\dfrac{1}{2}-\dfrac{1}{3}\right)+\cdots+\left(\dfrac{1}{24}-\dfrac{1}{25}\right)\right\}$

$=\dfrac{1}{4}\left(1-\dfrac{1}{25}\right)=\dfrac{6}{25}$

정답 ②

1560　정답 ②

STEP A 일반항 구하기

$a_n=3+6+9+\cdots+3n=3\sum\limits_{k=1}^{n}k=3\cdot\dfrac{n(n+1)}{2}$

STEP B 부분분수로 변형한 후 수열의 합 구하기

$\sum\limits_{k=1}^{20}\dfrac{3}{a_k}=\sum\limits_{k=1}^{20}\dfrac{2}{k(k+1)}$

$=2\sum\limits_{k=1}^{20}\dfrac{1}{k(k+1)}$

$=2\sum\limits_{k=1}^{20}\left(\dfrac{1}{k}-\dfrac{1}{k+1}\right)$

$=2\left\{\left(1-\dfrac{1}{2}\right)+\left(\dfrac{1}{2}-\dfrac{1}{3}\right)+\left(\dfrac{1}{3}-\dfrac{1}{4}\right)+\cdots+\left(\dfrac{1}{20}-\dfrac{1}{21}\right)\right\}$

$=2\left(1-\dfrac{1}{21}\right)$

$=\dfrac{40}{21}$

따라서 $p=21$, $q=40$이므로 $p+q=61$

$\displaystyle\sum_{k=1}^{30}\dfrac{1}{2+4+6+\cdots+2k}=\dfrac{q}{p}$ 이 성립할 때, $p+q$의 값은?

(단, p, q는 서로소인 자연수이다.)

① 61   ② 63   ③ 65

④ 67   ⑤ 69

STEP Ⓐ 일반항 구하기

$$2+4+6+\cdots+2k=\dfrac{k(2+2k)}{2}=k(k+1)$$

STEP Ⓑ 부분분수로 변형한 후 수열의 합 구하기

$$\sum_{k=1}^{30}\dfrac{1}{2+4+6+\cdots+2k}=\sum_{k=1}^{30}\dfrac{1}{k(k+1)}$$
$$=\sum_{k=1}^{30}\left(\dfrac{1}{k}-\dfrac{1}{k+1}\right)$$
$$=\left(1-\dfrac{1}{2}\right)+\left(\dfrac{1}{2}-\dfrac{1}{3}\right)+\left(\dfrac{1}{3}-\dfrac{1}{4}\right)+\cdots+\left(\dfrac{1}{30}-\dfrac{1}{31}\right)$$
$$=1-\dfrac{1}{31}$$
$$=\dfrac{30}{31}$$

따라서 $\displaystyle\sum_{k=1}^{30}\dfrac{1}{2+4+6+\cdots+2k}=\dfrac{30}{31}$ 이므로 $p=31$, $q=30$

$\therefore p+q=61$

정답 ①

1561

정답 ②

STEP Ⓐ 일반항 구하기

주어진 수열의 제 n항을 a_n이라 하면

$$a_n=\dfrac{1}{1+2+3+\cdots+n}=\dfrac{2}{n(n+1)}$$

STEP Ⓑ 부분분수로 변형한 후 수열의 합 구하기

따라서 주어진 수열의 첫째항부터 제 100항까지의 합은

$$2\sum_{k=1}^{100}\dfrac{1}{k(k+1)}=2\sum_{k=1}^{100}\left(\dfrac{1}{k}-\dfrac{1}{k+1}\right)$$
$$=2\left\{\left(1-\dfrac{1}{2}\right)+\left(\dfrac{1}{2}-\dfrac{1}{3}\right)+\left(\dfrac{1}{3}-\dfrac{1}{4}\right)+\cdots+\left(\dfrac{1}{100}-\dfrac{1}{101}\right)\right\}$$
$$=2\left(1-\dfrac{1}{101}\right)=\dfrac{200}{101}$$

참고 같은 문제 다른 표현

$$\sum_{k=1}^{n}\dfrac{1}{1+2+3+\cdots+k}$$
$$=1+\dfrac{1}{1+2}+\dfrac{1}{1+2+3}+\cdots+\dfrac{1}{1+2+3+\cdots+n}$$
$$=\sum_{k=1}^{n}\dfrac{2}{k(k+1)}$$
$$=2\sum_{k=1}^{n}\left(\dfrac{1}{k}-\dfrac{1}{k+1}\right)$$
$$=2\left(1-\dfrac{1}{n+1}\right)$$
$$=\dfrac{2n}{n+1}$$

$\displaystyle\sum_{k=1}^{15}\dfrac{1}{1+2+3+\cdots+k}$ 의 값은?

① $\dfrac{5}{16}$ ② $\dfrac{9}{16}$ ③ $\dfrac{11}{16}$

④ $\dfrac{15}{16}$ ⑤ $\dfrac{15}{8}$

STEP Ⓐ 일반항 구하기

$$1+2+3+\cdots+k=\dfrac{k(k+1)}{2}$$

STEP Ⓑ 부분분수로 변형한 후 수열의 합 구하기

$$\sum_{k=1}^{15}\dfrac{1}{1+2+3+\cdots+k}=\sum_{k=1}^{15}\dfrac{2}{k(k+1)}$$
$$=2\sum_{k=1}^{15}\left(\dfrac{1}{k}-\dfrac{1}{k+1}\right)$$
$$=2\left\{\left(1-\dfrac{1}{2}\right)+\left(\dfrac{1}{2}-\dfrac{1}{3}\right)+\left(\dfrac{1}{3}-\dfrac{1}{4}\right)+\cdots+\left(\dfrac{1}{15}-\dfrac{1}{16}\right)\right\}$$
$$=2\left(1-\dfrac{1}{16}\right)=\dfrac{15}{8}$$

정답 ⑤

1562

정답 ②

STEP Ⓐ 일반항 구하기

분모의 제 n항을 a_n이라 하면

$$a_n=1^2+2^2+3^2+\cdots+n^2=\sum_{k=1}^{n}k^2=\dfrac{n(n+1)(2n+1)}{6}$$

STEP Ⓑ 부분분수로 변형한 후 수열의 합 구하기

따라서 주어진 수열의 첫째항부터 제 10항까지의 합은

$$\dfrac{3}{a_1}+\dfrac{5}{a_2}+\dfrac{7}{a_3}+\cdots+\dfrac{21}{a_{10}}$$
$$=\sum_{k=1}^{10}\dfrac{2k+1}{a_k}$$
$$=\sum_{k=1}^{10}\dfrac{2k+1}{\dfrac{k(k+1)(2k+1)}{6}}$$
$$=\sum_{k=1}^{10}\dfrac{6}{k(k+1)}$$
$$=6\sum_{k=1}^{10}\left(\dfrac{1}{k}-\dfrac{1}{k+1}\right)$$
$$=6\left\{\left(1-\dfrac{1}{2}\right)+\left(\dfrac{1}{2}-\dfrac{1}{3}\right)+\left(\dfrac{1}{3}-\dfrac{1}{4}\right)+\cdots+\left(\dfrac{1}{10}-\dfrac{1}{11}\right)\right\}$$
$$=6\left(1-\dfrac{1}{11}\right)$$
$$=\dfrac{60}{11}$$

참고 같은 문제 다른 표현

$$\sum_{k=1}^{n}\dfrac{2k+1}{1^2+2^2+3^2+\cdots+k^2}$$
$$=\dfrac{3}{1^2}+\dfrac{5}{1^2+2^2}+\dfrac{7}{1^2+2^2+3^2}+\cdots+\dfrac{2k+1}{1^2+2^2+3^2+\cdots+n^2}$$
$$=\sum_{k=1}^{n}\dfrac{2k+1}{\dfrac{k(k+1)(2k+1)}{6}}$$
$$=\sum_{k=1}^{n}\dfrac{6}{k(k+1)}$$
$$=6\sum_{k=1}^{n}\left(\dfrac{1}{k}-\dfrac{1}{k+1}\right)$$
$$=6\left(1-\dfrac{1}{n+1}\right)$$
$$=\dfrac{6n}{n+1}$$

수열 $\{a_n\}$의 일반항이 $a_n=\sum\limits_{k=1}^{n}k^2$일 때,

$$\frac{3}{a_1}+\frac{5}{a_2}+\frac{7}{a_3}+\cdots+\frac{21}{a_{10}}$$

의 값은?

① $\dfrac{10}{11}$ ② $\dfrac{18}{11}$ ③ $\dfrac{20}{11}$

④ $\dfrac{40}{11}$ ⑤ $\dfrac{60}{11}$

STEP A 일반항 구하기

$$a_n=\sum_{k=1}^{n}k^2=\frac{n(n+1)(2n+1)}{6}$$

STEP B 부분분수로 변형한 후 수열의 합 구하기

$$\frac{3}{a_1}+\frac{5}{a_2}+\frac{7}{a_3}+\cdots+\frac{21}{a_{10}}=\sum_{k=1}^{10}\frac{2k+1}{a_k}=\sum_{k=1}^{10}\frac{2k+1}{\dfrac{k(k+1)(2k+1)}{6}}$$

$$=\sum_{k=1}^{10}\frac{6}{k(k+1)}$$

$$=6\sum_{k=1}^{10}\left(\frac{1}{k}-\frac{1}{k+1}\right)$$

$$=6\left(\frac{1}{1}-\frac{1}{11}\right)=\frac{60}{11}$$

정답 ⑤

1563

정답 ②

STEP A 일반항 구하기

주어진 수열의 제 k항을 a_k이라 하면

$$a_k=\frac{2}{k(k+2)}$$

STEP B 부분분수로 변형한 후 수열의 합 구하기

주어진 수열의 첫째항부터 제 9항까지의 합은

$$2\sum_{k=1}^{9}\frac{1}{k(k+2)}=\sum_{k=1}^{9}\left(\frac{1}{k}-\frac{1}{k+2}\right)$$

$$=\left(1-\frac{1}{3}\right)+\left(\frac{1}{2}-\frac{1}{4}\right)+\left(\frac{1}{3}-\frac{1}{5}\right)+\cdots+\left(\frac{1}{8}-\frac{1}{10}\right)+\left(\frac{1}{9}-\frac{1}{11}\right)$$

$$=\frac{1}{1}+\frac{1}{2}-\frac{1}{10}-\frac{1}{11}=\frac{72}{55}$$

따라서 $p=72$, $q=55$이므로 $p+q=127$

1564

정답 ⑤

STEP A 일반항 구하기

주어진 수열의 제 k항을 a_k이라 하면

$$a_k=\frac{1}{(k+1)^2-1}=\frac{1}{k^2+2k}=\frac{1}{k(k+2)}$$

STEP B 부분분수로 변형한 후 수열의 합 구하기

즉 주어진 수열의 첫째항부터 제 n항까지의 합은

$$\sum_{k=1}^{n}a_k=\sum_{k=1}^{n}\frac{1}{k(k+2)}=\frac{1}{2}\sum_{k=1}^{n}\left(\frac{1}{k}-\frac{1}{k+2}\right)$$

$$=\frac{1}{2}\left\{\left(1-\frac{1}{3}\right)+\left(\frac{1}{2}-\frac{1}{4}\right)+\left(\frac{1}{3}-\frac{1}{5}\right)+\cdots\right.$$

$$\left.+\left(\frac{1}{n-1}-\frac{1}{n+1}\right)+\left(\frac{1}{n}-\frac{1}{n+2}\right)\right\}$$

$$=\frac{1}{2}\left(1+\frac{1}{2}-\frac{1}{n+1}-\frac{1}{n+2}\right)$$

$$=\frac{n(3n+5)}{4(n+1)(n+2)}$$

1565

정답 ④

STEP A 로그의 성질을 이용하여 a_n 정리하기

$$a_n=\log_{2^n}\sqrt[n+2]{4}=\log_{2^n}\sqrt[n+2]{2^2}=\log_{2^n}2^{\frac{2}{n+2}}=\frac{\log 2^{\frac{2}{n+2}}}{\log 2^n}$$

$$=\frac{\dfrac{2}{n+2}\log 2}{n\log 2}$$

$$=\frac{2}{n(n+2)}$$

STEP B 부분분수로 변형한 후 수열의 합 구하기

$$\sum_{k=1}^{10}a_k=\sum_{k=1}^{10}\frac{2}{k(k+2)}$$

$$=\sum_{k=1}^{10}\left(\frac{1}{k}-\frac{1}{k+2}\right)$$

$$=\left(1-\frac{1}{3}\right)+\left(\frac{1}{2}-\frac{1}{4}\right)+\left(\frac{1}{3}-\frac{1}{5}\right)+\cdots+\left(\frac{1}{9}-\frac{1}{11}\right)+\left(\frac{1}{10}-\frac{1}{12}\right)$$

$$=1+\frac{1}{2}-\frac{1}{11}-\frac{1}{12}$$

$$=\frac{132+66-12-11}{132}$$

$$=\frac{175}{132}$$

자연수 전체의 집합을 정의역으로 하는 두 함수

$$f(x)=x^2+2x-3,\ g(x)=2x+1$$

에 대하여 $\sum\limits_{k=1}^{10}\dfrac{8}{(f\circ g)(k)}$의 값은?

① $\dfrac{169}{132}$ ② $\dfrac{57}{44}$ ③ $\dfrac{173}{132}$

④ $\dfrac{175}{132}$ ⑤ $\dfrac{59}{44}$

STEP A 합성함수 $f(g(k))$의 값 구하기

$f(x)=x^2+2x-3=(x+3)(x-1)$, $g(x)=2x+1$에 대하여

$$(f\circ g)(k)=f(g(k))=f(2k+1)$$

$$=(2k+1+3)(2k+1-1)$$

$$=(2k+4)\cdot 2k$$

$$=4k(k+2)$$

STEP B 부분분수로 변형한 후 수열의 합 구하기

$$\sum_{k=1}^{10}\frac{8}{(f\circ g)(k)}=\sum_{k=1}^{10}\frac{8}{4k(k+2)}$$

$$=\sum_{k=1}^{10}\left(\frac{1}{k}-\frac{1}{k+2}\right)$$

$$=\left(1-\frac{1}{3}\right)+\left(\frac{1}{2}-\frac{1}{4}\right)+\left(\frac{1}{3}-\frac{1}{5}\right)+\cdots+\left(\frac{1}{9}-\frac{1}{11}\right)+\left(\frac{1}{10}-\frac{1}{12}\right)$$

$$=1+\frac{1}{2}-\frac{1}{11}-\frac{1}{12}$$

$$=\frac{132+66-12-11}{132}$$

$$=\frac{175}{132}$$

정답 ④

1566

정답 ③

STEP A 등차수열의 합 S_n의 값 구하기

첫째항이 3, 공차가 2인 등차수열의 첫째항부터 제 n항까지의 합

$$S_n = \frac{n\{2\cdot 3 + (n-1)\cdot 2\}}{2} = n(n+2)$$

STEP B 부분분수로 변형한 후 수열의 합 구하기

$$\sum_{k=1}^{8} \frac{1}{S_k} = \sum_{k=1}^{8} \frac{1}{k(k+2)}$$
$$= \frac{1}{2} \sum_{k=1}^{8} \left(\frac{1}{k} - \frac{1}{k+2} \right)$$
$$= \frac{1}{2}\left\{ \left(1 - \frac{1}{3}\right) + \left(\frac{1}{2} - \frac{1}{4}\right) + \left(\frac{1}{3} - \frac{1}{5}\right) + \cdots + \left(\frac{1}{7} - \frac{1}{9}\right) + \left(\frac{1}{8} - \frac{1}{10}\right) \right\}$$
$$= \frac{1}{2}\left(1 + \frac{1}{2} - \frac{1}{9} - \frac{1}{10}\right)$$
$$= \frac{29}{45}$$

따라서 $p=29$, $q=45$이므로 $p+q=74$

1567

정답 ⑤

STEP A 부분분수로의 변형을 이용하여 수열의 합 구하기

$$\sum_{k=1}^{10} \frac{2}{(2k-1)(2k+1)} = 2\sum_{k=1}^{10} \frac{1}{2}\left(\frac{1}{2k-1} - \frac{1}{2k+1} \right)$$
$$= \sum_{k=1}^{10}\left(\frac{1}{2k-1} - \frac{1}{2k+1} \right)$$
$$= \left\{ \left(1 - \frac{1}{3}\right) + \left(\frac{1}{3} - \frac{1}{5}\right) + \cdots + \left(\frac{1}{19} - \frac{1}{21}\right) \right\}$$
$$= 1 - \frac{1}{21}$$
$$= \frac{20}{21}$$

1568

정답 ②

STEP A 일반항을 이용하여 항의 개수 구하기

주어진 수열의 제 k항을 a_k라 하면

$$a_k = \frac{1}{(2k)^2 - 1} = \frac{1}{(2k-1)(2k+1)} = \frac{1}{2}\left(\frac{1}{2k-1} - \frac{1}{2k+1} \right)$$

이므로 $2k = 60$
$\therefore k = 30$

STEP B 부분분수로 변형한 후 수열의 합 구하기

따라서 주어진 수열의 첫째항부터 제 30항까지의 합은

$$\sum_{k=1}^{30} a_k = \sum_{k=1}^{30} \frac{1}{2}\left(\frac{1}{2k-1} - \frac{1}{2k+1} \right)$$
$$= \frac{1}{2}\left\{ \left(\frac{1}{1} - \frac{1}{3}\right) + \left(\frac{1}{3} - \frac{1}{5}\right) + \cdots + \left(\frac{1}{59} - \frac{1}{61}\right) \right\}$$
$$= \frac{1}{2}\left(1 - \frac{1}{61}\right)$$
$$= \frac{30}{61}$$

내/신/연/계/ 출제문항 589

수열

$$\frac{1}{2^2 - 1},\ \frac{1}{4^2 - 1},\ \frac{1}{6^2 - 1},\ \frac{1}{8^2 - 1},\ \cdots$$

의 첫째항부터 제 15항까지의 합은?

① $\frac{15}{31}$　　　② $\frac{16}{31}$　　　③ $\frac{1}{2}$

④ $\frac{17}{30}$　　　⑤ $\frac{19}{30}$

STEP A 일반항을 이용하기

주어진 수열의 제 k항을 a_k라 하면

$$a_k = \frac{1}{(2k)^2 - 1} = \frac{1}{(2k-1)(2k+1)} = \frac{1}{2}\left(\frac{1}{2k-1} - \frac{1}{2k+1} \right)$$

STEP B 부분분수로 변형한 후 수열의 합 구하기

따라서 주어진 수열의 첫째항부터 제 15항까지의 합은

$$\sum_{k=1}^{15} a_k = \sum_{k=1}^{15} \frac{1}{2}\left(\frac{1}{2k-1} - \frac{1}{2k+1} \right)$$
$$= \frac{1}{2}\left\{ \left(1 - \frac{1}{3}\right) + \left(\frac{1}{3} - \frac{1}{5}\right) + \cdots + \left(\frac{1}{29} - \frac{1}{31}\right) \right\}$$
$$= \frac{1}{2}\left(1 - \frac{1}{31}\right) = \frac{15}{31}$$

정답 ①

1569

정답 ⑤

STEP A 일반항을 이용하여 항의 개수 구하기

주어진 수열의 제 k항을 a_k라 하면

$$a_k = \frac{2}{(2k-1)(2k+1)} = \frac{1}{2k-1} - \frac{1}{2k+1}$$

이므로 $2k - 1 = 19$
$\therefore k = 10$

STEP B 부분분수로 변형한 후 수열의 합 구하기

따라서 주어진 수열의 첫째항부터 제 10항까지의 합은

$$\sum_{k=1}^{10} a_k = \sum_{k=1}^{10}\left(\frac{1}{2k-1} - \frac{1}{2k+1} \right)$$
$$= \left(1 - \frac{1}{3}\right) + \left(\frac{1}{3} - \frac{1}{5}\right) + \cdots + \left(\frac{1}{19} - \frac{1}{21}\right)$$
$$= 1 - \frac{1}{21} = \frac{20}{21}$$

1570

정답 ④

STEP A 부분분수로의 변형을 이용하여 주어진 식을 정리한 후 n의 값 구하기

$(4n^2 - 1)a_n = 2$에서

$$a_n = \frac{2}{4n^2 - 1} = \frac{2}{(2n-1)(2n+1)} = \frac{1}{2n-1} - \frac{1}{2n+1}$$

STEP B 부분분수로 변형한 후 수열의 합 구하기

$$\sum_{k=1}^{n} a_k = \sum_{k=1}^{n} \frac{2}{(2k-1)(2k+1)}$$
$$= \sum_{k=1}^{n}\left(\frac{1}{2k-1} - \frac{1}{2k+1} \right)$$
$$= \left(1 - \frac{1}{3}\right) + \left(\frac{1}{3} - \frac{1}{5}\right) + \cdots + \left(\frac{1}{2n-1} - \frac{1}{2n+1}\right)$$
$$= 1 - \frac{1}{2n+1}$$
$$= \frac{2n}{2n+1}$$

따라서 $\frac{2n}{2n+1} = \frac{10}{11}$에서 $n=5$

1571

정답 ⑤

STEP A 부분분수로 변형한 후 수열의 합 구하기

$$\sum_{k=1}^{7}\frac{1}{(k+1)(k+2)}=\sum_{k=1}^{7}\left(\frac{1}{k+1}-\frac{1}{k+2}\right)$$
$$=\left(\frac{1}{2}-\frac{1}{3}\right)+\left(\frac{1}{3}-\frac{1}{4}\right)+\cdots+\left(\frac{1}{8}-\frac{1}{9}\right)$$
$$=\frac{1}{2}-\frac{1}{9}=\frac{7}{18}$$

1572

정답 ④

STEP A 부분분수로 변형한 후 합 구하기

$$\sum_{k=1}^{10}\frac{a}{k^2+3k+2}=a\sum_{k=1}^{10}\frac{1}{(k+1)(k+2)}$$
$$=a\sum_{k=1}^{10}\left(\frac{1}{k+1}-\frac{1}{k+2}\right)$$
$$=a\left\{\left(\frac{1}{2}-\frac{1}{3}\right)+\left(\frac{1}{3}-\frac{1}{4}\right)+\left(\frac{1}{4}-\frac{1}{5}\right)+\cdots+\left(\frac{1}{11}-\frac{1}{12}\right)\right\}$$
$$=a\left(\frac{1}{2}-\frac{1}{12}\right)$$
$$=\frac{5}{12}a$$

STEP B 정수가 되도록 하는 자연수 a의 최솟값 구하기

따라서 $\frac{5}{12}a$가 정수가 되도록 하는 자연수 a의 최솟값은 12

1573

정답 ②

STEP A 부분분수로의 변형을 이용하여 수열의 합 구하기

$$\sum_{k=1}^{50}\frac{1}{(2k+3)(2k+5)}$$
$$=\frac{1}{2}\sum_{k=1}^{50}\left(\frac{1}{2k+3}-\frac{1}{2k+5}\right)$$
$$=\frac{1}{2}\left\{\left(\frac{1}{5}-\frac{1}{7}\right)+\left(\frac{1}{7}-\frac{1}{9}\right)+\left(\frac{1}{9}-\frac{1}{11}\right)+\cdots+\left(\frac{1}{103}-\frac{1}{105}\right)\right\}$$
$$=\frac{1}{2}\left(\frac{1}{5}-\frac{1}{105}\right)$$
$$=\frac{1}{2}\cdot\frac{20}{105}=\frac{2}{21}$$

1574

정답 ③

STEP A 일반항을 이용하여 항의 개수 구하기

주어진 수열의 제 k항을 a_k이라 하면

$$a_k=\frac{1}{(k+1)(k+3)}=\frac{1}{2}\left(\frac{1}{k+1}-\frac{1}{k+3}\right)$$

이므로 $k+1=13$

$\therefore k=12$

STEP B 부분분수로 변형한 후 수열의 합 구하기

따라서 주어진 수열의 첫째항부터 제 12항까지의 합은

$$\sum_{k=1}^{12}\frac{1}{(k+1)(k+3)}$$
$$=\frac{1}{2}\sum_{k=1}^{12}\left(\frac{1}{k+1}-\frac{1}{k+3}\right)$$
$$=\frac{1}{2}\left\{\left(\frac{1}{2}-\frac{1}{4}\right)+\left(\frac{1}{3}-\frac{1}{5}\right)+\left(\frac{1}{4}-\frac{1}{6}\right)+\cdots+\left(\frac{1}{12}-\frac{1}{14}\right)+\left(\frac{1}{13}-\frac{1}{15}\right)\right\}$$
$$=\frac{1}{2}\left\{\frac{1}{2}+\frac{1}{3}-\left(\frac{1}{14}+\frac{1}{15}\right)\right\}$$
$$=\frac{73}{210}$$

내/신/연/계/ 출제문항 590

수열

$$\frac{1}{2\cdot5}+\frac{1}{5\cdot8}+\frac{1}{7\cdot11}+\cdots+\frac{1}{35\cdot38}$$

의 값은?

① $\frac{5}{38}$ ② $\frac{3}{19}$ ③ $\frac{7}{38}$

④ $\frac{4}{19}$ ⑤ $\frac{9}{38}$

STEP A 일반항을 이용하여 항의 개수 구하기

주어진 수열의 제 k항을 a_k라 하면

$$a_k=\frac{1}{(3k-1)(3k+2)}=\frac{1}{3}\left(\frac{1}{3k-1}-\frac{1}{3k+2}\right)$$ 이므로

$3k-1=35$ $\therefore k=12$

STEP B 부분분수로 변형한 후 수열의 합 구하기

따라서 주어진 식은 수열 $\{a_n\}$의 첫째항부터 제 12항까지의 합이므로

$$\sum_{k=1}^{12}\frac{1}{(3k-1)(3k+2)}=\frac{1}{3}\sum_{k=1}^{12}\left(\frac{1}{3k-1}-\frac{1}{3k+2}\right)$$
$$=\frac{1}{3}\left\{\left(\frac{1}{2}-\frac{1}{5}\right)+\left(\frac{1}{5}-\frac{1}{8}\right)+\cdots+\left(\frac{1}{35}-\frac{1}{38}\right)\right\}$$
$$=\frac{1}{3}\left(\frac{1}{2}-\frac{1}{38}\right)$$
$$=\frac{1}{3}\cdot\frac{18}{38}=\frac{3}{19}$$

정답 ②

1575

정답 ③

STEP A 일반항을 구하여 부분분수로 변형한 후 수열의 합 구하기

주어진 수열의 제 k항을 a_k이라 하면

$$a_k=\frac{1}{(3k-2)(3k+1)}=\frac{1}{3}\left(\frac{1}{3k-2}-\frac{1}{3k+1}\right)$$

따라서 주어진 수열의 첫째항부터 제 n항까지의 합은

$$\sum_{k=1}^{n}\frac{1}{(3k-2)(3k+1)}=\frac{1}{3}\sum_{k=1}^{n}\left(\frac{1}{3k-2}-\frac{1}{3k+1}\right)$$
$$=\frac{1}{3}\left\{\left(\frac{1}{1}-\frac{1}{4}\right)+\left(\frac{1}{4}-\frac{1}{7}\right)+\left(\frac{1}{7}-\frac{1}{10}\right)+\cdots\right.$$
$$\left.+\left(\frac{1}{3n-5}-\frac{1}{3n-2}\right)+\left(\frac{1}{3n-2}-\frac{1}{3n+1}\right)\right\}$$
$$=\frac{1}{3}\left(\frac{1}{1}-\frac{1}{3n+1}\right)=\frac{n}{3n+1}$$

내/신/연/계/ 출제문항 591

$\displaystyle\sum_{k=1}^{10}\frac{3}{9k^2-3k-2}$ 의 값은?

① $\frac{5}{32}$ ② $\frac{20}{31}$ ③ $\frac{27}{31}$

④ $\frac{30}{31}$ ⑤ $\frac{31}{32}$

STEP A 일반항을 구하여 부분분수로 변형한 후 수열의 합 구하기

$$\sum_{k=1}^{10}\frac{3}{9k^2-3k-2}=\sum_{k=1}^{10}\frac{3}{(3k-2)(3k+1)} \quad\Longleftarrow\ \frac{1}{(3k-2)(3k+1)}=\frac{1}{3}\left(\frac{1}{3k-2}-\frac{1}{3k+1}\right)$$
$$=\sum_{k=1}^{10}\left(\frac{1}{3k-2}-\frac{1}{3k+1}\right)$$
$$=\left(1-\frac{1}{4}\right)+\left(\frac{1}{4}-\frac{1}{7}\right)+\cdots+\left(\frac{1}{28}-\frac{1}{31}\right)$$
$$=1-\frac{1}{31}=\frac{30}{31}$$

정답 ④

1576

정답 ③

STEP Ⓐ **부분분수로 변형하기**

$$\frac{1}{k(k+1)(k+2)}=\frac{1}{2}\left\{\frac{1}{k(k+1)}-\frac{1}{(k+1)(k+2)}\right\}$$

STEP Ⓑ **$k=1, 2, 3, \cdots, n$을 차례대로 대입하여 간단히 하기**

$$\sum_{k=1}^{n}\frac{1}{k(k+1)(k+2)}$$

$$=\frac{1}{2}\sum_{k=1}^{n}\left\{\frac{1}{k(k+1)}-\frac{1}{(k+1)(k+2)}\right\}$$

$$=\frac{1}{2}\left[\left(\frac{1}{1\cdot2}-\frac{1}{2\cdot3}\right)+\left(\frac{1}{2\cdot3}-\frac{1}{3\cdot4}\right)+\cdots+\left(\frac{1}{n(n+1)}-\frac{1}{(n+1)(n+2)}\right)\right]$$

$$=\frac{1}{2}\left\{\frac{1}{2}-\frac{1}{(n+1)(n+2)}\right\}$$

$$=\frac{n(n+3)}{4(n+1)(n+2)}$$

내/신/연/계 출제문항 592

수열

$$\frac{1}{1\cdot2\cdot3},\ \frac{1}{2\cdot3\cdot4},\ \frac{1}{3\cdot4\cdot5},\ \frac{1}{4\cdot5\cdot6},\ \cdots$$

의 첫째항부터 제 10항까지의 합은?

① $\dfrac{13}{264}$　　② $\dfrac{23}{264}$　　③ $\dfrac{43}{264}$

④ $\dfrac{55}{264}$　　⑤ $\dfrac{65}{264}$

STEP Ⓐ **일반항을 구하기**

주어진 수열의 일반항을 a_n이라 하면

$$a_n=\frac{1}{n(n+1)(n+2)}=\frac{1}{2}\left\{\frac{1}{n(n+1)}-\frac{1}{(n+1)(n+2)}\right\}$$

STEP Ⓑ **첫째항부터 제 n항까지의 합 구하기**

수열 $\{a_n\}$의 첫째항부터 제 10항가지의 합은

$$\sum_{k=1}^{10}a_k=\sum_{k=1}^{10}\frac{1}{k(k+1)(k+2)}$$

$$=\frac{1}{2}\sum_{k=1}^{10}\left\{\frac{1}{k(k+1)}-\frac{1}{(k+1)(k+2)}\right\}$$

$$=\frac{1}{2}\left[\left(\frac{1}{1\cdot2}-\frac{1}{2\cdot3}\right)+\left(\frac{1}{2\cdot3}-\frac{1}{3\cdot4}\right)+\cdots+\left(\frac{1}{10\cdot11}-\frac{1}{11\cdot12}\right)\right]$$

$$=\frac{1}{2}\left(\frac{1}{2}-\frac{1}{11\cdot12}\right)=\frac{65}{264}$$

정답 ⑤

1577

정답 ④

STEP Ⓐ **수열의 합과 일반항 사이의 관계를 이용하여 a_n 구하기**

$S_n=\displaystyle\sum_{k=1}^{n}a_k=n^2+n$이라 하면

$n=1$일 때, $a_1=S_1=1+1=2$

$n\geq2$일 때, $a_n=S_n-S_{n-1}$

$$=(n^2+n)-\{(n-1)^2+(n-1)\}$$

$$=2n \qquad\cdots\cdots\text{㉠}$$

이때 $a_1=2$는 ㉠에 $n=1$을 대입한 것과 같으므로

수열 $\{a_n\}$의 일반항은 $a_n=2n$

STEP Ⓑ **$\displaystyle\sum_{k=1}^{10}a_{2k}$의 값 구하기**

따라서 $a_{2k}=2(2k)=4k$이므로 $\displaystyle\sum_{k=1}^{10}a_{2k}=4\sum_{k=1}^{10}k=4\cdot\frac{10\cdot11}{2}=220$

1578

정답 ③

STEP Ⓐ **수열의 합과 일반항 사이의 관계를 이용하여 a_n 구하기**

수열 $\{a_n\}$의 첫째항부터 제 n항까지의 합을 S_n이라 하면

$a_n=S_n-S_{n-1}$

$$=(n^2-2n)-\{(n-1)^2-2(n-1)\}$$

$$=2n-3(n\geq2)$$

$a_1=S_1=-1$이므로 $a_n=2n-3(n\geq1)$

수열 $\{a_n\}$은 첫째항이 -1이고 공차가 2인 등차수열이다.

STEP Ⓑ **등차수열의 합 공식을 이용하여 구하기**

따라서 $a_6=9,\ a_{10}=17$이므로 등차수열의 합 공식에서

$$\sum_{k=6}^{10}a_k=\frac{5(9+17)}{2}=65 \quad \leftarrow \text{첫째항과 끝항이 주어진 등차수열의 합}$$

다른풀이　시그마의 성질을 이용하여 풀이하기

$$\sum_{k=6}^{10}a_k=\sum_{k=1}^{10}a_k-\sum_{k=1}^{5}a_k=(10^2-2\cdot10)-(5^2-2\cdot5)=80-15=65$$

내/신/연/계 출제문항 593

수열 $\{a_n\}$에 대하여

$$\sum_{k=1}^{n}a_k=n^2-n$$

일 때, $\displaystyle\sum_{k=1}^{10}ka_{4k+1}$의 값은?

① 2960　　② 3000　　③ 3040

④ 3080　　⑤ 3120

STEP Ⓐ **수열의 합과 일반항 사이의 관계를 이용하여 a_n 구하기**

수열 $\{a_n\}$의 첫째항부터 제 n항까지의 합을 S_n이라 하면

$$S_n=\sum_{k=1}^{n}a_k=n^2-n$$

수열의 합과 일반항 사이의 관계에 의하여

$a_n=S_n-S_{n-1}$

$$=n^2-n-\{(n-1)^2-(n-1)\}$$

$$=2n-2(n\geq2)$$

이때 $S_1=a_1=0$이므로 $a_n=2n-2$ (단, $n\geq1$)

STEP Ⓑ **$\displaystyle\sum_{k=1}^{10}ka_{4k+1}$의 값 구하기**

따라서 $ka_{4k+1}=k\{2(4k+1)-2\}=8k^2$이므로

$$\sum_{k=1}^{10}ka_{4k+1}=\sum_{k=1}^{10}8k^2=8\cdot\frac{10\cdot11\cdot21}{6}=8\cdot385=3080$$

정답 ④

1579

정답 ④

STEP Ⓐ **수열의 합과 일반항 사이의 관계를 이용하여 a_n 구하기**

$S_n=\displaystyle\sum_{k=1}^{n}a_k=n^2+2n$이라 하면

$n=1$일 때, $a_1=S_1=1+2=3$

$n\geq2$일 때, $a_n=S_n-S_{n-1}$

$$=(n^2+2n)-\{(n-1)^2+2(n-1)\}$$

$$=2n+1 \qquad\cdots\cdots\text{㉠}$$

이때 $a_1=3$는 ㉠에 $n=1$을 대입한 것과 같으므로

수열 $\{a_n\}$의 일반항은 $a_n=2n+1$

STEP Ⓑ **$\displaystyle\sum_{k=1}^{15}a_{2k-1}$의 값 구하기**

따라서 $a_{2k-1}=2(2k-1)+1=4k-1$이므로

$$\sum_{k=1}^{15}a_{2k-1}=\sum_{k=1}^{15}(4k-1)=4\cdot\frac{15\cdot16}{2}-15=465$$

내/신/연/계 출제문항 594

수열 $\{a_n\}$에서

$$\sum_{k=1}^{n} a_k = n^2 + 2n$$

일 때, $\sum_{k=1}^{10} ka_{3k}$의 값은?

① 2365   ② 2364   ③ 2363
④ 2362   ⑤ 2361

STEP Ⓐ 수열의 합과 일반항 사이의 관계를 이용하여 a_n 구하기

$S_n = \sum_{k=1}^{n} a_k = n^2 + 2n$이라 하면

$n = 1$일 때, $a_1 = S_1 = 1 + 2 = 3$

$n \geq 2$일 때, $a_n = S_n - S_{n-1}$
$$= (n^2 + 2n) - \{(n-1)^2 + 2(n-1)\}$$
$$= 2n + 1 \quad \cdots\cdots \text{㉠}$$

이때 $a_1 = 3$는 ㉠에 $n = 1$을 대입한 것과 같으므로

수열 $\{a_n\}$의 일반항은 $a_n = 2n + 1$

STEP Ⓑ $\sum_{k=1}^{10} ka_{3k}$의 값 구하기

따라서 $a_{3k} = 2(3k) + 1 = 6k + 1$이므로

$$\sum_{k=1}^{10} ka_{3k} = \sum_{k=1}^{10} k(6k+1) = 6\sum_{k=1}^{10} k^2 + \sum_{k=1}^{10} k$$
$$= 6 \cdot \frac{10 \cdot 11 \cdot 21}{6} + \frac{10 \cdot 11}{2}$$
$$= 2365$$

정답 ①

1580

정답 ③

STEP Ⓐ 수열의 합과 일반항 사이의 관계를 이용하여 a_n 구하기

$S_n = \sum_{k=1}^{n} a_k = \frac{n}{n+1}$이라 하면

$n = 1$일 때, $a_1 = S_1 = \frac{1}{1+1} = \frac{1}{2}$

$n \geq 2$일 때, $a_n = S_n - S_{n-1}$
$$= \frac{n}{n+1} - \frac{n-1}{n} = \frac{1}{n(n+1)} \quad \cdots\cdots \text{㉠}$$

이때 $a_1 = \frac{1}{2}$는 ㉠에 $n = 1$을 대입한 것과 같으므로

수열 $\{a_n\}$의 일반항은 $a_n = \frac{1}{n(n+1)}$

STEP Ⓑ $\sum_{k=1}^{10} \frac{1}{a_k}$의 값 구하기

따라서 $\sum_{k=1}^{10} \frac{1}{a_k} = \sum_{k=1}^{10} k(k+1) = \frac{10 \cdot 11 \cdot 12}{3} = 440$

1581

정답 ②

STEP Ⓐ 수열의 합과 일반항 사이의 관계를 이용하여 a_n 구하기

$S_n = \sum_{k=1}^{n} a_k = 2^{n+1} - 2$이라 하면

$n = 1$일 때, $a_1 = S_1 = 2^2 - 2 = 2$

$n \geq 2$일 때, $a_n = S_n - S_{n-1} = (2^{n+1} - 2) - (2^n - 2)$
$$= 2^n \quad \cdots\cdots \text{㉠}$$

이때 $a_1 = 2$는 ㉠에 $n = 1$을 대입한 것과 같으므로

수열 $\{a_n\}$의 일반항은 $a_n = 2^n$

STEP Ⓑ a_5의 값 구하기

따라서 $a_5 = 2^5 = 32$

다른풀이 $\sum_{k=1}^{5} a_k - \sum_{k=1}^{4} a_k$를 이용하여 풀이하기

$n = 5$일 때, $\sum_{k=1}^{5} a_k = 2^6 - 2$

$n = 4$일 때, $\sum_{k=1}^{4} a_k = 2^5 - 2$

$a_5 = \sum_{k=1}^{5} a_k - \sum_{k=1}^{4} a_k = (2^6 - 2) - (2^5 - 2) = 32$

1582

정답 ③

STEP Ⓐ 수열의 합과 일반항 사이의 관계를 이용하여 a_n 구하기

$S_n = 2^n - 1$에서

$n = 1$일 때, $a_1 = S_1 = 2 - 1 = 1$

$n \geq 2$일 때, $a_n = S_n - S_{n-1}$
$$= 2^n - 1 - (2^{n-1} - 1)$$
$$= 1 \cdot 2^{n-1} \quad \cdots\cdots \text{㉠}$$

이때 $a_1 = 1$는 ㉠에 $n = 1$을 대입한 것과 같으므로

수열 $\{a_n\}$의 일반항은 $a_n = 2^{n-1} \ (n \geq 1)$

STEP Ⓑ $\sum_{k=2}^{5} \frac{1}{a_{k-1}a_k}$의 값 구하기

이때 $a_{k-1}a_k = 2^{k-2} \cdot 2^{k-1} = 2^{2k-3}$이므로

$$\sum_{k=2}^{5} \frac{1}{a_{k-1}a_k} = \sum_{k=2}^{5} \frac{1}{2^{2k-3}} = \frac{1}{2} + \frac{1}{2^3} + \frac{1}{2^5} + \frac{1}{2^7}$$
$$= \frac{2^6 + 2^4 + 2^2 + 1}{2^7} = \frac{85}{128}$$

따라서 $p = 128$, $q = 85$이므로 $\frac{1}{3}(p+q) = 71$

내/신/연/계 출제문항 595

수열 $\{a_n\}$에 대하여 $\sum_{k=1}^{n} a_k = 2^n - 1$일 때,

$$\sum_{k=1}^{15} a_{2k} = \frac{1}{3}(2^a - b)$$

을 만족하는 자연수 a, b에 대하여 $a + b$의 값은?

① 30   ② 31   ③ 32
④ 33   ⑤ 34

STEP Ⓐ 수열의 합과 일반항 사이의 관계를 이용하여 a_n 구하기

수열 $\{a_n\}$의 첫째항부터 제 n항까지의 합을 S_n이라 하면

$S_n = \sum_{k=1}^{n} a_k = 2^n - 1$

$n = 1$일 때, $a_1 = S_1 = 2^1 - 1 = 1 \quad \cdots\cdots \text{㉠}$

$n \geq 2$일 때 $a_n = S_n - S_{n-1}$
$$= 2^n - 1 - (2^{n-1} - 1)$$
$$= 2^{n-1} \quad \cdots\cdots \text{㉡}$$

㉠은 $n = 1$을 ㉡에 대입하여 얻은 값과 같으므로

수열 $\{a_n\}$의 일반항은 $a_n = 2^{n-1}$

STEP Ⓑ $\sum_{k=1}^{10} a_{2k}$의 값 구하기

$a_{2n} = 2^{2n-1}$이고 수열 $\{a_{2n}\}$은 첫째항이 2, 공비가 4인 등비수열이므로

$$\sum_{k=1}^{15} a_{2k} = \sum_{k=1}^{15} 2^{2k-1} = \frac{2(4^{15} - 1)}{4 - 1}$$
$$= \frac{2}{3}(4^{15} - 1)$$
$$= \frac{1}{3}(2^{31} - 2)$$

따라서 $a = 31$, $b = 2$이므로 $a + b = 33$

정답 ④

1583

정답 ③

STEP A 수열의 합과 일반항 사이의 관계를 이용하여 a_n 구하기

$S_n = \sum_{k=1}^{n} a_k = 3 \cdot 2^{n+1} - 6$이라 하면

$n=1$일 때, $a_1 = S_1 = 3 \cdot 2^2 - 6 = 6$

$n \geq 2$일 때, $a_n = S_n - S_{n-1}$

$\qquad = (3 \cdot 2^{n+1} - 6) - (3 \cdot 2^n - 6)$

$\qquad = 3 \cdot 2^n \qquad \cdots\cdots \text{㉠}$

이때 $a_1 = 6$는 ㉠에 $n=1$을 대입한 것과 같으므로

수열 $\{a_n\}$의 일반항은 $a_n = 3 \cdot 2^n$

STEP B $\sum_{k=1}^{10} a_{2k}$ 의 값 구하기

이때 $a_{2k} = 3 \cdot 2^{2k}$이므로

$\sum_{k=1}^{10} a_{2k} = \sum_{k=1}^{10} 3 \cdot 2^{2k} = 3 \cdot \dfrac{2^2\{(2^2)^{10} - 1\}}{4-1} = 2^{22} - 4$

따라서 $p=22$, $q=-4$이므로 $p+q=18$

1584

정답 ④

STEP A 수열의 합과 일반항 사이의 관계를 이용하여 a_n 구하기

$S_n = \sum_{k=1}^{n} a_k = n^2 + n$에서

$n=1$일 때, $a_1 = S_1 = 1+1 = 2$

$n \geq 2$일 때, $a_n = S_n - S_{n-1}$

$\qquad = (n^2+n) - \{(n-1)^2 + (n-1)\}$

$\qquad = 2n \qquad \cdots\cdots \text{㉠}$

이때 $a_1 = 2$는 ㉠에 $n=1$을 대입한 것과 같으므로

수열 $\{a_n\}$의 일반항은 $a_n = 2n$

STEP B $\sum_{k=1}^{20} \dfrac{1}{a_k a_{k+1}}$ 의 값 구하기

따라서 $a_k a_{k+1} = 2k(2k+2) = 4k(k+1)$이므로

$\sum_{k=1}^{20} \dfrac{1}{a_k a_{k+1}} = \sum_{k=1}^{20} \dfrac{1}{4k(k+1)} = \dfrac{1}{4} \sum_{k=1}^{20} \left(\dfrac{1}{k} - \dfrac{1}{k+1} \right)$

$\qquad = \dfrac{1}{4} \left\{ \left(1 - \dfrac{1}{2}\right) + \left(\dfrac{1}{2} - \dfrac{1}{3}\right) + \left(\dfrac{1}{3} - \dfrac{1}{4}\right) + \cdots + \left(\dfrac{1}{20} - \dfrac{1}{21}\right) \right\}$

$\qquad = \dfrac{1}{4}\left(\dfrac{1}{1} - \dfrac{1}{21}\right) = \dfrac{5}{21}$

1585

정답 ②

STEP A 수열의 합과 일반항 사이의 관계를 이용하여 a_n 구하기

$S_n = \sum_{k=1}^{n} a_k = n^2 + 3n$에서

$n=1$일 때, $a_1 = S_1 = 1+3 = 4$

$n \geq 2$일 때, $a_n = S_n - S_{n-1}$

$\qquad = (n^2+3n) - \{(n-1)^2 + 3(n-1)\}$

$\qquad = 2n+2 \qquad \cdots\cdots \text{㉠}$

이때 $a_1 = 4$는 ㉠에 $n=1$을 대입한 것과 같으므로

수열 $\{a_n\}$의 일반항은 $a_n = 2n+2$

STEP B $\sum_{k=1}^{8} \dfrac{1}{a_k a_{k+1}}$ 의 값 구하기

이때 $a_k a_{k+1} = (2k+2)(2k+4) = 4(k+1)(k+2)$이므로

$\sum_{k=1}^{8} \dfrac{1}{a_k a_{k+1}} = \sum_{k=1}^{8} \dfrac{1}{4(k+1)(k+2)} = \dfrac{1}{4} \sum_{k=1}^{8} \left(\dfrac{1}{k+1} - \dfrac{1}{k+2} \right)$

$\qquad = \dfrac{1}{4} \left\{ \left(\dfrac{1}{2} - \dfrac{1}{3}\right) + \left(\dfrac{1}{3} - \dfrac{1}{4}\right) + \left(\dfrac{1}{4} - \dfrac{1}{5}\right) + \cdots + \left(\dfrac{1}{9} - \dfrac{1}{10}\right) \right\}$

$\qquad = \dfrac{1}{4}\left(\dfrac{1}{2} - \dfrac{1}{10}\right)$

$\qquad = \dfrac{1}{10}$

수열 $\{a_n\}$에서

$$\sum_{k=1}^{n} a_k = n^2 + 3n$$

일 때, $\sum_{k=1}^{n} \dfrac{4}{a_k a_{k+1}} = \dfrac{5}{11}$을 만족하는 자연수 n의 값은?

① 15 　　② 18 　　③ 20

④ 22 　　⑤ 24

STEP A 수열의 합과 일반항 사이의 관계를 이용하여 a_n 구하기

$S_n = \sum_{k=1}^{n} a_k = n^2 + 3n$에서

$n=1$일 때, $a_1 = S_1 = 1+3 = 4$

$n \geq 2$일 때, $a_n = S_n - S_{n-1}$

$\qquad = (n^2+3n) - \{(n-1)^2 + 3(n-1)\}$

$\qquad = 2n+2 \qquad \cdots\cdots \text{㉠}$

이때 $a_1 = 4$는 ㉠에 $n=1$을 대입한 것과 같으므로

수열 $\{a_n\}$의 일반항은 $a_n = 2n+2$

STEP B $\sum_{k=1}^{n} \dfrac{4}{a_k a_{k+1}}$ 의 값 구하기

이때 $a_k a_{k+1} = (2k+2)(2k+4) = 4(k+1)(k+2)$이므로

$\sum_{k=1}^{n} \dfrac{4}{a_k a_{k+1}} = \sum_{k=1}^{n} \dfrac{4}{4(k+1)(k+2)} = \sum_{k=1}^{n} \left(\dfrac{1}{k+1} - \dfrac{1}{k+2} \right)$

$\qquad = \left(\dfrac{1}{2} - \dfrac{1}{3}\right) + \left(\dfrac{1}{3} - \dfrac{1}{4}\right) + \left(\dfrac{1}{4} - \dfrac{1}{5}\right) + \cdots + \left(\dfrac{1}{n+1} - \dfrac{1}{n+2}\right)$

$\qquad = \dfrac{1}{2} - \dfrac{1}{n+2} = \dfrac{n}{2n+4}$

따라서 $\dfrac{n}{2n+4} = \dfrac{5}{11}$에서 $n=20$

정답 ③

1586

정답 ⑤

STEP A 수열의 합과 일반항 사이의 관계를 이용하여 a_n 구하기

$S_n = n^2$에서

$n=1$일 때, $a_1 = S_1 = 1$

$n \geq 2$일 때, $a_n = S_n - S_{n-1}$

$\qquad = n^2 - (n-1)^2$

$\qquad = 2n-1 \qquad \cdots\cdots \text{㉠}$

이때 $a_1 = 1$은 ㉠에 $n=1$을 대입한 것과 같으므로

수열 $\{a_n\}$의 일반항은 $a_n = 2n-1$

STEP B $\sum_{k=1}^{100} \dfrac{1}{a_k a_{k+1}}$ 의 값 구하기

이때 $\dfrac{1}{a_k a_{k+1}} = \dfrac{1}{(2k-1)(2k+1)} = \dfrac{1}{2}\left(\dfrac{1}{2k-1} - \dfrac{1}{2k+1}\right)$이므로

$\sum_{k=1}^{100} \dfrac{1}{a_k a_{k+1}} = \dfrac{1}{2} \sum_{k=1}^{100} \left(\dfrac{1}{2k-1} - \dfrac{1}{2k+1} \right)$

$\qquad = \dfrac{1}{2} \cdot \left\{ \left(1 - \dfrac{1}{3}\right) + \left(\dfrac{1}{3} - \dfrac{1}{5}\right) + \cdots + \left(\dfrac{1}{199} - \dfrac{1}{201}\right) \right\}$

$\qquad = \dfrac{1}{2} \cdot \left(1 - \dfrac{1}{201}\right) = \dfrac{100}{201}$

따라서 $p+q = 100 + 201 = 301$

수열 $\{a_n\}$에서 $\sum_{k=1}^{n} a_k = n^2 + 2n$일 때,

$$\sum_{k=2}^{100} \frac{1}{a_{k-1}a_k} = \frac{p}{q}$$

이다. $p+q$의 값은? (단, p, q는 서로소인 두 자연수)

① 11   ② 67   ③ 70
④ 78   ⑤ 87

STEP Ⓐ 수열의 합과 일반항 사이의 관계를 이용하여 a_n 구하기

$S_n = \sum_{k=1}^{n} a_k = n^2 + 2n$이라 하면

$n=1$일 때, $a_1 = S_1 = 1 + 2 = 3$

$n \geq 2$일 때, $a_n = S_n - S_{n-1}$
$\qquad\qquad = (n^2 + 2n) - \{(n-1)^2 + 2(n-1)\}$
$\qquad\qquad = 2n + 1 \qquad \cdots\cdots ㉠$

이때 $a_1 = 3$는 ㉠에 $n=1$을 대입한 것과 같으므로

수열 $\{a_n\}$의 일반항은 $a_n = 2n + 1$

STEP Ⓑ $\sum_{k=2}^{100} \frac{1}{a_{k-1}a_k}$의 값 구하기

$\sum_{k=2}^{100} \frac{1}{a_{k-1}a_k} = \sum_{k=2}^{100} \frac{1}{(2k-1)(2k+1)} = \frac{1}{2}\sum_{k=2}^{100}\left(\frac{1}{2k-1} - \frac{1}{2k+1}\right)$
$\qquad = \frac{1}{2}\left\{\left(\frac{1}{3} - \frac{1}{5}\right) + \left(\frac{1}{5} - \frac{1}{7}\right) + \cdots + \left(\frac{1}{199} - \frac{1}{201}\right)\right\}$
$\qquad = \frac{1}{2}\left(\frac{1}{3} - \frac{1}{201}\right) = \frac{11}{67}$

따라서 $p=11$, $q=67$이므로 $p+q=78$

정답 ④

1587

정답 ①

STEP Ⓐ 수열의 합과 일반항 사이의 관계를 이용하여 a_n 구하기

$S_n = n^2 + 2n$에서

$n=1$일 때, $a_1 = S_1 = 1^2 + 2 \cdot 1 = 3 \qquad \cdots\cdots ㉠$

$n \geq 2$일 때, $a_n = S_n - S_{n-1}$
$\qquad\qquad = n^2 + 2n - \{(n-1)^2 + 2(n-1)\}$
$\qquad\qquad = 2n + 1 \qquad \cdots\cdots ㉡$

㉠은 $n=1$을 ㉡에 대입하여 얻은 값과 같으므로

수열 $\{a_n\}$의 일반항은 $a_n = 2n + 1$이

STEP Ⓑ $\sum_{k=1}^{9} \frac{1}{a_k a_{k+1}}$의 값 구하기

$\sum_{k=1}^{9} \frac{1}{a_k a_{k+1}} = \sum_{k=1}^{9} \frac{1}{(2k+1)(2k+3)} = \frac{1}{2}\sum_{k=1}^{9}\left(\frac{1}{2k+1} - \frac{1}{2k+3}\right)$
$\qquad = \frac{1}{2}\left\{\left(\frac{1}{3} - \frac{1}{5}\right) + \left(\frac{1}{5} - \frac{1}{7}\right) + \cdots + \left(\frac{1}{19} - \frac{1}{21}\right)\right\}$
$\qquad = \frac{1}{2}\left(\frac{1}{3} - \frac{1}{21}\right) = \frac{1}{7}$

1588

정답 ④

STEP Ⓐ 수열의 합과 일반항 사이의 관계를 이용하여 a_n 구하기

$S_n = \sum_{k=1}^{n} a_k = n^2 + 4n$이라 하면

$n=1$일 때, $a_1 = S_1 = 1 + 4 = 5$

$n \geq 2$일 때, $a_n = S_n - S_{n-1}$
$\qquad\qquad = (n^2 + 4n) - \{(n-1)^2 + 4(n-1)\}$
$\qquad\qquad = 2n + 3 \qquad \cdots\cdots ㉠$

이때 $a_1 = 5$는 ㉠에 $n=1$을 대입한 것과 같으므로

수열 $\{a_n\}$의 일반항은 $a_n = 2n + 3$

STEP Ⓑ $\sum_{k=1}^{10} \frac{1}{a_k a_{k+1}}$의 값 구하기

따라서 $a_k a_{k+1} = (2k+3)(2k+5)$이므로

$\sum_{k=1}^{10} \frac{1}{a_k a_{k+1}} = \sum_{k=1}^{10} \frac{1}{(2k+3)(2k+5)}$
$\qquad = \frac{1}{2}\sum_{k=1}^{10}\left(\frac{1}{2k+3} - \frac{1}{2k+5}\right)$
$\qquad = \frac{1}{2}\left\{\left(\frac{1}{5} - \frac{1}{7}\right) + \left(\frac{1}{7} - \frac{1}{9}\right) + \cdots + \left(\frac{1}{23} - \frac{1}{25}\right)\right\}$
$\qquad = \frac{1}{2}\cdot\left(\frac{1}{5} - \frac{1}{25}\right) = \frac{2}{25}$

1589

정답 ⑤

STEP Ⓐ 수열의 합과 일반항 사이의 관계를 이용하여 a_n 구하기

$S_n = \frac{n(n+3)}{2}$에서

$n=1$일 때, $a_1 = 2$

$n \geq 2$일 때, $a_n = S_n - S_{n-1}$
$\qquad\qquad = \frac{n(n+3)}{2} - \frac{(n-1)(n+2)}{2}$
$\qquad\qquad = n + 1 \qquad \cdots\cdots ㉠$

이때 $a_1 = 2$는 ㉠에 $n=1$을 대입한 것과 같으므로

수열 $\{a_n\}$의 일반항은 $a_n = n + 1 (n \geq 1)$

STEP Ⓑ $\sum_{n=1}^{20} \frac{1}{a_n a_{n+1}}$의 값 구하기

따라서 $\sum_{n=1}^{20} \frac{1}{a_n a_{n+1}} = \sum_{n=1}^{20} \frac{1}{(n+1)(n+2)} = \sum_{n=1}^{20}\left(\frac{1}{n+1} - \frac{1}{n+2}\right)$
$\qquad = \left\{\left(\frac{1}{2} - \frac{1}{3}\right) + \left(\frac{1}{3} - \frac{1}{4}\right) + \cdots + \left(\frac{1}{21} - \frac{1}{22}\right)\right\}$
$\qquad = \frac{1}{2} - \frac{1}{22} = \frac{5}{11}$

수열 $\{a_n\}$의 첫째항부터 제 n항까지의 합 S_n이

$$S_n = \frac{n^2 + 3n}{2}$$

일 때, $\sum_{n=1}^{7} 2^{a_n}$의 값은?

① 126   ② 248   ③ 385
④ 408   ⑤ 508

STEP Ⓐ 수열의 합과 일반항 사이의 관계를 이용하여 a_n 구하기

$S_n = \frac{n^2 + 3n}{2}$에서

$n=1$일 때, $a_1 = 2$

$n \geq 2$일 때, $a_n = S_n - S_{n-1}$
$\qquad\qquad = \frac{n^2 + 3n}{2} - \frac{(n-1)^2 + 3(n-1)}{2}$
$\qquad\qquad = n + 1 \qquad \cdots\cdots ㉠$

이때 $a_1 = 2$는 ㉠에 $n=1$을 대입한 것과 같으므로

수열 $\{a_n\}$의 일반항은 $a_n = n + 1 (n \geq 1)$

STEP Ⓑ $\sum_{n=1}^{7} 2^{a_n}$의 값 구하기

따라서 $\sum_{n=1}^{7} 2^{a_n} = \sum_{n=1}^{7} 2^{n+1} = 2^2 + 2^3 + \cdots + 2^8$
$\qquad\qquad = \frac{2^2(2^7 - 1)}{2-1} = 508$

정답 ⑤

1590

정답 ④

STEP A 수열의 합과 일반항 사이의 관계를 이용하여 a_n 구하기

$S_n = n^2 + 1$에서

$n = 1$일 때, $a_1 = S_1 = 1 + 1 = 2$

$n \geq 2$일 때, $a_n = S_n - S_{n-1}$

$= (n^2 + 1) - \{(n-1)^2 + 1\}$

$= 2n - 1$ ...... ㉠

이때 $a_1 = 2$는 ㉠에 $n = 1$을 대입한 것과 다르므로

$a_1 = 2$, $a_n = 2n - 1 (n \geq 2)$

STEP B $\sum\limits_{k=1}^{10} \dfrac{1}{a_k a_{k+1}}$의 값 구하기

따라서 $\sum\limits_{k=1}^{10} \dfrac{1}{a_k a_{k+1}} = \dfrac{1}{a_1 a_2} + \sum\limits_{k=2}^{10} \dfrac{1}{(2k-1)(2k+1)}$

$= \dfrac{1}{2 \cdot 3} + \sum\limits_{k=2}^{10} \dfrac{1}{2}\left(\dfrac{1}{2k-1} - \dfrac{1}{2k+1}\right)$

$= \dfrac{1}{6} + \dfrac{1}{2}\left\{\left(\dfrac{1}{3} - \dfrac{1}{5}\right) + \left(\dfrac{1}{5} - \dfrac{1}{7}\right) + \cdots + \left(\dfrac{1}{19} - \dfrac{1}{21}\right)\right\}$

$= \dfrac{1}{6} + \dfrac{1}{2}\left(\dfrac{1}{3} - \dfrac{1}{21}\right)$

$= \dfrac{13}{42}$

1591

정답 ③

STEP A 수열의 합과 일반항 사이의 관계를 이용하여 a_n 구하기

$S_n = \sum\limits_{k=1}^{n} a_k = \dfrac{1}{3}n(n+1)(n+2)$이라 하면

$n = 1$일 때, $a_1 = S_1 = \dfrac{1}{3} \cdot 1 \cdot 2 \cdot 3 = 2$

$n \geq 2$일 때, $a_n = S_n - S_{n-1}$

$= \dfrac{1}{3}n(n+1)(n+2) - \dfrac{1}{3}(n-1)n(n+1)$

$= \dfrac{1}{3}n(n+1)\{(n+2) - (n-1)\}$

$= n(n+1)$ ...... ㉠

이때 $a_1 = 2$는 ㉠에 $n = 1$을 대입한 것과 같으므로

수열 $\{a_n\}$의 일반항은 $a_n = n(n+1) (n \geq 1)$

STEP B $\sum\limits_{k=1}^{50} \dfrac{1}{a_k}$의 값 구하기

따라서 $\sum\limits_{k=1}^{50} \dfrac{1}{a_k} = \sum\limits_{k=1}^{50} \dfrac{1}{k(k+1)}$

$= \sum\limits_{k=1}^{50}\left(\dfrac{1}{k} - \dfrac{1}{k+1}\right)$

$= \left(1 - \dfrac{1}{2}\right) + \left(\dfrac{1}{2} - \dfrac{1}{3}\right) + \left(\dfrac{1}{3} - \dfrac{1}{4}\right) + \cdots + \left(\dfrac{1}{50} - \dfrac{1}{51}\right)$

$= 1 - \dfrac{1}{51}$

$= \dfrac{50}{51}$

수열 $\{a_n\}$이 모든 자연수 n에 대하여

$$\sum\limits_{k=1}^{n} a_k = n(n+1)(n+2)$$

를 만족시킬 때, $\sum\limits_{k=1}^{20} \dfrac{1}{a_k}$의 값은?

① $\dfrac{4}{21}$ ② $\dfrac{2}{9}$ ③ $\dfrac{16}{63}$

④ $\dfrac{2}{7}$ ⑤ $\dfrac{20}{63}$

STEP A 수열의 합과 일반항 사이의 관계를 이용하여 a_n 구하기

$S_n = \sum\limits_{k=1}^{n} a_k = n(n+1)(n+2)$라 하면

$n = 1$일 때, $a_1 = S_1 = 1 \cdot 2 \cdot 3 = 6$

$n \geq 2$일 때, $a_n = S_n - S_{n-1}$

$= n(n+1)(n+2) - (n-1)n(n+1)$

$= n(n+1)\{(n+2) - (n-1)\}$

$= 3n(n+1)$ ...... ㉠

이때 $a_1 = 6$은 ㉠에 $n = 1$을 대입한 것과 같으므로

수열 $\{a_n\}$의 일반항은 $a_n = 3n(n+1) (n \geq 1)$

STEP B $\sum\limits_{k=1}^{20} \dfrac{1}{a_k}$의 값 구하기

따라서 $\sum\limits_{k=1}^{20} \dfrac{1}{a_k} = \sum\limits_{k=1}^{20} \dfrac{1}{3k(k+1)}$

$= \dfrac{1}{3}\sum\limits_{k=1}^{20}\left(\dfrac{1}{k} - \dfrac{1}{k+1}\right)$

$= \dfrac{1}{3}\left\{\left(1 - \dfrac{1}{2}\right) + \left(\dfrac{1}{2} - \dfrac{1}{3}\right) + \left(\dfrac{1}{3} - \dfrac{1}{4}\right) + \cdots + \left(\dfrac{1}{20} - \dfrac{1}{21}\right)\right\}$

$= \dfrac{1}{3}\left(1 - \dfrac{1}{21}\right) = \dfrac{20}{63}$

정답 ⑤

1592

정답 ③

STEP A $\sum\limits_{k=1}^{n} ka_k - \sum\limits_{k=1}^{n-1} ka_k = na_n (n \geq 2)$임을 이용하여 a_n 구하기

$S_n = a_1 + 2a_2 + 3a_3 + \cdots + na_n = 100n$이라 하면

$n = 1$일 때, $S_1 = a_1 = 100$

$n \geq 2$일 때, $a_1 + 2a_2 + 3a_3 + \cdots + na_n = 100n$ ...... ㉠

$a_1 + 2a_2 + 3a_3 + \cdots + (n-1)a_{n-1} = 100(n-1)$ ...... ㉡

㉠ - ㉡을 하면 $na_n = 100n - 100(n-1) = 100$

$\therefore a_n = \dfrac{100}{n} (n \geq 2)$

이때 $a_1 = 100$은 $a_n = \dfrac{100}{n}$에 $n = 1$을 대입한 것과 같으므로

수열 $\{a_n\}$의 일반항은 $a_n = \dfrac{100}{n} (n \geq 1)$

STEP B $\sum\limits_{k=1}^{49} \dfrac{a_k}{k+1}$의 값 구하기

따라서 $\sum\limits_{k=1}^{49} \dfrac{a_k}{k+1} = \sum\limits_{k=1}^{49} \dfrac{100}{k(k+1)}$

$= 100 \sum\limits_{k=1}^{49}\left(\dfrac{1}{k} - \dfrac{1}{k+1}\right)$

$= 100\left\{\left(1 - \dfrac{1}{2}\right) + \left(\dfrac{1}{2} - \dfrac{1}{3}\right) + \cdots + \left(\dfrac{1}{49} - \dfrac{1}{50}\right)\right\}$

$= 100\left(1 - \dfrac{1}{50}\right) = 98$

참고 같은 문제 다른 표현

수열 $\{a_n\}$이 $\sum\limits_{k=1}^{n} ka_k = 100n$을 만족할 때, $\sum\limits_{k=1}^{49} \dfrac{a_k}{k+1}$의 값을 구하여라.

1593

정답 ②

STEP ⓐ 수열의 합과 일반항 사이의 관계를 이용하여 a_n 구하기

$S_n = a_1 + 2a_2 + \cdots + na_n = 2n^2 + 3n$에서

$n=1$일 때, $S_1 = a_1 = 5$

$n \geq 2$일 때, $na_n = S_n - S_{n-1}$

$\qquad\qquad = 2n^2 + 3n - \{2(n-1)^2 + 3(n-1)\}$

$\qquad\qquad = 4n+1 \qquad \cdots\cdots \ \bigcirc$

이때 $a_1 = 5$는 $\bigcirc$에 $n=1$을 대입한 것과 같으므로

수열 $\{a_n\}$의 일반항은 $na_n = 4n+1$이므로 $a_n = \dfrac{4n+1}{n}$ $(n \geq 1)$

STEP ⓑ $\displaystyle\sum_{n=1}^{10} \dfrac{2}{a_n - 4}$의 값 구하기

따라서 $\displaystyle\sum_{n=1}^{10} \dfrac{2}{a_n - 4} = \sum_{n=1}^{10} \dfrac{2}{\dfrac{4n+1}{n} - 4} = \sum_{n=1}^{10} 2n$

$\qquad\qquad\qquad = 2\sum_{n=1}^{10} n = 2 \cdot \dfrac{10 \cdot 11}{2} = 110$

> **참고** 같은 문제 다른 표현
>
> 수열 $\{a_n\}$이 $\displaystyle\sum_{k=1}^{n} ka_k = 2n^2 + 3n$을 만족할 때, $\displaystyle\sum_{n=1}^{10} \dfrac{2}{a_n - 4}$의 값을 구하여라.

내/신/연/계/ 출제문항 600

수열 $\{a_n\}$에 대하여

$$\sum_{k=1}^{n} ka_k = n(n+1)(n+2)$$

를 만족시킬 때, $\displaystyle\sum_{k=1}^{10} a_k$의 값은?

① 185 ② 195 ③ 205
④ 215 ⑤ 225

STEP ⓐ 수열의 합과 일반항 사이의 관계를 이용하여 a_n 구하기

$S_n = \displaystyle\sum_{k=1}^{n} ka_k = n(n+1)(n+2)$에서

$n=1$일 때, $S_1 = a_1 = 6$

$n \geq 2$일 때, $na_n = S_n - S_{n-1}$

$\qquad\qquad = n(n+1)(n+2) - (n-1)n(n+1)$

$\qquad\qquad = 3n(n+1) \qquad \cdots\cdots \ \bigcirc$

이때 $a_1 = 6$는 $\bigcirc$에 $n=1$을 대입한 것과 같으므로

수열 $\{a_n\}$의 일반항은 $na_n = 3n(n+1)$이므로 $a_n = 3(n+1)$ $(n \geq 1)$

STEP ⓑ $\displaystyle\sum_{k=1}^{10} a_k$의 값 구하기

따라서 $\displaystyle\sum_{k=1}^{10} a_k = \sum_{k=1}^{10} 3(k+1) = 3\sum_{k=1}^{10} k + \sum_{k=1}^{10} 3$

$\qquad\qquad = 3 \cdot \dfrac{10 \cdot 11}{2} + 3 \cdot 10 = 195$

정답 ②

1594

정답 ③

STEP ⓐ 수열의 합과 일반항 사이의 관계를 이용하여 a_n 구하기

$S_n = \displaystyle\sum_{k=1}^{n} ka_k = \dfrac{n^2(n+1)}{2}$라 하면

$n=1$일 때, $S_1 = 1 \cdot a_1 = \dfrac{1 \cdot 2}{2}$ $\therefore a_1 = 1$

$n \geq 2$일 때, $na_n = S_n - S_{n-1}$

$\qquad\qquad = \dfrac{n^2(n+1)}{2} - \dfrac{n(n-1)^2}{2}$

$\qquad\qquad = \dfrac{n(3n-1)}{2} \qquad \cdots\cdots \ \bigcirc$

이때 $a_1 = 1$은 $\bigcirc$에 $n=1$을 대입한 것과 같으므로

수열 $\{a_n\}$의 일반항은 $na_n = \dfrac{n(3n-1)}{2}$ $(n \geq 1)$

STEP ⓑ a_{15}의 값 구하기

따라서 $a_n = \dfrac{3n-1}{2}$이므로 $a_{15} = 22$

> **다른풀이** $15a_{15} = \displaystyle\sum_{k=1}^{15} ka_k - \sum_{k=1}^{14} ka_k$을 이용하여 구하기
>
> $15a_{15} = \displaystyle\sum_{k=1}^{15} ka_k - \sum_{k=1}^{14} ka_k$
>
> $15a_{15} = \dfrac{15^2 \cdot 16}{2} - \dfrac{14^2 \cdot 15}{2} = \dfrac{15(15 \cdot 16 - 14 \cdot 14)}{2} = 15 \cdot 22$
>
> 따라서 $a_{15} = 22$

내/신/연/계/ 출제문항 601

수열 $\{a_n\}$에 대하여

$$\sum_{k=1}^{n} (2k-1)a_k = n(n+1)(4n-1)$$

일 때, a_{20}의 값은?

① 110 ② 120 ③ 140
④ 160 ⑤ 180

STEP ⓐ 수열의 합과 일반항 사이의 관계를 이용하여 a_n 구하기

$S_n = \displaystyle\sum_{k=1}^{n} (2k-1)a_k = n(n+1)(4n-1)$이라 하면

$n=1$일 때, $S_1 = 1 \cdot a_1 = 1 \cdot 2 \cdot 3$ $\therefore a_1 = 6$

$n \geq 2$일 때, $(2n-1)a_n = S_n - S_{n-1}$

$\qquad\qquad = n(n+1)(4n-1) - (n-1)n(4n-5)$

$\qquad\qquad = n(12n-6)$

$\qquad\qquad = 6n(2n-1) \qquad \cdots\cdots \ \bigcirc$

이때 $a_1 = 6$는 $\bigcirc$에 $n=1$을 대입한 것과 같으므로

수열 $\{a_n\}$의 일반항은 $(2n-1)a_n = 6n(2n-1)$이므로 $a_n = 6n$

STEP ⓑ a_{20}의 값 구하기

따라서 $a_n = 6n$이므로 $a_{20} = 120$

정답 ②

> **주의** $S_{20} - S_{19} = 39a_{20}$을 이용하면
>
> $39a_{20} = 20 \cdot 21 \cdot 79 - 19 \cdot 20 \cdot 75$을 계산하면 되지만 복잡하다.

1595

정답 ④

STEP Ⓐ **수열의 합과 일반항 사이의 관계를 이용하여 a_n 구하기**

$S_n = \sum_{k=1}^{n} \dfrac{a_k}{k+1} = n^2 + n$ 라 하면

$n=1$일 때, $S_1 = \dfrac{a_1}{2} = 2$ $\therefore a_1 = 4$

$n \geq 2$일 때, $\dfrac{a_n}{n+1} = S_n - S_{n-1}$

$\qquad\qquad\qquad = (n^2+n) - \{(n-1)^2 + (n-1)\}$

$\qquad\qquad\qquad = 2n \qquad\qquad \cdots\cdots \unicode{0x1F150}$

이때 $a_1 = 4$는 $\unicode{0x1F150}$에 $n=1$을 대입한 것과 같으므로

수열 $\{a_n\}$의 일반항은 $\dfrac{a_n}{n+1} = 2n$이므로 $a_n = 2n(n+1)\,(n \geq 1)$

STEP Ⓑ $\sum_{k=1}^{12} \dfrac{1}{a_k}$ **의 값 구하기**

따라서 $\sum_{k=1}^{12} \dfrac{1}{a_k} = \sum_{k=1}^{12} \dfrac{1}{2k(k+1)} = \sum_{k=1}^{12} \dfrac{1}{2}\left(\dfrac{1}{k} - \dfrac{1}{k+1}\right)$

$\qquad = \dfrac{1}{2}\left\{\left(\dfrac{1}{1} - \dfrac{1}{2}\right) + \left(\dfrac{1}{2} - \dfrac{1}{3}\right) + \cdots + \left(\dfrac{1}{12} - \dfrac{1}{13}\right)\right\}$

$\qquad = \dfrac{1}{2}\left(1 - \dfrac{1}{13}\right) = \dfrac{6}{13}$

1596

정답 ④

STEP Ⓐ **수열의 합과 일반항 사이의 관계를 이용하여 a_n 구하기**

$S_n = \sum_{k=1}^{n} k^2 a_k = n^2 + n$ 라 하면

$n=1$일 때, $S_1 = 1^2 \cdot a_1 = 2$ $\therefore a_1 = 2$

$n \geq 2$일 때, $n^2 a_n = S_n - S_{n-1}$

$\qquad\qquad\qquad = (n^2+n) - \{(n-1)^2 + (n-1)\}$

$\qquad\qquad\qquad = 2n \qquad\qquad \cdots\cdots \unicode{0x1F150}$

이때 $a_1 = 2$는 $\unicode{0x1F150}$에 $n=1$을 대입한 것과 같으므로

수열 $\{a_n\}$의 일반항은 $n^2 a_n = 2n$이므로 $a_n = \dfrac{2}{n}$

STEP Ⓑ $\sum_{k=1}^{10} \dfrac{a_k}{k+1}$ **의 값 구하기**

따라서 $\sum_{k=1}^{10} \dfrac{a_k}{k+1} = \sum_{k=1}^{10} \dfrac{2}{k(k+1)} = \sum_{k=1}^{10} 2\left(\dfrac{1}{k} - \dfrac{1}{k+1}\right)$

$\qquad = 2\left\{\left(\dfrac{1}{1} - \dfrac{1}{2}\right) + \left(\dfrac{1}{2} - \dfrac{1}{3}\right) + \cdots + \left(\dfrac{1}{10} - \dfrac{1}{11}\right)\right\}$

$\qquad = 2\left(1 - \dfrac{1}{11}\right) = \dfrac{20}{11}$

1597

정답 ④

STEP Ⓐ **수열의 합과 일반항 사이의 관계를 이용하여 a_n 구하기**

$S_n = \sum_{k=1}^{n}(ka_k - 6k^2 + 2) = 3n^2 + 5n$ 이라 하면

$n=1$일 때, $S_1 = a_1 - 6 + 2 = 8$ $\therefore a_1 = 12$

$n \geq 2$일 때, $na_n - 6n^2 + 2 = S_n - S_{n-1}$

$\qquad\qquad\qquad = 3n^2 + 5n - \{3(n-1)^2 + 5(n-1)\}$

$\qquad\qquad\qquad = 6n + 2$

$na_n = 6n + 2 + 6n^2 - 2 = 6n(n+1) \qquad \cdots\cdots \unicode{0x1F150}$

이때 $a_1 = 12$는 $\unicode{0x1F150}$에 $n=1$을 대입한 것과 같으므로

수열 $\{a_n\}$의 일반항은 $na_n = 6n(n+1)$이므로 $a_n = 6n + 6\,(n \geq 1)$

STEP Ⓑ $\sum_{n=1}^{10} a_n$ **의 값 구하기**

따라서 $\sum_{n=1}^{10} a_n = \sum_{n=1}^{10}(6n+6) = 6\sum_{n=1}^{10}(n+1)$

$\qquad = 6\left(\dfrac{10 \cdot 11}{2} + 10\right) = 390$

1598

정답 ②

STEP Ⓐ **등차수열의 일반항을 이용하여 수열의 합 b_n을 구하기**

등차수열 $\{a_n\}$의 공차를 d라 하면 $a_n = 1 + (n-1)d$

$b_n = \sum_{k=1}^{n} k\{1 + (k-1)d\}$

$\quad = \sum_{k=1}^{n}\{dk^2 + (1-d)k\}$

$\quad = d\sum_{k=1}^{n} k^2 + (1-d)\sum_{k=1}^{n} k$

$\quad = \dfrac{dn(n+1)(2n+1)}{6} + \dfrac{(1-d)n(n+1)}{2}$

$\quad = \dfrac{n(n+1)}{6}\{d(2n+1) + 3(1-d)\}$

$\quad = \dfrac{n(n+1)}{6} \cdot (2dn - 2d + 3) \qquad \cdots\cdots \unicode{0x1F150}$

STEP Ⓑ $b_{10} = 715$**를 이용하여 공차 구하기**

$b_{10} = 715$이므로 $\unicode{0x1F150}$에서 $\dfrac{10 \cdot 11}{6} \cdot (20d - 2d + 3) = 715$

$18d + 3 = 39,\ 18d = 36$

$\therefore d = 2$

STEP Ⓒ $\sum_{n=1}^{10} \dfrac{b_n}{n(n+1)}$ **의 값 구하기**

$d=2$을 $\unicode{0x1F150}$에 대입하면

$b_n = \dfrac{n(n+1)}{6} \cdot (2 \cdot 2 \cdot n - 2 \cdot 2 + 3) = \dfrac{n(n+1)}{6} \cdot (4n-1)$

$\dfrac{b_n}{n(n+1)} = \dfrac{1}{6}(4n-1)$

따라서 $\sum_{n=1}^{10} \dfrac{b_n}{n(n+1)} = \sum_{n=1}^{10} \dfrac{1}{6}(4n-1)$

$\qquad = \dfrac{1}{6}\left(4 \cdot \dfrac{10 \cdot 11}{2} - 10\right)$

$\qquad = \dfrac{1}{6}(220 - 10)$

$\qquad = 35$

다른풀이 등차수열의 일반항을 구하여 등차수열의 합 공식으로 풀이하기

STEP Ⓐ **등차수열의 일반항을 이용하여 수열의 합 b_n을 구하기**

등차수열 $\{a_n\}$의 공차를 d라 하면 $a_n = 1 + (n-1)d$이므로

$b_n = \sum_{k=1}^{n} k\{1 + (k-1)d\} = \sum_{k=1}^{n}\{dk^2 + (1-d)k\}$

$\qquad = d\sum_{k=1}^{n} k^2 + (1-d)\sum_{k=1}^{n} k$

$\qquad = \dfrac{dn(n+1)(2n+1)}{6} + \dfrac{(1-d)n(n+1)}{2}$

$\qquad = \dfrac{n(n+1)}{6} \cdot \{d(2n+1) + 3(1-d)\}$

$\qquad = \dfrac{n(n+1)}{6} \cdot (2dn - 2d + 3)$

STEP Ⓑ **등차수열 $\left\{\dfrac{b_n}{n(n+1)}\right\}$의 일반항 구하기**

$\dfrac{b_n}{n(n+1)} = \dfrac{3 - 2d + 2dn}{6} = \dfrac{1}{2} + (n-1)\dfrac{d}{3}$ 이므로

수열 $\left\{\dfrac{b_n}{n(n+1)}\right\}$은 첫째항이 $\dfrac{1}{2}$이고 공차가 $\dfrac{d}{3}$인 등차수열이다.

STEP Ⓒ **등차수열의 합을 이용하여 구하기**

$b_{10} = 715$이므로 수열 $\left\{\dfrac{b_n}{n(n+1)}\right\}$의 제 10항은 $\dfrac{b_{10}}{10 \cdot 11} = \dfrac{715}{10 \cdot 11} = \dfrac{13}{2}$

따라서 $\sum_{n=1}^{10} \dfrac{b_n}{n(n+1)} = \dfrac{10 \cdot \left(\dfrac{1}{2} + \dfrac{13}{2}\right)}{2}$ ← 첫째항과 끝항이 주어진 등차수열의 합

$\qquad\qquad = \dfrac{10 \cdot 7}{2} = 35$

내/신/연/계/ 출제문항 602

첫째항이 2, 공차가 4인 등차수열 $\{a_n\}$에 대하여

$$\sum_{k=1}^{n} a_k b_k = 4n^3 + 3n^2 - n$$

일 때, b_5의 값은?

① 12   ② 15   ③ 17
④ 19   ⑤ 21

STEP Ⓐ **등차수열 $\{a_n\}$의 일반항 구하기**

등차수열 $\{a_n\}$의 첫째항이 2, 공차가 4이므로
일반항 $a_n = 2 + (n-1)4 = 4n - 2$, $a_5 = 18$

STEP Ⓑ **수열의 합과 일반항 사이의 관계를 이용하여 $a_5 b_5$ 구하기**

$a_5 b_5 = \sum_{k=1}^{5} a_k b_k - \sum_{k=1}^{4} a_k b_k$
$= (4 \cdot 5^3 + 3 \cdot 5^2 - 5) - (4 \cdot 4^3 + 3 \cdot 4^2 - 5)$
$= 270$

따라서 $18 b_5 = 270$에서 $b_5 = \dfrac{270}{18} = 15$ 정답 ②

1599 정답 ⑤

STEP Ⓐ **이차방정식의 근과 계수 관계에서 두 근의 합과 곱 구하기**

이차방정식 $x^2 + 3x - n(n+1) = 0$의 두 근을 α_n, β_n이므로
근과 계수의 관계에 의하여
$\alpha_n + \beta_n = -3$, $\alpha_n \beta_n = -n(n+1)$이므로
$\dfrac{1}{\alpha_n} + \dfrac{1}{\beta_n} = \dfrac{\alpha_n + \beta_n}{\alpha_n \beta_n} = \dfrac{-3}{-n(n+1)} = 3\left(\dfrac{1}{n} - \dfrac{1}{n+1}\right)$

STEP Ⓑ **$\sum_{n=1}^{10}\left(\dfrac{1}{\alpha_n} + \dfrac{1}{\beta_n}\right)$의 값 구하기**

따라서 $\sum_{n=1}^{10}\left(\dfrac{1}{\alpha_n} + \dfrac{1}{\beta_n}\right) = 3\sum_{n=1}^{10}\left(\dfrac{1}{n} - \dfrac{1}{n+1}\right)$
$= 3\left\{\left(1 - \dfrac{1}{2}\right) + \left(\dfrac{1}{2} - \dfrac{1}{3}\right) + \cdots + \left(\dfrac{1}{10} - \dfrac{1}{11}\right)\right\}$
$= 3\left(1 - \dfrac{1}{11}\right) = \dfrac{30}{11}$

1600 정답 ③

STEP Ⓐ **이차방정식의 근과 계수 관계에서 두 근의 합과 곱 구하기**

이차방정식 $x^2 - 42x + n(n+1) = 0$의 두 근 α_n, β_n이므로
근과 계수의 관계에 의하여 $\alpha_n + \beta_n = 42$, $\alpha_n \beta_n = n(n+1)$

STEP Ⓑ **$\sum_{n=1}^{m}\left(\dfrac{1}{\alpha_n} + \dfrac{1}{\beta_n}\right) = 39$을 만족하는 자연수 m 구하기**

$\sum_{n=1}^{m}\left(\dfrac{1}{\alpha_n} + \dfrac{1}{\beta_n}\right) = \sum_{n=1}^{m}\dfrac{\alpha_n + \beta_n}{\alpha_n \beta_n}$
$= \sum_{n=1}^{m}\dfrac{42}{n(n+1)}$
$= 42\sum_{n=1}^{m}\left(\dfrac{1}{n} - \dfrac{1}{n+1}\right)$
$= 42\left\{\left(1 - \dfrac{1}{2}\right) + \left(\dfrac{1}{2} - \dfrac{1}{3}\right) + \left(\dfrac{1}{3} - \dfrac{1}{4}\right) + \cdots + \left(\dfrac{1}{m} - \dfrac{1}{m+1}\right)\right\}$
$= 42\left(1 - \dfrac{1}{m+1}\right)$

즉 $42\left(1 - \dfrac{1}{m+1}\right) = 39$에서 $1 - \dfrac{1}{m+1} = \dfrac{13}{14}$, $\dfrac{1}{m+1} = \dfrac{1}{14}$
따라서 $m = 13$

1601 정답 ③

STEP Ⓐ **이차방정식의 근과 계수 관계에서 두 근의 합과 곱 구하기**

이차방정식 $nx^2 - x + n(n+1) = 0$의 두 근 α_n, β_n이므로
근과 계수의 관계에 의하여 $\alpha_n + \beta_n = \dfrac{1}{n}$, $\alpha_n \beta_n = n+1$

STEP Ⓑ **$\sum_{k=1}^{10}\left(\dfrac{1}{\alpha_k} + \dfrac{1}{\beta_k}\right)$의 값 구하기**

따라서 $\sum_{k=1}^{10}\left(\dfrac{1}{\alpha_k} + \dfrac{1}{\beta_k}\right) = \sum_{k=1}^{10}\dfrac{\alpha_k + \beta_k}{\alpha_k \beta_k} = \sum_{k=1}^{10}\dfrac{1}{k(k+1)}$
$= \sum_{k=1}^{10}\left(\dfrac{1}{k} - \dfrac{1}{k+1}\right)$
$= \left(1 - \dfrac{1}{2}\right) + \left(\dfrac{1}{2} - \dfrac{1}{3}\right) + \cdots + \left(\dfrac{1}{10} - \dfrac{1}{11}\right)$
$= 1 - \dfrac{1}{11} = \dfrac{10}{11}$

내/신/연/계/ 출제문항 603

x에 대한 이차방정식

$$nx^2 - x - n(n+1) = 0 \ (n = 1, 2, 3, \cdots)$$

의 두 근을 α_n, β_n이라고 할 때, $\sum_{n=1}^{20}\left(\dfrac{1}{\alpha_n} + \dfrac{1}{\beta_n}\right)$의 값은?

① $-\dfrac{20}{21}$ ② $-\dfrac{10}{21}$ ③ $-\dfrac{13}{20}$
④ $-\dfrac{17}{21}$ ⑤ $-\dfrac{11}{20}$

STEP Ⓐ **이차방정식의 근과 계수 관계에서 두 근의 합과 곱 구하기**

이차방정식 $nx^2 - x - n(n+1) = 0$의 두 근 α_n, β_n이므로
근과 계수의 관계에 의하여 $\alpha_n + \beta_n = \dfrac{1}{n}$, $\alpha_n \beta_n = -(n+1)$

STEP Ⓑ **$\sum_{n=1}^{20}\left(\dfrac{1}{\alpha_n} + \dfrac{1}{\beta_n}\right)$의 값 구하기**

$\sum_{n=1}^{20}\left(\dfrac{1}{\alpha_n} + \dfrac{1}{\beta_n}\right) = \sum_{n=1}^{20}\dfrac{\alpha_n + \beta_n}{\alpha_n \beta_n} = \sum_{n=1}^{20}\left\{-\dfrac{1}{n(n+1)}\right\}$
$= -\sum_{n=1}^{20}\left(\dfrac{1}{n} - \dfrac{1}{n+1}\right)$
$= -\left\{\left(1 - \dfrac{1}{2}\right) + \left(\dfrac{1}{2} - \dfrac{1}{3}\right) + \cdots + \left(\dfrac{1}{20} - \dfrac{1}{21}\right)\right\}$
$= -\left(1 - \dfrac{1}{21}\right) = -\dfrac{20}{21}$ 정답 ①

1602 정답 ④

STEP Ⓐ **이차방정식의 근과 계수 관계에서 두 근의 합과 곱 구하기**

이차방정식 $x^2 + 4x - (2n-1)(2n+1) = 0$의 두 근 α_n, β_n이므로
근과 계수의 관계에서 $\alpha_n + \beta_n = -4$, $\alpha_n \beta_n = -(2n-1)(2n+1)$

STEP Ⓑ **$\sum_{n=1}^{10}\left(\dfrac{1}{\alpha_n} + \dfrac{1}{\beta_n}\right)$의 값 구하기**

따라서 $\sum_{n=1}^{10}\left(\dfrac{1}{\alpha_n} + \dfrac{1}{\beta_n}\right) = \sum_{n=1}^{10}\dfrac{\alpha_n + \beta_n}{\alpha_n \beta_n} = \sum_{n=1}^{10}\dfrac{-4}{-(2n-1)(2n+1)}$
$= 4\sum_{n=1}^{10}\dfrac{1}{2}\left(\dfrac{1}{2n-1} - \dfrac{1}{2n+1}\right)$
$= 2\sum_{n=1}^{10}\left(\dfrac{1}{2n-1} - \dfrac{1}{2n+1}\right)$
$= 2\left\{\left(1 - \dfrac{1}{3}\right) + \left(\dfrac{1}{3} - \dfrac{1}{5}\right) + \cdots + \left(\dfrac{1}{19} - \dfrac{1}{21}\right)\right\}$
$= 2\left(1 - \dfrac{1}{21}\right) = \dfrac{40}{21}$

x에 대한 이차방정식

$$x^2-2x+(4n^2-1)=0 \text{ (단, } n\text{은 자연수)}$$

의 두 근을 α_n, β_n이라고 할 때, $\sum\limits_{n=1}^{10}\left(\dfrac{1}{\alpha_n}+\dfrac{1}{\beta_n}\right)$의 값은?

① $\dfrac{11}{20}$ ② $\dfrac{10}{21}$ ③ $\dfrac{17}{20}$

④ $\dfrac{17}{21}$ ⑤ $\dfrac{20}{21}$

STEP Ⓐ 이차방정식의 근과 계수 관계에서 두 근의 합과 곱 구하기

이차방정식 $x^2-2x+(4n^2-1)=0$의 두 근 α_n, β_n이므로
근과 계수의 관계에 의하여

$$\alpha_n+\beta_n=2, \ \alpha_n\beta_n=(4n^2-1)=(2n-1)(2n+1)$$

STEP Ⓑ $\sum\limits_{n=1}^{10}\left(\dfrac{1}{\alpha_n}+\dfrac{1}{\beta_n}\right)$의 값 구하기

따라서 $\sum\limits_{n=1}^{10}\left(\dfrac{1}{\alpha_n}+\dfrac{1}{\beta_n}\right)=\sum\limits_{n=1}^{10}\dfrac{\alpha_n+\beta_n}{\alpha_n\beta_n}=\sum\limits_{n=1}^{10}\dfrac{2}{(2n-1)(2n+1)}$

$=\sum\limits_{n=1}^{10}\left(\dfrac{1}{2n-1}-\dfrac{1}{2n+1}\right)$

$=\left(1-\dfrac{1}{3}\right)+\left(\dfrac{1}{3}-\dfrac{1}{5}\right)+\cdots+\left(\dfrac{1}{19}-\dfrac{1}{21}\right)$

$=1-\dfrac{1}{21}=\dfrac{20}{21}$ 정답 ⑤

1603   정답 ②

STEP Ⓐ 이차방정식의 근과 계수 관계에서 두 근의 합과 곱 구하기

이차방정식 $x^2-6x+(2n+1)(2n+3)=0$의 두 근 α_n, β_n이므로
근과 계수의 관계에 의하여 $\alpha_n+\beta_n=6, \ \alpha_n\beta_n=(2n+1)(2n+3)$

STEP Ⓑ $\sum\limits_{n=1}^{10}\left(\dfrac{1}{\alpha_n}+\dfrac{1}{\beta_n}\right)$의 값 구하기

따라서 $\sum\limits_{n=1}^{10}\left(\dfrac{1}{\alpha_n}+\dfrac{1}{\beta_n}\right)=\sum\limits_{n=1}^{10}\dfrac{\alpha_n+\beta_n}{\alpha_n\beta_n}$

$=\sum\limits_{n=1}^{10}\dfrac{6}{(2n+1)(2n+3)}$

$=\sum\limits_{n=1}^{10}3\left(\dfrac{1}{2n+1}-\dfrac{1}{2n+3}\right)$

$=3\left\{\left(\dfrac{1}{3}-\dfrac{1}{5}\right)+\left(\dfrac{1}{5}-\dfrac{1}{7}\right)+\cdots+\left(\dfrac{1}{21}-\dfrac{1}{23}\right)\right\}$

$=3\left(\dfrac{1}{3}-\dfrac{1}{23}\right)=\dfrac{20}{23}$

x에 대한 이차방정식

$$x^2-x+9n^2+3n-2=0 \ (n=1,\ 2,\ 3,\ \cdots)$$

의 두 근을 α_n, β_n이라고 할 때, $\sum\limits_{n=1}^{10}\left(\dfrac{1}{\alpha_n}+\dfrac{1}{\beta_n}\right)$의 값은?

① $\dfrac{5}{32}$ ② $\dfrac{3}{16}$ ③ $\dfrac{5}{16}$

④ $\dfrac{15}{32}$ ⑤ $\dfrac{15}{16}$

STEP Ⓐ 이차방정식의 근과 계수 관계에서 두 근의 합과 곱 구하기

이차방정식 $x^2-x+9n^2+3n-2=0$의 두 근 α_n, β_n이므로
근과 계수의 관계에 의하여

$$\alpha_n+\beta_n=1, \ \alpha_n\beta_n=9n^2+3n-2=(3n-1)(3n+2)$$

STEP Ⓑ $\sum\limits_{n=1}^{10}\left(\dfrac{1}{\alpha_n}+\dfrac{1}{\beta_n}\right)$의 값 구하기

따라서 $\sum\limits_{n=1}^{10}\left(\dfrac{1}{\alpha_n}+\dfrac{1}{\beta_n}\right)=\sum\limits_{n=1}^{10}\dfrac{\alpha_n+\beta_n}{\alpha_n\beta_n}=\sum\limits_{n=1}^{10}\dfrac{1}{(3n-1)(3n+2)}$

$=\dfrac{1}{3}\sum\limits_{n=1}^{10}\left(\dfrac{1}{3n-1}-\dfrac{1}{3n+2}\right)$

$=\dfrac{1}{3}\left\{\left(\dfrac{1}{2}-\dfrac{1}{5}\right)+\left(\dfrac{1}{5}-\dfrac{1}{8}\right)+\cdots+\left(\dfrac{1}{29}-\dfrac{1}{32}\right)\right\}$

$=\dfrac{1}{3}\left(\dfrac{1}{2}-\dfrac{1}{32}\right)=\dfrac{5}{32}$ 정답 ①

1604   정답 ④

STEP Ⓐ 이차방정식의 근과 계수 관계에서 두 근의 합과 곱 구하기

이차방정식 $x^2+2x-n^2+1=0$의 두 근을 α_n, β_n이므로
근과 계수의 관계에 의하여

$\alpha_n+\beta_n=-2, \ \alpha_n\beta_n=-(n^2-1)$이므로

$\dfrac{1}{\alpha_n}+\dfrac{1}{\beta_n}=\dfrac{\alpha_n+\beta_n}{\alpha_n\beta_n}=\dfrac{-2}{-(n^2-1)}=\dfrac{2}{(n-1)(n+1)}=\left(\dfrac{1}{n-1}-\dfrac{1}{n+1}\right)$

STEP Ⓑ $\sum\limits_{k=2}^{10}\left(\dfrac{1}{\alpha_k}+\dfrac{1}{\beta_k}\right)$의 값 구하기

$\sum\limits_{k=2}^{10}\left(\dfrac{1}{\alpha_k}+\dfrac{1}{\beta_k}\right)$

$=\sum\limits_{k=2}^{10}\left(\dfrac{1}{k-1}-\dfrac{1}{k+1}\right)$

$=\left(1-\dfrac{1}{3}\right)+\left(\dfrac{1}{2}-\dfrac{1}{4}\right)+\left(\dfrac{1}{3}-\dfrac{1}{5}\right)+\cdots+\left(\dfrac{1}{8}-\dfrac{1}{10}\right)+\left(\dfrac{1}{9}-\dfrac{1}{11}\right)$

$=1+\dfrac{1}{2}-\left(\dfrac{1}{10}+\dfrac{1}{11}\right)=\dfrac{72}{55}$

x에 대한 이차방정식

$$x^2-4x+n(n+2)=0$$

의 두 근 α_n, β_n에 대하여 $\sum\limits_{n=1}^{9}\left(\dfrac{1}{\alpha_n}+\dfrac{1}{\beta_n}\right)$의 값은? (단, n은 자연수)

① $\dfrac{37}{55}$ ② $\dfrac{72}{55}$ ③ $\dfrac{144}{55}$

④ $\dfrac{204}{55}$ ⑤ $\dfrac{238}{55}$

STEP Ⓐ 이차방정식의 근과 계수 관계에서 두 근의 합과 곱 구하기

이차방정식 $x^2-4x+n(n+2)=0$의 두 근을 α_n, β_n이라 할 때,
근과 계수의 관계에 의하여

$\alpha_n+\beta_n=4, \ \alpha_n\beta_n=n(n+2)$이므로

$\dfrac{1}{\alpha_n}+\dfrac{1}{\beta_n}=\dfrac{\alpha_n+\beta_n}{\alpha_n\beta_n}=\dfrac{4}{n(n+2)}=2\left(\dfrac{1}{n}-\dfrac{1}{n+2}\right)$

STEP Ⓑ $\sum\limits_{n=1}^{9}\left(\dfrac{1}{\alpha_n}+\dfrac{1}{\beta_n}\right)$의 값 구하기

$\sum\limits_{n=1}^{9}\left(\dfrac{1}{\alpha_n}+\dfrac{1}{\beta_n}\right)$

$=2\sum\limits_{n=1}^{9}\left(\dfrac{1}{n}-\dfrac{1}{n+2}\right)$

$=2\left\{\left(1-\dfrac{1}{3}\right)+\left(\dfrac{1}{2}-\dfrac{1}{4}\right)+\left(\dfrac{1}{3}-\dfrac{1}{5}\right)+\cdots+\left(\dfrac{1}{8}-\dfrac{1}{10}\right)+\left(\dfrac{1}{9}-\dfrac{1}{11}\right)\right\}$

$=2\left\{\dfrac{1}{1}+\dfrac{1}{2}-\left(\dfrac{1}{10}+\dfrac{1}{11}\right)\right\}=\dfrac{144}{55}$ 정답 ③

1605

STEP Ⓐ **나머지 정리를 이용하여 a_n 구하기**

다항식 $x^3+(1-n)x^2+n$을 $x-n$으로 나눈 나머지를 a_n이므로
나머지 정리에 의하여
$$a_n=n^3+(1-n)n^2+n=n(n+1)$$

STEP Ⓑ **$\sum\limits_{n=1}^{10}\dfrac{1}{a_n}$의 값 구하기**

따라서 $\displaystyle\sum_{n=1}^{10}\frac{1}{n(n+1)}=\sum_{n=1}^{10}\left(\frac{1}{n}-\frac{1}{n+1}\right)$
$$=\left(1-\frac{1}{2}\right)+\left(\frac{1}{2}-\frac{1}{3}\right)+\cdots+\left(\frac{1}{10}-\frac{1}{11}\right)$$
$$=1-\frac{1}{11}=\frac{10}{11}$$

내/신/연/계 출제문항 607

모든 자연수 n에 대하여 x의 다항식 $2x^2-(n-2)x-n$을 $x-n$으로
나누었을 때의 나머지를 a_n이라 할 때, $\sum\limits_{k=1}^{15}\dfrac{1}{a_k}$의 값은?

① $\dfrac{7}{10}$ ② $\dfrac{4}{5}$ ③ $\dfrac{11}{10}$

④ $\dfrac{15}{16}$ ⑤ $\dfrac{17}{16}$

STEP Ⓐ **나머지 정리를 이용하여 a_n 구하기**

$2x^2-(n-2)x-n$을 $x-n$으로 나누었을 때의 나머지가 a_n이므로
나머지 정리에 의하여
$$a_n=2n^2-(n-2)n-n=n(n+1)$$

STEP Ⓑ **$\sum\limits_{k=1}^{15}\dfrac{1}{a_k}$의 값 구하기**

따라서 $\displaystyle\sum_{k=1}^{15}\frac{1}{a_k}=\sum_{k=1}^{15}\frac{1}{k(k+1)}=\sum_{k=1}^{15}\left(\frac{1}{k}-\frac{1}{k+1}\right)$
$$=\left(\frac{1}{1}-\frac{1}{2}\right)+\left(\frac{1}{10}-\frac{1}{11}\right)+\cdots+\left(\frac{1}{15}-\frac{1}{16}\right)$$
$$=1-\frac{1}{16}=\frac{15}{16}$$

정답 ④

1606

정답 ④

STEP Ⓐ **두 함수의 그래프의 두 교점의 x좌표를 각각 구하기**

두 함수 $f(x)=x^2-(n+1)x+n^2$, $g(x)=n(x-1)$의
그래프의 두 교점의 x좌표는
$$x^2-(n+1)x+n^2=nx-n, \quad x^2-(2n+1)x+n(n+1)=0$$
$$(x-n)(x-(n+1))=0$$
$$\therefore x=n \text{ 또는 } n+1$$

STEP Ⓑ **부분분수로 분해하여 축차 대입하여 구하기**

따라서 $a_nb_n=n(n+1)$이므로
$$\sum_{n=1}^{19}\frac{100}{a_nb_n}=\sum_{n=1}^{19}\frac{100}{n(n+1)}$$
$$=100\sum_{n=1}^{19}\left(\frac{1}{n}-\frac{1}{n+1}\right)$$
$$=100\left\{\left(\frac{1}{1}-\frac{1}{2}\right)+\left(\frac{1}{2}-\frac{1}{3}\right)+\cdots+\left(\frac{1}{19}-\frac{1}{20}\right)\right\}$$
$$=100\left(1-\frac{1}{20}\right)=95$$

1607

정답 ②

STEP Ⓐ **조건을 만족하는 자연수 k 구하기**

부등식 $f(n)<k<f(n)+1\ (n=1,\ 2,\ 3,\ \cdots)$에서
$$n^2+n-\frac{1}{3}<k<n^2+n+\frac{2}{3} \quad\cdots\cdots \text{㉠}$$
부등식 ㉠을 만족시키는 자연수 k는 n^2+n이므로 $a_n=n^2+n$

STEP Ⓑ **$\sum\limits_{n=1}^{100}\dfrac{1}{a_n}$의 값 구하기**

$\displaystyle\sum_{n=1}^{100}\frac{1}{a_n}=\sum_{n=1}^{100}\frac{1}{n^2+n}=\sum_{n=1}^{100}\frac{1}{n(n+1)}$
$$=\sum_{n=1}^{100}\left(\frac{1}{n}-\frac{1}{n+1}\right)$$
$$=\left(\frac{1}{1}-\frac{1}{2}\right)+\left(\frac{1}{2}-\frac{1}{3}\right)+\cdots+\left(\frac{1}{100}-\frac{1}{101}\right)$$
$$=1-\frac{1}{101}=\frac{100}{101}$$
따라서 $p+q=101+100=201$

1608

정답 ③

STEP Ⓐ **삼각형 $P_nA_nB_n$의 넓이 a_n 구하기**

점 P_n의 좌표는 $(n,\ n(n+2))$이므로
삼각형 $P_nA_nB_n$에서 밑변의 길이는
$\overline{A_nB_n}=n-(n-1)=1$이고 높이는
$n(n+2)$이다.
$$a_n=\frac{1}{2}\cdot1\cdot n(n+2)=\frac{n(n+2)}{2}$$

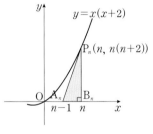

STEP Ⓑ **부분분수로 분해하여 축차 대입하여 구하기**

$\displaystyle\sum_{k=1}^{9}\frac{1}{a_k}=\sum_{k=1}^{9}\frac{2}{k(k+2)}$
$$=\sum_{k=1}^{9}\left(\frac{1}{k}-\frac{1}{k+2}\right)$$
$$=\left(1-\frac{1}{3}\right)+\left(\frac{1}{2}-\frac{1}{4}\right)+\left(\frac{1}{3}-\frac{1}{5}\right)\cdots+\left(\frac{1}{8}-\frac{1}{10}\right)+\left(\frac{1}{9}-\frac{1}{11}\right)$$
$$=1+\frac{1}{2}-\frac{1}{10}-\frac{1}{11}=\frac{72}{55}$$

1609

정답 ②

STEP Ⓐ **두 원의 중심 사이의 거리 a_n 구하기**

두 원 $(x-2n)^2+(y+4)^2=2$, $x^2+(y-2n)^2=3$의 중심의 좌표는
각각 $(2n,\ -4)$, $(0,\ 2n)$이므로 두 원의 중심 사이의 거리 a_n은
$$a_n=\sqrt{(0-2n)^2+(2n+4)^2}=\sqrt{8n^2+16n+16}$$

STEP Ⓑ **부분분수로 분해하여 축차 대입하여 구하기**

$\displaystyle\sum_{k=1}^{8}\frac{8}{(a_k)^2-16}=\sum_{k=1}^{8}\frac{8}{(8k^2+16k+16)-16}=\sum_{k=1}^{8}\frac{8}{8k^2+16k}$
$$=\sum_{k=1}^{8}\frac{1}{k(k+2)}=\frac{1}{2}\sum_{k=1}^{8}\left(\frac{1}{k}-\frac{1}{k+2}\right)$$
$$=\frac{1}{2}\left\{\left(1-\frac{1}{3}\right)+\left(\frac{1}{2}-\frac{1}{4}\right)+\left(\frac{1}{3}-\frac{1}{5}\right)+\cdots\right.$$
$$\left.+\left(\frac{1}{7}-\frac{1}{9}\right)+\left(\frac{1}{8}-\frac{1}{10}\right)\right\}$$
$$=\frac{1}{2}\left(1+\frac{1}{2}-\frac{1}{9}-\frac{1}{10}\right)=\frac{29}{45}$$
따라서 $p=45$, $q=29$이므로 $p+q=45+29=74$

1610

STEP A 등차수열의 일반항을 이용하여 a_{21}의 값 구하기

등차수열 $\{a_n\}$의 공차를 d라 하자.
만약 $d=0$이라면 모든 자연수 n에 대하여 $a_n=1$이 되어 주어진 등식이
성립하지 않으므로 $d \neq 0$이다.
등차수열의 정의에 의하여 $a_{k+1}-a_k=d$이므로 $a_1=1$, $a_{21}=1+20d$

STEP B 부분분수로 분해하여 축차 대입하여 구하기

$\dfrac{1}{a_k a_{k+1}}=\dfrac{1}{a_{k+1}-a_k}\left(\dfrac{1}{a_k}-\dfrac{1}{a_{k+1}}\right)=\dfrac{1}{d}\left(\dfrac{1}{a_k}-\dfrac{1}{a_{k+1}}\right)$이므로

$\displaystyle\sum_{k=1}^{20}\dfrac{1}{a_k a_{k+1}}=\sum_{k=1}^{20}\dfrac{1}{d}\left(\dfrac{1}{a_k}-\dfrac{1}{a_{k+1}}\right)$

$\qquad=\dfrac{1}{d}\left\{\left(\dfrac{1}{a_1}-\dfrac{1}{a_2}\right)+\left(\dfrac{1}{a_2}-\dfrac{1}{a_3}\right)+\cdots+\left(\dfrac{1}{a_{20}}-\dfrac{1}{a_{21}}\right)\right\}$

$\qquad=\dfrac{1}{d}\left(\dfrac{1}{a_1}-\dfrac{1}{a_{21}}\right)$

$\qquad=\dfrac{1}{d}\left(1-\dfrac{1}{1+20d}\right)$

$\qquad=\dfrac{20d}{d(1+20d)}$

$\qquad=\dfrac{20}{1+20d}$

STEP C $\displaystyle\sum_{k=1}^{20}\dfrac{1}{a_k a_{k+1}}=5$임을 이용하여 a_{11} 구하기

$\displaystyle\sum_{k=1}^{20}\dfrac{1}{a_k a_{k+1}}=5$에서 $\dfrac{20}{1+20d}=5$, $100d=15$ $\therefore d=\dfrac{3}{20}$

따라서 $a_{11}=1+10\cdot\dfrac{3}{20}=\dfrac{5}{2}$

내신연계 출제문항 608

등차수열 $\{a_n\}$에 대하여
$$a_2+a_5=17, \ a_8-a_4=12$$
일 때, $\displaystyle\sum_{n=1}^{12}\dfrac{1}{a_n a_{n+1}}$의 값은?

① $\dfrac{9}{37}$ ② $\dfrac{10}{37}$ ③ $\dfrac{11}{37}$

④ $\dfrac{12}{37}$ ⑤ $\dfrac{13}{37}$

STEP A 등차수열의 일반항을 이용하여 첫째항과 공차 구하기

등차수열 $\{a_n\}$의 첫째항을 a, 공차를 d라 하면 $a_n=a+(n-1)d$
$a_2+a_5=17$에서
$(a+d)+(a+4d)=2a+5d=17$ $\cdots\cdots$ ㉠
$a_8-a_4=12$에서
$(a+7d)-(a+3d)=4d=12$ $\cdots\cdots$ ㉡
㉠, ㉡을 연립하여 풀면 $a=1$, $d=3$
$a_n=1+(n-1)\cdot 3=3n-2$

STEP B $\displaystyle\sum_{n=1}^{12}\dfrac{1}{a_n a_{n+1}}$의 값 구하기

$\displaystyle\sum_{n=1}^{12}\dfrac{1}{a_n a_{n+1}}=\sum_{n=1}^{12}\dfrac{1}{(3n-2)(3n+1)}$

$\qquad=\dfrac{1}{3}\sum_{n=1}^{12}\left(\dfrac{1}{3n-2}-\dfrac{1}{3n+1}\right)$

$\qquad=\dfrac{1}{3}\left\{\left(1-\dfrac{1}{4}\right)+\left(\dfrac{1}{4}-\dfrac{1}{7}\right)+\left(\dfrac{1}{7}-\dfrac{1}{10}\right)+\cdots+\left(\dfrac{1}{34}-\dfrac{1}{37}\right)\right\}$

$\qquad=\dfrac{1}{3}\left(1-\dfrac{1}{37}\right)=\dfrac{12}{37}$ 정답 ④

1611

STEP A $a_{k+1}=S_{k+1}-S_k$임을 이용하여 주어진 식을 변형하기

$a_{k+1}=S_{k+1}-S_k(k\geq 1)$이므로

$\dfrac{a_{k+1}}{S_k S_{k+1}}=\dfrac{S_{k+1}-S_k}{S_k S_{k+1}}=\dfrac{1}{S_k}-\dfrac{1}{S_{k+1}}$

STEP B 축차 대입하여 정리하기

$\displaystyle\sum_{k=1}^{10}\dfrac{a_{k+1}}{S_k S_{k+1}}=\sum_{k=1}^{10}\left(\dfrac{1}{S_k}-\dfrac{1}{S_{k+1}}\right)$

$\qquad=\left(\dfrac{1}{S_1}-\dfrac{1}{S_2}\right)+\left(\dfrac{1}{S_2}-\dfrac{1}{S_3}\right)+\cdots+\left(\dfrac{1}{S_{10}}-\dfrac{1}{S_{11}}\right)$

$\qquad=\dfrac{1}{S_1}-\dfrac{1}{S_{11}}$

STEP C $a_1=S_1=2$이고 $\dfrac{1}{S_1}-\dfrac{1}{S_{11}}=\dfrac{1}{3}$임을 이용하여 S_{11}의 값 구하기

$a_1=S_1=2$이고 $\displaystyle\sum_{k=1}^{10}\dfrac{a_{k+1}}{S_k S_{k+1}}=\dfrac{1}{3}$이므로 $\dfrac{1}{2}-\dfrac{1}{S_{11}}=\dfrac{1}{3}$

따라서 $\dfrac{1}{S_{11}}=\dfrac{1}{2}-\dfrac{1}{3}=\dfrac{1}{6}$이므로 $S_{11}=6$

내신연계 출제문항 609

모든 항이 양수인 수열 $\{a_n\}$의 첫째항부터 제 n항까지의 합을
S_n이라고 하자.
$$a_1=1, \ S_{20}=20$$
을 만족시킬 때, $20\displaystyle\sum_{k=1}^{19}\dfrac{a_{k+1}}{S_k\cdot S_{k+1}}$의 값은?

① 17   ② 19   ③ 21
④ 23   ⑤ 25

STEP A $a_{k+1}=S_{k+1}-S_k$임을 이용하여 주어진 식을 변형하기

$S_{k+1}=S_k+a_{k+1}$에서 $a_{k+1}=S_{k+1}-S_k$

STEP B 축차 대입하여 정리하기

$20\displaystyle\sum_{k=1}^{19}\dfrac{a_{k+1}}{S_k\cdot S_{k+1}}=20\sum_{k=1}^{19}\dfrac{S_{k+1}-S_k}{S_k\cdot S_{k+1}}$

$\qquad=20\displaystyle\sum_{k=1}^{19}\left(\dfrac{1}{S_k}-\dfrac{1}{S_{k+1}}\right)$

$\qquad=20\left\{\left(\dfrac{1}{S_1}-\dfrac{1}{S_2}\right)+\left(\dfrac{1}{S_2}-\dfrac{1}{S_3}\right)+\cdots+\left(\dfrac{1}{S_{19}}-\dfrac{1}{S_{20}}\right)\right\}$

$\qquad=20\left(\dfrac{1}{S_1}-\dfrac{1}{S_{20}}\right)$

$\qquad=20\left(\dfrac{1}{a_1}-\dfrac{1}{S_{20}}\right)$

$\qquad=20\left(1-\dfrac{1}{20}\right)=19$ 정답 ②

1612

STEP A 분모를 유리화하고 축차대입하여 구하기

제 k항을 a_k라 하면 분모를 유리화 하면

$a_k=\dfrac{1}{\sqrt{k+1}+\sqrt{k}}=\dfrac{\sqrt{k+1}-\sqrt{k}}{(\sqrt{k+1}+\sqrt{k})(\sqrt{k+1}-\sqrt{k})}=\sqrt{k+1}-\sqrt{k}$

따라서 주어진 수열 $\{a_n\}$의 첫째항부터 제 99항까지의 합이므로

$\displaystyle\sum_{k=1}^{99}\dfrac{1}{\sqrt{k+1}+\sqrt{k}}=\sum_{k=1}^{99}(\sqrt{k+1}-\sqrt{k})$

$\qquad=\{(\sqrt{2}-\sqrt{1})+(\sqrt{3}-\sqrt{2})+(\sqrt{4}-\sqrt{3})+\cdots+(\sqrt{100}-\sqrt{99})\}$

$\qquad=\sqrt{100}-1=10-1=9$

$\sum_{k=1}^{n}\dfrac{1}{\sqrt{k}+\sqrt{k+1}}=10$을 만족시키는 자연수 n의 값은?

① 120   ② 130   ③ 140
④ 150   ⑤ 160

STEP Ⓐ **분모를 유리화하고 축차대입하여 구하기**

제 k항을 a_k라 하면 분모를 유리화 하면

$a_k=\dfrac{1}{\sqrt{k+1}+\sqrt{k}}=\dfrac{\sqrt{k+1}-\sqrt{k}}{(\sqrt{k+1}+\sqrt{k})(\sqrt{k+1}-\sqrt{k})}=\sqrt{k+1}-\sqrt{k}$

주어진 수열 $\{a_n\}$의 첫째항부터 제 99항까지의 합이므로

$\sum_{k=1}^{n}\dfrac{1}{\sqrt{k+1}+\sqrt{k}}=\sum_{k=1}^{n}(\sqrt{k+1}-\sqrt{k})$
$=\{(\sqrt{2}-\sqrt{1})+(\sqrt{3}-\sqrt{2})+(\sqrt{4}-\sqrt{3})+\cdots+(\sqrt{n+1}-\sqrt{n})\}$
$=\sqrt{n+1}-1$

STEP Ⓑ **자연수 n의 값 구하기**

$\sqrt{n+1}-1=10$이므로 $\sqrt{n+1}=11$
양변을 제곱하면 $n+1=121$
따라서 $n=120$ 정답 ①

1613
정답 ②

STEP Ⓐ **분모를 유리화하고 축차대입하여 구하기**

$a_n=\dfrac{2}{\sqrt{n}+\sqrt{n+1}}=\dfrac{2(\sqrt{n}-\sqrt{n+1})}{(\sqrt{n}+\sqrt{n+1})(\sqrt{n}-\sqrt{n+1})}=2(\sqrt{n+1}-\sqrt{n})$이므로

$\sum_{k=1}^{48}a_k=\sum_{k=1}^{48}2(\sqrt{k+1}-\sqrt{k})$
$=2\{(\sqrt{2}-1)+(\sqrt{3}-\sqrt{2})+(\sqrt{4}-\sqrt{3})+\cdots+(\sqrt{49}-\sqrt{48})\}$
$=2(\sqrt{49}-1)$
$=2\cdot6=12$

수열 $\{a_n\}$에 대하여

$$a_n=\sum_{k=1}^{n}\dfrac{1}{\sqrt{k}+\sqrt{k-1}}$$

일 때, $\sum_{k=1}^{n}a_k^{\,4}=\dfrac{28(2n+1)}{3}$을 만족하는 자연수 n의 값은?

① 5   ② 6   ③ 7
④ 8   ⑤ 9

STEP Ⓐ **분모를 유리화하고 축차대입하여 구하기**

$a_n=\sum_{k=1}^{n}\dfrac{1}{\sqrt{k}+\sqrt{k-1}}$
$=\sum_{k=1}^{n}(\sqrt{k}-\sqrt{k-1})$
$=(1-0)+(\sqrt{2}-\sqrt{1})+(\sqrt{3}-\sqrt{2})+\cdots+(\sqrt{n}-\sqrt{n-1})\}$
$=\sqrt{n}$

STEP Ⓑ **자연수 n의 값 구하기**

$a_k^{\,4}=(\sqrt{k})^4=k^2$이므로 $\sum_{k=1}^{n}a_k^{\,4}=\sum_{k=1}^{n}k^2=\dfrac{n(n+1)(2n+1)}{6}$

즉 $\dfrac{n(n+1)(2n+1)}{6}=\dfrac{28(2n+1)}{3}$이므로 $\dfrac{n(n+1)}{6}=\dfrac{28}{3}$
따라서 $n(n+1)=7\cdot8$이므로 $n=7$ 정답 ③

1614
정답 ①

STEP Ⓐ **분모를 유리화하고 축차대입하여 구하기**

제 k항을 a_k라 하고 분모를 유리화하면

$a_k=\dfrac{3}{\sqrt{3k-2}+\sqrt{3k+1}}=\dfrac{3(\sqrt{3k-2}-\sqrt{3k+1})}{(\sqrt{3k-2}+\sqrt{3k+1})(\sqrt{3k-2}-\sqrt{3k+1})}$
$=\dfrac{3(\sqrt{3k-2}-\sqrt{3k+1})}{-3}$
$=\sqrt{3k-2}-\sqrt{3k+1}$

따라서 주어진 수열 $\{a_n\}$의 첫째항부터 제 8항까지의 합이므로

$\sum_{k=1}^{8}\dfrac{3}{\sqrt{3k-2}+\sqrt{3k+1}}$
$=\sum_{k=1}^{8}(\sqrt{3k+1}-\sqrt{3k-2})$
$=(\sqrt{4}-\sqrt{1})+(\sqrt{7}-\sqrt{4})+(\sqrt{10}-\sqrt{7})+\cdots+(\sqrt{25}-\sqrt{22})$
$=-\sqrt{1}+\sqrt{25}$
$=-1+5=4$

수열

$$\dfrac{1}{1+\sqrt{3}}+\dfrac{1}{\sqrt{3}+\sqrt{5}}+\dfrac{1}{\sqrt{5}+\sqrt{7}}+\cdots+\dfrac{1}{\sqrt{79}+\sqrt{81}}$$

의 값은?

① 3   ② 4   ③ 5
④ 6   ⑤ 7

STEP Ⓐ **제 k항을 a_k라 하고 분모를 유리화하기**

제 k항을 a_k라 하고 분모를 유리화하면

$a_k=\dfrac{1}{\sqrt{2k-1}+\sqrt{2k+1}}$
$=\dfrac{\sqrt{2k-1}-\sqrt{2k+1}}{(\sqrt{2k-1}+\sqrt{2k+1})(\sqrt{2k-1}-\sqrt{2k+1})}$
$=-\dfrac{1}{2}(\sqrt{2k-1}-\sqrt{2k+1})$

이므로 $2k-1=79$
$\therefore k=40$

STEP Ⓑ **첫째항부터 제 40항 까지의 합 구하기**

따라서 주어진 수열 $\{a_n\}$의 첫째항부터 제 40항까지의 합이므로

$\sum_{k=1}^{40}\dfrac{1}{\sqrt{2k-1}+\sqrt{2k+1}}$
$=-\dfrac{1}{2}\sum_{k=1}^{40}(\sqrt{2k-1}-\sqrt{2k+1})$
$=-\dfrac{1}{2}\{(\sqrt{1}-\sqrt{3})+(\sqrt{3}-\sqrt{5})+(\sqrt{5}-\sqrt{7})+\cdots+(\sqrt{79}-\sqrt{81})\}$
$=-\dfrac{1}{2}(1-\sqrt{81})$
$=-\dfrac{1}{2}\cdot(-8)=4$ 정답 ②

1615

STEP Ⓐ 유리화하고 축차대입하여 구하기

제 k항을 a_k라 하고 분모를 유리화하면

$$a_k = \frac{1}{\sqrt{2k+1}+\sqrt{2k-1}}$$

$$= \frac{\sqrt{2k+1}-\sqrt{2k-1}}{(\sqrt{2k+1}+\sqrt{2k-1})(\sqrt{2k+1}-\sqrt{2k-1})}$$

$$= \frac{1}{2}(\sqrt{2k+1}-\sqrt{2k-1})$$

주어진 수열 $\{a_n\}$의 첫째항부터 제 n항까지의 합이므로

$$\sum_{k=1}^{n} \frac{1}{\sqrt{2k+1}+\sqrt{2k-1}}$$

$$= \frac{1}{2}\sum_{k=1}^{n}(\sqrt{2k+1}-\sqrt{2k-1})$$

$$= \frac{1}{2}\{(\sqrt{3}-\sqrt{1})+(\sqrt{5}-\sqrt{3})+\cdots+(\sqrt{2n+1}-\sqrt{2n-1})\}$$

$$= \frac{1}{2}(\sqrt{2n+1}-1)$$

STEP Ⓑ n의 값 구하기

첫째항부터 제 n항까지의 합이 5이므로

즉 $\frac{1}{2}(\sqrt{2n+1}-1)=5$이므로 $\sqrt{2n+1}=11$

따라서 양변을 제곱하면 $2n+1=121$이므로 $n=60$

내/신/연/계/ 출제문항 **613**

$\displaystyle\sum_{k=1}^{n} \frac{1}{\sqrt{k+2}+\sqrt{k+1}}=3\sqrt{2}$를 만족하는 자연수 n의 값은?

① 16 　　　② 24 　　　③ 25
④ 30 　　　⑤ 32

STEP Ⓐ 유리화하고 축차대입하여 구하기

제 k항을 a_k라 하고 분모를 유리화하면

$$a_k = \frac{1}{\sqrt{k+1}+\sqrt{k+2}}$$

$$= \frac{\sqrt{k+1}-\sqrt{k+2}}{(\sqrt{k+1}+\sqrt{k+2})(\sqrt{k+1}-\sqrt{k+2})}$$

$$= \sqrt{k+2}-\sqrt{k+1}$$

주어진 수열 $\{a_n\}$의 첫째항부터 제 n항까지의 합이므로

$$\sum_{k=1}^{n} \frac{1}{\sqrt{k+2}+\sqrt{k+1}}$$

$$= \sum_{k=1}^{n}(\sqrt{k+2}-\sqrt{k+1})$$

$$= (\sqrt{3}-\sqrt{2})+(\sqrt{4}-\sqrt{3})+\cdots+(\sqrt{n+2}-\sqrt{n+1})$$

$$= (\sqrt{n+2}-\sqrt{2})$$

STEP Ⓑ $\displaystyle\sum_{k=1}^{n}(\sqrt{k+2}-\sqrt{k+1})=3\sqrt{2}$를 만족하는 n의 값 구하기

첫째항부터 제 n항까지의 합이 $3\sqrt{2}$이므로

즉 $\sqrt{n+2}-\sqrt{2}=3\sqrt{2}$이므로 $\sqrt{n+2}=4\sqrt{2}$

따라서 양변을 제곱하면 $n+2=32$이므로 $n=30$ 정답 ④

1616

STEP Ⓐ 등차수열 $\{a_n\}$의 일반항 구하기

등차수열 $\{a_n\}$은 첫째항이 4, 공차가 1이므로

$$a_n = 4+(n-1)\cdot 1 = n+3$$

STEP Ⓑ 분모를 유리화하여 축차 대입하여 구하기

$$\sum_{k=1}^{12} \frac{1}{\sqrt{a_{k+1}}+\sqrt{a_k}} = \sum_{k=1}^{12} \frac{1}{\sqrt{k+4}+\sqrt{k+3}}$$

$$= \sum_{k=1}^{12} \frac{\sqrt{k+4}-\sqrt{k+3}}{(\sqrt{k+4}+\sqrt{k+3})(\sqrt{k+4}-\sqrt{k+3})}$$

$$= \sum_{k=1}^{12}(\sqrt{k+4}-\sqrt{k+3})$$

$$= (\sqrt{5}-\sqrt{4})+(\sqrt{6}-\sqrt{5})+\cdots+(\sqrt{16}-\sqrt{15})$$

$$= \sqrt{16}-\sqrt{4}$$

$$= 4-2 = 2$$

내/신/연/계/ 출제문항 **614**

첫째항이 1이고 공차가 3인 등차수열 $\{a_n\}$에 대하여

$$\sum_{k=1}^{33} \frac{3}{\sqrt{a_{k+1}}+\sqrt{a_k}}$$

의 값은?

① 6 　　　② 7 　　　③ 8
④ 9 　　　⑤ 10

STEP Ⓐ 등차수열 $\{a_n\}$의 일반항 구하기

첫째항이 1이고 공차가 3인 등차수열 $\{a_n\}$

$$a_n = 1+(n-1)\cdot 3 = 3n-2$$

STEP Ⓑ 등차수열의 성질을 이용하여 구하는 식의 분모를 유리화하기

$a_{n+1}-a_n=3$이므로

$$\frac{3}{\sqrt{a_{n+1}}+\sqrt{a_n}} = \frac{3(\sqrt{a_{n+1}}-\sqrt{a_n})}{a_{n+1}-a_n} = \sqrt{a_{n+1}}-\sqrt{a_n}$$

STEP Ⓒ 등차수열 $\{a_n\}$의 일반항을 이용하여 식을 정리하기

$$\sum_{k=1}^{33} \frac{3}{\sqrt{a_{k+1}}+\sqrt{a_k}}$$

$$= \sum_{k=1}^{33}(\sqrt{a_{k+1}}-\sqrt{a_k})$$

$$= \sum_{k=1}^{33}(\sqrt{3k+1}-\sqrt{3k-2})$$

$$= (\sqrt{4}-\sqrt{1})+(\sqrt{7}-\sqrt{4})+(\sqrt{10}-\sqrt{7})+\cdots+(\sqrt{100}-\sqrt{97})$$

$$= 10-1 = 9$$

 정답 ④

1617

정답 ②

STEP A 등차수열 $\{a_n\}$의 일반항 구하기

첫째항이 4이고 공차가 3인 등차수열 $\{a_n\}$

$a_n = 4 + (n-1) \cdot 3 = 3n+1$

STEP B 분모를 유리화하여 n의 값 구하기

$$\sum_{k=1}^{n} \frac{1}{\sqrt{a_k} + \sqrt{a_{k+1}}}$$

$$= \sum_{k=1}^{n} \frac{1}{\sqrt{3k+1} + \sqrt{3k+4}}$$

$$= \frac{1}{3} \sum_{k=1}^{n} (\sqrt{3k+4} - \sqrt{3k+1})$$

$$= \frac{1}{3} \{(\sqrt{7} - \sqrt{4}) + (\sqrt{10} - \sqrt{7}) + \cdots + (\sqrt{3n+4} - \sqrt{3n+1})\}$$

$$= \frac{1}{3} (\sqrt{3n+4} - 2)$$

이때 $\displaystyle\sum_{k=1}^{n} \frac{1}{\sqrt{a_k} + \sqrt{a_{k+1}}} = \frac{5}{3}$에서 $\frac{1}{3}(\sqrt{3n+4} - 2) = \frac{5}{3}$

$\sqrt{3n+4} = 7$이므로 양변을 제곱하면 $3n+4 = 49$

따라서 $n = 15$

내/신/연/계 출제문항 **615**

좌표평면에서 자연수 n에 대하여 직선 $x=n$과 함수 $y=\sqrt{x+1}$의 그래프가 만나는 점을 A_n이라 하고 직선 $x=n$과 함수 $y=\sqrt{x}$의 그래프가 만나는 점을 B_n이라 하자. 두 점 A_n, B_n 사이의 거리를 l_n이라 할 때, $\displaystyle\sum_{k=1}^{m} l_k = 10$이 되도록 하는 자연수 m의 값은?

① 118   ② 119   ③ 120
④ 121   ⑤ 122

STEP A 두 점 A_n, B_n 사이의 거리 l_n 구하기

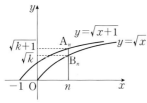

직선 $x=n$과 함수 $y=\sqrt{x+1}$의 그래프가 만나는 점 A_n의 좌표는 $(n, \sqrt{n+1})$이고 직선 $x=n$과 함수 $y=\sqrt{x}$의 그래프가 만나는 점 B_n의 좌표는 $(n, \sqrt{n})$이므로 $l_n = \sqrt{n+1} - \sqrt{n}$

STEP B $\displaystyle\sum_{k=1}^{m} l_k = 10$이 되도록 하는 자연수 m의 값 구하기

$$\sum_{k=1}^{m} l_k = \sum_{k=1}^{m} (\sqrt{k+1} - \sqrt{k})$$

$$= (\sqrt{2} - \sqrt{1}) + (\sqrt{3} - \sqrt{2}) + \cdots + (\sqrt{m+1} - \sqrt{m})$$

$$= \sqrt{m+1} - 1 = 10$$

$\sqrt{m+1} = 11$에서 $m+1 = 11^2 = 121$

따라서 $m = 120$

정답 ③

1618

정답 ⑤

STEP A 직사각형 A_k의 넓이 S_k 구하기

직사각형 A_k의 가로의 길이는 1이고 세로의 길이는 $\sqrt{k+1} + \sqrt{k}$이므로 직사각형 A_k의 넓이를 $S_k = \sqrt{k+1} + \sqrt{k}$

STEP B $\displaystyle\sum_{k=1}^{99} \frac{1}{S_k}$ 구하기

따라서 $\displaystyle\sum_{k=1}^{99} \frac{1}{S_k} = \sum_{k=1}^{99} \frac{1}{\sqrt{k+1} + \sqrt{k}}$

$$= \sum_{k=1}^{99} \frac{\sqrt{k+1} - \sqrt{k}}{(\sqrt{k+1} + \sqrt{k})(\sqrt{k+1} - \sqrt{k})}$$

$$= \sum_{k=1}^{99} (\sqrt{k+1} - \sqrt{k})$$

$$= (\sqrt{2} - \sqrt{1}) + (\sqrt{3} - \sqrt{2}) + \cdots + (\sqrt{100} - \sqrt{99})$$

$$= \sqrt{100} - 1 = 9$$

내/신/연/계 출제문항 **616**

다음 그림과 같이 좌표평면 위의 두 직선 $x=k$, $x=k+1$과 x축 및 곡선 $y=\sqrt{x}$가 만나서 생기는 네 점을 꼭짓점으로 하는 사각형의 넓이를 S_k라 할 때, $\displaystyle\sum_{k=1}^{99} \frac{1}{S_k}$의 값은?

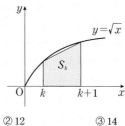

① 10   ② 12   ③ 14
④ 16   ⑤ 18

STEP A 사다리꼴의 넓이 S_k 구하기

다음 그림과 같이

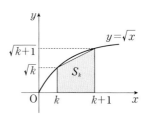

네 점 $(k, 0)$, $(k+1, 0)$, $(k, \sqrt{k})$, $(k+1, \sqrt{k+1})$을 꼭짓점으로 하는 사각형은 윗변의 길이가 $\sqrt{k}$, 아랫변의 길이가 $\sqrt{k+1}$, 높이가 1인 사다리꼴이므로 넓이는 $S_k = \frac{1}{2}(\sqrt{k+1} + \sqrt{k}) \cdot 1 = \frac{\sqrt{k+1} + \sqrt{k}}{2}$

STEP B $\displaystyle\sum_{k=1}^{99} \frac{1}{S_k}$ 구하기

$$\sum_{k=1}^{99} \frac{1}{S_k} = \sum_{k=1}^{99} \frac{2}{\sqrt{k+1} + \sqrt{k}}$$

$$= \sum_{k=1}^{99} \frac{2(\sqrt{k+1} - \sqrt{k})}{(\sqrt{k+1} + \sqrt{k})(\sqrt{k+1} - \sqrt{k})}$$

$$= 2\sum_{k=1}^{99} (\sqrt{k+1} - \sqrt{k})$$

$$= 2\{(\sqrt{2} - \sqrt{1}) + (\sqrt{3} - \sqrt{2}) + \cdots + (\sqrt{100} - \sqrt{99})\}$$

$$= 2(\sqrt{100} - 1) = 18$$

정답 ⑤

1619

정답 ④

STEP A 삼각형 A_nOB_n의 넓이 T_n 구하기

직선 $x=n$이 두 곡선 $y=\sqrt{x}$, $y=-\sqrt{x+1}$과 만나는 점은 각각

$A_n(n, \sqrt{n})$, $B_n(n, -\sqrt{n+1})$이므로 삼각형 A_nOB_n의 넓이는

$T_n=\dfrac{1}{2}n(\sqrt{n}+\sqrt{n+1})$

STEP B 분모를 유리화하여 축차 대입하여 구하기

따라서 $\displaystyle\sum_{n=1}^{24}\dfrac{n}{T_n}=\sum_{n=1}^{24}\dfrac{2}{\sqrt{n}+\sqrt{n+1}}$

$\qquad\qquad\quad=2\displaystyle\sum_{n=1}^{24}(\sqrt{n+1}-\sqrt{n})$

$\qquad\qquad\quad=2\{(\sqrt{2}-1)+(\sqrt{3}-\sqrt{2})+\cdots+(\sqrt{25}-\sqrt{24})\}$

$\qquad\qquad\quad=2\cdot(5-1)=8$

1620

정답 ③

STEP A 점과 직선 사이의 거리의 최댓값 a_n 구하기

원 $x^2+y^2=n$은 중심인 원점을 지나고 직선 $l:\sqrt{n}x+y+n+1=0$에 수직인 직선이 원과 만나는 두 점 중에서 직선 l과의 거리가 먼 점을 A라 하자.

원 $x^2+y^2=n$은 중심이 원점이고 반지름의 길이가 $\sqrt{n}$인 원이다.

원 $x^2+y^2=n$ 위의 점 P와 직선 $\sqrt{n}x+y+n+1=0$ 사이의 거리의

최댓값 a_n은 점 A와 직선 l 사이의 거리이다.

즉 a_n은 원의 중심인 원점과 직선 $\sqrt{n}x+y+n+1=0$ 사이의 거리 d와

원의 반지름의 길이 $\sqrt{n}$을 더한 것과 같다.

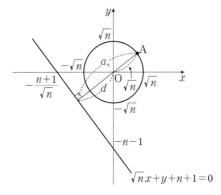

$d=\dfrac{|\sqrt{n}\cdot 0+1\cdot 0+n+1|}{\sqrt{(\sqrt{n})^2+1^2}}=\dfrac{|n+1|}{\sqrt{n+1}}=\sqrt{n+1}$ 이므로 $a_n=\sqrt{n+1}+\sqrt{n}$

STEP B 분모를 유리화하여 축차 대입하여 구하기

따라서 $\displaystyle\sum_{k=1}^{15}\dfrac{1}{a_k}=\sum_{k=1}^{15}\dfrac{1}{\sqrt{k}+\sqrt{k+1}}$

$\qquad\qquad\quad=\displaystyle\sum_{k=1}^{15}(\sqrt{k+1}-\sqrt{k})$

$\qquad\qquad\quad=(\sqrt{2}-\sqrt{1})+(\sqrt{3}-\sqrt{2})+\cdots+(\sqrt{16}-\sqrt{15})$

$\qquad\qquad\quad=\sqrt{16}-\sqrt{1}$

$\qquad\qquad\quad=4-1=3$

1621

정답 ③

STEP A a_1, a_2, a_3, $\cdots$을 구하여 $a_{n+5}=a_n$인 규칙 구하기

수열 $\{a_n\}$은 $a_n=(n^2$을 3으로 나누었을 때의 나머지)

이므로 $a_1=1$, $a_2=1$, $a_3=0$, $a_4=1$, $a_5=1$, $a_6=0$, $\cdots$

즉 1, 1, 0이 이 순서대로 반복되는 수열이다.

$\therefore a_n=\begin{cases}1 & (n=3k-2)\\1 & (n=3k-1)\\0 & (n=3k)\end{cases}$ (단, k는 자연수)

STEP B $\displaystyle\sum_{n=1}^{24}a_n$ 구하기

따라서 $24=3\cdot 8$이므로 $\displaystyle\sum_{n=1}^{24}a_n=8(1+1+0)=16$

1622

정답 ③

STEP A a_1, a_2, a_3, $\cdots$을 구하여 $a_{n+5}=a_n$인 규칙 구하기

수열 $\{a_n\}$은 $a_n=(n^2$을 5로 나누었을 때의 나머지)

이므로 $a_1=1$, $a_2=4$, $a_3=4$, $a_4=1$, $a_5=0$, $a_6=1$, $a_7=4$, $a_8=4$, $\cdots$

즉 1, 4, 4, 1, 0이 이 순서대로 반복되는 수열이다.

따라서 $100=5\times 20$이므로

$\displaystyle\sum_{k=1}^{100}a_k=20(1+4+4+1+0)=200$

n	1	a_n
1	1	1
2	4	4
3	9	4
4	16	1
5	25	0
6	36	1
7	49	4
8	64	4
9	81	1
10	100	0
⋮	⋮	⋮

내신연계 출제문항 617

수열 $\{a_n\}$이

$\qquad a_n=(n^3$을 5로 나누었을 때의 나머지$)(n=1, 2, 3, \cdots)$

와 같이 정의할 때, $\displaystyle\sum_{k=1}^{103}a_k$의 값은?

① 186 　　　② 196 　　　③ 206

④ 216 　　　⑤ 226

STEP A a_1, a_2, a_3, $\cdots$을 구하여 $a_{n+5}=a_n$인 규칙 구하기

자연수 n에 대하여 n^3은

$1^3=1$, $2^3=8$, $3^3=27$, $4^3=64$, $5^3=125$, $6^3=216$, $\cdots$

수열 $\{a_n\}$은 $a_n=(n^3$을 5로 나누었을 때의 나머지)

이므로 $a_1=1$, $a_2=3$, $a_3=2$, $a_4=4$, $a_5=0$, $a_6=1$, $a_7=3$, $a_8=2$, $\cdots$

즉 1, 3, 2, 4, 0이 이 순서대로 반복되는 수열이다.

STEP B $\displaystyle\sum_{k=1}^{103}a_k$ 구하기

따라서 $103=5\times 20+3$이므로

$\displaystyle\sum_{k=1}^{103}a_k=20(1+3+2+4+0)+(1+3+2)=206$

정답 ③

1623

정답 ④

STEP Ⓐ a_1, a_2, a_3, $\cdots$을 구하여 $a_{n+4}=a_n$인 규칙 구하기

수열 $\{a_n\}$을 $a_n=(3^n$을 5로 나누었을 때의 나머지)
이므로 $a_1=3$, $a_2=4$, $a_3=2$, $a_4=1$, $a_5=3$, $\cdots$
즉 3, 4, 2, 1이 이 순서대로 반복되는 수열이다.

$$\therefore a_n=\begin{cases} 3 & (n=4k-3) \\ 4 & (n=4k-2) \\ 2 & (n=4k-1) \\ 1 & (n=4k) \end{cases} \text{(단, } k\text{는 자연수)}$$

STEP Ⓑ $\sum\limits_{k=1}^{100} a_k$ 구하기

따라서 $100=4\times25$이므로 $\sum\limits_{k=1}^{100} a_k=25(3+4+2+1)=250$

내신연계 출제문항 618

수열 $\{a_n\}$을
$$a_n=(3^n\text{의 일의 자리의 수})\ (n=1, 2, 3, \cdots)$$
라고 할 때, $\sum\limits_{n=1}^{20} a_n$의 값은?

① 70 ② 80 ③ 90
④ 100 ⑤ 150

STEP Ⓐ a_1, a_2, a_3, $\cdots$을 구하여 $a_{n+4}=a_n$인 규칙 구하기

수열 $\{a_n\}$은 3^n의 일의 자리의 수이므로 순서대로 나열하면
3, 9, 7, 1, 3, 9, 7, 1, 3, $\cdots$
즉 3, 9, 7, 1이 이 순서대로 반복되는 수열이다.

$$\therefore a_n=\begin{cases} 3 & (n=4k-3) \\ 9 & (n=4k-2) \\ 7 & (n=4k-1) \\ 1 & (n=4k) \end{cases} \text{(단, } k\text{는 자연수)}$$

STEP Ⓑ $\sum\limits_{n=1}^{20} a_n$ 구하기

따라서 $20=4\times5$이므로 $\sum\limits_{n=1}^{20} a_n=5(3+9+7+1)=100$

정답 ④

1624

정답 ⑤

STEP Ⓐ a_1, a_2, a_3, $\cdots$을 구하여 $a_{n+4}=a_n$인 규칙 구하기

수열 $\{a_n\}$을 $a_n=(3^n+7^n$의 일의 자리의 수)
이므로 $a_1=0$, $a_2=8$, $a_3=0$, $a_4=2$, $a_5=0$, $a_6=8$, $a_7=0$, $a_8=2$, $\cdots$
즉 0, 8, 0, 2이 이 순서대로 반복되는 수열이다

$$\therefore a_n=\begin{cases} 0 & (n=4k-3) \\ 8 & (n=4k-2) \\ 0 & (n=4k-1) \\ 2 & (n=4k) \end{cases} \text{(단, } k\text{는 자연수)}$$

STEP Ⓑ $\sum\limits_{n=1}^{n} a_n\geq 100$을 만족시키는 n의 최솟값 구하기

이때 $a_1+a_2+a_3+a_4=10$이므로 $a_1+a_2+\cdots+a_{40}=100$
따라서 $\sum\limits_{k=1}^{n} a_k\geq 100$을 만족시키는 자연수 n의 최솟값은 40

1625

정답 ②

STEP Ⓐ 수열의 합 S에 등비수열의 공비 2를 곱하여 $S-2S$을 계산하여 S의 값 구하기

$S=1\cdot1+2\cdot2+3\cdot2^2+\cdots+10\cdot2^9$ ⋯⋯ ㉠
㉠의 양변에 2를 곱하면
$2S=\ \ \ \ 1\cdot2+2\cdot2^2+3\cdot2^3+\cdots+10\cdot2^{10}$ ⋯⋯ ㉡
㉠−㉡하면
$-S=1+2+2^2+2^3+\cdots+2^9-10\cdot2^{10}$
$\ \ \ \ \ =\dfrac{2^{10}-1}{2-1}-10\cdot2^{10}=-9\cdot2^{10}-1$
따라서 $S=9\cdot2^{10}+1$이므로 $a+b=10$

1626

정답 ①

STEP Ⓐ 수열의 합 S에 등비수열의 공비 2를 곱하여 $S-2S$을 계산하여 S의 값 구하기

$S=1+3\cdot2+5\cdot2^2+\cdots+15\cdot2^7$ ⋯⋯ ㉠
$2S=\ \ \ \ 1\cdot2+3\cdot2^2+5\cdot2^3+\cdots+15\cdot2^8$ ⋯⋯ ㉡
㉠−㉡하면
$-S=1+2\cdot2+2\cdot2^2+\cdots+2\cdot2^7-15\cdot2^8$
$\ \ \ \ \ =1+2^2+2^3+\cdots+2^8-15\cdot2^8$
$\ \ \ \ \ =(2+2^2+2^3+\cdots+2^8)-15\cdot2^8-1$
$\ \ \ \ \ =\dfrac{2(2^8-1)}{2-1}-15\cdot2^8-1$
$\ \ \ \ \ =(-13)\cdot2^8-3$
따라서 $S=13\cdot2^8+3$이므로 $p=13$, $q=3$
$\therefore p+q=13+3=16$

내신연계 출제문항 619

다항함수
$$f(x)=x^{10}+4x^9+7x^8+\cdots+28x+31$$
에 대하여 $x-2$로 나눈 나머지는?

① $2^{10}-35$ ② $2^{12}-36$ ③ $2^{13}-35$
④ $2^{13}-37$ ⑤ $2^{14}-39$

STEP Ⓐ 나머지 정리에 의하여 $f(2)$의 값 구하기

함수 $f(x)$를 $x-2$로 나눈 나머지는 나머지 정리에 의하여
$f(2)=2^{10}+4\cdot2^9+7\cdot2^8+\cdots+28\cdot2+31$ ⋯⋯ ㉠
$\dfrac{1}{2}f(2)=\ \ \ \ 2^9+4\cdot2^8+7\cdot2^7+\cdots+28+31\cdot\dfrac{1}{2}$ ⋯⋯ ㉡
㉠−㉡하면
$\dfrac{1}{2}f(2)=2^{10}+3(2^9+2^8+\cdots+2+1)-31\cdot\dfrac{1}{2}$
$\ \ \ \ \ \ \ \ \ \ =2^{10}+3\cdot\dfrac{2^{10}-1}{2-1}-\dfrac{31}{2}$
$\ \ \ \ \ \ \ \ \ \ =2^{12}-\dfrac{37}{2}$
따라서 $f(2)=2^{13}-37$

정답 ④

1627
정답 ①

STEP A 수열의 합 S에 등비수열의 공비 $\frac{1}{2}$를 곱하여 $S-\frac{1}{2}S$을 계산하여 S의 값 구하기

$S=2\cdot\frac{1}{2}+3\left(\frac{1}{2}\right)^2+4\left(\frac{1}{2}\right)^3+\cdots+10\left(\frac{1}{2}\right)^9$ ...... ㉠

$\frac{1}{2}S=\qquad 2\left(\frac{1}{2}\right)^2+3\left(\frac{1}{2}\right)^3+\cdots+9\left(\frac{1}{2}\right)^9+10\left(\frac{1}{2}\right)^{10}$ ...... ㉡

㉠-㉡하면

$\frac{1}{2}S=1+\left(\frac{1}{2}\right)^2+\left(\frac{1}{2}\right)^3+\cdots+\left(\frac{1}{2}\right)^9-10\left(\frac{1}{2}\right)^{10}$

$=1+\dfrac{\frac{1}{4}\left\{1-\left(\frac{1}{2}\right)^8\right\}}{1-\frac{1}{2}}-10\left(\frac{1}{2}\right)^{10}$

$=1+\frac{1}{2}-\left(\frac{1}{2}\right)^9-5\left(\frac{1}{2}\right)^9=\frac{3}{2}-6\left(\frac{1}{2}\right)^9$

따라서 $S=3-6\left(\frac{1}{2}\right)^8$

내/신/연/계 출제문항 **620**

자연수 n에 대하여

$$\frac{1}{2}+2\cdot\left(\frac{1}{2}\right)^2+3\cdot\left(\frac{1}{2}\right)^3+\cdots+n\cdot\left(\frac{1}{2}\right)^n$$

을 S_n이라 할 때, $S_n=a-b\left(\frac{1}{2}\right)^{n-1}-n\left(\frac{1}{2}\right)^n$을 만족시키는

자연수 a, b에 대하여 $2a+b$의 값은?

① 2   ② 4   ③ 5
④ 6   ⑤ 8

STEP A 수열의 합 S에 등비수열의 공비 $\frac{1}{2}$를 곱하여 $S-\frac{1}{2}S$을 계산하여 S의 값 구하기

$S_n=\frac{1}{2}+2\left(\frac{1}{2}\right)^2+3\left(\frac{1}{2}\right)^3+\cdots+n\left(\frac{1}{2}\right)^n$ ...... ㉠

$\frac{1}{2}S_n=\qquad \left(\frac{1}{2}\right)^2+2\left(\frac{1}{2}\right)^3+\cdots+(n-1)\left(\frac{1}{2}\right)^n+n\left(\frac{1}{2}\right)^{n+1}$ ...... ㉡

㉠-㉡하면

$S_n-\frac{1}{2}S_n=\frac{1}{2}+\left(\frac{1}{2}\right)^2+\cdots+\left(\frac{1}{2}\right)^n-n\left(\frac{1}{2}\right)^{n+1}$

$=\dfrac{\frac{1}{2}\left\{1-\left(\frac{1}{2}\right)^n\right\}}{1-\frac{1}{2}}-n\left(\frac{1}{2}\right)^{n+1}$

$=1-\left(\frac{1}{2}\right)^n-n\left(\frac{1}{2}\right)^{n+1}$

$\therefore S_n=2-\left(\frac{1}{2}\right)^{n-1}-n\left(\frac{1}{2}\right)^n$

따라서 $a=2$, $b=1$이므로 $2a+b=5$ 정답 ③

1628
정답 ③

STEP A 수열의 합과 일반항 사이의 관계를 이용하여 c의 값 구하기

$a_7=(a_1+a_3+a_5+a_7)-(a_1+a_3+a_5)$

$=\sum_{k=1}^{4}a_{2k-1}-\sum_{k=1}^{3}a_{2k-1}$

$=16c-56-(9c-42)$

$=7c-14=14$

$\therefore c=4$

STEP B $\sum_{k=1}^{10}a_k$ 구하기

따라서 $\sum_{k=1}^{10}a_k=\sum_{k=1}^{5}a_{2k-1}+\sum_{k=1}^{5}a_{2k}=(4\cdot5^2-14\cdot5)+(5^2+4\cdot5)=75$

다른풀이 $\sum$ 로 표현된 수열의 합과 일반항 사이의 관계를 이용하여 풀이하기

STEP A 수열의 합과 일반항 사이의 관계를 이용하여 c의 값 구하기

$n\geq2$일 때,

$a_{2n-1}=\sum_{k=1}^{n}a_{2k-1}-\sum_{k=1}^{n-1}a_{2k-1}$

$=cn^2-14n-\{c(n-1)^2-14(n-1)\}$

$=2cn-14-c$

이고 $a_1=c-14$이므로 $a_{2n-1}=2cn-14-c\,(n\geq1)$ ...... ㉠

이때 $a_7=14$이므로 ㉠에서

$a_7=8c-14-c=7c-14$이므로 $7c-14=14$

$\therefore c=4$

STEP B $\sum_{k=1}^{10}a_k$ 구하기

$\sum_{k=1}^{n}a_{2k-1}=4n^2-14n$, $\sum_{k=1}^{n}a_{2k}=n^2+4n$이고

$\sum_{k=1}^{n}(a_{2k-1}+a_{2k})=\sum_{k=1}^{2n}a_n=5n^2-10n$

따라서 $\sum_{k=1}^{10}a_n=\sum_{k=1}^{5}(a_{2k-1}+a_{2k})=5\cdot5^2-10\cdot5=75$

1629
정답 ⑤

STEP A 수열의 합과 일반항 사이의 관계를 이용하여 p의 값 구하기

$a_{11}=(a_1+a_3+a_5+a_7+a_9+a_{11})-(a_1+a_3+a_5+a_7+a_9)$

$=\sum_{k=1}^{6}a_{2k-1}-\sum_{k=1}^{5}a_{2k-1}$

$=36p+30-(25p+25)$

$=11p+5$

이때 $11p+5=27$이므로 $p=2$

$\therefore \sum_{k=1}^{n}a_{2k}=4n^2+30n$

STEP B a_{16} 구하기

따라서 $a_{16}=\sum_{k=1}^{8}a_{2k}-\sum_{k=1}^{7}a_{2k}=(4\cdot8^2+30\cdot8)-(4\cdot7^2+30\cdot7)=90$

다른풀이 $\sum$ 로 표현된 수열의 합과 일반항 사이의 관계를 이용하여 풀이하기

STEP A 수열의 합과 일반항 사이의 관계를 이용하여 p의 값 구하기

$n\geq2$일 때,

$a_{2n-1}=\sum_{k=1}^{n}a_{2k-1}-\sum_{k=1}^{n-1}a_{2k-1}$

$=pn^2+5n-\{p(n-1)^2+5(n-1)\}$

$=2pn+5-p$

이고 $a_1=p+5$이므로 $a_{2n-1}=2pn+5-p\,(n\geq1)$ ...... ㉠

이때 $a_{11}=27$이므로 ㉠에서

$a_{11}=12p+5-p=11p+5$이므로 $11p+5=27$ $\therefore c=2$

$\therefore \sum_{k=1}^{n}a_{2k}=4n^2+30n$

STEP B a_{16} 구하기

따라서 $a_{16}=\sum_{k=1}^{8}a_{2k}-\sum_{k=1}^{7}a_{2k}=(4\cdot8^2+30\cdot8)-(4\cdot7^2+30\cdot7)=90$

수열 $\{a_n\}$이

$$\sum_{k=1}^{n} a_{2k-1}=cn^2-6n, \quad \sum_{k=1}^{n} a_{2k}=n^2+cn$$

을 만족시키고 $a_{12}=13$일 때, $\sum_{k=1}^{10} a_k$의 값은? (단, c는 상수이다.)

① 45   ② 50   ③ 55
④ 60   ⑤ 65

STEP Ⓐ 수열의 합과 일반항 사이의 관계를 이용하여 p의 값 구하기

$a_{12}=(a_2+a_4+a_6+a_8+a_{10}+a_{12})-(a_2+a_4+a_6+a_8+a_{10})$

$\quad = \sum_{k=1}^{6} a_{2k} - \sum_{k=1}^{5} a_{2k}$

$\quad = 36+6c-(25+5c)$

$\quad = 11+c$

이때 $11+c=13$이므로 $c=2$

$\therefore \sum_{k=1}^{n} a_{2k-1}=2n^2-6n, \quad \sum_{k=1}^{n} a_{2k}=n^2+2n$

STEP Ⓑ $\sum_{k=1}^{10} a_k$ **구하기**

따라서 $\sum_{k=1}^{10} a_k = \sum_{k=1}^{5} a_{2k-1} + \sum_{k=1}^{5} a_{2k} = (2\cdot5^2-6\cdot5)+(5^2+2\cdot5)=55$

다른풀이 $\sum$ 로 표현된 수열의 합과 일반항 사이의 관계를 이용하여 풀이하기

STEP Ⓐ 수열의 합과 일반항 사이의 관계를 이용하여 c의 값 구하기

$n \geq 2$일 때,

$a_{2n}=\sum_{k=1}^{n} a_{2k} - \sum_{k=1}^{n-1} a_{2k}$

$\quad = n^2+cn-\{(n-1)^2+c(n-1)\}$

$\quad = 2n+c-1$

이고 $a_2=1+c$이므로

$a_{2n}=2n+c-1 \ (n \geq 1)$ ······ ㉠

이때 $a_{12}=13$이므로 ㉠에서

$a_{12}=12+c-1=11+c$이므로 $11+c=13$

$\therefore c=2$

STEP Ⓑ $\sum_{k=1}^{10} a_k$ **구하기**

$\sum_{k=1}^{n} a_{2k-1}=2n^2-6n, \quad \sum_{k=1}^{n} a_{2k}=n^2+2n$

$\sum_{k=1}^{n} (a_{2k-1}+a_{2k}) = \sum_{k=1}^{2n} a_n = 3n^2-4n$

따라서 $\sum_{k=1}^{10} a_n = \sum_{k=1}^{5} (a_{2k-1}+a_{2k}) = 3\cdot5^2-4\cdot5=55$

정답 ③

1630

정답 ⑤

STEP Ⓐ 20개의 항 중 1, 2의 값을 갖는 항수를 각각 x, y로 놓고 구하기

$a_1, a_2, \cdots, a_{20}$의 20개의 항 중 1이 x개, 2가 y개 있다고 하면

$\sum_{k=1}^{20} a_k = 1\cdot x + 2\cdot y = 17 \quad \therefore x+2y=17$ ······ ㉠

$\sum_{k=1}^{20} a_k^2 = 1^2\cdot x + 2^2\cdot y = 31 \quad \therefore x+4y=31$ ······ ㉡

㉠, ㉡을 연립하여 풀면 $x=3$, $y=7$

STEP Ⓑ $\sum_{k=1}^{20} a_k^3$ **구하기**

따라서 $\sum_{k=1}^{20} a_k^3 = 1^3\cdot3 + 2^3\cdot7 = 59$

수열 $\{a_n\}$의 각 항의 값이 0, 1, 3 중 하나이고

$$\sum_{k=1}^{10} a_k = 10, \quad \sum_{k=1}^{10} a_k^2 = 22$$

일 때, $\sum_{k=1}^{10} a_k^3$의 값은?

① 52   ② 54   ③ 56
④ 58   ⑤ 60

STEP Ⓐ 10개의 항 중 1, 3의 값을 갖는 항수를 각각 a, b로 놓고 구하기

$a_1, a_2, \cdots, a_{10}$의 각 항의 값은 0, 1, 3 중의 하나이므로

항의 값이 1인 항의 개수를 a, 항의 값이 3인 항의 개수를 b라 하면

$\sum_{k=1}^{10} a_k = 1\cdot a + 3\cdot b = 10 \quad \therefore a+3b=10$ ······ ㉠

$\sum_{k=1}^{10} a_k^2 = 1^2\cdot a + 3^2\cdot b = 22 \quad \therefore a+9b=22$ ······ ㉡

㉠, ㉡을 연립하여 풀면 $a=4$, $b=2$

STEP Ⓑ $\sum_{k=1}^{10} a_k^3$ **구하기**

따라서 $\sum_{k=1}^{10} a_k^3 = 1^3\cdot4 + 3^3\cdot2 = 58$

정답 ④

1631

정답 ①

STEP Ⓐ 20개의 항 중 -1, 1의 값을 갖는 항수를 각각 x, y로 놓고 구하기

$1 \leq k \leq 20$일 때, $a_k=-1$을 만족시키는 자연수 k가 x개,

$a_k=1$을 만족시키는 자연수 k가 y개 있다고 하면

$\sum_{k=1}^{20} a_k = -1\cdot x + 1\cdot y = 1 \quad \therefore -x+y=1$ ······ ㉠

$\sum_{k=1}^{20} a_k^2 = (-1)^2\cdot x + 1^2\cdot y = 11 \quad \therefore x+y=11$ ······ ㉡

㉠, ㉡을 연립하여 풀면 $x=5$, $y=6$

STEP Ⓑ $a_k=-1$을 만족시키는 자연수 k의 개수 구하기

따라서 $a_k=-1 \ (1 \leq k \leq 20)$을 만족시키는 자연수 k의 개수는 5개이다.

수열 $\{a_n\}$의 각 항은 -1, 0, 1 중 어느 하나이고

$$\sum_{k=1}^{10} a_k = 3, \quad \sum_{k=1}^{10} a_k^2 = 7$$

일 때, $\sum_{k=1}^{10} |a_k-2|$의 값은?

① 7   ② 13   ③ 17
④ 19   ⑤ 21

STEP Ⓐ 10개의 항 중 -1, 0, 1의 값을 갖는 항수를 각각 x, y, z로 놓고 구하기

$a_1, a_2, \cdots, a_{10}$의 10개의 항 중 -1이 x개, 0이 y개, 1이 z개 있다고 하면

$\sum_{k=1}^{10} a_k = (-1)\cdot x + 1\cdot z = 3 \quad \therefore -x+z=3$ ······ ㉠

$\sum_{k=1}^{10} a_k^2 = (-1)^2\cdot x + 1^2\cdot z = 7 \quad \therefore x+z=7$ ······ ㉡

㉠, ㉡을 연립하여 풀면 $x=2$, $z=5$

이때 $x+y+z=10$이므로 $y=3$

STEP Ⓑ $\sum_{k=1}^{10} |a_k-2|$의 값 구하기

따라서 $\sum_{k=1}^{10} |a_k-2| = 2|-1-2| + 3|0-2| + 5|1-2| = 17$

정답 ③

1632

정답 ④

STEP A **규칙성을 갖는 군으로 나누어 묶은 후 각 군의 항의 개수를 찾기**

주어진 수열을 각 군의 첫째항이 1이 되도록 나타내면

$(1), (1, 3), (1, 3, 5), (1, 3, 5, 7), (1, 3, 5, 7, 9), \cdots$

제 n군의 항의 개수는 n이므로 제 1군부터 제 n군까지의 항의 개수는

$$\sum_{k=1}^{n} k = \frac{n(n+1)}{2}$$

$n = 12$일 때, $\frac{12 \cdot 13}{2} = 78$이므로 a_{84}항은 제 13군의 6번째항이다.

STEP B **제 13군의 6번째항 구하기**

이때 각 군은 첫째항이 1, 공차가 2인 등차수열이므로

제 13군의 6번째항은 $1 + (6-1) \cdot 2 = 11$

따라서 $a_{84} = 11$

내신연계 출제문항 624

수열 $\{a_n\}$

$$1, 2, 1, 3, 2, 1, 4, 3, 2, 1, \cdots$$

에 대하여 a_{150}의 값은?

① 3   ② 4   ③ 5
④ 6   ⑤ 7

STEP A **규칙성을 갖는 군으로 나누어 묶은 후 각 군의 항의 개수를 찾기**

주어진 수열을 각 군의 끝항이 1이 되도록 나타내면

$(1), (2, 1), (3, 2, 1), (4, 3, 2, 1), \cdots$과 같이 숫자들을 묶으면

제 n군의 항의 개수는 n이므로 제 1군부터 제 n군가지의 항의 개수는

$$\sum_{k=1}^{n} k = \frac{n(n+1)}{2}$$

$n = 16$일 때, $\frac{16 \cdot 17}{2} = 136$이므로 제 150항은 제 17군의 14번째항이다.

STEP B **제 17군의 14번째항 구하기**

이때 제 17군은 첫째항이 17이고 공차가 -1인 등차수열이므로

제 17군의 14번째항은 $17 + (14-1) \cdot (-1) = 4$

따라서 $a_{150} = 4$

정답 ②

1633

정답 ③

STEP A **규칙성을 갖는 군으로 나누어 묶은 후 각 군의 항의 개수를 찾기**

주어진 수열을 $(1), (3, 3), (5, 5, 5), (7, 7, 7, 7), \cdots$과 같이 군으로 묶으면

제 n군의 첫째항은 $2n-1$이고 제 n군의 항수는 n이므로

제 1군부터 제 n군까지의 항수는

$$\sum_{k=1}^{n} k = \frac{n(n+1)}{2}$$

한편 $19 = 2n-1$에서 $n = 10$이므로 19는 제 10군이고

제 10군의 첫째항부터 10번째 항까지 계속된다.

STEP B **$a+b$의 값 구하기**

따라서 제 1군부터 제 9군까지의 항수는 $\frac{9 \cdot 10}{2} = 45$이므로

$a = 45 + 1 = 46$, $b = 45 + 10 = 55$ $\therefore a+b = 101$

내신연계 출제문항 625

수열 $\{a_n\}$이

$$1, 1, 2, 1, 2, 3, 1, 2, 3, 4, 1, 2, 3, 4, 5, \cdots$$

일 때, 첫째항부터 제 70항까지의 합은?

① 276   ② 286   ③ 296
④ 316   ⑤ 326

STEP A **규칙성을 갖는 군으로 나누어 묶은 후 각 군의 항의 개수를 찾기**

주어진 수열을 각 군의 첫째항이 1이 되도록 나타내면

$(1), (1, 2), (1, 2, 3), (1, 2, 3, 4), (1, 2, 3, 4, 5), \cdots$

제 n군의 항의 개수는 n이므로 제 1군부터 제 n군가지의 항의 개수는

$$\sum_{k=1}^{n} k = \frac{n(n+1)}{2}$$

$n = 11$일 때, $\frac{11 \cdot 12}{2} = 66$이므로 a_{70}항은 제 12군의 4번째항이다.

STEP B **첫째항부터 제 70항까지의 합 구하기**

따라서 첫째항부터 제 70항까지의 합은
(제 1군부터 제 11군까지의 항의 합)+(제 12군의 첫째항부터 제 4항까지의 합)
이므로

$$\sum_{k=1}^{70} a_k = \sum_{k=1}^{11} \frac{k(k+1)}{2} + (1+2+3+4)$$

$$= \frac{1}{2} \cdot \frac{11 \cdot 12 \cdot 13}{3} + 10 = 296$$

정답 ③

1634

정답 ③

STEP A **규칙성을 갖는 군으로 나누어 묶은 후 각 군의 항의 개수를 찾기**

주어진 수열을 각 군의 첫째항과 끝항이 1이 되도록

$(1), (1, 2, 1), (1, 2, 3, 2, 1), (1, 2, 3, 4, 3, 2, 1), \cdots$과 같이 군으로 묶으면

제 n군은 $(1, 2, \cdots, n-1, n, n-1, \cdots, 2, 1)$이다.

제 n군의 항수는 $2n-1$이므로 제 1군부터 제 n군까지의 항수는

$$\sum_{k=1}^{n} (2k-1) = 2 \cdot \frac{n(n+1)}{2} - 1 \cdot n = n^2$$

STEP B **a_{90}항 구하기**

$n = 9$일 때, $9^2 = 81$이므로 a_{90}은 제 10군의 9번째 항이다.

이때 제 10군은 $(1, 2, \cdots, 9, 10, 9, \cdots, 2, 1)$이므로 $a_{90} = 9$

1635

정답 ②

STEP A **주어진 수열을 같은 수끼리 묶은 후 각 군의 규칙성 찾기**

주어진 수열을 분모가 같은 항끼리 군으로 묶으면

$(1), \left(\frac{1}{2}, \frac{1}{2}\right), \left(\frac{1}{3}, \frac{1}{3}, \frac{1}{3}\right), \left(\frac{1}{4}, \frac{1}{4}, \frac{1}{4}, \frac{1}{4}\right), \cdots$

이므로 제 n군의 수는 $\frac{1}{n}$이고 항의 개수는 n이다.

즉 $\frac{1}{n} = \frac{1}{15}$에서 $n = 15$이므로 $\frac{1}{15}$은 제 15군의 수이다.

제 1군부터 제 14군까지의 항의 개수는

$$\sum_{k=1}^{14} k = \frac{14 \cdot 15}{2} = 105$$

STEP B **$\frac{1}{15}$이 처음으로 나오는 항 구하기**

따라서 $\frac{1}{15}$이 처음으로 나오는 항은 제 106항이므로 $k = 106$

1636

정답 ③

STEP A 주어진 수열을 같은 수끼리 묶은 후 각 군의 규칙성 찾기

주어진 수열을 분모가 같은 항끼리 군으로 묶으면

$\left(\dfrac{1}{2}\right), \left(\dfrac{1}{3}, \dfrac{2}{3}\right), \left(\dfrac{1}{4}, \dfrac{2}{4}, \dfrac{3}{4}\right), \left(\dfrac{1}{5}, \dfrac{2}{5}, \dfrac{3}{5}, \dfrac{4}{5}\right), \cdots$

제 n군의 항수는 n이므로 제 1군부터 제 n군까지의 항수는

$$\sum_{k=1}^{n} k = \frac{n(n+1)}{2}$$

$n=16$일 때, $\dfrac{16 \cdot 17}{2} = 136$이므로 제 141항은 제 17군의 5번째 항이다.

이때 제 17군은 $\left(\dfrac{1}{18}, \dfrac{2}{18}, \dfrac{3}{18}, \cdots, \dfrac{16}{18}, \dfrac{17}{18}\right)$이므로 제 141항은 $\dfrac{5}{18}$

> **참고**
>
> 제 n군의 k번째 항은 $\dfrac{k}{n+1}$이고 제 141항은 제 17군의 5번째 항이므로
>
> $\dfrac{5}{17+1} = \dfrac{5}{18}$

1637

정답 ③

STEP A 주어진 수열을 (분모)+(분자)의 값이 같은 수끼리 묶은 후 각 군의 규칙성 찾기

주어진 수열을 (분모)+(분자)의 값이 같은 항끼리 군으로 묶으면

$\left(\dfrac{1}{1}\right), \left(\dfrac{2}{1}, \dfrac{1}{2}\right), \left(\dfrac{3}{1}, \dfrac{2}{2}, \dfrac{1}{3}\right), \left(\dfrac{4}{1}, \dfrac{3}{2}, \dfrac{2}{3}, \dfrac{1}{4}\right), \cdots$

제 n군의 k번째 항은 분모와 분자의 합이 $n+1$이고 분모가 k이므로

$\dfrac{6}{15}$는 제 20군의 15번째 항이다.

이때 제 n군의 항수는 n이므로 제 1군부터 제 19군까지의 항수는

$$\sum_{k=1}^{19} k = \frac{19 \cdot 20}{2} = 190$$

따라서 $190 + 15 = 205$이므로 $\dfrac{6}{15}$는 제 205항이다.

내/신/연/계 출제문항 626

수열

$\dfrac{1}{2}, \dfrac{2}{3}, \dfrac{1}{3}, \dfrac{3}{4}, \dfrac{2}{4}, \dfrac{1}{4}, \dfrac{4}{5}, \dfrac{3}{5}, \dfrac{2}{5}, \dfrac{1}{5}, \cdots$

의 첫째항부터 제 66항까지의 합은?

① $\dfrac{58}{3}$ ② $\dfrac{55}{2}$ ③ $\dfrac{57}{2}$

④ 33   ⑤ 35

STEP A 주어진 수열을 같은 수끼리 묶은 후 각 군의 규칙성 찾기

주어진 수열을 분모가 같은 항끼리 군으로 묶으면

$\left(\dfrac{1}{2}\right), \left(\dfrac{2}{3}, \dfrac{1}{3}\right), \left(\dfrac{3}{4}, \dfrac{2}{4}, \dfrac{1}{4}\right), \left(\dfrac{4}{5}, \dfrac{3}{5}, \dfrac{2}{5}, \dfrac{1}{5}\right), \cdots$

제 n군의 항수는 n이므로 제 1군부터 제 n군까지의 항수는

$$\sum_{k=1}^{n} k = \frac{n(n+1)}{2}$$

$n=11$일 때, $\dfrac{11 \cdot 12}{2} = 66$이므로 제 66항은 제 11군의 11번째 항이다.

STEP B 첫째항부터 제 66항까지의 합 구하기

이때 제 n군은 $\left(\dfrac{n}{n+1}, \dfrac{n-1}{n+1}, \dfrac{n-2}{n+1}, \cdots, \dfrac{1}{n+1}\right)$

이므로 제 n군의 항의 합을 a_n이라 하면

$$a_n = \frac{\sum\limits_{k=1}^{n} k}{n+1} = \frac{\frac{n(n+1)}{2}}{n+1} = \frac{n}{2}$$

따라서 첫째항부터 제 66항까지의 합은 제 1군부터 제 11군까지 항의 합이므로

$$\sum_{k=1}^{11} a_k = \sum_{k=1}^{11} \frac{k}{2} = \frac{1}{2} \cdot \frac{11 \cdot 12}{2} = 33$$

정답 ④

1638

정답 ③

STEP A 주어진 수열을 두 수의 합이 같은 순서쌍끼리 군으로 묶어서 규칙성 찾기

주어진 수열을 두 수의 합이 같은 순서쌍끼리 군으로 묶으면

$\{(1, 1)\}, \{(2, 1), (1, 2)\}, \{(3, 1), (2, 2), (1, 3)\},$

$\{(4, 1), (3, 2), (2, 3), (1, 4)\}, \cdots$

제 n군의 순서쌍의 두 수의 합은 $n+1$이므로

$(12, 10)$은 제 21군의 제 10번째 항이다.

이때 제 n군의 항수는 n이므로 제 1군부터 제 20군까지의 항수는

$$\sum_{k=1}^{20} k = \frac{20 \cdot 21}{2} = 210$$

따라서 $210 + 10 = 220$이므로 $(12, 10)$은 제 220항이다.

> **참고**
>
> 순서쌍 (a, b)에서 $a+b-1$은 제 몇 군인지, b는 군 안에서의 순서를 나타낸다.

1639

정답 ②

STEP A 주어진 수열의 일반항 구하기

주어진 4층 탑의 각 층의 블록의 개수를 구하면 다음과 같다.

1층	2층	3층	4층
1	1+2 =3	1+2+3 =6	1+2+3+4 =10

n층에 필요한 블록의 개수는 $1+2+3+\cdots+n = \dfrac{n(n+1)}{2}$

STEP A 10층을 쌓기 위하여 필요한 블록의 개수 구하기

따라서 10층의 탑을 쌓기 위해 필요한 블록의 개수는

$$\sum_{k=1}^{10} \frac{k(k+1)}{2} = \frac{1}{2}\sum_{k=1}^{10}(k^2+k) = \frac{1}{2}\left(\sum_{k=1}^{10}k^2 + \sum_{k=1}^{10}k\right)$$
$$= \frac{1}{2}\left(\frac{10 \cdot 11 \cdot 21}{6} + \frac{10 \cdot 11}{2}\right) = 220$$

내/신/연/계 출제문항 627

오른쪽 그림과 같이 정육면체를 쌓아 탑을 만들 때, 15층 탑을 쌓기 위하여 필요한 정육면체의 개수는?

① 640   ② 680

③ 720   ④ 760

⑤ 800

STEP A n번째 층에 놓인 정육면체의 개수를 a_n 구하기

꼭대기부터 차례로 n번째 층에 놓인 정육면체의 개수를 a_n이라고 하면

$a_1 = 1$

$a_2 = 1+2$

$a_3 = 1+2+3$

$\vdots$

$a_n = 1+2+3+\cdots+n = \dfrac{n(n+1)}{2}$

STEP B 15층을 쌓기 위하여 필요한 정육면체의 개수 구하기

따라서 15층을 쌓기 위하여 필요한 정육면체의 개수는

$$a_1 + a_2 + \cdots + a_{15} = \sum_{k=1}^{15} \frac{k^2+k}{2} = \frac{1}{2}\left(\frac{15 \cdot 16 \cdot 31}{6} + \frac{15 \cdot 16}{2}\right) = 680$$

정답 ②

1640

정답 ④

STEP Ⓐ 10단의 입체도형을 만드는데 사용된 정육면체의 개수 구하기

$a_1 = 1$

$a_2 = 1 + 2^2 = 5$

$a_3 = 1 + 2^2 + 3^2 = 14$

$\vdots$

따라서 10단의 입체도형을 만드는데 사용된 정육면체의 개수 a_{10}은

$a_{10} = 1^2 + 2^2 + 3^2 + \cdots + 10^2 = \sum_{k=1}^{10} k^2 = \frac{10 \cdot 11 \cdot 21}{6} = 385$

1641

정답 ②

STEP Ⓐ 5층에 입체도형을 만드는데 사용된 공의 개수 구하기

$a_1 = 1$

$a_2 = 1 + 3 = 4$

$a_3 = 1 + 3 + 6 = 10$

$a_4 = 1 + 3 + 6 + 10 = 20$

$a_5 = 1 + 3 + 6 + 10 + 15 = 35$

따라서 $a_5 = 35$

> **참고** a_n과 a_{n+1} 사이의 관계식을 구한다.
> $a_1 = 1$
> $a_2 = a_1 + (1 + 2)$
> $a_3 = a_2 + (1 + 2 + 3)$
> $\vdots$
> $a_{n+1} = a_n + \{1 + 2 + 3 + \cdots + (n+1)\}$
> 이므로
> $a_{n+1} = a_n + \frac{(n+1)(n+2)}{2}$ $(n = 1, 2, 3, \cdots)$

1642

정답 ②

STEP Ⓐ n번째 층에 필요한 정육면체의 개수 a_n 구하기

위에서 n번째 층에 필요한 정육면체의 개수를 a_n이라 하면

$a_1 = 1$

$a_2 = 1 + 4$

$a_3 = 1 + 4 + 8$

$a_4 = 1 + 4 + 8 + 12$

$a_5 = 1 + 4 + 8 + 12 + 16$

$\vdots$

이므로

$a_n = 1 + \sum_{k=1}^{n-1} 4k = 1 + 4 \cdot \frac{n(n-1)}{2} = 2n^2 - 2n + 1$

STEP Ⓑ 10층 탑을 쌓을 때 필요한 정육면체의 총 개수 구하기

따라서 10층 탑을 쌓을 때 필요한 정육면체의 총 개수는

$\sum_{n=1}^{10} (2n^2 - 2n + 1) = 2 \sum_{n=1}^{10} n^2 - 2 \sum_{n=1}^{10} n + 10 = 2 \cdot \frac{10 \cdot 11 \cdot 21}{6} - 2 \cdot \frac{10 \cdot 11}{2} + 10$

$= 770 - 110 + 10 = 670$

> **다른풀이** n번째 층에 필요한 정육면체의 개수를 구하여 풀이하기
> 위에서부터 n번째 층에 필요한 정육면체의 개수를 a_n이라 하면
> $a_n = n^2 + (n-1)^2 = 2n^2 - 2n + 1$
> 따라서 10층 탑을 쌓을 때 필요한 정육면체의 총 개수는
> $\sum_{n=1}^{10} (2n^2 - 2n + 1) = 2 \sum_{n=1}^{10} n^2 - 2 \sum_{n=1}^{10} n + 10 = 2 \cdot \frac{10 \cdot 11 \cdot 21}{6} - 2 \cdot \frac{10 \cdot 11}{33} + 10$
> $= 770 - 110 + 10 = 670$

1643

정답 ②

STEP Ⓐ [10단계]의 오각수의 점의 개수 구하기

오각형을 이루는 점의 개수를 a_n이라 하면

$a_1 = 1$

$a_2 = 1 + 4$

$a_3 = 1 + 4 + 7$

$a_4 = 1 + 4 + 7 + 10$

$\vdots$

$a_n = 1 + 4 + 7 + 10 + \cdots + (3n - 2)$

$\quad = \frac{n(1 + 3n - 2)}{2} = \frac{n(3n-1)}{2}$ ← 첫째항이 1, 끝항이 $3n-2$인 등차수열의 합

따라서 [10단계]의 오각수는 $a_{10} = \frac{10(30-1)}{2} = 145$

1644

정답 ④

STEP Ⓐ [n단계]의 삼각수 a_n 구하기

[n단계]의 삼각수를 a_n이라 하면

$a_1 = 1$, $a_2 = 1 + 2$, $a_3 = 1 + 2 + 3$, $a_4 = 1 + 2 + 3 + 4$, $\cdots$

즉 a_n은 첫째항이 1, 공차가 1인 등차수열의 첫째항부터

제 n항까지의 합이므로

$a_n = 1 + 2 + 3 + \cdots + n = \frac{n(n+1)}{2}$

STEP Ⓑ [n단계]의 삼각수 b_n 구하기

[n단계]의 사각수를 b_n이라 하면

$b_1 = 1$, $b_2 = 1 + 3 = 4$, $b_3 = 1 + 3 + 5 = 9$, $\cdots$

즉 b_n은 첫째항이 1, 공차가 2인 등차수열의 첫째항부터

제 n항까지의 합이므로

$b_n = 1 + 3 + 5 + \cdots + (2n-1) = \frac{n\{1 + (2n-1)\}}{2} = n^2$

STEP Ⓒ $a_{10} + b_{10}$의 값 구하기

따라서 $a_{10} + b_{10} = \frac{10 \cdot 11}{2} + 10^2 = 155$

1645

정답 ①

STEP Ⓐ 주어진 수열의 일반항 구하기

직각이등변 삼각형의 개수가 a_n이므로

$a_1 = 1$

$a_2 = 1 + 3$

$a_3 = 1 + 3 + 5$

$\vdots$

$a_n = 1 + 3 + 5 + \cdots + (2n-1) = \frac{n(1 + 2n - 1)}{2} = n^2$

STEP Ⓑ $\sum_{k=1}^{10} a_k$ 구하기

따라서 $\sum_{k=1}^{10} a_k = \sum_{k=1}^{10} k^2 = \frac{10 \cdot 11 \cdot 21}{6} = 385$

1646

STEP A **도형 A_n의 넓이 a_n 구하기**

한 변의 길이가 $(n+2)$인 정사각형의 가로, 세로를 각각 $(n+2)$등분 하여
한 변의 길이가 1인 정사각형으로 나눈 후 가장 아래쪽 줄의 모든 정사각형과
아래에서 두 번째 줄의 정사각형 2개를 없앤 도형 A_n의 넓이 a_n은

$$a_n=(n+2)^2-\{(n+2)+2\}=n^2+3n$$

STEP B **$\sum\limits_{k=1}^{10} a_k$의 값 구하기**

따라서 $\sum\limits_{k=1}^{10} a_k=\sum\limits_{k=1}^{10}(k^2+3k)=\sum\limits_{k=1}^{10}k^2+3\sum\limits_{k=1}^{10}k$

$$=\frac{10\cdot 11\cdot 21}{6}+3\cdot\frac{10\cdot 11}{2}$$

$$=550$$

1647

정답 ④

STEP A **정수점의 개수 구하기**

주어진 부분에 속한 점 중에서 $x,\ y$좌표가 모두 자연수인 점을 나타내면
다음 그림과 같으므로

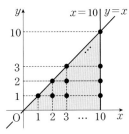

$x=1$일 때, $(1,\ 1)$의 1개

$x=2$일 때, $(2,\ 1),\ (2,\ 2)$의 2개

$x=3$일 때, $(3,\ 1),\ (3,\ 2),\ (3,\ 3)$의 3개

$\vdots$

$x=10$일 때, $(10,\ 1),\ (10,\ 2),\ (10,\ 3),\ \cdots,\ (10,\ 10)$의 10개

따라서 구하는 점의 개수는 $1+2+3+\cdots+10=\sum\limits_{k=1}^{10}k=\dfrac{10\cdot 11}{2}=55$

1648

정답 ⑤

STEP A **직각이등변삼각형 위의 정수 점의 개수 a_n 구하기**

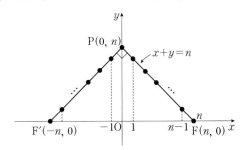

점 $P(0,\ n)$일 때, 직선 PF가 $x+y=n$이므로

두 변 $\overline{PF},\ \overline{PF'}$ 위의 정수 점은 $n+1+n=2n+1$

선분 $\overline{FF'}$ 위의 정수 점은 F와 F'점을 제외하고 $2(n-1)+1=2n-1$

즉 삼각형 PF'F의 세 변 위의 정수 점은 $a_n=2n+1+(2n-1)=4n$

STEP B **$\sum\limits_{n=1}^{5} a_n$ 구하기**

따라서 $\sum\limits_{n=1}^{5} a_n=\sum\limits_{n=1}^{5}4n=4\cdot\dfrac{5\cdot 6}{2}=60$

자연수 n에 대하여 두 이차함수

$$y=x^2,\quad y=x^2-2nx+2n^2$$

의 그래프와 y축으로 둘러싸인 영역의 내부 및 경계에 포함되는 x좌표와
y좌표가 모두 정수인 점의 개수를 a_n이라 하자. $\sum\limits_{k=1}^{5} a_k$의 값은?

① 200   ② 250   ③ 300

④ 350   ⑤ 400

STEP A **$x=k$일 때, 정수 점의 개수 구하기**

이차함수
$y=x^2-2nx+2n^2=(x-n)^2+n^2$의
그래프의 꼭짓점의 좌표는 $(n,\ n^2)$이고
이 점은 이차함수 $y=x^2$의 그래프 위에
있다.
x좌표가 정수이면 두 이차함수
$y=x^2,\ y=(x-n)^2+n^2$의 y좌표도
정수이므로 $0\le k\le n$인 정수 k에
대하여 $x=k$일 때, 주어진 영역안의 x좌표와 y좌표가 모두 정수인 점의
개수는 $(k-n)^2+n^2-k^2+1=-2nk+2n^2+1$

STEP B **x좌표와 y좌표가 모두 정수인 점의 개수 a_n 구하기**

$a_n=\sum\limits_{k=0}^{n}(-2nk+2n^2+1)$

$\quad=\sum\limits_{k=1}^{n}(-2nk+2n^2+1)+2n^2+1$

$\quad=\left\{-2n\cdot\dfrac{n(n+1)}{2}+2n^3+n\right\}+2n^2+1$

$\quad=n^3+n^2+n+1$

STEP C **$\sum\limits_{k=1}^{5} a_k$의 값 구하기**

따라서 $\sum\limits_{k=1}^{5} a_k=\sum\limits_{k=1}^{5}(k^3+k^2+k+1)$

$\quad=\left(\dfrac{5\cdot 6}{2}\right)^2+\dfrac{5\cdot 6\cdot 11}{6}+\dfrac{5\cdot 6}{2}+5\cdot 1$

$\quad=300$

정답 ③

1649

정답 ②

STEP A **$y=\dfrac{6^n}{x}$ 위의 자연수인 점의 개수는 6^n의 양의 약수의 개수임을 이용하여 a_n 구하기**

$n=1$일 때, $y=\dfrac{6}{x}$에서 x좌표와 y좌표가 모두 자연수인 점은

$(1,\ 6),\ (2,\ 3),\ (3,\ 2),\ (6,\ 1)$이므로 $a_1=4$

$n=2$일 때, $y=\dfrac{36}{x}$에서 x좌표와 y좌표가 모두 자연수인 점은

$(1,\ 36),\ (2,\ 18),\ (3,\ 12),\ (4,\ 9),\ (6,\ 6),\ (9,\ 4),\ (12,\ 3),\ (18,\ 2),\ (36,\ 1)$

이므로 $a_2=9$

$\vdots$

즉 곡선 $y=\dfrac{6^n}{x}$ 위의 점 중에서 x좌표와 y좌표가 모두 자연수인 점의 개수는
6^n의 양의 약수의 개수와 같다.

$6^n=2^n\times 3^n$이므로 $a_n=(n+1)(n+1)=(n+1)^2$

STEP B **$\sum\limits_{n=1}^{10} a_n$ 구하기**

따라서 $\sum\limits_{n=1}^{10} a_n=\sum\limits_{n=1}^{10}(n+1)^2=\sum\limits_{n=1}^{10}(n^2+2n+1)$

$\quad=\dfrac{10\cdot 11\cdot 21}{6}+2\cdot\dfrac{10\cdot 11}{2}+10$

$\quad=385+110+10=505$

1650

STEP Ⓐ $n=2$**일 때, 격자점의 개수** a_2 **구하기**

$n=2$일 때, 주어진 도형의 내부에 있는 점 중에서
x좌표와 y좌표가 모두 정수인 점은 $(2, 1)$, $(3, 1)$이므로
$a_2=\boxed{2}$

STEP Ⓑ $n\geq 3$**일 때, 격자점의 개수** a_n **구하기**

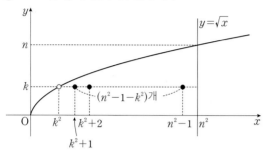

$n\geq 3$일 때, $1\leq k\leq n-1$인 정수 k에 대하여
주어진 도형의 내부에 있는 점 중 y좌표가 k인 점은
$(k^2+1, k), (k^2+2, k), \cdots, (\boxed{n^2-1}, k)$
이므로 이 점의 개수를 b_k라 하면
$b_k=\boxed{n^2-1}-k^2$이다.
따라서

$$a_n=\sum_{k=1}^{n-1}b_k$$
$$=\sum_{k=1}^{n-1}(n^2-1-k^2)$$
$$=(n-1)(n^2-1)-\sum_{k=1}^{n-1}k^2$$
$$=(n-1)(n^2-1)-\frac{(n-1)n(2n-1)}{6}$$
$$=\boxed{\frac{(n-1)(4n^2+n-6)}{6}}$$

STEP Ⓒ $p+f(4)+g(6)$**의 값 구하기**

즉 $p=2$, $f(n)=n^2-1$, $g(n)=\dfrac{(n-1)(4n^2+n-6)}{6}$

따라서 $p+f(4)+g(6)=2+15+120=137$

1651

| 1단계 | a_n을 구한다. | ◀ 50% |

다항식 $x^2-(n+2)x+n$을 $x-2n$으로 나눈 나머지가 a_n이므로
나머지 정리에 의하여
$a_n=(2n)^2-(n+2)\cdot 2n+n=2n^2-3n$

| 2단계 | $\displaystyle\sum_{k=1}^{10}a_k$의 값을 구한다. | ◀ 50% |

$$\sum_{k=1}^{10}a_k=\sum_{k=1}^{10}(2k^2-3k)$$
$$=2\sum_{k=1}^{10}k^2-3\sum_{k=1}^{10}k$$
$$=2\cdot\frac{10\cdot 11\cdot 21}{6}-3\cdot\frac{10\cdot 11}{2}$$
$$=605$$

1652

| 1단계 | 이차방정식의 근과 계수의 관계에 의하여 a_n+b_n, a_nb_n의 값을 구한다. | ◀ 30% |

$x^2-nx+2n-1=0$의 두 근이 a_n, b_n이므로
이차방정식의 근과 계수의 관계에 의하여
$a_n+b_n=n$, $a_nb_n=2n-1$

| 2단계 | 곱셈공식에 의하여 $a_n{}^2+b_n{}^2$을 구한다. | ◀ 30% |

$a_n{}^2+b_n{}^2=(a_n+b_n)^2-2a_nb_n$
$\qquad\quad =n^2-2(2n-1)$
$\qquad\quad =n^2-4n+2$

| 3단계 | $\displaystyle\sum_{k=1}^{10}(a_k{}^2+b_k{}^2)$의 값을 구한다. | ◀ 40% |

$$\sum_{k=1}^{10}(a_k{}^2+b_k{}^2)=\sum_{k=1}^{10}(k^2-4k+2)$$
$$=\frac{10\cdot 11\cdot 21}{6}-4\cdot\frac{10\cdot 11}{2}+20$$
$$=385-220+20$$
$$=185$$

1653

정답 해설참조

1단계 수열 $\{a_n\}$의 일반항을 구한다. ◀ 30%

$a_1 = 9 = 10 - 1$

$a_2 = 98 = 10^2 - 2$

$a_3 = 997 = 10^3 - 3$

$a_4 = 9996 = 10^4 - 4$

$\vdots$

$a_n = 10^n - n$

2단계 9999999990은 수열 $\{a_n\}$의 제 몇 항인지 구한다. ◀ 30%

$9999999990 = 10^{10} - 10$

즉 $a_{10} = 10^{10} - 10$이므로 제 10항이다.

3단계 $9 + 98 + 997 + 9996 + 99995 + \cdots + 9999999990$의 값을 등차수열 및 등비수열의 합의 기호 $\sum$의 성질을 이용하여 구한다. ◀ 40%

$9 + 98 + 997 + 9996 + 99995 + \cdots + 9999999990$

$= (10 - 1) + (10^2 - 2) + (10^3 - 3) + \cdots + (10^{10} - 10)$

$= \sum_{k=1}^{10} (10^k - k)$

$= \sum_{k=1}^{10} 10^k - \sum_{k=1}^{10} k$

$= \dfrac{10(10^{10} - 1)}{10 - 1} - \dfrac{10 \cdot 11}{2}$

$= 10 \cdot \dfrac{9999999999}{9} - 55$

$= 11111111110 - 55$

$= 11111111055$

1654

정답 해설참조

1단계 $\dfrac{1}{3^2 - 1} + \dfrac{1}{5^2 - 1} + \dfrac{1}{7^2 - 1} + \cdots + \dfrac{1}{21^2 - 1}$의 값을 구한다. ◀ 30%

제 k항을 a_k라 하면

$a_k = \dfrac{1}{(2k+1)^2 - 1} = \dfrac{1}{4k^2 + 4k} = \dfrac{1}{4k(k+1)}$

이므로 주어진 수열의 합은

$\displaystyle\sum_{k=1}^{10} a_k = \sum_{k=1}^{10} \dfrac{1}{4k(k+1)}$

$\qquad = \sum_{k=1}^{10} \dfrac{1}{4}\left\{\dfrac{1}{k} - \dfrac{1}{k+1}\right\}$

$\qquad = \dfrac{1}{4}\left\{\left(1 - \dfrac{1}{2}\right) + \left(\dfrac{1}{2} - \dfrac{1}{3}\right) + \cdots + \left(\dfrac{1}{10} - \dfrac{1}{11}\right)\right\}$

$\qquad = \dfrac{1}{4}\left(1 - \dfrac{1}{11}\right)$

$\qquad = \dfrac{5}{22}$

2단계 $\dfrac{1}{2^2 - 1} + \dfrac{1}{3^2 - 1} + \dfrac{1}{4^2 - 1} + \cdots + \dfrac{1}{11^2 - 1}$의 값을 구한다. ◀ 40%

제 k항을 a_k라 하면

$a_k = \dfrac{1}{(k+1)^2 - 1} = \dfrac{1}{k^2 + 2k} = \dfrac{1}{k(k+2)}$

이므로 주어진 수열의 합은

$\displaystyle\sum_{k=1}^{10} a_k = \sum_{k=1}^{10} \dfrac{1}{k(k+2)} = \dfrac{1}{2}\sum_{k=1}^{10}\left(\dfrac{1}{k} - \dfrac{1}{k+2}\right)$

$\qquad = \dfrac{1}{2}\left\{\left(1 - \dfrac{1}{3}\right) + \left(\dfrac{1}{2} - \dfrac{1}{4}\right) + \left(\dfrac{1}{3} - \dfrac{1}{5}\right) + \cdots + \left(\dfrac{1}{9} - \dfrac{1}{11}\right) + \left(\dfrac{1}{10} - \dfrac{1}{12}\right)\right\}$

$\qquad = \dfrac{1}{2}\left(1 + \dfrac{1}{2} - \dfrac{1}{11} - \dfrac{1}{12}\right)$

$\qquad = \dfrac{175}{264}$

3단계 $\dfrac{1}{2^2 - 1} + \dfrac{1}{4^2 - 1} + \dfrac{1}{6^2 - 1} + \cdots + \dfrac{1}{20^2 - 1}$의 값을 구한다. ◀ 30%

제 k항을 a_k라 하면

$a_k = \dfrac{1}{(2k)^2 - 1} = \dfrac{1}{(2k-1)(2k+1)}$

이므로 주어진 수열의 합은

$\displaystyle\sum_{k=1}^{10} a_k = \sum_{k=1}^{10} \dfrac{1}{(2k-1)(2k+1)}$

$\qquad = \dfrac{1}{2}\sum_{k=1}^{10}\left(\dfrac{1}{2k-1} - \dfrac{1}{2k+1}\right)$

$\qquad = \dfrac{1}{2}\left\{\left(1 - \dfrac{1}{3}\right) + \left(\dfrac{1}{3} - \dfrac{1}{5}\right) + \cdots + \left(\dfrac{1}{19} - \dfrac{1}{21}\right)\right\}$

$\qquad = \dfrac{1}{2}\left(1 - \dfrac{1}{21}\right) = \dfrac{10}{21}$

1655

정답 해설참조

1단계 주어진 등식의 제 k항을 a_k라 할 때, a_k을 구한다. ◀ 30%

주어진 수열의 k항을 a_k라 하면

$a_k = k^2\{n - (k-1)\} = k^2(n - k + 1)$

2단계 첫째항부터 제 n항까지의 합을 구한다. ◀ 50%

$1 \cdot n + 2^2 \cdot (n-1) + \cdots + (n-1)^2 \cdot 2 + n^2 \cdot 1$

$= \displaystyle\sum_{k=1}^{n} a_k$

$= \displaystyle\sum_{k=1}^{n} k^2(n - k + 1)$

$= \displaystyle\sum_{k=1}^{n} \{(n+1)k^2 - k^3\}$

$= (n+1)\displaystyle\sum_{k=1}^{n} k^2 - \sum_{k=1}^{n} k^3$

$= (n+1) \cdot \dfrac{n(n+1)(2n+1)}{6} - \left\{\dfrac{n(n+1)}{2}\right\}^2$

$= \dfrac{n(n+1)^2(n+2)}{12}$

3단계 $a + b$의 값을 구한다. ◀ 20%

따라서 $a = 1$, $b = 2$이므로 $a + b = 3$

1656

정답 해설참조

1단계 주어진 등식의 제 k항을 a_k라 할 때, a_k을 구한다. ◀ 30%

주어진 수열의 k항을 a_k라 하면

$a_k = \left(\dfrac{k+n}{n}\right)^2 = \left(\dfrac{k}{n} + 1\right)^2 = \dfrac{k^2}{n^2} + \dfrac{2k}{n} + 1$

2단계 첫째항부터 제 n항까지의 합을 구한다. ◀ 50%

$\displaystyle\sum_{k=1}^{n} a_k = \sum_{k=1}^{n}\left(\dfrac{k^2}{n^2} + \dfrac{2k}{n} + 1\right)$

$\qquad = \dfrac{1}{n^2}\displaystyle\sum_{k=1}^{n} k^2 + \dfrac{2}{n}\sum_{k=1}^{n} k + \sum_{k=1}^{n} 1$

$\qquad = \dfrac{1}{n^2} \cdot \dfrac{n(n+1)(2n+1)}{6} + \dfrac{2}{n} \cdot \dfrac{n(n+1)}{2} + 1 \cdot n$

$\qquad = \dfrac{(n+1)(2n+1)}{6n} + 2n + 1$

$\qquad = (2n+1)\left(1 + \dfrac{n+1}{6n}\right)$

$\qquad = \dfrac{(2n+1)(7n+1)}{6n}$

3단계 $a + b$의 값을 구한다. ◀ 20%

따라서 $a = 6$, $b = 7$이므로 $ab = 42$

1657

1단계 n행에 나열되는 수들의 합 a_n을 구한다. ◀ 40%

n행에 나열되는 수들의 합은 첫째항이 n, 공차가 n인 등차수열의 첫째항부터
제 n항까지의 합이다.
따라서 등차수열의 합의 공식에 의하여

$$a_n = \frac{n\{2n+(n-1)\times n\}}{2} = \frac{n^3+n^2}{2}$$

2단계 10행의 나열되는 수의 합을 구한다. ◀ 20%

10행에 나열되는 모든 수의 합은 $\dfrac{10^3+10^2}{2}=550$

3단계 1행에서 10행까지 나열된 모든 수의 합을 구한다. ◀ 40%

나열된 55개의 수를 모두 더한 것은 1행부터 10행까지의 합과 같으므로

$$\sum_{k=1}^{10} a_k = \sum_{k=1}^{10} \frac{1}{2}(k^3+k^2)$$
$$= \frac{1}{2}\left(\sum_{k=1}^{10} k^3 + \sum_{k=1}^{10} k^2\right)$$
$$= \frac{1}{2}\left\{\left(\frac{10\cdot 11}{2}\right)^2 + \frac{10\cdot 11\cdot 21}{6}\right\}$$
$$= \frac{1}{2}(3025+385)$$
$$= 1705$$

1658

1단계 이차방정식의 근과 계수의 관계를 이용하여 $m+n$, mn의 값을 구한다. ◀ 20%

이차방정식 $x^2-14x+20=0$의 두 근이 m, n이므로
근과 계수의 관계에 의하여 $m+n=14$, $mn=20$

2단계 $\displaystyle\sum_{k=1}^{m}\left\{\sum_{l=1}^{n}(k+l)\right\}$을 시그마의 성질과 공식을 이용하여 m, n에 대한 식으로 나타낸다. ◀ 50%

$$\sum_{k=1}^{m}\left\{\sum_{l=1}^{n}(k+l)\right\} = \sum_{k=1}^{m}\left\{\sum_{l=1}^{n}k + \sum_{l=1}^{n}l\right\}$$
$$= \sum_{k=1}^{m}\left\{kn + \frac{n(n+1)}{2}\right\}$$
$$= n\sum_{k=1}^{m}k + \frac{n(n+1)}{2}\sum_{k=1}^{m}1$$
$$= n\cdot\frac{m(m+1)}{2} + \frac{n(n+1)}{2}\cdot m$$
$$= \frac{mn}{2}(m+n+2)$$

3단계 $\displaystyle\sum_{k=1}^{m}\left\{\sum_{l=1}^{n}(k+l)\right\}$의 값을 구한다. ◀ 30%

따라서 $m+n=14$, $mn=20$이므로
$$\frac{mn}{2}(m+n+2) = \frac{20}{2}(14+2) = 10\cdot 16 = 160$$

1659

1단계 등차수열의 첫째항과 공차를 구한다. ◀ 50%

등차수열 $\{a_n\}$의 첫째항을 a, 공차를 d라고 하면 $a_n=a+(n-1)d$

$$\sum_{k=1}^{4} a_{4k-1} = a_3 + a_7 + a_{11} + a_{15}$$
$$= (a+2d)+(a+6d)+(a+10d)+(a+14d)$$
$$= 4a+32d=60$$
$$\therefore a+8d=15 \qquad \cdots\cdots \text{㉠}$$

$$\sum_{k=1}^{4} a_{4k-2} = a_2 + a_6 + a_{10} + a_{14}$$
$$= (a+d)+(a+5d)+(a+9d)+(a+13d)$$
$$= 4a+28d=52$$
$$\therefore a+7d=13 \qquad \cdots\cdots \text{㉡}$$

㉠, ㉡을 연립하여 풀면 $a=-1$, $d=2$

2단계 a_{2k}을 구한다. ◀ 20%

등차수열 $\{a_n\}$의 일반항은 $a_n=-1+(n-1)\cdot 2=2n-3$
$$a_{2k}=2(2k)-3=4k-3$$

3단계 $\displaystyle\sum_{k=1}^{10} a_{2k}$의 값을 구한다. ◀ 30%

따라서 $\displaystyle\sum_{k=1}^{10} a_{2k} = \sum_{k=1}^{10}(4k-3) = \sum_{k=1}^{10}4k - \sum_{k=1}^{10}3$
$$= 4\cdot\frac{10\cdot 11}{2} - 3\cdot 10 = 190$$

1660

1단계 수열 $\{a_n\}$의 일반항을 구한다. ◀ 40%

$\displaystyle\sum_{k=1}^{n} a_k = \log\frac{(n+1)(n+2)}{2}$에서

$n=1$일 때, $a_1 = \log\dfrac{(1+1)(1+2)}{2} = \log 3$

$n\geq 2$일 때, $a_n = \displaystyle\sum_{k=1}^{n} a_k - \sum_{k=1}^{n-1} a_k$
$$= \log\frac{(n+1)(n+2)}{2} - \log\frac{n(n+1)}{2}$$
$$= \log\left\{\frac{(n+1)(n+2)}{2}\times\frac{2}{n(n+1)}\right\}$$
$$= \log\frac{n+2}{n} \qquad \cdots\cdots \text{㉠}$$

이때 $a_1=\log 3$은 ㉠에 $n=1$을 대입한 것과 같으므로
$$a_n = \log\frac{n+2}{n} \ (단, n\geq 1)$$

2단계 $\displaystyle\sum_{k=1}^{20} a_{2k}$의 값을 구한다. ◀ 40%

$a_n=\log\dfrac{n+2}{n}$에서 $a_{2k}=\log\dfrac{2k+2}{2k}$이므로

$$\sum_{k=1}^{20} a_{2k} = \sum_{k=1}^{20}\log\frac{2k+2}{2k}$$
$$= \sum_{k=1}^{20}\log\frac{k+1}{k}$$
$$= \log\frac{2}{1} + \log\frac{3}{2} + \log\frac{4}{3} + \cdots + \log\frac{21}{20}$$
$$= \log\left(\frac{2}{1}\times\frac{3}{2}\times\cdots\times\frac{21}{20}\right)$$
$$= \log 21$$

3단계 10^p의 값을 구한다. ◀ 20%

따라서 $p=\log 21$이므로 $10^p=10^{\log 21}=21$

1661

1단계 a_n 구하기 ◄ 40%

$n=1$일 때, $a_1=S_1=1$

$n \geq 2$일 때, $a_n=S_n-S_{n-1}$

$\qquad\qquad\qquad =n^2-(n-1)^2$

$\qquad\qquad\qquad =2n-1$ ······ ㉠

이때 $a_1=1$은 ㉠에 $n=1$을 대입한 것과 같으므로

$a_n=2n-1\,(n \geq 1)$

2단계 $\dfrac{1}{\sqrt{a_k}+\sqrt{a_{k+1}}}$ 을 구하고 유리화 한다. ◄ 20%

$\dfrac{1}{\sqrt{a_k}+\sqrt{a_{k+1}}}=\dfrac{1}{\sqrt{2k-1}+\sqrt{2k+1}}$

$\qquad\qquad\qquad =\dfrac{\sqrt{2k-1}-\sqrt{2k+1}}{(\sqrt{2k-1}+\sqrt{2k+1})(\sqrt{2k-1}-\sqrt{2k+1})}$

$\qquad\qquad\qquad =\dfrac{1}{2}(\sqrt{2k+1}-\sqrt{2k-1})$

3단계 $\displaystyle\sum_{k=1}^{40}\dfrac{1}{\sqrt{a_k}+\sqrt{a_{k+1}}}$ 의 값을 구한다. ◄ 40%

$\displaystyle\sum_{k=1}^{40}\dfrac{1}{\sqrt{a_k}+\sqrt{a_{k+1}}}=\sum_{k=1}^{40}\dfrac{1}{\sqrt{2k-1}+\sqrt{2k+1}}$

$\qquad\qquad\qquad =\dfrac{1}{2}\sum_{k=1}^{40}(\sqrt{2k+1}-\sqrt{2k-1})$

$\qquad\qquad\qquad =\dfrac{1}{2}\{(\sqrt{3}-1)+(\sqrt{5}-\sqrt{3})+\cdots+(\sqrt{81}-\sqrt{79})\}$

$\qquad\qquad\qquad =\dfrac{1}{2}(\sqrt{81}-1)=4$

1662

1단계 a_1과 $n \geq 2$일 때, a_n을 구한다. ◄ 40%

$S_n=\displaystyle\sum_{k=1}^{n}a_k=n^2+n-1$이라 하면

$n=1$일 때, $a_1=S_1=1^2+1-1=1$

$n \geq 2$일 때, $a_n=S_n-S_{n-1}$

$\qquad\qquad\qquad =n^2+n-1-(n-1)^2-(n-1)+1$

$\qquad\qquad\qquad =2n$ ······ ㉠

이때 $a_1=1$는 ㉠에 $n=1$을 대입한 것과 같지 않으므로

$a_1=1$, $a_n=2n\,(n \geq 2)$

2단계 a_1과 $n \geq 2$일 때, a_n을 구한다. ◄ 20%

$k \geq 2$일 때, $a_k=2k$이므로

$a_k a_{k+1}=2k(2k+2)$

3단계 $\displaystyle\sum_{k=1}^{20}\dfrac{1}{a_k a_{k+1}}$ 을 구한다. ◄ 40%

$\displaystyle\sum_{k=1}^{20}\dfrac{1}{a_k a_{k+1}}=\dfrac{1}{a_1 a_2}+\sum_{k=2}^{20}\dfrac{1}{a_k a_{k+1}}$

$\qquad\qquad\qquad =\dfrac{1}{1 \cdot 4}+\sum_{k=2}^{20}\dfrac{1}{2k(2k+2)}$

$\qquad\qquad\qquad =\dfrac{1}{4}+\dfrac{1}{4}\sum_{k=2}^{20}\left(\dfrac{1}{k}-\dfrac{1}{k+1}\right)$

$\qquad\qquad\qquad =\dfrac{1}{4}+\dfrac{1}{4}\left\{\left(\dfrac{1}{2}-\dfrac{1}{3}\right)+\left(\dfrac{1}{3}-\dfrac{1}{4}\right)+\cdots+\left(\dfrac{1}{20}-\dfrac{1}{21}\right)\right\}$

$\qquad\qquad\qquad =\dfrac{1}{4}+\dfrac{1}{4}\left(\dfrac{1}{2}-\dfrac{1}{21}\right)$

$\qquad\qquad\qquad =\dfrac{61}{168}$

1663

1단계 이차함수 $f(a)$을 구한다. ◄ 70%

$f(a)=\displaystyle\sum_{k=1}^{10}(2k-a)^2$

$\qquad =\displaystyle\sum_{k=1}^{10}(4k^2-4ak+a^2)$

$\qquad =4\displaystyle\sum_{k=1}^{10}k^2-4a\sum_{k=1}^{10}k+\sum_{k=1}^{10}a^2$

$\qquad =4 \cdot \dfrac{10 \cdot 11 \cdot 21}{6}-4a \cdot \dfrac{10 \cdot 11}{2}+a^2 \cdot 10$

$\qquad =10(a^2-22a+154)$

2단계 $f(a)$가 최소가 되도록 하는 a의 값과 그때의 최솟값을 각각 구한다. ◄ 30%

따라서 $f(a)=10(a-11)^2+330$이므로 $a=11$일 때, 최솟값 330을 갖는다.

1664

1단계 수열의 일반항 a_n을 구한다. ◄ 50%

$a_1=1$

$a_2=1+2$

$a_3=1+2+3$

$\qquad \vdots$

$a_n=1+2+3+\cdots+n=\dfrac{n(n+1)}{2}$

2단계 $\displaystyle\sum_{k=1}^{10}a_k$의 값을 구한다. ◄ 50%

따라서 수열의 첫째항부터 제 10항까지의 합은

$\displaystyle\sum_{k=1}^{10}a_k=\sum_{k=1}^{10}\dfrac{k(k+1)}{2}$

$\qquad\qquad =\dfrac{1}{2}\left(\displaystyle\sum_{k=1}^{10}k^2+\sum_{k=1}^{10}k\right)$

$\qquad\qquad =\dfrac{1}{2}\left(\dfrac{10 \cdot 11 \cdot 21}{6}+\dfrac{10 \cdot 11}{2}\right)$

$\qquad\qquad =\dfrac{1}{2} \cdot 440$

$\qquad\qquad =220$

1665

1단계 $\displaystyle\sum_{k=1}^{10} a_k$의 값을 구한다. ◀ 30%

$a_1=1$, $a_{n+1}=a_n+3$인 수열 $\{a_n\}$은
첫째항이 1이고 공차가 3인 등차수열이므로
$a_n=1+(n-1)\cdot 3=3n-2$

$$\sum_{k=1}^{10} a_k=\sum_{k=1}^{10}(3k-2)$$
$$=3\sum_{k=1}^{10}k-2\cdot 10$$
$$=3\cdot\frac{10\cdot 11}{2}-20$$
$$=165-20=145$$

2단계 $3\cdot 4+5\cdot 6+7\cdot 8+\cdots+13\cdot 14$의 합을 구한다. ◀ 30%

$3\cdot 4$, $5\cdot 6$, $7\cdot 8$, $\cdots$, $13\cdot 14$의 제 k번째항을 a_k라 하면
$a_k=(2k+1)(2k+2)$

$$\sum_{k=1}^{6} a_k=\sum_{k=1}^{6}(2k+1)(2k+2)$$
$$=\sum_{k=1}^{6}(4k^2+6k+2)$$
$$=4\cdot\frac{6\cdot 7\cdot 13}{6}+6\cdot\frac{6\cdot 7}{2}+2\cdot 6$$
$$=502$$

3단계 $\displaystyle\sum_{k=1}^{24}\frac{1}{\sqrt{2k-1}+\sqrt{2k+1}}$의 값을 구한다. ◀ 40%

$\dfrac{1}{1+\sqrt{3}}$, $\dfrac{1}{\sqrt{3}+\sqrt{5}}$, $\dfrac{1}{\sqrt{5}+\sqrt{7}}$, $\cdots$, $\dfrac{1}{\sqrt{47}+\sqrt{49}}$의
제 k번째항을 a_k라 하면
$$a_k=\frac{1}{\sqrt{2k-1}+\sqrt{2k+1}}$$
$$\sum_{k=1}^{24} a_k=\sum_{k=1}^{24}\frac{1}{\sqrt{2k-1}+\sqrt{2k+1}}$$
$$=\sum_{k=1}^{24}\frac{\sqrt{2k-1}-\sqrt{2k+1}}{(\sqrt{2k-1}+\sqrt{2k+1})(\sqrt{2k-1}-\sqrt{2k+1})}$$
$$=\frac{1}{2}\sum_{k=1}^{24}(\sqrt{2k+1}-\sqrt{2k-1})$$
$$=\frac{1}{2}(\sqrt{49}-\sqrt{1})=3$$

1666

1단계 $f_n(x)$을 $x-1$로 나누었을 때의 나머지 a_n를 구한다. ◀ 30%

$f_n(x)=4^n x^4+3^n x^3+2^n x^2+x+1$을 $x-1$로 나누었을 때의 나머지는
나머지 정리를 이용하여
$a_n=f_n(1)=4^n+3^n+2^n+2$

2단계 $f_n(x)$을 $x+1$로 나누었을 때의 나머지 b_n를 구한다. ◀ 30%

$f_n(x)=4^n x^4+3^n x^3+2^n x^2+x+1$을 $x+1$로 나누었을 때의 나머지는
나머지 정리를 이용하여
$b_n=f_n(-1)=4^n-3^n+2^n$

3단계 $\displaystyle\sum_{n=1}^{10}(a_n-b_n)$의 값을 구한다. ◀ 40%

$a_n-b_n=(4^n+3^n+2^n+2)-(4^n-3^n+2^n)=2\cdot 3^n+2$

따라서 $\displaystyle\sum_{n=1}^{10}(a_n-b_n)=\sum_{n=1}^{10}(2\cdot 3^n+2)$
$$=2\cdot\frac{3(3^{10}-1)}{3-1}+20$$
$$=3^{11}+17$$

1667

1단계 $1\le n\le 100$에서 $\log_4 n$이 정수가 되도록 하는 n값을 구한다. ◀ 30%

$\log_4 n=k$라 하면 정수가 되기 위해서는 $n=4^k$ (단, k는 정수)
$k=0$일 때, $n=1$
$k=1$일 때, $n=4$
$k=2$일 때, $n=16$
$k=3$일 때, $n=64$
따라서 자연수 n의 값은 1, 4, 16, 64 ($\because 1\le n\le 100$)

2단계 [1단계]의 결과를 기준으로 $1\le n\le 100$에서 자연수 n의 범위를 나누어 각 범위에서의 $[\log_4 n]$의 값을 구한다. ◀ 30%

$1\le n<4$일 때, $0\le\log_4 n<1$이므로 $[\log_4 n]=0$
$4\le n<16$일 때, $1\le\log_4 n<2$이므로 $[\log_4 n]=1$
$16\le n<64$일 때, $2\le\log_4 n<3$이므로 $[\log_4 n]=2$
$64\le n\le 100$일 때, $3\le\log_4 n<4$이므로 $[\log_4 n]=3$

3단계 $\displaystyle\sum_{n=1}^{100}[\log_4 n]$의 값을 구한다. ◀ 40%

$$\sum_{n=1}^{100}[\log_4 n]=0\cdot(4-1)+1\cdot(16-4)+2\cdot(64-16)+3\cdot(100-64+1)$$
$$=0\cdot 3+1\cdot 12+2\cdot 48+3\cdot 37$$
$$=0+12+96+111=219$$

1668

1단계 $f(x)+f(2-x)=1$임을 보인다. ◀ 40%

$f(x)=\dfrac{2^x}{2^x+2}$에서
$$f(2-x)=\frac{2^{2-x}}{2^{2-x}+2}=\frac{2^{2-x}\cdot 2^x}{(2^{2-x}+2)2^x}$$
$$=\frac{4}{4+2\cdot 2^x}$$
$$=\frac{2}{2^x+2}$$

이므로
$$f(x)+f(2-x)=\frac{2^x}{2^x+2}+\frac{2}{2^x+2}$$
$$=\frac{2^x+2}{2^x+2}=1$$

2단계 $f\left(\dfrac{99}{50}\right)+f\left(\dfrac{1}{50}\right)$, $f\left(\dfrac{97}{50}\right)+f\left(\dfrac{3}{50}\right)$의 값을 구한다. ◀ 20%

$f\left(\dfrac{99}{50}\right)+f\left(\dfrac{1}{50}\right)=1$, $f\left(\dfrac{97}{50}\right)+f\left(\dfrac{3}{50}\right)=1$

3단계 $\displaystyle\sum_{k=1}^{50} f\left(\dfrac{101-2k}{50}\right)$의 값을 구한다. ◀ 40%

$$\sum_{k=1}^{50} f\left(\frac{101-2k}{50}\right)$$
$$=f\left(\frac{99}{50}\right)+f\left(\frac{97}{50}\right)+f\left(\frac{95}{50}\right)+\cdots+f\left(\frac{5}{50}\right)+f\left(\frac{3}{50}\right)+f\left(\frac{1}{50}\right)$$
$$=\left\{f\left(\frac{99}{50}\right)+f\left(\frac{1}{50}\right)\right\}+\left\{f\left(\frac{97}{50}\right)+f\left(\frac{3}{50}\right)\right\}+\cdots+\left\{f\left(\frac{51}{50}\right)+f\left(\frac{49}{50}\right)\right\}$$
$$=1+1+1+\cdots+1=25$$

1669

1단계 $(1+2+3+\cdots+10)(1+2+3+\cdots+10)$을 구한다. ◀ 30%

$(1+2+3+\cdots+10)(1+2+3+\cdots+10)$

$=\left(\sum_{k=1}^{10}k\right)^2=\left(\dfrac{10\cdot11}{2}\right)^2$

$=55^2=3025$

2단계 대각선의 두 자연수의 곱의 총합 $\sum_{k=1}^{10}k^2$을 구한다. ◀ 30%

대각선의 두 자연수 a, b의 곱 ab의 총합은

$\sum_{k=1}^{10}k^2=\dfrac{10\cdot11\cdot21}{6}=385$

3단계 1에서 10까지의 자연수 중 서로 다른 두 자연수의 곱의 총합 S의 값을 구한다. ◀ 40%

$1\le a\le10$, $1\le b\le10$, $a<b$인 두 자연수 a, b의 곱 ab의 총합이 S이므로

$\left(\sum_{k=1}^{10}k\right)^2=\sum_{k=1}^{10}k^2+2S$

$2S=\left(\sum_{k=1}^{10}k\right)^2-\sum_{k=1}^{10}k^2=3025-385=2640$

따라서 $S=1320$

다른풀이 1에서 10까지의 자연수 중 서로 다른 두 자연수의 곱의 총합 구하기

$1\times(2+3+4+\cdots+10)+2\times(3+4+\cdots+10)+\cdots+9\times10$

$=1\times\dfrac{9(2+10)}{2}+2\times\dfrac{8(3+10)}{2}+\cdots+9\times10$

$=\sum_{k=1}^{9}\dfrac{k(10-k)(k+1+10)}{2}$

$=\sum_{k=1}^{9}\dfrac{-k^3-k^2+110k}{2}$

$=-\dfrac{1}{2}\sum_{k=1}^{9}k^3-\dfrac{1}{2}\sum_{k=1}^{9}k^2+55\sum_{k=1}^{9}k$

$=-\dfrac{1}{2}\left(\dfrac{9\cdot10}{2}\right)^2-\dfrac{1}{2}\cdot\dfrac{9\cdot10\cdot19}{6}+55\cdot\dfrac{9\cdot10}{2}$

$=1320$

내/신/연/계 출제문항 629

다음 표에서
$$1\le a\le7,\ 1\le b\le7,\ a<b$$
인 두 자연수 a, b의 곱 ab의 총합을 구하는 과정을 다음 단계로 서술하여라.

×	1	2	3	⋯	7
1	1^2	1×2	1×3	⋯	1×7
2	2×1	2^2	2×3	⋯	2×7
3	3×1	3×2	3^2	⋯	3×7
⋮	⋮	⋮	⋮	⋮	⋮
7	7×1	7×2	7×3	⋯	7^2

[1단계] $(1+2+3+\cdots+7)(1+2+3+\cdots+7)$을 구하여라.

[2단계] 대각선의 두 자연수의 곱의 총합 $\sum_{k=1}^{7}k^2$을 구한다.

[3단계] 1에서 7까지의 자연수 중 서로 다른 두 자연수의 곱의 총합을 구한다.

1단계 $(1+2+3+\cdots+7)(1+2+3+\cdots+7)$을 구한다. ◀ 30%

$1\le a\le7$, $1\le b\le7$인 두 자연수 a, b의 곱 ab의 총합은

$(1+2+3+\cdots+7)(1+2+3+\cdots+7)=\left(\sum_{k=1}^{7}k\right)^2=\left(\dfrac{7\cdot8}{2}\right)^2=28^2=784$

2단계 대각선의 두 자연수의 곱의 총합 $\sum_{k=1}^{7}k^2$을 구한다. ◀ 30%

이때 대각선의 두 자연수 a, b의 곱 ab의 총합은

$\sum_{k=1}^{7}k^2=\dfrac{7\cdot8\cdot15}{6}=140$

3단계 1에서 7까지의 자연수 중 서로 다른 두 자연수의 곱의 총합을 구한다. ◀ 40%

$1\le a\le10$, $1\le b\le10$, $a<b$인 두 자연수 a, b의 곱 ab의 총합이 S이라 하면

$\left(\sum_{k=1}^{7}k\right)^2=\sum_{k=1}^{7}k^2+2S$이므로 $2S=\left(\sum_{k=1}^{7}k\right)^2-\sum_{k=1}^{7}k^2=784-140=644$

따라서 $S=322$

1670

1단계 이차함수 $y=x^2-2^nx+4^n$의 최솟값 a_n을 구한다. ◀ 40%

$x^2-2^nx+4^n=(x-2^{n-1})^2-(2^{n-1})^2+4^n$

$\qquad\qquad\qquad=(x-2^{n-1})^2-4^{n-1}+4^n$

$\qquad\qquad\qquad=(x-2^{n-1})^2-4^{n-1}+4\cdot4^{n-1}$

$\qquad\qquad\qquad=(x-2^{n-1})^2+3\cdot4^{n-1}$

이므로 이차함수 $y=x^2-2^nx+4^n$은 $x=2^{n-1}$일 때,

최솟값 $3\cdot4^{n-1}$을 가지므로 $a_n=3\cdot4^{n-1}$

2단계 $S_n=\sum_{k=1}^{n}a_k$의 값을 구한다. ◀ 20%

$S_n=\sum_{k=1}^{n}a_k=\sum_{k=1}^{n}3\cdot4^{k-1}=\dfrac{3(4^n-1)}{4-1}=4^n-1$

3단계 $\sum_{k=1}^{m}\log_2(S_k+1)=110$을 만족시키는 자연수 m의 값을 구한다. ◀ 40%

$\sum_{k=1}^{m}\log_2(S_k+1)=\sum_{k=1}^{m}\log_2\{(4^k-1)+1\}$

$\qquad\qquad\qquad=\sum_{k=1}^{m}\log_24^k$

$\qquad\qquad\qquad=\sum_{k=1}^{m}\log_22^{2k}$

$\qquad\qquad\qquad=\sum_{k=1}^{m}2k\log_22$

$\qquad\qquad\qquad=2\sum_{k=1}^{m}k$

$\qquad\qquad\qquad=2\cdot\dfrac{m(m+1)}{2}$

$\qquad\qquad\qquad=m(m+1)$

이때 $m(m+1)=110$에서 $m^2+m-110=0$, $(m-10)(m+11)=0$

따라서 m은 자연수이므로 $m=10$

1671

정답 해설참조

1단계 6^n의 양의 약수의 개수를 구한다. ◀ 30%

$6^n=(2\cdot3)^n=2^n\cdot3^n$에서 6^n의 전체 양의 약수의 개수는
$(n+1)(n+1)=(n+1)^2$

2단계 짝수인 양의 약수의 개수는 전체 양의 약수의 개수에서 홀수인 양의 약수의 개수를 빼서 a_n 구한다. ◀ 30%

한편 짝수인 양의 약수의 개수는 전체 양의 약수의 개수에서 홀수인 양의 약수의 개수를 뺀 것과 같다.
이때 홀수인 양의 약수는 3^n의 양의 약수와 같으므로 그 개수는 $n+1$
즉 $a_n=(n+1)^2-(n+1)=n^2+n$

3단계 $\sum\limits_{k=1}^{10} a_k$의 값을 구한다. ◀ 40%

따라서 $\sum\limits_{k=1}^{10} a_k=\sum\limits_{k=1}^{10}(k^2+k)=\dfrac{10\cdot11\cdot21}{6}+\dfrac{10\cdot11}{2}=385+55=440$

다른풀이 짝수인 양의 약수의 개수 구하기

$6^n=2^n\cdot3^n$의 짝수인 양의 약수는 반드시 2를 인수로 가진다.
그러므로 6^n의 짝수인 양의 약수의 개수는 $2^{n-1}\cdot3^n$의 양의 약수의 개수와 같다.
따라서 조건을 만족하는 양의 약수의 개수는
$\{(n-1)+1\}(n+1)=n(n+1)$

참고 자연수 N을 소인수분해 하였을 때,
$N=p^\alpha q^\beta r^\gamma$($p,\,q,\,r$는 서로 다른 소수, $\alpha\geq1,\,\beta\geq1,\,\gamma\geq1$)이라고 하면
N의 양의 약수의 개수는 $(\alpha+1)(\beta+1)(\gamma+1)$

1672

정답 해설참조

1단계 자연수 $8\cdot3^{n-1}$의 양의 약수의 개수 a_n를 구한다. ◀ 30%

$8\cdot3^{n-1}=2^3\cdot3^{n-1}$이므로 자연수 $8\cdot3^{n-1}$의 양의 약수의 개수는
$(3+1)\cdot\{(n-1)+1\}=4n$
$\therefore a_n=4n$

2단계 $f(n)=\sum\limits_{k=1}^{n}\dfrac{1}{\sqrt{a_k}+\sqrt{a_{k+1}}}$의 값을 구한다. ◀ 30%

$f(n)=\sum\limits_{k=1}^{n}\dfrac{1}{\sqrt{a_k}+\sqrt{a_{k+1}}}$

$=\sum\limits_{k=1}^{n}\dfrac{1}{\sqrt{4k}+\sqrt{4(k+1)}}$

$=\dfrac{1}{2}\sum\limits_{k=1}^{n}\dfrac{1}{\sqrt{k}+\sqrt{k+1}}$

$=\dfrac{1}{2}\sum\limits_{k=1}^{n}\dfrac{\sqrt{k}-\sqrt{k+1}}{(\sqrt{k}+\sqrt{k+1})(\sqrt{k}-\sqrt{k+1})}$

$=\dfrac{1}{2}\sum\limits_{k=1}^{n}(\sqrt{k+1}-\sqrt{k})$

$=\dfrac{1}{2}\{(\sqrt{2}-1)+(\sqrt{3}-\sqrt{2})+\cdots+(\sqrt{n+1}-\sqrt{n})\}$

$=\dfrac{1}{2}(\sqrt{n+1}-1)$

3단계 $f(n)$의 값이 자연수가 되도록 하는 100 이하의 자연수 n의 개수를 구한다. ◀ 40%

$f(n)$이 자연수가 되려면 $\sqrt{n+1}$은 3 이상의 홀수이어야 한다.
한편 n은 100 이하의 자연수이므로 $\sqrt{n+1}\leq\sqrt{101}<11$
따라서 $\sqrt{n+1}$의 값이 3, 5, 7, 9일 때, $f(n)$의 값이 자연수가 되므로 조건을 만족시키는 자연수 n은 8, 24, 48, 80의 4개이다.

1673

정답 해설참조

1단계 제 51항, 즉 a_{51}의 값을 구한다. ◀ 50%

주어진 수열을 각 군의 첫째항이 1이 되도록 나타내면
$(1),\ (1,\ 2),\ (1,\ 2,\ 4),\ (1,\ 2,\ 4,\ 8),\ \cdots$
제 n번째 묶음의 항의 개수는 n이므로
제 1군부터 제 n군까지의 항의 개수는
$1+2+3+\cdots+n=\dfrac{n(n+1)}{2}$
이때 $n=9$일 때, $\dfrac{9\cdot10}{2}=45$이므로 제 51항은 제 10군의 6번째항이다.
$\therefore a_{51}=2^5=32$

2단계 $\sum\limits_{k=1}^{51} a_k$의 값을 구한다. ◀ 50%

첫째항부터 제 51항까지의 합은 제 1군부터 제 10군의 6번째 항까지의 합이다.
이때 제 k군의 모든 항의 합은
$1+2+2^2+\cdots+2^{k-1}=\dfrac{2^k-1}{2-1}=2^k-1$이므로

$\sum\limits_{k=1}^{51} a_k=(1)+(1+2)+(1+2+4)+\cdots+(1+2+4+8+\cdots+2^8)$
$\qquad\qquad\qquad\qquad+(1+2+4+8+16+32)$

$=\sum\limits_{k=1}^{9}(2^k-1)+63$

$=\dfrac{2(2^9-1)}{2-1}-9+63$

$=1076$

1674

정답 해설참조

1단계 a_{55}항을 구한다. ◀ 30%

주어진 수열을 분모가 같은 항끼리 군으로 묶으면
$(1),\ \left(\dfrac{1}{2},\ \dfrac{2}{2}\right),\ \left(\dfrac{1}{3},\ \dfrac{2}{3},\ \dfrac{3}{3}\right),\ \left(\dfrac{1}{4},\ \dfrac{2}{4},\ \dfrac{3}{4},\ \dfrac{4}{4}\right),\ \cdots$
제 n군의 항수는 n이므로 제 1군부터 제 n군까지의 항수는
$\sum\limits_{k=1}^{n}k=\dfrac{n(n+1)}{2}$
$n=10$일 때, $\dfrac{10\cdot11}{2}=55$이므로 제 55항은 제 10군의 10번째 항이다.
따라서 제 55항은 제 10군의 10번째 항이므로 $\dfrac{10}{10}=1$

2단계 제 n번째 묶음의 모든 항의 합을 구한다. ◀ 30%

제 n군의 모든 항의 합은
$\dfrac{1}{n}+\dfrac{2}{n}+\dfrac{3}{n}+\cdots+\dfrac{n}{n}=\dfrac{1+2+3+\cdots+n}{n}$

$=\dfrac{\dfrac{n(n+1)}{2}}{n}$

$=\dfrac{n+1}{2}$

3단계 $\sum\limits_{k=1}^{55} a_k$를 구한다. ◀ 40%

제 55항은 제 10군의 10번째 항이므로 $\sum\limits_{k=1}^{55} a_k$은 제 1군부터 제 10군까지 모든 항을 더 한 것과 같다.
따라서 제 n군의 모든 항의 합이 $\dfrac{n+1}{2}$이므로

$\sum\limits_{k=1}^{55} a_k=\sum\limits_{k=1}^{10}\dfrac{1}{2}(k+1)=\dfrac{1}{2}\left(\dfrac{10\cdot11}{2}+10\right)$

$=\dfrac{1}{2}(55+10)$

$=\dfrac{65}{2}$

1675

정답 $\dfrac{65}{2}$

STEP Ⓐ 주어진 식에 $k=1, 2, 3, \cdots, 10$을 대입하여 더하기

$$\sum_{k=1}^{10} k\left(\dfrac{1}{k}+\dfrac{1}{k+1}+\cdots+\dfrac{1}{10}\right)$$
$$=\left(1+\dfrac{1}{2}+\cdots+\dfrac{1}{10}\right)+2\left(\dfrac{1}{2}+\dfrac{1}{3}+\cdots+\dfrac{1}{10}\right)+3\left(\dfrac{1}{3}+\dfrac{1}{4}+\cdots+\dfrac{1}{10}\right)+\cdots$$
$$+10\times\dfrac{1}{10}$$
$$=1+\dfrac{1}{2}(1+2)+\dfrac{1}{3}(1+2+3)+\cdots+\dfrac{1}{10}(1+2+\cdots+10)$$

← 1이 1번, $\dfrac{1}{2}$이 1+2번 $\dfrac{1}{3}$이 1+2+3번 $\cdots$, $\dfrac{1}{10}$은 1+2+$\cdots$+10번을 더한다.

$$=\sum_{k=1}^{10}\dfrac{1}{k}(1+2+\cdots+k)$$

STEP Ⓑ $\sum_{k=1}^{10}\dfrac{1}{k}(1+2+\cdots+k)$ 구하기

$$\sum_{k=1}^{10}\dfrac{1}{k}(1+2+\cdots+k)=\sum_{k=1}^{10}\dfrac{1}{k}\cdot\dfrac{k(k+1)}{2}$$
$$=\dfrac{1}{2}\sum_{k=1}^{10}(k+1)$$
$$=\dfrac{1}{2}\left(\dfrac{10\cdot11}{2}+10\right)$$
$$=\dfrac{65}{2}$$

1676

정답 92

STEP Ⓐ $S_{2k}-S_{2k-1}=a_{2n}$을 이용하여 식을 정리하기

$S_{2k}-S_{2k-1}=a_{2n}$이므로
$$\sum_{k=1}^{15}(S_{2k}-S_{2k-1})=(S_2-S_1)+(S_4-S_3)+\cdots+(S_{30}-S_{29})$$
$$=a_2+a_4+a_6+\cdots+a_{30}$$

STEP Ⓑ 등차수열 $\{a_n\}$의 공차가 3임을 이용하여 a_{30} 구하기

이때 수열 $\{a_n\}$의 공차가 3이므로 수열 $\{a_{2n}\}$은 첫째항이 $a_2=a_1+3$이고 공차가 6인 등차수열이다.

$$a_2+a_4+a_6+\cdots+a_{30}=\dfrac{15\{2(a_1+3)+(15-1)\cdot6\}}{2}$$
$$=15(a_1+45)$$

이때 $15(a_1+45)=750$이므로 $a_1+45=50$　∴ $a_1=5$
따라서 $a_{30}=a_1+29\cdot3=5+87=92$

1677

정답 120

STEP Ⓐ 주어진 조건을 이용하여 등차수열 $\{a_n\}$의 일반항 구하기

등차수열 $\{a_n\}$은 첫째항이 3, 공차를 d라 하면 $a_n=3+(n-1)d$
이때 $a_{5n}-a_n=\{3+(5n-1)d\}-\{3+(n-1)d\}$
$$=4dn$$
$$\sum_{n=1}^{10}4dn=4d\cdot\dfrac{10\cdot11}{2}=220d=440$$
∴ $d=2$
즉 $a_n=2n+1$

STEP Ⓑ $\sum_{n=1}^{10}a_n$ 구하기

$$\sum_{n=1}^{10}a_n=\sum_{n=1}^{10}(2n+1)=2\cdot\dfrac{10\cdot11}{2}+10$$
$$=110+10=120$$

1678

정답 24

STEP Ⓐ 조건을 만족하는 등차수열의 공차 d 구하기

등차수열 $\{a_n\}$의 첫째항을 a_1, 공차를 d라 하면 $a_n=a_1+(n-1)d$
$a_{26}=30$에서 $a_1+25d=30$, $a_1=30-25d$　……㉠

$$\sum_{n=1}^{13}\{(a_{2n})^2-(a_{2n-1})^2\}$$
$$=\sum_{n=1}^{13}(a_{2n}-a_{2n-1})(a_{2n}+a_{2n-1})$$
$$=\sum_{n=1}^{13}d(a_{2n}+a_{2n-1})\quad◀\ d=a_{2n}-a_{2n-1}$$
$$=d\{(a_2+a_1)+(a_4+a_3)+\cdots+(a_{26}+a_{25})\}$$
$$=d(a_1+a_2+\cdots+a_{26})$$
$$=\dfrac{d\cdot26(a_1+a_{26})}{2}$$
$$=13d(a_1+30)=260$$
∴ $d(a_1+30)=20$　……㉡
㉠을 ㉡에 대입하면 $d(30-25d+30)=20$
$25d^2-60d+20=0$, $5d^2-12d+4=0$, $(5d-2)(d-2)=0$
∴ $d=\dfrac{2}{5}$ 또는 $d=2$

STEP Ⓑ 등차수열 $\{a_n\}$의 모든 항이 양수임을 이용하여 a_{11} 구하기

$d=2$를 ㉠에 대입하면 $a_1=-20<0$이므로
등차수열 $\{a_n\}$의 모든 항이 양수인 것에 모순이다.

$d=\dfrac{2}{5}$를 ㉠에 대입하면 $a_1=20$
따라서 $a_{11}=20+10\cdot\dfrac{2}{5}=20+4=24$

1679

정답 776

STEP Ⓐ 조건을 이용하여 a_1, a_2 구하기

$$\sum_{k=2}^{n}a_k-\sum_{k=1}^{n-1}a_k=2n^2+2\ (n\geq2)\quad……㉠$$
㉠에 $n=2$를 대입하면
$$\sum_{k=2}^{2}a_k-\sum_{k=1}^{1}a_k=2\cdot2^2+2=10$$이므로 $a_2-a_1=10$
두 식 $a_1+a_2=8$, $a_2-a_1=10$을 연립하여 풀면
$a_1=-1$, $a_2=9$

STEP Ⓑ $\sum_{k=2}^{n}a_k-\sum_{k=1}^{n-1}a_k$를 이용하여 a_n 구하기

2 이상인 자연수 n에 대하여
$$\sum_{k=2}^{n}a_k-\sum_{k=1}^{n-1}a_k=(a_2+a_3+\cdots+a_{n-1}+a_n)-(a_1+a_2+\cdots+a_{n-1})$$
$$=a_n-a_1=a_n+1$$
㉠에서 $a_n+1=2n^2+2$
∴ $a_n=2n^2+1(n\geq2)$

STEP Ⓒ $\sum_{k=1}^{10}a_k$ 구하기

따라서 수열 $\{a_n\}$은 $a_1=-1$, $a_n=2n^2+1\ (n\geq2)$이므로
$$\sum_{k=1}^{10}a_k=a_1+\sum_{k=2}^{10}a_k=-1+\sum_{k=2}^{10}(2k^2+1)$$
$$=-1+\sum_{k=1}^{10}(2k^2+1)-3$$
$$=-4+2\sum_{k=1}^{10}k^2+1\cdot10$$
$$=-4+2\cdot\dfrac{10\cdot11\cdot21}{6}+10$$
$$=776$$

1680

정답 5

STEP Ⓐ **주어진 부등식을 함수 $f(x)$로 나타내기**

$f(n)=\sum_{k=1}^{n} a_k=a_1+a_2+\cdots+a_n$ 이므로

$f(15)=\sum_{k=1}^{15} a_k=a_1+a_2+\cdots+a_{15}$

$f(m-1)=\sum_{k=1}^{m-1} a_k=a_1+a_2+\cdots+a_{m-1}$

$a_m+a_{m+1}+\cdots+a_{15}=\sum_{k=1}^{15} a_k-\sum_{k=1}^{m-1} a_k=f(15)-f(m-1)<0$ 에서

$f(15)<f(m-1)$

STEP Ⓑ **함수 $y=f(x)$의 그래프를 이용하여 $f(15)<f(m-1)$을 만족하는 m의 범위 구하기**

다음 그림에서 부등식 $f(15)<f(m-1)$을 만족하는 $m-1$의 값의 범위는

$3<m-1<15$ 이므로 $4<m<16$

그런데 m이 15보다 작은 자연수이므로 $4<m<15$

따라서 구하는 m의 최솟값은 5

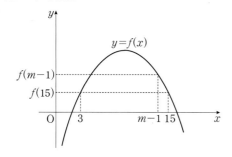

 그림에서 $f(15)-f(4)<0$ 이므로 $a_5+a_6+\cdots+a_{15}<0$

따라서 m의 최솟값은 5

1681

정답 502

STEP Ⓐ **등비수열 $\{a_n\}$에서 $S_3=7a_3$을 이용하여 공비 구하기**

등비수열 $\{a_n\}$의 첫째항을 $a\,(a>0)$, 공비를 $r\,(r>0)$이라 하면

$S_3=7a_3$에서 $a+ar+ar^2=7ar^2$

$a>0$이므로 $1+r+r^2=7r^2$

$6r^2-r-1=0$, $(3r+1)(2r-1)=0$

$r>0$이므로 $r=\dfrac{1}{2}$

$\therefore a_n=a\left(\dfrac{1}{2}\right)^{n-1}$

STEP Ⓑ **등비수열 $\{a_n\}$의 a_n, S_n 구하기**

따라서 $S_n=\dfrac{a\left\{1-\left(\dfrac{1}{2}\right)^n\right\}}{1-\dfrac{1}{2}}=2a\left\{1-\left(\dfrac{1}{2}\right)^n\right\}$ 이므로

$\sum_{n=1}^{8}\dfrac{S_n}{a_n}=\sum_{n=1}^{8}\dfrac{2a\left\{1-\left(\dfrac{1}{2}\right)^n\right\}}{a\left(\dfrac{1}{2}\right)^{n-1}}$

$=\sum_{n=1}^{8}(2^n-1)$

$=\dfrac{2(2^8-1)}{2-1}-8$

$=502$

1682

정답 31

STEP Ⓐ **$a_n=8n-4\,(n\geq 2)$이므로 $S_n=a_1+\sum_{k=2}^{n} a_k$을 이용하여 합 S_n 구하기**

수열 $\{a_n\}$의 첫째항부터 제 n항까지의 합 S_n은

$S_n=a_1+\sum_{k=2}^{n} a_k=3+\sum_{k=2}^{n}(8k-4)$

$=3+\sum_{k=1}^{n}(8k-4)-(8\cdot 1-4)$

$=3+\sum_{k=1}^{n}(8k-4)-4$

$=-1+\sum_{k=1}^{n}(8k-4)$

$=-1+8\cdot\dfrac{n(n+1)}{2}-4n$

$=-1+4(n^2+n)-4n$

$=4n^2-1$ (단, $n=1, 2, 3, \cdots$)

STEP Ⓑ **$\sum_{n=1}^{10}\dfrac{1}{S_n}$의 값 구하기**

$\sum_{n=1}^{10}\dfrac{1}{S_n}=\sum_{n=1}^{10}\dfrac{1}{4n^2-1}$

$=\sum_{n=1}^{10}\dfrac{1}{(2n-1)(2n+1)}$

$=\dfrac{1}{2}\sum_{n=1}^{10}\left(\dfrac{1}{2n-1}-\dfrac{1}{2n+1}\right)$

$=\dfrac{1}{2}\left\{\left(1-\dfrac{1}{3}\right)+\left(\dfrac{1}{3}-\dfrac{1}{5}\right)+\left(\dfrac{1}{5}-\dfrac{1}{7}\right)+\cdots+\left(\dfrac{1}{19}-\dfrac{1}{21}\right)\right\}$

$=\dfrac{1}{2}\left(1-\dfrac{1}{21}\right)=\dfrac{10}{21}$

따라서 $p=21$, $q=10$이므로 $p+q=21+10=31$

1683

정답 70

STEP Ⓐ **절댓값의 성질을 활용하여 자연수 m 구하기**

$\left|\left(n+\dfrac{1}{2}\right)^2-m\right|<\dfrac{1}{2}$에서 $-\dfrac{1}{2}<\left(n+\dfrac{1}{2}\right)^2-m<\dfrac{1}{2}$

$-\dfrac{1}{2}<n^2+n+\dfrac{1}{4}-m<\dfrac{1}{2}$

$\therefore -\dfrac{3}{4}<n^2+n-m<\dfrac{1}{4}$

m, n은 정수로 n^2+n-m도 정수이므로 $n^2+n-m=0$

$\therefore m=a_n=n^2+n$

STEP Ⓑ **$\sum_{k=1}^{5} a_k$ 구하기**

$\sum_{k=1}^{5} a_k=\sum_{k=1}^{5}(k^2+k)$

$=\sum_{k=1}^{5} k^2+\sum_{k=1}^{5} k$

$=\dfrac{5\cdot 6\cdot 11}{6}+\dfrac{5\cdot 6}{2}$

$=55+15=70$

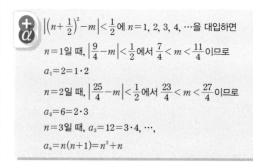 $\left|\left(n+\dfrac{1}{2}\right)^2-m\right|<\dfrac{1}{2}$에 $n=1, 2, 3, 4, \cdots$을 대입하면

$n=1$일 때, $\left|\dfrac{9}{4}-m\right|<\dfrac{1}{2}$에서 $\dfrac{7}{4}<m<\dfrac{11}{4}$이므로

$a_1=2=1\cdot 2$

$n=2$일 때, $\left|\dfrac{25}{4}-m\right|<\dfrac{1}{2}$에서 $\dfrac{23}{4}<m<\dfrac{27}{4}$이므로

$a_2=6=2\cdot 3$

$n=3$일 때, $a_3=12=3\cdot 4, \cdots$,

$a_n=n(n+1)=n^2+n$

1684

정답 165

STEP Ⓐ **이차방정식의 근과 계수의 관계 이용하기**

$x^2-3nx+1=0$의 두 근을 α_n, β_n이라 하면
이차방정식의 근과 계수의 관계에 의하여 $\alpha_n+\beta_n=3n$, $\alpha_n\beta_n=1$이므로

$$\frac{1}{\alpha_n}+\frac{1}{\beta_n}=\frac{\alpha_n+\beta_n}{\alpha_n\beta_n}=3n$$

STEP Ⓑ **주어진 식 구하기**

$$\left(\frac{1}{\alpha_1}+\frac{1}{\alpha_2}+\frac{1}{\alpha_3}+\cdots+\frac{1}{\alpha_{10}}\right)+\left(\frac{1}{\beta_1}+\frac{1}{\beta_2}+\cdots\frac{1}{\beta_{10}}\right)$$

$$=\left(\frac{1}{\alpha_1}+\frac{1}{\beta_1}\right)+\left(\frac{1}{\alpha_2}+\frac{1}{\beta_2}\right)+\cdots+\left(\frac{1}{\alpha_{10}}+\frac{1}{\beta_{10}}\right)$$

$$=\sum_{k=1}^{10}\left(\frac{1}{\alpha_k}+\frac{1}{\beta_k}\right)$$

$$=\sum_{k=1}^{10}3k=3\sum_{k=1}^{10}k$$

$$=3\cdot\frac{10\cdot11}{2}=165$$

1685

정답 8

STEP Ⓐ **시그마의 성질을 이용하여 계산하기**

$$\sum_{k=1}^{10}(2k+1)^2a_k=3^2a_1+5^2a_2+7^2a_3+\cdots+21^2a_{10} \quad\cdots\cdots \text{㉠}$$

$$\sum_{k=1}^{10}k(k+1)a_k=1\cdot2a_1+2\cdot3a_2+3\cdot4a_3+\cdots+10\cdot11a_{10} \quad\cdots\cdots \text{㉡}$$

㉠$-4\times$㉡을 하면

$$\sum_{k=1}^{10}(2k+1)^2a_k-4\sum_{k=1}^{10}k(k+1)a_k=a_1+a_2+a_3+\cdots+a_{10}=\sum_{k=1}^{10}a_k$$

STEP Ⓑ **$\displaystyle\sum_{k=1}^{10}a_k$의 값 구하기**

$$\sum_{k=1}^{10}a_k=\sum_{k=1}^{10}(2k+1)^2a_k-4\sum_{k=1}^{10}k(k+1)a_k$$
$$=100-4\times23=8$$

> **참고**
> $a_k=(2k+1)^2a_k-4k(k+1)a_k$이므로
> $$\sum_{k=1}^{10}a_k=\sum_{k=1}^{10}(2k+1)^2a_k-4\sum_{k=1}^{10}k(k+1)a_k=100-4\times23=8$$

1686

정답 169

STEP Ⓐ **S_n 구하기**

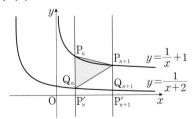

$x=2n-1$과 $x=2n+1$이 x축과 만나는 점을 각각 P'_n, P'_{n+1}라 하자.

$$S_n=\frac{1}{2}\overline{P_nQ_n}\cdot\overline{P'_nP'_{n+1}}=\frac{1}{2}\left(\frac{1}{2n-1}+1-\frac{1}{2n+1}\right)\cdot2=\left(\frac{1}{2n-1}-\frac{1}{2n+1}\right)+1$$

STEP Ⓑ **$\displaystyle\sum_{n=1}^{8}S_n$ 구하기**

$$\sum_{n=1}^{8}S_n=\sum_{n=1}^{8}\left(\frac{1}{2n-1}-\frac{1}{2n+1}\right)+8$$
$$=\left(\frac{1}{1}-\frac{1}{3}\right)+\left(\frac{1}{3}-\frac{1}{5}\right)+\left(\frac{1}{5}-\frac{1}{7}\right)+\cdots+\left(\frac{1}{15}-\frac{1}{17}\right)+8$$
$$=1-\frac{1}{17}+8=\frac{152}{17}$$

따라서 $p+q=17+152=169$

1687

정답 72

STEP Ⓐ **역함수의 성질을 이용하여 삼각형 POQ의 넓이 S_n 구하기**

점 P는 함수 $y=f(x)$의 그래프와 직선 $y=-x+n+2$와의 교점이다.

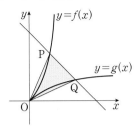

$$x^2+nx=-x+n+2$$
$$x^2+(n+1)x-(n+2)=0$$
$$(x-1)(x+n+2)=0$$
$$x=1(\because x\geq0) \quad \therefore \text{P}(1,\ n+1)$$

점 Q는 점 P와 직선 $y=x$에 대한 대칭인 점이므로 $\text{Q}(n+1,\ 1)$

$\overline{\text{PQ}}=\sqrt{\{(n+1)-1\}^2+\{1-(n+1)\}^2}=\sqrt{2n^2}=\sqrt{2}\,n$이고

점 O에서 직선 $y=-x+n+2$까지의 거리 (d)는

$$d=\frac{|n+2|}{\sqrt{1^2+1^2}}=\frac{n+2}{\sqrt{2}}$$

따라서 삼각형 POQ의 넓이 S_n은

$$S_n=\frac{1}{2}\cdot\frac{n+2}{\sqrt{2}}\cdot\sqrt{2}\,n=\frac{n(n+2)}{2}$$

STEP Ⓑ **$\displaystyle\sum_{n=1}^{9}\frac{55}{S_n}$ 구하기**

$$\sum_{n=1}^{9}\frac{55}{S_n}=55\sum_{n=1}^{9}\frac{2}{n(n+2)}$$
$$=55\sum_{n=1}^{9}\left(\frac{1}{n}-\frac{1}{n+2}\right)$$
$$=55\left\{\left(1-\frac{1}{3}\right)+\left(\frac{1}{2}-\frac{1}{4}\right)+\left(\frac{1}{3}-\frac{1}{5}\right)+\cdots+\left(\frac{1}{8}-\frac{1}{10}\right)+\left(\frac{1}{9}-\frac{1}{11}\right)\right\}$$
$$=55\left(1+\frac{1}{2}-\frac{1}{10}-\frac{1}{11}\right)=72$$

> **참고**
> 삼각형 POQ의 넓이를 다음과 같이 구할 수도 있다.
> (삼각형 POQ의 넓이)=(삼각형 OAB의 넓이)-2(삼각형 OAQ의넓이)
> $$=\frac{1}{2}(n+2)^2-2\cdot\left\{\frac{1}{2}\cdot(n+2)\cdot1\right\}$$
> $$=\frac{n(n+2)}{2}$$
>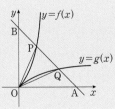

1688

정답 100

STEP A $f(2)$, $f(3)$, $f(4)$**의 값을 구하여** $f(n)$**의 값 추론하기**

$n=2$일 때, $\{3, 3^3\}$이므로 $S=\{3^4\}$

즉 $f(2)=1$

$n=3$일 때, $\{3, 3^3, 3^5\}$이므로 S의 원소가 될 수 있는 것은

$3 \times 3^3=3^4$, $3 \times 3^5=3^6$, $3^3 \times 3^5=3^8$

즉 $S=\{3^4, 3^6, 3^8\}$이므로 $f(3)=3$

$n=4$일 때, $\{3, 3^3, 3^5, 3^7\}$이므로 S의 원소가 될 수 있는 것은

$3 \times 3^3=3^4$, $3 \times 3^5=3^6$, $3 \times 3^7=3^8$, $3^3 \times 3^5=3^8$,

$3^3 \times 3^7=3^{10}$, $3^5 \times 3^7=3^{12}$

이 중 중복되는 것을 고려하여 집합 S를 구하면

$S=\{3^4, 3^6, 3^8, 3^{10}, 3^{12}\}$이므로 $f(4)=5$

$\vdots$

$n=m$일 때, $\{3, 3^3, \cdots, 3^{2m-3}, 3^{2m-1}\}$이므로

$S=\{3^4, 3^6, \cdots, 3^{2(m-1)}\}$

즉 $f(m)=2(m-1)-1=2m-3 (m \geq 2)$

STEP B $\displaystyle\sum_{n=2}^{11} f(n)$ **구하기**

$$\sum_{n=2}^{11} f(n) = \sum_{n=2}^{11}(2n-3) = \sum_{n=1}^{11}(2n-3)-(2 \cdot 1-3)$$
$$= \sum_{n=1}^{11}(2n-3)-(-1)$$
$$= 2 \times \frac{11 \cdot 12}{2}-33+1$$
$$= 100$$

다른풀이 직접 풀이하기

n	집합	S	$f(n)$
2	$\{3, 3^3\}$	$\{3^4\}$	1
3	$\{3, 3^3, 3^5\}$	$\{3^4, 3^6, 3^8\}$	3
4	$\{3, 3^3, 3^5, 3^7\}$	$\{3^4, 3^6, 3^8, 3^{10}, 3^{12}\}$	5
$\vdots$	$\vdots$	$\vdots$	$\vdots$
k	$\{3, 3^3, 3^5, \cdots, 3^{2k-1}\}$	$\{3^4, 3^6, 3^8, \cdots, 3^{4k-4}\}$	$2n-3$

$n=k$일 때, $\{3, 3^3, 3^5, \cdots, 3^{2k-1}\}$이므로

$S=\{3 \times 3^3, 3 \times 3^5, 3 \times 3^7, \cdots, 3^{2k-3} \times 3^{2k-1}\}$

$=\{3^4, 3^6, 3^8, \cdots, 3^{4k-4}\}$

이 집합 S의 원소의 개수는 $f(n)=2(n-1)-1=2n-3$

따라서 $\displaystyle\sum_{n=2}^{11} f(n) = \sum_{n=2}^{11}(2n-3)=1+3+5+\cdots+19$

$$= \sum_{k=1}^{10}(2k-1)$$
$$= 2 \cdot \frac{10 \cdot 11}{2}-10$$
$$= 100$$

내/신/연/계 출제문항 630

자연수 n에 대하여 집합

$$\{2^{2k-1} \mid 1 \leq k \leq n+1인\ 자연수\}$$

의 서로 다른 두 원소를 곱하여 나올 수 있는 모든 값만을 원소로 하는 집합

을 $S(n)$이라 하고, $S(n)$의 원소의 개수를 a_n이라고 하자.

이때 $\displaystyle\sum_{k=1}^{10} a_k$의 값을 구하여라.

STEP A a_1, a_2, a_3**의 값을 구하여** a_n**의 값 추론하기**

$n=1$일 때, 주어진 집합은 $\{2, 2^3\}$에서

$S(1)=\{2^4\}$, $a_1=1$

$n=2$일 때, 주어진 집합은 $\{2, 2^3, 2^5\}$에서

$S(2)=\{2^4, 2^6, 2^8\}$, $a_2=3$

$n=3$일 때, 주어진 집합은 $\{2, 2^3, 2^5, 2^7\}$에서

$S(3)=\{2^4, 2^6, 2^8, 2^{10}, 2^{12}\}$, $a_3=5$

$\vdots$

그러므로 집합 $\{2, 2^3, 2^5, \cdots, 2^{2n-1}, 2^{2n+1}\}$에서

$S(n)=\{2^4, 2^6, 2^8, \cdots, 2^{4n}\}$, $a_n=2n-1$

STEP B $\displaystyle\sum_{k=1}^{10} a_k$**의 값 구하기**

$$\sum_{k=1}^{10} a_k = \sum_{k=1}^{10}(2k-1)=10 \cdot 11-10=100$$

정답 100

1689

정답 8

STEP A A_n**까지 이동한 거리의 합 구하기**

점 A_0에서 점 A_n까지 점 P가 경로를 따라 이동한 거리를 d_n이라 하면

$$d_n = \sum_{k=1}^{n}\frac{2k-1}{25}=\frac{1+3+5+\cdots+(2n-1)}{25}=\frac{n^2}{25}=\left(\frac{n}{5}\right)^2$$

$\leftarrow \displaystyle\sum_{k=1}^{n}\frac{2k-1}{25}=\frac{1}{25}\left\{2 \cdot \frac{n(n+1)}{2}-n\right\}=\frac{n^2}{25}$

STEP B $y=x$ **위에 있는 점들에서 원점에서 가까운 두 번째 점의** x**좌표 구하기**

점 A_n이 직선 $y=x$ 위에 있기 위해서는 점 A_0에서 점 A_n까지

점 P가 경로를 따라 이동한 거리가 짝수이어야 한다.

$\left(\dfrac{n}{5}\right)^2$이 짝수이면 $\dfrac{n}{5}$도 짝수이므로

$n=5$이면 이동한 거리 $d_5=\left(\dfrac{5}{5}\right)^2=1$이므로 $A_5(1, 0)$

$n=10$이면 이동한 거리 $d_{10}=\left(\dfrac{10}{5}\right)^2=4$

즉 A_{10}까지 이동한 거리가 4이므로 이는 $y=x$ 위에 있는 점들에서

원점에서 가까운 첫 번째 점 $A_{10}(2, 2)$

$n=15$일 때, 이동한 거리 $d_{15}=\left(\dfrac{15}{5}\right)^2=9$이므로 $A_{15}(5, 4)$

$n=20$일 때, 이동한 거리 $d_{20}=\left(\dfrac{20}{5}\right)^2=16$

즉 A_{20}까지 이동한 거리가 16이므로 이는 $y=x$ 위에 있는 점들에서

원점에서 가까운 두 번째 점 $A_{20}(8, 8)$

따라서 이때의 x좌표 a는 8이 된다.

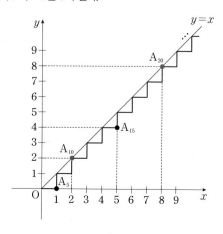

다른풀이 이동거리의 합이 2의 배수임을 이용하여 풀이하기

점 A_n이 $y=x$ 위의 점이 되려면 이동거리의 합이 2의 배수가 되어야 한다.

이때 $\displaystyle\sum_{k=1}^{n}\dfrac{2k-1}{25}=\dfrac{1}{25}\left\{2\times\dfrac{n(n+1)}{2}-n\right\}=\dfrac{n^2}{25}=2k$ (단, k는 자연수)

$\dfrac{n^2}{25}=2k$ (단, k는 자연수)에서 $n^2=5^2\times2\times k$

이때 $k=2$이면 $n=10$ ← $n^2=100$

이므로 A_{10}까지 이동한 거리가 4이므로 이는 $y=x$ 위에 있는 점들에서 원점에서 가까운 첫 번째 점 $A_{10}(2,\,2)$이다.

또한, $k=8$이면 $n=20$ ← $n^2=400$

이므로 A_{20}까지 이동한 거리가 16이므로 이는 $y=x$ 위에 있는 점들에서 원점에서 가까운 두 번째 점 $A_{20}(8,\,8)$이다.

따라서 이때의 x좌표 a는 8이 된다.

참고 $n^2=50k$ (단, k는 자연수)에서 n, k는 모두 자연수이므로 $n=10,\,20,\,\cdots$이다.

1690

정답 117

STEP A 조건 (가), (나)에서 음의 정수, 자연수 조건을 이용하여 공비와 b_1 구하기

조건 (가)와 조건 (나)에서

$\displaystyle\sum_{n=1}^{5}(a_n+|b_n|)-\sum_{n=1}^{5}(a_n+b_n)=67-27$이므로 시그마의 성질을 이용하여

$\displaystyle\sum_{n=1}^{5}(|b_n|-b_n)=40$ ...... ㉠

한편 등비수열 $\{b_n\}$의 공비를 r (r은 음의 정수)이라 하면

$b_1>0$, $b_2<0$, $b_3>0$, $b_4<0$, $b_5>0$이므로

㉠에서 $-2(b_2+b_4)=40$

즉 $b_1r+b_1r^3=-20$ ...... ㉡

$\therefore b_1r(1+r^2)=-20$

이때 b_1r은 음의 정수이고 $1+r^2$은 자연수이므로

$1+r^2$은 20의 양의 약수이어야 한다.

20의 양의 약수는 $1,\,2,\,4,\,5,\,10,\,20$이고 r이 음의 정수이므로

$1+r^2=2$일 때, $r=-1$

또는 $1+r^2=5$일 때, $r=-2$

또는 $1+r^2=10$일 때, $r=-3$

㉡에서

$r=-1$일 때, $b_1=10$ ← $1+r^2=2$일 때, $b_1r(1+r^2)=-20$

$r=-2$일 때, $b_1=2$ ← $1+r^2=5$일 때, $b_1r(1+r^2)=-20$

$r=-3$일 때, $b_1=\dfrac{2}{3}$ ← $1+r^2=10$일 때, $b_1r(1+r^2)=-20$

이때 b_1은 자연수이므로 $b_1=10$, $r=-1$ 또는 $b_1=2$, $r=-2$

STEP B $b_1=10$, $r=-1$일 때, 등차수열 $\{a_n\}$의 모든 항은 정수조건을 만족하는지 확인하기

(i) $b_1=10$, $r=-1$일 때,

$\displaystyle\sum_{n=1}^{5}b_n=10+(-10)+10+(-10)+10=10$

조건 (가)에서

$\displaystyle\sum_{n=1}^{5}(a_n+b_n)=27$이므로 $\displaystyle\sum_{n=1}^{5}a_n+\sum_{n=1}^{5}b_n=27$

$\displaystyle\sum_{n=1}^{5}a_n+10=27$ $\therefore \displaystyle\sum_{n=1}^{5}a_n=17$

이때 $\displaystyle\sum_{n=1}^{5}a_n=a_1+a_2+a_3+a_4+a_5=5a_3=17$ ← 등차중항에 의하여 $a_1+a_5=2a_3$, $a_2+a_4=2a_3$

에서 $a_3=\dfrac{17}{5}$

한편 등차수열 $\{a_n\}$의 첫째항이 자연수이고 공차가 음의 정수이므로 등차수열 $\{a_n\}$의 모든 항은 정수이다.

따라서 $b_1=10$, $r=-1$은 주어진 조건을 만족시키지 못한다.

STEP C $b_1=2$, $r=-2$일 때, 등차중항을 이용하여 a_3 구하기

(ii) $b_1=2$, $r=-2$일 때,

$\displaystyle\sum_{n=1}^{5}b_n=2+(-2\cdot2)+(2^2\cdot2)+(-2^3\cdot2)+(2^4\cdot2)$

$=\dfrac{2\{1-(-2)^5\}}{1-(-2)}=22$

조건 (가)에서 $\displaystyle\sum_{n=1}^{5}(a_n+b_n)=27$이므로 $\displaystyle\sum_{n=1}^{5}a_n+\sum_{n=1}^{5}b_n=27$

$\displaystyle\sum_{n=1}^{5}a_n+22=27$ $\therefore \displaystyle\sum_{n=1}^{5}a_n=5$

이때 $\displaystyle\sum_{n=1}^{5}a_n=a_1+a_2+a_3+a_4+a_5=5a_3=5$ ← 등차중항에 의하여 $a_1+a_5=2a_3$, $a_2+a_4=2a_3$

에서 $a_3=1$

$\therefore b_n=2\cdot(-2)^{n-1}$

STEP D 조건 (다)를 이용하여 등차수열의 첫째항과 공차 구하기

또, $\displaystyle\sum_{n=1}^{5}|b_n|=2+(2\cdot2)+(2^2\cdot2)+(2^3\cdot2)+(2^4\cdot2)$

$=\dfrac{2(2^5-1)}{2-1}=62$

조건 (다)에서

$\displaystyle\sum_{n=1}^{5}(|a_n|+|b_n|)=81$이므로 $\displaystyle\sum_{n=1}^{5}|a_n|+\sum_{n=1}^{5}|b_n|=81$

$\displaystyle\sum_{n=1}^{5}|a_n|+62=81$

$\therefore \displaystyle\sum_{n=1}^{5}|a_n|=19$ ...... ㉢

한편 등차수열 $\{a_n\}$의 공차를 d (d는 음의 정수)라 하면 $a_3=1$이므로

$a_1>a_2>a_3>0\geq a_4>a_5$ ← 첫째항이 자연수 공차가 음의 정수인 등차수열

이때 $a_1=1-2d$, $a_2=1-d$, $a_3=1$, $a_4=1+d$, $a_5=1+2d$이므로

㉢에서 $(1-2d)+(1-d)+1-(1+d)-(1+2d)=19$

$1-6d=19$ $\therefore d=-3$

즉 $a_1=1-2\cdot(-3)=7$

(i), (ii)에서 $a_1=7$, $d=-3$, $b_1=2$, $r=-2$

STEP E a_7+b_7의 값 구하기

$a_1=7$, $d=-3$에서 등차수열 $\{a_n\}$의 일반항 a_n은

$a_n=7+(n-1)\cdot(-3)=-3n+10$

$b_1=2$, $r=-2$에서 등비수열 $\{b_n\}$의 일반항 b_n은

$b_n=2\cdot(-2)^{n-1}$

따라서 $a_7+b_7=-11+128=117$

1691 정답 ①

STEP Ⓐ $a_{n+1}=a_n+d$이면 수열 $\{a_n\}$은 공차가 d인 등차수열임을 이용하기

$a_{n+1}=a_n+5$이므로 수열 $\{a_n\}$은 첫째항이 3이고 공차가 5인 등차수열이므로
$a_n=3+(n-1)\cdot5=5n-2$
따라서 $a_{10}=5\cdot10-2=48$

1692 정답 ①

STEP Ⓐ $a_{n+1}=a_n+d$이면 수열 $\{a_n\}$은 공차가 d인 등차수열임을 이용하기

$a_{n+1}-a_n=-3$이므로 수열 $\{a_n\}$은 첫째항이 -2이고 공차가 -3인
등차수열이므로 $a_n=-2+(n-1)\cdot(-3)=-3n+1$
따라서 $a_k=-3k+1=-62$이므로 $k=21$

내/신/연/계/ 출제문항 631

수열 $\{a_n\}$이
$$a_1=-3, \quad a_{n+1}-a_n=2\,(n=1, 2, 3, \cdots)$$
으로 정의될 때, $a_k=29$를 만족시키는 상수 k의 값은?

① 12   ② 14   ③ 16
④ 17   ⑤ 18

STEP Ⓐ $a_{n+1}=a_n+d$이면 수열 $\{a_n\}$은 공차가 d인 등차수열임을 이용하기

$a_{n+1}-a_n=2$이므로
수열 $\{a_n\}$은 첫째항이 -3이고 공차가 2인 등차수열이므로
$a_n=-3+(n-1)\cdot2=2n-5$
따라서 $a_k=2k-5=29$이므로 $k=17$ 정답 ④

1693 정답 ②

STEP Ⓐ $a_{n+1}=a_n+d$이면 수열 $\{a_n\}$은 공차가 d인 등차수열임을 이용하기

모든 자연수 n에 대하여 $a_{n+1}=a_n-2$, 즉 $a_{n+1}-a_n=-2$이므로
수열 $\{a_n\}$은 첫째항이 99, 공차가 -2인 등차수열이다.
즉 $a_n=99+(n-1)\cdot(-2)=-2n+101$
이때 $a_n=-2n+101<0$에서 $n>\dfrac{101}{2}=50.5$이므로
$\therefore n\ge51$이면 $a_n<0$

STEP Ⓑ $\displaystyle\sum_{k=1}^{n}a_k$의 값이 최대가 되는 n의 값 구하기

따라서 $\displaystyle\sum_{k=1}^{n}a_k$의 값이 최대가 되는 n의 값은 $n=50$

1694 정답 ④

STEP Ⓐ a_n과 a_{n+1} 사이의 관계식 구하기

$(a_{n+1}+a_n)^2=4a_na_{n+1}+16$에서
$a_{n+1}{}^2+2a_na_{n+1}+a_n{}^2=4a_na_{n+1}+16$
$a_{n+1}{}^2-2a_na_{n+1}+a_n{}^2=16$
$(a_{n+1}-a_n)^2=16$
이때 $a_n>a_{n+1}$이므로 $a_{n+1}-a_n=-4$

STEP Ⓑ $a_{n+1}=a_n+d$이면 수열 $\{a_n\}$은 공차가 d인 등차수열임을 이용하기

$a_{n+1}-a_n=-4$이므로
수열 $\{a_n\}$은 첫째항이 100이고 공차가 -4인 등차수열이므로
$a_n=100+(n-1)\cdot(-4)=-4n+104$
따라서 $a_{20}=-4\cdot20+104=24$

내/신/연/계/ 출제문항 632

수열 $\{a_n\}$의 첫째항부터 제 n항까지의 합을 S_n이라 하면
$$(S_{n+2}-S_n)^2=4a_{n+2}a_n+9\,(n=1, 2, 3, \cdots)$$
으로 정의되고 $a_1=1$, $a_2=4$일 때, a_9의 값은?
(단, $a_1<a_2<a_3<\cdots<a_n$)

① 19   ② 22   ③ 25
④ 28   ⑤ 31

STEP Ⓐ $S_{n+2}-S_n=a_{n+2}+a_{n+1}$임을 이용하기

$S_{n+2}-S_n=a_{n+2}+a_{n+1}$이므로
$(S_{n+2}-S_n)^2=4a_{n+2}a_{n+1}+9\,(n=1, 2, 3, \cdots)$
$(a_{n+2}+a_{n+1})^2=4a_{n+2}a_{n+1}+9$
$a_{n+2}{}^2+2a_{n+1}a_{n+2}+a_{n+1}{}^2=4a_{n+2}a_{n+1}+9$
$a_{n+2}{}^2-2a_{n+1}a_{n+2}+a_{n+1}{}^2=9$
$(a_{n+2}-a_{n+1})^2=9$
$\therefore a_{n+2}-a_{n+1}=3\,(\because a_{n+2}-a_n>0)$

STEP Ⓑ 등차수열의 일반항을 구하여 a_{10} 구하기

수열 $\{a_n\}$은 첫째항이 1이고 공차가 3인 등차수열이므로
$a_n=1+(n-1)\cdot3=3n-2$
따라서 $a_9=3\cdot9-2=25$ 정답 ③

1695 정답 ⑤

STEP Ⓐ $a_{n+2}-2a_{n+1}+a_n=0$이면 수열 $\{a_n\}$은 등차수열임을 이용하기

$a_{n+2}-a_{n+1}=a_{n+1}-a_n$에서 $2a_{n+1}=a_n+a_{n+2}$이므로
수열 $\{a_n\}$은 등차수열이므로 첫째항을 a, 공차를 d라고 하면
$a_2=a+d=10$ …… ㉠
$a_8=a+7d=22$ …… ㉡
㉠, ㉡을 연립하여 풀면 $a=8$, $d=2$
따라서 $a_{20}=8+(20-1)\cdot2=46$

내/신/연/계/ 출제문항 633

수열 $\{a_n\}$이 모든 자연수 n에 대하여

$$a_{n+2}-a_{n+1}=a_{n+1}-a_n$$

을 만족시킨다. $a_3=4$, $a_{10}=-10$일 때, a_{15}의 값은?

① -20　　　② -18　　　③ -16
④ -14　　　⑤ -12

STEP Ⓐ $2a_{n+1}=a_n+a_{n+2}$이면 수열 $\{a_n\}$은 등차수열임을 이용하기

$a_{n+2}-a_{n+1}=a_{n+1}-a_n$에서 $2a_{n+1}=a_n+a_{n+2}$이므로
수열 $\{a_n\}$은 등차수열이다.
첫째항을 a, 공차를 d라고 하면
$a_3=a+2d=4$ 　　　……㉠
$a_{10}=a+9d=-10$ 　　　……㉡
㉠, ㉡을 연립하여 풀면 $a=8$, $d=-2$
따라서 $a_{15}=8+(15-1)\cdot(-2)=-20$

정답 ①

1696

정답 ④

STEP Ⓐ $a_{n+2}-2a_{n+1}+a_n=0$이면 수열 $\{a_n\}$은 등차수열임을 이용하기

$2a_{n+1}=a_n+a_{n+2}$를 만족하는 수열 $\{a_n\}$은 등차수열이므로
첫째항을 a, 공차를 d라고 하면
$a_2=a+d=-1$ 　　　……㉠
$a_3=a+2d=2$ 　　　……㉡
㉠, ㉡을 연립하여 풀면 $a_1=-4$, $d=3$
$a_n=-4+(n-1)\cdot3=3n-7$

STEP Ⓑ $\displaystyle\sum_{k=1}^{10}a_k$의 값 구하기

따라서 $\displaystyle\sum_{k=1}^{10}a_k=\sum_{k=1}^{10}(3k-7)=3\cdot\frac{10\cdot11}{2}-70=95$

다른풀이 등차수열의 합을 이용하여 풀이하기

$2a_{n+1}=a_n+a_{n+2}$에서 $a_{n+1}-a_n=a_{n+2}-a_{n+1}$이므로
즉 등차수열 $\{a_n\}$의 첫째항을 a, 공차를 d라 하면
$d=a_3-a_2=2-(-1)=3$
$a_1=a_2-d=-1-3=-4$
따라서 첫째항부터 10항까지의 합은 $S_{10}=\dfrac{10\{2\cdot(-4)+9\cdot3\}}{2}=95$

내/신/연/계/ 출제문항 634

수열 $\{a_n\}$에서

$$a_2=3a_1,\ a_{n+2}-2a_{n+1}+a_n=0(n=1,\ 2,\ 3,\ \cdots)$$

이고 $a_{10}=76$일 때, a_{21}의 값은?

① 164　　　② 180　　　③ 190
④ 200　　　⑤ 210

STEP Ⓐ $2a_{n+1}=a_n+a_{n+2}$이면 수열 $\{a_n\}$은 등차수열임을 이용하기

$2a_{n+1}=a_n+a_{n+2}$를 만족하는 수열 $\{a_n\}$은 등차수열이므로
첫째항을 a, 공차를 d라고 하면 $a_2=3a_1$에서 $a+d=3a$
$2a-d=0$ 　　　……㉠
$a_{10}=a+9d=76$ 　　　……㉡
㉠, ㉡을 연립하여 풀면 $a=4$, $d=8$

STEP Ⓑ a_{21}의 값 구하기

따라서 $a_{21}=4+20\cdot8=164$

정답 ①

1697

정답 ③

STEP Ⓐ $2a_{n+1}=a_n+a_{n+2}$이면 수열 $\{a_n\}$은 등차수열임을 이용하기

모든 자연수 n에 대하여 $a_{n+1}=\dfrac{a_n+a_{n+2}}{2}$,
즉 $2a_{n+1}=a_n+a_{n+2}$를 만족시키는 수열 $\{a_n\}$은 등차수열이므로
공차를 d라 하면
$a_7-a_9=4=-2d$
$d=-2$

STEP Ⓑ $a_m<0$을 만족시키는 자연수 m의 최솟값 구하기

즉 수열 $\{a_n\}$은 첫째항이 36, 공차가 -2인 등차수열이므로
$a_n=36+(n-1)\cdot(-2)=-2n+38$
$a_m<0$에서 $a_m=-2m+38<0$
$2m>38$, $m>19$
따라서 구하는 자연수 m의 최솟값은 20

1698

정답 ③

STEP Ⓐ $2a_{n+1}=a_n+a_{n+2}$이면 수열 $\{a_n\}$은 등차수열임을 이용하기

$2a_{n+1}=a_n+a_{n+2}$를 만족하는 수열 $\{a_n\}$은 첫째항이 50, 공차를 d라 하면
$a_3-a_1=2d=-8$
$\therefore d=-4$
$a_n=50+(n-1)\cdot(-4)=-4n+54$

STEP Ⓑ S_n의 값이 최대가 되게 하는 n의 값 구하기

$a_n>0$인 모든 항의 합이 최대이므로 $-4n+54>0$
$\therefore n<\dfrac{27}{2}=13.5$
따라서 제 13항까지의 합이 최대이다.

내/신/연/계/ 출제문항 635

수열 $\{a_n\}$이

$$a_{n+2}-2a_{n+1}+a_n=0(n=1,\ 2,\ 3,\ \cdots)$$

으로 정의되고 $a_2=-19$, $a_5=-7$이다. 수열 $\{a_n\}$의 첫째항부터
제 n항까지의 합을 S_n이라 할 때, S_n의 값이 최소가 되게 하는 n의 값은?

① 6　　　② 7　　　③ 8
④ 9　　　⑤ 10

STEP Ⓐ $a_{n+2}-2a_{n+1}+a_n=0$이면 수열 $\{a_n\}$은 등차수열임을 이용하기

$a_{n+2}-2a_{n+1}+a_n=0$을 만족하는 수열 $\{a_n\}$은 첫째항이 a,
공차를 d라 하면
$a_2=a+d=-19$ 　　　……㉠
$a_5=a+4d=-7$ 　　　……㉡
㉠, ㉡을 연립하여 풀면 $a=-23$, $d=4$
$\therefore a_n=-23+(n-1)\cdot4=4n-27$

STEP Ⓑ S_n의 값이 최소가 되게 하는 n의 값 구하기

$a_n<0$인 모든 항의 합이 최소이므로 $4n-27>0$
$\therefore n>\dfrac{27}{4}=6.75$
따라서 수열 $\{a_n\}$은 제 7항부터 양수이므로 첫째항부터 제 6항까지의 합이
최소가 된다. $\therefore n=6$

정답 ①

1699

STEP A 등차수열을 나타내는 점화식을 이용하여 일반항 구하기

$2a_{n+1}=a_n+a_{n+2}$를 만족하는 수열 $\{a_n\}$은 등차수열이므로

첫째항이 2, 공차가 $a_2-a_1=4-2=2$

$\therefore a_n=2+(n-1)\cdot 2=2n$

STEP B $\displaystyle\sum_{k=1}^{n}\frac{1}{k(k+1)}=\frac{n}{n+1}$임을 이용하여 구하기

따라서 $\displaystyle\sum_{k=1}^{10}\frac{1}{a_k a_{k+1}}=\sum_{k=1}^{10}\frac{1}{4k(k+1)}=\frac{1}{4}\sum_{k=1}^{10}\left(\frac{1}{k}-\frac{1}{k+1}\right)=\frac{1}{4}\left(\frac{1}{1}-\frac{1}{11}\right)=\frac{5}{22}$

1700

정답 ②

STEP A 이차방정식이 중근을 가질 조건 구하기

이차방정식 $x^2-2\sqrt{a_n}\,x+a_{n+1}-3=0$의 판별식을 D라 하면
중근을 가지므로 $D=0$이어야 한다.

$D=4a_n-4(a_{n+1}-3)=0$

$\therefore a_{n+1}-a_n=3$

STEP B 등차수열을 나타내는 관계식을 이용하여 일반항 구하기

따라서 수열 $\{a_n\}$은 첫째항이 2이고 공차가 3인 등차수열이므로

$a_{10}=2+9\cdot 3=29$

1701

정답 ②

STEP A 수열 $\{x_n\}$은 등차수열임을 이해하기

점 $P_n(x_n)$이라 하면

두 점 $P_n(x_n)$, $P_{n+2}(x_{n+2})$의 중점이 $P_{n+1}(x_{n+1})$이므로 $\dfrac{x_{n+2}+x_n}{2}=x_{n+1}$

$\therefore x_{n+2}+x_n=2x_{n+1}$

즉 수열 $\{x_n\}$은 첫째항이 $x_1=0$이고 공차 $x_2-x_1=3-0=3$인 등차수열이다.

$\therefore x_n=0+(n-1)\cdot 3=3n-3$

STEP B x_9 구하기

따라서 P_9의 좌표는 $x_9=3\cdot 9-3=24$

내/신/연/계/ 출제문항 636

수직선 위의 두 점 $A(1)$, $P_1(10)$에 대하여 선분 AP_n을 $2:1$로 내분하는
점을 P_{n+1}이라 하자. 점 P_n의 좌표를 a_n이라 할 때, a_4의 값을 구하는 과정
을 다음 단계로 서술하여라. (단, $n=1,\ 2,\ 3,\ \cdots$)

[1단계] a_2의 값을 구한다.
[2단계] a_n과 a_{n+1} 사이의 관계식을 구한다.
[3단계] a_4를 구한다.

1단계 a_2의 값을 구한다. ◀ 20%

수직선 위의 두 점 $A(1)$, $P_1(10)$에 대하여 선분 AP_1을 $2:1$로 내분하는 점이

$P_2(a_2)$이므로 $a_2=\dfrac{2\cdot 10+1\cdot 1}{2+1}=7$

2단계 a_n과 a_{n+1} 사이의 관계식을 구한다. ◀ 40%

이때 수직선 위의 두 점 $A(1)$, $P_n(a_n)$에 대하여 선분 AP_n을 $2:1$로 내분하는

점이 $P_{n+1}(a_{n+1})$이므로 $a_{n+1}=\dfrac{2\cdot a_n+1\cdot 1}{2+1}$

$\therefore a_{n+1}=\dfrac{2}{3}a_n+\dfrac{1}{3}$ ($n=1,\ 2,\ 3,\ \cdots$)

3단계 a_4를 구한다. (단, $n=1,\ 2,\ 3,\ \cdots$) ◀ 40%

$a_1=10$

$a_2=\dfrac{2}{3}a_1+\dfrac{1}{3}=7$

$a_3=\dfrac{2}{3}a_2+\dfrac{1}{3}=5$

$a_4=\dfrac{2}{3}a_3+\dfrac{1}{3}=\dfrac{11}{3}$

정답 해설참조

1702

STEP A 수열 $\{b_n\}$은 등차수열임을 이해하기

조건 (가)에서 $2b_{n+1}=b_{n+2}+b_n$이므로 수열 $\{b_n\}$은 등차수열이다.

STEP B 공차를 구하여 a_{14} 구하기

조건 (나)에서 등차수열의 합이 1850이므로

$4+a_1+a_2+a_3+\cdots+a_n+70=\dfrac{(n+2)(4+70)}{2}=37(n+2)$

$37(n+2)=1850,\ n+2=50$

$\therefore n=48$

이때 70이 수열 $4,\ a_1,\ a_2,\ \cdots,\ a_{48},\ 70$의 제 50번째 항이므로

$4+(50-1)d=70$

$\therefore d=\dfrac{66}{49}$

즉 $a_{14}=4+(15-1)\cdot\dfrac{66}{49}=\dfrac{160}{7}$

따라서 $p=160,\ q=7$이므로 $p+q=167$

1703

정답 ②

STEP A $a_{n+1}=ra_n$이면 수열 $\{a_n\}$은 공비가 r인 등비수열임을 이용하기

$a_{n+1}=3a_n$이므로 수열 $\{a_n\}$은 공비가 3인 등비수열이다.

이때 첫째항이 $a_1=2$이므로 $a_n=2\cdot 3^{n-1}$

따라서 $a_5=2\cdot 3^4=162$

1704

STEP A $a_{n+1}=ra_n$이면 수열 $\{a_n\}$은 공비가 r인 등비수열임을 이용하기

모든 자연수 n에 대하여 $a_{n+1}=3a_n$

즉 $\dfrac{a_{n+1}}{a_n}=3$이므로 수열 $\{a_n\}$은 공비가 3인 등비수열이다.

이때 $a_2=2$이므로 $a_4=a_2\cdot r^2$

따라서 $a_4=a_2\cdot 3^2=2\cdot 9=18$

1705

정답 ②

STEP A $a_{n+1}=ra_n$이면 수열 $\{a_n\}$은 공비가 r인 등비수열임을 이용하기

조건 (나)에서 수열 $\{a_n\}$은 공비가 -2인 등비수열이므로

$a_2=-2\cdot a_1$

조건 (가)에서 $a_1=a_2+3=-2a_1+3$

$\therefore a_1=1$

따라서 $a_n=1\cdot(-2)^{n-1}$이므로 $a_9=(-2)^8=256$

STEP Ⓐ $(a_{n+1})^2 = a_n a_{n+2}$ 이면 수열 $\{a_n\}$은 등비수열임을 이용하기

조건 (나)에서

$2 \log a_{n+1} = \log a_n + \log a_{n+2}$ 에서 $a_{n+1}^2 = a_n a_{n+1}$

즉 수열 $\{a_n\}$은 등비수열이고

조건 (가)에서

$a_1 = 3$, $\dfrac{a_2}{a_1} = 2$이므로 첫째항이 3, 공비가 2이다.

$a_n = 3 \cdot 2^{n-1}$

STEP Ⓑ $\displaystyle\sum_{k=1}^{5} a_{2k-1}$의 값 구하기

$a_{2k-1} = 3 \cdot 2^{(2k-1)-1} = 3 \cdot 4^{k-1}$

따라서 $\displaystyle\sum_{k=1}^{5} a_{2k-1} = \sum_{k=1}^{5} 3 \cdot 4^{k-1} = \dfrac{3 \cdot (4^5 - 1)}{4 - 1} = 2^{10} - 1 = 1023$

모든 항이 양수인 수열 $\{a_n\}$이 $a_1 = 2$이고

$$\log_2 a_{n+1} = 1 + \log_2 a_n \,(n \geq 1)$$

을 만족시킨다. $a_1 \times a_2 \times a_3 \times \cdots \times a_8 = 2^k$일 때, 상수 k의 값은?

① 36   ② 40   ③ 44
④ 48   ⑤ 52

STEP Ⓐ 로그의 성질을 이용하여 a_n과 a_{n+1} 사이의 관계식 구하기

모든 항이 양수인 수열 $\{a_n\}$이 $\log_2 a_{n+1} = 1 + \log_2 a_n \,(n \geq 1)$을 만족하므로

$\log_2 a_{n+1} = \log_2 2 + \log_2 a_n$

$\log_2 a_{n+1} = \log_2 2a_n$

$\therefore a_{n+1} = 2a_n$ (단, $n \geq 1$)

STEP Ⓑ 수열 $\{a_n\}$의 일반항 a_n 구하기

즉 수열 $\{a_n\}$은 첫째항이 2이고 공비가 2인 등비수열이므로

일반항 a_n은 $a_n = 2 \times 2^{n-1} = 2^n$

STEP Ⓒ $a_1 \times a_2 \times \cdots \times a_8$의 값을 구하여 k의 값 구하기

$a_1 \times a_2 \times a_3 \times \cdots \times a_8 = 2 \times 2^2 \times 2^3 \times \cdots \times 2^8$

$= 2^{1+2+3+\cdots+8}$

$= 2^k$

따라서 $k = 1 + 2 + 3 + \cdots + 8 = \dfrac{8 \cdot 9}{2} = 36$ 정답 ①

STEP Ⓐ $a_{n+1} = 2a_n$ 이면 수열 $\{a_n\}$은 공비가 2인 등비수열임을 이용하기

$a_{n+1} = 2a_n$에서 수열 $\{a_n\}$은 첫째항이 2이고 공비가 2인 등비수열이므로

$a_n = 2 \cdot 2^{n-1} = 2^n$

STEP Ⓑ T_n 구하기

$T_n = a_1 \times a_2 \times \cdots \times a_n$

$\quad = 2^1 \times 2^2 \times \cdots \times 2^n$

$\quad = 2^{1+2+3+\cdots+n}$

$\quad = 2^{\frac{n(n+1)}{2}}$

$T_{10} = 2^{\frac{10 \times 11}{2}} = 2^{55}$

STEP Ⓒ $\log_2 T_{10}$의 값 구하기

따라서 $\log_2 T_{10} = \log_2 2^{55} = 55$

수열 $\{a_n\}$이 모든 자연수 n에 대하여

$$a_1 = 4, \quad a_{n+1} = 2a_n$$

을 만족시킬 때, $a_k = 1024$을 만족시키는 자연수 k의 값은?

① 6   ② 7   ③ 8
④ 9   ⑤ 10

STEP Ⓐ $a_{n+1} = ra_n$ 이면 수열 $\{a_n\}$은 공비가 r인 등비수열임을 이용하기

$a_{n+1} = 2a_n$이므로

수열 $\{a_n\}$은 첫째항이 4이고 공비가 2인 등비수열이므로

$a_n = 4 \cdot 2^{n-1} = 2^{n+1}$

따라서 $a_k = 1024 = 2^{10} = 2^{k+1}$이므로 $k = 9$ 정답 ④

1706 정답 ③

STEP Ⓐ $a_{n+1}^2 = a_n a_{n+2}$ 이면 수열 $\{a_n\}$은 등비수열임을 이용하기

$a_{n+1}^2 = a_n a_{n+2}$이므로

수열 $\{a_n\}$은 등비수열이므로 첫째항을 a, 공비를 r이라 하면

$a_2 = ar = 3$ $\cdots\cdots$ ㉠

$a_5 = ar^4 = 24$ $\cdots\cdots$ ㉡

㉡$\div$㉠하면 $r^3 = 8$ $\therefore r = 2$

㉠에서 $a = \dfrac{3}{2}$

따라서 $a_{10} = ar^9 = \dfrac{3}{2} \cdot 2^9 = 768$

수열 $\{a_n\}$이 모든 자연수 n에 대하여

$$a_1 = 6, \ a_2 = -3, \ a_{n+1}^2 = a_n a_{n+2}$$

와 같이 정의될 때, $\displaystyle\sum_{k=1}^{6} a_k$의 값을 $\dfrac{p}{q}$라 할 때, 서로소인 자연수 p, q에

대하여 $p + q$의 값은?

① 63   ② 70   ③ 73
④ 76   ⑤ 79

STEP Ⓐ $a_{n+1}^2 = a_n a_{n+2}$ 이면 수열 $\{a_n\}$은 등비수열임을 이용하기

$a_{n+1}^2 = a_n a_{n+2}$이므로 주어진 수열 $\{a_n\}$은 등비수열이다.

또, $a_1 = 6$, $\dfrac{a_2}{a_1} = \dfrac{-3}{6} = -\dfrac{1}{2}$이므로 첫째항 6, 공비가 $-\dfrac{1}{2}$이다.

STEP Ⓑ $\displaystyle\sum_{k=1}^{6} a_k$의 값 구하기

$\displaystyle\sum_{k=1}^{6} a_k = \sum_{k=1}^{6} 6 \cdot \left(-\dfrac{1}{2}\right)^{k-1} = \dfrac{6\left\{1 - \left(-\dfrac{1}{2}\right)^6\right\}}{1 - \left(-\dfrac{1}{2}\right)} = \dfrac{63}{16}$

따라서 $p = 63$, $q = 16$이므로 $p + q = 63 + 16 = 79$ 정답 ⑤

1709

STEP Ⓐ 이차방정식의 판별식이 $D=0$임을 이용하기

이차방정식 $a_n x^2 - 2\sqrt{a_{n+1}} x + 3 = 0$이 중근이므로

판별식 D라 하면 $\dfrac{D}{4} = (-\sqrt{a_{n+1}})^2 - 3 \cdot a_n = 0$

$\therefore a_{n+1} = 3a_n$

STEP Ⓑ $a_{n+1} = 3a_n$이면 수열 $\{a_n\}$은 공비가 3인 등비수열임을 이용하기

즉 수열 $\{a_n\}$은 첫째항이 1, 공비가 3인 등비수열이다.

따라서 $a_n = 3^{n-1}$이므로 $a_5 = 3^4 = 81$

내/신/연/계/ 출제문항 **640**

$a_1 = 3$, $a_2 = 6$인 수열 $\{a_n\}$에 대하여 이차방정식
$$a_n x^2 - 2a_{n+1}x + a_{n+2} = 0 \, (n = 1, 2, 3, \cdots)$$
이 중근을 가질 때, a_5의 값은?

① 34   ② 36   ③ 38
④ 48   ⑤ 50

STEP Ⓐ 이차방정식의 판별식이 $D=0$임을 이용하기

이차방정식 $a_n x^2 - 2a_{n+1}x + a_{n+2} = 0$이 중근을 가지므로

판별식을 D라 하면 $\dfrac{D}{4} = (a_{n+1})^2 - a_n a_{n+2} = 0$

$\therefore a_{n+1}^2 = a_n a_{n+2}$

STEP Ⓑ $a_{n+1}^2 = a_n a_{n+2}$이면 수열 $\{a_n\}$은 등비수열임을 이용하기

즉 수열 $\{a_n\}$은 등비수열이고 $a_1 = 3$, $\dfrac{a_2}{a_1} = \dfrac{6}{3} = 2$이므로

첫째항이 3, 공비가 2인 등비수열이다.

따라서 $a_n = 3 \cdot 2^{n-1}$이므로 $a_5 = 3 \cdot 2^4 = 48$

1710

STEP Ⓐ 항을 나열하여 규칙을 찾아 a_{10} 구하기

$a_1 = 3$
$a_2 = a_1 + 2 = 3 + 2 = 5$ ← n이 홀수
$a_3 = 2a_2 = 2 \cdot 5 = 10$ ← n이 짝수
$a_4 = a_3 + 2 = 10 + 2 = 12$ ← n이 홀수
$a_5 = 2a_4 = 2 \cdot 12 = 24$ ← n이 짝수
$a_6 = a_5 + 2 = 24 + 2 = 26$ ← n이 홀수
$a_7 = 2a_6 = 2 \cdot 26 = 52$ ← n이 짝수
$a_8 = a_7 + 2 = 52 + 2 = 54$ ← n이 홀수
$a_9 = 2a_8 = 2 \cdot 54 = 108$ ← n이 짝수
$a_{10} = a_9 + 2 = 108 + 2 = 110$ ← n이 홀수

내/신/연/계/ 출제문항 **641**

수열 $\{a_n\}$이 $a_1 = 5$이고
$$a_{n+1} = \begin{cases} a_n + 1 & (a_n\text{의 값이 홀수}) \\ \dfrac{1}{2} a_n & (a_n\text{의 값이 짝수}) \end{cases}$$

일 때, $\displaystyle\sum_{k=1}^{10} a_k$의 값은?

① 21   ② 24   ③ 27
④ 30   ⑤ 33

STEP Ⓐ $n = 1, 2, 3, \cdots$ 을 차례로 대입하여 항의 규칙 찾기

$a_2 = a_1 + 1 = 5 + 1 = 6$
$a_3 = \dfrac{1}{2} a_2 = \dfrac{1}{2} \cdot 6 = 3$
$a_4 = a_3 + 1 = 3 + 1 = 4$
$a_5 = \dfrac{1}{2} a_4 = \dfrac{1}{2} \cdot 4 = 2$
$a_6 = \dfrac{1}{2} a_5 = \dfrac{1}{2} \cdot 2 = 1$
$a_7 = a_6 + 1 = 1 + 1 = 2$
$a_8 = \dfrac{1}{2} a_7 = \dfrac{1}{2} \cdot 2 = 1$
$\vdots$

이므로 수열 $\{a_n\}$은 다음과 같다.

$a_1 = 5$, $a_2 = 6$, $a_3 = 3$, $a_4 = 4$
$a_{2n-1} = 2 \, (n \geq 3)$, $a_{2n} = 1 \, (n \geq 3)$

STEP Ⓑ $\displaystyle\sum_{k=1}^{10} a_k$의 값 구하기

$\displaystyle\sum_{k=1}^{10} a_k = 5 + 6 + 3 + 4 + 2 \cdot 3 + 1 \cdot 3 = 27$

1711

STEP Ⓐ $n = 1, 2, 3, \cdots$를 차례로 대입하여 항의 규칙을 찾기

$a_1 = 88$
$a_2 = a_1 - 3 = 85$
$a_3 = a_2 - 3 = 82$
$\vdots$
$a_9 = a_8 - 3 = 67 - 3 = 64$
$a_{10} = \dfrac{1}{2} a_9 = \dfrac{1}{2} \cdot 64 = 32$

즉 수열 $\{a_n\}$은 $a_1 = 88 \geq 65$

$a_n \geq 65$인 경우 $a_{n+1} = a_n - 3$이므로

$a_n = -3n + 91 \geq 65$에서 $n \leq \dfrac{26}{3} = 8.666\cdots$

$a_9 = a_8 - 3 = 67 - 3 = 64$

$n \geq 9$일 때, $a_{n+1} = \dfrac{1}{2} a_n$

STEP Ⓑ 등차수열과 등비수열의 성질을 이용하여 $\displaystyle\sum_{n=1}^{15} a_n$의 값 구하기

따라서 $\displaystyle\sum_{n=1}^{15} a_n = \sum_{n=1}^{8} a_n + \sum_{n=9}^{15} a_n$

$= \dfrac{8(a_1 + a_8)}{2} + \dfrac{a_9\left(1 - \dfrac{1}{2^7}\right)}{1 - \dfrac{1}{2}}$

$= \dfrac{8 \cdot (88 + 67)}{2} + \dfrac{64 \cdot \left(1 - \dfrac{1}{2^7}\right)}{1 - \dfrac{1}{2}}$

$= 620 + 127 = 747$

1712

정답 ③

STEP A n회 배양하여 세포의 개수 a_n이 등비수열임을 보이기

10개의 세포를 n회 배양하였을 때의 세포의 개수를 a_n이라 하면

$a_1 = 10 \times (1-0.2) \times 10 = 80$

$a_{n+1} = a_n \times (1-0.2) \times 10 = 8a_n$

STEP B a_{10} 구하기

수열 $\{a_n\}$은 첫째항이 80, 공비가 8인 등비수열이므로

$a_1 = 80,\ a_n = 80 \cdot 8^{n-1}\ (n=2, 3, 4, \cdots)$

따라서 구하는 세포의 개수는 수열 $\{a_n\}$의 제10항과 같으므로

$a_{10} = 80 \cdot 8^9 = 10 \cdot 8^{10}$

1713

정답 ④

STEP A 주어진 식의 n에 $1, 2, 3, \cdots, 6$를 차례로 대입하여 구하기

$a_{n+1} = a_n + 3n$의 n에 $1, 2, 3, \cdots, 6$을 차례로 대입하면

$a_1 = 1$

$a_2 = a_1 + 3 = 4$

$a_3 = a_2 + 6 = 10$

$a_4 = a_3 + 9 = 19$

$a_5 = a_4 + 12 = 31$

$a_6 = a_5 + 15 = 46$

$a_7 = a_6 + 18 = 64$

따라서 $a_7 = 64$

다른풀이 주어진 식의 n에 $1, 2, 3, \cdots, n-1$을 차례로 대입하여 변끼리 더하여 풀이하기

$a_{n+1} = a_n + 3n$이므로

n에 $1, 2, 3, 4, \cdots, n-1$을 차례로 대입하여 변끼리 더하면

$$
\begin{aligned}
a_2 &= a_1 && +3 \\
a_3 &= a_2 && +6 \\
a_4 &= a_3 && +9 \\
&\vdots && \vdots \\
+\quad a_n &= a_{n-1} && +3n-3 \\
\hline
a_n &= a_1 + (3+6+9+\cdots+3n-3) \\
&= 1 + \sum_{k=1}^{n-1} 3k \\
&= 1 + 3 \cdot \frac{n(n-1)}{2}
\end{aligned}
$$

따라서 $a_7 = 1 + 3 \cdot \dfrac{6 \cdot 7}{2} = 64$

1714

정답 ②

STEP A 주어진 식의 n에 $1, 2, 3, 4, \cdots, n-1$을 차례로 대입하여 a_6의 값 구하기

$a_{n+1} - a_n = n+1$에서 $a_{n+1} = a_n + n + 1$이므로

n에 $1, 2, 3, 4, 5$를 차례로 대입한다.

$a_2 = a_1 + 2$

$a_3 = a_2 + 3 = a_1 + (2+3)$

$a_4 = a_3 + 4 = a_1 + (2+3+4)$

$a_5 = a_4 + 5 = a_1 + (2+3+4+5)$

$a_6 = a_5 + 6 = a_1 + (2+3+4+5+6)$

이므로 $26 = a_1 + 20$

따라서 $a_1 = 6$

내신연계 출제문항 642

수열 $\{a_n\}$이

$$a_{n+1} = a_n + 2n - 1\ (n=1, 2, 3, \cdots)$$

로 정의할 때, $a_6 = 27$일 때, a_4의 값은?

① 9   ② 11   ③ 13

④ 15   ⑤ 17

STEP A 주어진 식의 n에 $1, 2, 3, 4, 5$를 차례로 대입하여 a_6의 값 구하기

$a_{n+1} = a_n + 2n - 1$의 n에 $1, 2, 3, 4, 5$를 차례로 대입하면

$a_2 = a_1 + 1$

$a_3 = a_2 + 3 = a_1 + (1+3)$

$a_4 = a_3 + 5 = a_1 + (1+3+5)$

$a_5 = a_4 + 7 = a_1 + (1+3+5+7)$

$a_6 = a_5 + 9 = a_1 + (1+3+5+7+9)$

STEP B a_1을 구하여 a_4의 값 구하기

이때 $a_6 = a_1 + 25 = 27$이므로 $a_1 = 2$

따라서 $a_4 = a_1 + 9 = 2 + 9 = 11$

정답 ②

1715

정답 ③

STEP A 두 조건을 이용하여 a_1 구하기

$2a_1 = a_2 + 3$ …… ㉠

$a_{n+1} = a_n + 3n$에 $n=1$을 대입하면

$a_2 = a_1 + 3$ …… ㉡

㉠, ㉡을 연립하여 풀면 $a_1 = 6$

STEP B 주어진 식의 n에 $1, 2, 3, 4, 5$를 차례로 대입하기

$a_{n+1} = a_n + 3n$의 n에 $1, 2, 3, 4, \cdots, n-1$을 차례로 대입하면

$a_1 = 6$

$a_2 = a_1 + 3 = 9$

$a_3 = a_2 + 6 = 15$

$a_4 = a_3 + 9 = 24$

$a_5 = a_4 + 12 = 36$

$a_6 = a_5 + 15 = 51$

1716

정답 ①

STEP A 주어진 식의 n에 $1, 2, 3, \cdots, n-1$를 차례로 대입하기

$a_{n+1} = a_n + 2^n$의 n에 $1, 2, 3, 4$를 차례로 대입하면

$a_1 = 1$

$a_2 = a_1 + 2 = 3$

$a_3 = a_2 + 2^2 = 7$

$a_4 = a_3 + 2^3 = 15$

$a_5 = a_4 + 2^4 = 31$

수열 $\{a_n\}$이

$$\begin{cases} a_1=a \\ a_{n+1}=a_n+2^n \ (n=1, 2, 3, \cdots) \end{cases}$$

과 같이 귀납적으로 정의되고 $a_6=66$일 때, 상수 a의 값은?

① 3   ② 4   ③ 5
④ 6   ⑤ 7

STEP Ⓐ **주어진 식의 n에 1, 2, 3, 4, 5, 6을 차례로 대입하여 a_6의 값 구하기**

$a_{n+1}=a_n+2^n$의 n에 1, 2, 3, 4, 5, 6을 차례로 대입하면

$a_1=a$

$a_2=a_1+2$

$a_3=a_2+2^2=a_1+(2+2^2)$

$a_4=a_3+2^3=a_1+(2+2^2+2^3)$

$a_5=a_4+2^4=a_1+(2+2^2+2^3+2^4)$

$a_6=a_5+2^5=a_1+(2+2^2+2^3+2^4+2^5)$

이므로

$a_6=a+\dfrac{2(2^5-1)}{2-1}=a+2^6-2=62+a$

따라서 $a_6=62+a=66$이므로 $a=4$

다른풀이 주어진 식의 n에 1, 2, 3, $\cdots$, $n-1$을 차례로 대입하여 변끼리 더하여 풀이하기

$a_{n+1}=a_n+2^n$에 1, 2, 3, 4, $\cdots$, $n-1$을 차례로 대입하여 변끼리 더하면

$$a_n=a_1+\{2+2^2+2^3+\cdots+2^{n-1}\}$$
$$=a+\sum_{k=1}^{n-1}2^k=a+\dfrac{2(2^{n-1}-1)}{2-1}$$
$$=2^n-2+a$$

따라서 $a_6=2^6-2+a=62+a=66$이므로 $a=4$ 정답 ②

1717   정답 ②

STEP Ⓐ **주어진 식의 n에 1, 2, 3, 4를 각각 대입하여 항의 규칙 찾기**

$a_2=p-2$

$a_3=(p-2)-4=p-6$

$a_4=(p-6)-6=p-12$

$a_5=(p-12)-8=p-20$

STEP Ⓑ **첫째항부터 제 5항까지의 합을 이용하여 p 구하기**

수열 $\{a_n\}$의 첫째항부터 제 5항까지의 합은

$p+(p-2)+(p-6)+(p-12)+(p-20)=5p-40$

따라서 $5p-40=10$에서 $p=10$

1718   정답 ②

STEP Ⓐ **주어진 식의 n에 1, 2, 3, 4, $\cdots$를 각각 대입하여 항의 규칙 찾기**

$a_{n+1}=a_n+\dfrac{1}{n(n+1)}$에서 n에 1, 2, 3, 4를 차례로 대입하면

$a_2=a_1+\dfrac{1}{1\cdot 2}=-2+\dfrac{1}{2}=-\dfrac{3}{2}$

$a_3=a_2+\dfrac{1}{2\cdot 3}=-\dfrac{3}{2}+\dfrac{1}{6}=-\dfrac{4}{3}$

$a_4=a_3+\dfrac{1}{3\cdot 4}=-\dfrac{4}{3}+\dfrac{1}{12}=-\dfrac{5}{4}$

$a_5=a_4+\dfrac{1}{4\cdot 5}=-\dfrac{5}{4}+\dfrac{1}{20}=-\dfrac{6}{5}$

다른풀이 주어진 식의 n에 1, 2, 3, $\cdots$, $n-1$을 차례로 대입하여 변끼리 더하여 풀이하기

STEP Ⓐ **$n=1, 2, 3, \cdots$을 차례로 대입하여 변끼리 더하여 a_5 구하기**

$a_{n+1}=a_n+\dfrac{1}{n(n+1)}$에서 $a_{n+1}=a_n+\dfrac{1}{n}-\dfrac{1}{n+1}$

n에 1, 2, 3, 4를 차례로 대입하면

$a_2=a_1+\dfrac{1}{1}-\dfrac{1}{2}$

$a_3=a_2+\dfrac{1}{2}-\dfrac{1}{3}$

$a_4=a_3+\dfrac{1}{3}-\dfrac{1}{4}$

$a_5=a_4+\dfrac{1}{4}-\dfrac{1}{5}$

위 등식을 변끼리 모두 더하여 정리하면

$a_5=a_1+1-\dfrac{1}{5}=-2+\dfrac{4}{5}=-\dfrac{6}{5}$

수열 $\{a_n\}$이

$$a_1=4,\ a_{n+1}=a_n+\dfrac{1}{\sqrt{n+1}+\sqrt{n}}\ (n=1, 2, 3, \cdots)$$

로 정의될 때, a_9의 값은?

① 6   ② 8   ③ 10
④ 12   ⑤ 14

STEP Ⓐ **$n=1, 2, 3, \cdots$, 8을 차례로 대입하여 a_9 구하기**

$a_{n+1}-a_n=\dfrac{1}{\sqrt{n+1}+\sqrt{n}}=\sqrt{n+1}-\sqrt{n}$에서

$a_{n+1}=a_n+\sqrt{n+1}-\sqrt{n}$의 n대신 1, 2, 3, 4, $\cdots$, 8을 차례로 대입하면

$a_1=4$

$a_2=a_1+\sqrt{2}-1$

$a_3=a_2+\sqrt{3}-\sqrt{2}=a_1+(\sqrt{2}-1)+(\sqrt{3}-\sqrt{2})=a_1+(\sqrt{3}-1)$

$a_4=a_3+\sqrt{4}-\sqrt{3}=a_1+(\sqrt{3}-1)+(\sqrt{4}-\sqrt{3})=a_1+(\sqrt{4}-1)$

$a_5=a_4+\sqrt{5}-\sqrt{4}=a_1+(\sqrt{4}-1)+(\sqrt{5}-\sqrt{4})=a_1+(\sqrt{5}-1)$

$\qquad\qquad\qquad\vdots$

$a_9=a_8+\sqrt{9}-\sqrt{8}=a_1+(\sqrt{8}-1)+(\sqrt{9}-\sqrt{8})=a_1+(\sqrt{9}-1)$

이므로 $a_9=4+(3-1)=6$

다른풀이 주어진 식의 n에 1, 2, 3, $\cdots$, $n-1$을 차례로 대입하여 변끼리 더하여 풀이하기

STEP Ⓐ **$n=1, 2, 3, \cdots$를 차례로 대입하여 변끼리 더하여 a_9 구하기**

$a_{n+1}-a_n=\dfrac{1}{\sqrt{n+1}+\sqrt{n}}=\sqrt{n+1}-\sqrt{n}$에 1, 2, 3, 4, $\cdots$, $n-1$을 차례로 대입하여 변끼리 더하면

$$a_n=a_1+\sqrt{n}-1=3+\sqrt{n}$$

따라서 $a_9=3+\sqrt{9}=6$ 정답 ①

1719

정답 ②

STEP A $a_{n+1}=\dfrac{2n}{n+1}a_n$에서 n 대신 1, 2, 3을 차례로 대입하여 변끼리
곱하여 a_4의 값 구하기

$a_{n+1}=\dfrac{2n}{n+1}a_n$에서 n 대신 1, 2, 3을 차례로 대입하여

변끼리 곱하면

$$a_2 = \frac{2}{2}a_1$$
$$a_3 = \frac{4}{3}a_2$$
$$\times\ \ a_4 = \frac{6}{4}a_3$$
$$a_4=\frac{2}{2}\cdot\frac{4}{3}\cdot\frac{6}{4}a_1=2a_1=2$$

다른풀이 a_2, a_3, a_4를 구하여 풀이하기

$a_{n+1}=\dfrac{2n}{n+1}a_n$에서 n 대신 1, 2, 3, $\cdots$을 차례로 대입하면

$a_2=2\cdot\dfrac{1}{2}a_1=2\cdot\dfrac{1}{2}$

$a_3=2\cdot\dfrac{2}{3}a_2=2\cdot\dfrac{2}{3}\cdot2\cdot\dfrac{1}{2}=2^2\cdot\dfrac{1}{3}$

$a_4=2\cdot\dfrac{3}{4}a_3=2\cdot\dfrac{3}{4}\cdot2\cdot\dfrac{2}{3}\cdot2\cdot\dfrac{1}{2}=2^3\cdot\dfrac{1}{4}=2$

다른풀이 수열 $\{na_n\}$은 공비가 2인 등비수열을 이용하여 풀이하기

$a_{n+1}=\dfrac{2n}{n+1}a_n$에서 $(n+1)a_{n+1}=2na_n$이므로

수열 $\{na_n\}$은 공비가 2인 등비수열이다.

$\therefore na_n=1\cdot a_1\cdot2^{n-1}$

따라서 $a_4=2$

내/신/연/계/ 출제문항 645

수열 $\{a_n\}$이
$$a_1=1,\ (n+1)a_{n+1}=2na_n(n=1,\,2,\,3,\,\cdots)$$
으로 정의될 때, a_6의 값은?

① $\dfrac{8}{3}$ 　② 5 　③ $\dfrac{16}{3}$

④ $\dfrac{32}{3}$ 　⑤ 8

STEP A $a_{n+1}=\dfrac{2n}{n+1}a_n$에서 n 대신 1, 2, 3, 4, 5를 차례로 대입하여
변끼리 곱하여 a_4의 값 구하기

$a_{n+1}=\dfrac{2n}{n+1}a_n$에서 n 대신 1, 2, 3을 차례로 대입하여 변끼리 곱하면

$(n+1)a_{n+1}=2na_n$에서 $a_{n+1}=\dfrac{2n}{n+1}a_n$에 $n=1,\,2,\,\cdots,\,5$를 차례로 대입하여

변끼리 곱하여 정리하면

$a_6=a_1\cdot\dfrac{2}{2}\cdot\dfrac{4}{3}\cdot\dfrac{6}{4}\cdot\dfrac{8}{5}\cdot\dfrac{10}{6}=\dfrac{16}{3}$

다른풀이 수열 $\{na_n\}$은 공비가 2인 등비수열을 이용하여 풀이하기

$a_{n+1}=\dfrac{2n}{n+1}a_n$에서 $(n+1)a_{n+1}=2na_n$이므로

수열 $\{na_n\}$은 공비가 2인 등비수열이다.

$\therefore na_n=1\cdot a_1\cdot2^{n-1}$

따라서 $a_6=\dfrac{2^5}{6}=\dfrac{16}{3}$

정답 ③

1720

정답 ②

STEP A $n=1,\,2,\,3,\,\cdots$를 차례로 대입하여 변끼리 곱하여 풀이하기

$a_{n+1}=\dfrac{2n-1}{2n+1}a_n$에서 n에 1, 2, 3, $\cdots$, $n-1$을 차례대로 대입하여

변끼리 곱하면

$$a_2 = \frac{1}{3}a_1$$
$$a_3 = \frac{3}{5}a_2$$
$$a_4 = \frac{5}{7}a_3$$
$$\vdots\quad\vdots$$
$$\times\ \ a_n = \frac{2n-3}{2n-1}a_{n-1}$$
$$a_n=\frac{1}{3}\cdot\frac{3}{5}\cdot\frac{5}{7}\cdot\cdots\cdot\frac{2n-3}{2n-1}\cdot a_1$$

$\therefore a_n=\dfrac{1}{2n-1}a_1=\dfrac{2}{2n-1}$

따라서 $a_{20}=\dfrac{2}{39}$

다른풀이 주어진 식의 n 대신 1, 2, 3, $\cdots$, 19를 차례로 대입하여 풀이하기

$a_1=2$

$a_2=\dfrac{1}{3}a_1=\dfrac{1}{3}\cdot2=\dfrac{2}{3}$

$a_3=\dfrac{3}{5}a_2=\dfrac{3}{5}\cdot\dfrac{1}{3}\cdot2=\dfrac{2}{5}$

$a_4=\dfrac{5}{7}a_3=\dfrac{5}{7}\cdot\dfrac{3}{5}\cdot\dfrac{1}{3}\cdot2=\dfrac{2}{7}$

$$\vdots$$

$a_{20}=\dfrac{37}{39}a_{19}=\dfrac{37}{39}\cdot\dfrac{35}{37}\cdot\cdots\cdot\dfrac{5}{7}\cdot\dfrac{3}{5}\cdot\dfrac{1}{3}\cdot2=\dfrac{2}{39}$

참고 $a_n=\dfrac{2}{2n-1}(n=1,\,2,\,3,\,\cdots)$

1721

정답 ②

STEP A $n=1,\,2,\,3,\,\cdots$를 차례로 대입하여 변끼리 곱하여 풀이하기

$a_{n+1}=\dfrac{n}{n+2}a_n$에 $n=1,\,2,\,\cdots,\,n-1$을 차례로 대입하여

변끼리 곱하면

$$a_2 = \frac{1}{3}a_1$$
$$a_3 = \frac{2}{4}a_2$$
$$a_4 = \frac{3}{5}a_3$$
$$\vdots\quad\vdots$$
$$a_{n-1} \quad \frac{n-2}{n}a_{n-2}$$
$$\times\ \ a_n = \frac{n-1}{n+1}a_{n-1}$$
$$a_n=\frac{1}{3}\cdot\frac{2}{4}\cdot\frac{3}{5}\cdot\cdots\cdot\frac{n-2}{n}\cdot\frac{n-1}{n+1}a_1=\frac{2}{n(n+1)}$$

STEP B $\displaystyle\sum_{k=1}^{20}\dfrac{2}{k(k+1)}$ 구하기

따라서 $\displaystyle\sum_{k=1}^{20}a_k=\sum_{k=1}^{20}\dfrac{2}{k(k+1)}=2\sum_{k=1}^{20}\left(\dfrac{1}{k}-\dfrac{1}{k+1}\right)$

$\qquad=2\left\{\left(1-\dfrac{1}{2}\right)+\left(\dfrac{1}{2}-\dfrac{1}{3}\right)+\cdots+\left(\dfrac{1}{20}-\dfrac{1}{21}\right)\right\}$

$\qquad=2\left(1-\dfrac{1}{21}\right)=\dfrac{40}{21}$

내/신/연/계 출제문항 646

수열 $\{a_n\}$이

$$a_1=1,\ (2n-1)a_{n+1}=(2n+1)a_n\ (n=1,\ 2,\ 3,\ \cdots)$$

으로 정의될 때, $\displaystyle\sum_{k=1}^{10}a_k$의 값은?

① 64   ② 81   ③ 100
④ 121   ⑤ 144

STEP Ⓐ 주어진 식의 n대신 1, 2, 3, 4, 5, $\cdots$를 대입하여 항을 나열하여 일반항 a_n 구하기

$a_1=1,\ (2n-1)a_{n+1}=(2n+1)a_n$에서 n대신에 1, 2, 3, 4를 대입한다.

$1\cdot a_2=3\cdot a_1$에서 $a_2=3$
$3\cdot a_3=5\cdot a_2$에서 $a_3=5$
$5\cdot a_4=7\cdot a_3$에서 $a_4=7$
$7\cdot a_5=9\cdot a_4$에서 $a_5=9$
$9\cdot a_6=11\cdot a_5$에서 $a_6=11$
$\vdots$

이므로 수열 $\{a_n\}$은 첫째항은 1, 공차가 2인 등차수열이므로

$a_n=1+(n-1)\cdot 2=2n-1$

STEP Ⓑ $\displaystyle\sum_{k=1}^{10}a_k$의 값 구하기

따라서 $\displaystyle\sum_{k=1}^{10}a_k=\sum_{k=1}^{10}(2k-1)=2\cdot\dfrac{10\cdot 11}{2}-10=100$ 정답 ③

1722   정답 ⑤

STEP Ⓐ 주어진 식의 n대신 1, 2, 3, $\cdots$, 9를 차례로 대입하여 a_{10}의 값 구하기

$a_1=1$
$a_2=9^1\times a_1=9^1$
$a_3=9^2\times a_2=9^2\times 9^1=9^{1+2}$
$a_4=9^3\times a_3=9^3\times 9^{1+2}=9^{1+2+3}$
$a_5=9^4\times a_4=9^4\times 9^{1+2+3}=9^{1+2+3+4}$
$\vdots$
$a_{10}=9^{1+2+3+\cdots+9}=9^{45}$

STEP Ⓑ $\log_3 a_{10}$의 값 구하기

따라서 $\log_3 a_{10}=\log_3 9^{45}=\log_3(3^2)^{45}=\log_3 3^{90}=90$

내/신/연/계 출제문항 647

수열 $\{a_n\}$이

$$a_1=1,\ \dfrac{a_{n+1}}{a_n}=2^n\ (n=1,\ 2,\ 3,\ \cdots)$$

으로 정의될 때, $a_k=2^{55}$을 만족시키는 자연수 k의 값은?

① 8   ② 9   ③ 10
④ 11   ⑤ 12

STEP Ⓐ 주어진 식의 n대신 1, 2, 3, $\cdots$, $k-1$을 차례로 대입하여 a_k의 값 구하기

$a_1=1$
$a_2=2^1\times a_1=2$
$a_3=2^2\times a_2=2^2\times 2^1=2^{1+2}$
$a_4=2^3\times a_3=2^3\times 2^{1+2}=2^{1+2+3}$
$a_5=2^4\times a_4=2^4\times 2^{1+2+3}=2^{1+2+3+4}$

$\vdots$
$a_k=2^{1+2+3+\cdots+k-1}=2^{\frac{(k-1)k}{2}}$

STEP Ⓑ $a_k=2^{55}$의 값 구하기

$a_k=2^{55}$이므로 $2^{\frac{(k-1)k}{2}}=2^{55}$

$\dfrac{(k-1)k}{2}=55,\ k^2-k-110=0$

$(k+10)(k-11)=0$

따라서 $k=11\ (\because k$는 자연수$)$ 정답 ④

1723   정답 ①

STEP Ⓐ $n=1,\ 2,\ 3,\ \cdots$를 차례로 대입하여 변끼리 곱하여 풀이하기

$a_{n+1}=\dfrac{n+1}{n}a_n$에 $n=1,\ 2,\ \cdots,\ n-1$을 차례로 대입하여

변끼리 곱하면

$$a_2=\dfrac{2}{1}a_1$$
$$a_3=\dfrac{3}{2}a_2$$
$$a_4=\dfrac{4}{3}a_3$$
$$\vdots\quad\vdots$$
$$\times\ \left| a_n=\dfrac{n}{n-1}a_{n-1}\right.$$
$$a_n=\dfrac{2}{1}\cdot\dfrac{3}{2}\cdot\dfrac{4}{3}\cdot\cdots\cdot\dfrac{n}{n-1}a_1=n$$

이때 $a_2=2,\ a_3=3,\ a_4=4,\ a_5=5,\ \cdots,\ a_9=9,\ a_{10}=10$이고

$300=2^2\times 3\times 5^2=2\times 3\times 5\times 10$

따라서 $a_1\times a_2\times a_3\times\cdots\times a_{10}=1\times 2\times 3\times\cdots\times 10$을 300으로 나누었을 때,

나머지는 0

1724   정답 ①

STEP Ⓐ 주어진 식의 n에 1, 2, 3, $\cdots$, $n-1$을 차례로 대입하여 변끼리 곱하기

$a_{n+1}=na_n$에서 $\dfrac{a_{n+1}}{a_n}=n$이므로

$n=1,\ 2,\ 3,\ \cdots,\ n-1$을 차례대로 대입하여 양변을 각각 곱하면

$\dfrac{a_2}{a_1}\times\dfrac{a_3}{a_2}\times\dfrac{a_4}{a_3}\times\cdots\times\dfrac{a_n}{a_{n-1}}=1\times 2\times 3\times\cdots\times(n-1)$

이고 $a_1=2$이므로

$a_n=1\times 2\times 3\times\cdots\times(n-1)\times a_1$
　$=1\times 2\times 3\times\cdots\times(n-1)\times 2\ (n\geq 2)$

STEP Ⓑ $\displaystyle\sum_{k=1}^{2020}a_k$를 240으로 나눈 나머지의 값 구하기

이때 $240=2\times 1\times 2\times 3\times 4\times 5$이므로

$n\geq 6$일 때, a_n이 $2\times 1\times 2\times 3\times 4\times 5$를 인수로 가지므로

$a_6,\ a_7,\ a_8,\ \cdots,\ a_{2020}$는 모두 240으로 나누어떨어진다.

즉 $\displaystyle\sum_{k=1}^{2020}a_k$에서 $a_1+a_2+a_3+\cdots+a_{2020}$의 나머지는 $a_1+a_2+a_3+a_4+a_5$를

240으로 나누었을 때의 나머지와 같다.

따라서 $2+2+4+12+48=68$

수열 $\{a_n\}$이

$$a_1=1,\ a_{n+1}=n^2 a_n\ (n=1,\ 2,\ 3,\ \cdots)$$

으로 정의될 때, $\displaystyle\sum_{k=1}^{100} a_k$를 32로 나눈 나머지는?

① 8 　　　　 ② 9 　　　　 ③ 10
④ 16 　　　　 ⑤ 18

STEP Ⓐ **주어진 식의 n에 1, 2, 3, $\cdots$, $n-1$을 차례로 대입하여 변끼리 곱하기**

$a_{n+1}=n^2 a_n$에서 $\dfrac{a_{n+1}}{a_n}=n^2$이므로

$n=1,\ 2,\ 3,\ \cdots,\ n-1$을 차례대로 대입하여 양변을 각각 곱하면

$$\frac{a_2}{a_1}\times\frac{a_3}{a_2}\times\frac{a_4}{a_3}\times\cdots\times\frac{a_n}{a_{n-1}}=1^2\times2^2\times3^2\times\cdots\times(n-1)^2$$

이고 $a_1=1$이므로

$$a_n=1^2\times2^2\times3^2\times\cdots\times(n-1)^2\ (n\geq2)$$

STEP Ⓑ **$\displaystyle\sum_{k=1}^{100} a_k$를 32로 나눈 나머지의 값 구하기**

이때 $32=2^5$이므로 $n\geq5$일 때, a_n이 $1^2\times2^2\times3^2\times4^2=2^6\times3^2$을 인수로 가지므로 2^5도 인수로 가진다.

즉 $\displaystyle\sum_{k=1}^{100} a_k$에서 $a_5+a_6+a_7+\cdots+a_{100}$은 32로 나누어 떨어진다.

㉠에서 $a_1+a_2+a_3+a_4=1+1^2+(1^2\times2^2)+(1^2\times2^2\times3^2)$

$\qquad\qquad\qquad\qquad\ =1+1+4+36$

$\qquad\qquad\qquad\qquad\ =42$

따라서 $\displaystyle\sum_{k=1}^{100} a_k$를 32로 나눈 나머지는 10 　　　**정답** ③

1725 　　　**정답** ⑤

STEP Ⓐ **주어진 식을 이용하여 $\left\{\dfrac{1}{a_n}\right\}$의 일반항 구하기**

수열 $\dfrac{1}{a_{n+1}}=\dfrac{1}{a_n}+2$에서 수열 $\left\{\dfrac{1}{a_n}\right\}$은 첫째항이 $\dfrac{1}{a_1}=3$이고

공차가 2인 등차수열이므로

$$\frac{1}{a_n}=3+(n-1)\cdot2=2n+1$$

따라서 $a_n=\dfrac{1}{2n+1}$이므로 $a_8=\dfrac{1}{17}$

1726 　　　**정답** ⑤

STEP Ⓐ **주어진 식의 양변에 역수를 취하여 $\left\{\dfrac{1}{a_n}\right\}$의 일반항 구하기**

$a_{n+1}=\dfrac{a_n}{3a_n+1}$의 양변에 역수를 취하면 $\dfrac{1}{a_{n+1}}=\dfrac{1}{a_n}+3$

즉 수열 $\left\{\dfrac{1}{a_n}\right\}$은 첫째항이 $\dfrac{1}{a_1}=2$이고 공차가 3인 등차수열이므로

$$\frac{1}{a_n}=2+(n-1)\cdot3=3n-1$$

따라서 $a_n=\dfrac{1}{3n-1}$이므로 $a_{20}=\dfrac{1}{59}$

수열 $\{a_n\}$이 $a_1=2$이고 모든 자연수 n에 대하여

$$a_n a_{n+1}=a_n-a_{n+1}$$

을 만족시킬 때, a_{10}의 값은?

① $\dfrac{1}{24}$ 　　　　 ② $\dfrac{1}{25}$ 　　　　 ③ $\dfrac{1}{26}$
④ $\dfrac{1}{27}$ 　　　　 ⑤ $\dfrac{2}{19}$

STEP Ⓐ **주어진 식의 양변을 $a_n a_{n+1}$로 나누어 $\left\{\dfrac{1}{a_n}\right\}$의 일반항 구하기**

$a_n a_{n+1}=a_n-a_{n+1}$에서 양변을 $a_n a_{n+1}$로 나누면 $1=\dfrac{1}{a_{n+1}}-\dfrac{1}{a_n}$

수열 $\left\{\dfrac{1}{a_n}\right\}$은 첫째항이 $\dfrac{1}{a_1}=\dfrac{1}{2}$, 공차가 1인 등차수열이므로

$$\frac{1}{a_n}=\frac{1}{2}+(n-1)=\frac{2n-1}{2}$$

따라서 $a_n=\dfrac{2}{2n-1}$이므로 $a_{10}=\dfrac{2}{19}$ 　　　**정답** ⑤

1727 　　　**정답** ⑤

STEP Ⓐ **주어진 식의 n 대신 1, 2, 3을 대입하여 a_4 구하기**

$a_{n+1}=\dfrac{2a_n}{a_n-1}$에서 n에 1, 2, 3을 차례로 대입하면

$$a_2=\frac{2a_1}{a_1-1}=\frac{2\cdot4}{4-1}=\frac{8}{3}$$

$$a_3=\frac{2a_2}{a_2-1}=\frac{2\cdot\dfrac{8}{3}}{\dfrac{8}{3}-1}=\frac{16}{5}$$

$$a_4=\frac{2a_3}{a_3-1}=\frac{2\cdot\dfrac{16}{5}}{\dfrac{16}{5}-1}=\frac{32}{11}$$

1728 　　　**정답** ①

STEP Ⓐ **주어진 식의 n에 1, 2, 3, $\cdots$, $n-1$을 차례로 대입하여 항의 규칙을 찾기**

$a_{n+1}=a_n-(-1)^{n+1}$의 n 대신에 1, 2, 3, 4, 5, $\cdots$을 대입하면

$a_1=1$

$a_2=a_1-1=0$

$a_3=a_2+1=1$

$a_4=a_3-1=0$

$\qquad\vdots$

$\therefore a_n=\begin{cases}1\ (n:\text{홀수})\\0\ (n:\text{짝수})\end{cases}$

따라서 $a_{2020}=0$

1729

정답 ④

STEP A 주어진 식의 n에 1, 2, 3, $\cdots$, $n-1$을 차례로 대입하여 항의 규칙을 찾기

$a_1=1$, $a_{n+1}=a_n+(-1)^n$이므로 n대신에 1, 2, 3, 4, 5, $\cdots$을 대입하면

$a_2=a_1-1=1-1=0$

$a_3=a_2+1=1$

$a_4=a_3-1=0$

$\vdots$

$\therefore a_n=\begin{cases} 1 & (n:홀수) \\ 0 & (n:짝수) \end{cases}$

따라서 $a_{15}=1$

내 | 신 | 연 | 계 | 출제문항 650

수열 $\{a_n\}$이

$$a_1=1, \quad a_n+a_{n+1}=(-1)^n \, (n=1, 2, 3, \cdots)$$

을 만족시킬 때, a_{10}의 값은?

① -2 ② 8 ③ -10
④ 10 ⑤ -8

STEP A 주어진 식의 n에 1, 2, 3, $\cdots$, $n-1$을 차례로 대입하여 항의 규칙을 찾기

$a_1=1$

$a_1+a_2=-1$에서 $a_2=-2$

$a_2+a_3=1$에서 $a_3=3$

$a_3+a_4=-1$에서 $a_4=-4$

$\vdots$

따라서 $a_n=(-1)^{n-1}\cdot n$이므로 $a_{10}=-10$

정답 ③

1730

정답 ③

STEP A 주어진 식의 n에 2, 3, 4를 차례로 대입하기

$a_2=3$, $a_5=40$이므로

$a_{n+1}=a_n+2^n+k$에서 n에 2, 3, 4를 차례대로 대입하면

$a_3=a_2+2^2+k=7+k$

$a_4=a_3+2^3+k=15+2k$

$a_5=a_4+2^4+k=31+3k=40$

따라서 $k=3$

내 | 신 | 연 | 계 | 출제문항 651

수열 $\{a_n\}$이 모든 자연수 n에 대하여

$$a_1=1, \quad a_{n+1}=\frac{k}{a_n+2}$$

를 만족시킬 때, $a_3=\frac{3}{2}$이 되도록 하는 상수 k의 값은?

① 4 ② 5 ③ 6
④ 7 ⑤ 8

STEP A 주어진 식의 n대신 1, 2를 각각 대입하여 상수 k의 값 구하기

$a_{n+1}=\dfrac{k}{a_n+2}$ $\cdots\cdots$ ㉠

㉠의 양변에 $n=1$을 대입하면

$a_2=\dfrac{k}{a_1+2}=\dfrac{k}{3}$이고

㉠의 양변에 $n=2$를 대입하면

$a_3=\dfrac{k}{a_2+2}=\dfrac{k}{\frac{k}{3}+2}=\dfrac{3}{2}$이므로 $3\times\left(\dfrac{k}{3}+2\right)=k+6=2k$

따라서 $k=6$

정답 ③

1731

정답 ②

STEP A n대신 1, 2, 3, 4를 각각 대입하여 a_3, a_5 구하기

$a_{n+1}+a_n=2n^2$에서

$n=1$일 때, $a_2+a_1=2\times1^2$이므로 $a_2=2-a_1$

$n=2$일 때, $a_3+a_2=2\times2^2$이므로 $a_3=8-a_2=6+a_1$

$n=3$일 때, $a_4+a_3=2\times3^2$이므로 $a_4=18-a_3=12-a_1$

$n=4$일 때, $a_5+a_4=2\times4^2$이므로 $a_5=32-a_4=20+a_1$

STEP B $a_3+a_5=26$을 만족하는 a_2 구하기

$a_3+a_5=26+2a_1=26$이므로 $a_1=0$

따라서 $a_2=2-a_1=2$

내 | 신 | 연 | 계 | 출제문항 652

수열 $\{a_n\}$이 $a_1=-5$이고, 모든 자연수 n에 대하여

$$a_n+a_{n+1}=3n$$

을 만족시킬 때, a_3+a_5의 값은?

① -3 ② -1 ③ 1
④ 3 ⑤ 5

STEP A 주어진 식의 n대신 1, 2, 3, 4를 각각 대입하여 a_3, a_5 구하기

모든 자연수 n에 대하여 $a_n+a_{n+1}=3n$

즉 $a_{n+1}=3n-a_n$이므로

n에 1, 2, 3, 4를 차례로 대입하면

$a_2=3\cdot1-a_1=3-(-5)=8$

$a_3=3\cdot2-a_2=6-8=-2$

$a_4=3\cdot3-a_3=9-(-2)=11$

$a_5=3\cdot4-a_4=12-11=1$

따라서 $a_3+a_5=-2+1=-1$

정답 ②

1732

정답 ③

STEP A 주어진 식의 n에 1, 2, 3, 4를 차례로 대입하여 항의 규칙을 찾기

$a_1=1$, $a_n+a_{n+1}=2n+1$이므로 n대신에 1, 2, 3, 4, 5, $\cdots$을 대입하면

$a_1+a_2=3$에서 $a_2=3-1=2$

$a_2+a_3=5$에서 $a_3=5-2=3$

$a_3+a_4=7$에서 $a_4=7-3=4$

$a_4+a_5=9$에서 $a_5=9-4=5$

$\displaystyle\sum_{n=1}^{5}a_n=a_1+a_2+a_3+a_4+a_5=1+2+3+4+5=15$

1733

STEP A 주어진 식의 n에 $1, 2, 3, \cdots, 19$를 차례로 대입하여 항의 규칙을 찾기

$a_n + a_{n+1} = n$에서

$n=1$이면 $a_1 + a_2 = 1$

$n=3$이면 $a_3 + a_4 = 3$

$n=5$이면 $a_5 + a_6 = 5$

$\vdots$

$n=19$이면 $a_{19} + a_{20} = 19$

따라서 $\displaystyle\sum_{k=1}^{20} a_k = (a_1 + a_2) + (a_3 + a_4) + \cdots + (a_{19} + a_{20})$

$= 1 + 3 + 5 + \cdots + 19$

$= \displaystyle\sum_{k=1}^{10} (2k-1)$

$= 2 \cdot \dfrac{10 \cdot 11}{2} - 10 = 100$

다른풀이 등차수열의 합을 이용하여 풀이하기

$\displaystyle\sum_{k=1}^{20} a_k = (a_1 + a_2) + (a_3 + a_4) + \cdots + (a_{19} + a_{20})$

$= 1 + 3 + 5 + 7 + \cdots + 19$

$= \dfrac{10(1+19)}{2}$

$= 10^2 = 100$

내신연계 출제문항 653

수열 $\{a_n\}$이

$$a_1 = 1, \quad a_n + a_{n+1} = n \, (n=1, 2, 3, \cdots)$$

으로 정의될 때, $\displaystyle\sum_{k=1}^{11} a_k$의 값은?

① 31   ② 32   ③ 33

④ 34   ⑤ 35

STEP A 주어진 식의 n에 $1, 2, 3, \cdots, n-1$을 차례로 대입하여 항의 규칙을 찾기

$a_1 = 1, \ a_n + a_{n+1} = n$이므로 n대신에 $1, 2, 3, 4, 5, \cdots$을 대입하면

$a_1 + a_2 = 1$에서 $a_2 = 1 - 1 = 0$

$a_2 + a_3 = 2$에서 $a_3 = 2 - 0 = 2$

$a_3 + a_4 = 3$에서 $a_4 = 3 - 2 = 1$

$a_4 + a_5 = 4$에서 $a_5 = 4 - 1 = 3$

$a_5 + a_6 = 5$에서 $a_6 = 5 - 3 = 2$

$a_6 + a_7 = 6$에서 $a_7 = 6 - 2 = 4$

$a_7 + a_8 = 7$에서 $a_8 = 7 - 4 = 3$

$a_8 + a_9 = 8$에서 $a_9 = 8 - 3 = 5$

$a_9 + a_{10} = 9$에서 $a_{10} = 9 - 5 = 4$

$a_{10} + a_{11} = 10$에서 $a_{11} = 10 - 4 = 6$

STEP B $\displaystyle\sum_{k=1}^{11} a_k$ 구하기

따라서 $\displaystyle\sum_{k=1}^{11} a_k = a_1 + a_2 + a_3 + a_4 + \cdots + a_9 + a_{10} + a_{11}$

$= 1 + 0 + 2 + 1 + 3 + 2 + 4 + 3 + 5 + 4 + 6$

$= 31$

다른풀이 $a_n + a_{n+1} = n$의 n에 $1, 3, 5, 7, 9$를 대입하여 풀이하기

$\displaystyle\sum_{k=1}^{11} a_k = (a_1 + a_2) + (a_3 + a_4) + (a_5 + a_6) + (a_7 + a_8) + (a_9 + a_{10}) + a_{11}$

$= 1 + 3 + 5 + 7 + 9 + a_{11}$

$= 25 + a_{11} = 25 + 6 = 31$

1734

STEP A 주어진 식의 n에 $1, 2, 3, \cdots, n-1$을 차례로 대입하여 항의 규칙을 찾기

$a_1 = 2$이고 이 수는 짝수이므로 $a_2 = a_1 - 1 = 2 - 1 = 1$

a_2는 홀수이므로 $a_3 = a_2 + 2 = 1 + 2 = 3$

a_3은 홀수이므로 $a_4 = a_3 + 3 = 3 + 3 = 6$

a_4는 짝수이므로 $a_5 = a_4 - 1 = 6 - 1 = 5$

a_5는 홀수이므로 $a_6 = a_5 + 5 = 5 + 5 = 10$

a_6은 짝수이므로 $a_7 = a_6 - 1 = 10 - 1 = 9$

내신연계 출제문항 654

수열 $\{a_n\}$이 모든 자연수 n에 대하여

$$a_n a_{n+1} = 2n$$

이고 $a_3 = 1$일 때, $a_2 + a_5$의 값은?

① $\dfrac{13}{3}$ ② $\dfrac{16}{3}$ ③ $\dfrac{19}{3}$

④ $\dfrac{22}{3}$ ⑤ $\dfrac{25}{3}$

STEP A 주어진 식의 n에 $2, 3, 4$를 차례로 대입하여 항의 규칙을 찾기

$a_n a_{n+1} = 2n$ $\cdots\cdots$ ㉠

㉠에 $n=2$를 대입하면 $a_2 a_3 = 4$이므로 $a_2 = \dfrac{4}{a_3} = \dfrac{4}{1} = 4$

㉠에 $n=3$을 대입하면 $a_3 a_4 = 6$이므로 $a_4 = \dfrac{6}{a_3} = \dfrac{6}{1} = 6$

㉠에 $n=4$를 대입하면 $a_4 a_5 = 8$이므로 $a_5 = \dfrac{8}{a_4} = \dfrac{8}{6} = \dfrac{4}{3}$

따라서 $a_2 + a_5 = 4 + \dfrac{4}{3} = \dfrac{16}{3}$

1735

STEP A 주어진 식의 n에 $1, 2, 3, \cdots, n-1$을 차례로 대입하여 항의 규칙을 찾기

$a_1 = 1, \ a_2 = 2$이고 $a_{n+2} = a_n + 3$이므로

n대신에 $1, 2, 3, 4, 5, \cdots$을 대입하면

$a_3 = a_1 + 3 = 1 + 3 = 4$

$a_4 = a_2 + 3 = 2 + 3 = 5$

$a_5 = a_3 + 3 = 4 + 3 = 7$

$a_6 = a_4 + 3 = 5 + 3 = 8$

$a_7 = a_5 + 3 = 7 + 3 = 10$

$a_8 = a_6 + 3 = 8 + 3 = 11$

$a_9 = a_7 + 3 = 10 + 3 = 13$

$a_{10} = a_8 + 3 = 11 + 3 = 14$

$a_{11} = a_9 + 3 = 13 + 3 = 16$

$a_{12} = a_{10} + 3 = 14 + 3 = 17$

$a_{13} = a_{11} + 3 = 16 + 3 = 19$

따라서 $a_{12} + a_{13} = 17 + 19 = 36$

다른풀이 수열 $\{a_{2n-1}\}, \{a_{2n}\}$을 구하여 풀이하기

수열 $\{a_{2n-1}\}$은 첫째항이 1이고 공차가 3인 등차수열이므로 $a_{2n-1} = 3n - 2$

수열 $\{a_{2n}\}$은 첫째항이 2이고 공차가 3인 등차수열이므로 $a_{2n} = 3n - 1$

따라서 $a_{12} + a_{13} = 17 + 19 = 36$

첫째항이 1이고 $a_2=p$인 수열 $\{a_n\}$이

$$a_{n+2}=a_n+2\,(n\geq 1)$$

을 만족시킨다. $\displaystyle\sum_{k=1}^{10}a_k=70$일 때, 상수 p의 값은?

① 5   ② 6   ③ 7
④ 8   ⑤ 9

STEP A 주어진 식의 n에 $1, 2, 3, \cdots, 8$을 차례로 대입하여 항의 규칙을 찾기

$a_1=1$이고 $a_2=p$이므로

$a_{n+2}=a_n+2\,(n\geq 1)$에서 n대신에 $1, 2, 3, \cdots, 8$을 대입한다.

$a_3=a_1+2=1+2=3$
$a_4=a_2+2=p+2$
$a_5=a_3+2=3+2=5$
$a_6=a_4+2=p+2+2=p+4$
$\vdots$
$a_{10}=a_8+2=p+8$

STEP B $\displaystyle\sum_{k=1}^{10}a_k=70$임을 이용하여 p 구하기

$\displaystyle\sum_{k=1}^{10}a_k=(a_1+a_3+a_5+a_7+a_9)+(a_2+a_4+a_6+a_8+a_{10})$
$=(1+3+5+7+9)+(p+p+2+p+4+p+6+p+8)$
$=25+5p+20=5p+45$

따라서 $5p+45=70$이므로 $p=5$

 다른풀이 수열 $\{a_{2n-1}\}, \{a_{2n}\}$을 구하여 풀이하기

수열 $\{a_{2n-1}\}$은 첫째항이 1이고 공차가 2인 등차수열이므로 $a_{2n-1}=2n-1$
수열 $\{a_{2n}\}$은 첫째항이 p이고 공차가 2인 등차수열이므로 $a_{2n}=2n+p-2$
$\displaystyle\sum_{k=1}^{10}a_k=\sum_{k=1}^{5}(a_{2k-1}+a_{2k})=\sum_{k=1}^{5}(4k+p-3)=5p+45=70$
따라서 $p=5$

정답 ①

1736

정답 ②

STEP A 주어진 식의 n대신 $1, 2$를 각각 대입하여 규칙을 구하기

수열 $\{a_n\}$의 첫째항이 6이므로 $a_1>0$
이때 $a_2=2-6=-4$
$a_2<0$이므로 $a_3=a_2+p=-4+p$

STEP B $a_3=-4+p$이므로 $a_3\geq 0$, $a_3<0$로 나누어 실수 p 구하기

(i) $-4+p\geq 0$, 즉 $p\geq 4$일 때,
$a_4=2-a_3=2-(-4+p)=6-p=0$
$\therefore p=6$
(ii) $-4+p<0$, 즉 $p<4$일 때,
$a_4=a_3+p=(-4+p)+p=-4+2p=0$
$\therefore p=2$
(i), (ii)에 의하여 $a_4=0$이 되도록 하는 모든 실수 p의 값의 합은 $6+2=8$

1737

 정답 ③

STEP A $\displaystyle\sum_{n=1}^{20}a_n=p$를 이용하기 위해 주어진 식에 $n=1, 2, \cdots, 20$을 각각 대입하기

$2a_n+n=p$에 $n=1, 2, \cdots, 20$을 각각 대입하여 각 변끼리 모두 더하면

$\begin{aligned}&2a_1+1=p\\&2a_2+2=p\\&\quad\vdots\\+\ &\underline{2a_{20}+20=p}\\&2(a_1+a_2+\cdots+a_{20})+(1+2+\cdots+20)=20p\end{aligned}$

STEP B $\displaystyle\sum_{n=1}^{20}a_n=a_1+a_2+\cdots+a_{20}=p$를 이용하여 p를 구하여 a_{10} 구하기

이때 $\displaystyle\sum_{n=1}^{20}a_n=p$이므로

$2(a_1+a_2+\cdots+a_{20})+(1+2+\cdots+20)=20p$
$2p+\dfrac{20\cdot 21}{2}=20p$
$\therefore p=\dfrac{35}{3}$

따라서 $2a_{10}+10=\dfrac{35}{3}$이므로 $a_{10}=\dfrac{1}{2}\left(\dfrac{35}{3}-10\right)=\dfrac{5}{6}$

 다른풀이 수열 $\{a_n\}$은 공차가 $-\dfrac{1}{2}$인 등차수열임을 이용하여 풀이하기

$2a_n+n=p$에서 $a_n=-\dfrac{1}{2}n+\dfrac{1}{2}p$이므로

수열 $\{a_n\}$은 공차가 $-\dfrac{1}{2}$인 등차수열이다.

$\displaystyle\sum_{n=1}^{20}a_n=\dfrac{1}{2}\sum_{n=1}^{20}(-n+p)=\dfrac{1}{2}\left(-\dfrac{20\cdot 21}{2}+20p\right)=p$
즉 $-210+20p=2p$, $18p=210$
$\therefore p=\dfrac{35}{3}$

따라서 $2a_{10}+10=\dfrac{35}{3}$에서 $a_{10}=\dfrac{1}{2}\left(\dfrac{35}{3}-10\right)=\dfrac{5}{6}$

1738

정답 ④

STEP A 주어진 식의 n대신 $1, 2, 3, \cdots, 9$를 각각 대입하여 규칙을 구하기

수열 $\{a_n\}$은 $0, 0, 1, 1, 1, 2, 2, 2, 3, \cdots$이므로 수열 $\{b_n\}$을 구해보면

$b_1=(-1)^0\times 5^0=1$, $b_2=(-1)^1\times 5^0=-1$
$b_3=(-1)^2\times 5^1=5$, $b_4=(-1)^3\times 5^1=-5$
$b_5=(-1)^4\times 5^1=5$, $b_6=(-1)^5\times 5^2=-25$
$b_7=(-1)^6\times 5^2=25$, $b_8=(-1)^7\times 5^2=-25$
$b_9=(-1)^8\times 5^3=125$

STEP B $\displaystyle\sum_{k=1}^{9}b_k$의 값 구하기

따라서 $\displaystyle\sum_{k=1}^{9}b_k=1-1+5-5+5-25+25-25+125=105$

1739

STEP Ⓐ **주어진 식의 n 대신 1, 2, 3, …을 각각 대입하여 규칙을 구하기**

$a_1 = a$

$a_2 = a + (-1)^1 \cdot 2 = a - 2$

$a_3 = (a-2) + (-1)^2 \cdot 2 = a$

$a_4 = a + 1$

$a_5 = (a+1) + (-1)^4 \cdot 2 = a + 3$

$a_6 = (a+3) + (-1)^5 \cdot 2 = a + 1$

$a_7 = (a+1) + 1 = a + 2$

$a_8 = (a+2) + (-1)^7 \cdot 2 = a$

$a_9 = a + (-1)^8 \cdot 2 = a + 2$

$a_{10} = (a+2) + 1 = a + 3$

$a_{11} = (a+3) + (-1)^{10} \cdot 2 = a + 5$

$a_{12} = (a+5) + (-1)^{11} \cdot 2 = a + 3$

$a_{13} = (a+3) + 1 = a + 4$

$a_{14} = (a+4) + (-1)^{13} \cdot 2 = a + 2$

$a_{15} = (a+2) + (-1)^{14} \cdot 2 = a + 4$

STEP Ⓑ **a_{15} 항을 구하여 a 구하기**

따라서 $a + 4 = 43$에서 $a = 39$

내 신 연 계 출제문항 656

첫째항이 a인 수열 $\{a_n\}$은 모든 자연수 n에 대하여

$$a_{n+1} = \begin{cases} a_n + (-1)^n \times 3 & (n\text{이 3의 배수가 아닌 경우}) \\ a_n + 2 & (n\text{이 3의 배수인 경우}) \end{cases}$$

를 만족시킨다. $a_{15} = 34$일 때, a의 값은?

① 25 ② 26 ③ 27
④ 28 ⑤ 29

STEP Ⓐ **주어진 식의 n 대신 1, 2, 3, …을 각각 대입하여 규칙 구하기**

$a_1 = a$이고 n에 1, 2, 3, 4, …를 차례로 대입하면

$a_2 = a_1 + (-1)^1 \times 3 = a - 3$

$a_3 = a_2 + (-1)^2 \times 3 = (a-3) + 3 = a$

$a_4 = a_3 + 2 = a + 2$

$a_5 = a_4 + (-1)^4 \times 3 = (a+2) + 3 = a + 5$

$a_6 = a_5 + (-1)^5 \times 3 = (a+5) - 3 = a + 2$

$a_7 = a_6 + 2 = (a+2) + 2 = a + 4$

$\quad\quad\quad\vdots$

이때 $a_1 = a_3$, $a_4 = a_6$, $a_7 = a_9$, …

$\quad a_4 = a_3 + 2$, $a_7 = a_6 + 2$, …

이므로 $a_6 = a_3 + 2$, $a_9 = a_6 + 2$, …

STEP Ⓑ **a_{15} 항을 구하여 a 구하기**

따라서 a_{3n}인 항은 첫째항이 a이고 공차가 2인 등차수열을 이루므로

$a_{15} = a + 4 \times 2 = a + 8 = 34$에서 $a = 26$

정답 ②

1740

STEP Ⓐ **조건식에 차례로 n 대신 1, 2, 3, …, 9를 대입하여 구하기**

주어진 관계식에 $n = 1, 2, 3, …, 9$를 차례로 대입하면

$a_1 = 20$

$a_2 = \dfrac{a_1 + 2}{2} = \dfrac{22}{2} = 11$

$a_3 = \dfrac{a_2 - 1}{2} = \dfrac{10}{2} = 5$

$a_4 = \dfrac{a_3 - 1}{2} = \dfrac{4}{2} = 2$

$a_5 = \dfrac{a_4 + 2}{2} = \dfrac{4}{2} = 2$

$a_6 = \dfrac{a_5 + 2}{2} = \dfrac{4}{2} = 2$

$a_7 = \dfrac{a_6 + 2}{2} = \dfrac{4}{2} = 2$

$a_8 = \dfrac{a_7 + 2}{2} = \dfrac{4}{2} = 2$

$a_9 = \dfrac{a_8 + 2}{2} = \dfrac{4}{2} = 2$

$a_{10} = \dfrac{a_9 + 2}{2} = \dfrac{4}{2} = 2$

STEP Ⓑ **$\displaystyle\sum_{k=1}^{10} a_k$의 값 구하기**

따라서 $\displaystyle\sum_{k=1}^{10} a_k = 20 + 11 + 5 + 2 \cdot 7 = 50$

내 신 연 계 출제문항 657

수열 $\{a_n\}$이 $a_1 = 12$이고

$$a_{n+1} = \begin{cases} 3a_n + 1 & (a_n\text{이 홀수}) \\ \dfrac{1}{2} a_n & (a_n\text{이 짝수}) \end{cases}$$

일 때, $\displaystyle\sum_{k=1}^{19} a_k$의 값은?

① 88 ② 90 ③ 92
④ 94 ⑤ 96

STEP Ⓐ **주어진 식의 n 대신 1, 2, 3, …를 대입하여 항을 나열하기**

$a_{n+1} = \begin{cases} 3a_n + 1 & (a_n\text{이 홀수}) \\ \dfrac{1}{2} a_n & (a_n\text{이 짝수}) \end{cases}$ 의 n 대신 1, 2, 3, …을 대입하면

$a_1 = 12$, $a_2 = \dfrac{1}{2} a_1 = 6$, $a_3 = \dfrac{1}{2} a_2 = 3$,

$a_4 = 3a_3 + 1 = 10$, $a_5 = \dfrac{1}{2} a_4 = 5$, $a_6 = 3a_4 + 1 = 16$,

$a_7 = \dfrac{1}{2} a_6 = 8$, $a_8 = \dfrac{1}{2} a_7 = 4$, $a_9 = \dfrac{1}{2} a_8 = 2$,

$a_{10} = \dfrac{1}{2} a_9 = 1$, $a_{11} = 3a_{10} + 1 = 4$, $a_{12} = \dfrac{1}{2} a_{11} = 2$,

$a_{13} = \dfrac{1}{2} a_{12} = 1$, …

이므로 제 8항부터는 4, 2, 1이 계속 반복된다.

STEP Ⓑ **$\displaystyle\sum_{k=1}^{20} a_k$의 값 구하기**

$\displaystyle\sum_{k=1}^{19} a_k = (12 + 6 + 3 + 10 + 5 + 16 + 8) + 4(4 + 2 + 1)$

$\quad\quad\quad = 60 + 28 = 88$

정답 ①

1741

정답 ③

STEP A $a_{2n+2}=a_{2n}+2$의 n에 1, 2, 3, $\cdots$, 24를 대입하여 항을 나열하여 a_{50} 구하기

조건 (가)에서 $a_1=1$, $a_2=1$ 이고 $a_{2n+2}=a_{2n}+2$이므로

$a_4=a_2+2=3$

$a_6=a_4+2=5$

$a_8=a_6+2=7$

$\vdots$

$\therefore a_{50}=a_{48}+2=49$

STEP B $a_{2n+1}=a_{2n-1}$ 임을 이용하여 a_{55} 구하기

조건 (나)에서 $a_{2n+1}=a_{2n-1}$이므로 $a_1=a_3=a_5=\cdots=1$

$\therefore a_{55}=1$

따라서 $a_{50}+a_{55}=49+1=50$

다른풀이 등차수열 등비수열의 관계식을 이용하여 풀이하기

STEP A 조건(가)에서 등차수열의 관계식 이해하기

조건 (가)에서 $a_{2n+2}=a_{2n}+2$이고 $a_2=1$이므로

수열 $\{a_{2n}\}$은 첫째항이 1이고 공차가 2인 등차수열을 이룬다.

수열 $\{a_{2n}\}$의 일반항은 $a_{2n}=1+(n-1)\cdot2=2n-1$

이므로 $a_{50}=2\cdot25-1=49$

STEP B $a_{2n+1}=a_{2n-1}$ 임을 이용하여 a_{55} 구하기

조건 (나)에서 $a_{2n+1}=a_{2n-1}$이고 $a_1=1$이므로

수열 $\{a_{2n-1}\}$은 모든 항이 1이다.

따라서 $a_{50}+a_{55}=49+1=50$

참고

① a_{2n}, a_{2n+2}은 수열 $\{a_{2n}\}$의 제 n항, 제 $n+1$항이고 수열 $\{a_{2n}\}$은 수열 $\{a_n\}$의 짝수 번째 항만을 순서대로 나열한 수열이다.

② a_{2n-1}, a_{2n+1}은 수열 $\{a_{2n-1}\}$의 제 n항, 제 $n+1$항이고 수열 $\{a_{2n-1}\}$은 수열 $\{a_n\}$의 홀수 번째 항만을 순서대로 나열한 수열이다.

내신연계 출제문항 658

$a_1=4$, $a_2=2$인 수열 $\{a_n\}$이 모든 자연수 n에 대하여 다음 조건을 모두 만족시킨다.

(가) $a_{2n+1}-a_{2n-1}=3$
(나) $a_{2n+2}=2a_{2n}$

이때 $a_{41}\times a_{50}$의 값은?

① 2^{21} ② 2^{23} ③ 2^{26}
④ 2^{28} ⑤ 2^{31}

STEP A $n=1$, 2, 3, $\cdots$를 차례로 대입하여 변끼리 더하여 풀이하기

조건 (가)에서 $a_{2n+1}-a_{2n-1}=3$에 $n=1$, 2, $\cdots$, 20을 차례로 대입하여 변끼리 더하면

$\begin{array}{r} a_3 - a_1 =3 \\ a_5 - a_3 =3 \\ a_7 - a_5 =3 \\ \vdots \quad \vdots \\ +\ \underline{a_{41} - a_{39} =3} \\ a_{41}-a_1=3\cdot20 \end{array}$

즉 $a_{41}=60+4=64=2^6$

STEP B $n=1$, 2, 3, $\cdots$를 차례로 대입하여 변끼리 곱하여 풀이하기

조건 (나)에서 $a_{2n+2}=2a_{2n}$에 $n=1$, 2, $\cdots$, 20을 차례로 대입하여 변끼리 곱하면

$\begin{array}{r} a_4 = 2a_2 \\ a_6 = 2a_4 \\ a_8 = 2a_6 \\ \vdots \quad \vdots \\ \times\ \underline{a_{50} = 2a_{48}} \\ a_{50}=2^{24}a_2=2^{24}\cdot2=2^{25} \end{array}$

따라서 $2^6\cdot2^{25}=2^{31}$

정답 ⑤

1742

정답 ⑤

STEP A 주어진 식의 n 대신 1, 2, 3, 4, 5를 각각 대입하여 구하기

$a_1=2$, $a_{n+1}=3a_n-2$의 n 대신에 1, 2, 3, 4, 5를 대입한다.

$a_2=3a_1-2=6-2=4$

$a_3=3a_2-2=12-2=10$

$a_4=3a_3-2=30-2=28$

$a_5=3a_4-2=84-2=82$

따라서 $a_6=3a_5-2=246-2=244$

다른풀이 $a_{n+1}-\alpha=p(a_n-\alpha)$꼴로 변형하여 풀이하기

$a_1=2$, $a_{n+1}=3a_n-2$에서 $a_{n+1}-1=3(a_n-1)$

수열 $\{a_n-1\}$은 첫째항이 $a_1-1=1$이고 공비가 3인 등비수열이므로

$a_n-1=1\cdot3^{n-1}$

$\therefore a_n=3^{n-1}+1$

따라서 $a_6=3^5+1=243+1=244$

1743

정답 ③

STEP A 주어진 식의 n 대신 1, 2, 3, 4, $\cdots$, 9를 각각 대입하여 구하기

$a_1=2$, $a_{n+1}=\dfrac{1}{2}a_n+1$의 n 대신에 1, 2, 3, 4, $\cdots$, 9를 대입한다.

$a_2=\dfrac{1}{2}a_1+1=\dfrac{1}{2}\cdot2+1=2$

$a_3=\dfrac{1}{2}a_2+1=\dfrac{1}{2}\cdot2+1=2$

$a_4=\dfrac{1}{2}a_3+1=\dfrac{1}{2}\cdot2+1=2$

$\vdots$

$a_{10}=\dfrac{1}{2}a_9+1=\dfrac{1}{2}\cdot2+1=2$

다른풀이 $a_{n+1}-\alpha=p(a_n-\alpha)$꼴로 변형하여 풀이하기

$a_1=2$, $a_{n+1}=\dfrac{1}{2}a_n+1$에서 $a_{n+1}-2=\dfrac{1}{2}(a_n-2)$

수열 $\{a_n-2\}$은 첫째항이 $a_1-2=0$이고 공비가 $\dfrac{1}{2}$인 등비수열이므로

$a_n-2=0\cdot\left(\dfrac{1}{2}\right)^{n-1}$

$\therefore a_n=2$

따라서 $a_{10}=2$

수열 $\{a_n\}$의 귀납적 정의가

$$a_1=2,\ a_{n+1}=2a_n-1\,(n=1,\ 2,\ 3,\ \cdots)$$

일 때, $\log_4(a_5-1)$의 값은?

① 1   ② 2   ③ 3
④ 4   ⑤ 5

STEP **A** 주어진 식의 n 대신 1, 2, 3, 4를 각각 대입하여 구하기

$a_1=2$
$a_2=2a_1-1=2\cdot2-1=3$
$a_3=2a_2-1=2\cdot3-1=5$
$a_4=2a_3-1=2\cdot5-1=9$
$a_5=2a_4-1=2\cdot9-1=17$
이므로
$\log_4(a_5-1)=\log_4(17-1)=\log_4 4^2=2$

다른풀이 $a_{n+1}-\alpha=p(a_n-\alpha)$ 꼴로 변형하여 풀이하기

$a_1=2,\ a_{n+1}=2a_n-1$에서 $a_{n+1}-1=2(a_n-1)$
수열 $\{a_n-1\}$은 첫째항이 $a_1-1=1$이고 공비가 2인 등비수열이므로
$a_n-1=1\cdot2^{n-1}$
$\therefore\ a_n=2^{n-1}+1$
따라서 $\log_4(a_5-1)=\log_4(17-1)=\log_4 4^2=2$ 정답 ②

1744   정답 ②

STEP **A** 주어진 식을 $a_{n+1}-\alpha=p(a_n-\alpha)$ 꼴로 변형하기

$a_{n+1}=\dfrac13 a_n+2$에서 $a_{n+1}-3=\dfrac13(a_n-3)$이므로 수열 $\{a_n-3\}$은
첫째항이 $a_1-3=-1-3=-4$, 공비가 $\dfrac13$인 등비수열이다.
$a_n-3=(-4)\cdot\left(\dfrac13\right)^{n-1}$
$\therefore\ a_n=-4\left(\dfrac13\right)^{n-1}+3$이므로 $a_{10}-3-4\left(\dfrac13\right)^9$
따라서 $p=3,\ k=4,\ q=9$이므로 $p+q+k=16$

1745   정답 ④

STEP **A** n번째 주말이 되는 날 수족관에 들어 있는 물의 양 a_n을 나열하여
a_n과 a_{n+1} 사이의 관계식 구하기

n번째 주 말에 수족관에 들어 있는 물의 양이 a_n이므로 매주 말에 수족관에
들어 있던 물의 $\dfrac34$을 버리고 20L의 물을 새로이 넣으므로
$a_1=80\cdot\dfrac14+20=40$
$a_2=\dfrac14 a_1+20$
$a_3=\dfrac14 a_2+20$
$\vdots$
따라서 $a_1=40,\ a_{n+1}=\dfrac14 a_n+20\ (n=1,\ 2,\ 3,\ \cdots)$

1746   정답 ③

STEP **A** 항을 나열하여 a_n과 a_{n+1} 사이의 관계식 구하기

매일 전 날 물의 $\dfrac13$을 버리고 30L의 물을 새로이 넣으므로
n일 후 수족관에 남아 있는 물의 양이 a_n이라하면
$a_1=120\cdot\dfrac23+30=110$
$a_2=\dfrac23 a_2+30$
$a_3=\dfrac23 a_2+30$
$\vdots$
따라서 $a_1=110,\ a_{n+1}=\dfrac23 a_n+30\,(n=1,\ 2,\ 3,\ \cdots)$

1747   정답 ①

STEP **A** a_n과 a_{n+1} 사이의 관계식 구하기

이 시험관에 처음 10마리를 넣고 n시간이 지난 후 시험관 안에 들어있는
세균의 수가 a_n이므로
$a_1=3(10-5)=15$
$a_{n+1}=3a_n-15$
따라서 $p=15,\ q=3,\ r=-15$이므로 $p+q+r=3$

1748   정답 ③

STEP **A** a_4의 값 구하기

시행을 n번 반복했을 때 그릇 안에 남아 있는 물의 양을 a_n이라 하면
$a_1=\dfrac14\cdot20+3=8,\ a_2=\dfrac14\cdot8+3=5$
$a_3=\dfrac14\cdot5+3=\dfrac{17}{4},\ a_4=\dfrac14\cdot\dfrac{17}{4}+3=\dfrac{65}{16}$

참고 $a_{n+1}=\dfrac14 a_n+3$

1749   정답 ②

STEP **A** a_n과 a_{n+1} 사이의 관계식 구하기

시행을 n번 반복했을 때, 수조 안에 남아 있는 물의 양을 a_n이라 하면
$a_1=30\cdot\dfrac13+4=14$
$a_{n+1}=\dfrac13 a_n+4$에서 $a_{n+1}-6=\dfrac13(a_n-6)$
수열 $\{a_n-6\}$은 첫째항이 $a_1-6=8$이고 공비가 $\dfrac13$인 등비수열이므로
$a_n-6=8\times\left(\dfrac13\right)^{n-1}$
$\therefore\ a_n=8\cdot\left(\dfrac13\right)^{n-1}+6$

STEP **B** a_{10}의 값 구하기

주어진 시행을 10번 반복한 후 수조 안에 남아 있는 물의 양은
$a_{10}=8\cdot\left(\dfrac13\right)^9+6=\dfrac{8}{3^9}+6$
따라서 $a+b=8+6=14$

1750

STEP A 소금의 양 구하기

n회의 시행 후 농도가 $a_n\%$인 소금물 200g에서 소금물 50g을 덜어 내고 남은 150g에 들어 있는 소금의 양은

$$\frac{a_n}{100} \times 150 = \frac{3}{2} a_n \text{g}$$

◀ (농도)%$=\dfrac{\text{소금의 양}}{\text{소금물의 양}} \times 100$이므로 (소금의 양)$=\dfrac{\text{(농도)}\%}{100} \times$소금물의 양

또, 농도가 6%인 소금물 50g에 들어 있는 소금의 양은

$$\frac{6}{100} \times 50 = 3 \text{g}$$

STEP B a_n과 a_{n+1} 사이의 관계식 구하기

그러므로 $(n+1)$회의 시행 후 소금물 200g의 농도 $a_{n+1}\%$는

$$a_{n+1} = \frac{\frac{3}{2} a_n + 3}{200} \times 100 = \frac{3}{4} a_n + \frac{3}{2}$$

따라서 $p = \dfrac{3}{4}$, $q = \dfrac{3}{2}$이므로 $\dfrac{q}{p} = 2$

내/신/연/계/ 출제문항 660

농도가 8%인 소금물 100L가 있다. 매일아침 40L씩 사용을 하고 8%의 소금물 50L를 다시 채워 넣는데 다음날 아침까지 하루 동안 10L가 증발한다고 한다. 오늘 아침부터 이와 같은 과정을 매일 반복될 때, n일 후의 소금물의 농도를 $a_n(\%)$라고 할 때,

$$a_{n+1} = p a_n + q \,(n = 1, 2, 3, \cdots)$$

가 성립한다. 이때 두 상수 p, q에 대하여 pq의 값은?

① $\dfrac{3}{5}$ 　　② $\dfrac{6}{5}$ 　　③ $\dfrac{8}{5}$

④ $\dfrac{12}{5}$ 　　⑤ $\dfrac{16}{5}$

STEP A 소금의 양 구하기

(소금물의 양)=(전날 소금물의 양)$-40+50-10$=(전날 소금물의 양)
전체 소금물의 양 100L는 변함이 없으므로
n일 후 소금물의 농도는 소금물에 들어 있는 소금의 양과 같다.

STEP B a_n과 a_{n+1} 사이의 관계식 구하기

$a_n\%$의 소금물 100L에서 40L를 사용하고 농도가 8%인 소금물 50L를 다시 채우고 이후 10L의 물이 증발해도 소금의 양은 변하지 않으므로
$n+1$일 후의 소금의 양은

$$a_{n+1} = \frac{a_n}{100} \times 100 - \frac{a_n}{100} \times 40 + \frac{8}{100} \times 50$$

따라서 $a_{n+1} = \dfrac{3}{5} a_n + 4$이므로 $p = \dfrac{3}{5}$, $q = 4$

$$\therefore pq = \frac{3}{5} \cdot 4 = \frac{12}{5}$$

정답 ④

1751

STEP A 농도 a_1 구하기

20%의 소금물 100g과 10%의 소금물 100g을 섞은 소금물의 농도가

$a_1\%$이므로 $\dfrac{20}{100} \cdot 100 + \dfrac{10}{100} \cdot 100 = \dfrac{a_1}{100} \cdot (100 + 100)$

$\therefore a_1 = 15$

STEP B a_n과 a_{n+1}의 관계식 구하기

$a_n\%$의 소금물 100g과 10%의 소금물 100g을 섞은 소금물의 농도가

$a_{n+1}\%$이므로 $\dfrac{a_n}{100} \cdot 100 + \dfrac{10}{100} \cdot 100 = \dfrac{a_{n+1}}{100} \cdot (100 + 100)$

$a_n + 10 = 2 a_{n+1}$

$\therefore a_{n+1} = \dfrac{1}{2} a_n + 5$

따라서 $a = 15$, $p = \dfrac{1}{2}$, $q = 5$이므로 $a + p + q = 15 + \dfrac{1}{2} + 5 = \dfrac{41}{2}$

1752

STEP A $(n+1)$명을 두 조로 나누는 방법의 수 구하기

$(n+1)$명을 두 조로 나누는 방법의 수는 다음과 같이 나누어 생각할 수 있다.
(i) n명을 두 조로 나눈 후 추가된 1명을 두 조 중 어느 한 조에 넣는 방법의 수는 $2a_n$
(ii) n명과 추가된 1명으로 두 조를 나누는 방법의 수는 1
(i), (ii)에 의하여 구하는 관계식은 $a_{n+1} = 2a_n + 1\,(n = 2, 3, 4, \cdots)$

내/신/연/계/ 출제문항 661

학생 $n(n \geq 2)$명을 두 조로 나누는 방법의 수를 a_n이라고 할 때,

$$a_{n+1} = p a_n + q \,(n = 2, 3, 4, \cdots)$$

가 성립한다. 이때 두 상수 p, q에 대하여 $p + q$의 값은?

① 2 　　② 3 　　③ 4
④ 5 　　⑤ 6

STEP A $(n+1)$명을 두 조로 나누는 방법의 수 구하기

$(n+1)$명을 두 조로 나누는 방법의 수 a_{n+1}은 다음과 같이 나누어 생각할 수 있다.
(i) n명을 두 조로 나눈 후 나머지 한 명을 두 조 중 어느 한 조에 넣는 방법의 수 $2a_n$
(ii) n명과 나머지 한 명의 두 조 나누는 방법의 수는 1
(i), (ii)에서 구하는 관계식은 $a_{n+1} = 2a_n + 1\,(n \geq 2)$
따라서 $p = 2$, $q = 1$이므로 $p + q = 2 + 1 = 3$

정답 ②

1753

정답 ①

STEP A 항을 나열하여 규칙성 구하기

$a_1=1$, $a_{n+1}=\dfrac{2a_n-1}{3a_n-1}$ 에 $n=1$, 2, $\cdots$를 차례로 대입하면

$a_2=\dfrac{2a_1-1}{3a_1-1}=\dfrac{1}{2}$

$a_3=\dfrac{2a_2-1}{3a_2-1}=0$

$a_4=\dfrac{2a_3-1}{3a_3-1}=1$

$\vdots$

이므로 수열 $\{a_n\}$는 1, $\dfrac{1}{2}$, 0이 이 순서대로 반복되므로

$a_n=a_{n+3}$ $(n\geq 1)$이 성립한다.

STEP B $\displaystyle\sum_{k=1}^{12}a_k$ 구하기

따라서 $\displaystyle\sum_{k=1}^{12}a_k=4(a_1+a_2+a_3)=4\left(1+\dfrac{1}{2}+0\right)=6$

1754

정답 ①

STEP A 주어진 식의 n대신 1, 2, 3, $\cdots$을 각각 대입하여 규칙을 이용하여 a_4+a_{17}의 값 구하기

주어진 식의 n대신 $n=1$, 2, 3, 4, $\cdots$을 차례로 대입하면

$a_1=\dfrac{2}{5}$, $a_2=2\times\dfrac{2}{5}=\dfrac{4}{5}$,

$a_3=2\times\dfrac{4}{5}=\dfrac{8}{5}$, $a_4=-\dfrac{8}{5}+2=\dfrac{2}{5}$,

$a_5=2\times\dfrac{2}{5}=\dfrac{4}{5}$, $a_6=2\times\dfrac{4}{5}=\dfrac{8}{5}$,

$\vdots$

이므로 수열 $\{a_n\}$은 $\dfrac{2}{5}$, $\dfrac{4}{5}$, $\dfrac{8}{5}$이 이 순서대로 반복되므로

$a_{n+3}=a_n$ $(n=1$, 2, 3, $\cdots)$이 성립한다.

STEP B 주기가 3임을 이용하여 a_4+a_{17}의 값 구하기

따라서 $a_4+a_{17}=a_{3\times 1+1}+a_{3\times 5+2}=a_1+a_2$

$\qquad\qquad\qquad =\dfrac{2}{5}+\dfrac{4}{5}=\dfrac{6}{5}$

> **참고** $a_{3k+1}=\dfrac{2}{5}$, $a_{3k+2}=\dfrac{4}{5}$, $a_{3(k+1)}=\dfrac{8}{5}$ (단, $k=0$, 1, 2, $\cdots$)

1755

정답 ③

STEP A a_1, a_2, a_3, $\cdots$을 구하여 $a_{n+4}=a_n$인 규칙 구하기

수열 $\{a_n\}$의 각 항을 구하면

$a_1=1$, $a_2=3$, $a_3=9$, $a_4=5$, $a_5=1$, $a_6=3$, $a_7=9$, $a_8=5$, $\cdots$

이므로 수열 $\{a_n\}$은 1, 3, 9, 5가 이 순서대로 반복되므로

$a_n=a_{n+4}$ $(n\geq 1)$가 성립한다.

STEP B 주기가 4임을 이용하여 $\displaystyle\sum_{n=1}^{40}a_n$ 구하기

따라서 $40=4\times 10$이므로

$\displaystyle\sum_{k=1}^{40}a_k=10(a_1+a_2+a_3+a_4)=10(1+3+9+5)=180$

내/신/연/계/ 출제문항 **662**

첫째항이 $\dfrac{1}{5}$인 수열 $\{a_n\}$이 모든 자연수 n에 대하여

$$a_{n+1}=\begin{cases} 2a_n & (a_n\leq 1) \\ a_n-1 & (a_n>1) \end{cases}$$

을 만족시킬 때, $\displaystyle\sum_{n=1}^{20}a_n$의 값은?

① 13   ② 14   ③ 15
④ 16   ⑤ 17

STEP A a_1, a_2, a_3, $\cdots$을 구하여 $a_{n+6}=a_n$인 규칙 구하기

주어진 식의 n대신 $n=1$, 2, 3, 4, $\cdots$을 차례로 대입하면

$a_1=\dfrac{1}{5}$, $a_2=2a_1=\dfrac{2}{5}$,

$a_3=2a_2=\dfrac{4}{5}$, $a_4=2a_3=\dfrac{8}{5}$,

$a_5=a_4-1=\dfrac{3}{5}$, $a_6=2a_5=\dfrac{6}{5}$,

$a_7=a_6-1=\dfrac{1}{5}$, $\cdots$

이므로

수열 $\{a_n\}$은 6을 주기로 반복되므로 $a_n=a_{n+6}$ $(n\geq 1)$이 성립한다.

STEP B 주기가 6임을 이용하여 $\displaystyle\sum_{n=1}^{20}a_n$ 구하기

따라서 $20=3\times 6+2$이므로

$\displaystyle\sum_{n=1}^{20}a_n=3(a_1+a_2+a_3+a_4+a_5+a_6)+a_{19}+a_{20}$

$\quad =3\cdot\left(\dfrac{1}{5}+\dfrac{2}{5}+\dfrac{4}{5}+\dfrac{8}{5}+\dfrac{3}{5}+\dfrac{6}{5}\right)+\left(\dfrac{1}{5}+\dfrac{2}{5}\right)$

$\quad =3\cdot\dfrac{24}{5}+\dfrac{3}{5}$

$\quad =15$

정답 ③

1756

정답 ①

STEP A 주어진 조건의 n자리에 2, 3, 4, $\cdots$을 대입하여 규칙 찾기

수열 $\{a_n\}$의 각 항을 구하면

$a_1=2$이므로

$a_2=\dfrac{a_1}{2-3a_1}=\dfrac{2}{2-6}=-\dfrac{1}{2}$

$a_3=1+a_2=1-\dfrac{1}{2}=\dfrac{1}{2}$

$a_4=\dfrac{a_3}{2-3a_3}=\dfrac{\frac{1}{2}}{2-\frac{3}{2}}=1$

$a_5=1+a_4=1+1=2$

$\vdots$

이므로

수열 $\{a_n\}$은 2, $-\dfrac{1}{2}$, $\dfrac{1}{2}$, 1이 이 순서대로 반복되므로

$a_n=a_{n+4}$ $(n\geq 1)$가 성립한다.

STEP B $\displaystyle\sum_{n=1}^{40}a_n$의 값 구하기

따라서 $40=4\times 10$이므로

$\displaystyle\sum_{n=1}^{40}a_n=10(a_1+a_2+a_3+a_4)$

$\quad =10\left\{2+\left(-\dfrac{1}{2}\right)+\dfrac{1}{2}+1\right\}$

$\quad =10\cdot 3=30$

수열 $\{a_n\}$이 $a_1=3$이고

$$a_{n+1}=\begin{cases}\dfrac{a_n}{2} & (a_n\text{은 짝수}) \\ \dfrac{a_n+93}{2} & (a_n\text{은 홀수})\end{cases}$$

가 성립할 때, $a_k=3$을 만족시키는 50 이하의 모든 자연수 k의 값의 합은?

① 225　　　　② 235　　　　③ 255
④ 275　　　　⑤ 315

STEP Ⓐ 항을 나열하여 규칙성 구하기

$a_1=3$에서

$a_2=\dfrac{3+93}{2}=48$

$a_3=\dfrac{48}{2}=24$

$a_4=\dfrac{24}{2}=12$

$a_5=\dfrac{12}{2}=6$

$a_6=\dfrac{6}{2}=3$

$\vdots$

이므로

수열 $\{a_n\}$는 3, 48, 24, 12, 6이 이 순서대로 반복되므로

$a_n=a_{n+5}\ (n\ge1)$가 성립한다.

STEP Ⓑ $a_k=3$을 만족하는 항 구하기

$a_k=3$을 만족시키는 50 이하의 모든 자연수 k는 1, 6, 11, 16, $\cdots$, 46

이때 이 수열의 일반항은 $1+(m-1)\cdot5=5m-4$

따라서 모든 자연수 k의 값의 합은

$$\sum_{m=1}^{10}(5m-4)=5\cdot\dfrac{10\cdot11}{2}-4\cdot10=235$$

정답 ②

1757

정답 ③

STEP Ⓐ 항을 나열하여 규칙성 구하기

$a_n a_{n+2}=a_{n+1}$에서 $a_n>0$이므로 $a_{n+2}=\dfrac{a_{n+1}}{a_n}$ $\cdots\cdots$ ㉠

㉠의 n대신 $n=1, 2, 3, 4, \cdots$를 차례로 대입하면

$a_1=2,\ a_2=6$

$a_3=\dfrac{a_2}{a_1}=\dfrac{6}{2}=3$

$a_4=\dfrac{a_3}{a_2}=\dfrac{3}{6}=\dfrac{1}{2}$

$a_5=\dfrac{a_4}{a_3}=\dfrac{\frac{1}{2}}{3}=\dfrac{1}{6}$

$a_6=\dfrac{a_5}{a_4}=\dfrac{\frac{1}{6}}{\frac{1}{2}}=\dfrac{1}{3}$

$a_7=\dfrac{a_6}{a_5}=\dfrac{\frac{1}{3}}{\frac{1}{6}}=2$

$a_8=\dfrac{a_7}{a_6}=\dfrac{2}{\frac{1}{3}}=6$

$\vdots$

이므로

수열 $\{a_n\}$은 2, 6, 3, $\dfrac{1}{2}$, $\dfrac{1}{6}$, $\dfrac{1}{3}$이 순서대로 반복되므로

$a_{n+6}=a_n\ (n=1, 2, 3, \cdots)$이 성립한다.

STEP Ⓑ 주기가 6임을 이용하여 $a_{100}+a_{101}$의 값 구하기

$a_{100}=a_{94}=\cdots=a_4=\dfrac{1}{2}$

$a_{101}=a_{95}=\cdots=a_5=\dfrac{1}{6}$

따라서 $a_{100}+a_{101}=\dfrac{1}{2}+\dfrac{1}{6}=\dfrac{4}{6}=\dfrac{2}{3}$

1758

정답 ①

STEP Ⓐ 항을 나열하여 규칙성 구하기

$a_1=1,\ a_{n+1}=\begin{cases}\dfrac{1}{2}a_n & (a_n\ge2) \\ \sqrt[4]{2}\,a_n & (a_n<2)\end{cases}(n=1, 2, 3, \cdots)$에서

$a_1=1$

$a_2=\sqrt[4]{2}\,a_1=\sqrt[4]{2}$

$a_3=\sqrt[4]{2}\,a_2=\sqrt[4]{2}\sqrt[4]{2}=\sqrt[4]{2^2}$

$a_4=\sqrt[4]{2}\,a_3=\sqrt[4]{2}\sqrt[4]{2^2}=\sqrt[4]{2^3}$

$a_5=\sqrt[4]{2}\,a_4=\sqrt[4]{2}\sqrt[4]{2^3}=\sqrt[4]{2^4}=2$

$a_6=\dfrac{1}{2}a_5=\dfrac{1}{2}\cdot2=1$

$\vdots$

이므로 수열 $\{a_n\}$는 1, $\sqrt[4]{2}$, $\sqrt[4]{2^2}$, $\sqrt[4]{2^3}$, 2가 이 순서대로 반복된다.

STEP Ⓑ a_{2017} 구하기

따라서 $2020=5\times404$이므로 $a_{2020}=a_5=2$

1759

정답 ⑤

STEP Ⓐ 항을 나열하여 규칙성 구하기

$a_{n+1}=(4a_n$을 7로 나누었을 때의 나머지$)$이므로

$a_1=1$

$a_2=(4a_1$을 7로 나누었을 때의 나머지$)=4$

$a_3=(4a_2$를 7로 나누었을 때의 나머지$)=2$

$a_4=(4a_3$을 7로 나누었을 때의 나머지$)=1$

$a_5=(4a_4$를 7로 나누었을 때의 나머지$)=4$

$a_6=(4a_5$를 7로 나누었을 때의 나머지$)=2$

$\vdots$

이므로 수열 $\{a_n\}$는 1, 4, 2가 이 순서대로 반복되므로

$a_n=a_{n+3}\ (n\ge1)$이 성립한다.

STEP Ⓑ $a_{2019}+a_{2020}+a_{2021}$의 값 구하기

즉 $a_{3k+1}=1,\ a_{3k+2}=4,\ a_{3k+3}=2$ (단, k는 음이 아닌 정수)

따라서 $2019=3\cdot673,\ 2020=3\cdot673+1,\ 2021=3\cdot673+2$이므로

$a_{2019}+a_{2020}+a_{2021}=a_3+a_1+a_2=2+1+4=7$

1760

정답 ①

STEP Ⓐ $n=1, 2, 3, 4, 5$를 대입하여 항을 나열하기

조건 (가)에서 $a_1=1$이므로 n대신에 1, 2, 3, 4, 5를 대입하면

$a_2=a_1+3=4$

$a_3=a_2+3=7$

$a_4=a_3+3=10$

$a_5=a_4+3=13$

$a_6=a_5+3=16$

STEP Ⓑ 주기가 6임을 이용하여 a_{50}의 값 구하기

조건 (나)에서 $a_{n+6}=a_n$이므로 $a_{50}=a_{44}=a_{38}=\cdots=a_2=4$

1761

정답 ②

STEP Ⓐ 조건 (가)를 이용하여 $a_1+a_2+a_3+a_4+a_5+a_6$ **구하기**

조건 (가)에서 $a_{n+2}=a_n-4$이므로

$a_2=p$라 놓으면

$a_1=7$

$a_2=p$

$a_3=a_1-4=7-4=3$

$a_4=a_2-4=p-4$

$a_5=a_3-4=-1$

$a_6=a_4-4=p-8$

$\therefore a_1+a_2+a_3+a_4+a_5+a_6=7+p+3+(p-4)+(-1)+(p-8)=3p-3$

STEP Ⓑ 조건 (나)에서 수열 $\{a_n\}$은 주기가 6임을 이용하여 a_2 **구하기**

조건 (나)에서 $a_{n+6}=a_n$이므로

$a_7=a_1$, $a_8=a_2$, $a_9=a_3$, $\cdots$, $a_{12}=a_6$

수열 $\{a_n\}$은 주기가 6인 수열이므로 a_1, a_2, a_3, a_4, a_5, a_6이 반복된다.

즉 7, p, 3, $p-4$, -1, $p-8$이 반복된다.

$\therefore \sum_{k=1}^{50}a_k=\sum_{k=1}^{48}a_k+a_{49}+a_{50}=8(3p-3)+7+p=25p-17=258$

이때 $25p=275$이므로 $p=11$

따라서 $a_2=p=11$

내/신/연/계/ 출제문항 **664**

수열 $\{a_n\}$은 $a_1=1$이고 다음 조건을 만족시킨다.

> (가) $a_{n+2}=a_n+4$ $(n=1, 2, 3, 4)$
> (나) 모든 자연수 n에 대하여 $a_{n+6}=a_n$이다.

$\sum_{k=1}^{30}a_k=45$일 때, a_{10}의 값은?

① -2 ② 5   ③ 6
④ 7   ⑤ 9

STEP Ⓐ 조건 (가)를 이용하여 $a_1+a_2+a_3+a_4+a_5+a_6$ **구하기**

조건 (가)에서

$a_2=p$로 놓으면

$a_3=a_1+4=5$

$a_4=a_2+4=p+4$

$a_5=a_3+4=9$

$a_6=a_4+4=(p+4)+4=p+8$

이고 조건 (나)에서

$a_1=a_7=a_{13}=a_{19}=a_{25}$, $a_2=a_8=a_{14}=a_{20}=a_{26}$

$a_3=a_9=a_{15}=a_{21}=a_{27}$, $a_4=a_{10}=a_{15}=a_{22}=a_{28}$

$a_5=a_{11}=a_{17}=a_{23}=a_{29}$, $a_6=a_{12}=a_{18}=a_{24}=a_{30}$

이므로

$\sum_{k=1}^{30}a_k=5(a_1+a_2+a_3+a_4+a_5+a_6)$

$\quad\quad\quad=5\{1+p+5+(p+4)+9+(p+8)\}$

$\quad\quad\quad=5(3p+27)$

STEP Ⓑ 조건 (나)에서 수열 $\{a_n\}$은 주기가 6임을 이용하여 a_{10} **구하기**

이때 $5(3p+27)=45$에서 $p=-6$

따라서 $a_{10}=a_4=p+4=-6+4=-2$

정답 ①

1762

정답 ①

STEP Ⓐ $a_{n+4}=2a_n$을 이해하여 규칙 구하기

$a_1=1$, $a_2=a$, $a_3=3$, $a_4=7$이므로 $a_1+a_2+a_3+a_4=11+a$

$a_{n+4}=2a_n$이므로

$a_5+a_6+a_7+a_8=2(a_1+a_2+a_3+a_4)=2\cdot(11+a)$

$a_9+a_{10}+a_{11}+a_{12}=2^2(a_1+a_2+a_3+a_4)=2^2\cdot(11+a)$

$\quad\quad\quad\quad\quad\quad\vdots$

$a_{17}+a_{18}+a_{19}+a_{20}=2^4(a_1+a_2+a_3+a_4)=2^4\cdot(11+a)$

STEP Ⓑ $\sum_{k=1}^{20}a_k$ **구하기**

이때 $\sum_{k=1}^{20}a_k=(11+a)(1+2+2^2+2^3+2^4)=31(11+a)=434$

따라서 $a=3$

내/신/연/계/ 출제문항 **665**

수열 $\{a_n\}$이 다음 조건을 만족시킨다.

> (가) $a_1=3$, $a_2=1$, $a_3=-2$, $a_4=5$
> (나) $a_{n+4}=3a_n$ $(n=1, 2, 3, \cdots)$

이때 $\sum_{k=1}^{16}a_k$의 값은?

① 140   ② 260   ③ 280
④ 300   ⑤ 320

STEP Ⓐ $a_{n+4}=3a_n$을 이해하여 규칙 구하기

조건 (가)에서 $a_1=3$, $a_2=1$, $a_3=-2$, $a_4=5$이므로

$a_1+a_2+a_3+a_4=3+1+(-2)+5=7$

조건 (나)에서 $a_{n+4}=3a_n$이므로

$a_5+a_6+a_7+a_8=3(a_1+a_2+a_3+a_4)=3\cdot7$

$a_9+a_{10}+a_{11}+a_{12}=3^2(a_1+a_2+a_3+a_4)=3^2\cdot7$

$a_{13}+a_{14}+a_{15}+a_{16}=3^3(a_1+a_2+a_3+a_4)=3^3\cdot7$

STEP Ⓑ $\sum_{k=1}^{16}a_k$ **구하기**

따라서 $\sum_{k=1}^{16}a_k=7(1+3+3^2+3^3)=7\cdot\dfrac{3^4-1}{3-1}=280$

정답 ③

1763

정답 ⑤

STEP Ⓐ $a_{k+5}=2a_k$을 이해하여 규칙 구하기

조건 (가)에서 $a_n=n$ $(n=1, 2, 3, 4, 5)$이므로

$a_1=1$, $a_2=2$, $a_3=3$, $a_4=4$, $a_5=5$

조건 (나)에서 $a_{k+5}=2a_k$ $(k=1, 2, 3, \cdots)$이므로

$a_1+a_2+a_3+a_4+a_5=1+2+3+4+5=15$

$a_6+a_7+a_8+a_9+a_{10}=2(a_1+a_2+a_3+a_4+a_5)=2\cdot15$

$a_{11}+a_{12}+a_{13}+a_{14}+a_{15}=2^2(a_1+a_2+a_3+a_4+a_5)=2^2\cdot15$

$\quad\quad\quad\quad\quad\quad\vdots$

$a_{5p-4}+a_{5p-3}+a_{5p-2}+a_{5p-1}+a_{5p}=2^{p-1}(a_1+a_2+a_3+a_4+a_5)=2^{p-1}\cdot15$

STEP Ⓑ $\sum_{k=1}^{5p}a_k$ **구하기**

$\sum_{k=1}^{5p}a_k=(1+2+2^2+2^3+\cdots+2^{p-1})\cdot15=\dfrac{2^p-1}{2-1}\cdot15=1905$

따라서 $2^p=128$이므로 $p=7$

1764

정답 ④

STEP A $a_{n+p}=a_n$을 **이용하여** p**의 값에 따른 수열** $\{a_n\}$ **구하기**

조건 (가), (나)에서 수열 $\{a_n\}$는 $a_1=0$이고 공차가 1인 등차수열이다

$p=2$일 때, $a_{n+2}=a_n$이므로 0, 1, 0, 1, 0, 1, …

$p=3$일 때, $a_{n+3}=a_n$이므로 0, 1, 2, 0, 1, 2, …

$p=4$일 때, $a_{n+4}=a_n$이므로 0, 1, 2, 3, 0, 1, …

$\vdots$

STEP B **[보기]의 진위판단하기**

ㄱ. 조건 (다)에서 $a_{n+p}=a_n$이므로 주기가 p인 수열이고

조건 (가), (나)에서 수열 $\{a_k\}$는 $a_1=0$이고 공차가 1인 등차수열이다.

$\therefore a_k=0+(k-1)\cdot1=k-1$

즉 $a_{2k}=2k-1$이고 $2a_k=2(k-1)$이므로 $a_{2k}\neq 2a_k$ [거짓]

반례 $p=2$일 때, $a_1=0$, $a_2=a_1+1=1$, $a_3=a_{1+2}=a_1=0$,

$a_4=a_{2+2}=a_2=1$에서 $a_{2\cdot2}=1$이지만 $2a_2=2$이므로 $a_{2k}\neq 2a_k$ [거짓]

ㄴ. $a_1+a_2+\cdots+a_p=0+1+2+3+\cdots+(p-1)=\dfrac{(p-1)p}{2}$ [참]

ㄷ. $a_p=p-1$

$a_{2p}=a_{p+p}=a_p=p-1$

$a_{3p}=a_{2p+p}=a_{2p}=a_p=p-1$

$a_{4p}=a_{3p+p}=a_{3p}=a_p=p-1$

$\vdots$

$a_{kp}=a_p=p-1$이므로

즉 $a_p+a_{2p}+\cdots+a_{kp}=(p-1)+(p-1)+\cdots+(p-1)=k(p-1)$ [참]

따라서 옳은 것은 ㄴ, ㄷ이다.

내/신/연/계/ 출제문항 666

$p\geq2$인 자연수 p에 대하여 수열 $\{a_n\}$이 다음 세 조건을 만족시킨다.

> (가) $a_1=1$
> (나) $a_{k+1}=3a_k(1\leq k\leq p-1)$
> (다) $a_{k+p}=a_k(k=1, 2, 3, \cdots)$

[보기]에서 옳은 것을 모두 고른 것은?

> ㄱ. $a_{3k}=3a_k$
>
> ㄴ. $a_1+a_2+\cdots+a_p=\dfrac{3^p-1}{2}$
>
> ㄷ. $a_p+a_{2p}+\cdots+a_{kp}=k\times3^{p-1}$

① ㄱ   ② ㄴ   ③ ㄷ

④ ㄴ, ㄷ   ⑤ ㄱ, ㄴ, ㄷ

STEP A $a_{n+p}=a_n$을 **이용하여** p**의 값에 따른 수열** $\{a_n\}$ **구하기**

조건 (가), (나)에서 수열 $\{a_k\}$는 $a_1=1$이고 공비가 3인 등비수열이다.

$p=2$일 때, $a_{n+2}=a_n$이므로 1, 3, 1, 3, 1, 3, …

$p=3$일 때, $a_{n+3}=a_n$이므로 1, 3, 9, 1, 3, 9, …

$p=4$일 때, $a_{n+4}=a_n$이므로 1, 3, 2, 9, 27, 1, …

$\vdots$

STEP B **[보기]의 진위판단하기**

ㄱ. 조건 (다)에서 $a_{n+p}=a_n$이므로 주기가 p인 수열이고

조건 (가), (나)에서 수열 $\{a_k\}$는 $a_1=1$이고 공비가 3인 등비수열이다.

$a_k=1\cdot3^{k-1}=3^{k-1}$

즉 $a_{3k}=3^{3k-1}$이고 $3a_k=3^k$이므로 $a_{3k}\neq3a_k$ [거짓]

ㄴ. $a_1+a_2+\cdots+a_p=1+3+3^2+\cdots+3^{p-1}$

$\qquad\qquad\qquad=\dfrac{1\cdot(3^p-1)}{3-1}=\dfrac{3^p-1}{2}$ [참]

ㄷ. $a_p=3^{p-1}$이고 $a_{p+p}=a_p$

$a_{3p}=a_{2p+p}=a_{2p}=a_p=3^{p-1}$

$a_{4p}=a_{3p+p}=a_{3p}=a_p=3^{p-1}$

$\vdots$

$a_{kp}=a_p=3^{p-1}$

즉 $a_p+a_{2p}+\cdots+a_{kp}=3^{p-1}+3^{p-1}+\cdots+3^{p-1}$

$\qquad\qquad\qquad\qquad=k\cdot3^{p-1}$ [참]

따라서 옳은 것은 ㄴ, ㄷ이다.

정답 ④

1765

정답 ⑤

STEP A $a_{n+5}=a_n$**인 규칙 찾기**

$a_1=1$, $a_2=2$

$a_{n+2}=\dfrac{a_{n+1}+1}{a_n}$이므로 n대신에 1, 2, 3, 4, …을 대입하면

$a_3=\dfrac{a_2+1}{a_1}=3$, $a_4=\dfrac{a_3+1}{a_2}=2$, $a_5=\dfrac{a_4+1}{a_3}=1$,

$a_6=\dfrac{a_5+1}{a_4}=1$, $a_7=\dfrac{a_6+1}{a_5}=2$, $a_8=\dfrac{a_7+1}{a_6}=3$, …

즉 수열 $\{a_n\}$은 1, 2, 3, 2, 1이 순서대로 반복되므로 $a_{n+5}=a_n$

STEP B **[보기]의 진위판단하기**

ㄱ. $a_4=\dfrac{a_3+1}{a_2}=2$ [참]

ㄴ. $a_{n+5}=a_n$ [참]

ㄷ. $\displaystyle\sum_{n=1}^{100}a_n=20(a_1+a_2+a_3+a_4+a_5)=20(1+2+3+2+1)=180$

$\displaystyle\sum_{n=1}^{100}a_{2n}=20(a_2+a_4+a_6+a_8+a_{10})$

$\qquad\qquad=20(a_2+a_4+a_1+a_3+a_5)$ ← $a_6=a_1, a_8=a_3, a_{10}=a_5$

$\qquad\qquad=20(1+2+3+2+1)=180$

$\therefore \displaystyle\sum_{n=1}^{100}a_n=\sum_{n=1}^{100}a_{2n}$ [참]

따라서 옳은 것은 ㄱ, ㄴ, ㄷ이다.

1766

정답 ②

STEP A $n=1, 2, 3, 4, 5$**를 대입하여** a_k **구하기**

$a_1=1$에서 $a_{n+1}=2(a_1+a_2+\cdots+a_n)$이므로

n대신에 1, 2, 3, 4, 5를 대입하면

$a_2=2a_1=2$

$a_3=2(a_1+a_2)=2(1+2)=6$

$a_4=2(a_1+a_2+a_3)=2(1+2+6)=18$

$a_5=2(a_1+a_2+a_3+a_4)=2(1+2+6+18)=54$

$a_6=2(a_1+a_2+a_3+a_4+a_5)=2(1+2+6+18+54)=162$

따라서 $k=6$

1767

정답 ②

STEP A $S_n=2a_n+1$에 $n=1, 2, 3, \cdots$ 대입하여 규칙 찾기

수열 $\{a_n\}$의 첫째항부터 제 n항까지의 합을 S_n이라 하면

$a_1=-1$, $S_n=2a_n+1(n=1, 2, 3, \cdots)$

$S_2=2a_2+1$에서 $a_1+a_2=2a_2+1$ $\therefore a_2=-2$

$S_3=2a_3+1$에서 $a_1+a_2+a_3=2a_3+1$ $\therefore a_3=-4$

$S_4=2a_4+1$에서 $a_1+a_2+a_3+a_4=2a_4+1$ $\therefore a_4=-8$

$\vdots$

따라서 $a_n=-2^{n-1}$이므로 $a_{10}=-2^9$

다른풀이 $a_1=S_1$, $a_{n+1}=S_{n+1}-S_n(n \geq 1)$임을 이용하여 풀이하기

$S_n=2a_n+1$에서 n대신 $n+1$을 대입하면

$S_{n+1}=2a_{n+1}+1$

이때 $a_{n+1}=S_{n+1}-S_n$이므로 $a_{n+1}=2(a_{n+1}-a_n)$, $a_{n+1}=2a_n$

$\therefore a_{n+1}=2a_n$

수열 $\{a_n\}$은 첫째항이 -1이고 공비가 2인 등비수열이므로 $a_n=(-1)\cdot 2^{n-1}$

따라서 $a_{10}=-2^9$

내신연계 출제문항 667

수열 $\{a_n\}$의 첫째항부터 제 n항까지의 합 S_n에 대하여

$$a_1=2, \quad a_{n+1}=4S_n(n=1, 2, 3, \cdots)$$

일 때, $\dfrac{a_6}{1000}$의 값은?

① 1   ② 2   ③ 3

④ 4   ⑤ 5

STEP A $S_n=2a_n+1$에 $n=1, 2, 3, \cdots$ 대입하여 규칙 찾기

$S_1=a_1=2$이므로

$a_2=4S_1=4\times 2=8$

$a_3=4S_2=4(a_1+a_2)=4(2+8)=40$

$a_4=4S_3=4(a_1+a_2+a_3)=4(2+8+40)=200$

$a_5=4S_4=4(a_1+a_2+a_3+a_4)=4(2+8+40+200)=1000$

$a_6=4S_5=4(a_1+a_2+a_3+a_4+a_5)=4(2+8+40+200+1000)=5000$

따라서 $\dfrac{a_6}{1000}=5$

다른풀이 $a_1=S_1$, $a_n=S_n-S_{n-1}(n \geq 2)$임을 이용하여 풀이하기

$S_1=a_1=2$이므로

$a_2=4S_1=4\times 2=8$

$a_{n+1}=4S_n(n=1, 2, 3, \cdots)$에서 n대신 $n-1$을 대입하면

$a_n=4S_{n-1}(n=2, 3, 4, \cdots)$

$a_{n+1}-a_n=4S_n-4S_{n-1}=4(S_n-S_{n-1})=4a_n$

$\therefore a_{n+1}=5a_n(n=2, 3, 4, \cdots)$

$a_3=5a_2=5\times 8=40$

$a_4=5a_3=5\times 40=200$

$a_5=5a_4=5\times 200=1000$

$a_6=5a_5=5\times 1000=5000$

따라서 $\dfrac{a_6}{1000}=5$

정답 ⑤

1768

정답 ③

STEP A $a_{n+1}=S_{n+1}-S_n(n \geq 1)$임을 이용하여 식을 변형하기

$6S_n=a_n^2+3a_n-4$ $\cdots\cdots$ ㉠

에서 n대신 $n+1$을 대입하면

$6S_{n+1}=a_{n+1}^2+3a_{n+1}-4$ $\cdots\cdots$ ㉡

㉡-㉠을 하면

$6a_{n+1}=a_{n+1}^2-a_n^2+3a_{n+1}-3a_n$ $a_{n+1}=S_{n+1}-S_n$

$(a_{n+1}+a_n)(a_{n+1}-a_n)-3(a_{n+1}+a_n)=0$

$(a_{n+1}+a_n)(a_{n+1}-a_n-3)=0$

그런데 $a_n>0$, $a_{n+1}>0$이므로

$a_{n+1}-a_n-3=0$에서 $a_{n+1}=a_n+3(n=1, 2, 3, \cdots)$

STEP B 양수 a_1을 구하기

한편 ㉠에 $n=1$을 대입하면 $S_1=a_1$이므로

$6a_1=a_1^2+3a_1-4$

$a_1^2-3a_1-4=0$

$(a_1+1)(a_1-4)=0$

그런데 $a_1>0$이므로 $a_1=4$

STEP C a_8의 값 구하기

즉 $a_1=4$, $a_{n+1}=a_n+3$ $(n=1, 2, 3, \cdots)$이므로

수열 $\{a_n\}$은 첫째항이 4이고, 공차가 3인 등차수열이므로

$a_n=4+(n-1)\cdot 3=3n+1$

따라서 $a_8=3\cdot 8+1=25$

내신연계 출제문항 668

수열 $\{a_n\}$의 첫째항부터 제 n항까지의 합 S_n에 대하여

$$a_1=1, \quad S_n=3a_n-2(n=1, 2, 3, \cdots)$$

일 때, a_6의 값은?

① $\left(\dfrac{1}{2}\right)^6$ ② $\left(\dfrac{1}{3}\right)^5$ ③ $\left(\dfrac{2}{3}\right)^5$

④ $\left(\dfrac{3}{2}\right)^5$ ⑤ $\left(\dfrac{3}{2}\right)^6$

STEP A $a_{n+1}=S_{n+1}-S_n$임을 이용하여 주어진 식을 변형하기

$S_n=3a_n-2$에서 n대신 $n+1$을 대입하면

$S_{n+1}=3a_{n+1}-2$

이때 $a_{n+1}=S_{n+1}-S_n$이므로

$a_{n+1}=3(a_{n+1}-a_n)$, $2a_{n+1}=3a_n$

$\therefore a_{n+1}=\dfrac{3}{2}a_n$

STEP B a_n을 이용하여 a_6 구하기

수열 $\{a_n\}$은 첫째항이 1이고 공비가 $\dfrac{3}{2}$인 등비수열이므로

$a_n=1\cdot\left(\dfrac{3}{2}\right)^{n-1}$

따라서 $a_6=\left(\dfrac{3}{2}\right)^5$

정답 ④

1769

정답 ③

STEP A $a_{n+1}=S_{n+1}-S_n$ 임을 이용하여 주어진 식을 변형하기

$S_{n+2}-2S_{n+1}+S_n=a_{n+1}$ 에서

$(S_{n+2}-S_{n+1})-(S_{n+1}-S_n)=a_{n+1}$ 이므로

$a_{n+2}-a_{n+1}=a_{n+1}$

$\therefore a_{n+2}=2a_{n+1}$

즉 수열 $\{a_n\}$ 은 공비가 2인 등비수열이고 조건에서 첫째항이 1이므로

$a_n=2^{n-1}$

STEP B a_{10} 의 값 구하기

따라서 $a_{10}=2^{10-1}=2^9$

1770

정답 ①

STEP A $2S_n=(n+1)a_n$ 에 $n=1,\ 2,\ 3,\ \cdots$ 대입하여 규칙 찾기

$S_1=2$, $2S_n=(n+1)a_n (n=2,\ 3,\ \cdots)$ 이므로

$S_1=a_1=2$

$2S_2=(2+1)a_2$ 에서 $2(a_1+a_2)=3a_2$ $\therefore a_2=4$

$2S_3=(3+1)a_3$ 에서 $2(a_1+a_2+a_3)=4a_3$ $\therefore a_3=6$

$2S_4=(4+1)a_4$ 에서 $2(a_1+a_2+a_3+a_4)=5a_4$ $\therefore a_4=8$

$\vdots$

$2S_n=(n+1)a_n$ 에서 $2(a_1+a_2+\cdots+a_n)=(n+1)a_n$ $\therefore a_n=2n$

STEP B $\sum\limits_{k=1}^{10}a_k$ 구하기

따라서 $\sum\limits_{k=1}^{10}a_k=\sum\limits_{k=1}^{10}2k=2\cdot\dfrac{10\cdot11}{2}=110$

1771

정답 ②

STEP A a_1 과 a_2 구하기

1명은 서로 악수하지 않으므로 $a_1=0$

2명이 악수하는 횟수는 $a_2=1$

STEP B a_n 과 a_{n+1} 사이의 관계식 구하기

n 명이 서로 한 번씩 악수를 하고 1명이 더 모임에 참석했을 때, 1명이 이미 참석해 있는 n 명과 한 번씩 악수를 한 것이 된다.

따라서 구하는 관계식은 $a_{n+1}=a_n+n$

> **다른풀이** 조합을 이용하여 풀이하기
>
> n 명이 한 번씩 악수를 하면 총 횟수는 $a_n={}_nC_2=\dfrac{n(n-1)}{2}$ 이고
>
> $n+1$ 명이 한 번씩 악수를 하면 총 횟수는 $a_{n+1}={}_{n+1}C_2=\dfrac{n(n+1)}{2}$ 이므로
>
> 즉 $a_{n+1}-a_n=\dfrac{n(n+1)}{2}-\dfrac{n(n-1)}{2}=n$
>
> 따라서 구하는 관계식은 $a_{n+1}=a_n+n$

내신연계 출제문항 669

어떤 모임에 참석한 사람들 모두가 서로 한 번씩 악수를 한다고 한다. 모인 사람이 n 명인 경우에 악수한 총 횟수를 a_n 이라 할 때, $n\geq2$ 인 모든 자연수 n 에 대하여

$$a_n=\dfrac{n(n-1)}{2}$$

이 성립함을 수학적 귀납법을 이용하여 증명하여라.

STEP A 수학적 귀납법을 이용하여 증명하기

$$a_n=\dfrac{n(n-1)}{2} \qquad\cdots\cdots\ \text{㉠}$$

(ⅰ) $n=2$, 즉 모인 사람이 2명일 때 악수한 총 횟수는 1이므로

(좌변)$=1$, (우변)$=\dfrac{2\cdot(2-1)}{2}=1$

따라서 $n=2$ 일 때, 등식 ㉠이 성립한다.

(ⅱ) $n=k(k\geq2)$ 일 때, 등식 ㉠이 성립한다고 가정하면

$$a_k=\dfrac{k(k-1)}{2}$$

모인 사람이 k 명일 때, 악수한 총 횟수가 a_k 이고 새로 1명이 추가되었을 때, 이 사람과 나머지 k 명의 사람이 각각 한 번씩 악수하게 되므로 추가로 악수한 횟수는 k 이다.

즉 $a_{k+1}=a_k+k=\dfrac{k(k-1)}{2}+k=\dfrac{(k+1)k}{2}$

위 등식은 등식 ㉠에 $n=k+1$ 을 대입한 것과 같다.

따라서 $n=k+1$ 일 때도 등식 ㉠이 성립한다.

(ⅰ), (ⅱ)에서 $n\geq2$ 인 모든 자연수 n 에 대하여 주어진 부등식이 성립한다.

정답 해설참조

1772

정답 ③

STEP A a_1 과 a_2 구하기

1명은 서로 악수하지 않으므로 $a_1=0$

2명이 악수하는 횟수는 $a_2=1$

STEP B a_n 과 a_{n+1} 사이의 관계식 구하기

n 명의 회원이 모인 모임에서 이루어진 악수의 총 횟수는 a_n 이고 $(n+1)$ 번째 회원이 n 명과 각각 한 번씩 악수하게 되므로 n 번 더 악수를 하게 된다.

$a_{n+1}=a_n+n$

STEP C a_{10} 의 값 구하기

$n=1,\ 2,\ 3,\ \cdots,\ 9$ 를 관계식 $a_{n+1}=a_n+n$ 에 차례대로 대입하면

$a_2=a_1+1=1$

$a_3=a_2+2=1+2$

$a_4=a_3+3=1+2+3$

$\vdots$

$a_{10}=1+2+3+4+\cdots+9=\dfrac{9(9+1)}{2}=45$

1773

정답 ⑤

STEP A a_1 과 a_2 구하기

부부끼리는 악수하지 않으므로 $a_1=0$

두 쌍의 부부가 악수하는 횟수는 $a_2=4$

STEP B n 쌍의 부부가 악수한 후 다른 한 쌍의 부부가 더 왔을 때 악수를 몇 번 더 하게 되는지 알아보고 a_n 과 a_{n+1} 사이의 관계식 구하기

n 쌍의 부부가 조건에 맞게 악수하는 횟수는 a_n 이고 $(n+1)$ 번째 부부의 남편과 아내가 n 쌍의 부부 $2n$ 명과 한 번씩 악수하는 횟수는 각각 $2n$ 이므로

$a_{n+1}=a_n+2\cdot2n=a_n+4n(n=1,\ 2,\ 3,\ \cdots)$

STEP C a_{10} 의 값 구하기

$n=1,\ 2,\ 3,\ \cdots,\ 9$ 를 관계식 $a_{n+1}=a_n+4n$ 에 차례대로 대입하면

$a_2=a_1+4\cdot1=4\cdot1$

$a_3=a_2+4\cdot2=4\cdot1+4\cdot2=4(1+2)$

$a_4=a_3+4\cdot3=4\cdot1+4\cdot2+4\cdot3=4(1+2+3)$

$\vdots$

$a_{10}=4(1+2+3+\cdots+9)=4\cdot\dfrac{9\cdot10}{2}=180$

학생회 임원 모임에 참석한 각 반의 회장, 부회장이 서로 악수하려고 한다. 참석한 모든 학생들은 자신과 같은 반의 학생을 제외한 모든 학생들과 악수한다고 한다. n개의 반의 회장, 부회장이 모였을 때 악수한 총 횟수를 a_n이라 할 때, a_6의 값을 구하는 과정을 다음 단계로 서술하여라.

[1단계] a_1, a_2를 구한다.
[2단계] n개의 반의 회장, 부회장이 모두 악수한 후 $(n+1)$번째 반의 회장, 부회장이 왔을 때, 악수를 몇 번 더 하게 되는지 구한다.
[3단계] a_n과 a_{n+1} 사이의 관계식을 구한다.
[4단계] a_6을 구한다.

1단계	a_1, a_2을 구한다.	◀ 20%

회장, 부회장끼리는 악수하지 않으므로 $a_1=0$
두 반의 회장, 부회장이 악수하는 횟수는 $a_2=4$

2단계	n개의 반의 회장, 부회장이 모두 악수한 후 $(n+1)$번째 반의 회장, 부회장이 왔을 때, 악수를 몇 번 더 하게 되는지 구한다.	◀ 30%

n개의 반의 회장, 부회장이 모였을 때 악수한 총 횟수가 a_n이므로
$(n+1)$번째 반의 회장, 부회장이 n개의 반의 회장, 부회장 $2n$명과 한 번씩 악수하는 횟수는 각각 $2n$이므로 $4n$번 더 악수를 하게 된다.

3단계	a_n과 a_{n+1} 사이의 관계식을 구한다.	◀ 20%

$a_{n+1}=a_n+2\cdot2n=a_n+4n\,(n=1,\,2,\,3,\,\cdots)$

4단계	a_6을 구한다.	◀ 30%

$n=1,\,2,\,3,\,4,\,5$를 관계식 $a_{n+1}=a_n+4n$에 차례대로 대입하면
$a_2=a_1+4\cdot1=4\cdot1$
$a_3=a_2+4\cdot2=4\cdot1+4\cdot2=4(1+2)$
$a_4=a_3+4\cdot3=4\cdot1+4\cdot2+4\cdot3=4(1+2+3)$
$\vdots$
$a_6=4(1+2+3+4+5)=4\cdot\dfrac{5\cdot6}{2}=60$

정답 해설참조

1774

정답 ④

STEP Ⓐ $n=1,\,2,\,3,\,4$를 대입하여 항을 나열하기

$a_1=1$, $a_2=1$, $a_{n+2}=a_{n+1}+a_n$에서
$a_3=1+1=2$, $a_4=2+1=3$, $a_5=3+2=5$이므로 $a_6=5+3=8$

1775

정답 ⑤

STEP Ⓐ 항을 나열하여 규칙성 구하기

$a_{n+2}=a_{n+1}+a_n$이고 수열 $\{a_n\}$에 대하여 a_n을 5로 나눈 나머지가 b_n이므로
$a_1=1$에서 $b_1=1$
$a_2=3$에서 $b_2=3$
$a_3=a_2+a_1=1+3=4$에서 $b_3=4$
$a_4=a_3+a_2=3+4=7$에서 $b_4=2$
$a_5=a_4+a_3=4+7=11$에서 $b_5=1$
$a_6=a_5+a_4=7+11=18$에서 $b_6=3$
$a_7=a_6+a_5=11+18=29$에서 $b_7=4$
$a_8=a_7+a_6=18+29=47$에서 $b_8=2$
$\vdots$
즉 수열 $\{b_n\}$은 1, 3, 4, 2이 순서대로 반복된다.

STEP Ⓑ $\displaystyle\sum_{k=1}^{20}b_k$ 구하기

따라서 $\displaystyle\sum_{k=1}^{20}b_k=5(1+3+4+2)=50$

1776

정답 ①

STEP Ⓐ a_n과 a_{n-1}, a_{n-2} 사이의 관계식 구하기

흰 공과 검은 공이 총 n개 있으므로 주어진 조건을 만족하도록 n개의 공을 일렬로 나열하는 방법은 첫 번째 공에 따라 다음과 같이 경우를 나눌 수 있다.
(ⅰ) 첫 번째 검은 공을 나열하는 경우

두 번째 공은 흰 공 또는 검은 공이 모두 가능하고
나머지 공 $(n-1)$개를 흰 공끼리 이웃하지 않도록 배열하는 방법의 수는 a_{n-1}(가지)
(ⅱ) 첫 번째와 두 번째의 두 공이 차례로 흰색, 검은색인 경우

나머지 공 $(n-2)$개를 흰 공끼리 이웃하지 않도록 배열하는 방법의 수는 a_{n-2}(가지)
(ⅰ), (ⅱ)에서 $a_n=a_{n-1}+a_{n-2}\,(n=3,\,4,\,5,\,\cdots)$ ⋯⋯ ㉠

STEP Ⓑ a_7 구하기

$a_1=2$, $a_2=3$이므로 ㉠에서 n에 3, 4, $\cdots$, 7을 차례로 대입하면
$a_3=a_2+a_1=3+2=5$
$a_4=a_3+a_2=5+3=8$
$a_5=a_4+a_3=8+5=13$
$a_6=a_5+a_4=13+8=21$
$a_7=a_6+a_5=21+13=34$
따라서 $a_n=a_{n-1}+a_{n-2}\,(n\geq3)$, $a_7=34$

n개의 계단이 있다. 한 걸음에 한 계단 또는 두 계단씩 올라간다고 할 때, n개의 계단을 올라가는 방법의 수를 a_n이라고 하자.
a_n, a_{n+1}, a_{n+2} 사이의 관계식은? (단, $n=1,\,2,\,3,\,\cdots$)

① $a_{n+2}=2a_{n+1}-a_n$ ② $a_{n+2}=a_{n+1}-2a_n$
③ $a_{n+2}=a_{n+1}+2a_n$ ④ $a_{n+2}=a_{n+1}-a_n$
⑤ $a_{n+2}=a_{n+1}+a_n$

STEP Ⓐ a_n과 a_{n+1} 사이의 관계식 구하기

1개의 계단을 오르는 방법의 수는 $a_1=1$
2개의 계단을 오르는 경우는 (1개, 1개) 또는 (2개)를 오르는 경우가 있으므로 방법의 수는 $a_2=2$
즉 $(n+2)$개의 계단을 오르려고 할 때, 다음 두 경우로 나누어 생각할 수 있다.
(ⅰ) 처음에 1개의 계단을 오르는 경우
처음에 1개의 계단을 오르는 방법의 수는 1이고 나머지 $(n+1)$개의 계단을 오르는 방법의 수는 a_{n+1}이므로 구하는 방법의 수는
$1\times a_{n+1}=a_{n+1}$
(ⅱ) 처음에 2개의 계단을 오르는 경우
처음에 2개의 계단을 오르는 방법의 수는 1이고 나머지 n개의 계단을 오르는 방법의 수는 a_n이므로 구하는 방법의 수는
$1\times a_n=a_n$
(ⅰ), (ⅱ)에서 $(n+2)$개의 계단을 오르는 방법의 수는
$a_{n+2}=a_{n+1}+a_n\,(n=1,\,2,\,3,\,\cdots)$

정답 ⑤

1777

STEP A a_n과 a_{n+1} 사이의 관계식 구하기

조건 (가), (나)를 만족하는 서로 다른 n개의 직선들에 의해 만들어지는
모든 교점의 수가 a_n이므로 직선이 n개 있을 때 여기에 주어진 조건을
만족하는 하나의 직선이 추가되면 교점은 n개 늘어나게 된다.
따라서 $a_{n+1}=a_n+n$

내/신/연/계 출제문항 672

평면 위에 n개의 직선이 있다. n개의 직선이
서로 만나 생길 수 있는 교점의 최대 개수를
a_n이라 하면 $a_1=0$, $a_2=1$, $a_3=3$이다.
a_7을 구하는 과정을 다음 단계로 서술하여라.

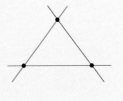

[1단계] a_n과 a_{n+1} 사이의 관계식을 구한다.
[2단계] a_7을 구한다.

> **1단계** a_n과 a_{n+1} 사이의 관계식을 구한다.　　◀ 50%

$(n+1)$번째 그은 직선이 이전에 그은 n개의 직선과 모두 만날 때,
교점의 개수는 최대이다.
이때 n개의 교점이 더 생기므로 $a_{n+1}=a_n+n$ (단, $n=1$, 2, 3, $\cdots$)

> **2단계** a_7을 구한다.　　◀ 50%

[1단계]에서 구한 $a_{n+1}=a_n+n$의 n에 3, 4, 5, 6을 차례로 대입하면
$a_4=a_3+3=3+3=6$
$a_5=a_4+4=6+4=10$
$a_6=a_5+5=10+5=15$
$a_7=a_6+6=15+6=21$

1778

STEP A a_n과 a_{n+1} 사이의 관계식 구하기

$a_1=1$, $a_2=a_1+4\times1$, $a_3=a_2+4\times2$, $a_4=a_3+4\times3$, $\cdots$이므로
$a_{n+1}=a_n+4n\,(n=1$, 2, 3, $\cdots)$

STEP B a_6의 값 구하기

$a_2=1+4=5$, $a_3=5+8=13$, $a_4=13+4\cdot3=25$
$a_5=25+4\cdot4=41$, $a_6=41+4\cdot5=61$

1779

STEP A a_n과 a_{n+1} 사이의 관계식 구하기

n개의 직선에 1개의 직선을 추가하면 이 직선은 기존의 n개의 직선과
각각 한 번씩 만나므로 $(n+1)$개의 새로운 영역이 생긴다.
즉 $(n+1)$개의 직선에 의하여 분할된 영역은 n개의 직선에 의하여
분할된 영역보다 $(n+1)$개가 많다. ∴ $a_{n+1}=a_n+n+1$

STEP B a_{10} 구하기

$a_{n+1}=a_n+n+1$의 n대신 1, 2, 3, $\cdots$, 9를 차례로 대입하면
$a_3=7$이므로
$a_4=a_3+3+1=7+4=11$
$a_5=a_4+4+1=11+5=16$
$a_6=a_5+5+1=16+6=22$
$a_7=a_6+6+1=22+7=29$
$a_8=a_7+7+1=29+8=37$
$a_9=a_8+8+1=37+9=46$
$a_{10}=a_9+9+1=46+10=56$

참고 $a_{n+1}=a_n+n+1$의 n대신 1, 2, 3, $\cdots$, $n-1$을 차례로 대입하여
변끼리 더하면

$$
\begin{aligned}
a_2 &= a_1 &+2 \\
a_3 &= a_2 &+3 \\
a_4 &= a_3 &+4 \\
&\vdots &\vdots \\
+\quad a_n &= a_{n-1} &+n \\
\hline
\end{aligned}
$$

$$a_n=a_1+(2+3+\cdots+n)=a_1+\sum_{k=1}^{n-1}(k+1)$$
$$=2+\frac{n(n-1)}{2}+n-1$$
$$=\frac{n(n-1)}{2}+n+1$$

따라서 $a_{10}=\dfrac{10\cdot9}{2}+10+1=56$

내/신/연/계 출제문항 673

그림과 같이 원의 내부를 현을 그어 몇 개의 작은 조각으로 나눌 때, 가장
많은 수로 나누려면 현을 한 번 그을 때마다 다른 현과 서로 다른 점에서
만나도록 그어야 한다. n개의 현으로 나누어지는 조각의 최대 개수를 a_n이
라 하자.

$a_1=2$　　　　$a_2=4$　　　　$a_3=7$

예를 들어 $a_1=2$, $a_2=4$, $a_3=7$이다. a_6의 값은?

① 16　　　　② 22　　　　③ 29
④ 37　　　　⑤ 47

STEP A 최대개수 a_n과 a_{n+1} 사이의 관계식 구하기

n개의 현으로 나누어지는 조각의 최대개수가 a_n이므로

$a_1=2$　　　　　　$a_2=a_1+2=4$

$a_3=a_2+3=7$　　　$a_4=a_3+4=11$

n개의 현이 그어져 있는 원에 현 1개를 더 그으면 최대 $n+1$개의 조각이
더 생기므로 $a_{n+1}=a_n+n+1$

STEP B a_6 구하기

$a_1=2$
$a_2=a_1+2=2+2=4$
$a_3=a_2+3=4+3=7$
$a_4=a_3+4=7+4=11$
$a_5=a_4+5=11+5=16$
$a_6=a_5+6=16+6=22$

1780

STEP **A** a_n과 a_{n+1} 사이의 관계식 구하기

n개의 원으로 나누어진 영역의 개수는 a_n이고 n개의 원에 $(n+1)$번째 원을 그리면 $(n+1)$번째 원은 기존의 n개의 원과 각각 서로 다른 두 점에서 만나므로 $2n$개의 영역이 새로 나누어진다.

$a_1=2$ 　　　 $a_2=a_1+2=4$

$a_3=a_2+4=8$ 　　 $a_4=a_3+6=14$

즉 $(n+1)$개의 원으로 나누어진 영역의 개수는 n개의 원으로 나누어진 영역보다 $2n$개가 많으므로 $a_{n+1}=a_n+2n\,(n=1,\ 2,\ 3,\ \cdots)$

STEP **B** a_5 구하기

$a_1=2$
$a_2=a_1+2=4$
$a_3=a_2+4=4+4=8$
$a_4=a_3+6=8+6=14$
$a_5=a_4+8=14+8=22$

1781

STEP **A** 수열 $\{a_{n+1}-a_n\}$의 일반항을 구하기

점 P_n의 좌표를 a_n이라 하면
선분 P_nP_{n+1}을 $3:2$로 외분하는 점 P_{n+2}이므로

$$a_{n+2}=\frac{3a_{n+1}-2a_n}{3-2}=3a_{n+1}-2a_n$$

즉 $a_{n+2}=3a_{n+1}-2a_n$

STEP **B** a_{10} 구하기

$a_1=1$, $a_2=5$이므로
$a_3=3a_2-2a_1=15-2=13$
$a_4=3a_3-2a_2=3\cdot13-2\cdot5=29$
$a_5=3a_4-2a_3=3\cdot29-2\cdot13=61$

> **참고**
> $a_{n+2}=3a_{n+1}-2a_n$에서 $a_{n+2}-a_{n+1}=2(a_{n+1}-a_n)$
> 수열 $\{a_{n+1}-a_n\}$은 첫째항이 $a_2-a_1=5-1=4$이고 공비가 2인
> 등비수열이므로 $a_{n+1}-a_n=4\cdot2^{n-1}=2^{n+1}$

KEY POINT

$pa_{n+2}+qa_{n+1}+ra_n=0$ (단, $p+q+r=0$, $pqr\neq0$)의 꼴 일반항 a_n을 구하는 방법

[1단계] $a_{n+2}-a_{n+1}=\dfrac{r}{p}(a_{n+1}-a_n)$꼴로 변형한다.

[2단계] 수열 $\{a_{n+1}-a_n\}$은 첫째항이 a_2-a_1, 공비가 $\dfrac{r}{p}$인 등비수열

　　$\therefore a_{n+1}-a_n=(a_2-a_1)\cdot\left(\dfrac{r}{p}\right)^{n-1}$

1782

STEP **A** 경로의 수에 대한 규칙성을 찾은 다음 a_n과 a_{n+1} 사이의 관계식 구하기

점 A에서 점 B_1까지의 최단거리로 가는 경로의 수 $a_1=4$
점 A에서 점 B_2까지의 최단거리로 가는 경로의 수는
B_1을 거쳐 가는 경우의 수 $a_1\times1=a_1$과
B_1을 거치지 않고 가는 경우의 수는 3가지이므로 $a_2=a_1+3$
즉 점 A에서 점 B_{n+1}까지의 최단거리로 가는 경로의 수 a_{n+1}은
B_n을 거쳐 가는 경우의 수는 $a_n\times1=a_n$와 B_n을 거치지 않고 가는
경우의 수는 3가지이므로 $a_{n+1}=a_n+3$

STEP **B** a_3+a_7의 값 구하기

$a_{n+1}=a_n+3$에 차례대로 $n=1,\ 2,\ 3,\ \cdots$을 대입하면
$a_2=a_1+3=4+3$
$a_3=a_2+3=4+2\cdot3$
$a_4=a_3+3=4+3\cdot3$
　　　⋮
$a_7=a_6+3=4+6\cdot3=22$
따라서 $a_3+a_7=32$

1783

STEP **A** [보기]의 진위판단하기

조건 (가), (나)에서 $p(1)$, $p(2)$, $p(2^2)$, $p(2^3)$, $\cdots$이 참이므로
음이 아닌 정수 n에 대하여 $p(2^n)$은 참이다.
따라서 반드시 참인 명제는 $p(2^4)=p(16)$

1784

STEP **A** [보기]의 진위판단하기

ㄱ. $p(1)$이 참이면 $p(3\times1)-p(3)$도 참이고 $p(3\times3)=p(9)$도 참이다.
　그러나 $p(7)$은 참이라고 할 수 없다. [거짓]
ㄴ. $p(2)$가 참이면 $p(3\times2)=p(6)$도 참이고 $p(3\times6)=p(18)$도 참이다. [참]
ㄷ. $p(3)$이 참이면 $p(3\times3)=p(9)$도 참이고 $p(3\times9)=p(27)$,
　$p(3\times27)=p(81)$도 참이다. [참]
따라서 옳은 것은 ㄴ, ㄷ이다.

1785

STEP **A** [보기]의 진위판단하기

① $p(1)$이 참이면 $p(1+3)=p(4)$도 참이다. [거짓]
② $p(2)$가 참이면 $p(2+3)=p(5)$도 참이다. [거짓]
③ $p(3)$이 참이면
　$p(3+3)=p(6)$, $p(6+3)=p(9)$, $p(9+3)=p(12)$, $\cdots$도 참이므로
　명제 $p(3k)$는 항상 참이다. [참]
④ 명제 $p(4)$가 참이면
　$p(4+3)=p(7)$, $p(7+3)=p(10)$, $p(10+3)=p(13)$, $\cdots$도 참이므로
　명제 $p(3k+1)$은 항상 참이다. [거짓]
⑤ 명제 $p(5)$가 참이면
　$p(5+3)=p(8)$, $p(8+3)=p(11)$, $p(11+3)=p(14)$, $\cdots$도 참이므로
　명제 $p(3k+2)$는 항상 참이다. [거짓]
따라서 옳은 것은 ③이다.

1786

정답 ④

STEP A [보기]의 진위판단하기

ㄱ. $p(1)$이 참이면 주어진 조건에 의하여

$p(3)$, $p(5)$, $p(7)$, $\cdots$이 모두 참이지만 $p(2)$가 참이 되는지 확인할 수 없으므로 모든 2의 양의 배수 k에 대하여 $p(k)$가 참인지 알 수 없다. [거짓]

ㄴ. $p(2)$가 참이면 주어진 조건에 의하여

$p(3)$, $p(4)$, $p(5)$, $\cdots$가 모두 참이므로 모든 2의 양의 배수 k에 대하여 $p(k)$가 참이다. [참]

ㄷ. $p(2)$가 참이면 ㄴ에서 2 이상의 모든 자연수 m에 대하여 $p(m)$이다.

그리고 $p(1)$도 참이므로 모든 자연수 k에 대하여 $p(k)$가 참이다. [참]

따라서 옳은 것은 ㄴ, ㄷ이다.

내/신/연/계/ 출제문항 **674**

자연수 n에 대한 명제 $P(n)$과 명제 $P(n+1)$ 중 어느 하나가 참이면 명제 $P(n+2)$가 참이라고 한다. 모든 자연수 n에 대하여 명제 $P(n)$이 참이 되기 위한 필요충분조건은?

① $P(1)$이 참

② $P(2)$가 참

③ $P(1)$, $P(2)$가 모두 참

④ $P(2)$, $P(3)$가 모두 참

⑤ $P(1)$, $P(3)$가 모두 참

STEP A 모든 자연수 n에 대하여 명제 $P(n)$이 참이 되기 위한 조건 구하기

$P(1)$이 참이면

$P(3)$, $P(4)$, $P(5)$, $\cdots$가 참이지만 $P(2)$가 참인지 알 수 없다.

$P(2)$가 참이면

$P(3)$, $P(4)$, $P(5)$, $\cdots$가 참이지만 $P(1)$이 참인지 알 수 없다.

따라서 모든 자연수 n에 대하여 명제 $P(n)$이 참이 되기 위한 필요충분조건은 $P(1)$과 $P(2)$가 모두 참인 것이다. 정답 ③

1787

정답 ④

STEP A 음이 아닌 정수 a, b에 대하여 $p(3^a \cdot 5^b)$이 참임을 이해하기

주어진 조건에 의하여

(가), (나)에서 $p(1)$, $p(3)$, $p(3^2)$, $p(3^3)$, $\cdots$이 참이다.

(다)에서 $p(1)$, $p(5)$, $p(5^2)$, $p(5^3)$, $\cdots$이 참이다.

이때

$p(3)$, $p(3 \cdot 5)$, $p(3 \cdot 5^2)$, $p(3 \cdot 5^3)$, $\cdots$이 참이다.

$p(3^2)$, $p(3^2 \cdot 5)$, $p(3^2 \cdot 5^2)$, $p(3^2 \cdot 5^3)$, $\cdots$이 참이다.

$\vdots$

즉 음이 아닌 정수 a, b에 대하여 $p(3^a \cdot 5^b)$이 참이다.

STEP B [보기]의 진위판단하기

① $p(20) = p(2^2 \cdot 5)$

② $p(30) = p(2 \cdot 3 \cdot 5)$

③ $p(60) = p(2^2 \cdot 3 \cdot 5)$

④ $p(75) = p(3 \cdot 5^2)$

⑤ $p(90) = p(2 \cdot 3^2 \cdot 5)$

따라서 반드시 참인 명제는 $p(75)$

내/신/연/계/ 출제문항 **675**

n이 자연수일 때, 조건 $p(n)$에 대하여 다음이 성립한다.

> (가) $p(1)$이 참이다.
> (나) $p(n)$이 참이면 $p(2n)$이 참이다.
> (다) $p(n)$이 참이면 $p(7n)$이 참이다.

다음 중 반드시 참인 명제는?

① $p(42)$ ② $p(70)$ ③ $p(84)$

④ $p(112)$ ⑤ $p(120)$

STEP A 음이 아닌 정수 a, b에 대하여 $p(2^a \cdot 7^b)$이 참임을 이해하기

주어진 조건에 의하여

(가), (나)에서 $p(1)$, $p(2)$, $p(2^2)$, $p(2^3)$, $\cdots$이 참이다.

(다)에서 $p(1)$, $p(7)$, $p(7^2)$, $p(7^3)$, $\cdots$이 참이다.

이때

$p(2)$, $p(2 \cdot 7)$, $p(2 \cdot 7^2)$, $p(2 \cdot 7^3)$, $\cdots$이 참이다.

$p(2^2)$, $p(2^2 \cdot 7)$, $p(2^2 \cdot 7^2)$, $p(2^2 \cdot 7^3)$, $\cdots$이 참이다.

$\vdots$

즉 음이 아닌 정수 a, b에 대하여 $p(2^a \cdot 7^b)$이 참이다.

STEP B [보기]의 진위판단하기

① $p(42) = p(2 \cdot 3 \cdot 7)$

② $p(70) = p(2 \cdot 5 \cdot 7)$

③ $p(84) = p(2^2 \cdot 3 \cdot 7)$

④ $p(112) = p(2^4 \cdot 7)$

⑤ $p(120) = p(2^3 \cdot 3 \cdot 5)$

따라서 반드시 참인 명제는 $p(112)$ 정답 ④

1788

정답 ④

STEP A 빈칸 (가), (나), (다)에 알맞은 식 구하기

(i) $n=1$일 때,

(좌변)$=1$, (우변)$=\dfrac{1 \cdot 2}{2}=\boxed{1}$

따라서 $n=1$일 때, 주어진 식이 성립한다.

(ii) $n=k$일 때,

주어진 식이 성립한다고 가정하면

$$1+2+3+\cdots+k=\frac{k(k+2)}{2} \qquad \cdots\cdots \text{㉠}$$

이므로 ㉠의 양변에 $\boxed{k+1}$을 더하면

$$1+2+3+\cdots+k+\boxed{(k+1)}=\frac{k(k+1)}{2}+\boxed{(k+1)}$$

$$=\boxed{\frac{(k+1)(k+2)}{2}}$$

따라서 $n=k+1$일 때에도 주어진 식이 성립한다.

(i), (ii)에 의하여 주어진 식이 모든 자연수 n에 대하여 성립한다.

STEP B $af(2)g(6)$의 값 구하기

$a=1$, $f(k)=k+1$, $g(k)=\dfrac{(k+1)(k+2)}{2}$

따라서 $a=1$, $f(2)=3$, $g(6)=28$이므로 $af(2)g(6) = 1 \cdot 3 \cdot 28 = 84$

1789

STEP ⓐ 빈칸 (가), (나)에 알맞은 식 구하기

(i) $n=1$일 때,

(좌변)$=1^3=1$, (우변)$=\left(\dfrac{1\cdot2}{2}\right)^2=1$

이므로 주어진 등식이 성립한다.

(ii) $n=k$일 때,

주어진 등식이 성립한다고 가정하면

$1^3+2^3+3^3+\cdots+k^3=\left\{\dfrac{k(k+1)}{2}\right\}^2$

위 식의 양변에 $\boxed{(k+1)^3}$를 더하면

$1^3+2^3+3^3+\cdots+k^3+\boxed{(k+1)^3}=\left\{\dfrac{k(k+1)}{2}\right\}^2+\boxed{(k+1)^3}$

$=\left(\dfrac{k+1}{2}\right)^2\cdot\boxed{(k+2)^2}$

$=\left[\dfrac{(k+1)\{(k+1)+1\}}{2}\right]^2$

STEP ⓑ $f(1)+g(1)$의 값 구하기

따라서 $f(k)=(k+1)^3$, $g(k)=(k+2)^2$이므로 $f(1)+g(1)=8+9=17$

1790

STEP ⓐ 빈칸 (가), (나)에 알맞은 식 구하기

(i) $n=1$일 때,

(좌변)$=1\cdot2=2$, (우변)$=\dfrac{1\cdot2\cdot3}{3}=2$

따라서 주어진 등식이 성립한다.

(ii) $n=k$일 때,

주어진 등식이 성립한다고 가정하면

$1\cdot2+2\cdot3+\cdots+k(k+1)=\dfrac{k(k+1)(k+2)}{3}$ ...... ㉢

㉢의 양변에 $\boxed{(k+1)(k+2)}$를 더하면

$1\cdot2+2\cdot3+\cdots+k(k+1)+\boxed{(k+1)(k+2)}$

$=\dfrac{k(k+1)(k+2)}{3}+\boxed{(k+1)(k+2)}$

$=\boxed{\dfrac{(k+1)(k+2)(k+3)}{3}}$

따라서 $n=k+1$일 때에도 주어진 등식이 성립한다.

(i), (ii)에 의하여 모든 자연수 n에 대하여 주어진 등식이 성립한다.

STEP ⓑ $\dfrac{g(9)}{f(9)}$의 값 구하기

따라서 $f(k)=(k+1)(k+2)$, $g(k)=\dfrac{1}{3}(k+1)(k+2)(k+3)$이므로

$\dfrac{g(9)}{f(9)}=\dfrac{\frac{1}{3}\cdot10\cdot11\cdot12}{10\cdot11}=4$

1791

STEP ⓐ 빈칸 (가), (나)에 알맞은 식 구하기

$\sum_{k=1}^{n}k(k+1)(k+2)=\dfrac{n(n+1)(n+2)(n+3)}{4}$ ...... ㉠

이 성립함을 수학적 귀납법으로 증명하면 다음과 같다.

(i) $n=1$일 때,

(좌변)$=1\times2\times3=6$, (우변)$=\dfrac{1\times2\times3\times4}{4}=6$

이므로 ㉠이 성립한다.

(ii) $n=m$일 때,

㉠이 성립한다고 가정하면

$\sum_{k=1}^{m}k(k+1)(k+2)=\dfrac{m(m+1)(m+2)(m+3)}{4}$ ...... ㉡

㉡의 양변에 $\boxed{(m+1)(m+2)(m+3)}$을 더하면

$\sum_{k=1}^{m+1}k(k+1)(k+2)$

$=\dfrac{m(m+1)(m+2)(m+3)}{4}+\boxed{(m+1)(m+2)(m+3)}$

$=\dfrac{m(m+1)(m+2)(m+3)+4(m+1)(m+2)(m+3)}{4}$

$=\dfrac{(m+1)(m+2)\times\boxed{(m+3)(m+4)}}{4}$

따라서 $n=m+1$일 때에도 ㉠이 성립한다.

(i), (ii)에 의하여 모든 자연수 n에 대하여 ㉠이 성립한다.

STEP ⓑ $f(2)+g(3)$의 값 구하기

∴ $f(m)=(m+1)(m+2)(m+3)$, $g(m)=(m+3)(m+4)$

따라서 $f(2)+g(3)=60+42=102$

1792

STEP ⓐ 빈칸 (가), (나)에 알맞은 식 구하기

(i) $n=1$일 때,

(좌변)$=\dfrac{1}{1\cdot2}=\dfrac{1}{2}$, (우변)$=\dfrac{1}{1+1}=\dfrac{1}{2}$

이므로 $n=1$일 때, 주어진 식이 성립한다.

(ii) $n=k$일 때,

주어진 식이 성립한다고 가정하면

$\dfrac{1}{1\cdot2}+\dfrac{1}{2\cdot3}+\dfrac{1}{3\cdot4}+\cdots+\dfrac{1}{k(k+1)}=\dfrac{k}{k+1}$

위 식의 양변에 $\boxed{\dfrac{1}{(k+1)(k+2)}}$을 더하면

$\dfrac{1}{1\cdot2}+\dfrac{1}{2\cdot3}+\cdots+\dfrac{1}{k(k+1)}+\boxed{\dfrac{1}{(k+1)(k+2)}}$

$=\dfrac{k}{k+1}+\boxed{\dfrac{1}{(k+1)(k+2)}}=\boxed{\dfrac{k+1}{k+2}}$

STEP ⓑ $f(10)g(10)$의 값 구하기

따라서 $f(k)=\dfrac{1}{(k+1)(k+2)}$, $g(k)=\dfrac{k+1}{k+2}$이므로

$f(10)g(10)=\dfrac{1}{11\cdot12}\cdot\dfrac{11}{12}=\dfrac{1}{144}$

1793

STEP Ⓐ **빈칸 (가), (나), (다)에 알맞은 식 구하기**

(i) $n=1$일 때, (좌변)$=\dfrac{1}{1\cdot3}=\dfrac{1}{3}$, (우변)$=\dfrac{1}{3}$

따라서 주어진 등식이 성립한다.

(ii) $n=k$일 때, 주어진 등식이 성립한다고 가정하면

$$\dfrac{1}{1\cdot3}+\dfrac{1}{3\cdot5}+\dfrac{1}{5\cdot7}+\cdots+\dfrac{1}{(2k-1)(2k+1)}=\dfrac{k}{2k+1}$$

위 식의 양변에 $\boxed{\dfrac{1}{(2k+1)(2k+3)}}$ 를 더하면

$$\dfrac{1}{1\cdot3}+\dfrac{1}{3\cdot5}+\dfrac{1}{5\cdot7}+\cdots+\dfrac{1}{(2k-1)(2k+1)}+\boxed{\dfrac{1}{(2k+1)(2k+3)}}$$

$$=\boxed{\dfrac{k+1}{2k+3}}$$

따라서 $n=\boxed{k+1}$일 때에도 주어진 등식이 성립한다.

STEP Ⓑ $\dfrac{g(10)}{f(10)h(10)}$**의 값 구하기**

따라서 $f(k)=\dfrac{1}{(2k+1)(2k+3)}$, $g(k)=\dfrac{k+1}{2k+3}$, $h(k)=k+1$이므로

$$\dfrac{g(10)}{f(10)h(10)}=\dfrac{\dfrac{11}{23}}{\dfrac{1}{21\cdot23}\cdot11}=21$$

1794

STEP Ⓐ **빈칸 (가), (나)에 알맞은 식 구하기**

(i) $n=1$일 때,

주어진 등식에서 (좌변)$=\boxed{1}$, (우변)$=2^1-1=\boxed{1}$

따라서 $n=1$일 때, 주어진 등식이 성립한다.

(ii) $n=k$일 때,

주어진 등식이 성립한다고 가정하면

$$1+2+2^2+\cdots+2^{k-1}=\boxed{2^k-1}$$

㉠의 양변에 2^k을 더하면

$$1+2+2^2+\cdots+2^{k-1}+2^k=\boxed{2^k-1}+2^k=2\cdot2^k-1=2^{k+1}-1$$

따라서 $n=\boxed{k+1}$일 때에도 주어진 등식은 성립한다.

(i), (ii)에서 주어진 등식은 모든 자연수 n에 대하여 성립한다.

STEP Ⓑ $f(4)\cdot g(9)$**의 값 구하기**

따라서 $f(k)=2^k-1$, $g(k)=k+1$이므로 $f(4)\cdot g(9)=15\cdot10=150$

1795

STEP Ⓐ **빈칸 (가), (나)에 알맞은 식 구하기**

(i) $n=1$일 때, $1=1$이므로 주어진 등식이 성립한다.

(ii) $n=k$일 때, 주어진 등식이 성립한다고 가정하면

$$1+2\cdot2+3\cdot4+\cdots+k\cdot2^{k-1}=(k-1)\cdot2^k+1$$

위의 식의 양변에 $\boxed{(k+1)\cdot2^k}$를 더하면

$$1+2\cdot2+3\cdot4+\cdots+k\cdot2^{k-1}+\boxed{(k+1)\cdot2^k}$$

$$=(k-1)\cdot2^k+1+\boxed{(k+1)\cdot2^k}=\boxed{k\cdot2^{k+1}+1}$$

이므로 $n=k+1$일 때에도 주어진 등식이 성립한다.

STEP Ⓑ $f(10)-g(9)$**의 값 구하기**

따라서 $f(k)=(k+1)\cdot2^k$, $g(k)=k\cdot2^{k+1}+1$이므로

$f(10)=11\cdot2^{10}$, $g(9)=9\cdot2^{10}+1$

$f(10)-g(9)=11\cdot2^{10}-9\cdot2^{10}-1=2\cdot2^{10}-1=2^{11}-1$

1796

STEP Ⓐ **빈칸 (가), (나)에 알맞은 식 구하기**

(i) $n=1$일 때, (좌변)$=-1^2=-1$, (우변)$=(-1)\cdot\dfrac{1\cdot2}{2}=-1$

따라서 $n=1$일 때, ㉠이 성립한다.

(ii) $n=k$일 때, ㉠이 성립한다고 가정하면

$$-1^2+2^2-3^2+\cdots+(-1)^k\cdot k^2=(-1)^k\cdot\dfrac{k(k+1)}{2}\quad\cdots\cdots\text{㉡}$$

㉡의 양변에 $\boxed{(-1)^{k+1}\cdot(k+1)^2}$를 더하면

$$-1^2+2^2-3^2+\cdots+(-1)^k\cdot k^2+\boxed{(-1)^{k+1}\cdot(k+1)^2}$$

$$=(-1)^k\cdot\dfrac{k(k+1)}{2}+\boxed{(-1)^{k+1}\cdot(k+1)^2}$$

$$=(-1)^{k+1}\cdot\boxed{\dfrac{(k+1)(k+2)}{2}}$$

따라서 $n=k+1$일 때도 ㉠이 성립한다.

(i), (ii)에 의하여 ㉠은 모든 자연수 n에 대하여 성립한다.

STEP Ⓑ $f(2)+g(4)$**의 값 구하기**

따라서 $f(k)=(-1)^{k+1}\cdot(k+1)^2$, $g(k)=\dfrac{(k+1)(k+2)}{2}$이므로

$f(2)+g(4)=-9+15=6$

1797

STEP Ⓐ **빈칸 (가), (나)에 알맞은 식 구하기**

$$1\cdot2n+3\cdot(2n-2)+5\cdot(2n-4)+\cdots+(2n-1)\cdot2$$

$$=\sum_{k=1}^{n}(\boxed{2k-1})\{2n-(2k-2)\}$$

$$=\sum_{k=1}^{n}(\boxed{2k-1})\{2(n+1)-2k\}$$

$$=2(n+1)\sum_{k=1}^{n}(\boxed{2k-1})-2\sum_{k=1}^{n}(2k^2-k)$$

$$=2(n+1)\{n(n+1)-n\}-2\left\{\dfrac{n(n+1)(2n+1)}{\boxed{3}}-\dfrac{n(n+1)}{2}\right\}$$

$$=2(n+1)n^2-\dfrac{1}{3}n(n+1)(\boxed{4n-1})$$

$$=\dfrac{n(n+1)(2n+1)}{3}$$

STEP Ⓑ $f(3)\times g(3)$**의 값 구하기**

따라서 $f(k)=2k-1$, $a=3$, $g(n)=4n-1$이므로 $f(3)\times g(3)=5\times11=55$

1798

STEP Ⓐ **빈칸 (가), (나)에 알맞은 식 구하기**

$n=k$일 때, n^3+5n이 6의 배수라고 가정하면

$k^3+5k=6m$ (m은 자연수)이므로

$$(k+1)^3+5(k+1)=k^3+3k^2+3k+1+5k+5$$

$$=(k^3+5k)+6+3k^2+3k$$

$$=\boxed{6(m+1)}+3k(k+1)$$

이때 $3k(k+1)$은 6의 배수이므로 $n=\boxed{k+1}$일 때도

n^3+5n은 6의 배수이다.

따라서 (가) : $6(m+1)$, (나) : $k+1$

1799

정답 ⑤

STEP Ⓐ 빈칸 (가), (나), (다)에 알맞은 식 구하기

(i) $n=1$일 때, $1\cdot(1^2+5)=$ $\boxed{6}$

(ii) $(k+1)\{(k+1)^2+5\}=(k+1)(k^2+2k+1+5)$
$\qquad =(k+1)\{(k^2+5)+2k+1\}$
$\qquad =k(k^2+5)+(k^2+5)+k(2k+1)+(2k+1)$
$\qquad =k(k^2+5)+3k^2+3k+6$
$\qquad =k(k^2+5)+\boxed{3}k(k+1)+\boxed{6}$

따라서 $6+3+6=15$

1800

정답 ⑤

STEP Ⓐ 빈칸 (가), (나), (다)에 알맞은 식 구하기

(i) $n=1$일 때, $4^1-1=3$이므로 등식 ㉠이 성립한다.

(ii) $n=k$일 때, 등식 ㉠이 성립한다고 가정하면
$\qquad 4^k-1=3l\,(l$은 자연수$)$ $\qquad\cdots\cdots$ ㉡
$\qquad$ ㉡의 양변에 4를 곱하면
$\qquad 4^{k+1}-4=\boxed{12l}$
$\qquad 4^{k+1}-1=\boxed{12l+3}=3(\boxed{4l+1})$
$\qquad$ 이때 l은 자연수이므로 $\boxed{4l+1}$도 자연수이다.
$\qquad$ 따라서 $n=k+1$일 때에도 등식 ㉠이 성립한다.

(i), (ii)에 의해 등식 ㉠은 모든 자연수 n에 대하여 성립한다.

따라서 (가) : $12l$, (나) : $12l+3$, (다) : $4l+1$

내 신 연 계 출제문항 676

모든 자연수 n에 대하여 4^n-1은 3의 배수임을 수학적 귀납법으로 증명한 것이다.

(i) $n=1$일 때, $4^1-1=3$은 3의 배수이다.
$\qquad$ 따라서 $n=1$일 때 4^n-1은 3의 배수이다.

(ii) $n=k$일 때, 4^k-1이 3의 배수라고 가정하면
$\qquad 4^k-1=3a\,(a$는 자연수$)$이므로 $4^k=3a+1$ $\qquad\cdots\cdots$ ㉠
$\qquad$ ㉠의 양변에 $\boxed{(가)}$ 를 곱하면
$\qquad \boxed{(가)}\times4^k=\boxed{(가)}(3a+1)=3(\boxed{(나)})+1$이므로
$\qquad 4^{k+1}-1=3(\boxed{(나)})$
$\qquad$ 즉 $n=k+1$일 때도 4^n-1은 3의 배수이다.

(i), (ii)에 의하여 모든 자연수 n에 대하여 4^n-1은 3의 배수이다.

위의 증명에서 (가)에 들어갈 수를 a, (나)에 알맞은 식을 각각 $f(k)$라 할 때, $a+f(5)$의 값은?

① 21 $\qquad$ ② 23 $\qquad$ ③ 25
④ 27 $\qquad$ ⑤ 29

STEP Ⓐ 빈칸 (가), (나)에 알맞은 식 구하기

(i) $n=1$일 때, $4^1-1=3$은 3의 배수이다.
$\qquad$ 따라서 $n=1$일 때, 4^n-1은 3의 배수이다.

(ii) $n=k$일 때, 4^k-1이 3의 배수라고 가정하면
$\qquad 4^k-1=3a\,(a$는 자연수$)$이므로 $4^k=3a+1$ $\qquad\cdots\cdots$ ㉠
$\qquad$ ㉠의 양변에 $\boxed{4}$ 를 곱하면
$\qquad \boxed{4}\times4^k=\boxed{4}(3a+1)=12a+4=3(\boxed{4a+1})+1$이므로
$\qquad 4^{k+1}-1=3(\boxed{4a+1})$
$\qquad$ 즉 $n=k+1$일 때도 4^n-1은 3의 배수이다.

(i), (ii)에 의하여 모든 자연수 n에 대하여 4^n-1은 3의 배수이다.

STEP Ⓑ $a+f(5)$의 값 구하기

따라서 $a=4$, $f(5)=21$이므로 $a+f(5)=4+21=25$ $\qquad$ 정답 ③

1801

정답 ④

STEP Ⓐ 빈칸 (가), (나)에 알맞은 식 구하기

(i) $n=1$일 때, 5^1-1은 4의 배수이다.
$\qquad$ 즉 $n=1$일 때, 5^n-1은 4의 배수이다.

(ii) $n=k$일 때, 5^k-1이 4의 배수라고 가정하면
$\qquad 5^k-1=4m\,(m$은 자연수$)$이므로
$\qquad 5^k=\boxed{4m+1}$
$\qquad n=k+1$일 때,
$\qquad 5^{k+1}-1=5(\boxed{4m+1})-1$
$\qquad\qquad\quad =4(\boxed{5m+1})$
$\qquad$ 이므로 $n=k+1$일 때도 5^n-1은 4의 배수이다.

(i), (ii)에 의하여 모든 자연수 n에 대하여 5^n-1이 4의 배수이다.

STEP Ⓑ $f(3)+g(2)$의 값 구하기

따라서 $f(m)=4m+1$, $g(m)=5m+1$이므로 $f(3)+g(2)=13+11=24$

1802

정답 ⑤

STEP Ⓐ 빈칸 (가), (나)에 알맞은 식 구하기

(i) $n=1$일 때, $9^1-1=8$이므로 9^n-1은 8의 배수이다.

(ii) $n=k$일 때, 9^k-1이 8의 배수라고 가정하면
$\qquad 9^k-1=8m\,(m$은 자연수$)$으로 놓을 수 있다.
$\qquad 9^{k+1}-1=8\cdot9^k+\boxed{9^k}-1=8(9^k+\boxed{m})$

STEP Ⓑ $f(1)g(9)$의 값 구하기

따라서 $f(k)=9^k$, $g(m)=m$이므로 $f(1)g(9)=9\cdot9=81$

내 신 연 계 출제문항 677

다음은 모든 자연수 n에 대하여 $3^{2n}-1$이 8의 배수임을 수학적 귀납법으로 증명한 것이다.

$a_n=3^{2n}-1$이라고 하자.
(i) $n=1$일 때, $a_1=3^2-1=8$
$\qquad$ 따라서 a_1은 8의 배수이다.

(ii) $n=k$일 때, a_k가 8의 배수라고 가정하면
$\qquad a_k=3^{2k}-1=8m$ (단, m은 자연수)
$\qquad n=k+1$일 때, 위의 식을 이용하면
$\qquad a_{k+1}=3^{2k+2}-1=\boxed{(가)}\times3^{2k}-1$
$\qquad$ 그런데 $3^{2k}=8m+1$이므로 $a_{k+1}=\boxed{(나)}(9m+1)$
$\qquad$ 따라서 a_{k+1}도 8의 배수이다.

(i), (ii)에서 모든 자연수 n에 대하여 a_n은 8의 배수이다.

위의 증명에서 (가), (나)에 알맞은 수의 합은?

① 9 $\qquad$ ② 12 $\qquad$ ③ 15
④ 17 $\qquad$ ⑤ 19

STEP Ⓐ 빈칸 (가), (나)에 알맞은 식 구하기

$a_n=3^{2n}-1$이라고 하자.
(i) $n=1$일 때, $a_1=3^2-1=8$
$\qquad$ 따라서 a_1은 8의 배수이다.

(ii) $n=k$일 때, a_k가 8의 배수라고 가정하면
$$a_k=3^{2k}-1=8m\,(단,\ m은\ 자연수)$$
$n=k+1$일 때, 위의 식을 이용하면
$$a_{k+1}=3^{2k+2}-1=\boxed{9}\times3^{2k}-1$$
그런데 $3^{2k}=8m+1$이므로
$$a_{k+1}=9\times3^{2k}-1=9(8m+1)-1$$
$$=72m+8=\boxed{8}\,(9m+1)$$
따라서 a_{k+1}도 8의 배수이다.
(i), (ii)에 의하여 모든 자연수 n에 대하여 a_n은 8의 배수이다.

STEP Ⓑ (가), (나)의 수의 합 구하기

따라서 (가), (나)의 수의 합은 $9+8=17$ 정답 ④

1803
정답 ③

STEP Ⓐ 빈칸 (가), (나)에 알맞은 식 구하기

(i) $n=1$일 때, $4^2-1=15$이므로 $4^{2n}-1$은 5의 배수이다.

(ii) $n=k$일 때, $4^{2n}-1$이 5의 배수라고 가정하면
$$4^{2k}-1=5m\,(m은\ 자연수)으로\ 놓을\ 수\ 있다.$$
$n=k+1$일 때, 위의 식을 이용하면
$$4^{2k+2}-1=16\cdot\boxed{4^{2k}}-1$$
이때 $4^{2k}=\boxed{5m+1}$이므로
$$4^{2k+2}-1=16\cdot\boxed{(5m+1)}-1=5(16m+3)$$
따라서 $n=k+1$일 때에도 $4^{2n}-1$은 5의 배수이다.

(i), (ii)에서 모든 자연수 n에 대하여 $4^{2n}-1$은 5의 배수이다.

STEP Ⓑ $f(1)+g(1)$의 값 구하기

따라서 $f(k)=4^{2k}$, $g(m)=5m+1$이므로 $f(1)+g(1)=16+6=22$

1804
정답 ⑤

STEP Ⓐ 빈칸 (가), (나), (다)에 알맞은 식 구하기

(i) $n=1$일 때, $2^{1+1}+3^{2\cdot1-1}=\boxed{7}$이므로
$2^{n+1}+3^{2n-1}$은 7의 배수이다.

(ii) $n=k$일 때, 주어진 식이 7의 배수라고 가정하면
$$2^{k+1}+3^{2k-1}=7N\,(N은\ 자연수)이므로$$
$$2^{k+1}=7N-3^{2k-1}$$
주어진 식에 $n=k+1$을 대입하면
$$2^{k+2}+3^{2k+1}=2\cdot\boxed{2^{k+1}}+3^{2k+1}$$
$$=2(\boxed{7N-3^{2k-1}})+3^{2k+1}$$
$$=\boxed{7}\,(2N+3^{2k-1})$$
따라서 $n=k+1$일 때에도 $2^{n+1}+3^{2n-1}$은 7의 배수이다.

(i), (ii)에서 모든 자연수 n에 대하여 $2^{n+1}+3^{2n-1}$은 7의 배수이다.
따라서 (가)~(다)에 알맞은 것은 각각
(가) 7, (나) 2^{k+1}, (다) $7N-3^{2k-1}$

1805
정답 ⑤

STEP Ⓐ $n=k\,(k\geq2)$일 때, 주어진 부등식의 양변에 $1+h$를 곱하여 $n=k+1$일 때도 부등식이 성립함을 보이기

(i) $n=\boxed{2}$일 때,
(좌변)$=(1+h)^2=1+2h+h^2$, (우변)$=1+2h$
따라서 주어진 부등식이 성립한다.

(ii) $n=k\,(k\geq2)$일 때,
주어진 부등식이 성립한다고 하면
$(1+h)^k>1+kh$이고 위의 부등식의 양변에 $\boxed{1+h}$를 곱하면
$$(1+h)^{k+1}>(1+hk)\boxed{1+h}=1+(k+1)h+kh^2$$
그런데 $kh^2>0$이므로
$$(1+h)^{k+1}>\boxed{1+(k+1)h}$$
따라서 $n=k+1$일 때에도 성립한다.

(i), (ii)에 의하여 $n\geq2$인 모든 자연수 n에 대하여 주어진 부등식은 성립한다.

1806
정답 ④

STEP Ⓐ 빈칸 (가), (나), (다)에 알맞은 식 구하기

(i) $n=\boxed{3}$일 때,
(좌변)$=16$, (우변)$=14$
따라서 $n=\boxed{3}$일 때 부등식 ㉠이 성립한다.

(ii) $n=k\,(k\geq3)$일 때,
부등식 ㉠이 성립한다고 가정하면
$$2^{k+1}>k^2+k+2 \qquad\qquad\cdots\cdots\ ㉡$$
부등식 ㉡의 양변에 2를 곱하면
$$2^{k+2}>2k^2+2k+4 \qquad\qquad\cdots\cdots\ ㉢$$
한편
$$2k^2+2k+4-\boxed{(k+1)^2+(k+1)+2}=k(k-1)>0이므로$$
$$2k^2+2k+4>\boxed{(k+1)^2+(k+1)+2} \qquad\cdots\cdots\ ㉣$$
㉢, ㉣에서 $2^{k+2}>\boxed{(k+1)^2+(k+1)+2}$
따라서 $n=\boxed{k+1}$일 때에도 부등식 ㉠이 성립한다.

(i), (ii)에 의해 $n\geq3$인 모든 자연수 n에 대하여 부등식 ㉠이 성립한다.

STEP Ⓑ $f(a)+g(a)$의 값 구하기

따라서 $a=3$, $f(k)=(k+1)^2+(k+1)+2$, $g(k)=k+1$이므로
$f(a)+g(a)=f(3)+g(3)=22+4=26$

내/신/연/계 출제문항 678

다음은 $n\geq3$인 모든 자연수 n에 대하여 부등식
$$2^n>3n-2 \qquad\qquad\cdots\cdots\ ㉠$$
가 성립함을 수학적 귀납법으로 증명한 것이다.

(i) $n=3$일 때,
(좌변)$=8$, (우변)$=7$이므로
부등식 ㉠이 성립한다.
(ii) $n=k\,(k\geq3)$일 때,
부등식 ㉠이 성립한다고 가정하면
$$2^k>3k-2$$
양변에 $\boxed{(가)}$를 곱하면 $2^{k+1}>6k-4$
이때 $(6k-4)-\boxed{(나)}=3k-5>0$이므로
$$6k-4>\boxed{(나)}$$
$$2^{k+1}>6k-4>\boxed{(나)}=3(\boxed{(다)})-2$$
즉 $2^{k+1}>3(\boxed{(다)})-2$이다.
따라서 부등식 ㉠은 $n=k+1$일 때에도 성립한다.
(i), (ii)에서 부등식 ㉠은 $n\geq3$인 모든 자연수 n에 대하여 성립한다.

위의 증명에서 (가)에 알맞은 수를 a, (나), (다)에 알맞은 식을 각각 $f(k)$, $g(k)$라 할 때, $a+f(3)+g(2)$의 값은?

① 12   ② 15   ③ 18

④ 21   ⑤ 24

(i) $n=3$일 때, (좌변)$=8$, (우변)$=7$이므로 부등식 ㉠이 성립한다.

(ii) $n=k\,(k\geq3)$일 때, 부등식 ㉠이 성립한다고 가정하면

$2^k>3k-2$

양변에 $\boxed{2}$를 곱하면 $2^{k+1}>6k-4$

이때 $(6k-4)-(\boxed{3k+1})=3k-5>0$이므로

$6k-4>\boxed{3k+1}$

$2^{k+1}>6k-4>\boxed{3k+1}=3(\boxed{k+1})-2$

즉 $2^{k+1}>3(\boxed{k+1})-2$이다.

따라서 부등식 ㉠은 $n=k+1$일 때에도 성립한다.

STEP Ⓑ $a+f(3)+g(2)$의 값 구하기

따라서 $a=2$, $f(k)=3k+1$, $g(k)=k+1$이므로

$a+f(3)+g(2)=2+10+3=15$ 　　정답 ②

1807 　　정답 ②

STEP Ⓐ 수학적 귀납법으로 부등식을 증명할 때에는 $p>q$이고 $q>r$이면 $p>r$임을 이용하여 증명하기

(i) $n=4$일 때, (좌변)$=2^4=16\geq16=4^2=$(우변)

즉 $n=4$일 때, 주어진 부등식이 성립한다.

(ii) $n=k$일 때, 주어진 부등식이 성립한다고 가정하면

$2^k\geq k^2$ 　　　　…… ㉠

부등식 ㉠의 양변에 $\boxed{2}$를 곱하면 $\boxed{2}\times2^k\geq\boxed{2}\times k^2$

그런데 $\boxed{2}\times k^2-\boxed{(k+1)^2}=k^2-2k-1=\boxed{(k-1)^2}-2>0\,(\because k\geq4)$

따라서 $n=k+1$일 때도 주어진 부등식이 성립한다.

(i), (ii)에 의하여 주어진 부등식은 4 이상의 모든 자연수 n에 대하여 성립한다.

STEP Ⓑ $f(a)+g(a)$의 값 구하기

따라서 $a=2$, $f(k)=(k+1)^2$, $g(k)=(k-1)^2$이므로

$f(a)+g(a)=f(2)+g(2)=9+1=10$

내신연계 출제문항 679

$n\geq4$인 모든 자연수 n에 대하여 부등식

$1\times2\times3\times\cdots\times n>2^n$ 　　…… ㉠

이 성립함을 수학적 귀납법으로 증명한 것이다.

(i) $n=4$일 때, (좌변)$=1\times2\times3\times4=24$, (우변)$=$ (가)
　　따라서 $n=4$일 때, ㉠이 성립한다.

(ii) $n=k\,(k\geq4)$일 때, ㉠이 성립한다고 가정하면

　　$1\times2\times3\times\cdots\times k>2^k$

　　양변에 (나)를 곱하면

　　$1\times2\times3\times\cdots\times k\times$ (나) $>2^k\times$ (나) 　　…… ㉡

　　이때 $k\geq4$이므로 $2^k\times$ (나) $>$ (다) 　　…… ㉢

　　㉡, ㉢에서 $1\times2\times3\times\cdots\times k\times$ (나) $>$ (다) 　　…… ㉣

　　㉣은 ㉠의 n에 $k+1$을 대입한 것과 같으므로

　　$n=k+1$일 때도 ㉠이 성립한다.

(i), (ii)에 의하여 $n\geq4$인 모든 자연수 n에 대하여 ㉠이 성립한다.

위의 과정에서 (가)에 들어갈 수를 a, (나), (다)에 알맞은 식을 각각 $f(k)$, $g(k)$라 할 때, $a+f(4)+g(5)$의 값은?

① 55　　　　　② 65　　　　　③ 85
④ 95　　　　　⑤ 105

STEP Ⓐ 수학적 귀납법으로 부등식을 증명할 때에는 $p>q$이고 $q>r$이면 $p>r$임을 이용하여 증명하기

$1\times2\times3\times\cdots\times n>2^n$ 　　　　…… ㉠

(i) $n=4$일 때,

　　(좌변)$=1\times2\times3\times4=24$, (우변)$=2^4=\boxed{16}$

　　따라서 $n=4$일 때, ㉠이 성립한다.

(ii) $n=k\,(k\geq4)$일 때,

　　㉠이 성립한다고 가정하면

　　$1\times2\times3\times\cdots\times k>2^k$

　　양변에 $k+1$을 곱하면

　　$1\times2\times3\times\cdots\times k\times\boxed{(k+1)}>2^k\times\boxed{(k+1)}$ 　…… ㉡

　　이때 $k\geq4$이므로 $2^k\boxed{(k+1)}>2^k\times2=\boxed{2^{k+1}}$ 　…… ㉢

　　㉡, ㉢에서 $1\times2\times3\times\cdots\times k\times\boxed{(k+1)}>\boxed{2^{k+1}}$ 　…… ㉣

　　㉣은 ㉠의 n에 $k+1$을 대입한 것과 같으므로

　　$n=k+1$일 때도 ㉠이 성립한다.

(i), (ii)에 의하여 $n\geq4$인 모든 자연수 n에 대하여 ㉠이 성립한다.

STEP Ⓑ $a+f(4)+g(6)$의 값 구하기

따라서 $a=16$, $f(k)=k+1$, $g(k)=2^{k+1}$이므로

$a+f(4)+g(5)=16+5+2^6=85$ 　　정답 ③

1808 　　정답 ②

STEP Ⓐ 수학적 귀납법으로 부등식을 증명할 때에는 $p>q$이고 $q>r$이면 $p>r$임을 이용하여 증명하기

(i) $n=\boxed{2}$일 때, (좌변)>(우변)이므로 주어진 부등식이 성립한다.

(ii) $n=k\,(k\geq2)$일 때, 부등식이 성립한다고 가정하면

$$1+\frac{1}{2}+\frac{1}{3}+\cdots+\frac{1}{k}>\frac{2k}{k+1}$$

이 식의 양변에 $\boxed{\dfrac{1}{k+1}}$을 더하면

$$1+\frac{1}{2}+\frac{1}{3}+\cdots+\frac{1}{k}+\boxed{\frac{1}{k+1}}>\frac{2k}{k+1}+\boxed{\frac{1}{k+1}}=\frac{2k+1}{k+1}$$

그런데 자연수 k에 대하여

$$\frac{2k+1}{k+1}-\boxed{\frac{2k+2}{k+2}}=\frac{(2k+1)(k+2)-2(k+1)^2}{(k+1)(k+2)}=\frac{k}{(k+1)(k+2)}>0$$

이므로 $\dfrac{2k+1}{k+1}>\boxed{\dfrac{2k+2}{k+2}}$,

즉 $1+\dfrac{1}{2}+\dfrac{1}{3}+\cdots+\dfrac{1}{k}+\dfrac{1}{k+1}>\boxed{\dfrac{2k+2}{k+2}}$

위의 등식은 주어진 부등식에 $n=k+1$을 대입한 것과 같다.

따라서 $n=k+1$일 때에도 부등식은 성립한다.

(i), (ii)로부터 $n=\boxed{2}$ 이상인 모든 자연수 n에 대하여 주어진 부등식은 성립한다.

STEP Ⓑ $a+2f(1)+\log_2 g(0)$의 값 구하기

따라서 $a=2$, $f(k)=\dfrac{1}{k+1}$, $g(k)=\dfrac{2k+2}{k+2}$이므로

$a+2f(1)+\log_2 g(0)=2+2\cdot\dfrac{1}{2}+\log_2 1=3$

다음은 모든 자연수 n에 대하여 부등식

$$1+\frac{1}{2}+\frac{1}{3}+\cdots+\frac{1}{n}\leq\frac{n+1}{2} \qquad \cdots\cdots \ \bigcirc$$

이 성립함을 수학적 귀납법으로 증명한 것이다.

(i) $n=1$일 때,

(좌변)= $\boxed{(가)}$, (우변)=$\frac{1+1}{2}=1$

이므로 부등식 ㉠이 성립한다.

(ii) $n=k$일 때,

부등식 ㉠이 성립한다고 가정하면

$$1+\frac{1}{2}+\frac{1}{3}+\cdots+\frac{1}{k}\leq\frac{k+1}{2}$$

양변에 $\frac{1}{k+1}$을 더하면

$$1+\frac{1}{2}+\frac{1}{3}+\cdots+\frac{1}{k}+\frac{1}{k+1}\leq\frac{k+1}{2}+\frac{1}{k+1} \qquad \cdots\cdots \ \bigcirc$$

한편 $\frac{k+2}{2}-\left(\frac{k+1}{2}+\frac{1}{k+1}\right)=\frac{\boxed{(나)}}{2(k+1)}\geq 0 \qquad \cdots\cdots \ \boxed{\ominus}$

㉡, ㉢로부터 $1+\frac{1}{2}+\frac{1}{3}+\cdots+\frac{1}{k}+\frac{1}{k+1}\leq\boxed{(다)}$

따라서 $n=k+1$일 때에도 부등식 ㉠이 성립한다.

(i), (ii)에 의해 모든 자연수 n에 대하여 ㉠이 성립한다.

위의 (가)에 알맞은 수를 a, (나), (다)에 알맞은 식을 각각 $f(k)$, $g(k)$라고 할 때, $a+f(5)+g(6)$의 값은?

① 9   ② 12   ③ 15
④ 17   ⑤ 19

STEP Ⓐ **수학적 귀납법으로 부등식을 증명할 때에는 $p>q$이고 $q>r$이면 $p>r$임을 이용하여 증명하기**

(i) $n=1$일 때,

(좌변)=$\boxed{1}$, (우변)=$\frac{1+1}{2}=1$

이므로 부등식 ㉠이 성립한다.

(ii) $n=k$일 때,

부등식 ㉠이 성립한다고 가정하면

$$1+\frac{1}{2}+\frac{1}{3}+\cdots+\frac{1}{k}\leq\frac{k+1}{2}$$

양변에 $\frac{1}{k+1}$을 더하면

$$1+\frac{1}{2}+\frac{1}{3}+\cdots+\frac{1}{k}+\frac{1}{k+1}\leq\frac{k+1}{2}+\frac{1}{k+1} \qquad \cdots\cdots \ \bigcirc$$

한편 $\frac{k+2}{2}-\left(\frac{k+1}{2}+\frac{1}{k+1}\right)=\frac{\boxed{k-1}}{2(k+1)}\geq 0 \qquad \cdots\cdots \ \ominus$

㉡, ㉢로부터

$$1+\frac{1}{2}+\frac{1}{3}+\cdots+\frac{1}{k}+\frac{1}{k+1}\leq\boxed{\frac{k+2}{2}}$$

따라서 $n=k+1$일 때에도 부등식 ㉠이 성립한다.

(i), (ii)에 의해 모든 자연수 n에 대하여 ㉠이 성립한다.

STEP Ⓑ $a+f(5)+g(6)$**의 값 구하기**

따라서 $a=1$, $f(k)=k-1$, $g(k)=\frac{k+2}{2}$이므로

$a+f(5)+g(6)=1+4+4=9$

정답 ①

1809

STEP Ⓐ **주어진 증명과정의 순서를 따라가며 (가), (나)에 들어갈 식을 구하기**

주어진 식 (＊)의 양변을 $\frac{n(n+1)}{2}$로 나누면

$$1+\frac{1}{2}+\frac{1}{3}+\cdots+\frac{1}{n}>\frac{2n}{n+1} \qquad \cdots\cdots \ \bigcirc$$

이므로 $n\geq 2$인 자연수 n에 대하여

(i) $n=2$일 때,

(좌변)=$\boxed{\frac{3}{2}}$, (우변)=$\frac{4}{3}$이므로 ㉠이 성립한다.

(ii) $n=k\,(k\geq 2)$일 때,

㉠이 성립한다고 가정하면

$$1+\frac{1}{2}+\frac{1}{3}+\cdots+\frac{1}{k}>\frac{2k}{k+1} \qquad \cdots\cdots \ \bigcirc$$

이다. ㉡의 양변에 $\frac{1}{k+1}$을 더하면

$$1+\frac{1}{2}+\frac{1}{3}+\cdots+\frac{1}{k}+\frac{1}{k+1}>\frac{2k+1}{k+1}$$이 성립한다.

한편 $\frac{2k+1}{k+1}-\boxed{\frac{2(k+1)}{k+2}}=\frac{k}{(k+1)(k+2)}>0$

이므로 $1+\frac{1}{2}+\frac{1}{3}+\cdots+\frac{1}{k}+\frac{1}{k+1}>\boxed{\frac{2(k+1)}{k+2}}$

따라서 $n=k+1$일 때도 ㉠이 성립한다.

(i), (ii)에 의하여 $n\geq 2$인 모든 자연수 n에 대하여 ㉠이 성립하므로 (＊)도 성립한다.

STEP Ⓑ **구한 p, $f(k)$를 이용하여 $8p\times f(10)$의 값 구하기**

따라서 $p=\frac{3}{2}$, $f(k)=\frac{2(k+1)}{k+2}$이므로 $8p\times f(10)=8\times\frac{3}{2}\times\frac{22}{12}=22$

1810

STEP Ⓐ **수학적 귀납법으로 부등식을 증명할 때에는 $p>q$이고 $q>r$이면 $p>r$임을 이용하여 증명하기**

(i) $n=\boxed{2}$일 때,

(좌변)=$\frac{5}{4}<\frac{3}{2}$=(우변)

따라서 $n=2$일 때, 주어진 부등식이 성립한다.

(ii) $n=k(k\geq 2)$일 때,

주어진 부등식이 성립한다고 가정하면

$$1+\frac{1}{2^2}+\cdots+\frac{1}{k^2}<2-\frac{1}{k} \qquad \cdots\cdots \ \bigcirc$$

부등식 ㉠의 양변에 $\boxed{\dfrac{1}{(k+1)^2}}$을 더하면

$$1+\frac{1}{2^2}+\cdots+\boxed{\frac{1}{(k+1)^2}}<2-\frac{1}{k}+\boxed{\frac{1}{(k+1)^2}}$$

그런데

$$2-\frac{1}{k}+\boxed{\frac{1}{(k+1)^2}}=2-\frac{k^2+k+1}{k(k+1)^2}<2-\frac{k^2+k}{k(k+1)^2}=2-\boxed{\frac{1}{k+1}}$$

$$1+\frac{1}{2^2}+\cdots+\boxed{\frac{1}{(k+1)^2}}<2-\boxed{\frac{1}{k+1}}$$

STEP Ⓑ $\dfrac{ah(9)}{g(9)}$ **의 값 구하기**

따라서 $a=2$, $g(k)=\frac{1}{(k+1)^2}$, $h(k)=\frac{1}{k+1}$이므로

$$\frac{ah(9)}{g(9)}=\frac{2\cdot\frac{1}{10}}{\frac{1}{10^2}}=20$$

다음은 $n \geq 2$인 모든 자연수 n에 대하여

$$1 + \frac{1}{2} + \frac{1}{3} + \cdots + \frac{1}{2^n} > 1 + \frac{n}{2} \qquad \cdots\cdots \ \text{㉠}$$

이 성립함을 수학적 귀납법으로 증명하는 과정이다.

(i) $n=2$일 때,

$\quad$ (좌변)$=\boxed{\text{(가)}} > 2 = $(우변)

$\quad$ 이므로 부등식 ㉠이 성립한다.

(ii) $n=k\,(k \geq 2)$일 때,

$\quad$ 부등식 ㉠이 성립한다고 가정하면

$\quad 1 + \frac{1}{2} + \frac{1}{3} + \cdots + \frac{1}{2^k} > 1 + \frac{k}{2}$

$\quad$ 양변에 $\dfrac{1}{2^k+1} + \dfrac{1}{2^k+2} + \cdots + \dfrac{1}{2^k + \boxed{\text{(나)}}}$ 을 더하면

$\quad 1 + \frac{1}{2} + \frac{1}{3} + \cdots + \frac{1}{2^k} + \frac{1}{2^k+1} + \cdots + \frac{1}{2^k+\boxed{\text{(나)}}}$

$\quad > 1 + \frac{k}{2} + \frac{1}{2^k+1} + \cdots + \frac{1}{2^k+\boxed{\text{(나)}}}$

$\quad$ 즉

$\quad 1 + \frac{1}{2} + \frac{1}{3} + \cdots + \frac{1}{2^{k+1}} > 1 + \frac{k}{2} + 2^k \times \frac{1}{2^{k+1}}$

$\quad = 1 + \boxed{\text{(다)}}$

$\quad$ 따라서 $n=k+1$일 때도 부등식 ㉠이 성립한다.

(i), (ii)에서 부등식 ㉠은 $n \geq 2$인 모든 자연수 n에 대하여 성립한다.

위의 과정에서 (가)에 들어갈 수를 a, (나)와 (다)에 알맞은 식을 각각 $f(k)$와 $g(k)$라 할 때, $af(3)g(11)$의 값은?

① 25 $\qquad$ ② 75 $\qquad$ ③ 100

④ 125 $\qquad$ ⑤ 150

STEP Ⓐ 수학적 귀납법으로 부등식을 증명할 때에는 $p > q$이고 $q > r$이면 $p > r$임을 이용하여 증명하기

$$1 + \frac{1}{2} + \frac{1}{3} + \cdots + \frac{1}{2^n} > 1 + \frac{n}{2} \qquad \cdots\cdots \ \text{㉠}$$

(i) $n=2$일 때,

$\quad$ (좌변)$=1 + \frac{1}{2} + \frac{1}{3} + \frac{1}{4} = \boxed{\dfrac{25}{12}} > 2 = $(우변)

$\quad$ 이므로 부등식 ㉠이 성립한다.

(ii) $n=k\,(k \geq 2)$일 때, 부등식 ㉠이 성립한다고 가정하면

$\quad 1 + \frac{1}{2} + \frac{1}{3} + \cdots + \frac{1}{2^k} > 1 + \frac{k}{2}$

$\quad$ 양변에 $\dfrac{1}{2^k+1} + \dfrac{1}{2^k+2} + \cdots + \dfrac{1}{2^k+\boxed{2^k}}$ 을 더하면

$\quad 1 + \frac{1}{2} + \frac{1}{3} + \cdots + \frac{1}{2^k} + \frac{1}{2^k+1} + \cdots + \frac{1}{2^k+\boxed{2^k}}$

$\quad > 1 + \frac{k}{2} + \frac{1}{2^k+1} + \cdots + \frac{1}{2^k+\boxed{2^k}}$

$\quad$ 즉

$\quad 1 + \frac{1}{2} + \frac{1}{3} + \cdots + \frac{1}{2^{k+1}} > 1 + \frac{k}{2} + 2^k \times \frac{1}{2^{k+1}}$

$\quad = 1 + \boxed{\dfrac{k+1}{2}}$

$\quad$ 따라서 $n=k+1$일 때도 부등식 ㉠이 성립한다.

(i), (ii)에서 부등식 ㉠은 $n \geq 2$인 모든 자연수 n에 대하여 성립한다.

STEP Ⓑ $af(3)g(11)$**의 값 구하기**

따라서 $a = \dfrac{25}{12}$, $f(k) = 2^k$, $g(k) = \dfrac{k+1}{2}$이므로

$$af(3)g(11) = \frac{25}{12} \cdot 2^3 \cdot \frac{12}{2} = 100$$

정답 ③

1811

정답 ④

STEP Ⓐ 수학적 귀납법으로 부등식을 증명할 때에는 $p > q$이고 $q > r$이면 $p > r$임을 이용하여 증명하기

(i) $n=2$일 때,

$\quad$ (좌변)$=\dfrac{9}{8}$이고 (우변)$=\dfrac{11}{8}$이므로 ㉠이 성립한다.

(ii) $n=m\,(m \geq 2)$일 때,

$\quad$ ㉠이 성립한다고 가정하면

$\quad \displaystyle\sum_{k=1}^{m} \frac{1}{k^3} < \frac{1}{2}\left(3 - \frac{1}{m^2}\right)$

$\quad n=m+1$일 때,

$\quad \displaystyle\sum_{k=1}^{m+1} \frac{1}{k^3} = \sum_{k=1}^{m} \frac{1}{k^3} + \boxed{\dfrac{1}{(m+1)^3}} < \frac{1}{2}\left(3 - \frac{1}{m^2}\right) + \boxed{\dfrac{1}{(m+1)^3}}$

$\quad$ 한편

$\quad \dfrac{1}{2}\left\{3 - \dfrac{1}{(m+1)^2}\right\} - \left\{\dfrac{1}{2}\left(3 - \dfrac{1}{m^2}\right) + \boxed{\dfrac{1}{(m+1)^3}}\right\}$

$\quad = \boxed{\dfrac{3m+1}{2m^2(m+1)^3}} > 0$

$\quad$ 이므로 $\displaystyle\sum_{k=1}^{m+1} \frac{1}{k^3} < \frac{1}{2}\left\{3 - \frac{1}{(m+1)^2}\right\}$이 성립한다.

STEP Ⓑ $f(1)g(3)$**의 값 구하기**

따라서 $f(m) = \dfrac{1}{(m+1)^3}$, $g(m) = 3m+1$이므로 $f(1)g(3) = \dfrac{1}{8} \cdot 10 = \dfrac{5}{4}$

모든 자연수 n에 대하여 부등식

$$1+\frac{1}{\sqrt{2}}+\frac{1}{\sqrt{3}}+\cdots+\frac{1}{\sqrt{n}}<2\sqrt{n}$$

이 성립함을 수학적 귀납법으로 증명한 것이다.

(ⅰ) $n=1$일 때,
  (좌변)$=1<2=$(우변)이므로 주어진 부등식이 성립한다.
(ⅱ) $n=k$일 때,
  주어진 부등식이 성립한다고 가정하면

  $$1+\frac{1}{\sqrt{2}}+\frac{1}{\sqrt{3}}+\cdots+\frac{1}{\sqrt{k}}<2\sqrt{k}$$이고

  위 식의 양변에 $\boxed{(가)}$를 더하면

  $$1+\frac{1}{\sqrt{2}}+\frac{1}{\sqrt{3}}+\cdots+\frac{1}{\sqrt{k}}+\boxed{(가)}<2\sqrt{k}+\boxed{(가)}$$

  $$\boxed{(나)}-\boxed{(가)}-2\sqrt{k}=\frac{(\sqrt{k+1}-\sqrt{k})^2}{\sqrt{k+1}}>0$$이므로

  $$1+\frac{1}{\sqrt{2}}+\frac{1}{\sqrt{3}}+\cdots+\frac{1}{\sqrt{k}}+\boxed{(가)}<\boxed{(나)}$$

  따라서 $n=k+1$일 때도 주어진 부등식이 성립한다.
  그러므로 (ⅰ), (ⅱ)에 의하여 모든 자연수 n에 대하여
  부등식 $1+\frac{1}{\sqrt{2}}+\frac{1}{\sqrt{3}}+\cdots+\frac{1}{\sqrt{n}}<2\sqrt{n}$이 성립한다.

위의 (가), (나)에 알맞은 식을 각각 $f(k)$, $g(k)$라 할 때, $f(3)\cdot g(8)$의 값은?

① 3   ② 6   ③ 8
④ 10   ⑤ 12

STEP Ⓐ 수학적 귀납법으로 부등식을 증명할 때에는 $p>q$이고 $q>r$이면 $p>r$임을 이용하여 증명하기

(ⅰ) $n=1$일 때, (좌변)$=1<2=$(우변)이므로 주어진 부등식이 성립한다.
(ⅱ) $n=k$일 때, 주어진 부등식이 성립한다고 가정하면

$$1+\frac{1}{\sqrt{2}}+\frac{1}{\sqrt{3}}+\cdots+\frac{1}{\sqrt{k}}<2\sqrt{k}$$이고

위 식의 양변에 $\boxed{\dfrac{1}{\sqrt{k+1}}}$을 더하면

$$1+\frac{1}{\sqrt{2}}+\frac{1}{\sqrt{3}}+\cdots+\frac{1}{\sqrt{k}}+\boxed{\frac{1}{\sqrt{k+1}}}<2\sqrt{k}+\boxed{\frac{1}{\sqrt{k+1}}}$$

$$\boxed{2\sqrt{k+1}}-\boxed{\frac{1}{\sqrt{k+1}}}-2\sqrt{k}=\frac{(\sqrt{k+1}-\sqrt{k})^2}{\sqrt{k+1}}>0$$이므로

$$1+\frac{1}{\sqrt{2}}+\frac{1}{\sqrt{3}}+\cdots+\frac{1}{\sqrt{k}}+\boxed{\frac{1}{\sqrt{k+1}}}<\boxed{2\sqrt{k+1}}$$

따라서 $n=k+1$일 때도 주어진 부등식이 성립한다.
그러므로 (ⅰ), (ⅱ)에 의하여 모든 자연수 n에 대하여
부등식 $1+\frac{1}{\sqrt{2}}+\frac{1}{\sqrt{3}}+\cdots+\frac{1}{\sqrt{n}}<2\sqrt{n}$이 성립한다.

STEP Ⓑ $f(3)\cdot g(8)$의 값 구하기

따라서 $f(k)=\dfrac{1}{\sqrt{k+1}}$, $g(k)=2\sqrt{k+1}$이므로 $f(3)\cdot g(8)=\dfrac{1}{2}\cdot 6=3$

정답 ①

STEP 2   서술형 기출유형

1812
정답 해설참조

| 1단계 | 이차방정식의 근과 계수의 관계를 이용하여 $(\alpha_n-1)(\beta_n-1)=7$을 a_n과 a_{n+1}의 관계식으로 정리한다. | ◀ 50% |

이차방정식 $x^2-a_nx+a_{n+1}=0$의 두 근이 α_n, β_n이므로

근과 계수의 관계에 의하여 $\alpha_n+\beta_n=a_n$, $\alpha_n\beta_n=a_{n+1}$

이때 $(\alpha_n-1)(\beta_n-1)=\alpha_n\beta_n-(\alpha_n+\beta_n)+1=7$이므로

$a_{n+1}-a_n+1=7$

$\therefore a_{n+1}=a_n+6$

| 2단계 | 수열 $\{a_n\}$에 대하여 a_{10}의 값을 구한다. | ◀ 50% |

수열 $\{a_n\}$은 첫째항이 9, 공차가 6인 등차수열이므로

$a_n=9+(n-1)\cdot 6=6n+3$

따라서 $a_{10}=6\cdot 10+3=63$

1813
정답 해설참조

| 1단계 | $a_{n+1}=2a_n$인 수열 $\{a_n\}$의 일반항을 구한다. | ◀ 30% |

$a_{n+1}=2a_n$에서 수열 $\{a_n\}$은 첫째항이 1이고 공비가 2인 등비수열이므로

$a_n=1\cdot 2^{n-1}=2^{n-1}$

| 2단계 | $b_{n+1}=b_n+3$인 수열 $\{b_n\}$의 일반항을 구한다. | ◀ 30% |

$b_{n+1}=b_n+3$에서 수열 $\{b_n\}$은 첫째항이 1이고 공차가 3인 등차수열이므로

$b_n=1+(n-1)\cdot 3=3n-2$

| 3단계 | $a_n>b_n$을 만족하는 자연수 m의 최솟값을 구한다. | ◀ 40% |

$a_1=1$, $a_2=2$, $a_3=4$, $a_4=8$, $a_5=16$, $a_6=32$, $\cdots$

$b_1=1$, $b_2=4$, $b_3=7$, $b_4=10$, $b_5=13$, $b_6=16$, $\cdots$

이므로 $n=5$에서 $a_5>b_5$이므로 자연수 m의 최솟값은 5

1814
정답 해설참조

| 1단계 | 이차방정식이 중근을 가질 때, a_{n+1}과 a_n의 관계식을 구한다. | ◀ 30% |

이차방정식 $a_nx^2-2a_{n+1}x+a_{n+2}=0$이 중근을 가지므로

이차방정식의 판별식을 D라 하면

$\dfrac{D}{4}=(a_{n+1})^2-a_na_{n+2}=0$에서 $(a_{n+1})^2=a_na_{n+2}$

즉 수열 $\{a_n\}$은 등비수열이다.

| 2단계 | 이 수열 $\{a_n\}$의 공비를 구한다. | ◀ 20% |

즉 $\dfrac{a_2}{a_1}=\dfrac{1}{3}$에서 공비가 $\dfrac{1}{3}$이다.

$\therefore \dfrac{a_{n+1}}{a_n}=\dfrac{1}{3}$

| 3단계 | 중근 b_n을 구한다. | ◀ 30% |

이차방정식의 근은 근의 공식에 의하여

$$x=\frac{a_{n+1}+\sqrt{a_{n+1}{}^2-a_na_{n+2}}}{a_n}=\frac{a_{n+1}}{a_n}=\frac{1}{3} \qquad \leftarrow a_{n+1}{}^2=a_na_{n+2}$$

$\therefore b_n=\dfrac{1}{3}$

다른풀이 이차방정식의 해 구하여 풀이하기

양변을 각각 a_n으로 나누면

$$x^2-2\frac{a_{n+1}}{a_n}x+\frac{a_{n+2}}{a_n}=0,\quad x^2-2\cdot\frac{1}{3}x+\frac{1}{9}=0 \qquad \leftarrow \frac{a_{n+2}}{a_n}=\left(\frac{1}{3}\right)^2$$

$\left(x-\dfrac{1}{3}\right)^2=0$이므로 $x=\dfrac{1}{3}$

다른풀이 이차방정식의 해 구하여 풀이하기

$a_n = 3 \cdot \left(\frac{1}{3}\right)^{n-1} = \left(\frac{1}{3}\right)^{n-2}$ 이므로

$a_{n+1} = \left(\frac{1}{3}\right)^{n-1}$, $a_{n+2} = \left(\frac{1}{3}\right)^{n}$ 을 이차방정식에 대입하면

$\left(\frac{1}{3}\right)^{n-2} x^2 - 2\left(\frac{1}{3}\right)^{n-1} x + \left(\frac{1}{3}\right)^{n} = 0$

이 식의 양변에 3^n을 곱하면

$9x^2 - 6x + 1 = 0$, $(3x-1)^2 = 0$

$\therefore x = b_n = \frac{1}{3}$

4단계	$\sum\limits_{k=1}^{30} b_n$의 값을 구한다.	◀ 20%

즉 $b_n = \frac{1}{3}$이므로 $\sum\limits_{k=1}^{30} \frac{1}{3} = \frac{1}{3} \cdot 30 = 10$

1815

정답 해설참조

1단계	a_2, a_3, a_4, a_5, $\cdots$, a_{100}의 값을 구한다.	◀ 40%

$a_2 = 2a_1 = 2 \times 1$

$a_3 = 3a_2 = 3 \times 2 \times 1$

$a_4 = 4a_3 = 4 \times 3 \times 2 \times 1$

$a_5 = 5a_4 = 5 \times 4 \times 3 \times 2 \times 1$

$\vdots$

$a_{100} = 100a_{99} = 100 \times 99 \times 98 \times \cdots \times 1$

2단계	a_5, a_6, a_7, $\cdots$, a_{100}이 60의 배수임을 서술한다.	◀ 30%

이때 $a_5 = 5 \times 4 \times 3 \times 2 \times 1 = 120$은 60의 배수이므로

a_5, a_6, a_7, $\cdots$, a_{100}은 모두 60의 배수이다.

3단계	$a_1 + a_2 + a_3 + \cdots + a_{100}$을 60으로 나누었을 때의 나머지를 구한다.	◀ 30%

따라서 $a_1 + a_2 + a_3 + \cdots + a_{100}$을 60으로 나누었을 때의 나머지는

$a_1 + a_2 + a_3 + a_4$를 60으로 나누었을 때의 나머지와 같으므로

$1 + 2 + 6 + 24 = 33$

1816

정답 해설참조

1단계	㉠의 n대신 1, 2, 3, $\cdots$을 차례로 대입하여 수열 $\{a_n\}$의 일반항 a_n을 구한다.	◀ 50%

$a_1 = 1$, $a_{n+1} = \frac{3a_n - 1}{4a_n - 1}$에 $n = 1$, 2, $\cdots$를 차례로 대입하면

$a_2 = \frac{3a_1 - 1}{4a_1 - 1} = \frac{2}{3}$

$a_3 = \frac{3a_2 - 1}{4a_2 - 1} = \frac{3}{5}$

$a_4 = \frac{3a_3 - 1}{4a_3 - 1} = \frac{4}{7}$

$a_5 = \frac{3a_4 - 1}{4a_4 - 1} = \frac{5}{9}$

$\vdots$

이므로 수열 $\{a_n\}$의 분모는 1, 3, 5, 7, 9, 11, $\cdots$이고

분자는 1, 2, 3, 4, 5, $\cdots$이다.

그러므로 수열 $\{a_n\}$의 일반항은 $a_n = \frac{n}{2n-1}$

2단계	$\sum\limits_{k=1}^{10}(2k-1)a_k$를 구한다.	◀ 50%

따라서 $\sum\limits_{k=1}^{10}(2k-1)a_k = \sum\limits_{k=1}^{10}(2k-1) \cdot \frac{k}{2k-1}$

$= \sum\limits_{k=1}^{10} k = \frac{10 \cdot 11}{2} = 55$

1817

정답 해설참조

1단계	주어진 조건을 만족하는 수열 $\{a_n\}$의 일반항 a_n을 구한다.	◀ 30%

$a_{n+1} = \frac{a_n}{a_n + 1}$에서 $\frac{1}{a_{n+1}} = \frac{a_n + 1}{a_n} = 1 + \frac{1}{a_n}$

수열 $\left\{\frac{1}{a_n}\right\}$은 첫째항이 $\frac{1}{a_1} = 1$이고 공차가 1인 등차수열이다.

즉 $\frac{1}{a_n} = 1 + (n-1) \cdot 1 = n$이므로 $a_n = \frac{1}{n}$이다.

2단계	$A = \sum\limits_{k=1}^{10} a_k a_{k+1}$의 값을 구한다.	◀ 30%

$a_n = \frac{1}{n}$에서 $a_k a_{k+1} = \frac{1}{k} \cdot \frac{1}{k+1}$이므로

$A = \sum\limits_{k=1}^{10} a_k a_{k+1} = \sum\limits_{k=1}^{10} \frac{1}{k(k+1)} = \sum\limits_{k=1}^{10} \left(\frac{1}{k} - \frac{1}{k+1}\right)$

$= \left(1 - \frac{1}{2}\right) + \left(\frac{1}{2} - \frac{1}{3}\right) + \cdots + \left(\frac{1}{10} - \frac{1}{11}\right)$

$= 1 - \frac{1}{11} = \frac{10}{11}$

3단계	$B = \sum\limits_{k=1}^{10} \frac{1}{a_k a_{k+1}}$의 값을 구한다.	◀ 30%

$\frac{1}{a_n} = n$에서 $\frac{1}{a_k a_{k+1}} = k(k+1)$이므로

$B = \sum\limits_{k=1}^{10} \frac{1}{a_k a_{k+1}} = \sum\limits_{k=1}^{10} k(k+1)$

$= \frac{10 \cdot 11 \cdot 12}{3} = 440$ ◀ $\sum\limits_{k=1}^{n} k(k+1) = \frac{n(n+1)(n+2)}{3}$

4단계	AB의 값을 구한다.	◀ 10%

$AB = \frac{10}{11} \times 440 = 400$

1818

정답 해설참조

1단계	a_2, a_3, a_4를 구한다.	◀ 30%

$a_1 = \frac{1}{2}$, $a_{n+1} = \frac{1}{2 - a_n}$의 n에 1, 2, 3을 차례로 대입한다.

$a_2 = \frac{1}{2 - a_1} = \frac{1}{2 - \frac{1}{2}} = \frac{2}{3}$

$a_3 = \frac{1}{2 - a_2} = \frac{1}{2 - \frac{2}{3}} = \frac{3}{4}$

$a_4 = \frac{1}{2 - a_3} = \frac{1}{2 - \frac{3}{4}} = \frac{4}{5}$

2단계	일반항 a_n을 추측한다.	◀ 20%

일반항은 $a_n = \frac{n}{n+1}$으로 추측할 수 있다.

3단계	[2단계]에서 추측한 일반항이 옳음을 수학적 귀납법으로 증명한다.	◀ 50%

모든 자연수 n에 대하여

$a_n = \frac{n}{n+1}$ ...... ㉠

(i) $n = 1$일 때,

(좌변) $= a_1 = \frac{1}{2}$, (우변) $= \frac{1}{1+1} = \frac{1}{2}$

따라서 $n = 1$일 때, ㉠이 성립한다.

(ii) $n = k$일 때, ㉠이 성립한다고 가정하면

$a_k = \frac{k}{k+1}$이 성립한다.

$n = k+1$일 때,

$a_{k+1} = \frac{1}{2 - a_k} = \frac{1}{2 - \frac{k}{k+1}} = \frac{k+1}{k+2} = \frac{k+1}{(k+1)+1}$

따라서 $n = k+1$일 때도 ㉠이 성립한다.

(i), (ii)에 의하여 모든 자연수 n에 대하여 ㉠이 성립한다.

다음은 모든 자연수 n에 대하여

$$a_1=\frac{1}{2}, \quad a_{n+1}=\frac{1}{2-a_n}$$

인 수열 $\{a_n\}$의 일반항이 $a_n=\frac{n}{n+1}$임을 수학적 귀납법으로 증명한 것이다.

(i) $n=1$일 때,

　주어진 등식에서 (좌변)$=a_1=\frac{1}{2}$, (우변)$=\frac{1}{1+1}=\frac{1}{2}$

　따라서 $n=1$일 때, 주어진 등식이 성립한다.

(ii) $n=k$일 때, $a_k=\boxed{(가)}$ (이)라 가정하면

　$n=k+1$일 때,

$$a_{k+1}=\frac{1}{2-a_k}=\frac{1}{2-\boxed{(가)}}$$

$$=\frac{k+1}{\boxed{(나)}}$$

　따라서 $n=k+1$일 때도 $a_n=\frac{n}{n+1}$이 성립한다.

(i), (ii)에 의하여 수열 $\{a_n\}$의 일반항은 $a_n=\frac{n}{n+1}$이다.

위의 증명 과정에서 (가), (나)에 알맞은 것을 각각 $f(k)$, $g(k)$라 할 때, $f(4)g(8)$의 값은?

① 6 　　　　② 8 　　　　③ 10
④ 12 　　　　⑤ 14

STEP Ⓐ 빈칸 (가), (나)에 알맞은 식 구하기

(i) $n=1$일 때,

　(좌변)$=a_1=\frac{1}{2}$, (우변)$=\frac{1}{1+1}=\frac{1}{2}$

　따라서 $n=1$일 때, 주어진 등식이 성립한다.

(ii) $n=k$일 때, $a_k=\boxed{\dfrac{k}{k+1}}$가 성립한다고 가정하면

　$n=k+1$일 때,

$$a_{k+1}=\frac{1}{2-a_k}=\cfrac{1}{2-\boxed{\dfrac{k}{k+1}}}$$

$$=\frac{k+1}{\boxed{k+2}}$$

　따라서 $n=k+1$일 때도 $a_n=\frac{n}{n+1}$이 성립한다.

STEP Ⓑ $f(4)g(8)$의 값 구하기

따라서 $f(k)=\dfrac{k}{k+1}$, $g(k)=k+2$이므로 $f(4)g(8)=\dfrac{4}{5}\cdot 10=8$　　정답 ②

1819

정답 해설참조

1단계 수열 $\{a_n\}$이 등차수열이라 할 때, $\displaystyle\sum_{k=1}^{10} a_{2k}$의 값을 구한다. ◀ 50%

$$a_n+a_{n+1}=8n+4 \quad\cdots\cdots\text{㉠}$$

수열 $\{a_n\}$이 등차수열일 때, 공차를 d라 하면

$a_{n+1}=a_n+d$이므로 ㉠에 대입하면 $2a_n+d=8n+4$

$$\therefore a_n=4n+2-\frac{d}{2}$$

이때 n의 계수가 수열 $\{a_n\}$의 공차이므로 $d=4$ ◀ 등차수열 $a_n=pn+q$에서 공차는 p이다.

즉 $a_n=4n$, $a_{2n}=8n$

따라서 $\displaystyle\sum_{k=1}^{10} a_{2k}=\sum_{k=1}^{10} 8k=8\cdot\frac{10\cdot 11}{2}=440$

2단계 $\displaystyle\sum_{k=1}^{10}\{(-1)^k(a_{2k-1}+a_{2k})\}$의 값을 구한다. ◀ 50%

$a_n+a_{n+1}=8n+4$에서 n 대신 $2n-1$을 대입하면

$a_{2n-1}+a_{2n}=8(2n-1)+4=16n-4$이고

$a_{2n-1}+a_{2n}=b_n$으로 치환하면

수열 $\{b_n\}$은 공차가 16인 등차수열이다.

$$\sum_{k=1}^{10}\{(-1)^k(a_{2k-1}+a_{2k})\}$$

$$=\sum_{k=1}^{10}\{(-1)^k b_k\}$$

$$=(-b_1+b_2)+(-b_3+b_4)+(-b_5+b_6)+\cdots+(-b_9+b_{10})$$

$$=16\cdot 5=80$$

> **참고**
>
> 수열 $\{a_n\}$이 공차가 d인 등차수열이면
> 수열 $\{a_n+a_{n+1}\}$은 공차가 $2d$인 등차수열이다.
> $a_n+a_{n+1}=8n+4$에서 n의 계수가 공차이므로 $2d=8$ $\therefore d=4$
> 즉 $a_{n+1}=a_n+4$이므로 $a_n+(a_n+4)=8n+4$ $\therefore a_n=4n$

1820

정답 해설참조

1단계 a_1을 구한다. ◀ 30%

1번째 1200mL의 물이 들어있는 냄비에 80mL의 물을 더 넣고

물의 $\dfrac{1}{4}$을 증발시키고 냄비 안에 남아있는 물의 양이 a_1이므로

$$a_1=\frac{3}{4}(1200+80)=960$$

2단계 a_n과 a_{n+1} 사이의 관계식을 구한다. ◀ 40%

$n+1$번째 냄비 안에 남아있는 물의 양이 a_{n+1}이므로

$$a_{n+1}=\frac{3}{4}(a_n+80)$$

3단계 a_3을 구한다. ◀ 30%

$a_{n+1}=\dfrac{3}{4}(a_n+80)$의 n에 1, 2를 차례로 대입한다.

$a_1=960$

$a_2=\dfrac{3}{4}(a_1+80)=\dfrac{3}{4}(960+80)=780$

$a_3=\dfrac{3}{4}(780+80)=645$

1821

정답 해설참조

1단계 기울기가 1이면서 점 A_n을 지나는 직선의 방정식 구한다. ◀ 30%

$A_n(a_n, 0)$이고 조건 (가)에서 $B_n(a_n+2n, 0)$이므로

기울기가 1이면서 점 A_n을 지나는 직선의 방정식은 $y=x-a_n$

2단계 (가)에서 구한 직선에 수직이면서 점 B_n을 지나는 직선의 방정식 구한다. ◀ 30%

이 직선에 수직이면서 점 B_n을 지나는 직선의 방정식은

$y=-(x-a_n-2n)$, 즉 $y=-x+a_n+2n$

3단계 a_n과 a_{n+1} 사이의 관계식 구한다. ◀ 30%

두 직선의 교점의 x좌표는 $x-a_n=-x+a_n+2n$에서

$x=a_n+n$이므로 $a_{n+1}=a_n+n$

4단계 $p+f(5)$의 값 구한다. ◀ 10%

따라서 $p=1$, $f(n)=n$이므로 $p+f(5)=1+5=6$

1822

정답 해설참조

1단계 a_1, a_2를 구한다. ◀ 20%

1명은 서로 악수하지 않으므로 $a_1=0$

2명이 악수하는 횟수는 $a_2=1$

2단계 a_n과 a_{n+1}의 관계식을 구한다. ◀ 40%

n명의 회원이 모인 모임에서 이루어진 악수의 총 횟수는 a_n이고

$(n+1)$번째 회원이 n명과 각각 한 번씩 악수하게 되므로

n번 더 악수를 하게 되므로 $a_{n+1}=a_n+n$

3단계 a_{10}의 값을 구한다. ◀ 40%

$n=1, 2, 3, \cdots$을 관계식 $a_{n+1}=a_n+n$에 차례대로 대입하면

$a_2=a_1+1=1$

$a_3=a_2+2=1+2$

$a_4=a_3+3=1+2+3$

$\vdots$

$a_{10}=1+2+3+4+\cdots+9=\dfrac{9(9+1)}{2}=45$

KEY POINT

어떤 모임에 참석한 사람들 모두가 서로 한 번씩 악수한다고 할 때,
모인 사람이 n명인 경우에 악수한 총 횟수를 a_n이라 할 때, 다음이 성립한다.

$a_{n+1}=a_n+n \iff a_n=\dfrac{n(n-1)}{2} \ (n \geq 2)$ ◀ $_nC_2=\dfrac{n(n-1)}{2}$

1823

정답 해설참조

1단계 a_1, a_2, a_3을 구한다. ◀ 30%

처음 정삼각형의 아래쪽에 작은 정삼각형 여러 개가 추가 된다고 생각하면
성냥개비의 총 개수가 a_n이므로

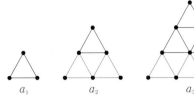

$a_1=3$

$a_2=a_1+2\cdot3=3+6=9$ ◀ a_1에 작은 정삼각형 2개 추가

$a_3=a_2+3\cdot3=9+9=18$ ◀ a_2에 작은 정삼각형 3개 추가

2단계 a_n과 a_{n+1} 사이의 관계식을 이용하여 일반항 a_n을 구한다. ◀ 40%

$\vdots$

$a_{n+1}=a_n+3(n+1)$ ◀ a_n에 작은 정삼각형 $3(n+1)$개 추가

$\quad\quad =3+6+9+\cdots+3(n+1)$

이므로

$a_n=3+6+9+\cdots+3n=3(1+2+3+\cdots n)$

$\quad\quad =3\cdot\dfrac{n(n+1)}{2}$

따라서 $a_{n+1}=a_n+3(n+1)(n=1, 2, 3, \cdots)$이고 $a_n=\dfrac{3n(n+1)}{2}$

3단계 a_6의 값을 구한다. ◀ 30%

$a_n=\dfrac{3n(n+1)}{2}$이므로 $a_6=\dfrac{3\cdot6\cdot7}{2}=63$

참고

$a_1=3$, $a_{n+1}=a_n+3(n+1)$의 n에 1, 2, 3, 4, 5를 대입하면

$a_1=3$, $a_2=9$, $a_3=18$이므로

$a_4=a_3+4\cdot3=18+12=30$

$a_5=a_4+5\cdot3=30+15=45$

$a_6=a_5+6\cdot3=45+18=63$

1824

정답 해설참조

1단계 a_1을 구한다. ◀ 40%

두 비커 A, B에 각각 물이 1L씩 들어 있다.

비커 A에 있는 물의 $\dfrac{1}{3}$을 비커 B로 옮긴 후,

비커 B에 있는 물의 $\dfrac{1}{3}$을 비커 A로 옮길 때,

비커 A에 남아 있는 물의 양 a_1은

$a_1=\dfrac{2}{3}+\dfrac{1}{3}\left(\dfrac{1}{3}+1\right)=\dfrac{10}{9}$

2단계 a_n과 a_{n+1} 사이의 관계식을 이용하여 p, q의 값을 구한다. ◀ 60%

n번의 시행 후 두 비커 A, B에 남아 있는 물의 양을 각각 a_n, b_n이라 하면

비커 A에 있는 물의 $\dfrac{1}{3}$을 비커 B로 옮긴 후,

비커 B에 있는 물의 $\dfrac{1}{3}$을 비커 A로 옮길 때,

비커 A에 남아 있는 물의 양 a_{n+1}은

$a_{n+1}=\dfrac{2}{3}a_n+\dfrac{1}{3}\left(\dfrac{1}{3}a_n+b_n\right)=\dfrac{7}{9}a_n+\dfrac{1}{3}b_n$

이때 $a_n+b_n=2$이므로 $a_{n+1}=\dfrac{7}{9}a_n+\dfrac{1}{3}(2-a_n)=\dfrac{4}{9}a_n+\dfrac{2}{3}$

따라서 $p=\dfrac{4}{9}$, $q=\dfrac{2}{3}$

1825

정답 해설참조

1단계 a_1을 구한다. ◀ 20%

60L의 물이 들어 있는 물통에서 전체 물의 $\frac{1}{3}$을 덜어 내고

다시 10L의 물을 넣는 첫 번째 시행 후 물통의 물의 양 a_1은

$a_1 = 60 \cdot \frac{2}{3} + 10 = 50$

2단계 a_n과 a_{n+1} 사이의 관계식을 구하여 상수 p, q의 값을 구한다. ◀ 30%

a_nL의 물이 들어 있는 물통에서 전체 물의 $\frac{1}{3}$을 덜어 내고

다시 10L의 물을 넣는 $n+1$ 번째 시행 후 물통의 물의 양은

$a_{n+1} = \frac{2}{3}a_n + 10$이므로 $p = \frac{2}{3}$, $q = 10$

참고

$a_{n+1} = \frac{2}{3}a_n + 10$에서 $a_{n+1} - 30 = \frac{2}{3}(a_n - 30)$

수열 $\{a_n - 30\}$은 첫째항이 $a_1 - 30 = 20$이고 공비가 $\frac{2}{3}$인 등비수열이므로

$a_n - 30 = 20\left(\frac{2}{3}\right)^{n-1}$ ∴ $a_n = 20 \cdot \left(\frac{2}{3}\right)^{n-1} + 30$

3단계 $a_n = 20 \times \left(\frac{2}{3}\right)^n + 30$임을 수학적 귀납법을 이용하여 증명한다. ◀ 50%

수열 $\{a_n\}$의 일반항이

$a_n = 20 \cdot \left(\frac{2}{3}\right)^{n-1} + 30$ ……… ㉠

임을 수학적 귀납법을 이용하여 증명하면 다음과 같다.

(ⅰ) $n=1$일 때,

좌변은 $60 \cdot \frac{2}{3} + 10 = 50$, 우변은 $20 \cdot \left(\frac{2}{3}\right)^{1-1} + 30 = 50$

이므로 ㉠이 성립한다.

(ⅱ) $n=k$일 때,

㉠이 성립한다고 가정하자.

$a_k = 20 \cdot \left(\frac{2}{3}\right)^{k-1} + 30$

a_k의 물이 들어 있는 물통에서 전체 물의 $\frac{1}{3}$을 덜어 내고

다시 10의 물을 넣는 $k+1$ 번째 시행 후 물통의 물의 양은

$a_{k+1} = \frac{2}{3}a_k + 10 = \frac{2}{3}\left\{20 \cdot \left(\frac{2}{3}\right)^{k-1} + 30\right\} + 10$

$= 20 \cdot \left(\frac{2}{3}\right)^k + 30$

따라서 $n=k+1$일 때도 ㉠이 성립한다.

(ⅰ), (ⅱ)에 의하여 수열 $\{a_n\}$의 일반항은 $a_n = 20 \cdot \left(\frac{2}{3}\right)^{n-1} + 30$

1826

정답 해설참조

1단계 30%의 소금물 100g에 들어 있는 소금의 양을 구한다. ◀ 20%

30%의 소금물 100g에 들어 있는 소금의 양 $\frac{30}{100} \cdot 100 = 30$g

◀ 농도(%) $= \frac{\text{소금의 양}}{\text{소금물의 양}} \times 100$이므로 소금의 양 $= \frac{\text{농도}(\%)}{100} \times \text{소금물의 양}$

2단계 a_1을 구한다. ◀ 20%

30%의 소금물 100g과 10%의 소금물 100g을 섞은 소금물의 농도가

a_1%이므로 $\frac{30}{100} \cdot 100 + \frac{10}{100} \cdot 100 = \frac{a_1}{100} \cdot (100 + 100)$

∴ $a_1 = 20$

3단계 a_{n+1}과 a_n 사이의 관계식을 구한다. ◀ 30%

a_n%의 소금물 100g과 10%의 소금물 100g을 섞은 소금물의 농도가

a_{n+1}%이므로 $\frac{a_n}{100} \cdot 100 + \frac{10}{100} \cdot 100 = \frac{a_{n+1}}{100} \cdot (100 + 100)$

$a_n + 10 = 2a_{n+1}$

∴ $a_{n+1} = \frac{1}{2}a_n + 5$

4단계 a_5을 구한다. ◀ 30%

$a_1 = 20$, $a_{n+1} = \frac{1}{2}a_n + 5$의 n에 1, 2, 3, 4를 대입하면

$a_2 = \frac{1}{2}a_1 + 5 = 15$

$a_3 = \frac{1}{2}a_2 + 5 = \frac{25}{2}$

$a_4 = \frac{1}{2}a_3 + 5 = \frac{45}{4}$

$a_5 = \frac{1}{2}a_4 + 5 = \frac{85}{8}$

1827

정답 해설참조

1단계 $n=1$일 때, 성립함을 보인다. ◀ 30%

[1단계] $a_n = 6n - 2$ ……… ㉠

$n=1$일 때, (좌변) = $\boxed{4}$, (우변) = $6 \times 1 - 2 = \boxed{4}$

따라서 $n=1$일 때, 등식 ㉠이 성립한다.

2단계 $n=k$일 때, 성립함을 가정하여 $n=k+1$일 때, 성립함을 보인다. ◀ 70%

[2단계] $n=k$일 때, 등식 ㉠이 성립한다고 가정하면

$a_k = 6k - 2$가 성립한다.

이때 $a_{k+1} = \frac{3k+2}{3k-1}a_k$가 성립하므로

$a_{k+1} = \frac{3k+2}{3k-1}a_k = \frac{3k+2}{3k-1} \times (6k - 2) = 6k + 4$

위 등식은 등식 ㉠에 $n=k+1$을 대입한 것과 같다.

따라서 $n=k+1$일 때도 등식 ㉠이 성립한다.

[1단계], [2단계]에서 모든 자연수 n에 대하여 등식 ㉠이 성립한다.

1828

정답 해설참조

1단계 $n=1$일 때, 성립함을 보인다. ◀ 30%

[1단계] $n=1$일 때, $7^1 - 6 \times 1 = 1$이므로 1을 36으로 나눈 나머지는 $\boxed{1}$이다.

따라서 $n=1$일 때, 주어진 명제가 성립한다.

2단계 $n=k$일 때, 성립함을 가정하여 $n=k+1$일 때, 성립함을 보인다. ◀ 70%

[2단계] $n=k$일 때, $7^k - 6k$를 36으로 나눈 나머지가 1이라 가정하면

$7^k - 6k = 36m + 1$ (m은 정수)

즉 $7^k = 6k + 36m + 1$

한편 $7^{k+1} - 6(k+1) = 7 \times 7^k - 6(k+1)$

$= 7(6k + 36m + 1) - 6(k+1)$

$= 36(k + 7m) + 1$

이므로 $7^{k+1} - 6(k+1)$도 36으로 나눈 나머지가 1이다.

따라서 $n=k+1$일 때도 주어진 명제가 성립한다.

[1단계], [2단계]에서 주어진 명제는 참이다.

1829

정답 해설참조

1단계 a_1, a_2, a_3을 각각 구한다. ◀ 10%

$a_1 = 1$, $a_2 = 2a_1 + 1 = 3$, $a_3 = 2a_2 + 1 = 7$

2단계 a_{n+1}과 a_n 사이의 관계식을 구한다. ◀ 30%

① $n+1$개의 원판 중 위의 n개의 원판을 다른 한 개의 기둥으로 옮기는 이동횟수 ⇨ a_n

② 가장 큰 원판을 나머지 한 기둥으로 옮기는 이동횟수 ⇨ 1회

③ 다시 옮겼던 n개의 원판을 가장 큰 원판 위로 옮기는 이동횟수 ⇨ a_n

따라서 $a_{n+1} = 2a_n + 1$

| 3단계 | a_n의 값을 구한다. | ◀ 30% |

$a_1=1$

$a_2=2a_1+1=2+1$

$a_3=2a_2+1=2(2+1)+1=2^2+2+1$

$a_4=2a_3+1=2(2^2+2+1)+1=2^3+2^2+2+1$

$\vdots$

$a_n=2^{n-1}+2^{n-2}+\cdots+2+1=\dfrac{2^n-1}{2-1}=2^n-1$

| 4단계 | 수학적 귀납법으로 증명한다. | ◀ 30% |

a_n의 일반항은 다음과 같다고 알려져 있다.

$$a_n=2^n-1\,(n=1,\ 2,\ 3,\ \cdots)$$

위의 식이 성립함을 수학적 귀납법으로 증명한다.

$a_{n+1}=2a_n+1\,(n=1,\ 2,\ 3,\ \cdots)$으로 수열 $\{a_n\}$의 일반항은

$a_n=2^n-1$ ······ ㉠

임을 수학적 귀납법으로 다음 과 같다.

(i) $n=1$일 때, (좌변)$=a_1=1$, (우변)$=2^1-1=1$

　　이므로 ㉠이 성립한다.

(ii) $n=k$일 때, ㉠이 성립한다고 가정하면

　　$a_k=2^k-1$

　　$a_{k+1}=2a_k+1=2(2^k-1)+1=2^{k+1}-1$

　　따라서 $n=k+1$일 때도 ㉠이 성립한다.

(i), (ii)에 의해 모든 자연수 n에 대하여 ㉠이 성립한다.

1830
정답 해설참조

| 1단계 | $a_1,\ a_2$을 각각 구한다. | ◀ 10% |

$a_1=2$

$a_2=3a_1+2=3\cdot2+2$

| 2단계 | a_n과 a_{n+1} 사이의 관계식을 구한다. | ◀ 40% |

① $(n+1)$개의 원판을 옮기려면 먼저 n개의 원판을 세 번째 막대기로 옮긴다.
　　⇨ a_n

② 가장 큰 원판을 두 번째 막대기로 옮긴다. ⇨ 1회

③ 세 번째 막대기에 있는 n개의 원판을 첫 번째 막대기로 옮긴다. ⇨ a_n

④ 두 번째 막대기에 있는 가장 큰 원판을 세 번째 막대기로 옮긴다. ⇨ 1회

⑤ 첫 번째 막대기에 있는 n개의 원판을 세 번째 막대기로 옮긴다. ⇨ a_n

이제 $(n+1)$개의 원판을 모두 옮겼다.

즉 $a_{n+1}=a_n+1+a_n+1+a_n=3a_n+2$

$\therefore a_{n+1}=3a_n+2,\ a_1=2$

| 3단계 | a_n의 값을 구한다. | ◀ 40% |

$a_1=2$

$a_2=3a_1+2=3\cdot2+2=2(3+1)$

$a_3=3a_2+2=3(3\cdot2+2)+2=2(3^2+3+1)$

$\vdots$

$a_n=2(3^{n-1}+3^{n-2}+\cdots+3+1)=2\cdot\dfrac{3^n-1}{3-1}=3^n-1$

| 4단계 | a_5를 구한다. | ◀ 10% |

$a_5=3^5-1=242$

참고

$a_{n+1}=3a_n+2,\ a_1=2$이므로 $a_{n+1}+1=3(a_n+1)$

$b_n=a_n+1$로 놓으면 수열 $\{b_n\}$은 첫째항이 3, 공비가 3인 등비수열이므로

$b_n=3\cdot3^{n-1}$ $\therefore a_n=3^n-1$

1831
정답 -58

STEP Ⓐ $\displaystyle\sum_{k=1}^{n+1}a_k-\sum_{k=1}^{n-1}a_k=a_n+a_{n+1}$을 이용하여 정리하기

$\left(\displaystyle\sum_{k=1}^{n+1}a_k-\sum_{k=1}^{n-1}a_k\right)^2=4a_na_{n+1}+9$에서 $\displaystyle\sum_{k=1}^{n+1}a_k-\sum_{k=1}^{n-1}a_k=a_n+a_{n+1}$이므로

$(a_n+a_{n+1})^2=4a_na_{n+1}+9$ $\therefore (a_n-a_{n+1})^2=9$

STEP Ⓑ   수열 $\{a_n\}$이 등차수열임을 이용하여 a_{21} 구하기

이때 $a_n-a_{n+1}=3\,(\because a_n>a_{n+1})$이므로 $a_{n+1}-a_n=-3$

수열 $\{a_n\}$는 첫째항이 a, 공차가 -3인 등차수열이다.

$a_2=a+(-3)=-1$ $\therefore a=2$

따라서 $a_{21}=2+20\cdot(-3)=-58$

내신연계 출제문항 684

첫째항이 1인 수열 $\{a_n\}$에 대하여

$$a_{n+1}>a_n\,(n=1,\ 2,\ 3,\ \cdots)$$

$$\left(\sum_{k=1}^{n+1}a_k-\sum_{k=1}^{n-1}a_k\right)^2=4a_na_{n+1}+4\,(n=2,\ 3,\ 4,\ \cdots)$$

일 때, a_{10}의 값을 구하여라.

STEP Ⓐ $\displaystyle\sum_{k=1}^{n+1}a_k-\sum_{k=1}^{n-1}a_k=a_n+a_{n+1}$을 이용하여 정리하기

$\displaystyle\sum_{k=1}^{n+1}a_k-\sum_{k=1}^{n-1}a_k=a_{n+1}+a_n$이므로 $(a_{n+1}+a_n)^2=4a_na_{n+1}+4$

$a_{n+1}-a_n=2\,(\because a_{n+1}>a_n)$

STEP Ⓑ   수열 $\{a_n\}$이 등차수열임을 이용하여 a_{21} 구하기

즉 수열 $\{a_n\}$은 첫째항이 1이고 공차가 2인 등차수열이므로

$a_n=1+(n-1)\cdot2=2n-1$

따라서 $a_{10}=19$ 정답 19

1832
정답 13

STEP Ⓐ   조건식을 이용하여 a_2 구하기

$S_n+S_{n+1}=(a_{n+1})^2$에 $n=1$을 대입하면

$S_1+S_2=(a_2)^2$에서 $a_1+(a_1+a_2)=(a_2)^2$ ◀ $S_2=a_1+a_2$

이때 $a_1=10$이므로 $(a_2)^2-a_2-20=0,\ (a_2-5)(a_2+4)=0$

이때 모든 항이 양수이므로 $a_2=5$

STEP Ⓑ a_{n+1}과 a_{n+2}의 관계식 구하기

이때 $S_{n+2}-S_{n+1}=a_{n+2},\ S_{n+1}-S_n=a_{n+1}$이므로

$(S_{n+1}+S_{n+2})-(S_n+S_{n+1})=(a_{n+2})^2-(a_{n+1})^2$ ◀ 주어진 식에 n대신 $n+1$을 대입하여 뺀다.

$(S_{n+2}-S_{n+1})+(S_{n+1}-S_n)=(a_{n+2})^2-(a_{n+1})^2$

$a_{n+2}+a_{n+1}=(a_{n+2})^2-(a_{n+1})^2$

$a_{n+2}+a_{n+1}=(a_{n+2}-a_{n+1})(a_{n+2}+a_{n+1})$

$a_{n+2}+a_{n+1}>0$이므로 $1=a_{n+2}-a_{n+1}$

$\therefore a_{n+2}=a_{n+1}+1$

STEP Ⓒ   등차수열임을 이용하여 a_{10}의 값 구하기

수열 $\{a_n\}$은 첫째항이 $a_1=10$이고 두 번째 항부터 공차가 1인 등차수열이다.

따라서 $a_{10}=a_2+8\cdot1=5+8=13$

1833

정답 95

STEP A $n=1, 1, 2, 3, 4, 5$일 때, a_n의 값 구하기

a_2가 a_1의 양의 약수의 개수이고 $60=2^2\times3\times5$이므로 60의 양의 약수의
개수는 $(2+1)\times(1+1)\times(1+1)=3\times2\times2=12$ $\therefore a_2=12$

a_3이 a_2의 양의 약수의 개수이고 $12=2^2\times3$이므로 12의 양의 약수의 개수는
$(2+1)\times(1+1)=3\times2=6$ $\therefore a_3=6$

a_4가 a_3의 양의 약수의 개수이고 $6=2\times3$이므로 6의 양의 약수의 개수는
$(1+1)\times(1+1)=2\times2=4$ $\therefore a_4=4$

a_5가 a_4의 양의 약수의 개수이고 $4=2^2$이므로 4의 양의 약수의 개수는
$2+1=3$ $\therefore a_5=3$

STEP B $n\geq6$일 때, a_n 구하기

a_6이 a_5의 양의 약수의 개수이고 3은 소수이므로 3의 양의 약수의 개수는 2
$\therefore a_6=2$

$n\geq6$에서 $a_n=2$

따라서 $\displaystyle\sum_{k=1}^{10}a_k=60+12+6+4+3+2\cdot5=95$

1834

정답 7

STEP A 주어진 식의 n에 1, 2, 3, $\cdots$을 차례대로 대입하여 항 구하기

$a_1=1$, $a_2=4$이고 $a_{n+2}=a_{n+1}-a_n$이므로
n대신에 1, 2, 3, 4, 5, $\cdots$을 대입하면
$a_3=a_2-a_1=4-1=3$
$a_4=a_3-a_2=3-4=-1$
$a_5=a_4-a_3=-1-3=-4$
$a_6=a_5-a_4=-4-(-1)=-3$
$a_7=a_6-a_5=-3-(-4)=1$
$a_8=a_7-a_6=1-(-3)=4$
$\qquad\qquad\vdots$
즉 수열 $\{a_n\}$은 1, 4, 3, -1, -4, -3이 순서대로 반복되므로 $a_{n+6}=a_n$

STEP B $\displaystyle\sum_{k=1}^{2020}a_k$ 구하기

따라서 $2020=6\cdot336+4$이므로
$\displaystyle\sum_{k=1}^{2020}a_k=336(1+4+3-1-4-3)+1+4+3-1=7$

1835

정답 123

STEP A 조건을 이용하여 수열 $\{a_n\}$의 규칙성 구하기

조건 (가)에서 $a_1=1$, $a_2=2$
조건 (나)에서 $n\geq3$인 자연수에 대하여
a_n은 a_{n-2}와 a_{n-1}의 합을 4로 나눈 나머지이므로
$a_1=1$, $a_2=2$, $a_3=3$, $a_4=1$, $a_5=0$, $a_6=1$,
$a_7=1$, $a_8=2$, $a_9=3$, $a_{10}=1$, $a_{11}=0$, $a_{12}=1$, $\cdots$이므로
1, 2, 3, 1, 0, 1이 계속적으로 반복된다.

STEP B $\displaystyle\sum_{k=1}^{m}a_k=166$일 때, m의 값을 구하기

즉 $\displaystyle\sum_{k=1}^{6}a_k=1+2+3+1+0+1=8$이므로 $\displaystyle\sum_{k=1}^{6n}a_k=8n$

이때 $n=20$일 때, $\displaystyle\sum_{k=1}^{120}a_k=160$이고 $a_{121}=a_1=1$, $a_{122}=a_2=2$, $a_{123}=a_3=3$

$\therefore \displaystyle\sum_{k=1}^{m}a_k=160+1+2+3=\sum_{k=1}^{120}a_k+a_{121}+a_{122}+a_{123}$

따라서 $m=123$

1836

정답 22

STEP A 근과 계수의 관계를 이용하여 $2a_{n+1}=a_n+a_{n+2}$임을 이용하여 정리하기

이차방정식 $x^2+(a_n+a_{n+2})x-a_{n+1}=0$의 두 근이 α_n, β_n이므로
근과 계수의 관계에 의하여
$\alpha_n+\beta_n=-(a_n+a_{n+2})$, $\alpha_n\beta_n=-a_{n+1}$
수열 $\{a_n\}$은 첫째항이 2인 등차수열이므로 $2a_{n+1}=a_n+a_{n+2}$

$$\begin{aligned}\sum_{n=1}^{9}(1-\alpha_n)(1-\beta_n)&=\sum_{n=1}^{9}\{1-(\alpha_n+\beta_n)+\alpha_n\beta_n\}\\&=\sum_{n=1}^{9}\{1+a_n+a_{n+2}-a_{n+1}\}\\&=\sum_{n=1}^{9}\{1+2a_{n+1}-a_{n+1}\}\\&=\sum_{n=1}^{9}\{1+a_{n+1}\}\end{aligned}$$

STEP B a_{10} 구하기

$\displaystyle\sum_{n=1}^{9}\{1+a_{n+1}\}=9+(a_2+a_3+a_4+\cdots+a_{10})=127$

$a_2+a_3+a_4+\cdots+a_{10}=118$ $\cdots\cdots$ ㉠

㉠의 양변에 a_1을 더하면
$a_1+a_2+a_3+a_4+\cdots+a_{10}=118+a_1$

$\dfrac{10(a_1+a_{10})}{2}=\dfrac{10(2+a_{10})}{2}=120$

따라서 $a_{10}=22$

1837

정답 221

STEP A 두 점을 지나는 직선의 기울기를 이용하여 α_n, β_n 구하기

곡선 $y=x^2+x$와 직선 $y=nx-2$의 교점을 각각
$A(\alpha, \alpha^2+\alpha)$, $B(\beta, \beta^2+\beta)$라 하면
직선 OA의 기울기는 $a_n=\dfrac{(\alpha^2+\alpha)-0}{\alpha-0}=\alpha+1$이고

직선 OB의 기울기는 $b_n=\dfrac{(\beta^2+\beta)-0}{\beta-0}=\beta+1$

$\therefore a_n+b_n=\alpha+\beta+2$ $\cdots\cdots$ ㉠

한편 $y=x^2+x$와 $y=nx-2$를 연립하면
$x^2+x=nx-2$
$x^2-(n-1)x+2=0$
이 이차방정식의 두 근이 α, β이므로 근과 계수의 관계에 의하여
$\alpha+\beta=n-1$
㉠에 대입하면 $a_n+b_n=n+1$

STEP B $\displaystyle\sum_{n=4}^{20}(a_n+b_n)$의 값을 구하기

따라서
$$\begin{aligned}\sum_{n=4}^{20}(a_n+b_n)&=\sum_{n=4}^{20}(n+1)=5+6+7+\cdots+21\\&=\sum_{n=1}^{21}n-(1+2+3+4)\\&=\dfrac{21\cdot22}{2}-10=221\end{aligned}$$

자연수 n에 대하여 좌표평면 위에 다음 조건을 모두 만족시키도록
점 P_1, P_2, P_2, $\cdots$를 차례로 정한다. 이때 점 P_{20}의 x좌표를 구하여라.

(가) 점 P_1의 좌표는 $(1, 1)$이다.
(나) 점 P_n의 좌표는 (a_n, a_n^2)이다.
(다) 직선 $P_n P_{n+1}$의 기울기는 $3n$이다.

STEP A **조건 (다)에서 직선 $P_n P_{n+1}$의 기울기가 $3n$임을 구하기**

직선 $P_n P_{n+1}$의 기울기가 $3n$이므로 $\dfrac{a_{n+1}^2-a_n^2}{a_{n+1}-a_n}=a_{n+1}+a_n=3n$

$a_{n+1}=3n-a_n$

STEP B **수열 $\{a_{2n}\}$에서 a_{20} 구하기**

$a_1=1$이므로
$a_2=3\cdot1-a_1=3-1=2$
$a_3=3\cdot2-a_2=6-2=4$
$a_4=3\cdot3-a_3=9-4=5$
$a_5=3\cdot4-a_4=12-5=7$
$a_6=3\cdot5-a_5=15-7=8$
$a_7=3\cdot6-a_6=18-8=10$
$a_8=3\cdot7-a_7=21-10=11$
$\qquad\qquad\vdots$
따라서 주어진 수열 $\{a_n\}$은 1, 2, 4, 5, 7, 8, 10, 11, $\cdots$
여기서 짝수 번째 항을 나열한 수열 $\{a_{2n}\}$은 2, 5, 8, 10, $\cdots$으로
첫째항이 2이고 공차가 3인 등차수열이다.
따라서 $a_{2n}=2+(n-1)\cdot3=3n-1$이므로 점 P_{20}의 x좌표 a_{20}은
$a_{20}=3\cdot10-1=29$

정답 29

1838

정답 ③

STEP A **직선 $P_n P_{n+1}$의 기울기가 a_n이므로 수열 $\{a_n\}$이 등차수열임을 이용하여 [보기]의 진위판단하기**

ㄱ. $P_1(0, 0)$, $P_2(x_2, x_2^2)$이고 직선 P_1P_2의 기울기가 a_1이므로

$\quad a_1=\dfrac{x_2^2-0}{x_2-0}=x_2=3$ [참]

ㄴ. 직선 $P_n P_{n+1}$의 기울기 a_n은 $a_n=\dfrac{x_{n+1}^2-x_n^2}{x_{n+1}-x_n}=x_{n+1}+x_n$

$\quad$ 조건 (나)에 의하여
$\quad$ 수열 $\{a_n\}$은 첫째항이 3이고 공차가 $d(d>3)$인 등차수열이므로
$\quad a_n=x_{n+1}+x_n=3+(n-1)d$ $\qquad$ $\cdots\cdots$ ㉠
$\quad$㉠에서 $n=1, 2, 3, \cdots$을 차례로 대입하면
$\quad x_2=3$, $x_3=d$, $x_4=3+d$, $x_5=2d$, $\cdots$
$\quad x_{2n}=3+(n-1)d$, $x_{2n-1}=(n-1)d$이므로 $x_{20}=3+9d$, $x_{19}=9d$
$\quad x_{20}=x_{19}+3$ [거짓]

ㄷ. $\displaystyle\sum_{k=1}^{10}(x_{2k+1}-x_{2k})=(x_3-x_2)+(x_5-x_4)+\cdots+(x_{21}-x_{20})$
$\qquad\qquad\qquad\qquad =(d-3)+(d-3)+\cdots+(d-3)$
$\qquad\qquad\qquad\qquad =10(d-3)\leq100$
$\quad d\leq13$이므로 d의 최댓값은 13 [참]
따라서 옳은 것은 ㄱ, ㄷ이다.

1839

정답 55

STEP A **$a_n=n$임을 이용하여 두 함수 $f(x)$, $g(x)$의 넓이 구하기**

조건 (가)에서
수열 $\{a_n\}$은 첫째항이 1이고 공차가 1인 등차수열이므로
$a_n=1+(n-1)\cdot1=n$
즉 $f(x)=\sqrt{x-a_n}+a_n=\sqrt{x-n}+n$
$g(x)=f(x)+n=\sqrt{x-n}+2n$
이때 두 함수 $y=f(x)$, $y=g(x)$와 두 직선 $x=a_n=n$, $x=a_{n+1}=n+1$로
둘러싸인 도형의 넓이는 다음 그림과 같이 두 영역 A가 같으므로 넓이 S_n은
가로가 1, 세로가 n인 직사각형의 넓이와 같다.

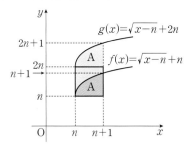

STEP B **$\displaystyle\sum_{k=1}^{10}S_k$ 구하기**

$\therefore S_n=1\cdot n=n$
따라서 $\displaystyle\sum_{k=1}^{10}S_k=\sum_{k=1}^{10}k=\dfrac{10\cdot11}{2}=55$

1840

정답 315

STEP A **조건 (가)에서 $n=1, 3, 5, \cdots, 39$를 각각 대입하고 더하여 조건 (나)를 이용하여 $|a_n|=a_n$임을 알아내기**

조건 (가)에 n 대신 $1, 3, 5, \cdots, 39$를 각각 대입하면
$|a_1|+a_2=1+6$
$|a_3|+a_4=3+6$
$|a_5|+a_6=5+6$
$\qquad\qquad\vdots$
$|a_{39}|+a_{40}=39+6$
위의 식을 변끼리 더하면
$(|a_1|+|a_3|+\cdots+|a_{39}|)+a_2+a_4+\cdots+a_{40}$
$=1+3+\cdots+39+20\times6$
$=\dfrac{20(1+39)}{2}+120$
$=400+120$
$=520$
$\therefore |a_1|+a_2+|a_3|+a_4+\cdots+|a_{39}|+a_{40}=520$ $\qquad$ $\cdots\cdots$ ㉠
조건 (나)에서
$\displaystyle\sum_{n=1}^{40}a_n=a_1+a_2+a_3+a_4+\cdots+a_{39}+a_{40}=520$ $\qquad$ $\cdots\cdots$ ㉡
㉠과 ㉡을 비교하면 $|a_n|=a_n$임을 알 수 있다.

STEP B **$|a_n|=a_n$임을 이용하여 주어진 식의 값 구하기**

따라서 $\displaystyle\sum_{n=1}^{30}a_n=a_1+a_2+a_3+a_4+\cdots+a_{29}+a_{30}$
$\qquad\qquad\quad =(|a_1|+a_2)+(|a_3|+a_4)+\cdots+(|a_{29}|+a_{30})$
$\qquad\qquad\quad =7+9+11+\cdots+35$
$\qquad\qquad\quad =\dfrac{15(7+35)}{2}$
$\qquad\qquad\quad =315$

다른풀이 $a_n \le |a_n|$을 이용하여 $a_{2k-1} = |a_{2k-1}|$임을 이용하여 풀이하기

조건 (가)에서 $a_n + a_{n+1} \le |a_n| + a_{n+1} = n + 6$

$n = 2k - 1$일 때,

$a_{2k-1} + a_{2k} \le |a_{2k-1}| + a_{2k} = 2k + 5$

$\sum_{n=1}^{40} a_n = \sum_{k=1}^{20} (a_{2k-1} + a_{2k}) \le \sum_{k=1}^{20} (2k + 5) = 520$

조건 (나)에서 $\sum_{n=1}^{40} a_n = 520$이므로

$a_{2k-1} = |a_{2k-1}| \ (k = 1, 2, \cdots, 20)$

$a_{2k-1} \ge 0$이므로 $a_{2k-1} + a_{2k} = 2k + 5$

따라서 $\sum_{n=1}^{30} a_n = \sum_{k=1}^{15} (a_{2k-1} + a_{2k})$

$= \sum_{k=1}^{15} (2k + 5)$

$= 2 \cdot \dfrac{15 \cdot 16}{2} + 15 \cdot 5$

$= 315$

1841

정답 23

STEP A 주어진 규칙에 따라 점 P_n의 좌표를 나열하기

주어진 규칙에 따라 점 P_n의 좌표를 나열해 보면

조건 (가)에서 $P_1(-1, 0)$, $P_2(1, 0)$, $P_3(-1, 2)$이고

조건 (나)에 의해 선분 $P_1 P_2$의 중점과 선분 $P_3 P_4$의 중점이 같으므로

점 P_4의 좌표는 $(1, -2)$

또, 선분 $P_2 P_3$의 중점과 선분 $P_4 P_5$의 중점이 같으므로

점 P_5의 좌표는 $(-1, 4)$

같은 방법으로 나열하면

$P_4(1, -2)$, $P_5(-1, 4)$, $P_6(1, -4)$, $P_7(-1, 6)$, $P_8(1, -6)$, $\cdots$

이므로

자연수 k에 대하여 $P_{2k-1}(-1, 2(k-1))$, $P_{2k}(1, 2(1-k))$

STEP B P_{25}의 좌표 구하기

점 P_{25}의 좌표는 $P_{2k-1}(-1, 2(k-1))$에서

$k = 13$일 때, $P_{25}(-1, 24)$

따라서 $a = -1$, $b = 24$이므로 $a + b = 23$

다른풀이 등차수열을 이용하여 풀이하기

주어진 규칙에 따라 점 P_1, P_2, P_3, $\cdots$을 좌표평면에 나타내면 오른쪽과 같다.

점 P_{2n-1} (n은 자연수)은

x좌표가 -1,

y좌표가 첫째항이 0, 공차가 2인 등차수열이므로 $2n - 2$

$\therefore P_{2n-1}(-1, 2n-2)$

$2n - 1 = 25$에서 $n = 13$

따라서 P_{25}의 좌표는 $(-1, 24)$

이므로 $a = -1$, $b = 24$

$\therefore a + b = 23$

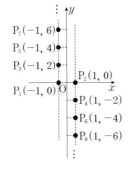

1842

정답 ②

STEP A 함수 $y = kx$와 정사각형 A_n이 교점을 갖는 경우 구하기

다음 그림과 같이 함수 $y = kx$의 그래프가 정사각형 A_n과 만나려면 두 점 $(1, 3n)$, $(n+1, 2n)$을 양 끝점으로 하는 선분과 만나야 한다.

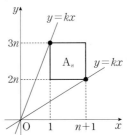

STEP B 조건을 만족하는 k의 값의 범위 구하기

함수 $y = kx$의 그래프가 점 $(1, 3n)$을 지나므로 $k = 3n$

함수 $y = kx$의 그래프가 점 $(n+1, 2n)$을 지나므로 $2n = k(n+1)$

$\therefore k = \dfrac{2n}{n+1}$

즉 함수 $y = kx$의 그래프와 정사각형 A_n이 만나려면 a_n은 부등식 $\dfrac{2n}{n+1} \le k \le 3n$을 만족하는 자연수 k의 개수이다.

STEP C [보기]에서 진위판단하기

ㄱ. $n = 2$일 때, $\dfrac{4}{3} \le k \le 6$을 만족시키는 자연수 k는

2, 3, 4, 5, 6의 5개이므로 $a_2 = 5$ [참]

ㄴ. $n = 3$일 때, $\dfrac{3}{2} \le k \le 9$를 만족시키는 자연수 k는

2, 3, 4, 5, 6, 7, 8, 9의 8개이므로 $a_3 = 8$

$n = 4$일 때, $\dfrac{8}{5} \le k \le 12$를 만족시키는 자연수 k는

2, 3, 4, 5, 6, 7, 8, 9, 10, 11, 12의 12개이므로 $a_4 = 11$

$n = 5$일 때, $\dfrac{5}{3} \le k \le 15$를 만족시키는 자연수 k는

2, 3, 4, 5, 6, 7, 8, 9, 10, 11, 12, 13, 14, 15의 12개이므로 $a_5 = 14$

$\vdots$

즉 $n \ge 2$에서 수열 $\{a_n\}$은 공차가 3인 등차수열이므로

$a_{n+1} = a_n + 3 \ (n = 2, 3, 4, \cdots)$ [참]

ㄷ. $a_2 + a_4 + a_6 + \cdots + a_{20} = 5 + 11 + 17 + \cdots + 32$

$= \sum_{k=1}^{10} (6k - 1)$

$= 6 \cdot \dfrac{10 \cdot 11}{2} - 10 = 320$ [거짓]

따라서 옳은 것은 ㄱ, ㄴ이다.

1843

STEP A 함수 $y=k\sqrt{x}$의 그래프와 정사각형 A_n의 교점을 그래프에서 확인하기

오른쪽 그림과 같이 함수 $y=k\sqrt{x}$의
그래프가 정사각형 A_n과 만나려면
함수 $y=k\sqrt{x}$의 그래프는 두 점
$(4n^2,\ n^2)$, $(n^2,\ 4n^2)$을 양 끝점으로
하는 선분과 만나야 한다.

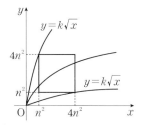

STEP B 조건을 만족하는 k의 값의 범위 구하기

함수 $y=k\sqrt{x}$의 그래프가 점 $(4n^2,\ n^2)$을 지나므로 $n^2=k\sqrt{4n^2}$

$\therefore k=\dfrac{n}{2}$

함수 $y=k\sqrt{x}$의 그래프가 점 $(n^2,\ 4n^2)$을 지나므로 $4n^2=k\sqrt{n^2}$

$\therefore k=4n$

즉 함수 $y=k\sqrt{x}$의 그래프와 정사각형 A_n이 만나려면

부등식 $\dfrac{n}{2}\leq k\leq 4n$을 만족하는 자연수 k의 개수이다.

STEP C [보기]에서 진위판단하기

ㄱ. $n=5$일 때, $\dfrac{5}{2}\leq k\leq 20$을 만족시키는 자연수 k는

3, 4, $\cdots$, 20의 18개이므로 $a_5=18$ [거짓]

ㄴ. (i) n이 홀수일 때,

$$a_n=4n-\left\{\dfrac{1}{2}(n+1)-1\right\}=\dfrac{7}{2}n+\dfrac{1}{2} \quad \cdots\cdots ㉠$$

$$a_{n+2}=4(n+2)-\left(\dfrac{1}{2}(n+3)-1\right)=\dfrac{7}{2}n+\dfrac{15}{2}$$

$\therefore a_{n+2}-a_n=7$

(ii) n이 짝수일 때,

$$a_n=4n-\left(\dfrac{1}{2}n\right)+1=\dfrac{7}{2}n+1 \quad \cdots\cdots ㉡$$

$$a_{n+2}=4(n+2)-\left\{\dfrac{1}{2}(n+2)\right\}+1=\dfrac{7}{2}n+8$$

$\therefore a_{n+2}-a_n=7$

(i), (ii)에서 $a_{n+2}-a_n=7$ [참]

ㄷ. $\displaystyle\sum_{k=1}^{10}a_k=\sum_{k=1}^{5}a_{2k-1}+\sum_{k=1}^{5}a_{2k}$

$\qquad =\displaystyle\sum_{k=1}^{5}\left\{\dfrac{7}{2}(2k-1)+\dfrac{1}{2}\right\}+\sum_{k=1}^{5}\left(\dfrac{7}{2}\cdot 2k+1\right)\ (\because ㉠,\ ㉡)$

$\qquad =\displaystyle\sum_{k=1}^{5}(7k-3+7k+1)$

$\qquad =\displaystyle\sum_{k=1}^{5}(14k-2)=14\cdot\dfrac{5\cdot 6}{2}-2\cdot 5=200$ [참]

따라서 옳은 것은 ㄴ, ㄷ이다.

1844

STEP A 수열 $\{b_n\}$에 $n=1,\ 2,\ 3,\ \cdots$을 대입하여 짝수항과 홀수항의 규칙 구하기

첫째항이 20이고 공차가 -3인 등차수열 $\{a_n\}$에 대하여 수열 $\{b_n\}$을
$b_n=a_1-a_2+a_3-a_4+\cdots+(-1)^{n+1}a_n\ (n=1,\ 2,\ 3,\ \cdots)$이므로

$b_1=a_1=20$

$b_2=a_1-a_2=-(a_2-a_1)=3$

$b_3=a_1-a_2+a_3=-(a_2-a_1)+a_3=3+a_3$

$b_4=a_1-a_2+a_3-a_4=-(a_2-a_1)-(a_4-a_3)=3+3=6$

$b_5=a_1-a_2+a_3-a_4+a_5=-(a_2-a_1)-(a_4-a_3)+a_5=6+a_5$

$\qquad\vdots$

STEP B $\displaystyle\sum_{k=1}^{20}b_k=\sum_{k=1}^{10}(b_{2k}+b_{2k-1})$ 구하기

$b_{2n-1}=-(a_2-a_1)-(a_4-a_3)-\cdots-(a_{2n-2}-a_{2n-3})+a_{2n-1}=3(n-1)+a_{2n-1}$

$b_{2n}=-(a_2-a_1)-(a_4-a_3)-\cdots-(a_{2n}-a_{2n-1})=3+3+\cdots+3=3n$

이므로

$b_{2k-1}=3(k-1)+a_{2k-1}=3(k-1)+\{20+(2k-2)\cdot(-3)\}=23-3k$

$b_{2k}=3k$

따라서 $\displaystyle\sum_{k=1}^{20}b_k=\sum_{k=1}^{10}(b_{2k}+b_{2k-1})=\sum_{k=1}^{10}23=230$

1845

STEP A 주어진 조건의 n자리에 2, 3, 4, $\cdots$을 대입하여 규칙 발견하기

등차수열 $\{a_n\}$의 공차를 $d\,(d\neq 0)$라 하자.

$b_2=b_1+a_2=a_1+(a_1+d)=2a_1+d$

$b_3=b_2-a_3=(2a_1+d)-(a_1+2d)=a_1-d$

$b_4=b_3+a_4=(a_1-d)+(a_1+3d)=2a_1+2d$

$b_5=b_4+a_5=(2a_1+2d)+(a_1+4d)=3a_1+6d$

$b_6=b_5-a_6=(3a_1+6d)-(a_1+5d)=2a_1+d$

$b_7=b_6+a_7=(2a_1+d)+(a_1+6d)=3a_1+7d$

$b_8=b_7+a_8=(3a_1+7d)+(a_1+7d)=4a_1+14d$

$b_9=b_8-a_9=(4a_1+14d)-(a_1+8d)=3a_1+6d$

$b_{10}=b_9+a_{10}=(3a_1+6d)+(a_1+9d)=4a_1+15d$

STEP B $b_{10}=a_{10}$일 때, $\dfrac{b_8}{b_{10}}$의 값 구하기

이때 $b_{10}=a_{10}$이므로 $4a_1+15d=a_1+9d$ $\therefore a_1=-2d$

이때 $\dfrac{b_8}{b_{10}}=\dfrac{4a_1+14d}{4a_1+15d}=\dfrac{4\times(-2d)+14d}{4\times(-2d)+15d}=\dfrac{6}{7}$

따라서 $p=7$, $q=6$이므로 $p+q=7+6=13$

다른풀이 주어진 식의 n에 1, 2, 3, $\cdots$, 10을 대입하여 풀이하기

$b_1=a_1$

$b_2=b_1+a_2$

$b_3=b_2-a_3$

$b_4=b_3+a_4$

$b_5=b_4+a_5$

$b_6=b_5-a_6$

$b_7=b_6+a_7$

$b_8=b_7+a_8$

$b_9=b_8-a_9$

$b_{10}=b_9+a_{10}$

위 등식의 양변을 변끼리 모두 더하여 정리하면

$b_{10}=(a_1+a_2-a_3)+(a_4+a_5-a_6)+(a_7+a_8-a_9)+a_{10}$

주어진 조건에서 $b_{10}=a_{10}$이므로

$(a_1+a_2-a_3)+(a_4+a_5-a_6)+(a_7+a_8-a_9)=0$

등차수열 $\{a_n\}$의 공차를 d라 하면

$(a-d)+(a+3d-d)+(a+6d-d)=3a+6d=0$

즉 $a=-2d$

이때 $b_{10}=a_{10}$에서 $b_9=0$이므로 $b_8=a_9$

$\dfrac{b_8}{b_{10}}=\dfrac{a_9}{a_{10}}=\dfrac{a+8d}{a+9d}=\dfrac{6d}{7d}=\dfrac{6}{7}$

따라서 $p=7$, $q=6$이므로 $p+q=7+6=13$

1회 지수 로그함수 모의평가

01	②	02	⑤	03	①	04	③	05	②
06	③	07	④	08	②	09	④	10	①
11	④	12	②	13	④	14	①	15	③
16	②	17	③	18	②	19	④	20	④

서술형			
21	해설참조	22	해설참조
23	해설참조	24	해설참조

01
정답 ②

STEP Ⓐ 밑을 2로 같게 한 후 지수법칙을 이용하여 계산하기

$4^{\frac{3}{2}} \times 4^{-1} = 4^{\frac{3}{2}-1} = 4^{\frac{1}{2}} = (2^2)^{\frac{1}{2}} = 2$

02
정답 ⑤

STEP Ⓐ 방정식 $x^n = a$를 세운 후 근의 진위판단하기

① 0의 세제곱근은 방정식 $x^3 = 0$의 근 이므로 0이다. [거짓]
② -64의 세제곱근 중 실수인 것을 x라 하면
　방정식 $x^3 = -64$의 실근이므로 $x = \sqrt[3]{-64} = \sqrt[3]{(-4)^3} = -4$ [거짓]
③ 5의 네제곱근 중 실수인 것을 x라 하면 방정식 $x^4 = 5$의 실근이므로
　$x = \sqrt[4]{5}$ 또는 $x = -\sqrt[4]{5}$이다. [거짓]
④ n이 짝수일 때, -1의 n제곱근 중에서 실수인 것은 없다. [거짓]
⑤ n이 홀수일 때, 2의 n제곱근 중에서 실수인 것은 $\sqrt[n]{2}$로 하나뿐이다. [참]
따라서 옳은 것은 ⑤이다.

03
정답 ①

STEP Ⓐ 유리수인 지수가 정수가 되기 위한 조건 구하기

$\left(\dfrac{1}{1024}\right)^{\frac{1}{n}} = (2^{-10})^{\frac{1}{n}} = 2^{-\frac{10}{n}}$

이때 $2^{-\frac{10}{n}}$이 자연수가 되려면 $-n$은 10의 양의 약수이어야 하므로
n의 값은 $-1, -2, -5, -10$
따라서 정수 n의 합은 $-1 + (-2) + (-5) + (-10) = -18$

04
정답 ③

STEP Ⓐ 곱셈공식 $(a+b)^3 = a^3 + b^3 + 3ab(a+b)$를 이용하여 식의 값 구하기

지수법칙을 이용하여 식의 값 구하기
$x = \sqrt[3]{2} + 2^{-\frac{1}{3}}$에서 $x = 2^{\frac{1}{3}} + 2^{-\frac{1}{3}}$
$x^3 = \left(2^{\frac{1}{3}} + 2^{-\frac{1}{3}}\right)^3$
$\quad = \left(2^{\frac{1}{3}}\right)^3 + \left(2^{-\frac{1}{3}}\right)^3 + 3 \cdot 2^{\frac{1}{3}} \cdot 2^{-\frac{1}{3}}\left(2^{\frac{1}{3}} + 2^{-\frac{1}{3}}\right)$
$\quad = 2^{\frac{3}{3}} + 2^{-\frac{3}{3}} + 3 \cdot 2^{\frac{1}{3} + \left(-\frac{1}{3}\right)} \cdot x$
$\quad = 2 + 2^{-1} + 3x$
따라서 $x^3 - 3x = 2 + \dfrac{1}{2} = \dfrac{5}{2}$

05
정답 ②

STEP Ⓐ 밑의 조건을 이용하여 a값의 범위 구하기

로그의 밑의 조건에서 $(a-3)^2 > 0$, $(a-3)^2 \neq 1$이어야 하므로
$a \neq 2,\ a \neq 3,\ a \neq 4$　……… ㉠

STEP Ⓑ 진수의 조건을 이용하여 a의 범위 구하기

로그의 진수조건에 의해 모든 실수 x에 대하여
$ax^2 + 2ax + 8 > 0$이 성립하려면
(ⅰ) $a = 0$일 때, $8 > 0$이므로 성립한다.
(ⅱ) $a > 0$일 때, 이차방정식 $ax^2 + 2ax + 8 > 0$이므로
　　$ax^2 + 2ax + 8 = 0$의 판별식을 D라 하면
　　$\dfrac{D}{4} = a^2 - 8a < 0$
　　$a(a-8) < 0$
　　$\therefore 0 < a < 8$
(ⅰ), (ⅱ)에서 $0 \leq a < 8$　……… ㉡
㉠, ㉡의 공통범위를 구하면
$0 \leq a < 2$ 또는 $2 < a < 3$ 또는 $3 < a < 4$ 또는 $4 < a < 8$

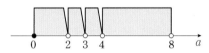

따라서 정수 a는 0, 1, 5, 6, 7이므로 5개이다.

06
정답 ③

STEP Ⓐ $\log_{10}5$를 변형하기

$\log_{10}2 = a$, $\log_{10}3 = b$이므로
$\log_{10}5 = \log_{10}\dfrac{10}{2} = \log_{10}10 - \log_{10}2 = 1 - a$

STEP Ⓑ 로그의 성질을 이용하여 $\log_5 6$을 a, b로 나타내기

따라서 $\log_5 6 = \dfrac{\log 6}{\log 5} = \dfrac{\log(2 \times 3)}{\log 5} = \dfrac{\log 2 + \log 3}{1 - \log 2} = \dfrac{a+b}{1-a}$

07
정답 ④

STEP Ⓐ 근과 계수의 관계를 이용하여 $\log a$, $\log b$의 관계식 구하기

이차방정식 $x^2 - 4x + 2 = 0$의 두 근이 $\log_{10}a$, $\log_{10}b$이므로
근과 계수의 관계에 의하여
$\log a + \log b = 4$, $\log a \cdot \log b = 2$

STEP Ⓑ 로그의 성질을 이용하여 주어진 식의 값 구하기

따라서 $\log_a b + \log_b a = \dfrac{\log b}{\log a} + \dfrac{\log a}{\log b}$
$\quad = \dfrac{(\log a)^2 + (\log b)^2}{\log a \cdot \log b}$
$\quad = \dfrac{(\log a + \log b)^2 - 2\log a \cdot \log b}{\log a \cdot \log b}$
$\quad = \dfrac{4^2 - 2 \cdot 2}{2}$
$\quad = 6$

08
정답 ②

STEP A **주어진 식을 이용하여 E_1, E_2의 값 구하기**

규모 5인 지진의 에너지를 E_1, 며칠 후 발생한 리히터 규모 3인
지진의 에너지를 E_2
$\log E_1 = 11.8 + 1.5 \times 5$ …… ㉠
$\log E_2 = 11.8 + 1.5 \times 3$ …… ㉡

STEP B **로그의 성질을 이용하여 $\dfrac{E_1}{E_2}$의 값 구하기**

㉠－㉡을 하면 $\log E_1 - \log E_2 = 3$

따라서 $\log \dfrac{E_1}{E_2} = 3$이므로 $\dfrac{E_1}{E_2} = 10^3$

09
정답 ④

STEP A **지수함수 $y = \left(\dfrac{1}{3}\right)^x$의 그래프를 평행이동한 그래프 그리기**

$y = \dfrac{1}{3} \cdot 3^{-x} - 2 = \dfrac{1}{3} \cdot \left(\dfrac{1}{3}\right)^x - 2 = \left(\dfrac{1}{3}\right)^{x+1} - 2$ …… ㉠

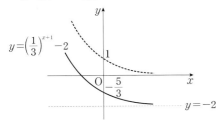

STEP B **[보기]의 진위판단하기**

① x의 값이 증가하면 y의 값은 감소한다. [참]

② 치역은 $\{y | y > -2\}$이다. [참]

③ ㉠에 $x = -1$을 대입하면 $y = \left(\dfrac{1}{3}\right)^{-1+1} - 2 = 1 - 2 = -1$

　즉 함수 $y = \dfrac{1}{3} \cdot 3^{-x} - 2$의 그래프는 점 $(-1, -1)$을 지나고
　점근선은 $y = -2$이다. [참]

④ 그래프는 제 1사분면을 지나지 않는다. [거짓]

⑤ $y = 3^x$의 그래프를 y축에 대하여 대칭이동한 그래프의 식은 $y = 3^{-x}$,
　이 그래프를 x축의 방향으로 -1만큼, y축의 방향으로 -2만큼 평행이동
　그래프의 식은 $y = 3^{-(x+1)} - 2 = 3^{-x-1} - 2 = \dfrac{1}{3} \cdot 3^{-x} - 2$ [참]

따라서 옳지 않은 것은 ④이다.

10
정답 ①

STEP A **그래프에서 점근선의 방정식을 구하여 a의 값 구하기**

함수 $y = \log_3(x-a) + b$의 그래프의 점근선은 직선 $x = a$이고
주어진 그래프에서 점근선이 직선 $x = -3$이므로 $a = -3$

STEP B **그래프가 지나는 점을 대입하여 b의 값 구하기**

$y = \log_3(x-a) + b$의 그래프가 원점 $(0, 0)$을 지나므로

$0 = \log_3 3 + b$

$\therefore b = -1$

따라서 $a + b = -3 + (-1) = -4$

11
정답 ④

STEP A **주어진 그림에서 a, b의 값 구하기**

주어진 그림에서 $y = \log_2 x$의 그래프는
점 $\mathrm{A}(a, 1)$을 지나므로 $\log_2 a = 1$
$\therefore a = 2$
점 $\mathrm{B}(b, 2)$를 지나므로 $\log_2 b = 2$
$b = 2^2 = 4$

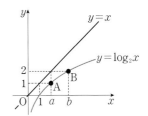

STEP B **$a + b$의 값 구하기**

따라서 $a = 2$, $b = 4$이므로 $a + b = 6$

12
정답 ②

STEP A **$2^x = t$로 치환하고 t의 범위 구하기**

$y = -4^x + 3 \cdot 2^{x+1} + 1 = -(2^x)^2 + 6 \cdot 2^x + 1$

$2^x = t$로 놓으면 $0 \leq x \leq 2$에서 $2^0 \leq 2^x \leq 2^2$

$\therefore 1 \leq t \leq 4$

STEP B **주어진 범위에서 이차함수의 최댓값, 최솟값 구하기**

즉 주어진 함수는
$f(t) = -t^2 + 6t + 1 = -(t-3)^2 + 10$
$t = 1$일 때, 최소이고 최솟값 $f(1) = 6$
$t = 3$일 때, 최대이고 최댓값 $f(3) = 10$
따라서 $M - m = 10 - 6 = 4$

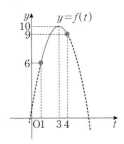

13
정답 ④

STEP A **두 점 A, C의 x좌표를 t로 놓고 a, b, c의 관계식 구하기**

정사각형 ACDB의 한 변의 길이가 4이므로
두 점 A, C의 x좌표를 t라 하면
두 점 B, D의 x좌표는 $t+4$
네 점 A, B, C, D의 y좌표가 각각 a^t, b^{t+4}, b^t, c^{t+4}이므로
$a^t = 8$, $b^{t+4} = 8$, $b^t = 4$, $c^{t+4} = 4$

STEP B **a, b, c의 값을 구하기**

$b^{t+4} = 8$, $b^t = 4$에서 $4b^4 = 8$이므로 $b^4 = 2$ $\therefore b = 2^{\frac{1}{4}}$

$b^t = 4$에서 $\left(2^{\frac{1}{4}}\right)^t = 4$ $\therefore t = 8$

$a^t = 8$에서 $a^8 = 8$ $\therefore a = 2^{\frac{3}{8}}$

$c^{t+4} = 4$에서 $c^{12} = 4$ $\therefore c = 2^{\frac{1}{6}}$

$abc = 2^{\frac{3}{8} + \frac{1}{4} + \frac{1}{6}} = 2^{\frac{19}{24}}$

따라서 $p = 24$, $q = 19$이고 $p + q = 43$

14

정답 ①

STEP Ⓐ 진수조건을 만족하는 x의 범위 구하기

진수 조건에 의하여 $2-x>0$, $x+8>0$이므로 정의역은
$-8<x<2$

STEP Ⓑ 주어진 범위에서 y의 최댓값 구하기

$y=\log_5(2-x)+\log_5(x+8)$
$\quad=\log_5(-x^2-6x+16)$

진수를
$f(x)=-x^2-6x+16=-(x+3)^2+25$
라 하면 $-8<x<2$에서
$x=-3$에서 최댓값 $f(-3)=25$
따라서 밑이 1보다 크므로 y의
최댓값은 $\log_5 25=2$

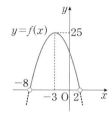

15

정답 ③

STEP Ⓐ $y=\log_2 x$를 평행이동, 대칭이동하여 얻을 수 있는 식 구하기

ㄱ. $y=2^{x-2}$의 그래프는 $y=\log_2 x$의 그래프를 y축의 방향으로 2만큼 평행이동한 후, 직선 $y=x$에 대하여 대칭이동한 것이다. [참]

ㄴ. $y=\log_4 x^2=\log_{2^2}x^2=\log_2|x|$이므로 $y=\log_2 x$의 그래프를 평행이동 또는 대칭이동하여 겹칠 수 없다. [거짓]

ㄷ. $y=\dfrac{1}{2^x}+1=2^{-x}+1$의 그래프는 $y=\log_2 x$의 그래프를 x축에 대하여 대칭이동하고 $y=x$에 대하여 대칭이동한 후, y축의 방향으로 1만큼 평행이동한 것이다. [참]

ㄹ. $y=2\log_4 x-1=2\log_{2^2}x-1=\log_2 x-1$의 그래프는 $y=\log_2 x$의 그래프를 y축의 방향으로 -1만큼 평행이동한 것과 같다. [참]

따라서 로그함수 $y=\log_2 x$의 그래프를 평행이동 또는 대칭이동하여 그래프를 얻을 수 있는 것은 ㄱ, ㄷ, ㄹ이다.

16

정답 ②

STEP Ⓐ 그래프가 제 3사분면을 지나지 않게 하는 n의 범위 구하기

함수 $y=\left(\dfrac{1}{3}\right)^{x-1}+n$의 그래프는 오른쪽
그림과 같고 $x=0$일 때,
$y=\left(\dfrac{1}{3}\right)^{-1}+n=n+3$
이므로 함수 $y=\left(\dfrac{1}{3}\right)^{x-1}+n$의 그래프가
제 3사분면을 지나지 않으려면 $n+3\geq 0$
즉 $n\geq -3$이어야 한다.
따라서 정수 n의 최솟값은 -3

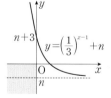

17

정답 ③

STEP Ⓐ 두 곡선의 평행이동의 관계 구하기

곡선 $y=\log_3 x$를 x축의 방향으로 -3만큼 평행이동하면
곡선 $y=\log_3(x+3)$과 일치한다.
점 A의 좌표는 $(1,0)$, 점 B의 좌표는 $(-2,0)$, 점 C의 좌표는 $(0,1)$

STEP Ⓑ 한 부분을 옮겨 넓이를 구하기 쉬운 형태로 바꾸기

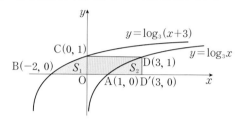

따라서 넓이 S_1과 넓이 S_2가 서로 같으므로 구하는 넓이는
사각형 COD'D의 넓이이므로 $(1+2)\cdot 1=3$

18

정답 ②

STEP Ⓐ 함수와 그 역함수의 교점은 함수와 직선 $y=x$의 교점과 같음을 이해하기

함수 $y=\log_a x+b$와 그 역함수의 그래프의 교점은 직선 $y=x$와
$y=\log_a x+b$의 그래프의 교점과 같다.

STEP Ⓑ 방정식에 두 근 1, 2를 대입하여 a, b의 값 구하기

방정식 $\log_a x+b=x$의 두 근이 1, 2이므로
$1=\log_a 1+b$에서 $b=1$
$2=\log_a 2+1$, $1=\log_a 2$에서 $a=2$
따라서 $a=2$, $b=1$이므로 $a+b=3$

19

정답 ④

STEP Ⓐ $\log_2 x=t$로 치환하고 t의 범위 구하기

$y=\left(\log_{\frac{1}{2}}4x\right)\left(\log_{\frac{1}{2}}\dfrac{8}{x}\right)$
$\quad=(\log_2 4x)\left(\log_2\dfrac{8}{x}\right)$
$\quad=(2+\log_2 x)(3-\log_2 x)$
$\quad=-(\log_2 x)^2+\log_2 x+6$

$\log_2 x=t$로 놓으면 $y=-t^2+t+6$ ...... ㉠

$1\leq x\leq 4$에서 $\log_2 1\leq\log_2 x\leq\log_2 4$이므로 $0\leq t\leq 2$

STEP Ⓑ $0\leq t\leq 2$에서 함수의 최댓값, 최솟값 구하기

㉠에서 $y=-\left(t-\dfrac{1}{2}\right)^2+\dfrac{25}{4}$이므로

$t=\dfrac{1}{2}$일 때, 최댓값 $M=\dfrac{25}{4}$이고

$t=2$일 때, 최솟값 $m=-\left(\dfrac{3}{2}\right)^2+\dfrac{25}{4}=4$

따라서 $Mm=\dfrac{25}{4}\cdot 4=25$

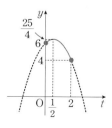

20 정답 ④

STEP ⓐ $10xm$ 내려갈 때 햇빛의 양을 식으로 세우기

바다 수면에 비치는 햇빛의 양을 a라고 하면 10m 내려갈 때
햇빛의 양은 $a\left(1-\dfrac{16}{100}\right)$이 되므로 $10xm$ 내려갈 때
햇빛의 양은 $a\left(1-\dfrac{16}{100}\right)^x$이 된다.

STEP ⓑ 햇빛의 양의 5% 이상인 경우를 식으로 표현하기

이때 식물성 플랑크톤은 바다 수면에 비치는 햇빛의 양의 5% 이상이 도달하는 깊이까지 살 수 있으므로

$a\left(1-\dfrac{16}{100}\right)^x \geq \dfrac{5}{100}a$ 에서 $\left(\dfrac{84}{100}\right)^x \geq \dfrac{5}{100}$

STEP ⓒ 양변에 상용로그를 취하여 x의 값의 범위 구하기

양변에 상용로그를 취하면

$\log\left(\dfrac{84}{100}\right)^x \geq \log\dfrac{5}{100}$, $x\log\dfrac{84}{100} \geq \log\dfrac{5}{100}$

$x(\log 8.4 - 1) \geq -(1+\log 2)$

$\therefore x \leq \dfrac{1.3}{0.1} = 13$

따라서 식물성 플랑크톤은 최대 $13 \times 10 = 130\,(\text{m})$까지 살 수 있다.

서 술 형

21 정답 해설참조

| 1단계 | $2^x + 2^{-x}$의 값을 구한다. | ◀ 40% |

$2^{2x} + 2^{-2x} = (2^x + 2^{-x})^2 - 2 = 3$이므로 $(2^x + 2^{-x})^2 = 5$

$\therefore 2^x + 2^{-x} = \sqrt{5}\ (\because 2^x + 2^{-x} > 0)$

| 2단계 | $2^{3x} + 2^{-3x}$의 값을 구한다. | ◀ 40% |

$2^x + 2^{-x} = \sqrt{5}$이므로

$2^{3x} + 2^{-3x} = (2^x + 2^{-x})^3 - 3(2^x + 2^{-x})$

$\qquad\qquad = (\sqrt{5})^3 - 3\sqrt{5}$

$\qquad\qquad = 2\sqrt{5}$

| 3단계 | $\dfrac{2^{3x} + 2^{-3x}}{2^x + 2^{-x}}$의 값을 구한다. | ◀ 20% |

따라서 $\dfrac{2^{3x} + 2^{-3x}}{2^x + 2^{-x}} = \dfrac{2\sqrt{5}}{\sqrt{5}} = 2$

22 정답 해설참조

| 1단계 | $\log 3^{50}$의 값을 구한다. | ◀ 20% |

$\log 3^{50} = 50\log 3 = 50 \times 0.4771 = 23.855$

| 2단계 | $3^{50} = a \times 10^n$ $(1 \leq a < 10$, n은 정수$)$로 나타낸다. | ◀ 50% |

$\log 3^{50} = 23 + 0.855$

$\qquad\quad = \log 10^{23} + \log 7.17$

$\qquad\quad = \log(7.17 \times 10^{23})$

$\therefore 3^{50} = 7.17 \times 10^{23}$

| 3단계 | 3^{50}이 몇 자리 자연수인지 구한다. | ◀ 30% |

$\log 3^{50} = 23 + 0.855$

따라서 정수 부분이 23이므로 3^{50}은 24자리 정수이다.

---

23 정답 해설참조

| 1단계 | 진수조건과 최고차항의 계수가 양수일 조건을 구한다. | ◀ 30% |

로그의 진수의 조건에 의하여 $a > 0$ $\qquad$ ······ ㉠
이차부등식이므로 $1 - \log a > 0$에서 $a < 10$ $\qquad$ ······ ㉡

| 2단계 | 모든 실수 x에 대하여 이차부등식이 성립하기 위한 a값의 범위를 구한다. | ◀ 40% |

$(1-\log a)x^2 + 2(1-\log a)x + \log a \geq 0$이 모든 실수 x에 대하여 성립하려면
이차방정식 $(1-\log a)x^2 + 2(1-\log a)x + \log a = 0$의 판별식을 D라 할 때,
$D \leq 0$이어야 한다.

$\dfrac{D}{4} = (1-\log a)^2 - (1-\log a)\log a \leq 0$

$2(\log a)^2 - 3\log a + 1 \leq 0$

$(2\log a - 1)(\log a - 1) \leq 0$

$\therefore \dfrac{1}{2} \leq \log a \leq 1$

즉 $\log 10^{\frac{1}{2}} \leq \log a \leq \log 10$이므로 $\sqrt{10} \leq a \leq 10$ $\qquad$ ······ ㉢

| 3단계 | 정수 a의 합을 구한다. | ◀ 30% |

㉡과 ㉢에 의하여 a의 범위는 $\sqrt{10} \leq a < 10$
이므로 정수 a의 합은 $4+5+6+7+8+9 = 39$

24 정답 해설참조

| 1단계 | $\log_3 |x-3| < 4$를 만족하는 x의 범위를 구한다. | ◀ 40% |

$\log_3 |x-3| < 4$에서 진수조건에 의하여 $|x-3| > 0$

$\therefore x \neq 3$

$\log_3 |x-3| < 4$에서 $\log_3 |x-3| < \log_3 3^4$, $|x-3| < 3^4$

$-3^4 < x - 3 < 3^4$

$\therefore -78 < x < 84$

즉 $-78 < x < 3$, $3 < x < 84$ $\qquad$ ······ ㉠

| 2단계 | $\log_2 x + \log_2(x-2) \geq 3$을 만족하는 x의 범위를 구한다. | ◀ 40% |

$\log_2 x + \log_2(x-2) \geq 3$에서 진수조건에 의하여

$x > 0$, $x - 2 > 0$

$\therefore x > 2$

$\log_2 x + \log_2(x-2) \geq 3$에서 $\log_2 x(x-2) \geq \log_2 2^3$

$x(x-2) \geq 2^3$, $x^2 - 2x - 8 \geq 0$, $(x+2)(x-4) \geq 0$

$\therefore x \leq -2$ 또는 $x \geq 4$

즉 $x \geq 4$ $\qquad$ ······ ㉡

| 3단계 | 위의 단계의 공통된 범위를 구하여 정수 x의 개수를 구한다. | ◀ 20% |

㉠, ㉡을 동시에 만족하므로 $4 \leq x < 84$
따라서 부등식을 만족하는 정수 x의 개수는 $84 - 4 = 80$

2회 지수 로그함수 모의평가

01	④	02	②	03	②	04	①	05	④
06	③	07	⑤	08	①	09	②	10	⑤
11	①	12	②	13	③	14	②	15	②
16	④	17	①	18	③	19	③	20	②

서술형

21	해설참조	22	해설참조
23	해설참조	24	해설참조

01

정답 ④

STEP A **방정식 $x^n=a$를 세운 후 근의 진위판단하기**

ㄱ. $x^3=1$에서 $(x-1)(x^2+x+1)=0$이므로 1의 세제곱근은 $1, \dfrac{-1\pm\sqrt{3}i}{2}$ 이다. [거짓]

ㄴ. n이 홀수일 때, $\sqrt[n]{a^n}=a$이다. [참]

ㄷ. n이 짝수이고 a가 양수일 때, a의 n제곱근 중 실수인 것은 $\sqrt[n]{a}, -\sqrt[n]{a}$의 2개이다. [참]

따라서 옳은 것은 ㄴ, ㄷ이다.

02

정답 ②

STEP A **거듭제곱근의 성질을 이용하여 계산하기**

① $\sqrt[3]{7} \times \sqrt[4]{7}=7^{\frac{1}{3}} \times 7^{\frac{1}{4}}=7^{\frac{1}{3}+\frac{1}{4}}=7^{\frac{7}{12}}=\sqrt[12]{7^7}$

② $\sqrt[3]{-\sqrt{64}}=\sqrt[3]{-8}=\sqrt[3]{(-2)^3}=-2$ [참]

③ $\sqrt[3]{\sqrt[4]{8}}=\sqrt[12]{2^3}=\sqrt[4]{2}$

④ $\dfrac{\sqrt[3]{-25}}{\sqrt[3]{-2}}=\sqrt[3]{\dfrac{25}{2}}$

⑤ $\left(\sqrt[3]{5} \times \dfrac{1}{\sqrt{5}}\right)^6=\left(5^{\frac{1}{3}} \times 5^{-\frac{1}{2}}\right)^6=\left(5^{\frac{1}{3}-\frac{1}{2}}\right)^6=\left(5^{-\frac{1}{6}}\right)^6=5^{-1}=\dfrac{1}{5}$

따라서 옳은 것은 ②이다.

03

정답 ②

STEP A **로그의 밑 조건을 만족하는 x의 범위 구하기**

$\log_{x+3}(12-x-x^2)$가 정의되기 위해서는

로그의 밑의 조건에 의해 $x+3>0, x+3\ne 1$

즉 $x>-3, x\ne -2$이므로

$-3<x<-2$ 또는 $x>-2$ ...... ㉠

STEP B **로그의 진수 조건을 만족하는 x의 범위 구하기**

로그의 진수의 조건에 의해 $12-x-x^2>0$

즉 $x^2+x-12<0, (x+4)(x-3)<0$

$\therefore -4<x<3$ ...... ㉡

STEP C **두 조건을 동시에 만족하는 x의 범위를 구하여 정수 x의 개수 구하기**

㉠, ㉡을 동시에 만족시키는 x의 값은

$-3<x<-2$ 또는 $-2<x<3$

따라서 정수 x는 $-1, 0, 1, 2$이므로 4개이다.

04

정답 ①

STEP A **곱셈공식 $(a+b)^2=a^2+2ab+b^2$을 이용하여 식의 값 구하기**

$\sqrt{x}+\dfrac{1}{\sqrt{x}}=3$에서 $x^{\frac{1}{2}}+x^{-\frac{1}{2}}=3$

$\left(x^{\frac{1}{2}}+x^{-\frac{1}{2}}\right)^2=x+2 \cdot x^{\frac{1}{2}} \cdot x^{-\frac{1}{2}}+x^{-1}$이므로 $3^2=x+2+x^{-1}$

$\therefore x+x^{-1}=7$

STEP B **곱셈공식 $(a+b)^2=a^2+2ab+b^2$을 이용하여 x^2+x^{-2}의 값 구하기**

$(x+x^{-1})^2=x^2+2 \cdot x \cdot x^{-1}+x^{-2}$이므로 $7^2=x^2+2+x^{-2}$

$\therefore x^2+x^{-2}=47$

STEP C **주어진 식의 값 구하기**

따라서 $\dfrac{x+x^{-1}+3}{x^2+x^{-2}-7}=\dfrac{7+3}{47-7}=\dfrac{1}{4}$

05

정답 ④

STEP A **지수법칙을 이용하여 밑을 통일시켜 나타내기**

$a^x=b^y=c^z=16$이라 하면

$a^x=2^4$에서 $a=2^{\frac{4}{x}}$ ...... ㉠

$b^y=2^4$에서 $b=2^{\frac{4}{y}}$ ...... ㉡

$c^z=2^4$에서 $c=2^{\frac{4}{z}}$ ...... ㉢

STEP B **밑을 통일시킨 조건식을 이용하여 구하는 값을 계산하기**

㉠×㉡×㉢을 하면 $abc=2^{\frac{4}{x}+\frac{4}{y}+\frac{4}{z}}$

이때 $abc=64$이므로 $2^{\frac{4}{x}+\frac{4}{y}+\frac{4}{z}}=2^6$

따라서 $\dfrac{4}{x}+\dfrac{4}{y}+\dfrac{4}{z}=6$이므로 $\dfrac{1}{x}+\dfrac{1}{y}+\dfrac{1}{z}=\dfrac{3}{2}$

06

정답 ③

STEP A **로그의 여러 가지 성질을 이용하여 계산하기**

$\log_6 27 \times \log_6 4=6\log_6 3 \times \log_6 2$이므로

$(\log_6 3)^2+\dfrac{1}{3}\log_6 27 \times \log_6 4+(\log_6 2)^2$

$=(\log_6 3)^2+2\log_6 3 \times \log_6 2+(\log_6 2)^2$

$=(\log_6 3+\log_6 2)^2$

$=(\log_6 6)^2=1$

07

정답 ⑤

STEP A **조건 (가)를 이용하여 x와 y 사이의 관계식 구하기**

$36^{\log_6 x}=x^{\log_6 36}=x^{\log_6 6^2}=x^{2\log_6 6}=x^2$이므로

조건 (가)에서 $36^{\log_6 x}=x^2=\sqrt[3]{y}=y^{\frac{1}{3}}$

$(x^2)^{\frac{1}{2}}=\left(y^{\frac{1}{3}}\right)^{\frac{1}{2}}$에서 $x=y^{\frac{1}{6}}$

STEP B **조건 (나)를 이용하여 y와 z 사이의 관계식 구하기**

$27^{2\log_3 y}=27^{\log_3 y^2}=(y^2)^{\log_3 27}=(y^2)^{\log_3 3^3}=(y^2)^3=y^6$이므로

조건 (나)에서 $27^{2\log_3 y}=y^6=\sqrt{z}=z^{\frac{1}{2}}$

$\left(z^{\frac{1}{2}}\right)^2=(y^6)^2$에서 $z=y^{12}$

따라서 $\log_x z=\log_{y^{\frac{1}{6}}} y^{12}=\dfrac{12}{\dfrac{1}{6}}=72$

08

정답 ①

STEP A 주어진 조건을 이용하여 상수 k의 값 구하기

처음 기억 상태가 90일 때, 9개월 후의 기억 상태가 30이므로

$\log \dfrac{90}{30} = k\log(9+1)$ ∴ $k = \log 3$

STEP B 처음 기억 상태가 60일 때, 9개월 후의 기억 상태 구하기

처음 기억 상태가 60일 때, 9개월 후의 기억 상태를 a라 하면

$\log \dfrac{60}{a} = \log 3 \times \log(9+1) = \log 3$

∴ $a = 20$

09

정답 ②

STEP A 좌변의 분모, 분자에 2^a을 곱하여 4^a의 값 구하기

$\dfrac{2^a + 2^{-a}}{2^a - 2^{-a}} = -2$에서 좌변의 분모, 분자에 2^a을 곱하면

$\dfrac{2^{2a}+1}{2^{2a}-1} = \dfrac{4^a+1}{4^a-1} = -2$이므로 $4^a+1 = -2(4^a-1)$

∴ $4^a = \dfrac{1}{3}$

따라서 $4^a + 4^{-a} = \dfrac{1}{3} + 3 = \dfrac{10}{3}$

10

정답 ⑤

STEP A 로그의 성질을 이용하여 계산하기

$\begin{aligned}
\dfrac{1}{\log_2 x} + \dfrac{1}{\log_5 x} + \dfrac{1}{\log_6 x} &= \log_x 2 + \log_x 5 + \log_x 6 \\
&= \log_x(2 \cdot 5 \cdot 6) \\
&= \log_x 60 \\
&= \dfrac{1}{\log_{60} x}
\end{aligned}$

따라서 $a = 60$

11

정답 ①

STEP A 지수함수 $y = a^x$의 그래프를 조건에 따라 이동한 그래프의 식 구하기

$y = a^x$의 그래프를 x축의 방향으로 b만큼, y축의 방향으로 c만큼 평행이동한 그래프의 식은 $y = a^{x-b} + c$

STEP B 평행이동한 식과 주어진 식을 비교하여 a, b, c의 값 구하기

이때 $y = 9\left(3^x - \dfrac{1}{3}\right) - 1 = 3^{x+2} - 4$이므로 $a = 3$, $b = -2$, $c = -4$

따라서 $a + b + c = -3$

12

정답 ②

STEP A 점근선의 방정식을 이용하여 b의 값 구하기

함수 $y = 2^{x+a} + b$의 그래프의 점근선은 $y = b$

주어진 그래프의 점근선이 직선 $y = -2$이므로 $b = -2$

STEP B 점 $(0, 0)$을 대입하여 a의 값 구하기

또한, 함수 $y = 2^{x+a} - 2$의 그래프가 점 $(0, 0)$을 지나므로

$0 = 2^a - 2$, $2^a = 2$

∴ $a = 1$

따라서 $a = 1$, $b = -2$이므로 $a + b = -1$

13

정답 ③

STEP A 밑을 3으로 통일하여 $3^x = t\,(t > 0)$로 치환하기

$y = 3^{2x} - 2 \cdot 3^x + a = (3^x)^2 - 2 \cdot 3^x + a$

$3^x = t\,(t > 0)$로 놓으면 $y = t^2 - 2t + a$ …… ㉠

STEP B $x = b$에서 최솟값이 4인 이차함수의 식 구하기

이때 y는 $x = b$, 즉 $t = 3^b$일 때, 최솟값 4를 가지므로

$y = (t - 3^b)^2 + 4 = t^2 - 2 \cdot 3^b t + 3^{2b} + 4$ …… ㉡

㉠, ㉡의 식이 같으므로

$2 \cdot 3^b = 2$, $3^{2b} + 4 = a$

따라서 $b = 0$, $a = 5$이므로 $a + b = 5$

다른풀이 3^x의 이차함수의 최솟값을 이용하여 풀이하기

$y = 9^x - 2 \cdot 3^x + a = (3^x)^2 - 2 \cdot 3^x + a = (3^x - 1)^2 + a - 1$이므로

함수 y는 $3^x = 1$, 즉 $x = 0$에서 최솟값 $a - 1$을 갖는다.

$b = 0$이고 $a - 1 = 4$에서 $a = 5$

따라서 $a = 5$, $b = 0$이므로 $a + b = 5$

14

정답 ②

STEP A 주어진 로그함수의 그래프 그리기

함수 $y = \log_2(x-2) - 1$의 그래프는 $y = \log_2 x$의 그래프를 x축의 방향으로 2만큼, y축의 방향으로 -1만큼 평행이동한 식이므로 그래프는 오른쪽 그림과 같다.

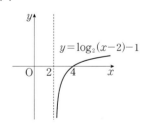

STEP B 로그함수의 그래프의 성질을 이용하여 진위판단하기

① 정의역은 $\{x \mid x > 2\}$이다.

② 치역은 모든 실수이다. [거짓]

③ 그래프의 점근선은 직선 $x = 2$이다.

④ 그래프는 점 $(4, 0)$을 지난다.

⑤ 함수 $y = \log_2(x-2) - 1$의 역함수를 구하면 다음과 같다.

　x에 대하여 정리하면

　$y + 1 = \log_2(x-2)$, $2^{y+1} = x - 2$

　∴ $x = 2^{y+1} + 2$

　x와 y를 서로 바꾸면 구하는 역함수는

　∴ $y = 2^{x+1} + 2$

　즉 함수 $y = 2^{x+1} + 2$의 그래프와 직선 $y = x$에 대하여 대칭이다.

따라서 옳지 않은 것은 ②이다.

15

STEP Ⓐ **함수 $f(x)$가 (밑)>1일 때, 증가하는 함수임을 이해하기**

$y=\log_3(x^2-2x+3)$에서 밑 3은 1보다 크므로
x^2-2x+3의 값이 증가하면 y의 값도 증가한다.

STEP Ⓑ **$0\le x\le 3$에서 진수의 범위 구하기**

진수를 $f(x)=x^2-2x+3$이라 하면
$f(x)=(x-1)^2+2$
$0\le x\le 3$에서 $2\le f(x)\le 6$

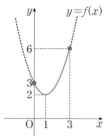

STEP Ⓒ **$y=\log_3 f(x)$의 최댓값, 최솟값 구하기**

$y=\log_3 f(x)$는
$f(x)=2$일 때, 최소이고 최솟값은 $m=\log_3 2$
$f(x)=6$일 때, 최대이고 최댓값은 $M=\log_3 6$
따라서 $M-m=\log_3 6-\log_3 2=\log_3 3=1$

16

STEP Ⓐ **함수 $y=\left(\dfrac{1}{8}\right)^x$의 그래프를 대칭이동과 평행이동한 그래프의 식을 이해하기**

$f(x)=-2^{4-3x}+k=-\left(\dfrac{1}{8}\right)^{x-\frac{4}{3}}+k$이므로 함수 $y=f(x)$의 그래프는

함수 $y=\left(\dfrac{1}{8}\right)^x$의 그래프를 x축에 대하여 대칭이동시킨 후 x축의 방향으로

$\dfrac{4}{3}$만큼, y축의 방향으로 k만큼 평행이동시킨 것이다.

STEP Ⓑ **함수 $y=f(x)$의 그래프가 제 2사분면을 지나지 않도록 하는 k의 범위 구하기**

함수 $y=f(x)$의 그래프가 제 2사분면을 지나지 않아야 하므로
그 개형은 다음과 같다.

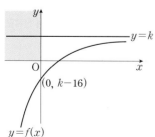

이때 $f(0)\le 0$ 이어야 하므로 $f(0)=-2^4+k\le 0$
$\therefore k\le 16$
따라서 k의 최댓값은 16

17

STEP Ⓐ **$a^3=4$임을 이용하여 a의 값 구하기**

4의 세제곱근 중 실수인 것이 a이므로 $a^3=4$에서 $a=\sqrt[3]{4}=2^{\frac{2}{3}}$

STEP Ⓑ **$a=2^{\frac{2}{3}}$임을 이용하여 지수방정식의 해를 구하기**

주어진 방정식은 $\left(\dfrac{1}{2}\right)^{x+1}=2^{\frac{2}{3}}$

$2^{-(x+1)}=2^{\frac{2}{3}},\ -x-1=\dfrac{2}{3}$

따라서 $x=-\dfrac{5}{3}$

18

STEP Ⓐ **진수 조건에서 x의 범위 구하기**

로그의 진수의 조건에 의하여 $x+5>0,\ 1-x>0$
$\therefore -5<x<1$ ······ ㉠

STEP Ⓑ **$\log_2 f(x)\ge \log_2 g(x)$에서 $f(x)\ge g(x)$임을 이용하기**

$\log_{\sqrt{2}}(x+5)+\log_{\frac{1}{2}}(1-x)\ge 0$에서 밑을 2로 통일하면

$\log_2(x+5)^2\ge \log_2(1-x)$
$(x+5)^2\ge 1-x,\ x^2+11x+24\ge 0$
$(x+8)(x+3)\ge 0$
$\therefore x\le -8$ 또는 $x\ge -3$ ······ ㉡
㉠, ㉡에서 공통범위는 $-3\le x<1$
따라서 정수 x의 개수는 $-3,\ -2,\ -1,\ 0$이므로 4개이다.

19

STEP Ⓐ **각 도형의 넓이를 a로 표현하고 식에 대입하여 a의 값 구하기**

$\dfrac{(\square OAPQ의 넓이)}{(\triangle APR의 넓이)}=\dfrac{\frac{1}{2}(1+a)\log_2 a}{\frac{1}{2}(a-1)\log_2 a}=\dfrac{1+a}{a-1}=\dfrac{5}{3}$

$3+3a=5a-5,\ 2a=8\ \therefore a=4$

STEP Ⓑ **$b=\log_2 a$를 이용하여 b의 값 구하기**

이때 $b=\log_2 a$이므로 $b=2$
따라서 $a+b=6$

20

STEP Ⓐ **$2^{\frac{x}{2}}=t$로 치환하여 t에 대한 이차부등식 작성하기**

$2^{x+1}-2^{\frac{x+4}{2}}+a\ge 0$에서 $2^{\frac{x}{2}}=t\ (t>0)$로 치환하면
$2^{x+1}=2^x\times 2=\left(2^{\frac{x}{2}}\right)^2\times 2=2t^2$
$2^{\frac{x+4}{2}}=2^{\frac{x}{2}}\times 2^2=4t$이므로 주어진 부등식은 $2t^2-4t+a\ge 0$

STEP Ⓑ **$t>0$에서 이차함수가 $f(t)\ge 0$인 범위 구하기**

$f(t)=2t^2-4t+a=2(t-1)^2+a-2$
이라 하면
$t>0$일 때, $f(t)\ge 0$이 항상 성립하기
위해서는 $a-2\ge 0$이어야 한다.
$\therefore a\ge 2$
따라서 구하는 실수 a의 최솟값은 2

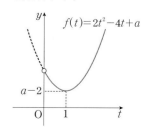

21

정답 해설참조

| 1단계 | $x=\dfrac{1}{2}\log_a 3$에서 a^{2x}의 값을 구한다. | ◀ 10% |

$x=\dfrac{1}{2}\log_a 3$에서 $a^{2x}=3$

| 2단계 | $\dfrac{a^x-a^{-x}}{a^x+a^{-x}}$의 값을 구한다. | ◀ 40% |

$\dfrac{a^x-a^{-x}}{a^x+a^{-x}}$의 분모, 분자에 a^x을 곱하면

$\dfrac{a^x-a^{-x}}{a^x+a^{-x}}=\dfrac{a^x(a^x-a^{-x})}{a^x(a^x+a^{-x})}=\dfrac{a^{2x}-1}{a^{2x}+1}=\dfrac{1}{2}$

| 3단계 | $\dfrac{a^{3x}-a^{-3x}}{a^{3x}+a^{-3x}}$의 값을 구한다. | ◀ 40% |

$\dfrac{a^{3x}-a^{-3x}}{a^{3x}+a^{-3x}}$의 분모, 분자에 a^x을 곱하면

$\dfrac{a^{3x}-a^{-3x}}{a^{3x}+a^{-3x}}=\dfrac{a^x(a^{3x}-a^{-3x})}{a^x(a^{3x}+a^{-3x})}=\dfrac{a^{4x}-a^{-2x}}{a^{4x}+a^{-2x}}=\dfrac{(a^{2x})^2-\dfrac{1}{a^{2x}}}{(a^{2x})^2+\dfrac{1}{a^{2x}}}=\dfrac{13}{14}$

| 4단계 | $\dfrac{a^x-a^{-x}}{a^x+a^{-x}}+\dfrac{a^{3x}-a^{-3x}}{a^{3x}+a^{-3x}}$의 값을 구한다. | ◀ 10% |

$\dfrac{a^x-a^{-x}}{a^x+a^{-x}}+\dfrac{a^{3x}-a^{-3x}}{a^{3x}+a^{-3x}}=\dfrac{1}{2}+\dfrac{13}{14}=\dfrac{20}{14}=\dfrac{10}{7}$

22

정답 해설참조

| 1단계 | 이차방정식의 두 근이 $\log_2 a$, $\log_2 b$이므로 근과 계수의 관계에 의하여 두 근의 합과 두 근의 곱을 구한다. | ◀ 30% |

이차방정식 $x^2-6x+2=0$의 두 근이 $\log_2 a$, $\log_2 b$이므로

근과 계수의 관계에서

$\log_2 a+\log_2 b=6$, $\log_2 a\cdot\log_2 b=2$

| 2단계 | $\log_a b+\log_b a$의 밑을 2로 변환한다. | ◀ 30% |

$\log_a b+\log_b a=\dfrac{\log_2 b}{\log_2 a}+\dfrac{\log_2 a}{\log_2 b}$

| 3단계 | 곱셈공식의 변형을 이용하여 $\log_a b+\log_b a$의 값을 구한다. | ◀ 40% |

$\log_a b+\log_b a=\dfrac{(\log_2 a)^2+(\log_2 b)^2}{\log_2 a\cdot\log_2 b}$

$=\dfrac{(\log_2 a+\log_2 b)^2-2\log_2 a\cdot\log_2 b}{\log_2 a\cdot\log_2 b}$

$=\dfrac{6^2-2\cdot2}{2}$

$=16$

23

정답 해설참조

| 1단계 | 함수 $y=3^x$의 그래프를 평행이동 또는 대칭이동하여 함수 $y=f(x)$의 그래프를 그린다. | ◀ 50% |

$f(x)=9\times\left(\dfrac{1}{3}\right)^x-2=3^{-(x-2)}-2$이므로 함수 $y=3^x$의 그래프를 y축에 대하여

대칭이동한 그래프의 식 $y=3^{-x}$을 x축으로 2만큼, y축으로 -2만큼 평행이동

한 그래프의 식이다.

즉 이 함수의 그래프는 다음 그림과 같다.

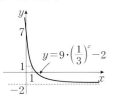

| 2단계 | $-1\le x\le4$에서 함수 $y=f(x)$의 최댓값과 최솟값을 각각 구한다. | ◀ 50% |

함수 $f(x)=9\times\left(\dfrac{1}{3}\right)^x-2$은 x의 값이 증가하면 y의 값이 감소한다.

$x=-1$일 때, 최대이고 최댓값은 $9\times\left(\dfrac{1}{3}\right)^{-1}-2=27-2=25$

$x=4$일 때, 최소이고 최솟값은 $9\times\left(\dfrac{1}{3}\right)^4-2=\dfrac{1}{9}-2=-\dfrac{17}{9}$

24

정답 해설참조

| 1단계 | 로그의 밑과 진수조건을 만족하는 x의 범위를 구한다. | ◀ 40% |

로그의 밑의 조건에 의해

$x-1>0$, $x-1\ne1$에서 $1<x<2$, $x>2$ ······ ㉠

로그의 진수의 조건에 의하여

$-2x+3>0$에서 $x<\dfrac{3}{2}$ ······ ㉡

㉠, ㉡을 동시에 만족하는 x의 범위는

$1<x<\dfrac{3}{2}$ ······ ㉢

| 2단계 | 로그부등식을 만족하는 x의 범위를 구한다. | ◀ 40% |

이때 $0<x-1<\dfrac{1}{2}$이므로 $\log_{x-1}(-2x+3)\ge1$에서

밑이 0과 1 사이에 존재하므로 $-2x+3\le x-1$

$\therefore x\ge\dfrac{4}{3}$ ······ ㉣

| 3단계 | x의 범위를 구한다. | ◀ 20% |

따라서 ㉢, ㉣에서 동시에 만족하는 x의 범위는 $\dfrac{4}{3}\le x<\dfrac{3}{2}$

01	②	02	①	03	①	04	①	05	④
06	①	07	③	08	②	09	③	10	①
11	④	12	②	13	①	14	⑤	15	②
16	③	17	⑤	18	②	19	②	20	①

서술형			
21	해설참조	22	해설참조
23	해설참조	24	해설참조

01

정답 ②

STEP Ⓐ 거듭제곱근의 정의 이해하기

ㄱ. -3의 세제곱근은 방정식 $x^3=-3$의 근이므로 3개이다. [거짓]

ㄴ. 3^{10}의 다섯제곱근 중 실수인 것은 $x^5=3^{10}$의 실근이므로

$x=(3^{10})^{\frac{1}{5}}=3^2=9$ [참]

ㄷ. -16의 네제곱근 중 실수인 것은 $x^4=-16$이므로 실근은 존재하지 않는다. [거짓]

따라서 옳은 것은 ㄴ이다.

02

정답 ①

STEP Ⓐ 3^x+3^{-x}의 값을 구하기

$9^x-3^{x+1}+1=0$에서 $3^{2x}-3\times3^x+1=0$

양변을 3^x으로 나누면

$3^x-3+\dfrac{1}{3^x}=0$이므로 $3^x+3^{-x}=3$

STEP Ⓑ 곱셈공식을 이용하여 주어진 값 구하기

(ⅰ) $9^x+9^{-x}=(3^x+3^{-x})^2-2=3^2-2=7$

(ⅱ) $27^x+27^{-x}=(3^x+3^{-x})^3-3(3^x+3^{-x})$
$=3^3-3\cdot3=18$

(ⅰ), (ⅱ)에서 $\dfrac{27^x+27^{-x}+2}{9^x+9^{-x}+3}=\dfrac{18+2}{7+3}=2$

03

정답 ①

STEP Ⓐ $(\sqrt[4]{6^5})^{\frac{1}{2}}$이 어떤 자연수의 n제곱근임을 이용하여 식 세우기

어떤 자연수 N에 대하여 $(\sqrt[4]{6^5})^{\frac{1}{2}}$이 자연수 N의 n제곱근이므로

$\left\{(\sqrt[4]{6^5})^{\frac{1}{2}}\right\}^n=(6^{\frac{5}{4}})^{\frac{n}{2}}=6^{\frac{5n}{8}}=N$

STEP Ⓑ $\dfrac{5}{8}n$이 정수이기 위한 자연수 n의 개수 구하기

위의 등식을 만족시키기 위해서는 $5n$이 8의 배수이어야 한다.

이때 5와 8이 서로소이므로 n은 8의 배수이다.

따라서 $2\le n\le100$인 자연수 중에서 8의 배수의 개수는 $8, 16, 24, \cdots, 96$으로 12개이다.

04

정답 ①

STEP Ⓐ 거듭제곱근의 꼴을 유리수인 지수의 꼴로 바꾸어 계산하기

$\sqrt[4]{ab^2}\times\sqrt[12]{a^7b^3}\div\sqrt[6]{a^3b^5}=\sqrt[4]{a}\sqrt[4]{b^2}\times\sqrt[12]{a^7}\sqrt[12]{b^3}\div\sqrt[6]{a^3}\sqrt[6]{b^5}$

$=a^{\frac{1}{4}}b^{\frac{1}{2}}\times a^{\frac{7}{12}}b^{\frac{1}{4}}\div a^{\frac{1}{2}}b^{\frac{5}{6}}$

$=a^{\frac{1}{4}+\frac{7}{12}-\frac{1}{2}}b^{\frac{1}{2}+\frac{1}{4}-\frac{5}{6}}$

$=a^{\frac{1}{3}}b^{-\frac{1}{12}}$

따라서 유리수 $x=\dfrac{1}{3}$, $y=-\dfrac{1}{12}$이므로 $x+y=\dfrac{1}{4}$

05

정답 ④

STEP Ⓐ 자연수 n에 대하여 $\dfrac{1}{5^{-n}+1}+\dfrac{1}{5^n+1}$의 값 구하기

자연수 n에 대하여 $\dfrac{1}{5^{-n}+1}=\dfrac{1}{\frac{1}{5^n}+1}=\dfrac{5^n}{5^n+1}$이므로

$\dfrac{1}{5^{-n}+1}+\dfrac{1}{5^n+1}=\dfrac{5^n}{5^n+1}+\dfrac{1}{5^n+1}=1$

STEP Ⓑ $\dfrac{1}{5^{-n}+1}+\dfrac{1}{5^n+1}=1$임을 이용하여 주어진 식 계산하기

따라서 구하는 값은

$\left(\dfrac{1}{5^{-20}+1}+\dfrac{1}{5^{20}+1}\right)+\left(\dfrac{1}{5^{-19}+1}+\dfrac{1}{5^{19}+1}\right)+\cdots+\left(\dfrac{1}{5^{-1}+1}+\dfrac{1}{5^1+1}\right)+\dfrac{1}{5^0+1}$

$=1\cdot20+\dfrac{1}{1+1}$

$=20+\dfrac{1}{2}=\dfrac{41}{2}$

06

정답 ①

STEP Ⓐ 주어진 식을 변형하여 $2^{\frac{5}{x}}$, $2^{\frac{4}{y}}$꼴로 고치기

$12^x=2^5$이므로 $12=2^{\frac{5}{x}}$ ……… ㉠

$3^y=2^4$이므로 $3=2^{\frac{4}{y}}$ ……… ㉡

STEP Ⓑ 두 식을 나누어 $2^{\frac{5}{x}-\frac{4}{y}}$꼴을 만들기

㉠÷㉡을 하면 $4=2^{\frac{5}{x}}\div2^{\frac{4}{y}}$

즉 $2^{\frac{5}{x}}\div2^{\frac{4}{y}}=2^{\frac{5}{x}-\frac{4}{y}}=2^2$이므로 $\dfrac{5}{x}-\dfrac{4}{y}=2$

07

정답 ③

STEP Ⓐ 곱셈공식을 이용하여 식의 값 구하기

$a={}^{2n}\!\sqrt{4}={}^{2n}\!\sqrt{2^2}={}^n\!\sqrt{2}$이므로 $a^n=2$

$\dfrac{a^{3n}-a^{-3n}}{a^{2n}+a^{-2n}+1}=\dfrac{(a^n-a^{-n})(a^{2n}+1+a^{-2n})}{a^{2n}+a^{-2n}+1}=a^n-a^{-n}$

$=2-2^{-1}$

$=2-\dfrac{1}{2}=\dfrac{3}{2}$

다른풀이 분모, 분자에 a^{3n}을 곱하여 풀이하기

$a={}^{2n}\!\sqrt{4}={}^{2n}\!\sqrt{2^2}={}^n\!\sqrt{2}$이므로 $a^n=2$

$\dfrac{a^{3n}-a^{-3n}}{a^{2n}+a^{-2n}+1}=\dfrac{a^{3n}(a^{3n}-a^{-3n})}{a^{3n}(a^{2n}+a^{-2n}+1)}=\dfrac{a^{6n}-1}{a^{5n}+a^n+a^{3n}}=\dfrac{2^6-1}{2^5+2+2^3}$

$=\dfrac{64-1}{32+2+8}$

$=\dfrac{63}{42}=\dfrac{3}{2}$

08

STEP A 상용로그의 정수부분과 소수부분을 이용하여 a, b의 값 구하기

$\log 0.155 = -0.8097 = -1 + 0.1903$

$\log 245 = 2.3892 = 2 + 0.3892$

이므로

$\log a = 0.3892 = -2 + \log 245 = \log 2.45$

$\therefore a = 2.45$

$\log b = 1.1903 = 1 + 0.1903 = 1 + (1 + \log 0.155)$
$\qquad\qquad = 2 + \log 0.155 = \log 15.5$

$\therefore b = 15.5$

STEP B $100(a+b)$의 값 구하기

$100(a+b) = 100(2.45 + 15.5) = 100 \cdot 17.95 = 1795$

09

STEP A $f(x)$를 정리하여 로그의 성질을 이용하여 구하기

$f(x) = \log_2\left(1 + \dfrac{1}{x+3}\right) = \log_2 \dfrac{x+4}{x+3}$ 이므로

$f(1) + f(2) + f(3) + \cdots + f(n)$

$= \log_2 \dfrac{5}{4} + \log_2 \dfrac{6}{5} + \log_2 \dfrac{7}{6} + \cdots + \log_2 \dfrac{n+4}{n+3}$

$= \log_2\left(\dfrac{5}{4} \times \dfrac{6}{5} \times \dfrac{7}{6} \times \cdots \times \dfrac{n+4}{n+3}\right)$

$= \log_2 \dfrac{n+4}{4}$

$= 3$

STEP B n의 값 구하기

따라서 $\dfrac{n+4}{4} = 8$이므로 $n = 28$

10

STEP A 로그의 밑의 변환 공식을 이용하여 구하기

$\log_c a : \log_c b = 2 : 3$에서 $3\log_c a = 2\log_c b$이므로

$\log_a b = \dfrac{\log_c b}{\log_c a} = \dfrac{3}{2}$

따라서 $10\log_a b + 9\log_b a = 10 \times \dfrac{3}{2} + 9 \times \dfrac{2}{3} = 21$

다른풀이 비례식의 값을 정하여 풀이하기

$\log_c a : \log_c b = 2 : 3$이므로

$\log_c a = 2k$, $\log_c b = 3k$ (단, k는 0이 아닌 실수)라 하자.

$\log_a b = \dfrac{\log_c b}{\log_c a} = \dfrac{3k}{2k} = \dfrac{3}{2}$

$\log_b a = \dfrac{1}{\log_a b} = \dfrac{2}{3}$

따라서 $10\log_a b + 9\log_b a = 10 \cdot \dfrac{3}{2} + 9 \cdot \dfrac{2}{3} = 21$

11

STEP A $\log_3\left(\dfrac{x}{9} - 1\right)$을 변형하기

$y = \log_3\left(\dfrac{x}{9} - 1\right)$

$\quad = \log_3 \dfrac{x-9}{9}$

$\quad = \log_3(x-9) - \log_3 9$

$\quad = \log_3(x-9) - 2$

STEP B $y = \log_3 x$를 평행이동시켜 m, n 구하기

함수 $y = \log_3\left(\dfrac{x}{9} - 1\right)$의 그래프는 함수 $y = \log_3 x$의 그래프를 x축의 방향으로 9만큼, y축의 방향으로 -2만큼 평행이동시킨 것이다.

따라서 $m = 9$, $n = -2$이므로 $m + n = 7$

12

STEP A 주어진 식에 대입하여 상용로그의 성질을 이용하여 구하기

$x = 631$, $M = -5$를 $m - M = 5\log x - 5$에 대입하면

$m - (-5) = 5\log 631 - 5$

$m = 5\log 631 - 10$

$\quad = 5\log(6.31 \times 10^2) - 10$

$\quad = 5(\log 6.31 + \log 10^2) - 10$

$\quad = 5(0.8 + 2) - 10 = 4$

따라서 구하는 별의 겉보기 등급은 4

13

STEP A 대칭이동과 평행이동한 그래프의 식 구하기

$y = a^x$를 y축에 대하여 대칭이동한 그래프의 식은

$y = a^{-x}$ $\qquad\qquad \cdots\cdots$ ㉠

㉠의 그래프를 x축으로 3, y축으로 2만큼 평행이동한 그래프의 식은

$y = a^{-(x-3)} + 2$

STEP B 점 $(1, 4)$를 대입하여 a의 값 구하기

따라서 $y = a^{-(x-3)} + 2$의 그래프가 $(1, 4)$를 지나므로 $4 = a^{-(1-3)} + 2$, $a^2 = 2$

$\therefore a = \sqrt{2}\ (\because a > 0)$

14

STEP A 진수의 범위 구하기

$y = \log_a(x^2 - 4x + 20)$에서 진수를 $f(x) = x^2 - 4x + 20$이라 하면

$f(x) = (x-2)^2 + 16$이므로 $f(x)$는 $x = 2$에서 최솟값 16을 갖고 최댓값은 없다.

STEP B $\log_a f(x)$의 최댓값이 -4임을 이용하여 a의 값 구하기

즉 함수 $y = \log_a f(x)$가 최댓값 -4를 가지려면

$0 < a < 1$이고 $\log_a 16 = -4$이어야 한다.

따라서 $a^{-4} = 16 = 2^4$에서 $a = \dfrac{1}{2}$

15

STEP A $\log_2 x = t$로 치환하고 t의 범위 구하기

$y = \log_2 x^{\log_2 x} - 4\log_2 4x$에서

$y = (\log_2 x)^2 - 4(\log_2 4 + \log_2 x) = (\log_2 x)^2 - 4\log_2 x - 8$

$\log_2 x = t$로 놓으면

$y = t^2 - 4t - 8 = (t-2)^2 - 12$ ····· ㉠

이때 $2 \le x \le 16$에서 $\log_2 2 \le \log_2 x \le \log_2 16$이므로

$1 \le t \le 4$

STEP B $1 \le t \le 4$에서 함수의 최댓값, 최솟값 구하기

$1 \le t \le 4$에서 ㉠의 그래프를 그리면
오른쪽 그림과 같다.

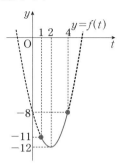

$t = 4$일 때, 최대이고 최댓값 -8
$t = 2$일 때, 최소이고 최솟값 -12
따라서 최댓값과 최솟값의 합은
$-8 + (-12) = -20$

16

STEP A $2^{x-1} = t \, (t > 0)$로 치환하여 방정식 정리하기

$\dfrac{2^{x-1} + 2^{-x+1}}{2} = 3$에서 $2^{x-1} = t \, (t > 0)$으로 놓으면

$2^{-x+1} = 2^{-(x-1)} = \dfrac{1}{t}$이므로 주어진 방정식은 $t + \dfrac{1}{t} = 6$

$t^2 - 6t + 1 = 0$ ····· ㉠

STEP B t에 대한 이차방정식이므로 근과 계수의 관계를 이용하여 $\alpha + \beta$의 값 구하기

이차방정식 ㉠의 판별식을 D라 하면 $\dfrac{D}{4} = (-3)^2 - 1 \times 1 = 8 > 0$

즉 이차방정식의 서로 다른 두 근은 모두 양수이다.

주어진 방정식의 두 근을 α, β라고 하면 ㉠의 두 근은 $2^{\alpha-1}, 2^{\beta-1}$이므로

이차방정식의 근과 계수의 관계에 의하여

두 근의 합은 $2^{\alpha-1} + 2^{\beta-1} = 6$, 두 근의 곱은 $2^{\alpha-1} \times 2^{\beta-1} = 1$

$2^{\alpha-1} \times 2^{\beta-1} = 2^{\alpha+\beta-2} = 1$

따라서 $\alpha + \beta - 2 = 0$이므로 $\alpha + \beta = 2$

17

STEP A 로그의 정의를 이용하여 x의 값 구하기

조건 (가)에서 $\log_2(\log_3 x - 1) = 1$이므로

$\log_3 x - 1 = 2, \log_3 x = 3$

$\therefore x = 3^3 = 27 = p$

STEP B 진수 조건에서 x의 범위 구하기

조건 (나)에서 진수는 양수이므로

$x > 0, x+3 > 0, x+8 > 0$

$\therefore x > 0$ ····· ㉠

STEP C 로그의 성질을 이용하여 x의 값 구하기

$\log x + \log(x+3) = \log(x+8)$에서 $\log x(x+3) = \log(x+8)$

$x(x+3) = x+8, (x+4)(x-2) = 0$

$\therefore x = -4$ 또는 $x = 2$ ····· ㉡

㉠, ㉡에서 구하는 근은 $x = 2 = q$

따라서 $p = 27, q = 2$이므로 $p + q = 29$

18

STEP A 진수 조건에서 x의 범위 구하기

로그의 진수의 조건에 의하여

$x^2 + x - 2 > 0$이므로 $x > 1$ 또는 $x < -2$

또, $-2x + 2 > 0$에서 $x < 1$

진수의 조건을 동시에 만족하는 범위는

$x < -2$ ····· ㉠

STEP B $\log_3 f(x) \le \log_3 g(x)$에서 $f(x) \le g(x)$임을 이용하기

$\log_3(x^2 + x - 2) \le \log_3(-2x + 2)$에서 밑이 1보다 크므로

$x^2 + x - 2 \le -2x + 2, x^2 + 3x - 4 \le 0$

$(x+4)(x-1) \le 0$

$\therefore -4 \le x \le 1$ ····· ㉡

㉠, ㉡에서 공통범위를 구하면 $-4 \le x < -2$

따라서 정수 x는 $-4, -3$이므로 합은 -7

19

STEP A $\log_2 x = t$로 치환하고 이차부등식을 풀어 t의 범위 구하기

$(\log_2 x)(\log_2 8x) \le 4$에서 $(\log_2 x)(\log_2 8 + \log_2 x) \le 4$

$(\log_2 x)(3 + \log_2 x) \le 4$

$\log_2 x = t$로 놓으면 $t(3+t) \le 4$

$t^2 + 3t - 4 \le 0, (t-1)(t+4) \le 0$

$\therefore -4 \le t \le 1$

STEP B x의 범위를 구하여 $\alpha\beta$의 값 구하기

이때 $-4 \le \log_2 x \le 1$에서 $2^{-4} \le x \le 2$

따라서 $\dfrac{1}{16} \le x \le 2$이므로 $\alpha\beta = \dfrac{1}{16} \cdot 2 = \dfrac{1}{8}$

20

STEP A 주어진 조건에 대입하여 n의 최솟값 구하기

메뉴가 10개이고 각 메뉴 안에 항목이 n개씩 있으므로
걸리는 전체 시간이 30초 이하가 되는 조건은 다음과 같다.

$10\left\{2 + \dfrac{1}{3}\log_2(n+1)\right\} \le 30$

$2 + \dfrac{1}{3}\log_2(n+1) \le 3$

$\log_2(n+1) \le 3 = \log_2 8$

밑이 1보다 크므로 $n+1 \le 8$

$\therefore n \le 7$

따라서 자연수 n의 최댓값은 7

서술형

21

정답 해설참조

1단계 | 6^{50}이 몇 자리의 정수인지 구한다. ◀ 40%

$\log 6^{50} = 50 \log(2 \cdot 3) = 50(\log 2 + \log 3)$
$\qquad\qquad = 50(0.3010 + 0.4771)$
$\qquad\qquad = 38.905$

즉 $\log 6^{50}$의 정수 부분이 38이므로 6^{50}은 39자리의 정수이다.

2단계 | $\left(\dfrac{1}{3}\right)^{20}$이 소수점 아래 몇 째 자리에서 처음으로 0이 아닌 숫자 가 나타나는지 구한다. ◀ 40%

$\log\left(\dfrac{1}{3}\right)^{20} = -20 \log 3 = -20 \cdot 0.4771$
$\qquad\qquad\qquad = -9.542$
$\qquad\qquad\qquad = -10 + 0.458$

즉 $\log\left(\dfrac{1}{3}\right)^{20}$의 정수 부분이 -10이므로 $\left(\dfrac{1}{3}\right)^{20}$은 소수점 아래 10번째 자리에서 처음으로 0이 아닌 숫자가 나타난다.

3단계 | $m+n$의 값을 구한다. ◀ 20%

따라서 $m = 39$, $n = 10$이므로 $m+n = 49$

22

정답 해설참조

1단계 | $2^x + 2^{-x} = t$로 놓고 t의 범위를 구한다. ◀ 30%

$2^x + 2^{-x} = t$로 놓으면 $2^x > 0$, $2^{-x} > 0$이므로 산술평균과 기하평균의 관계에 의하여 $2^x + 2^{-x} \geq 2\sqrt{2^x \cdot 2^{-x}} = 2$ (등호는 $x = 0$일 때, 성립) 이므로 $t \geq 2$

2단계 | 곱셈공식을 이용하여 y를 t에 관한 이차함수로 나타낸다. ◀ 30%

$4^x + 4^{-x} = (2^x + 2^{-x})^2 - 2 \cdot 2^x \cdot 2^{-x} = t^2 - 2$이므로
$y = 4^x + 4^{-x} - 6(2^x + 2^{-x}) + 12 = t^2 - 2 - 6t + 12 = t^2 - 6t + 10$

3단계 | 제한범위에서 $y = 4^x + 4^{-x} - 6(2^x + 2^{-x}) + 12$의 최솟값을 구한다. ◀ 40%

$t \geq 2$에서
$y = t^2 - 6t + 10 = (t-3)^2 + 1$이므로
$t = 3$일 때, 최솟값 1을 갖는다.

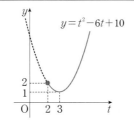

23

정답 해설참조

1단계 | 함수와 그 역함수의 교점의 관계를 서술한다. ◀ 30%

로그함수 $y = m + \log_a x$와 그 역함수의 그래프의 교점은 직선 $y = x$와 로그함수 $y = m + \log_a x$의 그래프의 교점과 같다.

2단계 | 이 두 교점의 x좌표가 각각 1, 2임을 이용하여 m, a값을 구한다. ◀ 50%

즉 두 교점의 좌표가 $(1, 1)$, $(2, 2)$이므로 $y = m + \log_a x$에 대입하면
$1 = m + \log_a 1$에서 $m = 1$
$2 = 1 + \log_a 2$에서 $a = 2$

3단계 | $a+m$의 값을 구한다. ◀ 20%

따라서 $a + m = 2 + 1 = 3$

24

정답 해설참조

다음 물음에 답하고 그 과정을 서술하여라.

(1) x에 대한 부등식 $4^x - 2^{x+2} + a > 0$이 임의의 실수 x에 대하여 성립하도록 하는 실수 a의 범위를 구한다. [1.5점]

1단계 | $2^x = t$로 치환하여 t에 대하여 이차부등식을 세운다. ◀ 50%

$4^x - 2^{x+2} + a > 0$에서 $4^x - 4 \cdot 2^x + a > 0$
$2^x = t$ $(t > 0)$라 하면
부등식은 $t^2 - 4t + a > 0$ …… ㉠

2단계 | 이차부등식이 모든 실수에 대하여 성립할 조건을 이용하여 a의 범위를 구한다. ◀ 50%

㉠을 정리하면 $(t-2)^2 + a - 4 > 0$이므로
$t > 0$일 때, 이차부등식 ㉠이 항상 성립하기 위해서는 $a - 4 > 0$
따라서 $a > 4$

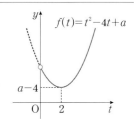

(2) $(\log_2 x)^2 + \log_4 x + k \geq 0$이 항상 성립하기 위한 실수 k의 값의 범위를 구한다. [1.5점]

1단계 | $\log_2 x = t$로 치환하여 t에 대하여 이차부등식 세운다. ◀ 50%

$(\log_2 x)^2 + \log_4 x + k \geq 0$에서 $(\log_2 x)^2 + \dfrac{1}{2}\log_2 x + k \geq 0$
$\therefore 2(\log_2 x)^2 + \log_2 x + 2k \geq 0$
이때 $\log_2 x = t$라 하면 t는 실수이므로
모든 실수 t에 대하여 $2t^2 + t + 2k \geq 0$이 성립해야 한다.

2단계 | 이차부등식이 모든 실수 t에 대하여 성립할 조건을 이용하여 k의 범위를 구한다. ◀ 50%

이차방정식 $2t^2 + t + 2k = 0$의 판별식을 D라고 하면
$D - 1 - 4 \cdot 2 \cdot 2k \leq 0$이어야 한다.
따라서 $k \geq \dfrac{1}{16}$

(3) 모든 양수 x에 대하여 부등식 $x^{\log x} > (100x)^k$이 항상 성립하도록 하는 실수 k값의 범위를 구한다. [2점]

1단계 | 양변에 상용로그를 취하여 정리한다. ◀ 50%

$x^{\log x} > (100x)^k$의 양변에 상용로그를 취하면
$\log x^{\log x} > \log(100x)^k$
$(\log x)^2 - k(\log 100 + \log x) > 0$
$(\log x)^2 - k\log x - 2k > 0$

2단계 | 주어진 부등식을 치환하여 판별식을 이용한다. ◀ 50%

$\log x = t$라 하면
$t^2 - kt - 2k > 0$ …… ㉠
㉠이 모든 실수 t에 대하여 성립하려면
이차방정식 $t^2 - kt - 2k = 0$의 판별식을 D라 할 때,
$D = k^2 + 8k < 0$, $k(k+8) < 0$이어야 한다.
따라서 $-8 < k < 0$

01	③	02	⑤	03	③	04	②	05	④
06	④	07	②	08	⑤	09	①	10	③
11	①	12	③	13	②	14	②	15	⑤
16	⑤	17	④	18	①	19	④	20	③

서술형

21	해설참조	22	해설참조
23	해설참조	24	해설참조

01

정답 ③

STEP Ⓐ 로그의 성질을 이용하여 구하려는 상용로그의 진수를 상용로그표에서 구할 수 있는 형태로 나타내기

수	⋯	7	8	9
⋮		⋮	⋮	⋮
5.9	⋯	.7760	.7767	.7774
6.0	⋯	.7832	.7839	.7846
6.1	⋯	.7903	.7910	.7917

$\log 607 + \log 0.607 = \log(6.07 \times 10^2) + \log(6.07 \times 10^{-1})$
$\qquad = 2 + \log 6.07 + (-1) + \log 6.07$
$\qquad = 2\log 6.07 + 1$
$\qquad = 2 \times 0.7832 + 1$
$\qquad = 2.5664$

02

정답 ⑤

STEP Ⓐ 주어진 식을 정리하여 a^x의 값 구하기

$\dfrac{a^x+1}{a^{-x}+1}=4$의 분모, 분자에 a^x을 곱하면 $\dfrac{a^{2x}+a^x}{1+a^x}=4$

$a^{2x}+a^x=4(1+a^x)$

즉 $a^{2x}-3a^x-4=0$, $(a^x-4)(a^x+1)=0$

$\therefore a^x=4 \ (a^x>0)$

STEP Ⓑ 주어진 식의 분모, 분자에 a^x을 곱하여 정리하기

$\dfrac{a^{2x}+a^x}{a^{2x}-4a^{-x}}$의 분모, 분자에 a^x을 곱하면

$\dfrac{a^{3x}+a^{2x}}{a^{3x}-4}=\dfrac{4^3+4^2}{4^3-4}=\dfrac{20}{15}=\dfrac{4}{3}$

03

정답 ③

STEP Ⓐ 밑을 변환하여 로그의 성질을 이용하여 계산하기

$\log_a 5 = 2$, $\log_b 5 = 3$에서

$\log_5 a = \dfrac{1}{2}$, $\log_5 b = \dfrac{1}{3}$

$\log_{ab} 5 = \dfrac{1}{\log_5 ab} = \dfrac{1}{\log_5 a + \log_5 b} = \dfrac{1}{\dfrac{1}{2}+\dfrac{1}{3}} = \dfrac{6}{5}$

04

정답 ②

STEP Ⓐ 밑 조건을 이용하여 x값의 범위 구하기

$\log_{x+1}(9-x^2)$가 정의되기 위해서는 로그의 밑의 조건과 진수의 조건을 만족해야 한다.

밑의 조건에 의해 $x+1>0$, $x+1 \neq 1$

$x>-1$, $x \neq 0$ ⋯⋯ ㉠

STEP Ⓑ 진수의 조건을 이용하여 x의 범위 구하기

진수의 조건에 의해 $9-x^2>0$, $(x-3)(x+3)<0$

$-3<x<3$ ⋯⋯ ㉡

㉠, ㉡을 동시에 만족시키는 x의 값의 범위는

$-1<x<0$, $0<x<3$

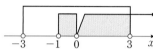

따라서 구하는 정수 x는 1, 2이므로 합은 $1+2=3$

05

정답 ④

STEP Ⓐ 근과 계수의 관계와 로그의 성질을 이용하여 계산하기

이차방정식 $x^2-10x+2=0$의 두 근이 $\log a$, $\log b$이므로
근과 계수의 관계에 따라

$\log a + \log b = 10$, $\log a \times \log b = 2$

$\log_a b + \log_b a = \dfrac{\log b}{\log a} + \dfrac{\log a}{\log b}$

$\qquad = \dfrac{(\log a + \log b)^2 - 2\log a \cdot \log b}{\log a \cdot \log b}$

$\qquad = \dfrac{10^2 - 2 \cdot 2}{2}$

$\qquad = 48$

06

정답 ④

STEP Ⓐ 밑을 변환하여 로그의 성질을 이용하여 계산하기

$(\log_2 3 + \log_4 9)(\log_3 4 + \log_9 2)$

$=(\log_2 3 + \log_{2^2} 3^2)(\log_3 2^2 + \log_{3^2} 2)$

$=(\log_2 3 + \log_2 3)\left(2\log_3 2 + \dfrac{1}{2}\log_3 2\right)$

$=2\log_2 3 \cdot \dfrac{5}{2}\log_3 2$

$=2 \cdot \dfrac{5}{2}$

$=5$

07

정답 ②

STEP Ⓐ 로그의 기본 성질을 이용하여 식 정리하기

$\log_3 x - 2\log_9 y + 3\log_{27} z = -1$에서

$\log_3 x - \log_3 y + \log_3 z = -1$

$\log_3 \dfrac{xz}{y} = -1$

$\therefore \dfrac{xz}{y} = 3^{-1} = \dfrac{1}{3}$

STEP Ⓑ $8^{\frac{xz}{y}}$의 값 구하기

$8^{\frac{xz}{y}} = 8^{\frac{1}{3}} = (2^3)^{\frac{1}{3}} = 2$

08

STEP A 주어진 로그함수의 그래프 그리기

함수 $y=\log_3(3-x)+2$
$\quad=\log_3-(x-3)+2$

이 함수의 그래프는 $y=\log_3 x$의
그래프를 y축에 대하여 대칭이동한
식을 x축으로 3만큼, y축의 방향으로
2만큼 평행이동한 식이므로
그래프는 오른쪽 그림과 같다.

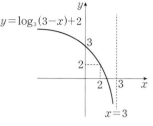

STEP B 로그함수의 그래프의 성질을 이용하여 진위판단하기

① 정의역은 $\{x|x<3\}$이다. [참]

② $y=\log_3(3-x)+2$는 x의 값이 증가하면 y의 값은 감소한다. [참]

③ $y=\log_3(3-x)+2$의 그래프의 점근선은 직선 $x=3$이다. [참]

④ $y=\log_3(3-x)+2$의 그래프는 점 $(2, 2)$를 지난다. [참]

⑤ $y=\log_3(-x)$의 그래프를 x축의 방향으로 3만큼, y축의 방향으로 2만큼 평행이동하면 $y=\log_3(3-x)+2$의 그래프와 겹쳐진다. [거짓]

따라서 옳지 않은 것은 ⑤이다.

09

STEP A 한 부분을 옮겨 넓이를 구하기 쉬운 형태로 바꾸기

$y=2^x+1$의 그래프는 $y=2^x$의 그래프를
y축의 방향으로 1만큼 평행이동한 것
이므로 함수 $y=2^x$의 그래프와 y축,
직선 $y=2$로 둘러싸인 도형의 넓이 B를
y축의 방향으로 1만큼 평행이동한 도형의
넓이가 C라 하면
오른쪽 그림과 같이 $B=C$이다.

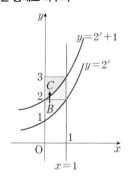

STEP B 정사각형의 넓이 구하기

따라서 구하는 넓이는 한 변의 길이가 1인 정사각형이므로 색칠한 부분의 넓이는 1이다.

10

STEP A 두 점 A, B를 함수에 대입하여 관계식 구하기

점 $A(a, b)$는 함수 $y=\log_4(x+6)$의 그래프 위의 점이므로
$b=\log_4(a+6)$
$4^b=a+6$ ...... ㉠
점 $B(b, a)$는 함수 $y=2^x+6$의 그래프 위의 점이므로
$a=2^b+6$ ...... ㉡

STEP B 두 식을 연립하여 a, b의 값 구하기

㉡을 ㉠에 대입하면 $4^b=2^b+12$
$(2^b)^2-2^b-12=0$, $(2^b+3)(2^b-4)=0$
$2^b+3>0$이므로 $2^b=4$
$\therefore b=2$
$b=2$를 ㉡에 대입하면 $a=2^2+6=10$

STEP C 삼각형 OAB의 넓이 구하기

$A(10, 2)$, $B(2, 10)$이므로 $\overline{AB}=\sqrt{(10-2)^2+(2-10)^2}=8\sqrt{2}$

한편 선분 AB의 중점을 C라 하면
$C\left(\dfrac{10+2}{2}, \dfrac{2+10}{2}\right)$, 즉 $C(6, 6)$이므로 $\overline{OC}=6\sqrt{2}$
삼각형 OAB는 $\overline{OA}=\overline{OB}$인 이등변삼각형이므로 $\overline{OC}\perp\overline{AB}$
따라서 삼각형 OAB의 넓이는 $\dfrac{1}{2}\cdot\overline{AB}\cdot\overline{OC}=\dfrac{1}{2}\cdot8\sqrt{2}\cdot6\sqrt{2}=48$

11

STEP A 세 수 A, B, C를 모두 2를 밑으로 하는 로그의 꼴로 나타내기

밑을 2로 바꾸면
$A=\log_{\frac{1}{2}}\sqrt{3}=\log_2\dfrac{1}{\sqrt{3}}$, $B=\log_{\frac{1}{4}}\dfrac{1}{3}=\log_2\sqrt{3}$, $C=2\log_4 3=\log_2 3$

STEP B 진수의 대소를 비교하여 세 수의 대소 관계를 결정하기

세 진수의 대소를 비교하면
$\dfrac{1}{\sqrt{3}}<\sqrt{3}<3$에서 로그함수 $y=\log_2 x$는 x의 값이 증가할 때,
y의 값도 증가하므로 $\log_{\frac{1}{2}}\sqrt{3}<\log_{\frac{1}{4}}\dfrac{1}{3}<2\log_4 3$
따라서 $A<B<C$

12

STEP A 정의역의 범위를 구하여 같은 함수 구하기

ㄱ. $y=\log(x-1)(x-2)$
진수 조건에서 $(x-1)(x-2)>0$
$\therefore x>2$ 또는 $x<1$
$y=\log(x-1)+\log(x-2)$
진수 조건에서 $x-1>0$이고 $x-2>0$
$\therefore x>2$ [거짓]

ㄴ. $y=\dfrac{x^2-1}{x-1}$의 정의역은 $x\neq 1$인 모든 실수이다.
$y=x+1$의 정의역은 모든 실수이다. [거짓]

ㄷ. $y=\sqrt[3]{x^3}=x$이므로 같다. [참]

ㄹ. 함수 $y=\log_2 x^2$, $y=2\log_2|x|$의 정의역은 $\{x|x\neq 0$인 실수$\}$이고
$x>0$일 때, $\log_2 x^2=2\log_2 x=2\log_2|x|$
$x<0$일 때, $\log_2 x^2=2\log_2(-x)=2\log_2|x|$이므로
두 함수 $y=\log_2 x^2$, $y=2\log_2|x|$는 서로 같다. [참]

따라서 옳은 것은 ㄷ, ㄹ이다.

13

STEP A 지수를 $f(x)$라 하고 $f(x)$가 최소일 때, y가 최댓값을 가짐을 이해하기

함수 $y=\left(\dfrac{1}{2}\right)^{x^2-4x+3}+k$에서 $f(x)=x^2-4x+3$이라 하면
밑이 1보다 작으므로 $f(x)$가 최소일 때, y는 최댓값을 가진다.

STEP B k의 값 구하기

이때 $f(x)=x^2-4x+3=(x-2)^2-1$에서 $f(x)$의 최솟값은 -1이므로
y의 최댓값은 $\left(\dfrac{1}{2}\right)^{-1}+k=2+k$
따라서 $2+k=5$이므로 $k=3$

14

정답 ②

STEP Ⓐ **지수함수 $y=\left(\dfrac{1}{3}\right)^x$의 그래프를 대칭이동과 평행이동한 그래프의 식을 이해하기**

함수 $y=-\left(\dfrac{1}{3}\right)^{x-2}+k$의 그래프는 함수 $y=\left(\dfrac{1}{3}\right)^x$의 그래프를 x축에 대하여 대칭이동한 후 x축의 방향으로 2만큼, y축의 방향으로 k만큼 평행이동한 것이다.

STEP Ⓑ **제2사분면을 지나지 않도록 하는 k의 범위 구하기**

함수 $y=-\left(\dfrac{1}{3}\right)^{x-2}+k$의 그래프가 y축과 만나는 점의 y좌표는 $k-9$이므로 함수 $y=-\left(\dfrac{1}{3}\right)^{x-2}+k$의 그래프가 제2사분면을 지나지 않으려면 $k-9\leq 0$ 이어야 한다.

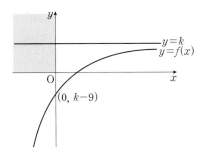

따라서 $k\leq 9$이므로 자연수 k의 최댓값은 9

15

정답 ⑤

STEP Ⓐ **함수 $f(x)$가 (밑)>1일 때, 증가하는 함수임을 이해하기**

$y=\log_3(x+2)-2$의 그래프는 $y=\log_3 x$의 그래프를 x축의 방향으로 -2만큼, y축 방향으로 -2만큼 평행이동한 함수이다.

STEP Ⓑ **주어진 함수의 최댓값, 최솟값 구하기**

$x=1$일 때, 최솟값 $m=f(1)=\log_3 3-2=-1$
$x=3$일 때, 최댓값 $M=f(3)=\log_3 5-2$
따라서 $M+m=\log_3 5-3$

16

정답 ⑤

STEP Ⓐ **진수 조건에서 x의 범위 구하기**

조건 (가)에서 진수조건에 의하여
$x+3>0, 3x+13>0$
$\therefore x>-3$ ...... ㉠

STEP Ⓑ **로그의 성질을 이용하여 x의 값 구하기**

$\log_2(x+3)=\log_4(3x+13)$에서 $\log_4(x+3)^2=\log_4(3x+13)$
$(x+3)^2=3x+13, x^2+3x-4=0, (x+4)(x-1)=0$
$\therefore x=-4$ 또는 1 ...... ㉡
㉠, ㉡에서 구하는 근은 $x=1$

STEP Ⓒ **로그방정식을 풀어 x의 값 구하기**

조건 (나)에서
$(\log_3 x)^2-4\log_3 x+3=0, (\log_3 x-1)(\log_3 x-3)=0$
$\log_3 x=1$ 또는 $\log_3 x=3$이므로 $x=3$ 또는 $x=27$
따라서 $\alpha=1, \beta=3, \gamma=27$이므로 $\alpha+\beta+\gamma=31$

17

정답 ④

STEP Ⓐ **조건 (가)를 만족하는 x의 범위 구하기**

조건 (가)에서 진수조건에 의하여 $x^2-9>0$
$8x>0$에서 $x>3$ ...... ㉠
$\log_{0.1}(x^2-9)<\log_{0.1}8x$이므로 $x^2-9>8x$
$x^2-8x-9>0, (x-9)(x+1)>0$
$\therefore x<-1$ 또는 $x>9$ ...... ㉡
㉠, ㉡에 의하여 $x>9$

STEP Ⓑ **조건 (나)를 만족하는 x의 범위 구하기**

조건 (나)에서 진수조건에 의하여
$x-2>0, 3x+4>0$이므로
$x>2$ ...... ㉢
$\log_2 4+\log_2(x-2)<\log_2(3x+4)$
$\log_2 4(x-2)<\log_2(3x+4)$
$4x-8<3x+4$
$x<12$ ...... ㉣
㉢, ㉣에 의하여 $2<x<12$

STEP Ⓒ **두 조건을 만족하는 정수 x의 값 구하기**

조건 (가), (나)를 만족하는 공통된 범위는 $9<x<12$
따라서 정수 x는 10, 11이므로 합은 $10+11=21$

18

정답 ①

STEP Ⓐ **$\log_3 x=t$로 치환하여 t에 관한 이차방정식 구하기**

$(\log_3 x+k)\cdot\log_3 3x=-2$에서 $(\log_3 x+k)(\log_3 x+1)=-2$이므로
$\log_3 x=t$로 놓으면
$(t+k)(t+1)=-2$
$\therefore t^2+(k+1)t+k+2=0$ ...... ㉠

STEP Ⓑ **t에 대한 이차방정식에서 근과 계수의 관계를 이용하여 k의 값 구하기**

㉠의 두 근은 $\log_3\alpha, \log_3\beta$이므로 근과 계수의 관계에 의하여
$\log_3\alpha+\log_3\beta=-k-1$
$\log_3\alpha\beta=-k-1$
이때 $\alpha\beta=27$이므로 $\log_3 27=-k-1$
$3=-k-1$ $\therefore k=-4$

19

정답 ④

STEP Ⓐ **원점에 대하여 대칭인 함수 구하기**

ㄱ. $y=3^x, y=\log_3 x$는 서로 역함수이므로 두 그래프는 직선 $y=x$에 대하여 대칭이다.

ㄴ. $y=-\left(\dfrac{1}{3}\right)^x=-3^{-x}$의 그래프는 $y=3^x$의 그래프를 원점에 대하여 대칭이동한 것이다. [참]

ㄷ. $y=\log_{\frac{1}{2}}x=-\log_2 x$의 그래프는 $y=\log_2 x$의 그래프를 x축에 대하여 대칭이동한 것이다.

ㄹ. $y=-\log_{\frac{1}{2}}(-x)=\log_2(-x)$의 그래프는 $y=-\log_2 x$의 그래프를 원점에 대하여 대칭이동한 것이다. [참]

따라서 그래프가 원점에 대하여 대칭인 것끼리 짝지어진 것은 ㄴ, ㄹ이다.

20

STEP A $\log_2 x = t$로 치환하여 t에 대한 함수로 나타내기

$y = (\log_2 x)^2 + a\log_{\frac{1}{2}} x + b$에서 $y = (\log_2 x)^2 - a\log_2 x + b$

$\log_2 x = t$로 놓으면

주어진 함수는 $y = t^2 - at + b$ ...... ㉠

STEP B $x = \dfrac{1}{8}$에서 최솟값 -1을 가짐을 이용하여 a, b의 값 구하기

이때 y는 $x = \dfrac{1}{8}$, 즉 $t = \log_2 \dfrac{1}{8} = -3$일 때, 최솟값 -1을 가지므로

$y = (t+3)^2 - 1 = t^2 + 6t + 8$ ...... ㉡

㉠과 ㉡이 일치하므로 $a = -6$, $b = 8$

따라서 $a + b = 2$

서술형

21

정답 해설참조

1단계 $\log_3 x = t$로 치환하여 두 근이 모두 1보다 클 때, t에 관한 이차방정식의 조건을 구한다. ◀ 30%

$\log_3 x = t$로 놓으면

$t^2 - 2(a-4)t + 2a = 0$ ...... ㉠

주어진 방정식의 두 근이 $x > 1$이므로 $t = \log_3 x > \log_3 1 = 0$로 놓으면

㉠의 두 근은 $t > 0$이므로 두 근이 모두 양수이어야 한다.

2단계 실수 a의 범위를 구한다. ◀ 60%

(i) ㉠의 판별식을 D라 하면 $D \geq 0$이어야 하므로

$\dfrac{D}{4} = (a-4)^2 - 2a \geq 0$

$a^2 - 10a + 16 \geq 0$, $(a-2)(a-8) \geq 0$

$\therefore a \leq 2$ 또는 $a \geq 8$

(ii) ㉠의 (두 근의 합)> 0에서 $2(a-4) > 0$ $\therefore a > 4$

(iii) ㉠의 (두 근의 곱)> 0에서 $2a > 0$ $\therefore a > 0$

(i)~(iii)을 동시에 만족하는 a의 값의 범위는 $a \geq 8$

3단계 a의 최솟값을 구한다. ◀ 10%

따라서 a의 최솟값은 8이다.

22

정답 해설참조

1단계 $y = \log_2(ax+b)$의 그래프가 점 $(-1, 0)$, $(0, 2)$를 지남을 이용하여 상수 a, b의 값을 구한다. ◀ 70%

$y = \log_2(ax+b)$의 그래프가 점 $(-1, 0)$을 지나므로

$\log_2(-a+b) = 0$

$-a+b = 1$ ...... ㉠

또, $y = \log_2(ax+b)$의 그래프가 점 $(0, 2)$를 지나므로

$\log_2 b = 2$ $\therefore b = 2^2 = 4$ ...... ㉡

㉠에서 $a = 3$

따라서 $a = 3$, $b = 4$

2단계 점근선의 방정식을 구한다. ◀ 30%

따라서 주어진 함수는 $y = \log_2(3x+4)$이므로 그 점근선의 방정식은 $x = -\dfrac{4}{3}$

23

정답 해설참조

1단계 회사의 매출액이 매년 일정한 비율로 증가하는 식을 작성한다. ◀ 40%

15년 전 매출액을 A 원이라 하고 매출 증가율을 $a\%$라고 하면

$A\left(1 + \dfrac{a}{100}\right)^{15} = 3A$

즉 $\left(1 + \dfrac{a}{100}\right)^{15} = 3$

2단계 상용로그를 취하여 상용로그 값을 이용하여 식을 푼다. ◀ 40%

양변에 상용로그를 취하면 $15 \log\left(1 + \dfrac{a}{100}\right) = \log 3$

$\log\left(1 + \dfrac{a}{100}\right) = \dfrac{1}{15}\log 3 = \dfrac{1}{15} \times 0.48 = 0.032$

이때 $\log 1.077 = 0.032$이므로 $1 + \dfrac{a}{100} = 1.077$

$\therefore a = 7.7$

3단계 일정한 비율로 증가하는 값을 구한다. ◀ 20%

따라서 15년 동안 이 회사의 매출액은 매년 7.7%씩 증가하였다.

24

정답 해설참조

1단계 이차부등식이 모든 실수 x에 대하여 성립할 조건을 구한다. ◀ 50%

이차부등식 $x^2 - 2(3^a+1)x + 10(3^a+1) \geq 0$

이 모든 실수 x에 대하여 성립하려면

이차방정식 $x^2 - 2(3^a+1)x + 10(3^a+1) = 0$의 판별식 $D \leq 0$

이어야 한다.

2단계 a의 범위를 구하고 최댓값을 구한다. ◀ 50%

$\dfrac{D}{4} = (3^a+1)^2 - 10(3^a+1) \leq 0$

$(3^a)^2 - 8 \cdot 3^a - 9 \leq 0$

$3^a = t(t>0)$로 놓으면 $t^2 - 8t - 9 \leq 0$

$(t+1)(t-9) \leq 0$

즉 $t > 0$이므로 $t - 9 \leq 0$

$\therefore t \leq 9$

$3^a \leq 3^2$

따라서 $a \leq 2$이므로 a의 최댓값은 2

1회 삼각함수 모의평가

01	⑤	02	④	03	④	04	④	05	①
06	⑤	07	④	08	①	09	④	10	①
11	③	12	①	13	⑤	14	④	15	⑤
16	③	17	③	18	③	19	③	20	③

서술형

21	해설참조	22	해설참조
23	해설참조	24	해설참조

01

정답 ⑤

STEP Ⓐ **제 2사분면의 각을 일반각으로 나타내기**

각 θ가 제 2사분면의 각이므로

$2n\pi + \dfrac{\pi}{2} < \theta < 2n\pi + \pi$ (n은 정수)

$\dfrac{2}{3}n\pi + \dfrac{\pi}{6} < \dfrac{\theta}{3} < \dfrac{2}{3}n\pi + \dfrac{\pi}{3}$

STEP Ⓑ **각 $\dfrac{\theta}{3}$ 을 나타내는 동경이 존재할 수 있는 사분면 구하기**

$n=0$이면 $\dfrac{\pi}{6} < \dfrac{\theta}{3} < \dfrac{\pi}{3}$ 에서 $\dfrac{\theta}{3}$ 는 제 1사분면의 각

$n=1$이면 $\dfrac{5}{6}\pi < \dfrac{\theta}{3} < \pi$ 에서 $\dfrac{\theta}{3}$ 는 제 2사분면의 각

$n=2$이면 $\dfrac{3}{2}\pi < \dfrac{\theta}{3} < \dfrac{5}{3}\pi$ 에서 $\dfrac{\theta}{3}$ 는 제 4사분면의 각

⋮

즉 $n=3, 4, 5, \cdots$ 에 대해서도 동경의 위치가 제 1사분면, 제 2사분면, 제 4사분면으로 반복한다.

따라서 각 $\dfrac{\theta}{3}$ 는 제 1사분면, 제 2사분면, 제 4사분면의 각이다.

02

정답 ④

STEP Ⓐ **두 각 α, β를 나타내는 동경이 일치하면**
   $\beta - \alpha = 2n\pi$ (단, n은 정수)임을 이용하기

각 8θ를 나타내는 동경과 각 5θ를 나타내는 동경이 일치하므로

$8\theta - 5\theta = 2n\pi$ (단, n은 정수)

$3\theta = 2n\pi$ ∴ $\theta = \dfrac{2n}{3}\pi$ ...... ㉠

$\dfrac{\pi}{2} < \theta < \pi$ 에서 $\dfrac{\pi}{2} < \dfrac{2n}{3}\pi < \pi$ 이므로 $\dfrac{3}{4} < n < \dfrac{3}{2}$

∴ $n=1$

$n=1$을 ㉠에 대입하면 $\theta = \dfrac{2}{3}\pi$

STEP Ⓑ **$\cos\left(\theta - \dfrac{\pi}{2}\right)$의 값 구하기**

따라서 $\cos\left(\theta - \dfrac{\pi}{2}\right) = \cos\left(\dfrac{2}{3}\pi - \dfrac{\pi}{2}\right) = \cos\dfrac{\pi}{6} = \dfrac{\sqrt{3}}{2}$

03

정답 ④

STEP Ⓐ **부채꼴의 넓이 S를 반지름의 길이 r에 대한 이차식으로 나타내어**
   이차함수의 최대를 이용한다.

부채꼴의 반지름의 길이를 r, 호의 길이를 l이라 하면

둘레의 길이가 32이므로 $2r + l = 32$

∴ $l = 32 - 2r$ (단, $0 < r < 16$)

부채꼴의 넓이를 S라 하면

$S = \dfrac{1}{2}rl = \dfrac{1}{2}r(32 - 2r)$

$\quad = -r^2 + 16r$

$\quad = -(r-8)^2 + 64$

STEP Ⓑ **넓이가 최대일 때, 반지름의 길이 구하기**

따라서 $r=8$일 때 S의 최댓값은 64이므로 넓이가 최대인 부채꼴의 반지름의 길이는 8이다.

04

정답 ④

STEP Ⓐ **주어진 식의 양변을 제곱하여 $\sin\theta\cos\theta$의 값 구하기**

$\sin\theta - \cos\theta = \dfrac{1}{2}$의 양변을 제곱하면

$\sin^2\theta - 2\sin\theta\cos\theta + \cos^2\theta = \dfrac{1}{4}$

$1 - 2\sin\theta\cos\theta = \dfrac{1}{4}$

∴ $\sin\theta\cos\theta = \dfrac{3}{8}$

STEP Ⓑ **$\tan\theta + \dfrac{1}{\tan\theta}$의 값 구하기**

따라서 $\tan\theta + \dfrac{1}{\tan\theta} = \dfrac{\sin\theta}{\cos\theta} + \dfrac{\cos\theta}{\sin\theta} = \dfrac{\sin^2\theta + \cos^2\theta}{\sin\theta\cos\theta} = \dfrac{1}{\dfrac{3}{8}} = \dfrac{8}{3}$

05

정답 ①

STEP Ⓐ **삼각함수 사이의 관계를 이용하여 식을 간단히 하기**

$\dfrac{1}{1+\sin\theta} + \dfrac{1}{1-\sin\theta} = \dfrac{1-\sin\theta + (1+\sin\theta)}{(1+\sin\theta)(1-\sin\theta)}$

$\qquad\qquad\qquad\qquad = \dfrac{2}{1-\sin^2\theta}$

$\qquad\qquad\qquad\qquad = \dfrac{2}{\cos^2\theta}$

즉 $\dfrac{2}{\cos^2\theta} = \dfrac{5}{2}$ 에서 $\cos^2\theta = \dfrac{4}{5}$

STEP Ⓑ **1사분면에서 $\sin\theta$의 값 구하기**

θ가 1사분면의 각이므로 $\sin\theta > 0$

따라서 $\sin\theta = \sqrt{1-\cos^2\theta} = \sqrt{1-\dfrac{4}{5}} = \dfrac{\sqrt{5}}{5}$

06

정답 ⑤

STEP Ⓐ **이차방정식의 근과 계수의 관계를 이용하여 두 근의 합과 곱 구하기**

이차방정식 $4x^2-5x+k=0$의 근과 계수의 관계에 의하여

$\sin\theta+\cos\theta=\dfrac{5}{4}$ ······ ㉠

$\sin\theta\cos\theta=\dfrac{k}{4}$ ······ ㉡

STEP Ⓑ **$\sin\theta+\cos\theta$, $\sin\theta\cos\theta$의 관계를 이용하여 상수 a의 값 구하기**

㉠의 양변을 제곱하여 ㉡을 대입하면

$\sin^2\theta+2\sin\theta\cos\theta+\cos^2\theta=\dfrac{25}{16}$

따라서 $1+2\cdot\dfrac{k}{4}=\dfrac{25}{16}$에서 $k=\dfrac{9}{8}$

07

정답 ④

STEP Ⓐ **삼각함수의 그래프의 성질을 이용하여 [보기]의 참, 거짓의 진위 판단하기**

① 치역은 실수 전체의 집합이다. [참]
② 주기는 π이다. [참]
③ 그래프는 원점에 대하여 대칭이다. [참]
④ 점근선은 직선 $x=n\pi+\dfrac{\pi}{2}$ (n은 정수)이다. [거짓]
⑤ 정의역은 $n\pi+\dfrac{\pi}{2}$ (n은 정수)를 제외한 실수 전체의 집합이다. [참]

따라서 옳지 않은 것은 ④이다.

08

정답 ①

STEP Ⓐ **삼각함수의 주기와 최댓값과 최솟값 구하기**

함수 $f(x)=-3\cos\left(-2\pi x+\dfrac{1}{6}\right)+2$에서

주기는 $p=\dfrac{2\pi}{|-2\pi|}=1$

최댓값, 최솟값은 각각 $M=|-3|+2=5$, $m=-|-3|+2=-1$

따라서 $p+M+m=1+5-1=5$

09

정답 ④

STEP Ⓐ **삼각함수의 그래프의 대칭성을 이용하여 도형의 넓이 구하기**

오른쪽 그림에서 빗금 친 부분의 넓이가 모두 같으므로

$y=2\cos\dfrac{\pi}{3}x$ ($-3\le x\le 3$)

의 그래프와 직선 $y=-2$로 둘러싸인 도형의 넓이는 가로의 길이가 6, 세로의 길이가 2인 직사각형의 넓이와 같다.

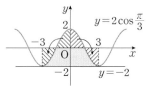

∴ (구하는 넓이)$=6\cdot2=12$

10

정답 ①

STEP Ⓐ **일반각에 대한 삼각함수의 성질을 이용하기**

$\dfrac{\sin\left(\dfrac{3}{2}\pi-\theta\right)}{\sin\left(\dfrac{\pi}{2}-\theta\right)\cos^2(\pi-\theta)}+\dfrac{\sin(\pi-\theta)\tan^2(\pi+\theta)}{\cos\left(\dfrac{3}{2}\pi+\theta\right)}$

$=\dfrac{-\cos\theta}{\cos\theta\cdot(-\cos\theta)^2}+\dfrac{\sin\theta\tan^2\theta}{\sin\theta}$

$=\dfrac{-1}{\cos^2\theta}+\tan^2\theta$

$=\dfrac{-1}{\cos^2\theta}+\dfrac{\sin^2\theta}{\cos^2\theta}$

$=\dfrac{-1+\sin^2\theta}{\cos^2\theta}$

$=\dfrac{-\cos^2\theta}{\cos^2\theta}$

$=-1$

11

정답 ③

STEP Ⓐ **$5\theta=\pi$이면 $\sin(5\theta+x)=\sin(\pi+x)=-\sin x$임을 이용하기**

$5\theta=\pi$이므로

$\sin 7\theta=\sin(5\theta+2\theta)=\sin(\pi+2\theta)=-\sin 2\theta$

$\cos 4\theta=\cos(5\theta-\theta)=\cos(\pi-\theta)=-\cos\theta$

STEP Ⓑ **주어진 값 구하기**

따라서 $\sin 2\theta+\sin 7\theta+\cos\theta+\cos 4\theta$

$=\sin 2\theta+\sin(\pi+2\theta)+\cos\theta+\cos(\pi-\theta)$

$=\sin 2\theta-\sin 2\theta+\cos\theta-\cos\theta$

$=0$

12

정답 ①

STEP Ⓐ **$A+B+C=\pi$를 이용하여 삼각함수의 성질의 참, 거짓의 진위 판단하기**

삼각형 ABC에서 $A+B+C=\pi$이다.

ㄱ. $\sin(B+C)=\sin(\pi-A)=\sin A$이므로
　$\sin A=\sin(B+C)$ [참]

ㄴ. $\cos\left(\dfrac{B+C}{2}\right)=\cos\left(\dfrac{\pi}{2}-\dfrac{A}{2}\right)=\sin\dfrac{A}{2}$이므로
　$\cos\dfrac{A}{2}\ne\sin\dfrac{B+C}{2}$ [거짓]

ㄷ. $\tan A\tan(B+C)=\tan A\tan(\pi-A)$
　　　　　　　　　$=\tan A\cdot(-\tan A)$
　　　　　　　　　$=-\tan^2 A$
　이므로 $\tan A\tan(B+C)\ne1$ [거짓]

따라서 옳은 것은 ㄱ이다.

13

정답 ⑤

STEP A $\sin^2 x + \cos^2 x = 1$임을 이용하여 주어진 식을 한 종류의 삼각함수로 통일한 후 삼각함수를 t로 치환하기

$y = \sin^2\left(\dfrac{\pi}{2}+x\right) - 2\sin(\pi+x) + 3$

$\quad = \cos^2 x + 2\sin x + 3$ ← $\sin\left(\dfrac{\pi}{2}+x\right) = \cos x,\ \sin(\pi+x) = -\sin x$

$\quad = (1 - \sin^2 x) + 2\sin x + 3$

$\quad = -\sin^2 x + 2\sin x + 4$

$\sin x = t\ (-1 \le t \le 1)$로 놓으면

$y = -t^2 + 2t + 4 = -(t-1)^2 + 5$

STEP B 최댓값을 M과 최솟값을 m에 대하여 $M+m$의 값 구하기

오른쪽 그림에서

$t = 1$일 때, y는 최댓값 $M = 5$를 갖고

$t = -1$일 때, y는 최솟값 $m = 1$을 갖는다.

따라서 $M + m = 5 + 1 = 6$

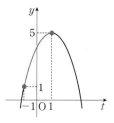

14

정답 ④

STEP A $\sin x$에 대한 식으로 정리하기

$2\cos^2 x - \sin x - 1 = 0$에서 $2(1 - \sin^2 x) - \sin x - 1 = 0$

$2\sin^2 x + \sin x - 1 = 0,\ (2\sin x - 1)(\sin x + 1) = 0$

$\sin x = \dfrac{1}{2}$ 또는 $\sin x = -1$

STEP B 방정식의 모든 실근을 구하기

$0 \le x < 2\pi$에서 $x = \dfrac{\pi}{6}$ 또는 $x = \dfrac{5}{6}\pi$ 또는 $x = \dfrac{3}{2}\pi$

따라서 구하는 합은 $\dfrac{\pi}{6} + \dfrac{5}{6}\pi + \dfrac{3}{2}\pi = \dfrac{5}{2}\pi$

15

정답 ⑤

STEP A 주어진 방정식을 $f(x) = k$꼴로 변형하기

$\sin^2 x + \cos x + a = 0$에서 $-\sin^2 x - \cos x = a$

이 방정식이 실근을 갖기 위해서는 함수 $y = -\sin^2 x - \cos x$의 그래프와 직선 $y = a$가 교점을 가져야 한다.

STEP B 함수 $y = f(x)$의 그래프와 직선 $y = k$가 만나도록 하는 k의 값의 범위 구하기

$y = -\sin^2 x - \cos x$

$\quad = -(1 - \cos^2 x) - \cos x$

$\quad = \cos^2 x - \cos x - 1$

$\cos x = t$라 하면

$-1 \le \cos x \le 1$이므로 $-1 \le t \le 1$

$y = t^2 - t - 1 = \left(t - \dfrac{1}{2}\right)^2 - \dfrac{5}{4}$이므로

$t = -1$일 때, 최댓값은 1

$t = \dfrac{1}{2}$일 때, 최솟값은 $-\dfrac{5}{4}$

주어진 방정식이 실근을 갖도록 하는 실수 a의 값의 범위는 $-\dfrac{5}{4} \le a \le 1$

따라서 $M = 1,\ m = -\dfrac{5}{4}$이므로 $M - m = \dfrac{9}{4}$

16

정답 ③

STEP A $\sin^2 x + \cos^2 x = 1$임을 이용하여 한 종류의 삼각함수에 대한 부등식으로 고치기

$2\sin^2 x - \cos x - 2 \ge 0$에서

$2(1 - \cos^2 x) - \cos x - 2 \ge 0$

$-2\cos^2 x - \cos x \ge 0,\ \cos x(2\cos x + 1) \le 0$

$\therefore -\dfrac{1}{2} \le \cos x \le 0$

STEP B x의 값의 범위 구하기

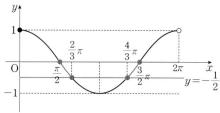

따라서 그림에서 부등식의 해는 $\dfrac{\pi}{2} \le x \le \dfrac{2}{3}\pi$ 또는 $\dfrac{4}{3}\pi \le x \le \dfrac{3}{2}\pi$

17

정답 ③

STEP A $\sin\theta = t$로 치환하여 이차식을 완전제곱식으로 나타내기

$\sin^2 x - 3\sin x - a + 9 \ge 0$에서 $\sin x = t$로 놓으면 모든 x에 대하여 $-1 \le \sin x \le 1$이므로 $-1 \le t \le 1$

주어진 부등식은 $t^2 - 3t - a + 9 \ge 0$

$f(t) = t^2 - 3t - a + 9$일 때, $-1 \le t \le 1$에서 $f(t) \ge 0$

$f(t) = \left(t - \dfrac{3}{2}\right)^2 - a + \dfrac{27}{4}$

STEP B $-1 \le t \le 1$에서 $f(t) \ge 0$을 만족하는 k의 범위 구하기

$-1 \le t \le 1$일 때, $f(t)$는 $t = 1$에서 최솟값을 가지므로 $f(1) \ge 0$이어야 한다.

$f(1) = 1 - 3 - a + 9 \ge 0$

따라서 $a \le 7$

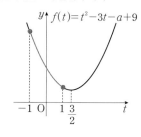

18

정답 ③

STEP A 사인법칙과 코사인법칙의 각의 크기를 이용하기

삼각형 ABC의 외접원의 반지름의 길이를 R이라고 하면

사인법칙에 의하여 $\sin A = \dfrac{a}{2R},\ \sin B = \dfrac{b}{2R}$ ······㉠

코사인법칙의 각의 크기에 의하여 $\cos C = \dfrac{a^2 + b^2 - c^2}{2ab}$ ······㉡

STEP B 삼각형의 모양 결정하기

㉠, ㉡을 $\sin A \cos C = \sin B$에 대입하면

$\dfrac{a}{2R} \cdot \dfrac{a^2 + b^2 - c^2}{2ab} = \dfrac{b}{2R}$

$a^2 + b^2 - c^2 = 2b^2,\ a^2 = b^2 + c^2$

따라서 삼각형 ABC는 $A = 90°$인 직각삼각형이다.

19

정답 ③

STEP Ⓐ 삼각형 AQB에서 사인법칙을 이용하여 $\overline{AQ}$의 길이 구하기

$\angle AQB = 180° - (45° + 75°) = 60°$

삼각형 AQB에서 사인법칙에 의하여

$\dfrac{\overline{AQ}}{\sin 45°} = \dfrac{25}{\sin 60°}$, $\overline{AQ}\sin 60° = 25\sin 45°$

$\overline{AQ} \cdot \dfrac{\sqrt{3}}{2} = 25 \cdot \dfrac{\sqrt{2}}{2}$ $\therefore \overline{AQ} = \dfrac{25\sqrt{6}}{3}$(m)

STEP Ⓑ 삼각형 PQA에서 $\overline{PQ}$의 길이 구하기

따라서 직각삼각형 PQA에서 $\angle PAQ = 30°$이므로

$\overline{PQ} = \overline{AQ}\tan 30° = \dfrac{25\sqrt{6}}{3} \cdot \dfrac{1}{\sqrt{3}} = \dfrac{25\sqrt{2}}{3}$

다른풀이 삼각형 PQA에서 사인법칙을 이용하여 풀이하기

삼각형 PQA에서 $\angle PQA = 90°$이므로 $\angle QPA = 180° - (90° + 30°) = 60°$

삼각형 PQA에서 사인법칙에 의하여

$\dfrac{\overline{AQ}}{\sin 60°} = \dfrac{\overline{PQ}}{\sin 30°}$, $\overline{PQ}\sin 60° = \overline{AQ}\sin 30°$

$\overline{PQ} \cdot \dfrac{\sqrt{3}}{2} = \dfrac{25\sqrt{6}}{3} \cdot \dfrac{1}{2}$ $\therefore \overline{PQ} = \dfrac{25\sqrt{2}}{3}$(m)

20

정답 ③

STEP Ⓐ 삼각형 BCD에서 코사인법칙을 이용하여 $\overline{BD}$의 길이 구하기

삼각형 BCD에서 코사인법칙에 의해

$\overline{BD}^2 = 5^2 + 10^2 - 2 \cdot 5 \cdot 10 \cdot \cos 60° = 75$

$\therefore \overline{BD} = 5\sqrt{3}\,(\because \overline{BD} > 0)$

STEP Ⓑ 두 변의 길이와 그 끼인각의 크기가 주어진 경우 넓이 구하기

사각형 ABCD의 넓이는 삼각형 ABD의 넓이와 BCD의 넓이의 합과 같으므로

$\dfrac{1}{2} \cdot 6 \cdot 5\sqrt{3} \cdot \sin 30° + \dfrac{1}{2} \cdot 5 \cdot 10 \cdot \sin 60° = \dfrac{15\sqrt{3}}{2} + \dfrac{25\sqrt{3}}{2} = 20\sqrt{3}$

서 술 형

21

정답 해설참조

| 1단계 | 그래프에서 최댓값과 최솟값을 이용하여 상수 a, d의 값을 구한다. | ◀ 30% |

$-1 \le \cos bx \le 1$이고 $a > 0$이므로 $-a \le a\cos bx \le a$

즉 $-a + d \le a\cos bx + d \le a + d$

그래프에서 최댓값이 3이고 최솟값이 -1이므로

$-a + d = -1$, $a + d = 3$

위의 두 식을 연립하여 풀면 $a = 2$, $d = 1$

| 2단계 | 주기를 이용하여 상수 b의 값을 구한다. | ◀ 30% |

$y = \cos x$의 그래프의 주기는 2π이고 주어진 그래프에서 함수의

그래프의 주기는 $2\left(\dfrac{7}{12}\pi - \dfrac{\pi}{12}\right) = \pi$이므로 $\dfrac{2\pi}{b} = \pi$에서 $b = 2$

| 3단계 | 그래프에서 함숫값을 이용하여 상수 c의 값을 구한다. | ◀ 30% |

$f(x) = a\cos b(x - c\pi) + d = 2\cos 2(x - c\pi) + 1$

그래프에서 $f\left(\dfrac{\pi}{12}\right) = 3$이므로 $f\left(\dfrac{\pi}{12}\right) = 2\cos 2\left(\dfrac{\pi}{12} - c\pi\right) + 1 = 3$

$\cos\left(\dfrac{\pi}{6} - 2c\pi\right) = 1$ $\therefore \dfrac{\pi}{6} - 2c\pi = 0$

$\therefore c = \dfrac{1}{12}$

| 4단계 | $6abc + d$의 값을 구한다. | ◀ 10% |

따라서 $a = 2$, $b = 2$, $c = \dfrac{1}{12}$, $d = 1$이므로

$6abc + d = 6 \cdot 2 \cdot 2 \cdot \dfrac{1}{12} + 1 = 2 + 1 = 3$

22

정답 해설참조

| 1단계 | $\sin\left(\dfrac{\pi}{2} - \theta\right) = \cos\theta$와 $\cos^2\theta + \cos^2\left(\dfrac{\pi}{2} - \theta\right) = 1$임을 이용하여 a의 값을 구한다. | ◀ 30% |

$\sin\left(\dfrac{\pi}{2} - \theta\right) = \cos\theta$를 이용하면

$\sin^2 91° = \sin^2(90° + 1°) = \cos^2 1°$

$\sin^2 92° = \sin^2(90° + 2°) = \cos^2 2°$

$\qquad \vdots$

$\sin^2 180° = \sin^2(90° + 90°) = \cos^2 90°$이므로

$\sin^2 91° + \sin^2 92° + \sin^2 93° + \cdots + \sin^2 180°$

$= \cos^2 1° + \cos^2 2° + \cos^2 3° + \cdots + \cos^2 90°$

또한, $\cos(90° - \theta) = \cos\left(\dfrac{\pi}{2} - \theta\right) = \sin\theta$이용하면

$\cos 1° = \cos(90° - 89°) = \sin 89°$

$\cos 2° = \cos(90° - 88°) = \sin 88°$

$\cos 3° = \cos(90° - 87°) = \sin 87°$

$\qquad \vdots$

$\cos 44° = \cos(90° - 44°) = \sin 46°$

$\therefore \sin^2 91° + \sin^2 92° + \sin^2 93° + \cdots + \sin^2 180°$

$= \cos^2 1° + \cos^2 2° + \cos^2 3° + \cdots + \cos^2 90°$

$= (\cos^2 1° + \cos^2 89°) + (\cos^2 2° + \cos^2 88°) + \cdots$

$\qquad\qquad + (\cos^2 44° + \cos^2 46°) + \cos^2 45° + \cos^2 90°$

$= (\sin^2 89° + \cos^2 89°) + (\sin^2 88° + \cos^2 88°) + \cdots$

$\qquad\qquad + (\sin^2 46° + \cos^2 46°) + \cos^2 45° + \cos^2 90°$

$= 1 \cdot 44 + \dfrac{1}{2} + 0 = \dfrac{89}{2}$

$\therefore a = \dfrac{89}{2}$

| 2단계 | $\cos^2\theta + \cos^2\left(\dfrac{\pi}{2} - \theta\right) = 1$임을 이용하여 b의 값을 구한다. | ◀ 30% |

$\cos(90° - \theta) = \cos\left(\dfrac{\pi}{2} - \theta\right) = \sin\theta$이므로

$\cos 10° = \cos(90° - 80°) = \sin 80°$

$\cos 20° = \cos(90° - 70°) = \sin 70°$

$\cos 30° = \cos(90° - 60°) = \sin 60°$

$\cos 40° = \cos(90° - 50°) = \sin 50°$

$\therefore \cos^2 10° + \cos^2 20° + \cdots + \cos^2 70° + \cos^2 80°$

$= (\cos^2 10° + \cos^2 80°) + (\cos^2 20° + \cos^2 70°)$

$\qquad\qquad + (\cos^2 30° + \cos^2 60°) + (\cos^2 40° + \cos^2 50°)$

$= (\sin^2 80° + \cos^2 80°) + (\sin^2 70° + \cos^2 70°)$

$\qquad\qquad + (\sin^2 60° + \cos^2 60°) + (\sin^2 50° + \cos^2 50°)$

$= 1 \cdot 4 = 4$

$\therefore b = 4$

| 3단계 | $\tan\theta \times \tan\left(\dfrac{\pi}{2} - \theta\right) = 1$임을 이용하여 b의 값을 구한다. | ◀ 30% |

$\tan(90° - \theta) = \tan\left(\dfrac{\pi}{2} - \theta\right) = \dfrac{1}{\tan\theta}$이므로

$\tan 10° = \tan(90° - 10°) = \dfrac{1}{\tan 80°}$

$\tan 20° = \tan(90° - 20°) = \dfrac{1}{\tan 70°}$

$\tan 30° = \tan(90° - 30°) = \dfrac{1}{\tan 60°}$

$\tan 40° = \tan(90° - 40°) = \dfrac{1}{\tan 50°}$

$\therefore \tan 10° \times \tan 20° \times \cdots \times \tan 70° \times \tan 80°$
$= (\tan 10° \times \tan 80°)(\tan 20° \times \tan 70°)(\tan 30° \times \tan 60°)$
$\qquad\qquad\qquad\qquad\qquad (\tan 40° \times \tan 50°)$
$= \left(\dfrac{1}{\tan 80°} \times \tan 80°\right)\left(\dfrac{1}{\tan 70°} \times \tan 70°\right)\left(\dfrac{1}{\tan 60°} \times \tan 60°\right)$
$\qquad\qquad\qquad\qquad\qquad \left(\dfrac{1}{\tan 50°} \times \tan 50°\right)$
$= 1 \cdot 1 \cdot 1 \cdot 1 = 1$
$\therefore c = 1$

| **4단계** | $a+b+c$의 값을 구한다. | ◀ 10% |

$a = \dfrac{89}{2}$, $b = 4$, $c = 1$이므로 $a+b+c = \dfrac{99}{2}$

23

정답 해설참조

| **1단계** | $\sin^2 x + \cos^2 x = 1$임을 이용하여 $\cos x$로 정리한다. | ◀ 20% |

$3\sin^2 x + 2\cos x + k - 5 = 0$에서
$3(1 - \cos^2 x) + 2\cos x + k - 5 = 0$
$3\cos^2 x - 2\cos x - k + 2 = 0$ ······ ㉠

| **2단계** | $-\dfrac{\pi}{2} \le x \le \dfrac{\pi}{2}$의 범위에서 $\cos x = t$로 치환하여 t의 범위에 다른 실근의 개수를 구한다. | ◀ 30% |

$\cos x = t$라 하면 $-\dfrac{\pi}{2} \le x \le \dfrac{\pi}{2}$에서 $0 \le t \le 1$이고
$t = 1$일 때, 방정식 $\cos x = t$는 오직 하나의 실근 $x = 0$을 갖고
$0 \le t < 1$일 때, 방정식 $\cos x = t$는 서로 다른 두 실근을 갖는다.

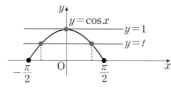

| **3단계** | 주어진 방정식이 서로 다른 두 개의 실근을 갖도록 하는 실수 k의 범위를 구한다. | ◀ 50% |

㉠에서 $3t^2 - 2t - k + 2 = 0$이므로 $3t^2 - 2t = k - 2$이다.
함수 $f(t) = 3t^2 - 2t = 3\left(t - \dfrac{1}{3}\right)^2 - \dfrac{1}{3}$라 하면 조건을 만족시키기 위하여
$0 \le t < 1$에서
함수 $y = f(t)$의 그래프와 직선 $y = k-2$의 교점의 개수는 한 개이어야 한다.

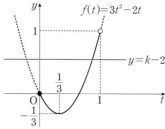

즉 $k - 2 = -\dfrac{1}{3}$ 또는 $0 < k - 2 < 1$
따라서 구하는 k의 범위는 $k = \dfrac{5}{3}$ 또는 $2 < k < 3$

> **주의** $f(1) = k-2$이면 함수 $y = f(t)$의 그래프와 직선 $y = k-2$의 교점의 t의 좌표가 1이므로 방정식 $\cos x = 1$에서 오직 하나의 실근 $x = 0$을 가지기 때문에 주어진 조건을 만족시키지 않는다.

> **참고** 함수 $y = f(t)$의 그래프와 직선 $y = k-2$의 교점이 2개인 경우 그 교점의 t좌표를 각각 α, β $(0 \le \alpha < \beta < 1)$라 하면 그림과 같이 방정식 $\cos x = \alpha$에서 서로 다른 두 개의 실근 a_1, a_2를 갖고, 방정식 $\cos x = \beta$에서 서로 다른 두 개의 실근 b_1, b_2를 가지므로 방정식 $3\cos^2 x - 2\cos x - k + 2 = 0$은 서로 다른 네 개의 실근 a_1, a_2, b_1, b_2를 갖는다.
>
>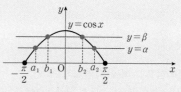

24

정답 해설참조

| **1단계** | 코사인법칙을 이용하여 $\sin A$을 구한다. | ◀ 30% |

코사인법칙의 각의 크기를 이용하면
$$\cos A = \frac{b^2 + c^2 - a^2}{2bc} = \frac{6^2 + 7^2 - 5^2}{2 \cdot 6 \cdot 7} = \frac{5}{7}$$
$0° < A < 180°$이므로
$$\sin A = \sqrt{1 - \cos^2 A} = \sqrt{1 - \left(\frac{5}{7}\right)^2} = \sqrt{\frac{24}{49}} = \frac{2\sqrt{6}}{7}$$

| **2단계** | 삼각형 ABC의 넓이 S을 구한다. | ◀ 20% |

[방법1] 삼각형 ABC의 넓이 $S = \dfrac{1}{2}bc\sin A$이므로
$$S = \frac{1}{2} \cdot 6 \cdot 7 \cdot \frac{2\sqrt{6}}{7} = 6\sqrt{6}$$

[방법2] 세 변의 길이가 a, b, c인 삼각형의 넓이 S
$$S = \sqrt{s(s-a)(s-b)(s-c)} \left(\text{단}, s = \frac{a+b+c}{2}\right)$$
$a = 5$, $b = 6$, $c = 7$에서 $s = \dfrac{1}{2}(5+6+7) = 9$
따라서 삼각형 ABC의 넓이 $S = \sqrt{9(9-5)(9-6)(9-7)} = 6\sqrt{6}$

| **3단계** | 삼각형 ABC의 외접원의 반지름의 길이를 구한다. | ◀ 30% |

외접원의 반지름의 길이를 R이라 할 때, 삼각형의 넓이
$S = \dfrac{abc}{4R}$이므로 $S = 6\sqrt{6}$이고 $a = 5$, $b = 6$, $c = 7$이므로
$6\sqrt{6} = \dfrac{5 \cdot 6 \cdot 7}{4R}$에서 $R = \dfrac{35\sqrt{6}}{24}$

> **참고** 사인법칙을 이용하여
> $$\frac{a}{\sin A} = 2R, \quad R = \frac{a}{2\sin A} = \frac{35\sqrt{6}}{24}$$

| **4단계** | 삼각형 ABC의 내접원의 반지름의 길이를 구한다. | ◀ 20% |

내접원의 반지름의 길이를 r이라 할 때, 삼각형의 넓이
$S = \dfrac{1}{2}r(a+b+c)$이므로 $S = 6\sqrt{6}$이고 $a = 5$, $b = 6$, $c = 7$이므로
$6\sqrt{6} = \dfrac{1}{2}r(5+6+7)$에서 $r = \dfrac{2\sqrt{6}}{3}$

M A P L ; S Y N E R G Y

2회 삼각함수 모의평가

01	①	02	②	03	③	04	①	05	⑤
06	⑤	07	④	08	①	09	②	10	③
11	①	12	①	13	④	14	⑤	15	④
16	⑤	17	④	18	①	19	②	20	③

서술형			
21	해설참조	22	해설참조
23	해설참조	24	해설참조

01 정답 ①

STEP Ⓐ 삼각함수의 성질을 이용하여 값 구하기

$$\tan\frac{5}{6}\pi - \cos\frac{7}{6}\pi = \tan\left(\pi - \frac{\pi}{6}\right) - \cos\left(\pi + \frac{\pi}{6}\right)$$
$$= -\tan\frac{\pi}{6} + \cos\frac{\pi}{6}$$
$$= -\frac{\sqrt{3}}{3} + \frac{\sqrt{3}}{2}$$
$$= \frac{\sqrt{3}}{6}$$

02 정답 ②

STEP Ⓐ 주어진 각을 일반각으로 나타내어 사분면 구하기

① $-950° = 360° \times (-3) + 130°$: 제 2사분면

② $-\frac{8}{3}\pi = 2\pi \times (-2) + \frac{4}{3}\pi$: 제 3사분면

③ $\frac{11}{18}\pi = 110°$: 제 2사분면

④ $\frac{5}{6}\pi = 150°$: 제 2사분면

⑤ $460° = 360° \times 1 + 100°$: 제 2사분면

따라서 사분면이 다른 하나는 ②이다.

03 정답 ③

STEP Ⓐ 두 동경의 위치에 따른 두 각의 관계식 구하기

각 θ와 각 10θ의 동경이 일치하므로 $10\theta - \theta = 2n\pi$

$\therefore \theta = \frac{2}{9}n\pi$ ...... ㉠

STEP Ⓑ $0 < \theta < \frac{\pi}{2}$ 에서 각 θ의 값 구하기

$0 < \theta < \frac{\pi}{2}$ 이므로 $0 < \frac{2}{9}n\pi < \frac{\pi}{2}$

이때 $0 < n < \frac{9}{4}$ 이므로 $n = 1$ 또는 $n = 2$

이것을 ㉠에 대입하면 $\theta = \frac{2}{9}\pi$ 또는 $\theta = \frac{4}{9}\pi$

따라서 각 θ의 크기를 모두 더하면 $\frac{2}{9}\pi + \frac{4}{9}\pi = \frac{2}{3}\pi$

04 정답 ①

STEP Ⓐ (부채꼴의 호의 길이)=(원뿔의 밑면인 원의 둘레의 길이) 임을 이용한다.

부채꼴 모양의 종이의 호의 길이는 고깔모자의 밑면인 원의 둘레의 길이와 같으므로 $2\pi \cdot 8 = 16\pi (\text{cm})$

따라서 부채꼴 모양의 종이의 넓이는 $\frac{1}{2} \cdot 20 \cdot 16\pi = 160\pi (\text{cm}^2)$

다른풀이 반지름의 길이가 20cm인 원의 둘레의 길이와 넓이는 각각
$2\pi \cdot 20 = 40\pi (\text{cm})$, $\pi \cdot 20^2 = 400\pi (\text{cm}^2)$

따라서 부채꼴 모양의 종이의 넓이를 S라 하면
$16\pi : 40\pi = S : 400\pi$, $40\pi S = 6400\pi^2$ $\therefore S = 160\pi (\text{cm}^2)$

05 정답 ⑤

STEP Ⓐ 삼각함수 사이의 관계를 이용하기

각 θ가 제 2사분면의 각이므로 $\sin\theta > 0$

$\sin^2\theta + \cos^2\theta = 1$에서

$\sin\theta = \sqrt{1 - \cos^2\theta} = \sqrt{1 - \left(-\frac{5}{13}\right)^2} = \frac{12}{13}$

STEP Ⓑ 주어진 조건의 값 구하기

$\therefore \frac{1}{\sin\theta} + \frac{1}{\tan\theta} = \frac{1}{\sin\theta} + \frac{\cos\theta}{\sin\theta} = \frac{1 + \cos\theta}{\sin\theta} = \frac{1 - \frac{5}{13}}{\frac{12}{13}} = \frac{8}{12} = \frac{2}{3}$

06 정답 ⑤

STEP Ⓐ 삼각함수 사이의 관계를 이용하여 $\cos\theta\sin\theta$의 값 구하기

$\tan\theta + \frac{1}{\tan\theta} = 6$에서

$\frac{\sin\theta}{\cos\theta} + \frac{\cos\theta}{\sin\theta} = \frac{\sin^2\theta + \cos^2\theta}{\cos\theta\sin\theta} = 6$, $\frac{1}{\cos\theta\sin\theta} = 6$

$\therefore \cos\theta\sin\theta = \frac{1}{6}$

STEP Ⓑ 곱의 공식을 이용하여 주어진 값 구하기

$\therefore \frac{1}{\cos^2\theta} + \frac{1}{\sin^2\theta} = \frac{\sin^2\theta + \cos^2\theta}{\cos^2\theta\sin^2\theta} = \frac{1}{(\cos\theta\sin\theta)^2} = \frac{1}{\left(\frac{1}{6}\right)^2} = 36$

07 정답 ④

STEP Ⓐ 제 2사분면에서 $\sin\theta - \cos\theta$의 값 구하기

각 θ는 제 2사분면의 각이므로 $\sin\theta > 0$, $\cos\theta < 0$

$\therefore \sin\theta - \cos\theta > 0$

$(\sin\theta - \cos\theta)^2 = \sin^2\theta - 2\sin\theta\cos\theta + \cos^2\theta = 2$

$\therefore \sin\theta - \cos\theta = \sqrt{2}$

STEP Ⓑ 곱셈공식을 이용하여 주어진 값 구하기

따라서 $\sin^3\theta - \cos^3\theta = (\sin\theta - \cos\theta)(\sin^2\theta + \sin\theta\cos\theta + \cos^2\theta)$
$$= \sqrt{2}\left(1 - \frac{1}{2}\right) = \frac{\sqrt{2}}{2}$$

08

정답 ①

STEP Ⓐ $y=2\tan(2x-\pi)+3$의 그래프의 성질을 이용하여 진위판단하기

ㄱ. 함수 $f(x)$의 주기는 $\dfrac{\pi}{2}$이므로 모든 실수 x에 대하여

$$f\left(x+\dfrac{\pi}{2}\right)=f(x)\ [\text{참}]$$

ㄴ. 점근선의 방정식은 $2x-\pi=n\pi+\dfrac{\pi}{2}$이므로

$$x=\dfrac{n}{2}\pi+\dfrac{3}{4}\pi\ (n\text{은 정수})\ [\text{참}]$$

ㄷ. $f(x)=2\tan(2x-\pi)+3=2\tan 2\left(x-\dfrac{\pi}{2}\right)+3$이므로

$y=f(x)$의 그래프는 $y=2\tan 2x$의 그래프를 x축의 방향으로 $\dfrac{\pi}{2}$만큼

y축의 방향으로 3만큼 평행이동한 것이다. [거짓]

ㄹ. 함수 $y=f(x)$는 최댓값과 최솟값이 존재하지 않는다. [거짓]

따라서 옳은 것은 ㄱ, ㄴ이다.

09

정답 ②

STEP Ⓐ 최댓값은 4, 최솟값은 -2임을 이용하여 a 구하기

$f(x)=a\cos\dfrac{\pi}{2b}x+1$의 최댓값이 4, 최솟값이 -2이므로

$a+1=4,\ -a+1=-2$

$\therefore a=3$

STEP Ⓑ 주기를 이용하여 b의 값 구하기

주기가 4이므로 $\dfrac{2\pi}{\left|\dfrac{\pi}{2b}\right|}=4$에서 $|b|=1$

$b>0$이므로 $b=1$

따라서 $a+b=4$

10

정답 ③

STEP Ⓐ 인수분해하여 $\sin x$의 범위 구하기

$2\sin^2 x+3\sin x-2\geq 0$에서 $(2\sin x-1)(\sin x+2)\geq 0$

$\sin x+2>0$이므로 $2\sin x-1\geq 0$

$\therefore \sin x\geq\dfrac{1}{2}$

STEP Ⓑ $\cos(\beta-\alpha)$의 값 구하기

오른쪽 그림에서 부등식을 만족하는
해는 $0\leq x<2\pi$에서

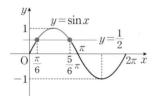

$\dfrac{\pi}{6}\leq x\leq\dfrac{5}{6}\pi$

따라서 $\beta-\alpha=\dfrac{5}{6}\pi-\dfrac{\pi}{6}=\dfrac{2}{3}\pi$

이므로 $\cos(\beta-\alpha)=\cos\dfrac{2}{3}\pi=-\dfrac{1}{2}$

11

정답 ①

STEP Ⓐ 주어진 식을 한 종류의 삼각함수로 통일하기

$f(x)=\cos^2\left(\dfrac{\pi}{2}-x\right)-3\cos^2 x+4\sin(\pi+x)$

$\quad=\sin^2 x-3\cos^2 x-4\sin x$

$\quad=\sin^2 x-3(1-\sin^2 x)-4\sin x$

$\quad=4\sin^2 x-4\sin x-3$

$\sin x=t\ (-1\leq t\leq 1)$로 놓으면

$f(t)=4t^2-4t-3=4\left(t-\dfrac{1}{2}\right)^2-4$

STEP Ⓑ 최댓값을 M과 최솟값의 합 구하기

오른쪽 그림에서

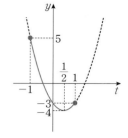

$t=-1$일 때, $f(t)$는 최댓값은 5,

$t=\dfrac{1}{2}$일 때, $f(t)$는 최솟값은 -4

따라서 최댓값과 최솟값의 합은

$5+(-4)=1$

12

정답 ①

STEP Ⓐ 삼각함수의 성질을 이용하여 방정식의 해 구하기

$\sin(\pi+x)+\cos\left(\dfrac{\pi}{2}+x\right)=-1$에서

$-\sin x-\sin x=-1,\ -2\sin x=-1$

$\therefore \sin x=\dfrac{1}{2}$

다음 그림과 같이

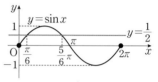

$0\leq x\leq 2\pi$에서 함수 $y=\sin x$와 $y=\dfrac{1}{2}$의 교점의 x좌표이므로

$x=\dfrac{\pi}{6}$ 또는 $x=\dfrac{5}{6}\pi$ $\therefore \theta=\dfrac{\pi}{6}+\dfrac{5}{6}\pi=\pi$

STEP Ⓑ $\cos\theta$의 값 구하기

따라서 $\cos\theta=\cos\pi=-1$

13

정답 ④

STEP Ⓐ $4\sin^2 x-3=0$을 만족하는 x의 값 구하기

$4\sin^2 x-3=0$에서 $\sin^2 x=\dfrac{3}{4}$

$\therefore \sin x=-\dfrac{\sqrt{3}}{2}$ 또는 $\sin x=\dfrac{\sqrt{3}}{2}$

이때 함수 $y=\sin x\,(0<x<2\pi)$의 그래프와 직선 $y=-\dfrac{\sqrt{3}}{2}$ 또는 $y=\dfrac{\sqrt{3}}{2}$이

만나는 점의 x좌표는 다음 그림에서

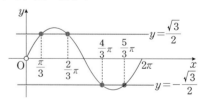

$x=\dfrac{\pi}{3}$ 또는 $x=\dfrac{2}{3}\pi$ 또는 $x=\dfrac{4}{3}\pi$ 또는 $x=\dfrac{5}{3}\pi$

STEP Ⓑ $\sin x\cos x<0$을 만족하는 x의 값 구하기

$\sin x\cos x<0$에서 x는 제 2사분면의 각 또는 제 4사분면의 각이므로

$x=\dfrac{2}{3}\pi$ 또는 $x=\dfrac{5}{3}\pi$

STEP Ⓒ $\cos\theta$의 값 구하기

따라서 모든 x의 값의 합은 $\theta=\dfrac{2}{3}\pi+\dfrac{5}{3}\pi=\dfrac{7}{3}\pi$이므로

$\cos\theta=\cos\dfrac{7}{3}\pi=\cos\left(2\pi+\dfrac{\pi}{3}\right)=\cos\dfrac{\pi}{3}=\dfrac{1}{2}$

14

정답 ⑤

STEP Ⓐ **삼각함수의 그래프의 대칭성을 이용하여 삼각방정식 구하기**

$y=\sin x$의 그래프와 직선 $y=k$의 교점, $y=\cos x$의 그래프와

직선 $y=k$의 교점을 구한다.

(i) $y=\sin x$의 그래프와 직선 $y=k$의 교점의 x좌표가 a, c이고

　　두 값의 평균은 $\dfrac{\pi}{2}$이므로 $\dfrac{a+c}{2}=\dfrac{\pi}{2}$에서 $a+c=\pi$

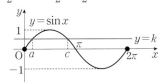

(ii) $y=\cos x$의 그래프와 직선 $y=k$의 교점 x좌표가 b, d이고

　　두 값의 평균은 π이므로 $\dfrac{b+d}{2}=\pi$에서 $b+d=2\pi$

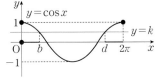

(i), (ii)에서 $a+2b+c+2d=a+c+2(b+d)=\pi+2\cdot2\pi=5\pi$

15

정답 ④

STEP Ⓐ **$y=\tan x$의 그래프의 성질을 이용하여 넓이 구하기**

함수 $y=\tan x+3$의 그래프는

$y=\tan x$의 그래프를 y축의 방향으로

3만큼 평행이동한 것이므로

오른쪽 그림에서 빗금친 두 부분의

넓이가 서로 같으므로 구하는 넓이는

네 점 $(0, 0)$, $\left(\dfrac{\pi}{3}, 0\right)$, $\left(\dfrac{\pi}{3}, 3\right)$, $(0, 3)$

을 꼭짓점으로 하는 직사각형의 넓이와

같으므로 $\dfrac{\pi}{3}\times3=\pi$

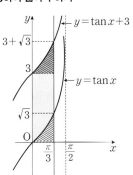

16

정답 ⑤

STEP Ⓐ **$ax^2+bx+c>0$이 모든 실수 x에 대하여 항상 성립하려면 $a>0$, $b^2-4ac<0$이어야 함을 이용하기**

모든 실수 x에 대하여 주어진 부등식이 항상 성립하려면

방정식 $x^2-2x\sin\theta+\sin\theta=0$의 판별식을 D라 할 때,

$\dfrac{D}{4}=\sin^2\theta-\sin\theta\le0$

$\sin\theta(\sin\theta-1)\le0$　∴ $0\le\sin\theta\le1$

STEP Ⓑ **θ의 범위 구하기**

오른쪽 그림에서 θ의 값의 범위는

$0\le\theta\le\pi$

따라서 $\alpha=0$, $\beta=\pi$이므로

$\alpha+\beta=\pi$

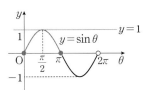

17

정답 ④

STEP Ⓐ **맞각과 맞변이 주어졌으므로 사인법칙을 이용하여 a 구하기**

삼각형 ABC의 외접원의 반지름의 길이를

R라 하고 주어진 조건을 그림으로 나타내면

오른쪽 그림과 같다.

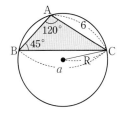

$\dfrac{a}{\sin120°}=\dfrac{6}{\sin45°}$

∴ $a=\dfrac{6}{\sin45°}\cdot\sin120°$

　　$=6\cdot\sqrt{2}\cdot\dfrac{\sqrt{3}}{2}=3\sqrt{6}$

← $\sin120°=\sin(90°+30°)=\cos30°=\dfrac{\sqrt{3}}{2}$

STEP Ⓑ **사인법칙을 이용하여 외접원의 반지름의 길이 R의 값 구하기**

사인법칙을 이용하여 외접원의 반지름의 길이 R의 값을 구하면

$\dfrac{6}{\sin45°}=2R$이므로 $R=\dfrac{3}{\sin45°}=3\sqrt{2}$

STEP Ⓒ **aR의 값 구하기**

따라서 $aR=3\sqrt{6}\cdot3\sqrt{2}=18\sqrt{3}$

18

정답 ①

STEP Ⓐ **사인법칙을 이용하여 각을 변으로 나타내기**

삼각형 ABC의 외접원의 반지름의 길이를 R이라 하면 사인법칙에 의하여

$\sin A=\dfrac{a}{2R}$, $\sin B=\dfrac{b}{2R}$, $\sin C=\dfrac{c}{2R}$

이것을 $a\sin A+b\sin B=c\sin C$에 대입하면

$\dfrac{a^2}{2R}+\dfrac{b^2}{2R}=\dfrac{c^2}{2R}$

∴ $a^2+b^2=c^2$

STEP Ⓑ **삼각형의 모양 결정하기**

따라서 삼각형 ABC는 $C=90°$인 직각삼각형이므로 직각삼각형 ABC의

넓이는 $\dfrac{1}{2}ab$

19

정답 ②

STEP Ⓐ **두 변과 그 끼인각이 주어질 때, 코사인법칙의 각의 크기를 이용하기**

삼각형 ABC에서 코사인법칙의 각의 크기에 의하여

$\overline{AC}^2=(2\sqrt{3})^2+5^2-2\cdot2\sqrt{3}\cdot5\cdot\cos30°$

　　$=12+25-30$

　　$=7$

∴ $\overline{AC}=\sqrt{7}$

STEP Ⓑ **$\dfrac{a}{\sin A}=2R$임을 이용하여 외접원의 반지름 구하기**

이 연못의 반지름의 길이를 R이라 하면 사인법칙에 의하여

$\dfrac{\overline{AC}}{\sin30°}=2R$　∴ $R=\dfrac{\sqrt{7}}{2\cdot\dfrac{1}{2}}=\sqrt{7}$

따라서 연못의 넓이는 $\pi R^2=7\pi(\mathrm{m}^2)$

20

정답 ③

STEP Ⓐ **코사인법칙을 이용하여 대각선 $\overline{BD}$의 길이 구하기**

삼각형 ABD에서 코사인법칙에 의하여

$\overline{BD}^2 = 2^2 + 4^2 - 2 \cdot 2 \cdot 4 \cdot \cos 60° = 12$

$\therefore \overline{BD} = 2\sqrt{3} \ (\because \overline{BD} > 0)$

STEP Ⓑ **사각형 ABCD의 넓이 구하기**

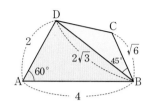

사각형 ABCD의 넓이를 S, 두 삼각형 ABD, BCD의 넓이를
각각 S_1, S_2라 하면 두 변의 길이와 그 끼인각의 크기가 주어지므로

$S_1 = \dfrac{1}{2} \cdot \overline{AD} \cdot \overline{AB} \cdot \sin 60° = \dfrac{1}{2} \cdot 2 \cdot 4 \cdot \dfrac{\sqrt{3}}{2} = 2\sqrt{3}$

$S_2 = \dfrac{1}{2} \cdot \overline{BC} \cdot \overline{BD} \cdot \sin 45° = \dfrac{1}{2} \cdot \sqrt{6} \cdot 2\sqrt{3} \cdot \dfrac{\sqrt{2}}{2} = 3$

$\therefore S = S_1 + S_2 = 2\sqrt{3} + 3$

서 술 형

21

정답 해설참조

1단계	이차방정식의 근과 계수의 관계에의 하여 두 근의 합과 두 근의 곱을 구한다.	◀ 30%

$2x^2 + \sqrt{2}x + a = 0$의 두 근이 $\sin\theta$, $\cos\theta$이므로
근과 계수의 관계에 의하여

$\sin\theta + \cos\theta = -\dfrac{\sqrt{2}}{2}$ ...... ㉠

$\sin\theta\cos\theta = \dfrac{a}{2}$ ...... ㉡

2단계	a의 값을 구한다.	◀ 30%

㉠의 양변을 제곱하면

$\sin^2\theta + 2\sin\theta\cos\theta + \cos^2\theta = \dfrac{1}{2}$

$1 + 2\sin\theta\cos\theta = \dfrac{1}{2}$ $\therefore \sin\theta\cos\theta = -\dfrac{1}{4}$

㉡에서 $\dfrac{a}{2} = -\dfrac{1}{4}$ $\therefore a = -\dfrac{1}{2}$

3단계	곱셈공식의 변형을 이용하여 $\sin^3\theta + \cos^3\theta$의 값을 구한다.	◀ 40%

$\therefore \sin^3\theta + \cos^3\theta = (\sin\theta + \cos\theta)^3 - 3\sin\theta\cos\theta(\sin\theta + \cos\theta)$

$\qquad = \left(-\dfrac{\sqrt{2}}{2}\right)^3 - 3 \cdot \left(-\dfrac{1}{4}\right) \cdot \left(-\dfrac{\sqrt{2}}{2}\right)$

$\qquad = -\dfrac{2\sqrt{2}}{8} - \dfrac{3\sqrt{2}}{8} = -\dfrac{5\sqrt{2}}{8}$

22

정답 해설참조

1단계	$\sin^2\theta + \cos^2\theta = 1$임을 이용하여 이차함수 $y = x^2 - 2x\sin\theta - \cos^2\theta$의 꼭짓점의 좌표를 구한다.	◀ 40%

$y = x^2 - 2x\sin\theta - \cos^2\theta$

$\quad = (x - \sin\theta)^2 - \sin^2\theta - \cos^2\theta$

$\quad = (x - \sin\theta)^2 - 1 \ (\because \sin^2\theta + \cos^2\theta = 1)$

즉 주어진 곡선의 꼭짓점의 좌표는 $(\sin\theta, -1)$

2단계	꼭짓점이 직선 $y = \sqrt{2}x$ 위에 있을 때, θ의 값을 구한다.	◀ 40%

꼭짓점 $(\sin\theta, -1)$이 직선 $y = \sqrt{2}x$ 위에 있으므로

$-1 = \sqrt{2}\sin\theta$ $\therefore \sin\theta = -\dfrac{1}{\sqrt{2}}$

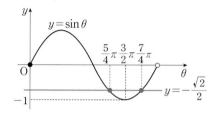

$0 \le \theta < 2\pi$에서 $\theta = \dfrac{5}{4}\pi$ 또는 $\theta = \dfrac{7}{4}\pi$

3단계	모든 θ의 값의 합을 α라 할 때, $\cos\alpha$의 값을 구한다.	◀ 20%

따라서 모든 θ의 값의 합이 $\alpha = \dfrac{5}{4}\pi + \dfrac{7}{4}\pi = 3\pi$이므로

$\cos\alpha = \cos 3\pi = \cos\pi = -1$

23

정답 해설참조

1단계	$\overline{AC}$의 길이를 구한다.	◀ 50%

$A + B + C = 180°$에서 $B = 45°$, $C = 75°$이므로

$A = 180° - (75° + 45°) = 60°$이므로 사인법칙에 따라

$\dfrac{12}{\sin 60°} = \dfrac{\overline{AC}}{\sin 45°}$

$\therefore \overline{AC} = \sin 45° \cdot \dfrac{12}{\sin 60°} = 4\sqrt{6}$

2단계	사인법칙에 의하여 원의 반지름의 길이를 구한다.	◀ 50%

삼각형 ABC에서 외접원의 반지름의 길이를 R이라 하면

$R = \dfrac{12}{2\sin 60°} = 4\sqrt{3}$

따라서 구하는 넓이는 $\pi(4\sqrt{3})^2 = 48\pi$

24

정답 해설참조

1단계	코사인법칙을 이용하여 각 A의 크기를 구한다.	◀ 40%

삼각형 ABC에서 코사인법칙에 의해

$\cos A = \dfrac{8^2 + 7^2 - 13^2}{2 \cdot 8 \cdot 7} = -\dfrac{1}{2}$

이때 $0° < A < 180°$이므로 $A = 120°$

2단계	사인법칙에 의하여 원의 반지름의 길이를 구한다.	◀ 30%

삼각형 ABC의 외접원의 반지름의 길이를 R이라 하면 사인법칙에 의해

$\dfrac{13}{\sin 120°} = 2R$ $\therefore R = \dfrac{13}{2} \cdot \dfrac{2}{\sqrt{3}} = \dfrac{13\sqrt{3}}{3}$

3단계	연못의 넓이를 구한다.	◀ 30%

따라서 연못의 넓이는 $\pi \cdot \left(\dfrac{13\sqrt{3}}{3}\right)^2 = \dfrac{169}{3}\pi \ (\text{m}^2)$

M A P L ; S Y N E R G Y

3회 삼각함수 모의평가

01	③	02	③	03	③	04	②	05	④
06	②	07	①	08	②	09	③	10	②
11	④	12	⑤	13	③	14	⑤	15	①
16	③	17	④	18	①	19	②	20	②

서술형			
21	해설참조	22	해설참조
23	해설참조	24	해설참조

01

STEP Ⓐ **부채꼴의 넓이와 호의 길이를 이용하여 반지름의 길이 구하기**

부채꼴의 반지름의 길이를 r이라 하면 부채꼴의 호의 길이가 $\frac{4}{3}\pi$이고 넓이가

4π이므로

$4\pi = \frac{1}{2}r \cdot \frac{4}{3}\pi$ ← $S = \frac{1}{2}rl$

따라서 $r = 4\pi \cdot \frac{6}{4\pi} = 6$

02

STEP Ⓐ **$ab > 0$이면 a와 b의 부호가 서로 같고**
$ab < 0$이면 a와 b의 부호가 서로 다름을 이용한다.

(i) $\sin\theta\cos\theta > 0$일 때,
 $\sin\theta$와 $\cos\theta$의 값의 부호가 서로 같으므로
 θ는 제 1사분면 또는 제 3사분면의 각이다.

(ii) $\sin\theta\tan\theta < 0$일 때,
 $\sin\theta$와 $\tan\theta$의 값의 부호가 서로 다르므로
 θ는 제 2사분면 또는 제 3사분면의 각이다.

(i), (ii)에서 θ는 제 3사분면의 각이다.

03

STEP Ⓐ **삼각함수 사이의 관계를 이용하기**

$\cos\theta = -\frac{1}{3}$이므로 θ는 제 2사분면 또는 제 3사분면의 각이다.

$\sin^2\theta + \cos^2\theta = 1$에서 $\sin^2\theta = 1 - \cos^2\theta = 1 - \left(-\frac{1}{3}\right)^2 = \frac{8}{9}$

(i) θ가 제 2사분면일 때,

$\sin\theta = \frac{2\sqrt{2}}{3}$이고 $\tan\theta = \frac{\sin\theta}{\cos\theta} = \frac{\frac{2\sqrt{2}}{3}}{-\frac{1}{3}} = -2\sqrt{2}$

$\therefore \sin\theta\tan\theta = \frac{2\sqrt{2}}{3} \cdot (-2\sqrt{2}) = -\frac{8}{3}$

(ii) θ가 제 3사분면일 때,

$\sin\theta = -\frac{2\sqrt{2}}{3}$이고 $\tan\theta = \frac{\sin\theta}{\cos\theta} = \frac{-\frac{2\sqrt{2}}{3}}{-\frac{1}{3}} = 2\sqrt{2}$

$\therefore \sin\theta\tan\theta = -\frac{2\sqrt{2}}{3} \cdot 2\sqrt{2} = -\frac{8}{3}$

STEP Ⓑ **주어진 조건의 값 구하기**

(i), (ii)에서 $\sin\theta\tan\theta = -\frac{8}{3}$

04

STEP Ⓐ **이차방정식의 근과 계수의 관계를 이용하여 두 근의 합과 곱 구하기**

이차방정식 $3x^2 - x + k = 0$의 두 근이 $\sin\theta$, $\cos\theta$이므로

근과 계수의 관계에 의하여

$\sin\theta + \cos\theta = \frac{1}{3}$, $\sin\theta\cos\theta = \frac{k}{3}$

STEP Ⓑ **$\sin\theta + \cos\theta$, $\sin\theta\cos\theta$의 관계를 이용하여 상수 a의 값 구하기**

$\sin\theta + \cos\theta = \frac{1}{3}$의 양변을 제곱하면

$\sin^2\theta + 2\sin\theta\cos\theta + \cos^2\theta = \frac{1}{9}$

$1 + 2 \cdot \frac{k}{3} = \frac{1}{9}$

따라서 $k = -\frac{4}{3}$

05

STEP Ⓐ **$y = 2\cos 3x$의 그래프의 성질을 이용하여 진위판단하기**

$f(x) = 2\cos\left(3x - \frac{\pi}{2}\right) + 1 = 2\cos 3\left(x - \frac{\pi}{6}\right) + 1$이므로

ㄱ. $f(x) = 2\cos\left(3x - \frac{\pi}{2}\right) + 1 = 2\cos 3\left(x - \frac{\pi}{6}\right) + 1$에서
 최댓값은 $2 + 1 = 3$, 최솟값은 $-2 + 1 = -1$이므로 $-1 \leq f(x) \leq 3$이다. [참]

ㄴ. 주기는 $\frac{2\pi}{3}$이므로 $f\left(x + \frac{2}{3}\pi\right) = f(x)$를 만족한다. [참]

ㄷ. $y = 2\cos 3x$의 그래프를 x축의 방향으로 $\frac{\pi}{6}$만큼, y축의 방향으로
 1만큼 평행이동한 것이다. [거짓]

따라서 옳은 것은 ㄱ, ㄴ이다.

06

STEP Ⓐ **최댓값과 최솟값을 이용하여 a, c의 값 구하기**

$a > 0$이므로 최댓값이 3, 최솟값이 -1이므로

$a + c = 3$, $-a + c = -1$

위의 식을 연립하여 풀면 $a = 2$, $c = 1$

STEP Ⓑ **주기를 이용하여 b 구하기**

그림에서 주기가 π이므로 $b > 0$에서 주기는 $\frac{2\pi}{b} = \pi$

$\therefore b = 2$

따라서 $a = 2$, $b = 2$, $c = 1$이므로 $a + b + c = 5$

07

STEP Ⓐ **삼각함수의 성질을 이용하여 θ에 대한 삼각함수로 나타내기**

$\sin\left(\frac{\pi}{2} + \theta\right) + \cos\left(\frac{3}{2}\pi + \theta\right) - \tan(\pi - \theta) = \cos\theta + \sin\theta + \tan\theta$

STEP Ⓑ **삼각함수 사이의 관계를 이용하여 구하기**

$\sin\theta = \frac{3}{4}$이므로 $\cos^2\theta = 1 - \sin^2\theta = 1 - \left(\frac{3}{5}\right)^2 = \frac{16}{25}$

이때 $\frac{\pi}{2} < \theta < \pi$이므로 $\cos\theta = -\frac{4}{5}$ ······ ㉠

또, $\tan\theta = \frac{\sin\theta}{\cos\theta} = \frac{\frac{3}{4}}{-\frac{4}{5}} = -\frac{3}{4}$ ······ ㉡

따라서 ㉠, ㉡에서 $\cos\theta + \sin\theta + \tan\theta = -\frac{4}{5} + \frac{3}{5} + \left(-\frac{3}{4}\right) = -\frac{19}{20}$

08

정답 ②

STEP A 주어진 함수의 주기를 구하여 점 A의 좌표 구하기

$y=\sin\frac{\pi}{2}x$의 주기는 $\frac{2\pi}{\frac{\pi}{2}}=4$이므로 $y=\sin\frac{\pi}{2}x$의 그래프와 x축이 만나는

점의 x좌표 중에서 양의 최솟값은 2

또한, $\overline{BC}=\frac{2}{3}$이므로 두 점 B, C의 좌표를 각각 $(b,\ 0)$, $\left(b+\frac{2}{3},\ 0\right)$으로

놓으면 함수 $y=\sin\frac{\pi}{2}x$의 그래프는 직선 $x=1$에 대하여 대칭이므로

$\frac{b+\left(b+\frac{2}{3}\right)}{2}=1$ $\therefore b=\frac{2}{3}$

이때 $B\left(\frac{2}{3},\ 0\right)$, $C\left(\frac{4}{3},\ 0\right)$이므로 점 A의 좌표는 $A\left(\frac{2}{3},\ \sin\frac{\pi}{3}\right)$

$\therefore A\left(\frac{2}{3},\ \frac{\sqrt{3}}{2}\right)$

STEP B 직사각형 ABCD의 넓이 구하기

따라서 직사각형 ABCD의 넓이는 $\overline{AB}\cdot\overline{BC}=\frac{\sqrt{3}}{2}\cdot\frac{2}{3}=\frac{\sqrt{3}}{3}$

09

정답 ③

STEP A $\tan\alpha$의 값 구하기

$\cos\alpha=\frac{2\sqrt{5}}{5}>0$에서 α는 예각이므로

$\sin\alpha=\sqrt{1-\cos^2\alpha}=\sqrt{1-\left(\frac{2\sqrt{5}}{5}\right)^2}=\frac{\sqrt{5}}{5}$

$\therefore \tan\alpha=\frac{\sin\alpha}{\cos\alpha}=\frac{1}{2}$

STEP B 원에 내접하는 사각형에서 한 쌍의 대각의 크기의 합은 $180°$임을 이용하여 $\tan\beta$의 값 구하기

사각형 ABCD가 원에 내접하므로 $\alpha+\beta=\pi$

$\therefore \tan\beta=\tan(\pi-\alpha)=-\tan\alpha=-\frac{1}{2}$

> **참고** 원에 내접하는 사각형에서 한 쌍의 대각의 크기의 합은 $180°$이다.
> $\Rightarrow \angle A+\angle C=\angle B+\angle D=180°$
>

10

정답 ②

STEP A 삼각함수의 성질을 이용하여 식을 정리하기

$y=\sin^2\left(\frac{\pi}{2}-x\right)+\sin^2(\pi-x)+3\sin2x$

$=\cos^2x+\sin^2x+3\sin2x$

$=3\sin2x+1$

STEP B 그래프를 이용하여 aM의 값 구하기

이 함수의 그래프는 함수 $y=3\sin2x$의 그래프를 y축의 방향으로 1만큼 평행 이동한 것이다.

이때 함수 $y=3\sin2x$의 주기는

$\frac{2\pi}{2}=\pi$이므로 $0\leq x\leq\pi$에서

함수 $y=3\sin2x+1$의 그래프는 오른쪽 그림과 같다.

따라서 함수 $y=3\sin2x+1$은 $x=\frac{\pi}{4}$일 때, 최댓값 4를 가지므로

aM$=\frac{\pi}{4}\cdot4=\pi$

11

정답 ④

STEP A $y=\cos x$의 그래프와 직선 $y=-\frac{1}{\sqrt{2}}$의 교점의 x좌표 구하기

조건 (가)에서 $\cos x=-\frac{1}{\sqrt{2}}$에서 방정식의 해는

$x=\frac{3}{4}\pi$ 또는 $x=\frac{5}{4}\pi$, 즉 모든 해의 합은 $\frac{3}{4}\pi+\frac{5}{4}\pi=2\pi$

STEP B $y=\sin2x$의 그래프와 직선 $y=\frac{1}{2}$의 교점의 x좌표 구하기

조건 (나)에서 $\sin2x=\frac{1}{2}(0\leq2x\leq4\pi)$에서 방정식의 해는

$2x=\frac{\pi}{6}$ 또는 $2x=\frac{5}{6}\pi$ 또는 $2x=\frac{13}{6}\pi$ 또는 $2x=\frac{17}{6}\pi$

$\therefore x=\frac{\pi}{12}$ 또는 $x=\frac{5}{12}\pi$ 또는 $x=\frac{13}{12}\pi$ 또는 $x=\frac{17}{12}\pi$

즉 모든 해의 합은 $\frac{\pi}{12}+\frac{5}{12}\pi+\frac{13}{12}\pi+\frac{17}{12}\pi=3\pi$

STEP C $a+b$의 값 구하기

따라서 $a+b=2\pi+3\pi=5\pi$

12

정답 ⑤

STEP A 삼각함수의 성질을 이용하여 $\sin x$로 통일하기

$\cos^2x-\sin x=\frac{5}{4}$에서

$1-\sin^2x-\sin x=\frac{5}{4}$, $4\sin^2x+4\sin x+1=0$

$(2\sin x+1)^2=0$, 즉 $\sin x=-\frac{1}{2}$

STEP B 방정식의 모든 실근을 구하기

$0\leq x<2\pi$에서 $x=\frac{7}{6}\pi$ 또는 $x=\frac{11}{6}\pi$

따라서 구하는 합은 $\frac{7}{6}\pi+\frac{11}{6}\pi=3\pi$

13

정답 ③

STEP A 주어진 방정식을 $f(x)=k$꼴로 변형하기

$\sin^2x-2\cos x+a+2=0$에서 $\sin^2x-2\cos x+2=-a$

방정식 $\sin^2x-2\cos x+2=-a$가 실근을 가지려면

$y=\sin^2x-2\cos x+2$의 그래프와 직선 $y=-a$가 교점을 가져야 한다.

STEP B 함수 $y=f(x)$의 그래프와 직선 $y=k$가 만나도록 하는 k의 값의 범위 구하기

$y=\sin^2x-2\cos x+2$

$=(1-\cos^2x)-2\cos x+2$

$=-\cos^2x-2\cos x+3$

이때 $\cos x=t$로 놓으면

$-1\leq t\leq1$이고

$y=-t^2-2t+3=-(t+1)^2+4$

이므로

$t=-1$에서 최댓값은 4,

$t=1$에서 최솟값은 0이다.

오른쪽 그림에서 주어진 방정식이

실근을 가지려면 $0\leq-a\leq4$

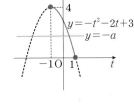

$\therefore -4\leq a\leq0$

따라서 정수 a는 $-4,\ -3,\ -2,\ -1,\ 0$이므로 5개이다.

14

정답 ⑤

STEP Ⓐ $x-\dfrac{\pi}{3}=t$로 치환하여 x의 범위 구하기

$x-\dfrac{\pi}{3}=t$로 놓으면 $-\dfrac{\pi}{3}\le t<\dfrac{5}{3}\pi$에서

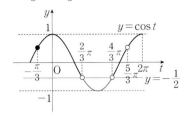

$y=\cos t$의 그래프가 직선 $y=-\dfrac{1}{2}$보다 아래쪽에 있는 t의 값의 범위는

$\dfrac{2}{3}\pi<t<\dfrac{4}{3}\pi$이므로 주어진 부등식의 해는 $\pi<x<\dfrac{5}{3}\pi$

따라서 $a+b=\pi+\dfrac{5}{3}\pi=\dfrac{8}{3}\pi$

15

정답 ①

STEP Ⓐ $\sin^2 x+\cos^2 x=1$임을 이용하여 한 종류의 삼각함수에 대한 부등식으로 고치기

$2\cos^2 x+5\sin x-4>0$에서 $2(1-\sin^2 x)+5\sin x-4>0$

$2\sin^2 x-5\sin x+2<0$, $(2\sin x-1)(\sin x-2)<0$

$\therefore\ 2\sin x-1>0\,(\because -1\le\sin x\le 1)$

STEP Ⓑ x의 값의 범위 구하기

$y=\sin x$의 그래프가 직선 $y=\dfrac{1}{2}$
보다 위쪽에 있는 x의 값의 범위가
주어진 부등식의 해이므로
오른쪽 그림에서 부등식의 해는
$\dfrac{\pi}{6}<x<\dfrac{5}{6}\pi$

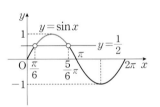

따라서 $\beta+\alpha=\dfrac{5}{6}\pi+\dfrac{\pi}{6}=\pi$ 이므로

$\cos(\alpha+\beta)=\cos\pi=-1$

16

정답 ③

STEP Ⓐ $\cos\theta=t$로 치환하여 이차식을 완전제곱식으로 나타내기

$\cos^2\theta-3\cos\theta-a+9\ge 0$에서 $\cos\theta=t$로 놓으면

$-1\le t\le 1$이고 부등식 $t^2-3t-a+9\ge 0$이 항상 성립한다.

$f(t)=t^2-3t-a+9$로 놓으면

$f(t)=\left(t-\dfrac{3}{2}\right)^2-a+\dfrac{27}{4}$

STEP Ⓑ $-1\le t\le 1$에서 $f(t)\ge 0$을 만족하는 a의 범위 구하기

$-1\le t\le 1$일 때, $f(t)$는 $t=1$에서
최솟값을 가지므로 $f(1)=-a+7\ge 0$
이어야 한다.
따라서 $a\le 7$

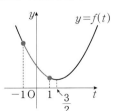

17

정답 ④

STEP Ⓐ 각의 이등분선의 성질을 이용하여 $\overline{BD}$, $\overline{DC}$의 값 구하기

$\overline{AD}$가 각 A를 이등분하고 $\overline{AB}:\overline{AC}=4:6=2:3$이므로

$\overline{BD}:\overline{CD}=2:3$

STEP Ⓑ 코사인법칙의 각의 크기를 이용하여 $\overline{BD}$의 길이 구하기

$\angle BAD=\angle CAD=\theta$, $\overline{BD}=2k$, $\overline{CD}=3k\,(k>0)$라 하면

코사인법칙에 의하여

$\cos\theta=\dfrac{4^2+3^2-(2k)^2}{2\cdot 4\cdot 3}=\dfrac{6^2+3^2-(3k)^2}{2\cdot 6\cdot 3}$

$k^2=\dfrac{5}{2}$

그런데 k는 양수이므로 $k=\dfrac{\sqrt{10}}{2}$

따라서 $\overline{BD}=2k=\sqrt{10}$

18

정답 ①

STEP Ⓐ 코사인법칙을 이용하여 $\overline{AC}$의 길이 구하기

$\overline{AC}=x$라 하면 코사인법칙에 의하여

$(\sqrt{19})^2=2^2+x^2-2\cdot 2\cdot x\cdot\cos 120°$

$x^2+2x-15=0$, $(x-3)(x+5)=0$

$\therefore\ x=3\,(\because x>0)$

STEP Ⓑ 두 변의 길이와 그 끼인각의 크기가 주어진 경우 넓이 구하기

따라서 삼각형 ABC의 넓이는 $\dfrac{1}{2}\cdot 2\cdot 3\cdot\sin 120°=\dfrac{3\sqrt{3}}{2}$

19

정답 ②

STEP Ⓐ 코사인법칙을 이용하여 대각선 BD의 길이 구하기

사각형 ABCD에서 대각선 BD를 그어서
$\triangle$ABD와 $\triangle$BCD로 나눈다.
삼각형 BCD에서 코사인법칙에 의하여

$\overline{BD}^2=3^2+5^2-2\cdot 3\cdot 5\cdot\cos 120°$

$\qquad =34-30\cdot\left(-\dfrac{1}{2}\right)=49$

$\therefore\ \overline{BD}=7\,(\because \overline{BD}>0)$

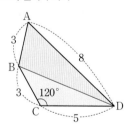

STEP Ⓑ 코사인법칙의 각의 크기를 이용하여 $\angle$BAD 구하기

$\triangle$ABD에서 코사인법칙에 의하여

$\cos A=\dfrac{3^2+8^2-7^2}{2\cdot 3\cdot 8}=\dfrac{1}{2}$

$\sin A=60°\,(\because 0°<A<180°)$

STEP Ⓒ 사각형 ABCD의 넓이 구하기

사각형 ABCD의 넓이를 S, 두 삼각형 ABD, BCD의 넓이를
각각 S_1, S_2라 하면 두 변의 길이와 그 끼인각의 크기가 주어지므로

$S=S_1+S_2$

$\quad=\dfrac{1}{2}\cdot 3\cdot 8\cdot\sin 60°+\dfrac{1}{2}\cdot 3\cdot 5\cdot\sin 120°$

$\quad=6\sqrt{3}+\dfrac{15\sqrt{3}}{4}$

$\quad=\dfrac{39\sqrt{3}}{4}$

20

STEP A **평행사변형의 넓이를 이용하여 sin B의 값 구하기**

평행사변형 ABCD의 넓이가 $10\sqrt{3}$이므로

$4 \cdot 5 \cdot \sin B = 10\sqrt{3}$

$\therefore \sin B = \dfrac{\sqrt{3}}{2}$

$0° < B < 90°$이므로 $B = 60°$

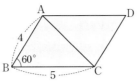

STEP B **코사인법칙을 이용하여 $\overline{AC}$의 길이를 구한다.**

삼각형 ABC에서 코사인법칙에 의하여

$\overline{AC}^2 = 4^2 + 5^2 - 2 \cdot 4 \cdot 5 \cdot \cos 60° = 16 + 25 - 2 \cdot 4 \cdot 5 \cdot \dfrac{1}{2} = 21$

$\therefore \overline{AC} = \sqrt{21} \, (\because \overline{AC} > 0)$

서 술 형

21

1단계 l을 r에 관한 식으로 나타낸다. ◀ 20%

오른쪽 그림과 같이 부채꼴의 반지름의
길이를 r, 중심각의 크기를 θ, 호의
길이를 l, 넓이를 S라고 하면
부채꼴의 둘레의 길이가 40이므로
$2r + l = 40$에서 $l = -2r + 40$ ······ ㉠

2단계 부채꼴의 넓이의 최댓값을 구한다. ◀ 40%

부채꼴의 넓이를 S라고 하면

$S = \dfrac{1}{2} rl = \dfrac{1}{2} r(-2r + 40) = -r^2 + 20r = -(r-10)^2 + 100$

$r > 0$, $l > 0$이므로 $0 < r < 20$

따라서 $r = 10$일 때, 넓이의 최댓값은 100

3단계 부채꼴의 넓이가 최대일 때, 반지름의 길이와 중심각의 크기를 구한다. ◀ 40%

$r = 10$일 때, ㉠에서 $l = -2r + 40 = 20$이므로 부채꼴의 중심각의
크기를 θ라 하면 $l = r\theta$에서 $\therefore \theta = 2$
즉 넓이가 최대인 부채꼴의 반지름의 길이는 $r = 10$, 중심각의 크기는 2이다.

22

1단계 이차방정식의 두 근이 모두 양수일 조건을 구한다. ◀ 40%

이차방정식 $x^2 + 2\sqrt{2}\sin\theta x + 3\cos\theta = 0$의 두 근이 모두 양수이므로
판별식을 D라 하면 실근을 가져야 하므로 $D \geq 0$이어야 한다.

$\dfrac{D}{4} = 2\sin^2\theta - 3\cos\theta \geq 0$, $2(1-\cos^2\theta) - 3\cos\theta \geq 0$

$2\cos^2\theta + 3\cos\theta - 2 \leq 0$, $(\cos\theta + 2)(2\cos\theta - 1) \leq 0$

이때 $\cos\theta + 2 > 0$이므로 $2\cos\theta - 1 \leq 0$

$\therefore \cos\theta \leq \dfrac{1}{2}$ ······ ㉠

또한, 두 양의 실근을 α, β라 하면 이차방정식의 근과 계수의 관계에 의하여

$\alpha + \beta = -2\sqrt{2}\sin\theta > 0$에서 $\sin\theta < 0$ ······ ㉡

$\alpha\beta = 3\cos\theta > 0$에서 $\cos\theta > 0$ ······ ㉢

2단계 삼각함수를 포함한 부등식의 해를 구한다. ◀ 30%

㉡, ㉢에 의하여 θ는 제4사분면의 각이므로 $\dfrac{3}{2}\pi < \theta < 2\pi$이고

㉠을 만족하는 θ의 범위는 $\dfrac{3}{2}\pi < \theta \leq \dfrac{5}{3}\pi$

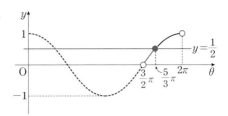

3단계 $\cos(\beta - \alpha)$의 값을 구하기 ◀ 30%

따라서 $\beta = \dfrac{5}{3}\pi$, $\alpha = \dfrac{3}{2}\pi$이므로 $\sin(\beta - \alpha) = \sin\left(\dfrac{5}{3}\pi - \dfrac{3}{2}\pi\right) = \sin\dfrac{\pi}{6} = \dfrac{1}{2}$

23

1단계 코사인법칙 이용하여 $\overline{BC}$의 길이를 구한다. ◀ 40%

오른쪽 그림의 △ABC에서
코사인법칙에 의하여
$\overline{BC}^2 = 100^2 + 80^2 - 2 \cdot 100 \cdot 80 \cdot \cos 60°$
$= 8400$
이므로 $\overline{BC} = 20\sqrt{21}\,\text{m}$

2단계 사인법칙에 의하여 원의 반지름의 길이를 구한다. ◀ 50%

한편 원의 반지름의 길이를 R이라 하면 사인법칙에 의하여

$2R = \dfrac{20\sqrt{21}}{\sin 60°} = 40\sqrt{7}$이므로 $R = 20\sqrt{7}$

3단계 호수의 넓이를 구한다. ◀ 10%

따라서 호수의 넓이는 반지름의 길이가 $20\sqrt{7}\,\text{m}$인 원의 넓이와 같으므로
$\pi \cdot (20\sqrt{7})^2 = 2800\pi\,(\text{m}^2)$

24

1단계 $c = 8$, $B = 60°$, $C = 45°$일 때, b의 값을 구한다. ◀ 20%

$c = 8$, $B = 60°$, $C = 45°$일 때, 사인법칙에 의하여

$\dfrac{b}{\sin 60°} = \dfrac{8}{\sin 45°}$이므로 $b = \sin 60° \cdot \dfrac{8}{\sin 45°} = \dfrac{\sqrt{3}}{2} \cdot \dfrac{8}{\frac{\sqrt{2}}{2}} = 4\sqrt{6}$

즉 b의 값은 $4\sqrt{6}$

2단계 $R = 3$, $B = 45°$, $C = 75°$일 때, a의 값을 구한다. ◀ 20%

$B = 45°$, $C = 75°$일 때, $A = 180° - (B + C) = 60°$이므로
외접원의 반지름의 길이가 $R = 3$이므로 사인법칙에 의하여

$\dfrac{a}{\sin 60°} = 2R = 6$, $a = 6\sin 60° = 6 \cdot \dfrac{\sqrt{3}}{2} = 3\sqrt{3}$, 즉 a의 값은 $3\sqrt{3}$

3단계 $b = 6$, $c = 12$, $A = 120°$일 때, a의 값을 구한다. ◀ 30%

$b = 6$, $c = 12$, $A = 120°$일 때, 코사인법칙에 의하여

$a^2 = b^2 + c^2 - 2bc\cos A$

$a^2 = 6^2 + 12^2 - 2 \cdot 6 \cdot 12 \cdot \cos 120° = 252$ $\therefore a = \sqrt{252} = 6\sqrt{7}$

즉 a의 값은 $6\sqrt{7}$

4단계 $a = 7$, $b = 3$, $C = 60°$일 때, c의 값을 구한다. ◀ 30%

$a = 7$, $b = 3$, $C = 60°$일 때, 코사인법칙에 의하여

$c^2 = a^2 + b^2 - 2ab\cos C$

$c^2 = 7^2 + 3^2 - 2 \cdot 7 \cdot 3 \cdot \cos 60° = 37$

$\therefore c = \sqrt{37}$

즉 c의 값은 $\sqrt{37}$

따라서 (1) ㉢, (2) ㉠, (3) ㉣, (4) ㉡

4회 삼각함수 모의평가

01	②	02	⑤	03	④	04	①	05	①
06	④	07	③	08	⑤	09	③	10	②
11	③	12	②	13	③	14	②	15	⑤
16	⑤	17	①	18	③	19	②	20	②

서술형

21	해설참조	22	해설참조
23	해설참조	24	해설참조

01

정답 ②

STEP Ⓐ **두 동경의 위치관계를 호도법으로 나타내기**

두 동경이 나타내는 각 α, β를 일반각으로 나타내면

$\alpha=2k\pi+\theta_1$, $\beta=2m\pi+\theta_2$ (단, k, m은 정수)라 하자.

① 두 동경이 일치하면 $\theta_1=\theta_2$이므로

$\alpha-\beta=2k\pi+\theta_1-(2m\pi+\theta_2)=2(k-m)\pi$

이때 $k-m=n$ (n은 정수)으로 놓으면 $\alpha-\beta=2n\pi$

② 두 동경이 일직선 위에 있고 반대방향이면 $\theta_1=\theta_2+\pi$이므로

$\alpha-\beta=2k\pi+\theta_1-(2m\pi+\theta_2)=2(k-m)\pi+\pi$

이때 $k-m=n$ (n은 정수)으로 놓으면 $\alpha-\beta=2n\pi+\pi$

③ 두 동경이 x축에 대하여 대칭이면 $\theta_1=-\theta_2$

$\alpha+\beta=2k\pi+\theta_1+(2m\pi+\theta_2)=2(k+m)\pi$

이때 $k+m=n$ (n은 정수)으로 놓으면 $\alpha+\beta=2n\pi$

④ 두 동경이 y축에 대하여 대칭이면 $\theta_2=\pi-\theta_1$

$\alpha+\beta=2k\pi+\theta_1+(2m\pi+\pi-\theta_1)=2(k+m)\pi+\pi$

이때 $k+m=n$ (n은 정수)으로 놓으면 $\alpha+\beta=2n\pi+\pi$

⑤ 두 동경이 직선 $y=x$에 대하여 대칭이면 $\theta_2=\dfrac{\pi}{2}-\theta_1$

$\alpha+\beta=2k\pi+\theta_1+\left(2m\pi+\dfrac{\pi}{2}-\theta_1\right)=2(k+m)\pi+\dfrac{\pi}{2}$

이때 $k+m=n$ (n은 정수)으로 놓으면

$\alpha+\beta=2n\pi+\dfrac{\pi}{2}$

따라서 옳은 것은 ②번이다.

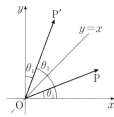

02

정답 ⑤

STEP Ⓐ **$ab>0$이면 a와 b의 부호가 서로 같고 $ab<0$이면 a와 b의 부호가 서로 다름을 이용하기**

$\sin\theta\cos\theta>0$에서 $\sin\theta$와 $\cos\theta$의 부호가 서로 같으므로 θ는 제 1사분면 또는 제 3사분면의 각이다.

$\sin\theta\tan\theta<0$에서 $\sin\theta$와 $\tan\theta$의 부호가 서로 다르므로 θ는 제 2사분면 또는 제 3사분면의 각이다.

즉 조건을 모두 만족시키는 θ는 제 3사분면의 각이다.

STEP Ⓑ **주어진 식을 간단히 하기**

$\sin\theta<0$, $\tan\theta>0$

$\therefore \sin\theta+\tan\theta+|\sin\theta|+|\tan\theta|=\sin\theta+\tan\theta-\sin\theta+\tan\theta$
$=2\tan\theta$

03

정답 ④

STEP Ⓐ **삼각함수 사이의 관계를 이용하여 진위판단하기**

① $\dfrac{\cos\theta}{1-\sin\theta}-\dfrac{\sin\theta}{\cos\theta}=\dfrac{\cos^2\theta-\sin\theta(1-\sin\theta)}{(1-\sin\theta)\cos\theta}$

$=\dfrac{\cos^2\theta+\sin^2\theta-\sin\theta}{(1-\sin\theta)\cos\theta}$

$=\dfrac{1-\sin\theta}{(1-\sin\theta)\cos\theta}$

$=\dfrac{1}{\cos\theta}$ [참]

② $\dfrac{1}{\cos^2\theta}+\dfrac{\tan\theta}{\cos\theta}=\dfrac{1}{\cos^2\theta}+\dfrac{\sin\theta}{\cos^2\theta}$

$=\dfrac{1+\sin\theta}{1-\sin^2\theta}$

$=\dfrac{1+\sin\theta}{(1+\sin\theta)(1-\sin\theta)}$

$=\dfrac{1}{1-\sin\theta}$ [참]

③ $\dfrac{2}{\cos\theta}-\dfrac{\cos\theta}{1-\sin\theta}=\dfrac{2-2\sin\theta-\cos^2\theta}{\cos\theta(1-\sin\theta)}$

$=\dfrac{1-2\sin\theta+\sin^2\theta}{\cos\theta(1-\sin\theta)}$

$=\dfrac{(1-\sin\theta)^2}{\cos\theta(1-\sin\theta)}$

$=\dfrac{1-\sin\theta}{\cos\theta}$ [참]

④ $\dfrac{\cos^2\theta}{1+\sin\theta}+\dfrac{\cos^2\theta}{1-\sin\theta}=\cos^2\theta\cdot\dfrac{1-\sin\theta+1+\sin\theta}{1-\sin^2\theta}$

$=\cos^2\theta\cdot\dfrac{2}{\cos^2\theta}=2$ [거짓]

⑤ $\cos^4\theta-\sin^4\theta=(\cos^2\theta-\sin^2\theta)(\cos^2\theta+\sin^2\theta)$

$=\cos^2\theta-\sin^2\theta=\cos^2\theta-(1-\cos^2\theta)$

$=2\cos^2\theta-1$ [참]

따라서 옳지 않은 것은 ④이다.

04

정답 ①

STEP Ⓐ **삼각함수 사이의 관계를 이용하여 $\sin\theta$ 구하기**

$\sin^2\theta+\cos^2\theta=1$의 양변을 $\sin^2\theta$로 나누면

$1+\dfrac{1}{\tan^2\theta}=\dfrac{1}{\sin^2\theta}$

$\therefore \dfrac{1}{\sin^2\theta}=1+\dfrac{1}{\left(\dfrac{5}{12}\right)^2}=\dfrac{169}{25}$

$\therefore \sin^2\theta=\dfrac{25}{169}$

이때 θ는 제 3사분면의 각이므로 $\sin\theta<0$

$\therefore \sin\theta=-\dfrac{5}{13}$

STEP Ⓑ **주어진 조건의 값 구하기**

$\therefore \dfrac{\sin\theta}{1-\cos\theta}+\dfrac{\sin\theta}{1+\cos\theta}=\dfrac{\sin\theta(1+\cos\theta)+\sin\theta(1-\cos\theta)}{(1-\cos\theta)(1+\cos\theta)}$

$=\dfrac{\sin\theta+\sin\theta\cos\theta+\sin\theta-\sin\theta\cos\theta}{1-\cos^2\theta}$

$=\dfrac{2\sin\theta}{\sin^2\theta}=\dfrac{2}{\sin\theta}$

$=\dfrac{2}{-\dfrac{5}{13}}=-\dfrac{26}{5}$

05

STEP A **주어진 식의 양변을 제곱하여 $\sin\theta\cos\theta$의 값 구하기**

$\sin\theta+\cos\theta=\dfrac{1}{3}$의 양변을 제곱하면

$1+2\sin\theta\cos\theta=\dfrac{1}{9}$이므로 $\sin\theta\cos\theta=-\dfrac{4}{9}$

STEP B **곱셈공식의 변형을 이용하여 $\sin\theta+\cos\theta$의 값 구하기**

$(\sin\theta-\cos\theta)^2=1-2\sin\theta\cos\theta=\dfrac{17}{9}$

이때 θ는 제 4사분면이므로 $\sin\theta<0,\ \cos\theta>0$

따라서 $\sin\theta-\cos\theta<0$이므로 $\sin\theta-\cos\theta=-\dfrac{\sqrt{17}}{3}$

06

STEP A **삼각함수의 성질을 이용하여 주어진 값 구하기**

$\tan\left(\dfrac{\pi}{2}+\theta\right)=-\dfrac{1}{\tan\theta}=-\dfrac{1}{5}$

$\tan(\pi+\theta)=\tan\theta=5$

$\tan\left(\dfrac{3}{2}\pi+\theta\right)=\tan\left(\dfrac{\pi}{2}+\theta\right)=-\dfrac{1}{\tan\theta}=-\dfrac{1}{5}$

$\tan(2\pi+\theta)=\tan\theta=5$

$\vdots$

STEP B **$\displaystyle\sum_{k=1}^{10}\tan\left(\dfrac{k\pi}{2}+\theta\right)$의 값 구하기**

$\displaystyle\sum_{k=1}^{10}\tan\left(\dfrac{k\pi}{2}+\theta\right)=5\left\{\left(-\dfrac{1}{5}\right)+5\right\}=24$

07

STEP A **$y=a\sin(bx+c)+d$에서 $a,\ d$는 최댓값, 최솟값을 결정하고 b는 주기를 결정함을 이용하여 진위판단하기**

① 주기는 $\dfrac{2\pi}{2}=\pi$이다. [참]

② 최댓값은 $2+2=4$, 최솟값은 $-2+2=0$이다. [참]

③ $f(x)=2\sin\left(2x+\dfrac{\pi}{3}\right)+2=2\sin 2\left(x+\dfrac{\pi}{6}\right)+2$이므로

$y=f(x)$의 그래프는 $y=2\sin 2x+2$의 그래프를 x축의 방향으로 $-\dfrac{\pi}{6}$만큼 평행이동한 것이다. [거짓]

④ $f\left(\dfrac{\pi}{3}\right)=2\sin\left(\dfrac{2}{3}\pi+\dfrac{\pi}{3}\right)+2=2\sin\pi+2=2$ [참]

⑤ $f\left(-\dfrac{\pi}{6}\pi\right)=2\sin\left(-\dfrac{\pi}{3}+\dfrac{\pi}{3}\right)+2=2\sin 0+2=2$

$f\left(\dfrac{5}{6}\pi\right)=2\sin\left(\dfrac{5}{3}\pi+\dfrac{\pi}{3}\right)+2=2\sin 2\pi+2=2$

$\therefore f\left(-\dfrac{\pi}{6}\right)=f\left(\dfrac{5}{6}\pi\right)=2$ [참]

따라서 옳지 않은 것은 ③이다.

08

STEP A **주기를 이용하여 $b,\ c$의 값 구하기**

$f(x)=2\cos\pi(x-a)+1$에 대하여 함수 $f(x)$의 주기가 $\dfrac{2\pi}{\pi}=2$이므로

그래프에서 $b=2$이고 $c=\dfrac{4}{3}+2=\dfrac{10}{3}$

STEP B **최댓값이 3임을 이용하여 a의 값 구하기**

$x=a$에서 $\cos\pi(x-a)=\cos 0=1$이므로 함수 $f(x)$는 $x=a$에서 최댓값 3을 갖는다.

주어진 그래프에서 $x=\cdots,\ -\dfrac{4}{3},\ \dfrac{2}{3},\ \dfrac{8}{3},\ \cdots$일 때,

함수 $f(x)$는 최댓값 3을 갖고 $0<a<1$이므로 $a=\dfrac{2}{3}$

STEP C **$a+b+c$의 값 구하기**

따라서 $a+b+c=\dfrac{2}{3}+2+\dfrac{10}{3}=6$

09

STEP A **$y=-\cos x+k$의 그래프 위치관계 구하기**

함수 $y=-\cos x+k$의 그래프는 함수 $y=\cos x$의 그래프를 x축에 대하여 대칭이동한 후 y축의 방향으로 k만큼 평행이동한 것이다.

이때 $y=-\cos x\,(0\le x\le 2\pi)$의 그래프는 직선 $y=3$은 다음 그림과 같다.

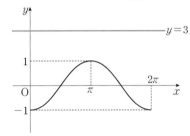

STEP B **두 그래프가 서로 다른 두 점에서 만나도록 하는 실수 k의 범위 구하기**

함수 $y=-\cos x+k$의 그래프가 직선 $y=3$과 서로 다른 두 점에서 만나도록 하는 k의 값의 범위는 $2<k\le 4$이므로 k의 최댓값은 4

10

STEP A **$\sin^2 x+\cos^2 x=1$임을 이용하여 주어진 식을 한 종류의 삼각함수로 통일하기**

$y=\sin^2\left(\dfrac{\pi}{2}+x\right)-4\sin(\pi+x)+k$

$=\cos^2 x+4\sin x+k$

$=(1-\sin^2 x)+4\sin x+k$

$=-\sin^2 x+4\sin x+k+1$

$\sin x=t$로 놓으면 $-1\le t\le 1$이고

$y=-t^2+4t+k+1$

$=-(t-2)^2+k+5$

STEP B **최댓값과 최솟값의 합 구하기**

오른쪽 그림에서

$t=1$일 때, 최댓값은 $k+4$,

$t=-1$일 때 최솟값은 $k-4$

이때 최댓값과 최솟값의 합이 6이므로

$(k+4)+(k-4)=6,\ 2k=6$

$\therefore k=3$

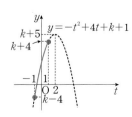

11 정답 ③

STEP Ⓐ 전개도에서 부채꼴의 중심각의 크기 구하기

원뿔의 전개도를 그려 보면 오른쪽
그림과 같다.
원뿔의 밑면의 전개도인 부채꼴에서
호의 길이가 4π이므로 중심각의
크기를 θ라 하면
$6\theta=4\pi$, $\theta=\dfrac{2}{3}\pi$
즉 $\theta=120°$

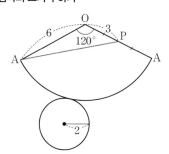

STEP Ⓑ 코사인법칙을 이용하여 최단거리 구하기

이때 최단거리는 $\overline{\mathrm{AP}}$이므로 코사인법칙에 의하여
$\overline{\mathrm{AP}}^2=6^2+3^2-2\cdot6\cdot3\cdot\cos120°$
$\qquad=36+9-2\cdot6\cdot3\cdot\left(-\dfrac{1}{2}\right)$
$\qquad=63$
$\therefore \overline{\mathrm{AP}}=3\sqrt{7}\ (\because \overline{\mathrm{AP}}>0)$

12 정답 ②

STEP Ⓐ 주어진 방정식을 $\cos x$에 대한 방정식으로 변형하기

$3\sin^2 x+(3a-1)\cos x+a-3=0$에서
$3(1-\cos^2 x)+(3a-1)\cos x+a-3=0$
$3\cos^2 x-(3a-1)\cos x-a=0$, $(3\cos x+1)(\cos x-a)=0$
$\therefore \cos x=-\dfrac{1}{3}$ 또는 $\cos x=a$

STEP Ⓑ 서로 다른 3개의 실근을 가질 a의 값 구하기

주어진 방정식이 서로 다른 세 실근을 가져야 하므로 다음 그림에서

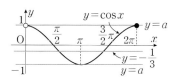

$a=-1$ 또는 $a=1$
따라서 모든 실수 a의 값의 합은 0이다.

13 정답 ③

STEP Ⓐ $\dfrac{\sin x}{\cos x}=\tan x$을 이용하여 한 종류의 삼각함수로 구하기

$-\dfrac{\pi}{2}<x<\dfrac{\pi}{2}$에서 $\cos x>0$이므로 주어진 식의 양변을 $\cos^2 x$로 나누면
$\sqrt{3}\tan^2 x-(\sqrt{3}+1)\tan x+1\le0$
$(\sqrt{3}\tan x-1)(\tan x-1)\le0$
$\therefore \dfrac{\sqrt{3}}{3}\le\tan x\le1$

STEP Ⓑ x의 범위를 구하기

오른쪽 그림에서 부등식 $\dfrac{\sqrt{3}}{3}\le\tan x\le1$의

해는 $\dfrac{\pi}{6}\le x\le\dfrac{\pi}{4}$

따라서 $\alpha=\dfrac{\pi}{6}$, $\beta=\dfrac{\pi}{4}$이므로 $\alpha+\beta=\dfrac{5}{12}\pi$

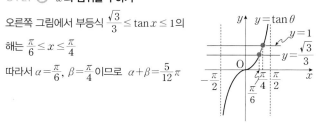

14 정답 ②

STEP Ⓐ 사인법칙을 이용하여 b의 값 구하기

삼각형 ABC에서 $A=40°$, $B=80°$이므로
$C=180°-(40°+80°)=60°$
삼각형 ABC의 외접원의 반지름의 길이를
R이라 하면

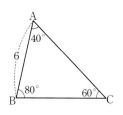

$2R=\dfrac{\overline{\mathrm{AB}}}{\sin60°}=\dfrac{6}{\dfrac{\sqrt{3}}{2}}=4\sqrt{3}$

따라서 외접원의 반지름의 길이는 $R=2\sqrt{3}$

15 정답 ⑤

STEP Ⓐ [보기]의 진위판단하기

① 사각형 ABCD가 원에 내접하므로 $A+C=\pi$이다.
$\quad\therefore \sin(A+C)=\sin\pi=0$ [참]
② 사각형의 네 내각의 크기의 합은 2π이므로
$\quad A+B+C+D=2\pi$에서 $A+B=2\pi-(C+D)$이다.
$\quad\therefore \cos(A+B)=\cos\{2\pi-(C+D)\}=\cos(C+D)$ [참]
③ $\cos C=\cos(\pi-A)=-\cos A=-\dfrac{1}{3}$이므로
$\quad$ 삼각형 BCD에서 코사인 법칙에 의하여
$\quad\overline{\mathrm{BD}}^2=6^2+4^2-2\cdot6\cdot4\cdot\left(-\dfrac{1}{3}\right)=68$
$\quad\therefore \overline{\mathrm{BD}}=2\sqrt{17}\ (\because \overline{\mathrm{BD}}>0)$ [참]
④ 외접원의 반지름의 길이를 R이라 하면 사인법칙에 의하여
$\quad$ 삼각형 ABC에서 $\sin(\angle\mathrm{BAC})=\dfrac{\overline{\mathrm{BC}}}{2R}=\dfrac{3}{R}$
$\quad$ 삼각형 ACD에서 $\sin(\angle\mathrm{DAC})=\dfrac{\overline{\mathrm{CD}}}{2R}=\dfrac{2}{R}$
$\quad\therefore \dfrac{\sin(\angle\mathrm{BAC})}{\sin(\angle\mathrm{DAC})}=\dfrac{\dfrac{3}{R}}{\dfrac{2}{R}}=\dfrac{3}{2}$ [참]
⑤ ③에서 $\overline{\mathrm{BD}}=2\sqrt{17}$이고
$\quad\cos A=\dfrac{1}{3}$에서 $\sin A=\sqrt{1-\cos^2 A}=\dfrac{2\sqrt{2}}{3}$이므로
$\quad$ 삼각형 ABD에서 사인법칙에 의하여
$\quad\dfrac{\overline{\mathrm{BD}}}{\sin A}=2R$, $\dfrac{2\sqrt{17}}{\dfrac{2\sqrt{2}}{3}}=2R$, $R=\dfrac{3\sqrt{34}}{4}$
$\quad$ 즉 외접원의 넓이는 $\pi R^2=\dfrac{153}{8}\pi$이다. [거짓]
따라서 옳지 않은 것은 ⑤이다.

16

정답 ⑤

STEP Ⓐ $A+B+C=180°$임을 이용하여 $\sin B$의 값 구하기

$A+B+C=180°$이므로
$A+C=180°-B$
이때 $\sin(A+C)=\sin(180°-B)=\sin B$
이므로 $2\sin(A+C)\sin B=2\sin^2 B=1$
$\therefore \sin^2 B=\dfrac{1}{2}$
이때 $0°<C<180°$에서 $\sin B>0$이므로
$\sin B=\dfrac{\sqrt{2}}{2}$
$\therefore B=45°$ 또는 $B=135°$
그런데 $B=135°$이면 $A+B>180°$이므로 $B=45°$

STEP Ⓑ $\dfrac{b}{\sin B}=2R$임을 이용하여 c의 값 구하기

$A+B+C=180°$이므로
$C=180°-(A+B)=180°-(75°+45°)=60°$
외접원의 반지름의 길이가 6이므로 사인법칙에 의하여
$\dfrac{c}{\sin C}=2R$에서 $c=2R\sin 60°=2\cdot 6\cdot \dfrac{\sqrt{3}}{2}=6\sqrt{3}$

17

정답 ①

STEP Ⓐ 삼각함수의 성질을 이용하여 정리하기

$A+B+C=\pi$이므로
$\sin^2 A\cos(A+C)=\cos(B+C)\sin^2 B$에서
$\sin^2 A\cos(\pi-B)=\cos(\pi-A)\sin^2 B$
$\sin^2 A(-\cos B)=(-\cos A)\sin^2 B$
$\sin^2 A\cos B=\cos A\sin^2 B$ ...... ㉠

STEP Ⓑ 사인법칙과 코사인법칙을 이용하여 삼각형의 모양 결정하기

삼각형 ABC의 외접원의 반지름의 길이를 R이라 할 때,
사인법칙에 의하여 $\sin A=\dfrac{a}{2R}$, $\sin B=\dfrac{b}{2R}$
코사인법칙의 각의 크기에 의하여
$\cos A=\dfrac{b^2+c^2-a^2}{2bc}$, $\cos B=\dfrac{c^2+a^2-b^2}{2ca}$
이를 ㉠에 대입하면

$\left(\dfrac{a}{2R}\right)^2\times\dfrac{c^2+a^2-b^2}{2ca}=\dfrac{b^2+c^2-a^2}{2bc}\times\left(\dfrac{b}{2R}\right)^2$
$a(a^2+c^2-b^2)=(b^2+c^2-a^2)b$
$a^3-b^3+a^2b-ab^2+ac^2-bc^2=0$
$(a-b)(a^2+ab+b^2)+(a-b)ab+(a-b)c^2=0$
$(a-b)(a^2+2ab+b^2+c^2)=0$
$(a-b)\{(a+b)^2+c^2\}=0$
이때 $(a+b)^2>0$, $c^2>0$이므로 $a=b$
따라서 삼각형 ABC는 $a=b$인 이등변삼각형이다.

18

정답 ③

STEP Ⓐ 두 변의 길이와 그 끼인각의 크기가 주어진 경우 넓이 구하기

정삼각형 ABC의 넓이는
$\dfrac{1}{2}\cdot 8\cdot 8\cdot \sin 60°=16\sqrt{3}$
한편 $\triangle APR=\triangle BQP=\triangle CRQ$이므로
삼각형 APR의 넓이는
$\dfrac{1}{2}\cdot 6\cdot 2\cdot \sin 60°=3\sqrt{3}$

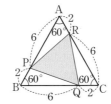

STEP Ⓑ 삼각형 PQR의 넓이 구하기

삼각형 PQR의 넓이는 정삼각형 ABC의 넓이에서 삼각형 APR의 넓이의
3배를 빼면 되므로 $\triangle ABC-3\triangle APR=16\sqrt{3}-3\cdot 3\sqrt{3}=7\sqrt{3}$

19

정답 ②

STEP Ⓐ 호의 길이는 중심각의 크기에 비례함을 이용하여 각을 구하기

오른쪽 그림과 같이 사각형 ABCD를
점 O를 꼭짓점으로 갖는 삼각형 4개로
나눌 수 있다.

부채꼴의 호의 길이는 중심각의 크기에
비례하므로
$\angle AOB:\angle BOC:\angle COD:\angle DOA=5:1:3:3$
$\angle BOC=\theta$라 하면 $\angle AOB=5\theta$, $\angle COD=\angle DOA=3\theta$
이때 $5\theta+\theta+3\theta+3\theta=12\theta=360°$이므로 $\theta=30°$

STEP Ⓑ 두 변의 길이와 그 끼인각의 크기가 주어질 때, 넓이 구하기

따라서 사각형 ABCD의 넓이를 S라고 하면
$S=\triangle OAB+\triangle OBC+\triangle OCD+\triangle ODA$
$=\dfrac{1}{2}\cdot 6^2\cdot \sin 150°+\dfrac{1}{2}\cdot 6^2\cdot \sin 30°+\dfrac{1}{2}\cdot 6^2\cdot \sin 90°+\dfrac{1}{2}\cdot 6^2\cdot \sin 90°$
$=18\left(\dfrac{1}{2}+\dfrac{1}{2}+1+1\right)=54$

20

정답 ②

STEP Ⓐ 코사인법칙을 이용하여 $\overline{AC}$의 길이 구하기

오른쪽 그림에서 사각형 ABCD의 넓이는
두 삼각형 ABC와 ACD의 넓이의 합과 같다.
삼각형 ACD에서 코사인법칙에 의하여
$\overline{AC}^2=6^2+4^2-2\cdot 6\cdot 4\cdot \cos 60°=28$
$\therefore \overline{AC}=2\sqrt{7}(\because \overline{AC}>0)$

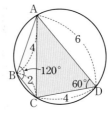

STEP Ⓑ 코사인법칙을 이용하여 $\overline{AB}$의 길이 구하기

사각형 ABCD는 원에 내접하므로
$D=60°$이므로 $B=180°-60°=120°$
$\overline{AB}=x$라 하면 삼각형 ABC에서 코사인법칙에 의하여
$(2\sqrt{7})^2=x^2+2^2-2\cdot x\cdot 2\cdot \cos 120°$, $x^2+2x-24=0$
$(x+6)(x-4)=0$ $\therefore x=4(\because x>0)$

STEP Ⓒ 사각형 ABCD의 넓이 구하기

따라서 사각형 ABCD의 넓이를 S, 두 삼각형 ABC, ACD의 넓이를 각각
S_1, S_2라 하면 두 변의 길이와 그 끼인각의 크기가 주어지므로
$S=S_1+S_2=\dfrac{1}{2}\cdot 4\cdot 2\cdot \sin 120°+\dfrac{1}{2}\cdot 6\cdot 4\cdot \sin 60°$
$=2\sqrt{3}+6\sqrt{3}=8\sqrt{3}$

서술형

21

정답 해설참조

1단계 | 두 근이 $\sin\theta$, $\cos\theta$인 이차방정식의 근과 계수의 관계를 이용하여 상수 p의 값을 구한다. ◀ 30%

이차방정식 $2x^2+x+p=0$의 두 근이 $\sin\theta$, $\cos\theta$이므로
근과 계수의 관계에 의해

$\sin\theta+\cos\theta=-\dfrac{1}{2}$ ...... ㉠

$\sin\theta\cos\theta=\dfrac{p}{2}$ ...... ㉡

㉠의 양변을 제곱하면 $\sin^2\theta+2\sin\theta\cos\theta+\cos^2\theta=\dfrac{1}{4}$

$1+2\sin\theta\cos\theta=\dfrac{1}{4}$

$\therefore \sin\theta\cos\theta=-\dfrac{3}{8}$ ...... ㉢

㉡과 ㉢에서 $\dfrac{p}{2}=-\dfrac{3}{8}$ $\therefore p=-\dfrac{3}{4}$

2단계 | [1단계]을 이용하여 $\tan\theta+\dfrac{1}{\tan\theta}$값을 구한다. ◀ 30%

이때 $\tan\theta$, $\dfrac{1}{\tan\theta}$을 두 근으로 하는 이차방정식에서 두 근의 합은

$\tan\theta+\dfrac{1}{\tan\theta}=\dfrac{\sin\theta}{\cos\theta}+\dfrac{\cos\theta}{\sin\theta}=\dfrac{\sin^2\theta+\cos^2\theta}{\sin\theta\cos\theta}=\dfrac{1}{\sin\theta\cos\theta}$

$=-\dfrac{8}{3}$ ($\because$ ㉢)

3단계 | 두 근 $\tan\theta$, $\dfrac{1}{\tan\theta}$인 x^2의 계수가 $-4p$인 이차방정식을 구한다. ◀ 30%

두 근의 곱은 $\tan\theta\times\dfrac{1}{\tan\theta}=1$이므로 x^2의 계수가 $-4p$, 즉 3이고

두 근의 합이 $-\dfrac{8}{3}$, 두 근의 곱이 1인 이차방정식은 $3\left(x^2+\dfrac{8}{3}x+1\right)=0$

$\therefore 3x^2+8x+3=0$

4단계 | $a+b+c$의 값을 구한다. ◀ 10%

따라서 $a=3$, $b=8$, $c=3$이므로 $a+b+c=14$

22

정답 해설참조

1단계 | $\sin^2\theta+\cos^2\theta=1$을 이용하여 식을 정리한다. ◀ 30%

$2\cos^2x+\sin x+a>0$에서 $2(1-\sin^2x)+\sin x+a>0$

$2\sin^2x-\sin x-2-a<0$

2단계 | $\sin\theta=t$로 치환하여 주어진 함수의 식을 t로 정리한다. ◀ 30%

이때 $\sin x=t$로 놓으면
$0\le x\le\pi$에서 $0\le t\le 1$이고
주어진 부등식은 $2t^2-t-2-a<0$

$y=2t^2-t-2-a=2\left(t-\dfrac{1}{4}\right)^2-\dfrac{17}{8}-a$

3단계 | 실수 a의 범위 구한다. ◀ 40%

$f(t)=2\left(t-\dfrac{1}{4}\right)^2-\dfrac{17}{8}-a$라 하면
오른쪽 그림에서 $0\le t\le 1$에서
함수 $f(t)$는 $t=1$일 때, 최댓값을
가지므로
$f(1)=2-1-2-a<0$
$\therefore a>-1$

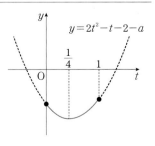

23

정답 해설참조

1단계 | 삼각형 ABC에서 코사인법칙을 이용하여 $\cos C$의 값을 구한다. ◀ 40%

오른쪽 그림과 같이 삼각형에 세 꼭짓점을
A, B, C라 하면 코사인법칙에 의해

$\cos C=\dfrac{5^2+6^2-9^2}{2\cdot 5\cdot 6}=-\dfrac{1}{3}$

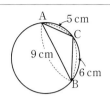

2단계 | $\sin C$의 값을 구한다. ◀ 30%

이때 $\sin^2C=1-\cos^2C$이므로

$\sin C=\sqrt{1-\cos^2C}$ ($\because 0°<C<180°$)

$=\sqrt{1-\left(-\dfrac{1}{3}\right)^2}=\dfrac{2\sqrt{2}}{3}$

3단계 | 사인법칙을 이용하여 외접원의 반지름의 길이를 구한다. ◀ 30%

그릇의 반지름의 길이를 Rcm라 하면 사인법칙에 의해

$\dfrac{c}{\sin C}=2R$이므로 $R=\dfrac{9}{2}\cdot\dfrac{3}{2\sqrt{2}}=\dfrac{27\sqrt{2}}{8}$

따라서 그릇의 반지름의 길이는 $\dfrac{27\sqrt{2}}{8}$ cm

24

정답 해설참조

1단계 | 두 해안 도로를 두 직선으로 하고 배의 대칭점을 각각 정한다. ◀ 30%

두 해안 도로가 나타내는 직선을 각각 l, m이라 하고
두 직선 l, m의 교점을 O라 하자.
배의 위치를 A라 하고 수영코스에서 직선 l, m과 만나는점을
각각 B, C라 하자.
이때 점 A를 직선 l에 대하여 대칭이동한 점을 A$'$,
직선 m에 대하여 대칭이동한 점을 A$''$이라 하면 다음 그림과 같다.

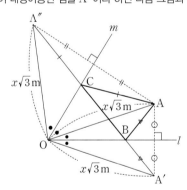

2단계 | 두 직선의 교점과 대칭인 두 점 사이의 각을 구한다. ◀ 30%

$\angle BOC=60°$에서 $\angle A'OA''=120°$

3단계 | 최단거리가 300임을 이용하여 x의 값을 구한다. ◀ 40%

$\overline{OA}=\overline{OA'}=\overline{OA''}=x\sqrt{3}$이고

이때 수영코스의 최단 길이가 300 m이므로 $\overline{A'A''}=300$
삼각형 A$'$OA$''$에서 코사인법칙에 의하여
$300^2=(x\sqrt{3})^2+(x\sqrt{3})^2-2\cdot x\sqrt{3}\cdot x\sqrt{3}\cdot\cos 120°$
$=3x^2+3x^2+3x^2=9x^2$

$\therefore x=100$ ($\because x>0$)

01	③	02	②	03	③	04	③	05	①
06	⑤	07	④	08	③	09	③	10	⑤
11	②	12	③	13	④	14	③	15	③
16	②	17	④	18	③	19	④	20	④

서술형

21	해설참조	22	해설참조
23	해설참조	24	해설참조

01

STEP A 등차수열 $\{a_n\}$의 일반항을 이용하여 a_{10}의 값 구하기

등차수열 $\{a_n\}$의 첫째항이 2, 공차를 d라 하면 $a_n=2+(n-1)d$

이때 $a_7+a_{11}=20$이므로 $(2+6d)+(2+10d)=4+16d=20$

$\therefore d=1$

따라서 $a_{10}=a_1+9d=2+9\cdot1=11$

02

STEP A 등비수열 $\{a_n\}$의 일반항을 이용하여 공비를 구하여 a_4 구하기

등비수열 $\{a_n\}$의 첫째항을 1, 공비를 $r\,(r>0)$이라 하면

$a_n=1\cdot r^{n-1}$

$\dfrac{a_7}{a_5}=\dfrac{1\cdot r^6}{1\cdot r^4}=r^2=4$ $\therefore r=2$

따라서 $a_n=2^{n-1}$이므로 $a_4=2^{4-1}=2^3=8$

03

STEP A 등차수열 $\{a_n\}$의 첫째항과 공차를 구하여 일반항 a_n 구하기

등차수열 $\{a_n\}$의 첫째항을 a, 공차를 d라 하면

$a_n=a+(n-1)d$

$a_1+a_3=a+(a+2d)=2a+2d=6$ $\qquad\cdots\cdots$ ㉠

$a_4-a_2=a+3d-(a+d)=2d=6$ $\qquad\cdots\cdots$ ㉡

㉠, ㉡을 연립하여 풀면 $a=0$, $d=3$

따라서 $a_6=a+5d=0+5\cdot3=15$

04

STEP A 등차수열의 합 공식을 이용하여 n 구하기

$-5, a_1, a_2, \cdots, a_n, 15$에서 주어진 등차수열은 첫째항이 -5, 끝항이 15,

항수는 $n+2$이고 합이 100이므로 $\dfrac{(n+2)(-5+15)}{2}=100$

$n+2=20$

$\therefore n=18$

STEP B 등차수열의 일반항을 이용하여 공차 d 구하기

이때 15는 제 20항이므로 공차를 d라 하면 $-5+(20-1)d=15$

따라서 $d=\dfrac{20}{19}$

05

STEP A 주어진 등차수열의 합을 이용하여 첫째항과 공차 구하기

등차수열 $\{a_n\}$의 첫째항을 a, 공차를 d라 하면

$S_{10}=\dfrac{10}{2}(2a+9d)=10$ $\therefore 2a+9d=2$ $\qquad\cdots\cdots$ ㉠

$S_{20}=\dfrac{20}{2}(2a+19d)=40$ $\therefore 2a+19d=4$ $\qquad\cdots\cdots$ ㉡

㉠, ㉡을 연립하여 풀면 $a=\dfrac{1}{10}$, $d=\dfrac{1}{5}$

STEP B S_{30}의 값 구하기

따라서 $S_{30}=\dfrac{30}{2}\Big\{2\times\dfrac{1}{10}+(30-1)\times\dfrac{1}{5}\Big\}=90$

다른풀이 합의 등차중항을 이용하여 풀이하기

등차수열 $\{a_n\}$에서 차례로 10개의 수를 각각 묶어 그 합을 구하면
이 합은 등차수열을 이룬다.

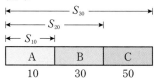

즉 $A=a_1+a_2+\cdots+a_{10}$, $B=a_{11}+a_{12}+\cdots+a_{20}$, $C=a_{21}+a_{22}+\cdots+a_{30}$

이라 하면 A, B, C는 이 순서대로 등차수열을 이룬다.

$A=S_{10}=10$, $S_{20}=40$ 이므로 $B=40-10=30$ $\therefore C=50$

따라서 $S_{30}=A+B+C=10+30+50=90$

06
정답 ⑤

STEP A 수열의 합과 일반항 사이의 관계에 의하여 a_n 구하기

(i) $n=1$일 때, $a_1=S_1=1^2+3\cdot1=4$

(ii) $n\geq2$일 때, $a_n=S_n-S_{n-1}$

$\qquad\qquad =(n^2+3n)-\{(n-1)^2+3(n-1)\}$

$\qquad\qquad =2n+2$ $\qquad\cdots\cdots$ ㉠

이때 $a_1=4$는 ㉠에 $n=1$을 대입한 것과 같으므로

(i), (ii)에서 $a_n=2n+2\,(n\geq1)$

STEP B 주어진 조건을 만족시키는 n의 값 구하기

$a_2+a_4+a_6+\cdots+a_{2n}$은 첫째항이 $a_2=6$, 끝항이 $a_{2n}=4n+2$,

항의 수가 n인 등차수열의 합이고 그 값이 336이므로

$a_2+a_4+a_6+\cdots+a_{2n}=6+10+14+\cdots+(4n+2)$

$\qquad\qquad =\dfrac{n\{6+(4n+2)\}}{2}=2n^2+4n$

$2n^2+4n=336$이므로 $n^2+2n-168=0$, $(n+14)(n-12)=0$

따라서 $n=12\,(\because n$은 자연수$)$

07

STEP A 등차중항과 등비중항의 성질을 이용하여 a, b의 관계식 구하기

세 수 a, 3, b가 이 순서대로 등차수열을 이루므로

$2\times3=a+b$에서 $a+b=6$ $\qquad\cdots\cdots$ ㉠

세 수 4, $a+b$, $2b$가 이 순서대로 등비수열을 이루므로

$6^2=4\times2b$에서 $b=\dfrac{9}{2}$

STEP B ab의 값 구하기

$b=\dfrac{9}{2}$를 ㉠에 대입하면 $a=\dfrac{3}{2}$

따라서 $ab=\dfrac{3}{2}\times\dfrac{9}{2}=\dfrac{27}{4}$

08

정답 ③

STEP A **등비수열을 이루는 세 수를 a, ar, ar^2으로 놓고 세 수 구하기**

세 수를 a, ar, ar^2이라고 하면

$a+ar+ar^2=a(1+r+r^2)=-13$ ‥‥‥ ㉠

$a \times ar \times ar^2=(ar)^3=64$, $ar=4$ ‥‥‥ ㉡

㉡에서 $a=\dfrac{4}{r}$를 ㉠에 대입하면

$\dfrac{4}{r}(1+r+r^2)=-13$, $4r^2+17r+4=0$

$(4r+1)(r+4)=0$

$\therefore r=-\dfrac{1}{4}$ 또는 $r=-4$

STEP B **세 수 구하기**

(i) $a=-16$, $r=-\dfrac{1}{4}$이므로 세 수는 -16, 4, -1

(ii) $a=-1$, $r=-4$이므로 세 수는 -1, 4, -16

따라서 구하는 세 수는 -1, 4, -16이므로 가장 큰 수는 4

09

정답 ③

STEP A **등비수열의 합을 이용하여 S_3, S_6을 나타내기**

등비수열 $\{a_n\}$의 첫째항을 a, 공비를 $r (r \neq 1)$라 하고
첫째항부터 제 n항까지의 합을 S_n이라 하면

$S_3=\dfrac{a(r^3-1)}{r-1}=26$ ‥‥‥ ㉠

$S_6=\dfrac{a(r^6-1)}{r-1}=\dfrac{a(r^3-1)(r^3+1)}{r-1}=728$ ‥‥‥ ㉡

STEP B **등비수열 $\{a_n\}$의 첫째항과 공비 구하기**

㉠을 ㉡에 대입하면

$26(r^3+1)=728$, $r^3+1=28$

$\therefore r^3=27$

그런데 r은 실수이므로 $r=3$

$r=3$을 ㉠에 대입하면 $13a=26$

$\therefore a=2$

STEP C **첫째항부터 제 4항까지의 합 구하기**

따라서 $S_n=\dfrac{2(3^n-1)}{3-1}=3^n-1$이므로 $S_4=3^4-1=80$

10

정답 ⑤

STEP A **주어진 조건을 만족하는 등비수열 $\{a_n\}$의 공비 구하기**

등비수열 $\{a_n\}$의 공비를 r이라 하면

$a_1=2$, $\dfrac{S_7-S_4}{S_3}=25$이므로

$\dfrac{S_7-S_4}{S_3}=\dfrac{a_5+a_6+a_7}{a_1+a_2+a_3}$

$=\dfrac{(2+2r+2r^2)r^4}{2+2r+2r^2}=r^4$

즉 $r^4=25$에서 $r^2=5$

STEP B **a_7의 값 구하기**

따라서 $a_7=a_1 r^6=2 \times (r^2)^3=2 \times 5^3=250$

11

정답 ②

STEP A **S_n이 주어졌을 때, n의 범위를 나눠 a_n의 값 구하기**

$S_n=9 \times 2^n+k$에서

$n=1$일 때, $a_1=S_1=18+k$ ‥‥‥ ㉠

$n \geq 2$일 때, $a_n=S_n-S_{n-1}$

$=9 \cdot 2^n+k-(9 \cdot 2^{n-1}+k)$

$=9 \cdot 2^{n-1}$ ‥‥‥ ㉡

STEP B **주어진 조건을 이용하여 k의 값 구하기**

이때 수열 $\{a_n\}$이 첫째항부터 등비수열을 이루려면
㉡에 $n=1$을 대입한 것과 ㉠이 같아야 하므로 $18+k=9$

따라서 $k=-9$

12

정답 ③

STEP A **등비수열의 합을 이용하여 10년 후의 원리합계 구하기**

매년 적립금의 10년 말의 원리합계는 다음 표와 같다.

	처음	1년 후		8년 후	9년 후	10년 후	원리합계
제 1회	100	:		:	:	:	$100(1+0.05)^{10}$
제 2회		100		:	:	:	$100(1+0.05)^9$
			:	:	:	:	
제 9회				100	:	:	$100(1+0.05)^2$
제 10회					100	:	$100(1+0.05)$

따라서 구하는 적립금의 원리합계

$100(1+0.05)+100(1+0.05)^2+\cdots+100(1+0.05)^{10}$

$=\dfrac{100(1+0.05)\{(1+0.05)^{10}-1\}}{(1+0.05)-1}$

$=\dfrac{100(1.05)(1.63-1)}{0.05}$

$=1323$(만 원)

13

정답 ④

STEP A **시그마의 기본 성질을 이용하여 구하기**

$\displaystyle\sum_{n=1}^{10} a_n=9$, $\displaystyle\sum_{n=1}^{10} b_n=7$이므로

$\displaystyle\sum_{n=1}^{10}(3a_n+b_n-2)=3\sum_{n=1}^{10} a_n+\sum_{n=1}^{10} b_n-\sum_{n=1}^{10} 2$

$=3 \cdot 9+7-2 \cdot 10=14$

14

정답 ③

STEP A **시그마의 성질을 이용하여 정리하기**

$\displaystyle\sum_{k=1}^{10}(k+1)^2-\sum_{k=1}^{10}(2k+4)=\sum_{k=1}^{10}\{(k+1)^2-(2k+4)\}$

$=\displaystyle\sum_{k=1}^{10}(k^2-3)$

$=\displaystyle\sum_{k=1}^{10} k^2-\sum_{k=1}^{10} 3$

STEP B **자연수의 거듭제곱의 합 구하기**

따라서 $\displaystyle\sum_{k=1}^{10} k^2-\sum_{k=1}^{10} 3=\dfrac{10 \cdot 11 \cdot 21}{6}-3 \cdot 10$

$=385-30=355$

15

정답 ③

STEP A 이차방정식의 근과 계수의 관계를 이용하여 $\alpha+\beta$, $\alpha\beta$의 값을 구하기

이차방정식 $x^2-3x-5=0$에서 두 근이 α, β이므로
근과 계수의 관계에서 $\alpha+\beta=3$, $\alpha\beta=-5$

STEP B $\displaystyle\sum_{k=1}^{10}(k-\alpha)(k-\beta)$의 값 구하기

$$\therefore \sum_{k=1}^{10}(k-\alpha)(k-\beta)=\sum_{k=1}^{10}\{k^2-(\alpha+\beta)k+\alpha\beta\}$$
$$=\sum_{k=1}^{10}\{k^2-3k-5\}$$
$$=\frac{10\cdot11\cdot21}{6}-3\cdot\frac{10\cdot11}{2}-50$$
$$=385-165-50=170$$

16

정답 ②

STEP A 수열의 합과 일반항 사이의 관계를 이용하여 a_n 구하기

수열 $\{a_n\}$의 첫째항부터 제 n항까지의 합을 S_n이라고 하면
$$S_n=\sum_{k=1}^{n}a_k=n^2+2n$$
$n\geq2$일 때, $a_n=S_n-S_{n-1}=2n+1$ ······ ㉠
$n=1$일 때, $a_1=S_1=3$ ······ ㉡
㉠에 $n=1$을 대입하여 풀면 $a_1=3$이므로
㉡과 일치하므로 $a_n=2n+1$
이때 $a_{2k}=2(2k)+1=4k+1$

STEP B $\displaystyle\sum_{k=1}^{10}ka_{2k}$의 값 구하기

$$\sum_{k=1}^{10}ka_{2k}=\sum_{k=1}^{10}k(4k+1)=4\sum_{k=1}^{10}k^2+\sum_{k=1}^{10}k$$
$$=4\cdot\frac{10\cdot11\cdot21}{6}+\frac{10\cdot11}{2}$$
$$=1540+55=1595$$

17

정답 ④

STEP A 등차수열 $\{a_n\}$의 일반항 구하기

등차수열 $\{a_n\}$은 첫째항이 9, 공차가 2이므로
$a_n=9+(n-1)\cdot2=2n+7$

STEP B 분모를 유리화하여 축차 대입하여 구하기

제 k항을 a_k라 하고 분모를 유리화 하면
$$\sum_{k=1}^{56}\frac{1}{\sqrt{a_k}+\sqrt{a_{k+1}}}$$
$$=\sum_{k=1}^{56}\frac{1}{\sqrt{2k+7}+\sqrt{2k+9}}$$
$$=\sum_{k=1}^{56}\frac{\sqrt{2k+7}-\sqrt{2k+9}}{(\sqrt{2k+7}+\sqrt{2k+9})(\sqrt{2k+7}-\sqrt{2k+9})}$$
$$=-\frac{1}{2}\sum_{k=1}^{56}(\sqrt{2k+7}-\sqrt{2k+9})$$
$$=-\frac{1}{2}\{(\sqrt{9}-\sqrt{11})+(\sqrt{11}-\sqrt{13})+(\sqrt{13}-\sqrt{15})+\cdots+(\sqrt{119}-\sqrt{121})\}$$
$$=-\frac{1}{2}(\sqrt{9}-\sqrt{121})$$
$$=-\frac{1}{2}(3-11)=4$$

18

정답 ③

STEP A 이차방정식의 판별식이 $D=0$임을 이용하기

이차방정식 $a_n x^2+2a_{n+1}x+a_{n+2}=0$이 중근을 가지려면
이 이차방정식의 판별식 D가 $D=0$이어야 하므로
$$\frac{D}{4}=a_{n+1}{}^2-a_n a_{n+2}=0$$
$$\therefore a_{n+1}{}^2=a_n a_{n+2}$$

STEP B 등비수열의 일반항을 이용하여 첫째항과 공비 구하기

즉 수열 $\{a_n\}$은 등비수열이므로 첫째항을 a, 공비를 r이라 하면
$a_n=ar^{n-1}$이므로 $a_2=a_1{}^2$에서 $ar=a^2$, $a(a-r)=0$
$\therefore a=r$ ($\because a_3=27$이므로 $a\neq0$)
$a_3=27$에서 $ar^2=27$, $r^3=27$ $\therefore r=3$
따라서 $a_n=3\cdot3^{n-1}=3^n$이므로 $a_5=243$

19

정답 ④

STEP A 주어진 식을 나열하여 시그마 정리하기

$$\sum_{k=1}^{10}ka_k=a_1+2a_2+3a_3+4a_4+\cdots+10a_{10}=90 \quad\cdots\cdots ㉠$$
$$\sum_{k=1}^{10}ka_{k+1}=\quad a_2+2a_3+3a_4+\cdots+9a_{10}+10a_{11}=20 \quad\cdots\cdots ㉡$$
㉠-㉡에서 $a_1+a_2+a_3+\cdots+a_{10}-10a_{11}=70$
$$\sum_{k=1}^{10}a_k-10a_{11}=70$$
$$\therefore \sum_{k=1}^{10}a_k=70+10a_{11}$$
따라서 $a_{11}=\frac{1}{10}$이므로 $\displaystyle\sum_{k=1}^{10}a_k=70+10\cdot\frac{1}{10}=71$

20

정답 ④

STEP A 빈칸 (가), (나)에 알맞은 식 구하기

(i) $n=1$일 때,
$$(좌변)=1\cdot2=2, (우변)=\frac{1\cdot2\cdot3}{3}=2$$
이므로 ㉠이 성립한다.
(ii) $n=m$일 때, ㉠이 성립한다고 가정하면
$$\sum_{k=1}^{m}k(k+1)=\frac{m(m+1)(m+2)}{3} \quad\cdots\cdots ㉡$$
㉡의 양변에 $\boxed{(m+1)(m+2)}$를 더하면
$$\sum_{k=1}^{m+1}k(k+1)=\frac{m(m+1)(m+2)}{3}+\boxed{(m+1)(m+2)}$$
$$=\frac{(m+1)}{3}\times\boxed{(m+2)(m+3)}$$
따라서 $n=m+1$일 때에도 ㉠이 성립한다.
(i), (ii)에 의하여 모든 자연수 n에 대하여 ㉠이 성립한다.

STEP B $f(1)+g(2)$의 값 구하기

따라서 $f(m)=(m+1)(m+2)$, $g(m)=(m+2)(m+3)$이므로
$f(1)+g(2)=6+20=26$

서술형

21

정답 해설참조

| 1단계 | 등차수열의 첫째항과 공차를 구한다. | ◀ 40% |

등차수열 $\{a_n\}$의 첫째항을 a, 공차를 d라 하면

$a_{20}=a+19d=37$ ...... ㉠

$a_{40}=a+39d=-3$ ...... ㉡

㉠, ㉡을 연립하여 풀면 $a=75$, $d=-2$

| 2단계 | 일반항 a_n과 첫째항부터 제 n항까지의 합 S_n을 구한다. | ◀ 30% |

$a_n=75+(n-1)\cdot(-2)=-2n+77$

$S_n=\dfrac{n\{2\cdot75+(n-1)\cdot(-2)\}}{2}=-n^2+76n$

| 3단계 | S_n의 최댓값과 그때의 n의 값을 구한다. | ◀ 30% |

제 n항이 음수가 된다고 하면

$a_n=-2n+77<0$에서 $n>\dfrac{77}{2}=38.5$

즉 등차수열 $\{a_n\}$은 제 39항부터 음수이므로

첫째항부터 제 38항까지의 합이 최대이다.

이때 $a_{38}=-2\cdot38+77=1$

따라서 구하는 최댓값은 $S_{38}=\dfrac{38(75+1)}{2}=1444$

 $S_n=-n^2+76n=-(n-38)^2+1444$

이므로 $n=38$일 때, 합의 최댓값은 1444

22

정답 해설참조

| 1단계 | 이차방정식의 근과 계수의 관계를 이용하여 두 근 α_n, β_n의 합과 곱을 구한다. | ◀ 30% |

이차방정식 $x^2-21x+(2n-1)(2n+1)=0$의 두 근이 α_n, β_n이므로

근과 계수의 관계에 의해

$\alpha_n+\beta_n=21$, $\alpha_n\beta_n=(2n-1)(2n+1)$

| 2단계 | $\dfrac{1}{\alpha_n}+\dfrac{1}{\beta_n}$을 n에 관한 식으로 나타낸다. | ◀ 20% |

$\dfrac{1}{\alpha_n}+\dfrac{1}{\beta_n}=\dfrac{\alpha_n+\beta_n}{\alpha_n\beta_n}=\dfrac{21}{(2n-1)(2n+1)}$

| 3단계 | 부분분수로 변형하여 $\displaystyle\sum_{n=1}^{10}\left(\dfrac{1}{\alpha_n}+\dfrac{1}{\beta_n}\right)$의 값을 구한다. | ◀ 50% |

$\displaystyle\sum_{n=1}^{10}\left(\dfrac{1}{\alpha_n}+\dfrac{1}{\beta_n}\right)=\sum_{n=1}^{10}\dfrac{21}{(2n-1)(2n+1)}$

$=\displaystyle\sum_{n=1}^{10}\dfrac{21}{2n+1-(2n-1)}\left(\dfrac{1}{2n-1}-\dfrac{1}{2n+1}\right)$

$=\dfrac{21}{2}\displaystyle\sum_{n=1}^{10}\left(\dfrac{1}{2n-1}-\dfrac{1}{2n+1}\right)$

$=\dfrac{21}{2}\left\{\left(\dfrac{1}{1}-\dfrac{1}{3}\right)+\left(\dfrac{1}{3}-\dfrac{1}{5}\right)+\cdots+\left(\dfrac{1}{19}-\dfrac{1}{21}\right)\right\}$

$=\dfrac{21}{2}\left(1-\dfrac{1}{21}\right)=10$

23

정답 해설참조

| 1단계 | 이차방정식의 근과 계수의 관계에 의하여 $\alpha_k+\beta_k$, $\alpha_k\beta_k$의 값을 구한다. | ◀ 30% |

이차방정식의 근과 계수의 관계에 의하여

$\alpha_k+\beta_k=2k$, $\alpha_k\beta_k=3k$

| 2단계 | 곱셈공식에 의하여 $\alpha_k^2+\beta_k^2$을 구한다. | ◀ 30% |

$\alpha_k^2+\beta_k^2=(\alpha_k+\beta_k)^2-2\alpha_k\beta_k$

$=(2k)^2-2\times3k$

$=4k^2-6k$

| 3단계 | $\displaystyle\sum_{k=3}^{8}(\alpha_k^2+\beta_k^2)$의 값을 구한다. | ◀ 40% |

따라서 구하는 값은

$\displaystyle\sum_{k=3}^{8}(\alpha_k^2+\beta_k^2)=\sum_{k=3}^{8}(4k^2-6k)$

$=\displaystyle\sum_{k=1}^{8}(4k^2-6k)-\sum_{k=1}^{2}(4k^2-6k)$

$=\left(4\cdot\dfrac{8\cdot9\cdot17}{6}-6\cdot\dfrac{8\cdot9}{2}\right)-\left(4\cdot\dfrac{2\cdot3\cdot5}{6}-6\cdot\dfrac{2\cdot3}{2}\right)$

$=600-2=598$

24

정답 해설참조

| 1단계 | 농도가 10%인 소금물 400g이 들어 있는 소금의 양을 구한다. | ◀ 20% |

농도가 10%인 소금물 400g에 들어 있는 소금의 양은

$\dfrac{10}{100}\times400=40$

← (농도)%$=\dfrac{\text{소금의 양}}{\text{소금물의 양}}\times100$이므로 (소금의 양)$=\dfrac{\text{(농도)}\%}{100}\times$소금물의 양

| 2단계 | a_1, a_2를 구한다. | ◀ 30% |

농도가 10%인 소금물 500g이 들어 있는 그릇에서

소금물 100g을 덜어내고 물 100g을 넣은 후

소금물의 농도가 $a_1(\%)$이므로 $a_1=\dfrac{40}{400+100}\times100=8$

또, 농도가 8%인 소금물 400g에 들어 있는 소금의 양은

$\dfrac{8}{100}\times400=32$

농도가 8%인 소금물 500g이 들어 있는 그릇에서

소금물 100g을 덜어내고 물 100g을 넣은 후

소금물의 농도가 $a_2(\%)$이므로 $a_2=\dfrac{32}{400+100}\times100=\dfrac{32}{5}$

$\therefore a_1=8$, $a_2=\dfrac{32}{5}$

| 3단계 | a_n과 a_{n+1} 사이의 관계식을 이용하여 일반항 a_n을 구한다. | ◀ 40% |

농도가 $a_n\%$인 소금물 400g에 들어 있는 소금의 양이

$\dfrac{a_n}{100}\times400=4a_n$이므로 농도가 $4a_n$%인 소금물 500g이 들어 있는 그릇에서

소금물 100g을 덜어내고 물 100g을 넣은 후 소금물의 농도가 $a_{n+1}(\%)$이므로

$a_{n+1}=\dfrac{4a_n}{400+100}\times100=\dfrac{4}{5}a_n$

$\therefore a_{n+1}=\dfrac{4}{5}a_n$

이때 수열 $\{a_n\}$은 첫째항이 8이고 공비가 $\dfrac{4}{5}$인 등비수열이므로

$a_n=8\cdot\left(\dfrac{4}{5}\right)^{n-1}$

| 4단계 | a_5의 값을 구한다. | ◀ 10% |

따라서 $a_n=8\cdot\left(\dfrac{4}{5}\right)^{n-1}$에서 $a_5=8\cdot\left(\dfrac{4}{5}\right)^4=\dfrac{2^{11}}{5^4}$

2회 수열 모의평가

01	③	02	②	03	①	04	②	05	④
06	③	07	④	08	④	09	⑤	10	⑤
11	⑤	12	④	13	③	14	⑤	15	⑤
16	④	17	④	18	②	19	①	20	⑤

서술형			
21	해설참조	22	해설참조
23	해설참조	24	해설참조

01
 정답 ③

STEP Ⓐ 등차수열 $\{a_n\}$의 첫째항과 공차를 구하여 일반항 a_n 구하기

등차수열 $\{a_n\}$의 첫째항을 a, 공차를 d라 하면 $a_n=a+(n-1)d$
이므로 $a_5-a_3=(a+4d)-(a+2d)=2d=6$
$\therefore d=3$
$a_2=a+d=a+3=2$ $\therefore a=-1$

STEP Ⓑ a_6 구하기

따라서 $a_6=a+5d=(-1)+5\times3=14$

02
 정답 ②

STEP Ⓐ 등차수열의 합을 이용하여 공차 구하기

등차수열 $\{a_n\}$의 공차를 d라고 하면
$S_4=\dfrac{4(2\cdot3+3d)}{2}$, $S_{10}=\dfrac{10(2\cdot3+9d)}{2}$
$S_4=S_{10}$이므로 $12+6d=30+45d$, $39d=-18$
$\therefore d=-\dfrac{6}{13}$

STEP Ⓑ 주어진 조건을 만족하는 n의 값 구하기

즉 $a_n=3+(n-1)\cdot\left(-\dfrac{6}{13}\right)=\dfrac{45}{13}-\dfrac{6}{13}n$
처음으로 음수가 되는 항이 제 n항이라고 하면
$\dfrac{45}{13}-\dfrac{6}{13}n<0$ $\therefore n>\dfrac{15}{2}=7.5$
따라서 처음으로 음수가 되는 항은 제 8항이므로 첫째항부터 제 7항까지의 합이 최대가 된다.
따라서 $n=7$일 때, S_n의 값은 최대이다.

03
 정답 ①

STEP Ⓐ 등비수열 $\{a_n\}$의 일반항을 이용하여 $a_2a_8+a_4a_6$의 값 구하기

등비수열 $\{a_n\}$의 첫째항을 a, 공비를 r이라 하면 $a_n=ar^{n-1}$
$a_1a_9=4$에서 $a\cdot ar^8=4$
$\therefore a^2r^8=4$
따라서 $a_2a_8+a_4a_6=ar\cdot ar^7+ar^3\cdot ar^5=a^2r^8+a^2r^8=4+4=8$

다른풀이 등비중항을 이용하여 풀이하기

등비수열 $\{a_n\}$의 공비를 r이라 하면
세 수 a_1, a_5, a_9는 이 순서대로 공비가 r^4인 등비수열을 이루므로
$a_5{}^2=a_1a_9=4$

세 수 a_2, a_5, a_8은 이 순서대로 공비가 r^3인 등비수열을 이루므로
$a_5{}^2=a_2a_8$
세 수 a_4, a_5, a_6은 이 순서대로 공비가 r인 등비수열을 이루므로
$a_5{}^2=a_4a_6$
따라서 $a_2a_8+a_4a_6=4+4=8$

 a_1, a_2, a_3, a_4, a_5, a_6, a_7, a_8, a_9이 등비수열이면
$\Rightarrow a_1a_9=a_2a_8=a_3a_7=a_4a_6=a_5{}^2$

04
 정답 ②

STEP Ⓐ 등차수열임을 이용하여 k의 값 구하기

$a_{n+1}-a_n=-3$이므로 수열 $\{a_n\}$은 첫째항이 50이고 공차가 -3인
등차수열이므로 $a_n=50+(n-1)\cdot(-3)=-3n+53$
따라서 $a_k=-3k+53=11$이므로 $k=14$

05
 정답 ④

STEP Ⓐ [보기]의 진위판단하기

$a_{n+1}=ra_n$, 즉 $\dfrac{a_{n+1}}{a_n}=r$이므로

ㄱ. 수열 $\{3a_n\}$의 공비는 $\dfrac{3a_{n+1}}{3a_n}=r$이다. [거짓]

ㄴ. 수열 $\left\{\dfrac{1}{a_n}\right\}$의 공비는 $\dfrac{\dfrac{1}{a_{n+1}}}{\dfrac{1}{a_n}}=\dfrac{a_n}{a_{n+1}}=\dfrac{1}{r}$이다. [참]

ㄷ. 수열 $\{\log a_n\}$은 $\log a_{n+1}-\log a_n=\log r$ ← $\dfrac{a_{n+1}}{a_n}=r$
을 만족하므로 공차가 $\log r$인 등차수열이다. [참]
따라서 옳은 것은 ㄴ, ㄷ이다.

06
 정답 ③

STEP Ⓐ 등차중항과 등비중항을 이용하여 a, b의 값 구하기

a, 3, b가 이 순서대로 등차수열이므로 $3=\dfrac{a+b}{2}$ ...... ㉠
1, a, b가 이 순서대로 등비수열이므로 $a^2=b$ ...... ㉡
㉠, ㉡을 연립하여 풀면 $a<0$이므로 $a=-3$, $b=9$
따라서 $b-a=12$

07
 정답 ④

STEP Ⓐ $a_n=S_n-S_{n-1}$을 이용하여 일반항 a_n 구하기

$S_n=4\cdot3^n-k$에서
$n=1$일 때, $a_1=S_1=12-k$ ...... ㉠
$n\geq2$일 때, $a_n=S_n-S_{n-1}$
$=4\cdot3^n-k-(4\cdot3^{n-1}-k)$
$=4\cdot3^{n-1}(3-1)=8\cdot3^{n-1}$ ...... ㉡

STEP Ⓑ 주어진 조건을 이용하여 k의 값 구하기

$a_1=S_1=4\cdot3-k=12-k=8$에서 $k=4$
$a_4=8\cdot3^3=216$
따라서 $k+a_4=4+216=220$

참고 $a_4=S_4-S_3=(4\times3^4-4)-(4\times3^3-4)=216$

08

정답 ④

STEP A a_n과 a_{n+1} 사이의 관계식 구하기

부부끼리는 악수하지 않으므로 $a_1=0$
두 쌍의 부부가 악수하는 횟수는 $a_2=4$
n쌍의 부부 조건에 맞게 악수하는 횟수는 a_n이고 $(n+1)$번째 부부의
남편과 아내가 n쌍의 부부 $2n$명과 한 번씩 악수하는 횟수는 각각 $2n$이므로
$a_{n+1}=a_n+4n\ (n=1, 2, 3, \cdots)$

STEP B a_{10} 구하기

$n=1, 2, 3, \cdots$을 관계식 $a_{n+1}=a_n+4n\ (n=1, 2, 3, \cdots)$에 차례대로
대입하면
$a_2=a_1+4\cdot1=4\cdot1$
$a_3=a_2+4\cdot2=4\cdot1+4\cdot2=4(1+2)$
$a_4=a_3+4\cdot3=4\cdot1+4\cdot2+4\cdot3=4(1+2+3)$
$\vdots$
따라서 $a_{10}=4(1+2+3+\cdots+9)=4\cdot\dfrac{9\cdot10}{2}=180$

09

정답 ⑤

STEP A 매년 말에 적립해야 하는 적립금을 a라 하였을 때, 등비수열 합을 이용하여 원리합계 식 세우기

연이율 5%, 1년마다 복리로 계산되는 10년 동안 매년 말에 a만 원씩
적립할 때, 원리합계는
$a+a(1+0.05)+a(1+0.05)^2+\cdots+a(1+0.05)^{10}$
$=\dfrac{a\{(1+0.05)^{10}-1\}}{(1+0.05)-1}$
$=\dfrac{a(1.6-1)}{0.05}$
$=12a$
$=2400$
$a=200$
따라서 매년 말에 200만 원씩 적립해야 한다.

10

정답 ⑤

STEP A $\sum$의 성질 이용하여 값 구하기

$\displaystyle\sum_{n=1}^{10}(2a_n-1)^2=\sum_{n=1}^{10}(4a_n^2-4a_n+1)$
$\displaystyle\qquad=4\sum_{n=1}^{10}a_n^2-4\sum_{n=1}^{10}a_n+\sum_{n=1}^{10}1$
$\displaystyle\qquad=4\sum_{n=1}^{10}a_n^2-4\cdot4+10=34$

따라서 $\displaystyle\sum_{n=1}^{10}a_n^2=10$

11

정답 ⑤

STEP A 등차수열의 일반항을 이용하여 음수인 항 구하기

첫째항이 37, 공차가 -4인 등차수열의 일반항 a_n은
$a_n=37+(n-1)\cdot(-4)=-4n+41$
$a_n<0$에서 $-4n+41<0$
$\therefore n>\dfrac{41}{4}=10.25$
즉 수열 $\{a_n\}$은 제11항부터 음수인 항이다.

STEP B 절댓값을 풀어 주어진 식의 값 구하기

$a_{10}=1$, $a_{11}=-3$, $a_{30}=-79$이므로
$\displaystyle\sum_{k=1}^{30}|a_k|=(a_1+a_2+\cdots+a_{10})-(a_{11}+a_{12}+\cdots+a_{30})$
$\displaystyle\qquad=\dfrac{10(37+1)}{2}-\dfrac{20\{-3+(-79)\}}{2}=1010$

12

정답 ④

STEP A 축차 대입한 후 로그의 성질을 이용하여 계산하기

$f(1)+f(2)+f(3)+\cdots+f(100)$
$=\log_a(1+1)+\log_a\left(1+\dfrac{1}{2}\right)+\log_a\left(1+\dfrac{1}{3}\right)+\cdots+\log_a\left(1+\dfrac{1}{100}\right)$
$=\log_a\left(\dfrac{2}{1}\cdot\dfrac{3}{2}\cdot\dfrac{4}{3}\cdots\dfrac{101}{100}\right)$
$=\log_a101=1$
따라서 $\log_a101=1$이므로 $a=101$

13

정답 ③

STEP A 등차수열 $\{a_n\}$의 일반항을 이용하여 첫째항과 공차 구하기

등차수열 $\{a_n\}$의 첫째항을 a, 공차를 d라 하면 $a_n=a+(n-1)d$
$a_2=-2$에서 $a+d=-2$ ...... ㉠
$a_5=7$에서 $a+4d=7$ ...... ㉡
㉠, ㉡에서 $a=-5$, $d=3$
$\therefore a_n=3n-8$

STEP B 시그마의 성질과 자연수의 합을 이용하여 구하기

따라서 $\displaystyle\sum_{k=1}^{10}a_{2k}=\sum_{k=1}^{10}(6k-8)=6\cdot\dfrac{10\cdot11}{2}-80=250$

$\boxed{+\alpha}$ $a_5-a_2=9$에서 $3d=9$
$\therefore d=3$

14

정답 ⑤

STEP A 이차방정식의 근과 계수 관계에서 두 근의 합과 곱 구하기

$x^2+4x-n(n+1)=0$의 두 근이 α_n, β_n이므로
$\alpha_n+\beta_n=-4$, $\alpha_n\beta_n=-n(n+1)$

STEP B $\displaystyle\sum_{k=1}^{10}\left(\dfrac{1}{\alpha_k}+\dfrac{1}{\beta_k}\right)$의 값 구하기

$\displaystyle\sum_{k=1}^{10}\left(\dfrac{1}{\alpha_k}+\dfrac{1}{\beta_k}\right)=\sum_{k=1}^{10}\dfrac{\alpha_k+\beta_k}{\alpha_k\beta_k}$
$\displaystyle\qquad=\sum_{k=1}^{10}\dfrac{4}{k(k+1)}$
$\displaystyle\qquad=4\sum_{k=1}^{10}\left(\dfrac{1}{k}-\dfrac{1}{k+1}\right)$
$=4\times\left\{\left(1-\dfrac{1}{2}\right)+\left(\dfrac{1}{2}-\dfrac{1}{3}\right)+\cdots+\left(\dfrac{1}{10}-\dfrac{1}{11}\right)\right\}$
$=4\times\left(1-\dfrac{1}{11}\right)=\dfrac{40}{11}$

15

정답 ⑤

STEP Ⓐ a_1, a_2, a_3, $\cdots$을 구하여 $a_{n+4}=a_n$인 규칙 구하기

수열 $\{a_n\}$은 $a_n=(2^n$을 10으로 나눈 나머지)이므로
$a_1=2$, $a_2=4$, $a_3=8$, $a_4=6$, $a_5=2$, $a_6=4$, $a_7=8$, $a_8=6$, $\cdots$
즉 2, 4, 8, 6이 이 순서대로 반복되는 수열이다.

$$\therefore a_n=\begin{cases} 2 & (n=4k-3) \\ 4 & (n=4k-2) \\ 8 & (n=4k-1) \\ 6 & (n=4k) \end{cases} \text{(단, } k\text{는 자연수)}$$

STEP Ⓑ $\sum\limits_{n=1}^{50} a_n$ 구하기

따라서 $50=4\times12+2$이므로 $\sum\limits_{n=1}^{50}a_n=12(2+4+8+6)+2+4=246$

16

정답 ④

STEP Ⓐ 수열의 합과 일반항 사이의 관계를 이용하여 c의 값 구하기

$a_7=(a_1+a_3+a_5+a_7)-(a_1+a_3+a_5)$
$\qquad =\sum\limits_{k=1}^{4}a_{2k-1}-\sum\limits_{k=1}^{3}a_{2k-1}$
$\qquad =16c-24-(9c-18)$
$\qquad =7c-6$
이때 $7c-6=15$이므로 $c=3$
$\therefore \sum\limits_{k=1}^{n}a_{2k-1}=3n^2-6n$, $\sum\limits_{k=1}^{n}a_{2k}=3n^2-3n$

STEP Ⓑ $\sum\limits_{k=1}^{8}a_k$ 구하기

따라서 $\sum\limits_{k=1}^{8}a_k=\sum\limits_{k=1}^{4}a_{2k-1}+\sum\limits_{k=1}^{4}a_{2k}=(3\cdot4^2-6\cdot4)+(3\cdot4^2-3\cdot4)=60$

17

정답 ④

STEP Ⓐ 시그마의 성질과 자연수의 거듭제곱의 합 공식을 이용하여 값 구하기

① $\sum\limits_{k=1}^{20}(k+3)^2-\sum\limits_{k=1}^{20}k(k+6)=\sum\limits_{k=1}^{20}\{(k+3)^2-k(k+6)\}$
$\qquad\qquad\qquad\qquad\qquad\qquad =\sum\limits_{k=1}^{20}\{k^2+6k+9-k^2-6k\}$
$\qquad\qquad\qquad\qquad\qquad\qquad =\sum\limits_{k=1}^{20}9=9\cdot20=180$ [참]

② $\sum\limits_{k=1}^{10}\dfrac{k^3}{k+1}+\sum\limits_{k=1}^{10}\dfrac{1}{k+1}=\sum\limits_{k=1}^{10}\left(\dfrac{k^3}{k+1}+\dfrac{1}{k+1}\right)$
$\qquad\qquad\qquad\qquad\quad =\sum\limits_{k=1}^{10}\dfrac{k^3+1}{k+1}$
$\qquad\qquad\qquad\qquad\quad =\sum\limits_{k=1}^{10}\dfrac{(k+1)(k^2-k+1)}{k+1}$
$\qquad\qquad\qquad\qquad\quad =\sum\limits_{k=1}^{10}(k^2-k+1)$
$\qquad\qquad\qquad\qquad\quad =\dfrac{10\cdot11\cdot21}{6}-\dfrac{10\cdot11}{2}+10$
$\qquad\qquad\qquad\qquad\quad =385-55+10=340$

③ $\sum\limits_{m=1}^{20}\left\{\sum\limits_{l=1}^{m}\left(\sum\limits_{k=1}^{l}2\right)\right\}=\sum\limits_{m=1}^{20}\left\{\sum\limits_{l=1}^{m}(2l)\right\}$
$\qquad\qquad\qquad\qquad =\sum\limits_{m=1}^{20}\left\{2\cdot\dfrac{m(m+1)}{2}\right\}$
$\qquad\qquad\qquad\qquad =\sum\limits_{m=1}^{20}m(m+1)$
$\qquad\qquad\qquad\qquad =\dfrac{20\cdot21\cdot22}{3}=3080$ [참]

④ $\sum\limits_{k=1}^{9}(1-k^2)+\sum\limits_{k=1}^{10}(1+k^2)=\sum\limits_{k=1}^{9}(1-k^2)+\sum\limits_{k=1}^{9}(1+k^2)+(1+10^2)$
$\qquad\qquad\qquad\qquad\qquad\qquad =\sum\limits_{k=1}^{9}\{(1-k^2)+(1+k^2)\}+(1+10^2)$
$\qquad\qquad\qquad\qquad\qquad\qquad =\sum\limits_{k=1}^{9}2+(1+10^2)$
$\qquad\qquad\qquad\qquad\qquad\qquad =2\cdot9+1+100=119$ [거짓]

⑤ $\sum\limits_{k=1}^{10}\left\{\sum\limits_{j=1}^{k}(2j+3)\right\}=\sum\limits_{k=1}^{10}\left\{2\sum\limits_{j=1}^{k}j+\sum\limits_{j=1}^{k}3\right\}$
$\qquad\qquad\qquad\qquad =\sum\limits_{k=1}^{10}\left\{2\cdot\dfrac{k(k+1)}{2}+3k\right\}$
$\qquad\qquad\qquad\qquad =\sum\limits_{k=1}^{10}(k^2+4k)$
$\qquad\qquad\qquad\qquad =\sum\limits_{k=1}^{10}k^2+4\sum\limits_{k=1}^{10}k$
$\qquad\qquad\qquad\qquad =\dfrac{10\cdot11\cdot21}{6}+4\cdot\dfrac{10\cdot11}{2}$
$\qquad\qquad\qquad\qquad =385+220=605$ [참]

따라서 옳지 않은 것은 ④이다.

18

정답 ②

STEP Ⓐ 사다리꼴 $P_nP_{n+1}Q_{n+1}Q_n$의 넓이 S_n 구하기

사다리꼴 $P_nP_{n+1}Q_{n+1}Q_n$의 넓이가
S_n이므로
$S_n=\dfrac{1}{2}\times(\overline{P_nQ_n}+\overline{P_{n+1}Q_{n+1}})\times1$
$\quad =\dfrac{1}{2}(3^n+3^{n+1})=2\times3^n$
이므로

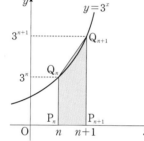

STEP Ⓑ $\sum\limits_{k=1}^{n}S_k>500$을 만족하는 자연수 n의 최솟값 구하기

$\sum\limits_{k=1}^{n}(2\times3^k)=2\cdot\dfrac{3(3^n-1)}{3-1}=3^{n+1}-3$
$3^{n+1}-3>500$에서 $3^{n+1}>503$
따라서 $3^5=243$, $3^6=729$이므로 n의 최솟값은 5

19

정답 ①

STEP Ⓐ $n=1$, 2, 3, $\cdots$를 차례로 대입하여 변끼리 곱하여 풀이하기

$a_{n+1}=\dfrac{2n-1}{2n+1}a_n$의 n에 1, 2, 3, $\cdots$, $n-1$을 차례대로 대입하여
변끼리 곱하면

$$a_2=\dfrac{1}{3}a_1$$
$$a_3=\dfrac{3}{5}a_2$$
$$a_4=\dfrac{5}{7}a_3$$
$$\vdots\qquad\vdots$$
$$\times\begin{vmatrix} a_n=\dfrac{2n-3}{2n-1}a_{n-1} \end{vmatrix}$$

$a_n=\dfrac{1}{3}\cdot\dfrac{3}{5}\cdot\dfrac{5}{7}\cdot\cdots\cdot\dfrac{2n-3}{2n-1}\cdot a_1=\dfrac{19}{2n-1}$
따라서 $a_{10}=\dfrac{19}{19}=1$

20

정답 ⑤

STEP Ⓐ **수학적 귀납법으로 부등식을 증명할 때에는 $p > q$이고 $q > r$이면 $p > r$임을 이용하여 증명하기**

$1 \times 2 \times 3 \times \cdots \times n > 2^n$ ······ ㉠

(i) $n=4$일 때,

(좌변)$=1 \times 2 \times 3 \times 4 = 24$, (우변)$=2^4=\boxed{16}$

따라서 $n=4$일 때, ㉠이 성립한다.

(ii) $n=k(k \geq 4)$일 때, ㉠이 성립한다고 가정하면

$1 \times 2 \times 3 \times \cdots \times k > 2^k$

양변에 $\boxed{k+1}$을 곱하면

$1 \times 2 \times 3 \times \cdots \times k \times \boxed{(k+1)} > 2^k \times \boxed{(k+1)}$ ······ ㉡

이때 $k \geq 4$이므로 $2^k \boxed{(k+1)} > 2^k \times 2 = \boxed{2^{k+1}}$ ······ ㉢

㉡, ㉢에서 $1 \times 2 \times 3 \times \cdots \times k \times \boxed{(k+1)} > \boxed{2^{k+1}}$ ······ ㉣

㉣은 ㉠의 n에 $k+1$을 대입한 것과 같으므로 $n=k+1$일 때도 ㉠이 성립한다.

(i), (ii)에 의하여 $n \geq 4$인 모든 자연수 n에 대하여 ㉠이 성립한다.

STEP Ⓑ $a+f(4)+g(3)$**의 값 구하기**

따라서 $a=16$, $f(k)=k+1$, $g(k)=2^{k+1}$이므로

$a+f(4)+g(3)=16+5+16=37$

서 술 형

21

정답 해설참조

1단계 | 100이하의 자연수 중에서 3으로 나누었을 때의 나머지가 1인 수를 차례로 나열한다. ◀ 30%

100 이하의 자연수 중에서 3으로 나누었을 때의 나머지가 1인 수를 작은 것부터 순서대로 나열하면

$1, 4, 7, \cdots, 100$이므로

첫째항이 1, 공차가 3인 등차수열이다.

2단계 | 100은 몇 번째 항인지 구한다. ◀ 30%

이 수열의 일반항을 a_n이라고 하면

$a_n=1+(n-1) \times 3=3n-2$

$3n-2=100$에서 $n=34$이므로 100은 제 34항이다.

3단계 | 3으로 나누었을 때의 나머지가 1인 수의 합을 구한다. ◀ 40%

따라서 구하는 합은 위의 등차수열에서 첫째항부터 제 34항까지의 합 S_{34}이므로

$S_{34}=\dfrac{34(1+100)}{2}=1717$

22

정답 해설참조

1단계 | 등차수열의 첫째항과 공차를 구한다. ◀ 40%

등차수열 $\{a_n\}$의 첫째항을 a, 공차를 d라 하면

$S_5=\dfrac{5(2a+4d)}{2}=-70$ ∴ $a+2d=-14$ ······ ㉠

$S_{10}=\dfrac{10(2a+9d)}{2}=-40$ ∴ $2a+9d=-8$ ······ ㉡

㉠, ㉡을 연립하여 풀면 $a=-22$, $d=4$

2단계 | 첫째항부터 제 n항까지의 합 S_n을 구한다. ◀ 30%

$S_n=\dfrac{n\{2 \cdot (-22)+(n-1) \cdot 4\}}{2}=2n^2-24n$

3단계 | S_n을 n에 대한 완전제곱식으로 변형하여 S_n의 최솟값을 구한다. ◀ 30%

따라서 $S_n=2n^2-24n=2(n-6)^2-72$이므로

$n=6$일 때, S_n의 최솟값은 -72

23

정답 해설참조

1단계 | 수열의 일반항을 a_n이라 할 때, a_n을 구한다. ◀ 50%

주어진 수열의 일반항을 a_n이라고 하면

$a_n=\dfrac{1}{1+2+3+\cdots+n}=\dfrac{2}{n(n+1)}$ ← $1+2+3+\cdots+n=\dfrac{n(n+1)}{2}$

$=2\left(\dfrac{1}{n}-\dfrac{1}{n+1}\right)$

2단계 | 수열 $\{a_n\}$의 첫째항부터 제 n항까지의 합을 구한다. ◀ 50%

따라서 수열 $\{a_n\}$의 첫째항부터 제 n항까지의 합은

$\displaystyle\sum_{k=1}^{n} a_k=2\sum_{k=1}^{n}\left(\dfrac{1}{k}-\dfrac{1}{k+1}\right)$

$=2\left\{\left(1-\dfrac{1}{2}\right)+\left(\dfrac{1}{2}-\dfrac{1}{3}\right)+\cdots+\left(\dfrac{1}{n}-\dfrac{1}{n+1}\right)\right\}$

$=2\left(1-\dfrac{1}{n+1}\right)=\dfrac{2n}{n+1}$

24

정답 해설참조

1단계 | 이차방정식이 중근을 가질 때, a_{n+1}과 a_n의 관계식을 구한다. ◀ 30%

이차방정식 $a_n x^2-2\sqrt{2} a_{n+1} x+2a_{n+2}=0$이 중근을 가지므로

이차방정식의 판별식을 D라 하면

$\dfrac{D}{4}=(\sqrt{2} a_{n+1})^2-2a_n a_{n+2}=0$에서 $(a_{n+1})^2=a_n a_{n+2}$

∴ $a_{n+1}^2=a_n a_{n+2}$

즉 수열 $\{a_n\}$은 등비수열이다.

2단계 | 이 수열 $\{a_n\}$의 공비를 구한다. ◀ 10%

$\dfrac{a_3}{a_2}=2$에서 공비가 2이다.

3단계 | 중근 b_n을 구한다. ◀ 40%

이차방정식의 근은 근의 공식에 의하여

$x=\dfrac{\sqrt{2} a_{n+1} \pm \sqrt{2a_{n+1}^2-2a_n a_{n+1}}}{a_n}$

$=\sqrt{2} \cdot \dfrac{a_{n+1}}{a_n}=2\sqrt{2}$ ← $a_{n+1}^2=a_n a_{n+2}$

∴ $b_n=2\sqrt{2}$

4단계 | $\displaystyle\sum_{k=1}^{10} \sqrt{2} b_n$의 값을 구한다. ◀ 20%

따라서 $b_n=2\sqrt{2}$이므로 $\displaystyle\sum_{k=1}^{10} \sqrt{2} b_n=\sum_{k=1}^{10} 4=4 \cdot 10=40$

참고 **이차방정식의 해 구하기**

$a_n x^2-2\sqrt{2} a_{n+1} x+2a_{n+2}=0$의 양변을 각각 a_n으로 나누면

$x^2-2\sqrt{2}\dfrac{a_{n+1}}{a_n} x+2\dfrac{a_{n+2}}{a_n}=0$, $x^2-2\sqrt{2} \cdot 2x+8=0$ ← $\dfrac{a_{n+2}}{a_n}=2^2$

$(x-2\sqrt{2})^2=0$이므로 $x=2\sqrt{2}$

3회 수열 모의평가

01	③	02	③	03	⑤	04	③	05	④
06	③	07	①	08	⑤	09	⑤	10	④
11	①	12	①	13	⑤	14	⑤	15	①
16	③	17	②	18	⑤	19	③	20	③

서술형			
21	해설참조	22	해설참조
23	해설참조	24	해설참조

01
 정답 ③

STEP Ⓐ 등차수열 $\{a_n\}$의 첫째항과 공차를 구하여 일반항 a_n 구하기

등차수열 $\{a_n\}$의 첫째항을 a, 공차를 d라 하면

$a_n = a + (n-1)d$

$a_1 + a_2 + a_3 = a + (a+d) + (a+2d)$
$\qquad = 3a + 3d = 21$ ...... ㉠

$a_7 + a_8 + a_9 = a + 6d + a + 7d + a + 8d$
$\qquad = 3a + 21d = 75$ ...... ㉡

㉠, ㉡을 연립하여 풀면 $a=4$, $d=3$

STEP Ⓑ $a_{10} + a_{11} + a_{12}$의 값 구하기

따라서 $a_{10} + a_{11} + a_{12} = (a+9d) + (a+10d) + (a+11d)$
$\qquad = 3a + 30d$
$\qquad = 3 \cdot 4 + 30 \cdot 3$
$\qquad = 102$

다른풀이 합의 등차중항을 이용하여 풀이하기

등차중항의 성질에 의하여
$a_1 + a_3 = 2a_2$, $a_7 + a_9 = 2a_8$이므로
$a_1 + a_2 + a_3 = 21$, $a_7 + a_8 + a_9 = 75$에서
$3a_2 = 21$, $3a_8 = 75$
$\therefore a_2 = 7$, $a_8 = 25$

등차수열 $\{a_n\}$의 첫째항을 a, 공차를 d라 하면
$a_2 = a + d = 7$ ...... ㉠
$a_8 = a + 7d = 25$ ...... ㉡
㉠, ㉡을 연립하여 풀면 $a=4$, $d=3$
따라서 $a_{10} + a_{11} + a_{12} = 3a_{11} = 3(a+10d) = 3(4+10 \cdot 3) = 102$

02
정답 ③

STEP Ⓐ 등비수열 $\{a_n\}$의 일반항을 이용하여 첫째항과 공비 구하기

등비수열 $\{a_n\}$의 공비를 $r(r>0)$이라 하면 $a_n = a_1 r^{n-1}$

$a_1 a_5 = 16$에서 $a_1 \cdot (a_1 r^4) = 16$, $(a_1 r^2)^2 = 16$

이때 $a_1 > 0$, $r > 0$에서 $a_1 r^2 > 0$이므로

$\therefore a_1 r^2 = 4$ ...... ㉠

$a_3 + a_5 = 12$에서 $a_1 r^2 + a_1 r^4 = 12$ ...... ㉡

㉠을 ㉡에 대입하면 $4 + 4r^2 = 12$

$r^2 = 2$이므로 $r = \sqrt{2} \ (\because r > 0)$

STEP Ⓑ a_{11}의 값 구하기

$r = \sqrt{2}$를 ㉠에 대입하면 $a_1 \cdot (\sqrt{2})^2 = 4$ $\therefore a_1 = 2$
따라서 $a_{11} = 2 \cdot (\sqrt{2})^{10} = 2^6 = 64$

다른풀이 등비중항을 이용하여 풀이하기

등비수열 $\{a_n\}$의 첫째항을 a, 공비를 r이라 하면

세 수 a_1, a_3, a_5는 이 순서대로 공비가 r^2인 등비수열을 이루므로

$a_3^2 = a_1 a_5 = 16$이므로 $a_3 = 4 \ (\because a_3 > 0)$

$a_3 + a_5 = 12$에서 $4 + a_5 = 12$

$\therefore a_5 = 8$

이때 $a_5 = a_3 \cdot r^2 = 4r^2 = 8$에서 $r^2 = 2$

따라서 $a_{11} = a_3 \cdot r^6 = 8 \cdot 2^3 = 64$

03
 정답 ⑤

STEP Ⓐ 등차수열의 합을 이용하여 공차 구하기

등차수열 $\{a_n\}$의 첫째항이 -13, 공차를 d라 하면

$S_4 = \dfrac{4\{2 \cdot (-13) + 3d\}}{2} = -52 + 6d$

$S_{10} = \dfrac{10\{2 \cdot (-13) + 9d\}}{2} = -130 + 45d$

$S_4 = S_{10}$이므로 $-52 + 6d = -130 + 45d$, $39d = 78$

$\therefore d = 2$

STEP Ⓑ a_{15} 구하기

즉 $a_n = -13 + (n-1) \cdot 2 = 2n - 15$
따라서 $a_{15} = 2 \cdot 15 - 15 = 15$

04
 정답 ③

STEP Ⓐ 수열의 합과 일반항 사이의 관계에 의하여 a_n 구하기

$S_n = n^2 + 3n + 1$에서

(i) $n=1$일 때, $a_1 = S_1 = 1^2 + 3 \cdot 1 + 1 = 5$

(ii) $n \geq 2$일 때, $a_n = S_n - S_{n-1}$
$\qquad = (n^2 + 3n + 1) - \{(n-1)^2 + 3(n-1) + 1\}$
$\qquad = 2n + 2$ ...... ㉠

이때 $a_1 = 5$는 ㉠에 $n=1$을 대입한 것과 같지 않으므로

(i), (ii)에서 수열 $\{a_n\}$은 $a_n = \begin{cases} 5 & (n=1) \\ 2n+2 & (n \geq 2) \end{cases}$

STEP Ⓑ $a_1 + a_6$의 값 구하기

따라서 $a_1 + a_6 = 5 + 2 \cdot 6 + 2 = 19$

05
 정답 ④

STEP Ⓐ 등차수열 $\{a_n\}$의 음수인 항 구하기

주어진 등차수열의 일반항은

$a_n = 31 + (n-1) \cdot (-5) = -5n + 36$

$a_n < 0$에서 $-5n + 36 < 0$이므로 $n > \dfrac{36}{5} = 7.2$

즉 수열 $\{a_n\}$은 제 8항부터 음수이므로 첫째항부터 제 7항까지의 합이 최대이다.

STEP Ⓑ S_n의 최댓값 구하기

이때 $a_7 = -5 \cdot 7 + 36 = 1$이므로 S_n의 최댓값은 $S_7 = \dfrac{7 \cdot (31+1)}{2} = 112$

06

정답 ③

 STEP A 등비수열 $\{a_n\}$의 일반항과 합 구하기

등비수열 $\{a_n\}$의 첫째항이 1, 공비가 $\dfrac{1}{2}$이므로 일반항은 $a_n=\left(\dfrac{1}{2}\right)^{n-1}$

첫째항부터 제 n항까지의 합은 $S_n=\dfrac{1-\left(\dfrac{1}{2}\right)^n}{1-\dfrac{1}{2}}=2-2\cdot\left(\dfrac{1}{2}\right)^n$이므로

$$\dfrac{S_n}{a_n}=\dfrac{2-2\cdot\left(\dfrac{1}{2}\right)^n}{\left(\dfrac{1}{2}\right)^{n-1}}=2\cdot2^{n-1}-1=2^n-1$$

STEP B $\displaystyle\sum_{n=1}^{5}\dfrac{S_n}{a_n}$의 값 구하기

따라서 $\displaystyle\sum_{n=1}^{5}\dfrac{S_n}{a_n}=\sum_{n=1}^{5}(2^n-1)=(2+2^2+2^3+2^4+2^5)-1\cdot5=62-5=57$

07

정답 ①

STEP A 등비수열 $\{a_n\}$의 일반항을 이용하여 r^{10}의 값 구하기

등비수열 $\{a_n\}$의 첫째항을 a, 공비를 r이라 하면

$\dfrac{a_{11}}{a_1}=\dfrac{ar^{10}}{a}=r^{10}$, $\dfrac{a_{12}}{a_2}=\dfrac{ar^{11}}{ar}=r^{10}$, $\cdots$ $\dfrac{a_{20}}{a_{10}}=\dfrac{ar^{19}}{ar^9}=r^{10}$이므로

$\dfrac{a_{11}}{a_1}+\dfrac{a_{12}}{a_2}+\dfrac{a_{13}}{a_3}+\cdots+\dfrac{a_{20}}{a_{10}}=10r^{10}=20$

$\therefore r^{10}=2$

STEP B $\dfrac{a_{38}}{a_{18}}$의 값 구하기

따라서 $\dfrac{a_{38}}{a_{18}}=\dfrac{ar^{37}}{ar^{17}}=r^{20}=(r^{10})^2=2^2=4$

08

정답 ⑤

STEP A 나머지 정리를 이용하여 각 항 나타내기

다항식 $P(x)$를 $x+1$, $x-1$, $x-3$로 나누었을 때의 나머지가 각각

$P(-1)=1-a-1=-a$, $P(1)=1+a-1=a$

$P(3)=9+3a-1=3a+8$

STEP B 등비중항을 이용하여 a의 값 구하기

이때 $-a$, a, $3a+8$이 이 순서대로 등비수열을 이루므로

$a^2=(-a)(3a+8)$, $a^2=-3a^2-8a$, $4a^2+8a=0$, $4a(a+2)=0$

따라서 $a=-2$ $(\because a\neq0)$

09

정답 ⑤

STEP A 근과 계수의 관계를 이용하여 α, β 사이의 관계 구하기

이차방정식 $2x^2-8x-1=0$의 근과 계수의 관계에 의하여

$\alpha+\beta=4$, $\alpha\beta=-\dfrac{1}{2}$

STEP B 등차중항의 성질을 이용하여 실수 k의 값 구하기

세 실수 α^2, k, β^2이 순서대로 등차수열을 이루므로

$2k=\alpha^2+\beta^2=(\alpha+\beta)^2-2\alpha\beta=4^2-2\cdot\left(-\dfrac{1}{2}\right)=17$

따라서 구하는 실수 k의 값은 $\dfrac{17}{2}$

10

정답 ④

 STEP A 주어진 수열을 $\sum$로 나타내기

$4+44+444+4444+\cdots+\underbrace{444\cdots4}$

$=\dfrac{4}{9}\{9+99+999+\cdots+\underbrace{999\cdots9}\}$

$=\dfrac{4}{9}\{(10-1)+(10^2-1)+(10^3-1)+\cdots+(10^{20}-1)\}$

$=\dfrac{4}{9}\displaystyle\sum_{k=1}^{20}(10^k-1)$

$=\dfrac{4}{9}\left(\displaystyle\sum_{k=1}^{20}10^k-\sum_{k=1}^{20}1\right)$

STEP B 자연수의 합 공식 이용하기

$\dfrac{4}{9}\left(\displaystyle\sum_{k=1}^{20}10^k-\sum_{k=1}^{20}1\right)=\dfrac{4}{9}\left\{\dfrac{10(10^{20}-1)}{10-1}-1\cdot20\right\}$

$\qquad\qquad\qquad\qquad=\dfrac{40\cdot10^{20}-760}{81}$

따라서 $a=40$, $b=760$이므로 $a+b=800$

11

정답 ①

 STEP A 안쪽에 있는 $\sum$부터 차례로 계산하기

$\displaystyle\sum_{k=1}^{10}\left(\sum_{i=1}^{k}ik\right)=\sum_{k=1}^{10}k\left(\sum_{i=1}^{k}i\right)=\sum_{k=1}^{10}k\cdot\dfrac{k(k+1)}{2}$

$\qquad\qquad\quad=\dfrac{1}{2}\displaystyle\sum_{k=1}^{10}(k^3+k^2)$

$\qquad\qquad\quad=\dfrac{1}{2}\left(\displaystyle\sum_{k=1}^{10}k^3+\sum_{k=1}^{10}k^2\right)$

$\qquad\qquad\quad=\dfrac{1}{2}\left\{\left(\dfrac{10\cdot11}{2}\right)^2+\dfrac{10\cdot11\cdot21}{6}\right\}=1705$

12

정답 ①

STEP A 두 직선의 교점 구하기

두 직선 $y=\dfrac{1}{2}x+2$, $y=\dfrac{3}{5}x+1$의 교점의 x좌표는

$\dfrac{1}{2}x+2=\dfrac{3}{5}x+1$

$\therefore x=10=m$

STEP B $\overline{P_nQ_n}$의 길이가 등차수열이므로 합 공식을 이용하여 구하기

자연수 n에 대하여 직선 $x=n$과 두 직선의 교점이 각각 P_n, Q_n이므로

$\overline{P_nQ_n}=\dfrac{1}{2}n+2-\left(\dfrac{3}{5}n+1\right)=-\dfrac{1}{10}n+1$

즉 직선 $x=1$, $x=2$, $\cdots$, $x=10$과 두 직선의 교점을 이은 10개의 선분의

길이는 첫째항이 $\dfrac{9}{10}$, 공차가 $-\dfrac{1}{10}$인 등차수열을 이룬다.

따라서 $\displaystyle\sum_{k=1}^{m}\overline{P_kQ_k}=\sum_{k=1}^{10}\left(-\dfrac{1}{10}k+1\right)=-\dfrac{1}{10}\cdot\dfrac{10\cdot11}{2}+10=\dfrac{9}{2}$

13

정답 ③

STEP A **매년 말에 a만 원씩 11년 동안 적립한 원리합계 구하기**

1000만원의 n년 후의 원리합계는 $1000(1.06)^n$임을 이용한다.
5년째 말부터 a만 원씩 갚는다면 이자를 포함하여 갚을 금액의 총액은
$a+a\times1.06+a\times1.06^2+\cdots+a\times1.06^{10}$

$=\dfrac{a(1.06^{11}-1)}{1.06-1}=\dfrac{0.9a}{0.06}=15a(\text{만 원})$ ...... ㉠

STEP B **1000만 원의 15년 말 후의 원리합계 구하기**

1000만원의 15년 말 후의 원리합계는
$1000\times1.06^{15}=1000\times2.4=2400(\text{만 원})$ ...... ㉡
㉠과 ㉡이 같아야 하므로 $15a=2400$

$\therefore a=\dfrac{2400}{15}=160(\text{만 원})$

따라서 매년 160만 원씩 갚아야 한다.

14

정답 ⑤

STEP A **주어진 식을 나열하여 시그마 정리하기**

$\displaystyle\sum_{k=1}^{20}(a_{2k-1}+a_{2k})=(a_1+a_2)+(a_3+a_4)+\cdots+(a_{39}+a_{40})=\sum_{k=1}^{40}a_k=47$

STEP B **시그마의 성질을 이용하여 값 구하기**

따라서 $\displaystyle\sum_{k=1}^{40}(2a_k+3)=2\sum_{k=1}^{40}a_k+\sum_{k=1}^{40}3=2\cdot47+3\cdot40=214$

15

정답 ①

STEP A **시그마의 성질을 이용하기**

$\displaystyle\sum_{k=1}^{10}2a_k=36$에서 $2\sum_{k=1}^{10}a_k=36$이므로 $\sum_{k=1}^{10}a_k=18$

$\displaystyle\sum_{k=1}^{10}(b_k-2)=24$에서

$\displaystyle\sum_{k=1}^{10}b_k-\sum_{k=1}^{10}2=\sum_{k=1}^{10}b_k-20=24$이므로 $\sum_{k=1}^{10}b_k=44$

따라서 $\displaystyle\sum_{k=1}^{10}(a_k-b_k)=\sum_{k=1}^{10}a_k-\sum_{k=1}^{10}b_k=18-44=-26$

16

정답 ③

STEP A **이차방정식의 근과 계수의 관계를 이용하여 a_n, b_n의 관계식 구하기**

이차방정식의 두 근이 a_n, b_n이므로 근과 계수의 관계에 의하여
$a_n+b_n=2n$, $a_nb_n=2n-3$

STEP B **$\displaystyle\sum_{k=1}^{10}(a_k^2+b_k^2)$의 값 구하기**

$a_n^2+b_n^2=(a_n+b_n)^2-2a_nb_n$
$\quad=(2n)^2-2(2n-3)$
$\quad=4n^2-4n+6$

$\displaystyle\sum_{k=1}^{10}(a_k^2+b_k^2)=\sum_{k=1}^{10}(4k^2-4k+6)$

$\quad=4\cdot\dfrac{10\cdot11\cdot21}{6}-4\cdot\dfrac{10\cdot11}{2}+6\cdot10=1380$

17

정답 ②

STEP A **등차수열의 귀납적 정의를 이용하여 a_n 구하기**

$a_{n+1}=a_n+6$이므로 수열 $\{a_n\}$은 공차가 6인 등차수열이다.
$a_2^2=a_{11}+2$에서 $(a_1+6)^2=2+(a_1+10\cdot6)$
$a_1^2+11a_1-26=0$, $(a_1+13)(a_1-2)=0$
$a_1>0$이므로 $a_1=2$
이때 등차수열 $\{a_n\}$의 일반항은 $a_n=2+(n-1)\cdot6=6n-4$

STEP B **$\displaystyle\sum_{k=1}^{10}a_k$ 구하기**

$\displaystyle\sum_{k=1}^{10}a_k=\sum_{k=1}^{10}(6k-4)=6\sum_{k=1}^{10}k-\sum_{k=1}^{10}4$

$\quad=6\cdot\dfrac{10\cdot11}{2}-4\cdot10$

$\quad=330-40=290$

18

정답 ⑤

STEP A **조건 (가)를 이용하여 $a_1+a_2+a_3+a_4+a_5+a_6$ 구하기**

조건 (가)에서 $a_{n+2}=a_n-4$이므로
$a_2=p$라 놓으면
$a_1=7$
$a_2=p$
$a_3=a_1-4=7-4=3$
$a_4=a_2-4=p-4$
$a_5=a_3-4=-1$
$a_6=a_4-4=p-8$
$\therefore a_1+a_2+a_3+a_4+a_5+a_6=7+p+3+(p-4)+(-1)+(p-8)$
$\qquad\qquad=3p-3$

STEP B **조건 (나)에서 수열 $\{a_n\}$은 주기가 6임을 이용하여 a_2 구하기**

조건 (나)에서 $a_{n+6}=a_n$이므로
$a_7=a_1$, $a_8=a_2$, $a_9=a_3$, $\cdots$, $a_{12}=a_6$
수열 $\{a_n\}$은 주기가 6인 수열이므로 a_1, a_2, a_3, a_4, a_5, a_6이 반복된다.
즉 7, p, 3, $p-4$, -1, $p-8$이 반복된다.

$\therefore \displaystyle\sum_{k=1}^{50}a_k=\sum_{k=1}^{48}a_k+a_{49}+a_{50}=8(3p-3)+7+p$
$\qquad\qquad=25p-17=258$

이때 $25p=275$이므로 $p=11$
따라서 $a_{10}=a_4=p-4=7$

19

정답 ③

STEP A a_n과 a_{n+1} 사이의 관계식 구하기

n개의 직선에 1개의 직선을 추가하면 이 직선은 기존의 n개의 직선과 각각 한 번씩 만나므로 $(n+1)$개의 새로운 영역이 생긴다.

즉 $(n+1)$개의 직선으로 나누어지는 영역은 n개의 직선으로 나누어지는 영역보다 $(n+1)$개가 많으므로

$a_{n+1}=a_n+n+1 \ (n=1, 2, 3, \cdots)$

STEP B a_7의 값 구하기

$a_3=7$이므로

$a_4=a_3+(3+1)=7+4=11$

$a_5=a_4+(4+1)=11+5=16$

$a_6=a_5+(5+1)=16+6=22$

$a_7=a_6+(6+1)=22+7=29$

20

정답 ③

STEP A 빈칸 **(가)**, **(나)**, **(다)**에 알맞은 식 구하기

$a_n=n^3+3n^2+2n$이라고 하자.

(ⅰ) $n=1$이면 $a_1=1^3+3\times1^2+2\times1=\boxed{6}$이므로 6의 배수이다.

(ⅱ) $n=k$일 때, a_n이 6의 배수라고 가정하면

$(k+1)^3+3(k+1)^2+2(k+1)$

$=k^3+3k^2+2k+(k+1)+3(k+1)^2+2(k+1)$

$=k^3+3k^2+2k+3(k+1)^2+3(k+1)$

$=k^3+3k^2+2k+\boxed{3}(k+1)(k+\boxed{2})$

이므로 $n=k+1$일 때도 a_n은 6의 배수이다.

STEP B **(가)**, **(나)**, **(다)**에 알맞은 수들을 모두 더한 값 구하기

따라서 구하는 합은 $6+3+2=11$

서 술 형

21

정답 해설참조

| 1단계 | 수열 $\{a_n\}$의 일반항을 구한다. | ◀ 30% |

수열 $\{a_n\}$에서 첫째항을 a, 공차를 d라 하면 $a_n=a+(n-1)d$

$a_3=-2$에서 $a+2d=-2$ …… ㉠

$a_9=46$에서 $a+8d=46$ …… ㉡

㉠, ㉡을 연립하여 풀면 $a=-18$, $d=8$

$\therefore a_n=-18+(n-1)\cdot8=8n-26$

| 2단계 | 수열 $\{a_n\}$의 양수인 항과 음수인 항을 구별한다. | ◀ 30% |

제 n항에서 처음으로 양수가 나온다고 하면

이때 $a_n>0$에서 $8n-26>0$ $\therefore n>\dfrac{26}{8}=3.\cdots$

즉 수열 $\{a_n\}$은 첫째항부터 제 3항까지는 음수이고 제 4항부터 양수이다.

| 3단계 | 등차수열의 합을 이용하여 $|a_1|+|a_2|+|a_3|+|a_4|+\cdots+|a_{10}|$의 값을 구한다. | ◀ 40% |

$a_3=-2$, $a_4=6$, $a_{10}=54$이므로

$|a_1|+|a_2|+|a_3|+\cdots+|a_{10}|$

$=-(a_1+a_2+a_3)+(a_4+a_5+\cdots+a_{10})$

$=-\dfrac{3(-18-2)}{2}+\dfrac{7(6+54)}{2}=30+210=240$

참고

등차수열 $\{a_n\}$에서 첫째항이 -18, 공차가 8이므로

수열 $\{a_n\}$은 $-18, -10, -2, 6, 14, 22, \cdots$

즉 등차수열 $\{a_n\}$에서 첫째항부터 제 3항까지가 음수이다.

따라서 $|a_1|+|a_2|+|a_3|+\cdots+|a_{10}|$

$=-(-18-10-2)+(6+14+22+\cdots+54)$

$=30+\dfrac{7(6+54)}{2}$

$=30+210=240$

다른풀이 10항까지의 등차수열의 합에서 음수인 항의 합의 두 배를 빼서 풀이하기

등차수열 $\{a_n\}$에서 첫째항은 -18, 공차는 8이므로

$|a_1|+|a_2|+|a_3|+\cdots+|a_{10}|$

$=a_1+a_2+a_3+\cdots+a_{10}-2(a_1+a_2+a_3)$

$=\dfrac{10\{(-18)\cdot2+(10-1)8\}}{2}-2(-18-10-2)$

$=240$

22

정답 해설참조

| 1단계 | 주어진 등식의 제 k항을 a_k라 할 때, a_k를 구한다. | ◀ 30% |

수열 $1\times n$, $2\times(n-1)$, $3\times(n-2)$, $\cdots$의 제 k항은

$a_k=k\{n-(k-1)\}=k(n-k+1)$

| 2단계 | 첫째항부터 제 n항까지의 합을 구한다. | ◀ 50% |

주어진 합은 수열 $\{a_k\}$의 첫째항부터 제 n항까지의 합과 같으므로

$1\times n+2\times(n-1)+3\times(n-2)+\cdots+(n-1)\times2+n\times1$

$=\displaystyle\sum_{k=1}^{n}a_k$

$=\displaystyle\sum_{k=1}^{n}k(n-k+1)$

$=\displaystyle\sum_{k=1}^{n}(nk-k^2+k)$

$=n\times\dfrac{n(n+1)}{2}-\dfrac{n(n+1)(2n+1)}{6}+\dfrac{n(n+1)}{2}$

$=\dfrac{n(n+1)(n+2)}{6}$

참고

$\displaystyle\sum_{k=1}^{n}a_k=\sum_{k=1}^{n}k\{(n+1)-k\}=(n+1)\sum_{k=1}^{n}k-\sum_{k=1}^{n}k^2$

$=(n+1)\cdot\dfrac{n(n+1)}{2}-\dfrac{n(n+1)(2n+1)}{6}$

$=\dfrac{n(n+1)(n+2)}{6}$

| 3단계 | a, b의 값을 구한다. | ◀ 20% |

따라서 $a=1$, $b=2$ 또는 $a=2$, $b=1$이므로 $a+b=3$

23

정답 해설참조

1단계 $f_n(x)$를 $x-1$로 나누었을 때의 나머지 a_n을 구한다. ◀ 30%

$f_n(x)=5^n x^4+4^n x^3+3^n x^2+x+1$을 $x-1$로 나눌 때, 나머지는
나머지 정리를 이용하여
$a_n=f_n(1)=5^n+4^n+3^n+2$

2단계 $f_n(x)$를 $x+1$로 나누었을 때의 나머지 b_n을 구한다. ◀ 30%

$f_n(x)=5^n x^4+4^n x^3+3^n x^2+x+1$을 $x+1$로 나누었을 때의 나머지는
나머지 정리를 이용하여
$b_n=f_n(-1)=5^n-4^n+3^n$

3단계 $\displaystyle\sum_{n=1}^{10}(a_n-b_n)=\dfrac{2^a+b}{3}$ 일 때, 상수 a, b 에 대하여 $a+b$의 값을 구한다. ◀ 40%

$a_n-b_n=(5^n+4^n+3^n+2)-(5^n-4^n+3^n)=2\cdot4^n+2$

$\displaystyle\sum_{n=1}^{10}(a_n-b_n)=\sum_{n=1}^{10}(2\cdot4^n+2)$

$\qquad\qquad\qquad=\dfrac{2^3(4^{10}-1)}{4-1}+2\cdot10$

$\qquad\qquad\qquad=\dfrac{2^{23}+52}{3}$

따라서 $a=23$, $b=52$이므로 $a+b=75$

24

정답 해설참조

1단계 이차방정식의 근과 계수의 관계를 이용하여 $\alpha_n+\beta_n$, $\alpha_n\beta_n$의 값을 구한다. ◀ 40%

$x^2+11x-n(n+1)=0$의 두 근을 α_n, β_n이라고 하면
$\alpha_n+\beta_n=-11$, $\alpha_n\beta_n=-n(n+1)$

2단계 $\dfrac{1}{\alpha_n}+\dfrac{1}{\beta_n}$을 변형하여 나타낸다. ◀ 30%

$\dfrac{1}{\alpha_n}+\dfrac{1}{\beta_n}=\dfrac{\alpha_n+\beta_n}{\alpha_n\beta_n}=\dfrac{11}{n(n+1)}$

3단계 $\displaystyle\sum_{n=1}^{10}\left(\dfrac{1}{\alpha_n}+\dfrac{1}{\beta_n}\right)$의 값을 구한다. ◀ 30%

$\displaystyle\sum_{n=1}^{10}\left(\dfrac{1}{\alpha_n}+\dfrac{1}{\beta_n}\right)$

$=\displaystyle\sum_{n=1}^{10}\dfrac{11}{n(n+1)}$

$=11\displaystyle\sum_{n=1}^{10}\left(\dfrac{1}{n}-\dfrac{1}{n+1}\right)$

$=11\left\{\left(1-\dfrac{1}{2}\right)+\left(\dfrac{1}{2}-\dfrac{1}{3}\right)+\left(\dfrac{1}{3}-\dfrac{1}{4}\right)+\cdots+\left(\dfrac{1}{10}-\dfrac{1}{11}\right)\right\}$

$=11\left(1-\dfrac{1}{11}\right)$

$=10$

M A P L ; S Y N E R G Y

4회 수열 모의평가

01	①	02	②	03	②	04	⑤	05	③
06	②	07	④	08	④	09	③	10	②
11	③	12	②	13	②	14	⑤	15	④
16	①	17	③	18	④	19	①	20	④

서술형			
21	해설참조	22	해설참조
23	해설참조	24	해설참조

01

STEP Ⓐ 등차수열 $\{a_n\}$의 일반항을 이용하여 공차 구하기

등차수열 $\{a_n\}$의 첫째항을 a, 공차를 d라고 하면 $a_n=a+(n-1)d$
$a_1+a_3+a_5+a_7=a+(a+2d)+(a+4d)+(a+6d)$
$\qquad\qquad\qquad=4a+12d$
$a_1+a_3+a_5+a_7=0$에서 $4a+12d=0$
$\therefore a+3d=0$ $\qquad$ …… ㉠
$a_{10}=24$에서 $a+9d=24$ $\qquad$ …… ㉡
㉠, ㉡을 연립하여 풀면 $a=-12$, $d=4$
따라서 공차는 4이다.

02

STEP Ⓐ 등비수열 $\{a_n\}$의 일반항을 이용하여 첫째항과 공비 구하기

등비수열 $\{a_n\}$의 공비를 r라 하면
$a_1+a_4+a_7=a_1+a_1 r^3+a_1 r^6=a_1(1+r^3+r^6)=14$이고
$a_4-a_1=a_1 r^3-a_1=a_1(r^3-1)=2$

STEP Ⓑ $a_1(a_{10}-a_1)$의 값 구하기

따라서 $a_1(a_{10}-a_1)=a_1(a_1 r^9-a_1)$
$\qquad\qquad\qquad\quad=a_1{}^2(r^9-1)$
$\qquad\qquad\qquad\quad=\{a_1(r^3-1)\}\cdot\{a_1(r^6+r^3+1)\}$
$\qquad\qquad\qquad\quad=2\times14=28$

03

STEP Ⓐ 등차수열 $\{a_n\}$의 공차 구하기

1, a_1, a_2, $\cdots$, a_m, 99가 이 순서대로 등차수열이므로
첫째항이 1, 제 $(m+2)$항이 99이므로
$1+(m+2-1)d=99$
$(m+1)d=99$
$\therefore d=\dfrac{98}{m+1}$

STEP Ⓑ 첫째항과 끝항이 주어졌을 때, 등차수열의 합 구하기

이때 d가 자연수가 되려면 $m+1$은 98의 약수가 되어야 하므로
$m+1=2$, 7, 14, 49, $98(\because m+1\neq1)$
$\therefore d=1$, 2, 7, 14, 49
따라서 구하는 자연수 d는 모두 5개이다.

04
정답 ⑤

STEP Ⓐ **삼차방정식의 근과 계수의 관계를 이용하여 a, d의 관계 구하기**

삼차방정식 $x^3-12x^2+44x-p=0$의 세 실근을 각각
$a-d$, a, $a+d$로 놓으면 삼차방정식의 근과 계수 관계에 의하여
$(a-d)+a+(a+d)=12$ ...... ㉠
$(a-d)a+a(a+d)+(a+d)(a-d)=44$ ...... ㉡
$(a-d)a(a+d)=a(a^2-d^2)=p$ ...... ㉢

STEP Ⓑ **주어진 식에 대입하여 a, d 값을 구하기**

㉠에서 $3a=12$ ∴ $a=4$
㉡에서 $3a^2-d^2=44$이므로 $a=4$를 대입하면 $d^2=4$
따라서 ㉢에서 $p=4(16-4)=48$

다른풀이 한 근을 구하여 삼차방정식에 대입하여 풀이하기

삼차방정식 $x^3-12x^2+44x-p=0$의 세 실근을 $a-d$, a, $a+d$로 놓으면
삼차방정식의 근과 계수의 관계에 의하여
$(a-d)+a+(a+d)=12$
$3a=12$ ∴ $a=4$
따라서 주어진 방정식의 한 근이 4이므로 $x=4$를 방정식에 대입하면
$64-192+176-p=0$ ∴ $p=48$

05
정답 ③

STEP Ⓐ **주어진 등차수열의 합을 이용하여 첫째항과 공차 구하기**

등차수열 $\{a_n\}$의 첫째항을 a, 공차를 d라고 하면
첫째항부터 제 5항까지의 합은 $\dfrac{5(2a+4d)}{2}=20$에서
$a+2d=4$ ...... ㉠
또, 첫째항부터 제 10항까지의 합은 $\dfrac{10(2a+9d)}{2}=60$에서
$2a+9d=12$ ...... ㉡
㉠, ㉡을 연립하여 풀면 $a=\dfrac{12}{5}$, $d=\dfrac{4}{5}$

STEP Ⓑ **첫째항부터 제 15항까지의 합 구하기**

따라서 첫째항부터 제 15항까지의 합은
$\dfrac{15(2a+14d)}{2}=15(a+7d)=15\left(\dfrac{12}{5}+\dfrac{28}{5}\right)=120$

06
정답 ②

STEP Ⓐ **등차수열 $\{a_n\}$의 항까지의 합 구하기**

첫째항을 1, 공차를 4라고 하면
$S_n=\displaystyle\sum_{k=1}^{n}a_k=\dfrac{n\{2\cdot1+(n-1)\cdot4\}}{2}=2n^2-n$
$T_n=\displaystyle\sum_{k=1}^{n}(a_{2k-1}-a_{2k})$
$=(a_1-a_2)+(a_3-a_4)+\cdots+(a_{2n-1}-a_{2n})$
$=(-4)+(-4)+\cdots+(-4)$ ← -4가 n개
$=-4n$

STEP Ⓑ **$S_m+T_m=63$을 만족하는 자연수 m의 값 구하기**

$S_m+T_m=63$에서 $(2m^2-m)-4m=63$
$2m^2-5m-63=0$, $(2m+9)(m-7)=0$
따라서 자연수 m은 $m=7$

07
정답 ④

STEP Ⓐ **주어진 조건을 만족하는 자연수를 나열하여 일반항 구하기**

100과 200 사이에 있는 자연수 중에서 4로 나누어 3이 남는 자연수를
나열하면 $103, 107, 111, \cdots, 199$
이 수들은 첫째항이 103, 공차가 4인 등차수열이므로 일반항을 a_n이라 하면
$a_n=103+(n-1)\cdot4=4n+99$
이때 $4n+99=199$에서 $n=25$이므로 199는 제 25항이다.

STEP Ⓑ **첫째항과 끝항이 주어졌을 때, 등차수열의 합 구하기**

따라서 구하는 자연수의 합은 $\dfrac{25\times(103+199)}{2}=3775$

08
정답 ④

STEP Ⓐ **수열의 합과 일반항 사이의 관계에 의하여 a_n 구하기**

(i) $n=1$일 때, $a_1=S_1=-1^2+4\cdot1+5=8$
(ii) $n\geq2$일 때, $a_n=S_n-S_{n-1}$
$=(-n^2+4n+5)-\{-(n-1)^2+4(n-1)+5\}$
$=-2n+5$ ...... ㉠
이때 $a_1=8$은 ㉠에 $n=1$을 대입한 것과 같지 않으므로
수열 $\{a_n\}$은 $a_n=\begin{cases}8 & (n=1)\\-2n+5 & (n\geq2)\end{cases}$

STEP Ⓑ **일반항을 이용하여 [보기]의 진위판단하기**

ㄱ. 수열 $\{a_n\}$은 제 2항부터 등차수열이다. [거짓]
ㄴ. 수열 $\{a_{2n+1}\}$은
$a_n=-2n+5(n\geq2)$이므로
$a_{2n+1}=-2(2n+1)+5=-4n+3$ $(n\geq1)$
공차가 -4인 등차수열이다. [참]
ㄷ. $S_n=-n^2+4n+5=-(n-2)^2+9$
이므로 $n=2$일 때, 합의 최댓값은 9이다. [참]
따라서 옳은 것은 ㄴ, ㄷ이다.

09
정답 ③

STEP Ⓐ **등차중항을 이용하여 a, b의 관계식 구하기**

세 수 $\log 3$, $\log a$, $\log b$는 순서대로 등차수열을 이루므로
$2\log a=\log 3+\log b$, $\log a^2=\log 3b$
∴ $a^2=3b$ ...... ㉠

STEP Ⓑ **등비중항을 이용하여 a, b의 관계식 구하기**

세 수 2, 2^{2a}, 2^{9b}은 이 순서대로 등비수열을 이루므로
$(2^{2a})^2=2\cdot2^{9b}$, $2^{4a}=2^{1+9b}$
∴ $4a=1+9b$ ...... ㉡
㉡에 ㉠을 대입하면 $4a=3a^2+1$, $3a^2-4a+1=0$
$(3a-1)(a-1)=0$
∴ $a=\dfrac{1}{3}$ 또는 $a=1$

STEP Ⓒ **$\dfrac{a}{b}$의 값 구하기**

이때 $a=1$이면 $\log a=\log 1=0$이므로 조건에 모순이다.
따라서 $a=\dfrac{1}{3}$이므로 ㉠에서 $b=\dfrac{1}{27}$
∴ $\dfrac{a}{b}=9$

10

STEP A 이차방정식의 두 근 구하기

이차방정식 $35x^2-12x+1=0$, $(5x-1)(7x-1)=0$

$\therefore x=\dfrac{1}{5}$ 또는 $x=\dfrac{1}{7}$

이때 a_3, a_5를 각각 $\dfrac{1}{5}$, $\dfrac{1}{7}$이라 하면 $\dfrac{1}{a_3}$, $\dfrac{1}{a_5}$이 5, 7이다.

STEP B 등차중항을 이용하여 a_4 구하기

수열 $\left\{\dfrac{1}{a_n}\right\}$이 등차수열이므로 등차중항에 의하여

$\dfrac{1}{a_4}=\dfrac{1}{2}\left(\dfrac{1}{a_3}+\dfrac{1}{a_5}\right)$이므로 $\dfrac{1}{a_4}=\dfrac{5+7}{2}=6$

따라서 $a_4=\dfrac{1}{6}$

11

STEP A 등비수열 $\{a_n\}$의 일반항을 이용하여 첫째항과 공비 구하기

등비수열 $\{a_n\}$의 공비를 r이라 하면

$a_1a_2a_3a_4a_5=a_1\times a_1r\times a_1r^2\times a_1r^3\times a_1r^4=a_1^5r^{10}=(a_1r^2)^5=32$에서
$a_1r^2=2$ ······ ㉠

$a_4a_6a_8=a_1r^3\times a_1r^5\times a_1r^7=a_1^3r^{15}$이고
$a_5a_7=a_1r^4\times a_1r^6=a_1^2r^{10}$이므로
$a_4a_6a_8=16a_5a_7$에서 $a_1^3r^{15}=16a_1^2r^{10}$
즉 $a_1r^5=16$ ······ ㉡

㉡÷㉠을 하면 $r^3=8$이고 r는 실수이므로 $r=2$

㉠에 $r=2$를 대입하면 $a_1=\dfrac{1}{2}$

STEP B 등비수열의 합 S_5 구하기

따라서 $S_5=\dfrac{\dfrac{1}{2}(2^5-1)}{2-1}=\dfrac{31}{2}$이므로 $p+q=2+31=33$

다른풀이 등비중항의 성질을 이용하여 풀이하기

a_1, a_3, a_5는 이 순서대로 등비수열을 이루므로 등비중항의 성질에 의하여
$a_3^2=a_1a_5$
마찬가지로 a_2, a_3, a_4도 이 순서대로 등비수열을 이루므로
$a_3^2=a_2a_4$
이때 등비수열 $\{a_n\}$의 공비를 r이라 하면
$a_1a_2a_3a_4a_5=(a_1a_5)(a_2a_4)a_3=a_3^5=(a_1r^2)^5=32$에서
$a_1r^2=2$ ······ ㉠
또, a_4, a_6, a_8과 a_5, a_6, a_7도 각각 이 순서대로 등비수열을 이루므로
등비중항의 성질에 의하여
$a_6^2=a_4a_8$, $a_6^2=a_5a_7$
이때 $a_4a_6a_8=16a_5a_7$에서 $a_6^3=16a_6^2$
$a_6\neq 0$이므로 $a_6=16$
즉 $a_6=a_1r^5=16$ ······ ㉡
㉠, ㉡을 연립하여 풀면 $r^3=8$이고 r는 실수이므로 $r=2$
㉠에 $r=2$를 대입하면 $a_1=\dfrac{1}{2}$

따라서 $S_5=\dfrac{\dfrac{1}{2}(2^5-1)}{2-1}=\dfrac{31}{2}$이므로 $p+q=2+31=33$

12

STEP A 점과 직선 사이의 거리를 이용하여 접선의 방정식 구하기

기울기가 -2이고 원 $x^2+y^2=\dfrac{1}{3^n}$과 제1사분면에서 접하는 직선 l_n의

방정식을 $y=-2x+k\,(k>0)$이라 하면 원의 중심 $(0,\,0)$과

직선 $2x+y-k=0$ 사이의 거리는 원의 반지름의 길이와 같으므로

$\dfrac{|-k|}{\sqrt{2^2+1^2}}=\sqrt{\dfrac{1}{3^n}}$에서 $k=\sqrt{\dfrac{5}{3^n}}$

즉 $y=-2x+\sqrt{\dfrac{5}{3^n}}$

STEP B 수열 $\{a_nb_n\}$의 합 구하기

이때 직선 l_n의 x절편이 a_n, y절편이 b_n이므로

$a_n=\dfrac{1}{2}\sqrt{\dfrac{5}{3^n}}$, $b_n=\sqrt{\dfrac{5}{3^n}}$

즉 $a_nb_n=\dfrac{1}{2}\times\dfrac{5}{3^n}$

따라서 수열 $\{a_nb_n\}$은 첫째항이 $\dfrac{5}{6}$, 공비가 $\dfrac{1}{3}$인 등비수열이므로

$a_1b_1+a_2b_2+a_3b_3+\cdots+a_{12}b_{12}=\dfrac{\dfrac{5}{6}\left\{1-\left(\dfrac{1}{3}\right)^{12}\right\}}{1-\dfrac{1}{3}}=\dfrac{5}{4}\left(1-\dfrac{1}{3^{12}}\right)$

13

STEP A 시그마의 성질을 이용하여 값 구하기

$$\sum_{k=1}^{n}(a_k+2n)^2-\sum_{k=1}^{n}(a_k-2n)^2=\sum_{k=1}^{n}\{(a_k+2n)^2-(a_k-2n)^2\}$$
$$=\sum_{k=1}^{n}8a_kn$$
$$=8n\sum_{k=1}^{n}a_k$$

$\displaystyle\sum_{k=1}^{n}(a_k+2n)^2-\sum_{k=1}^{n}(a_k-2n)^2=8n(n+1)(2n+1)$이므로

$8n\displaystyle\sum_{k=1}^{n}a_k=8n(n+1)(2n+1)$

$n\neq 0$이므로 $\displaystyle\sum_{k=1}^{n}a_k=(n+1)(2n+1)$

STEP B $a_{10}=\displaystyle\sum_{k=1}^{10}a_k-\sum_{k=1}^{9}a_k$의 값 구하기

따라서 $a_{10}=\displaystyle\sum_{k=1}^{10}a_k-\sum_{k=1}^{9}a_k=11\cdot 21-10\cdot 19$
$\qquad\qquad\qquad\qquad\quad =231-190=41$

14

STEP A $\sum$ 기호가 여러개 있는 식의 계산은 괄호 안부터 차례로 계산하기

$$\sum_{l=1}^{5}\left\{\sum_{k=1}^{l}(k+3l)\right\}=\sum_{l=1}^{5}\left\{\sum_{k=1}^{l}k+3\sum_{k=1}^{l}l\right\}$$
$$=\sum_{l=1}^{5}\left\{\dfrac{l(l+1)}{2}+3l\cdot l\right\}$$
$$=\sum_{l=1}^{5}\dfrac{7l^2+l}{2}$$
$$=\dfrac{7}{2}\sum_{l=1}^{5}l^2+\dfrac{1}{2}\sum_{l=1}^{5}l$$
$$=\dfrac{7}{2}\cdot\dfrac{5\cdot 6\cdot 11}{6}+\dfrac{1}{2}\cdot\dfrac{5\cdot 6}{2}$$
$$=\dfrac{385}{2}+\dfrac{15}{2}=200$$

15

정답 ④

STEP A **나머지 정리를 이용하여 a_n 구하기**

다항식 $f(x)=x^2-3x+4$를 $x-n$으로 나눈 나머지는

$f(n)=n^2-3n+4$이므로 $a_n=n^2-3n+4$

$a_{2n}=(2n)^2-3\cdot 2n+4=4n^2-6n+4$

STEP B $\displaystyle\sum_{k=1}^{10}(4k^2-a_{2k})$**의 값 구하기**

$$\sum_{k=1}^{10}(4k^2-a_{2k})=\sum_{k=1}^{10}\{4k^2-(4k^2-6k+4)\}$$
$$=\sum_{k=1}^{10}(6k-4)$$
$$=6\sum_{k=1}^{10}k-\sum_{k=1}^{10}4$$
$$=6\cdot\frac{10\cdot 11}{2}-4\cdot 10$$
$$=330-40=290$$

16

정답 ①

STEP A **첫째항부터 제 m항까지의 합이 465인 m 구하기**

첫째항이 3, 공차가 4인 등차수열 $\{a_n\}$의 첫째항부터

제 m항까지의 합이 465이므로

$\dfrac{m\{6+(m-1)\cdot 4\}}{2}=465$에서 $(2m+31)(m-15)=0$

이때 m은 자연수이므로 $m=15$

STEP B **등차수열의 성질을 이용하여 구하는 식의 분모를 유리화하기**

일반항 $\{a_n\}$은 $a_n=3+(n-1)\cdot 4=4n-1$

따라서 $\displaystyle\sum_{k=1}^{m}\dfrac{2}{\sqrt{1+a_k}+\sqrt{1+a_{k+1}}}$

$$=2\sum_{k=1}^{15}\frac{\sqrt{1+a_{k+1}}-\sqrt{1+a_k}}{(1+a_{k+1})-(1+a_k)}$$
$$=2\sum_{k=1}^{15}\frac{\sqrt{4(k+1)}-\sqrt{4k}}{4}$$
$$=\sum_{k=1}^{15}(\sqrt{k+1}-\sqrt{k})$$
$$=\{(\sqrt{2}-\sqrt{1})+(\sqrt{3}-\sqrt{2})+\cdots+(\sqrt{16}-\sqrt{15})\}$$
$$=4-1=3$$

17

정답 ③

STEP A **주어진 식의 n 대신 1, 2를 각각 대입하여 상수 k의 값 구하기**

$a_{n+1}=\dfrac{k}{a_n+2}$ $\qquad\qquad\cdots\cdots$ ㉠

㉠의 양변에 $n=1$을 대입하면

$a_2=\dfrac{k}{a_1+2}=\dfrac{k}{3}$이고

㉠의 양변에 $n=2$를 대입하면

$a_3=\dfrac{k}{a_2+2}=\dfrac{k}{\frac{k}{3}+2}=\dfrac{3}{2}$이므로 $3\times\left(\dfrac{k}{3}+2\right)=k+6=2k$

따라서 $k=6$

18

정답 ④

STEP A $a_{n+1}=a_n+d$**이면 수열 $\{a_n\}$은 공차가 d인 등차수열임을 이용하기**

모든 자연수 n에 대하여 $a_{n+1}=a_n+4$

즉 $a_{n+1}-a_n=4$이므로

수열 $\{a_n\}$은 공차가 4인 등차수열이다.

수열 $\{a_n\}$의 첫째항을 a라 하면

$a_n=a+(n-1)\cdot 4=4n+a-4$

$a_{2n}=a+(2n-1)\cdot 4=8n+a-4$

이므로 $a_{2n}-a_n=4n$

STEP B $\displaystyle\sum_{k=1}^{12}(a_{2k}-a_k)$**의 값 구하기**

따라서 $\displaystyle\sum_{k=1}^{12}(a_{2k}-a_k)=\sum_{k=1}^{12}4k=4\sum_{k=1}^{12}k=4\cdot\dfrac{12\cdot 13}{2}=312$

19

정답 ①

STEP A **항을 나열하여 규칙성 구하기**

$a_5=5$에서

$a_6=a_5+3=5+3=8$, $a_7=\dfrac{1}{2}a_6=\dfrac{8}{2}=4$,

$a_8=\dfrac{1}{2}a_7=\dfrac{4}{2}=2$, $a_9=\dfrac{1}{2}a_8=\dfrac{2}{2}=1$,

$a_{10}=a_9+3=1+3=4$, $a_{11}=\dfrac{1}{2}a_{10}=\dfrac{4}{2}=2$,

$a_{12}=\dfrac{1}{2}a_{11}=\dfrac{2}{2}=1$, $\cdots$

$n\geq 7$에서 수열 $\{a_n\}$는 4, 2, 1이 이 순서대로 반복된다.

$$a_n=\begin{cases}4 & (n=3m-2)\\2 & (n=3m-1)\ (m\geq 3\text{인 자연수})\\1 & (n=3m)\end{cases}$$

STEP B $a_{101}+a_{102}+a_{103}+\cdots+a_{120}$**의 값 구하기**

따라서 $a_{101}+a_{102}+a_{103}+\cdots+a_{120}=(2+1+4)\times 6+2+1=45$

20

정답 ④

STEP A **빈칸 (가), (나), (다)에 알맞은 식 구하기**

(i) $n=1$일 때,

(좌변)$=\dfrac{4!}{8}=3$, (우변)$=\boxed{2}$

따라서 $n=1$일 때, ㉠이 성립한다.

(ii) $n=k$일 때, ㉠이 성립한다고 가정하면

$\dfrac{(k+3)!}{8}>2^k$

$n=k+1$일 때,

$\dfrac{(k+4)!}{8}=(\boxed{k+4})\times\dfrac{(k+3)!}{8}$

$>(\boxed{k+4})\times 2^k=k\times 2^k+2^{k+2}$

$>2^{k+1}$

따라서 $n=\boxed{k+1}$일 때도 ㉠이 성립한다.

(i), (ii)에 의하여 모든 자연수 n에 대하여 ㉠이 성립한다.

STEP B $a+f(10)+g(10)$**의 값 구하기**

따라서 $a=2$, $f(k)=k+4$, $g(k)=k+1$이므로

$a+f(10)+g(10)=2+14+11=27$

21

정답 해설참조

1단계 등차수열의 공차를 구한다. ◀ 40%

등차수열 $\{a_n\}$의 공차를 d라고 하면

$a_m=38+(m-1)d=5$ ...... ㉠

$S_m=\dfrac{m(38+5)}{2}=258$ ...... ㉡

㉡에서 $43m=516$이므로 $m=12$

㉠에 대입하면 $38+11d=5$에서 $d=-3$

2단계 처음으로 음수가 나오는 항은 제 몇 항인지 구한다. ◀ 30%

즉 $a_1=38$이고 공차가 -3인 등차수열의 일반항은

$a_n=38+(n-1)\cdot(-3)=41-3n$

이 등차수열의 제 n항이 음수가 된다고 하면

$a_n=-3n+41<0$에서 $n>\dfrac{41}{3}=13.66\cdots$

즉 등차수열 $\{a_n\}$은 제 14항부터 음수이므로 $n=14$

3단계 S_n의 최댓값을 구한다. ◀ 30%

즉 등차수열 $\{a_n\}$은 제 13항까지 양수이므로

첫째항부터 제 13항까지의 합이 최대이다.

따라서 $n=13$일 때, 구하는 최댓값은

$S_{13}=\dfrac{13\{2\cdot38+(13-1)\cdot(-3)\}}{2}=260$

참고 $S_{13}=S_{12}+a_{13}=258+(41-39)=260$

22

정답 해설참조

1단계 이차방정식의 근과 계수의 관계를 이용하여 $m+n$, mn의 값을 구한다. ◀ 20%

이차방정식 $x^2-8x+12=0$의 두 근이 m, n이므로

근과 계수의 관계에 의하여 $m+n=8$, $mn=12$

2단계 $\displaystyle\sum_{k=1}^{m}\left\{\sum_{l=1}^{n}(k+l)\right\}$을 시그마의 성질과 공식을 이용하여 m, n에 대한 식으로 나타낸다. ◀ 50%

$\displaystyle\sum_{k=1}^{m}\left\{\sum_{l=1}^{n}(k+l)\right\}=\sum_{k=1}^{m}\left\{\sum_{l=1}^{n}k+\sum_{l=1}^{n}l\right\}$

$\displaystyle=\sum_{k=1}^{m}\left\{kn+\dfrac{n(n+1)}{2}\right\}$

$\displaystyle=n\sum_{k=1}^{m}k+\dfrac{n(n+1)}{2}\sum_{k=1}^{m}1$

$=n\cdot\dfrac{m(m+1)}{2}+\dfrac{n(n+1)}{2}\cdot m$

$=\dfrac{mn}{2}(m+n+2)$

3단계 $\displaystyle\sum_{k=1}^{m}\left\{\sum_{l=1}^{n}(k+l)\right\}$의 값을 구한다. ◀ 30%

따라서 $m+n=8$, $mn=12$이므로

$\dfrac{mn}{2}(m+n+2)=\dfrac{12}{2}(8+2)=6\cdot10=60$

23

정답 해설참조

1단계 a_2, a_3, a_4, a_5, $\cdots$, a_{50}의 값을 구한다. ◀ 40%

관계식 $a_{n+1}=(n+1)a_n$의 n에 1, 2, 3, $\cdots$, $n-1$을 차례대로 대입하면

$a_2=2a_1=2\times1$

$a_3=3a_2=3\times2\times1$

$a_4=4a_3=4\times3\times2\times1$

$\vdots$

$a_n=na_{n-1}=n\times(n-1)\times(n-2)\times\cdots\times1$

이므로

$a_1+a_2+a_3+\cdots+a_{50}=1+(2\times1)+(3\times2\times1)+\cdots+(50\times49\times\cdots\times1)$

2단계 a_5, a_6, a_7, $\cdots$, a_{50}의 각 항이 30의 배수임을 서술한다. ◀ 40%

그런데 $a_5=5\times4\times3\times2\times1=120$이므로

a_5, a_6, a_7, $\cdots$, a_{50}은 모두 30의 배수이다.

즉 $a_5+a_6+\cdots+a_{50}$은 30으로 나누어떨어진다.

따라서 $a_1+a_2+a_3+\cdots+a_{50}$을 30으로 나누었을 때의 나머지는

$a_1+a_2+a_3+a_4$를 30으로 나누었을 때의 나머지와 같다.

3단계 $a_1+a_2+a_3+\cdots+a_{50}$을 30으로 나누었을 때의 나머지를 구한다. ◀ 20%

이때 $a_1+a_2+a_3+a_4=1+2+6+24=33$이므로 구하는 나머지는 3이다.

24

정답 해설참조

1단계 $1\leq n\leq2000$에서 $\log5n$이 정수가 되도록 하는 n값을 구한다. ◀ 30%

$1\leq n\leq2000$에서 $\log5n$이 정수이면 $n=2\cdot10^k$ (단, k는 정수)

$k=0$일 때, $n=2$

$k=1$일 때, $n=20$

$k=2$일 때, $n=200$

$k=3$일 때, $n=2000$

따라서 자연수 n의 값은 2, 20, 200, 2000

2단계 [1단계]의 결과를 기준으로 $1\leq n\leq2000$에서 자연수 n의 범위를 나누어 각 범위에서의 $[\log5n]$의 값을 구한다. ◀ 30%

$1\leq n<2$일 때, $0\leq\log5n<1$이므로 $[\log5n]=0$

$2\leq n<20$일 때, $1\leq\log5n<2$이므로 $[\log5n]=1$

$20\leq n<200$일 때, $2\leq\log5n<3$이므로 $[\log5n]=2$

$200\leq n<2000$일 때, $3\leq\log5n<4$이므로 $[\log5n]=3$

$n=2000$일 때, $\log5n=4$이므로 $[\log5n]=4$

3단계 $\displaystyle\sum_{n=1}^{2000}[\log5n]$의 값을 구한다. ◀ 40%

$\displaystyle\sum_{n=1}^{2000}[\log5n]$

$=0\cdot(2-1)+1\cdot(20-2)+2\cdot(200-20)+3\cdot(2000-200)+4$

$=0\cdot1+1\cdot18+2\cdot180+3\cdot1800+4$

$=0+18+360+5400+4=5782$